WÖRTERBUCH

FRANZÖSISCH-DEUTSCH
DEUTSCH-FRANZÖSISCH

ORBIS VERLAG

Begründet von

Prof. Dr. Karl Knauer
und
Dr. Elisabeth Knauer

Fortgeführt und aktualisiert von
Klaus E. W. Fleck

© Mosaik Verlag GmbH, München
Sonderausgabe 1995 Orbis Verlag
für Publizistik GmbH, München
Gesamtherstellung Graphische Großbetriebe Pößneck
Printed in Germany · ISBN 3-572-00772-0

Inhaltsverzeichnis

Vorwort

Es war unsere Absicht, in diesem Wörterbuch den charakteristischen Wortschatz der modernen französischen Sprache zu bringen. Nicht nur das allgemeine Wortgut wurde erfaßt, sondern auch die Terminologie aller aktuellen Gebiete des modernen Lebens, wie Wissenschaft, Technik, Verkehr, Wirtschaft, Recht, Politik, Sport, Mode, wurde weitgehend berücksichtigt.

Alle lebenden Sprachen sind einem steten Wandel unterworfen. Ausgesprochene Fachwörter bestimmter Berufsschichten werden allmählich zu gebräuchlichem Sprachgut, ursprünglich derb volkssprachliche Ausdrücke erfahren durch ständigen Gebrauch eine Abschwächung und finden Einlaß in die Umgangssprache, manche idiomatischen Wendungen haben heute einen anderen Sinn als vor zehn, zwanzig oder dreißig Jahren. Da die Vielfalt und Lebendigkeit einer Sprache vor allem im Idiomatischen deutlich wird, haben wir diesem Punkt besondere Aufmerksamkeit gewidmet und uns bemüht, dem erstaunlichen Reichtum des Französischen an plastischen und oft auch drastischen Redewendungen mit ihren vielen Nuancen gerecht zu werden.

Um dem Benutzer zeigen zu können, welchem Gebiet ein französisches Wort angehört, bedienten wir uns zahlreicher Bildzeichen und Abkürzungen (siehe Seiten 38–39), die den Bedeutungsbereich so scharf wie möglich abgrenzen.

Wegen der Verschiedenartigkeit der beiden Sprachen ist es nicht immer möglich, einen französischen Ausdruck mit oft sehr feinen Nuancen absolut genau ins Deutsche zu übersetzen. In diesem Zusammenhang muß man unterscheiden: französische Wörter und Ausdrücke der vertrauten Umgangssprache, volkstümliches und ausgesprochen derbes Sprachgut, das in einem modernen Wörterbuch nicht fehlen darf. Es übergehen hieße das Gesicht der Sprache empfindlich fälschen, denn diese Bildungen finden sich in erheblicher Anzahl selbst in französischen Meisterromanen. Entsprechendes gilt für das Argot, jene Sondersprache der verschiedenen Gewerbe oder sozialen Gruppen, die innerhalb des Französischen fast als eine Sprache für sich anzusehen ist. Diese verschiedenen Sprachebenen sind in den Stichwortartikeln durch Abkürzungen gekennzeichnet (siehe Seite 39). Die Abkürzungen *umg* und *pop*, die im französisch-deutschen Teil des Wörterbuches sehr häufig erscheinen, werden im deutsch-französischen Teil nur angeführt, wenn der Benutzer wissen muß, daß z. B. die eine von zwei französischen Übersetzungen der Umgangssprache, die andere der derben Volkssprache angehört.

Der französisch-deutsche Teil enthält in Form von Ziffern Hinweise auf die grammatischen Erläuterungen (Seiten 10 ff.) über die Konjugation der Verben, die Pluralbildung, die weibliche Form der Adjektive und die Bildung der Adverbien. Die charakteristischen Konstruktionsmerkmale eines französischen Wortes sind überall dort, wo Zweifel auftauchen könnten, durch Beifügung der erforderlichen Präposition usw. angegeben.

Zu jedem französischen Stichwort, auch zu den Ableitungen und Zusammensetzungen, bringen wir die genaue Aussprachebezeichnung in der Lautschrift der Association Phonétique Internationale (siehe Seite 9).

Da dieses Werk hauptsächlich für den deutschen Benutzer gedacht ist, wurden Schwierigkeiten der deutschen Formenbildung nicht berücksichtigt.

Wir möchten dem Benutzer nachdrücklich empfehlen, die kurzen Erklärungen auf den folgenden Seiten gründlich zu lesen. Erst dann wird er alle Hilfen voll nutzen können, die das Wörterbuch bietet.

Allen, die an der Gestaltung dieses Werkes beteiligt waren, gilt unser aufrichtiger Dank.

Verfasser und Verlag

Erklärungen

Anordnung der Stichwörter

Wortfamilien wurden – soweit die alphabetische Reihenfolge dies zuließ – zu einem Stichwortartikel zusammengefaßt. Das fettgedruckte Hauptstichwort oder dessen erster Teil vor dem senkrechten Strich werden bei den Ableitungen und Zusammensetzungen durch eine Tilde (~) wieder aufgenommen.

B e i s p i e l e : **accueil** Empfang; **~lant** freundlich; **~lir** empfangen
acid|e sauer; **~ifère** säurebildend; **~imètre** Säuremesser
Ausgeschrieben: accueil, accueillant, accueillir; acide, acidifère, acidimètre

Das gleiche gilt für den deutsch-französischen Teil. In beiden Teilen wird bei Verwendung der Tilde der Wechsel zwischen Groß- und Kleinschreibung gekennzeichnet:
afri|cain afrikanisch; **ᴸcain** m Afrikaner
Allem|agne f: l'~agne Deutschland; **ᴸand** deutsch; m das Deutsche
betrüg|en tromper; **ᴸer** trompeur
Bär ours m; **ᴸbeißig** hargneux, grognon

Zwei gleichlautende deutsche Infinitive, die jedoch verschiedene Betonung aufweisen, werden durch einen Akzent vor der Tonsilbe unterschieden.

B e i s p i e l : **'umfahren – um'fahren**

Die Stichwortartikel sind wie folgt aufgebaut: Nach dem Hauptstichwort folgen zunächst dessen Bedeutungen, im Anschluß daran einschlägige Ausdrücke (Redewendungen und Idiomatismen). Vor allem in längeren Artikeln sind die verschiedenen Entsprechungen oft der Übersichtlichkeit wegen durch fettgedruckte Ziffern gekennzeichnet. Beispiele und Redewendungen erscheinen jeweils unter der Bedeutung, zu der sie sinngemäß gehören. Vor einer idiomatischen Redewendung steht eine Raute (♦). Die dem Hauptstichwort in alphabetischer Anordnung folgenden (halbfetten) Unterstichwörter werden ebenso behandelt.

Um Platz zu sparen, wurde die Aussprachebezeichnung von Ableitungen des Hauptstichwortes nach Möglichkeit verkürzt. Ein Strich (-) ersetzt grundsätzlich die Silben des Wortes, die in der Aussprache der Ableitung oder Zusammensetzung wiederkehren.

B e i s p i e l : **abond|ance** [abɔ̃dɑ̃s]; **~ant** [-dɑ̃]; **~er** [-de].

Ratschläge für die richtige Benutzung des Wörterbuches

Will man einen deutschen Text ins Französische übertragen oder einen französischen Text verfassen, z. B. einen Brief, so arbeite man stets mit beiden Teilen. Im deutsch-französischen Teil ermittelt man das entsprechende französische Wort. Geht der Anwendungsbereich oder die Bedeutungsnuance des dort gegebenen Wortes nicht klar genug aus den Abkürzungen, Bildzeichen oder Klammerzusätzen hervor, schlage man das Wort im französisch-deutschen Teil nach; aus den dort aufgeführten deutschen Übersetzungen ersieht man, ob die französische Entsprechung in dem besonderen Zusammenhang wirklich zu verwenden ist. Das Nachschlagen im französisch-deutschen Teil ist vor allem auch dann nützlich, wenn man sich über den grammatikalisch richtigen Gebrauch eines französischen Wortes – etwa einer Zusammensetzung mit unregelmäßigem Plural oder eines unregelmäßigen Verbs – nicht im klaren ist. Im französisch-deutschen Teil verweisen Ziffern auf die entsprechenden Abschnitte der Grammatik (Seiten 9–38).

Um den Anwendungsbereich der Wörter genau abzugrenzen, wurde mit Hilfe von Abkürzungen und Bildzeichen angegeben, welchem Sachgebiet ein bestimmtes Wort angehört. Wie wichtig diese Abgrenzung ist, mag folgendes Beispiel zeigen: Drucker, Fotograf und Soldat verstehen unter «Abzug» nicht dasselbe; der Soldat könnte sogar im Zweifel sein, ob der Abzug am Gewehr oder der Abzug der Truppen gemeint ist. Bildzeichen und Abkürzungen werden jedoch nur nur als Hilfen gegeben, wo ihr Fehlen zu Mißverständnissen führen könnte. So ist etwa bei **anémie** der Zusatz ⚕ überflüssig, nicht aber bei **épreuve**, wo ▯ zeigen soll, daß es sich um einen Begriff aus der Druckerei handelt.

Entsprechendes gilt auch für die grammatischen Zusätze wie *vt, vi, adj* usw.

9

Die Lautzeichen der Association Phonétique Internationale

Vokale			Konsonanten		
Zeichen	Beispiele	verwandter deutscher Laut	Zeichen	Beispiele	verwandter deutscher Laut
a	patte	satt	b	bois	bunt
ɑ	gâter	klar	d	douter	durch
ɑ̃	banc, temple		f	flûte	fein
e	bébé	gehen	g	grand	groß
ɛ	dette	Brett	k	carte	kaufen
ɛ̃	pain, cousin		l	lampe	Lampe
ə	dedans	gebrauchen	m	mon	Mut
i	dire	mir	n	non	nie
o	beau	groß	ɲ	baigner	
ɔ	porte	kommen	ŋ	gong	Gesang
ɔ̃	garçon		p	père	Puder
ø	bleu	böse	r	rond	rund
œ	bœuf	schöpfen	s	sans	Aster
œ̃	un, humble		z	mazout	Sohn
u	sous	Mund	ʃ	champ	schön
y	chute	Tür	ʒ	Georges, juge	
			t	ton	Tanne
			v	vert	wie

Halbkonsonanten

w	ouïe, wigwam	
j	nation	jetzt
ɥ	nuit	

Vokaldehnung wird durch : hinter dem betreffenden Vokal bezeichnet, die Tonstelle mehrsilbiger Wörter durch einen Punkt unter dem Tonvokal: plage [plaːʒ]; habit [abi]; chanteuse [ʃɑ̃tø̥z]. – Konsonantisches h zu Beginn eines Wortes (also keine Bindung!) wird unterstrichen.

a	b	c	d	e	f	g	h	i
[a]	[be]	[se]	[de]	[e]	[ɛf]	[ʒe]	[aʃ]	[i]
j	**k**	**l**	**m**	**n**	**o**	**p**	**q**	**r**
[ʒi]	[ka]	[ɛl]	[ɛm]	[ɛn]	[o]	[pe]	[ky]	[ɛːr]
s	**t**	**u**	**v**	**w**	**x**	**y**	**z**	
[ɛs]	[te]	[y]	[ve]	[dubləvə]	[iks]	[igrɛk]	[zɛd]	

Grammatik

Die Verben

Die rund 5000 französischen Verben enden im Infinitiv (Nennform) auf **-er** [e], **-ir** [iːr], **-oir** [waːr] oder **-re** [r]. Über 4000 werden jedoch nach ein und demselben Schema – nach dem der Verben auf **-er** (Nr. 11) – konjugiert, dessen einzelne Untertypen, von zwei Fällen abgesehen (siehe Seite 10, Nr. 3 und 7), nur geringfügige Unterschiede aufweisen. Die nächstgrößere Gruppierung umfaßt einige hundert Verben auf **-ir**, die alle der Gruppe 22 angehören. Diese beiden Gruppierungen nennt man auch die **regelmäßigen** Konjugationen.

Der Rest von etwa 150 Verben verteilt sich auf eine Anzahl von Untertypen auf **ir**, die **oir**- und die **-re**-Verben und umfaßt die wichtigsten Zeitwörter der Umgangssprache. Diese Verben sind **unregelmäßig**. Ihre Konjugation weist beträchtliche Besonderheiten auf.

Wir stellen im folgenden die Konjugation sämtlicher Typen an Hand stellvertretender Musterverben dar und nehmen im französisch-deutschen Teil des Wörterbuchs auf ihre jeweilige Ordnungsnummer Bezug. Der Übersicht halber nehmen wir am Gesamtschatz der Konjugationsformen einige Vereinfachungen vor:

1. Wir beschränken uns auf die einfach gebildeten Formen (je porte, je tiens) und lassen die zusammengesetzten (j'ai porté, je suis venu) beiseite, da sie ausnahmslos dem gleichen Schema (avoir bzw. être + Partizip Perfekt) gehorchen.
2. Wir geben nur die aktivischen Formen, da das Passiv bei allen Verben, die ein solches bilden können, die gleiche Form besitzt (être + Partizip Perfekt).

Anmerkungen über ungebräuchliche Verbalformen (siehe z. B. Nr. 35: déchoir) gelten nur für das Musterverb selbst; über Verben, die nach seinem Schema konjugiert werden, gibt jede ausführliche Grammatik Auskunft.

Musterverben mit der Endung -er

	Präsens Ind.	Konj.	Imperfekt Ind.	Konj.	Passé simple
1. acheter					
j'	achète	achète	achetais	achetasse	achetai
tu	achètes	achètes	achetais	achetasses	achetas
il	achète	achète	achetait	achetât	acheta
nous	achetons	achetions	achetions	achetassions	achetâmes
vous	achetez	achetiez	achetiez	achetassiez	achetâtes
ils	achètent	achètent	achetaient	achetassent	achetèrent
2. alléger					
j'	allège	allège	allégeais	allégeasse	allégeai
tu	allèges	allèges	allégeais	allégeasses	allégeas
il	allège	allège	allégeait	allégeât	allégea
nous	allégeons	allégions	allégions	allégeassions	allégeâmes
vous	allégez	allégiez	allégiez	allégeassiez	allégeâtes
ils	allègent	allègent	allégeaient	allégeassent	allégèrent
3. aller					
je	vais	j'aille	j'allais	j'allasse	j'allai
tu	vas	ailles	allais	allasses	allas
il	va	aille	allait	allât	alla
nous	allons	allions	allions	allassions	allâmes
vous	allez	alliez	alliez	allassiez	allâtes
ils	vont	aillent	allaient	allassent	allèrent
4. atteler					
j'	attelle	attelle	attelais	attelasse	attelai
tu	attelles	attelles	attelais	attelasses	attelas
il	attelle	attelle	attelait	attelât	attela
nous	attelons	attelions	attelions	attelassions	attelâmes
vous	attelez	atteliez	atteliez	attelassiez	attelâtes
ils	attellent	attellent	attelaient	attelassent	attelèrent
5. broyer					
je	broie	broie	broyais	broyasse	broyai
tu	broies	broies	broyais	broyasses	broyas
il	broie	broie	broyait	broyât	broya
nous	broyons	broyions	broyions	broyassions	broyâmes
vous	broyez	broyiez	broyiez	broyassiez	broyâtes
ils	broient	broient	broyaient	broyassent	broyèrent
6. déléguer					
je	délègue	délègue	déléguais	déléguasse	déléguai
tu	délègues	délègues	déléguais	déléguasses	déléguas
il	délègue	délègue	déléguait	déléguât	délégua
nous	déléguons	déléguions	déléguions	déléguassions	déléguâmes
vous	déléguez	déléguiez	déléguiez	déléguassiez	déléguâtes
ils	délèguent	délèguent	déléguaient	déléguassent	déléguèrent
7. envoyer					
j'	envoie	envoie	envoyais	envoyasse	envoyai
tu	envoies	envoies	envoyais	envoyasses	envoyas
il	envoie	envoie	envoyait	envoyât	envoya
nous	envoyons	envoyions	envoyions	envoyassions	envoyâmes
vous	envoyez	envoyiez	envoyiez	envoyassiez	envoyâtes
ils	envoient	envoient	envoyaient	envoyassent	envoyèrent
8. geler					
je	gèle	gèle	gelais	gelasse	gelai
tu	gèles	gèles	gelais	gelasses	gelas
il	gèle	gèle	gelait	gelât	gela

Futur	Konditional	Imperativ	Partizip Präsens	Perfekt
achèterai	achèterais		achetant	acheté
achèteras	achèterais	achète		
achètera	achèterait			
achèterons	achèterions	achetons		
achèterez	achèteriez	achetez		
achèteront	achèteraient			
allégerai	allégerais		allégeant	allégé
allégeras	allégerais	allège		
allégera	allégerait			
allégerons	allégerions	allégeons		
allégerez	allégeriez	allégez		
allégeront	allégeraient			
j'irai	j'irais		allant	allé
iras	irais	va		
ira	irait			
irons	irions	allons		
irez	iriez	allez		
iront	iraient			
attellerai	attellerais		attelant	attelé
attelleras	attellerais	attelle		
attellera	attellerait			
attellerons	attellerions	attelons		
attellerez	attelleriez	attelez		
attelleront	attelleraient			
broierai	broierais		broyant	broyé
broieras	broierais	broie		
broiera	broierait			
broierons	broierions	broyons		
broierez	broieriez	broyez		
broieront	broieraient			
déléguerai	déléguerais		déléguant	délégué
délégueras	déléguerais	délègue		
déléguera	déléguerait			
déléguerons	déléguerions	déléguons		
déléguerez	délégueriez	déléguez		
délégueront	délégueraient			
enverrai	enverrais		envoyant	envoyé
enverras	enverrais	envoie		
enverra	enverrait			
enverrons	enverrions	envoyons		
enverrez	enverriez	envoyez		
enverront	enverraient			
gèlerai	gèlerais		gelant	gelé
gèleras	gèlerais	gèle		
gèlera	gèlerait			

Musterverben mit der Endung -er

	Präsens Ind.	Konj.	Imperfekt Ind.	Konj.	Passé simple
Fortsetzung 8. geler					
nous	gelons	gelions	gelions	gelassions	gelâmes
vous	gelez	geliez	geliez	gelassiez	gelâtes
ils	gèlent	gèlent	gelaient	gelassent	gelèrent
9. grasseyer					
je	grasseye	grasseye	grasseyais	grasseyasse	grasseyai
tu	grasseyes	grasseyes	grasseyais	grasseyasses	grasseyas
il	grasseye	grasseye	grasseyait	grasseyât	grasseya
nous	grasseyons	grasseyions	grasseyions	grasseyassions	grasseyâmes
vous	grasseyez	grasseyiez	grasseyiez	grasseyassiez	grasseyâtes
ils	grasseyent	grasseyent	grasseyaient	grasseyassent	grasseyèrent
10. jeter					
je	jette	jette	jetais	jetasse	jetai
tu	jettes	jettes	jetais	jetasses	jetas
il	jette	jette	jetait	jetât	jeta
nous	jetons	jetions	jetions	jetassions	jetâmes
vous	jetez	jetiez	jetiez	jetassiez	jetâtes
ils	jettent	jettent	jetaient	jetassent	jetèrent
11. porter					
je	porte	porte	portais	portasse	portai
tu	portes	portes	portais	portasses	portas
il	porte	porte	portait	portât	porta
nous	portons	portions	portions	portassions	portâmes
vous	portez	portiez	portiez	portassiez	portâtes
ils	portent	portent	portaient	portassent	portèrent
12. payer					
je	paye	paye	payais	payasse	payai
	paie	paie			
tu	payes	payes	payais	payasses	payas
	paies	paies			
il	paye	paye	payait	payât	paya
	paie	paie			
nous	payons	payions	payions	payassions	payâmes
vous	payez	payiez	payiez	payassiez	payâtes
ils	payent	payent	payaient	payassent	payèrent
	paient	paient			
13. régner					
je	règne	règne	régnais	régnasse	régnai
tu	règnes	règnes	régnais	régnasses	régnas
il	règne	règne	régnait	régnât	régna
nous	régnons	régnions	régnions	régnassions	régnâmes
vous	régnez	régniez	régniez	régnassiez	régnâtes
ils	règnent	règnent	régnaient	régnassent	régnèrent
14. songer					
je	songe	songe	songeais	songeasse	songeai
tu	songes	songes	songeais	songeasses	songeas
il	songe	songe	songeait	songeât	songea
nous	songeons	songions	songions	songeassions	songeâmes
vous	songez	songiez	songiez	songeassiez	songeâtes
ils	songent	songent	songeaient	songeassent	songèrent
15. tracer					
je	trace	trace	traçais	traçasse	traçai
tu	traces	traces	traçais	traçasses	traças
il	trace	trace	traçait	traçât	traça
nous	traçons	tracions	tracions	traçassions	traçâmes

Futur	Konditional	Imperativ	Partizip Präsens	Perfekt
gèlerons	gèlerions	gelons		
gèlerez	gèleriez	gelez		
gèleront	gèleraient			
grasseyerai	grasseyerais		grassevant	grasseyé
grasseyeras	grasseyerais	grasseye		
grasseyera	grasseyerait			
grasseyerons	grasseyerions	grasseyons		
grasseyerez	grasseyeriez	grasseyez		
grasseyeront	grasseyeraient			
jetterai	jetterais		jetant	jeté
jetteras	jetterais	jette		
jettera	jetterait			
jetterons	jetterions	jetons		
jetterez	jetteriez	jetez		
jetteront	jetteraient			
porterai	porterais		portant	porté
porteras	porterais	porte		
portera	porterait			
porterons	porterions	portons		
porterez	porteriez	portez		
porteront	porteraient			
paierai	paierais		payant	payé
paieras	paierais	paie		
paiera	paierait			
paierons	paierions	payons		
paierez	paieriez	payez		
paieront	paieraient			
régnerai	régnerais		régnant	régné
régneras	régnerais	règne		
régnera	régnerait			
régnerons	régnerions	régnons		
régnerez	régneriez	régnez		
régneront	régneraient			
songerai	songerais		songeant	songé
songeras	songerais	songe		
songera	songerait			
songerons	songerions	songeons		
songerez	songeriez	songez		
songeront	songeraient			
tracerai	tracerais		traçant	tracé
traceras	tracerais	trace		
tracera	tracerait			
tracerons	tracerions	traçons		

Musterverben mit der Endung -ir

	Präsens Ind.	Konj.	Imperfekt Ind.	Konj.	Passé simple
Fortsetzung 15. tracer					
vous	tracez	traciez	traciez	traçassiez	traçâtes
ils	tracent	tracent	traçaient	traçassent	tracèrent
16. assaillir					
j'	assaille	assaille	assaillais	assaillisse	assaillis
tu	assailles	assailles	assaillais	assaillisses	assaillis
il	assaille	assaille	assaillait	assaillît	assaillit
nous	assaillons	assaillions	assaillions	assaillissions	assaillîmes
vous	assaillez	assailliez	assailliez	assaillissiez	assaillîtes
ils	assaillent	assaillent	assaillaient	assaillissent	assaillirent
17. bouillir					
je	bous	bouille	bouillais	bouillisse	bouillis
tu	bous	bouilles	bouillais	bouillisses	bouillis
il	bout	bouille	bouillait	bouillît	bouillit
nous	bouillons	bouillions	bouillions	bouillissions	bouillîmes
vous	bouillez	bouilliez	bouilliez	bouillissiez	bouillîtes
ils	bouillent	bouillent	bouillaient	bouillissent	bouillirent
18. conquérir					
je	conquiers	conquière	conquérais	conquisse	conquis
tu	conquiers	conquières	conquérais	conquisses	conquis
il	conquiert	conquière	conquérait	conquît	conquit
nous	conquérons	conquérions	conquérions	conquissions	conquîmes
vous	conquérez	conquériez	conquériez	conquissiez	conquîtes
ils	conquièrent	conquièrent	conquéraient	conquissent	conquirent
19. courir					
je	cours	coure	courais	courusse	courus
tu	cours	coures	courais	courusses	courus
il	court	coure	courait	courût	courut
nous	courons	courions	courions	courussions	courûmes
vous	courez	couriez	couriez	courussiez	courûtes
ils	courent	courent	couraient	courussent	coururent
20. cueillir					
je	cueille	cueille	cueillais	cueilisse	cueillis
tu	cueilles	cueilles	cueillais	cueillisses	cueillis
il	cueille	cueille	cueillait	cueillît	cueillit
nous	cueillons	cueillions	cueillions	cueillissions	cueillîmes
vous	cueillez	cueilliez	cueilliez	cueillissiez	cueillîtes
ils	cueillent	cueillent	cueillaient	cueillissent	cueillirent
21. faillir (nur in folgenden Formen gebräuchlich:)					
je					faillis
tu					faillis
il					faillit
nous					faillîmes
vous					faillîtes
ils					faillirent
22. finir					
je	finis	finisse	finissais	finisse	finis
tu	finis	finisses	finissais	finisses	finis
il	finit	finisse	finissait	finît	finit
nous	finissons	finissions	finissions	finissions	finîmes
vous	finissez	finissiez	finissiez	finissiez	finîtes
ils	finissent	finissent	finissaient	finissent	finirent

Futur	Konditional	Imperativ	Partizip Präsens	Perfekt
tracerez	traceriez	tracez		
traceront	traceraient			
assaillirai	assaillirais		assaillant	assailli
assailliras	assaillirais	assaille		
assaillira	assaillirait			
assaillirons	assaillirions	assaillons		
assaillirez	assailliriez	assaillez		
assailliront	assailliraient			
bouillirai	bouillirais		bouillant	bouilli
bouilliras	bouillirais	bous		
bouillira	bouillirait			
bouillirons	bouillirions	bouillons		
bouillirez	bouilliriez	bouillez		
bouilliront	bouilliraient			
conquerrai	conquerrais		conquérant	conquis
conquerras	conquerrais	conquiers		
conquerra	conquerrait			
conquerrons	conquerrions	conquérons		
conquerrez	conquerriez	conquérez		
conquerront	conquerraient			
courrai	courrais		courant	couru
courras	courrais	cours		
courra	courrait			
courrons	courrions	courons		
courrez	courriez	courez		
courront	courraient			
cueillerai	cueillerais		cueillant	cueilli
cueilleras	cueillerais	cueille		
cueillera	cueillerait			
cueillerons	cueillerions	cueillons		
cueillerez	cueilleriez	cueillez		
cueilleront	cueilleraient			
faillirai	faillirais			failli
failliras	faillirais			
faillira	faillirait			
faillirons	faillirions			
faillirez	failliriez			
failliront	failliraient			
finirai	finirais		finissant	fini
finiras	finirais	finis		
finira	finirait			
finirons	finirions	finissons		
finirez	finiriez	finissez		
finiront	finiraient			

Musterverben mit der Endung -ir

	Präsens		Imperfekt		Passé
	Ind.	Konj.	Ind.	Konj.	simple

23. fleurir

je	fleuris	fleurisse	fleurissais florissais[1])	fleurisse	fleuris
tu	fleuris	fleurisses	fleurissais florissais	fleurisses	fleuris
il	fleurit	fleurisse	fleurissait florissait	fleurit	fleurit
nous	fleurissons	fleurissions	fleurissions florissions	fleurissions	fleurimes
vous	fleurissez	fleurissiez	fleurissiez florissiez	fleurissiez	fleurites
ils	fleurissent	fleurissent	fleurissaient florissaient	fleurissent	fleurirent

24. fuir

je	fuis	fuie	fuyais	fuisse	fuis
tu	fuis	fuies	fuyais	fuisses	fuis
il	fuit	fuie	fuyait	fuît	fuit
nous	fuyons	fuyions	fuyions	fuissions	fuîmes
vous	fuyez	fuyiez	fuyiez	fuissiez	fuîtes
ils	fuient	fuient	fuyaient	fuissent	fuirent

25. gésir (nur in folgenden Formen gebräuchlich:)

je	gis		gisais		
tu	gis		gisais		
il	gît		gisait		
nous	gisons		gisions		
vous	gisez		gisiez		
ils	gisent		gisaient		

26. haïr

je	hais	haïsse	haïssais	haïsse	haïs
tu	hais	haïsses	haïssais	haïsses	haïs
il	hait	haïsse	haïssait	haït	haït
nous	haïssons	haïssions	haïssions	haïssions	haïmes
vous	haïssez	haïssiez	haïssiez	haïssiez	haïtes
ils	haïssent	haïssent	haïssaient	haïssent	haïrent

27. mourir

je	meurs	meure	mourais	mourusse	mourus
tu	meurs	meures	mourais	mourusses	mourus
il	meurt	meure	mourait	mourût	mourut
nous	mourons	mourions	mourions	mourussions	mourûmes
vous	mourez	mouriez	mouriez	mourussiez	mourûtes
ils	meurent	meurent	mouraient	mourussent	moururent

28. ouvrir

j'	ouvre	ouvre	ouvrais	ouvrisse	ouvris
tu	ouvres	ouvres	ouvrais	ouvrisses	ouvris
il	ouvre	ouvre	ouvrait	ouvrît	ouvrit
nous	ouvrons	ouvrions	ouvrions	ouvrissions	ouvrîmes
vous	ouvrez	ouvriez	ouvriez	ouvrissiez	ouvrîtes
ils	ouvrent	ouvrent	ouvraient	ouvrissent	ouvrirent

29. partir

je	pars	parte	partais	partisse	partis
tu	pars	partes	partais	partisses	partis
il	part	parte	partait	partît	partit

---

[1]) *Die -o-Formen werden nur für «fleurir» in übertragener Bedeutung gebraucht*

Futur	Konditional	Imperativ	Partizip Präsens	Perfekt
fleurirai	fleurirais		fleurissant florissant[1])	fleuri
fleuriras	fleurirais	fleuris		
fleurira	fleurirait			
fleurions	fleuririons	fleurissons		
fleurirez	fleuririez	fleurissez		
fleuriront	fleuriraient			
fuirai	fuirais		fuyant	fui
fuiras	fuirais	fuis		
fuira	fuirait			
fuirons	fuirions	fuyons		
fuirez	fuiriez	fuyez		
fuiront	fuiraient			
			gisant	
haïrai	haïrais		haïssant	haï
haïras	haïrais	hais		
haïra	haïrait			
haïrons	haïrions	haïssons		
haïrez	haïriez	haïssez		
haïront	haïraient			
mourrai	mourrais		mourant	mort
mourras	mourrais	meurs		
mourra	mourrait			
mourrons	mourrions	mourons		
mourrez	mourriez	mourez		
mourront	mourraient			
ouvrirai	ouvrirais		ouvrant	ouvert
ouvriras	ouvrirais	ouvre		
ouvrira	ouvrirait			
ouvrirons	ouvririons	ouvrons		
ouvrirez	ouvririez	ouvrez		
ouvriront	ouvriraient			
partirai	partirais		partant	parti
partiras	partirais	pars		
partira	partirait			

Musterverben mit der Endung -ir

	Präsens Ind.	Konj.	Imperfekt Ind.	Konj.	Passé simple
Fortsetzung 29. partir					
nous	partons	partions	partions	partissions	partîmes
vous	partez	partiez	partiez	partissiez	partîtes
ils	partent	partent	partaient	partissent	partirent
30. tenir					
je	tiens	tienne	tenais	tinsse	tins
tu	tiens	tiennes	tenais	tinsses	tins
il	tient	tienne	tenait	tînt	tint
nous	tenons	tenions	tenions	tinssions	tînmes
vous	tenez	teniez	teniez	tinssiez	tîntes
ils	tiennent	tiennent	tenaient	tinssent	tinrent
31. vêtir					
je	vêts	vête	vêtais	vêtisse	vêtis
tu	vêts	vêtes	vêtais	vêtisses	vêtis
il	vêt	vête	vêtait	vêtît	vêtit
nous	vêtons	vêtions	vêtions	vêtissions	vêtîmes
vous	vêtez	vêtiez	vêtiez	vêtissiez	vêtîtes
ils	vêtent	vêtent	vêtaient	vêtissent	vêtirent

Musterverben mit der Endung -oir

	Präsens Ind.	Konj.	Imperfekt Ind.	Konj.	Passé simple
32. asseoir					
j'	assieds	asseye	asseyais	assisse	assis
tu	assieds	asseyes	asseyais	assisses	assis
il	assied	asseye	asseyait	assît	assit
nous	asseyons	asseyions	asseyions	assissions	assîmes
vous	asseyez	asseyiez	asseyiez	assissiez	assites
ils	asseyent	asseyent	asseyaient	assissent	assirent
33. avoir					
j'	ai	aie	avais	eusse	eus
tu	as	aies	avais	eusses	eus
il	a	ait	avait	eût	eut
nous	avons	ayons	avions	eussions	eûmes
vous	avez	ayez	aviez	eussiez	eûtes
ils	ont	aient	avaient	eussent	eurent
34. devoir					
je	dois	doive	devais	dusse	dus
tu	dois	doives	devais	dusses	dus
il	doit	doive	devait	dût	dut
nous	devons	devions	devions	dussions	dûmes
vous	devez	deviez	deviez	dussiez	dûtes
ils	doivent	doivent	devaient	dussent	durent
35. déchoir (nur in folgenden Formen gebräuchlich:)					
je	déchois	déchoie		déchusse	déchus
tu	déchois	déchoies		déchusses	déchus
il	déchoit	déchoie		déchût	déchut
nous	déchoyons	déchoyions		déchussions	déchûmes
vous	déchouyez	déchoyiez		déchussiez	déchûtes
ils	déchoient	déchoient		déchussent	déchurent
36. émouvoir					
j'	émeus	émeuve	émouvais	émusse	émus
tu	émeus	émeuves	émouvais	émusses	émus
il	émeut	émeuve	émouvait	émût	émut
nous	émouvons	émouvions	émouvions	émussions	émûmes
vous	émouvez	émouviez	émouviez	émussiez	émûtes
ils	émeuvent	émeuvent	émouvaient	émussent	émurent

Futur	Konditional	Imperativ	Partizip Präsens	Perfekt
partirons	partirions	partons		
partirez	partiriez	partez		
partiront	partiraient			
tiendrai	tiendrais		tenant	tenu
tiendras	tiendrais	tiens		
tiendra	tiendrait			
tiendrons	tiendrions	tenons		
tiendrez	tiendriez	tenez		
tiendront	tiendraient			
vêtirai	vêtirais		vêtant	vêtu
vêtiras	vêtirais	vêts		
vêtira	vêtirait			
vêtirons	vêtirions	vêtons		
vêtirez	vêtiriez	vêtez		
vêtiront	vêtiraient			
assiérai	assiérais		asseyant	assis
assiéras	assiérais	assieds		
assiéra	assiérait			
assiérons	assiérions	asseyons		
assiérez	assiériez	asseyez		
assiéront	assiéraient			
aurai	aurais		ayant	eu
auras	aurais	aie		
aura	aurait			
aurons	aurions	ayons		
aurez	auriez	ayez		
auront	auraient			
devrai	devrais		devant	dû, due (f)
devras	devrais	dois		
devra	devrait			
devrons	devrions	devons		
devrez	devriez	devez		
devront	devraient			
déchoirai	déchoirais			déchu
déchoiras	déchoirais			
déchoira	déchoirait			
déchoirons	déchoirions			
déchoirez	déchoiriez			
déchoiront	déchoiraient			
émouvrai	émouvrais		émouvant	ému
émouvras	émouvrais	émeus		
émouvra	émouvrait			
émouvrons	émouvrions	émouvons		
émouvrez	émouvriez	émouvez		
émouvront	émouvraient			

Musterverben mit der Endung -oir

	Präsens		Imperfekt		Passé
	Ind.	Konj.	Ind.	Konj.	simple

37. falloir (nur in folgenden Formen gebräuchlich:)

il	faut	faille	fallait	fallût	fallut

38. mouvoir

je	meus	meuve	mouvais	musse	mus
tu	meus	meuves	mouvais	musses	mus
il	meut	meuve	mouvait	mût	mut
nous	mouvons	mouvions	mouvions	mussions	mûmes
vous	mouvez	mouviez	mouviez	mussiez	mûtes
ils	meuvent	meuvent	mouvaient	mussent	murent

39. pleuvoir (nur in folgenden Formen gebräuchlich:)

il	pleut	pleuve	pleuvait	plût	plut

40. pourvoir

je	pourvois	pourvoie	pourvoyais	pourvusse	pourvus
tu	pourvois	pourvoies	pourvoyais	pourvusses	pourvus
il	pourvoit	pourvoie	pourvoyait	pourvût	pourvut
nous	pourvoyons	pourvoyions	pourvoyions	pourvussions	pourvûmes
vous	pourvoyez	pourvoyiez	pourvoyiez	pourvussiez	pourvûtes
ils	pourvoient	pourvoient	pourvoyaient	pourvussent	pourvurent

41. pouvoir

je	peux (puis)	puisse	pouvais	pusse	pus
tu	peux	puisses	pouvais	pusses	pus
il	peut	puisse	pouvait	pût	put
nous	pouvons	puissions	pouvions	pussions	pûmes
vous	pouvez	puissiez	pouviez	pussiez	pûtes
ils	peuvent	puissent	pouvaient	pussent	purent

42. prévaloir

je	prévaux	prévale	prévalais	prévalusse	prévalus
tu	prévaux	prévales	prévalais	prévalusses	prévalus
il	prévaut	prévale	prévalait	prévalût	prévalut
nous	prévalons	prévalions	prévalions	prévalussions	prévalûmes
vous	prévalez	prévaliez	prévaliez	prévalussiez	prévalûtes
ils	prévalent	prévalent	prévalaient	prévalussent	prévalurent

43. prévoir

je	prévois	prévoie	prévoyais	prévisse	prévis
tu	prévois	prévoies	prévoyais	prévisses	prévis
il	prévoit	prévoie	prévoyait	prévît	prévit
nous	prévoyons	prévoyions	prévoyions	prévissions	prévîmes
vous	prévoyez	prévoyiez	prévoyiez	prévissiez	prévîtes
ils	prévoient	prévoient	prévoyaient	prévissent	prévirent

44. recevoir

je	reçois	reçoive	recevais	reçusse	reçus
tu	reçois	reçoives	recevais	reçusses	reçus
il	reçoit	reçoive	recevait	reçût	reçut
nous	recevons	recevions	recevions	reçussions	reçûmes
vous	recevez	receviez	receviez	reçussiez	reçûtes
ils	reçoivent	reçoivent	recevaient	reçussent	reçurent

45. savoir

je	sais	sache	savais	susse	sus
tu	sais	saches	savais	susses	sus
il	sait	sache	savait	sût	sut
nous	savons	sachions	savions	sussions	sûmes
vous	savez	sachiez	saviez	sussiez	sûtes
ils	savent	sachent	savaient	sussent	surent

Futur	Konditional	Imperativ	Partizip Präsens	Perfekt
faudra	faudrait			fallu
mouvrai	mouvrais		mouvant	mû, mue (f)
mouvras	mouvrais	meus		
mouvra	mouvrait			
mouvrons	mouvrions	mouvons		
mouvrez	mouvriez	mouvez		
mouvront	mouvraient			
pleuvra	pleuvrait		pleuvant	plu
pourvoirai	pourvoirais		pourvoyant	pourvu
pourvoiras	pourvoirais	pourvois		
pourvoira	pourvoirait			
pourvoirons	pourvoirions	pourvoyons		
pourvoirez	pourvoiriez	pourvoyez		
pourvoiront	pourvoiraient			
pourrai	pourrais		pouvant	pu
pourras	pourrais			
pourra	pourrait			
pourrons	pourrions			
pourrez	pourriez			
pourront	pourraient			
prévaudrai	prévaudrais		prévalant	prévalu
prévaudras	prévaudrais	prévaux		
prévaudra	prévaudrait			
prévaudrons	prévaudrions	prévalons		
prévaudrez	prévaudriez	prévalez		
prévaudront	prévaudraient			
prévoirai	prévoirais		prévoyant	prévu
prévoiras	prévoirais	prévois		
prévoira	prévoirait			
prévoirons	prévoirions	prévoyons		
prévoirez	prévoiriez	prévoyez		
prévoiront	prévoiraient			
recevrai	recevrais		recevant	reçu
recevras	recevrais	reçois		
recevra	recevrait			
recevrons	recevrions	recevons		
recevrez	recevriez	recevez		
recevront	recevraient			
saurai	saurais		sachant	su
sauras	saurais	sache		
saura	saurait			
saurons	saurions	sachons		
saurez	sauriez	sachez		
sauront	sauraient			

Musterverben mit der Endung -oir

	Präsens		Imperfekt		Passé
	Ind.	Konj.	Ind.	Konj.	simple

46. seoir (nur in folgenden Formen gebräuchlich:)

il	sied	siée	seyait		
ils	siéent	siéent	seyaient		

47. surseoir

je	sursois	sursoie	sursoyais	sursisse	sursis
tu	sursois	sursoies	sursoyais	sursisses	sursis
il	sursoit	sursoie	sursoyait	sursît	sursit
nous	sursoyons	sursoyions	sursoyions	sursissions	sursîmes
vous	sursoyez	sursoyiez	sursoyiez	sursissiez	sursîtes
ils	sursoient	sursoient	sursoyaient	sursissent	sursirent

48. valoir

je	vaux	vaille	valais	valusse	valus
tu	vaux	vailles	valais	valusses	valus
il	vaut	vaille	valait	valût	valut
nous	valons	valions	valions	valussions	valûmes
vous	valez	valiez	valiez	valussiez	valûtes
ils	valent	vaillent	valaient	valussent	valurent

49. voir

je	vois	voie	voyais	visse	vis
tu	vois	voies	voyais	visses	vis
il	voit	voie	voyait	vît	vit
nous	voyons	voyions	voyions	vissions	vîmes
vous	voyez	voyiez	voyiez	vissiez	vîtes
ils	voient	voient	voyaient	vissent	virent

50. vouloir

je	veux	veuille	voulais	voulusse	voulus
tu	veux	veuilles	voulais	voulusses	voulus
il	veut	veuille	voulait	voulût	voulut
nous	voulons	voulions	voulions	voulussions	voulûmes
vous	voulez	vouliez	vouliez	voulussiez	voulûtes
ils	veulent	veuillent	voulaient	voulussent	voulurent

Musterverben mit der Endung -re

51. absoudre

j'	absous	absolve	absolvais	absolusse	absolus
tu	absous	absolves	absolvais	absolusses	absolus
il	absout	absolve	absolvait	absolût	absolut
nous	absolvons	absolvions	absolvions	absolussions	absolûmes
vous	absolvez	absolviez	absolviez	absolussiez	absolûtes
ils	absolvent	absolvent	absolvaient	absolussent	absolurent

52. accroître

j'	accroîs	accroisse	accroissais	accrusse	accrus
tu	accroîs	accroisses	accroissais	accrusses	accrus
il	accroît	accroisse	accroissait	accrût	accrut
nous	accroissons	accroissions	accroissions	accrussions	accrûmes
vous	accroissez	accroissiez	accroissiez	accrussiez	accrûtes
ils	accroissent	accroissent	accroissaient	accrussent	accrurent

53. battre

je	bats	batte	battais	battisse	battis
tu	bats	battes	battais	battisses	battis
il	bat	batte	battait	battît	battit

Futur	Konditional	Imperativ	Partizip Präsens	Perfekt
siéra	siérait		séant	sis
siéront	siéraient		seyant	
surseoirai	surseoirais		sursoyant	sursis
surseoiras	surseoirais	sursois		
surseoira	surseoirait			
surseoirons	surseoirions	sursoyons		
surseoirez	surseoiriez	sursoyez		
surseoiront	surseoiraient			
vaudrai	vaudrais		valant	valu
vaudras	vaudrais	vaux		
vaudra	vaudrait			
vaudrons	vaudrions	valons		
vaudrez	vaudriez	valez		
vaudront	vaudraient			
verrai	verrais		voyant	vu
verras	verrais	vois		
verra	verrait			
verrons	verrions	voyons		
verrez	verriez	voyez		
verront	verraient			
voudrai	voudrais		voulant	voulu
voudras	voudrais	veux		
		veuille		
voudra	voudrait			
voudrons	voudrions	voulons		
		veuillons		
voudrez	voudriez	voulez		
		veuillez		
voudront	voudraient			
absoudrai	absoudrais		absolvant	absous, absoute
absoudras	absoudrais	absous		
absoudra	absoudrait			
absoudrons	absoudrions	absolvons		
absoudrez	absoudriez	absolvez		
absoudront	absoudraient			
accroîtrai	accroîtrais		accroissant	accru
accroîtras	accroîtrais	accrois		
accroîtra	accroîtrait			
accroîtrons	accroîtrions	accroissons		
accroîtrez	accroîtriez	accroissez		
accroîtront	accroîtraient			
battrai	battrais		battant	battu
battras	battrais	bats		
battra	battrait			

Musterverben mit der Endung -re

	Präsens Ind.	Konj.	Imperfekt Ind.	Konj.	Passé simple
Fortsetzung 53. battre					
nous	battons	battions	battions	battissions	battîmes
vous	battez	battiez	battiez	battissiez	battîtes
ils	battent	battent	battaient	battissent	battirent
54. boire					
je	bois	boive	buvais	busse	bus
tu	bois	boives	buvais	busses	bus
il	boit	boive	buvait	bût	but
nous	buvons	buvions	buvions	bussions	bûmes
vous	buvez	buviez	buviez	bussiez	bûtes
ils	boivent	boivent	buvaient	bussent	burent
55. braire (nur in folgenden Formen gebräuchlich:)					
il	brait		brayait		
ils	braient		brayaient		
56. bruire (nur in folgenden Formen gebräuchlich:)					
il	bruit		bruissait		
ils	bruissent		bruissaient		
57. circoncire					
je	circoncis	circoncise	circoncisais	circoncisse	circoncis
tu	circoncis	circoncises	circoncisais	circoncisses	circoncis
il	circoncit	circoncise	circoncisait	circoncît	circoncit
nous	circoncisons	circoncisions	circoncisions	circoncissions	circoncîmes
vous	circoncisez	circoncisiez	circoncisiez	circoncissiez	circoncîtes
ils	circoncisent	circoncisent	circoncisaient	circoncissent	circoncirent
58. clore (nur in folgenden Formen gebräuchlich:)					
je	clos	close			
tu	clos	closes			
il	clôt	close			
nous		closions			
vous		closiez			
ils		closent			
59. conclure					
je	conclus	conclue	concluais	conclusse	conclus
tu	conclus	conclues	concluais	conclusses	conclus
il	conclut	conclue	concluait	conclût	conclut
nous	concluons	concluions	concluions	conclussions	conclûmes
vous	concluez	concluiez	concluiez	conclussiez	conclûtes
ils	concluent	concluent	concluaient	conclussent	conclurent
60. confire					
je	confis	confise	confisais	confisse	confis
tu	confis	confises	confisais	confisses	confis
il	confit	confise	confisait	confît	confit
nous	confisons	confisions	confisions	confissions	confîmes
vous	confisez	confisiez	confisiez	confissiez	confîtes
ils	confisent	confisent	confisaient	confissent	confirent
61. connaître					
je	connais	connaisse	connaissais	connusse	connus
tu	connais	connaisses	connaissais	connusses	connus
il	connaît	connaisse	connaissait	connût	connut
nous	connaissons	connaissions	connaissions	connussions	connûmes
vous	connaissez	connaissiez	connaissiez	connussiez	connûtes
ils	connaissent	connaissent	connaissaient	connussent	connurent

Futur	Konditional	Imperativ	Partizip Präsens	Perfekt
battrons	battrions	battons		
battrez	battriez	battez		
battront	battraient			
boirai	boirais		buvant	bu
boiras	boirais	bois		
boira	boirait			
boirons	boirions	buvons		
boirez	boiriez	buvez		
boiront	boiraient			
braira	brairait		brayant	brait
brairont	brairaient			
			bruissant	
circoncirai	circoncirais		circoncisant	circoncis
circonciras	circoncirais	circoncis		
circoncira	circoncirait			
circoncirons	circoncirions	circoncisons		
circoncirez	circonciriez	circoncisez		
circonciront	circonciraient			
clorai	clorais		clos	
cloras	clorais			
clora	clorait			
clorons	clorions			
clorez	cloriez			
cloront	cloraient			
conclurai	conclurais		concluant	conclu
concluras	conclurais	conclus		
concluras	conclurait			
conclurons	conclurions	concluons		
conclurez	concluriez	concluez		
concluront	concluraient			
confirai	confirais		confisant	confit
confiras	confirais	confis		
confira	confirait			
confirons	confirions	confisons		
confirez	confiriez	confisez		
confiront	confiraient			
connaîtrai	connaîtrais		connaissant	connu
connaîtras	connaîtrais	connais		
connaîtra	connaîtraît			
connaîtrons	connaîtrions	connaissons		
connaîtrez	connaîtriez	connaissez		
connaîtront	connaîtraient			

Musterverben mit der Endung -re

	Präsens		Imperfekt		Passé
	Ind.	Konj.	Ind.	Konj.	simple

62. coudre

je	couds	couse	cousais	cousisse	cousis
tu	couds	couses	cousais	cousisses	cousis
il	coud	couse	cousait	cousît	cousit
nous	cousons	cousions	cousions	cousissions	cousîmes
vous	cousez	cousiez	cousiez	cousissiez	cousîtes
ils	cousent	cousent	cousaient	cousissent	cousirent

63. croire

je	crois	croie	croyais	crusse	crus
tu	crois	croies	croyais	crusses	crus
il	croit	croie	croyait	crût	crut
nous	croyons	croyions	croyions	crussions	crûmes
vous	croyez	croyiez	croyiez	crussiez	crûtes
ils	croient	croient	croyaient	crussent	crurent

64. croître

je	croîs	croisse	croissais	crusse	crûs
tu	croîs	croisses	croissais	crusses	crûs
il	croît	croisse	croissait	crût	crût
nous	croissons	croissions	croissions	crussions	crûmes
vous	croissez	croissiez	croissiez	crussiez	crûtes
ils	croissent	croissent	croissaient	crussent	crûrent

65. dire

je	dis	dise	disais	disse	dis
tu	dis	dises	disais	disses	dis
il	dit	dise	disait	dît	dit
nous	disons	disions	disions	dissions	dîmes
vous	dites	disiez	disiez	dissiez	dîtes
ils	disent	disent	disaient	dissent	dirent

66. distraire (nur in folgenden Formen gebräuchlich:)

je	distrais	distraie	distrayais		
tu	distrais	distraies	distrayais		
il	distrait	distraie	distrayait		
nous	distrayons	distrayions	distrayions		
vous	distrayez	distrayiez	distrayiez		
ils	distraient	distraient	distrayaient		

67. écrire

j'	écris	écrive	écrivais	écrivisse	écrivis
tu	écris	écrives	écrivais	écrivisses	écrivis
il	écrit	écrive	écrivait	écrivît	écrivit
nous	écrivons	écrivions	écrivions	écrivissions	écrivîmes
vous	écrivez	écriviez	écriviez	écrivissiez	écrivîtes
ils	écrivent	écrivent	écrivaient	écrivissent	écrivirent

68. être

je	suis	sois	j'étais	fusse	fus
tu	es	sois	étais	fusses	fus
il	est	soit	était	fût	fut
nous	sommes	soyons	étions	fussions	fûmes
vous	êtes	soyez	étiez	fussiez	fûtes
ils	sont	soient	étaient	fussent	furent

69. lire

je	lis	lise	lisais	lusse	lus
tu	lis	lises	lisais	lusses	lus
il	lit	lise	lisait	lût	lut

Futur	Konditional	Imperativ	Partizip Präsens	Perfekt
coudrai	coudrais		cousant	cousu
coudras	coudrais	couds		
coudra	coudrait			
coudrons	coudrions	cousons		
coudrez	coudriez	cousez		
coudront	coudraient			
croirai	croirais		croyant	cru
croiras	croirais	crois		
croira	croirait			
croirons	croirions	croyons		
croirez	croiriez	croyez		
croiront	croiraient			
croîtrai	croîtrais		croissant	crû, crue (f)
croîtras	croîtrais	croîs		
croîtra	croîtrait			
croîtrons	croîtrions	croissons		
croîtrez	croîtriez	croissez		
croîtront	croîtraient			
dirai	dirais		disant	dit
diras	dirais	dis		
dira	dirait			
dirons	dirions	disons		
direz	diriez	dites		
diront	diraient			
distrairai	distrairais		distrayant	distrait
distrairas	distrairais	distrais		
distraira	distrairait			
distrairons	distrairions			
distrairez	distrairiez	distraiyez		
distrairont	distrairaient			
écrirai	écrirais		écrivant	écrit
écriras	écrirais	écris		
écrira	écrirait			
écrirons	écririons	écrivons		
écrirez	écririez	écrivez		
écriront	écriraient			
serai	serais		étant	été
seras	serais	sois		
sera	serait			
serons	serions	soyons		
serez	seriez	soyez		
seront	seraient			
lirai	lirais		lisant	lu
liras	lirais	lis		
lira	lirait			

Musterverben mit der Endung -re

	Präsens Ind.	Konj.	Imperfekt Ind.	Konj.	Passé simple
Fortsetzung 69. lire					
nous	lisons	lisions	lisions	lussions	lûmes
vous	lisez	lisiez	lisiez	lussiez	lûtes
ils	lisent	lisent	lisaient	lussent	lurent
70. faire					
je	fais	fasse	faisais	fisse	fis
tu	fais	fasses	faisais	fisses	fis
il	fait	fasse	faisait	fît	fit
nous	faisons	fassions	faisions	fissions	fîmes
vous	faites	fassiez	faisiez	fissiez	fîtes
ils	font	fassent	faisaient	fissent	firent
71. maudire					
je	maudis	maudisse	maudissais	maudisse	maudis
tu	maudis	maudisses	maudissais	maudisses	maudis
il	maudit	maudisse	maudissait	maudît	maudit
nous	maudissons	maudissions	maudissions	maudissions	maudîmes
vous	maudissez	maudissiez	maudissiez	maudissiez	maudîtes
ils	maudissent	maudissent	maudissaient	maudissent	maudirent
72. mettre					
je	mets	mette	mettais	misse	mis
tu	mets	mettes	mettais	misses	mis
il	met	mette	mettait	mît	mit
nous	mettons	mettions	mettions	missions	mîmes
vous	mettez	mettiez	mettiez	missiez	mîtes
ils	mettent	mettent	mettaient	missent	mirent
73. moudre					
je	mouds	moule	moulais	moulusse	moulus
tu	mouds	moules	moulais	moulusse	moulus
il	moud	moule	moulait	moulût	moulut
nous	moulons	moulions	moulions	moulussions	moulûmes
vous	moulez	mouliez	mouliez	moulussiez	moulûtes
ils	moulent	moulent	moulaient	moulussent	moulurent
74. naître					
je	nais	naisse	naissais	naquisse	naquis
tu	nais	naisses	naissais	naquisses	naquis
il	naît	naisse	naissait	naquît	naquit
nous	naissons	naissions	naissions	naquissions	naquîmes
vous	naissez	naissiez	naissiez	naquissiez	naquîtes
ils	naissent	naissent	naissaient	naquissent	naquirent
75. nuire					
je	nuis	nuise	nuisais	nuisisse	nuisis
tu	nuis	nuises	nuisais	nuisisses	nuisis
il	nuit	nuise	nuisait	nuisît	nuisit
nous	nuisons	nuisions	nuisions	nuisissions	nuisîmes
vous	nuisez	nuisiez	nuisiez	nuisissiez	nuisîtes
ils	nuisent	nuisent	nuisaient	nuisissent	nuisirent
76. perdre					
je	perds	perde	perdais	perdisse	perdis
tu	perds	perdes	perdais	perdisses	perdis
il	perd	perde	perdait	perdît	perdit
nous	perdons	perdions	perdions	perdissions	perdîmes
vous	perdez	perdiez	perdiez	perdissiez	perdîtes
ils	perdent	perdent	perdaient	perdissent	perdirent

Futur	Konditional	Imperativ	Partizip Präsens	Perfekt
lirons	lirions	lisons		
lirez	liriez	lisez		
liront	liraient			
ferai	ferais		faisant	fait
feras	ferais	fais		
fera	ferait			
ferons	ferions	faisons		
ferez	feriez	faites		
feront	feraient			
maudirai	maudirais		maudissant	maudit
maudiras	maudirais	maudis		
maudira	maudirait			
maudirons	maudirions	maudissons		
maudirez	maudiriez	maudissez		
maudiront	maudiraient			
mettrai	mettrais		mettant	mis
mettras	mettrais	mets		
mettra	mettrait			
mettrons	mettrions	mettons		
mettrez	mettriez	mettez		
mettront	mettraient			
moudrai	moudrais		moulant	moulu
moudras	moudrais	mouds		
moudra	moudrait			
moudrons	moudrions	moulons		
moudrez	moudriez	moulez		
moudront	moudraient			
naîtrai	naîtrais		naissant	né
naîtras	naîtrais	nais		
naîtra	naîtrait			
naîtrons	naîtrions	naissons		
naîtrez	naîtriez	naissez		
naîtront	naîtraient			
nuirai	nuirais		nuisant	nui
nuiras	nuirais	nuis		
nuira	nuirait			
nuirons	nuirions	nuisons		
nuirez	nuiriez	nuisez		
nuiront	nuiraient			
perdrai	perdrais		perdant	perdu
perdras	perdrais	perds		
perdra	perdrait			
perdrons	perdrions	perdons		
perdrez	perdriez	perdez		
perdront	perdraient			

Musterverben mit der Endung -re

	Präsens Ind.	Konj.	Imperfekt Ind.	Konj.	Passé simple
77. plaire					
je	plais	plaise	plaisais	plusse	plus
tu	plais	plaises	plaisais	plusses	plus
il	plaît	plaise	plaisait	plût	plut
nous	plaisons	plaisions	plaisions	plussions	plûmes
vous	plaisez	palisiez	plaisiez	plussiez	plûtes
ils	plaisent	plaisent	plaisaient	plussent	plurent
78. prédire					
je	prédis	prédise	prédisais	prédisse	prédis
tu	prédis	prédises	prédisais	prédisses	prédis
il	prédit	prédise	prédisait	prédît	prédit
nous	prédisons	prédisions	prédisions	prédissions	prédîmes
vous	prédisez	prédisiez	prédisiez	prédissiez	prédîtes
ils	prédisent	prédisent	prédisaient	prédissent	prédirent
79. prendre					
je	prends	prenne	prenais	prisse	pris
tu	prends	prennes	prenais	prisses	pris
il	prend	prenne	prenait	prît	prit
nous	prenons	prenions	prenions	prissions	prîmes
vous	prenez	preniez	preniez	prissiez	prîtes
ils	prennent	prennent	prenaient	prissent	prirent
80. produire					
je	produis	produise	produisais	produisisse	produisis
tu	produis	produises	produisais	produisisses	produisis
il	produit	produise	produisait	produisît	produisit
nous	produisons	produisions	produisions	produisissions	produisîmes
vous	produisez	produisiez	produisiez	produisissiez	produisîtes
ils	produisent	produisent	produisaient	produisissent	produisirent
81. résoudre					
je	résous	résolve	résolvais	résolusse	résolus
tu	résous	résolves	résolvais	résolusses	résolus
il	résout	résolve	résolvait	résolût	résolut
nous	résolvons	résolvions	résolvions	résolussions	résolûmes
vous	résolvez	résolviez	résolviez	résolussiez	résolûtes
ils	résolvent	résolvent	résolvaient	résolussent	résolurent
82. rire					
je	ris	rie	riais	risse	ris
tu	ris	ries	riais	risses	ris
il	rit	rie	riait	rît	rit
nous	rions	riions	riions	rissions	rîmes
vous	riez	riiez	riiez	rissiez	rîtes
ils	rient	rient	riaient	rissent	rirent
83. rompre					
je	romps	rompe	rompais	rompisse	rompis
tu	romps	rompes	rompais	rompisses	rompis
il	rompt	rompe	rompait	rompît	rompit
nous	rompons	rompions	rompions	rompissions	rompîmes
vous	rompez	rompiez	rompiez	rompissiez	rompîtes
ils	rompent	rompent	rompaient	rompissent	rompirent
84. suffire					
je	suffis	suffise	suffisais	suffisse	suffis
tu	suffis	suffises	suffisais	suffisses	suffis
il	suffit	suffise	suffisait	suffît	suffit

Futur	Konditional	Imperativ	Partizip Präsens	Perfekt
plairai	plairais		plaisant	plu
plairas	plairais	plais		
plaira	plairait			
plairons	plairions	plaisons		
plairez	plairiez	plaisez		
plairont	plairaient			
prédirai	prédirais		prédisant	prédit
prédiras	prédirais	prédis		
prédira	prédirait			
prédirons	prédirions	prédisons		
prédirez	prédiriez	prédisez		
prédiront	prédiraient			
prendrai	prendrais		prenant	pris
prendras	prendrais	prends		
prendra	prendrait			
prendrons	prendrions	prenons		
prendrez	prendriez	prenez		
prendront	prendraient			
produirai	produirais		produisant	produit
produiras	produirais	produis		
produira	pro duirait			
produirons	produirions	produisons		
produirez	produiriez	produisez		
produiront	produiraient			
résoudrai	résoudrais		résolvant	résolu
résoudras	résoudrais	résous		*bzw* résous
résoudra	résoudrait			
résoudrons	résoudrions	résolvons		
résoudrez	résoudriez	résolvez		
résoudront	résoudraient			
rirai	rirais		riant	ri
riras	rirais	ris		
rira	rirait			
rirons	ririons	rions		
rirez	ririez	riez		
riront	riraient			
romprai	romprais		rompant	rompu
rompras	romprais	romps		
rompra	romprait			
romprons	romprions	rompons		
romprez	rompriez	rompez		
rompront	rompraient			
suffirai	suffirais		suffisant	suffi
suffiras	suffirais	suffis		
suffira	suffirait			

Musterverben mit der Endung -re

	Präsens Ind.	Konj.	Imperfekt Ind.	Konj.	Passé simple
Fortsetzung 84. suffire					
nous	suffisons	suffisions	suffisions	suffissions	suffîmes
vous	suffisez	suffisiez	suffisiez	suffisiez	suffîtes
ils	suffisent	suffisent	suffisaient	suffissent	suffirent
85. suivre					
je	suis	suive	suivais	suivisse	suivis
tu	suis	suives	suivais	suivisses	suivis
il	suit	suive	suivait	suivît	suivit
nous	suivons	suivions	suivions	suivissions	suivîmes
vous	suivez	suiviez	suiviez	suivissiez	suivîtes
ils	suivent	suivent	suivaient	suivissent	suivirent
86. taire					
je	tais	taise	taisais	tusse	tus
tu	tais	taises	taisais	tusses	tus
il	tait	taise	taisait	tût	tut
nous	taisons	taisions	taisions	tussions	tûmes
vous	taisez	taisiez	taisiez	tussiez	tûtes
ils	taisent	taisent	taisaient	tussent	turent
87. teindre[1])					
je	teins	teigne	teignais	teignisse	teignis
tu	teins	teignes	teignais	teignisses	teignis
il	teint	teigne	teignait	teignît	teignit
nous	teignons	teignions	teignions	teignissions	teignîmes
vous	teignez	teigniez	teigniez	teignissiez	teignîtes
ils	teignent	teignent	teignaient	teignissent	teignirent
88. vaincre					
je	vaincs	vainque	vainquais	vainquisse	vainquis
tu	vaincs	vainques	vainquais	vainquisses	vainquis
il	vainc	vainque	vainquait	vainquît	vainquit
nous	vainquons	vainquions	vainquions	vainquissions	vainquîmes
-vous	vainquez	vainquiez	vainquiez	vainquissiez	vainquîtes
ils	vainquent	vainquent	vainquaient	vainquissent	vainquirent
89. vivre					
je	vis	vive	vivais	vécusse	vécus
tu	vis	vives	vivais	vécusses	vécus
il	vit	vive	vivait	vécût	vécut
nous	vivons	vivions	vivions	vécussions	vécûmes
vous	vivez	viviez	viviez	vécussiez	vécûtes
ils	vivent	vivent	vivaient	vécussent	vécurent

---

[1]) *Bei* joindre, *nach dem Modell von* teindre *konjugiert, gilt im Präsens Ind. Singular, Futur, Konditional und Imperativ Singular die Aussprache* [-wɔ̃], *in den anderen Formen die Aussprache* [-wa]: je joins [ʒwɛ̃], je joignais [ʒwaɲɛ].

Futur	Konditional	Imperativ	Partizip Präsens	Perfekt
suffirons	suffirions	suffisons		
suffirez	suffiriez	suffisez		
suffiront	suffiraient			
suivrai	suivrais		suivant	suivi
suivras	suivrais	suis		
suivra	suivrait			
suivrons	suivrions	suivons		
suivrez	suivriez	suivez		
suivront	suivraient			
tairai	tairais		taisant	tu
tairas	tairais	tais		
taira	tairait			
tairons	tairions	taisons		
tairez	tairiez	taisez		
tairont	tairaient			
teindrai	teindrais		teignant	teint
teindras	teindrais	teins		
teindra	teindrait			
teindrons	teindrions	teignons		
teindrez	teindriez	teignez		
teindront	teindraient			
vaincrai	vaincrais		vainquant	vaincu
vaincras	vaincrais	vaincs		
vaincra	vaincrait			
vaincrons	vaincrions	vainquons		
vaincrez	vaincriez	vainquez		
vaincront	vaincraient			
vivrai	vivrais		vivant	vécu
vivras	vivrais	vis		
vivra	vivrait			
vivrons	vivrions	vivons		
vivrez	vivriez	vivez		
vivront	vivraient			

Die Substantive

Die *einfachen Substantive* erhalten normalerweise als Pluralzeichen ein End-s, das (außer im Fall der Bindung) auf die Aussprache keinen Einfluß hat:

un ami *ein Freund* – des amis *Freunde*

Im folgenden stellen wir Abweichungen von dieser Grundregel zusammen und versehen sie mit Ordnungsnummern, auf die der französisch-deutsche Teil des Wörterbuchs Bezug nimmt.

90.	journal	*Zeitung*	journaux	[ʒurnọ]
	corail	*Koralle*	coraux	[kɔrọ]
91.	tuyau	*Rohr*	tuyaux	[tyjọ]
	manteau	*Mantel*	manteaux	[mɑ̃tọ]
	cheveu	*Haar*	cheveux	[ʃ(ə)vø]
	genou	*Knie*	genoux	[ʒənu]
92.	œil	*Auge*	yeux, œils¹)	[jø, œj]
	ciel	*Himmel*	(cieux²), ciels	[sjø, sjɛl]
93.	aïeul	*Großvater*	aïeuls	[ajœl]
94.	aïeul	*Vorfahr*	aïeux	[ajø]
95.	bonhomme	*Kerl*	bonshommes	[bɔ̃zɔm, bɔnɔm]
			(umg bonhommes)	
	gentilhomme	*Adliger*	gentilshommes	[ʒɑ̃tizɔm]
96.	madame	*Frau*	mesdames	[medạm]
	mademoiselle	*Fräulein*	mesdemoiselles	[medmwazẹl]
	monsieur	*Herr*	messieurs	[mesjọ]
	monseigneur	*Exzellenz*	messeigneurs	[mesɛɲœːr]

Zusammensetzungen bilden den Plural nach folgenden Typen:

97.	basse-cour	*Hühnerhof*	basses-cours
	faux-fuyant	*Ausflucht*	faux-fuyants
98.	chef-d'œuvre	*Meisterwerk*	chefs-d'œuvre
	arc-en-ciel	*Regenbogen*	arcs-en-ciel
	étui-mines	*Minendöschen*	étuis-mines
99.	grand-mère	*Großmutter*	grand-mères
	cure-dent	*Zahnstocher*	cure-dents
	électro-aimant	*Elektromagnet*	électro-aimants
100.	tête-à-tête	*Zwiegespräch*	tête-à-tête
	prote-mine	*Drehbleistift*	prote-mine
101.	arrière-grand-père	*Urgroßvater*	arrière-grands-pères

Fremdwörter bilden den Plural im allgemeinen durch Anhängen von -s:

102.	mémorandum	*Memorandum*	mémorandums	[memɔrɑ̃dɔm]
	bravo	*Beifallsruf*	bravos	[bravọ]
	dandy	*Geck*	dandys	[dɑ̃di]
	scénario	*Drehbuch*	scénarios	[senarjọ]

Jedoch:

103.	maximum	*Maximum*	maxima	[maksimạ]
	minimum	*Minimum*	minima	[minimạ]
	médium	*Werbeträger*	média	[medjạ]
	prima donna	*Primadonna*	prime donne	[primedɔnẹ]
	gentleman	*Gentleman*	gentlemen	[dʒɛntləmɛn]
	recordman	*Rekordler*	recordmen	[rəkɔrdmɛn]
	recordwoman	*Rekordlerin*	recordwomen	[rəkɔrdwimɛn]
	match	*Wettkampf*	matches	[matʃ]
	box	*Box*	boxes	[bɔks]
	oued	*Wadi*	ouadi	[wadi]

Unverändert bleiben:

104.	modus vivendi	*Modus vivendi*
	post-scriptum	*Postskriptum*
	errata	*Druckfehlerverzeichnis*
	extra	*Sonderauslage*
	deleatur	*Deleaturzeichen*

incognito	*Inkognito*
crescendo	*Crescendo*
week-end	*Wochenende*

105. Müßte ein Wort auf -s, -x oder -z nach den vorhergegangenen Regeln ein Pluralzeichen erhalten, so bleibt es unverändert.

106. Einige Substantive werden nicht im Plural gebraucht:

| bercail | *Schafstall* |
| décorum | *Dekorum* |

Die Adjektive

Sie bilden normalerweise eine *weibliche Form* durch Anhängung eines -e. Endet das Adjektiv bereits auf -e, so hat es keine besondere weibliche Form.
Bleibt bei Anwendung dieser Grundregel die Aussprache unverändert und weist auch die Schrift für die weibliche Form keine Eigenheiten auf, so wird im Wörterbuch kein besonderer Hinweis gegeben.
Für alle anderen Fälle stellen wir im folgenden Musterwörter zusammen, deren Ordnungsnummern im französisch-deutschen Teil des Werkes erscheinen:

107.	aigu	*spitz*	aiguë	[egy]
	dû	*gebührend*	due	[dy]
108.	finaud	*schlau*	finaude	[finọd]
	idiot	*dumm*	idiote	[idjɔt]
	érudit	*gelehrt*	érudite	[erydit]
	soûl	*betrunken*	soûle	[sul]
	français	*französisch*	française	[frãsẹːz]
	retors	*gedreht*	retorse	[rɔtɔrs]
	court	*kurz*	courte	[kurt]
	sourd	*taub*	sourde	[surd]
	suspect	*verdächtig*	suspecte	[syspẹkt]
	fécond	*fruchtbar*	féconde	[fekɔ̃d]
	prompt	*flink*	prompte	[prɔ̃t]
	succinct	*bündig*	succincte	[syksẹ̃t]
	distinct	*deutlich*	distincte	[distẹ̃kt]
	moribond	*sterbend*	moribonde	[mɔribɔ̃d]
	captivant	*fesselnd*	captivante	[kaptivãt]
	abstinent	*enthaltsam*	abstinente	[apstinãt]
109.	vilain	*häßlich*	vilaine	[vilẹn]
	serein	*heiter*	sereine	[sərẹn]
	alpin	*alpin*	alpine	[alpin]
	plan	*eben*	plane	[plan]
	opportun	*günstig*	opportune	[ɔpɔrtyn]
110.	sec	*trocken*	sèche	[sɛʃ]
	franc	*frei*	franche	[frãʃ]
	frais	*frisch*	fraîche	[frɛʃ]
111.	heureux	*glücklich*	heureuse	[œrọːz]
	jaloux	*eifersüchtig*	jalouse	[ʒaluːz]
112.	vif	*lebhaft*	vive	[viːv]
	bref	*kurz*	brève	[brɛːv]
	sauf	*heil*	sauve	[soːv]
113.	faux	*falsch*	fausse	[foːs]
	roux	*rothaarig*	rousse	[rus]
114.	épais	*dicht*	épaisse	[epɛs]
	exprès	*ausdrücklich*	expresse	[ɛksprɛs]
	sot	*dumm*	sotte	[sɔt]
	coquet	*kokett*	coquette	[kɔkẹt]
	métis	*gekreuzt*	métisse	[metịs]
	net	*sauber*	nette	[nẹt]
115.	originel	*ursprünglich*	originelle	[ɔriʒinẹl]
	vermeil	*hochrot*	vermeille	[vɛrmẹj]
	gentil	*nett*	gentille	[ʒãtịj]

116.	inquiet	*unruhig*	inquiète	[ɛ̃kjɛt]
	rancunier	*nachtragend*	rancunière	[rɑ̃kynjɛːr]
	amer	*bitter*	amère	[amɛːr]
117.	coi	*ruhig*	coite	[kwat]
	favori	*bevorzugt*	favorite	[favɔrit]
118.	parisien	*pariserisch*	parisienne	[parizjɛn]
	européen	*europäisch*	européenne	[ørɔpeɛn]
	bon	*gut*	bonne	[bɔn]
119.	bénin	*harmlos*	bénigne	[beniɲ]
	doux	*süß*	douce	[dus]
	vieux, vieil	*alt*	vieille	[vjɛj]
	beau, bel	*schön*	belle	[bɛl]
	fou, fol	*närrisch*	folle	[fɔl]
	maximum	*maximal*	maxima	[maksimɑ̨]
	minimum	*minimal*	minima	[minimɑ̨]
120.	public	*öffentlich*	publique	[pyblik]
	franc	*fränkisch*	franque	[frɑ̃k]
	long	*lang*	longue	[lɔ̃g]
121.	charmeur	*bezaubernd*	charmeuse	[ʃarmøːz]
122.	destructeur	*zerstörerisch*	destructrice	[dɛstryktris]
123.	vengeur	*rächend*	vengeresse	[vɑ̃ʒrɛs]

Der *Plural* der Adjektive wird für die *männliche Form* gewöhnlich durch Anhängen eines -s gebildet, das auf die Aussprache (außer im Fall der Bindung) ohne Einfluß ist: chaud *warm* – chauds.

Abweichungen von dieser Grundregel:

124.	cordial	*herzlich*	cordiaux	[kɔrdjo]
125.	beau	*schön*	beaux	[bo]
	hébreu	*hebräisch*	hébreux	[ebrø]
126.	frais	*frisch*	frais	[frɛ]
	heureux	*glücklich*	heureux	[œrø]

Der *Plural* der Adjektive für die *weibliche Form* wird ausnahmslos durch Anhängen eines -s gebildet, das die Aussprache (außer im Fall der Bindung) nicht beeinflußt. Für die Pluralbildung der seltenen *zusammengesetzten Adjektive* wird im Wörterbuch sinngemäß auf die Ziffern 97 bis 101 verwiesen.

Die Adverbien

Ein aus einem Adjektiv gebildetes Adverb entsteht normalerweise durch Anhängen der Endung **-ment** an die weibliche Form des Adjektivs:

long *lang* – longuement [lɔ̃gmɑ̨].

Im folgenden stellen wir Abweichungen von dieser Grundregel zusammen und versehen sie mit Ordnungsnummern, auf die der französisch-deutsche Teil des Wörterbuchs Bezug nimmt.

127.	puissant	*mächtig*	puissamment	[pɥisammɑ̨]
	décent	*anständig*	décemment	[desammɑ̨]
128.	hardi	*kühn*	hardiment	[ardimɑ̨]
	vrai	*wahr*	vraiment	[vrɛmɑ̨]
	obstiné	*hartnäckig*	obstinément	[opstinemɑ̨]
	éperdu	*leidenschaftlich*	éperdument	[epɛrdymɑ̨]
	dû	*gebührend*	dûment	[dymɑ̨]
129.	cru	*roh*	crûment	[krymɑ̨]
130.	gentil	*nett*	gentiment	[ʒɑ̃timɑ̨]
131.	précis	*genau*	précisément	[presizemɑ̨]
	exprès	*ausdrücklich*	_expressément	[ɛksprɛsemɑ̨]
	profond	*tief*	profondément	[prɔfɔ̃demɑ̨]
	commun	*gemeinsam*	communément	[kɔmynemɑ̨]
	aveugle	*blind*	aveuglément	[avœglemɑ̨]
	immense	*unermeßlich*	immensément	[imɑ̃semɑ̨]
	impuni	*ungestraft*	impunément	[ɛ̃pynemɑ̨]
	obscur	*dunkel*	obscurément	[opskyremɑ̨]

Die Zahlwörter

132. Grundzahlen

0 zero [zero]
1 un, une *(f)* [œ̃, yn]
2 deux [dø]
3 trois [trwa]
4 quatre [katr]
5 cinq [sɛ̃k]
6 six [sis]
7 sept [sɛt]
8 huit [ɥit]
9 neuf [nœf]
10 dix [dis]
11 onze [ɔ̃z]
12 douze [du:z]
13 treize [trɛ:z]
14 quatorze [katɔrz]
15 quinze [kɛ̃z]
16 seize [sɛ:z]
17 dix-sept [dis(s)ɛt]
18 dix-huit [dizɥit]
19 dix-neuf [diznœf]
20 vingt [vɛ̃]
21 vingt et un [vɛ̃teœ̃]
22 vingt-deux [vɛ̃tdø]
23 vingt-trois [vɛ̃trwɑ]
24 vingt-quatre [vɛ̃tkatr]
30 trente [trɑ̃t]
40 quarante [karɑ̃t]
50 cinquante [sɛ̃kɑ̃t]
60 soixante [swasɑ̃t]
70 soixante-dix [swasɑ̃tdis]
80 quatre-vingt(s) [katrəvɛ̃]
81 quatre-vingt-un [katrəvɛ̃œ̃]
90 quatre-vingt-dix [katrəvɛ̃dis]
91 quatre-vingt-onze [katrəvɛ̃ɔ̃z]
100 cent [sɑ̃]
101 cent un [sɑ̃œ̃]
200 deux cent(s) [døsɑ̃]
211 deux cent onze [døsɑ̃ɔ̃z]
1000 mille [mil], mil [mil][1])
1001 mille un [milœ̃]
1002 mille deux [mildø]
1100 onze cents [ɔ̃zsɑ̃]
1308 treize cent huit [trɛzsɑ̃ɥit]
2000 deux mille [dømil]
100000 cent mille [sɑ̃mil]

le million [miljɔ̃]	*die Million*
le milliard [miljaːr]	*die Milliarde*
le billion [biljɔ̃]	*die Billion*
le trillion [triljɔ̃]	*die Trillion*

133. Ordnungszahlen

1ᵉʳ, 1ʳᵉ premier, première [prəmjɛ, prəmjɛːr]
2ᵉ deuxième [døzjɛm]
2ᵈ, 2ᵈᵉ second, seconde [sgɔ̃, sgɔ̃d]
3ᵉ troisième [trwazjɛm]
tiers [tjɛːr], tierce [tjɛrs]
4ᵉ quatrième [katriɛm]
5ᵉ cinquième [sɛ̃kjɛm]
6ᵉ sixième [sizjɛm]
7ᵉ septième [sɛtjɛm]
8ᵉ huitième [ɥitjɛm]
9ᵉ neuvième [nœvjɛm]
10ᵉ dixième [dizjɛm]
11ᵉ onzième [ɔ̃zjɛm]
12ᵉ douzième [duzjɛm]
13ᵉ treizième [trezjɛm]
14ᵉ quatorzième [katɔrzjɛm]
15ᵉ quinzième [kɛ̃zjɛm]
16ᵉ seizième [sɛzjɛm]
17ᵉ dix-septième [disɛtjɛm]
18ᵉ dix-huitième [dizɥitjɛm]
19ᵉ dix-neuvième [diznœvjɛm]
20ᵉ vingtième [vɛ̃tjɛm]
21ᵉ vingt et unième [vɛ̃teynjɛm]
22ᵉ vingt-deuxième [vɛ̃tdøzjɛm]
30ᵉ trentième [trɑ̃tjɛm]
31ᵉ trente et unième [trɑ̃teynjɛm]
40ᵉ quarantième [karɑ̃tjɛm]
41ᵉ quarante et unième [karɑ̃teynjɛm]
50ᵉ cinquantième [sɛ̃kɑ̃tjɛm]
51ᵉ cinquante et unième [sɛ̃kɑ̃teynjɛm]
60ᵉ soixantième [swasɑ̃tjɛm]
61ᵉ soixante et unième [swasɑ̃teynjɛm]
70ᵉ soixante-dixième [swasɑ̃tdizjɛm]
71ᵉ soixante et onzième [swasɑ̃teɔ̃zjɛm]
80ᵉ quatre-vingtième [katrəvɛ̃tjɛm]
81ᵉ quatre-vingt-unième [katrəvɛ̃ynjɛm]
90ᵉ quatre-vingt-dixième [katrəvɛ̃ydizjɛm]
91ᵉ quatre-vingt-onzième [katrəvɛ̃yɔ̃zjɛm]
100ᵉ centième [sɑ̃tjɛm]
1000ᵉ millième [miljɛm]

Henri 1ᵉʳ	Henri premier
Henri II	Henri deux
Charles V	Charles cinq *(fr. König)*
Charles V	Charles Quint *(Kaiser)*

Die Aufzählung

1° premièrement [prəmjɛrmɑ̃]
2° deuxièmememt [døzjɛmmɑ̃]
3° troisièmement [trwazjɛmmɑ̃]
4° quatrièmememt [katriɛmmɑ̃]
5° cinquièmement [sɛ̃kjɛmmɑ̃]

primo [primo] — erstens
secundo [sekɔ̃do] — zweitens
tertio [tɛrsjo] — drittens
— viertens
— fünftens

---

[1]) *Bei Jahreszahlen über 1000 bis 1999.*

Verzeichnis der verwendeten Bildzeichen

✿ Technik

⚙ Industrie

⚡ Elektrotechnik, Elektronik

↓ Landwirtschaft, Gartenbau

🌲 Forstwesen

⚓ Schiffahrt

✈ Flugwesen

✆ Post-, Fernmeldewesen

🤸 Turnen, Sport

📻 Funktechnik, Radio, Fernsehen

📷 Fotografie, Optik, Film

🚆 Verkehr, Eisenbahn

🚗 Kraftfahrzeuge

℞ Medizin, Physiologie, Pharmazeutik

🎨 Malerei

⚖ Recht, Staatswissenschaft

🎭 Theater, Film

♪ Musik, Tonwiedergabe

🏛 Architektur, Bauwesen

📖 Verlagswesen, Druckerei

Verzeichnis der verwendeten Abkürzungen

a.	auch	*math*	mathematisch
Abk	Abkürzung	*meteo*	meteorologisch
abstr	abstrakt	*mil*	militärisch
acc	Akkusativ	*m-e*	meine
adj	Adjektiv, Eigenschaftswort	*m-m*	meinem
adv	Adverb, Umstandswort	*m-n*	meinen
allg	allgemein	*m-r*	meiner
alp	alpinistisch	*m-s*	meines
anat	anatomisch	*mpl*	Maskulinum Plural, männlich
archäol	archäologisch		Mehrzahl
arg	Argot (Fachsprache eines	*mst*	meist
	Gewerbes, einer Berufsgruppe,	*myth*	mythologisch
	auch Gaunersprache, Jargon)	*n*	neutrum, sächlich
arg pop	Argot, das in die Volkssprache	*od*	oder
	eingegangen ist	*opt*	optisch, in der Optik
arg scol	Argot scolaire, Schülersprache	*orn*	ornithologisch, in der Vogelkunde
astr	astronomisch, in der Astronomie	*päd*	pädagogisch
bes	besonders	*pej*	pejorativ, verächtlich, herabsetzend
biol	biologisch	*phil*	philosophisch
bot	botanisch	*phys*	physikalisch
chem	chemisch	*pl*	Plural, Mehrzahl
com	kommerziell (Handel, Wirtschaft,	*pol*	politisch
	Finanzen, Haushalt)	*pop*	populär, volkssprachlich
conj	Konjunktion, Bindewort	*pop!*	grob volkssprachlich oder vulgär
d.	der, die, das, des, dem, den	*pp*	Partizip (Mittelwort) der
e.	ein		Vergangenheit (participe passé)
e-e	eine	*ppr*	Partizip der Gegenwart (participe
e-m	einem		présent)
e-n	einen	*präp*	Präposition, Verhältniswort
e-r	einer	*pron*	Pronomen. Fürwort
e-s	eines	*prot*	protestantisch
EDV	elektronische Datenverarbeitung	*psych*	psychologisch
EG	Europäische Gemeinschaften	*qch*	quelque chose
etw	etwas	*qn*	quelqu'un
f	feminin, weiblich	*refl*	reflexiv, rückbezüglich
fig	figurativ, übertragen	*rel*	religiös; theologisch
fpl	Femininum Plural, weiblich	*s.*	sich
	weiblich Mehrzahl	*sg*	Singular, Einzahl
frz./franz.	französisch	*s-e*	seine
geog	geographisch	*s-m*	seinem
geol	geologisch	*s-n*	seinen
hist	historisch	*s-r*	seiner
inf	Infinitiv, Nennform	*s-s*	seines
interj	Interjektion, Ausruf	*su*	Substantiv, Hauptwort
inv	invariable, unveränderlich	*subj*	subjonctif, Konjunktiv,
iron	ironisch		Möglichkeitsform
j-d	jemand	*u*	und
j-m	jemandem	*umg*	umgangssprachlich
j-n	jemanden	*usw*	und so weiter
j-r	jeder	*vet*	veterinär, in der Tierheilkunde
j-s	jemandes	*vi*	verbe intransif, nichtzielendes Verb
journ	journalistisch, Zeitungssprache	*vt*	verbe transitif, zielendes Verb
kath	katholisch	*vi/t*	nichtzielendes und zielendes Verb
k-e	keine	*vt/i*	zielendes und nichtzielendes Verb
k-m	keinem	*vgl*	vergleiche
k-n	keinen	*z.*	zum, zur
k-r	keiner	*z.B.*	zum Beispiel
k-s	keines	*zool*	zoologisch
konkr	konkret	*zus.*	zusammen
ling	linguistisch, sprachwissenschaftlich	*Zssg*	Zusammensetzung
lit	literarisch	*zw*	zwischen
m	maskulin, männlich	Ⓦ	Warenzeichen

A

à [a] in; auf; nach; bei; zu; mit; um; bis; ~ *sa mère (Dativbildung)* s-r Mutter; ~ *Paris* nach (in) Paris; ~ *la campagne* auf das (dem) Land; ~ *l'école* in die (der) Schule; ~ *cheval* zu Pferd; ~ *bicyclette* mit dem Fahrrad; ~ *100 km d'ici* 100 km von hier; ~ *11 heures* um 11 Uhr; *j'ai une voiture* ~ *moi* ich habe e-n eigenen Wagen; *verre* ~ *vin* Weinglas; *un monsieur au complet brun* e. Herr in braunem Anzug; *vendre au kilo* kiloweise verkaufen; ~ *la mode* nach der Mode; ~ *la française* nach französischer Art; *porter* ~ *400 degrés* auf 400 Grad erhitzen; ~ *ce jour* bis auf den heutigen Tag; *vent faible* ~ *modéré* schwacher bis mäßiger Wind; *de 25* ~ *30* von 25 bis 30; *mot* ~ *mot* Wort für Wort; *un* ~ *un* einer nach dem andern; ~ *trois* zu dritt; *réunion* ~ *trois* Dreierkonferenz; *au revoir* auf Wiedersehen; ~ *tout* ~ *l'heure!* bis nachher!; ~ *bientôt!* bis bald!; ~ *votre santé!* auf Ihr Wohl!; ~ *demain!* bis morgen!; ~ *ce que je vois* wie ich sehe

abaisse-langue [abɛslãg] *m 100* ☞ Zungenspatel

abaiss|ement [abɛsmã] *m* Herablassen; Senkung; ~*ement des prix* Herabsetzung d. Preise; Preissenkung; ~*ement du coût de la vie* Senkung d. Lebenshaltungskosten; ~*er* [sε] herunterlassen; senken; niedriger machen; ~*er une perpendiculaire (math)* e. Lot fällen; *ce serait m'~er que de...* ich halte es für unter m-r Würde, zu...

abajoue [abaʒu] *f zool* Backentasche; Hängebacke

abandon [abãdõ] *m* Verlassenheit; Vernachlässigung; Abtretung; Aufgabe *(e-s Unternehmens);* ⚙ Aufgeben; Hingabe; ~*ner* [-dɔne] verlassen, im Stich lassen, preisgeben; ⚙ aufgeben; ~*ner les rênes* die Zügel schießen lassen; ~*ner un enfant* e. Kind aussetzen; *s'~ner à qch* s. e-r Sache hingeben; *s'* ~*ner à une passion* e-r Leidenschaft frönen

abasourd|ir [abazurdi:r] *22 [z. B. durch Lärm]* betäuben *(a. fig);* ~*issement* [-dismã] *m (a. fig)* Betäubung

abâtardir [abatardi:r] *22* verderben; *s'~* entarten

abat|-jour [abaʒu:r] *m 100* Lampenschirm; ~*-son* [-sõ] *m 100 (Glockenturm)* Schallöffnung

abatt|age [abata:ʒ] *m* Fällen (d. Holzes); Schlachten; ~*ement* [abatmã] *m* Niedergeschlagenheit; *com* Rabatt, Preisnachlaß; ~*ement à la base* steuerfreier Grundbetrag; ~*is* [-ti] *m* Kleinfleisch; ~*is d'oie* Gänseklein; *pl pop!* Hände u. Füße; ~*oir* [-twa:r] *m* Schlachthaus; ~*re* [abatr] *53* herunter-(nieder-)schlagen; *umg* umlegen *(töten);* ✝ abschießen; ~*re de la besogne* allerhand erledigen; *s'~re* ✝ abstürzen; *(Gewitter)* niedergehen; ~*u* [-ty] niedergeschlagen, mutlos

abat|-vent [abavã] *m 100* Kaminaufsatz; ~*-voix* [-vwa] *m 100 (Kanzel)* Schalldeckel

abb|atial [abasjal] *124* zur Abtei gehörig; Abts...; ~*aye* [abei] *f* Abtei; ~*é* [abe] *m* Abt; Geistlicher ♦ *le moine répond comme l'~é chante*

wie d. Alten sungen, so zwitschern d. Jungen; ~*esse* [abɛs] *f* Äbtissin

abcès [apsɛ] *m* Geschwür, Abszeß

abdi|cation [abdikasjõ] *f* Abdankung; Thronentsagung; ~*quer* [-ke] *6* abdanken; aufgeben; ~*quer le trône* dem Thron entsagen

abdom|en [abdɔmɛn] *m* Unterleib; *(Insekten)* Hinterleib; ~*inal* [-minal] *124: organes* ~*inaux* Unterleibsorgane

abécédaire [abesede:r] *m* Fibel; Anfangsgründe; Elemente *(e-r Wissenschaft)*

abeille [abɛj] *f* Biene; ~ *mâle* Drohne; (~) *reine* Bienenkönigin

aberr|ant [abɛrã] abweichend; verrückt, abwegig; unsinnig; ~*ation* [abɛrasjõ] *f astr* Aberration; Verirrung; ~*er* [rε] abirren

abêtir [abeti:r] *22 vt* verdummen

abhorrer [abɔre] *1 vt* hassen, verabscheuen

abîm|e [abim] *m* Abgrund; Kluft; ~*er* [-me] *vt* verderben; kaputtmachen, zerstören; beschädigen; *s'~er* versinken, verlorengehen; *s'~er les yeux* s. d. Augen verderben; *s'~er dans la lecture* s. in d. Lektüre vertiefen

abject [abʒɛkt] gemein, verworfen

abjur|ation [abʒyrasjõ] *f* Abschwörung; ~*er* [-rε]: ~*er sa foi* s-m Glauben abschwören

ablation [ablasjõ] *f* ☞ operative Entfernung

ablution [ablysjõ] *f rel* Waschung; *faire ses* ~*s* sich waschen

abnégation [abnegasjõ] *f* Entsagung; ~ *de soi-même* Selbstverleugnung

aboi [abwa] *m: être aux* ~*s* in e-r verzweifelten Lage sein; ~*ement* [-mã] *m* Gebell

abol|ir [abɔli:r] *22* abschaffen; aufheben; ~*ition* [-lisjõ] *f* Abschaffung

abomin|able [abɔminabl] abscheulich; scheußlich; ~*ation* [-nasjõ] *f* Abscheu; Schandtat; ~*er* [-ne] verabscheuen

abond|ance [abõdãs] *f* Fülle; Überfluß; *en* ~*ance* in Hülle und Fülle; *corne d'~ance* Füllhorn ♦ *la bouche parle de l'~ance du cœur* wes das Herz voll ist, des geht d. Mund über; ~*ant* [-dã] üppig; reichlich; reichhaltig; ausgiebig; ~*er* [-dε] reichlich vorhanden sein; ~*er en* Überfluß haben an; ~*er dans le sens de qn* j-m völlig beipflichten

abonn|é [abɔne] *m* Abonnent, Bezieher; ~*ement* [-mã] *m* Abonnement; ⚘ Stammiete; ~*ement au téléphone* Fernsprechanschluß; ~*ement postal* Postbezug; ~*er* [-nε]: *être* ~*é à une revue* e-e Zeitschrift beziehen, auf e-e Z. abonniert sein; *s'~er (à)* etw. abonnieren

abord [abɔ:r] *m* Zutritt; Zugang; Annäherung; Anfang; *cet homme est d'un* ~ *facile* dieser Mann ist zugänglich; *d'~* zuerst; *de prime* ~ zu allererst, auf d. ersten Blick; *aux* ~*s du pouvoir* auf d. Schwelle zur Macht; ~*able* [abɔrdabl] *(Preis)* annehmbar, erschwinglich; ~*age* [-da:ʒ] *m* ⚓ Schiffskollision; Anlegen; Entern; ~*er* [-de] ⚓ anlegen; anreden; *(Sache, Problem)* in Angriff nehmen, angehen; ~*er qn* an j-n herantreten *(mit e-m Angebot)*

aborigène [abɔriʒɛn] *m* Eingeborener; Ureinwohner

abortif [abɔrtjf] **§** *112* abtreibend; *m* abtreibendes Mittel

abouch|ement [abuʃmã] *m* Unterredung; **~er** [-ʃe] zu e-r Besprechung zus. führen; *s'~er avec s.* besprechen mit

abouler [abule] *arg pop:* ~ *de l'argent* Geld blechen ~*e!* her damit!

about [abu] *m* 🏛 Balkenkopf; Stirnseite; Ende; ✿ angesetztes Endstück; Einlaßzapfen; Stoß; **~er** [abute] *vt.* aneinanderfügen

about|ir [abutiːr] *22* reichen (*à* bis); gehen (*à* bis); endigen (*à* bei) *les négociations n'~issent pas* die Verhandlungen führen nicht z. Ziel; **~issement** [-tjsmã] *m* Ergebnis (*in Verhandlungen*)

aboy|er [abwaje] *5* bellen; **~er** *contre qn* j-n anbellen, anschnauzen; **~eur** [-jœːr] *m* Schreier; Zeitungsverkäufer

abras|if [abrazif] **1.** *112* Schleif...; *toile ~ive* Schmirgelleinwand; **2.** *m* Schleifmittel

abrég|é [abreʒe] *m* Auszug; Abriß; *en ~é* gekürzt (Inhalt); **~er** [-ʒe] *2* (ab-)kürzen; verkürzen

abreuv|er [abrœve] (*Tiere*) tränken; **~er** *d'injures* mit Beschimpfungen überhäufen; **~oir** [-vwaːr] *m* Tränke, Schwemme; Trinknapf

abréviation [abrevjasjõ] *f* Kürzung, Abkürzung; ~ *sténographique* Kürzel

abri [abri] *m* Schutzdach; Unterstand; Bunker; Luftschutzkeller; (Gebirgs-)Hütte; ~ *de mécanicien* (*Lokomotive*) Führerstand; *à l'~ de l'air* (*phys*) unter Luftabschluß; *à l'~ du vent* im Windschatten; *se mettre à l'~* sich unterstellen; **~bus** [-bys] *m* überdachte Bushaltestelle

abricot [abriko] *m* Aprikose; **~ier** [-kɔtje] *m* Aprikosenbaum

abriter [abrite] schützen (*de* vor); *s'~* s. unterstellen, Schutz suchen

abrog|er [abrɔʒe] *14* (*Gesetz*) abschaffen; *la loi est ~ée* das Gesetz ist außer Kraft

abrupt [abrypt] schroff; steil

abrut|i [abryti] stumpfsinnig; ~*i par la boisson* trunksüchtig; **~ir** [-tiːr] *22* *vt* verdummen; *s'~ir* (*geistig*) herunterkommen; **~issant** [-tisã] *108* geisttötend; **~issement** [-tismã] *m* (*moral., geistig*) Verwilderung, Stumpfsinn

absen|ce [apsãs] *f* Abwesenheit; Mangel; Zerstreutheit; **§** Bewußtseinstrübung; *il a des ~ces* er ist zeitweilig geistesabwesend; *briller par son ~ce* durch Abwesenheit glänzen; **~t** [apsã] *108* abwesend; geistesabwesend; *m* Abwesender; **~téisme** [apsãtejsm] *m* Krankfeiern (*Arbeit*); Schwänzen (*Schule*); **~ter** [apsãte] *s'~ter* s. entfernen

abside [apsid] *f* 🏛 Apsis

absinthe [apsɛ̃t] *bot* Wermut; (*Getränk*) Absinth

absolu [apsɔly] absolut; absolutistisch; unbedingt; *pouvoir* ~ unumschränkte Gewalt; *alcool* ~ (*chem*) reiner Alkohol; **~ment** [-lymã] unbedingt; ~*ment faux* völlig verkehrt; **~tion** [-lysjõ] Absolution, Sündenvergebung; **~tiser** [-tise] *v.t.* verabsolutieren

absorb|ant [apsɔrbã] absorbierend, aufsaugend; (*Arbeit*) zeitraubend; alle Kräfte bean-

spruchend; **~er** [-be] aufsaugen; in Anspruch nehmen; ~*er le son* d. Schall dämpfen; ~*er des corpuscules, de l'énergie, un choc* (*phys*) Korpuskeln, Energie, e. Stoß aufnehmen; *s'~er dans s.* vertiefen in

absorption [apsɔrpsjõ] *f* Aufnahme, Absorption; Entzug; Dämpfung (*Stoß*); Inanspruchnahme; ~ *d'entreprises* Fusion, Verschmelzung

absoudre [apsudr] *51* (*von Sünden*) freisprechen

absten|ir [apstəniːr] *30* : *s'~ir de* unterlassen, bleiben lassen; **~tion** [-stãsjõ] *f* Enthaltung; Stimmenthaltung

abstin|ence [apstinãs] *f* Enthaltsamkeit; *jour d'~ence* (*rel*) Abstinenztag; **~ent** [-nã] *108* enthaltsam

abstraction [apstraksjõ] *f* Abstraktion; Begriff; Verallgemeinerung; *faire ~ de* absehen von; ~ *faite de* abgesehen von

abstrai|re [apstrɛːr] *66* von etwas absehen; auf etwas verzichten; abstrahieren; **~t** [apstrɛ] *108* abstrakt, theoretisch

abstrus [apstry] *108* schwer faßlich; verschroben

absurd|e [apsyrd] absurd, sinnlos, abwegig; **~ité** [-dite] *f* Absurdität, Widersinnigkeit

abus [aby] *m* Mißbrauch; ~ *de pouvoir* M. der Amtsgewalt; ~ *de confiance* Vertrauensbruch; *par* ~ (*adv*) mißbräuchlich; **~er** [abyze]: ~*er qn* j-n täuschen, hintergehen; ~ *de qch* etw. mißbrauchen; *si je ne m'~e* wenn ich mich nicht irre; **~if** [-zif] *112* mißbräuchlich

abyss|al [abisal] *124* (*a fig*) abgrundtief; *flore ~ale* Tiefseeflora; **~es** [abjs] *mpl* Tiefseeregion, Tiefseetafel

abyssin [abisɛ̃] *109* abessinisch; **⚣** *m* der Abessinier; ~*ien*, **⚣***ien* [-sinjɛ̃] *118* = abyssin, Abyssin; **⚣***ie* [-sinj] *f:* l'*⚣ie* Abessinien

acabit [akabi] *m umg:* *un type de cet* ~ ein Kerl dieses Schlages

acacia [akasja] *m* Akazie

académ|icien [akademisjɛ̃] *m* Akademiemitglied; **~ie** [-mi] *f* Akademie; 📚 Akt(skizze); Bezirksschulbehörde (*umfaßt das gesamte Schulwesen bis zur Universität*); **~ique** [-mjk] akademisch

acajou [akaʒu] *m* Mahagoni

acanthe [akãt] *f bot* Bärenklau; 🏛 Akanthus(blatt)

accabl|ant [akablã] niederdrückend; schwül; **~ement** [-bləmã] *m* Niedergeschlagenheit; **~er** [-ble] *fig* niederdrücken; 🦎 belasten; ~*é de fatigue* von Müdigkeit übermannt; ~*é de travail* mit Arbeit überhäuft

accalmie [akalmi] *f* (vorübergehende) Windstille; *com* Flaute

accapar|ement [akaparmã] *m* Hamsterkauf, Hamstern; **~er** [-re] hamstern; *a. fig* mit Beschlag belegen; **~eur** [-œːr] *m* Hamsterer; Schieber

accéder [aksede] *13:* ~ *à* Zugang haben zu; ~ *à la propriété* s. e. Eigenheim schaffen

accélér|ateur [akseleratœːr] *122* beschleunigend; *m* Gashebel; 🎞 Zeitraffer; ⚡ Beschleuniger, Beschleunigungsvorrichtung; *chem* Kon-

taktstoff, Katalysator; *appuyer sur l'~ateur* Gas
geben; *lâcher l'~ateur* Motor drosseln; **~ation**
[-rasjɔ̃] *f* Beschleunigung; **~er** [-rę] *vt* ✿
beschleunigen; *vi* 🚗 Gas geben

accent [aksã] *m* Akzent, Tonfall; Betonung; ~
aigu [aksãtegy] Akut; ~ *grave* Gravis; ~
circonflexe Zirkumflex; ~ *tonique* Druckak-
zent; *il manque d'~* er hat k-e persönliche Note;
mettre l'~ sur qch etw. betonen; **~uer** [-tɥę]
akzentuieren; *a. fig* betonen, verstärken, unterstreichen; hervorheben

accept|able [aksɛptạbl] annehmbar; **~ant** [-tã]
m Wechselnehmer; **~ation** [-tasjɔ̃] *f* Annahme;
com Akzept; *~ation d'une succession* Erb-
schaftsantritt; **~er** [-tę] annehmen; s. in etw.
fügen; s. etw. gefallen lassen; *com* Wechsel
akzeptieren; **~eur** [-tœ:r] Akzeptant, Bezogener; **~ion** [-sjɔ̃] *f* Begriff; Wortbedeutung; *dans
toute l'~ion du terme* im weitesten Sinne d.
Wortes; *sans ~ion de personnes* ohne Ansehen
der Person

accès [aksɛ] *m* Zutritt; Zugang; ⚡ Anfall; *carte
d'~ gratuite* Freikarte; ~ *à la propriété*
Eigentumserwerb

access|ible [aksɛsibl] zugänglich *(à* für); **~ion**
[-sjɔ̃] *f*: *~ion au trône* Thronbesteigung; *~ion
(d'un pays) à l'indépendance* Erlangung d.
Unabhängigkeit; **~it** [-sit] *m* Belobigung; **~oire**
[-swa:r] nebensächlich: *m* Nebensache; *pl*
Zubehör; ♉ Requisiten

accident [aksidã] *m* 1. Unfall; ~ *matériel* U.
mit Sachschaden; ~ *de circulation* Verkehrsun-
fall; ~ *de travail* Arbeitsunfall; *prévention des
~s* U.verhütung; *provoquer des ~s de personnes
et des dommages matériels* Personen- u.
Sachschaden anrichten; **2.** Unebenheit *(d.
Bodens)*; **3.** Zufall; *par ~* zufällig; **~é** [-dãte]
hügelig; uneben; *(Leben)* wechselvoll; zu
Schaden gekommen, verletzt; *m umg* Unfallver-
letzter; *~é du travail* Arbeitsinvalide; **~el**
[-dãtɛl] *115* zufällig; **~er** [-dãtę] j-n *(od etw.)*
durch Unfall verletzen (beschädigen); *s'~er
(Landschaft)* hügelig werden

acclam|ation [aklamasjɔ̃] *f* Beifalls-, Huldi-
gungsruf(e); *élire par ~ation* durch Zuruf
wählen; **~er** [-mę] *qn* j-m Beifall spenden

acclimat|ation [aklimatasjɔ̃] *f* Akklimatisie-
rung; *jardin d'~ation* Tiergarten; botanischer
Garten; **~ement** [-mã] *m* klimatische Anpassung; **~er** [-tę] akklimatisieren; *s'~er* s. an e.
Klima gewöhnen; *fig* heimisch werden

accointance [akwɛ̃tãs] *f* Beziehung, vertrauter
Umgang

accol|ade [akɔlạd] *f* freundschaftl. Umar-
mung; (Umarmung bei) Ordensverleihung; 𝄐
geschweifte Klammer; **~er** verbinden, zusam-
menfügen; anbauen

accommod|age [akɔmɔdạʒ] *m* Zubereitung *(e-r
Speise)*; **~ant** [-dã] *108* gefällig, fügsam; **~ation**
[-dasjɔ̃] *f* Anpassung; Einordnung; **~ement**
[-mɔdmã] *m* Abkommen; ⚖ Vergleich; **~er** [-dę]
(Speise) zubereiten; anpassen; *s'~er de qch* mit
etw. vorliebnehmen

accompagn|ateur [akɔ̃paɲatœ:r] *m* ♪ Begleiter;

~ement [-paɲmã] *m (a.* ♪) Begleitung; **~er**
[-paɲę] *a.* ♪ begleiten; *s'~er de qch* etw. im
Gefolge haben

accompl|i [akɔ̃pli] vollendet; *beauté ~ie* voll-
endete Schönheit; *fait ~i* [fɛtakɔ̃pli] vollendete
Tatsache; **~ir** [-pli:r] *22* verwirklichen; vollenden, erfüllen; *~ir sa promesse* sein Versprechen
halten; **~issement** [-plismã] *m* Erfüllung;
Verwirklichung; *~issement des formalités doua-
nières* Zollabfertigung

accord [akɔːr] *m* **1.** Eintracht, Einklang; *être
d'~ sur* s. einig sein über; *mettre d'~ in*
Einklang bringen; *tomber d'~ sur* s. einig
werden über; *d'~!* einverstanden!, abgemacht!;
2. Übereinkunft; *aboutir à un ~* e-e Einigung
erzielen; *par ~ spécial* nach besonderer
Vereinbarung; *~ commercial* Handelsabkom-
men; ~ *de compensation* Verrechnungsabkom-
men; ~ *de participation* Beteiligung der
Arbeitnehmer am Betriebsergebnis; ~ *tarifaire*
Zollübereinkommen; **3.** ♪ Akkord; **4.** ☙ Abstimmung; **~age** [akɔrdaʒ] *m* ♪ Stimmen; **~éon**
[-deɔ̃] *m* Ziehharmonika; **~er** [-dę] **1.** zur
Übereinstimmung bringen; **2.** gewähren; *~er
un permis de construire* e-e Baugenehmigung
erteilen; *~er sa main* sein Jawort geben; **3.** ♪
stimmen; **~er autrement** ♪ umstimmen; **4.**
zugestehen, zugeben; **5.** *fig* abstimmen, einstellen; *s'~er à* passen zu; *ils s'~ent bien* sie
vertragen s. gut ♦ *s'~er comme chien et chat* wie
Hund u. Katze sein; **~eur** [-dœ:r] *m* ♪ Stimmer

accost|age [akɔstaʒ] *m* ⚓ Anlegen, Landung;
~er [-stę] ⚓ s. längsseits legen; *umg* ansprechen

accot|ement [akɔtmã] *m* ❦ Bankett; *(Geleise)*
Bettung; 🚗 Randstreifen; **~er** [akɔtę] stützen
(sur auf); anlehnen *(contre an)*

accouch|ée [akuʃę] *f* Wöchnerin; **~ement** [-
ʃmã] *m* Entbindung, Niederkunft; *~ement*
laborieux schwere Geburt; *~ement sans douleurs* schmerzlose Entbindung; **~er** [-ʃę] entbinden, niederkommen *(de* mit) ♦ *~e! (umg)* heraus
mit der Sprache!; **~eur** [-ʃœ:r] *m* Geburtshelfer

accoud|er [akudę]: *s'~* s. mit Ellbogen
aufstützen; **~oir** [-dwa:r] *m* Armlehne

accoupl|ement [akupləmã] *m* Paarung; 🚗, ❦
Kupplung; ⚡ Ankoppeln, Kopplung; *~ement à
griffes (à friction, à articulation)* Klauen-(Frikti-
ons-, Gelenk)Kupplung; *~ement réactif* ☙
Rückkopplung; **~er** [-plę] paaren; 🚗, ❦
kuppeln; ☙ koppeln

accourir [akuri:r] *19* herbeieilen

accoutr|ement [akutrəmã] *m* lächerlicher Auf-
putz; **~er** [-trę] lächerlich ausstaffieren, herausputzen

accoutum|ance [akutymãs] *f* Gewöhnung; **~é**
[akutymę] gewohnt; **~er** [-mę] gewöhnen;
akklimatisieren; *s'~er à* s. gewöhnen an

accrédit|er [akreditę] zu Ansehen bringen;
beglaubigen; *s'~er (z. B. Nachricht)* s. verbreiten; **~eur** [-tœ:r] *m com* Bürge; **~if** *m* Akkreditiv

accroc [akro] *m* Hindernis; Riß *(im Kleid; in der
Freundschaft); sans ~* reibungslos

accroch|age [akrɔʃaʒ] *m* Anhaken; Aufhängen
(Bild); Zus.stoß *(zw. Autos, d. Polizei mit*

Aufständischen usw.); *(Boxen)* Umklammerung; **~e-cœur** [-kœ:r] *m 100* Schmachtlocke; **~ement** [-mᾶ] *m* Anhängen *(e-s Wagens);* **~er** [-ʃe] an-, aufhängen; *(Polizei)* zus.stoßen mit; ♂*(Hörer)* einhängen; *(Wagen beim Überholen)* streifen; *umg (Zuschauer)* fesseln; *s'~er (mit dem Kleid)* hängenbleiben *(à* an); *(Boxen)* s. umklammern; *s'~er à qch (qn)* s. an etw. (j-n) hängen, klammern; *il s'est ~é avec lui (pop)* sie sind s. in die Haare geraten

accroire [akrwa:r] *63: il voudrait m'en faire ~* j-m etwas vorspiegeln, vortäuschen, weismachen wollen

accroissement [akrwasmᾶ] *m* Zunahme; Vermehrung; (An-)Steigen; *~ de la population* Bevölkerungszunahme

accroître [akrwa:tr] *64* vermehren; steigern; *s'~* zunehmen; *(Einkünfte)* steigen

accroup|ir [akrupi:r] *22: s'~ir* s. niederhocken; s. zus.kauern; **~i** [-pi] hockend; **~issement** [pismᾶ] *m* Niederhocken

accu [aky] *m umg* Akku; **~s** *mpl umg* Autobatterie

accueil [akœj] *m* Empfang, Aufnahme; *on nous a fait bon ~* wir haben freundl. Aufnahme gefunden; *faire ~ à une traite (com)* Wechsel honorieren; *centre d'~* Auffanglager; **~lant** [-jᾶ] freundlich, gastlich; **~lir** [-ji:r] *20 vt* empfangen; aufnehmen; *(Gedanken)* Einlaß gewähren

acculer [akyle] zwingen; *~ au mur (bes fig)* an d. Wand drücken; *~ une entreprise à la faillite* e. Unternehmen ruinieren

accumul|ateur [akymylatœ:r] *m* Akkumulator; Energiespeicher; *~ateur au plomb* Bleiakkumulator; *(re)charger l'~ateur* d. A. (auf)laden; **~ation** [-lasjᾶ] *f* Anhäufung; Anreicherung; Speicherung; **~er** [-le] anhäufen; speichern; bunkern; stauen

accus|able [akyzabl] ♫ anklagbar; **~ateur** [-zatœ:r] *122 m* Ankläger; Denunziant; *adj* verräterisch; drohend; **~atif** [-zatif] *m* Akkusativ, 4. Fall; **~ation** [-zasjᾶ] *f* Anklage; *acte d'~ation* Anklageschrift; **~é** [-ze] *m* Angeklagter *(im Strafverfahren);* **~é de réception (de payement)* Empfangs-(Zahlungs-)Bestätigung; **~er** [-ze] anklagen *(de* wegen); bezichtigen, beschuldigen; offen zeigen; aufweisen; *~er réception* d. Empfang bestätigen; *s'~er réciproquement* sich gegenseitig beschuldigen; *la différence s'~e* der Unterschied wird größer

acéphale [asefal] ⚥ ohne Kopf

acerbe [asɛrb] *a. fig* herb; bitter

acéré [asere] spitz, zugespitzt; *a. fig* scharf, beißend

acét|ate [asetat] *m chem* Azetat, essigsaures Salz; *~ate de cuivre* Grünspan; *~ate de plomb* Bleiazetat; **~ique** [-tik] Essig...; **~one** [-tɔn] *m* Azeton; **~ylène** [-tilɛn] *m* Azetylen(gas)

achaland|age [aʃalᾶdaʒ] *m* Laufkundschaft; **~é** [aʃalᾶde]: *magasin bien ~* gutgehendes Geschäft

acharn|é [aʃarne] erbittert; hartnäckig; *labeur ~é* eiserner Fleiß; *être ~é* erpicht sein *(à* auf);

~ement [-nᾶmᾶ] *m* Erbitterung; **~er** [-ne] aufhetzen; *s'~er contre qn* heftig gegen j-n reden

achat [aʃa] *m* Kauf; *~ à forfait* Pauschalkauf; *~ à tempérament* Ratenkauf

achem|inement [aʃminmᾶ] *m fig* Richtungsweisung; ♂ Leitungsvermerk; **~er** [-ne] *com* auf den Weg bringen, befördern; anbahnen

achet|er [aʃte] *1 (a. fig)* (ab)kaufen; *elle m'a ~é ces deux livres* sie hat mir diese beiden Bücher gekauft *(bzw.* abgekauft); *~er cher (bon marché)* teuer (billig) kaufen; *~er à crédit* auf Kredit kaufen; *~er au poids de l'or* mit Gold aufwiegen; *~er un témoin* e. Zeugen bestechen; *~er à trente jours* mit 30 Tagen Ziel kaufen; *~er au décrochez-moi ça (Kleider)* im Secondhandladen kaufen; *~er de première main* direkt beziehen; *obligation d'~er* Kaufzwang; *~er chat en poche* die Katze im Sack kaufen; **~eur** [aʃtœ:r] *m 121* Käufer; Einkäufer; **~eurs** *solvables* kaufkräftige Kunden; **~eur à réméré** Rückkäufer

achèvement [aʃɛvmᾶ] *m* Vollendung; Abschluß

achev|er [aʃve] *8* **1.** beendigen; fertigmachen; *~er de faire qch* mit etw. zum Ende kommen; *hypocrite ~é* Erzheuchler; **2.** auffessen; **3.** *(töten)* erledigen; *fig* den Rest geben; *s'~er* zu Ende gehen, ablaufen

achillée [akile] *f bot* Schafgarbe

achoppement [aʃɔpmᾶ] *m: pierre d'~* Stein des Anstoßes

achromatique [akrɔmatik] *phys,* ♪ achromatisch

acid|e [asid] sauer; *m* Säure; *arg* LSD; **~e aminé** Aminos.; **~e carbonique** Kohlens.; **~e chlorhydrique** Salzs.; **~e sulfurique** Schwefels.; **~e tartrique** Weins.; **~e formique** Ameisens.; **~ifère** [-difɛ:r] säurebildend; **~ification** [asidifikasjᾶ] Ansäuern, Säuern; Säurebildung; **~imètre** [-dimɛtr] *m* Säuremesser; **~ité** [-dite] *f* Säure *(als Eigenschaft);* **~uler** [-dyle] ansäuern; *bonbons* **~ulés** saure Bonbons

acier [asje] *m* Stahl; *~ inoxydable* rostfreier Stahl; *~ coulé* Gußstahl; *~ doux* Flußstahl; *~ de façonnage* Formstahl; *~ feuillard* Bandstahl; *~ laminé* Walzstahl; *~ en lingots* Blockstahl; *~ à ressorts* Federstahl; *~ rapide* Schnelldrehstahl; *~ spécial* Edelstahl

aciérie [asjeri] *f* Stahlwerk

acné [akne] *f* Akne

acolyte [akɔlit] *m rel* Akoluth; *umg* Helfershelfer, Komplice

acompte [akᾶt] *m* Anzahlung; Abschlagszahlung; Teilzahlungsrate; *donner un ~* e-e Anzahlung leisten; *par ~s* ratenweise

aconit [akɔnit] *m bot* Eisenhut

Açores [asɔ:r] *fpl* Azoren

à-|côté [akote] *m 99* Nebensächlichkeit; Nebenerscheinung; **~coup** [aku] *m 99* Ruck; Stoß; *marche par ~coups* ruckweiser, unruhiger Gang *(e-r Maschine); démarrage sans ~coups* ⚙ stoßfreies Anlaufen

acousticien [akustisjɛ] *adj 118* Akustiker, Gehörfachmann

acoustique [akustjk] **1.** akustisch; *appareil ~* Hörgerät; *lunettes-~s* Hörbrille; **2.** *f* Akustik
acquér|eur [akerœ:r] *m 121* Käufer, Erwerber; **~ir** [-ri:r] *18* erwerben; *~ir un ami* e-n Freund gewinnen; *~ir la certitude* die Gewißheit erlangen; *~ir droit de cité* s. einbürgern; *(z. B. Methode)* s. einführen; *il est acquis que...* es steht fest, daß
acquêts [akɛ] *mpl* 🐾 Zugewinn
acquiesc|ement [akjɛsmɑ̃] *m* Einwilligung *(à* in); **~er** [-se] *15* einwilligen *(à* in); *~er de la tête* bejahend nicken
acquisition [akizisjɔ̃] *f* Erwerb; Erwerbung; *(wissenschaftl.)* Errungenschaft; *~ des données* Datenerfassung
acquit [aki] *m* Quittung; *pour ~* Betrag erhalten; *par ~ de conscience* damit man s. nichts vorzuwerfen hat; um ein übriges zu tun; **~-à-caution** [akitakosjɔ̃] *m 98* Zollbegleitschein; **~tement** [akitmɑ̃] *m com* Tilgung; 🐾 Freispruch; **~ter** [-te] freisprechen; *(Schulden)* abtragen; *~ter ses impôts* s-e Steuern bezahlen; *s'~ter de sa dette* s-e Schuld begleichen, erfüllen; leisten; *s'~ter d'un devoir* s-e Pflicht erfüllen; *s'~ter de sa mission* s-en Auftrag erledigen
âcre [a:kr] ätzend, beißend; *a. fig* bitter; **~té** [ɑkrɔte] *f* Schärfe; Bitterkeit
acrimon|ie [akrimɔni] *f* Bitterkeit; **~ieux** [-njø] *111 (Charakter)* bitter, herb
acrobat|e [akrɔbat] *m* Akrobat; *~e voltigeur* Luftakrobat; **~ie** [-basj] *f* Akrobatik
act|e [akt] *m (a.* 🐍) Akt; Handlung; 🐾 Akte, Urkunde; *~e d'accusation* Anklageschrift; *~e administratif* Verwaltungsmaßnahme; *~e délictueux* Straftat; *~e constitutif* Gründungsvertrag; *~e juridique* Rechtsgeschäft; *~e de vente* schriftlicher Kaufvertrag; *les ~es des Apôtres* Apostelgeschichte; *~e de naissance* Geburtsurkunde; *~e de baptême* Taufschein; *~e de décès* Sterbeurkunde; *faire ~e de bonne volonté* s-n guten Willen zeigen; *faire ~e de présence* s. (aus Höflichkeit) zeigen; *donner ~e de* bestätigen, beglaubigen; *prendre ~e de* qch etw. zu Protokoll nehmen, vormerken, zur Kenntnis nehmen; **~eur** [-tœ:r] *m* Schauspieler; handelnde Person; **~if** [-tjf] *112* aktiv; wirksam; tätig; *m com* Aktiva, Haben; *sécurité ~ive* 🚗 aktive Sicherheit
action [aksjɔ̃] *f* **1.** Handlung; Tätigkeit; *~ publicitaire* Werbetätigkeit; *~ d'éclat* tapfere Tat; *~ de grâce (rel)* Danksagung; *~ revendicative* Arbeitskampf(maßnahme); *~ psychologique* Indoktrinierungskampagne; **2.** Wirkung; Einwirkung; Vorgang; *~ d'un remède* Wirkung e-s Heilmittels; **3.** Aktie; *~ d'origine* (od. *de première émission)* Stammaktie; **4.** Aktion, Vorgehen, planvolle Unternehmung; *~ d'épuration* Säuberungsaktion; *~ de ratissage (mil)* Durchkämmaktion; **~naire** [-sjɔnɛr] *m* Aktionär *~ nariat ouvrier* Arbeitnehmerbeteiligung am Aktienkapital (eines Unternehmens); **~nement** [-sjɔnmɑ̃] *m* 🌸 Antrieb; **~ner** [-sjɔne] 🌸 antreiben, betätigen
activ|ation [aktivasjɔ̃] *f* 🐾 Aktivierung *(von*

Gehirnströmen); **~er** [-ve] mit Nachdruck betreiben; *(Feuer)* schüren; **~iste** [-vjst] *m* Aktivist; **~ité** [-vite] *f* Tätigkeit; Wirksamkeit; *~ité privée* Privatinitiative; *~ité solaire* Sonnentätigkeit; *~ité vitale* Lebensvorgänge; *sphère d'~ité* Wirkungskreis
actrice [aktrjs] *f* Schauspielerin
actu|aire [aktɥɛ:r] *m* Versicherungsmathematiker; **~alisation** [-tɥalizasjɔ̃] *f* Aktualisierung; **~aliser** [-tɥalize] aktualisieren, gegenwartsnah gestalten; **~alité** [-tɥalite] *f* Aktualität, Gegenwartsbezogenheit; *pl* 🎬 Wochenschau; *question d'~alité* brennende Frage, Tagesfrage; *d'une ~alité immédiate* hochaktuell; *être d'~alité* spruchreif sein; **~el** [-tɥɛl] *115* jetzig, zeitgemäß, zeitnah; vom Tage; augenblicklich; **~ellement** [-tɥɛlmɑ̃] zur Zeit, heute, jetzt
acu|ité [akɥite] *f (a. fig)* Schärfe; *(Schmerz)* Heftigkeit; 🐾 akuter Zustand; *~ité d'un problème* Dringlichkeit e-s Problems; **~lé** [akyle] *biol* stachelbewehrt; **~poncture** [akypɔ̃kty:r] *f* 🐾 Akupunktur, Nadelung
adage [adaʒ] *m* Sprichwort; Sinnspruch
adapt|ateur [adaptatœ:r] *m* 🌸 Adapter, Vorsatz; Zusatzgerät; 🌸, 🚲 Bearbeiter; **~atif** [-tatjf] *112: caractère ~atif (biol)* Anpassungscharakter; **~ation** [-tasjɔ̃] *f* Anpassung; *~ation cinématographique* Verfilmung; *~ation radiophonique* Funkbearbeitung, -fassung; **~er** [-te] anpassen; *s'~er* s. anpassen *(à* an), umstellen *(à* auf)
addit|if [aditjf] *112* hinzufügbar; hinzugefügt; *m* 🐾 Zusatzmittel, Adjuvans; Sonderbudget; (Treibstoff-)Zusatz; **~ion** [adisjɔ̃] *f* Addition; Hinzufügung; *(Gasthaus)* Rechnung; *l'~ion, s'il vous plaît!* zahlen, bitte!; **~ionnel** [-jɔnɛl] *115* zusätzlich; **~ionner** [-sjɔne] addieren; hinzufügen; zusetzen; versetzen (mit) *~ionner le vin d'eau* dem Wein Wasser beigießen
adduction [adyksjɔ̃] *f: ~d'eau* Wasserzufuhr; Wasserversorgung
adén|ite [adenjt] *f* Lymphadenitis; **~opathie** [-nɔpati] *f* Drüsenerkrankung
adepte [adɛpt] *m* Kenner, Eingeweihter; Anhänger *(e-r Lehre)*, Schüler
adéquat [adekwa] *108* angemessen; übereinstimmend, richtig
adhér|ence [aderɑ̃s] *f* Anhangen; Dazugehörigkeit; Anhänglichkeit; *~ence électrique* elektr. Reibungswiderstand; **~ent** [-rɑ̃] *108* anhangend; *m* Anhänger; Mitglied; **~er** [-re] *13: ~er à* beitreten; 🐾 verwachsen sein mit
adhés|if [adezjf] *112* haftend; *emplâtre ~if* Heftpflaster; **~ion** [adezjɔ̃] *f phys* Adhäsion; Zustimmung; Beitritt; *acte d'~ion* Beitrittserklärung; *~ion à un parti* Parteizugehörigkeit
adieu! [adjø] lebe wohl!; *m 91* Abschied; *faire ses ~x à qn* s. von j-m (für lange) verabschieden
adip|eux [adipø] 🐾 *111* fetthaltig; *tissu ~* Fettgewebe; **~ose** [-po:z] *f* Fettsucht
adjacent [adʒasɑ̃] *108* anliegend, angrenzend
adjectif [adʒɛktjf] *112 ling* adjektivisch; *m* Adjektiv, Eigenschaftswort; *~ numéral* Zahlwort

adjoin|dre [adʒwɛ̃dr] 87 beiordnen; **~t** [-ʒwɛ̃]: *instituteur* ~t Hilfslehrer; *maire* ~t zweiter Bürgermeister; *m* Amtsgehilfe

adjonction [adʒɔ̃ksjɔ̃] *f* Beiordnung; Hinzufügung

adjud|ant [adʒydɑ̃] *m* Feldwebel; Wachtmeister; **~ication** [-dikasjɔ̃] *f* 🟊 Zusprechung; Versteigerung

adjuger [adʒyʒe] 14 *(bei Versteigerung)* zuschlagen; zuerkennen; *s'~* sich aneignen

adjupette [adʒypɛt] *m (arg mil)* Spieß

adjur|ation [adʒyrasjɔ̃] *f* Beschwörung; flehentliche Bitte; **~er** [-re] beschwören; inständig bitten

admettre [admɛtr] 72 zulassen; Zutritt gewähren; *(hypothetisch)* annehmen; der Auffassung sein; ~ *des exceptions* Ausnahmen zul.; *on peut* ~ *que…* man kann (schätzungsweise) sagen, daß…; *je n'admets pas cela!* ich verbitte mir das!; ~ *ingénument* unumwunden zugeben; *admettons!* zugegeben!

administr|ateur [administratœ:r] *m* Verwalter; Vermögensverwalter; Mitglied des Vorstandes (einer AG); **~ateur juridique** Rechtswalter; **~ateur délégué** *(com)* Hauptgeschäftsführer; **~atif** [-tratif] 112 verwaltungsmäßig; *corps* ~atif Beamtenschaft; **~ation** [-trasjɔ̃] *f* 1. Verwaltung; ~ation *communale* Gemeindeverw.; ~ation *des finances* (od *fiscale*) Finanzverw.; *conseil d'~ation* Vorstand (einer AG); ~ation *de la succession* Nachlaßverw.; ~ation *de la preuve* 🟊 Beweisführung; ~ation *des travaux* Bauleitung; 3. *journ* Verlag; 4. Spendung *(der Sakramente)*; 5. *(Arznei)* Verabreichung; **~er** [-tre] 1. verwalten; ~er *la justice* Rechtspflege handhaben; ~er *un malade* e-m Kranken die Letzte Ölung geben; 2. verabreichen; ~er *les sacrements* d. Sakramente spenden; ~er *des coups (umg)* Schläge austeilen

admir|able [admirabl] bewundernswert; **~ateur** [-ratœ:r] *m* 122 Bewunderer; **~atif** [-ratif] 112: *geste* ~atif Geste der Bewunderung; **~ation** [-rasjɔ̃] *f* Bewunderung; **~er** [-re] bewundern

admiss|ible [admisibl] zulässig, annehmbar; *il est* ~*ible* er hat die erste *(schriftl.)* Prüfung *(e-s Examens)* bestanden; **~ion** [-sjɔ̃] *f* Zulassung; 🟊 Zufuhr, Einlaß, Einströmen; *examen d'~ion en sixième (etwa:)* Aufnahmeprüfung für d. Oberschule; ~ion *à l'hôpital* Aufnahme ins Krankenhaus; ~ion *temporaire* (vorübergehende Einfuhr im) Veredelungsverkehr

admonest|ation [admɔnɛstasjɔ̃] *f (Schule)* Verweis; 🟊 Verwarnung; **~er** [-te] 🟊 verwarnen; *(Schüler)* e-n Verweis erteilen

adolesc|ence [adɔlɛɑ̃s] *f* Jugendalter; **~ent** [-sɑ̃] 108 jugendlich; *m* Jugendlicher

adonner [adɔne]: *s'~ à* sich hingeben *(Beschäftigung, Laster)*

adopt|er [adɔpte] annehmen; adoptieren; s. zu eigen machen; ~ *une loi* ein Gesetz beschließen; *j'~e son opinion* ich pflichte s-r Meinung bei; **~if** [-tif] 112: *enfant* ~if Adoptivkind; *père* ~if Pflegevater; **~ion** [-sjɔ̃] *f* Annahme (als Kind), Adoption; *patrie d'~ion* Wahlheimat

ador|able [adɔrabl] anbetungswürdig; liebenswert; *un enfant* ~able ein reizendes Kind; **~ateur** [-ratœ:r] *m* Anbeter, Verehrer; **~ation** [-rasjɔ̃] *f* Anbetung; ~ation *des idoles* Götzendienst; **~er** [-re] anbeten; leidenschaftl. lieben; *umg* etw. furchtbar gern essen

adosser [adose] anlehnen; *s'~* sich anlehnen *(à* an)

adouc|ir [adusi:r] 22 mildern; *(Schmerz)* lindern; *(Zorn)* besänftigen; *(Stimme)* mäßigen; *(Metall)* tempern, weichglühen; ~*ir la peau* die Haut geschmeidig machen; **~issant** [-sisɑ̃] 108 lindernd; *m* 🟊 Linderungsmittel; **~issement** [-sismɑ̃] *m* Linderung; *(Wasser)* Enthärtung

adrénaline [adrenalin] *f* 🟊 Adrenalin, Nebennierenhormon

adress|e [adrɛs] *f* 1. Adresse; ~*e télégraphique* Drahtanschrift, Telegrammwort; *c'est à son* ~*e* das ist auf ihn gemünzt; 2. Geschicklichkeit; Gewandtheit; *tour d'*~*e* Kunststück; **~er** [-se] adressieren; ~*er la parole à qn* das Wort an j-n richten; ~*er des reproches à qn* j-m Vorwürfe machen; *il m'a* ~*é à vous* er hat mich zu Ihnen geschickt; *s'*~*er à* s. wenden an; **~ographe** [-sɔgraf] *m* Adressiermaschine

adriatique [adriatik] adriatisch; *la mer* ⚓ das Adriatische Meer, die Adria

adroit [adrwa] 108 geschickt, gewandt

adulat|eur [adylatœ:r] 122 schmeichlerisch; *m* Kriecher, Schmeichler, Speichellecker; **~ion** [-sjɔ̃] *f* Lobhudelei

adulte [adylt] 1. erwachsen; *âge* ~ Mannesalter; 2. *m* Erwachsener

adultération [adylterasjɔ̃] *f* Fälschung

adultère [adyltɛ:r] ehebrecherisch; *m* Ehebruch **adultér|er** [adyltere] fälschen; **~in** [-rɛ̃] 109 🟊 im Ehebruch gezeugt

adven|ir [advəni:r] 30 s. ereignen; *(Wunder)* geschehen; *qu'adviendra-t-il de lui?* was soll aus ihm werden?; *advienne que pourra* komme, was da wolle; **~tif** [advɑ̃tif] 112: *racines* ~*tives* Luftwurzeln; **~tiste** [-tist] adventisch; *m* Adventist

adverb|e [advɛrb] *m ling* Adverb, Umstandswort; **~ial** [-bjal] 124 ling adverbial

advers|aire [advɛrsɛ:r] *m* Gegner; **~atif** [-satif] 112 ling adversativ; **~e** [-vɛrs] gegnerisch; *partie* ~*e* Gegenpartei; **~ité** [-site] *f* Widerwärtigkeit, Mißgeschick; *pl* Unbilden *(d. Lebens)*

aér|age [aera:ʒ] *m* 🟊 Lüftung, Ventilation; *(Bergbau)* Bewetterung; *puits d'*~*age (Bergwerk)* Wetterschacht; **~ation** [-rasjɔ̃] *f* (Aus-)Lüftung, Belüftung; Entlüftung; ~*é* [-re] *(Schriftsatz)* locker; **~er** [-re] 13 lüften; *s'*~*er (umg)* Luft schnappen; **~ien** [-rjɛ̃] 118 Luft…; *animal* ~*ien (zool)* Luftatmer; *compagnie* ~*ienne* Luftfahrtgesellschaft; *défense* ~*ienne* Luftabwehr; *demarche* ~*ienne* schwebender Gang; *forces* ~*iennes* Luftstreitkräfte; *ligne* ~*ienne* Luft-(fahrt)linie; *par voie* ~*ienne* ✈ auf dem Luftweg; *plante* ~*ienne* Hängepflanze; *pont* ~*ien* Luftbrücke; *service* ~*ien* Luftverkehr; *voies* ~*iennes (anat)* Atem-, Luftwege; **~odrome** [-rɔdrɔm] *m (bes mil)* Flugplatz; **~odynamique**

[-rɔdinamik] strömungsgünstig; stromlinienförmig, windschnittig; **~ogare** [-rɔgaːr] f Flughafen *(für Reisende)*; **~oglisseur** [-rɔglisœːr] m Luftkissenfahrzeug; **~olithe** [-rɔlit] m Steinmeteorit; **~omoteur** [-rɔmɔtœːr] m Windmotor; **~onautique** [-rɔnɔtik] f Luftfahrt; **~onavigation** [-rɔnavigasjɔ̃] f Flugnavigation; **~onef** [-rɔnɛf] m Luftfahrzeug; *~onef interplanétaire* Raumschiff; **~oport** [-rɔpɔːr] m Flughafen; **~oporté** [-rɔpɔrte]: troupes *~oportées* Luftlandetruppen; **~opostal** [-rɔpɔstal] *124:* compagnie *~opostale* Luftpostgesellschaft; **~oposte** [-rɔpɔst] f Luftpost; **~ospatiale** [-rɔspasjal] f Luftfahrt- u. Raumfahrtindustrie; **~ostat** [-rɔsta] m (Luft-)-Ballon; **~otechnique** [-rɔtɛknik] flugtechnisch; f Luftfahrttechnik; **~oterrestre** [-rɔtɛrɛstr]: opération *~oterrestre* Operation der vereinigten Land- u. Luftstreitkräfte; **~otorpille** [-rɔtɔrpij] f Lufttorpedo

aff|abilité [afabilite] f Freundlichkeit; **~able** [afabl] freundlich; **~abulation** [afabylasjɔ̃] f verlogene Darstellung, freie Erfindung

affacturage [afaktyraːʒ] m Franchising

affadir [afadiːr] *22 (a. fig)* fade, schal machen

affaibl|ir [afebliːr] *22* (ab)schwächen; **~issement** [afeblismɔ̃] m Schwächung

affair|e [afɛːr] f Geschäft; Angelegenheit; ⚙ Sache, Fall; *avoir ~e à qn* mit j-m zu tun haben; *nous avons fait ~e* wir haben abgeschlossen; *une mauvaise ~e* e-e schlimme Geschichte (Angelegenheit); *c'est une ~e! (umg)* es lohnt sich!; *c'est une tout autre ~e* das ist etw. ganz anderes; *ce n'est pas petite ~e* das ist k-e Kleinigkeit; *il a son ~e* er ist erledigt; *cela fait-il votre ~e?* genügt Ihnen das?; *se tirer d'~e* s. aus der Klemme ziehen; *plaider une ~e* e-n Prozeß führen; *cabinet d'~es* Unternehmensberatungsbüro; *agent d'~es* Immobilienverwalter; Treuhänder; Unternehmensberater; *homme d'~es* Geschäftsmann; *~es publiques* Staatsangelegenheiten; *chargé d'~es* Geschäftsträger; *chiffre d'~es* Umsatz; *⚹es étrangères* Auswärtiges Amt; *~é* [afɛre] geschäftig; stark beschäftigt; **~er** [afɛre]: *s'~er auprès de qn* s. eifrig um j-n bemühen; **~iste** [afɛrist(ə)] m skrupelloser Geschäftsmann

affaiss|ement [afɛsmɔ̃] m Hinsinken; Senkung; 🜊 Entkräftung; *~ement physique et moral* körperlicher u. geistiger Verfall; **~er** [-sɛ]: *s'~er* s. senken; 🜊 verfallen

affam|é [afame] hungrig; gierig; ausgehungert; *~é de gloire* ruhmsüchtig; **~er** [-me] aushungern

affect|ation [afɛktasjɔ̃] f geziertes Wesen; Zweckbestimmung; Zuweisung; *~é* [-te] gekünstelt, affektiert; 🜊 befallen; *air ~é* betroffene Miene; **~er** [-te] zur Schau tragen; bestimmen *(à für)*; zuweisen; 🜊 befallen; *fig* ergreifen; *elle ~e de ne pas le connaître* sie ignoriert ihn; *il est ~é à un autre corps de troupe* er ist e-m andern Truppenteil zugeteilt; *s'~er d'un rien* nahe ans Wasser gebaut haben, leicht weinen; **~if** [-tif] *112* Gemüts...; *la vie ~ive* Gefühlsleben; **~ion** [-sjɔ̃] f Zuneigung; 🜊 Leiden; Affekt; *~ion*

cardiaque Herzfehler; *~ion hépatique* Leberleiden; *~ion cancéreuse* Krebsleiden; **~ionné** [-sjɔne] zugetan; *ton ~ionné (Briefschluß)* Dein treuer...; **~ionner** [-sjɔne] (j-n) gern haben; (etw.) mit Eifer betreiben; **~ivité** [-tivite] f Erregbarkeit d. Gemüts; **~ueux** [-tɥø] *111* liebevoll

afférent [aferɔ̃] *108* bezüglich, über; *portion ~e à... ⚙* der auf... entfallende Teil

afferm|age [afɛrmaːʒ] m Verpachtung; Pachtvertrag; **~er** [-me] (ver)pachten; **~ir** [-miːr] *22* festmachen; *fig* festigen; **~issement** [-mismɔ̃] m Festigung

affich|age [afiʃaːʒ] m Plakatanschlag; *~age des prix (com)* Preisauszeichnung; **~e** [atiʃ] f Plakat; *apposer une ~e* e. P. ankleben; **~er** [-ʃe] *(Plakate)* anschlagen; zur Schau tragen; *s'~er (durch sein Benehmen)* auffallen; s. kompromittieren; **~eur** [-ʃœːr] m Plakatankleber; **~iste** [-ʃist] m Plakatkünstler, Plakatmaler

affil|age [afilaːʒ] m Schärfen; Schleifen; ✿Drahtziehen; **~ée** [-le] f: *d'~ée* unaufhörlich, hintereinander; *parler deux heures d'~ée* 2 Stunden lang ununterbrochen sprechen; **~er** [-le] schärfen; schleifen; *avoir la langue bien ~ée* e-e spitze Zunge haben

affil|ié [afilje] m Mitglied; **~ier** [-lje] *(Betriebe)* angliedern; *~ié au régime de la sécurité sociale* sozialversichert; *s'~ier à un parti* in e-e Partei eintreten

affiloir [afilwaːr] m Wetzstein; Streichriemen

affin|age [afinaːʒ] m Veredelung, Verfeinerung; ✿ Frischen; ✿ Scheidung; Raffination (von Zucker); **~ement** [-mɔ̃] m *(Theorie)* Verfeinerung; **~er** [-ne] veredeln, verfeinern; *(Nadel, Nägel)* anspitzen; *s'~er* s. verfeinern; **~erie** [-ri] f Scheideanlage; *~erie de fil* Drahtziecherei

affinité [afinite] f Affinität; *fig* Verwandtschaft; Zueinanderpassen; *~s intellectuelles* geistige Verwandtschaft

affirm|atif [afirmatif] *112* bejahend; *d'un ton ~atif* in bestimmtem Ton *(sprechen)*; **~ation** [-sjɔ̃] f Bekräftigung; Behauptung; *~ation par serment* eidliche Aussage; **~ative** [-tiːv] f: *répondre par l'~ative* bejahend antworten; **~er** [-me] versichern; bestätigen; behaupten; *~er par serment* unter Eid aussagen; *s'~er* offenbar werden; *fig* s. durchsetzen

affleur|ement [aflœrmɔ̃] m Einebnung, Nivellierung; Anstehen *(e-r Erzader an der Oberfläche)*; ✿ Angleichung; **~er** [-re] anstehen; ebnen, ausgleichen, nivellieren; angleichen; **~er** *(deux surfaces)* ✿ gleichmachen

affliction [afliksjɔ̃] f Betrübnis, Trübsal

afflig|eant [afliʒɑ̃] *108* betrüblich; *~é* [-ʒe] *(von e-m Leiden)* heimgesucht; **~er** [-ʒe] *14* betrüben; *s'~er de qch* s. um etw. grämen

afflu|ence [aflyɑ̃s] f Zustrom; Andrang; Zulauf *(v. Besuchern)*; **~ent** [aflyɑ̃] m Nebenfluß; **~er** [aflye] strömen *(à zu, nach)*; **~x** [afly] m Zustrom; *~x du sang* 🜊 Blutandrang

affol|ant [afɔlɑ̃] *108* verwirrend; bestürzend; *c'est ~ant!* es ist zum Verrücktwerden!; **~ement** [afɔlmɔ̃] m Verwirrung; Kopflosigkeit; **~ement**

de l'aiguille plötzliche Richtungslosigkeit der Magnetnadel; **~er** [-lę] verrückt machen; betören; *s'~er* den Kopf verlieren; *s'~er de qn* s. in j-n vernarren

afforest|age [afɔrɛstạ:ʒ] *m* Waldnutzungsrecht; **~ation** [-tasjɔ̃] *f* Aufforstung

affouill|ement [afujmã] *m* geol Unterspülung, Auswaschung; **~er** [-je] auswaschen, unterspülen

affourag|ement [afuraʒmã] *m (Vieh)* Futtervorratsbeschaffung; **~er** [-ʒe] *14* mit Futter versorgen

affourcher [afurʃe] 🚢 e-n Versatz herstellen; ⚓ vertäuen

affranch|i [afrãʃi] *m* Freigelassener; **~ir** [-ʃi:r] *22* befreien; ♂ freimachen; *lettre non ~ie* unfrankierter Brief; *machine à ~ir* Frankiermaschine; *~i de préjugés* über Vorurteile hinweg; **~issement** [-ʃismã] *m* Befreiung; ♂ Freimachung; *frais d'~issement* Portokosten

affres [afr] *fpl* Grauen; *~ de la mort* Schrecken des Todes

affrètement [afrɛtmã] *m* Chartern, Befrachtung

affré|ter [afrete] *13* chartern; **~teur** [-tœ:r] *m* (Schiffs-)Befrachter, Charterer; Verfrachter

affreux [afrø] *111* entsetzlich, fürchterlich; häßlich; abstoßend, widerlich

affriander [afriãdę] *a. fig* ködern; anlocken

affront [afrɔ̃] *m* Beschimpfung; *essuyer un ~* e-e Beleidigung hinnehmen müssen; **~er** [-te] *vt* die Stirn bieten; herausfordern, provozieren; *~er un danger* e-r Gefahr trotzen

affruiter [afruite]: *s'~ (biol)* Früchte ansetzen

affubl|ement [afyblǝmã] *m* lächerlicher, geschmackloser Anzug; **~er** [-blę] seltsam herausputzen (*de* mit); *s'~er de* s. bekleiden mit

affût [afy] *m* Lafette; *(Jagd)* Anstand; *se mettre à l'~* s. auf d. Lauer legen, lauern (*de* auf); **~age** [afytạ:ʒ] *m* ⚙ Schleifen, Schärfen; **~er** [afytę] *(Werkzeug)* schleifen, schärfen; anspitzen; *pierre à ~er* Wetzstein; **~euse** [afytø:z] *f* Werkzeugschleifmaschine

afghan [afgã] *109* afghanisch; **⚤** Afghane; **⚤istan** [-ganistã] *m: l'~istan* Afghanistan

afin [afɛ̃]: *~ que* damit; *~ de* um zu

afri|cain [afrikɛ̃] *109* afrikanisch; **⚤cain** *m* Afrikaner; **~caniste** [-kanist] *m* Afrikaforscher; **⚤que** [afrik] *f: l'~que* Afrika

after-shave [aftœrʃɛv] *m* After Shave *n*

agaçant [agasã] *108* ärgerlich *(Ärger bereitend); des regards ~s* kokette, herausfordernde Blicke

agac|ement [agasmã] *m* Ärger; ⚡ Reizzustand; **~er** [sę] *15* necken, reizen, ärgern; **~erie** [-ri] *f* Neckerei; Stichelei

agamie [agami] *f biol* Agamogonie

agape [agap] *f* Festessen

agate [agat] *f* Achat

agave [agạ:v] *m* Agave

âg|e [a:ʒ] *m* Alter; Zeitalter; *~e avancé* hohes Alter; *~e ingrat* Flegeljahre; *~e légal* gesetzliches Alter; *Moyen ~e* Mittelalter; *~e moyen de décès* mittleres Sterbealter; *~e d'or* goldenes Zeitalter; *~e de la pierre* Steinzeit *~e de raison* Alter der Reife; *~e tendre* zartes Alter; *à la fleur*

de l'~e in den besten Jahren; *retour d'~e* kritisches Alter, Wechseljahre; *quel ~e avez-vous?* wie alt sind Sie?; *quel ~e me donnez-vous?* wie alt schätzen Sie mich?; *à l'~e de 30 ans* mit 30 Jahren; *prendre de l'~e* alt werden; *un homme d'un certain ~e* ein älterer Mann; *à mon ~e* in meinem Alter; *il est de ton ~e* er ist in deinem Alter; *entre deux ~es* in mittleren Jahren; *premier ~* (Person im) Kindesalter; *deuxième ~* (Person im) Erwachsenenalter; *troisième ~* (Person im) Rentenalter; *quatrième ~* hilfs- u. pflegebedürftige (zumeist bettlägrige) Person(en); *~é* [aʒę] bejahrt; *~é de 40 ans* 40 Jahre alt

agen|ce [aʒãs] *f* Agentur; *~ce commerciale* Handelsvertretung; *~ce d'informations* Nachrichtenagentur; *~ce postale auxiliaire* Posthilfsstelle; *~ce de publicité* Werbeagentur; *~ce de voyages* Reisebüro; **~cement** [aʒãsmã] *m* Anordnung; 🌿 Komposition; **~cer** [aʒãsę] *15* (*a.* 🌿) anordnen; **~da** [aʒęda] *m* Notizbuch; Taschenkalender

agenouiller [aʒnuję]: *s'~* sich knien, niederknien

agent [aʒã] *m* **1.** wirkende Kraft, Mittel, Agens; *chem. biol.* Wirkstoff; *~ pathogène* Krankheitserreger; *~ de stimulation (biol.)* Reizstoff; *~ de bombardement (phys.)* Geschoß *(bei Atomkernspaltung);* **2.** Agent; *~ d'assurances* Versicherungsagent; *~ de change* Börsenmakler; *~ commercial* Handelsvertreter, Handlungsagent; *~ économique* Wirtschaftssubjekt; *~ distributeur* Auslieferer; *~ de liaison (mil)* Verbindungsmann; **3.** Schutzmann; *~ (de police)* Polizist; *~ de la circulation* Verkehrspolizist; **4.** Erfüllungsgehilfe; Angestellter; *~ hospitalier* Krankenpfleger; *~ de maîtrise* Werkmeister

agglomér|ation [aglɔmerasjɔ̃] *f* Anhäufung; *(Großstadt)* Ballungsgebiet, Agglomeration; Ortschaft; Siedlung; **~é** [-rę] *m* Brikett; Kunststein; *~é de cuir* Kunstleder; **~er** [-rę] *13* zus.ballen, zus.pressen

agglutin|ant [aglytinã] *108* ⚙ klebend, anhaftend; *langues ~antes (ling)* agglutinierende Sprachen; *m* Bindemittel; **~ation** [-nasjɔ̃] *f* ⚙ Bindung, Verkittung; *ling* Agglutination; **~er** [-nę] binden, verkitten; *ling* agglutinieren; *s'~er* ⚡ anheilen

aggrav|ant [agravã] *108* ⚡ verschlimmernd; 🔥 erschwerend, strafverschärfend; **~ation** [-vasjɔ̃] *f* ⚡ Verschlimmerung; 🔥 Erschwerung; 🔥 Verschärfung *(d. Strafe);* **~er** [-vę] 🔥 erschweren; *(Strafe)* verschärfen; *s'~er* s. verschlimmern

agil|e [aʒil] flink, behend; **~ité** [-litę] *f* Behendigkeit

agio [aʒjo] *m 102* Agio, Aufgeld; Bankspesen

agiotage [aʒjotạ:ʒ] *m* Börsenspekulation

ag|ir [aʒi:r] *22* handeln, wirken (*sur* auf); *~ir d'office* in Ausübung s-s Amtes handeln; *il s'~it de* es handelt s. um; *il s'~it de savoir si* die Frage ist, ob; *il s'~it bien de cela!* genau darauf kommt es an!; **~issements** [aʒismã] *mpl* Intrige, Ränkespiel; Machenschaften *pl.* **~itateur** [aʒi-

tatœ:r] *m* Hetzredner; *chem* (gläsernes) Rühr-
stäbchen; Mischmaschine; **~itation** [aʒitasjɔ̃] *f*
Agitation, Hetze; unstetes Leben; *(Meer)*
Wellengang; Aufregung; Unruhe *(Fiebernder);*
☿ Rühren; Schütteln; **~iter** [aʒitẹ] hin u. her
bewegen; *~iter (un flacon) avant de s'en servir*
(e-e Flasche) vor Gebrauch schütteln; *un esprit
~ité* ein unruhiger Geist

agn|eau [aɲo] *m 91* Lamm; *~eau pascal*
Osterlamm; **~eler** [aɲəlẹ] *8* lammen; **~elet**
[aɲəlẹ] *m* Lämmchen

Agnès [aɲɛs]: *c'est une* ~ sie ist e. unschuldiges
Ding, e-e Unschuld vom Lande

agon|ie [agɔni] *f* Todeskampf; *être à l'~ie* mit
dem Tode ringen; **~iser** [-nizẹ] mit dem Tode
ringen

agraf|e [agraf] *f* Haken; Spange; Heftklammer;
~e à cheveux Haarspange; *~e à relier*
Heftklammer; **~er** [agrafẹ] zuhaken; heften;
verbinden, (ver)klammern; falzen; *pop* schnappen (Dieb usw.)

agraire [agrɛr] ackerbaulich, Agrar...

agrand|ir [agrɑ̃di:r] *22* vergrößern; **~issement**
[-dismɑ̃] *m* Vergrößerung; *appareil d'~ issement*
🐦 Vergrößerungsapparat; **~isseur** [-disœ:r] *m* 🐦
Vergrößerer

agré|able [agreabl] angenehm; liebenswürdig;
~able au goût wohlschmeckend; **~er** [agreẹ]
genehmigen; gutheißen; annehmen; ☘ auftakeln; *Veuillez ~er, Monsieur, mes salutations
très distinguées (Briefschluß)* Mit vorzüglicher
Hochachtung!

agrég|at [agrega] *m* Aggregat *n;* Anhäufung; ☿
Zuschlag(stoff); *com* Teil der volkswirtschaftli-
chen Gesamtrechnung; **~ation** [-gasjɔ̃] *f* Auf-
nahme *(in e-e Körperschaft);* wissenschaftl.
Staatsexamen *(in Wettbewerbsform);* **~é** [-ʒẹ] *m*
Studienrat *(mit dem besonderen akad. Grad der
Agrégation);* **~er** [-ʒẹ] *2* beigesellen; in e-e
Körperschaft aufnehmen

agrément [agremɑ̃] *m* Annehmlichkeit; Vergnü-
gung; Bewilligung; *arts d'~* gesellige Künste;
avec l'~ de mit Zustimmung...; **~er** [-mɑ̃tẹ]
angenehm gestalten

agrès [agrɛ] *mpl* Geschirr, Hebezeug; ♻
Takelage; *~ de gymnastique* Turngeräte;
exercices aux ~ Geräteturnen

agress|er [agresẹ] *vt 1* **1.** tätlich angreifen, **2.**
beleidigen, **3.** schädigen; **~eur** [agresœ:r] *m*
Angreifer; **~if** [agresif] *112* herausfordernd;
angriffslustig; **~ion** [-sjɔ̃] *f* Angriff; *(Umwelt)*
Schädigung; **~ivité** [agresivitẹ] *f* Angriffslust

agreste [agrɛst] ländlich

agri|cole [agrikɔl] *m* Ackerbau treibend; *ouvrier
~cole* Landarbeiter; *machine ~cole* Landma-
schine; **~culteur** [-kyltœ:r] *m* Landwirt; **~cultu-
re** [-kylty:r] *f* Landwirtschaft

agripper [agripẹ] fest anfassen, an s. reißen;
s'~ à s. klammern an

agronom|e [agrɔnɔm] *m* Agronom, wissen-
schaftl. ausgebildeter Landwirt; **~ie** [-mi] *f*
Landwirtschaftskunde; Landbauwissenschaft;
~ique [-mik] landwirtschaftskundlich; *institut
~ique* landwirtschaftliche Versuchsanstalt

agrumes [agrym] *mpl* Zitrusfrüchte

aguerr|ir [agɛri:r] *22 fig* abhärten; **~issement**
[-rismɑ̃] *m* Abhärtung

aguets [agɛ] *mpl: être aux ~* auf der Lauer
liegen

aguicher [agiʃẹ] *umg* necken, (an-)locken

ahur|ir [ayri:r] *22* verblüffen; bestürzen; **~isse-
ment** [-rismɑ̃] *m* Bestürzung

aid|e [ɛd] *f* Hilfe; Gehilfin; *m* Gehilfe; ~
alimentaire Lebensmittelhilfe; *~e à la construction* Bauhilfe; *à l'~e!* zu Hilfe!; *à l'~e de* mit
Hilfe von; **~e-maçon** [ɛdmasɔ̃] *m 100* Handlanger; **~e-major** [ɛdmaʒɔ:r] *m 100 mil* Assistenz-
arzt; **~e médicale** [-medikal] Arzthelferin;
~e-mémoire [ɛdmemwa:r] *m 100* Nachschlagewerk, Handbuch; *pol* Memorandum; **~e-soig-
nante** [-swaɲɑ̃t] Krankenpflegerin; **~er** [ɛdẹ]:
~er qn j-m helfen; *s'~er de* s. helfen mit

aïeul [ajœl] *m 93* Großvater; *94* Vorfahr;
troisième ~ Vorfahr 3. Grades; **~e** [ajœl] *f*
Großmutter; Ahnfrau

aigl|e [ɛgl] **1.** *m* Adler; tüchtiger Kopf; *~e royal*
Königsadler; *nez en bec d'~e* Adlernase; **2.** *f mil*
Adler; **~efin** [ɛglafɛ̃] *m* Schellfisch; **~on** [ɛglɔ̃]
m junger Adler

aigr|e [ɛgr] sauer; herb; *voix ~e* kreischende
Stimme; *le vin tourne à l'~e* der Wein hat e-n
Stich; **~e-doux** [ɛgrədu] *119, 97 (a. fig)*
süßsauer; **~elet** [ɛgrəlẹ] *114* säuerlich; **~et**
[ɛgrẹ] *f* Silberreiher; Federbusch; Sauerkir-
sche; **~eur** [ɛgrœ:r] *f* Säure; *fig* Bitterkeit; *pl*
saures Aufstoßen, Sodbrennen; **~ir** [egri:r] *22*
säuern; verbittern; *s'~ir* verbittern

aigu [egy] *107* spitz, scharf; ⚡ akut; *(Ton)*
gellend; *angle ~* *(math)* spitzer Winkel; *accent
~ (ling)* Akut

aiguière [ɛgjɛr] *f* Wasserkanne

aiguill|age [ɛgɥijaʒ] *m* 🚂 Weiche; 🚂 Weichen-
stellen; ⚡ Wechselkontakt; *poste d'~age* Stellwerk; **~e** [egɥij] *f* **1.** (Näh-, Tannen-)Nadel; *~e
à coton* feine Stopfn.; *~e d'emballeur* Packn.;
~e de pick-up Grammophonn.; *~e à tricoter*
Strickn.; *~e de glace* Eiszapfen; **2.** (Uhr-)Zei-
ger; *grande ~e* Minutenz.; *petite ~e* Stundenz.;
3. *(Waage)* Zunge; **4.** 🚂 Weiche ♦ *on le ferait
passer par le trou d'une ~e* er ist ein Hasenfuß;
de fil en ~e wie so eins das andere gibt, wie es so
geht; **~er** [-jẹ]: *~er un train* 🚂 e-n Zug
umsetzen; *~er une entreprise sur...* e. Unternehmen in der Richtung auf... orientieren;
~erie [egɥijri] *f* Nadelfabrik; **~ette** [-jɛt] *f mil*
Achselschnur; **~eur** [-jœ:r] *m* Weichensteller;
~eur du ciel Fluglotse; **~on** [-jɔ̃] *m biol* Stachel;
Ansporn; **~onner** [-jɔnẹ] anspornen; *~onné*
(zool) stachelbewehrt

aiguis|age [egizaʒ] *m* Schärfen; Anspitzen; **~er**
[egizẹ] schärfen; anspitzen; *~er l'esprit* d. Geist
schärfen; *~er l'appétit* d. Appetit anregen;
~erie [egizri] *f* Schleiferei

ail [aj] *m* Knoblauch; *gousse d'~* Knoblauchzehe; *tête d'~* Knoblauchzwiebel

ail|e [ɛl] *f* Flügel *(a. Gebäude);* ✈ Tragfläche; 🚗
Kotflügel; *~e du nez* Nasenflügel; *monoplan à
~es basses* ✈ Tiefdecker ♦ *se cacher la tête sous*

l'~e d. Flügel hängen lassen; *ne battre que d'une ~e* auf d. letzten Loch pfeifen; **~é** [elẹ] geflügelt; **~eron** [elrɔ̃] *m* Flügelspitze; **✈** Querruder; **~ette** [εlεt] *f:* *~ettes de refroidissement* **✿** Kühlrippen; *~ettes hydrométriques* Strömungsmesser; **~ier** [eljẹ] *m:* *~ier gauche* **⚽** Linksaußen(stürmer)

ailleurs [ajœ:r] anderswo, anderwärts; *partout ~* überall sonst; *d'~* anderswoher; *übrigens;* überdies; *par ~* auf andere Weise; andererseits; *a. umg* außerdem

aim|able [εmạbl] liebenswürdig; *seriez-vous assez ~able pour...* wären Sie so freundlich, zu...; **~ant** [εmɑ̃] *m* Magnet; **~antation** [εmɑ̃tasjɔ̃] *f* Magnetisierung; Magnetismus; **~anter** [εmɑ̃tẹ] magnetisieren; *aiguille ~antée* Magnetnadel; **~er** [εmẹ] lieben; gern tun; gern essen; *j'~e mieux y renoncer* ich verzichte lieber darauf

aine [εn] *f* **⚕** Leistengegend

aîn|é [enẹ] erstgeboren; älter; *m* der Ältere; *mon~é* mein ältester Sohn; **~esse** [εnεs] *f: droit d'~esse* Erstgeburtsrecht

ainsi [ε̃sị] so; *et ~ de suite* und so fort; *pour ~ dire* sozusagen; *c'est ~* so ist es eben; *s'il en est ~ wenn dem so ist; ~ soit-il!* amen!

air [ε:r] *m* **1.** Luft; Wind; *~ ambiant* umgebende Luft; *~ aspiré* Saugluft; *~ atmosphérique (bei Atemgeräten)* Frischluft; *~ comprimé* Druck-, Preßluft; *~ frais* Frischluft; *~ froid* Kaltluft; *~ grisouteux* Schlagwetter; *~ marin* Seeluft; *~ vicié* verbrauchte Luft; *ministère de l'* **✈** Luftfahrtministerium; *courant d'~* Luftzug; *il y a du courant d'~* es zieht; *en plein ~* im Freien; *jeter en l'~* in die Luft werfen; *prendre l'~* Luft schnappen; *il y a qch dans l'~* es liegt etw. in d. L.; **2.** Miene, Aussehen; *~ bon* gütiger Gesichtsausdruck; *d'un ~ de reproche* mit vorwurfsvoller Miene; *il a l'~ content* er sieht froh aus; *il se donne des ~s (umg)* er gibt an **♦** *il en a l'~ et la chanson* er ist wirklich, was er zu sein scheint; **3.** Melodie; Arie; *~ national* Nationalhymne

airain [εrε̃] *m* Bronze; *âge d'~* Bronzezeit(alter)

airbus [εrbys] *m* **104** Großraumflugzeug

air-conditionné [εrkɔ̃disjɔnẹ]: *cabine ~e* **✈** klimatisierte Kabine

aire [ε:r] *f* Gebiet; Oberfläche, Areal, Flächenraum; **↓** Tenne; *math* Flächeninhalt; *a.* **✈** Horst; Verbreitungsgebiet; *~ d'atterrissage* Rollfeld; *~ de béton* **✈** Betonbahn; *~ de haute pression* Hochdruckgebiet; *~ de jeu* Spielplatz; *~ de repos* Rastplatz; *~ de service* Tankstelle mit Selbstbedienungsladen (an der Autobahn); *~ de stationnement* Parkplatz

airelle [εrεl] *f* Heidelbeere, Blaubeere, *~ rouge* Preiselbeere

ais [ε] *m* **✿** Bohle, Brett

ais|ance [εzɑ̃s] *f* Leichtigkeit; Gelassenheit; Wohlstand; *cabinet d'~ances* Bedürfnisanstalt; **~e** [εz] **1.** *m* Behagen; *il est à son ~e* er fühlt s. wohl; er ist wohlhabend; *être mal à l'~e* s. unbehaglich fühlen; *mettez-vous à votre ~e* machen Sie sich s. bequem; **2.** *adj* froh; *je suis*

bien ~e de vous revoir ich freue mich, Sie wiederzusehen; **~é** [ezẹ] leicht (getan); wohlhabend; *manières ~ées* ungezwungenes Wesen; *il parle ~ément* das Reden fällt ihm leicht

aisselle [εsεl] *f* Achselhöhle; *bot* Blattwinkel

ajonc [aʒɔ̃] *m* Stechginster

ajouré [aʒurẹ] durchbrochen, mit kleinen Öffnungen versehen

ajourn|ement [aʒurnəmɑ̃] *m* Verschiebung, Vertagung; **⚖** Vorladung; **⚖** Termin; Zurückstellung *(v. d. Wehrpflicht);* **~er** [-nẹ] verschieben, vertagen; **⚖** vorladen; *(v. d. Wehrpflicht)* zurückstellen

ajouter [aʒutẹ] addieren, summieren, hinzufügen; *chem* zusetzen; *~ foi à qch* e-r Sache Glauben schenken

ajust|age [aʒystạːʒ] *m* Einstellung *(e-s Apparates);* Regulierung; Eichung; **~ement** [-təmɑ̃] *m* Anpassung, Einpassung; Einrichtung; Einstellung *(Apparat);* Befestigung, Montage; **✿** Sitz; Passung; **~er** [-tẹ] **✿** abrichten; (ein)regulieren; eichen; **~eur** [-tœːr] *m* Schlosser

alamb|ic [alɑ̃bịk] *m* chem Destillierkolben, Retorte; **~iqué** [-bikẹ] gekünstelt

alarm|ant [alarmɑ̃] beunruhigend; **~e** [alạrm] *f* Alarm; Unruhe, Bestürzung; *donner l'~e* alarmieren; *fausse ~e* blinder Alarm; *installation d'~e* Alarmanlage; **~er** [-mẹ] alarmieren; Lärm schlagen; beunruhigen; *s'~er* sich ängstigen; **~iste** [-mịst] *m* Gerüchtemacher

alban|ais [albanε] *108* albanesisch; **⚲ais** *m* Albanese; **⚲ie** [-nị] *f: l'⚲ie* Albanien

albâtre [albɑ:tr] *m* Alabaster

albin|isme [albinịsm] *m* **⚕** Albinismus; **~os** [-noːs] *m* Albino; *elle est ~os* sie ist ein Albino

album [albɔm] *m* Album; **~ine** [-bymịn] *f biol,* **⚕** Eiweiß(stoff); **~iné** [-byminẹ] eiweißhaltig; **~inoïde** [-byminɔịd]: *matières ~inoïdes* Eiweißstoffe

alcal|i [alkalị] *m* chem, **✿** Alkali; *~ caustique* Kaliumhydroxid; *~ volatil (umg)* Salmiakgeist; **~in** [-lɛ̃] *109* chem alkalisch; **~inité** [linitẹ] *f* chem alkalische Beschaffenheit

alcool [alkɔl] *m* Alkohol; Spiritus; *~ à brûler* Brennspiritus; *~ solidifié* Trockenspiritus; *~ éthylique* Äthylalkohol; *~ carburant* **♦** Kraftspiritus; *sans ~* alkoholfrei; **~émie** [-emị] *f* Blutalkohol, -gehalt; **~ique** [-lịk] alkoholisch; *m* Alkoholiker; **~isme** [alkɔlịsm] *m* Alkoholvergiftung

alcoo(lo)mètre [alkɔ(lɔ)mɛtr] *m* Alkoholmesser

alco(o)test [alkɔtεst] *m* Blutalkoholnachweis

alcôve [alkọv] *f* Bettnische; *secret d'~* Geheimnis aus der Intimsphäre

aléa [aleạ] *m* Unsicherheit; Zufälligkeit; **⚖** Zufall, höhere Gewalt; **~toire** [-twạːr] ungewiß; zufällig, vom Zufall abhängig

alène [alεn] *f* Ahle, Pfriem

alentour [alɑ̃tụr] ringsumher; **~s** *mpl* Umgegend; *aux ~s* in d. Umgebung

alert|e [alεrt] munter; flink; *f* Alarm; *cote d'~* Gefahrenstufe; *en état d'~e* in Alarmbereitschaft; *fausse ~e* blinder Alarm; *~e aux avions* Fliegeralarm; **~er** [-tẹ] alarmieren

alés|age [aleza:ʒ] *m* ✿ Kaliberbohrung, Bohrung; Aufbohren; lichte Rohrweite; **~er** [-ze] *13* ✿ ausbohren, aufbohren; aufreiben; **-euse** [-zø:z] Bohrwerk; Bohrmaschine

alevin [alvɛ̃] *m* Fischbrut; ~ *de carpe* Setzkarpfen; **~ier** [-vinje] *m* Brutteich

alezan [alzɑ̃] **1.** *109 (Pferd)* fuchsrot; *jument ~e* Fuchsstute; **2.** *m* Rotfuchs; ~ *doré* Goldfuchs

alfa [alfa] *m* Alfagras; *sur* ~ 🕮 auf Alfapapier (gedruckt)

algèbre [alʒɛbr] *f* Algebra

algébrique [alʒebrik] algebraisch; *calcul* ~ Buchstabenrechnen

Alger [alʒe] Algier

Algér|ie [alʒeri] *f: l'~ie* Algerien; **~ien** [-rjɛ̃] *m* Algerier; **♣ ien** *118* algerisch

algue [alg] *f* Alge; **~s marines** Seegras, Seetang

alibi [alibi] *m* ⚖ Alibi; *plaider l'~* den Alibibeweis zu erbringen versuchen

aliboron [alibɔrɔ̃] *m fig* Esel, Dummkopf; Besserwisser

alién|able [aljenabl] veräußerlich; **~ation** [-nasjɔ̃] *f* Veräußerung; Entfremdung; Wahnsinn; **~é** [-ne] *m* Geisteskranker; *asile d'~és* Irrenanstalt, Heilanstalt; **~er** [-ne] *13* veräußern; entfremden; **~iste** [-nist] *m* Psychiater

align|ement [alinmɑ̃] *m* Ausrichtung; Absteckung; *fig pol* Anpassung; Einebnung; Normalisierung *arbre d'~ement* Straßenbaum; **~ement!** richt' euch!; **~er** [-ne] ausrichten; *mil* antreten lassen; *s'~er (mil)* s. ausrichten; *s'~er sur* sich richten nach, sich anpassen

aliment [alimɑ̃] *m* Nahrungsmittel; *pl* ⚖ Unterhalt, Alimente; Unterhaltskosten; **~s carnés** Fleischnahrung; **~aire** [-mɑ̃tɛ:r] eßbar; Nahrungs..., Nähr...; *régime ~aire* ⚕ Diät; *pâtes ~aires* Teigwaren; **~ation** [-tasjɔ̃] *f* Ernährung; *mil* Verpflegung; *(Dampfkessel)* Speisung; ✿ Zuführung, Zufuhr; Zuleitung; *com* Versorgung; *~ation naturiste* Rohkost; *carte d'~ation* Lebensmittelkarte; *~ation en eau potable* Trinkwasserversorgung; *~ation en courant* Stromversorgung; *~ation par le secteur* ⚡ Netzanschluß; *~ation d'essence* Benzinzufuhr; **~er** [-mɑ̃te] ernähren; *~er une chaudière* e-n Kessel speisen

alinéa [alinea] *m* Abschnitt *(in Schrift od. Druck)*; Absatz *(Gesetz, Vertrag)*

alit|er [alite]: *s'~er (wegen Krankheit)* s. hinlegen, s. ins Bett legen; *il est ~é* er hütet das Bett

alizé [alize]: *vents ~s* Passatwinde

allait|ement [alɛtmɑ̃] *m (Kind)* Stillen; **~er** [-te] stillen

allant [alɑ̃] *m* Schneid; Schwung

alléch|ant [alleʃɑ̃] *108* verlockend; **~er** [-ʃe] *13* anlocken, locken

allée [ale] *f* Allee; Gang; *les ~s et venues* das Kommen und Gehen; ~ *couverte* 🏛 Laubengang

allégation [allegasjɔ̃] *f* Anführung *(e-s Gesetzestextes)*; Vorbringung *(v. Gründen)*

allégeance [aleʒɑ̃s] *f* Treueverpflichtung, Treuepflicht

allég|ement [alleʒmɑ̃] *m* Linderung; ⚓ Leichtern; **~ement fiscal** Steuererleichterung; **~er** [alleʒe] *2* leichter machen; erleichtern; lindern

allégor|ie [allegɔri] *f* Allegorie; *(dichterische)* Personifikation; **~ique** [-rik] allegorisch

allègre [allɛgr] munter, frisch

allégresse [allegrɛs] *f* laute Freude, Jubel

alléguer [allege] *6 (Stelle aus dem Gesetz)* anführen; *(Gründe)* vorbringen

alléluia [alelyja] *m* Halleluja

Allem|agne [almaɲ] *f: l'~agne* Deutschland; **~and** [-mɑ̃] *m* Deutscher; **♣ and** *108* deutsch; *m* das Deutsche

aller [ale] *3* **1.** gehen; fahren; reisen; *nous allons à Paris* wir fahren (reisen) nach Paris; *allons!* los!, gehen wir!; *allons!* nun, nun!, allons donc! ach was!, warum nicht gar?; *allons-y!* gehen wir!, vorwärts!; *irez-vous en voiture?* fahren Sie mit dem Wagen?; ~ *à bicyclette* mit dem Rad fahren; ~ *à la dérive* abdriften; ~ *à la rencontre de qn* j-m entgegengehen; ~ *au théâtre* ins Theater gehen; ~ *se coucher* zu Bett gehen; *j'irai vous prendre* ich werde Sie abholen; ~ *voir qn* j-n besuchen; ~ *bon train* gut vorankommen; *s'en* ~ fortgehen; *je m'en vais* ich gehe (weg); *va-t'en!* hinaus mit dir!; *le malade n'ira pas jusqu'à demain* der Kranke wird nicht bis morgen durchhalten; *il ira loin* er wird es weit bringen; *ainsi va le monde* so geht es in d. Welt; *cela va de soi* das versteht s. (von selbst); *comme tu y vas!* du nimmst kein Blatt vor den Mund; ~ *jusqu'au bout* durchhalten; *laisse-moi* ~ *jusqu'au bout* laß mich ausreden; *y* ~ *prudemment* behutsam zu Werke gehen; *il y va de son honneur* s-e Ehre steht auf d. Spiel; *laisser* ~ laufen lassen; ~ *au plus pressé* das Dringendste zuerst tun; *au pis* ~ im schlimmsten Fall, im Notfall; **2.** *(unmittelbare Zukunft:)* *il va venir* er kommt gleich; *vous allez voir* Sie werden sehen; *j'allais venir* ich wollte gerade kommen; *n'allez pas penser que...* denken Sie nicht etwa, daß...; **3.** *(Gesundheit)* *comment allez-vous?* wie geht es Ihnen?; **4.** *(Kleidung)* stehen; *le bleu ne lui va pas* Blau steht ihr nicht; **5.** *(Schlüssel)* passen; *ma clé va dans cette serrure* mein Schlüssel paßt (ins Schlüsselloch); **6.** *(Frist)* laufen, ablaufen; *le délai va jusqu'au 15* d. Frist läuft am 15. ab; **7.** *umg: il va sur ses cinquante ans* er wird bald fünfzig; **8.** *m: à l'~* auf der Hinreise; *billet* ~ *et retour* Rückfahrkarte

allergi|e [alɛrʒi] *f* Allergie, Überempfindlichkeit; *fig* Abneigung, Antipathie, Ekel; **~que à** allergisch, allerg, überempfindlich; *e.* Abneigung verspürend

alli|able [aljabl] ✿ legierbar; **~age** [-ja:ʒ] *m* Legierung; **~ance** [-jɑ̃s] *f* Bund; Ehebündnis; Verschwägerung; Trauring; *contracter une ~ance* e. Bündnis schließen; *ancienne (nouvelle) ♣ance (rel) Alter (Neuer) Bund; par ~ance* angeheiratet; *parenté par ~ance* ⚖ Schwägerschaft; **~er** [-je] legieren; vereinigen; *s'~er* s. verbünden; s. *(durch die Ehe)* verbinden; **~és** [je] *mpl* Verbündete, Alliierte

alligator [alligatɔːr] *m* Alligator
allitération [alliterasjɔ̃] *f* Stabreim
allô! [alo] *(Telefongespr.)* Hallo!
allocation [allɔkasjɔ̃] *f* (Geld-)Bewilligung; Unterstützung; Beihilfe; ~ *(supplémentaire)* Zulage, Zuschuß; ~ *de vie chère* Teuerungszulage; ~*s familiales* Familienbeihilfen; ~ *de maladie* Krankengeld; ~ *de chômage* Arbeitslosenunterstützung; ~ *de grève* Streikgeld; ~ *de logement* Wohngeld; ~ *de maternité* Geburtsbeihilfe; ~ *prénatale* Schwangerschaftsbeihilfe; ~ *scolaire* Erziehungsbeihilfe
allocution [allɔkysjɔ̃] *f* Ansprache; *prononcer une* ~ e-e A. halten
allong|e [alɔ̃ʒ] *f* Verlängerung(stück), Ansatz; *chem* Ansatzrohr; Fleischhaken; ~**é** [alɔ̃ʒe] länglich; ~**ement** [-mɑ̃] *m* Dehnung, Verlängerung, Streckung; ~**er** [-ʒe] *14* verlängern; dehnen; *(Arm)* ausstrecken; *(Suppe)* verdünnen, strecken; in d. Länge ziehen; *(Tisch)* ausziehen; *mil (Feuer)* vorverlegen; *(Hieb)* versetzen; *s'~er* länger werden; s. hinstrecken, s. legen
allouer [alwe] *(Geld)* bewilligen; *(Zeit)* zuteilen; ~ *une indemnité* e-e Entschädigung zugestehen
allum|age [alymaːʒ] *m* Anzünden; ✿, 🚗 Zündung; ~*age défectueux* Fehlzündung; ~*age au ralenti* Spätzündung; ~**e-cigare** [alymsigaːr] *m* 100 Zigarrenanzünder; ~**e-gaz** [alymgaz] *m* 100 Gasanzünder; ~**er** [-me] anzünden; *(Holz)* entzünden, anfeuern; *(Licht)* anschalten, anmachen, *umg* anknipsen, -stellen; ~**ette** [-mɛt] *f* Streichholz; ~**eur** [-mœːr] *m* 121 Zünder; 🚗 Zündverteiler
allure [alyːr] *f* Gang(art); Tempo; Benehmen; Verlauf; ~ *modérée* mäßige Geschwindigkeit; *forcer l'*~ die Geschwindigkeit erhöhen; *l'~ d'une courbe (math)* Verlauf e-r Kurve; *à cette* ~ ... wenn es so weitergeht...
allusion [allyzjɔ̃] *f* Anspielung; *faire* ~ *à* erwähnen, (e. Thema) streifen
alluvion [allyvjɔ̃] *f* Anschwemmung
almanach [almana(k)] *m* (Notiz-)Kalender
aloi [alwa] *m: de bon* ~ gediegen; *plaisanterie de mauvais* ~ unpassender Scherz
alors [alɔːr] da; damals; dann; ~ *que (gegensätzl.)* während; *ça* ~! na, so was!
alouette [alwɛt] *f* Lerche; ~ *huppée* Haubenlerche
alourdir [alurdiːr] *22* schwerer *od.* schwerfällig machen
alpaca, alpaga [alpaka, alpagá] *m* Alpaka; Alpakagarn, -wolle
alp|age [alpaːʒ] *m* Alm, Alp, Gebirgsweide; ⚇ **es** [alp] *fpl* Alpen; ~**estre** [-pɛstr] Alpen...
alphab|et [alfabɛ] *m* Alphabet; ~**étique** [-betik] alphabetisch; ~**étiser** [-etize] Lesen u. Schreiben beibringen
alpin [alpɛ̃] *109* Alpen...; *plantes* ~*es* Alpenpflanzen; ~**isme** [-pinjsm] *m* Klettersport; Bergsteigerei; ~**iste** [-pinjst] alpinistisch; *m* Bergsteiger; Hochtourist
Alsac|e [alzas] *f: l'*~*e* das Elsaß; *l'*~*e-Lorraine (f)* Elsaß-Lothringen; ~**ien** [-sjɛ̃] *m* Elsässer; ⚇ **ien** *118* elsässisch

altér|able [alterabl] veränderlich; ~*able à l'air* leicht verderblich; ~**ant** [-rɑ̃] *108* dursterregend; ~**ation** [-rasjɔ̃] *f* Verschlechterung, Veränderung; *geol* Verwitterung; 🎵 Verschlimmerung; Verfälschung; 🎵 Versetzung, Umkehrung; ~*ation de la couleur* Ausbleichen, Entfärben; *signe d'*~*ation* 🎵 Versetzungszeichen; ~**er** [-e] *vt* (ver)ändern; verschlechtern, verderben *(Nahrung);* verwittern; bleichen
altercation [altɛrkasjɔ̃] *f* Wortwechsel
alter ego [altɛrego] *m* zweites Ich
altérer [altere] *13* verschlechtern; entstellen; Durst erregen; ~ *un accord* 🎵 e-n Akkord versetzen, umkehren
altern|ance [altɛrnɑ̃s] *f* Wechsel; ~*ance des générations (biol)* Generationswechsel; ~**ant** [-nɑ̃] *108* abwechselnd; ~**ateur** [-natœːr] *m* Wechselstromgenerator; ~**atif** [-natif] *112* wechselnd; *courant* ~*atif* Wechselstrom; ~**ative** [-nativ] *f* Alternative; ~*ative des saisons* Jahreszeitenwechsel; ~**ativement** [-nativmɑ̃] wechselweise; ~**e** [-tɛrn] *bot* wechselständig; *angle* ~ *e (math)* Wechselwinkel; ~**er** [-ne] abwechseln; wechselnd aufeinanderfolgen
Altesse [altɛs] *f: ~ royale* königliche Hoheit; ~ *sérénissime* Durchlaucht
alt|ier [altje] *116* hochmütig; ~**imètre** [-timɛtr] *m* Höhenmesser; ~**itude** [-tityd] *f* Höhe *(über dem Meeresspiegel);* *en moyenne* ~*itude* in mittleren Höhen; *station d'*~*itude* Luftkurort; ~**iste** [-tjst] *m* Bratschist; ~**o** [-to] *m* 🎵 Alt(stimme); Bratsche; Viola
altru|isme [altrɥism] *m* Altruismus; Uneigennützigkeit; ~**iste** [-trɥist] uneigennützig; *m* uneigennütziger Mensch
alumin|e [alymin] *f* Tonerde; ~*e anhydre* Aluminiumoxid; *acétate d'*~*e* essigsaure Tonerde; ~**ium** [-minjɔm] *m* Aluminium; ~**erie** [minri] *f* Aluminiumfabrik
alun [alœ̃] *m* Alaun
alunissage [alynisaːʒ] *m* Mondlandung
alvéol|aire [alveɔlɛːr] wabenförmig; zellenartig; ~**e** [-ɔl] *m* (Bienen-)Zelle; (Zahn-)Alveole; Hohlraum, kleine Aushöhlung
amabilité [amabilite] *f* Liebenswürdigkeit
amadou [amadu] *m* Zunder; ~**er** [-dwe] *(durch Versprechen usw.)* weich, gefügig machen; überreden, umgarnen
amaigr|ir [amegriːr] *22* mager machen; *(s')*~*ir* abmagern; ~**issement** [amɛgrismɑ̃] *m* Abmagerung
amalgam|e [amalgam] *m* Amalgam; ~**er** [-me] amalgamieren; verquicken
aman [amɑ̃] *m* Gnade *(bei d. Moslems); demander l'*~ sich unterwerfen
amand|e [amɑ̃d] *f* Mandel ♦ *pour avoir l'*~*e il faut casser le noyau* ohne Fleiß kein Preis; ~**é** [-de]: *lait* ~*é* Mandelmilch; ~**ier** [-dje] *m* Mandelbaum; ~**ine** [-djn] *f* Mandelkleie
amant [amɑ̃] *m* Liebhaber; ~**e** [amɑ̃t] *f* Geliebte
amarante [amarɑ̃t] *f bot* Fuchsschwanz
amarr|age [amaraːʒ] *m* Vertäuen; ~**e** [amaːr] *f* (Anker-)Tau; ~**er** [-re] vertäuen

amas [amɑ] *m* Haufen; Menge; Anhäufung; *(Gestein)* Lager; ~ *de neige* Schneewehe; ~ *stellaire* Sternhaufen; **~ser** [amasę] anhäufen; Anhäufung; *(Gestein)* Lager; **~sette** [amasęt] *f* 🎨 Palettenmesser, Spa(ch)tel

amateur [amatœːr] *m* Liebhaber *(v. Sachen)*; ~ *de sports d'hiver* Wintersportler

amazone [amazoːn] *f* Amazone; ⚤ *m* Amazonas

ambages [ɑ̃baːʒ] *fpl: sans* ~ ohne Umschweife

ambassad|e [ɑ̃basad] *f pol* Botschaft; **~eur** [-dœːr] *m* Botschafter; **~rice** [-drįs] *f* Frau e-s Botschafters; Botschafterin

ambi|ance [ɑ̃bjɑ̃s] *f* Umgebung; Umwelt; *fig* Stimmung; *~ance familiale* Leben im Familienkreis; **~ant** [-jɑ̃] *108* Umwelt...; *les conditions ~antes (biol)* Umweltbedingungen; *à la température ~ante* bei Zimmertemperatur; *à la pression ~ante* unter gewöhnlichen Druckverhältnissen

ambigu [ɑ̃bigy] *107* zweideutig; doppelsinnig; **~ïté** [-gyitę] *f* Zweideutigkeit; Doppelsinnigkeit; *sans ~ïté* eindeutig

ambiti|eux [ɑ̃bisjø] *111* ehrgeizig; **~on** [-sjõ] *f* Ehrgeiz; **~onner** [-sjonę] eifrig erstreben; *~ionner le pouvoir* nach der Macht streben

amble [ɑ̃bl] *m (Kamel, Pferd usw.)* Paßgang

ambre [ɑ̃br] *m*: ~ *gris* Ambra; ~ *jaune* Bernstein

ambul|ance [ɑ̃bylɑ̃s] *f* Krankenwagen; Unfallstation; **~ancier** [-lɑ̃sję] *m* Krankenhelfer im Notarztwagen; **~ant** [-lɑ̃] **1.** *108* umherziehend; *marchand ~ant* Straßenverkäufer; *comédiens ~ants* 🎨 Wandertruppe; **2.** *m* 🎨 Postwagen

âme [ɑːm] *f* Seele; *le village compte 3000 ~s* das Dorf zählt 3000 Seelen; *rendre l'~* den Geist aufgeben ♦ *il erre comme une ~ en peine* er irrt verloren umher; *corps et ~* mit Leib u. Seele; *avec ~* seelenvoll; *pas ~ qui vive* keine Menschenseele (da); ~ *d'un câble* ✿ Seilseele, Kabelkern; ~ *d'un canon* Seele e-s Geschützrohrs; ~ *d'une poutre* 🏛 Trägersteg; Herz eines Balken

amélior|able [ameljorabl] verbesserungsfähig; **~ation** [-rasjõ] *f* Verbesserung; ⬇ Melioration; *~ation des surfaces* Oberflächenveredelung; **~er** [-rę] verbessern

amen [amęn] amen; *dire* ~ *à tout* zu allem ja und amen sagen

aménag|ement [amenaʒmɑ̃] *m* Einrichtung; Einbau; *(Wald)* Nutzung; *~ement intérieur* Innenausstattung; Raumkunst; *~ement du temps* Staffelung der (Ferien)Zeit; *~ement du territoire* Raumordnung; *~ement urbain* Städteplanung; **~er** [-ʒę] *14* einrichten; *(Wald)* nutzen

amend|e [amɑ̃d] *f* Geldstrafe; *défendu sous peine d'~e* bei Strafe verboten; **~ement** [amɑ̃dmɑ̃] *m* Verbesserung, Besserung; *~ement d'une loi* Gesetzesänderung; **~er** [-dę] (ver)bessern

amène [amęn] angenehm; mild; lieblich

amen|ée [amnę] *f* Zuleitung; *(Strom)* Zuführung; **~er** [amnę] *8* herbeiführen; herbeibringen; *(Personen)* mitbringen; *(Strom, Wasser)* zuführen; zur Folge haben; *amène-toi! (pop)* komm mal her!

aménité [amenitę] *f* Freundlichkeit; Milde; *ils échangent des ~s* sie sagen s. Höflichkeiten *(a. iron:* Unverschämtheiten)

amer [amęr] *116* bitter; *se plaindre amèrement de qn* s. bitter über j-n beklagen

amér|icain [amerikɛ̃] *109* amerikanisch; ⚤ **icain** *m* Amerikaner; **~icaniser** [-rikanizę] amerikanisieren; **~icanisme** [-rikanįsm] *m* Amerikanismus; übertriebene Amerikaverehrung; **~icaniste** [-rikanįst] *m* Amerikakenner; **~ique** [-rįk] *f*: *l'⚤ique* Amerika; *l'⚤ique latine* Lateinamerika

amer|rir [amerįːr] *22* ✈ wassern, aufs Meer aufsetzen; **~rissage** [amerisaːʒ] *m* ✈ Wassern; ~ *forcé* Notlandg. auf offener See

amertume [amɛrtym] *f* Bitterkeit, -nis

améthyste [ametįst] *f* Amethyst

ameubl|ement [amœblǝmɑ̃] *m* die Möbel; Hauseinrichtung; *tissu d'~ement* Möbelbezugsstoff; *~ement métallique* Stahlrohrmöbel; **~ir** [-blįːr] *22⬇ (Boden)* lockern; **~issement** [-blismɑ̃] *m⬇* Auflockerung *(d. Bodens)*

ameut|ement [amøtmɑ̃] *m (Straße)* Auflauf; *(Hunde)* Koppel; **~er** [-tę] zus.rotten; *(Hunde)* zus.koppeln; *s'~er (Volk)* zus.laufen

ami [ami] *m* **1.** Freund; ~ *de la bouteille* Zechbruder; ~ *d'enfance* Jugendfreund; ~ *de la maison* Hausfreund; *chambre d'~s* Gastzimmer; **2.** befreundet; verbündet; *main* ~ Freundeshand; *mon ~!* lieber Freund!; *se faire des ~s* s. Freunde erwerben

amiable [amjabl] gütlich; *s'arranger à l'~* sich gütlich einigen

amiante [amjɑ̃t] *m* Asbest

amibe [amįb] *f zool* Amöbe

amical [amikal] *124* freundschaftlich

amidon [amidõ] *m* (Kartoffel-) Stärke; **~nage** [-donaːʒ] *m (Wäsche)* Stärken; **~ner** [-donę] *(Wäsche)* stärken

amie [ami] *f* Freundin; *bonne* ~ *(umg)* Schatz

aminc|ir [amɛ̃sįːr] *22* ✿ verjüngen; verdünnen; abtragen; **~issement** [-sismõ] *m* Verdünnung; ✿ Verjüngung

amir|al [amiral] *m 90* Admiral; *vaisseau ~al* Flaggschiff; **~auté** [-rotę] *f* Admiralswürde; Admiralität

amitié [amitję] *f* Freundschaft; *cultiver l'~ de qn* Fr. mit j-m halten; *se lier d'~ avec* Fr. schließen mit; *par* ~ aus Fr.; *mes ~s à...* viele Grüße an ...

ammoni|ac [amɔnjak] *m* Ammoniak; *gaz ~ac* Ammoniak; *sel ~ac* Salmiak; **~aque** [-njak] *f* Salmiakgeist

amnésie [amnezi] *f ✚* Gedächtnisschwund

amnist|ie [amnisti] *f* Amnestie; **~ier** [-tję] amnestieren

amocher [amɔʃę] *umg* ramponieren

amodier [amɔdję] verpachten

amoindr|ir [amwɛ̃drįːr] *22* vermindern; **~issement** [-drismõ] *m* Verminderung

amoll|ir [amɔlįːr] *22* aufweichen; erschlaffen; verweichlichen; **~issement** [-lismõ] *m* Aufweichen; Verweichlichung

amoncel|er [amɔ̃slę] *8* anhäufen; **~lement** [-sɛlmɑ̃] *m* Anhäufung; *~lement de neige* Schneewehe

amont [amɔ̃] *m* höher gelegener Teil; Oberlauf (eines Flusses); *en ~ de* stromaufwärts gelegen

amoral [amɔrạl] *124* amoralisch; **~ité** [-litę] *f* Amoralität

amorçage, amorc|ement [amɔrsạːʒ, -səmɑ̃] *m* Zünden, Zündung; *(Pumpe)* Ansaugen; Befestigung d. Köders; Anlockung; Ansetzen (zu e-r Arbeit); **~e** [amɔrs] *f* Köder; Anreiz; Beginn, Anlaufzeit; Zündhütchen; *~e d'un sourire* Andeutung eines Lächelns; *~e d'un changement* erstes Anzeichen eines Wandels; *je ne me laisse pas prendre à l'~e* darauf falle ich nicht herein; **~er** [-sę] *15* mit Köder versehen; anfangen; *~er une rue* mit dem Bau e-r Straße beginnen; *~er la descente en piqué* zum Sturzflug ansetzen; *~er une réaction (chem)* e-e Reaktion einleiten; *~er une pompe* e-e Pumpe zum Ansaugen bringen; *les travaux sont ~és* mit den Arbeiten wurde begonnen

amorçoir [amɔrswạːr] *m* Nagelbohrer

amorphe [amɔrf] gestaltlos; schlapp

amort|ir [amɔrtịːr] *22 (a. fig)* dämpfen, lindern; abschwächen; amortisieren; *(Schulden)* tilgen; *(Steuern)* abschreiben; *~ir les chocs* ⚙, 🐄 die Stöße abfedern; *~ir une impulsion* 🔩 Impuls bremsen; *onde ~ie* 🔩 gedämpfte Welle; **~issement** [-tismɑ̃] *m* Dämpfung; Linderung; Tilgung; Abschreibung (für Abnutzung); **~isseur** [-tisœːr] *m* (Stoß-)Dämpfer; Stoßdämpfer; *~isseur en caoutchouc* Gummipuffer; *~isseur de bruits* Schalldämpfer; *~isseur hydraulique* hydraulischer Stoßdämpfer

amour [amụːr] *m* Liebe; *fpl(!)* Liebschaften, Liebesabenteuer; *faire l'~* miteinander schlafen, mit j-m ins Bett gehen (u. mit ihm geschlechtlich verkehren); *~ du prochain* Nächstenliebe; *~ maternel* Mutterliebe; *~ filial* Kindesliebe; *un ~ d'enfant* e. allerliebstes Kind ♦ *on revient toujours à ses premières ~s* alte Liebe rostet nicht; *vivre d'~ ét d'eau fraîche* von Luft u. Liebe leben; *pour l'~ de moi* um meinetwillen, für mich; **~acher** [amurạʃę]: *s'~acher de* s. vernarren in; **~ette** [amurɛt] *f* Liebelei; Zittergras; **~eux** [amurø] *111* verliebt; Liebes...; *m* Verliebter; Liebhaber; **~propre** [-prɔpr] *m* Selbstachtung, Selbstgefühl; (übertriebene) Eigenliebe, Dünkel

amovible [amɔvịbl] *m/* absetzbar; versetzbar; *(Sitz)* verstellbar; abnehmbar

ampère [ɑ̃pɛːr] *m* Ampere; **~mètre** [ɑ̃pɛrmɛtr] *m* Amperemeter

amphibie [ɑ̃fibị] *m biol* Amphibie; *char ~ (mil)* Amphibienkampfwagen

amphithéâtre [ɑ̃fiteɑtr] *m* Amphitheater; großer (stufenförmiger) Hörsaal; *en ~* stufenförmig ansteigend

ampl|e [ɑ̃pl] weit; reichlich; *pour plus ~es renseignements s'adresser à...* nähere Auskunft erteilt...; **~eur** [ɑ̃plœːr] *f* Weite; Breite; *~eur du son* Klangfülle; **~ificateur** [ɑ̃plifikatœːr] *m* 🔩, 🐄 Verstärker; *~ificateur à haute fréquence* 🔩

Hochfrequenzverstärker; **~ification** [ɑ̃plifikasjɔ̃] *f* 🔩, 🐄 Verstärkung; (rednerischer) Ausbau; Übertreibung; **~ifier** [ɑ̃plifję] 🔩, 🐄 verstärken; *(Gedanken)* ausspinnen; *opt* vergrößern; **~itude** [ɑ̃plityd] *f phys* Amplitude; Weite; 🔩 Schwingungsweite

ampoul|e [ɑ̃pụl] *f* 🔩 Wasserbläschen, Ampulle; 🔩 Birne, Glühlampe; *~e à rayons X* Röntgenröhre; **~é** [-lę] *(Stil)* schwülstig

amput|ation [ɑ̃pytasjɔ̃] *f* Amputation; **~er** [-tę] amputieren

amulette [amylɛt] *f* Amulett, Talisman, Fetisch, Glücksbringer

amus|ant [amyzɑ̃] *108* unterhaltend; belustigend; **~ement** [amyzmɑ̃] *m* Unterhaltung; Belustigung; Zeitvertreib; **~er** [-zę] unterhalten; belustigen; *ils s'~ent à...* sie vergnügen sich damit,...; *~er l'ennemi* d. Feind hinhalten; *~er le tapis (umg)* d. Gesellschaft unterhalten; d. eigentl. Diskussion mit Geplauder hinausschieben; *~ez-vous bien!* viel Vergnügen!; **~ette** [-zɛt] *f* Zeitvertreib

amygdale [amigdal] *f* (Rachen-)Mandel

an [ɑ̃] *m* Jahr; *il a 5 ~s* er ist 5 Jahre alt; *il y a 10 ~s* vor zehn Jahren; *dans 10 ~s* in 10 Jahren; *l'~ 60* im Jahre 60 (nach Chr. Geb.); *le nouvel ~, le jour de l'~* Neujahrstag; *bon ~, mal ~* im Jahresdurchschnitt

anabaptiste [anabatịst] *m* Wiedertäufer

anachorète [anakɔrɛt] *m* Einsiedler

anachronisme [anakrɔnịsm] *m* Anachronismus

anagramme [anagrạm] *m* Buchstabenspiel

anal [anạl] *124* 🔩 anal, zum After gehörend

analgésique [analʒezịk] *m* schmerzstillendes Mittel

analog|ie [analɔʒị] *f* Analogie, Ähnlichkeit; *par~ie à* analog zu; **~ique** [-ʒịk] analog, entsprechend; **~ue** [-lɔg] ähnlich

analpha|bète [analfabɛt] *m* Analphabet; **~bétisme** [-betịsm] *m* Analphabetentum

analy|se [analịːz] *f* Analyse; *chem* Untersuchung; Zergliederung; *~se du sang* Blutuntersuchung; *~se des marchés* Marktanalyse; *en dernière ~se* letztlich; **~ser** [-lizę] analysieren; zergliedern; **~seur** [-zœːr] *m* Analysator; **~te** [-st(ə)] *m* Analyst; (Psycho)Analytiker; Systemanalytiker (EDV); **~tique** [-litịk] analytisch

ananas [ananạ] *m* Ananas; *(fraise) ~* Ananaserdbeere

anarch|ie [anarʃị] *f* Anarchie; **~ique** [-ʃịk] anarchisch; **~iste** [-ʃịst] anarchistisch; *m* Anarchist

anastigmat [anastigmạ] *m* Anastigmat **~e, ~ique** [-mạt, -matịk] anastigmatisch

anathème [anatɛm] *m rel* (Bann-)Fluch; *jeter l'~ sur qn* j-n verurteilen, verdammen

anatom|ie [anatomị] *f* Anatomie; *(Frau)* Körper; **~ique** [-mịk] anatomisch; **~iste** [-mịst] *m* Anatom

ancestral [ɑ̃sɛstrạl] *124* von d. Vorfahren

ancêtres [ɑ̃sɛtr] *mpl* Vorfahren

anchois [ɑ̃ʃwạ] *m* Anschovis, Sardelle

ancien [ɑ̃sjɛ̃] **1.** *118* alt, ehemalig; *~ ministre* Minister a. D.; *langues ~nes* alte Sprachen;

l'&Testament d. Alte Testament; *~ne maison Dupont* vormals D.; **2.** *m* Antiquitäten, alte Möbel und Kunstgegenstände; *umg* alter Hase; *les ~s (Antike)* die Alten, (Rat der) Älteste(n); **~nement** [-sjɛnmɑ̃] ehemals; **3.** *& régime* Herrschaftssystem in Frankreich vor 1789; **~neté** [-jɛntɛ] *f* altertümlicher Charakter; *avancer à l'~neté* nach d. Dienstalter befördert werden

ancolie [ɑ̃kɔli] *f bot* Akelei

ancr|age [ɑ̃kraːʒ] *m* Verankerung; (Schiff) Ankern, Ankerplatz; **~e** [ɑ̃kr] *f* Anker; ✿Verklammerung, Verbindung; 🏛 Mauerwerksanker; *jeter l'~e* vor A. gehen; *chasser sur ses ~es* vor A. treiben; *lever l'~e* d. A. lichten; *~e de salut (fig)* Rettungsa.; **~é** [-ɑ̃krɛ] vor Anker liegend; *fig* (fest) verankert *(dans* in); **~er** [ɑ̃krɛ] ankern; ✿, *a. fig* verankern; verklammern; befestigen

Andes [ɑ̃d] *mpl* Anden

andouill|e [ɑ̃duj] *f (Art)* Schlackwurst; *fig* Trottel, Simpel; **~er** [ɑ̃dujɛ] *m (Geweih)* Ende, Sprosse; **~ette** [ɑ̃dujɛt] *f (Art)* kleine Schlackwurst

androgyne [ɑ̃drɔʒin] *m* Zwitter

âne [ɑːn] *m* Esel; *peau d'~* Eselshaut; *c'est un ~ bâté* er ist ein vollkommener Esel; *c'est le pont aux ~s* das weiß (kann) doch jeder; *faire l'~ pour avoir du son* s. dumm stellen, um etw. zu bekommen (zu erfahren)

anéant|ir [aneɑ̃tiːr] **22** vernichten; zunichte machen; **~issement** [-tismɑ̃] *m* Vernichtung; Zerknirschung

anecdote [anɛkdɔt] *f* Anekdote

aném|ie [anemi] *f* Anämie, Blutarmut; **~ique** [-mik] blutarm

anémomètre [anemɔmɛtr] *m* Windmeßgerät

ânerie [ɑnri] *f* Eselei

anéroïde [anerɔid]: *baromètre ~* Aneroidbarometer

ânesse [ɑnɛs] *f* Eselin; *lait d'~* Eselsmilch

anesthés|ie [anɛstezi] *f ⚕* Anästhesie, Schmerzbetäubung; **~ier** [-zje] ⚕ betäuben; **~ique** [-zik] schmerzbetäubend; *m* schmerzstillendes Mittel; **~iste** [-zist(ə)] *m* Narkosefacharzt, Anästhesist

anfractu|eux [ɑ̃fraktɥø] **111** *(Weg)* krumm; holperig; **~osité** [-tɥozitɛ] *f* Unebenheit; Vertiefung; *~osités du cerveau* Gehirnwindungen

ang|e [ɑ̃ʒ] *m* Engel; *~e gardien* Schutzengel; Bewacher; *cheveux d'~* Lametta; *rire aux ~es* albern lachen; *(Kind)* im Schlaf lächeln; *être aux ~es* im siebenten Himmel sein; **~élique** [ɑ̃ʒelik] engelgleich; **~élus** [ɑ̃ʒelys] *m* Engelsgruß *(Gebetläuten); sonner l'~élus* d. Abendglocken läuten

angine [ɑ̃ʒin] *f* Angina, Halsentzündung; *~ de poitrine* Angina pectoris

anglais [ɑ̃glɛ] **108** englisch; *m* das Englische; *& m* Engländer; *clef ~e* ✿ Engländer

angle [ɑ̃gl] *m* Winkel; Ecke; Kante; Vorsprung; *~ aigu* spitzer W.; *~ alterne* Wechselw.; *~s complémentaires* Ergänzungsw.; *~ droit* rechter W.; *~ obtus* stumpfer W.; *~ visuel* Blick-, Gesichtsw.; *~ de braquage* 🚗 Einschlagw.

Angl|eterre [ɑ̃glətɛːr] *f* England; *& ican* [ɑ̃glikɑ̃] **109** anglikanisch; **~ophone** [-ɔfɔn] *adj* englischsprechend; *&o-saxon* [ɑ̃glɔsaksɔ̃] **118, 99** angelsächsisch

angoisse [ɑ̃gwɑs] *f* Angst, Beklemmung

anguille [ɑ̃gij] *f* Aal ✦ *il y a ~ sous roche* es steckt etw. dahinter

angul|aire [ɑ̃gylɛːr] eckig; *pierre ~aire* Eckstein; **~eux** [-lø] **111** kantig; *(Gesicht)* eckig

anicroche [anikrɔʃ] *f fig umg* Haken

ânier [ɑnje] *m* Eseltreiber

aniline [anilin] *f: couleurs d'~* Anilinfarben

animal [animal] **124** tierisch; *m* **90** Tier; Lebewesen; *~ domestique* Haustier; *~ à fourrure* Pelztier; *~ de laboratoire* Versuchstier; *~ de trait* Zugtier; *~!* Rindvieh!; **~cule** [-kyl] *m* Kleinlebewesen; **~ier** [-lje] *m* Tiermaler

anim|ateur [animatœːr] **122** belebend; beseelend; *m ⚙* Sprecher *(bei Hörbildern u. dergl.);* Diskussionsleiter, Moderator; Conférencier; Förderer; Initiator; *~ateur de jeunes* Jugendbetreuer; *~ateur de loisirs* Freizeitgestalter **~ation** [-masjɔ̃] *f* Belebung; Beseelung; Lebhaftigkeit; Leitung; **~er** [-me] beleben; beseelen; *(Diskussion)* leiten, moderieren; *dessins ~és* Zeichentrickfilm; *~osité* [-mozite] *f* Feindseligkeit; Gereiztheit

anis [ani] *m* Anis; **~ette** [-zɛt] *f* Anislikör

ankylose [ɑ̃kiloːz] *f* Gelenkversteifung

annales [anal] *fpl* Annalen

anneau [anɔ] *m* Ring; Ehering; *(Kette, Bandwurm)* Glied; *~ à cacheter* Siegelring; *~ de tolérance* ✿ Toleranzring; *système à ~x* Ringmechanik

année [ane] *f* Jahr; *(Zeitschrift)* Jahrgang; *~ scolaire* Schuljahr, akademisches Jahr; *~ courante* laufendes Jahr; *~ bissextile* Schaltjahr; *~ d'âge* Lebensjahr; *~ civile* Kalenderjahr; *~ financière* Rechnungsjahr; *~ lumière (astr)* Lichtjahr; *souhaiter la bonne ~ à qn* j-m e. gutes neues Jahr wünschen

annelé [anle] geringelt

annex|e [anɛks] *adj* neben; *m* Nebengebäude, Anbau; *(Brief)* Anlage; 🔩 Zusatz; **~er** [-nɛkse] anhängen; *(Land)* einverleiben, angliedern; **~ion** [-nɛksjɔ̃] *f* Annexion; Einverleibung, Angliederung

annihiler [aniile] vernichten

anniversaire [anivɛrsɛːr] *m* Jahrestag; Geburtstag; Jubiläum

annonc|e [anɔ̃s] *f* Annonce, Anzeige; Inserat; *~e matrimoniale* Heiratsanzeige, Ehewunsch; *~e encartée* Anzeigenbeilage; **~er** [-se] **15** ankündigen; anzeigen; *(Besucher)* melden; hindeuten *(qch auf etw.); se faire ~er* s. anmelden lassen; **~eur** [-sœːr] *m* Inserent; ⚙ Ansager; *&iation* [-sjasjɔ̃] *f* Mariä Verkündigung

annot|ation [anɔtasjɔ̃] *f* Anmerkung; **~er** [-te] mit Anmerkungen versehen

annu|aire [anɥɛːr] *m* Jahrbuch; *~aire du téléphone* Telefonbuch; **~el** [anɥɛl] **115** jährlich; Jahres...; *bot* einjährig; **~ité** [anɥite] *f* Jahresrate

annulaire [anylɛːr] *m* Ringfinger

annul|ation [anylasjɔ̃] *f* Aufhebung; Anfechtung (e-r Willenserklärung); Nichtigkeitserklärung; Rückgängigmachung; ~ation d'un jugement Urteilsaufhebung; ~er [-le] anfechten; rückgängig machen; aufheben, für ungültig erklären

anobl|ir [anɔbliːr] *22* adeln; ~issement [-blismã] *m* Erhebung in d. Adelsstand

anode [anɔd] *f* Anode; ~ *alimentée par le secteur* Netzanode

anodin [anɔdɛ̃] *109* harmlos

anomalie [anɔmali] *f* Anomalie; Mißbildung

ânonner [anɔne] (her)stottern

anonyme [anɔnim] anonym; *société ~ (S. A.)* Aktiengesellschaft (AG)

anormal [anɔrmal] *124* anormal, regelwidrig

anse [ãs] *f* Henkel, Griff; Bügel; kleine Bucht; ~ *grêle* Dünndarmschlinge; *oreilles en ~* abstehende Ohren ♦ *faire danser l'~ du panier (bei Einkäufen)* Schmu machen

antagonisme [ãtagɔnism] *m* Widerstreit; Gegnerschaft

antan [ãtã]: *d'~* vorjährig, vergangen; *mais où sont les neiges d'~* das ist leider dahin (vorbei)

antécédent [ãtesedã] *108* vorhergehend; ~s *mpl* Vergangenheit *(e-s Menschen); sans ~s judiciaires* nicht vorbestraft

antédiluvien [ãtedilyvjɛ̃] *118* vorsintflutlich

antenne [ãtɛn] *f (Insekt)* Fühler; Antenne; *com* Zweigstelle; *heure d'~* Sendezeit; ~ *d'émission* Sendea.; ~ *de réception* Empfangsa.; ~ *de fortune* Behelfsa.

antérieur [ãterjœːr] früher, Vor..., Vorder...

anthologie [ãtɔlɔʒi] *f* Anthologie, literarische Auswahl

anthracite [ãtrasit] *m* Anthrazit

anthrax [ãtraks] *m* Karbunkel

anthropo|ïde [ãtrɔpɔid] *m* Menschenaffe; ~logie [-lɔʒi] *f* Anthropologie, Lehre vom Menschen; ~logique [-lɔʒik] anthropologisch; ~logiste [-lɔʒist] *m* Anthropologe; ~morphe [-mɔrf] anthropomorph, menschenähnlich; ~phage [-faːʒ] *m* Menschenfresser

anti... [ãti] gegen; ...feindlich; un...; vor..., voraus...; ~acide [ãtjasid] säurefest; ~aérien [ãtiaerjɛ̃] *118* Flugabwehr...; *artillerie ~aérienne* Flak; ~alcoolique [ãtjalkɔlik] antialkoholisch; *m* Antialkoholiker; ~biotique [-biɔtik] *m* Antibiotikum; ~bruit [-brɥi] *adj* schalldämmend; ~calorique [-kalɔrik]: *verres ~caloriques* Wärmefilter; ~casseurs [-kasœːr]: *loi ~* Demonstrationsschädengesetz; ~chambre [-ʃãbr] *f* Vorzimmer; *faire faire ~chambre à qn* j-n lange im Vorzimmer warten lassen; ~chars [-ʃaːr] Panzerabwehr...; *piège ~chars* Panzerfalle

anticip|atif [ãtisipatif] *112: paiement ~atif (Steuer)* Vorauszahlung; *payer ~ativement (Steuer)* vorauszahlen; ~ation [-pasjɔ̃] *f* Vorwegnahme; ~ation de paiement Vorauszahlung; *roman d'~ation* Zukunftsroman; ~é [-pe] vorzeitig; ~er [-pe] vorwegnehmen; ~er un paiement e-e Vorauszahlung leisten; *avec mes remerciements ~és* mit bestem Dank im voraus

anti|conceptionnel [ãtikɔ̃sɛpsjɔnɛl] *115* empfängnisverhütend; ~constitutionnel [-kɔ̃stitysjɔnɛl] *115* verfassungswidrig; ~corps [-kɔːr] *m biol* Antikörper; Schutzstoff; ~dater [-date] zurückdatieren; ~dérapant [-derapã] Gleitschutz...; *m* Gleitschutzmittel; *chaîne ~dérapante* Schneekette; ~détonant [-detɔnã] *m* Antiklopfmittel; ~dote [-dɔt] *m* Gegenmittel; ~éblouissant [-eblwisã] blendungsfrei; *lunettes ~éblouissantes* Blendschutzbrille

antienne [ãtjɛn] *f: c'est toujours la même ~ (umg)* d. ist immer d. alte Leier

anti|gel [ãtiʒɛl] *m* Frostschutzmittel; ~gréviste [-grevist] Streikbrecher; ~halo [-alo] lichthoffrei

antilope [ãtilɔp] *f* Antilope

anti|matière [ãtimatjɛːr] *f* Antimaterie; ~militariste [ãtimilitarist] *adj* gegen Aufrüstung; ~mite [ãtimit] *m* Mottenschutzmittel

anti|parasitage [ãtiparazitaːʒ] *m* Entstörungsdienst; ~parasiter [-zite] entstören; ~pathie [-pati] *f* Antipathie; Abneigung; ~pathique [-tik] unsympathisch; ~podes [-pɔd] *mpl* Antipoden; ~pollution [-pɔlysjɔ̃]: *dispositif ~* Umweltschutzmaßnahme

anti|quaille [ãtikaːj] *f* Plunder, Trödel; ~aire [-kɛːr] *m* Antiquitätenhändler; ~e [ãtik] antik, uralt; ~ité [-kite] *f* Altertum; *de toute ~ité* von alters her

anti|rabique [ãtirabik]: *vaccin ~rabique* Tollwutserum; ~rouille [-ruj] nicht rostend; *peinture ~rouille* Rostschutzfarbe; ~sémite [-semit] *m* Antisemit; ~septique [-sɛptik] antiseptisch, keimtötend; ~spasmodique [-spasmɔdik] *m* krampflösendes Mittel; ~tank [-tãk] Panzerabwehr...; ~toc [-tɔk] *(Benzin)* klopffest; ~vol [-vɔl] Sicherheitseinrichtung gegen Diebstahl

antre [ãtr] *m* Spelunke; Schlupfwinkel

anurie [anyri] *f* Anurie, Versagen der Harnausscheidung

anus [anys] *m* After

anxi|été [ãksjete] *f* Angst; *(état d') ~été* Angstzustand; ~eux [ãksjø] *111* ängstlich

aorte [aɔrt] *f* Aorta, Hauptschlagader

août [u(t)] *m (Monat)* August; ~ien [ausjɛ̃] Feriengast im August (in Frankreich); Pariser, der im August keinen Urlaub hat (und in Paris bleibt)

apache [apaʃ] *m* Messerheld; Straßenräuber

apais|ement [apɛzmã] *m* Besänftigung; ~er [-ze] besänftigen; *(Schmerz)* lindern; *(Durst, Hunger)* stillen; *s'~er (Wind)* s. legen

apanage [apanaːʒ] *m fig* Erbteil, Los

aparté [aparte] *m* Aparte, beiseite Gesprochenes; heimliche Unterhaltung

apathie [apati] *f* Unempfindlichkeit, Gleichgültigkeit

apatride [apatrid] staatenlos

aper|cevoir [apɛrsəvwaːr] *44* wahrnehmen; *s'~cevoir de qch* etw. erblicken, bemerken; ~çu [-sy] *m* Übersicht; *donner un ~çu de* kurz darstellen

apér|itif [aperitif] *112* appetitanregend; *m* Aperitif *(umg ~o m)*

apesanteur [apəzɑ̃tœ:r] *f* Schwerelosigkeit
apeuré [apœrɛ] eingeschüchtert, verängstigt
aphasie [afazi] *f* $ Verlust des Sprechvermögens
aphone [afɔn] $ stimmlos
apht|e [aft] *f* $ Mundschwamm, -fäule; **~eux**
[aftø] *III: fièvre ~euse* Maul- und Klauenseuche
apiculteur [apikyltœ:r] *m* Bienenzüchter, Imker
apitoyer [apitwajɛ] *5: s'~ sur qn* j-n bemitleiden
aplanir [aplani:r] *22* einebnen; *~ des obstacles*
Hindernisse aus d. Weg räumen
aplat|ir [aplati:r] *22* abplatten; *s'~ir* kriechen
(devant qn vor j-m); *s'~ir dans le fossé* s. in d.
Graben werfen; **~issement** [-tismɑ̃] *m (z.B.
Erde)* Abplattung
aplomb [aplɔ̃] *m* Lot, senkrechte Richtung;
Gleichgewicht; Sicherheit *(im Auftreten); ~s
d'un cheval* Haltung e-s Pferdes; *être d'~*
senkrecht stehen; *umg* gut in Form sein; *avoir
l'~ de* s. vermessen, zu; *perdre son ~* kleinlaut
werden
apogée [apɔʒɛ] *m* Höhepunkt; *à l'~ de sa
carrière* auf d. Gipfel s-r Laufbahn
apo|logie [apolɔʒi] *f* Apologie, Rechtfertigungs-
rede (-schrift); **~plexie** [-plɛksi] *f* Schlag(fluß);
attaque d'~plexie Schlaganfall; **~plexie cérébrale** Gehirnschlag
apost|olat [apɔstɔla] *m* Apostelamt; Sendung,
Mission; **~olique** [-tɔlik] apostolisch; *bénédiction ~olique* päpstlicher Segen; **~rophe** [-trɔf] *f*
Apostroph; heftiges Anfahren *(Verweis)*
apothéose [apɔteo:z] *f* höchstes Lob
apothicaire [apɔtikɛ:r] *m pej* Pillendreher
apôtre [apotr] *m* Apostel
apparaître [aparɛtr] *61* (plötzlich) erscheinen
apparat [apara] *m* Pomp
appareil [aparɛj] *m* Apparat; Gerät; Vorrichtung; Maschine; Instrument; $ Verband; *pol*
Parteiorganisation; *homme d'~* Parteikader; *~
acoustique* Hörgerät; *~ d'allumage* Zündvor-
richtung; *~ photographique* Fotoapparat; *~
pliant* Klappkamera; *~ de radiothérapie* $
Höhensonne; *~ de visée* Zielgerät; *~ digestif* $
Verdauungsapparat; *~ filtrant* Filtriergerät; *~
respiratoire* Atmungsorgane; *être dans le plus
simple ~* im Adamskostüm dastehen; **~lage**
[-rɛja:ʒ] *m* $ Klarmachen; Apparatur; Anlage,
Einrichtung; **~ler** [-rɛjɛ] *1.* $ den Anker
lichten; *2. (Ähnliches)* zus.ordnen; **~leur**
[-rɛjœ:r] *m* Steinmetz; Installateur
appar|emment [aparamɑ̃] augenscheinlich;
~ence [-rɑ̃s] *f* Anschein; *se fier aux ~ences* dem
Schein trauen; *à en juger sur l'~ence* dem
Aussehen nach zu urteilen; *selon toute ~ence*
allem Anschein nach, wenn nicht alles trügt; *en
~ence* scheinbar; **~ent** [-rɑ̃] *108* augenfällig;
offenbar; scheinbar; **~enter** [-rɑ̃te]: *s'~enter*
(untereinander) ähnlich sein
apparier [aparjɛ] paarweise zus.stellen
apparit|eur [aparitœ:r] *m* Pedell; Gerichtsdie-
ner; **~ion** [-risjɔ̃] *f* Erscheinen, Auftauchen;
Erscheinung; Auftreten; Gespenst; Stippvisite
appartement [apartmɑ̃] *m* Wohnung

apparten|ance [apartənɑ̃s] *f: ~ance à un parti*
Parteizugehörigkeit; **~ir** [-ni:r] *30* gehören;
~ant à l'État staatseigen; *il vous appartient
de...* es ist Ihre Sache, zu:...; *il n'appartient
qu'à lui de...* es ist an ihm, zu...
appas [apɑ] *mpl* (weibl.) Reize; *fig* Verlockun-
gen
appât [apɑ] *m* Köder; *offrir un ~ à qn* j-m e-n
Köder hinwerfen; **~er** [apatɛ] anlocken; (Geflügel) mästen
appauvr|ir [apovri:r] *22* arm machen; aussau-
gen; *s'~ir* verelenden; **~issement** [-vrismɑ̃] *m*
Verarmung
appel [apɛl] *m* Ruf; Anruf; ♋ Berufung; *~
interurbain* Anruf im Fernverkehr; *~ local*
Anruf im Ortsverkehr; *~ téléphonique* Telefon-
anruf; *faire ~, former ~, interjeter ~* Berufung
einlegen; *~ d'offres* ♋ öffentliche Ausschreibung, Vergabe im Leistungswettbewerb; *faire
~ à qn* an j-n appellieren; **~able** [aplabl] ♋
anfechtbar; **~ant** [aplɑ̃] *m* Berufungskläger;
~er [aplɛ] *4* rufen; *(Telefon)* klingeln; herbei-
fen; *mil* einberufen; aufrufen *(à* zu); ♋Beru-
fung einlegen *(d'un jugement* gegen e. Urteil);
~er les noms Namen aufrufen; *~er qn (au
téléphone)* j-n anrufen; *j'en ~ le à votre
générosité* ich appelliere an Ihre Großmut;
s'~er heißen; *ce qui s'~ le se réjouir* sich so
richtig freuen; **~lation** [apɛllasjɔ̃] *f* Bezeichnung, Name; *~lation d'origine* Qualitätswein
bestimmter Anbaugebiete
appendic|e [apɛ̃dis] *m (Buch)* Anhang; Blind-
darm; **~ite** [-disit] *f* Blinddarmentzündung
appentis [apɑ̃ti] *m* (kleiner) Schuppen *(am
Haus)*
appesantir [apəzɑ̃ti:r] *22: s'~* schwer (-fällig)
werden; s. versteifen *(sur qch* auf etw.)
appét|ence [apetɑ̃s] *f* (triebhafte) Begierde;
~er [-te] *101 zur qch* gierig sein auf etw.;
~issant [-tisɑ̃] *108* appetitlich; **~it** [-ti] *m*
Appetit; *mpl* (sinnl.) Begierden ♦ *l'~it vient en
mangeant* d. Appetit kommt beim Essen
applaud|ir [aplodi:r] *22* Beifall spenden, klat-
schen; **~issement** [-dismɑ̃] *m* Beifall, Applaus
appli|cable [aplikabl] anwendbar *(à* auf);
~cation [-kasjɔ̃] *f* Auflegen; $ Umschlag;
Anwendung; Nutzung; Fleiß; *manque d'~ca-
tion* Nachlässigkeit; *par ~cation de l'article...*
in Anwendung des Artikels...; **~que** [aplik] *f*
Zierstück; Wandleuchte; **~qué** [-kɛ] fleißig;
~quer [-kɛ] auflegen, anwenden; *(Farbe)* auftra-
gen; *~quer sa main sur la figure de qn*
ohrfeigen; *~quer le sceau* d. Siegel aufdrücken
appoint [apwɛ̃] *m: faire l'~* d. Kleingeld
abgezählt bereit halten; *métier d'~* Nebentätigkeit; *salaire d'~* Zusatzlohn; **~ements**
[apwɛ̃tmɑ̃] *mpl* (Angestellten-)Gehalt; **~er** [-te]
besolden
appont|age [apɔ̃ta:ʒ] *m* Landung (auf Flugzeug-
träger); **~ement** [-pɔ̃tmɑ̃] *m* Landungssteg,
-brücke
apport [apɔ:r] *m* ♋ *(Ehe)* eingebrachtes Gut;
Beitrag *(z. e-r geistigen Arbeit); com* Einlage;
~er [apɔrte] bringen; mit (s.) bringen; *com* eine

Einlage erbringen; beisteuern; *(Beweis)* beibringen, liefern; ~*er une aide à qn* j-m helfen; ~*er des difficultés* Hindernisse in d. Weg legen; ~*er du retard à* verzögern; ~*er du soin à* Sorgfalt verwenden auf

appos|er [apozę] anbringen; *(Stempel)* aufdrükken; *(Plakat)* ankleben; ~*er sa signature* unterschreiben; ~ition [-zisjɔ̃] f Anbringung; *ling* Apposition

appréci|able [apresjabl] nennenswert; *changement très* ~*able* sehr fühlbarer Wandel; ~ation [-sjasjɔ̃] f Schätzung; Würdigung; *com* Aufwertung; ~er [-sję] (ein-, ab-)schätzen, würdigen

appréhen|der [apreãdę] befürchten; festnehmen; ~sion [-sjɔ̃] f Befürchtung; Besorgnis

apprendre [aprãdr] 79 (er)lernen; erfahren; lehren *(qch à qn* j-m etw.); mitteilen *(qch à qn* j-m etw.)*;* ~ *à jouer au tennis* Tennis spielen lernen; ~ *par cœur* auswendig lernen; *je l'ai appris par mon ami* ich habe es von m-m Freund erfahren; *je t'apprendrai à vivre!* ich werde dir helfen!

apprent|i [aprãti] m Lehrling, Auszubildender; *fig* Anfänger; ~issage [-tisa:ʒ] m Lehrzeit, Lehre, berufliche Ausbildung

apprêt [aprę] m Appretur, Zurichtung; ⚙Grundierung(smittel); *(Küche)* Würze(n); Gesuchtheit, Geziertheit; ~age [-ta:ʒ] m Appretur; ~é [apretę] geziert; ~er [-tę] zubereiten; appretieren; *s'*~*er* s. zurechtmachen; s. anschicken *(à* zu); s. gefaßt machen *(à* auf)

apprivoiser [aprivwazę] zähmen

approbat|eur [aprɔbatœ:r] *122* beifällig, zustimmend; ~ion [-basjɔ̃] f Billigung

approch|ant [aprɔʃã] gleichkommend; *rien d'*~*ant* nichts annähernd Ähnliches; ~e [aprɔʃ] f Annäherung; 🞉 Zwischenraum, Schlußbreite; ✝ Anflug; *à l'*~*e de la mort* beim Herannahen des Todes; ~er [-ʃę] annähern, näherrücken, herankommen; *la nuit* ~*e* es wird Nacht; ~*ez (-vous)!* kommen Sie näher!; *l'orage* ~*e* das Gewitter ist im Anzug; *il lui fait signe d'*~*er* er winkt ihn heran; ~*er qn (fig)* Zugang bei j-m haben

approfondi|r [aprɔfɔ̃di:r] *22* vertiefen; ausschachten; ergründen; *s'*~ sich vertiefen *(dans* in); ~ssement [-dismã] Vertiefen, Vertiefung; *fig* Bereicherung

appropri|ation [aprɔpriasjɔ̃] f Zweckdienlichkeit; Aneignung; ~é [-ę] geeignet; zweckdienlich; *mal* ~*é* unzweckmäßig; ~er [-ę] anpassen *(à* an); *s'*~*er qch* s. etw. aneignen

approuv|er [apruvę] billigen; genehmigen; loben; ~*é!* einverstanden!

approvisionn|ement [aprɔvizjɔnmã] m (Lebensmittel-)Versorgung; Bevorratung; ✿ Beschicken, Speisen; *pl* Vorrat; ~*ement d'air* Luftzufuhr; ~*ement en eau* Wasserversorgung; ~er [-nę] versorgen, beliefern; *s'*~*er* s. mit Proviant versehen; s. eindecken *(en* mit)

approximat|if [aprɔksimatif] *112* annähernd; ~ion [-masjɔ̃] f Annäherung *(durch Schätzung od. Berechnung); méthode par* ~*ion (math)* Näherungsverfahren

appui [apɥi] m Stütze, Pfeiler; Abstützung, Halt; Brüstung, Geländer; Lehne; Lagerstelle (e-r Maschine); ~ *de fenêtre* Fensterbank; *point d'*~ Stützpunkt; *pièce à l'*~ Beleg; *à l'*~ *de* zum (als) Beleg für; ~e-livres [-lj:vr] m *100* Bücherstütze; ~e-main m *98* Malerstock; ~e-pieds [-pję] m *100* Fußraste; ~e-tête [-tęt] m *98* Kopfstütze, -lehne

appuy|er [apɥiję] *5* (ab)stützen; (an)lehnen; drücken; *fig* unterstützen, fördern; betonen *(sur* qch etw.); bestehen *(sur* auf); ~*er sur une note* ♪ e-e Note aushalten; *s'*~*er contre le mur* s. an die Wand lehnen; *s'*~*er sur* s. berufen auf; *regard* ~*é* eindringlicher Blick; *s'*~*er qch (pop)* etw. *(mit Mühe)* schaffen

âpre [apr] rauh; uneben; herb; ~ *au gain* gewinnsüchtig

après [aprę] nach; hinter; danach; dahinter; ~ *coup* nachträglich; ~ *tout* schließlich; *l'un* ~ *l'autre* nacheinander; *être toujours* ~ *qn* immer hinter j-m her sein; *(et)* ~*?* was weiter?; *l'année d'*~ das Jahr darauf; *d'*~ *lui* nach ihm, nach s-r Ansicht; *d'*~ *mes informations* nach m-n Erkundigungen; ~ *que* nachdem; ~-demain [-dmę̃] übermorgen; ~-guerre [-gę:r] m Nachkriegszeit; ~-midi [-midi] m Nachmittag; ~-rasage [-raza:ʒ] m After Shave; ~-vente [-vãt] m: *service* ~ Kundendienst

âpreté [aprętę] f Rauheit; Herbe; ~ *au gain* Raffgier

à-propos [apropɔ] m (Sinn für) das Passende, Treffende

apt|e [apt] fähig *(à* zu); tauglich; ~*e au service armé* kriegsverwendungsfähig; ~itude [aptityd] f Fähigkeit; Eignung; Geschick; ~*itude visuelle* Sehvermögen

apurer [apyrę] *com* eine Rechnungsprüfung vornehmen; (e-n Buchführer) entlasten

aqu|arelle [akwaręl] f Aquarell; ~arium [akwarjɔm] m Aquarium; ~atique [akwatịk] Wasser...; ~educ [akdyk] m Aquädukt; ~eux [akø] *111* wässerig, wasserhaltig

aquilin [akilę̃] *109: nez* ~ Adlernase

arab|e [arab] arabisch; m d. Arabische; *chiffres* ~*es* arabische Ziffern; ≛ e m Araber; ~esque [arabęsk] f Arabeske; ~*esque de givre* Eisblume; *fig* [arab] *f: L'≛ie* Arabien; *l'≛ie Saoudite* Saudi-Arabien; ~ique [arabịk]: *gomme* ~*ique* Gummiarabikum

arable [arabl] *(Land)* bestellbar

arachide [araʃid] f Erdnuß

arachnides [araknịd] *mpl zool* Spinnentiere

arac(k) [arak] m Arrak

araignée [arę̃ɲę] f Spinne; ~ *porte-croix* Kreuzspinne; *toile d'*~ Spinnennetz ♦ *avoir une* ~ *au plafond* im Oberstübchen nicht ganz richtig sein

aratoire [aratwa:r] ↓ Acker..., Feld...

arbal|ète [arbalęt] f Armbrust; *cheval en* ~*ète* Vorspannpferd; ~étrier [-letrię] m Armbrustschütze; Mauerschwalbe

arbitr|age [arbitra:ʒ] m Schiedsspruch; *com* Effektenhandel; *(Börse)* Arbitrage; *Cour d'*~*age de la Haye* Haager Schiedsgerichtshof;

~agiste [traʒist] *m* Effektenmakler; **~aire** [-trɛːr]
willkürlich; eigenwillig; *math* beliebig; *décision*
~aire Machtspruch; **~al** [tral] *124* schiedsrich-
terlich; **~e** [-bjtr] *m* Schiedsrichter; Ringrichter;
libre ~e freier Wille; **~er** [-trɛ] als Schiedsrichter entscheiden

arbor|er [arborɛ] hissen; **~icole** [-rikɔl]
Baum...; **~iculture** [-rikylty:r] *f* Baumzucht;
~iculture fruitière Obstbau; **~isé** [-ise] mit
Bäumen bepflanzt

arbr|e [arbr] *m* 1. Baum; *~e forestier* Waldb.;
~e fruitier Obstb.; *~e généalogique* Stammb.;
2. ✿ Welle, Achse; Bolzen; *~e articulé* Ge-
lenkw.; *~e à cardan* Kardanw.; *~e d'induit* ƚ
Ankerw.; *~e droit sur les mains* Handstand; **~is-
seau** [-brisɔ] *m 91* Bäumchen; Strauch

arbuste [arbyst] *m* Strauch; *~ de décoration*
Zierstrauch

arc [ark] *m* Bogen; Kreisbogen; *~ plein cintre*
Rundbogen; *~ brisé* Spitzbogen; *~ costal*
Rippenbogen; *tirer de l'~* mit d. B. schießen ♦
avoir plusieurs cordes à son ~ mehrere Eisen im
Feuer haben; **~ade** [-kad] *f* Arkade, Bogengang
arcane [arkan] *m: les ~s de la politique* die
Geheimnisse d. Politik

arc|-boutant [arkbutɑ̃] *m 97* Strebepfeiler;
Stütze; Eckstein; **~-bouter** [arkbutɛ] abstützen;
verstreben; *s'~-bouter contre* s. stemmen gegen;
~eau [arsɔ] *m 91* Gewölbebogen; kleiner
Bogen; **~-en-ciel** [arkɑ̃sjɛl] *m 98* Regenbogen
archaïque [arkajk] archaisch; altertümlich;
veraltet

archange [arkɑ̃ːʒ] *m* Erzengel
arche [arʃ] *f* 1. Brückenbogen; Wölbung;
Gewölbe; 2. *~ de Noé* Arche Noah; *l'~*
d'alliance Bundeslade *(Bibel)*

archéologie [arkeɔlɔʒi] *f* Archäologie, Alter-
tumskunde
arch|er [arʃɛ] *m* Bogenschütze; **~et** [-ʃɛ] *m* ♪
Bogen; ✿ Bügel

archev|êché [arʃəvɛʃɛ] *m* Erzbistum; erzbi-
schöflicher Palast; **~êque** [-vɛk] *m* Erzbischof
archi... [arʃi] Haupt...; Ober;... höchst...;
Erz...; **~connu** [arʃikɔny] *umg* mehr als
bekannt; **~duc** [-dyk] *m* Erzherzog; **~duchesse**
[-dyʃɛs] *f* Erzherzogin; **~épiscopal** [arʃiepis-
kɔpal] *124* erzbischöflich; **~millionnaire**
[-miljɔnɛːr] steinreich; *m* Multimillionär
archipel [arʃipɛl] *m* Archipel, Inselgruppe
architect|e [arʃitɛkt] *m* Architekt, Baumeister;
~ural [-tyral] *124* baulich; **~ure** [-ty:r] *f*
Architektur, Baukunst
archiv|es [arʃiːv] *fpl* Archiv; **~iste** [-ʃivist] *m*
Archivar
arçon [arsɔ̃] *m* Sattelbogen ♦ *vider les ~s* die
Fassung verlieren
arctique [arktik] arktisch; *terres ~s* Nordpolar-
gebiet, Arktis
ard|ent [ardɑ̃] *108* glühend: brennend; *(a.*
Pferd) feurig; eifrig *(à* bei); *fig* heftig;
miroir ~ent Brennspiegel; **~eur** [-dœːr] *f* Glut;
Eifer; *(Pferd)* Feuer; *~eur du soleil* Sonnen-
hitze; *~eur au travail* Arbeitseifer; *~eur à vivre*
Lebenslust

ardillon [ardijɔ̃] *m (Schnalle)* Dorn
ardois|e [ardwaːz] *f* Schiefer; Schiefertafel;
couvreur en ~es Schieferdecker; **~é** [-dwaze]
schieferfarbig; **~ière** [-dwazjɛːr] *f* Schieferbruch
ardu [ardy] steil; schwierig; *problème ~* schwer
zu lösendes Problem
are [aːr] *m* Ar *(100 m²)*
arène [arɛn] *f* Arena; *entrer dans l'~ (a. fig)* d.
Kampfplatz betreten
arête [arɛt] *f* Gräte; Granne; ✿ Grat; Kante;
Schneide; Rippe; Berggrat; *voûte d'~* Kreuz-
gewölbe
argent [arʒɑ̃] *m* Silber; Geld; *~ en barre*
Barrensilber; *~ comptant* Bargeld; *~ qui dort*
totes Kapital; *~ mal acquis* Sündengeld; *~ à*
la pelle G. wie Heu; *pas d'~, pas de Suisse* kein
G., keine Ware; *un ~ fou (umg)* e. Heidengeld;
être toujours à court d'~ nie bei Kasse sein;
as-tu de l'~ sur toi? hast du Geld bei dir?;
prendre qch pour ~ comptant etwas für bare
Münze nehmen, blind glauben; **~é** [-tɛ]
silberweiß; **~er** [-tɛ] versilbern; **~é** *100 g* mit
100 g Silberauflage; **~erie** [-tɔri] *f* Silber(besteck u. -gedeck); **~in** [-tɛ̃] *109* silberhell,
silberfarbig; **♦in** *m* Argentinier; **♦ine** [-tin] *f:*
l'♦ine Argentinien
argil|e [arʒil] *f* Ton(erde); **~eux** [-lø] *111*
lehmhaltig, tonig
argot [argo] *m* derbe Volkssprache; Sondersprache bestimmter Berufsgruppen; *~ des casernes*
Soldatensprache; **~ique** [-gɔtik] grob volks-
sprachlich
argousin [arguzɛ̃] *m pej* Zuchthausaufseher;
Polyp, Polizist
arguer [argɥe] schließen, folgern; als Vorwand
benutzen *(de qch* etw.)
argument [argymɑ̃] *m* Argument, Beweis(mittel); ⚏ Inhaltsangabe; *c'est un ~ en sa faveur*
das spricht für ihn; **~taire** [-tɛr] *m* Verkaufsargu-
mente; **~ation** [-mɑ̃tasjɔ̃] *f* Beweisführung;
Schlußfolgerung; **~er** [-mɑ̃tɛ] argumentieren; d.
Beweis führen; Schlußfolgerungen ziehen
argutie [argysi] *f* Spitzfindigkeit
aria [arja] *m umg* Plage, Unannehmlichkeit
arid|e [arid] dürr, trocken, ausgedörrt; unfrucht-
bar; *fig* gefühllos; **~ité** [-ditɛ] *f* Dürre;
Unfruchtbarkeit; trockener Stil
aristocrat|e [aristokrat] aristokratisch; *m, f*
Aristokrat(in); **~ie** [-krasi] *f* Aristokratie
arithmétique [aritmetik] *m* arithmetisch; *f*
Arithmetik; Zahl..., Zahlen...
arlequin [arləkɛ̃] *m* Harlekin; *fig* Wetterfahne
arm|ature [armaty:r] *f* Armierung, Bewehrung;
Armatur; *(Metall)* Beschlag; Verstärkung; *(Ei-
senbeton)* Einlage; *(Plastik)* Drahtmodell; **~e**
[arm] 1. *f* Waffe; *~e blanche* blanke W.; *~e à*
feu Schußw.; *~e téléguidée* Fernlenkw.; *~e*
nucléaire Kernw.; *~es classiques* herkömml.
Waffen; *passer par les ~es* erschießen; *carrière*
des ~es militärische Laufbahn; *rendre les ~es*
(a. fig) d. Waffen strecken ♦ *avec ~es et bagages*
mit Sack und Pack; *faire ses premières ~es* s. die
ersten Sporen verdienen; *présentez ~es!* präsen-
tiert d. Gewehr!; 2. Truppengattung; 3. *pl* d

Wappen; ~é [-mε] 1. bewaffnet; ✿ bewehrt; ~é jusqu'aux dents bis an d. Zähne bewaffnet; béton ~é Stahlbeton; câble ~é armiertes Kabel; 2. m Laden (e-r Waffe); ~ée [-mε] f Armee, Heer; ~ée de métier Berufsh.; ~ée métropolitaine im Mutterland stationierte Streitkräfte; ~ée de l'air Luftwaffe; ~ement [-məmǫ] m Bewaffnung; Rüstung; ⚓ Ausrüstung; ▥ Aufzug; course aux ~s Rüstungswettlauf

arm|er [armε] bewaffnen; (Schiff) ausrüsten; ✿verstärken; bewehren; (Waffe) durchladen; s'~er de courage Mut fassen; ~er l'obturateur ▥ d. Verschluß spannen; ~istice [-mistis] m Waffenstillstand; ~oire [-mwar] f Schrank; ~oire classeur Aktenschrank; ~oire de commande Schaltschrank; ~oire à glace Spiegelschrank; ~oire à médicaments Hausapotheke; ~oire à glissière Rollschrank; ~oiries [-mwari] fpl Wappen; ~ure [-my:r] f Rüstung; (Schiffs-)-Panzer; ✿ Beschlag; Bewehrung; Bindung; ~urier [-myrjε] m Waffenschmied, -händler

arom|ate [arɔmạt] m Duftstoff; ~atique [-matik] aromatisch; ~e [arɔ:me] m Aroma

arpent [arpɑ̃] m ↓ Morgen; ~age [-pɑ̃ta:ʒ] m Vermessung; ~er [-tε] vermessen; il ~ait son bureau er ging mit großen Schritten in s-m Arbeitszimmer auf und ab; ~eur [-pɑ̃tœ:r] m Vermesser, Landmesser; chaîne d'~eur Meßkette; ~euse [-tø:z] f zool Spannerraupe

arpète [arpεt] f pop Stift, Lehrling

arqué bogenförmig, gewölbt, gekrümmt

arrach|age [araʃa:ʒ] m ↓ Ausmachen; ~er [-ʃε] (aus-, los-, ent-)reißen; victoire à l'~é knapper Sieg; s'~er les cheveux s. d. Haare ausraufen; ~eur [-ʃœ:r] m: il ment comme un ~eur de dents er lügt wie gedruckt

arraisonner [arεzɔnε] (e. Schiff) preien u. zum Stoppen auffordern

arrang|eant [arɑ̃ʒɑ̃]: il est très ~eant mit ihm läßt s. auskommen; ~ement [-mɑ̃] m Anordnung; Übereinkunft; ~ement à l'amiable ⚖ Vergleich; ~ement musical musikal. Bearbeitung; ~er [-ʒε] 14 anordnen; einrichten; (Streit) beilegen; cela vous ~e-t-il? paßt Ihnen das?; on s'~e man nimmt vorlieb; il y a toujours le moyen de s'~er irgendwie kann man s. immer einigen; la guerre n'~e rien Krieg führt zu nichts

arrérages [arera:ʒ] mpl (com) Rückstand (bei Zahlungen)

arrestation [arεstasjɔ̃] f Verhaftung; Festnahme

arrêt [arε] m 1. Stillstand; 2. Haltestelle; 3. (Kampf) Abbruch; (Arbeiten) Stillegung; (Versuche) Einstellung; marquer un temps d'~ (b. Stoppstraßen) kurz anhalten; ~ en cours de voyage Reiseunterbrechung; ~ en gare (Züge) Aufenthalt; véhicule à l'~ parkendes Fahrzeug; ~ de la circulation Verkehrsstockung; couteau à cran d'~ feststellbares Messer; 4. maison d'~ Gefängnis; pl Arrest; 5. ⚖ Urteil; ~ de mort Todesu.; ~é [aretε] m Erlaß; ~é d'application Ausführungsverordnung; ~er [-tε] anhalten; festhalten; zurückhalten; hindern; verhaften; aufhören; (Motor) abstellen; (Blut) stillen;

(Blicke) heften (sur auf); (Wahl) treffen; (Plan) entwerfen; (Dienstboten) einstellen

arrhes [a:r] fpl com Anzahlung; Aufgeld, Draufgabe, Vertragsstrafe

arrière [arjε:r] 1. zurück; en ~ hinter...; zurück; marche ~ Rückwärtsgang; 2. m hinterer Teil; Rückseite; ⚓ Heck; Etappe; 🏈 Verteidiger

arriéré [arjerε] (Kind) zurückgeblieben; m (Schuld) Rückstand

arrière|-bouche [arjεrbuʃ] f 99 Schlund; ~-boutique [-butik] f Ladenstube; ~-cour [-kur] f 99 Hinterhof; ~-garde [-gard] f Nachhut; ~-goût [-gu] m 99 Nachgeschmack; ~-grand-mère [-grɑ̃mε:r] f 101 Urgroßmutter; ~-grand-père [-grɑ̃pε:r] m 101 Urgroßvater; ~-pensée [-pɑ̃se] f 99 Hintergedanke; ~-plan [-plɑ̃] m 99 Hintergrund

arriér|er [arjerε] 13: ~er un paiement mit e-r Zahlung in Rückstand kommen; être ~é de deux termes mit zwei Mieten im Rückstand sein

arrière|-saison [arjεrsεzɔ̃] f Spätherbst; ~-train [-trε̃] m Hinterachse; (Tier) Hinterteil

arriv|age [ariva:ʒ] m Eingang, Anfall (v. Waren); eingegangene Ware; ~ée [-ve] f Ankunft; Eintreffen; Zuleitung, Zufluß; ~er [-ve] ankommen; eintreffen; geschehen, passieren; ~er à l'heure pünktlich eintreffen; fahrplanmäßig ankommen; ~er en retard verspätet ankommen; il peut ~er que... es kann vorkommen, daß...; il ne peut rien ~er es kann nichts passieren; un homme ~é e. gemachter Mann; j'y suis ~é es ist mir gelungen; ~isme [-vism] m Strebertum; ~iste [-vist] m Karrieremacher

arrog|ance [arɔgɑ̃s] f Anmaßung; ~ant [-gɑ̃] 108 anmaßend; ~er [-ʒε] 14: s'~er qch sich etw. herausnehmen

arrond|ir [arɔ̃di:r] 22 abrunden; (Geldsumme) aufrunden; ~issement [-dismɑ̃] m Abrundung; Kreis (e-s Départements); Stadtbezirk

arros|age [arozạ:ʒ] m Bewässerung; ~er [-zε] (Pflanzen, Braten) begießen; ~er un succès (fig) e-n Erfolg begießen; umg bestechen; ~eur [-zœ:r] m: ~eur (mobile) Rasensprenger; ~euse [-zø:z] f Sprengwagen; ~euse-balayeuse [-zøzbalεjø:z] f 97 Spreng- und Kehrwagen; ~oir [-zwạ:r] m Gießkanne; pomme d'~oir Brause (kopf)

arsenal [arsənal] m Arsenal, Zeughaus

arsenic [arsənik] m Arsen; ~al [-kạl]: composition ~ale Arsenverbindung

arsouille [arsuj] m, f Spitzbube, Gauner, Betrüger

art [a:r] m Kunst; ~s plastiques bildende Künste; ~s décoratifs (od industriels) Kunstgewerbe; ~s ménagers Haushaltskunde; objet d'~ Kunstgegenstand; œuvre d'~ Kunstwerk; ouvrages d'~ Ingenieurbau; École des Arts et Métiers Kunstgewerbeschule; École des Beaux-Arts Kunstschule; selon toutes les règles de l'~ stilgerecht; homme de l'~ Arzt; hommes de l'~ Fachleute

Artaban [artabɑ̃]: fier comme ~ stolz wie e. Spanier

artère [artɛːr] f Arterie, Schlagader; Verkehrsader; ⚡ Speisekabel

artéri|el [arterjɛl] *115* arteriell; **~osclérose** [-rjɔsklerɔːz] f Arterienverkalkung

artésien [artezjɛ̃] *118* aus d. Artois; *puits ~* artesischer Brunnen

arthr|ite [artrit] f Arthritis, Gelenkentzündung; **~itique** [-tritik] arthritisch; **~opode** [-trɔpɔd] m Gliederfüßler

artichaut [artiʃo] m Artischocke; *cœur d'~* unbeständiges Herz; *fond d'~* Artischockenherz

artic|le [artikl] m (*a. com*) Artikel; Abschnitt (*z. B. e-s Vertrages*); *~le de fond* Leitartikel; *~le de foi* Glaubensartikel; *~le documentaire* Tatsachenbericht; *~le de marque* Markenartikel; *~le à vil prix* Schleuderware; *faire l'~le* s-e Ware anpreisen (loben); *il est à l'~le de la mort* er liegt im Sterben; **~ulaire** [-kylɛːr]: *rhumatisme ~ulaire* Gelenkrheumatismus; **~ulation** [-kylasjɔ̃] f 🖈 Gelenk; *ling* Artikulation; *~ulation à rotule* Kugelgelenk; **~ulé** [-kyle] gegliedert; *poupée ~ulée* Gliederpuppe; **~uler** [-kyle] artikulieren

arti|fice [artifis] m Kunstgriff; Kunstfertigkeit; Hinterlist; *feu d'~fice* Feuerwerk; **~ficiel** [-fisjɛl] *115* künstlich; **~llerie** [-tijri] f Artillerie; **~lleur** [-jœːr] m Artillerist; **~san** [-zɑ̃] m Handwerker; Urheber; **~sanal** [-zanal] *124* handwerklich; **~sanat** [-zana] m Handwerkerschaft; Handwerk(swesen); **~ste** [-tist] m Künstler; kunstvoll; **~stique** [-tistik] künstlerisch

aryen [arjɛ̃] *118* arisch; ♣ m Arier

as [ɑːs] m: *~ de cœur* Herzas; *umg* Mordskerl; Held ♦ *il est plein aux ~ (pop)* er hat Pinkepinke; *mis comme l'~ de pique* salopp gekleidet

asbeste [azbɛst] m Asbest

ascen|dance [asɑ̃dɑ̃s] f Abstammung; *~dance paternelle* A. väterlicherseits; *preuve d'~dance* A.snachweis; *pl (Segelflug)* Aufwinde; **~dant** [-dɑ̃] m: *il a de l'~dant sur lui* er hat Einfluß auf ihn; **~seur** [-sœːr] m Fahrstuhl, Lift; **~sion** [-sjɔ̃] f (Berg-)Besteigung; *(Ballon)* Aufsteigen; ♣ *sion* Himmelfahrt(stag); **~sionnel** [sjɔnɛl] *115* aufsteigend

as|cète [asɛt] m Asket; **~cétique** [asetik] asketisch

aseptique [asɛptik] aseptisch, keimfrei; m aseptisches Mittel

asexué [asɛksɥe] ungeschlechtlich

asiatique [aziatik] asiatisch; m ♣ Asiat

Asie [azi] f: *l'~* Asien; *l'~ du Sud-Est* Südostasien

asile [azil] m Zufluchtsort; Asyl; *~ d'enfants* Kinderhort; *~ de vieillards* Altersheim; *~ d'aliénés* Irrenanstalt; *l'~ de la paix* e. Hort d. Friedens; *sans ~* obdachlos

aspect [aspɛ] m Anblick; Aussehen; Gesichtspunkt

asperge [aspɛrʒ] f Spargel; *pointes d'~s* Spargelköpfe; *fig umg* Bohnenstange *(Person)*

asperger [aspɛrʒe] *14* besprengen, (be)spritzen, (be)sprühen; *(Wäsche)* einsprengen

aspergière [aspɛrʒjɛːr] f Spargelbeet

aspérité [asperite] f Rauheit; Unebenheit

aspersion [aspɛrsjɔ̃] f Besprengung *(mit Weihwasser)*; *appareil d'~* ✿ Spritzgerät

asphalte [asfalt] m Asphalt; Erdölbitumen, Erdpech; Asphaltpflaster

asphyxi|ant [asfiksjɑ̃] *108* erstickend; *gaz ~ant* Giftgas; **~e** [-si] f Erstickung; *mort par ~e* Erstickungstod; **~é** [-sje] gasvergiftet; **~er** [-sje] vt ersticken

aspic [aspik] m 1. Natter; *langue d'~* Lästermaul; 2. Aspik, Sülze

aspir|ant [aspirɑ̃] m Kandidat; (Offiziers-) Anwärter; **~ateur** [-ratœːr] m ✿ Ventilator; Sauggerät; Staubsauger; *~ateur-batteur* Teppichklopfmaschine; **~ation** [-rasjɔ̃] f 1. Einatmen; Ansaugen; *effet d'~ation* Saugwirkung; *soupape d'~ation* Saugventil; 2. Bestreben; *~ation à la majorité* Mehrheitsanspruch; **~atoire** [-ratwaːr] f Saug…; *~er* [-re] 1. einatmen; ansaugen; *pompe ~ante* Saugpumpe; 2. streben *(à nach)*; *~er au repos* s. nach Ruhe sehnen

assag|ir [assaʒiːr] *22* klug machen ♦ *il s'est ~i* er ist vernünftig geworden

assaill|ant [asajɑ̃] m Angreifer; **~ir** [-jiːr] *16* angreifen; *~ir de questions* mit Fragen bestürmen

assain|ir [aseniːr] *22* sanieren; **~issement** [asenismɑ̃] m Sanierung

assaisonn|ement [asɛzɔnmɑ̃] m Würze(n); **~er** [-ne] würzen

assassin [asasɛ̃] m Mörder; **~at** [-sina] m Mord; **~er** [-sine] ermorden

assaut [aso] m Angriff; *emporter d'~ (a. fig)* im Sturm nehmen; *prendre d'~* erstürmen; *faire ~ de qch* s. (gegenseitig) in etw. überbieten

assèchement [asɛʃmɑ̃] m Trockenlegung

assécher [aseʃe] *13* trockenlegen

assembl|age [asɑ̃blaːʒ] m ✿ Verbindung; Zusammenfügen; Montage; *~age de charpente* Fachwerkverbindung; **~ée** [-ble] f Versammlung; *~ée plénière*, *~ée générale* Vollversammlung, Hauptversammlung; **~er** [-ble] ✿ montieren, verbinden; zus.setzen; zus.nähen; versammeln

assentiment [asɑ̃timɑ̃] m Einwilligung

asseoir [aswaːr] *32* setzen; *s'~* sich setzen; *je suis assis ich sitze; je m'assieds dessus (pop)* ich pfeife darauf

asser|menter [asɛrmɑ̃te] vereidigen; **~tion** [-sjɔ̃] f Behauptung; Aussage

asserv|ir [asɛrviːr] *22* unterjochen; **~issement** [-vismɑ̃] m Unterjochung

assesseur [asɛsœːr] m ⚖ beisitzender Richter

assez [ase] 1. genug; *il en a ~* er hat es satt; *c'en est ~ pour justifier…* das genügt vollauf zur Rechtfertigung…; *~ cuit* gar; *en voilà ~!* jetzt ist aber Schluß!; 2. ziemlich; *~ bien* ganz gut; *(Schulnote)* befriedigend

assidu [asidy] *129* fleißig; eifrig; *être ~ (auprès de qn)* diensteifrig sein; **~ité** [-dɥite] f Fleiß; Eifer; Pünktlichkeit

assiég|és [asjeʒe] mpl d. Belagerten; **~eants** [-ʒɑ̃] mpl d. Belagerer; **~er** [-ʒe] *2* belagern

assiett|e [asjɛt] *f* **1.** Teller; ~*e au beurre (fig)* Futterkrippe; ~*e creuse* tiefer T.; ~*e plate* flacher T. ♦ *je ne suis pas dans mon* ~*e (umg)* ich fühle mich nicht recht wohl; **2.** *(Steuer)* Bemessungsgrundlage; ~**ée** [asjete] *f* Tellervoll
assign|ation [asiɲasjõ] *f* ⚖ Vorladung; (Zahlungs-)Aufforderung; Mahngesuch; ~**er** [-ɲe] ⚖ vorladen; *(Zahlung)* anweisen; zuweisen
assimil|able [asimilabl] assimilierbar; ~**ation** [-lasjõ] *f* Assimilation; (geistige) Aneignung; ~**er** [-le] assimilieren; *s'*~*er* s. anpassen, s. einfügen; *s'*~*er des connaissances* s. Kenntnisse aneignen; *s'*~*er à* s. (selbst) vergleichen mit
assis [asi] *108* sitzend; *place* ~*e* Sitzplatz; ~**e** [asiːz] *f* (Grund)Lage; Schicht; Unterbau; Bergabsatz; *(Kongreß)* Sitz; *Cour d'*~*es* Schwurgericht
assist|ance [asistãs] *f* Zuhörerschaft; Mitwirkung; Hilfe; Fürsorge; ~*ance sociale* soziale F.; ~*ance aux survivants* Hinterbliebenenf.; ~*ance à la jeunesse* Jugendf.; ~*ance judiciaire* Prozeßkostenbeihilfe; ~*ance sociale* Sozialhilfe; ~*ance publique* Wohlfahrtspflege; ~**ance-chômage** [-tãsʃomaːʒ] *f* Arbeitslosenfürsorge; ~**ant** [-tã] *m* Assistent; Anwesender; *pl* Zuschauer; *médecin* ~**ant** Assistenzarzt; ~*ant(e) social(e)* Fürsorger(in), Sozialhelfer(in); ~**é** [-te] *m* Sozialhilfeempfänger; ~**er** [-te] *à qch* anwesend sein; beiwohnen; assistieren; ~*er qn* j-m Hilfe leisten
associ|ation [asɔsjasjõ] *f* (Personen)Vereinigung; Verein; Verbindung, Verband; ~*ation centrale* Spitzenverband; ~*ation patronale* Arbeitgeberverband; ~*ation professionnelle* Berufsverband; ~*ation protectrice* Schutzverband; ~*ation de bienfaisance* Wohltätigkeitsvereinigung; ~*ation d'idées* Gedankenassoziation; ~**é** [-sje] *m* Teilhaber; ~*é commanditaire* Kommanditist; ~*é personnellement responsable* persönlich haftender Gesellschafter; ~**er** [-sje] zugesellen, verbinden; *s'*~*er* e-e Geschäftsverbindung eingehen; *je m'*~*e à cette protestation* ich schließe mich diesem Protest an
assoiffé [aswafe] durstig; dürstend *(de* nach)
assombr|ir [asõbriːr] *22* verdüstern; ~**issement** [-brismã] *m* Verdüsterung
assomm|ant [asɔmã] *108 umg* sterbenslangweilig; ~**er** [-me] niederschlagen; *cet enfant vous* ~*e de questions* dieses Kind fragt e-n tot u. lebendig; ~**oir** [mwaːr] *m* Knüppel; *pop* Schnapskneipe; *coup d'*~*oir* harter Schlag
Assomption [asõpsjõ] *f: l'*~ Mariä Himmelfahrt
assort|i [asɔrti] passend; *couleurs* ~*ies* gute Farbenzus.stellung; *magasin bien* ~*i* Laden mit reichhaltiger Auswahl; ~**iment** [-timã] *m* Zus.stellung; 🕮 Sortiment; *(Küche)* bunte Platte; ~**ir** [-tiːr] *22* sortieren; zus.stellen
assoup|ir [asupiːr] *22 (a. fig)* einschläfern; *s'*~*ir* einschlummern; *la douleur s'*~*it* d. Schmerz läßt nach; ~**issement** [-pismã] *m* Schlummer; Einschlummern
assoupl|ir [asupliːr] *22* gelenkig machen; *s'*~ geschmeidig werden

assourd|ir [asurdiːr] *22* betäuben; *(Ton)* dämpfen; *un bruit* ~*issant* ohrenbetäubender Lärm; ~**issement** [-dismã] *m* Betäubung
assouv|ir [asuviːr] *22* sättigen; ~*ir sa vengeance* Rache nehmen; ~**issement** [-vismã] *m* Befriedigung *(e-r Leidenschaft)*
assuétude [asɥetyd] *f* Gewöhnung
assujett|ir [asyʒetiːr] *22* unterwerfen; ~*i à l'impôt sur le revenu* einkommensteuerpflichtig; ~**issement** [-ʒetismã] *m* Unterwerfung; Gebundenheit
assumer [asyme] *(Verantwortung;* ⚖ *Verteidigung)* übernehmen; auf sich nehmen; sich betroffen fühlen
assurance [asyrãs] *f* **1.** Sicherheit *(z. B. im Auftreten);* **2.** Zuversicht; *il parle avec* ~ er spricht selbstsicher; **3.** Versicherung; Versicherungswesen; *agent d'*~ Versicherungsagent; *compagnie d'*~ V.sgesellschaft; *prendre une* ~ e-e V. abschließen; ~ *des survivants* Hinterbliebenenv.; ~ *immobilière* Gebäudev.; ~ *des bagages* Reisegepäckv.; ~ *mutuelle* V. auf Gegenseitigkeit; ~ *en responsabilité civile* Haftpflichtv.; ~**-chômage** [-rãsʃomaːʒ] *f* 98 Arbeitslosenversicherung; ~**-maladie** [-maladi] *f* 98 Krankenversicherung; ~**-vieillesse** [-vjɛjɛs] *f* 98 Altersversicherung
assur|é [asyre] *m* Versicherter, Versicherungsnehmer; ~**er** [-re] versichern, (ab)decken; *(am Seil)* sichern; sicherstellen; ermöglichen; *s'*~*er de* s. vergewissern; ~**ur-expert** [-rœrɛkspɛːr] *m* 97 Versicherungsfachmann
Assyr|ie [asiri] *f: l'*~*ie* Assyrien; ~**ien** *m* Assyrer; ⁂**ien** [asirjɛ̃] *118* assyrisch; *m* d. Assyrische
astér|ie [asteri] *f* Seestern; ~**isque** [-risk] *m* 🕮 Sternchen; ~**oïde** [-rɔid] *m* Asteroid, Planetoid
asthén|ie [asteni] *f* 🕈 Kräfteverfall, Schwäche; ~**ique** [-nik] 🕈 schwach; schmalwüchsig
asthm|atique [asmatik] asthmatisch; ~**e** [asm] *m* Asthma, Atemnot, Kurzatmigkeit
asticot [astiko] *m* Made; ~**er** [-kɔte] *umg* quälen, plagen
astigmat|e [astigmat] astigmatisch; stabsichtig; ~**isme** [-tism] *m* Astigmatismus; Stabsichtigkeit
astiquer [astike] glänzend putzen
astre [astr] *m* Gestirn, Stern; *beau comme un* ~ *(iron)* wunderschön
astreindre [astrɛ̃dr] *87* zwingen *(à* zu); *il s'astreint à une extrême prudence* er läßt äußerste Vorsicht walten
astro|logie [astrɔlɔʒi] *f* Astrologie; ~**logique** [-lɔʒik] astrologisch; ~**logue** [-lɔg] *m* Astrologe; ~**naute** [-nɔt] *m* Weltraumflieger; ~**nautique** [-notik] *f* Raumfahrttechnik; Astronautik; ~**nef** [nɛf] *m* Raumschiff; ~**nome** [-nɔm] *m* Astronom; ~**nomie** [-nɔmi] *f* Astronomie; ~**nomique** [-nɔmik] astronomisch, sternkundlich; *fig* unvorstellbar groß, riesig (Zahlenangaben usw.)
astuc|e [astys] *f* Hinterlist; *umg* Dreh; Witz; ~**es** *pl* Schliche; ~*es du métier* Kunstgriffe; ~**ieux** [-tysjø] *111* arglistig; *umg* gescheit; geschickt; witzig
asymétrique [asimetrik] asymmetrisch

ataraxie [ataraksi̯] ƒ Gleichmut, Unerschütterlichkeit, Seelenruhe

atav|ique [atav̯ik] erbbedingt; **~isme** [-vi̯sm] m Erblichkeit

ataxie [ataksi̯] ƒ: ~ locomotrice Gehstörung, Ataxie

atelier [atəlje̯] m Werkstatt; Atelier

atermo|iement [atɛrmwamã] m Zögern, Zaudern, Abwarten com Zahlungsaufschub; **~yer** [-mwaje̯] 5 unschlüssig sein, sich nicht entschließen können; ~yer un paiement d. Zahlungsfrist verlängern; vi d. Dinge hinziehen

athé|e [ate̯] atheistisch; m, ƒ Atheist(in); **~isme** [atei̯sm] m Atheismus

Athènes [atɛn] ƒ Athen

athénien [atenjɛ̃] 118 athenisch; **ⱸ** m Athener

athlét|ique [atletik] athletisch, muskulös; sportlich durchtrainiert; leichtathletisch; **~isme** [-tism] m Leichtathletik; ~isme lourd Schwerathletik

atlantique [atlãtik] atlantisch; pacte ~ westliches Bündnis; l'**ⱸ** m der Atlantik

atlas [atlɑs] m Atlas

atmos|phère [atmɔsfɛːr] ƒ (a. phys) Atmosphäre; **~phérique** [-ferik] atmosphärisch

atom|e [atɔm] Atom; structure (od. construction) de l'~e A.bau, -struktur; **~ique** [-atɔmik] atomar; l'ère ~ique Atomzeitalter; noyau ~ique A.kern; poids ~ique A.gewicht; bombe ~ique A.bombe; conflit ~ique A.krieg; contrôle (de l'énergie) ~ique A.kontrolle; puissance ~ique A.streitkraft; **~isation** [-izasjɔ̃] ƒ pol Zersplitterung; **-iseur** [-~zœːr] m Sprühdose; **~iste** [-atɔmist] m A.forscher; **~istique** [atɔmistik] ƒ A.forschung

aton|e [atɔn] tonlos; **⚡** schlaff; **~ie** [atɔni] ƒ **⚡** Schlaffheit

atours [atuːr] mpl weibl. Schmuck; Staat

atout [atu] m Trumpf (roi d'~ -könig) ♦ quel ~ dans votre jeu! welch prächtige Erfolgsaussicht!

âtre [ɑtr] m (im Kamin) Feuerstelle

atroc|e [atrɔs] gräßlich; **-ité** [atrɔsite̯] ƒ Abscheulichkeit

atrophi|e [atrɔfi] ƒ **⚡** Verkümmerung; **⚡** Schwund; **~er** [-fje̯]: s'~er **⚡** verkümmern, schwinden, schrumpfen

attabler [atable̯]: s'~ sich (zum Essen u. Trinken) an d. Tisch setzen

attach|ant [ataʃã] 108 anziehend; **~e** [ataʃ] ƒ (a. **⚡**) Band; (Hand-) od. Fußgelenk; Klipp; ~e (de bureau) Heftklammer; ~e de ski Schibindung; port d'~e Heimathafen; avoir des ~es Beziehungen haben (avec zu); **-é** [-ʃe̯] m Attaché; **~ement** [-ʃmã] m Anhänglichkeit; Sympathie, Zuneigung; **~er** [-ʃe̯] festmachen; anbinden; heften; vi anbrennen, festbacken; il s'~e à elle er hängt s. an sie; j'y ~e beaucoup d'importance ich lege großen Wert darauf

attaqu|able [atakabl] angreifbar; **~e** [atak] ƒ 1. Angriff; ~e générale Großa.; ~e aérienne Lufta.; ~e de blindés Panzera.; ~e par surprise Überraschungsa.; ~e à main armée Raubüberfall; 2. **⚡** Anfall; ~e d'apoplexie Schlaganfall; **~er** [-ke̯] angreifen; **⚡** belangen; ~er en justice

verklagen, Klage erheben; (Speise) anschneiden; (Arbeit) in Angriff nehmen; (Musikstück) (zu spielen) anfangen; **⟺, ⚡, +** anpeilen; s'~er s. heranwagen (à qch an etw.)

attarder [atarde̯] verspäten; s'~ à s. aufhalten mit

attein|dre [atɛ̃dr] 87 erlangen; (mit Stein, Geschoß) treffen; (Ziel) erreichen; (Krankheit) befallen; (Ruf) schädigen; je n'ai pas pu l'~dre au téléphone ich habe ihn telefonisch nicht erreichen können; il atteint la soixantaine er wird sechzig; **~te** [atɛ̃t] ƒ Schlag; Verletzung; hors d'~te unerreichbar; ~te à la sûreté de l'État Verbrechen gegen d. Sicherheit d. Staates

attel|age [atlaːʒ] m Gespann; **⚙** Kupplung, Ankuppeln; **~er** [atle̯] 4 anspannen; anhängen, (an)kuppeln; je m'y suis ~é (umg) ich habe mich hineingekniet (in d. Arbeit); **~le** [atɛl] ƒ **⚡** Schiene

attenant [atnã] 108 angrenzend, stoßend (à an)

attendre [atãdr] 76 vt erwarten; warten auf; il se fait ~ er läßt auf s. warten; il faut ~ jusqu'à la fin man muß das Ende abwarten; je ne m'attendais pas à cela darauf war ich nicht gefaßt

attendr|ir [atãdriːr] 22 erweichen; s'~ir weich werden; **~issant** [-drisã] 108 rührend; **~issement** [-drismã] m Rührung

attendu [atãdy] erwartet; ~ que... da, weil; **⚡** in Anbetracht der Tatsache, daß...; les ~s d'un jugement Urteilsbegründung

attentat [atãta] m Attentat; ~ à la pudeur sexuelle od. unzüchtige Handlung

attente [atãt] ƒ Erwartung; Wartezeit; salle d'~ Wartesaal; contre toute ~ ganz anders als vorausgesehen; dans l'~ de vos ordres... (com) Ihren Aufträgen entgegensehend...

attenter [atãte̯] ~ à la vie de qn j-m nach dem Leben trachten; ~ à ses jours Selbstmord begehen

attent|if [atãtif] 112 aufmerksam (à auf); **~ion** [-sjɔ̃] ƒ Aufmerksamkeit; **~ion!** Achtung!; faire ~ion à achtgeben auf; à l'~ de zu Händen von (Herrn...); **~isme** [-tism] m abwartende Haltung; Politik d. Abwartens

atténu|ation [atenyasjɔ̃] ƒ Abschwächung; Dämpfung; **⚡** Milderung; **~er** [-nɥe̯] abschwächen; dämpfen; **⚡** mildern; circonstances ~antes mildernde Umstände

atterr|ages [atɛraːʒ] mpl küstennahe Gewässer; **~er** [-re̯] fig niederschmettern; **~ir** [-riːr] 22 landen; **~issage** [-risaʒ] m **⚡**, **+** Landung; train d'~issage **✈** Fahrgestell; ~issage sans visibilité Blindlandung; faire un ~issage forcé notlanden; **~issement** [-rismã] m Ablagerung; Versandung; Schwemmland; **~isseur** [-risœːr] m: ~isseur escamotable **✈** einziehbares Fahrgestell

attest|ation [atɛstasjɔ̃] ƒ Bescheinigung; **~er** [-te̯] bescheinigen; behaupten; bezeugen

attiédir [atjedi̯ːr] 22 lau(warm) machen, anwärmen; temperieren

attifer [atife̯]: s'~ sich aufputzen, aufdonnern

attiger [atiʒe̯] 14 pop übertreiben

attir|ail [atiraj] m 90 Gerät; Zubehör; umg

überflüssiges Gepäck; **~ance** [-rãs] f Anziehungskraft; **~er** [-rę] (her-)anziehen

attiser [atizę] a. fig schüren

attitré [atitrę] bestallt; fournisseur ~ ständiger Lieferant; früher: Hoflieferant

attitude [atityd] f Haltung; Verhalten

attouchement [atuʃmõ] m Betasten

attrac|tion [atraksjõ] f Anziehung(skraft); Attraktion; **~tif** [-tįf] adj anziehend; **~tivité** [-tivitę] Anziehungskraft

attrait [atrę] m Reiz; pl Zauber (z. B. e-r Frau)

attrape [atrap] f (fig, scherzh.) Falle; Scherzartikel; **~mouches** [-muʃ] m 100 Fliegenfänger; **~nigaud** [-nigo] m 99 Bauernfängerei

attrap|er [atrapę] erwischen; (Ball) fangen; schelten; ~er un rhume (umg) s. e-n Schnupfen holen; ~e! (Scherz) da hast du's! ♦ me voilà bien ~é da bin ich schön 'reingefallen

attrayant [atrɛjã] 108 anziehend; angenehm; verführerisch

attribu|er [atribuę] zuteilen; ~er des qualités gute Eigenschaften zugestehen; ~er la responsabilité verantwortlich machen für etw.; **~t** [-by] m Merkmal; ling Attribut; **~tion** [-bysjõ] f Zuteilung; Befugnis

attrister [atristę] betrüben

attrouper [atrupę]: s'~ sich zus.rotten

aubade [obad] f (Morgen-)Ständchen

aubaine [obɛn] f unverhoffter Glücksfall

aube[1] [o:b] f Tagesanbruch; à l'~ bei T.

aube[2] [o:b] f ☼ Schaufel (Turbine)

aubépine [obepin] f Weißdorn

auberg|e [obɛrʒ] f Wirtshaus; ~ e de jeunesse Jugendherberge; **~iste** [obɛrʒist] m Gastwirt

aucun [okœ̃] 109 irgendein(er); kein(er); sans ~ doute ohne jeden Zweifel; ~ n'est venu keiner ist gekommen; ~ mal nichts Böses; d'~e sorte keinerlei; en ~ cas keinesfalls; ~ de vous a-t-il jamais…? hat jemals e-r von euch…?; d'~s einige, gewisse; **~ement** [okynmã] keineswegs

audac|e [odas] f Kühnheit; pej Frechheit; **~ieux** [odasjø] 111 kühn; gewagt

au|-dedans [odədɑ̃] innen; **~-dehors** [odəɔr] außen; **~-delà** [odla] jenseits; l'~-delà das Jenseits; **~-dessous** [odsu] unter; (dar)unter; **~-dessus** [odsy] oben; (dar)über; **~-devant** [odvã] voraus; entgegen

audience [odjãs] f ♣ Hörerschaft; Audienz; ⚖ Sitzung; Anklang, Aufmerksamkeit, Erfolg; ~ence à huis clos Sitzung unter Ausschluß d. Öffentlichkeit

audiovisuel [odjɔvizyɛl] adj: enseignement ~ audiovisuelle Lehrweise; matériel ~ a.-e Unterrichtsmittel; programme ~ a.-s Bildungsprogramm; m audiovisuelle Ton- u. Bildträger; programmierter Unterricht; Audiovision

audi|teur [oditœr] m (Zu-)Hörer; ♣ Hörer; **~tion** [odisjõ] f ♫ Vernehmung (d. Zeugen); ♣ Empfang; **~toire** [oditwa:r] m Zuhörerschaft; Hörsaal

auge [o:ʒ] f (Futter-)Trog; Behälter, Kasten; Rinne; ~ de décharge (Wasser)Überlauf

augment|ation [ogmãtasjõ] f Vermehrung;

Vergrößerung; Steigerung; Zunahme; (Gehalts-)Erhöhung; **~er** [-tę] vermehren; (Miete) erhöhen; zunehmen; (Preis) steigen

augur|e [ogy:r] m Wahrsager; Vorzeichen, Omen; c'est de bon ~e das ist e. gutes O.; oiseau de mauvais ~e Unglücksbote; **~er** [ogyrę] mutmaßen; j'en ~e mal davon verspreche ich mir nichts

auguste [ogyst] erhaben

aujourd'hui [oʒurdɥi] heute; heutzutage; ~ même noch heute; (d')~ en quinze heute in 14 Tagen

aumôn|e [omo:n] f Almosen; **~ier** [omonję] m (Militär-, Anstalts-)Geistlicher

aune[1] [o:n] f Elle ♦ faire une mine longue d'une~ e. langes Gesicht machen; nous savons ce qu'en vaut l'~ wir können e. Lied davon singen

aune[2] a. **aulne** [o:n] m Erle

auparavant [oparavɑ̃] früher; vorher

auprès [oprɛ] de (da)neben; bei

auréole [oreɔl] f Heiligenschein

auricul|aire [orikylɛ:r] 1. adj Ohren…; témoin ~ Ohrenzeuge; 2. m kleiner Finger

aurifère [orifɛ:r] goldhaltig

aurore [orɔ:r] f Morgenröte; ~ boréale Nordlicht; ~ australe Südlicht

auscultation [oskyltasjõ] f ⚕ Auskultation, Abhorchen

auspices [ospis] mpl: sous d'heureux ~ unter günstigen Vorzeichen; sous les ~ de qn unter j-s Schirmherrschaft

aussi [osi] auch; überdies; ebenso; daher; ~ bien que sowohl wie; **~tôt** [-to] sogleich; ~tôt que sobald als

aust|ère [ostɛ:r] (sitten)streng; (Stil) einfach, sachlich; **~érité** [osteritę] f (Sitten-)Strenge; Sachlichkeit; politique d'~ energische Sparpolitik

austral [ostral] 124 südlich; latitude ~e südl. Breite; **⚲ie** [ostrali] f: l'⚲ie Australien; **⚲ien** [ostraljɛ̃] m Australier; **~ien** 118 australisch

autant [otɑ̃] ebensosehr; ebensoviel (que wie); d'~ plus que um so mehr als; d'~ moins que um so weniger als; ~ que possible soweit (wie) möglich; ~ que je sache soviel ich weiß; en faire ~ genauso handeln wie…

auteur [otœ:r] m Verfasser; Urheber; droit d'~ ⚖ Urheberrecht

authent|icité [otãtisitę] f Echtheit; **~ique** [-tįk] authentisch, echt; acte ~ öffentliche Urkunde

auto [otɔ] f Auto; aller en ~ Auto fahren; ~ tous-terrains geländegängiger Wagen; **~biographie** [-bjɔgrafi] f Autobiographie; **~bus** [-bys] m Autobus; **~car** [-ka:r] m Überlandautobus; **~chtone** [ɔtɔktɔn] m Eingeborener; **~collant** [-kɔlã] adj selbstklebend; m Aufkleber; ~ consommation [-kõsɔmasjõ] f Eigenverbrauch; **~crate** [krat] m Alleinherrscher; **~critique** [-kritįk] f Selbstkritik; **~cuiseur** [-kɥizœ:r] m Schnellkochtopf; **~destruction** [-dɛstryksjõ] f Selbstzerstörung; **~détermination** [detɛrminasjõ] Selbstbestimmung; **~didacte** [-didakt] m Autodidakt; **~-école** [-ekɔl] f 99 Fahrschule;

~**gestion** [-ʒɛstjɔ̃] *f* innerbetriebliche Selbstverwaltung; ~**gire** [-ʒir] *m* ✝ Tragschrauber; ~**graphe** [-graf] *(Brief, Unterschr.)* eigenhändig; *m* Autogramm; ~**guidé** [-gide] *(Geschoß)* selbstgesteuert; ~**mate** [-mat] *m* Automat; ~**mation** [-masjɔ̃] *f* Automatisierung; Regelungstechnik; ~**matique** [-matik] automatisch; selbsttätig; ~**matisation** [-matizasjɔ̃] *f* Automatisierung, Automation

automne [ɔtɔn] *m* Herbst; ~ *de la vie* Lebensabend, Alter

auto|mobile [ɔtɔmɔbil] Kraftfahrzeug...; *f* Kraftwagen; ~**mobilisme** [-mɔbilism] *m* Automobilsport; ~**mobiliste** [-mɔbilist] *m* Kraftfahrer; ~**motrice** [-mɔtris] *f* Triebwagen; ~**nomie** [-nɔmi] *f* Autonomie, Unabhängigkeit; ⚓, ✝ Aktionsradius; ~**psie** [-psi] *f* Leichenschau, Obduktion; ~**rail** [-rɑːj] *m* Triebwagen

autori|sation [ɔtɔrizasjɔ̃] *f* Berechtigung; Genehmigung, Zustimmung; Ermächtigung; Erlaubnis; ⚓ Zulassung, Konzession; ~**sé** [-ze] zulässig; befugt; ~**ser** [-ze] berechtigen *(à zu)*; *s'~ser* s. berufen *(à auf)*; ~**taire** [-tɛːr] selbstherrlich; rechthaberisch; ~**té** [-te] *f* Autorität; Behörde; *Haute ⁴té* Hohe B.; *d'~té* eigenmächtig; *de sa propre ~té* aus eigener Macht(vollkommenheit); *faire ~té* maßgeblich sein

auto|route [ɔtɔrut] *f* Autobahn; ~ *de dégagement* gebührenfreie Zubringerautobahn; ~ *à péage* gebührenpflichtige Autobahn; ~ *urbaine* Stadtautobahnring; ~**routier** [-rutje] *adj: accès* ~ Autobahnanschlußstelle; *motel* ~ Autobahnrasthof; Motel; *péage* ~ Autobahn(benutzungs)gebühr, Maut; *réseau* ~ Autobahnnetz; ~**stop** [-stɔp] *m* Autostop; *faire de l'*~ *stop* per A. fahren ~**stoppeur** [-stɔpœːr] *m 121* Anhalter; ~**suffisance** [-syfizɑ̃s] *f* Selbstversorgung; ~**suggestion** [-sygʒɛstjɔ̃] *f* Autosuggestion

autour [ɔtuːr] *de* um... herum; *tout* ~ ringsherum; *tout* ~ *de* rings um; ~ *de midi* gegen Mittag

autre [otr] ander; *nul* ~ kein anderer; *d'*~ *part* andererseits, andernteils; *l'*~ *jour* neulich; *l'un l'*~ einander; *ni l'un ni l'*~ keiner von beiden; *entre ~s* unter anderem; *nous ~s Allemands* wir Deutsche; *à d'~s!* das können Sie (kannst du) e-m anderen weismachen!; ~**fois** [otrəfwa] früher; einstmals; ~**ment** [otrəmã] anders; sonst; ~*ment important* unvergleichlich wichtiger

Autrich|e [otriʃ] *f: l'*~*e* Österreich; ~**ien** [otriʃjɛ̃] *m* Österreicher; ⁴**ien** *118* österreichisch

autruche [otryʃ] *f orn* Strauß; *pratiquer la politique de l'*~ Vogel-Strauß-Politik treiben; *avoir un estomac d'*~ alles vertragen

autrui [otrɥi] anderer; andere (Leute); der Nächste; ⚓ Dritte(r); *dommage causé à* ~ Drittschaden; *vivre aux dépens d'*~ auf Kosten anderer leben; *le bien d'*~ fremdes Gut

auvent [ovɑ̃] *m* Schutzdach, Vordach

auxiliaire [oksiljɛːr] Hilfs...; *bureau* ~ Nebenstelle; *verbe* ~ Hilfszeitwort

avachir [avaʃiːr] *22: s'*~ schlapp werden; *(Schuhe)* s. austreten; verweichlichen

aval¹ [aval] *m* Wechselbürgschaft

aval² [aval]: *en* ~ stromabwärts; tiefer liegend; danach kommend, darauffolgend; ~**anche** [-lɑ̃ʃ] *f* Lawine; ~**ancheux** [-lɑ̃ʃø] *adj* lawinengefährdet; ~**er** [-le] herunterschlingen; *(Faß)* einschroten; ~ *er un affront* e-e Beleidigung hinunterschlucken

avaliser [avalize] (für e-n Wechsel) bürgen, avalieren

avanc|e [avɑ̃s] *f* Vorsprung; Fortschreiten; *(Geld)*Vorschuß; ✿ Vorlauf; Vorschub; 🏛 Vorbau, Erker; *pl* Annäherungsversuch; *prendre une ~e sur* e-n Vorsprung gewinnen vor; ~**é** [-se] vorgeschoben; *(Lernender)* fortgeschritten; *(Alter)* vorgerückt; *(Fleisch)* angegangen; *(Obst)* halbfaul; ~**ée** [-se] *f* Vorsprung; *(Zelt)* Vordach; ~**ement** [-mɑ̃] *m* Fortgang; Fortschritt; *(berufl.)* Beförderung; ~**er** [-se] *15* nach vorne bringen; *(Fuß)* vorsetzen; *(Arm)* ausstrecken; *(Geld)* vorschießen, -strecken; vortreten; *(Uhr)* vorgehen; weiterkommen; *(Mauer)* vorspringen; *(in d. Rede)* vorbringen; ~ *er en âge* heranwachsen; *la voiture est ~ée* d. Wagen ist vorgefahren; *ça t'~e à quoi? (umg)* das bringt dich auch nicht weiter

avanie [avani] *f* Schimpf, Schmach

avant [avɑ̃] vor; voraus; vorher; vorn; *m* Vorderteil; 🏈 Stürmer; ~ *de* ehe; ~ *peu* binnen kurzem; ~ *tout* vor allem; ~ *que* bevor; *en* ~ voraus; *en* ~! vorwärts!; *aller de l'*~ schneidig vorgehen; ~**age** [-taʒ] *m* Vorteil; Vorzug; *avoir l'*~*age* d. Oberhand gewinnen; ~**ages** *fiscaux* Steuerbegünstigung; ~**ager** [-taʒe] *14* bevorzugt behandeln; ~**ageux** [-taʒø] *111* vorteilhaft; preisgünstig; *air* ~*ageux* selbstgefällige Miene; ~**bras** [-bra] *m 100* Unterarm; ~**centre** [-sɑ̃tr] *m 99* 🏈 Mittelstürmer; ~**coureur** [-kurœːr] *m 99* Vorbote; *signe* ~*coureur* Vorzeichen; ~**garde** [-gard] *f 99* Vorhut; *(Kunst)* Avantgarde, Vorkämpfer; ~**goût** [-gu] *m 99* Vorgeschmack; ~**guerre** [-gɛːr] *m 99* Vorkriegszeit; ~**hier** [-tjɛːr] vorgestern; ~**poste** [-pɔst] *m 99* Vorposten; ~**première** [-prəmjɛːr] *f 99* ♔ Generalprobe; ~**propos** [-prɔpo] *m 100* Vorwort; ~**rapport** [-rapɔr] *m 99* Vorbericht; ~**saison** [-sɛzɔ̃] *f 99* Vorsaison; ~**scène** [-sɛn] *f 99* Proszeniums-, Orchesterloge; ~**série** [-seri] *f 99* Prototyp, erste Ausführung (e-r Maschine od e-s Fahrzeuges), Vorserie (e-s Flugzeuges); ~**toit** [-twa] *m 99* Vordach, Dachvorsprung; ~**train** [-trɛ̃] *m* *(Wagen)* Vordergestell; *(Pferd)* Vorderhand; ~**veille** [-vɛj] *f* d. vorgestrige Tag

avar|e [avaːr] geizig; *m* d. Geizige; ~**ice** [avaris] *f* Geiz; ~**icieux** [avarisjø] *111* knauserig

avar|ie [avari] *f com* Transportschaden; ⚓ Havarie; ~**ié** [-rje] beschädigt; *(Waren)* verdorben

avatar [avataːr] *m* Verwandlung; *fig* Veränderung; *pop* Mißgeschick, Pech, Bescherung

à vau-l'eau [avolo]: *aller* ~ flußabwärts treiben; *fig* herunterkommen

avec [avɛk] mit; bei; *divorcer d'~ qn* s. scheiden lassen von

avenant [avnɑ̃] angenehm; *m* 🐍 Nachtrag, Zusatzvertrag; *à l'~* (dazu) passend

avènement [avɛnmɑ̃] *m (Fürst)* Regierungsantritt; *(Zeit)* Anbruch, Beginn

aven|ir [avnịːr] *m* Zukunft; *à l'~ir* künftig; *d'~ir* vielversprechend, aussichtsreich, zukunftsträchtig; *dans un ~ir prochain* in absehbarer Zeit; **~t** [avɑ̃] *m* Advent; **~ture** [-tyːr] *f* Abenteuer; *dire la bonne ~ture* wahrsagen; *par ~* zufällig; *marcher à l'~* ziellos herumirren; **~turer** [-tyrẹ]: *s'~turer* sich vorwagen; **~tureux** [-tyrø] *111* abenteuerlich; **~turier** [-tyrjẹ] *m* Abenteurer; Hochstapler

avenue [avny] *f* Allee

avér|er [averẹ] *13: s'~er* s. herausstellen, s. erweisen; *il est ~é que* es ist erwiesen (sicher), daß

avers|e [avɛrs] *f* Platzregen, Schauer; **~ion** [-sjɔ̃] *f* Abneigung, Widerwille *(pour* gegen)

avert|i [avɛrti] *(Berufserfahrung)* erfahren; bewährt; **~ir** [-tịːr] *22* aufmerksam machen *(de* auf); warnen *(de* vor); **~issement** [-tismɑ̃] *m* Warnung; Vorwort; *(Steuer)* Mahnung; *(Schule)* Verweis; **~issement taxé** gebührenpflichtige Verwarnung; **~isseur** [-tisœːr] *m* 🚗 Hupe, Horn; Signalgerät **~isseur d'incendie** Feuermelder; **~isseur lumineux** Lichthupe; **~ de panne** Warnzeichen

aveu [avø] *m 91* Geständnis; *faire des ~x* e. G. ablegen; *sans mon ~* ohne m-n Willen; *gens sans ~x* hergelaufenes Gesindel, Pack

aveugl|e [avœgl] blind; *m* Blinder; **~e de guerre** Kriegsblinder; **~ement** [-glǝmɑ̃] *m* Verblendung; **~ément** [-glemɑ̃] blindlings; **~e-né** [-glǝnẹ] blindgeboren; *m 97* Blindgeborener; **~er** [-glẹ] (ver)blenden; *mil* einnebeln; **~ette** [-glɛt] *f: à l'~ette* blindlings

aveulissement [avølismɑ̃] *m* Erschlaffung; Nachlassen

avia|teur [avjatœːr] *m* Flieger; **~tion** [-sjɔ̃] *f* Flugwesen; Fliegerei; Luftfahrt; **~tion sportive** Sportfliegerei; **~tion marchande** Handelsluftflotte; **~tion civile** Zivilluftfahrt; **~tion de ligne** Verkehrsfliegerei; **~tion sans moteur** Segelfliegerei

aviculture [avikyltyːr] *f* Geflügelzucht

avid|e [avid] gierig; **~ité** [-ditẹ] *f* Gier

avil|ir [avilịːr] *22* erniedrigen; abwerten; **~issant** [-lisɑ̃] *108* erniedrigend; **~issement** [-lismɑ̃] *m* Herabwürdigung

avion [avjɔ̃] *m* Flugzeug; **~ à réaction** Düsenfl.; **~ de ligne** Verkehrsmaschine; **~ de chasse** Jagdfl.; **~ de combat** Einsatzfl.; **~ de grosse capacité** Großraumfl.; **~ de transport** Transporter, Transportfl.; **~ de reconnaissance** Aufklärungsfl.; **~ quadrimoteur** viermotoriges Fl.; **~ citerne** Tankfl.; **~ cargo** Transportfl.; **~ commercial** Verkehrsfl.; **~ polyvalent** Mehrzweckfl.; **~ ravitailleur** Versorgungsfl.; *par ~* per Luftpost; **~nette** [avjɔnɛt] *f* Kleinflugzeug; **~neur** [-nœːr] *m* Flugzeugbauer, Fl.hersteller; **~nique** [-nịk] *f* Avionik

aviron [avirɔ̃] *m* Ruder; Rudersport

avis [avi] *m 1.* Ansicht; Meinung; Gutachten; *à mon ~* nach m-r Meinung, m-s Erachtens; *changer d'~* s-e Meinung ändern; *émettre un ~* e-e Stellungnahme abgeben *2.* Hinweis; Vorwort; Bekanntmachung; *lettre d'~ (com)* Meldezettel; **~ de crédit** Gutschriftanzeige; **~ de débit** Lastschriftanzeige; **~ de décès** Todesanzeige; **~ de paiement** 🖋 Auszahlungsschein; **~ de réception** 🖋 Rückschein; **~ de virement** 🖋 Gutschriftzettel; *donner ~ d'une traite* e-e Tratte ankündigen; **~é** [-zẹ] klug, umsichtig; **~er** [-zẹ] benachrichtigen; denken an; *j'y ~erai* ich werde mir d. Sache durch d. Kopf gehen lassen; *s'~er* auf d. Einfall kommen *(de* zu); *de quoi vous ~ez-vous?* was fällt Ihnen ein!

aviver [avivẹ] *(Farben)* auffrischen; *(Feuer)* anfachen; *(Schmerz)* erneuern

avocat [avɔka] *m* Rechtsanwalt *(Verteidiger vor Gericht)*; Fürsprecher; **~ marron** Winkeladvokat; **~-conseil** [-kɔ̃sẹj] Rechtsbeistand; **~-général** [-ʒenẹral] Oberstaatsanwalt; **~e** [-kạt] *f* Fürsprecherin; Rechtsanwältin

avoine [avwan] *f* Hafer

avoir [avwạːr] *33 1.* haben; bekommen; besitzen; *elle a 25 ans* sie ist 25; *la table a 2 mètres de long* d. Tisch ist 2 m lang; *ils ont de quoi vivre* sie stehen s. nicht schlecht; **~ lieu** stattfinden; *il y a* es gibt; *(il n'y a) pas de quoi!* bitte! *(nach Bedankung); il y a six mois* vor e-m halben Jahr; *il nous a eus (umg)* er hat uns hereingelegt; *je n'ai pas le temps* ich habe k-e Zeit; *tu as tout ton temps!* laß dir nur Zeit; *2. m* Habe; Gut; *(Bilanz)* Haben

avoisinant [avwazinɑ̃] *108* benachbart

avort|ement [avɔrtǝmɑ̃] *m* Fehlgeburt; *fig* Fehlschlag; Scheitern; **~ement provoqué** 🐍, 🐍 Abtreibung; **~er** [-tẹ] e-e Fehlgeburt haben; *(Pläne)* fehlschlagen; *se faire ~er* e-e Abtreibung vornehmen lassen; **~on** [-tɔ̃] *m* Frühgeburt; *chétif ~on* armer Krüppel

avou|é [avwẹ] *m* 🐍 (prozeßvorbereitender) Sachwalter *(bei Berufungs- u. Revisionsgerichten);* **~er** [avwẹ] gestehen; *~er son erreur* s-n Irrtum zugeben, eingestehen

avril [avrịl] *m* April; *poisson d'~* Aprilscherz

ax|e [aks] *m* Achse; Linie, Weg, Verbindung; **~ de butée** Anschlagbolzen; **~ de référence** Bezugsachse; **~é** [aksẹ]: *être ~é sur (a. fig)* sich drehen um; **~ial** [aksjal] *124* Achs(en)...; **~iale** [-jạlǝ] *f* Axialstraße, -strecke

axiome [aksjom] *m* Grundsatz; *math* Axiom; Postulat

ayant [ɛjɑ̃]: **~cause** *m* Rechtsnachfolger; **~droit** *m* Berechtigter

azimut [azimy(t)] *m* Seitenwinkel; *tous ~s* in allen Himmelsrichtungen; nach jeder Seite, in jede Richtung; veilseitig

azot|e [azɔt] *m* Stickstoff; **~e atmosphérique** Luftstickstoff; **~é** [-tẹ] stickstoffhaltig; *composé~é* Stickstoffverbindung; *engrais ~é* Stickstoffdünger; **~ique** [azɔtịk]: *acide ~ique* Salpetersäure

azur [azyːr] *m* Himmelsblau; *Côte d'~* franz. Riviera; **~éen** [-eɛ̃] *adj* wohnhaft an der frz. Riviera

azyme [azim] *adj* ungesäuert; *pain ~* Matze; *fête des ~s* Passahfest

B

baba¹ [baba] *m* Rosinenkuchen mit Rum

baba² [baba]: *en rester ~(umg)* ganz baff (davon) sein

babeurre [babœːr] *m* Buttermilch

babil [babil] *m* Geplapper (kleiner Kinder); **~lage** [-bijaːʒ] *m* Geschwätz; **~lard** [-bijaːr] Schwätzer; geschwätzig; **~ler** [-bije] plappern

babine [babin] *f zool* Lefze ♦ *s'en lécher les ~s* sich d. Mund danach lecken

babiole [babjɔl] *f* Kleinigkeit; *fig.* Bagatelle, Lappalie

bâbord [babɔːr] *m* Backbord

babouche [babuʃ] *f* Pantoffel, Schlappen

babouin [babwɛ̃] *m* Pavian

baby [bebi] *adj* Säuglings…, Baby…; **-foot** [-fut] *m* Tischfußball; **-sitter** [-sitɛr] Babysitter; **-sitting** [-sitiŋ] *m* Babysitting

bac¹ [bak] *m* Fähre; Trog; Wanne; Behälter; *~ d'accumulateur* Akkumulatorengefäß

bac² [bak] *m (arg scol)* Abi; *passer son ~* sein Abi machen; **~calauréat** [bakaloreɑ] *m* frz. Reifeprüfung

baccara [bakara] *m* Bakkarat *(Spiel)*

bacch|anale [bakanal] *f* Bacchanal; **~ante** [-kɑ̃t] *f* Bacchantin

bâche [baːʃ] *f* Plane; Kübel; Wasserbehälter; **~r** [baʃe] mit e-r Plane decken

bachelier (-ière) [baʃəlje (-jɛːr)] *m, f* Abiturient(in)

bachique [baʃik] bacchisch; *chanson ~* Trinkl.

bachot [baʃo] *m umg* Abs, Abi; *boîte à ~ (umg)* Presse; **~age** [-ʃɔtaːʒ] *m* Büffeln *(fürs Examen)*

bacill|aire [basilɛːr] bazillär; Bazillen…; **~e** [-sil] *m* Bazillus

bâcl|er [bakle] verrammeln; *(Arbeit)* hinhauen, zus.pfuschen; **~eur** [-klœːr] *m* Pfuscher

bactéri|cide [bakterisid] bakterientötend; **~e** [-ri] *f* Bakterie

badaud [bado] *m* Gaffer

baderne [badɛrn] *f: vieille ~ (fig)* alter Trottel; *(wegen hohen Alters)* Dienstunfähiger

badge [badʒ] *m* Ansteckplakette, Button

badigeon [badiʒɔ̃] *m* Kalkfarbe, Tünche; **~ner** [-ʒɔne] tünchen; ✿ bepinseln

badin [badɛ̃] scherzhaft; **~age** [badinaːʒ] *m* Scherz, Tändelei; **~e** [-din] *f* Reitgerte; **~er** [-dine] schäkern; *il ne ~e pas avec…* er nimmt es genau mit…

bafouer [bafwe] verhöhnen, heruntermachen

bafouill|age [bafujaːʒ] *m* Faselei; **~e** [bafuj] *f umg* Schrieb, Wisch; **~er** [-fuje] faseln; undeutlich schwatzen

bâfrer [bafre] *pop* s. vollfressen

bagagerie [bagaʒri] *f* Gepäckaufbewahrung; Koffer- u. Taschenfabrik

bagages [bagaːʒ] *mpl* Gepäck; *~ accompagnés*

Reisegepäck; *~ manquants* fehlendes Gepäck; *avec armes et ~* mit Sack und Pack; *faire ses ~* (Koffer) packen

bagarre [bagaːr] *f* Rauferei, Krawall

bagatelle [bagatɛl] *f* Bagatelle, Kleinigkeit, Lappalie; Liebschaft ♦ *il est porté sur la ~ (umg)* er ist e. Schürzenjäger

bagn|e [baɲ] *m* Zuchthaus; *fig* Hölle; **~ard** [baɲaːr] Zuchthäusler

bagnole [baɲɔl] *f* 🚗 *umg* Ratterkiste

bagout [bagu] *m (mst pej)* Zungenfertigkeit

bague [bag] *f* (Schmuck-)Ring; ✿ Buchse; Ring; **~nauder** [-node] d. Zeit vertändeln

baguette [bagɛt] *f* Rute; Taktstock *(sous la ~ de* unter d. Leitung von); langes, dünnes Brot *(in Frankreich); ~ d'encadrement* Bilderleiste

bahut [bay] *m* Truhe; 🚚 *pop* Brummi (LKW); alte Kiste (PKW); *~ à linge* Wäschetruhe; *arg scol* Penne; **~-lit** [-li] *m* 97 Schrankbett

baie¹ [bɛ] *f* Beere

baie² [bɛ] *f* Bucht; Tür-(Fenster-)Öffnung; Nische; *~ vitrée* Glasfenster, Fensterwand

baign|ade [bɛɲad] *f* Baden; Badegelegenheit; **~er** [-ɲe] baden; *se ~* (s.) baden *(im Freien); ~é de sueur* in Schweiß gebadet; **~eur** [-ɲœːr] *m* Badender, Badegast; **~euse** [-ɲøːz] *f* Badende; Bademantel; **~oire** [-ɲwaːr] *f* Badewanne; ♥ Parterreloge

bail [baj] *m* Miet- (Pacht-)Vertrag; *donner à ~* vermieten; *prendre à ~* mieten ♦ *c'est un ~ das* ist eine sehr lange Zeit; **~er** [-je]: *vous me la ~ez belle!* wollen Sie mir das weismachen?; **~leur** [-jœːr] *m* Vermieter; Verpächter; *~leur de fonds* stiller Teilhaber

bâill|ement [bajmɑ̃] *m* Gähnen; **~er** [-je] gähnen; klaffen; **~on** [-jɔ̃] *m* Knebel; **~onner** [bajɔne] knebeln; mundtot machen

bain [bɛ̃] *m* Bad; *établissement de ~s* Badeanstalt; *salle de ~* Badezimmer; *~ de siège* Sitzbad; *être dans le ~ (umg)* in e-e Sache verwickelt sein; *mettre qn dans le ~* j-n einweihen (in eine Sache); **~-marie** [-mari] *m* 98 *(chem, Küche)* Wasserbad

baïonette [bajonɛt] *f* Bajonett

bais|emain [bezmɛ̃] *m* Handkuß; **~er** [-ze] 1. küssen (auf den Mund); *pop!* schlafen *(qn mit j-m)*, vögeln, bumsen; *~er au front* auf d. Stirn küssen; *~er la main* d. Hand küssen; **2.** *m* Kuß; **~oter** [-zɔte]: *se ~oter* sich abküssen

baiss|e [bɛs] *f* Fallen; Sinken; *~e de puissance* Leistungsabfall; *~e de tension* Spannungsabfall; **~er** [bɛse] *(Preise)* senken; *(Jalousie)* herablassen; *(Temperatur) sinken; ~er les phares* 🚗 abblenden; *~er le poste* d. Radio leiser stellen; *~er la tête* d. Kopf senken; *~er le ton* kleinlaut werden; *~er la voix* leiser sprechen; *~er les yeux* d. Augen niederschlagen; *ma vue ~e* ich sehe immer schlechter; *les actions ~ent* d. Aktien fallen; *se ~er* s. bücken

bajoue [baʒu] *f* Hängebacke

bal [bal] *m* Ball *(Tanz); ~ musette* öffentliche Tanzveranstaltung (zumeist mit Akkordeonbegleitung); *~ privé* Hausball; *~ costumé* Maskenball

balad|e [balad] *f umg* Bummel; ~**er** [-lade]: *se~er* bummeln, gemütl. spazierengehen; ~**euse** [-ladø:z] *f* Kabelleuchte, Handlampe; ~**in** [-ladɛ̃] *m* Possenreißer

balafr|e [balafr] *f* Schmiß *(im Gesicht);* ~**er** [-lafre] e-e Schramme beibringen *(qn* j-m)

balai [balɛ] *m* Besen; ⚡ (Kontakt-)Bürste; ~ *de bouleau* Reiserbesen; ~ *mécanique* Teppichkehrmaschine; *donner un coup de* ~ ausfegen, auskehren; *fig* Personal entlassen

balanc|e [balɑ̃s] *f* (Haushalts-)Waage; (Außenhandels-)Bilanz; ~*e commerciale* Handelsbilanz; ~*e des comptes* Leistungsbilanz; ~*e des invisibles* Dienstleistungsbilanz; ~*e des paiements* Zahlungsbilanz; ~*e de précision* Feinwaage; *mettre dans la* ~*e* in d. Waagschale werfen; ~**é** [-se]: *bien* ~*é (umg)* wohlgebaut; ~**ement** [-lɑ̃smɑ̃] *m* Schwanken, Unschlüssigkeit; ~**er** [-se] *15* schwanken, ausbalancieren, hin u. her bewegen; abwägen *(sans* ~*er* ohne s. zu besinnen); *umg* wegschmeißen; *se* ~*er* s. die Waage halten; *je m'en* ~*e* das ist mir schnuppe; ~**ier** [-sje] *m* Balancierstange; *(Uhr)* Pendel; Schwinghebel, Kipphebel; Unruh·Spindelpresse

balançoire [balɑ̃swa:r] *f* Schaukel ♦ *envoyer à la* ~ *(umg)* zum Henker schicken

balay|age [balɛjaːʒ] *m* ⚡ Kehren; Abtasten (Spektrum); ~*age d'image* Bildablenkung; ~ *transversal* Querspülung; ~**er** [-je] *12* kehren; abtasten; ablenken; spülen (Gase) *(Wolken)* vertreiben, -jagen *(Feind)* in d. Flucht schlagen; ~**eur** [-jœːr] ⚙ Abtastgerät; Ablenkgerät; ~*eur de rues* Straßenfeger; ~**euse** [-jøːz] *f* Straßenkehrmaschine; ~**ures** [-jyːr] *fpl* Kehricht

balbuti|ement [balbysimɑ̃] *m* Stammeln, Gestotter; ~**er** [-sje] stammeln, stottern

balcon [balkɔ̃] *m* Balkon; ⛴ Rang; ~ *avant* ⚓ Bugkanzel

balein|e [balɛn] *f* Walfisch; Fischb.; Kragenstäbchen; ~**ier** [-lɛnje] *m* Walf. *(a. Schiff)*

balis|age [balizaːʒ] *m* ⚓ Betonnung; *service de* ~*age et de signalisation* Flugsicherungsdienst; ~**e** [-li:z] *f* Bake, Seezeichen; Boje

balistique [balistik] ballistisch; *f* Ballistik

baliverne [balivɛrn] *f* Albernheit; *dire des* ~*s* Unsinn reden

Balkan|s [balkɑ̃] *mpl: les* ~*s* d. Balkan; *péninsule des* ~*s* Balkanhalbinsel; ~**ique** [-kanik]: *pays* ~*iques* Balkanländer

ballade [balad] *f* Ballade

ballant [balɑ̃] schlenkernd; *les bras* ~*s* mit schlenkernden Armen

ballast [balast] *m* Bettung *(d. Bahndammes);* Schotter; (Wasser-)Ballast; (Vorrats-)Tank

balle [bal] *f* **1.** Ball; Ballspiel; *couper la* ~ den Ball anschneiden; *sauver la* ~ den B. abwehren; *garder la* ~ *en jeu* den B. im Spiel halten; *échanger quelques* ~*s* Bälle wechseln; *enfant de la* ~ Komödiantenkind ♦ *renvoyer la* ~ schlagfertig antworten; *se renvoyer la* ~ s. gegenseitig d. Schwarzen Peter zuschieben (beschuldigen); *saisir la* ~ *au bond* d. Gelegenheit beim Schopf ergreifen; **2.** Geschoß, Kugel; ~ *à blanc* Platzpatrone; ~

ordinaire Normalgeschoß (für Gewehr); ~ *traceuse* Leuchtspurgeschoß; **3.** *com* Ballen; **4.** Spreu

ballerine [balrin] *f* Ballettänzerin

ballet [balɛ] *m* Ballett

ball|on [balɔ̃] *m* Fußball; Bergkuppe; Ballon *(a. aus Glas); chem* Kolben; Trommel (Kessel); 📖 Sprechblase; ~*on d'observation* Beobachtungsballon; ~*on captif* Fesselballon; ~**on-sonde** [-sɔ̃d] *m* 97 *meteo* Registrierballon, Aerosonde; ~**onner** [-lɔne] blähen; ~**ot** [-lo] *m* (Waren-)Ballen; *umg* blöde; ~**ottage** [-lɔtaːʒ] *m* Stichwahl; ~**otter** [-lɔte] hin u. her schaukeln

balnéaire [balneːr] Bade...; *station~* Badeort, Seebad

balnéothérapie [balneɔterapi] *f* Heilbäderbehandlung

balourd [baluːr] *108* tölpelhaft, klotzig; *m* Tölpel; ⚙ Unwucht; ~**ise** [-diːz] *f* Tölpelei, Schildbürgerstreich

balt|e [balt] baltisch; ~**ique** [-tik]: *la (mer)* ~*ique* Ostsee

baluchon [balyʃɔ̃] *m* Bündel

balustrade [balystrad] *f* Geländer, Brüstung

bambin [bɑ̃bɛ̃] *m* kleiner Junge

bamboche [bɑ̃bɔʃ] *f* Schlemmerei

bambou [bɑ̃bu] *m* Bambus(rohr) ♦ *avoir un coup de* ~ *(umg)* leicht bekloppt sein

bamboula [bɑ̃bula] *f* Negertanz ♦ *faire la* ~ tüchtig feiern

ban [bɑ̃] *m* Bekanntmachung; Bann, Achterklärung; ~ *de mariage* (kirchl.) Aufgebot; *battre un* ~ *(rhythmisch)* Beifall klatschen; *mettre au* ~ ächten; ~**al** [banal] *124* banal, Allerwelts...; ~**alisation** [banalisasjɔ̃] *f* Vermassung; Tarnung (Polizeifahrzeuge); ~**alisé** [-lize] *adj: voiture* ~*e* Zivilstreifenwagen; ~**aliser** *vt* banalisieren; ⚕ dem Gemeinrecht unterstellen; ~**alité** [banalite] *f* Alltäglichkeit, Banalität, Abgedroschenheit; Binsenweisheit

banan|e [banan] *f* Banane; ~**ier** [-nje] *m* Bananenbaum; Bananenschiff

banc [bɑ̃] *m* Bank; ~ *de sable* Sandbank; ~ *de harengs* Heringszug; ~ *de glace* Packeis; ~ *d'essai* ⚙ Prüfstand *(a. fig);* ~ *des accusés* Anklagebank; ~*s de pêche* Fanggründe *mpl;* ~**able** [-kabl] *com* bankfähig; ~**aire** [-kɛːr] Bank...; [-kal] krummbeinig

band|age [bɑ̃daːʒ] *m* ⚡ Binde, Verband; 🚗 Bereifung; ~*age herniaire* ⚡ Bruchband; ~*age plein* 🚗 Vollgummireifen; ~**agiste** [-daʒist] *m* Bandagist; ~**e** [bɑ̃d] *f* Binde; Band; Streifen; Schar, Bande; *par la* ~*e* indirekt; *sous* ~*e* unter Streifband; ~*e côtière* Küstenstreifen; ~*e dessinée* Comic strip, Bildfortsetzungsgeschichte; ~*e magnétique* Tonband; ~*e de fréquences* ⚡ Frequenzumfang; *largeur de* ~*e* ⚡ Bandbreite; *obtenir que la* ~ *(umg)* hintenherum bekommen; *faire* ~*e à part* s. absondern; ~**eau** [-do] *m* Stirnband; Augenbinde; ~**er** [-de] *(Augen)* verbinden; *(Bogen)* spannen; ~**erole** [-dərɔl] *f* Spruchband; Gewehrriemen

bandit [bɑ̃di] *m* (Straßen-)Räuber; ~**isme** [-ditism] *m* Banditenunwesen, Gangstertum

bandoulière [bāduljɛ:r] f Schulterriemen; en ~ schräg über Schulter u. Brust

bang [bãg] m Schallknall, Knall

banlieu|e [bãljø] f Umgebung (e-r Großstadt); Bannmeile; dans la grande ~e in d. weiteren Umgebung (bes. von Paris); ~sard [ljøzạ:r] m umg Vorortbewohner (von Paris)

banni [bani] m Verbannter, Ausgestoßener

bannière [banjɛ:r] f Banner ♦ c'est la croix et la ~ pour... es ist sehr schwer, zu..., man muß alles aufbieten, um...

bann|ir [bani:r] 22 (ver)bannen; ~ir la crainte d. Furcht bannen; ~issement [-nismã] m Verbannung

banqu|e [bãk] f Bank (Kreditinstitut); Spielbank; faire sauter la~e die B. sprengen; ~e centrale = ~e d'émission Notenbank; ~e d'escompte Diskontbank; ~e de dépôt Depositenbank; ~e d'affaires Unternehmensbeteiligungsbank; ~e de crédit = ~e de prêt Kreditbank; ~e de données Datenbank; ~e d'organes Sammelstelle für Organkonserven; ~e de sang Blutbank; ~e des mots Terminologiebank; billet de ~e Banknote; ~eroute [bãkrut] f Bankrott; ~eroute frauduleuse betrügerischer Konkurs; ~eroute simple fahrlässiger K.; faire ~eroute Bankrott machen; ~et [-kɛ] m Bankett, offizielles Essen; ~ette [-kɛt] f (Sitz-)Bank (in Verkehrsfahrzeugen); Fenstersims; Böschungsabsatz (Straßen) ♦ jouer pour les ~ettes ♥ vor leerem Haus spielen; ~ier [-kjɛ] m Bankier; (Spiel) Bankhalter; ~ise [-ki:z] f Eisbank

baobab [baɔbạb] m Affenbrotbaum

bapt|ême [batɛm] m Taufe; ~ême de la ligne Äquatortaufe; extrait de ~ême Taufschein; nom de ~ême Vorname; ~iser [-tizɛ] taufen; ~iser le vin Wein mit Wasser verdünnen; ~ismal [-tismạl] 124: fonts ~ismaux Taufbecken; ~istère [-tistɛ:r] m Taufkapelle

baquet [bakɛ] m Kübel, Becken, Holzzuber

bar[1] [ba:r] m Theke; Bar; Wirtschaft

bar[2] [ba:r] m Seebarsch

baragouin [baragwɛ̃] m Kauderwelsch; ~age [-gwinạ:ʒ] m Kauderwelsch; Gewäsch

baraque [barạk] f Baracke; Jahrmarktbude; umg Bude; casser la ~ alles kurz und klein schlagen; ♥ einen Riesenerfolg haben; ~ment [-rakmã] m Barackenlager

baratin [baratɛ̃] m pop Gequassel; ~er [-tinɛ] anquatschen, umgarnen

baratt|age [baratạ:ʒ] m Buttern; (Margarine) Kirnen; ~e [-rạt] f Butterfaß; ~er [-tɛ] buttern; (Margarine) kirnen

barbaque [barbạk] f pop (zähes) Fleisch

barbar|e [barbạ:r] barbarisch; m Barbar; Unmensch; ~ie [-barị] f Barbarei, Unmenschlichkeit

barbarisme [barbarịsm] m Sprachwidrigkeit

barb|e [barb] f Bart; se raser la ~e s. rasieren; la ~e! (umg) aufhören! (mir ist es zu langweilig); enlever qch à la ~e de qn j-m etw. vor d. Nase wegschnappen; ~eau [-bọ] m zool Barbe; pop Zuhälter; ~elé [-bạlɛ] m Stacheldraht; ~er [-bɛ]

pop langweilen; ~et [-bɛ] m Griffon; ~iche [-biʃ] f Bärtchen

barbiturique [barbityrịk] adj: acide ~ Barbitursäure; m Schlaf- u. Beruhigungsmittel

barboter [barbɔtɛ] plätschern; im Schlamm waten; pop klauen, stibitzen

barbouill|age [barbujạ:ʒ] m Sudelei; ~é [-jɛ]: avoir l'estomac ~é sich (im Magen) schlecht fühlen; ~er [-jɛ] sudeln; (be)schmieren; ~eur [-jœ:r] m Kleckser, Schmierer, Pfuscher

barbouze [barbuz] f Geheimagent; Angehöriger der pol. Polizei od. d. Verfassungsschutzes

barbu [barby] bärtig; ~e [-by] f Butt

barda [barda] m (arg mil) Klamotten

bard|eau [bardọ] m (Dach-)Schindel; ~er [bardɛ]: ~er (une volaille) (Geflügel) mit Speck umwickeln ♦ ça va ~er (umg) jetzt gibt's Knies, gleich geht die Keilerei los

barème [barɛm] m Skala; Berechnungstafel; Rechentabelle; Tarif(-ordnung); ~ de l'impôt Steuertabelle; ~ des prix Preistafel; ~ de répartition Verteilungsschlüssel

barguigner [bargiɲɛ]: sans ~ kurzerhand

baril [barịl] m Faß; ~let [-rijɛ] m Fäßchen, (Revolver-)Trommel

bariol|age [barjɔlạ:ʒ] m buntes Geschmier, Buntscheckigkeit; ~é [-lɛ] buntscheckig

baromètre [barɔmɛtr] m Barometer

baron [barõ] m Baron; Freiherr; fig einflußreiche Persönlichkeit; gaullistischer Würdenträger; ~ne [-rɔn] f Baronin, Baronesse

baroque [barɔk] sonderbar, schnörkelhaft, barock; m Barock

baroud [barud] m Kampf; ~ d'honneur letztes Gefecht (in e-m aussichtslosen Kampf)

barque [bark] f Barke ♦ il mène bien sa ~ er betreibt s-e Sache gut, versteht sein Geschäft

barr|age [barạ:ʒ] m (gewaltsame) Straßensperre; Staudamm, Wehr; Talsperre; mil Abriegelung; tir de ~age (mil) Sperrfeuer; ~e [bar] f Stange; Sperrstange; Gerichtsschranken; ~e (de mesure) ♩ Taktstrich; ~ de chocolat Riegel Schokolade; ~e d'espacement (Schreibmasch.) Leertaste; ~e de torsion ✿ Torsionsstab; ~e fixe 🎪 Reck; ~es parallèles 🎪 Barren ♦ être à (od. tenir) la ~e (a. fig) steuern; avoir ~e sur qn großen Einfluß haben auf j-n; donner un coup de ~ die Richtung ändern; ~eau [barọ] m (Fenster-)Stab; Stange; Gitterstab; 🔒 Rechtsanwaltschaft; ~er [barɛ] versperren; ausstreichen; chèque ~é Verrechnungsscheck

barrette [barɛt] f Haarspange; (flache) Brosche; Ordensband; mil Barrett

barricad|e [barikạd] f Barrikade; ~er [-kadɛ]: se ~er sich verbarrikadieren

barrière [barjɛ:r] f Schlagbaum; Sperre; Schranke; ~ douanière Zollschranke; ~ de dégel Frostschadensperre (für LKW)

barrique [barịk] f Faß

barr|ir [barị:r] 22 (Elefant) trompeten; ~issement [-rismã] m Trompeten

baryton [baritõ] m Bariton; Baßtuba

bas [ba] 1. niedrig; tief gelegen; gemein; (Ton) tief; leise; parlez plus ~ ! sprecht leiser; en ~

âge in frühem Alter; *au ~ mot* mindestens; *à ~ prix* billig; *plus ~* unten *(im Buch); avoir la vue ~se* kurzsichtig sein; *mettre ~ (Junge)* werfen; *à voix ~se* mit leiser Stimme; *marée ~se* Ebbe; *messe ~se* stille Messe; *à ~...!* nieder (mit)...!; **2.** *m* unterer Teil; Strumpf; *~ de laine* Sparstrumpf; Ersparnisse, Rücklage (für schlechte Zeiten); *~-bleu pej* Emanze, Blaustrumpf; *~ de nylon* Nylonstrümpfe

basan|e [bazạn] *f* Schafleder; *reliure dos et coins ~e* 📖 Halbfranzband; *~é* [-zanẹ] braungebrannt (Haut)

bas-côté [bakotẹ] *m* 99 Randschutzstreifen (Straße); 🚢 Seitenschiff

bascul|e [baskyl] *f* Brückenwaage; Kippvorrichtung; Klappe; 🏛 Querbalken, Unterzug; *~er* [-kylẹ] (um)kippen; *faire ~er (pol)* e-n Umschwung herbeiführen

bas|e [bɑːz] *f* Basis; Grundlage; Grundfläche; Grundlinie; *ling* Wortstamm; *chem* base; *~e aérienne* Flugplatz; *mil* Fliegerhorst, Luftwaffenbasis, Luftstützpunkt; *~e d'entente* Verständigungsgrundlage; *~e de ravitaillement* (Expeditions-)Verpflegungslager; *être à la ~ (de)* e-r Sache zugrunde liegen; *~er* [bazẹ] stützen (*sur* auf); *~-fond* [bafɔ̃] *m* 99 Niederung; *pl* Unterwelt *(d. Gesellschaft)*

basilique [bazilịk] *f* Basilika

baskets [baskẹt] *fpl* (hohe) Turnschuhe

basoche [bazɔʃ] *f pej* Rechtsverdreher

basque¹ [bask] *f* (Rock-)Schoß; *être pendu aux ~s de qn* j-m am Rockschoß hängen

basque² [bask] baskisch; *⚤ m* Baske

bas-relief [baraljẹf] *m* 99 Flachrelief

Bas-Rhin [barẽ̃] *m* Niederrhein; *(frz. Departement)* Unter-Elsaß

bass|e [bɑːs] *f* Baß; Baßinstrument; *~e-contre* [baskɔ̃tr] *f* 98 Kontrabaß; *~e-cour* [-kụːr] *f* 97 Geflügelhof; *~esse* [-sẹs] *f fig* Niedrigkeit, Niedertracht; *~e-fosse* [-fọːs] *f* 97 Verlies; *~et* [-sẹ] *m* Dackel

bassin [basẽ̃] *m (a. 💲)* Becken; Wanne, Behälter; Dock, Hafenbecken; Schale, Waagschale; Gebiet, Revier; *~ de clarification* Klärbecken; *~ houiller* Steinkohlenbecken; *~ de natation* Schwimmbecken; *~e* [-sịn] *f* Wanne; Schüssel; Trog; *chem* Abdampfschale; *~er* [-sinẹ] 💲 bähen *(Wunde)* anfeuchten; *(Bett)* mit e-r Wärmflasche anwärmen; *umg* belästigen; *~oire* [-sinwạːr] *f* Bettwärmer

basson [basɔ̃] *m* ♪ Fagott

bastingage [bastẽ̃gạːʒ] *m* ⚓ Reling

bastion [bastjɔ̃] *m* Bastion, Bollwerk

bastonnade [bastɔnạd] *f* Prügelstrafe

bastringue [bastrẽ̃g] *f pop* Tingeltangel; Radaumusik; Heidenlärm

bas-ventre [bavɑ̃tr] *m* 99 Unterleib

bât [ba] *m* Packsattel *♦ où le ~ le blesse* wo der Schuh ihn drückt

bataclan [bataklɑ̃] *m umg* Kram, Plunder

bataill|e [batạːj] *f* Schlacht; *~e rangée* offene Schlacht; *~er* [-tajẹ] s. streiten, zanken; *~eur* [-tajœːr] *121* streitsüchtig; *~on* [tajɔ̃] *m* Bataillon

bât|ard [batạːr] *(Kind)* unehelich; unecht; *m*

uneheliches Kind, Bastard; *(Hund)* Promenadenmischung; *(Brot)* 500 g-Weißbrot; *~é* [batẹ]: *âne ~é* Dummkopf

bateau [batọ] *m 91* Boot, (kleines) Schiff; *~-citerne* [-sitẹrn] *m 97* Tankschiff; *~-mouche* [-muʃ] *m 97* Ausflugsdampfer *(in Paris); ~ de pêche* Fangboot; *~ de rivière* Binnen- *od* Flußschiff

batel|ier [batəljẹ] *m* Fluß-(Kanal-)Schiffer; *~erie* [-tɛlrị] *f* Binnenschiffahrt

bath [bat]: *c'est ~! (pop)* dufte, prima!

bathyscaphe [batiskạf] *m* Tiefseetauchboot

batifoler [batifɔlẹ] *umg* schäkern

bât|i [batị] *adj* gebaut, erbaut; bebaut; *non ~* unbebaut; *m (Maschine)* Gestell; 🔩 Bock, Gestell; Ständer, Stütze; 🏛 Unterbau, Rahmen, Einfassung; *~iment* [-mɑ̃] *m* Gebäude; Bau, Bauwerk; Hochbau; Bauwesen; Schiff ♦ *être du ~iment* vom Fach sein; *~ir* [-tịːr] *22* bauen; erbauen, errichten; *~isse* [-tịs] *f (oft pej)* Gebäude

bâton [batɔ̃] *m* Stock, Stab, Stange; *la carotte et le ~* Zuckerbrot u. Peitsche; *coups de ~* Tracht Prügel; *~ de rouge (à lèvres)* Lippenstift; *~ de savon* Riegel Seife; *~ de ski* Schistock; *lettres ~s* Blockschrift ♦ *à ~s rompus* unzus.hängend *(sprechen); ~nier* [-tɔnjẹ] *m* Präsident d. Anwaltskammer

batracien [batrasjẽ̃] *m zool* Lurch

batt|age [batạːʒ] *m* Einrammen; Schlagen; Dreschen; *~ant* [-tɑ̃] *m* Glockenschwengel, Klöppel; (Tür-)Flügel; 🔨 Kämpfer *(a. fig); ~ement* [batmɑ̃] *m* Klopfen, Schlagen; *~ements de cœur* Herzklopfen, -schläge; *~erie* [batrị] *f mil ⚔* Batterie; ♪ Schlagzeug; *~erie de cuisine* Küchengeräte; *~erie solaire* Sonnenbatterie; *en ~erie* 📦 schußbereit; *~eur* [-œːr] *m* Schneebesen; Mixer; ♪ Schlagzeuger; *~euse* [-tøːz] *f* Dreschmaschine; *~re* [batr] *53* schlagen; *~re la mesure* d. Takt schlagen; *~re monnaie* Münzen prägen; *~re froid à qn* j-m d. kalte Schulter zeigen; *~re un record* e-n Rekord brechen; *~re le blé* Getreide dreschen; *~re les cartes* d. Karten mischen; *~re son plein (Veranstaltung)* in vollem Gang sein; *~re sa coulpe* sich selbst die Schuld geben; *~re le pavé* umherschlendern; *~re en retraite (mil u. fig)* s. zurückziehen; *~re de vitesse (fig)* überrunden; *pluie ~ante* peitschender Regen

battu [baty] geschlagen; *(Boden)* gestampft; *(Weg)* ausgetreten ♦ *suivre les sentiers ~s* im alten Geleise (Trott) bleiben; *avoir les yeux ~s* schwarze Ringe unter d. Augen haben

baudet [bodẹ] *m* Esel; *fig* Dummkopf

baudrier [bodrịẹ] *m* Degengehänge

baume [boːm] *m* Balsam

bauxite [boksịt] *f* Bauxit

bavard [bavạːr] *108* geschwätzig; *~age* [-vardạːʒ] *m* Geschwätz; *~er* [vardẹ] schwätzen

bav|e [baːv] *f* ausfließender Speichel *(bes. Kleinkind)*, Sabbel; Geifer *(bei Tieren u. tobsüchtigen Menschen); (Schnecke)* Schleim; *~er* [bavẹ] sabbeln, geifern; *en ~ er d'admiration pop* etwas ganz toll finden; *~ er sur la* *réputation de qn* den Ruf von j-n schädigen; *en ~ er sich schwer tun; en faire ~ er à qn* j-m das Leben schwer machen; **~ette** [-vɛt] *f* (Kinder) Lätzchen ♦ *tailler une ~ette* e-n Plausch halten; **~eux** [-vø] *111:* omelette *~euse* saftiger Eierkuchen; **~ure** [-vyːr] *f* ✿ Gußnaht, Bart; □ unsaubere Stelle; Geschmier; *sans ~ure (umg)* einwandfrei

bazar [bazaːr] *m pop* Klamotten, Zeug, Kledasche; Geschlamp; *quel ~ !* welch ein Kram!; **~der** [-zardɛ] *pop* verkloppen, spottbillig verkaufen

béant [beɑ̃] *108* klaffend

beat [bit] *adj musique ~* Beatmusik, (Sonderform d.) Popmusik; **-nik** [-nik] *m* Beatnik, Angehöriger der Beatgeneration

béat [bea] *108* kindlich fromm; naiv-zufrieden; frömmelnd; *m rel* Seliger; **~ification** [-tifikasjɔ̃] *f* Seligsprechung; **~ifier** [-tifjɛ] seligsprechen; **~itude** [-tityd] *f* Glückseligkeit; *rel* ewiges Leben

beau [bo] *vor Vokal* **bel** [bɛl] *119* **1.** *adj* schön; *un bel (une belle) enfant* e. schönes Kind; *~ fixe (Wetter)* beständig; *~ monde* feine Gesellschaft; *à la belle étoile* unter freiem Himmel; *une belle mort* e. leichter Tod; *il y a ~ temps* es ist schon lange her; *au ~ milieu* mitten in; *nous voilà dans de ~x draps!* da sitzen wir ordentlich in der Tinte; **2.** *adv: j'ai ~ dire* ich mag sagen, was ich will; *on a ~ faire* es hilft alles nichts; *tout ~ !* langsam!; *bel et bien* rundweg; *de plus belle* immer mehr, immer stärker; **3.** *m* das Schöne; **~coup** [-ku] viel, recht viel, sehr; *~coup mieux* viel besser; *à ~coup près* bei weitem; *il s'en faut de ~coup* es fehlt viel daran; **~fils** [fis] *m 91, 97* Stiefsohn; Schwiegersohn; **~frère** [-frɛːr] *m 91, 97* Stiefbruder; Schwager; **~père** [-pɛːr] *m 91, 97* Stiefvater; Schwiegervater; **~té** [-te] *f* Schönheit; **~x-arts** [bozaːr] *mpl* schöne (bildende) Künste; **~x-parents** [-parɑ̃] *mpl* Schwiegereltern

bébé [bebe] *m* (neugeborenes) Kind; Kleinkind; **~-éprouvette** Retortenbaby

bec [bɛk] *m* Schnabel; *(Insekt)* Rüssel; *pop* Klappe, Schnauze, Schnabel; *~ de gaz* Gasbrenner, Gaslaterne; *blanc ~* Grünschnabel; *prise de ~* Zank(erei) ♦ *tenir qn le ~ dans l'eau* j-n mit leeren Versprechungen hinhalten

bécane [bekan] *f umg (Fahrrad)* Karre, Drahtesel

bécarre [bekaːr] *m* ♪ Auflösungszeichen

bécasse [bekas] *f* Schnepfe; *umg* dumme Gans; **~ine** [-kasin] *f* Schnepfe; *umg* naives Mädchen

bec-de-lièvre [bɛkdəljɛːvr] *m 98* ⚕ Hasenscharte

bêche [bɛʃ] *f* Spaten; **~er** [-ʃe] umgraben; *umg* (j-n) heruntermachen

bécot [beko] *m umg* Küßchen; **~er** [-kɔte] *se ~er (umg)* s. (ab)küssen

becqu|ée [beke] *f* Schnabelvoll; *donner la ~ée* füttern, aufpäppeln; **~eter** [bɛkte] (an)picken; *pop* futtern, dreinhauen; *se ~eter (umg)* schnäbeln

bedaine [bədɛn] *f umg* Wanst, Ranzen

bedeau [bədo] *m 91* Küster, Kirchendiener, Mesner

bedonner [bədɔne] *umg* e-n Bauch ansetzen

Bédouin [bedwɛ̃] *m* Beduine

bée [be]: *bouche ~* mit offenem Mund *(vor Überraschung); être bouche ~ devant qn* j-n bewundern

beffroi [befrwa] *m hist* Wachturm, Bergfried; *sonner le ~* d. Sturmglocke läuten

bég|aiement [begɛmɑ̃] *m* Stottern; **~ayer** [-gɛje] *12* stottern, stammeln

bégonia [begɔnja] *m* Begonie

bègue [bɛg] *m* Stotterer

bégueule [begœl] *f* spröde, prüde Frau

béguin [begɛ̃] *m* Kinderhäubchen; *umg* Schwarm, Liebelei ♦ *avoir un ~ pour qn* e-n Narren an j-m gefressen haben

beige [bɛːʒ] beige(farben); *(Wolle)* ungefärbt

beign|e [bɛɲ] *f pop* Watsche, Ohrfeige, Maulschelle; **~et** [bɛɲe] *m* Krapfen

béjaune [beʒon] *m* Grünschnabel

bel [bɛl] *siehe* beau

bêler [belɛ] blöken; meckern

belette [bəlɛt] *f* Wiesel

belg|e [bɛlʒ] belgisch; **⁎e** *m Belgier;* **⁎ique** [-ʒik]: *la ⁎ique* Belgien

bélier [belje] *m* Widder; ✿ Ramme

bellâtre [belɑtr] *m* eitler Geck

belle [bɛl] *siehe* beau; *la ⁎ au bois dormant* Dornröschen; **~-fille** [-fij] *97* Stieftochter; Schwiegertochter; **~-mère** [-mɛːr] *f 97* Stiefmutter; Schwiegermutter; **~s-lettres** [bɛlɛtr] *fpl* Literatur(wissenschaft); **~-sœur** [-sœːr] *f 97* Stiefschwester; Schwägerin

belli|cisme [bellisism] *m* Kriegstreiberei; **~ciste** [-sist] kriegstreiberisch; *m* Kriegstreiber; **~gérant** [-ʒerɑ̃] *108* kriegführend; *m* kriegführende Macht; **~queux** [-kø] *111* kriegerisch

belote [bəlɔt] *f (Art)* Kartenspiel

belvédère [bɛlvedɛːr] *m* Aussichtsturm

bémol [bemɔl] *m* ♪ Erniedrigungszeichen

béné|dicité [benedisite] *m* Tischgebet; **~diction** [-diksjɔ̃] *f* Segen; *~diction nuptiale* kirchliche Trauung

bénef [benɛf] *m pop (Gewinn)* Reibach

bénéfi|ce [benefis] *m* **1.** Gewinn; Nutzen; Vorteil; **~net** Nettoeinnahme, Reingewinn; *~d'exploitation* Betriebsg.; *au ~ce du doute* ⚖ aus Mangel an Beweisen; *sous ~ce d'inventaire* unter Vorbehalt näherer Prüfung; **2.** *rel* Pfründe; **~ciaire** [-fisjɛːr] Empfänger; Bezugsberechtigter, **~cier** [-fisje] *de* Vorteil haben; genießen; *~cier d'un salaire* e. Gehalt beziehen; **~que** [fik] (Schicksal) wohlwollend

Bénélux [benelyks] *m: pays (pl) du ~* Beneluxstaaten

benêt [bənɛ] *m* einfältiger Tropf

bénévol|at [benevɔla] *m* Freiwilligkeit; **~e** [-vɔl] wohlweinend; *(Hilfe)* freiwillig

béni|gnité [beniɲite] *f* ✿ Gutartigkeit; **~n** [benɛ̃] *119* ✿ gutartig

béni|i [beni] gesegnet; **~-oui-oui** *pol* bedingungsloser Anhänger, fanatischer Parteigänger; **~ir** [-niːr] segnen, weihen; *~ir un mariage* e.

Brautpaar trauen; **~it** [-ni] *108* geweiht; *eau ~ite* Weihwasser; **~itier** [-nitje] *m* Weihwasserkessel

benjamin [bēʒamē] *m* jüngstes Kind; Nesthäkchen

benne [bɛn] *f* ✿ Fördergefäß, Kübel; Müllwagen *(Bagger)* Greifer; *(Aufzug)* Fahrkorb; Lore; **~ preneuse** Greifbagger

benoît [bənwa] *108* mild; fromm; *pej* scheinheilig; *m* Frömmler

ben|zine [bēzin] *f* (Wasch-)Benzin; = **~zène** [-zɛn], **~zol** [-zɔl] *m* Benzol, Leichtöl

béotien [beɔsjē] *118* schwerfällig, ungebildet

béquille [bekij] *f* Krücke

bercail bɛrkaj] *m (ohne pl) fig* Schoß (d. Kirche); Familie, Heim

berc|eau [bɛrso] *m 91* Wiege; Laubengang; *voûte en ~eau* 🏛 Gewölbebogen **~er** [-se] *15 (Kind)* wiegen; **~euse** [-søːz] *f* Wiegenlied; Schaukelstuhl

béret [berɛ] *m* Baskenmütze

berge [bɛrʒ] *f* Uferböschung; *pop* Jahr

berg|er [bɛrʒe] *m* Schäfer; **~ère** [-ʒɛːr] *f* Schäferin; Lehnstuhl; **~erie** [-ʒəri] *f* Schafstall; **~eronnette** [-ʒərɔnɛt] *f* Bachstelze

berline [bɛrlin] *f* Förderwagen; 🚗 viertüriger Personenwagen

berlingot [bɛrlēgo] *m* Fruchtbonbon; Milchpakkung

berlinois [bɛrlinwa] *108* berlinerisch; ⌁ *m* Berliner

berlue [bɛrly]: *avoir la ~ (umg)* Gespenster sehen, mit Blindheit geschlagen sein

Bermudes [bɛrmyd] *fpl: les ~* die Bermudas, Bermudainseln

berne [bɛrn] *f: en ~* auf halbmast

bern|er [bɛrne] *umg* foppen; zum Narren halten; **~ique!** [-nik] nichts da!, weit gefehlt!

besace [bəzas] *f* Bettelsack; *réduire à la ~* an d. Bettelstab bringen

bes|el [bezɛf] *adv umg* viel; **~icles** [bezikl] *fpl (iron für:)* Brille

besogn|e [bəzɔɲ] *f* Arbeit; Verrichtung; *il va vite en ~e* es geht ihm schnell von der Hand; **~er** [-ɲe] e-r stumpfsinnige Arbeit verrichten; **~eux** [-ɲø] *111* bedürftig sein, e-r schlecht bezahlten Arbeit nachgehend

besoin [bəswē] *m* Bedürfnis; Dürftigkeit; Notwendigkeit; *pl com* Bedarf; *umg* Notdurft; *avoir ~ de qch* etw benötigen, brauchen; *être dans le ~* Not leiden; *au ~* wenn nötig, notfalls; **~s énergétiques** Energiebedarf; **~s propres** Eigenbedarf

besti|al [bɛstjal] *124* tierisch; **~alité** [-tjalite] *f* Bestialität; Brutalität, Roheit; **~aux** [-tjo] *mpl* Vieh; **~ole** [-tjɔl] *f* Tierchen

bêt|a [bɛta] *m* Dummkopf *f: ~asse)*

bétail [betaj] *m* Vieh; *gros ~* Großvieh; *menue ~* Kleinvieh

bêt|e [bɛt] dumm; *f* Tier; *pop* Schafskopf; **~es à cornes** Hornvieh; **~e de somme** Lasttier; **~es féroces** wilde Tiere; **~e à bon Dieu** Marienkäfer ♦ *il est ma ~e noire* er ist mir ein Greuel; *chercher la petite ~e* es zu genau nehmen; *pas si*

~e! (umg) gar nicht so dumm!; **~ise** [betiːz] *f* Dummheit

béton [betɔ̃] *m* Beton; **~ armé** Stahlbeton; **~ (armé) précontraint** Spannbeton; *c'est du ~ umg* da beißt man auf Granit, da ist nichts zu machen; **~nage** [-tɔnaːʒ] *m* Betonierarbeit; **~ner** [-tɔne] betonieren; *fig* stärken, festigen; *(Fußball)* mauern; **~nière** [-tɔnjɛːr] *f* Beton(misch)maschine

betterave [bɛtraːv] *f* Runkelrübe; **~ sucrière** Zuckerrübe

beugl|ement bøgləmɔ̃] *(Rind)* Brüllen; Johlen; **~er** [-gle] brüllen; gröhlen

beurr|e [bœːr] *m* Butter; *œil au ~e noir* e. blaues Auge; *petit ~e* Butterkeks ♦ *c'est du ~* d. ist kinderleicht; *cela compte pour du ~* d. gilt nicht; *faire son ~e* sein Schäfchen ins trockene bringen; *tenir l'assiette au ~e* an der Quelle sitzen; *mettre du ~e dans les épinards* s-e Lage verbessern; **~ée** [-re] *f* Butterbrot; **~er** [-re] mit Butter bestreichen; **~ier** [-rje] *m* Butterdose

beuverie [bœvri] *f* Trinkgelage

bévue [bevy] *f* Versehen; Schnitzer

biais [bjɛ] *108* schräg; *m* schräge Richtung; *mpl* Winkelzüge; **~ d'étoffe** Schrägstreifen; *prendre le bon ~* an d. rechten Stelle angreifen; *de (od en) ~* von d. Seite, schräg; **~er** [-ze] *fig* Winkelzüge machen

bibelot [biblo] *m* Nippsache

biberon [bibrɔ̃] *m* Kinderflasche

bibi [bibi] *m umg* Damenhütchen ♦ *c'est pour ~ (pop)* das gehört mir

bibine [bibin] *f pop* Gesöff

Bib|le [bibl] *f* Bibel; **⌁ique** [-blik] biblisch

biblio|graphie [bibliɔgrafi] *f* Bibliographie; Literatur (über e-n Gegenstand); **~phile** [-fil] *m* Buchliebhaber; **~thécaire** [-tekɛːr] *m* Bibliothekar; **~thèque** [-tɛk] *f* Bibliothek, Bücherei

bic [bik] *m* Ⓦ Kugelschreiber

bicarbonate [bikarbɔnat] *m chem* Bikarbonat; **~ de soude** doppeltkohlensaures Natron

biceps [bisɛps] *m* Bizeps, Oberarmmuskel

biche [biʃ] *f* Hirschkuh

bich|er [biʃe] *pop: ça ~e!* es klappt!

bichonner [biʃɔne] *se ~* sich aufputzen

bicorne [bikɔrn] *m (Hut)* Zweispitz

bicoque [bikɔk] *f pop* Bruchbude

bicot [biko] *m (pop u. pej)* Araber *(nur Nordafrika)*

bicyclette [bisiklɛt] *f* Fahrrad; *aller à ~* radfahren

bidasse [bidas] *m pop* Gemeiner, Soldat ohne Dienstgrad

bide [bid] *m pop* Bauch; Reinfall, Mißerfolg, ♥ Durchfall

bidet [bidɛ] *m* kleines Reitpferd; Klepper; Bidet, Sitzbadeschüssel

bidoche [bidɔʃ] *f pop* Fleisch

bidon [bidɔ̃] *m* Kanister; Milchkanne; (Benzin-)Behälter; Feldflasche; *pop* Bauch; *du ~ pop* reiner Bluff; *ce n'est pas du ~ pop* das kannste mir glauben; *attentat ~* vorgetäuschtes Attentat; **~ner** [-dɔne]: *se ~ner (pop)* s. e-n Ast lachen; **~ville** [-vil] *f* Slum, Elendsquartier

bidule [bidyl] *m* Ding, Sache; (langer) Polizeistock

bief [bjɛf] *m* Ableitungskanal; Mühlbach; *(Schleuse)* Haltung

bielle [bjɛl] *f* Kurbelstange; 🐎 Treibstange; Glied (Getriebe); Pleuel

bien [bjɛ̃] **1.** *adv* wohl; gut; sehr; recht; schön; etwa; *ce complet te va* ~ d. Anzug steht dir gut; *j'en suis* ~ *content* ich bin sehr froh darüber; *je veux* ~ *!* gerne!; *cela va* ~ *me prendre une heure* ich werde etwa e-e Stunde brauchen; ~ *après son succès* lange nach s-m Erfolg; *elle voudrait* ~ *savoir* sie möchte gern wissen; ~ *des ennuis* sehr viele Unannehmlichkeiten; ~ *que* obgleich; *si* ~ *que* so daß; *quand* ~ *même* selbst wenn; **2.** *m* das Gute; *le* ~ *et le mal* Gut u. Böse; *qui fait du* ~ wohltuend; *un homme de* ~ ein gütiger Mensch; **3.** *m* Gut; *il a du* ~ *au soleil* er hat Haus u. Hof; ~ *rural* Landgut ♦ ~ *mal acquis ne profite jamais* unrecht Gut gedeihet nicht; **4.** *mpl* (Wirtschafts-)Güter, Waren; 🐎 Fracht, Ladung; ~*s corporels* Sachwerte; ~ *de consommation* Verbrauchsgüter; ~*s durables* Gebrauchsgüter; ~*s d'équipement* Investitionsgüter; ~*s de production* Produktionsgüter; *marchand de* ~*s* Immobilienhändler; ~~**aimé** [bjɛ̃neme] geliebt; *m* Geliebter; ~**être** [bjɛ̃ɛtr] *m* Wohlbefinden; Wohlstand; ~**faisance** [bjɛ̃fəzɑ̃s] *f* Wohltätigkeit; *bureau de* ~*faisance* Wohlfahrtsamt; ~**faiteur** [-fɛtœːr] *m* Wohltäter; ~~**fondé** [bjɛ̃fɔ̃de] *m* Wohlbegründetheit; Richtigkeit; ~ **fonds** [-fɔ̃] *mpl* 97 Liegenschaften, Grund und Boden, Grundstücke; ~**heureux** [bjɛ̃nœrø] *111* glückselig; selig (-gesprochen); *m* Seliger

biennal [bjɛnnal] *124* zweijährig; alle zwei Jahre stattfindend

bien|séance [bjɛ̃seɑ̃s] *f* Schicklichkeit; ~**séant** [-seɑ̃] schicklich; ~**tôt** [-to] bald; *à* ~*tôt!* bis bald!; ~**veillance** [-vɛjɑ̃s] *f* Wohlwollen; ~**veillant** [-vɛjɑ̃] *108* wohlwollend; ~**venu** [-vny] *m*: *soyez le* ~*venu!* seien Sie willkommen!

bière¹ [bjɛːr] *f* Bier ♦ *ce n'est pas de la petite* ~ das ist nicht von Pappe

bière² [bjɛːr] *f* Sarg; *mettre en* ~ aufbahren

biffer [bife] (durch)streichen

biffin [bifɛ̃] *m pop* Lumpensammler; *(Infanterist)* Fußlatscher

bifteck [biftɛk] *m* Beefsteak; *gagner son* ~ *umg* gut verdienen

bifur|cation [bifyrkasjɔ̃] *f (a.* 🐎*)* Abzweigung, Gabelung; ~**quer** [-ke] s. gabeln; *(Weg)* s. teilen, abzweigen

bigamie [bigami] *f* Bigamie, Doppelehe

bigarré [bigare] (bunt)scheckig

big|le [bigl] schielend; *m* Schielender; ~**er** [-le] schielen; *pop* anstarren, beäugen, neugierig anschauen

bigot [bigo] *108* frömmelnd, bigott; *m* Frömmler; ~**erie** [-gotri] *f* Frömmelei

bigoudi [bigudi] *m* Lockenwickel

bigrement [bigrəmɑ̃] *adv* verflixt

bihebdomadaire [biɛbdɔmadɛːr] wöchentlich zweimal (erscheinend)

bijou [biʒu] *m* Juwel; Kleinod; *mon* ~ *!* mein Schatz!; ~**terie** [-ʒutri] *f* Schmuck(-waren); Juweliergeschäft; ~**tier** [-ʒutje] *m* Juwelier

bilan [bilɑ̃] *m* Bilanz; ~ *de fin d'année* Jahresabschluß; *dresser un* ~ e-e Bilanz aufstellen; *déposer son* ~ Konkurs anmelden; ~ *de santé* (umfangreiche medizinische) Vorsorgeuntersuchung

bilatéral [bilateral] *124* zweiseitig, bilateral; 💲 doppelseitig

bilboquet [bilbɔkɛ] *m (Spielzeug)* Stehaufmännchen

bil|e [bil] *f* (menschliche) Galle; *ne te fais pas de* ~*e!* laß dir keine grauen Haare wachsen!; ~**iaire** [-ljɛːr]: *calculs* ~*iaires* Gallensteine; ~**ieux** [-ljø] *111* 💲 *fig* gallig

bilingu|e [bilɛ̃g] zweisprachig; ~**isme** [-gɥism] *m* Zweisprachigkeit

bill|ard [bijaːr] *m* Billard; *umg* Operationstisch ♦ *c'est du* ~*ard (pop)* d. Sache läuft wie geschmiert; ~**e** [biːj] *f* Kugel; *pop (Kopf)* Kürbis; *roulement à* ~*es* Kugellager; *jouer aux* ~*es* Murmeln spielen

billet [bijɛ] *m* Brief(chen); Theaterkarte; Fahrkarte; (Lotterie-)Los; ~ *circulaire* Rundreisefahrkarte; ~ *à ordre (com)* Schuldschein; ~ *au porteur* Wechsel auf d. Inhaber; ~ *de banque* Banknote; ~ *collectif* Sammelfahrschein; ~ *doux* Liebesbriefchen; ~ *d'aller et retour* Rückfahrkarte; ~ *d'entrée* Eintrittskarte; ~ *de faveur* Freikarte ♦ *je vous fiche mon* ~ *que …* wetten, daß …

billette [bijɛt] *f* Holzscheit; Knüppel

billevesée [bilvəze] *f* Hirngespinst

billion [biljɔ̃] *m* Billion

billot [bijo] *m* Hauklotz, Holzblock

bimbeloterie [bɛ̃blɔtri] *f* Spielwaren (-fabrikation)

bi|mensuel [bimɑ̃sɥɛl] *115* zweimal im Monat (erscheinend); ~**mestriel** [-mɛstriɛl] *115* jeden zweiten Monat (erscheinend)

bimoteur [bimɔtœːr] zweimotorig

binaire [binɛːr] *adj* binär; zweigliedrig; dual; *système* ~ binäres System

binette [binɛt] *f* Gartenhacke; *arg pop* Gesicht

biniou [binju] *m* bretonischer Dudelsack

bin|oclard [binɔklaːr] *m (umg iron) (Brillenträger)* Brillenschlange; ~**ocle** [-nɔkl] *m* Kneifer; ~**oculaire** [-nɔkylɛːr] für beide Augen; *télescope* ~*oculaire* Doppelfernrohr

bio|chimie [bjoʃimi] *f* Biochemie; ~**chimiste** [-ʃimist] *m* Biochemiker; ~**graphie** [-grafi] *f* Biographie, Lebensbeschreibung; ~*graphie romancée* biographischer Roman; ~**graphique** [-grafik] biographisch; ~**logie** [-lɔʒi] *f* Biologie; ~**logique** [-lɔʒik] biologisch; ~**logiste** [-lɔʒist], ~**logue** [-lɔg] *m* Biologe

biparti [biparti] zweigeteilt; 💠 zweiseitig

bipède [bipɛd] zweibeinig; *m iron* Mensch

biplace [biplɑs] *m* ✈ Zweisitzer

bipola|ire [bipɔlɛːr] zweipolig; **-risation** [-rizasjɔ̃] *f pol* Blockbildung (politischer Parteien)

bique [bik] *f umg* Geiß; *vieille* ~ *(pop)* alte Schachtel, alte Schraube

bis[1] [bis] nochmals; *m* 🐎 Nach-(Vor-)Zug; ~ !
noch mal; *numéro 63* ~ (Haus-)Nummer 63a
bis[2] [bi] *108* bräunlich; *pain* ~ Weizenkleiebrot,
Diätbrot
bisannuel [bizanɥɛl] *115* zweijährig
bisbille [bizbij] *f umg* Zank
biscornu [biskɔrny] verschroben
bis|cotte [biskɔt] *f* Zwieback; ~**cuit** [-kɥi] *m*
Biskuit; ~*cuit de chien* Hundekuchen
bise[1] [biːz] *f (Kinderspr.)* Küßchen
bise[2] [biːz] *f* Nord(ost)wind
biseau [bizo] *m 91* Abschrägung; ~**ter** [-zotɛ]
(Glas, Edelstein) (schräg ab-)schleifen; *glace*
~*tée* geschliffener Spiegel
bismuth [ibsmyt] *m* Wismut
bisqu|e [bisk] *f* Krebssuppe; ~**er** [-kɛ] *umg*
ärgerlich werden; *faire* ~*er umg* ärgern, hänseln
bissectrice [bisɛktris] *f math* Winkelhalbieren-
de
bisser [bisɛ] 🐎, ♪ Wiederholung verlangen;
wiederholen
bissextile [bisɛkstil] : *année* ~ Schaltjahr
bistouri [bisturi] *m* 🎇 Bistouri, Operationsskal-
pell
bistre [bistr] nußbraun
bistro [bistro] *m pop* Kneipe; ~**t** *m* Schenkwirt
bit [bit] *m* das Bit, Binärziffer; ~ *de contrôle*
Prüfbit
bitum|e [bitym] *m* Bitumen, Erdpech; ~**er**
[-tymɛ] asphaltieren, bitumieren
bivouac [bivwak] *m* Feldlager
bizarr|e [bizaːr] seltsam, absonderlich, unge-
wöhnlich; verschroben, wunderlich; ~**erie**
[-zar(ə)ri] *f* Seltsamkeit
black|bouler [blakbule] *(Prüfung, Wahl)* zu-
rückweisen, ablehnen; *(Kandidat)* durchfallen
lassen; - **out** [-awt] *m* Tarnbeleuchtung; *fig pol*
Informationssperre
blafard [blafaːr] *108* fahl, (kränklich) blaß
blagu|e [blag] *f* **1.** (Tabaks-)Beutel; **2.** *umg*
Scherz, Witz, Faxe; *sans* ~*e!* was du nicht
sagst!; *pas de* ~*es!* keine Dummheiten
(Unvorsichtigkeiten)!; ~*e · à part!* Scherz
beiseite!; ~**er** [-gɛ] *6 umg* (spaßen) scherzen;
~**eur** [-gœːr] *m* Aufschneider; Spaßvogel
blaireau [blɛro] *m 91* Dachs; Rasierpinsel
blair [blɛr] *m umg* Nase; ~**er** [blɛrɛ]: *je ne peux
pas le* ~ ! *(umg)* ich kann ihn nicht riechen!
blâm|able [blɑmabl] tadelnswert; ~**e** [blɑːm] *m*
Tadel; Verweis; ~**er** [-mɛ] tadeln (*de* wegen)
blan|c [blɑ̃] **1.** *110* weiß; rein; *arme* ~*che* blanke
Waffe; *donner carte* ~*che à qn* j-m freie Hand
lassen; *nuit* ~*che* schlaflose Nacht; *opération*
~*che com* gewinnloses Geschäft *voix* ~*che*
farblose, klanglose Stimme; *chauffer à* ~*c* zur
Weißglut bringen *(a. fig); de but en* ~*c*
rundheraus, rücksichtslos; **2.** *m* das Weiße, der
Weiße; 📖 Zwischenraum, Abstand; ∉ Leerstel-
le; 🔲 Blanktaste; ~*c d'œuf* (eßbares) Eiweiß;
~*c d'Espagne* (od *de Meudon*) Schlämmkreide;
regarder qn dans le ~*c des yeux* j-n scharf
ansehen; ~**c-bec** [-bɛk] *m 97* Grünschnabel
blanch|âtre [blɑ̃ʃɑtr] weißlich; ~**e** [blɑ̃ʃ] *f* ♪
halbe Note; ~**eur** [-ʃœːr] *f* das Weiß; die Weiße;

~**ir** [-ʃiːr] *22* bleichen; *fig* reinwaschen; weiß
werden; *il est nourri et* ~*i* er hat freie
Verpflegung u. Wäsche; ~**issage** [-ʃisaːʒ] *m*
Waschen *(d. Wäsche);* ~**isserie** [-ʃisri] *f*
Wäscherei; ~**isseuse** [-ʃisøːz] *f* Wäscherin
blanc|-manger [blɑ̃mɑ̃ʒɛ] *m* Mandelpudding;
~~**seing** [-sɛ̃] *m* Blankovollmacht
blanquette [blɑ̃kɛt] *f* Kalbsragout
blaser [blazɛ] langweilen, unempfindlich machen; übersättigen; *se* ~ *de qch* e-r Sache
überdrüssig werden
blason [blazɔ̃] *m* Wappen(kunde)
blas|phémateur [blasfematœːr] *m* Gottesläste-
rer; ~**phème** [-fɛm] *m* Gotteslästerung
blatte [blat] *f zool* Schabe
blé [ble] *m* Getreide, *bes* Weizen; ~ *égrugé*
Schrotkorn; ~ *méteil* Mischkorn; ~ *noir*
Buchweizen; *champ de* ~ Kornfeld ♦ *manger
son* ~ *en herbe* s-e Einkünfte im voraus
ausgeben
bled [blɛd] *m (Nordafrika)* Hinterland; *arg pop*
Kaff, Nest
blêm|e [blɛm] leichenblaß; ~**ir** [blemiːr] *22*
erblassen
blennorragie [blɛn(n)oraʒi] *f* Tripper
bless|é [blesɛ] **1.** verwundet; verletzt; ~*é
grièvement (légèrement)* schwer-(leicht-)verletzt,
-verwundet; **2.** *m* Verwundeter; ~*é de guerre*
Kriegsversehrter; ~*é grave* Schwerverwunde-
ter; *grand* ~*é de guerre* Schwerkriegsbeschädig-
ter; ~**er** [-sɛ] verwunden; *a. fig* verletzen; *se* ~*er
s.* verletzen; beleidigt sein; ~**ure** [-syːr] *f* Wunde,
Verwundung, *fig* Verletzung
blet [blɛ] *114 (Obst)* überreif, mehlig
bleu [blø] **1.** blau; *robe* ~ *foncé* dunkelblaues
Kleid; *conte* ~ Ammenmärchen; *cordon* ~
perfekte Köchin; *peur* ~*e* schreckl. Angst; **2.** *m*
das Blau(e); Lichtpause; *umg* Rekrut; *du gros*
~ schwerer Rotwein; *couvrir de* ~*s* grün u. gelb
schlagen; *un petit* ~ Rohrpostbrief; ~**âtre** [-ɑtr]
bläulich; ~**et** [-ɛ] *m* Kornblume; ~**ir** [-iːr] *22*
bläuen; blau werden
blind|age [blɛ̃daːʒ] *m* Panzerung; Abschirmung;
~**er** [-dɛ] panzern; ✿ abschirmen; *voiture* ~*ée*
Panzerwagen
bloc [blɔk] *m* Block; Klotz; *gonfler à* ~ ganz
fest aufblasen; ~ *erratique (geol)* Findling; ~
d'immeubles Häuserblock; ~ *moteur* Motorge-
triebeblock; ~ *de mémoire* (Daten-)Speicher;
~ *de sûreté* Zylinderschloß; *vendre (acheter) en*
~ en bloc verkaufen (kaufen); *fourrer au* ~
(pop) einlochen; ~ *de contrôle com* Sperrmino-
rität; ~**age** [-kaːʒ] *m* Blockierung; *a. mil* Sperre;
~*age des prix* Preisstopp; ~**notes** [-nɔt] *m 98*
Notizblock; ~**us** [-kys] *m pol* Blockade
blond [blɔ̃] *108* blond; hell; ~ *cendré*
aschblond; *bière* ~*e* helles Bier; *m* blonde
Farbe; ~**in(e)** [-dɛ̃(-din)] *m, f* Blondkopf;
Blondine; ~**inet** [-dinɛ] *m* Blondchen
bloquer [blɔkɛ] blockieren; *(a. mil, Konto)*
sperren; *(Preise, Löhne)* stoppen; ~ *les freins* d.
Bremsen fest anziehen
blottir [blɔtiːr] *22*: *se* ~ sich kauern; sich
schmiegen *(contre* an)

blouse [blu:z] *f* Wickelschürze; Arztkittel
blouson [bluzɔ̃] *m* (Strick-)Bluse; Jumper; ~ *noir (umg)* Halbstarker
blue-jeans [bludʒin(s)] *m* Blue jeans *pl*
bluet [blyɛ] *m* Kornblume
bluff [blœf] *m* Bluff; ~**er** [-fe] bluffen, anschmieren; ~**eur**, ~**euse** [-fœːr, -føːz] Schwindler(in)
boa [bɔa] *m* Boa, Riesenschlange
bobard [bɔbaːr] *m umg: des* ~*s* Schwindel; *raconter des* ~*s à qn* j-m etwas vorschwindeln
bobin|e [bɔbin] *f* Spule; *pop* Gesicht; ~**er** [-ne] (auf)spulen; ~**euse** [-nøːz] *f* Spulmaschine; Rückspulapparat (Film); Rollapparat
bobo [bɔbɔ] *m umg* Wehweh
bob(sleigh) [bɔb(slɛ)] *m* Bob; ~ *à quatre* Viererbob; *faire du* ~ Bob fahren
bocage [bɔkaːʒ] *m* Gehölz
bocal [bɔkal] *m* 90: ~ *à conserves* Einmachglas; ~ *de pharmacien* Apothekerflasche
boche [bɔʃ] *pop pej* deutsch; *m* Deutscher
bock [bɔk] *m* Glas Bier (¹/₄ l); $ Irrigator
bœuf [bœf] *m* (**bœufs** [bø] *mpl*) Ochse; Rindfleisch; ~ *à la mode* gespicktes Rindfleisch; ~ *à l'étuvée* Schmorbraten ♦ *avoir un* ~ *sur la langue* d. Mund halten, dichthalten; *succès* ~ Mordserfolg
bof [bɔf] *interj* ihr könnt mich mal!, mir ist alles egal; (Ausdruck der Gleichgültigkeit u. d. Resignation)
bog(g)ie [bɔʒi] *m* ✿ zweiachsiges Drehgestell
Bohême [bɔɛm]: *la* ~*e* Böhmen; ⚥ *f* Künstlerleben
bohémien [bɔemjɛ̃] *118* böhmisch; ⚥ *m* Böhme
boire [bwaːr] *54* trinken; *m* Trinken; ~ *dans un verre* aus e-m Glas trinken; ~ *à la santé de qn* auf j-s Wohl trinken; ~ *d'un trait* auf e-n Zug (aus-)tr.; ~ *une tasse (umg)* Wasser schlucken *(beim Schwimmen)*; ~ *sec* tüchtig tr.; ~ *du lait* s. im eigenen Licht sonnen; *ce n'est pas la mer à* ~ das ist k-e Kunst
bois [bwa] *m* Holz; Gehölz; Wald; Geweih; *de* ~ hölzern; ~ *de construction* Bauholz; ~ *contreplaqué* Sperrholz; ~ *d'œuvre* Nutzholz; ~ *de rose* Rosenholz ♦ *je touche du* ~ unberufen!, toi, toi, toi!; ~**er** [-ze] täfeln; ~**erie** [bwazri] *f* Täfelung, Holzverkleidung
boisseau [bwasɔ] *m 91* Scheffel
boisson [bwasɔ̃] *f* Getränk; ~*s non alcoolisées* alkoholfreie Getränke; *être pris de* ~ betrunken sein
boîte [bwat] *f* Schachtel; Dose; Packung; Kapsel; ~ *crânienne* Gehirnkapsel; ~ *à idées* Briefkasten (in Betrieben) für Verbesserungsvorschläge; ~ *à images pej umg* Glotze (Fernsehapparat); ~ *noire* ✛ Flugschreiber; ~ *à outils* Werkzeugkasten; ~ *à poudre* Puderdose; ~ *aux lettres* Briefkasten; ~ *de connexion* Abzweigdose; ~ *de nuit (umg)* Nachtlokal; ~ *postale* Post(schließ)fach; ~ *de vitesses* 🚗 Gangschaltung, Wechselgetriebe; *aller à la* ~ *(pop)* ins Büro (zur Schule, Arbeitsstelle usw.) gehen; *fermer sa* ~ *(pop)* d. Rand halten; *mettre qn en* ~ *(umg)* j-n z. besten haben

boit|er [bwate] hinken; unregelmäßig laufen (Maschine); ~**eux** [-tø] *111* hinkend; wackelig
boîtier [bwatje] *m (Uhr usw.)* Gehäuse
bol [bɔl] *m* (Trink-)Napf; *prendre un* ~ *d'air frais* frische Luft schnappen; *ras le* ~ *(umg)* die Nase voll haben, nicht mehr wollen, keine Lust haben
bolchevisme [bɔlʃəvism] *m* Bolschewismus
bolide [bɔlid] *m* Meteor; *fig* Rennwagen
bombage [bɔ̃baːʒ] *m (Straße)* Wölbung
bombance [bɔ̃bɑ̃s] *f* Schlemmerei, Fresserei
bombard|ement [bɔ̃bardəmɑ̃] *m* Beschießung; Bombardierung; Bombenabwurf; ~*ement aérien* Luftangriff; *agent de* ~*ement (phys)* Geschoß (beim Kernspaltungsprozeß); ~**er** [-de] bombardieren; *il fut* ~*é ministre* er wurde Knall u. Fall Minister; ~**ier** [-dje] *m* Bomber; Bombenschütze
bomb|e [bɔ̃b] *f* Bombe; Sprayd.; ~*e atomique* Atomb.; ~*e à hydrogène*, ~*e H* [bɔ̃baʃ] Wasserstoffb.; ~*e à retardement* B. m. Zeitzünder; ~*e glacée* Eisb.; ~*e incendiaire* Brandb.; *faire la* ~ *(umg)* schwelgen, feiern; ~**er** [-be] wölben; 🚗 rasen; ~*ez le torse!* Brust heraus!
bon [bɔ̃] **1.** *118* gut; lieb; recht, echt; beträchtl.; ~ *envers* gut zu; *à* ~ *entendeur salut* man lasse es s. gesagt sein; *à quoi* ~ ? wozu noch?; *c'est* ~ *!* genug damit!; *il fait* ~ *ici* hier ist's gemütlich; *n'être* ~ *à rien* zu nichts taugen; ~ *an, mal an* im Jahresdurchschnitt; *de* ~*ne heure* frühzeitig; ~ *chemin* d. richtige Weg; *20* ~*nes minutes* gute 20 Minuten; *il est* ~ *(umg)* sie haben ihn geschnappt; **2.** *adv* gut; wohl; schön; *arriver* ~ *dernier* 🚗 weit aus dem Feld geschlagen (das Ziel erreichen); *faire* ~ *mesure* großzügig abmessen; *avoir* ~ *bec* nicht auf den Mund gefallen sein; *sentir* ~ gut riechen; *tenir* ~ standhalten; *pour de* ~ *!* es gilt!; **3.** *m* das Gute; Bon; Schein; ~ *de commande* Bestells; ~ *de livraison* Liefers.; ~ *de garantie* Garantie.; ~ *à tirer* Druckreifvermerk, Gut zum Druck; ~**asse** [bɔnas] gutmütig; ~**bon** [-bɔ̃] *m* Bonbon; ~**bonne** [-bɔn] *f* Glasballon, Ballonflasche; ~**bonnière** [-bɔnjɛːr] *f* Bonbondose
bond [bɔ̃] *m* Sprung; ~ *en avant* schneller u. plötzlicher Fortschritt, Aufschwung; *faire un* ~ *en avant* e-n Satz nach vorn machen; *faire faux* ~ *à qn* j-n im Stich lassen
bonde [bɔ̃d] *f* Pfropfen; Zapfen; Spund(loch)
bondé [bɔ̃de] *bis zum Rand gefüllt; (Saal)* überfüllt
bondieuserie [bɔ̃djøzri] *f* Frömmlertum; (kitschige) Andachtsgegenstände
bondir [bɔ̃diːr] *22* aufspringen; ~ *de joie* vor Freude springen; *cela me fait* ~ das empört mich
bon|heur [bɔnœːr] *m* Glück; *au petit* ~*heur* aufs Geratewohl; *par* ~*heur* glücklicherweise ♦ *chacun est artisan de son* ~*heur* j-r ist s-s Glückes Schmied; ~**homie** [-nɔmi] *f* Gutmütigkeit; ~**homme** [-nɔm] *95* gutmütig; *m* (guter) Kerl; Männchen *(a. z. Spielen)*; *un faux* ~*homme* e. falscher Kerl

bon|i [bɔni] *m* Kassenüberschuß; **~ification** [-nifikasjɔ̃] *f (Land)* Verbesserung; *com* Preisnachlaß; (Zins-)Vergütung; 🏹 Gutpunkt; **~ifier** [-nifje] *(Land)* verbessern; *com* einen Preisnachlaß gewähren; vergüten; **~iment** [-nimɑ̃] *m* marktschreierisches Anpreisen; *faire des ~iments umg* Märchen erzählen, lügen; **~imenter** [-nimɑ̃te] d. billigen Jakob machen

bonjour [bɔ̃ʒuːr] *m* Gutenmorgengruß; *donner le ~ à qn* j-m guten Tag wünschen; *~, Monsieur, Madame guten Morgen!, guten Tag!; simple comme le ~* kinderleicht

bonne [bɔn] *f* (Kinder-)Mädchen; Hausgehilfin; *~ à tout faire* Mädchen für alles

bonnet [bɔnɛ] *m* Mütze; Kappe; Haube; *~ carré* Barett; *~ de nuit* Nachtmütze; *~ de police* Feldmütze; *gros ~ (umg)* gewichtige Person, hohes Tier ♦ *prendre qch sous son ~* etw. auf s-e Kappe nehmen; *c'est ~ blanc et blanc ~ das ist* gehupft wie gesprungen; **~erie** [bɔn(ɛ)tri] *f* Strickwaren-(Trikotagen-)Geschäft; *articles de ~* Wirkwaren; **~te** [bɔnɛt] *f* 📷 Vorsatzlinse; **~teur** [bɔntœːr] *m* Gauner

bonniche [bɔniʃ] *f umg (Hausangestellte)* Perle

bonsoir [bɔ̃swaːr] *m* Gutenabendgruß; *donner le ~ à qn* j-m guten Abend wünschen; *~, Monsieur, Madame!* guten Abend!

bonté [bɔ̃te] *f* Güte

boom [bum] *m* plötzlicher wirtschaftlicher Aufschwung, Hochkonjunktur; Hausse; (starke) Zunahme; **~erang** [bumrɑ̃g] *m fig* Feindseligkeit mit negativer Rückwirkung

bora|x [bɔraks] *m* Borax; **~té** [-rate] borsauer

bord [bɔːr] *m* Rand; Ufer; Küste; 🚢, ⚓ Bord; *~ à vive arête* scharfe Kante; *tableau de ~* Instrumentenbrett; *à ~* an Bord; *à ~ d'un véhicule* in e-m Fahrzeug; *sur les ~s (umg)* leicht, nebenbei; *politiciens de tous ~s* Politiker aller Lager; **~ée** [bɔrde] *f* ⚓ Breitseite; *~ée de gros mots* Hagel v. Schimpfwörtern; *tirer une ~ée (pop)* s. in Kneipen herumtreiben *(Matrosen)*

bord|er [bɔrde] säumen *(a. Straße)*; **~er** le lit Bettuch u. Decke einstecken; **~ereau** [-dəro] *m* 91 *com* Auszug; *~ereau d'envoi* Lieferschein; *~ereau de douane* Zollbegleitschein; *~ereau d'escompte* Kontoauszug; *~ereau de livraison* Versandschein; **~ure** [-dyːr] *f* Borte, Besatz; Rabatte; *(Straße)* Randstreifen

bore [bɔr] *m* Bor

boréal [bɔreal] *124* nördlich; Nord…

borgne [bɔrɲ] einäugig; *(Lokal)* zweifelhaft

borique [bɔrik] Bor…

born|age [bɔrnaːʒ] *m* 🏹 Grenzscheidung; 🚢 Küstenschiffahrt; **~e** [bɔrn] *f* Grenzstein; Eckstein; ⚙ Klemme; *~e kilométrique* Kilometerstein; *cela dépasse les ~es* das geht zu weit; **~é** [-ne] beschränkt; dumm; **~er** [-ne] begrenzen; *se ~er à* sich beschränken auf; es bewenden lassen bei

Bosphore [bɔsfɔːr] *m: le ~* d. Bosporus

bosquet [bɔskɛ] *m* Wäldchen; Laube

boss|e [bɔs] *f* Buckel; Beule; *ouvrage en ~e* ⚙ getriebene Arbeit ♦ *avoir la ~e du commerce*

Anlage zum Geschäftsmann haben; **~elage** [bɔslaːʒ] *m* ⚙ getriebene Arbeit; **~eler** [bɔsle] *4* ⚙ bossieren, treiben; verbeulen; **~er** [bɔse] *umg* schuften; **~eur** [bɔsœːr] *m umg* Arbeitstier; **~u** [bɔsy] bucklig; *m* Buckliger; **~uer** [bɔsye] verbeulen; **~oir** [-swaːr] *m* ⚓ Davit

bot [bo]: *pied ~* Klumpfuß

botan|ique [bɔtanik] botanisch; *f* Botanik; **~iste** [-nist] *m* Botaniker

botte[1] [bɔt] *f* Bund; Büschel

bott|e[2] [bɔt] *f* Stiefel; **~es de sept lieues** Siebenmeilenstiefel ♦ *à propos de ~es* für nichts und wieder nichts; **~é** [-te] gestiefelt; *chat ~ é* gestiefelter Kater

botte[3] [bɔt] *f (Fechten)* Stoß; *pousser une ~ à qn* j-m e-e verfängliche Frage stellen

bottin [bɔtɛ̃]: *le ~* Adreßbuch

bottine [bɔtin] *f* (Damen-)Schnürstiefel

bouc [buk] *m* 1. *zool* Bock; *~ émissaire* Sündenbock; 2. Spitzbart

boucan [bukɑ̃] *m umg* Höllenlärm

bouche [buʃ] *f* 1. Mund; *(bei einigen Tieren)* Maul; *~ à* 🔊 Mund-zu-Mund-Beatmung; *~ bée* mit aufgesperrtem M.; *de ~ à oreille* von Mund zu Mund weitersagen; *fermer la ~ à qn* j-m d. Mund stopfen; *fine ~* Feinschmecker; *être porté sur la ~* s. Leckermaul sein; *faire la petite ~ (od la ~ en cul de poule)* s. zieren; *à ~ que veux-tu* nach Herzenslust; *garder pour la bonne ~* sich das Beste bis zuletzt aufsparen; *il est resté ~ cousue* er hat kein Wort über d. Lippen gebracht; 2. Mündung; Loch; Öffnung; *~ d'air* Luftschacht; *~ d'eau* Wasseranschluß; *~ à feu* Kanonenrohr; *~ d'incendie* Hydrant

bouch|é [buʃe] verstopft; *(geistig)* vernagelt; *vin ~é* Flaschenwein; **~e-bouteilles** [buʃbutɛj] *m* 100 Verkorkgerät; **~ée** [-ʃe] *f* Mundvoll; *~ée à la reine* Königinpastete

bouch|er[1] [buʃe] verstopfen; verschließen; *(Augen, Ohren)* zuhalten ♦ *ça m'en ~e un coin (pop)* nun bin ich also aber fertig *(vor Staunen)*

bouch|er[2] [buʃe] *m* Metzger, Fleischer; *fig* Bluthund; **~erie** [buʃri] *f* Metzgerladen; Gemetzel, Blutbad

bouche-trou [buʃtru] *m* 97 *fig* Lückenbüßer

bouchon [buʃɔ̃] *m* Stopfen; (Flaschen-)Korken; Pfropfen; Stöpsel; *(auf Straßen)* Verkehrsstau; Spiel (mit Geld u. e-m Korken); Kneipe; *~ de paille* Strohwisch; **~ner** [-ne] ins Stocken geraten (Straßenverkehr)

boucl|e [bukl] *f* Kringel; Öse; Locke; Schnalle; *(Fluß)* Windung, Schleife; ✈ Looping; *~ de commande* Regelkreis; *~es d'oreilles* Ohrringe; **~er** [-kle] *(Haare)* locken, s. ringeln; umzingeln, absperren (durch die Polizei); *umg* hinter Schloß u. Riegel setzen; *~e-la! (pop)* halt's Maul!; **~ier** [-klje] *m* Schild *m*; *~ biologique* biologische Abschirmung; *levée de ~iers* öffentl. Protest

bouddh|ique [budik] buddhistisch; **~isme** [budism] *m* Buddhismus

boud|er [bude] schmollen; *(Spiel)* passen; *(Sachen)* nicht benutzen, nicht verwenden, nicht mögen; **~erie** [budri] *f* Schmollen; **~eur** [budœ:r] *m* Trotzkopf; ~**in** [budɛ̃] *m* Blutwurst; 🐝 Schienenkopf; (Reifen-)Wulst; ~**oir** [budwa:r] *m* Boudoir, Damenzimmer

boue [bu] *f* Schmutz; Schlamm

bouée [bwe] *f* ⚓ Boje; ~ *de sauvetage* Rettungsring

bou|eur [buœ:r] *m* Müllfahrer; ~**eux** [buø] *111* schmutzig; matschig, schlammig; *m umg* Müllfahrer

bouff|arde [bufard] *f umg* Pfeife; ~**e** [buf] *f pop* Fraß; *la grande* ~*e umg* d. große Fressen, d. Völlerei; ~**ée** [-fe] *f* (Rauch-, Tabak-)Qualm; ~*ée de chaleur* Hitzewallung; ~*ée de vent* Windstoß; ~**er** [-fe] *(Stoff)* s. bauschen; *pop* fressen; ~*er des briques (pop)* nichts zu beißen haben; *manches* ~*antes* Puffärmel; ~**ir** [-fi:r] *22* anschwellen; *visage* ~*i* aufgedunsenes Gesicht

bouffon [bufɔ̃] *118* närrisch; *m* (Hof-)Narr; ~**nerie** [-fɔnri] *f* Spaß, Posse(nreißerei)

bouge [bu:ʒ] *m* Spelunke; elende Behausung, Loch

bougeoir [buʒwa:r] *m* Kerzenleuchter, -halter

boug|eotte [buʒɔt] *f: avoir la* ~*eotte* kein Sitzfleisch haben; ~**er** [-ʒe] *14* s. bewegen; wackeln; *ne pas* ~ *de chez-soi* zu Hause bleiben; *que personne ne* ~*e!* k-e Bewegung!

bougie [buʒi] *f* Kerze; ~ *d'allumage* 🚗 Zündkerze

bougnat [buɲa] *m pop* Kohlen- (*u. oft* Wein-)Händler; Kneipe

bougon [bugɔ̃] *m* Brummbär; ~**ner** [-gɔne] *fig* knurren, brummen

bougre [bugr] *m 123 umg* Kerl, Typ; *pauvre* ~ armer Teufel

boui-boui [bwibwi] *m umg* Tingeltangel, Spelunke

bouill|abaisse [bujabɛs] *f* Fischsuppe *(in Südfrankreich);* ~**ant** [-jã] *108* kochend heiß, siedend; ~**eur** [bujœ:r] *m* Verdampfer; Siedekessel; ~*eur de cru* Schnapsbrenner; ~**i** [-ji] *m* gekochtes Rindfleisch; ~**ie** [-ji] *f* Brei ♦ *de la* ~*ie pour les chats (Text)* unleserlich, unverständlich; ~**ir** [-ji:r] *17* kochen, sieden *(vi); (Wein)* gären; ~*ir* kochen, sieden *(vt);* ~**oire** [-jwa:r] *f* Wasserkessel; Kocher; ~**on** [-jɔ̃] *m* Blase (beim Kochen); Fleischbrühe; *fig* Aufwallung; ~*on d'onze heures* Gifttrank; ~**onnant** [-jɔnã] *108* wallend; *fig* aufbrausend; ~**onnement** [-jɔnmã] *m* Aufkochen; Aufwallen; *fig* Wallung; ~**onner** [-jɔne] aufwallen, sprudeln

bouillotte [bujɔt] *f* Wärmflasche; Wasserschiffchen *(im Herd)*

bou|langer [bulãʒe] *m* Bäcker; ~**langerie** [-lãʒri] *f* Bäckerei; ~**le** [bul] *f* Kugel; ~*le de neige* Schneeball; *jeu de* ~*les* Kugelspiel; ~ *à thé* Tee-Ei; *en* ~*le* kugelförmig (beschnitten); zerknüllt; *perdre la* ~*le (umg)* d. Kopf verlieren; *se mettre en* ~*le (umg)* ungehalten werden

bouleau [bulo] *m 91* Birke

boulet [bulɛ] *m* Kanonenkugel; Eierbrikett; *fig* schwere Belastung; *tirer à* ~*s rouges sur qn* j-n heftig angreifen, j-n scharf kritisieren ~**te** [-lɛt] *f* Kügelchen; Fleischklößchen ♦ *faire une* ~*te* e-n Bock schießen

boulevard [bulva:r] *m* breite Allee (-straße), Boulevard

boulevers|ement [bulvɛrsəmã] *m* Umsturz, Umwälzung; ~**er** [-se] umstürzen; *j'en suis* ~*é* ich bin ganz bestürzt

boulimie [bulimi] *f* 🏥 Heißhunger

boul|on [bulɔ̃] *m* Schraube(nbolzen); Bolzen; Stift; Dorn; ~**onner** [-lɔne] anschrauben; *umg* schuften; ~**ot**[1] [-lo] *114 umg* klein u. dick

boulot[2] [bulo] *m umg* Schufterei; ~*-métro-dodo* sich tagaus tagein (sinnlos) abplacken

boulotter [bulɔte] *pop* fressen

bouquet [bukɛ] *m* (Blumen-)Strauß; Blume *(d. Weins)* ♦ *c'est le* ~ *!* das ist der Gipfel!; ~**ière** [buktjɛ:r] *f* Blumenmädchen

bouquetin [buktɛ̃] *m zool* Steinbock

bouquin [bukɛ̃] *m umg* Schmöker; ~**er** [-kine] schmökern; ~**iste** [-kinist] *m* Antiquar(iatsbuchhändler)

bourb|e [burb] *m (a. fig)* Morast; ~**eux** [-bø] *111* schlammig; ~**ier** [-bje] *m* Sumpfloch; *fig* Pfuhl; ~**illon** [-bijɔ̃] *m* 🏥 Eiterpfropfen

bourde [burd] *f* grober Schnitzer; Patzer, Dummheit, Eselei; *faire une* ~ *umg* e-n Bock schießen, danebenhauen

bourdon [burdɔ̃] *m* Baß; große Glocke; *zool* Hummel; *faux* ~ Drohne; *avoir le* ~ *umg* Trübsal blasen; ~**nement** [-dɔnmã] *m* Summen; ~*nement d'oreilles* 🏥 Ohrensausen; ~**ner** [-dɔne] *(Insekten)* summen

bourg [bu:r] *m* Marktflecken; ~**ade** [burgad] *f* kleiner Ort; ~**eois** [burʒwa] *108* bürgerlich; *m* Bürger; *pej* Spießbürger; *pl pol* Mittelstand; *en* ~*eois* in Zivil(kleidung); *petit* ~ Kleinbürger; ~**eoisie** [burʒwazi] *f* Bürgertum

bourgeon [burʒɔ̃] *m* Knospe; Pöckchen *(im Gesicht);* ~**ner** [-ʒɔne] knospen

Bourg|ogne [burgɔn]: *la* ~*ogne* Burgund; ~**ogne** *m* Burgunder(wein); ~**uignon** [-giɲɔ̃] *m* Burgunder (Bewohner von Burgund); ⚭**uignon** *118* burgundisch

bourlinguer [burlɛ̃ge] *umg* viel herumkommen

bourrache [buraʃ] *f* Borretsch, Gurkenkraut

bourr|ade [burad] *f* Rippenstoß; ~**age** [-ra:ʒ] *m* ✿ Dichtung, Packung; ~*age de crâne (umg)* Verdummung(spropaganda); ~**asque** [-rask] *f* Windstoß

bourre [bu:r] *f (Sattlerei)* Füllhaar

bourreau [buro] *m 91* Henker; Schinder; ~ *de travail (fig)* Arbeitspferd, -tier; ~ *des cœurs* Herzensbrecher

bourr|elet [burlɛ] *m* Polster; Wulst; ~**elier** [-rəlje] *m* Sattler; ~**ellerie** [-rɛlri] *f* Sattlerei; ~**er** [-re] (voll-)stopfen *(de mit);* ~ *de coups* verhauen, puffen; ~*er le crâne à qn* j-m etw. weismachen; *se* ~*er (pop)* s. vollfressen

bourrichon [buriʃɔ̃] *m pop (Kopf)* Kürbis; *se monter le* ~ *(umg)* s. Rosinen in d. Kopf setzen

bourr|icot [buriko] *m* kleiner Esel; ~**in** [-rɛ̃] *m pop* Gaul

bourrique [burik] *f* Eselin; *fig* Schafskopf; *faire tourner qn en* ~ *(umg)* j-n ganz verrückt machen

bourru [bury] griesgrämig; übelgelaunt; mißmutig; *m* Griesgram

bours|e [burs] *f* Beutel; Börse; Stipendium; ~*e des titres* Wertpapierbörse; ~*e du travail* Gewerkschaftsgebäude; *faire* ~*e commune* gemeinsame Kasse machen; *coté en* ~*e* notiert; *sans* ~*e délier* ohne e-n Pfennig herauszurücken; ~**ier** [-sję] *116* Börsen...; *m* Börsianer; Stipendiat; *transactions* ~*ières* Börsengeschäfte
boursoufl|é [bursufle] aufgedunsen; *(Stil)* schwülstig; ~**ure** [-fly:r] *f* Aufgedunsenheit; *fig* Schwulst
bouscul|ade [buskylad] *f* Gedränge; ~**er** [-le] drängen, anrempeln; durcheinanderbringen
bous|e [bu:z] *f* Kuhfladen; ~**eux** [buzø] *m pej* Bauer; ~**iller** [-zije] *pop* pfuschen, murksen; *(töten)* umlegen
boussole [busɔl] *f* Kompaß; *perdre la* ~ d. Kopf verlieren
boustifaille [bustifɑ:j] *f pop* Fraß
bout [bu] *m* Ende; Spitze; Endchen; Stückchen; Ansatz; Stumpf; ~ *de femme* kleine Frau; *le bon* ~ d. richtige Ende; *un* ~ *de chemin* e. Stück Weges; ~ *de cigarette* Mundstück; *mettre* ~ *à* ~ aneinanderreihen; *d'un* ~ *à l'autre* von e-m Ende zum andern; *au* ~ *du monde* am Ende der Welt *(örtl.); rire du* ~ *des lèvres* gezwungen lächeln; *mettre les* ~*s* umg s. aus dem Staube machen; *montrer le* ~ *de l'oreille* sich verraten; *venir à* ~ beenden, zu Ende bringen; *au* ~ *d'un mois* nach Ablauf e-s Monats; *être au* ~ *de son rouleau* mit s-m Latein am Ende sein; *ma patience est à* ~ mir reißt der Geduldsfaden; *prendre qch par le bon* ~ etw. richtig anfangen; *savoir qch sur le* ~ *du doigt* etw. im Schlaf können; *à tout* ~ *de champ* bei j-r Gelegenheit; ~**ade** [butad] *f* Geistesblitz; ~**e-en-train** [-tãtrɛ̃] *m 100* Stimmungskanone; ~**efeu** [butfø] *m* Anstifter, Rädelsführer
bouteille [butɛj] *f* Flasche; ~ *de vin* Flasche Wein; *bière en* ~*s* Flaschenbier ♦ *c'est la* ~ *à l'encre* aus dieser Sache wird man nicht klug; *il a de la* ~ *(umg)* bei ihm rieselt d. Kalk; *ami de la* ~ Zechbruder; *aimer la* ~ gern trinken
bouteur [butœ:r] *m* Planierraupe, Bulldozer, Erdräumer
boutiqu|e [butik] *f* kleiner Laden; *toute la* ~ *(pop)* d. ganze Kram; *fermer* ~*e* d. Geschäft aufgeben; ~**ier** [tikje] *umg* Krämer
bouton [butɔ̃] *m* **1.** Knopf; ~ *de col* Kragenknopf; ~ *poussoir* Drucktaste, Tastschalter; **2.** Knospe; ⚕ Pöckchen, Pickel; ~ *d'or* Butterblume; ~**ner** [-tɔne] (zu)knöpfen; knospen; ~**nière** [-tɔnjɛ:r] *f* Knopfloch
bouture [buty:r] *f* ⭳ Steckling, Ableger
bouv|ier [buvje] *m* Ochsentreiber; ~**reuil** [-vrœj] *m zool* Dompfaff
bov|idés [bɔvide] *mpl* Hornvieh; ~**in** [-vɛ̃] Rinder...; *élevage* ~*in* Rinderzucht; ~**ins** *mpl* Rinder u. Kälber
bowling [boliŋ] *m* das Bowling, amerik. Kegelspiel
box [bɔks] *m 103* Box *(Pferdestall, Garage)*
box|e [bɔks] *f* Boxsport; ~**er** [bɔksę] boxen; ~**eur** [bɔksœ:r] *m* Boxer
boyau [bwajo] *m 91* Darm; Feuerwehr-

schlauch; Laufgraben; *corde à* ~ Darmsaite; ~ *de raquette* Tennisschlägersaite
boycott|age [bɔjkɔtaːʒ] *m* Boykott(ierung); ~**er** [-kɔtę] boykottieren
boy-scout [bɔjskut] *m 99* Pfadfinder
bracelet [braslę] *m* Armband
brachial [brakjal] *124* Arm...
braconn|age [brakɔnaːʒ] *m* Wildern; ~**er** [-nę] wildern; ~**ier** [-nje] *m* Wilddieb
brad|age [bradaːʒ] *m* Ausverkauf *(a. fig);* ~**er** [bradę] *(Waren)* verschleudern; ~**erie** [-drj] *f* (Straßen-)Verkauf zu herabgesetzten Preisen
braguette [bragęt] *f* Hosenschlitz
braillard [brajaːr] *m* Schreier; Schreihals
braille [brɑːj] *m* Blindenschrift
brailler [braję] schreien; *(Lied)* grölen
braire [brɛːr] *55 (Esel)* schreien, iahen
brais|e [brɛːz] *f* Kohlenglut; *pop* Draht; Pinke; *yeux de* ~*e* feurige Augen; ~**er** [brɛzę] *(Fleisch)* schmoren
bramer [bramę] *(Hirsch)* röhren
brancard [brɑ̃kaːr] *m* Tragbahre; Gabeldeichsel; *ruer dans les* ~*s (umg)* bockig werden, bocken; ~**ier** [-kardje] *m* Krankenträger; Sanitäter
branch|age [brɑ̃ʃaːʒ] *m* Astwerk; ~**e** [brɑ̃ʃ] *f* Ast; Zweig; Abzweigung; Branche; Fach; (Brillen-)Bügel, Schenkel; (Fluß-)Arm; (Geweih-)Stange; ~*e économique* Wirtschaftszweig ♦ *être comme l'oiseau sur la* ~*e* in e-r unsicheren Stellung sein; ~**ement** [brɑ̃ʃmɑ̃] *m* ☝ Abzweigung; Gabelung; Weiche; *(Röhre, Kabel)* Verzweigung; Anschluß; ~*ement au réseau* Netzanschluß ⚡ ~**er** [brɑ̃ʃę] ⚡ anschließen *(sur* an)
branchies [brɑ̃ʃi] *fpl* Kiemen
brandebourgs [brɑ̃dbuːr] *mpl* Schnüre *(an Hausröcken, Uniformen)*
brand|ir [brɑ̃diːr] *22* hin u. her schwingen; schwenken, zücken; ~**on** [brɑ̃dõ] *m* Feuerbrand
branl|e [brɑ̃l] *m* Schwung; Anstoß; *mettre en* ~*e* in Schwung bringen, in Gang setzen; ~**e-bas** [-bɑ] *m* Klarmachen *(z. Gefecht, Kampf, a. fig);* ~**er** [brɑ̃lę] *vt* schlenkern; (mit etw.) wackeln; *vi* wackeln, wanken; *cette affaire* ~*e dans le manche* dieses Geschäft ist unsicher
braquage [brakaːʒ] *m* bewaffneter Raubüberfall; *opt* Richten; ✞ Steuern; 🚗 (Rad-)Einschlag; *angle de* ~ 🚗 Einschlagwinkel; *rayon de* ~ 🚗 Wendekreis
braque [brak] *m* Hühnerhund
braquer [brakę] *6 (Schußwaffe)* richten *(sur* auf); überfallen; steuern; einschlagen; ~ *la voiture* 🚗 die Wagenräder scharf einschlagen; ~ *les yeux sur qn* j-n scharf anblicken
bras [bra] *m* Arm; *(Maschine)* Ausleger; ⚓ Ankerarm; Geer; ~ *de grue* Kranarm; ~ *de lecture* Tonarm; ~ *de levier* Hebelarm; ~ *de pick-up* Tonarm; *en* ~ *de chemise* in Hemdsärmeln; *à* ~ *ouverts* mit offenen Armen; *prendre à* ~ *le corps* mit d. Armen umschlingen; *(frapper) à* ~ *raccourcis* mit aller Gewalt (schlagen); ~ *dessus,* ~ *dessous* Arm in Arm; *il a le* ~ *long (fig)* er hat e-n langen Arm; *le* ~

droit du patron d. rechte Hand d. Chefs; *un gros ~* e. Schlägertyp; e. Lastwagenfahrer; *~ d'honneur* verächtliche Armbewegung: Du kannst mich mal!; *avoir qn sur les ~ (umg)* j-n auf d. Halse haben; *on manque de ~* es fehlt an Arbeitskräften ♦ *cela m'a coupé ~ et jambes (umg)* das hat mich völlig fertiggemacht
braser [brɑzẹ] hartlöten
bras|ero [brazerọ] *m* Kohlenbecken; **~ier** [brɑzjẹ] *m* Kohlenglut; Kohlenbecken; **~illement** [brazijmɑ̃] *m (Meer)* Funkeln; **~iller** [-zijẹ] *(Meer)* funkeln
brassage [brasạːʒ] *m (Bier)* Brauen
brass|ard [brasạːr] *m* Armbinde; Trauerflor *(um d. Arm);* ❡ Armleder; **~e** [bras] *f: (nage à la) ~e* Brustschwimmen; **~ée** [brasẹ] *f* Armvoll
brasser¹ [brasẹ] (um)rühren; *~ des affaires* viele Geschäfte betreiben
brasser² [brasẹ] brauen
brass|erie [brasrị] *f* Brauerei; Wirtschaft; Restaurant; **~eur** [brasœːr] *m* Bierbrauer
brassière [brasjẹːr] *f* Kinderjäckchen
brasure [brazyːr] *f* Hartlot; Lötstelle; Hartlöten
brav|ache [bravạʃ] großsprecherisch; *m* Großsprecher; **~ade** [bravạd] *f* protziges Gehabe; **~e** [brav] **1.** tapfer; rechtschaffen; *un homme ~e* a. tapferer Mann; *un ~ homme* e. guter Kerl; *~es gens* ehrliche Leute; **2.** *m* tapferer Kerl; **~er** [-vẹ] *vt* trotzen; **~o** [-vọ] bravo!; *m 102* Beifall(sruf); **~oure** [-vụːr] *f* Tapferkeit; *morceau de ~oure* Bravourstück
break [brɛk] *m* Kombi(nationsfahrzeug)
brebis [brəbị] *f* (Mutter-)Schaf; *~ galeuse* räudiges Schaf
brèche [brɛʃ] *f* Bresche; *(Klinge)* Scharte; (Deich-)Bruch; Leck (Schiff, Kessel); *battre qch en ~* etw. heftig angreifen; **~dent** [brɛʃdɑ̃] *97* zahnlückig
bredouill|e [brədujj] *f: revenir ~* unverrichteterdinge zurückkommen; **~ement** [-dujmạ] *m* hastiges, undeutliches Reden; **~er** [-dujẹ] hastig (undeutlich) reden; stammeln
bref [brɛf] *112* kurz(gefaßt); kurz u. gut; *parler ~* kurz und bündig reden
breloque [brəlọk] *f* Schmuckanhänger ♦ *battre la ~* verworrenes Zeug reden
brème [brɛm] *f zool* Brasse
Brésil [brezijl]: *le ~* Brasilien; *au ~* in, nach Brasilien; **~ien** *m* [-ziljẹ̃] Brasilianer; **⌁ ien** *118* brasilianisch
Bretagne [brətạɲ]: *la ~* die Bretagne
bretelle [brətẹl] *f* (Trage-)Gurt; (Gewehr) Riemen; *pl* Hosenträger; (Autobahn-)Zubringer *od* Abzweigung; ⬅ Zurollbahn; *piano à ~s (pop)* Quetschkommode
breton [brətɔ̃] *118* bretonisch; *m* das Bretonische; ⌁ *m* Bretone
breuvage [brøvạːʒ] *m* Trank; Getränk; Arznei
brevet [brəvɛ] *m* Diplom; Patent; *~ d'études du premier cycle (B. E. P. C.)* franz. mittlere Reife; *~ d'invention* Erfinderpatent; *titulaire d'un ~ de pilote* Fliegerschein; **~able** [brəvtạbl] patentierbar; **~er** [brəvtẹ] *10* gesetzlich schützen, patentieren

bréviaire [brevjẹːr] *m* Brevier; Lieblingsbuch
bribe [brib] *f* Überbleibsel; Brocken (Essen); Bruchstück *(e-r Unterhaltung)*
bric [brik]: *de ~ et de broc* mal hier, mal dort; *von überallher,* (kunterbunt) zus.gewürfelt; **~-à-brac** [-kabrạk] *m* Trödelkram; -bude
bricol|age [brikɔlạːʒ] *m* Basteln; Bastelei, Herumbasteln; **~e** [-kɔl] *f* Kleinigkeit; *(Billard)* Rückprall; *(Pferd)* Brustriemen; **~er** [-lẹ] basteln; allerlei Geschäfte betreiben; **~eur** [-lœːr] *m* Bastler; *pej* Pfuscher
brid|e [brid] *f* Zügel; Zaumzeug; Band; ❀ Flansch; *lâcher la ~e à qn* j-m d. Zügel schießen lassen; *serrer la ~e à qn* j-n an d. Kandare nehmen; *tourner ~e (a. fig)* umkehren, -schwenken; *courir à ~e abattue* rennen; **~er** [-dẹ] zäumen
bridg|e [bridʒ] *m* ♪ (Zahn-)Brücke; Bridge(spiel); **~eur** [bridʒœːr] *m* Bridgespieler
briefing [brifiŋ] *m* Briefing *n,* (kurze) Einweisung; Auftragserteilung; Informationsgespräch, Arbeitstreffen
brièv|ement [brievmạ] in kurzen Worten; kurz; **~eté** [brievtẹ] *f* Kürze *(kurze Dauer);* Bündigkeit
brig|ade [brigad] *f* Brigade; **~adier** [-gadjẹ] *m* Rittmeister; (Polizei-)Wachtmeister; **~and** [-gạ̃] *m* Straßenräuber, Bandit; Schurke; **~andage** [-gạ̃daːʒ] *m* Raub
brigu|e [brig] *f* Machenschaft, Ränke, Umtriebe; **~er** [brigẹ] *6* durch Intrigen zu erreichen suchen; s. bewerben *(qch um etw.)*
brill|ance [brijạ̃s] *f* (Haar-)Glanz; Helligkeit; **~ant** [brijɑ̃] **1.** glänzend; herrlich; *avoir une santé ~ante* vor Gesundheit strotzen; **2.** *m* Brillant; Glanz; Putzmittel; **~er** [-jẹ] glänzen; strahlen; funkeln; *(Sonne)* scheinen ♦ *il ne ~e pas par l'intelligence* er hat die Weisheit nicht mit Löffeln gegessen
brimade [brimạd] *f* Streich *(den man e-m Neuling in d. Schule od. Kaserne spielt);* Schikane
brimbaler [brɛ̃balẹ] *umg* hin und her bewegen; mit s. herumschleppen; hin u. her schwanken
brin [brɛ̃] *m* Halm; Stückchen; Bißchen; *~ de câble* Einzeldraht e-s Kabels; *~ de chanvre* Hanffaser; *~ de paille* Strohhalm; *faire un ~ de toilette* s. etw. frisch machen; *un beau ~ de fille* e. schön gewachsenes Mädchen
brindille [brẽdijj] *f* dünner Zweig; *~s* Reisig
bringue [brɛ̃g]: *grande ~ (Frau)* Bohnenstange; *faire la ~ (pop)* gut essen u. trinken
brio [bri(j)ọ] *m fig* Lebhaftigkeit, Schwung, Feuer
brioche [briọʃ] *f* leichtes (Hefe-)Gebäck; *pop* Spitzbauch
briqu|e [brik] *f* Backstein, Ziegelstein; *a. fig* Baustein; *~e creuse* Hohlziegel; *~e hollandaise* Klinker(stein); *~e légère* Schwemmstein; *~e réfractaire* feuerfester Stein; *~e recuite* Ziegel; **~et** [-kɛ] *m* Feuerzeug; **~eterie** [briktərị] *f* Ziegelei; **~etier** [briktjẹ] *m* Ziegelarbeiter; **~ette** [brikɛt] *f* Brikett; kleiner Ziegel
bris [bri] *m* 🔓 Einbruch, Ausbrechen; *(Siegel)*

Erbrechen; Bruch; (Glas-)Splitter; **~ant** [-zɑ̃] *m* (Meeres-)Brandung; **~e** [briːz] *f* Brise; *~e de mer* Seewind; **~e-bise** [-bjiz] *m 100* Scheibengardine; **~ées** [-zę] *fpl: aller sur les* **~ées** *de qn* j-m ins Gehege kommen; **~e-glace** [brizglɑs] *m 100* Eisbrecher; **~e-jet** [brizzę] *m 100* Strahlrichter; **~e-lames** [brizlɑm] *m 100* Wellenbrecher; **~e-soleil** [-sɔlɛj] *m 100* Sonnenschutzdach; **~e-tout** [-tu] *m 100* Tolpatsch; **~er** [-zę] zerbrechen; brechen (Wellen), branden; knakken; *~er ses chaînes* s-e Ketten sprengen; *se ~er* s. am Ufer brechen, branden; *arc ~é* Spitzbogen; **~eur** [-zœːr] *m: ~eur de grève* Streikbrecher; **~ure** [-zyːr] *f* Bruch; Sprung; Riß

britannique [britaniֿk] britisch; *Empire ~* Großbritannien

broc [bro] *m* (Wasser-)Kanne

brocan|te [brɔkɑ̃t] *f* Antiquitäten; **~ teur** [brɔkɑ̃tœːr] *m* Altwarenhändler, Trödler

brocard [brɔkaːr] *m* verletzender Scherz

brocart [brɔkaːr] *m* Brokat

broch|e [brɔʃ] *f* Bratspieß; Brosche, Anstecknadel; Ahle; *pl (Eber)* Hauer; Dorn, Nadel, Stift; **~e** *filetée* ✿ Gewindespindel; **~er** [-ʃę] broschieren; heften; **~et** [-ʃę] *m* Hecht; **~ette** [-ʃɛt] *f* Spange; Stückchen Wild am Bratspieß; **~euse** [-ʃøːz] *f* 🕮 Heftmaschine; **~ure** [-ʃyːr] *f* Broschüre

brodequin [brɔdkę] *m (bes mil)* Schnürschuh

brod|er [brɔdę] sticken; *(erzählend)* ausschmükken; *~er sur qch* etw. ausschmücken; **~erie** [brɔdri] *f* Stickerei; *~erie à la main* Handstickerei; *~erie au crochet* Häkelarbeit; **~euse** [brɔdøːz] *f* Stickerin

brome [brom] *m* Brom

bronche [brɔ̃ʃ] *f* Bronchie

broncher [brɔ̃ʃę] stolpern; murren; *sans ~* ohne mit d. Wimper zu zucken

bronchite [brɔ̃ʃit] *f* Bronchitis

bronz|age [brɔ̃zaːʒ] *m* Bronzierung; *(Haut)* Bräunung; **~e** [brɔ̃z] *m* Bronze *f*; Rotguß; Erz; *couler en ~e* in Erz gießen; *fondeur en ~e* Erzgießer; **~er** [-zę] bronzieren; *se ~er (umg)* s. bräunen *(in der Sonne)*; *teint ~é* sonnengebräunte Gesichtsfarbe

bross|e [brɔs] *f* Bürste; Pinsel; *~ à dents* Zahnbürste; *~ à ongles* Nagelb.; *~ à cheveux* Haarb.; *~ à habits* Kleiderb.; *coup de ~e* (Haare) bürsten; Pinselstrich; **~er** [-sę] (ab-) bürsten; **~erie** [-sri] *f* Bürstenbinderei

brou [bru] *m* grüne Fruchthülle *(b. Schalenfrüchten)*

brouet [bruę] *m (mst pej: Suppe)* Brühe

brouette [bruęt] *f* Schubkarre; Karren

brouhaha [bruaa] *m* Stimmengewirr

brouill|age [brujaːʒ] *m* 🔌 Störgeräusch, Störung; **~amini** [-jamini] *m umg* Wirrwarr, Durcheinander; **~ard** [-jaːr] *m* Nebel; *~ard givrant* gefrierender N., Raureifnebel; *foncer dans le ~ard umg* blindlings drauflos stürmen; **~e** [bruj] *f* Zwist; **~er** [-ję] vermengen; *(Karten)* mischen; *(Eier)* schlagen; *œufs ~és* Rührei); verwirren; entzweien; *~er les cartes (fig)*

Unordnung stiften; *se ~er* s. überwerfen, s. verfeinden; *le temps se ~e* d. Himmel bezieht sich; **~eur** [-jœːr] *m* Störsender; **~on** [-jɔ̃] *m 1.* Wirrkopf; *2.* Konzept, Entwurf; Schmierheft

brouss|ailles [brusaːj] *fpl* Gestrüpp, Dickicht; *cheveux en ~aille* struppiges Haar; **~e** [brus] *f* (afrik.) Busch; *fig* finstere Provinz

broussin [brusę] *m* Knorren

brout|er [brutę] grasen; weiden; abgrasen; abweiden; **~illes** [-tij] *fpl* Reisig; Kleinkram, Lappalie

broy|age [brwajaːʒ] *m* Zerstoßen; Zerkleinern; Zermahlen, Zerreiben; **~er** [brwaję] *5* zerstoßen, zerkleinern, mahlen, zerquetschen ♦ *~er du noir* Trübsal blasen; **~eur** [brwajœːr] *m* Mühle; Mahlwerk; Zerkleinerer; Stößel; *~eur de noir* Schwarzseher

bru [bry] *f* Schwiegertochter

brucelles [brysɛl] *fpl* Federzange, Pinzette

bruin|e [bruin] *f* Sprühregen; **~er** [-nę] nieseln

brui|re [bruiːr] *56 (Wind in d. Bäumen)* sausen, rauschen, brausen; *(Donner)* rollen; **~ssement** [bruismɑ̃] *m* Rauschen; **~t** [brui] *m* Lärm; Geräusch; Rauschen; Krachen; Getümmel; Brausen; Donner; Gerücht; *~t de fond* 🔌 Netzbrummen, Grundrauschen; *~t parasite* 🔌 Nebengeräusch; *à grand ~t* lärmend, mit Getöse; *faire du ~t (fig)* Aufsehen erregen; *faire courir des ~ts* Gerüchte verbreiten

brûl|e-gueule [brylgœl] *m 99 pop* Nasenwärmer *(Stummelpfeife)*; **~e-pourpoint** [-purpwę]: *à ~e-pourpoint* brüsk, ohne Schonung; **~er** [brylę] verbrennen; veraschen; *(Signal)* überfahren; brennen; *(Speise)* anbrennen; *(Kaffee)* rösten; *~er la politesse à qn* s. auf französisch verabschieden; *se ~er la main* s. die Hand verbrennen; *se ~er la cervelle* s. e-e Kugel durch d. Kopf schießen; *~er à petit feu* langsam verbrennen; *il ~e de vous connaître* er brennt darauf, Sie kennenzulernen; *ça sent le ~é ici* es riecht hier nach Angebranntem; *un cerveau ~é* ein überspannter Kerl; **~erie** [-ri] *f* Branntweinbrennerei; Kaffeerösterei; **~eur** [-lœːr] *m* (Gas-)Brenner; Schweißbrenner; **~ot** [-lo] *m* Hetzblatt; **~ure** [-lyːr] *f* Verbrennung, Brandwunde

brum|e [brym] *f* (feuchter) Dunst; (dichter) Nebel; **~eux** [brymø] *111* dunstig; neblig; *fig* unklar

brun [brœ̃] *109* braun; *m* braunhaariger Mann; **~e** [bryn] *f* Brünette; *(bière) ~e* dunkles Bier; **~et** [brynę] *114* brünett; **~ir** [-niːr] *22* bräunen; polieren; ✿ brünieren; **~issoir** [bryniswaːr] *m* Polierstahl

brusqu|e [brysk] plötzlich; unerwartet; barsch; *virage ~* scharfe Kurve; **~er** [-kę] *(qn j-n)* anfahren; *~er qch* etw. überstürzen; **~erie** [-kəri] *f* barsches Wesen

brut [bryt] roh; unbearbeitet; *à l'état ~* roh, rauh, ungeschliffen; *pétrole ~* Rohöl; *poids ~* Bruttogewicht; **~al** [-tal] *124* brutal; drastisch; *force ~ale* nackte Gewalt; **~aliser** [-talizę] mißhandeln; **~alité** [-talitę] *f* Roheit; Gewalttätigkeit; **~e** [bryt] *f* Rohling

Bruxelles [bry(k)sɛl] f Brüssel
bruyant [brɥijɑ̃] *108* lärmend; tosend; geräuschvoll; geräuschintensiv (Gerät)
bruyère [brɥjɛːr] f Heidekraut; ~s fpl Heideland; coq de ~ Auerhahn
buanderie [bɥɑ̃dri] f Waschküche
buccal [bykal] *124* Mund...; cavité ~e Mundhöhle
bûch|e [byʃ] f Holzscheit; umg Hornochse; ~ de Noël Baumkuchen; ~er¹ [byʃe] m Holzablage; Scheiterhaufen; ~er² [-ʃe] umg ochsen; ~eron [byʃrɔ̃] m Holzarbeiter, -fäller; ~eur [byʃœːr] m umg Büffler
budg|et [bydʒɛ] m Budget; Staatshaushalt; Haushaltsgeld; poste du ~ Etatposten; ~ d'un ministère Einzelplan; pour ~ets modestes für jeden Geldbeutel; ~étaire [-ʒetɛːr] etatmäßig; Haushalts...; année ~étaire Haushaltsjahr; ~étivore [-ʒetivɔːr] m (scherzhaft) j-d, der auf Staatskosten lebt
buée [bɥe] f Beschlag (an Fensterscheiben); ~ de cale Schwitzwasser
buffet [byfɛ] m Geschirrschrank; Kredenztisch, Anrichte; Bahnhofsgaststätte; (Orgel) Gehäuse; pop Brustkasten; ~-froid kalte Küche, kaltes Büfett; ~ier [byftje] m Bahnhofswirt; Schankkellner
buffle [byfl] m Büffel
bugle [bygl] m Wald-, Signalhorn
building [bildiŋ] m *102* Bürohaus; Hochhaus
buis [bɥi] m Buchsbaum; ✿ Glättholz
buisson [bɥisɔ̃] m Busch, Strauch; faire ~ creux d. Nest leer finden; ~neux [-sonø] *111* buschig; mit Büschen bestanden; ~nier [-sonje] *116:* faire l'école ~nière d. Schule schwänzen
bulb|e [bylb] m bot Zwiebel; anat verlängertes Rückenmark; clocher en ~e 🏛 Zwiebelturm; ~eux [-bø] *111:* plantes ~euses Zwiebelgewächse
bulgare [bylgaːr] bulgarisch; m das Bulgarische; ≛ m Bulgare
bull|e [byl] f Blase; rel Bulle; 💬 Sprechblase; ~e d'air Luftblase; ~e de savon Seifenblase; ~etin [byltɛ̃] m Zettel; Bericht; Schein; Formular; ~etin de bagages Gepäckschein; ~etin d'expédition Paketkarte; ~etin de garantie Garantieschein; ~etin de paie Lohnabrechnung; ~etin des routes Straßenzustandsbericht; ~etin de vote Wahlzettel; ~etin financier Börsenbericht; ~etin météorologique Wetterbericht
bure [byːr] f grober brauner Wollstoff
bureau [byro] m *91* Schreibtisch; Büro; Amtsraum; ⚖ Amt, Vermittlungsstelle; 🎲 (Verein) Vorstand; Ausschuß; Verwaltung; ~ ministre Diplomatenschreibtisch; chef de ~ Bürovorsteher; ~ de poste (central) (Haupt-)Postamt; ~ central (téléphonique) Fernmeldeamt; ~ paysage Großraumbüro; ~ de placement Arbeitsvermittlung; ~ de vote Wahllokal; ~ de renseignements Nachrichtenbüro; ~ de douane Zollabfertigung, -station; ~ d'études ✿ Konstruktionsbüro; ~ de tabac (staatl.) Tabakladen; ~crate [-krat] m Bürokrat;

~cratie [-krasi] f Bürokratie; Bürokratismus; ~cratisation [-kratizasjɔ̃] f Bürokratisierung, Aufblähung des Staatsapparates; ~cratique [-kratik] bürokratisch
burette [byrɛt] f rel Meßkännchen; Ölkännchen; ~ calibrée geeichte Bürette
burin [byrɛ̃] m (Kupferstecher) Radiernadel; Meißel; ~er [byrine] meißeln; (in Kupfer) stechen
burlesque [byrlɛsk] burlesk, possenhaft
busc [bysk] m Korsettstäbchen
buse¹ [byːz] f Bussard; umg Schafskopf
buse² [byːz] f (Ofen-)Rohr; ✿ Düse
busqué [byske] nez ~ gebogene Nase
buste [byst] m Rumpf; Büste
but [by, byt] m Ziel; Zweck; 🎯 Tor; gardien de ~ Torwart; aller droit au ~ aufs Ziel losgehen, zielstrebig handeln; de ~ en blanc geradeheraus; dans quel ~? wozu?, wofür?
buta|gaz [bytagaz] m Ⓦ Butan(gas); ~ne [bytan] m Butan(gas)
butée [byte] f Anschlag; ~ de frein Bremsanschlag
buter [byte] (ab)stützen; se ~ sich stoßen (contre an); s. versteifen (à auf); ~ sur qch s. an e-r Schwierigkeit stoßen; se ~ à une idée s. in e-e Idee verrennen
butin [bytɛ̃] m Beute; ~er [-tine]: ~er sur les fleurs (Bienen) Honig sammeln; ~euse [-tinøːz] f Arbeitsbiene
butoir [bytwaːr] m 🚂 Prellbock; com (staatlich festgelegte) Höchstgrenze (für Preise usw.)
butor [bytɔːr] m orn Rohrdommel; fig Flegel, Tölpel
butt|e [byt] f Hügel; 🚂 Ablaufberg; (Bergbau) Stempel; la ~e Montmartre; être en ~e aux railleries d. Zielscheibe des Spottes sein; ~er [-te] (Erde) häufeln; ~er un arbre Erde um e-n Baumstamm anhäufeln
buv|able [byvabl] trinkbar; umg annehmbar; ~ard [-vaːr] m Löschblatt; ~ette [-vɛt] f Schenke; (Kurort) Trinkhalle; ~eur [-vœːr] m Trinker; ~oter [-vɔte] dann u. wann an s-m Glas nippen
by-pass [bajpas] m Überströmkanal; 🚂 Umgehungsstraße 💲 Bypass, Umgehung(sprothese)
Byzan|ce [bizɑ̃s] f Byzanz; ~tin [-zātɛ̃] m Byzantiner; ≛ tin *109* byzantinisch

C

ça [sa] (umg für cela) das, dies; c'est bien ~ genauso ist's; c'est ~! richtig!; ~ y est! fertig!; da haben wir's!; ~ alors! na so was!; et avec ~? sonst noch etwas?
çà [sa]: ~ et là da und dort
cabale [kabal] f Intrige, Kabale
caban|e [kaban] f Hütte; ~on [-banɔ̃] m Hüttchen; Gummizelle
cabaret [kabarɛ] m Schenke; Wirtshaus; Kabarett; Likörservice; ~ borgne Spelunke, Kaschemme; pilier de ~ (iron) Stammgast; ~ier [-bartje] m Schankwirt

cabas [kabɑ] *m* (geflochtene) Einkaufstasche
cabestan [kabɛstɑ̃] *m* ⚓, ⚙ Spill; ⚓ Ankerwinde
cabillaud [kabijo] *m* Kabeljau
cabin|e [kabin] *f* Kabine; Kammer; Fahrkorb; Badezelle; ~*e téléphonique* Telefonzelle; ~*e d'aiguillage* Stellwerk; ~*e largable* ✝ abwerfbare K.; ~*e pressurisée* ✝ Druckk.; ~*et* [kabinɛ] *m* (*a. pol*) Kabinett; Büro; Kanzlei; *pl* Toilette, WC, Klosett; ~*et de groupe* Gemeinschaftspraxis (Ärzte); ~*et de lecture* Leihbibliothek; ~*et d'avocat* Anwaltskanzlei; ~*et dentaire* Zahnarztpraxis; *chef de* ~*et* höchster Beamter e-s Ministeriums; *homme de* ~*et* Gelehrter
câbl|age [kablɑːʒ] *m* Verkabelung; Verdrahtung; Verseilung; Verkorden; ~*age électrique* Stromführung, Schaltung; ~*age en fil nu* Blankverdrahtung; ~**e** [kabl] *m* Kabel; Tau; Förderseil; Seil; Schnur; ~*e armé* armiertes Kabel; ~*e d'allumage* Zündkabel; ~*e d'amenée* (od *d'arrivée*) Zuleitungskabel; ~*e de puissance* Starkstromkabel; ~*e métallique* Drahtseil; ~*e souple* Bowdenzug; ~*e sous-marin* (od *intercontinental*) Überseekabel; ~*e souterrain* ϟ Erdkabel; *pose de* ~*e* Kabelverlegung; ~**er** [kable] kabeln, telegraphieren; verseilen; ~**ogramme** [kablɔgram] *m* Kabeldepesche, -telegramm
caboch|ard [kabɔʃaːr] starrköpfig; ~**e** [-bɔʃ] *f umg* (*Kopf*) Birne; ~**on** [-ʃɔ] *m* Tapeziernagel; mugliger Edelstein
cabosser [kabɔse] verbeulen
cabot [kabo] *m pop* Köter; *pej* Komödiant; *arg mil* Korporal
cabot|age [kabɔtaːʒ] *m* Küstenschiffahrt; ~**eur** [-tœːr] *m* Küstenfahrer (*Schiff*); ~**in** [-tɛ̃] *m* ♉ Angehöriger e-r Wandertruppe; *fig pej* Schauspieler; Wichtigtuer
caboulot [kabulo] *m pop* Kaschemme
cabr|er [kabre]: *se* ~*er* s. bäumen; s. aufbäumen (*devant gegen*); ~**i** [-bri] *m* junge Ziege; *sauter comme un* ~*i* Bocksprünge machen; ~**iole** [-briɔl] *f* Luftsprung, Purzelbaum; ~**iolet** [-briɔlɛ] *m* (*a.* 🚗) Kabriolett
cacah(o)uète [kakauɛt(-wɛt)] *f* Erdnuß
caca|o [kakao] *m* Kakaobohne; Kakao; ~**oyer** [-kaɔje] *m* Kakaobaum
cacatoès [kakatɔɛs] *m* Kakadu
cachalot [kaʃalo] *m* Pottwal
cache [kaʃ] *f* Versteck; 📷 Maske; Verkleidung; Umhüllung; ~**-cache** [-kaʃ] *m: jouer à* ~-*cache* Verstecken spielen; ~**-col** [-kɔl] *m 100* Herrenschal, Halstuch
cachemire [kaʃmiːr] *m* Kaschmir; Kaschmirschal
cach|e-nez [kaʃne] *m 100* Halstuch, Schal; ~**e-pot** [-po] *m 100* Übertopf; Manschette (*für Blumentöpfe*); ~**e-poussière** [-pusjɛːr] *m 100* Staubmantel; ~**er** [-ʃe] verstecken; verbergen; ~*er son jeu* s. nicht in d. Karten sehen lassen; *je ne m'en* ~*e pas* ich mache k.Hehl daraus; ~**et** [-ʃɛ] *m* Siegel, Stempel; Gepräge; Honorar (*für Konzertabend u. dgl.*); (Arznei-)Kapsel; ~*et d'aspirine* Aspirintablette; ~*et officiel* Dienst-

siegel; ~*et commercial* Firmenstempel; *bague à* ~*et* Siegelring; *courir le* ~*et* Privatstunden außer Haus geben; ~**eter** [-te] *10* versiegeln; ~**ette** [-ʃɛt] *f* Versteck; ~**ot** [-ʃo] *m* Kerker; ~**otterie** [-ʃɔtri] *f* Geheimtuerei; ~**ottier** [-ʃɔtje] *116* geheimtuerisch
cacique [kasik] *m* führende (politische) Persönlichkeit; Erster bei Leistungswettbewerb (Hochschule)
cacophonie [kakɔfɔni] *f ling* Mißklang
cact|ées [kakte] *fpl* Kakteen; ~**us** [-tys] *m 105* Kaktus
cadastre [kadastr] *m* Kataster, Grundstücksverzeichnis
cadav|re [kadavr] *111: teint* ~*éreux* Totenblässe; ~**érique** [-rik] Leichen…; ~**re** [-dɑːvr] *m* Leiche; *pop* geleerte Flasche
cadeau [kado] *m 91* Geschenk; *produit* ~ Geschenkartikel; *faire* ~ *de qch* schenken
cadenas [kadna] *m 105* Vorhängeschloß; ~**ser** [-nase] mit e-m Vorhängeschloß verschließen
cadenc|e [kadɑ̃s] *f* Kadenz; Rhythmus; ~*e journalière* Tagesleistung; ⚙ täglicher Ausstoß; ~**er** [-se] *15* rhythmisch bemessen; *au pas* ~*é* im Gleichschritt
cadet [kadɛ] *114* jünger; zweit-(letzt-)geboren; ~ Jüngere; *ma sœur* ~*te* m-e jüngere Schwester; *il est mon* ~ *de trois ans* er ist 3 Jahre jünger als ich; *c'est le* ~ *de mes soucis* das ist m-e geringste Sorge
cadr|age [kadrɑːʒ] *m* 📷 Bildausschnitt; Bildeinstellung; ~**an** [-drɑ̃] *m* Zifferblatt; Skalenscheibe; ~*an lumineux* Leuchtskale; ~*an d'appel* ☎ Wählscheibe; ~**e** [kadr] *m* Rahmen; leitender Angestellter; Führungskraft; *mil* Kader; ~**er** [kadre] nachstellen, einstellen; übereinstimmen (*avec mit*); ~**eur** [-œːr] *m* Kameramann
caduc [kadyk] *120* baufällig; 💲 hinfällig; 🜨 außer Kraft, ungültig; verfallen; ~**ité** [kadysite] *f* Baufälligkeit; 💲 Hinfälligkeit
cæcum [sekɔm] *m* 💲 Blinddarm
cafard [kafaːr] *m 1. zool* Schabe; **2.** *umg* Heuchler; (*Schule*) Petzer; *umg* miese Stimmung; *il a le* ~ *mir ist zumute*
café [kafe] *m* Kaffee; Kaffee(haus); ~ *arrosé* K. mit Schnaps; ~ *au lait* Milchk.; ~ *décaféiné* koffeinfreier K.; ~ *crème* Sahnek.; ~ *noir* schwarzer K.; ~ *soluble* Kaffee-Extrakt in Pulverform; *prendre le* ~ K. trinken ♦ *c'est un peu fort de* ~ das ist starker Tobak; ~**chantant** [-ʃɑ̃tɑ̃], ~**concert** [-kɔ̃sɛːr] *m 97* Kaffeehaus mit Restaurant mit Unterhaltungsmusik, Konzertcafé; ~**ier** [-je] *m* Kaffeestrauch; ~**ière** [jɛːr] *f* Kaffeepflanzung; ~**ine** [-in] *f* Koffein
cafe|teria [kafeterja] *f* Cafeteria, Restaurant mit Selbstbedienung; ~**tier** [kaftje] *m* Kaffeehausbesitzer; Wirt; ~**tière** [-tjɛːr] *f* Kaffeekanne
cafouiller [kafuje] *umg* schlecht funktionieren; (*Motor*) kotzen; ungeschickt handeln
cage [kaːʒ] *f* Käfig; Gehäuse; Gerüst; ~ *d'escalier* Treppenhaus ♦ *mettre en* ~ hinter Schloß u. Riegel setzen; ~**ot** [kaʒo] *m;* Lattenkiste; Hühnerkorb

cagibi [kaʒibi] *m umg* Rumpelkammer

cagna [kaɲa] *f (umg)* Bude

cagn|eux [kaɲø] *111* x-beinig; **~otte** [-ɲɔt] *f* Spielkasse, Pott

cagoule [kagul] *f* Mönchskutte; Gesichtsmaske; Vermummung

cahier [kaje] *m* Heft; ~ *des charges* Verdingungsunterlagen; Leistungsverzeichnis; Vertrags- u. Abnahmebedingungen

cahin-caha [kaɛ̃kaa] *umg* soso lala; *les affaires vont* ~ das Geschäft könnte besser gehen

cahot [kao] *m* Stoß *(e-s fahrenden Wagens)*; **~er** [-ɔte] 🚗 stoßen, rumpeln

caïd [kaid] *m (arg pop)* Boß, Chef

caïeu [kajø] *m 91* Brutzwiebel

caille [kɑːj] *f* Wachtel

caill|er [kaje] gerinnen; *pop* frieren; *ça caille* is eiskalt; *lait ~é* dicke Milch; **~ette** [kajɛt] *f zool* Labmagen; **~ot** [kajo] *m* Blutpfropfen

caillou [kaju] *m 91* Kieselstein ♦ *avoir le ~ déplumé (pop)* e-e Glatze haben; *marquer un jour d'un ~ blanc* e-n Tag in guter Erinnerung behalten; **~ter** [-te] *(Straße)* beschottern

caïman [kaimɑ̃] *m zool* Kaiman

Cair|e [kɛːr]: *le ~e* Kairo; **~ote** [kɛrɔt] *m* Kairoer

caiss|e [kɛs] *f* Kiste; Kasse; Pauke; *~e enregistreuse* Registrierkasse; *~e d'assurance-maladie* Krankenkasse; *~e d'épargne* Sparkasse; ~ *à outils* Werkzeugkasten; ~ *des pensions* Versorgungskasse; *grosse* ~ Kesselpauke; **~ier** [kesje] *m* Kassierer; **~ière** [kesjɛːr] *f* Kassiererin; **~on** [kɛsɔ̃] *m* Kasten; Kammer; *mil* Proviantwagen, Protze; *~on plongeur* Taucherglocke

cajol|er [kaʒɔle] (ver)hätscheln; **~erie** [-ʒɔlri] *f umg* Liebkosungen

calamine [kalamin] *f* 🚗 Kohlenstoffablagerung, Verkokung (im Motor); Verbrennungsrückstände

calamité [kalamite] *f* Kalamität; Katastrophe

calandre [kalɑ̃dr] *f* Mangel *f;* 🚗 Kühlergrill; ~ *à chaud* Heißmangel

calcaire [kalkɛːr] kalkig; *m* Kalkstein

cal|cification [kalsifikasjɔ̃] *f* 💲 Verkalkung; **~cination** [-sinasjɔ̃] *f* Ausglühen; Veraschen; Brennen; Verkalkung; **~ciner** [-sine] ausglühen; brennen; glühen; veraschen

calcul [kalkyl] *m* Rechnen; Berechnung; (Preis-)Kalkulation; 💲 Stein; ~ *différentiel* Differentialrechnung; ~ *mental* Kopfrechnen; *erreur de* ~ Rechenfehler; *règle à* ~ Rechenschieber; ~ *du prix de revient* Selbstkostenberechnung; ~ *des intérêts* Zinsberechnung; **~able** [-kylabl] berechenbar; **~ateur** [-kylatœr] *122* berechnend, klug; *m;* ~*ateur électronique* Elektronenrechner; ~*ateur prodige* Rechenkünstler; **~atrice** [-atris] *f* Rechenmaschine; Elektronenrechner; Digitalrechner; **~er** [-kyle] (be)rechnen; *machine à* ~*er* Rechenmaschine; **~ette** [-et] *f* Taschenrechner

cale[1] [kal] *f* ⚓ Helling; Schiffsraum, Laderaum; (Vorrats-)Tank; ~ *flottante* Schwimmdock; ~ *sèche* Trockendock

cal|e[2] [kal] *f* Keil; Bremsklotz; Unterlage; Paßstück; **~é** [kale] verkeilt; befestigt; *(Motor)* abgewürgt; *être ~é* beschlagen sein *(en* in)

calebasse [kalbɑs] *f* Flaschenkürbis; Kürbisflasche

caleçon [kalsɔ̃] *m* Unterhose; ~ *de bain* Badehose

calembour [kalɑ̃buːr] *m* Wortspiel, Kalauer

calembredaines [kalɑ̃brədɛn] *fpl* dumme Rederei; Flausen

calend|es [kalɑ̃d] *f pol: renvoyer aux* ~*es grecques (umg)* endlos hinausschieben; **~rier** [-drje] *m* Kalender; **~rier-mémorandum** [-driememorɑ̃dɔm] *m 102* Terminkalender

calepin [kalpɛ̃] *m* Notizbuch

caler [kale] (ver-, unter-)keilen; (fest-)klemmen ⚙ blockieren; 🚗 abwürgen; *vi umg* (plötzl.) stehenbleiben; *fig* nachgeben

calfater [kalfate] abdichten *(mit Teer)*

calfeutr|age [kalføtraːʒ] *m* Abdichtung *(geg. Luft);* verkleben; verstopfen; **~er** [-tre] abdichten *(geg. Luft)* ♦ *il se ~e chez lui* er ist e. Stubenhocker

calibre [kalibr] *m* Kaliber; Bohrung; Durchmesser; ~ *de filetage* ⚙ Gewindelehre; *du même* ~ von gleichem Schlag

calice [kalis] *m rel* Kelch; Blumenkelch

calicot [kaliko] *m* Kaliko; Spruchband

Californ|ie [kalifɔrni]: *la* ~*ie* Kalifornien; **~ien** [-njɛ̃] *m* Kalifornier; **~** *kein 118* kalifornisch

califourchon [kalifurʃɔ̃]: *à* ~ rittlings

câlin [kɑlɛ̃] *109* einschmeichelnd; *faire le* ~ kosen, s. anschmiegen; **~erie** [-linri] *f* Schmeichelei

call|eux [kalø] *111* schwielig; **~osité** [kallozite] *f* Schwiele

calm|ant [kalmɑ̃] *m* 💲 Beruhigungsmittel; ~ [kalm] ruhig, still; *m* (Wind-)Stille, (innere) Ruhe; ~ *e de l'âme* Seelenfriede; *se dérouler dans le* ~*e (z.B. Wahl)* ruhig verlaufen ♦ *c'est le* ~*e plat* das Geschäft geht flau; **~er** [-me] beruhigen; *(Schmerz)* lindern; *(Wind)* abflauen; *la douleur s'est* ~*ée* d. Schmerz hat nachgelassen

calomn|iateur [kalɔmnjatœːr] *122* verleumderisch; *m* Verleumder; **~ie** [-ni] *f* Verleumdung; **~ier** [-nje] verleumden

calori|cité [kalɔrisite] *f* 💲 Körperwärme; **~e** [kalɔri] *f* Kalorie; **~fère** [-fɛːr] *m* Heizanlage, Zentralheizung; ~*fère à air chaud* Warmluftheizung; ~*fère à eau chaude* Warmwasserheizung; **~fique** [-fik]: *conduction* ~*fique* Wärmeleitung; *rayonnement* ~*fique (phys)* Wärmestrahlung; **~fuge** [-fyːʒ] wärmeisolierend; *m* Wärmeschutz, Wärmeisolierung; **~fugé** [-fyʒe] wärmeisoliert; **~métrie** [-metri] *f* Wärmemessung

calot [kalo] *m mil* Feldmütze, Schiffchen; **~in** [-lotɛ̃] *m pej* Pfaffenfreund; **~te** [-lɔt] *f* Scheitelkäppchen, Kalotte; *math* Kugelkalotte; *iron* Klerikalismus; ~*te glaciaire* Eiskappe; *recevoir une* ~*te (umg)* eine Backpfeife bekommen; *moteur à* ~*te incandescente* Glühkopfmotor; **~ter** [-lɔte] *umg* ohrfeigen

calqu|e [kalk] *m* Nachzeichnung; Pause; *papier ~e* Transparentzeichenpapier; **~er** [-ke] 6 nachzeichnen, (durch)pausen

calumet [kalymε] *m:* ~ *de la paix* Friedenspfeife

calvados [kalvadǫs] *m* Calvados *(Apfelschnaps)*

Calvaire [kalvε:r] *m rel* Schädelstätte; Kalvarienberg; ⌐ *fig* qualvoller Weg

calvin|isme [kalvinjsm] *m* Calvinismus; **~iste** [-nist] calvinistisch; *m* Calvinist

calvitie [kalvisj] *f* Kahlheit

camarad|e [kamaṛad] *m, f* Kamerad(in); *être bon* ~ kameradschaftlich sein; **~erie** [-dṛi] *f* Kameradschaft

camard [kamạ:r] *108* stumpfnasig; ⌐ **e** [-maṛd] *f umg* Sensenmann

cambiste [kãbjst] *m* Wechselmakler

cambouis [kãbwj] *m* Wagenschmiere

cambr|age [kãbra:ʒ] *m* Verformung; Biegung; *~é* [kãbṛe] geschwungen; **~er** [-bṛe] krümmen; verformen; *se ~er* sich in d. Brust werfen

cambriol|age [kãbriɔla:ʒ] *m* Einbruch(sdiebstahl); **~er** [-le] einbrechen *(qch in etw.);* **~eur** [-lœ:r] *m* Einbrecher

cambrousse [kãbṛus] *f pop* d. platte Land

cambrure [kãbry:r] *f (bes* 🏛 *)* Krümmung, Schweifung

cambuse [kãby:z] *f* ⚓ Kombüse; *pop* Bruchbude

came[1] [kam] *f* ✿ Nocke; *arbre à ~s* ✿ Nockenwelle

came[2] [kam] *f pop (Ware)* Dreckzeug; Koks *(Kokain)*

camé [kame] *m* Rauschgiftsüchtiger

camée [kame] *m* Gemme

caméléon [kameleɔ̃] *m* Chamäleon

camélia [kamelja] *m* Kamelie

camelot [kamlǫ] *m* Jahrmarkts-(Straßen-)Händler *(billiger Jakob);* Zeitungsverkäufer; ~ *du roi* aktiver Royalist; **~e** [kamlɔt] *f* Schund(ware)

camembert [kamãbε:r] *m* Camembert(käse)

caméra [kameṛa] *f* (Film-) Kamera, Fotoapparat; **-man** [-man] *m* Kameramann

camér|ier [kameṛje] *m* päpstlicher Kämmerer; **~iste** [-ṛjst] *f* Kammerfrau; Zimmermädchen, *iron* Dienstspritze

camion [kamjɔ̃] *m* Last(kraft)wagen, LKW; **~-citerne** [-mjɔ̃sitε:rn] *m* 97 Tankwagen; **~nage** [-mjɔnạ:ʒ] *m* Rollfuhr, Güterbeförderung; Rollgeld; **~nette** [-mjɔnεt] *f* Lieferwagen; Schnelltransporter; **~neur** [-mjɔnœ:r] *m* LKW-Fahrer

camisole [kamizǫl] *f* Unterjacke; ~ *de force* Zwangsjacke

camomille [kamɔmjj] *f* Kamille

camoufl|age [kamufla:ʒ] *m* Verbergen; *mil* Tarnung; **~age des faits** Verschleierung d. Tatsachen; **~er** [-fle] verdecken; verschleiern; *mil* tarnen; **~er les lumières** verdunkeln; **~et** [flε] *m umg* Nasenstüber

camp [kã] *m mil* Lager; ~ *de concentration* Internierungs-(Konzentrations-)Lager; KZ; ~ *d'entraînement* Trainingslager; *aide de* ~ Adjutant ♦ *ficher le ~(pop)* d. Weite suchen, verschwinden; **~agnard** [-paṇa:r] *108* bäuerisch; *mpl* Landbewohner; **~agnarde** [-paṇard] *f* Bäuerin

campagne [kãpaṇ] *f* (flaches) Land; Feldzug; Betriebszeit; ~ *électorale* Wahlkampf; ~ *publicitaire* Werbefeldzug; *à la* ~ auf dem (das) Land; *dans la* ~ auf dem flachen Land; *en* ~ *(mil)* im Feld stehend; *battre la* ~ d. Gegend durchstreifen; *umg* schwafeln

campagnol [kãpaṇɔl] *m* Feldmaus

campan|ile [kãpanjl] *m* Glockentürmchen; frei stehender Glockenturm; **~ule** [-nyl] *f* Glockenblume

camp|ement [kãpmã] *m (mil, Zigeuner usw.)* Lager; Abstellen im Freien; **~er** [kãpe] lagern, kampieren, zelten; **~eur** [kãpœ:r] *m* Camper, Zelt(sport)ler

camphre [kãfr] *m* Kampfer

camping [kãpiŋ] *m* Camping, Zelten; ~ *caravaning* Caravaning; Leben im Wohnwagen; *faire du* ~ zelten; *matériel de* ~ Campingausrüstung; *tente de* ~ Campingzelt

campus [kãpys] *m* Universitätsgelände

camus [kamy] *108* stumpfnasig; *nez* ~ Stupsnase

Canad|a [kanada]: *le* ~ Kanada; **~ien** [-djε̃] *m* Kanadier; ⌐ **ien** *118* kanadisch; ⌐ **ienne** [-djεn] *f* Kanu; pelzgefütterte Jacke

canaill|e [kanɑjj] pöbelhaft; *f* Pöbel; Schurke; **~erie** [-najri] *f* Schurkerei

canal [kanal] *m* 90 Kanal; Röhre; Leitung; Fahrwasser; ~ *biliaire* Gallengang; *par le ~(de)* durch Vermittlung (von); *canaux martiens* Marskanäle; **~isation** [-lizasjɔ̃] *f* Kanalisierung; Leitung; Leitungsnetz; **~iser** [-lize] kanalisieren; *(vorhandenen Bestrebungen)* e-e Zielrichtung geben

canapé [kanape] *m* Sofa; *sur* ~ auf Brotschnitten *od.* Toast; **~-lit** [-li] *m* 97 Schlafcouch

canard [kanạ:r] *m* Ente(rich); *umg* Zeitungsente; *umg* Käseblatt; ~ *boîteux com* Unternehmen in schlechten geschäftlichen Verhältnissen; **~er** [-narde] *umg* aus d. Hinterhalt beschießen; ♪ falsch singen *od* spielen

canari [kanaṛi] *m* Kanarienvogel

canasson [kanasɔ̃] *m pop* Schindmähre, alter Gaul

cancan|s [kãkã] *mpl* Klatsch(erei); **~ier** [-kanje] *116* klatschsüchtig

cancer [kãsε:r] *m* ♋ Krebs; *fig* Übel, Gefahr; *tropique du* ⌐ *(astr)* Wendekreis d. Krebses

cancé|reux [kãseṛø] *111* krebsartig; Krebs...; **~rogène** [-rɔʒεn] *adj* krebserregend, krebserzeugend; **~rologie** [-rɔlɔʒi] *f* Krebsforschung

cancre [kãkr] *m zool* Krabbe; *(Schule)* Faulpelz; Pfennigfuchser; **~lat** [kãkrəla] *m* Kakerlak, Küchenschabe

candélabre [kãdelɑbr] *m* Kandelaber, Armleuchter

candeur [kãdœ:r] *f* Arglosigkeit

candi [kãdj]: *sucre* ~ Kandiszucker; *fruits ~s* kandierte Früchte

candid|at [kãdida] *m* Kandidat, Bewerber (*à* für); **~ature** [-daty:r] *f* Kandidatur, Bewerbung; *dossier de ~ature* Bewerbungsunterlagen; *faire* *acte de* ~*ature, poser sa* ~*ature à* kandidieren, s. bewerben für; ~**e** [kãdjd] arglos

can|e [kan] *f* (weibliche) Ente; ~**er** [kanę] *pop* bange sein, kneifen; ~**eton** [kantɔ̃] *m* Entchen

canevas [kanvą] *m 105* Stramin; *fig* Entwurf

caniche [kaniʃ] *m* Pudel

canicule [kanikyl] *f* Hundstage

canif [kaniʃ] *m* kleines Taschenmesser ♦ *donner un coup de* ~ *dans le contrat* (*umg*) e-n Vertrag brechen

canin [kanɛ̃] *109* hundeartig, Hunde...; *faim* ~*e* Heißhunger; ~**e** [-nin] *f* Eckzahn

caniveau [kanivǫ] *m 91* ✿, ⚡ Leitungskanal; Kanal; Rinnstein

cann|e [kan] *f* (Schilf-)Rohr; Spazierstock; ~*e à sucre* Zuckerrohr; ~*e à pêche* Angelrute; ~**é**[kanę]: *chaise* ~*ée* Rohrstuhl; ~**eler** [kanlę] *4* ✿ auskehlen, riefen; rillen; ~**elle** [-nęl] *f* Zimt; (Faß-)Hahn; ~**elure** [-lyr] *f* Nut *f;* Rille; Kaliber

cannibale [kanibąl] *m* Kannibale, Menschenfresser

canon[1] [kanɔ̃] *m* Kanone; (Gewehr-)Lauf; (Pumpen-)Stiefel; ~ *d'assaut* Sturmgeschütz; ~ *isolant* Isolierbuchse; ~ *à tir rapide* Schnellfeuergeschütz; ~ *de D.C.A.* Flakgeschütz

canon[2] [kanɔ̃] *m* ♪ Kanon; *droit* ~ Kirchenrecht; ~**ial** [-nɔnjąl] *124* kanonisch; ~**icat** [-nɔniką] *m* Domherrenpfründe; ~**ique** [-nɔnik] kanonisch; ~**isation** [-nɔnizasjɔ̃] *f* Heiligsprechung; ~**iser** [-nɔnizę] heiligsprechen

canonn|ade [kanɔnąd] *f* Geschützdonner; ~**ier** [-nję] *m* Kanonier, Artillerist; ~**ière** [-njɛːr] *f* Kanonenboot

canot [kanǫ] *m* Boot, ⚓, Jolle; ~ *à fond plat* Flachboot; ~ *de course* Rennboot; ~ *de sauvetage* Rettungsboot; ~ *pneumatique* Schlauchboot; ~ *pliant* Faltboot; ~**age** [-notąːʒ] *m* Kahnfahren; *faire du* ~*age* Kahn fahren; ~**ier** [-notję] *m* (*Hut*) Canotier

cantatrice [kãtatrįs] *f* (Opern-)Sängerin

cantin|e [kãtįn] *f* Kantine; *mil* Koffer; ~**ier** [-tinję] *m* Kantinenwirt

cantique [kãtįk] *m* Kirchenlied, Gesang

canton [kãtɔ̃] *m* Bezirk; Kanton; 🚩 Blocksektion; ~**ade** [-tɔnąd] *f* 🎭 Kulissenraum; *parler à la* ~*ade* 🎭 in die Kulissen sprechen; *fig* in d. Luft reden; ~**nement** [-tɔnmą̃] *m mil* Quartier, Ortsunterkunft; *en* ~*nement* (*mil*) in Ruhestellung; ~**ner** [-tɔnę] *vt mil* Quartier zuweisen; *vi* Quartier beziehen; *se* ~*ner dans une prudente réserve* s. hinter e-r vorsichtigen Zurückhaltung verschanzen; ~**nier** [-tɔnję] *m* Straßenwärter, -arbeiter

canular [kanyląːr] *m* (Studenten-)Streich, Ulk

canule [kanyl] *f* ✚ Kanüle

caoutchou|c [kautʃu] *m* Kautschuk; Gummi (~*c mousse* Schaum-); Regenmantel; ~**ter** [-ʃutę] (*Stoffe*) gummieren

cap [kap] *m* Kap, Vorgebirge; *changer de* ~ (*a. fig. pol.*) die Richtung ändern; *doubler un* ~ e. K. umfahren; *fig* e-e Zahl überschreiten; *franchir le* ~ e-e Schwierigkeit bewältigen, e.

**Hinternis nehmen; *mettre le* ~ *sur* ansteuern, Kurs nehmen auf

capable [kapąbl] fähig (*de zu*)

capacité [kapasitę] *f* Rauminhalt; Fassungsvermögen; Fähigkeit; Kapazität; ~ *de paiement* Zahlungsfähigkeit; ~ *juridique* Rechtsf.; ~ *de contracter,* = ~ *d'exercice* Geschäftsf.; ~ *de jouissance* Rechtsf.; ~ *de transport* 🚩 Tragfähigkeit; *grande* ~ *de montée* 🚗 Bergfreudigkeit; ~ *propre* ⚡ Eigenkapazität; ~ *utile* Nutzraum; ~ *visuelle* Sehleistung; ~ *auditive* Hörvermögen; *une* ~ e-e anerkannte Größe (Kapazität)

cape [kap] *f* Umhang; *rire sous* ~ verstohlen lachen

capillaire [kapilɛːr] kapillar; Haar...; *phys* Kapillar...; *lotion* ~ Haarwasser

capitaine [kapitɛn] *m* Hauptmann; Anführer; Kapitän; ~ (*d'équipe*) 🚩 Spielführer

capital [kapitąl] **1.** *124* hauptsächlich; Haupt...; *peine* ~*e* Todesstrafe; *péchés capitaux* Hauptsünden; **2.** *m 90* Kapital; ~ *social* Grundk.; ~ *initial* Anfangsk.; ~ *de roulement* Betriebsk.; ~ *technique* Produktionsvermögen; *grand* ~ Großk.; ~**e** [-tąl] *f* (Landes-)Hauptstadt; ~**es** *fpl* Versalien *mpl,* Großbuchstaben; ~**isation** [-izasjɔ̃] *f* Kapitaldeckungsverfahren; Börsenbewertung (d. Firmenwertes); ~**isme** [-talįsm] *m* Kapitalismus.; ~**iste** [-talįst] kapitalistisch; *m* Kapitalist

capiteux [kapitø] *111* (*Wein*) zu Kopf steigend; berauschend; *fig* hinreißend

capitonner [kapitɔnę] (aus)polstern

capitul|ation [kapitylasjɔ̃] *f* Kapitulation, Übergabe; ~**er** [-lę] kapitulieren, s. ergeben

capon [kapɔ̃] *118* feige; *m* Hasenfuß

caporal [kapɔrąl] *m 90* Gefreiter; ~**isme** [-jsm] *m* Drill

capot [kapǫ] *inv: elle est restée* ~ sie war sprachlos; sie hat (im Spiel) k-n Stich bekommen; *m* 🚗 Motorhaube; ~**age** [-potąːʒ] *m* 🚩, ✚ Überschlagen; ~**e** [pɔt] *f* Soldatenmantel; (abnehmbares) Verdeck; ~**er** [-tę] 🚗, ✚ s. überschlagen; ⚓ kentern; *fig* mißlingen, e-n Mißerfolg haben

câpre [kɑpr] *f* Kaper

capric|e [kaprįs] *m* Laune; Wandelbarkeit; Liebelei; ~**ieux** [-sjø] *111* launenhaft

capricorne [kaprikɔrn] *m zool* Holzbock; *tropique du* ♑ Wendekreis d. Steinbocks

capsul|e [kapsyl] *f* (*a.* Flaschen-)Kapsel; ~*e spatiale* Raum(fahrt)kapsel; ~*e surrénale* 🔹 Nebenniere; ~**er** [-sylę] verkapseln

capt|age [kaptąːʒ] *m* Fassen (e-r Quelle); ~**ation** [-tasjɔ̃] *f:* ~*ation d'héritage* Erbschleicherei; ~**er** [-tę] (*Quelle*) fassen; (*Funksignale*) auffangen; (*Elektronen*) einfangen; (*Gunst u. dgl.*) ~ *en* Meßfühler; ~**eur** [-œːr] *m* Meßfühler; ~ *solaire* Sonnenkollektor; ~**ieux** [kapsjø] *111* verfänglich; ~**if** [-tiʃ] *112* gefangen; *m* Gefangener; *ballon* ~*if* Fesselballon; ~**ivant** [-tivą] *108* fesselnd; ~**iver** [-tivę] *fig* fesseln; ~**ivité** [-tivitę] *f* Gefangenschaft; ~**ure** [-tyːr] *f* Fang; Einfangen; ~**urer** [-tyrę] (ein)fangen

capu|chon [kapyʃɔ̃] *m* Kapuze; *(bei Flaschen)* Verschlußkappe; *(Füller)* Kappe; *~chon à vis* Schraubverschluß; **~cin** [-sɛ̃] *m* Kapuziner; **~cine** [-sịn] *f* Kapuzinerkresse

caque [kak] *f* Heringstonne; *serrés comme des harengs en ~* eng aufeinander wie Sardinen in d. Büchse

caquet [kakɛ] *m* Gackern; Geschwätz; *~s (mpl)* Klatsch ♦ *la vie lui a rabattu le ~* er hat s. im Leben d. Hörner abgestoßen; **~age** [kaktạːʒ] *m* Geschwätz; **~er** [kaktẹ] *10* gackern; schwätzen

car[1] [kar] denn

car[2] [kaːr] *m* Autobus, Reisebus; Omnibus; *~ de reportage* Übertragungswagen

carabe [karạb] *m:* *~ doré* Goldlaufkäfer

carabin [karabɛ̃] *m umg* Medizinstudent

carabin|e [karabịn] *f* Karabiner, Flinte; *~e à air comprimé* Luftbüchse; **~é** [-binẹ] *umg* gehörig, tüchtig; *un rhume ~é* e. ordentlicher Schnupfen

caracoler [karakɔlẹ] sein Pferd tummeln; Freudensprünge machen

caractère [karaktɛːr] *m* **1.** Buchstabe; Schrift; Type, Letter; *~s d'imprimerie* Druckschrift; *~s romains* Antiqua; *~s gras* Fettdruck; *~s bâtons* Blockschrift; **2.** Eigenschaft; Charakter; *~ distinctif* Merkmal; *~ obligatoire* Rechtsverbindlichkeit; *qui a mauvais ~* unzufrieden, mürrisch, knurrig; *~ inoffensif* Harmlosigkeit; *homme qui manque de ~* gesinnungsloser Mensch **3.** E.D.V. Zeichen, Symbol; *~ à ignorer* Leerzeichen

caractér|iel [karakterjɛl] *115* Charakter…; *m* § Verhaltensgestörter; **~iser** [-rizẹ] charakterisieren, kennzeichnen; *augmentation ~isée* ausgesprochene Zunahme; **~istique** [-ristịk] charakteristisch, bezeichnend *(de* für*)*; *f* Kennzeichen; *pl* technische Daten; Kenngröße; **~ologie** [-rɔlɔʒị] *f* Charakterkunde

caraf|e [karạf] *f* Karaffe; *vin en ~e* offener (Tafel-)Wein ♦ *rester en ~e (fig)* liegenbleiben, vergessen werden

carambol|age [karɑ̃bɔlạːʒ] *m (Billard)* Karambolage; ♠ *umg* Zus.stoß; **~e** [-lẹ] *(Billard)* karambolieren; *se ~er (umg)* zus.stoßen

carambouillage [karɑ̃bujạːʒ] *m* betrügerischer Weiterverkauf nicht bezahlter Waren

caramel [karamɛl] *m* Karamel(le)

carapace [karapạs] *f zool* Schild (e-r *Schildkröte usw.)*

carapater [karapatẹ]: *se ~ (umg)* s. aus d. Staube machen

carat [karạ] *m* Karat; *or à dix-huit ~s* achtzehnkarätiges Gold

caravan|e [karavạn] *f* **1.** Karawane; *~e de touristes* Touristengruppe; **2.** Camping-, Wohnwagenanhänger; **~ier** [-vanjẹ] *m* Karawanenführer; Person d. im Wohnwagen lebt, Anhänger des Caravaning; **~ing** [-iŋ] *m* Caravaning, Leben im Wohnwagen; **~sérail** [-vāserạj] *m* Karawanserei

carb|onate [karbɔnạt] *m* Karbonat; *~onate de sodium* Natriumkarbonat; *~onate de soude* kohlensaures Natron; *~onate d'ammoniaque*

Hirschhornsalz; **~one** [-bɔn] *m* Kohlenstoff; *papier ~one* Kohlepapier; **~onifère** [-bɔnifɛːr] kohlenhaltig; **~onique** [-bɔnịk] kohlensauer; *acide ~onique* Kohlensäure; **~oniser** [-bɔnizẹ] verkohlen; **~urant** [-byrɑ̃] *m* Treibstoff; Kraftstoff; Brennstoff; *~urant antidétonant* klopffester Kraftstoff; **~urateur** [-byratœːr] *m* ♠ Vergaser; **~ure** [-byːr] *m* Kohlenstoffverbindung; *~ure (de calcium)* Karbid; *~ure d'hydrogène* Kohlenwasserstoff

carcan [karkɑ̃] *m* Halseisen; *pop* Klepper, Schindmähre

carcasse [karkạs] *f* Gerippe; ♣ Gehäuse; Gestell; *(Geflügel)* Rumpf

carcéral [karserạl] *adj* gefängnishaft, gefängnisähnlich; *régime ~* Haftbedingungen

carcinogène [karsinɔʒɛn] *adj* kanzerogen, krebserzeugend

carcinome [karsinɔm] *m* Karzinom *n,* bösartige Krebsgeschwulst, Krebs

cardan [kardɑ̃]: *arbre à ~* ♣ Kardanwelle

carder [kardẹ] *(Wolle)* kardätschen, krempeln

cardiaque [kardjạk] Herz…; *m* Herzstärkungsmittel; Herzkranker

cardinal [kardinạl] **1.** *124.* hauptsächlich, Haupt…; *nombre ~* Grundzahl; *les 4 points cardinaux* d. 4 Himmelsrichtungen; **2.** *m 90* Kardinal; **~at** [-la] *m* Kardinalswürde; **~ice** [-lịs] Kardinals…

cardi|ologue [kardjɔlɔg] *m* Herzspezialist; **~te** [-dịt] *f* Herzmuskelentzündung

carême [karɛm] *m* Fastenzeit; *observer le ~* Fasten halten ♦ *arriver comme marée en ~* wie gerufen kommen; **~prenant** [-prənɑ̃] *m 97* Faschingstage

carence [karɑ̃s] *f* **1.** § Mangelzustand; *~ alimentaire* Unterernährung; *maladie par ~* Mangelkrankheit; **2.** Versagen; **3.** ♌ vertragswidrige Unterlassung; Nichtvorhandensein pfändbarer Gegenstände; **4.** *délai de ~* Karenz-, Wartezeit

carène [karɛn] *f* ⚓ Kiel

caréné [karenẹ] stromlinienförmig

caress|e [karɛs] *f* Liebkosung; Streicheln; *pl* Schmeichelworte; **~er** [-rɛsẹ] liebkosen; streicheln; *~er un espoir* e-e Hoffnung hegen

car-ferry [karferị] *m (pl: ~ies)* Auto- u. Bahnfähre, Autofährschiff

carg|aison [kargɛzɔ̃] *f* ⚓ Ladung; Beladen; Fracht; *~aison lourde* Schwergutladung; *~aison en vrac* Bulkladung; **~o** [-gɔ] *m* Frachtschiff, Frachter; ✈ Transportflugzeug, Transporter; **~uer** [-gẹ] *6* ⚓ reffen

cariatide [karjatịd] *f* 🏛 Karyatide

caricat|ural [karikatyrạl] *124* karikaturenhaft, karikiert; **~ure** [-tyːr] *f* Karikatur; **~urer** [-tyrẹ] karikieren

cari|e [karị] *f:* *~e dentaire* Zahnkaries; **~er** [karjẹ]: *se ~er (Zahn)* hohl, schlecht werden; **~eux** [karjẹ] *111* § kariös

carillon [karijɔ̃] *m* Glockenspiel; **~ner** [-jɔnẹ] (ein)läuten; *umg* heftig schelten; ausposaunen; *fête ~née (rel)* hohes Fest

cariste [karịst] *m* Staplerfahrer

carlin [karlɛ̃] m Mops
carlingue [karlɛ̃g] f Flugzeugrumpf
carm|e [karm] m Karmeliter(mönch); ~e déchaussé Barfüßer; ~élite [-melit] f Karmeliterin
carmin [karmɛ̃] 109 karminrot; m Karmin
carn|age [karnaːʒ] m Gemetzel; ~assier [-nasje] m zool Fleischfresser; ~assière [-nasjɛːr] f zool Reißzahn; Jagdtasche; ~ation [-nasjɔ̃] f 🌑 Fleischfarbe; ~aval [-naval] m Karneval, Fastnacht; ~avalesque [-navalɛsk] fastnachtsmäßig; ~e [karn] f sehr schlechtes Fleisch; pop alter Gaul
carnet [karnɛ] m Notizbuch; Block; ~ de bord Fahrtenbuch; ~ de camping Campingausweis; ~ de chèques Scheckbuch; ~ de commandes Auftragsbestand; ~ d'échantillons Musterbuch
carnivore [karnivɔːr] zool fleischfressend; m Fleischfresser
carotide [karɔtid] f Kopfschlagader
carott|e [karɔt] f Karotte, Möhre; fig pol Vorteil, Privileg ♦ un poil de ~e (pop) Rotfuchs; ~er [-rɔte] qn (umg) j-m Geld abknöpfen; ~ier [-rɔtje] m pop Schwindler; Drückeberger
carpe[1] [karp] f Karpfen ♦ ne fais pas des yeux de ~ frite! (umg) schau doch nicht wie ein gestochenes Kalb!; muet comme une ~ stumm wie e. Fisch
carpe[2] [karp] m Handwurzelknochen, Carpus
carpeau [karpo] m 91 Setzkarpfen
carpette [karpɛt] f kleiner Teppich, Brücke
carquois [karkwa] m Köcher ♦ vider son ~ s-m Ärger (s-r Wut) freien Lauf lassen
carr|é [kare] 1. quadratisch; racine ~ée (math) Quadratwurzel; 2. m Quadrat; au ~é (math) im Quadrat; ⚓ Offiziersmesse; (Garten-)Beet; ~eau [karo] m 91 Viereck; Fliese; Fensterscheibe; (Stoffmuster u. im Kartenspiel) Karo ♦ se garder (od se tenir) à ~eau (umg) auf d. Hut sein; rester sur le ~eau auf d. Strecke bleiben; ~ée [-re] f pop Bude; ~efour [karfuːr] m Straßenkreuzung; fig Verbindungsstelle; Symposion, Tagung; ~elage [karlaːʒ] m Fliesenlegen; Fliesenpflaster; ~eler [karle] m-m Platten auslegen; ~elet [karlɛ] m Pack-(Sack-)Nadel; Würfellineal; ~eleur [karlœːr] m Fliesenleger; ~ément [karemɑ̃] ausgesprochen; geradeheraus; je te le dis ~ément ich sage es dir, wie ich es denke; ~er [-re] quadrieren; ~ière [karjɛːr] f 1. Steinbruch; ~ière d'ardoise Schieferbruch; 2. Laufbahn; embrasser une ~ière e-n Beruf ergreifen; la ⚔ ~ière d. diplomatische Laufbahn; officier de ~ière Berufsoffizier; donner ~ière à qch e-r Sache freien Lauf lassen; ~iériste [-jerist] m pej rücksichtsloser Karrieremacher
carross|able [karosabl] (Straße) befahrbar; ~e [-rɔs] m Kutsche, (Staats-)Karosse; ~erie [-rɔsri] f 🚗 Karosserie, Aufbau; (Maschine) Gehäuse, Verkleidung
carrousel [karuzɛl] m Karussell; fig schneller Wechsel der Amtsinhaber
carrure [karyːr] f Schulterbreite
cartable [kartabl] m Zeichenmappe; Schultasche

carte [kart] f Karte; Landkarte; Speisekarte; à la ~ fig je nach Geschmack; der Zielgruppe angepaßt; ~ blanche unbeschränkte Vollmacht; ~ de crédit Kreditkarte; ~ postale Postkarte; ~ postale illustrée Ansichtskarte; jeu de ~s Kartenspiel; tireuse de ~s Kartenlegerin; ~ d'identité Personalausweis; ~ d'électeur Wahlausweis; ~ de membre Mitgliedsausweis; ~ de service Dienstausweis; ~ de travail Arbeitserlaubnis; ~ de vœux Glückwunschkarte; ~ du jour Tageskarte; ~ du temps Wetterkarte; ~ d'état-major Generalstabskarte; ~ au dix-millième Karte im Maßstab 1:10000; ~ hebdomadaire 🚂 Wochenkarte; ~ grise Kraftfahrzeugschein; ~ marine Seekarte; ~ perforée Lochkarte ♦ brouiller les ~s Verwirrung stiften; donner ~ blanche à qn j-m freie Hand lassen; jouer ~s sur table mit offenen Karten spielen
cartel [kartɛl] m Duellforderung; Wanduhr; com Kartell; pol (Partei-)Bündnis; ~ sur les prix Preisabsprache
carte|-lettre [kartlɛtr] f 97 Briefkarte; ~-vue [-vy] f 97 Ansichtskarte
carter [kartɛːr] m 🌑 Trommel; ⚙ Kasten, Gehäuse; (Fahrrad) Kettenkasten; ~ à huile Ölwanne; ~ moteur Kurbelgehäuse
cartésien [kartezjɛ̃] adj cartesianisch, Descartes betreffend; esprit ~ logisch, klar, durchdacht (Gedanken, Philosophie usw.)
cartilag|e [kartilaːʒ] m Knorpel; ~ineux [-laʒinø] 111 knorpelig
cart|ographie [kartɔgrafi] f Kartographie; ~omancie [-tɔmɑ̃si] f Kartenlegen; ~on [-tɔ̃] m 1. Karton; Pappe; ~on bitumé Dachpappe; ~on ondulé Wellpappe; 2. Pappschachtel; ~onner [-tɔne] 🔲 kartonieren, mit Pappe überziehen; ~on-paille [-tɔpaːj] m Strohpappe
cartouch|e [kartuʃ] f Patrone; ~ de combustible Brennstoffstab; ~ filtrante Filtereinsatz; ~erie [kartuʃri] f Munitionsfabrik; ~ière [-tuʃjɛːr] f Patronentasche
cas [ka] m Fall; Kasus; ~ fortuit Zufall; ~ de force majeure höhere Gewalt; ~ limite Grenzfall; ~ de conscience Gewissensfrage; au ~ où für d. Fall, daß; selon le ~ je nachdem; en tout ~ auf j-n Fall; le ~ échéant gegebenenfalls; être dans le ~ de in d. Lage sein zu; faire grand ~ de großen Wert legen auf
casanier [kazanje] 116 häuslich; m Stubenhocker
casaque [kazak] f Kasack ♦ tourner ~ (fig) umschwenken
cascad|e [kaskad] f Kaskade, Wasserfall; en ~ aufeinanderfolgend; ~eur [kaskadœːr] m 121 🌑 Double; Stuntman
case [kaːz] f (Vordruck) Rubrik; (Neger-)Hütte; (Spielbrett) Feld; (Schrank-)Fach; diviser en ~s in Fächer einteilen
caséine [kazein] f Kasein
caser [kaze] unterbringen; fig unter d. Haube bringen
casern|e [kazɛrn] f Kaserne; ~ement [-zɛrnəmɑ̃] m Kasernierung; ~er [-zɛrne] kasernieren

cash-flow [kaʃflo] *m com* Cash-flow *m*, Kassenzufluß

casier [kazje] *m* Regal; Fach; Kartei; ~ *judiciaire* Strafregister

casino [kazino] *m* Spielbank; Kurhaus

caspien [kaspjɛ̃] *118* kaspisch; *la mer ↑ne* d. Kaspische Meer

casqu|e [kask] *m* **1.** Helm; ~*e d'acier* Stahlh.; ~*e colonial* Tropenh.; ~*e protecteur* Sturzh.; ~*e de coiffeur* Trockenhaube; **2.** Kopfhörer; ~*é* [-kɛ] mit d. Helm auf d. Kopf; ~**ette** [-kɛt] *f* (Schirm-)Mütze; *fig pol* Posten, Funktion

cass|able [kasabl] zerbrechlich; ~**ant** [-sã] *108* brüchig; spröde *(a. Redeton)*; ~**ation** [kasasjɔ̃] *f* ✿ Kassation, Revision; ~**e** [kas] *f* **1.** (Bruch-)Schaden; *il y a eu de la ~e* es ist allerhand zerbrochen; **2.** ▭ Setzkasten

cass|e-cou [kasku] *m 100* Draufgänger; ~**e-croûte** [-krut] *m 100* Imbiß; ~**e-noisettes**, ~**e-noix** [-nwazɛt, -nwa] *m 100* Nußknacker; ~**e-pieds** [-pjɛ] *m 100 umg* Quälgeist; ~**e-pierres** [-pjɛːr] *m 100 bot* Steinbrech; ~**er** [-sɛ] (zer-)brechen, zerschlagen; *fig* d. Widerstand brechen, neutralisieren; *com* in Unordnung bringen; desorganisieren; ~ *la baraque* alles kurz und klein schlagen; ~ *du bois* Kleinholz machen; ~ *er des pierres* Steine klopfen ♦ ~*er du sucre sur le dos de qn* j-n durch d. Kakao ziehen; *ça ne ~e rien (umg)* das ist nichts Besonderes; ~*er bras et jambes à qn (fig)* j-n völlig erledigen; *je ne me ~e pas (pop)* ich reiß' mir kein Bein aus

casserole [kasrɔl] *f* Kochtopf

casse-tête [kastɛt] *m 100* Keule, Totschläger; *fig (Arbeit)* harte Nuß

cassette [kasɛt] *f* Kästchen; Schatulle; ⊛ Kassette

casseur [kasœːr] *m pol* gewalttätiger Demonstrant; 🚗 Autoverschrotter; ~ *de prix* Preisbrecher; ~ *de pierres* Steinklopfer; ~ *d'assiettes* Radaubruder

cassis¹ [kasis] *m* schwarze Johannisbeere; Johannisbeerlikör

cassis² [kasi] *m (Straße)* Querrinne

cassonade [kasɔnad] *f* Rohzucker

cassoulet [kasulɛ] *m* Gericht aus weißen Bohnen u. Fleisch

cassure [kasyːr] *f* Bruchstelle; Sprung

caste [kast] *f* Kaste

castor [kastɔːr] *m* Biber

castr|at [kastra] *m* Kastrat; ~**ation** [-trasjɔ̃] *f* Kastrierung; ~**er** [-tre] kastrieren

casuel [kazɥɛl] *m* Nebeneinkünfte

casuistique [kazɥistik] *f rel* Kasuistik

cata|clysme [kataklism] *m* Katastrophe, Zusammenbruch; ~**combes** [-kɔ̃b] *fpl* Katakomben

catafalque [katafalk] *m* Katafalk

catalepsie [katalɛpsi] *f* Starrkrampf

catalogu|e [katalɔg] *m* Katalog; ~**er** [-lɔge] *6* katalogisieren

cata|lyse [kataliːz] *f chem* Auflösungsvermögen; ~**lyseur** [-lizœːr] *m (phys, chem)* Katalysator; ~**phote** [-fɔt] *m* 🚗 Rückstrahler, Katzenauge; ~**plasme** [-plasm] *m* ✚ Breiumschlag;

~**pultage** [-pyltaːʒ] *m* ✈ Katapultstart; ~**pulter** [-pylte] katapultieren; ~**racte** [-rakt] *f* Wasserfall; ✚ Star

catarrhe [kataːr] *m* Katarrh; ~ *vésical* Blasenkatarrh

catastrophe [katastrɔf] *f* Katastrophe, schweres Unglück; *en ~* Not...; Notfall...

catch| (as catch can) [katʃ(askatʃkan)] *m* Freistilringen; ~**eur** [-ʃœːr] *m* Catcher

caté|chiser [kateʃize] *qn* j-n in d. Religion unterweisen; ~**chisme** [-ʃism] *m* Katechismus; Religionsunterricht

catégor|ie [kategɔri] *f* Kategorie; Klasse; Vergütungsgruppe; Laufbahngruppe; ~*ie de véhicules* Fahrzeugkl.; ~*ie d'impôts* Steuergruppe; ~*iel* [-jɛl] e-e Lohngruppe betreffend; ~**ique** [-rik] kategorisch; entschieden

caténaire [katenɛːr] ⚙ kettenförmig; *f* ⚡ Fahrdraht, Oberleitung

cathédrale [katedral] *f* Dom; Münster; Kathedrale

cath|éter [katetɛːr] *m* ✚ Katheter, Harnsonde; ~**ode** [katɔd] *f phys* Kathode; ~ *à arc* Bogenkathode; ~**odique** [katɔdik]: *rayons ~odiques* Kathodenstrahlen

cathol|icisme [katɔlisism] *m* Katholizismus; ~**ique** [-lik] katholisch; *pas très ~ique (umg)* etw. verdächtig, nicht ganz astrein; **2.** *m* Katholik

catimini [katimini]: *en ~ (umg)* heimlich

catin [katɛ̃] *f umg* Dirne, Nutte

Caucas|e [kokaːz] *m* Kaukasus; ~**ien** [-kazjɛ̃] *m* Kaukasier; ↑ien *118* kaukasisch

cauchemar [koʃmaːr] *m* Alptraum; Angsttraum; Schreckgespenst; schrecklicher Gedanke

caudal [kodal] *124 zool* Schwanz...

caus|al [kozal] *124* kausal; ~**alité** [-zalite] *f* Kausalität; ~**ant** [-zã] *umg* gesprächig; ~**e** [koːz] *f* Ursache, Grund; *a.* ✿ Sache; ~ *de divorce* Scheidungsgrund; ~ *d'erreurs* Fehlerquelle; ~*e de décès* Todesursache; *en tout état de ~e* unter allen Umständen; *à ~e de* wegen; *à ~e d'elle* ihretwegen; *j'en suis ~e* ich bin daran schuld; *le problème en ~e* d. zur Diskussion stehende Problem; *pour ~e* wohlweislich; *et pour ~e* aus gutem Grund; *sans ~e* grundlos; *plaider une ~e* e-e Sache *(vor Gericht)* vertreten; *faire ~e commune* gemeinsame Sache machen; *être hors de ~e* völlig unbeteiligt sein; *rapport de ~e à effet* kausale Beziehung; ~**er** [-ze] verursachen; plaudern; ~**erie** [kozri] *f* Plauderei; zwangloser (wissenschaftl.) Vortrag; ~**ette** [-zɛt] *f* Plausch; *faire un brin de ~ette (umg)* ein wenig plaudern; ~**eur** [-zœːr] *121* gesprächig; ~**euse** [-zøːz] *f* Plaudertasche; Sofa für zwei Personen

caustique [kostik] ätzend, beißend; *fig* sarkastisch, spöttisch; *m* ✚ Ätzmittel

caut|èle [kotɛl] *f* Schlauheit, Verschlagenheit; ~**eleux** [kotlø] *111* verschlagen

caut|ère [kotɛːr] *m* ✚ Ätzmittel; ~**érisation** [-terizasjɔ̃] *f* ✚ Ausbrennen; ~**ériser** [-terize] ✚ ausbrennen

caution [kosjɔ̃] *f* Bürgschaft; Bürge; *se porter*

~ *de qn* für j-n bürgen; *sujet à* ~ *(Person u. Sache)* unzuverlässig, unsicher; **~nement** [-sjɔnmᾶ] *m* Bürgschaftsvertrag; Bürgschafts-, Kautionssumme, Sicherheitsleistung

caval|cade [kavalkạd] *f* Kavalkade; **~er** [-lẹ] *pop* d. Beine unter d. Arm (Reißaus) nehmen; **~erie** [-valrị] *f* Kavallerie; **~eur** [-lœːr] *m pop* Schürzenjäger; **~ier** [-ljẹ] **1.** *116* für Reiter; forsch; kavaliersmäßig; *piste ~ière* Reitweg; *air ~ier* schneidiges Aussehen; **2.** *m* Reiter; Kavalier; *(Schach)* Springer; *~ier pour fiches* Kartenreiter

cav|e [kaːv] *(Augen)* tiefliegend; *(Wangen)* eingefallen, hohl; *f* Keller; Weinkeller; *(bei manchen Spielen)* Einsatz; *~e abri* Luftschutzkeller; *sur ~e* unterkellert; **~eau** [kavọ] *m 91* kleiner Keller; *~eau de famille* Familiengruft; **~er** [kavẹ] (aus)höhlen; *(Spiel)* setzen; **~erne** [kavɛrn] *f* Höhle; *$* Kaverne; **~erneux** [kavɛrnọ] *111* höhlenreich; dumpf klingend; *voix ~erneuse* Grabesstimme; **~et** [kavẹ] *m* 血 Hohlleiste

caviar [kavjaːr] *m* Kaviar; **~dage** [-daːʒ] *m* Zensur; **~der** [-vjardẹ] *(Zensur)* streichen

caviste [kavịst] *m* Kellermeister

cavité [kavitẹ] *f* Höhlung; Hohlraum; ~ *thoracique* Brusthöhle; ~ *buccale* Mundhöhle

ce [sə] dies(e, -er, -es), das, es; ~ *matin* heute morgen; *c'est moi ci* bin es; *c'est drôle!* wie seltsam!; *qu'est-~ (que c'est)?* was ist das?, was ist los?; *sur* ~ daraufhin; **~ci** [səsị] dies hier

cécité [sesitẹ] *f* Blindheit; *elle est frappée de* ~ sie hat d. Augenlicht verloren; *fig* sie ist mit Blindheit geschlagen

céd|er [sedẹ] *13* nachgeben; nachlassen; abtreten; *~er le pas à qn* j-m d. Vortritt lassen; *je ne ~erai qu'à la force* ich weiche nur d. Gewalt; *ne le ~er en rien à qn* j-m nicht nachstehen

cèdre [sɛdr] *m* Zeder(nholz)

cédule [sedyl] *f:* ~ *hypothécaire* Pfandbrief

ceindre [sɛ̃dr] *87 vt* (um)gürten *(de* mit); umgeben *(de* mit); ~ *la couronne* d. Thron besteigen; ~ *la tiare* d. päpstl. Thron besteigen; **ceint|ure** [sɛ̃tyːr] *f* Gürtel; Einfassung; Umwallung; *(Rock, Hose)* Bund; *~ure de natation* Schwimmgürtel; *~ure de sauvetage* Schwimmweste; *~ure de sécurité* Sicherheitsgurt; *~ure de siège* Sitzgurt; *se mettre la ~ure (umg)* Kohldampf schieben; auf etw. verzichten müssen; **~urer** [-tyrẹ] gürten; **~uron** [-tyrɔ̃] *m mil* Koppel

cela [səlạ] das dort; dies; das; *c'est ~!* ganz richtig!, stimmt!; *il ne manquait plu que* ~ das fehlte gerade noch; *comment ~?* wieso?; *malgré* ~ trotzdem; *une pomme grosse comme* ~. e. Apfel von der Größe; *pour* ~ hierfür; dazu

célébr|ant [selebrᾶ] *m rel* Zelebrant; **~ation** [-brasjɔ̃] *f* Feier; **~er** [-brẹ] feiern; preisen; *(Messe)* zelebrieren; *(Trauung)* vornehmen; **~ité** [-britẹ] *f* Berühmtheit *(a. Person)*

célèbre [selɛbr] berühmt

celer [səlẹ] *8* verheimlichen

céleri [sɛlrị] *m* Sellerie

célérité [seleritẹ] *f* Schnelligkeit; ~ *du son* Schallgeschwindigkeit

céleste [selɛst] himmlisch; *bleu* ~ himmelblau; *corps* ~ *(astr)* Himmelskörper; ♣-**Empire** [-ᾶpiːr] *m* Reich d. Mitte *(d. alte China)*

célibat [selibạ] *m* Ehelosigkeit, Zölibat; **~aire** [-batẹːr] ledig; *m* Junggeselle; *(femme) ~aire* alleinstehende (unverheiratete) Frau, Single

celle [sɛl] *f:* ~ *qui* diejenige, welche; *die...*, die; **~-ci** diese, die da; **~-là** jene, die dort

cell|ier [seljẹ] *m* Kellerei *(zur Weinbereitung);* **~ophane** [-lɔfạn] *f* Glashaut, Cellophan; **~ulaire** [-lylɛr] Zell(en)...; *tissu ~ulaire* Zellgewebe; *voiture ~ulaire* Gefangenenwagen; **~ule** [-lyl] *f* Zelle; Einzelarrest; *~ule d'avion* Flugwerk; *~ule germinale, ~ule reproductrice* Geschlechtszelle; *~ule cancéreuse* Krebszelle; *~ule photo-électrique* Fotozelle; **~ulite** [selylịt] *f* Zellulitis, Zellgewebsentzündung; **~uloïde** [-lylọid] *m* Zelluloid; **~ulose** [lylọːz] *f* Zellulose, Zellstoff

celt|e [sɛlt] keltisch; ♣ *m* Kelte; **~ique** [-tịk] keltisch; *m* das Keltische

celui [səlụi]: ~ *qui* derjenige...; welcher; der, der; **~-ci** dieser, der da; **~-là** jener, der dort

cément [semᾶ] *m* ✿ Einsatzmittel, Härtemittel; Zahnschmelz; **~ation** [-mᾶtasjɔ̃] *f* ✿ (Oberflächen-)Härtung; **~er** [-mᾶtẹ] kleben; verbinden; kitten; *(Metalloberfläche)* härten

cénacle [senakl] *m rel* Abendmahlsaal; *lit* Kreis

cendr|e [sᾶdr] *f (häufig ~es fpl)* Asche; *~es folles* ✿ Flugasche; *~es radio-actives* radioaktiver Abfall; *réduire en ~es* in Schutt und Asche legen; **~é** [-drẹ] aschfarben; *blond ~é* aschblond; **~ée** [-drẹ] *f* 🏃 Aschenbahn; **~ier** [-drjẹ] *m* Aschenbecher; Aschkasten

Cendrillon [sᾶdrijɔ̃] *f* Aschenbrödel

Cène [sɛn] *f rel* (Einsetzung d. hl.) Abendmahl(s); ♣ *prot* Abendmahl

cens|é [sᾶsẹ] gehalten zu... ♦ *nul n'est ~é ignorer la loi* 𝓜 Unwissenheit schützt nicht vor Strafe; **~ément** [semᾶ] *adv* angeblich; **~eur** [-sœːr] *m* Kritiker; *(Schule)* Präfekt; **~ure** [-syːr] *f* pol Zensur; **~urer** [-syrẹ] *journ* zensieren; tadeln, rügen; *fig* geißeln

cent [sᾶ] hundert; *4 pour* ~ 4 % ♦ *je vous le donne en* ~ das erraten Sie nie; **~aine** [-tɛn] *f* das Hundert; *par ~aines* hundertweise; *une ~aine de...* etwa hundert...; **~enaire** [-tənẹːr] hundertjährig; *m, f* Hundertjährige(r); Hundertjahrfeier; **~ième** [-tjɛm] hundertste(r); *m* Hundertstel; **~igrade** [-tigrạd]: *(neue)* Winkelminute; Celsiusgrad; *25 degrés ~igrades* 25 Grad Celsius; **~ime** [-tjm] Centime (¹⁄₁₀₀ *Franc)*; **~imètre** [-timẹtr] *m* Zentimeter (-maß); ~ *imètre carré (cube)* Quadrat-(Kubik-)Zentimeter

centr|al [sᾶtrạl] *124* zentral; *m* Telefon-(Telegrafen-)Zentrale; **~al** *interurbain* Fernvermittlungsstelle; **~ale** [-trạl] *f* **1.** Zentrale; **~ale motrice** Kraftwerk; **~ale thermique** Wärmekraftwerk; **~ale hydraulique** *(od hydro-électrique)* Wasserkraftwerk; **~ale nucléaire, ~ale électronucléaire** Atomkraftwerk; **2.** Zuchthaus;

~alisateur [-tralizatœːr] *122* zentralisierend; **~alisation** [-tralizasjɔ̃] *f* Zentralisation; **~aliser** [-tralizẹ] zentralisieren; **~e** [sãtr] *m (a. math)* Mittelpunkt, Zentrum; ~*e d'accueil* Auffanglager; ~*e atomique* Atomkraftwerk; ~*e d'écoute* 📣 Abhörstation; ~*e commercial* Einkaufszentrum; ~*e de décision* Entscheidungsgremium; ~*e d'essais* Versuchsstation; ~*e de gravité* Schwerpunkt; ~*e industriel* Industriebezirk; ~*e d'intérêt* Interessengebiet; ~*e de rotation* Drehpunkt; ~*e de sports d'hiver* Wintersportplatz; ⇗ *e Ville* zur Stadtmitte *(Schild);* **~er** [-trẹ] zentrieren; **~ifuge** [-trifyːʒ] zentrifugal; **~ifugeur** [-trifyʒœːr] *m,* **~ifugeuse** [-trifyʒøːz] *f* Zentrifuge

centupl|e [sãtypl] hundertfach; **~er** [-typlẹ] verhundertfachen

cep [sɛp] *m* Weinstock

cépage [sepaːʒ] *m* Weinsteckling

cèpe [sɛp] *m* Steinpilz

cependant [s(ə)pãdã] **1.** unterdessen; währenddessen; **2.** doch; jedoch; dennoch; gleichwohl; ~ *que* wobei, während

céramique [seramịk] keramisch; *f* Keramik

cerceau [sɛrsọ] *m 91* (Faß-)Reifen

cercle [sɛrkl] *m* **1.** Kreis(linie); Kreisfläche; (Faß-)Reifen; ~ *polaire* Polarkreis; ~ *vicieux* Teufelskreis; *faire* ~ *autor de qn* e-n Kreis um j-n bilden; **2.** (Personen-)Kreis; (geschlossene) Gesellschaft; Spielklub; ~ *d'études* Arbeitsgemeinschaft

cercueil [sɛrkœj] *m* Sarg

céréales [sereal] *fpl* Getreide(sorten)

cérébral [serebral] *124* Gehirn...; *circonvolutions* ~*es* Gehirnwindungen; *troubles cérébraux* Geistesstörungen; *m* Geistesarbeiter, Kopfarbeiter

cérémoni|al [seremɔnjal] *m 90* Zeremoniell; **~e** [-nị] *f* Zeremonie ♦ *faire des* ~*es* Umstände machen; **~eux** [-njø] *111* zeremoniell

cerf [sɛːr] *m* Hirsch; *bois de* ~ Hirschgeweih; (~) *douze cors* Zwölfender; **~euil** [sɛrfœj] *m bot* Kerbel; **~-volant** [sɛrvɔlã] *m 97* Hirschkäfer; Drachen *(Spielzeug)*

ceris|e [sriːz] *inv* kirschrot; *m* Kirschrot; *f* Kirsche; *pop* Pech, Malheur; **~ier** [srizjẹ] *m* Kirschbaum

cern|e [sɛrn] *m* 🌳 Jahresring; Ring um d. Augen; **~ement** [-nəmã] *m mil* Umklammerung; **~er** [-nẹ] ringförmig einschneiden; *mil* einschließen, umklammern; *(Nüsse)* auskernen

cert|ain [sɛrtɛ̃] *109* gewiß, sicher; *un ~ain intérêt* e. gewisses Interesse; *un intérêt ~ain* ein ganz besonderes Interesse; *une* ~*e idée de...* e-e bestimmte Vorstellung von...; ~*aines gens* gewisse Leute; **~ainement** [-tɛnmã] *adv* gewiß; allerdings; **~es** [sɛrt] *adv* gewiß; jawohl; zwar; **~ificat** [-tifikạ] *m* Zeugnis; Attest; *délivrer un* ~*ificat à qn* j-m e. Zeugnis ausstellen; ~*ificat de bonnes vie et mœurs* Leumundszeugnis; ~*ificat d'études* Volksschul-Abgangszeugnis; ~*ificat de navigabilité* Flugtüchtigkeitszeugnis; ~*ificat de sécurité* Sicherheitsbescheinigung; **~ifier** [-tifjẹ] bescheinigen, beglaubigen; ~*ifier conforme à*

Übereinstimmung bestätigen mit; *copie* ~*ifiée conforme* beglaubigte Abschrift; **~itude** [-tityd] *f* Gewißheit

cérumen [serymɛn] *m* Ohrenschmalz

céruse [seryːz] *f* Bleiweiß

cerv|eau [sɛrvọ] *m 91* (menschl.) Gehirn; *fig* Leiter, Anstifter, Drahtzieher; Hintermänner; ~*eau brûlé* Tollkopf; ~ *électronique* elektronische Datenverarbeitungszentrale; *rhume de* ~*eau* Schnupfen; **~elas** [-vɔlạ] *m* Zervelatwurst; **~elet** [sɛrvəlɛ̃] *m* Kleinhirn; **~elle** [sɛrvɛl] *f* Hirn(substanz); *(Speise)* Hirn ♦ *se brûler la* ~*elle* s. erschießen; *se creuser la* ~*elle* s. d. Kopf zerbrechen; *tête sans* ~*elle* Hohlkopf, Strohkopf

ces [se] diese *(pl von* ce)

césarienne [sezarjɛn] *f* 🏥 Kaiserschnitt

cessant [sɛsã]: *toutes affaires* ~*es (adv)* unverzüglich

cess|ation [sɛsasjɔ̃] *f* Aufhören, Einstellung; ~*ation de paiements* Zahlungseinstellung; ~*ation de travail* Arbeitseinstellung; **~e** [sɛs] *f: sans* ~*e* unaufhörlich; **~er** [sɛsẹ] aufhören, einstellen; **~ez-le-feu** [sɛselfø] *m mil* Feuereinstellung, Waffenstillstand

cession [sɛsjɔ̃] *f* Abtretung, Überlassung

c'est-à-dire [sɛtadịːr] das heißt

cétacés [setasẹ] *mpl zool* Wale

cétoine [setwạn] *f:* ~ *dorée* Rosenkäfer

cette [sɛt]: *f von* ce und cet

ceux [sø] *pl von* celui

chablis [ʃablị] *m* 🌲 Windbruch

chacal [ʃakạl] *m* Schakal

chacun [ʃakœ̃] *109* jeder(mann); *à* ~ *le sien* jedem das Seine; *c'est l'affaire de* ~ das ist Privatsache

chagrin [ʃagrɛ̃] **1.** *109* griesgrämig; *un esprit* ~ verdrossener Mensch, Schwarzseher; *m* Kummer; **2.** Chagrinleder; **~er** [-grinẹ] betrüben

chahut [ʃay] *m umg* Krach, Radau; **~er** [-ytẹ] in Unordnung bringen; Krach machen; ~*er un professeur (umg)* im Unterricht lärmen, d. Lehrer hinaustrommeln; **~eur** [-ytœːr] *m* Krakeeler

chaîn|e [ʃɛn] *f* Kette; Band; (Fernseh-)Programm, (Fernseh-)Sender; 🔊 (Stereo-)Anlage; *deuxième* ~*e* Zweites Fernsehen; *réaction en* ~*e* Kettenreaktion; ~*e antidérapante* Gleitschutzkette; ~ *d'arpenteur* Meßkette; ~*e de commande* Regeleinrichtung; ~*e de fabrication* Fließband; ~*e de fermeture* Schließkette; ~*e roulante* laufendes Band; ~*e sans fin* geschlossene Kette; *travail à la* ~*e* Fließbandarbeit; ~*e de montagnes* Gebirgskette; **~ette** [-nɛt] *f* Kettchen; *point de* ~*ette* Kettenstich; **~on** [-nɔ̃] *m* Kettenglied

chair [ʃɛːr] *f* Fleisch *(Mensch, Tier, Frucht); en* ~ *et* ~*os* in Fleisch u. Blut, leibhaftig; ~ *de poule* Gänsehaut; ~ *à canon* Kanonenfutter; *le péché de la* ~ fleischl. Sünde ♦ *ni* ~ *ni poisson* weder kalt noch warm, weder Fisch noch Fleisch

chaire [ʃɛːr] *f* Kanzel; Katheder; *(Univ.)* Lehrstuhl; ~ *apostolique* d. Hl. Stuhl

chais|e [ʃɛːz] f Stuhl; ~e longue Liege(stuhl); ~e percée Nachtstuhl; ~e pivotante Drehstuhl; ~e à porteurs Sänfte; ~e de poste Postkutsche; se trouver entre deux ~es sich zwischen zwei Stühle setzen; ~ier [ʃezje] m Stuhlmacher; ~ière [ʃɛzjɛːr] f Stuhlvermieterin

chaland [ʃalɑ̃] m Leichter, Prahm, Lastkahn

châle [ʃɑːl] m Schal, Umschlagtuch

chalet [ʃalɛ] m Sennhütte; Landhaus (im Schweizer Stil)

chaleur [ʃalœːr] f Wärme, Hitze; zool Brunst; fig Eifer; ~ radiante Strahlungswärme; époque des grandes ~s Hochsommer; ~eux [-lœrø] 111 fig warm; warmherzig; (Beifall) begeistert

challenge [ʃalɑ̃ʒ] m ⚔ Wettkampf, Wanderpokal; ~r [ʃalɑ̃ʒœːr] m Herausforderer (a. fig/pol)

chaloupe [ʃalup] f Schaluppe; ~-pilote [-pilɔt] f 98 Lotsenboot

chalumeau [ʃalymo] m Schalmei; chem Lötrohr; ~ (à souder) ⚙ Schweißbrenner

chalutier [ʃalytje] m Schleppnetzfahrzeug, Trawler

chamade [ʃamad]: battre la ~ (Herz) wild schlagen, heftig klopfen

chamailler [ʃamaje]: se ~ sich zanken, streiten; ~ie [-majri] f pop Streiterei, Zänkerei, Krach

chamarrer [ʃamare] herausputzen u. schmücken

chambard [ʃɑ̃baːr] m umg Durcheinander; Spektakel; ~ement [-bardəmɑ̃] m Durcheinander, Umsturz; ~er [-bardə] umg: tout ~er alles umkehren, ausmisten

chambellan [ʃɑ̃bɛllɑ̃] m Kammerherr

chambranle [ʃɑ̃brɑ̃l] m (Tür-, Fenster-)Rahmen; Einfassung; Umkleidung

chambr|e [ʃɑ̃br] f Zimmer, Kammer, Stube; ▥ Kamera; en ~e de conseil in nichtöffentlicher Sitzung; ~e à coucher Schlafzimmer; ~e d'amis Gastzimmer; ~e d'angle Eckzimmer; ~e de combustion ⚙ Verbrennungsraum; robe de ~e Morgenrock; pot de ~e Nachttopf; valet de ~e Kammerdiener; femme de ~e Zimmermädchen; musique de ~e Kammermusik; ~e automatique Roboterkamera; ~e froide Kühlraum; ~e noire Kamera; ~e obscure Dunkelkammer; ~e des machines Maschinenraum; ~e à air Luftschlauch; ~e d'agriculture Landwirtschaftskammer; ~e de commerce Industrie- u. Handelskammer; ~-abri [-abri] Fluchtort; ~-cuisine [-kɥizin] f Wohnküche; ~ée [-bre] f mil Mannschaftsstube; ~er [-bre] (Wein) temperieren

cham|eau [ʃamo] m 91 Kamel; umg Luder; ~elier [-məlje] m Kameltreiber; ~elle [-mɛl] f Kamelstute

chamois [ʃamwa] gelbbraun, chamois; m Gemse; Gamsleder; peau de ~ Fensterleder; ~erie [-mwazri] f Sämischgerberei; Sämischleder

champ [ʃɑ̃] m Feld; Acker; fig Gebiet; ▥ Sehfeld; ~ en friche Brachfeld; ~ de neige Ferner; ~ de foire Jahrmarktsplatz, Festwiese; ~ d'activité Wirkungskreis; ~ magnétique terrestre Magnetfeld d. Erde; ~ visuel Gesichtsfeld, Sehfeld, Blickfeld; à travers ~s querfeldein ♦ à tout bout de ~ jeden Augenblick, bei j-r Gelegenheit, für nichts u. wieder nichts; laisser le ~ libre à qn j-m freie Hand lassen; prendre la clé des ~s Reißaus nehmen, davonlaufen; sur-le-~ auf d. Stelle, sofort; ~agne [-paɲ] m Champagner, Schaumwein; ~être [-pɛtr] ländlich; ~ignon [-piɲɔ̃] m Pilz; Schwamm; ~ignon comestible, vénéneux eßbarer, giftiger Pilz; ~ignon (umg) 🚇 Gashebel; ~ignon (de rail) 🚆 Schienenkopf; ~ignonnière [-piɲɔnjɛːr] f Pilzbeet; ~ignonniste [-piɲɔnjst] m Pilzzüchter

champion [ʃɑ̃pjɔ̃] m⚔ Meister; Verfechter; As, Spitzenkönner ♦ c'est ~! (pop) prima!; ~nat [-pjɔna] m ⚔ Meisterschaft(skampf); ~nat d'Europe Kampf um d. Europameisterschaft; ~ne [-pjɔn] f⚔ Meisterin

chançard [ʃɑ̃saːr] m umg Glückspilz

chance [ʃɑ̃s] f Glück(sfall); Zufall; avoir de la ~ Glück haben; avoir des ~s Aussichten (auf Erfolg) haben; il a plus de ~ que moi er hat es besser als ich; par ~ glücklicherweise; il y a neuf ~s sur dix man kann 10 gegen 1 wetten; bonne ~! viel Glück!, Glück auf!; par un coup de ~ durch e-n Glücksfall; pas de ~! (umg) Pech gehabt!, dann eben nicht!

chanceler [ʃɑ̃sle] 4 schwanken

chancel|ier [ʃɑ̃səlje] m Kanzler; ~ier de l'échiquier Schatzkanzler (in Engl.); ~lerie [-sɛlri] f Staatskanzlei

chanceux [ʃɑ̃sø] 111 riskant; vom Glück begünstigt; homme ~ (umg) Glückspilz; c'est ~ das ist von zweifelhaftem Erfolg

chancr|e [ʃɑ̃kr] m Schanker, Geschwür (bei Geschlechtskrankheiten); ↓ Brand (an Bäumen usw.); fig Geißel; Krebsgeschwür

chandail [ʃɑ̃daj] m Wollpullover

Chandeleur [ʃɑ̃dlœːr] f: la ~ Mariä Lichtmeß

chandel|ier [ʃɑ̃dəlje] m Leuchter; ⚓ Stütze; ~le [-dɛl] f Kerze (mst für feierl. Anlässe) ♦ brûler la ~le par les deux bouts Raubbau treiben mit s-r Gesundheit; sein Vermögen z. Fenster hinauswerfen; en voir trente-six ~les (umg) Sterne sehen; faire une ~le Steilschuß, Kerze (bes Fußball, Tennis); tenir la ~le Kuppeldienste leisten; devoir une fière ~le à qn j-m zu Dank verpflichtet sein; le jeu n'en vaut pas la ~le! das lohnt s. ja nicht!; monter en ~le ✈ senkrecht aufsteigen

chanfrein [ʃɑ̃frɛ̃] m⚙ Schrägkante; ~er [-frɛne] ⚙ abschrägen, abkanten

chang|e [ʃɑ̃ʒ] m 1. (Geld-)Wechsel; agent de ~ Börsenmakler; bureau de ~e Wechselstube; contrôle des ~s Devisenkontrolle; cours des ~s Wechselkurs; marché des ~s Devisenmarkt; lettre de ~e Wechsel; 2. (Jagd) falsche Spur ♦ donner le ~ à qn j-n hinters Licht führen; ~eant [-ʒɑ̃] 108 (Person) launisch; (Stoff) schillernd; ~ement [-ʒmɑ̃] m (Ver-)Änderung, Wechsel; ~ement de vitesse 🚗 Gangschaltung; ~ement d'adresse Anschriftsänderung; ~ement d'itinéraire Reisewegsänderung; ~ement de train Umsteigen; ~ement de temps Witterungsumschlag; ~ement de camp 🔁 Platzwechsel; ~er [-ʒe] 14 wechseln; (aus-, ein-, um-)tauschen; (ver)ändern; ~er de manteau e-n anderen Mantel anziehen; ~er le manteau d. Mantel (um)ändern; il n'a pas ~é er ist noch derselbe (der alte); cela nous ~e un peu... das bringt uns etw. Abwechslung...; il devrait ~er d'air er braucht e-e Luftveränderung; je vais me ~er ich will mich umziehen; ~e de disque! (umg) du kannst e-e andere Platte auflegen!; ♦ ~ son fusil d'épaule t. Taktik ändern; ~eur [-ʒœːr] m Geldwechsler

chanoin|e [ʃanwan] m Domherr, Stiftsherr; ~esse [-nwanɛs] f Stiftsfrau

chanson [ʃãsɔ̃] f Chanson n; ~ populaire Volkslied; ~ à la mode Schlager; ~s que tout cela! (umg) ist alles nicht wahr!; voilà une autre ~! das hört s. schon anders an!; ~ner [-sɔne] durch Spottlieder verhöhnen; ~nette [-sɔnɛt] f Liedchen; ~nier [-sɔnje] m Chansonnier, Chansonsänger; Liederdichter; Liedersammlung (mit Troubadourliedern)

chant [ʃã] m Gesang; ~ grégorien, plain ~ gregorianischer Choral; ~ national Nationalhymne; ~ du coq Krähen d. Hahns; ~ du rossignol Schlagen d. Nachtigall; ~age [-taːʒ] m Erpressung; ~er [-te] singen, besingen; (Hahn) krähen; (Nachtigall) schlagen; (Lerche) trillern; ~er faux falsch singen; ~er victoire (laut) triumphieren; faire ~er qn j-n erpressen; ~er pouilles à qn j-n beschimpfen ♦ cela ne me ~e guère es gefällt mir gar nicht; ~erelle [-tərɛl] f (Geige) e-Saite; bot Pfifferling ♦ appuyer sur la ~erelle (pop) immer wieder auf e-n wunden Punkt zurückkommen, nicht lockerlassen; ~eur [-tœːr] m Sänger; ~euse [-tøːz] f Sängerin

chantier [ʃãtje] m Baustelle; Arbeitsplatz; (Gestell) Faßlager; ~ de construction Bauplatz; ~ maritime = ~ naval Werft; avoir qch sur le ~ an etw. arbeiten

chantilly [ʃãtiji] crème ~ gezuckerte Schlagsahne

chantonner [ʃãtɔne] leise vor s. hin singen, summen

chantourner [ʃãturne] ✿ auskehlen; scie à ~ Laubsäge

chantre [ʃãtr] m rel Vorsänger; lit Sänger (= Dichter)

chanvre [ʃãvr] m Hanf

cha|os [kao] m 106 Chaos; ~otique [kaɔtik] chaotisch

chapard|er [ʃaparde] umg klauen, stibitzen; ~eur [-dœːr] m Langfinger

chap|e [ʃap] f rel Chorrock; ✿ Kappe; (Flaschenzug) (Rollen-)Gehäuse; ~eau [-po] m 91 Hut; ✿ Deckel; mettre son ~eau d. Hut aufsetzen; donner un coup de ~eau d. Hut ziehen; ôter son ~eau den Hut abnehmen; fig porter le ~eau als d. Schuldige betrachtet werden, d. Sündenbock ♦ ~eau! (Respekt!) Hut ab!; ~eau chinois Schellenbaum; ~eau de roue Radkappe; démarrer sur les ~eaux de roues e. Kavalierstart; ~eautage [-otaːʒ] m pol/com Kontrolle, Überwachung; ~elain [ʃaplɛ̃] m

Kaplan; ~elet [ʃaplɛ] m rel Rosenkranz; ✿ Paternosterwerk ♦ défiler son ~elet s. alles vom Herzen reden; un ~elet d'injures e-e Flut von Beleidigungen; ~elier [-pəlje] m Hutmacher

chapelle [ʃapɛl] f Kapelle; ~rie [-pɛlri] f Hutfabrik; Hutgeschäft

chapelure [ʃaplyːr] f Paniermehl

chaperon [ʃaprɔ̃] m zool Kopfschild; 🏛 Mauerkappe; Anstandsdame; le petit ⚹ rouge Rotkäppchen; ~ner [-prɔne] als Anstandsdame begleiten

chapi|teau [ʃapito] 91 🏛 Kapitell; ~tre [-pitr] m Kapitel; Domkapitel ♦ avoir voix au ~tre ein Wort mitzureden haben; ~trer [-tre] qn j-m d. Leviten lesen; j-n abkanzeln

chapon [ʃapɔ̃] m Kapaun

chaque [ʃak] jeder, jede, jedes; à ~ instant jeden Augenblick

char [ʃaːr] m: ~ à bancs Kremser; ~ à bœufs Ochsenkarren; ~ de bataille = ~ d'assaut = ~ de combat (mil) Panzer; ~ funèbre Leichenwagen

charabia [ʃarabja] m Kauderwelsch

charade [ʃarad] f Silbenrätsel; fig Rätsel

charançon [ʃarãsɔ̃] m Rüsselkäfer

charbon [ʃarbɔ̃] m 1. (Stein-)Kohle(n); ~ actif Aktivkohle; ~ de bois Holzkohle; ~ à coke Kokskohle; ~ d'extraction Förderkohle; ~ vierge (Bergbau) anstehende Kohle ♦ aller au ~ eine schwierige u. unpopuläre Aufgabe übernehmen; être sur des ~s ardents (umg) auf heißen K. sitzen; 2. zool Räude; Getreidebrand; 🜊 Anthrax, Milzbrand; ~nage [-bɔnaːʒ] m Kohlengrube; ~ner [-bɔne] verkohlen; schwärzen; ~nier [-bɔnje] 116 Kohlen...; m Kohlenhändler; Kohlefrachter; ~nière [-bɔnjɛːr] f Kohlmeise

charcut|er [ʃarkyte] (Fleisch) ungeschickt schneiden; metzgern; schlecht operieren; ~erie [-kytri] f (Schweine-)Metzgerei; (Wurst) Aufschnitt; ~ier [-tje] m (Schweine-)Metzger; fig umg Metzger (schlechter Operateur)

chardon [ʃardɔ̃] m Distel; ~neret [-dɔnrɛ] m Distelfink

charg|e [ʃarʒ] f 1. Last, Belastung; Kraft; Beanspruchung; ~e utile Nutzlast; ~e autorisée zulässige Höchstbelastung; ~e sur l'essieu Achsdruck; ~e extrême Bruchlast; le port est à la ~e du client d. Porto geht zu Lasten d. Empfängers; ~es sociales Soziallasten; à ~e de unter d. Bedingung, daß; à ~e de revanche! ich werde mich dafür revanchieren!; avoir ~e d'âmes seelsorgerische Pflichten haben; ~es de famille e-e Familie zu unterhalten haben; 2. (a. ⚡) Ladung; ~e du noyau (phys) Kernladung; 3. Charge, Beschickungsmenge (e-s Hochofens); Ausstattung e-s Kernreaktors mit Brennstoffelementen; Füllung, Füllstoff (e-s Kunststoffes); 4. Karikatur; pousser à la ~e übertreiben; 5. mil Sturmangriff; 🏒 Bodycheck; revenir à la ~e d. Angriff erneuern; von etw. nicht ablassen, etw. nochmals versuchen; 6. Amt; Würde; Rang; occuper une ~e ein Amt bekleiden; 7. 🧷 Anklagepunkt; il n'y a pas de ~es contre lui es liegt nichts gegen ihn vor; *témoin à ~e* Belastungszeuge; **~é** [-ʒɛ]: *~é d'affaires* Geschäftsträger; *~é de cours* Lehrbeauftragter; **~ement** [-ʒmɑ̃] *m* Verladung; Beladung; Belastung; Zufuhr; Fracht, Ladung, Ladegut; *Laden (e-r Kamera mit Film);* **~er** [-ʒe] *14* beladen, belasten *(a.* 🜨*)*; beschweren; beauftragen *(de* mit); *(Waffe)* durchladen; *(Akku, Kamera)* laden; *langue ~ée* belegte Zunge; *~é de nuages* bewölkt; *je m'en ~e* ich übernehme es; *lettre ~ée* Wertbrief; **~eur** [-ʒœ:r] *m (Foto)* Kassette; *(Waffe)* Magazin; 🜨 Ladegerät; 🜨 Verlader, Ablader

chariot [ʃarjo] *m* Rollwagen; Ackerwagen; ✿ Laufkatze; *(z. B. Schreibmaschine)* Schlitten, Wagen; *~ automoteur* Elektrokarren; *~ élévateur* Gabelstapler

charism|atique [karismatik] *adj* charismatisch; *~e* [karism(ə)] *m* Charisma *n,* Ausstrahlung (skraft)

charit|able [ʃaritabl] barmherzig; *institution ~able* Wohltätigkeitseinrichtung; **~é** [-te] *f* Barmherzigkeit; Nächstenliebe; *faire la ~é à qn* j-m Almosen geben; *demander la ~é* um e-e milde Gabe bitten

charivari [ʃarivari] *m* Katzenmusik; Höllenlärm

charlatan [ʃarlatɑ̃] *m* Scharlatan; Marktschreier; *(Arzt)* Kurpfuscher

Charlemagne [ʃarləmaɲ] *m* Karl d. Große ♦ *faire ~ (nach gewonnenem Spiel)* k-e Revanche geben

charm|ant [ʃarmɑ̃] *108* reizend; bezaubernd; *prince ~ant* Märchenprinz; **~¹** [ʃarm] *m* Zauber, Reiz; Anmut; einnehmendes Wesen; *rompre le ~e* d. Zauber brechen, e-e Illusion zerstören

charme² [ʃarm] *m* Weißbuche ♦ *se porter comme un ~* gesund sein wie e. Fisch im Wasser

charm|er [ʃarme] bezaubern; sehr erfreuen; *je suis ~é de vous voir* ich freue mich, Sie zu sehen; **~eur** [-mœ:r] *m* Zauberer; Verführer; *~eur de serpents* Schlangenbeschwörer

charmille [ʃarmij] *f* Buchenallee; Laubengang

charn|el [ʃarnɛl] *115* fleischlich; sinnlich; *acte ~el* Geschlechtsakt; **~ier** [-nje] *m* Beinhaus; Leichenhaufen

charnière [ʃarnjɛ:r] *f* Scharnier; Gelenk; *fig* Verbindung; *âge ~* kritisches Alter; *année ~* (Jahr als) Wendepunkt; *groupe ~* Zünglein an d. Waage

charnu [ʃarny] fleischig

charogne [ʃarɔɲ] *f* Aas *(a. Schimpfwort)*

charpent|e [ʃarpɑ̃t] *f* Zimmerwerk; Baugerüst; Tragwerk; Gebälk; Stahlgerippe; Aufbau, Struktur *(e-s geistigen Werkes); bois de ~* Bauholz; *~e métallique* Stahlgerüst; Eisenkonstruktion; *~e osseuse* Knochengerüst; **~erie** [-pɑ̃tri] *f* Zimmerhandwerk; Zimmerarbeit; **~ier** [-pɑ̃tje] *m* Zimmermann; *fête des ~iers* Richtfest

charpie [ʃarpi] Flusen *fpl,* Flocken *fpl; Verbandstoff; mettre en ~* zerfetzen

charr|etée [ʃarte] *f* Fuhre; **~etier** [-tje] *m (a. astr)* Fuhrmann; **~ette** [-rɛt] *f* zweirädriger

Karren; *~ette à bras* Handkarren; *~ette à ridelles* Leiterwagen; **~ier** [-rje] *vt* (mit dem Wagen) befördern; *(Fluß)* mit s. führen; *la rivière ~ie* d. Fluß führt Eis; *pop il ne faut pas ~!* man soll nicht übertreiben; mich könnt ihr nicht auf den Arm nehmen; **~oi** [-wa] *m* Fuhre; **~on** [-rɔ̃] *m* Wagner, Stellmacher; **~ue** [-ry] *f* Pflug; *~ue automobile* Motorpflug ♦ *vous mettez la ~ue devant les bœufs!* Sie zäumen d. Pferd vom Schwanz auf!

charte [ʃart] *f* Statuten; *la grande ⚓ Magna Charta;* **~-partie** [-parti] *f* 97 🜨 Frachtvertrag

charter [ʃartɛr] *m* ✈ Chartermaschine; Charterung

chartr|euse [ʃartrø:z] *f* Kartäuserkloster; Kartäuserlikör; **~eux** [-trø] *m* 105 Kartäuser(mönch)

chas [ʃa] *m* Nadelöhr

chasse [ʃas] *f* Jagd(revier); *permis de ~* Jagdschein; *~ sans permis* Wilderei; *~ giboyeuse* wildreiches Revier; *~ au lièvre* Hasenjagd; *~ aux sorcières pol* Hexenjagd; *~ à la baleine* Walfang; *donner la ~ à l'ennemi* Feind verfolgen; *~ au client* Kundenfang; *~ d'eau* Klosettspülung

châsse [ʃɑ:s] *f* Reliquienschrein; *(z. B. Brillenglas)* Einfassung

chassé-croisé [ʃasekrwaze] *m* 97 Stellenaustausch; (ergebnisloses) Hin u. Her

chass|e-mouches [ʃasmuʃ] *m* 100 Fliegennetz; **~e-neige** [-nɛːʒ] *m* 100 Schneepflug; **~er** [ʃase] (ver)jagen; 🚗 schleudern, *(Rad)* durchdrehen; ✿ *(Gas)* ausstoßen; *~er le renard auf Fuchsjagd gehen; le navire ~e sur ses ancres* d. Schiff treibt vor Anker; **~eur** [-sœːr] *123* jagend; Jagd...; *m (a. mil)* Jäger; Hotelboy; *~eur à réaction* Düsenjäger; *~eur bombardier* Jagdbomber; *~ de mines* Minensuchboot

chassieux [ʃasjø] *111: aux yeux ~* triefäugig

châssis [ʃasi] *m (Fenster usw.)* Rahmen; Einfassung; *(Fahrzeug)* Chassis, Gestell; *(Koffer)* Einsatz; *Mistbeetfenster;* 📷 Kassette; *~ à tabatière* Dachfenster; *~ tournant* Drehfenster

chaste [ʃast] keusch; **~té** [-təte] *f* Keuschheit

chasuble [ʃazybl] *f rel* Meßgewand

chat [ʃa] *m* Katze; *~ sauvage* Wildkatze ♦ *acheter ~ en poche* d. Katze im Sack kaufen; *~ échaudé craint l'eau froide* gebranntes Kind scheut d. Feuer; *la nuit tous les ~s sont gris* bei Nacht sind alle Katzen grau; *quand le ~ n'est pas là, les souris dansent* wenn die K. aus dem Haus ist, tanzen die Mäuse; *avoir un ~ dans la gorge* heiser sein; *pas un ~ dans la rue* k-e Menschenseele auf d. Straße; *avoir d'autres ~s à fouetter* andere Sorgen im Kopfe haben

châtai|gne [ʃatɛɲ] *f* Eßkastanie, Marone; *pop* Fausthieb; **~gnier** [-tɛɲe] *m* Kastanienbaum; **~n** [-tɛ̃] *109 (Haar)* kastanienbraun

château [ʃato] *m* 91 Schloß; *~ de cartes (a. fig)* Kartenhaus; *~ de combustibles nucléaires irradiés* Brennstabcontainer; *~ d'eau* Wasserturm; *~ fort* Burg; *vie de ~* Herrenleben ♦ *bâtir des ~x en Espagne* Luftschlösser bauen

chateaubriand [ʃatobriɑ̃] *m* Art Filetsteak

châtelain [ʃatlɛ̃] *m* Schloßherr, Burgherr; **~e** [-lɛn] *f* Schloßherrin

chat-huant [ʃayɑ̃] *m* 97 Waldkauz

châti|er [ʃatje] züchtigen, strafen; *style ~é* geschliffener Stil; **~ment** [ʃatimɑ̃] *m* Züchtigung, Strafe

chatière [ʃatjɛːr] *f* Katzenloch *(in d. Tür)*

chatoiement [ʃatwamɑ̃] *m* Schillern

chaton[1] [ʃatɔ̃] *m (a. bot)* Kätzchen

chaton[2] [ʃatɔ̃] *m* Fassung e-s Edelsteins

chatouill|ement [ʃatujmɑ̃] *m* Kitzel(n); **~er** [ʃatuje] kitzeln; **~eux** [ʃatujø] *111 (a. fig)* kitzlig

chatoy|ant [ʃatwajɑ̃] *108* schillernd; **~er** [-je] *5* schillern

châtrer [ʃatrɛ] kastrieren, verschneiden; *(Ranken)* ausschneiden; *fig* verstümmeln

chatt|e [ʃat] *f* (weibl.) Katze; **~erie** [ʃatri] *f* liebevolles Streicheln; Süßigkeit

chaud [ʃo] **1.** *108* warm; heiß *(a. fig pol); zool* läufig; *manger ~* warm essen; *tenir ~* warm halten; *j'ai ~* mir ist warm; *un dossier ~* e. heißes Eisen; *point ~ du globe* ges. gefährdete, kritische Zone (d. Erde); *pleurer à ~es larmes* heiße Tränen vergießen; **2.** *m* Wärme; Hitze; **~-froid** [ʃofrwa] *m 97* Geflügel *(od Wild)* in Aspik *od* Mayonnaise; **~ière** [ʃodjɛːr] *f* (Dampf-) Kessel; **~ron** [-drɔ̃] *m* (Koch-) Kessel; *umg (Klavier)* Klimperkasten; **~ronnerie** [drɔnri] *f* Kesselschmiede; **~ronnier** [-drɔnje] *m* Kesselschmied; Kupferschmied

chauff|age [ʃofaːʒ] *m* Heizung; Erwärmung; Erhitzen; Feuerung; *bois de ~age* Brennholz; *appareil de ~age* Heizgerät; **~age central** Zentralheizung; **~age au fuel, à l'huile, au mazout** Ölfeuerung; **~ard** [-faːr] *m* rücksichtsloser Fahrer; **~e** [ʃoːf] *f* Feuerung; Beheizung; Heizraum; *surface de ~e* Heizfläche; **~e-bain** [ʃofbɛ̃] *m 99* Badeofen; **~e-eau** [ʃofo] *m 100* Warmwasserbereiter, Boiler; **~e-lit** [ʃofli] *m 99* Wärmflasche; **~e-plats** [ʃofpla] *m 100* Tellerwärmer; **~er** [-fe] wärmen; erhitzen; (ein-)heizen; ✿ heißlaufen; *en à blanc* zur Weißglut bringen *(a. fig); l'eau ~e* d. Wasser ist aufgesetzt ♦ *ça va ~er (umg)* es wird ernst; **~erette** [ʃofrɛt] *f* Fuß-, Schüsselwärmer; **~erie** [-fri] *f* ✿ Kesselhaus; **~eur** [-fœːr] *m* Heizer; Chauffeur, Fahrer; *~eur expérimenté* sicherer Fahrer; **~oir** [-fwaːr] *m* Wärmestube

chaul|age [ʃolaːʒ] *m (Räume)* Tünchen, Weißen; *(Acker)* Kalkdüngung; **~er** [-le] mit Kalk düngen; tünchen

chaum|e [ʃom] *m* Stoppel(feld); Dachstroh; **~ière** [ʃomjɛːr] *f* (Stroh-)Hütte

chausse [ʃos] *f* Filtrierbeutel

chaussée [ʃose] *f* Landstraße, Chaussee; Fahrbahn; *~ déformée* schlechte Wegstrecke; *~ glissante* Schleudergefahr; *~ rétrécie* verengte Fahrbahn

chausse-pied [ʃospje] *m 99* Schuhlöffel, Schuhanzieher

chausser [ʃose] *(Schuhe)* anziehen; *umg (Brille)* aufsetzen; *ce soulier chausse bien* dieser Schuh sitzt gut

chausse-trape [ʃostrap] *f 99* Fuchseisen;

Fußangel; ~ette [-sɛt] *f* Socke; *~ette russe* Fußlappen; **~on** [-sɔ̃] *m* Übersöckchen; *(Gebäck)* Apfeltasche, Strudel; **~ure** [-syːr] *f* Schuhwerk, Schuh; *~ure de patinage* Schlittschuhstiefel ♦ *trouver ~ure à son pied* das Gewünschte finden, genau das Passende finden

chauve [ʃoːv] *(a. Berg)* kahl; **~-souris** [ʃovsuri] *f 97* Fledermaus

chauvin [ʃovɛ̃] *109* chauvinistisch; *m* Chauvinist; **~isme** [ʃovinism] *m* Chauvinismus, Hurrapatriotismus

chaux [ʃo] *f* Kalk; *pierre à ~* Kalkstein; *~ cuite* Branntkalk; *~ éteinte* Löschkalk; *~ azotée* Kalkstickstoff(dünger); *eau de ~* Kalkwasser; *lait de ~* Kalkmilch; *~ caustique* Ätzkalk; *~ vive* ungelöschter Kalk, Ätzkalk

chavirer [ʃavire] ✿ kentern; *(Fahrzeug)* (um-)kippen; *(Meinung)* umschlagen; *fig* scheitern

chéchia [ʃeʃja] *f* Fez

check|-list [(t)ʃɛklist] *f* Kontrolliste; **~up** [-œp] *m* medizinische Voruntersuchung; *fig* umfangreiche Untersuchung

chef [ʃɛf] *m* Leiter; Führer; Vorstand; (Haupt-)Punkt; *d'accusation* Anklagepunkt; *~ de bureau* Bürovorstand; *(Verwaltung)* Referent; *~ de corps* Kommandeur; *~ de cuisine* Küchenchef; *~ d'entreprise* Unternehmer; *~ de famille* Familienoberhaupt; *~ de gare* Bahnhofsvorsteher; *~ d'orchestre* Dirigent; *~ de parti* Parteiführer; *~ du personnel* Personalchef; *~ de publicité* Werbeleiter; *~ de train* Zugführer; *~ de travaux* Werkmeister; *général en ~* kommandierender General; *faire qch de son propre ~* etw. auf eigene Faust machen; **~-d'œuvre** [ʃedœːvr] *m 98* Meisterwerk; **~-lieu** [ʃefljø] *m 97, 91* Hauptstadt e-s Departements *od* Arrondissements

cheik [ʃɛk] *m* Scheich

chemin [ʃəmɛ̃] *m* Weg; *~ pour piétons* Fußweg, Gehweg; *~ vicinal* Gemeindeweg; *~ de ronde* Rundgang; *~ de fer* Eisenbahn; *~ de freinage* Bremsweg; *~ de roulement* Laufschiene; *~ de croix (rel)* Kreuzweg; *se tromper de ~* d. falschen Weg einschlagen; *~ faisant* unterwegs; *à mi-~* auf halbem Wege; *faire son ~ (fig)* vorankommen; *dans le droit ~ (fig)* auf d. rechten Wege; **~eau** [ʃəmino] *m 91* Landstreicher; **~ée** [ʃəmine] *f* Kamin, Schornstein; Schlot; *~ée d'aération* Luftschacht; *~ée volcanique* Kraterschlot; **~er** [ʃəmine] s. vorwärtsbewegen, dahingehen; *(Idee)* s. verbreiten; **~ot** [ʃəmino] *m* Eisenbahner

chemis|e [ʃəmiz] *f* **1.** Hemd; *~e culotte* Overall; *~e de nuit* Nachthemd; *en bras de ~e* in Hemdsärmeln; *~e d'eau* ✿ Wassermantel; **2.** Mappe; Aktendeckel; *~e-classeur* Schnellhefter; *~e de disques* Schallplattentasche; **~erie** [ʃəmizri] *f* Wäschegeschäft; **~ette** [ʃəmizɛt] *f* (Herren-)Lidohemd; **~ier** [ʃəmizje] *m* Hemdenfabrikant; Hemdbluse

chenal [ʃənal] *m 90* ✿ Fahrrinne, Fahrwasser; Kanal; *~ de coulée* ✿ Abstichrinne

chenapan [ʃənapɑ̃] *m* Wegelagerer; Spitzbube, Halunke

chêne [ʃɛn] *m* Eiche; *de ~* eichen; *~ vert* Steineiche; *être fort comme un ~* vor Kraft strotzen

chéneau [ʃeno] *m 91* Dachrinne

chêne-liège [ʃɛnljɛ:ʒ] *m 97* Korkeiche

chen|et [ʃənɛ] *m* Feuerbock *(am Kaminfeuer)*; **~il** [ʃəni] *m* Hundehütte; *fig* elendes Loch *(Wohnung)*; **~ille** [ʃənij] *f zool* Raupe; *~ niveleuse* Planierraupe; *véhicule à ~illes* (od *autochenille*) Raupenfahrzeug; **~illette** [ʃənijɛt] *f* kleines Raupenfahrzeug

chenu [ʃəny] *lit* grauhaarig; eisgrau

cheptel [ʃɛptɛl] *m* Viehbestand

chèque [ʃɛk] *m* Scheck; *carte ~* Scheckkarte; *~postal* Postsch.; *~ payable au comptant* Barsch.; *~ barré* Verrechnungssch.; *~ de virement* Überweisungssch.; *~ de voyage* Reisesch.; *carnet de ~s* Scheckbuch

cher [ʃɛ:r] *116* lieb; teuer *(a. Preis)*; *c'est trop ~*, *cela coûte trop ~* das ist (kommt) zu teuer, kostet zuviel; *faire bonne ~* das wird er mir büßen; *vendre chèrement sa vie* sein Leben teuer verkaufen

cherch|er [ʃɛrʃe] suchen; *je ~e à vous être utile* ich bemühe mich, Ihnen nützlich zu sein ♦ *~er midi à quatorze heures* Schwierigkeiten sehen, wo k-e sind; *en ~ant, on trouve* wer sucht, findet; *que viens-tu ~er ici?* was suchst du hier eigentlich?; *aller ~er* holen; *va ~er le médecin!* hol d. Arzt!; *envoyer ~er qn* nach j-m schicken; **~eur** [-ʃœ:r] *m* Forscher; Suchgerät; Abtaster; *~eur opérationnel* Planungsforscher; *~eur d'or* Goldsucher; *~eur de trésors* Schatzgräber

chère [ʃɛ:r] *f*: *aimer la bonne ~* gern gut essen u. trinken; *faire bonne ~* e-n guten Tisch führen

chér|i [ʃeri] lieb; *m* Liebling; **~ie** [-ri] *f* Liebling; **~ir** [-ri:r] *22* innig lieben; *(Hoffnung)* hegen

cherrer [ʃɛre] *pop* übertreiben

cherté [ʃɛrte] *f* Teuerkeit; *~ de la vie* hohe Lebenshaltungskosten

chérubin [ʃerybɛ̃] *m* kleine Engelsfigur, Putte; *c'est un ~!* e. goldiges (kleines) Kind!

chéti|f [ʃetif] *112* armselig; dürftig; schmächtig; *mine ~ve* kränkl. Aussehen

cheval [ʃəval] *m 90* Pferd; Pferdestärke; *~ blanc* Schimmel; *~ noir* Rappe; *~ alezan* Fuchs; *~ de bataille* *(fig)* Steckenpferd; *(~)* *pur sang* Vollblutpferd; *~ de course* Rennpferd; *~ de frise (mil)* spanischer Reiter; *~ de retour* rückfälliger Verbrecher; *~ de selle* Reitpferd; *faire du ~* = aller (od *monter*) *à ~* reiten; *être à ~ (sur)* rittlings auf etw. sitzen; *fig* herumreiten auf; zwei Gebiete *(a. wissenschaftl.)* betreffen; *être à ~ sur une frontière* auf beiden Seiten e-r Grenze liegen; *monter sur ses grands chevaux* s. aufs hohe Pferd setzen; *il est très à ~ sur les principes* er ist e. Prinzipienreiter; **~ement** [-mɑ̃] *m* Abstützung, Verstrebung; **~eresque** [ʃəvalrɛsk] ritterlich; **~erie** [ʃəvalri] *f* Rittertum; **~et** [ʃəvalɛ] *m* Staffelei; *(Saiteninstrument)* Steg; *~et à dossier* Aktenbock; **~ier** [ʃəvalje] *m* Ritter; *~ier de la Légion d'honneur* R. d. Ehrenlegion; *~ier d'industrie* Hochstapler; **~ière** [ʃəvalje:r] *f* Siegelring; **~in** [ʃəvalɛ̃] *109* Pferde...; *boucherie ~ine* Pferdemetzgerei; **~-vapeur** [-vapœ:r] *m 98* ✿ Pferdestärke

chevauch|ée [ʃəvoʃe] *f* Ritt; **~ement** [-ʃmɑ̃] *m* Überlappung; Überlagerung; **~er** [ʃəvoʃe] reiten, rittlings sitzen (auf); ✿ übereinandergreifen

chevel|u [ʃəvly] *(Kopf)* behaart; **~ure** [-ly:r] *f* (Haupt-)Haar

chevet [ʃəvɛ] *m* Kopfende; *lampe de ~* Nachttischlampe; *livre de ~* Lieblingsbuch

cheveu [ʃ(ə)vø] *m 91* (einzelnes) (Kopf-)Haar; *mpl* (Haupt-)Haar; *elle a les ~x coupés* sie trägt e-n Bubikopf; *chute des ~x* Haarausfall; *en ~x (Dame)* ohne Hut; *cela fait dresser les ~x sur la tête* das läßt e-m d. Haare zu Berge stehen; *se faire des ~x* s. große Sorgen machen; *tiré par les ~x* an d. Haaren herbeigezogen; *avoir mal aux ~x* e-n Kater haben; *couper les ~x en quatre* Haarspalterei treiben; *il ne tenait qu'à un ~ que...* um Haaresbreite wäre... ♦ *il y a un ~* d. Sache hat e-n Haken; *cela vient comme un ~ sur la soupe (umg)* das paßt wie d. Faust aufs Auge

cheville [ʃəvij] *f* Fußknöchel; Bolzen; Holzstift; Dübel; *(Saiteninstrument)* Wirbel; *~ de téléphone* Telefonstecker; *~ ouvrière* treibende Kraft (e-s Unternehmens); *ne pas arriver à la ~ de qn* j-m nicht d. Wasser reichen können

cheviotte [ʃəvjɔt] *f* Cheviot(stoff)

chèvre [ʃɛ:vr] *f 1.* Ziege ♦ *ménager la ~ et le chou* es mit niemandem verderben wollen; *2.* Hebebock, Winde; (Lade-)Kran

chevreau [ʃəvro] *m 91* junge Ziege; Ziegenleder

chèvrefeuille [ʃɛvrəfœj] *m* Geißblatt

chevr|euil [ʃəvrœj] *m* Reh; **~ier** [-rije] *m* Ziegenhirt; **~on** [-rɔ̃] *m* Dachsparren; *(Uniform)* Winkel; **~onné** [-vrɔne] berufserfahren, routiniert; **~oter** [-vrɔte] zickeln; *voix ~otante* zitternde Stimme; **~otine** [-vrɔtin] *f* Rehposten (Munition)

chewing-gum [ʃwiŋɡɔm] *m* Kaugummi

chez [ʃe] bei; im Hause von; *~ moi* zu Hause, nach Hause; *près de ~ vous* in Ihrer Nachbarschaft; *faites comme ~ vous* tun Sie, als ob Sie zu Hause wären; **~-soi** [ʃeswa] *m 100* Zuhause; *avoir son ~-soi* sein eigenes Heim haben

chialer [ʃjale] *pop (weinen)* heulen

chiasse [ʃjas] *f* Fliegenschmutz; *pop* Durchfall; *avoir la ~ (umg)* Schiß haben

chic [ʃik] *1. (bildet nur pl, aber k-e weibl. Form)* schick, elegant; *un ~ type (umg)* e. feiner Kerl; *2. m* Schick; *faire qch de ~* etw. ohne Vorbild od Entwurf machen

chican|e [ʃikan] *f* Schikane; **~er** [-kane] schikanieren; *~er qch à qn* j-m etw. mißgönnen; **~ier**[-kanje] *116* streitsüchtig, schikanös

chiche [ʃiʃ] knauserig; *~ que tu ne le fais pas!* wetten, daß du es nicht tust!

chichi [ʃiʃi] *m umg* Umstandskrämerei, Trara, Brimborium; **~teux** [-tø] *111* umständlich

chicorée [ʃikɔre] *f* Zichorie, Kaffeezusatz; *~ endive* Endive

chicot [ʃiko] *m* (Baum-, Zahn-)Stumpf; **~in** [-kɔtɛ̃] *m* Bitterstoff; *amer comme ~in* gallbitter

chiée [ʃiɛ̯] *f pop!* große Menge, Masse
chien [ʃjɛ̃] *m* **1.** Hund; ~ *d'attache* Kettenh.;
~ *d'avalanche* Lawinenhund; ~ *de chasse*
Jagdh.; ~ *d'arrêt* Vorstehh.; ~ *d'aveugle*
Blindenh.; ~ *de berger* Schäferh.; ~ *méchant*
bissiger H.; ~ *de pistage* Spürhund; **2.**
(Gewehr) Hahn; (Tür) Sperrhaken, Sperrklinke;
en ~ *de fusil* krumm *(liegen); entre* ~ *et loup* im
Zwielicht; *elle a du* ~ sie hat d. gewisse Etwas;
je vous garde un ~ *de ma* ~*ne* das werde ich
Ihnen bei nächster Gelegenheit heimzahlen;
coup de ~ (plötzl.) Sturm; *fig* Meuterei; **~dent**
[-dã̯] *m* Quecke; *umg* Schwierigkeit; **~lit** [ʃjãli]
f pol Unordnung, Chaos, Durcheinander; **~ne**
[ʃjɛn] *f* Hündin
chier [ʃiɛ̯] *pop!* scheißen
chiff|e [ʃif] *f (schlechter Stoff)* Fetzen; *fig*
Waschlappen; **~on** [ʃifɔ̃] *m* Lumpen; Lappen;
~*on de papier* Fetzen Papier; *parler* ~*ons (umg)*
von der Mode reden; **~onner** [-fɔnɛ̯] (ver)krüp-
peln; zerknittern, knautschen; *ça me* ~*onne
(umg)* das fuchst mich; **~onnier** [-fɔnjɛ̯] *m*
Lumpensammler
chiffr|able [ʃifrabl] berechenbar; **~e** [ʃifr] *m*
Ziffer; Zahl; Betrag; Monogramm; Chiffre
(Zeitungsanzeige z. B.), Geheimzeichen, Ge-
heimschrift; ~*e d'affaires* Umsatz; ~*e lumineux*
Leuchtziffer; ~*es records* Rekordzahlen; **~e-
indice** [-frĕdjs] *m* Indexziffer; **~er** [-frɛ̯] rechnen;
numerieren, chiffrieren; *se* ~*er à* sich belaufen
auf (die Summe von…); *commencer à* ~*er* e-n
sehr hohen Betrag ausmachen; *résultat* ~*é*
zahlenmäßiges Ergebnis; *texte* ~*é* Schlüssel-
text; **~eur** [-frœːr] *m* Chiffreur, Verschlüßler
chignole [ʃiɲɔl] *f* Handbohrmaschine
chignon [ʃiɲɔ̃] *m* (Haar-)Knoten
Chili [ʃili]: *le* ~ Chile; **~en** [ʃiljɛ̃] *m* Chilene;
≥en *118* chilenisch
chim|érique [ʃimerik] unrealisierbar, utopisch;
grillenhaft; eingebildet; **~ère** [ʃimɛːr] *f* Hirngespinst, Einbildung
chimi|e [ʃimi] *f* Chemie; ~*e minérale* anorgani-
sche Ch.; ~*e organique* organische Ch.; ~*e
nucléaire* Kernch.; ~*e industrielle* technische
Chemie; **~que** [-mik] chemisch; *produits* ~*ques*
Chemikalien; **~quement** [-mikmã̯] auf chemi-
schem Weg; **~sme** [-mjsm] *m* Chemismus; **~ste**
[-mjst] *m* Chemiker
chimpanzé [ʃɛ̃pãzɛ̯] *m* Schimpanse
Chine [ʃin]: *la* ~ China; *encre de* ~ Tusche;
≥m Chinapapier; *f* Chinaporzellan
chin|é [ʃinɛ̯] bunt; **~er** [-nɛ̯] **1.** Lumpen
sammeln; **2.** buntweben; **3.** hänseln, aufziehen;
~eur [-nœːr] *m* Buntweber; *pop (Hausierer)*
Klinkenputzer; Spötter; **~ois** [-nwa̯] *108* chine-
sisch; *m* das Chinesische; **≥ois** *m* Chinese;
~oiserie [-nwazri] *f com* chinesische Waren;
Amtsschimmel; *c'est de la* ~*oiserie!* das ist ja
nur Schikane!
chiot [ʃjo] *m* Welpe, junger Hund
chip|er [ʃipɛ̯] *umg* stibitzen, klauen; *être* ~*é
(umg)* vernarrt sein *(de qn* in j-n)
chipie [ʃipi] *f umg* böse Sieben, zänkisches
Frauenzimmer

chipot|er [ʃipotɛ̯] *(ohne Appetit)* im Essen
herumstochern; *(an e-r Arbeit)* herummurksen;
Haarspaltereien treiben; **~ier** [-tjɛ̯] *m* Um-
standskrämer; Trödler *(bei d. Arbeit)*
chique [ʃik] *f* Priem ♦ *il est mou comme une* ~ er
ist e. Waschlappen; *avaler sa* ~ *(pop)* abkratzen;
couper sa ~ *à qn (pop)* j-m ins Wort fallen
chiqu|é [ʃikɛ̯] unecht; kitschig; *m* Angabe,
Bluff; *faire du* ~ s. zieren, Umstände machen;
~enaude [ʃiknọd] *f* Wegschnalzen *(mit d.
Finger);* Nasenstüber; **~er** [-kɛ̯] *(Tabak)* kauen,
priemen; *tabac à* ~*er* Kautabak
chiro|mancie [kirɔmãsi] *f* Handlesekunst;
~mancienne [-sjɛn] *f* Handleserin; Wahrsagerin; **~practeur** [-praktœːr] *m* Heilpraktiker;
~praxie [-praksi] *f* Chiropraktik
chirurgi|cal [ʃiryrʒikạl] *124* chirurgisch; *inter-
vention* ~*cale* chirurgischer Eingriff; **~e** [-ʒi] *f*
Chirurgie; **~en** [-ʒjɛ̃] *m* Chirurg; **~en-dentiste**
Zahnarzt; **~que** [-ʒik] chirurgisch
chiure [ʃiyːr] *f* Fliegenschmutz
chlor|e [klɔːr] *m* Chlor; **~é** [klɔrɛ̯] chlorhaltig;
~hydrique [-ridrik]: *acide* ~*hydrique* Salzsäure;
~oforme [-rɔfɔrm] *m* Chloroform; **~oformer**
[-rɔfɔrmɛ̯] betäuben; *fig opinion publique* ~*ée*
desinformierte öffentliche Meinung
chlorophylle [klɔrɔfil] *f* Blattgrün, Chloro-
phyll; *fig* frische Luft, Landluft
chlor|ose [klɔrọːz] *f* Bleichsucht; **~otique**
[-rɔtik] bleichsüchtig
choc [ʃɔk] *m* Stoß; Aufeinanderprall; Zus.stoß;
Erschütterung; *fig* (Schicksals-)Schlag, Schock;
argument ~ durchschlagendes Argument;
discours ~ aufsehenerregende Rede; *mesure* ~
durchgreifende Maßnahme; *prix* ~ sensationell
niedriger Preis; ~ *de l'ennemi* Ansturm d.
Feindes; ~ *nerveux* Nervenschock; ~ *des
vagues* Wellenschlag
chocolat [ʃɔkɔlạ̄] *m* Schokolade; ~ *chaud*
(Getränk) heißer Kakao ♦ *être* ~ *(umg)* der
Lackierte, Hineingefallene sein; **~erie** [-latri] *f*
Schokoladenfabrik; **~ière** [-latjɛːr] *f* Kakao-
kanne
chocotte [ʃɔkɔt] *f pop* Zahn; *avoir les* ~*s (pop)*
Schiß haben
chœur [kœːr] *m (a. ♀, 🏛)* Chor; *chanter en* ~
im Chor singen; ~ *parlé* Sprechchor; *enfant de*
~ Meßdiener, Ministrant
choir [ʃwa̯ːr] *35* fallen; *se laisser* ~ sich
(schwer) fallen lassen
chois|ir [ʃwaʒiːr] *22* (aus)wählen; aussuchen;
~x [ʃwa] *m* (Aus-)Wahl; *de premier* ~*x*
erstklassig; *faire son* ~*x* s-e Wahl treffen
cholér|a [kɔlerạ] *m* Cholera; **~ique** [-rik] *m*
Cholerakranker
chôm|age [ʃomạːʒ] *m* Arbeitslosigkeit; Arbeits-
stillstand; Feierschicht; ~*age partiel* Kurzarbeit;
~*age technique* betriebsbedingter *od* durch technische Störung bedingter Arbeitsausfall; ~*age
chronique* = ~*age endémique* Dauerarbeitslosig-
keit; *être au* ~*age* stempeln gehen; **~er** [-mɛ̯]
nicht arbeiten; *(aus Arbeitsmangel)* erwerbslos
sein; **~eur** [-mœːr] *m* Arbeitsloser, Erwerbsloser;
~*eur partiel* Kurzarbeiter

chope [ʃɔp] *f (Bier)* Seidel, Schoppen
choper [ʃɔpɛ]: *se faire ~ (pop)* s. erwischen
(fangen) lassen; ~ *un rhume pop* e-n Schnupfen
kriegen
choqu|ant [ʃɔkɑ̃] 8 anstößig; **~er** [-kɛ] mißfal-
len; vor d. Kopf stoßen; beleidigen, verletzen
choral [kɔral] Gesang…; *m* Choral; **~e** [kɔral]
f Gesangsverein
choré|e [kɔrɛ] *f* ⚡ Veitstanz; **~graphie** [-regrafi]
f Tanzkunst; Choreographie; **~graphique**
[-regrafik] choreographisch
chor|iste [kɔrist] *m, f* Chorist(in); **~us** [kɔrys]:
faire ~us avec qn j-m beipflichten
chose [ʃoːz] *f* Sache, Ding, Gegenstand; *m umg*
Dings *(Ersatz für e-n Namen); quelque ~* etwas;
quelque ~ de nouveau etw. Neues; *autre ~* etw.
anderes; *ce travail est ~ faite* d. Arbeit ist (so
gut wie) erledigt; *de deux ~s l'une* eins von
beiden; *faire bien les ~s* ein übriges tun; *par la
force des ~s* unausbleiblich; *c'est la même ~*
das ist dasselbe; *bien des ~s de ma part!* viele
Grüße von mir!; *il était tout ~* irgend etwas
stimmte nicht mit ihm; ~ *publique* Staat,
Gemeinwesen
chosifier [ʃozifjɛ] vergegenständlichen, versachlichen; entfremden
chou [ʃu] *m* 91 Kohl; ~ *blanc* Weißkohl; ~ *de
Bruxelles* Rosenkohl; ~ *frisé* Grünkohl; ~ *de
Milan* Wirsing; *mon ~!* Liebling! ♦ *feuille de ~
(umg)* Käseblatt; *faire ~ blanc* leer ausgehen,
Pech haben; *faire ses ~x gras de qch* Vorteil
ziehen aus etw.
choucas [ʃuka] *m* Dohle
chouchou [ʃuʃu] *m* Liebling; **~ter** [ʃutɛ] *umg*
verhätscheln
choucroute [ʃukrut] *f* Sauerkraut
chouette [ʃwɛt] *f* Schleiereule; *c'est~! (umg)*
prächtig!, prima!, toll!
chou|-fleur [ʃuflœːr] *m* 97 Blumenkohl; **~-navet**
[-navɛ] *m* 97 Kohl-, Steckrübe; **~-rave** [-raːv] *m*
97 Kohlrabi; **~rouge** [-ruːʒ] *m* 97 Rotkohl
choyer [ʃwajɛ] 5 verhätscheln, verwöhnen; ~
une idée e-e Lieblingsidee hegen
chrétien [kretjɛ̃] 118 christlich; *m* Christ; **~té**
[-tɛ] *f* Christenheit
Christ [krist] *m* Christus; ⚔ *m* Christusbild
christianis|er [kristjanizɛ] christianisieren; **~me**
[-tjanism] *m* Christentum
chromage [krɔmaːʒ] *m* Verchromung
chromatique [krɔmatik] ♪ chromatisch
chrom|e [kroːm] *m* Chrom; *pl* verchromte Teile;
~er [krɔmɛ] verchromen; **~o(lithographie)**
[krɔmɔ(litɔgrafi)] *f* Farbdruck
chromosom|e [krɔmozɔm] *m* Chromosom,
Kernschleife; **~ique** [-zɔmik] Chromosomen…
chroniqu|e [krɔnik] ⚡ chronisch; *f* Chronik;
~eur [-kœːr] *m* Chronist
chronologi|e [krɔnɔlɔʒi] *f* Chronologie, Zeit-
folge; **~que** [-ʒik] chronologisch
chrono|(mètre) [krɔnɔmɛtr] *m* Chronometer,
Stoppuhr; *160 km/h chrono* (Spitzen-)Ge-
schwindigkeit: 160 km/h; **~métrer** [-metrɛ] 🏁
die Zeit nehmen; **~métrie** [-metri] *f* Zeitmes-
sung

chrysalide [krizalid] *f* (Schmetterlings-)Puppe
chrysanthème [krizɑ̃tɛm] *m* Chrysantheme
chuchot|ement [ʃyʃɔtmɑ̃] *m* Geflüster; **~er**
[-tɛ] flüstern, wispern; **~eur** [-tœːr] *m* Flüsterer,
Geheimniskrämer
chuintant [ʃɥɛ̃tɑ̃] 108: *consonne ~e* Zischlaut
chut! [ʃyt] pst!, still!
chute [ʃyt] *f* Fall; Sturz; ✝ Absturz; *pl*
(Material-)Abfall; ~ *des cheveux* Haarausfall;
~ *d'eau* Wasserfall; ~ *des feuilles* Laubfall; ~
du jour Anbruch der Nacht; ~ *de pierres*
Steinschlag; ~ *des prix* Preissturz; ~ *des reins
(anat umg)* Kreuz; ~ *de tension* ⚡ Spannungs-
abfall; *faire une ~ mortelle* tödl. abstürzen;
point de ~ pop Bleibe, Unterkunft; Arbeitsplatz, Beruf; **~r** [ʃytɛ] *(Person)* hinfallen,
stürzen; *(Preise)* s. verringern; *(Zahlen)* zurückgehen
Chypre [ʃipr] *f* Zypern
ci [si]: *ce crayon-~* der Bleistift hier; **~après**
[-aprɛ] *(Schriftstück)* weiter unten
cible [sibl] *f (a. fig)* Ziel, (Ziel-)Scheibe;
(Personen) Zielgruppe (d. Werbung); *tirer à la
~* nach d. Scheibe schießen
ciboire [sibwaːr] *m rel* Ziborium, Hostiengefäß
cibou|lette [sibulɛt] *f* Schnittlauch; **~ot** [-lo] *m
pop (Kopf)* Birne, Rübe
cicatr|ice [sikatris] *f* Narbe; **~iser** [-trizɛ] zum
Vernarben bringen; *fig* heilen, vergessen lassen;
se ~iser (a. fig) vernarben
ci|-contre [sikɔ̃tr] *(im Buch)* nebenstehend;
~-dessous [-dsu] unten *(im Buch);* **~-dessus**
[-dsy] oben *(im Buch);* obig; **~-devant** [-dvɑ̃]
zuvor, vorher, ehemals
cidre [sidr] *m* Apfelwein, Most; ~ *mousseux*
Apfelschaumwein
ciel [sjɛl] *m* 92 Himmel; Luftraum; Klima,
Land; *aller sous d'autres cieux* in e. anderes
Land gehen; *mine à ~ ouvert* Tagebaugrube;
~ *vitré* Oberlicht; *royaume des cieux (rel)*
Himmelreich ♦ *remuer ~ et terre* alle Hebel in
Bewegung setzen; *tomber du ~* aus allen
Wolken fallen
cierge [sjɛrʒ] *m* Kerze *(für feierliche Gelegenhei-
ten);* ~ *pascal (rel)* Osterkerze
cigale [sigal] *f zool* Grille
cigar|e [sigaːr] *m* Zigarre; **~ette** [-garɛt] *f*
Zigarette
ci-gît [siʒi] 25 *(auf Grabsteinen)* hier ruht
cigogne [sigɔɲ] *f* Storch
ciguë [sigy] *f* Schierling; *boire la ~* d.
Giftbecher trinken
ci|-inclus [siɛ̃kly] 108, **~-joint** [-ʒwɛ̃] 108 *(nur
nach su veränderl.) (im Brief)* beiliegend,
anliegend
cil [sil] *m* Wimper(haar)
cilice [silis] *m* Büßerhemd
cilié [siljɛ] biol gewimpert; *m* Wimpertierchen
cimaise [simɛːz] *f* 🏛 Hohlkehle; Gesims; Sims
cime [sim] *f* Gipfel; Wipfel; Spitze
ciment [simɑ̃] *m* Zement; *fig* Bindung; ~
prompt (od *rapide)* schnell bindender Zement;
~ *synthétique* Kunstharzkitt **~er** [-tɛ] zementie-
ren; *fig* binden; festigen; besiegeln

cimetière [simtjɛːr] m Friedhof

cinabre [sinabr] m Zinnober(rot)

ciné|aste [sineast] m Filmfachmann; ~-club [-klœb] m 99 Filmclub; ~ma [-ma] m Kino, Lichtspieltheater; c'est du ~ma umg da ist nichts dahinter; faire du ~ma filmen; fig wichtig tun; die Werbetrommel kräftig rühren; industrie du ~ma Filmindustrie; ~matographique [-matɔgrafik] Kino…; Film…; adaptation ~matographique Verfilmung; ~ momètre [-mɔmɛtr] m Geschwindigkeitsmesser (d. Polizei); ~-roman [-rɔmɑ̃] m 99 Romanbildgeschichte nach e-m Film

cinéraire [sinerɛːr] Aschen…; (urne ~ -urne)

cinétique [sinetik] phys kinetisch

cingalais [sɛ̃galɛ] 108 singhalesisch, aus Ceylon

cingl|ant [sɛ̃glɑ̃] 108 (Rede) hart, streng, schneidend; réponse ~ante harte Antwort; ~é [-gle] pop bekloppt

cingler[1] [sɛ̃gle] segeln

cingler[2] [sɛ̃gle] (Regen, Wind) peitschen

cinq [sɛ̃(k)] fünf; m die Fünf; le 5 mai der 5. Mai; le 5 de chaque mois am 5. e-s jed. Monats; un ~ pièces eine 5-Zimmerwohnung ♦ en ~ sec im Nu, im Handumdrehen

cinqu|antaine [sɛ̃kɑ̃tɛn] f etwa 50; 50. (Lebens-)Jahr; un monsieur paraissant la ~antaine e. Herr so in d. Fünfzigern; ~ante [-kɑ̃t] fünfzig; ~antenaire [-tɑnɛ:r] m Fünfzigjahrfeier; Fünfzigjähriger; ~antenaire du mariage goldene Hochzeit; ~antième [-tjɛm] fünfzigste; m Fünfzigstel

cinquième [sɛ̃kjɛm] m d. Fünfte; Fünftel; 5. Stockwerk; f Quinta; élève de ~ Quintaner; ~ment [-kjɛmɑ̃] fünftens

cintr|e [sɛ̃tr] m ⌂ Bogen; Wölbung, Rundung; ♥ Schnürboden; Kleiderbügel; (arc de) plein ~e ⌂ Rundbogen; ~er [-tre] (über)wölben; ✿ (Holz) biegen

cirage [siraːʒ] m Schuhcreme; Bohnerwachs

circon|cire [sirkɔ̃siːr] 57 ⚡, rel beschneiden; ~cision [-sizjɔ̃] f ⚡, rel Beschneidung; ~férence [-ferɑ̃s] f (Kreis-)Umfang; ~flexe [-flɛks]; a ~flexe (ling) a mit Zirkumflex; (accent) ~flexe Zirkumflex; ~scirption [-skripsjɔ̃] f math Umschreibung; Bezirk; ~scription postale Zustellbezirk; ~scription militaire Wehrkreis; ~scription électorale Wahlkreis; ~scrire [-skriːr] 67 math umschreiben; (Brand) eindämmen; ~spect [-spɛ(kt)] umsichtig, behutsam; ~spection [-spɛksjɔ̃] f Umsicht, Behutsamkeit; ~stance [-stɑ̃s] f Umstand; pl Verhältnisse; selon les ~stances je nachdem; de ~stance Gelegenheits…; ~stances atténuantes (aggravantes) mildernde (erschwerende) Umstände; ~stancié [-stɑ̃sje] rapport ~stancié ausführl. Bericht; ~venir [-vəniːr] 30 fig einwickeln; ~volution [-vɔlysjɔ̃] f ⚡ Windung; ~volution cérébrale Gehirnwindung

circuit [sirkɥi] m Kreislauf; Rennstrecke; Rundreise; Rundflug; ⚡ Stromkreis; Schaltung; Leitung; ~ d'éclairage Lichtleitung; ~ intégré integrierte Halbleiterschaltung; ~ de sauvegarde Notstromkreis; ~ touristique Reiseroute;

mettre en ~ ⚡ einschalten; mettre hors ~ aus-, abschalten; reconnaître le ~ e-e Orientierungsfahrt (über d. Rennstrecke) machen

circulaire [sirkylɛːr] kreisförmig; billet ~ Rundreisefahrkarte; jeter un coup d'œil ~ in d. Runde blicken; f Rundschreiben

circulation [sirkylasjɔ̃] f (Blut-)Kreislauf; (Straßen-)Verkehr; (Geld) Umlauf; ~ d'air Luftumwälzung; ~ d'huile 🚗 Ölumlauf; ~ frontalière Grenzverkehr; ~ monétaire Geldumlauf; ~ de transit Durchgangsverkehr; voie à grande ~ Hauptverkehrsstraße; disparu de la ~ (umg, scherzh.) verschollen

circul|atoire [sirkylatwaːr] Kreis(-lauf)…; ~er [-le] umlaufen (a. Gerücht); verkehren; (Luft) s. erneuern; (elektr. Strom) fließen; biol s. fortbewegen; faire ~er in Umlauf bringen

circum|navigation [sirkɔmnavigasjɔ̃] f Umschiffung; Umseglung; ~polaire [-pɔlɛːr] um den Pol

cir|e [siːr] f Wachs; ♪ Wachsplatte; ~e poissée Schusterpech; ~ d'abeilles Bienenwachs; ~e à cacheter Siegellack; ~é [sire]: toile ~ée Wachstuch; m ⚓ Ölzeug; ~er [sire] wachsen; wichsen; bohnern; ~eur [sirœːr] m Schuhputzer; ~euse [siroːz] f: ~euse (de parquet) Bohnerbesen; ~euse mécanique Bohnermaschine

ciron [sirɔ̃] m (Käse-)Made

cirque [sirk] 1. m Zirkus; ~ ambulant Wanderzirkus; 2. Talkessel

cirrus [isrys] m Zirruswolke

ci|sailler [sizaje] (ab)schneiden; beschneiden; fig umg j-n fertigmachen, in Verruf bringen; ~sailles [sizaːj] fpl Blechschere; Heckenschere; ~eau [-zo] m 91 Meißel; pl Schere; ~eler [-le] 4 ziselieren; ~elet [-lɛ] m Grabstichel; ~eleur [sizlœːr] m Ziseleur

cistercien [sistɛrsjɛ̃] 118 zisterziensisch; m Zisterzienser

citad|elle [sitadɛl] f Zitadelle; Festung; ~in [-dɛ̃] 109 städtisch; m Stadtbewohner, Städter; pl Stadtbevölkerung

citation [sitasjɔ̃] f Zitat; ⚖ Vorladung; mil Auszeichnung

cité [site] f (Groß-)Stadt; Altstadt, City, Stadtzentrum; Wohnsiedlung (Tier-)Staat; ~ du Vatican Vatikanstadt; ~ céleste (rel) Himmelreich; ~ dortoir Schlafstadt, Trabantenstadt; ~ lacustre Pfahldorf; ~ ouvrière Arbeitersiedlung; ~ universitaire Studentenwohnstadt; la ≈ de Paris d. Seine-Insel; droit de ~ Bürgerrecht (a. fig); ~-jardin [-ʒardɛ̃] f 97 Gartenstadt

citer [site] zitieren, anführen; ⚖ vorladen; ~ à l'ordre du jour (mil) vor d. Front belobigen

citerne [sitɛrn] f (Wasser-)Behälter; eau de ~ Regenwasser

cithar|e [sitaːr] f Zither; ~iste [-tarist] m Zitherspieler

citoyen [sitwajɛ̃] 118 Bürger…; m (Staats-)Bürger; ~ à part entière Vollbürger ♦ un drôle de ~ e. komischer Kauz; ~neté [-jɛnte] f Bürgerrecht; Staatsangehörigkeit

citr|ique [sitrĩk]: *acide ~ique* Zitronensäure;
~on [-trɔ̃] 1. *m* Zitrone; *pop (Kopf)* Rübe; *jus de
~on* Zitronensaft; 2. zitronengelb; ~onnade
[-trɔnad] *f* Zitronenlimonade; ~onnier [-trɔnje]
m Zitronenbaum; ~ouille [-truj] *f* Kürbis; *pop*
Dickkopf, Schafskopf

civet [sivɛ] *m*: ~ *(de lièvre)* Hasenpfeffer; ~te
[sivɛt] *f* 1. Schnittlauch; 2. Zibetkatze

civière [sivjɛːr] *f* (Kranken-)Trage, Bahre

civil [sivil] 1. Zivil…; 🐝 zivilrechtlich; zuvorkommend; *état* ~ Personenstand; *bureau de
l'état* ~ Standesamt; *officier de l'état* ~
Standesbeamter; *guerre ~e* Bürgerkrieg; *droits
~s* bürgerliche Rechte; *code* ~ bürgerl.
Gesetzbuch; *partie ~e* Privatkläger; *procès* ~
Zivilprozeß; *en* ~ in Zivil; *mariage* ~
standesamtl. Trauung; *se marier ~ement* s.
standesamtl. trauen lassen; 2. *m* Zivilist(en);
~isable [-vilizabl] zivilisierbar; ~isateur [-vili-
zatœːr] *122* Zivilisations…; ~isation [-vilizasjɔ̃]
f Zivilisation, Gesittung; Kultur; *cours de* ~
Landeskunde; ~iser [-vilize] zivilisieren; verfeinern, veredeln; *homme ~isé* Kulturmensch;
~iste [-vilist] *m* 🐝 Zivilrechtler; ~ité [-vilite] *f*
Zuvorkommenheit; Lebensart; Anstand; *pl*
Höflichkeitsbezeugungen

civ|ique [sivik] Bürger…; *droits ~iques* bürgerl.
Ehrenrechte; *esprit ~ique* Bürgersinn; *instruction ~ique* (Staats-)Bürgerkunde; ~isme [-vism]
m Staatsbürgersinn

clabauder [klabode] heftig bellen; *fig* grundlos
schreien, protestieren; ~ *contre qn* j-n schlecht
machen

claie [klɛ] *f* Weidenmatte; Trockengestell *(f.
Obst);* Zaun; ~ *à trier le sable* Sandsieb

clair [klɛːr] klar; hell; verständlich; deutlich;
offenbar; dünnflüssig; ~ *de lune* (heller)
Mondschein; *c'est* ~ das ist klar; *il m'a dit
~ement* er hat mir deutlich gesagt; *au ~ de lune*
bei Mondschein; *tirer qch au* ~ Klarheit
schaffen über etw.; *le plus ~ de* der Großteil
von…; ~et [klɛrɛ] *m* heller Rotwein

claire-voie [klɛrvwa] *f* 97 Gitterwerk; 🏛
Fensterreihe d. gotischen Hauptschiffes; Oberlicht; *à* ~ durchbrochen; *porte à* ~ Gittertür

clairière [klɛrjɛːr] *f* (Wald-)Lichtung

clair-obscur [klɛrɔpskyːr] *m* 97🐝 Helldunkel

clairon [klɛrɔ̃] *m* Trompete(r); ~ner [-rɔne]
ausposaunen; *voix ~nante* gellende Stimme

clairsemé [klɛrsəme] *a. fig* dünngesät

clairvoyan|ce [klɛrvwajãs] *f* Scharfblick; ~t
[-jã] *108* klarsehend; hellseherisch

clam|er [klame] (hinaus)schreien; ~eur [-mœːr] *f*
Geschrei; ~*eurs d'indignation* Protestrufe

clampin [klãpɛ̃] *m umg* Faulenzer, Faulpelz

clan [klã] *m* Sippschaft, Clique

clandestin [klãdɛstɛ̃] *109* heimlich; verboten;
activité ~e konspirative Tätigkeit; Geheimbün-
delei; *marché* ~ schwarzer Markt; *passager* ~
blinder Passagier, Schwarzfahrer; ~ité [-tinite] *f*
Heimlichkeit; Verborgenheit

clapet [klapɛ] *m* (Klappen-)Ventil

clapier [klapje] *m* Kaninchenloch, -stall; *lapin
de* ~ Hauskaninchen

clapot|age [klapɔtaːʒ], ~ement [klapɔtmã] *m*
Plätschern; ~er [-te] *(Meereswellen)* plätschern;
~is [-ti] *m* Plätschern *(d. Meereswellen)*

claqu|e [klak] 1. *m (chapeau) ~e* Klappzylin-
derhut; 2. *f* Klatsch *(mit d. Hand);* Ohrfeige; 3.
f 🐝 Claque; ~ement [-mã] *m (Hände)*
Klatschen; *(Zähne)* Klappern; *(Peitsche)* Knallen; *(Zunge)* Schnalzen; ~emurer [-myre]
einpferchen; *se ~emurer* k-n Fuß vor d. Tür
setzen; ~er [-ke] 6 *(mit d. Händen)* klatschen;
pop krepieren; *être ~é (pop)* schachmatt sein;
~*er des mains* in d. Hände klatschen; ~*er des
dents* mit den Zähnen klappern; *faire ~er son
fouet* mit d. Peitsche knallen; ~*er de la langue*
mit d. Zunge schnalzen; ~*er la porte au nez à qn*
j-m d. Tür vor d. Nase zuknallen; ~*er du bec*
Kohldampf schieben; ~eter [-te] *10 (Storch)*
klappern; ~ette [-kɛt] *f* Klapper; ~eur [-kœːr] *m*
🐝 Claqueur

clar|ification [klarifikasjɔ̃] *f (Flüssigkeit)* Klä-
rung; ~ifier [-fje] *(Flüssigkeit)* klären, läutern;
~ine [-rin] *f* Kuhglocke; ~inette [-nɛt] *f*
Klarinette, Klarinettist

clarté [klarte] *f* Klarheit; Helle, Helligkeit;
Deutlichkeit; ~ *du jour* Tageslicht; *avoir des
~s de qch* Einsicht haben in etw.

class|e [klɑːs] *f* 1. *(a. zool)* Klasse; *math*
Ordnung; *de grande ~e* erstklassig; ~*e touriste*
⚓ Touristenklasse; ~*es élevées* Oberschicht d.
Gesellschaft; ~*es moyennes* Mittelstand; ~*e
dirigeante* herrschende Klasse; 2. Klassenzim-
mer; ~*es de neige* (Schüler-)Schilager; ~*es du
soir* Abendschule; 3. Unterrichtsstunde; *faire la
~e* Unterricht halten; *aller en ~e* in d. Schule
gehen; *rentrée des ~es* Wiederbeginn d.
Unterrichts (nach d. Ferien); 4. Abteilung; *mil*
Jahrgang; Stand; ~ement [klɑsmã] *m* Einstu-
fung, Einteilung, Klassifizierung; 🕊 Rangliste;
🐝 Einstellung des Verfahrens; ~er [klɑse]
klassifizieren; (ein)ordnen; sortieren; *affaire
~ée* erledigte Sache; ~eur [klɑsœːr] *m (Brief-)*
Ordner; Schnellhefter; Aktenschrank; ~icisme
[klasisism] *m* Klassik *(d. franz. Literatur);*
~ification [klasifikasjɔ̃] *f* Zuordnung, Einstu-
fung, Klassifizierung; ~ique [klasik] 1. klas-
sisch; *antiquité ~ique* klassisches Altertum; 2.
m Klassiker

claudic|ant [klodikã] hinkend; ~ation [-kasjɔ̃] *f*
d. Hinken

clause [kloːz] *f* (Vertrags-)Klausel; Vorschrift,
Bestimmung; ~ *de la nation la plus favorisée
(com)* Meistbegünstigungsklausel; ~ *d'arbitrage* Schiedsgerichtsklausel; ~ *complémentaire*
Zusatzklausel; ~ *technique* technische Liefer-
bedingung

claustr|ation [klostrasjɔ̃] *f* zurückgezogenes
Leben; ~er [-stre] einsperren, -schließen

claveau [klavo] *m* 91 🏛 Schlußstein

clavecin [klavsɛ̃] *m* Cembalo

clavelée [klavle] *f* 🐝 Schafpocken

clavette [klavɛt] *f* ⚙ Keil, Splint

clavi|cule [klavikyl] *f* Schlüsselbein; ~er [-vje]
m 1. Schlüsselring; 2. Klaviatur; *(Schreibmaschine)* Tastatur; Schalter, Taste

clayère [klɛjɛːr] f Austernbank
clayon [klɛjɔ̃] m Geflecht; Hürde; **~nage**
[-jɔnaːʒ] m Flechtwerk, Faschinen(arbeit); **~ner**
[-jɔne] durch Flechtwerk befestigen
clé, clef [kle] f Schlüssel; ~ à douille
Steckschlüssel; ~ forée Hohl-, ~ de sûreté
Sicherheitsschl.; ~ plate Flachschlüssel; concept-~ Grundbegriff; élément-~ Hauptbestandteil; idée-~ Grundgedanke; témoin ~
Kronzeuge; roman à ~ Schlüsselroman; ~ de
sol ♪ Violinschlüssel; ~ de fa ♪ Baßschlüssel;
~ anglaise (verstellbarer) Schraubenschlüssel;
~ de contact 🚗 Zündschlüssel; ~ de voûte 🏛
Schlußstein; fermer à ~ (d. Tür) abschließen;
mettre sous ~ wegschließen ♦ mettre la ~ sous
la porte heimlich ausrücken; prendre la ~ des
champs s. aus d. Staub machen; ~s en main
schlüsselfertig (Haus)
clématite [klematit] f Waldrebe
clémen|ce [klemɑ̃s] f (a. Klima) Milde;
Gnade; **~t** [-mɑ̃] 108 (a. Klima) mild; gnädig
clenche [klɑ̃ʃ] f Klinke; Riegel
cleptomanie [klɛptɔmani] f Kleptomanie
cler|c [klɛːr] m angehender Geistlicher; Intellektueller; 🐾 Kanzleiangestellter ♦ faire un pas de
~c e-n Bock schießen; **~gé** [klɛrʒe] m
Geistlichkeit, Klerus
clérical [klerikal] 124 geistlich; klerikal; **~isme**
[-kalism] m Klerikalismus
clic [klik] m Knacken, Knackgeräusch; ~ clac!
[klikklak] klipp, klapp!
clich|é [kliʃe] m Klischee; 📷 Negativ; Bild,
Aufnahme; 📷 Röntgenbild; abgenützte Redensart, Gemeinplatz; **~er** [-ʃe] klischieren; **~erie**
[-ʃri] f Klischieranstalt
client [kliɑ̃] m Kunde; 🐾 Klient; Patient; **~èle**
[-ɑ̃tɛl] f Kundschaft; ~èle d'habitués Stammkundschaft
clign|ement [kliɲmɑ̃] m Blinzeln; **~er** [kliɲe]:
~er de l'œil blinzeln, zwinkern, Auge zukneifen;
~otant [kliɲɔtɑ̃] Flackerlicht; com Krisenzeichen; (feu) ~otant 🚗 Blinklicht; **~oter** [-ɲɔte]
blinzeln; blinken
climat [klima] m Klima; fig Stimmung; ~
continental Festlandklima; ~ maritime Seeklima; ~ tempéré gemäßigtes Klima; **~ique**
[-matik] klimatisch; station ~ique Luftkurort;
~isation [-tizasjɔ̃] f Klimatisierung; Klimatechnik; **~iser** [-matize] klimatisieren; salle ~isée
Saal mit Klimaanlage; **~iseur** [-matizœːr]:
appareil ~iseur Klimaanlage; **~ologie** [-matɔlɔʒi] f Klimakunde
clin [klɛ̃] m: lancer un ~ d'œil à qn j-m
zuzwinkern; en un ~ d'œil im Handumdrehen,
im Nu
clini|cien [klinisjɛ̃] m 🩺 Kliniker; **~que** [-nik] f
Klinik
clinomètre [klinɔmɛtr] m Neigungsmesser
clinquant [klɛ̃kɑ̃] m Flitter; trügerischer Glanz
clip [klip] m Klipp, Klammer; Klemme (am
Füllfederhalter); Schnellverschluß
clipper [klipœːr] m ⚓ Schnellsegler
cliqu|e [klik] f 1. Clique, Sippschaft; Freundes-,
Bekanntenkreis; 2. Musikzug ♦ prendre ses ~es

et ses claques s-e 7 Sachen packen; **~et** [-kɛ] m
⚙ Sperrklinke; 🚗 Sperrrasten; ~et d'arrêt
Sperrklinke; **~eter** [klikte] 10 klirren; **~etis**
[klikti] m Geklirr; ~etis de mots Wortgeklingel
cliss|e [klis] f Flaschenhülle; 🚆 Schiene; **~er**
[-se] 🚆 schienen; bouteille ~ée Korbflasche
clivage [klivaːʒ] m Spaltung (von Kristallen); fig
pol Gefälle; Unterschiedlichkeit; Trennung
cliver [klive] (Kristalle, Diamanten) spalten
cloaque [klɔak] m (a. zool) Kloake; Abwasserkanal; ~ de vice Lasterhöhle
clochard [klɔʃaːr] m umg Pennbruder, Vagabund; **~isation** [-dizasjɔ̃] tiefgreifende Verarmung (von Bevölkerungsschichten)
cloche [klɔʃ] f Glocke; pej umg Dummkopf; au
son des ~s unter Glockengeläut; ~ à fromage
Käseglocke; ~ à plongeur Taucherglocke ♦ être
de la ~ (arg pop) obdachlos sein; déménager à la
~ de bois heimlich ausrücken; qui n'entend
qu'une ~ n'entend qu'un son e-s Mannes Rede
ist k-s Mannes Rede; sonner les ~s à qn j-n derb
zurechtweisen; se taper la ~ (pop) s. d. Bauch
vollschlagen; à ~-pied auf e-m Bein hüpfend
clocher[1] [klɔʃe] m Glockenturm; Kirchturm;
esprit de ~ Lokalpatriotismus
clocher[2] [klɔʃe] hinken; comparaison qui ~e
hinkender Vergleich; qch ~e hier hapert etwas
clochette [klɔʃɛt] f 1. Glöckchen; (Straßenbahn) Klingel; 2. Glockenblume
cloison [klwazɔ̃] f Zwischenwand; Bretterverschlag; 🚆 Scheidewand; ⚙ Schott; **~nement**
[-nmɑ̃] m Unterteilung, Abtrennung; fig Abgrenzung, Abkapselung; **~ner** [-zɔne] durch Zwischenwände unterteilen; fig s. abkapseln, s. von
der Umwelt abschließen
cloîtr|e [klwatr] m Kloster; 🏛 Kreuzgang; **~er**
[klwatre] einsperren; sig ~er völlig zurückgezogen leben
clopin-clopant [klɔpɛ̃klɔpɑ̃] humpelnd; fig so,
so, la, la; arriver ~ angewackelt kommen
cloporte [klɔpɔrt] m Kellerassel
cloque [klɔk] f (Brand-)Blase; avoir des ~s aux
mains Blasen an d. Händen haben
clore [klɔːr] 58 ab-, verschließen; (Debatte)
schließen; ~ un marché e-n Handel abschließen
clos [klo] 108 ge- (ver-)schlossen; à huis ~
nichtöffentlich; en vase ~ fig insgeheim, unter
Ausschluß der Öffentlichkeit, c'est lettre ~e pour
moi das ist für mich e. Buch mit sieben Siegeln
clôtur|e [klotyːr] f Zaun, Gehege; Einfriedung;
(Theater, Debatte) Schließung; ~e électrique
Elektrozaun; ~e de l'exercice (com) Jahresabschluß; **~er** [-tyre] umzäunen, einfriedigen
clou [klu] m 1. Nagel; enfoncer un ~ e-n Nagel
einschlagen; mettre au ~ (pop) versetzen (als
Pfand); maigre comme un ~ (umg) klapperdürr; river son ~ à qn j-n zum Schweigen
bringen; se faire mettre au ~ (pop) hinter
Schloß u. Riegel landen; 2. Clou, Höhepunkt
(e-r Festlichkeit); 3. Furunkel; **~er** [-e] (an-, auf-,
zu-, fest-)nageln; fig fesseln (la maladie le ~e au
lit); **~ter** [-te] mit Nägeln beschlagen; passage
~té Fußgängerüberweg

clown [klun] *m* Clown; **~erie** [-ri] *f* Clownkunststück; närrisches Benehmen, Kinderei; (dummer) Spaß

club [klœb] *m* Klub; ·Verein; ~ *du livre* Buchgemeinschaft

clystère [klistɛːr] *m* $ Klistier *n*. (Darm-)Einlauf

co... [kɔ, ko] *in Zssg:* mit..., Mit...; zusammen..., Zusammen...

coaccusé [kɔakyze] *m* Mitangeklagter

coadjuteur [kɔadʒytœːr] *m* Vikar; Weihbischof

coagul|er [kɔagyle] ausflocken; zum Gerinnen bringen; *sang ~é* geronnenes Blut

coal|iser [kɔalize]: *se ~iser* s. verbünden; **~ition** [-lisjɔ̃] *f* Koalition; Bündnis; *~ition gouvernementale* Koalitionsregierung

coaltar [kɔltaːr] *m* Steinkohlenteer

coasser [kɔase] quaken

cobalt [kɔbalt] *m* Kobalt

cobaye [kɔbaj, kɔbɛ] *m* Meerschweinchen; *a. fig* Versuchskaninchen

cobra [kɔbra] *m* Kobra

cocagne [kɔkaɲ] *f: pays de ~* Schlaraffenland; *mât de ~* Klettermast

cocaïn|e [kɔkain] *f* Kokain; **~omane** [-kainɔman] kokainsüchtig; *m* Kokainsüchtiger

cocard|e [kɔkard] *f* Kokarde, Abzeichen; Bandrosette; *~ tricolore* blau-weiß-rot Abzeichen; *avoir sa ~e (pop)* besoffen sein; **~ier** [-kardje] 116 in d. Glanz der Uniform vernarrt; *m* j-d, der Uniformen liebt

cocass|e [kɔkas] drollig; **~erie** [-kasri] *f* Drolligkeit

coccinelle [kɔksinɛl] *f* Marienkäfer; VW-Käfer

coche[1] [kɔʃ] *f* Kutsche; *fig manquer le ~* e-e Gelegenheit verpassen

coche[2] [kɔʃ] *f* Kerbe; Einschnitt

cochenille [kɔʃnij] *f* Schildlaus; Koschenillefarbstoff

cocher[1] [kɔʃe] *m* Kutscher; ♠ *astr* Fuhrmann

cocher[2] [kɔʃe] einkerben; ankreuzen, anstreichen

côcher [koʃe] *(Vögel)* sich paaren

cochère [kɔʃɛːr]: *porte ~* Toreinfahrt

cochon [kɔʃɔ̃] *m* Schwein (männlich); *pop* Dreckspatz; Schmutzfink; Ferkel *fig; histoire ~ne* unanständiger Witz, schweinische Geschichte; ~ *de lait* Spanferkel; *~d'Inde* Meerschweinchen; ~ *de mer* Tümmler; *c'est ~! (pop)* das ist gemein!; **~naille** [-ʃɔnɑːj] *f pop* Schweinefleisch; **~née** [-ʃɔne] *f* Wurf Ferkel; **~ner** [-ʃɔne] *pop (Arbeit)* hinpfuschen; **~nerie** [-ʃɔnri] *f (Rede, Arbeit)* Schweinerei; **~net** [-ʃɔnɛ] *m* Schweinchen; Zielkugel *(beim Jeu de boules)*

coco [kɔkɔ] *m* Kokosnuß; *pop (Kokain)* Koks; *lait de ~* Kokosmilch; *drôle de ~* sonderbarer Kauz; *un joli ~* e. widerlicher Typ

cocon [kɔkɔ̃] *m* Kokon

cocorico [kɔkɔrikɔ] *m* Kikeriki

cocotier [kɔkɔtje] *m* Kokospalme

cocott|e [kɔkɔt] *f* Brattopf; *(Kosewort)* Liebling; *umg* Dirne, Halbweltdame; *~e minute* Schnellkochtopf; **~er** [-kɔte] *pop* stinken

coction [kɔksjɔ̃] *f* (Ab-)Kochen

cocu [kɔky] *m umg* Hahnrei; betrogener Ehemann

code [kɔd] *m* Gesetzbuch; Kode *m*, Schlüssel; 🚗 Abblendlicht; ~ *civil* bürgerl. Gesetzbuch; ~ *de commerce* Handelsgesetzbuch; ~ *pénal* Strafgesetzbuch; ~ *de procédure pénale* Strafprozeßordnung; ~ *de la route* Straßenverkehrsordnung; ~ *du travail* Arbeitsgesetzbuch; *en* ~ verschlüsselt; ~ *matières* Materialschlüssel; ~ *numérique* numerischer Code; ~ *postal* Postleitzahl; *mettre les phares en* ~ 🚗 abblenden

codétenu [kɔdɛtny] *m* Mithäftling

codeur [kɔdœːr] *m* Verschlüsselungsgerät, Codiergerät

cod|ex [kɔdɛks] *m* $ Arzneibuch; **~ification** [-difikasjɔ̃] *f* 🔄 Kodifizierung

codirecteur [kɔdirɛktœːr] *m* Mitdirektor

coefficient [kɔɛfisjɑ̃] *m* Koeffizient; Faktor, Leitzahl; Beiwert; ~ *de charge* Belastungszahl; ~ *de débit* Durchflußzahl; ~ *de sécurité* Sicherheitsfaktor

coéquipier [kɔekipje] *m* 🏟 Mitspieler

coercition [kɔɛrsisjɔ̃] *f* Zwang; *moyen de* ~ 🔄 Zwangsmittel

cœur [kœːr] *m* Herz (*a. fig u. Kartenspiel*); *(Frucht)* Kerngehäuse; *(Stadt)* Mittelpunkt; *(Reaktor)* Kern; *opération à ~ ouvert* offene (Herz-)Operationsmethode; **~-poumon** Herz-Lungen-Maschine; *au* ~ de mitten in; *de tout mon* ~ von ganzem Herzen; *de bon* ~ gern; *battements de* ~ Herzklopfen; *savoir par* ~ auswendig können; *avoir la rage au* ~ verbittert sein; *avoir le* ~ *gai* fröhlich sein; *j'ai le* ~ *gros* mir ist d. Herz schwer; *il n'a pas le* ~ *à l' ouvrage* er ist nicht bei d. Sache; *j'ai mal au* ~ mir ist übel; *avoir bon* ~ e. gutes Herz haben; *à* ~ *joie* nach Herzenslust; *je veux en avoir le* ~ *net* ich will wissen, woran ich bin

coexistence [kɔɛgzistɑ̃s] *f* Koexistenz; ~ *pacifique* friedliche K.

coffin [kɔfɛ̃] *m* Kumpf, Wasserhorn

coffr|age [kɔfrɑːʒ] *m (Erdarbeiten)* Verschalung; *(Beton)* Einschalung; *~age de radiateur* Heizkörperverkleidung; **~e** [kɔfr] *m* 1. Kasten, Truhe; *pop* Brustkasten; 🚗 Kofferraum; *~e d'outillage* 🚗 Werkzeugkasten ♦ *avoir le* ~ *solide* e-e gute Gesundheit haben; 2. Kofferfisch; **~e-fort** [kɔfrəfɔːr] *m* 97 Geldschrank; **~er** [-fre] *pop* einsperren; **~et** [-frɛ] *m (z. B.* 💿*)* Gehäuse; *~et de manœuvre* 🔌 Schaltkasten; *~et radio-phono* 💿 Phonokombination

cogestion [kɔʒɛstjɔ̃] *f* gemeinsame Verwaltung des Unternehmens; Mitbestimmung; *droit de* ~ Mitbestimmungsrecht

cognassier [kɔɲasje] *m* Quittenbaum

cogne [kɔɲ] *m pop* Schupo, Bulle

cogn|ée [kɔɲe] *f* Axt ♦ *jeter le manche après la ~ée* d. Flinte ins Korn werfen; **~ement** [-ɲəmɑ̃] *m (Motor)* Klopfen; **~er** [-ɲe] schlagen; (*a.*🚗) klopfen; *pop* zuschlagen; *se ~er* s. stoßen; *pop* einander verhauen

cohabit|ant [kɔabitɑ̃] *m* Mitbewohner; **~ation** [-tasjɔ̃] *f* 🔄 (eheliches) Zus.leben; **~er** [-e] (friedlich) zusammenleben cohér|ence [kɔerɑ̃s] f Zus.hängen, Zus.hang; ~ent [-rɑ̃] 108 zus.hängend; folgerichtig; un ensemble ~ent e. sinnvolles Ganzes; ~eur [-rœːr] m ⬥ Fritter

cohé|ritier [kɔeritje] m ⚭ Miterbe; ~sion [kɔezjɔ̃] f Zus.halt; Zus.gehörigkeit; phys Kohäsion; ⬥ Frittung

cohue [kɔy] f Menschenmenge; Gedränge

coi [kwa] 117: se tenir ~ sich still verhalten

coiff|e [kwaf] f (Trachten-)Haube; Hutfutter; Kappe, Aufsatz(stück); ~er [-fe] vt d. Kopf bedecken; frisieren; ~er un concurrent knapp (vor dem Ziel) besiegen; ~er un subordonné d. Dienstaufsicht ausüben; decken; ~er un organisme d. Leitung innehaben über e-e Dienststelle; ~é d'une casquette mit e-r Mütze auf d. Kopf; ce chapeau la ~e (bien) d. Hut steht ihr gut ⬥ avoir ~é sainte Catherine alte Jungfer bleiben; être ~é de qn für j-n schwärmen; il est né ~é er ist ein Sonntagskind (Glückspilz); ~eur [-fœːr] m Friseur; ~euse [-føːz] f Friseuse; Toilettentisch; ~ure [-fyːr] f Kopfbedeckung; Frisur, Haartracht; ~ure à la garçonne Bubikopf

coin [kwɛ̃] m (a.) Ecke (~ de rue Straßen-); Winkel (~ de la bouche Mund-); Keil; Münz-, Garantiestempel; ~repas Eßecke; les quatre ~s du monde die 4 Enden d. Welt; au ~ du feu am Kamin; regarder qn du ~ de l'œil j-n verstohlen ansehen; ~cer [-se] 15 ⚙ verkeilen; (ein)klemmen; être ~cé (umg) in d. Klemme sitzen

coïncid|ence [kɔɛ̃sidɑ̃s] f Zus.treffen; Zus.fall; math Kongruenz; Gleichzeitigkeit; ~ent [-dɑ̃] 108 zus.fallend; math kongruent; gleichzeitig; ~er [-de] zus.fallen (a. zeitl.); math s. decken

coing [kwɛ̃] m Quitte

coït [kɔit] m Koitus, Beischlaf

cok|e [kɔk] m Koks; ~éfier [kokefje] verkoken; ~erie [kokri] f Kokerei

col [kɔl] m 1. Kragen; ~ baleine K. mit Stäbchen; ~ blanc (Büro-)Angestellter; ~ bleu (Hand-)Arbeiter; (umg) Matrose; ~ Danton Schillerk.; ~ dur steifer K.; ~ tenant fester K.; faux ~ loser K.; ~ roulé Rollkragen(pullover); à ~ montant mit hochgeschlossenem K.; 2. (Gebirgs-)Paß

colchique [kɔlʃik] m Herbstzeitlose

coléoptère [kɔleɔptɛːr] m Käfer

colère [kɔlɛːr] f jähzornig; f Zorn; être en ~ zornig sein; se mettre en ~ in Wut geraten

colér|eux [kɔlerø] 111 zornig; ~ique [-rik] jähzornig, cholerisch

colifichets [kɔlifiʃɛ] mpl Schmucksachen; Zierat; Kleinkram, Nippsachen

colimaçon [kɔlimasɔ̃] m Schnecke; escalier en ~ Wendeltreppe

colin-maillard [kɔlɛ̃majaːr] jouer à ~ Blindekuh spielen

colique [kɔlik] f Kolik, Leibschmerzen; ~ hépatique Gallensteinkolik; avoir la ~ (umg) Angst haben

colis [kɔli] m Versand- od Frachtstück; ~ express Expressgut; ~ remboursement Nachnahmepaket; ~ postal Postpaket; ~ encombrant Sperrgut

collabo [kɔlabo] m hist Kollaborateur, Person, d. mit der dt. Besatzungsmacht (1940–44) kollaborierte; fig Mitmacher, Mitmarschierer

collabor|ateur [kɔlabɔratœːr] m Mitarbeiter; ~ation [-rasjɔ̃] f Mitarbeit; Zus.arbeit; en ~ation avec unter Mitarbeit von; ~atrice [-ratris] f Mitarbeiterin; ~er [-re] mitarbeiten (à an); zus. arbeiten

coll|age [kɔlaːʒ] m Kleben, Leimen; (Wein) Klären; pop wilde Ehe; ~ant [-lɑ̃] 1. 108 klebrig; (eng) anliegend; être ~ant lästig sein; 2. m Strumpfhose; ~atéral [-lateral] 124 Seiten...; parents ~atéraux Verwandte aus d. Seitenlinie

collation [kɔlasjɔ̃] f 1. Übertragung, Verleihung; (Texte) Vergleichung; 2. Imbiß, Vesper

colle [kɔl] f Klebstoff; Kleister; ~ forte (Tischler-)Leim; poser une ~ (arg scol) e-e knifflige Frage stellen

collect|e [kɔlɛkt] f Kollekte; (kath. Messe) Kirchengebet; ~er [-te] (auf d. Straße) sammeln; ~eur [-tœːr] m ⚡ Kollektor; (Abwässer) Sammelkanal; ~if [-lɛktif] 1. 112 gemeinschaftlich; Kollektiv...; travail ~if Gemeinschaftsarbeit; 2. m ling Kollektivum, Sammelbegriff; 3. m 🏛 Wohnblock, Mietshaus; ~ion [-lɛksjɔ̃] f Sammlung (v. Dingen); ~ionner [-lɛksjɔne] sammeln; ~ionneur [-lɛksjɔnœːr] m Sammler; ~ivisme [-lɛktivism] m pol Kollektivismus; ~ivité [-lɛktivite] f Gesamtheit; ~ivité de droit public öffentl. rechtl. Körperschaft

coll|ège [kɔlɛːʒ] m 1. städtische oder staatliche Oberschule; ~ège de garçons Knabenoberschule; ~ège de jeunes filles Mädchenoberschule; 2. Kollegium; ~ège électoral Wählerschaft; ~égial [-leʒial] f église ~égiale Stiftskirche; ~égialité [-ʒialite] f pol gemeinsame Verwaltung u. Beschlußfassung; Zusammenarbeit; ~égien [-leʒiɛ̃] m Oberschüler; ~égienne [-leʒiɛn] f Oberschülerin; ~ègue [kɔlɛg] m Kollege

coll|er [kɔle] 1. kleben; leimen; (Wein) (ab)klären; 2. arg scol mit Fragen in d. Enge treiben ⬥ il s'est fait ~er er ist (im Examen) durchgefallen; ça ~e (pop) es klappt; qch ne ~e pas da stimmt was nicht; ~ à la réalité d. Wirklichkeit hautnah erleben; ~ avec übereinstimmen, im Einklang sein mit...

collet [kɔlɛ] m 1. (Rock-, Mantel-)Kragen ⬥ prendre qn au ~ j-n beim Kragen packen; cette femme est très ~ monté d. Frau ist sehr hochnäsig; 2. (Jagd-)Schlinge; ~er [kɔlte] se ~er handgreiflich werden, s. schlagen

colleur [kɔlœːr] m: ~ d'affiches Plakatkleber

collier [kɔlje] m (Schmuck) Halskette; (Hund) Halsband ⬥ donner un coup de ~ s. anstrengen

collimateur [kɔlimatœːr] m Aufsatzfernrohr; Visiergerät; avoir qn dans le ~ j-n beobachten u. überwachen; se sentir dans le ~ s. beobachtet fühlen; être dans le ~ im Brennpunkt des Interesses stehen

colline [kɔlin] f Hügel

collision [kɔllizjɔ̃] *f* Zus.stoß

colloque [kɔllɔk] *m* Symposion; Kolloquium

collusion [kɔllyzjɔ̃] *f* geheimes Einvernehmen

colmatage [kɔlmataʒ] *m* Abdichten; Verstopfung; ↓ Schlammdüngung

colocataire [kɔlɔkatɛːr] *m* Mitbewohner (e-s Mietshauses)

Cologne [kɔlɔn] *f* Köln

colombage [kɔlɔ̃baʒ] *m* Fachwerk

colombe [kɔlɔ̃b] *f (lit, rel, pol)* Taube

Colombie [kɔlɔ̃bi]: *la ~* Kolumbien

colomb|ier [kɔlɔ̃bje] *m* Taubenschlag; **~ine** [-bin] *f* Taubenmist; **~ophile** [-bɔfil] *m* Brieftaubenzüchter; **~ophilie** [-bɔfili] *f* Brieftaubenzucht

colon [kɔlɔ̃] *m* Siedler, Pflanzer; Pächter

côlon [kolɔ̃] *m* ❤ Grimmdarm

colonel [kɔlɔnɛl] *m* Oberst

coloni|al [kɔlɔnjal] *124* kolonial; **~e** [-ni] *f* Kolonie; **~sateur** [-nizatœːr] *122* kolonisatorisch; *m* Kolonisator; **~sation** [-nizasjɔ̃] *f* Kolonisierung; **~ser** [-nize] kolonisieren

colonn|ade [kɔlɔnad] *f* Säulengang; **~e** [kɔlɔn] *f (a. fig)* Säule; 🕮 Spalte; *mil* Kolonne; *~e de publicité* Anschlagsäule; *~e vertébrale* Wirbelsäule; *~e barométrique* Quecksilbersäule

color|ant [kɔlɔrɑ̃] 1. *108* färbend; *pouvoir ~ant* Färbekraft; 2. *m* Farbstoff; *~ant végétal* Pflanzenfarbstoff; **~ation** [-rasjɔ̃] *f* Färbung; **~er** [-re] färben; *(Wahrheit)* verblümen; *style ~é* lebendiger Stil; **~iage** [-rjaːʒ] *m* Kolorieren; **~ier** [-rje] kolorieren; **~is** [-ri] *m* Färbung; Kolorit; Farbton; **~iste** [-ist] *m* ❤ Kolorist

coloss|al [kɔlɔsal] *124* kolossal, übergroß; **~e** [-lɔs] *m* Koloß; *fig* Hüne

colport|age [kɔlpɔrtaʒ] *m* Hausieren; Weiterverbreitung *(v. Nachrichten)*; **~er** [-te] hausieren; *(Nachrichten)* weiterverbreiten; **~eur** [-tœːr] *m* Hausierer

coltiner [kɔltine] *(Last)* schleppen

columb|aire [kɔlɔ̃bɛːr], **~arium** [-barjɔm] *m* Urnenhalle

colza [kɔlza] *m* Raps

coma [kɔma] *m* ❤ Koma

combat [kɔ̃ba] *m* Kampf; *~ aérien* Luftkampf; *~ défensif* Abwehrkampf; *~ naval* Seegefecht; *~ offensif* Angriff; *~ rapproché* Nahkampf; *~ singulier* Zweikampf; *livrer ~ à (mil)* s. schlagen mit; **~tant** [-batɑ̃] *m* Kämpfer; *ancien ~tant* Kriegsteilnehmer; **~if** [-batif] *112* kämpferisch; streitsüchtig; **~ivité** [-bativite] *f* Kampfgeist; **~tre** [kɔ̃batr] *76* (be)kämpfen

combien [kɔ̃bjɛ̃] 1. wie; wie sehr; wie viele; inwieweit; *~ de fois* wie oft; *~ de temps* wie lange; *~ plus, si...* um wieviel mehr, wenn...; 2. wieviel?, was kostet das?; *le ~?* der wievielte?

combin|aison [kɔ̃binɛzɔ̃] *f* Kombination; Zus.stellung; ❊ Überanzug; *chem* Verbindung; *~aison d'aviateur* Fliegerkombination; **~ard** [-binaːr] *m* Pfiffikus, Ränkeschmied; **~e** [kɔ̃bin] *umg* Dreh, Masche; **~é** *m* **(du téléphone)** (Fernsprech-)Handapparat; **~er** [-bine] kombinieren; zus.stellen; *chem* verbinden

comb|le [kɔ̃bl] 1. *adj* (über)voll; überfüllt; *la salle est ~e* d. Saal ist voll besetzt; 2. *m* Dachstuhl; *fig* Gipfel, Höchstmaß; *loger sous les ~es* unter d. Dach wohnen; *de fond en ~e* vollständig, durch u. durch; *pour ~e (de malheur)* zu allem Unglück; *c'est le ~e* das ist d. Höhe; *ce serait le ~e!* das fehlte gerade noch!; **~ement** [-blǝmɑ̃] *m (Graben)* Auffüllung; **~er** [-ble] (aus-, er-)füllen; überhäufen; *~é de* überglücklich; *vous me ~ez* Sie sind (all)zu liebenswürdig

combust|ible [kɔ̃bystibl] brennbar; *m* Heizmaterial; Brennstoff; *(Atom)* Spaltstoff; **~ion** [-tjɔ̃] *f* Verbrennung; Abbrand (Atomreaktor); *chambre de ~ion (Strahlantrieb)* Brennkammer; *gaz de ~ion* ❊ Abgas

comédi|e [kɔmedi] *f* Komödie, Lustspiel; *jouer la ~ (umg)* Komödie spielen; **~en** [-djɛ̃] *118 fig* schauspielerisch; *m* ❤ komischer Darsteller; *fig* Schauspieler, Komödiant; **~enne** [-djɛn] *f* ❤ komische Darstellerin; *fig* Schauspielerin, Komödiantin

comestible [kɔmɛstibl] eßbar; *mpl* Lebensmittel, Nahrungsmittel

comète [kɔmɛt] *f* Komet ♦ *tirer des plans sur la ~ (umg)* Pläne schmieden

comice [kɔmis] *m: ~ agricole* Landwirtschaftsverband, -versammlung

comique [kɔmik] *a. fig* komisch; *auteur ~* Lustspieldichter; *m* ❤ komischer Darsteller, Komiker

comité [kɔmite] *m* Komitee; Ausschuß; *~ consultatif* Beratungsausschuß; *~ d'entreprise* frz. Betriebsausschuß; *~ d'enquête* Untersuchungsausschuß; *~ de lecture* Prüfungsausschuß *(f. Theaterstücke)*; *~ de surveillance* Aufsichtsrat; *être en petit ~* ganz unter s. sein

command|ant [kɔmɑ̃dɑ̃] *m* Major; *a.* ⚓ Kommandant; Befehlshaber; *~ant d'armes* Standortkommandant; **~e** [-mɑ̃d] *f* 1. Bestellung; Auftrag; *bulletin de ~e* Bestellzettel; *en cas de ~e, à la ~e* bei Bestellung; *prendre la ~e* et. in Auftrag erteilen; *pleurs de ~e* Krokodilstränen; 2. ❊ Antrieb, Steuerung; Bedienorgan; ↯ Schaltvorrichtung, Schalter; *~e par boutons-poussoirs* ⬚ Drucktastenschaltung; *~e par courroie* Riemenantrieb; *~ à distance* Fernsteuerung, Fernbedienung; *~e électronique* elektronische Steuerung; *~ motorisée* Motorantrieb; **~ement** [-mɑ̃dmɑ̃] *m* Befehl(sgewalt); *rel* Gebot *(les dix ~ements* die 10 G.e); Zahlungsbefehl; Kommando; *prendre le ~ement* Kommando übernehmen; *ton de ~ement* gebieterischer Ton; **~er** [-de] befehlen; beherrschen; gebieten; kommandieren; *mil* führen; *com* bestellen; ❊ betätigen, steuern; bedienen; **~eur** [-dœːr] *m: ~eur de la Légion d'honneur* Kommandeur d. Ehrenlegion; **~itaire** [-ditɛːr] *m* stiller Teilhaber; **~ite** [-dit] *f (société en ~ite)* Kommanditgesellschaft; **~o** [-do] *m mil* Jagdtrupp; *pol* bewaffnete Terrorbande; Bandenmitglied; **~o-suicide** [-dosyisid] *m 97 mil* Himmelfahrtskommando

comme [kɔm] wie; gleichsam; als; da (ja); *c'est ~ ça (umg)* so ist es (nun einmal); *c'est tout ~* das ist einerlei, das ist gehupft wie gesprungen; *~ quoi* somit; *il est mignon ~ tout (umg)* er ist ja so niedlich; *il est ~ ça! (umg)* er ist einfach Spitze!; *~ je partais* als ich (gerade) ging; *~ si* wie wenn, als ob; *j'ai ~ une idée* ich habe so e-e Ahnung; *~ ci ~ ça (umg)* leidlich; soso lala; *~ il faut* wie sich's gehört, ordentlich, anständig

commémorat|if [kɔmemɔratʃf] *112* Gedächtnis...; Gedenk...; *cérémonie ~ive* Gedenkfeier; **~ion** [-sjɔ̃] *f* Gedenkfeier

commençant [kɔmɑ̃sɑ̃] *m* Anfänger

commenc|ement [kɔmɑ̃smɑ̃] *m* Anfang, Beginn; Anbeginn; *au ~ement* anfangs; *c'est le ~ement de la fin* das ist d. Anfang vom Ende; **~er** [-se] *15* anfangen, beginnen; *il ~e à faire jour* es wird hell; *à ~er par* zuvorderst, allen voran

commensal [kɔmɑ̃sal] *m 90* Tischgenosse; *biol* der Kommensale

comment [kɔmɑ̃] wie (?, !); wieso; *~ allez-vous?* wie geht es Ihnen?; *et ~!* und wie!; *~ donc?* was denken Sie?; *voici ~* und zwar folgendermaßen; *~ faire?* wie machen wir's nur?; *je voudrais savoir le pourquoi et le ~* ich möchte wissen wieso u. warum

comment|aire [kɔmɑ̃tɛːr] *m* Kommentar; **~ateur** [-tatœːr] *m* Kommentator; **~er** [-te] kommentieren

commérage [kɔmeraːʒ] *m* (Weiber-)Klatsch

commerçant [kɔmɛrsɑ̃] *1. 108* Handels...; Geschäfts...; *rue ~e* Geschäftsstraße; *2. m* Kaufmann; Gewerbetreibender

commerc|e [kɔmɛrs] *m* **1.** Handel; Geschäft; (Handels-)Gewerbe; *~e de détail, ~e de gros* Klein-, Großhandel; *Chambre de ~e* Industrie- u. Handelskammer; *maison de ~e* Handelshaus; H.sgeschäft; *livre de ~e* Geschäftsbuch; *registre du ~e* Handelsregister; *être dans le ~e* Kaufmann sein; *faire du ~e* ein H.sgewerbe betreiben; *faire ~e de* Handel treiben mit; **2.** Verkehr (gesellsch., geschlechtl., geistig); Umgang; *homme d'un ~e agréable* umgänglicher Mensch; *avoir ~e avec qn* mit j-m verkehren; **~er** [-mɛrse] *15* Handel treiben (*avec* mit); Umgang pflegen (*avec* mit); **~ial** [-mɛrsjal] *124* kaufmännisch; Handels...; **~ialiser** [-mɛrsjalize] auf den Markt bringen, vermarkten, vertreiben; als H.sgewerbe aufziehen

commère [kɔmɛːr] *f* Klatschbase

commett|ant [kɔmɛtɑ̃] *m* 🔸 Mandant; *com* Auftraggeber, Besteller; **~re** [-mɛtr] *72 (Verbrechen, Sünde, Fehler)* begehen; *~re un expert zum Sachverständigen bestellen; personne commise par la loi gesetzlich (für e. Amt) bestellte Person*

comminatoire [kɔminatwaːr] *sentence ~* Verurteilung (zu e-r Strafe); *lettre ~* Drohbrief

commis [kɔmi] *m* Verwaltungssekretär; kaufm. Angestellter; *~ principal* Hauptsekretär; *~ voyageur* Geschäftsreisender

commisération [kɔmizerasjɔ̃] *f* Mitgefühl, Erbarmen

commiss|aire [kɔmisɛːr] *m* Kommissar; *~aire de police* Polizeik.; *~aire aux prix* Preisk.; *~aire aux comptes* Rechnungs-, Abschluß-, Wirtschaftsprüfer; **~aire-priseur** [-sɛrprizœːr] *m 97* Auktionator, Versteigerer; **~ariat** [-sarja] *m* (Polizei-)Dienststelle; **~ion** [-sjɔ̃] *f (a. 🔲)* Kommission; Ausschuß; *(Auftrag)* Bestellung; *(Einkauf)* Besorgung; *com* Provision; *~ion d'arbitrage* Schiedsstelle; *~ion de banque* Wechselprovision; *~ion d'enquête* Untersuchungsausschuß; *~ion d'examen* Prüfungsausschuß; *~ion rogatoire* Rechtshilfeersuchen; *j'ai une ~ion à vous faire* ich habe Ihnen etw. zu bestellen (auszurichten); **~ionnaire** [-sjɔnɛːr] *m* 🔸 Beauftragter; *com* Kommissionär; *~ionnaire en douane* Zollagent, Grenzspediteur; *~ionnaire de transport* Spediteur; **~ure** [-syːr] *f:* *~ure des lèvres* Mundwinkel

commod|e [kɔmɔd] **1.** *131* bequem; gemächlich ♦ *il n'est pas ~e* mit ihm ist nicht gut Kirschen essen; **2.** *f* Kommode; **~ité** [-mɔdite] *f* Bequemlichkeit; Gemächlichkeit; *pour plus de ~ité* der Einfachheit halber

commotion [kɔmosjɔ̃] *f* Erschütterung; schwere Aufregung; *~ du cerveau* Gehirnerschütterung; *~ électrique* elektr. Schlag

commuer [kɔmɥe] 🔸 *(Strafe)* umwandeln, mildern

commun [kɔmœ̃] *109, 131* gemeinschaftlich; gemeinsam; alltäglich; allbekannt; geringwertig; Durchschnitts...; *m* große Mehrheit, Mehrzahl; *d'un ~ accord* einmütig; *faire bourse ~e* sein Geld zus.legen; *faire cause ~e avec* gemeinsame Sache machen mit; *lieu ~* Gemeinplatz; *sens ~* gesunder Menschenverstand; **~al** [-mynal] *124* Kommunal..., Gemeinde...; **~auté** [-mynote] *f (a. rel)* Gemeinschaft; Gemeinwesen; Übereinstimmung; *≠auté économique européenne (C.E.E.)* Europäische Wirtschaftsgemeinschaft (E.W.G.); *≠auté Européenne du Charbon et de l'Acier* Europäische Gemeinschaft für Kohle u. Stahl; *la ≠auté (pol)* d. Französische Gemeinschaft; *~auté de biens* (eheliche) Gütergemeinschaft; *~auté d'intérêts* Interessengemeinschaft; **~e** [-myn] *f pol* Gemeinde; *~e rurale* Landgemeinde; **~ément** [-mynemɑ̃] gemeinhin; **~iant** [-mynjɑ̃] *m rel* Kommunikant; **~icable** [-mynikabl] mitteilbar; **~icant** [-mynikɑ̃] *108 phys* kommunizierend; **~icatif** [-mynikatif] *112* mitteilsam; *fig* ansteckend

communication [kɔmynikasjɔ̃] *f* Mitteilung *(a. e-r Bewegung)*; Bericht; (Verkehrs-)Verbindung; 📞 Anschluß; Telefongespräch; Telefonverbindung; *réseau de ~* Transportnetz, Verkehrsnetz; *~ routière* Straßenverb.; *~ ferroviaire* Eisenbahnverb.; *~ téléphonique* Fernsprechverb.; *~ urgente* dringendes Ferngespräch; *~ avec préavis* 📞 V- Gespräch; *~ avec avis d'appel* 📞 X- Gespräch; *établir la ~* 📞 verbinden; *donner une mauvaise ~* falsch verbinden

communi|er [kɔmynje] *kath* kommunizieren; *prot* zum Abendmahl gehen; *~er dans la joie* in

d. Freude verbunden sein; **~on** [-njɔ̃] *f* 1. Kommunion; 2. inneres Mittun; **~qué** [-nikę] *m* Kommuniqué, amtl. Verlautbarung; **~quer** [-nikę] 6 (*a.*) übertragen; mitteilen; *(Raum)* in Verbindung stehen (*avec* mit); *(Urkunden)* vorlegen, weiterleiten

commun|isme [kɔmynįsm] *m* Kommunismus; **~iste** [-nįst] kommunistisch; *m* Kommunist

commutat|eur [kɔmytatœːr] *m* ⚡ Schalter; *tourner le ~eur* d. Licht anknipsen; **~ion** [-sjɔ̃] *f* ⚡ Umschaltung; *~ion de peine* 🕮 Strafmilderung

compac|ité [kɔ̃pasitę] *f* Kompaktheit, Gedrungenheit, Dichte; **~t** [-pąkt] undurchdringlich, fest, dicht; ✿ Kompaktbauweise

compagn|e [kɔ̃pąɲ] *f* Gefährtin; Gattin; **~ie** [-paɲi] *f* Gesellschaft; Körperschaft; *mil* Kompanie; *~ie d'assurances* Versicherungsgesellschaft; *~ie de discipline* Strafkompanie; *≠ie de Jésus* Jesuitenorden; *~ie (de navigation) aérienne* Luftfahrtgesellschaft; *dame de ~ie* Gesellschafterin; *de ~ie* zusammen; *en ~ie* in Begleitung (*de* von); *tenir ~ie* Gesellschaft leisten; *fausser ~ie à qn* j-m weglaufen, j-n allein lassen; **~on** [-paɲɔ̃] *m* Gefährte, Genosse, Begleiter; Geselle, Gehilfe; *~on de misère* Leidensgenosse; **~onnage** [-paɲɔnːaʒ] *m* Gesellenzeit

compar|able [kɔ̃parąbl] vergleichbar (*à* mit); **~aison** [-rεzɔ̃] *f* Vergleich; *en ~aison de* im Vergl. zu; *soutenir la ~aison* d. Vergl. aushalten

comparaître [kɔ̃parεtr] 61: *~ en justice* vor Gericht erscheinen; *comparant* Erschienener

compar|ateur [kɔ̃paratœːr] *m* ✿ Komparator, Lehre; Meßuhr; *~ atif* [-tįf] 112 vergleichend; Vergleichs...; *m* *ling* Komparativ; *~ [-rę] vergleichen (*à* mit); *cela ne se ~e pas* das ist etw. völlig anderes

comparse [kɔ̃pąrs] *m* 🜨 Statist; Mitläufer

compartiment [kɔ̃partimɔ̃] *m* Fach; (Eisenbahn-)Abteil; Abteilung; ✈ Fluggastraum; Frachtraum; Kabine; *~ lunaire* Mondfähre; *~ machines* ⚓ Maschinenraum

comparution [kɔ̃parysjɔ̃] *f* Erscheinen vor Gericht

compas [kɔ̃pa] *m* Zirkel; Kompaß; *~ à pointes sèches* Stechzirkel; *~ gyroscopique* Kreiselkompaß ♦ *avoir le ~ dans l'œil* e. gutes Augenmaß haben; **~sé** [-pasę] (*Benehmen*) gezwungen, steif

compassion [kɔ̃pasjɔ̃] *f* Mitleid, Teilnahme

compat|ible [kɔ̃patįbl] vereinbar; verträglich; widerspruchsfrei; **~issant** [-tisą] 108 mitfühlend, teilnehmend

compatriote [kɔ̃patriɔt] *m, f* Landsmann, Landsmännin; *pl* Landsleute

compens|ateur [kɔ̃pɑ̃satœːr] 122 ausgleichend; Ausgleichs...; **~ation** [-sasjɔ̃] *f* Kompensation, Ausgleich; Aufrechnung, Verrechnung; **~atoire** [-atwąr] Ausgleichs-; *taxe ~atoire* Ausgleichsabgabe; **~er** [-sę] kompensieren, ausgleichen; aufwiegen

compère [kɔ̃pεːr] *m* Gevatter; Helfershelfer; *rusé ~* schlauer Bursche; **~-loriot** [-lɔrjo] *m* 97 Gerstenkorn

compét|ence [kɔ̃petɑ̃s] *f* Kompetenz; Sachverständnis, Befähigung; Zuständigkeit; *avoir ~ence pour* zuständig sein für; *être de la ~ence de qn* in j-s Zuständigkeit liegen; **~ent** [-tɑ̃] 108 kompetent, zuständig; fachkundig, sachverständig; **~iteur** [-titœːr] *m* Mitbewerber; **~itif** [-titįf] 112: *prix ~itifs* konkurrenzfähige Preise; *entreprise ~itive* wettbewerbsfähiges Unternehmen; **~ition** [-tisjɔ̃] *f* Wettbewerb; **~itivité** [-itivitę] *f* Wettbewerbsfähigkeit

compil|ation [kɔ̃pilasjɔ̃] *f* Kompilation, Sammelwerk; **~er** [-lę]: *~er des extraits* Auszüge *(aus anderen Schriften)* zus.tragen

complainte [kɔ̃plε̃t] *f* Klagelied; Bänkellied

complai|re [kɔ̃plεːr] 77: *se complaire à...* sich darin gefallen, zu...; **~sance** [-plεzɑ̃s] *f* Gefälligkeit; Dienstfertigkeit; Wohlgefallen; *par ~sance* aus Gefälligkeit; **~sant** [-plεzɑ̃] 108 gefällig

complément [kɔ̃plemɑ̃] *m* Ergänzung; *EDV* Komplement; *~ direct (ling)* Akkusativobjekt; *~ indirect (ling)* Dativobjekt; **~aire** [-mɑ̃tːεr] Ergänzungs...; *cours ~aires* Fortbildungsunterricht

compl|et [kɔ̃plę] 1. 116 vollständig; vollzählig; *(Fahrzeug)* besetzt; *œuvres ~ètes (lit)* sämtliche Werke; *nous sommes au ~et* wir sind alle da; 2. *m* Herrenanzug; *~et sur mesure* Maßanzug; *~et veston* Straßenanzug; *~et veston croisé* Zweireiher

complét|er [kɔ̃pletę] 13 vervollständigen, ergänzen; **~if** [-tįf] 112 ergänzend

complex|e [kɔ̃plęks] komplex; verwickelt; *m* (Gebäude)Komplex; *~e portuaire* Hafenkomplex; *~e d'infériorité* Minderwertigkeitskomplex; *~é [-ę] adj* voller Komplexe; **~ifier** [-ifię] verbessern; **~ion** [-plεksjɔ̃] *f* ⚕ Konstitution; Gemütsanlage, Veranlagung, Naturell; **~ité** [-plεksitę] *f* Kompliziertheit; Vielschichtigkeit; Unübersichtlichkeit

complication [kɔ̃plikasjɔ̃] *f* Kompliziertheit; Verwicklung; ⚕ Komplikation; *sans ~* unkompliziert

complic|e [kɔ̃plįs] mitschuldig; *m* Komplize; Helfershelfer; **~ité** [-plisitę] *f* Mittäterschaft

compliment [kɔ̃plimɑ̃] *m* Kompliment; Empfehlung, Gruß; *mes ~s à...* grüßen Sie... von mir; *faire des ~s à qn* j-m Komplimente machen; j-n beglückwünschen; **~er** [-mɑ̃tę] beglückwünschen (*de* wegen, zu)

compliquer [kɔ̃plikę] 6 komplizieren, verwickeln

complot [kɔ̃plo] *m* Komplott, Verschwörung, Anschlag; *tramer un ~* e. Komplott schmieden; **~er** [-olɔtę] e-e Verschwörung anzetteln; **~eur** [-plɔtœr] *m* Verschwörer, Aufrührer

componction [kɔ̃pɔ̃ksjɔ̃] *f* Zerknirschung; gravitätisches Benehmen

comport|ement [kɔ̃pɔrtmɑ̃] *m* (*a. biol, phys*) Verhalten(sweise); **~er** [-tę] enthalten; in s. schließen, mit s. bringen; *se ~er* sich verhalten, benehmen

compos|ant [kɔ̃pozɑ̃] *m* Bestandteil; ⚡ Schaltelement; *EDV* Bauteil; **~ante** [-zɑ̃t] *f* Kompo-

nente; Bauelement; **~é** [-zе̣] **1.** zus.gesetzt; *fig*
gezwungen; *corps ~é* (*chem*) Verbindung; **2.** *m*
Zus.setzung; **~er** [-zе̣] *vt* zus.setzen; ⚏ setzen;
verfassen; komponieren; *vi* s. abfinden; s.
vergleichen (*avec qn* mit j-m); **~er un numéro** ✆
e-e Nummer wählen; **~iteur** [-zitœ:r] *m*
Schriftsetzer; Komponist; **~ition** [-zisjɔ̃] *f*
Zus.setzung; *(Zug)* Zus.stellung; 🎨, ♪ Kompo-
sition; Gestaltung; (Schul-)Aufsatz; *fig* Charakter; 🜋 Vergleich; ⚏ Satz; *~ition mécanique (à
la main)* Maschinen-(Hand-)Satz; **~t** [-pɔst] *m*
Komposterde; **~teur** [-pɔstœ:r] *m* Datumsstem-
pel; ⚏ Winkelhaken

compot|e [kɔ̃pɔt] *f* Kompott, Eingemachtes;
~ier [-pɔtjе̣] *m* Obstschale

compréhens|ibilité [kɔ̃prеᾱsibilitе̣] *f* Faßlich-
keit; **~ible** [-sibl] verständlich; **~if** [-sif] *112*
verstehend; verständnisvoll; **~ion** [-sjɔ̃] *f*
Verstehen, Fassungskraft; Begriffsvermögen;
Verständnis

comprend|re [kɔ̃prᾱdr] *79* umfassen, enthalten,
in s. schließen; verstehen, auffassen; *se faire
~re* s. verständlich machen; *service compris*
Bedienung inbegriffen; *y compris...* einschließlich...; *je me ~s!* ich weiß, was ich sagen will!

comprenette [kɔ̃prᾱnɛt] *f*: *ne pas avoir la ~
facile* e-e lange Leitung haben

compress|e [kɔ̃prɛs] 🜋 Kompresse; *~ en gaze*
Mullkompresse, Mulltupfer; **~eur** [-prɛsœ:r] *m*
⚙ Kompressor, Verdichter; Lader; *~eur
hydraulique* Wasserpumpe; **~ible** [-prɛsibl]
zus.drückbar; **~ion** [-prɛsjɔ̃] *f* ⚙ Druck;
Kompression, Verdichtung; *fig* Einschränkung;
résistance à la ~ion ⚙ Druckfestigkeit

comprim|able [kɔ̃primabl] zus.drückbar; **~é**
[-mе̣] *m* 🜋 Tablette; **~er** [-mе̣] zus.drücken;
air~é Druckluft

compromettre [kɔ̃prɔmɛtr] *72* bloßstellen;
preisgeben; **~is** [-mi] *m* Kompromiß, Vergleich

compt|abilité [kɔ̃tabilitе̣] *f* Buchhaltung(sabtei-
lung); *~abilité en partie simple (double)* einfache
(doppelte) Buchführung; **~able** [-tabl] Rech-
nungs...; *m* Buchhalter; **~ant** [-tᾱ] *108* **1.** bar;
argent ~ant Bargeld; *au ~ant compté* (Zahlung) in bar (an der Kasse); *au ~ant* (Zahlung)
innerhalb d. üblichen Frist; **2.** *m* Barmittel;
vendre au ~ant gegen bar verkaufen; **~e** [kɔ̃t] *m*
(Ab-)Zählen; Rechnen; Betrag; (Be-)Rech-
nung; Konto; Rechenschaft; *~e en banque*
Bankkonto; *~e de chèques postaux* Postscheck-
konto; *~e courant* laufendes Konto; *~e
débiteur* Schuldkonto; *~e d'épargne* Sparkon-
to; *~e rendu* Rechenschaftsbericht; Buch-
besprechung; *mil* Meldung; *~e à rebours*
Countdown, Nullzählen; *fig* letzte Vorbereitungen; *à bon ~e* billig; *pour le ~e de* im Auftrag
von; *à ce ~e-là* wenn man es so nimmt; *en fin de
~e* schließlich; *pour mon ~e* was mich betrifft;
tout ~e fait alles in allem, genau betrachtet; *le
~e y est* die (An-)Zahl stimmt; *régler un ~e* e-e
Rechnung begleichen; *rendre ~e* Rechenschaft
ablegen, Bericht erstatten; *se rendre ~e de*
einsehen, gewahr werden; *tenir les ~es* Buch
führen; *tenir ~e de* berücksichtigen; *on ne peut*

rien *dire sur son ~e* man kann ihm nichts
nachsagen; **~e-gouttes** [-gut] *m 100* Tropfenzäh-
ler; **~e-tours** [-tur] *m 98* Tourenzähler, Dreh-
zahlmesser; **~er** [-tе̣] zählen; (ab)rechnen;
(Preis) berechnen; s. verlassen (*sur* auf);
beabsichtigen; *à ~er de* von... an; *il ne ~e pas
(fig)* er zählt nicht; *en ~ant...* mit einbegriffen...; **~eur** [-tœ:r] *m* Zähler; Zählgerät; *~eur à
gaz* Gasuhr; *~eur de vitesse* Geschwindigkeits-
messer, Tachometer; **~oir** [-twa:r] *m* Laden-
tisch; Theke; Kontor; Handelsniederlassung;
~oir d'escompte Diskontbank; *~oir de ventes*
Verkaufskontor

compulser [kɔ̃pylsе̣]: ~ *un dictionnaire* in e-m
Wörterbuch nachschlagen

comt|e [kɔ̃t] *m* Graf; **~é** [-tе̣] *m* Grafschaft;
~esse [-tɛs] *f* Gräfin

con [kɔ̃] *m pop!* Möse, Vulva; Armleuchter,
Idiot; *à la ~* völlig idiotisch; *quel ~!* was für e.
Arschloch! *bande de ~s!* Ihr Rindviecher!

concass|er [kɔ̃kasе̣] zerkleinern; zerstoßen;
~eur [-sœ:r] *m* ⚙ Brecher

concav|e [kɔ̃ka:v] konkav; *miroir ~e* Hohlspie-
gel; **~ité** [-kavitе̣] *f* Höhlung

concéder [kɔ̃sedе̣] *13* zugestehen; konzessionie-
ren

concentr|ation [kɔ̃sᾱtrasjɔ̃] *f* Konzentration;
Zus.ziehung, Sammlung; *com* Zus.schluß, Konzern; *camp de ~ation* Konzentrationslager;
~ationnaire [-asjɔnɛ:r] *adj* e-m Arbeits- u.
Massenvernichtungslager vergleichbar; **~é** *m*
Konzentrat; **~er** [-trе̣] konzentrieren; zus.zie-
hen; *se ~er sur* s. konzentrieren auf; **~ique**
[-trik] konzentrisch

concept [kɔ̃sɛpt] *m* Begriff; **~eur** [kɔ̃sɛptœ:r] *m*
Gestalter, Planer; **~ion** [-sɛpsjɔ̃] *f* Empfängnis;
Konzeption; Begriff; Auffassung; *Immaculée
~ion (rel)* unbefleckte Empfängnis; **~ualiser**
[-tɥalizе̣] (Gedanken) in abstrakte Worte fassen

concern|er [kɔ̃sɛrnе̣] betreffen, anbelangen; *en
ce qui ~e...* was... betrifft, angeht

concert [kɔ̃sɛ:r] *m* Konzert; Übereinstimmung,
Einvernehmen; *de ~* gemeinschaftlich; **~ation**
[asjɔ̃] *f* konzertierte Aktion; **~er** [-sɛrtе̣]
verabreden; *se ~er avec qn* s. mit j-m über
gemeinsames Handeln verständigen; **~o** [-sɛrtɔ]
m 102 Konzert *(Musikstück)*

concession [kɔ̃sesjɔ̃] *f* Konzession; Abtretung;
Zugeständnis; *~ anticipée* Vorleistung; **~naire**
[-sjɔnɛ:r] *m* Inhaber e-r Konzession; *com*
Vertragshändler

concev|able [kɔ̃savabl] begreiflich; **~oir**
[-vwa:r] *44* 🜋 empfangen; begreifen; ersinnen;
erdenken; entwerfen; ⚙ entwickeln; *(Freundschaft)* empfinden; *cela se conçoit* das ist
begreiflich

concierg|e [kɔ̃sjɛrʒ] *m, f* Hausmeister; Pförtner;
~erie [-sjɛrʒəri] *f* Portierloge

concil|e [kɔ̃sil] *m* Konzil; **~iable** [-siljabl]
vereinbar; **~iabule** [-siljabyl] *m* geheime Zus.-
kunft; heimliche Beratung; **~iant** [-siljᾱ] *108*
versöhnlich; **~iateur** [-siljatœ:r] *122* versöh-
nend; *m* Mittelsperson; **~iation** [-siljasjɔ̃] *f*
Versöhnung; *organisme de ~iation* Einigung-

stelle; **~ier** [-siljɛ] versöhnen; in Übereinstimmung bringen

concis [kɔ̃si] *108* kurz (gefaßt), bündig; **~ion** [-sizjɔ̃] *f* Kürze *(im Ausdruck)*

concitoyen [kɔ̃sitwajɛ̃] *m* Mitbürger

conclu|ant [kɔ̃klyɑ̃] *108* schlüssig; **~re** [-kly:r] *59 (Folgerung, Vertrag, Ehe)* schließen; *(Geschäft)* abschließen, tätigen; folgern; 🜨 beantragen *(à qch* etw.), erkennen *(à* auf); **~re un marché** e-n Auftrag vergeben; **~sion** [-zjɔ̃] *f* Schluß(bemerkung), Folgerung; *(Vertrag, Geschäft)* Abschluß; *pl* 🜨 Anträge (d. Staatsanwaltschaft); Zusammenfassung; Ergebnis (e-r Prüfung); Erkenntnisse

concombre [kɔ̃kɔ̃br] *m* Gurke

concomitant [kɔ̃kɔmitɑ̃] *108* begleitend; gleichzeitig; mitwirkend; *phénomène ~* Begleiterscheinung

concord|ance [kɔ̃kɔrdɑ̃s] *f* Konkordanz, Übereinstimmung; **~at** [-da] *m* 🜨 Zwangsvergleich; *rel* Konkordat; **~e** [-kɔrd] *f* Eintracht; **~er** [-de] *(z. B. Zeugenaussagen)* übereinstimmen

concour|ir [kɔ̃kur:r] *19* zus.wirken; beitragen *(à* zu); Mitbewerber sein; *math* s. schneiden; **~s** [-ku:r] *m* Wettbewerb; Auswahlprüfung; Preisausschreiben; Mitwirkung; *math* Zus.laufen; *avec le ~s de* in Zus.arbeit mit, unter Mitwirkung von; *~s d'entrée* Aufnahmeprüfung; *hors ~s* außer Konkurrenz; *mettre au ~s (Stelle)* ausschreiben

concret [kɔ̃krɛ] *116* konkret

concrét|ion [kɔ̃kresjɔ̃] *f (geol,* 💲*)* Verhärtung; **~iser** [-tizɛ] veranschaulichen

concubinage [kɔ̃kybina:ʒ] *m* wilde Ehe

concupisc|ence [kɔ̃kypisɑ̃s] *f* (sinnliche) Begierde, Lüsternheit; **~ent** [-sɑ̃] *108* lüstern

concurr|ence [kɔ̃kyrɑ̃s] *f* Konkurrenz, Wettbewerb; *~ence déloyale* unlauterer Wettbewerb; *jusqu'à ~ence de* bis zur Höhe von; *appel à la ~ence* Aufforderung zur Angebotsabgabe; **~encer** [-rɑ̃sɛ] *15: il les ~ence* er macht ihnen Konkurrenz; **~ent** [-rɑ̃] **1.** *108, 127* Konkurrenz...; *entreprise ~ente* Konkurrenzunternehmen; *agir ~emment* gemeinsam handeln; **2.** *m* Konkurrent, Mitbewerber; 🠠 Teilnehmer, Wettkämpfer; **~entiel** [-rɑ̃sjɛl] *adj* wettbewerbsfähig

concussion [kɔ̃kysjɔ̃] *f* Veruntreuung öffentlicher Mittel

condamn|able [kɔ̃danabl] verwerflich; **~ation** [-nasjɔ̃] *f* 🜨 Verurteilung; Strafe; *~ation à mort* Todesurteil; **~é** [-ne] *m* 🜨 Verurteilter; **~er** [-ne] verurteilen (*à* zu); 💲 *(Kranken)* aufgeben; *(Tür)* verrammeln, zumauern; *~é à la ruine (Haus)* d. Verfall preisgegeben

condens|ateur [kɔ̃dɑ̃satœ:r] *m* 💲, 🜨 Kondensator; *~ateur variable* Drehkondensator; **~ation** [-sasjɔ̃] *f* ⚙ Kondensation; *point de ~ation* Taupunkt; **~er** [-se] kondensieren; *lait ~é* Kondensmilch; *style ~é* gedrängter Stil; **~eur** [-sœ:r] *m* Kühler; Verflüssiger; 💡 Kondensor

condescend|ance [kɔ̃desɑ̃dɑ̃s] *f* Herablassung; **~ant** [-dɑ̃] *108* herablassend

condiment [kɔ̃dimɑ̃] *m* Gewürz

condisciple [kɔ̃disipl] *m* Studiengenosse

condition [kɔ̃disjɔ̃] *f* Bedingung, Voraussetzung; Lage; (soziale) Stellung; Zustand, Beschaffenheit; 🠠 Kondition; *pl* Verhältnisse; *à cette ~* unter dieser Bedingung; *à ~ que* unter d. Bedingung, daß; *~ psychologique* geistige Aufnahmebereitschaft; *mise en ~ psychologique* psychische Manipulation; *~s d'habitat* Wohnverhältnisse; *~ préalable* Vorbedingung; *~ initiale* Anfangsbedingung; *~ première* Grundbedingung; *acheter à ~* mit Rückgaberecht kaufen; **~nel** [-sjɔnɛl] *115* bedingt; bedingungsweise; *m ling* Bedingungsform; **~nement** [-sjɔnmɑ̃] *m com* Verpackung, Aufmachung; *~nement de l'air* Lüftungstechnik; Entlüftung; Klimatisierung; **~ner** [-sjɔnɛ] bedingen; *(Ware)* verpacken; *(Raum)* klimatisieren; *pol* beeinflussen; manipulieren

condoléances [kɔ̃dɔleɑ̃s] *fpl* Beileid; *présenter ses ~* sein Beileid aussprechen

conduct|eur [kɔ̃dyktœ:r] **1.** *122 phys* leitend; ⚡ stromführend; *fil ~eur* Leitungsdraht; **2.** *m (a. phys)* Leiter; 🚗 Fahrer; 🚂 Lokführer; Schaffner; **~ibilité** [-tibilite] *f phys* Leitfähigkeit; **~ible** [-tibl] *phys* leitfähig; **~ion** [-ksjɔ̃] Leitung

condui|re [kɔ̃dɥi:r] *80* leiten; führen; 🚗 fahren; *se ~re* sich betragen; *permis de ~re* Führerschein; **~t** [-dɥi] *m* Röhre; Leitung; *a.* 💲 (enger) Kanal; *~t auditif (anat)* Gehörgang; *~t d'échappement* Auspuffrohr; **~te** [-dɥit] *f* Leitung; Führung; Steuerung; 🚗 Lenkung; Betragen; *~te d'eau* Wasserleitung; *~te intérieure* 🚗 Innenlenker, Limousine; *~te de pétrole* Ölleitung; *faire un bout de ~te à qn* j-n e. Stück begleiten; *manquer de ~te* sich schlecht betragen; *acheter une ~te (umg)* s. bessern

cône [ko:n] *m math* Kegel; *bot* Zapfen; *zool* Kegelschnecke

confection [kɔ̃fɛksjɔ̃] *f* Herstellung; Ausführung; Anfertigung; *(Kleidung)* Konfektion; **~ner** [-sjɔnɛ] herstellen, verfertigen

confédér|ation [kɔ̃federasjɔ̃] *f* Verband; Staatenbund; *~ation Helvétique* Schweizerische Eidgenossenschaft; *~ syndicale* Dachverband (e-r Gewerkschaft); **~é** [-re] *m* Eidgenosse

confér|ence [kɔ̃ferɑ̃s] *f* Vortrag; Konferenz, Verhandlung, Besprechung; Vorlesung; *~ maritime* Schiffahrtskonferenz; **~encier** [-rɑ̃sje] *m* Vortragender; Vortragsredner; **~er** [-re] *13* gewähren; erteilen; *(Taufe)* spenden; s. besprechen *(avec* mit)

confess|e [kɔ̃fɛs] *f: aller à ~e* z. Beichte gehen; **~er** [-fese] zugeben; *(Sünden)* beichten; *(Glauben)* bekennen; *~er qn* j-m d. Beichte abnehmen; *se ~er* beichten; **~eur** [-fesœ:r] *m* Beichtvater; **~ion** [-fesjɔ̃] *f* (Glaubens-)Bekenntnis; Konfession; Beichte; **~ionnal** [-fesjɔnal] *m 90* Beichtstuhl; **~ionnel** [-fesjɔnɛ] *115* konfessionell

confi|ance [kɔ̃fjɑ̃s] *f* Vertrauen; Zuversicht; *digne de ~ance* zuverlässig, vertrauenswürdig; *avec ~ance* getrost; *abus de ~ance* Vertrauensbruch; *accorder trop de ~ance* vertrauensselig sein; *faire ~ance à qn* j-m vertrauen; *voter la*

~ance *(pol)* d. Vertrauen aussprechen; ~ant [-fjɑ̃] *108* vertrauensvoll, arglos; ~dence [-fidɑ̃s] *f* vertrauliche Mitteilung; Vertraulichkeit; ~dent [-fidɑ̃] *m* Vertrauter; ~dentiel [-fidɑ̃sjɛl] *115* vertraulich (mitgeteilt); ~er [-fjɛ] *(a. mit Worten)* anvertrauen; *se ~er en* s. verlassen auf; *se ~er à qn* s. j-m anvertrauen

configuration [kɔ̃figyrasjɔ̃] *f (bes geol)* Gestalt

confin|ement [kɔ̃finmɑ̃] *m* 💲 Isolierung (e-s Kranken); Einschließung (z. B. von Plasma); ~er [kɔ̃finɛ] grenzen *(à, avec* an); verbannen; *se ~er* s. zurückziehen, s. vergraben; *air ~é* muffige Luft; ~s [kɔ̃fɛ̃] *mpl (a. fig)* Grenzen; *aux ~s de la terre* am Ende d. Welt

confire [kɔ̃fiːr] *60 (Leder)* beizen; *(Obst, Gemüse)* einmachen; ~ *au vinaigre* in Essig einlegen

confirm|ation [kɔ̃firmasjɔ̃] Bestätigung; *kath* Firmung; *prot* Konfirmation; ~er [-me] befestigen; bestärken; bestätigen; bekräftigen; *kath* firmen; *prot* konfirmieren

confiscat|ion [kɔ̃fiskasjɔ̃] *f* Beschlagnahme; Einziehung

confis|erie [kɔ̃fizri] *f* Süßwaren(industrie); Konditorei; ~eur [-zœːr] *m* Konditor; *trêve des ~eurs pol* Ruhen der politischen Tätigkeit zwischen Weihnachten u. Neujahr

confisquer [kɔ̃fiskɛ] *6* beschlagnahmen, einziehen

confiture [kɔ̃fityːr] *f* Marmelade

conflagration [kɔ̃flagrasjɔ̃] *f* Großfeuer; ~ *générale* Weltbrand

conflictuel [kɔ̃fliktɥɛl] *adj* konfliktgeladen

conflit [kɔ̃fli] *m* Konflikt; Streit(igkeit); Streitfrage; Widerstreit (d. Interessen); ~ *de conscience* Gewissenskonflikt; ~ *de juridiction* 🚇 Kompetenzstreit

conflu|ent [kɔ̃flyɑ̃] *m* Zus.fluß; ~er [-flyɛ] zus.fließen

confond|re [kɔ̃fɔ̃dr] *76* vermischen; 🚇 *(Strafen)* zus.ziehen; verwechseln; demütigen; verwirren; *(Pläne)* zuschanden machen; *se ~re en excuses* s. vor Entschuldigungen überschlagen

conform|ation [kɔ̃fɔrmasjɔ̃] *f* Körperbau; Gestalt(ung); ~*ation du sol* Bodengestalt; *vice de ~ation* körperl. Mißbildung, Schönheitsfehler; ~e [-fɔrm] *130* übereinstimmend *(à* mit); gemäß; ~*e aux usages locaux* ortsüblich; *pour copie ~e* die Richtigkeit der Abschrift beglaubigt…; ~er [-me] anpassen *(à* an); *se ~er à* s. richten nach; ~isme [-mism] *m* Konformismus; ~iste [-mist] konformistisch; ~ité [-mite] *f* Übereinstimmung

confort [kɔ̃fɔːr] *m* Behaglichkeit, Komfort; ~able [-fɔrtabl] bequem; behaglich; *fig* beruhigend; *majorité ~able* überwältigende Mehrheit; ~er [-te] stärken, festigen

confr|aternel [kɔ̃fratɛrnɛl] *115 (freie Berufe)* kollegial; ~ère [-frɛːr] *m (freie Berufe)* Kollege; ~érie [-freri] *f* Brüderschaft

confront|ation [kɔ̃frɔ̃tasjɔ̃] *f* 🚇 Konfrontierung, Gegenüberstellung; ~er [-te] gegenüberstellen; *être ~é à une difficulté* e-e schwierige Frage zu lösen haben

confus [kɔ̃fy] *108, 131* verwirrt, beschämt; undeutlich; undurchsichtig; *je suis ~!* Sie beschämen mich !; ~ion [-fyzjɔ̃] *f* Verwirrung; Verworrenheit; Verwechslung; Beschämung; 🚇 *(Strafen)* Zus.legung; ~ion mentale geistige Verwirrung; *prêter à ~ion* Anlaß zur Verwechslung geben

congé [kɔ̃ʒe] *m* Urlaub; Abschied; Kündigung; ~ *formation* Bildungsurlaub; ~s payés bezahlter Urlaub; *lettre de ~* Kündigungsschreiben; *donner son ~ à qn* j-m kündigen; *prendre ~ de* s. verabschieden von; *recevoir son ~* entlassen werden; *j'ai donné ~ de mon appartement* ich habe m-e Wohnung aufgekündigt; ~diement [-dimɑ̃] *m* Entlassung, Kündigung durch d. Arbeitgeber; ~dier [-ʒedje] entlassen; abweisen

cong|élateur [kɔ̃ʒelatœːr] *m* Gefriertruhe; Freezer, Kühlmaschine; ~élation [kɔ̃ʒelasjɔ̃] *f* Gefrieren; Erfrieren; 💲 Vereisung; *point de ~élation* Gefrierpunkt; ~eler [kɔ̃ʒle] *8* einfrieren, frosten; erstarren; *se ~eler* gefrieren; *viande ~elée* Gefrierfleisch

congén|ère [kɔ̃ʒenɛːr] gleichartig; wesensgleich; *m* Gesinnungsgenosse; ~ital [-nital] *124* angeboren

congère [kɔ̃ʒɛːr] *f* Schneeverwehung

congestion [kɔ̃ʒɛstjɔ̃] *f* (Blut-)Andrang; ~ner [-tjɔne] Blutandrang erzeugen; *(Straße)* verstopfen; *figure ~née* hochroter Kopf

congl|omérat [kɔ̃glɔmera] *m geol* Konglomerat, Menggestein; *com* horizontale Unternehmenskonzentration, Trust

congratul|ation [kɔ̃gratylasjɔ̃] *f (oft iron)* Glückwunsch, Gratulation; ~er [-le] *oft iron* gratulieren, beglückwünschen

congre [kɔ̃gr] *m* Meeraal

congrég|aniste [kɔ̃greganist] *m* Angehöriger e-r Kongregation; ~ation [-gasjɔ̃] *f* Kongregation, Ordensgesellschaft

congr|ès [kɔ̃grɛ] *m* Kongreß, (Arbeits-)Tagung; ~essiste [-grɛsist] *m* Kongreßmitglied; Tagungsteilnehmer

congru [kɔ̃gry] *128* gerade ausreichend; passend; *avoir la portion ~e* nur d. Nötigste z. Leben haben

conifères [kɔnifɛːr] *mpl* Nadelbäume

conique [kɔnik] kegelförmig; ✿ konisch; *section* ~ Kegelschnitt

conjectur|e [kɔ̃ʒɛktyːr] *f* Mutmaßung; *se perdre en ~es* hin u. her raten; ~er [-tyre] mutmaßen

conjoint [kɔ̃ʒwɛ̃] *m* 🚇 Ehegatte; ~ement [-ʒwɛ̃tmɑ̃] gemeinsam

conjonct|ion [kɔ̃ʒɔ̃ksjɔ̃] *f* Verbindung; Zus.treffen; *ling* Konjunktion; ~ive [-tiːv] *f* Bindehaut; ~ivite [-tivit] *f* Bindehautentzündung; ~ure [-tyːr] *f* Umstände; Aussichten; *com* Konjunktur, Wirtschaftslage; ~urel [-tyrɛl] *adj 115* konjunkturell; *fluctuations ~urelles* Konjunkturschwankungen; *politique ~urelle* Wirtschaftspolitik; ~uriste [-tyrist] *m* Wirtschaftsfachmann; W.prognostiker

conjug|aison [kɔ̃ʒygɛzɔ̃] *f ling* Konjugation; ~al [-gal] *124* ehelich; Ehe…; ~uer [-ge] *6* vereinigen; *ling* konjugieren

conjur|ation [kɔ̃ȝyrasjɔ̃] ƒ Verschwörung; (Geister-)Beschwörung; *pl* flehentliche Bitten; **~é** [-re] *m* Geheimbündler; **~er** [-re] flehentl. bitten *(de* zu); *(a. Geister)* beschwören; *se ~er* s. verschwören *(contre* gegen)

connaiss|able [kɔnɛsabl] erkennbar; **~ance** [-sɑ̃s] ƒ Kenntnis; Erkenntnis; Bewußtsein; Bekannter; *~ance des hommes* Menschenkenntnis; *~ances professionnelles* Fachkenntnisse; *à ma ~ance* m-s Wissens; *vieille ~ance* alter Bekannter; *en ~ance de cause* in voller Kenntnis der Sachlage; *faire la ~ance de qn* j-s Bekanntschaft machen; *perdre ~ance* d. Bewußtsein verlieren; *reprendre ~ance* wieder zu s. kommen; **~ement** [-nɛsmɑ̃] *m com* Konnossement; Ladeschein; *~ement embarqué* Bordkonnossement; **~eur** [-sœːr] *m* Kenner

connaître [kɔnɛtr] *61* (er)kennen; wissen; können; kennenlernen; *~ de qch* über etw. entscheiden; *~ qn de nom* j-n d. Namen nach kennen; *~ le même sort* d. gleiche Schicksal erleiden; *~ de près* gut, genau kennen; *faire ~* bekanntgeben, mitteilen; *se faire ~* sich melden; *il ne se connaît plus* er kennt s. selbst nicht mehr (vor Wut); *je n'y connais rien* davon verstehe ich nichts; *je ne te connaissais pas ce défaut* diesen Fehler kannte ich nicht an dir; *tu la connais! (umg)* du kennst dich aus (weißt dir zu helfen)!; *je connais mon monde* ich kenne m-e Pappenheimer; *connais pas umg* (ist) mir unbekannt; Fehlanzeige

connerie [kɔnri] ƒ *pop* Dummheit, Blödsinn

connex|e [kɔnɛks] verknüpft, zus.hängend; **~ion** [-nɛksjɔ̃] ƒ *(Gedanken)* Zus.hang; ✿ ⚡ Anschluß; *~ion en parallèle* ⚡ Parallelschaltung; **~ion** [-ksjɔ̃] Verbindung; ⚡ Schaltung; Schaltelement, Anschlußstück; **~ité** [-nɛksite] ƒ Zus.hang, Verwandtschaft

connivence [kɔnivɑ̃s] ƒ Duldung, heimliches Einverständnis; *être de ~ avec qn* mit j-m unter e-r Decke stecken

connotation [kɔnnɔtasjɔ̃] ƒ Konnotation, Begleitvorstellung (e-s Wortes)

connu [kɔny] bekannt

conque [kɔ̃k] ƒ Hohlmuschel; *anat* Ohrmuschel

conquér|ant [kɔ̃kerɑ̃] *108* eroberungslustig; *m* Eroberer; **~ir** [-riːr] *18* erobern, gewinnen

conquête [kɔ̃kɛt] ƒ *(a. fig)* Eroberung; Errungenschaft

consacr|er [kɔ̃sakre] weihen; widmen; *(Geldsumme)* anlegen *(à* für); *expression ~ée* übliche Redensart; *se ~er à qch* s. e-r Sache widmen

consanguin [kɔ̃sɑ̃gɛ̃] *109* väterlicherseits verwandt; **~ité** [-ginite] ƒ Blutsverwandtschaft

conscien|ce [kɔ̃sjɑ̃s] ƒ Gewissen; Bewußtsein; *directeur de ~ce* Beichtvater; *liberté de ~ce* Gewissensfreiheit; *avoir la ~ce tranquille* e. reines Gewissen haben; *en toute ~ce* mit vollem Bewußtsein; *en mon âme et ~ce* auf Ehre und Gewissen; *sur la ~ce* auf dem Gewissen; *par acquit de ~ce* um s. nichts vorwerfen zu müssen; **~cieux** [-sjɑ̃sjø] *111* gewissenhaft; **~t** [-sjɑ̃] *108* bewußt; **~tisation** [tisasjɔ̃] Bewußtwerdung, B.machung

conscri|ption [kɔ̃skripsjɔ̃] ƒ *mil* Aushebung; **~t** [-skri] *m* Rekrut

consécration [kɔ̃sekrasjɔ̃] ƒ *(Kirche)* Weihe; *rel* Wandlung; *fig* Festigung, Bestätigung *(e-r Auffassung)*

consécut|if [kɔ̃sekytif] *112* aufeinanderfolgend; *trois semaines ~ives* 3 Wochen nacheinander; **~if à** infolge von

conseil [kɔ̃sɛj] *m* **1.** Rat(schlag); *demander ~ à qn* j-n um Rat fragen; *recourir à ses ~s* sich bei ihm Rat holen; *donner un ~* e-n Rat geben; *c'est un homme de bon ~* auf s-n Rat ist Verlaß; **2.** Rat, ♊ (Rechts-)Beistand; *com* Berater; *ingénieur ~* Unternehmensberater; *~ administratif* Verwaltungsrat; *~ d'administration* Vorstand (e-r frz. AG); *⚖ économique et social* Wirtschafts- und Sozialrat; *d'entreprise* Betriebsrat; *⚖ d'État* Staatsrat als oberstes frz. Verwaltungsgericht u. Regierungsberatungsgremium; *⚖ de l'Europe* Europarat; *d'experts* Sachverständigenausschuß; *~ des ministres* Ministerrat; *~ municipal* Stadtrat; *~ de prud'hommes* frz. Arbeitsgericht; *~ de révision* Musterungskommission; *⚖ de sécurité* Sicherheitsrat; *⚖ de tutelle* Treuhandrat; *président du ~* Ministerpräsident; **~ler** [-sɛje] **1.** *~ler qn* j-n beraten; *~ler à qn de faire qch* j-m raten, etw. zu tun; *~ler qch à qn* j-m zu etw. raten; **2.** *m* Ratgeber; *~ler économique* Wirtschaftsberater; *~ler d'État* Staatsrat, Regierungsrat; *~ler fiscal* Steuerberater; *~ler municipal* Stadtrat; *~ler d'orientation professionnelle* Berufsberater; *~ler pédagogique* Mentor

consensus [kɔ̃sɛ̃sys/kɔ̃sɑ̃sys] *m* Konsens, Übereinstimmung; *pol* mehrheitlich vertretene Meinung

consent|ement [kɔ̃sɑ̃tmɑ̃] *m* Zustimmung, Einwilligung; *~ement mutuel* gegenseitiges Einverständnis; **~ir** [-tiːr] *29* zustimmen, einwilligen *(à* in); *(Bedingungen)* gewähren; *il ~ à tout* ihm ist alles recht ♦ *qui ne dit mot ~* wer schweigt, scheint zuzustimmen

conséquen|ce [kɔ̃sekɑ̃s] ƒ Folge(rung); Schluß; *cela ne tire pas à ~ce* das hat nichts auf sich; *en ~ce de* demzufolge; *affaire de ~ce* wichtige Sache; *entraîner des ~ces (pour)* Auswirkungen haben auf; **~t** [-kɑ̃] *108* konsequent, folgerichtig; *par ~t* folglich

conserv|ateur [kɔ̃sɛrvatœːr] *122* erhaltend; *pol* konservativ; *m* (Nahrungsmittel-)Konservierungsapparat; *(Baudenkmäler)* Konservator; *pol* Konservativer; *~ateur des eaux et forêts* Forstmeister; **~ation** [-vasjɔ̃] ƒ Erhaltung, Konservierung; Lagerung *(empfindlicher Waren)*; *instinct de ~ation* Selbsterhaltungstrieb; *~ation de l'energie* Energieerhaltung; **~atoire** [-vatwɑːr] *adj*: *à titre ~* vorsorglich; als Sicherungsmaßnahme; *m* Konservatorium; **~e** [-sɛrv] ƒ Eingemachtes, Konserve; *légumes en ~e* Gemüsekonserve; **~er** [-ve] konservieren; erhalten; bewahren

considér|able [kɔ̃siderabl] beträchtlich; namhaft; **~ant** [-rɑ̃] *m* ♊ Urteilsgrund; **~ation** [-rasjɔ̃] ƒ Betrachtung; Erwägung; Rücksicht;

Ansehen; *entrer en ~ation* in Betracht kommen; *mériter ~ation* Beachtung verdienen; *en ~ation de* in Anbetracht; **~er** [-rẹ] *13* (aufmerksam) betrachten; bedenken; *tout bien ~é* wenn man alles wohl erwägt; *homme ~é* geachteter Mann

consign|ataire [kɔ̃siɲatɛːr] *m* (Waren-)Empfänger; **~ation** [-ɲasjɔ̃] *f* Hinterlegung; **~e** [-siɲ] *f* Befehl; *mil* Ausgangsbeschränkung; 🐾 Gepäckaufbewahrung; Flaschenpfand; *~e automatique* Gepäckschließfach; **~er** [-siɲẹ] hinterlegen; *com* in Kommission geben, in Rechnung stellen; *(Gepäck)* aufgeben; eintragen; verzeichnen; *non ~é com* pfandfrei; *bouteille ~ée* Pfandflasche; *bouteille non-~ée* Einwegflasche

consist|ance [kɔ̃sistɑ̃s] *f* Beschaffenheit; Dichte; Festigkeit; *le bruit prend ~ance* d. Gerücht bestätigt sich; **~ant** [-tɑ̃] *108* fest; beständig; zuverlässig; **~er** [-tẹ] bestehen (*en aus*; *à* darin, daß); s. zus.setzen (*en aus*)

consistoire [kɔ̃sistwaːr] *m* rel Konsistorium

consœur [kɔ̃sœr] *f* (Arbeits-)Kollegin, Berufskollegin, Mitarbeiterin

consol|ant [kɔ̃sɔlɑ̃] *108* tröstlich; **~ateur** [-latœːr] *122* trostspendend; tröstlich; *m* Tröster; **~ation** [-lasjɔ̃] *f* Trost

console [kɔ̃sɔl] *f* Konsole; Stütze, Träger

consoler [kɔ̃sɔlẹ] trösten (*de* über)

consolid|ation [kɔ̃sɔlidasjɔ̃] *f* Festigung; **~er** [-dẹ] sichern; (be)festigen; *emprunt ~é* konsolidierte (Staats-)Anleihe

consomm|ateur [kɔ̃sɔmatœːr] *122* Verbraucher...; *m* Verbraucher; *(Restaurant)* Gast; **~ation** [-masjɔ̃] *f* Verbrauch; *(Ehe)* Vollzug; *(Restaurant)* Verzehr, Zeche; Vollbringung; *~ d'énergie* Energieverbrauch; *~ excessive* Überverbrauch; *biens de ~ation* Verbrauchsgüter; *société de ~* Konsumgesellschaft; *prendre une ~ation (im Restaurant)* etw. essen od. trinken; **~é** [-mẹ] *m* Kraftbrühe; **~er** [-mẹ] verbrauchen; verzehren; vollenden; 🐾 *(Ehe)* vollziehen; *avec une technique ~ée* mit größtem technischem Geschick

consomption [kɔ̃sɔ̃psjɔ̃] *f* 💊 Schwindsucht, Auszehrung

conson|ance [kɔ̃sɔnɑ̃s] *f* Wohlklang; **~ne** [-sɔn] *f* Konsonant, Mitlaut

consort [kɔ̃sɔːr] *m* 🐾 (Streit-)Genosse; *prince ~* Prinzgemahl; **~ium** [-sɔrsjɔm] *m* Konsortium, Zweckvereinigung

conspir|ateur [kɔ̃spiratœːr] *122* Verschwörungs...; *m* Verschwörer; **~ation** [-rasjɔ̃] *f* Verschwörung; **~er** [-rẹ] e-e Verschwörung anzetteln (*contre* gegen); *tout ~e à son bonheur* alles schlägt ihm z. Glück aus

conspuer [kɔ̃spɥẹ] auspfeifen, ausbuhen, öffentlich verhöhnen

constan|ce [kɔ̃stɑ̃s] *f* Beständigkeit; Beharrlichkeit; *(Faktor)* Konstante; **~t** [-tɑ̃] *108* phys konstant; beständig; sicher; standhaft, beharrlich

constat [kɔ̃sta] *m* 🐾 amtliches Protokoll; *procès-verbal de ~* Tatbestandsaufnahme; **~ation** [-tatasjɔ̃] *f* Feststellung; *procéder aux*

~ations d. Tatbestand aufnehmen; **~er** [-tatẹ] feststellen

constell|ation [kɔ̃stɛlasjɔ̃] *f* Sternbild; **~é** [-lẹ] gestirnt

constern|ation [kɔ̃stɛrnasjɔ̃] *f* Bestürzung; **~er** [-nẹ] in Bestürzung versetzen, bestürzen

constip|ation [kɔ̃stipasjɔ̃] *f* 💊 Verstopfung; **~er** [-pẹ] 💊 (ver)stopfen

constitu|ant [kɔ̃stitɥɑ̃] konstituierend; verfassunggebend; *m* Bestandteil; **~er** [-tɥẹ] bilden; ausmachen, darstellen; errichten, begründen; *(Rente)* aussetzen; *~er le gouvernement* d. Regierung bilden; *se ~er prisonnier* s. z. Haft stellen; *se ~er juge* s. z. Richter aufwerfen; *les corps ~és* die Verfassungsorgane; **~tif** [-tytif] *112: éléments ~tifs* Bestandteile; **~tion** [-tysjɔ̃] *f* 💊 Konstitution; *pol* Verfassung; Zus.setzung; *(Maschine)* Aufbau; **~tionnalité** [-sjɔnalitẹ] *f* Verfassungsmäßigkeit; **~tionnel** [-tysjɔnɛl] *115*(💊, *pol*) konstitutionell; *pol* verfassungsmäßig; vs.rechtlich

constrict|eur [kɔ̃striktœːr] *122: muscle ~eur* 💊 Schließmuskel; **~ion** [-sjɔ̃] *f* Zus.schnürung

construct|eur [kɔ̃stryktœːr] *m* Erbauer; Konstrukteur; Hersteller; **~if** [-tif] *112* konstruktiv, aufbauend; baulich; **~ion** [-sjɔ̃] *f (a. ling)* Konstruktion; Bau(wesen); Herstellung, Anfertigung, Ausführung; *~ion de logements* Wohnungsbau; *~ion sur pilotis* Pfahlbau; *~ion aéronautique* Flugzeugbau; *~ion automobile* Kraftfahrzeugbau; *~ion navale* Seeschiffbau; *~ion unique* Einzelanfertigung; *~ion souterraine* Tiefbau

construire [kɔ̃strɥiːr] *80 (a. ling)* konstruieren; bauen; gestalten

consul [kɔ̃syl] *m* Konsul; *~ général* Generalkonsul; **~aire** [-sylɛːr] konsularisch; Konsular...; **~at** [-syla] *m* Konsulat

consult|ant [kɔ̃syltɑ̃] *108: médecin ~ant* beratender Arzt; **~atif** [-tatif] *112* beratend; **~ation** [-tasjɔ̃] *f* 💊, 🐾 Beratung; Nachschlagen; Sprechstunde; **~er** [-tẹ] befragen; 💊 konsultieren; nachschlagen, nachsehen (*qch* in etw.); *se ~er* s. beratschlagen

consumer [kɔ̃symẹ] auf-(ver-)zehren; *fig* aufreiben

contact [kɔ̃takt] *m* Berührung; Fühlung; *a.* ⚡ Kontakt; *prise de ~* Fühlungnahme; *~ à fiches* Steckkontakt; *entrer en ~ avec* Verbindung aufnehmen mit; **~er** [-tẹ] *vt* Fühlung aufnehmen mit

contagi|eux [kɔ̃taʒjø] *111* 💊 ansteckend; **~on** [-ʒjɔ̃] *f* 💊 Ansteckung; **~osité** [-ʒjozitẹ] *f* 💊 Übertragbarkeit

container [kɔ̃tɛnœːr] *m* 🐾 🚢 Container, Großbehälter

contamin|ation [kɔ̃taminasjɔ̃] *f* Ansteckung; **~er** [-nẹ] 💊 anstecken; verseuchen

conte [kɔ̃t] *m* Erzählung, Geschichte, Märchen; *~ de fée* Kindermärchen ♦ *c'est un ~ à dormir debout* d. ist von A bis Z erlogen

conteneur [kɔ̃tnœːr] *m* Container; **~isation** [-isasjɔ̃] *f* Container-Beförderung; **~isé** [-isẹ] in Container verpackt

contempl|atif [kɔ̃tɑ̃platįf] *112* beschaulich; **~ation** [-plasjɔ̃] *f* Betrachtung; Beschaulichkeit; **~er** [-ple] (gesammelt) betrachten

contemporain [kɔ̃tɑ̃pɔrɛ̃] *109* zeitgenössisch; *m* Zeitgenosse

conten|ance [kɔ̃tnɑ̃s] *f* Fassungsvermögen; Haltung; *fig* Fassung; *perdre ~ance* d. Fassung verlieren; **~ir** [-nįːr] *30* enthalten; (um)fassen; *(Zorn)* zurückhalten; *~ir les excès* s. Übertreibungen enthalten; *se ~ir* s. beherrschen

content [kɔ̃tɑ̃] *108* froh *(de* über); zufrieden *(de* mit); *je suis ~ de vous voir* ich freue mich, Sie zu sehen; **~ement** [-tɑ̃tmɑ̃] *m* Zufriedenheit; Befriedigung; **~er** [-tɑ̃te] zufriedenstellen; befriedigen; *se ~er* s. zufriedengeben *(de* mit)

contenti|eux [kɔ̃tɑ̃sjø] 1. *111* streitig; streitsüchtig; Streit…; *affaire ~euse* Streitsache; 2. *m* Streitfall; Rechtsabteilung *(e-s Betriebs);* **~on** [-sjɔ̃] *f* (geistige) Anspannung

contenu [kɔ̃tny] *m (a. lit)* Inhalt

cont|er [kɔ̃te] erzählen; *tu en ~es de belles! (umg)* was soll das alles heißen?, du redest ja Unsinn!; *s'en laisser ~er* s. etw. weismachen lassen

contest|able [kɔ̃tɛstabl] anfechtbar, umstritten, bestreitbar; **~ataire** [kɔ̃tɛstatœːr] *m adj* engagierter Kritiker d. bestehenden sozialen u. politischen Verhältnisse, Protestler, Mitglied der außerparlamentarischen Opposition, Apoist; *étudiants ~ataires (pej)* aufmüpfige Studenten; *théâtre ~* subversives Theater; **~ation** [-tasjɔ̃] *f* Bestreiten, Anfechtung; Streit(igkeit); *pol* globale Kritik an d. bestehenden gesellschaftlichen Verhältnissen, Infragestellung, Hinterfragen; **~e** [tɛst] *f: sans ~e* unbestritten, unbestreitbar; **~er** [-te] bestreiten; leugnen

conteur [kɔ̃tœːr] *m* Erzähler

contexte [kɔ̃tɛkst] *m* Zus.hang; *~ économique* wirtschaftliche Umgebung; *~ idéologique* ideologisches Umfeld; *~ international* internationale Atmosphäre; *~ géographique* Umwelt

contigu [kɔ̃tigy] *107 (Zimmer)* anstoßend; *angles ~s (math)* Nebenwinkel; **~ité** [-tiguįte] *f* Nebeneinanderliegen *(von Räumen)*

continen|ce [kɔ̃tinɑ̃s] *f (geschlechtl.)* Enthaltung, Kontinenz; **~t¹** [-nɑ̃] *108 (geschlechtl.)* enthaltsam

continent² [kɔ̃tinɑ̃] *m* Kontinent, Festland; **~al** [-nɑ̃tal] *124* kontinental; Binnen…

contingen|ce [kɔ̃tɛ̃ʒɑ̃s] *f* Zufälligkeit; *pl* Unberechenbarkeit (d. Lebens); **~t** [-ʒɑ̃] *108* zufällig; *m (a. mil)* Kontingent; **~tement** [-ʒɑ̃tmɑ̃] *m* Kontingentierung; **~ter** [-ʒɑ̃te] kontingentieren; *(Waren)* bewirtschaften

continu [kɔ̃tiny] *128* fortlaufend; zus.hängend; ununterbrochen; *courant ~* Gleichstrom; **~ateur** [-nɥatœːr] *m* Fortsetzer; **~ation** [-nɥasjɔ̃] *f* Fortsetzung, Fortführung; **~el** [-nɥɛl] *115* andauernd, fortwährend; **~er** [-nɥe] fortführen, fortsetzen; fortdauern, anhalten; weitermachen; *~er à lire* weiterlesen; **~ité** [-nɥite] *f* Kontinuität, Stetigkeit

contorsion [kɔ̃tɔrsjɔ̃] *f* Verzerrung; *fig* Grimasse

contour [kɔ̃tuːr] *m* Umriß; 🔌 Kontur; **~ner** [-turne] umgehen, -fahren, -fließen *(qch* um etw.)

contracep|tif [kɔ̃trasɛptįf] *adj* empfängnisverhütend; *m* Empfängnisverhütungsmittel; **~tion** [-sjɔ̃] *f* Empfängnisverhütung, Kontrazeption

contract|ant [kɔ̃traktɑ̃] *m* Vertragspartner; Kontrahent; **~er** [-te] zus.ziehen; *(Vertrag)* abschließen; *(Verpflichtung)* eingehen; *(Miene)* verzerren; *~er un bail* e-n Mietvertrag abschließen; *~er des dettes* Schulden machen; *~er une habitude* e-e Gewohnheit annehmen; *~er une maladie* s. e-e Krankheit zuziehen; **~ile** [-tįl] 🔌 zus.ziehbar; **~ion** [-sjɔ̃] *f (phys,* 🔌*)* Zus.ziehung; **~ualisation** [-ualisasjɔ̃] *f* Einstellung in den öffentlichen Dienst als Angestellter auf Zeit; **~ualiser** [-ualize] auf Zeit einstellen; **~uel** [-tɥɛl] *115* vertragsmäßig; *m* Angestellter auf Zeit (im öffentlichen Dienst); **~uelle** Politesse

contradict|eur [kɔ̃tradiktœːr] *m* Gesprächsgegner; **~ion** [-diksjɔ̃] *f* Widerspruch; *esprit de ~ion* Widerspruchsgeist; **~oire** [-twaːr] widersprechend, widerspruchsvoll; *conférence ~oire* Rede (Vortrag) mit anschließender Diskussion

contrain|dre [kɔ̃trɛ̃dr] *87 (bes* 🔌*)* zwingen *(à* zu); **~t** [-trɛ̃] *108* gezwungen; unnatürlich; **~te** [-trɛ̃t] *f* Zwang; 🔌 Zwangsvollstreckung; ⚙ Beanspruchung; Spannung

contraire [kɔ̃trɛːr] 1. entgegengesetzt; verschieden; regelwidrig; *en sens ~* in umgekehrter Richtung; *~ au contrat* vertragswidrig; *~ à la santé* gesundheitsschädlich; *~ment à ce que vous dites* im Gegensatz zu Ihren Worten; 2. *m* Gegenteil; *bien au ~* ganz im Gegenteil; *je ne dis pas le ~* d. bestreite ich nicht

contralto [kɔ̃tralto] *m* 102 Altstimme

contrari|er [kɔ̃trarje] widersprechen; entgegenwirken; ärgern, verstimmen; *(Pläne)* durchkreuzen; *(Farben)* gegenüberstellen; **~été** [-rjete] *f* Widerwärtigkeit; Ärger; *pl* Unbilden

contrast|e [kɔ̃trast] *m* Kontrast, Gegensatz; **~er** [-traste] kontrastieren, voneinander abstechen

contrat [kɔ̃tra] *m* Vertrag, Vereinbarung; Abkommen, Übereinkunft; *conclure un ~* e-n Vertrag (ab)schließen; *dénoncer le ~* d. V. kündigen; *proroger le ~* e-n V. verlängern; *rédiger un ~* e-n V. abfassen; *violer le ~* d. V. nicht einhalten; *~ annexe* Nebenvereinbarung; *~ bilatéral* zweiseitiger V.; *~ consensuel* formfreier V.; *~ à durée indéterminée* Dauerschuldverhältnis; *~ d'entreprise* Werkvertrag; *~ de travail* Arbeitsv. *~ notarié* notarieller V.; *~ de société* Gesellschaftsv.; *~ type* Musterv.; *~ de vente* Kaufv.

contravention [kɔ̃travɑ̃sjɔ̃] *f* Zuwiderhandlung; Strafzettel; 🔌 Übertretung

contre [kɔ̃tr] gegen; neben; an; dagegen; *~ le vent* gegen d. Wind; *poser une échelle ~ le mur* e-e Leiter an d. Wand stellen; *je ne dis rien là ~* ich sage nichts dagegen; *tout ~* ganz nahe daran; *par ~* dagegen, im Gegensatz dazu, jedoch; *le pour et le ~* Für u.Wider; *il y a du pour et du ~* darüber läßt s. streiten

contre|-attaque [kɔ̃tratak] *f* 99 Gegenangriff; **~balancer** [kɔ̃trabalɑ̃se] *15 fig* aufwiegen

contreband|e [kõtrəbãd] f Schmuggel(ware); Schleichhandel; **~ier** [-bãdje] m Schmuggler
contrebas [kõtrəba]: *en ~* tiefer gelegen; **~se** [-bas] f Kontrabaß; Baßgeige; Baßtrompete
contrecarrer [kotrəkare] stören, hindern; entgegenarbeiten
contre|cœur [kõtrəkœːr]: *à ~cœur* ungern, widerwillig; **~coup** [-ku] m Gegenschlag; Nachwirkung; **~courant** [-kurã] m 99 Gegenströmung; *nager à ~courant* gegen d. Strom schwimmen; **~culture** [-kyltyr] f Gegenkultur; **~danse** [-dãs] *fig* Strafzettel; **~dire** [-diːr] 78 widersprechen (*qn* j-m); **~dit** [-di] m Gegenbehauptung; *sans ~dit* zweifelsohne
contrée [kõtre] f Gegend
contre|-épreuve [kõtreprœːv] f 99 Gegenprobe; Gegenbeweis; **~espionnage** [-trɛɛpjonaːʒ] m Spionageabwehr; **~façon** [-trəfasõ] f (betrügerische) Nachahmung; **~faction** [-trəfaksjõ] f ⚖ Geldfälschung; **~faire** [-trəfɛːr] 70 nachmachen, fälschen; *~faire sa voix* s-e Stimme verstellen; **~fait** [-trəfɛ] nachgeahmt, gefälscht; 💲 mißgestaltet; **~fenêtre** [-trəfnɛtr] f 99 Vorfenster, Winterfenster; **~fort** [-trəfɔːr] m 🏔 Strebepfeiler; *(Schuh)* Hinterkappe; *pl (Gebirge)* Ausläufer, Vorberge; **~indication** [-ɛ̃dikasjõ] f Kontraindikation, Gegenanzeige; **~jour** [-traʒuːr] m Gegenlicht; *photographie à ~jour* Gegenlichtaufnahme; **~mander** [-trəmãde] abbestellen; **~manifestation** [-manifɛstasjõ] f Gegendemonstration; **~marque** [-trəmark] f Kontrollabschnitt; **~mesure** [-trəməzyːr] f 99 Gegenmaßnahme; *à ~mesure* z. Unzeit; **~ordre** [-trɔrdr] m 99 Gegenbefehl; **~partie** [-trəparti] f 99 Gegenleistung; Gegenwert; gegenteilige Meinung; 🎵 Gegenstimme; **~performance** [-pɛrfɔrmãs] f 🏇 schlechte Leistung infolge e-s Formtiefs; **~pied** [-trəpje] m: *prendre le ~pied* d. Gegenteil tun *od.* sagen; **~plaqué** [-trəplake] m Sperrholz; **~poids** [-trəpwa] m Gegengewicht; *faire ~poids à une intelligence* d. Einfluß entgegenwirken; **~poil** [-trəpwal]: *à ~poil (a. fig)* gegen d. Strich; **~point** [-trəpwɛ̃] m 🎵 Kontrapunkt; **~poison** [-trəpwazõ] m Gegengift; **~pouvoir** [-puvwar] m Gegengewalt, Kontrollinstanz; **~pression** [-trəprɛsjõ] f *phys* Gegendruck; **~proposition** [-prɔpozisjõ] f Gegenvorschlag; **~r** [-kõtrə] bekämpfen, Widerstand leisten; **~réaction** [-trəreaksjõ] f⚡ Gegentakt; **~révolution** [-trərevɔlysjõ] f 99 Gegenrevolution; **~révolutionnaire** [-trərevɔlysjɔnɛːr] gegenrevolutionär; **~saison** [-trəsɛzõ]: *à ~saison* zu ungewohnter Zeit; **~seing** [-trəsɛ̃] m Gegenzeichnung; **~sens** [-trəsãs] m Widersinn; Unsinn; *(Stoff)* Kehrseite; **~signer** [-trəsiɲe] gegenzeichnen; **~temps** [-trətã] m Widerwärtigkeit; *agir à ~temps* z. Unzeit (unzweckmäßig) handeln; *il y a eu un ~temps* es ist etw. dazwischengekommen; **~torpilleur** [-trətɔrpijœːr] m 99 (Torpedoboot-)Zerstörer; **~valeur** [-trəvalœːr] f 99 Gegenwert
contreven|ant [kõtrəvnã] m ⚖ Zuwiderhandelnder; **~ir** [-trəvniːr] 30 übertreten; zuwiderhandeln

contrevent [kõtrəvã] m Fensterladen
contre|vérité [kõtrəverite] f Unwahrheit; **~visite** [-vizit] f 99 vertrauensärztl. Untersuchung; **~voie** [-vwa] f 99 Nebengleis
contribu|able [kõtribyabl] steuerpflichtig; m Steuerzahler; **~er** [-bɥe] beitragen, beisteuern (*à* zu); **~tif** [-bytif] 112 steuerlich; Steuer...; *part ~tive* Steueranteil; **~tion** [-bysjõ] f Beitrag; Steuer; Abgabe; Umlage; *~tion directe (indirecte)* direkte (indirekte) Steuer; *bureau des ~tions* Steueramt; *mettre à ~tion* in Anspruch nehmen
contrister [kõtriste] betrüben
contrition [kõtrisjõ] f Zerknirschung
contrôl|e [kõtroːl] m Kontrolle; Überwachung; Beherrschung; Nachprüfung; Test; Aufsicht; 🎛 Regler; *~e des changes* Devisenbewirtschaftung; *~ e de la circulation* Verkehrsüberwachung; *~e de la fabrication* Fertigungskontrolle; *~e des naissances* Geburtenregelung; *~e des prix* Preisüberwachung; *~ e de la qualité* Güteprüfung; *~e des viandes* Fleischbeschau; **~er** [-trole] kontrollieren; nachprüfen; beaufsichtigen; **~eur** [-trolœːr] m Kontrolleur; Kontrollgerät; **~ographe** [-ɔgraf] 🚗 Fahrtenschreiber
controuver [kõtruve] erdichten
controvers|e [kõtrovɛrs] f heftige Auseinandersetzung, Kontroverse, Streitfrage; *sujet à ~e* strittig, umstritten; **~é** [-vɛrse] (wissenschaftl.) umstritten
contumace [kõtymas] f Nichterscheinen vor Gericht; *condamner par ~* ⚖ in Abwesenheit verurteilen
contusion [kõtyzjõ] f 💲 Quetschung; **~ner** [-zjone] 💲 quetschen
conurbation [kɔnyrbasjõ] f Stadtregion, Stadt mit Einzugsgebiet
convainc|ant [kõvɛ̃kã] 108 überzeugend; **~re** [-vɛ̃kr] 88 überzeugen (*de* von); ⚖ überführen
convalescen|ce [kõvalesãs] f Genesung; **~t** [-sã] 108 genesend; m Genesender
conven|able [kõvnabl] passend, angemessen; anständig, gehörig; **~ance** [-nãs] f Übereinstimmung; Schicklichkeit; *mariage de ~ance* Heirat aus Standesrücksichten; *respecter les ~ances* d. Anstand wahren; **~ir** [-niːr] 30 übereinkommen (*de* über); zugeben (*de qch* etw.); passen; gefallen; *nous sommes ~us de...* wir sind uns über... einig geworden; *il convient d'y aller* es gehört sich, hinzugehen; *ils ne se conviennent pas* sie passen nicht zueinander; **~tion** [-vãsjõ] f Verabredung; Abmachung, Übereinkunft, Abkommen; *~tion d'arbitrage* Schiedsgerichtsabkommen; *~tion collective* Tarifvertrag; *~tion économique* Wirtschaftsabkommen; **~tionné** [-sjone] *adj*: *médecin ~tionné* Kassenarzt; **~tionnel** [-vãsjonɛl] 115 konventionell, hergebracht; *armes ~tionnelles* konventionelle Waffen; *centrales ~tionnelles* herkömmliche Elektrizitätswerke; **~tuel** [-vãtɥɛl] 115 klösterlich
converg|ence [kõvɛrʒãs] f *math* Konvergenz; *(Ansichten)* Übereinstimmung; **~ent** [-ʒã] 108 *math* konvergent; **~er** [-ʒe] 14 *math* konvergieren; *(Verkehrswege)* zus.laufen

convers [kɔ̃vɛːr] *108: frère* ~ Laienbruder; *sœur* ~e Laienschwester

conver|sation [kɔ̃vɛrsasjɔ̃] *f* Gespräch; ~*sation urbaine (interurbaine)* ♈ Orts-(Fern-)Gespräch; *amener* (od. *mettre*) *la* ~*sation sur* d. Gespräch auf…bringen; *changer de* ~*sation* d. Thema wechseln; ~**ser** [-se] *s.* unterhalten (*avec* mit); ~**sion** [-sjɔ̃] *f* Bekehrung; *com* Umrechnung; ~*sion d'un travailleur* Umschulung e-s Arbeitnehmers; ~*sion d'une entreprise* Betriebsumstellung, Unternehmensumwandlung; ~**ti** [-ti] bekehrt; *m* Konvertit; ~**tible** [-tibl] konvertierbar; ~**tir** [-tir] *22* bekehren; *com* konvertieren; *se* ~*tir* s. umschulen lassen; ~**tissable** [-tisabl] *com* konvertierbar; ~**tissement** [-tismɑ̃] *m com* Konvertierung; ~**tisseur** [-tisœːr] *m* ✿ Konverter; ⚡ Umformer

convex|e [kɔ̃vɛks] konvex; ~**ité** [-vɛksite] *f* Konvexität; Wölbung

conviction [kɔ̃viksjɔ̃] *f* Überzeugung; *par* ~ aus Überzeugung; *pièce à* ~ ⚖ Beweisstück

convi|er [kɔ̃vje] (ein)laden (*à* zu); ~**ve** [-viːv] *m* Tischgenosse

convocation [kɔ̃vɔkasjɔ̃] *f* Einberufung (*e-r Versammlung)*

convoi [kɔ̃vwa] *m* Zug; Eisenbahnzug; ⚓ Geleitzug; ~ *automobile* Autokolonne; ~ *de prisonniers (mil)* Gefangenentransport

convoit|er [kɔ̃vwate] begehren; ~**ise** [-tiz] *f* Begehrlichkeit, Habgier

convoler [kɔ̃vɔle] s. wiederverheiraten

convoquer [kɔ̃vɔke] *6* zus.rufen; *(Versammlung)* einberufen

convoyeur [kɔ̃vwajœːr] *m* 🐎 Zugbegleiter; ✿ Förderband; ⚓ Geleitschiff

convuls|er [kɔ̃vylse]: *se* ~*er* ✚ *s.* verzerren; ~**if** [-sif] *112* konvulsiv; ✚ krampfartig; ~**ion** [-sjɔ̃] *f* Zuckung; ✚ Krampf

coolie [kuli] *m* Kuli

coopér|ant [kɔopera] *m* Entwicklungshelfer; ~**ateur** [kɔoperatœːr] *122* mitwirkend; *m* Mitarbeiter; *com* Genossenschaftsmitglied; ~**ative** [-ratiːv] *f:* ~*ative de consommation* Konsumgenossenschaft; ~*ative vinicole* Winzergenossenschaft; ~**ation** [-rasjɔ̃] *f* Zus.arbeit; Arbeitsgemeinschaft; *com* Entwicklungshilfe, technische Hilfe; ~**atisme** [-ratism] *m* Genossenschaftswesen; ~**atiste** [-ratist] genossenschaftlich; ~**er** [-re] *13* zus.arbeiten; beitragen (*à* zu)

cooptation [kɔoptasjɔ̃] *f* Kooptation, nachträgliche Hinzuwahl

coordination [kɔordinasjɔ̃] *f* Koordinierung; Zuordnung; Anordnung

coordonn|ée [kɔordɔne] *f math* Koordinate; *pl* persönliche Daten: Name, Anschrift, Beruf, Werdegang usw.; ~**er** [-ne] koordinieren; zuordnen; aufeinander abstimmen

copain [kɔpɛ̃] *m umg* Kamerad, Kumpel; *ils sont très* ~*s (umg)* sie verstehen s. prima

copeau [kɔpo] *m 91* (Hobel-)Span

copi|e [kɔpi] *f* Abschrift; Durchschlag; Kopie; Überspielen (e-s Tonbandes); *(Foto)* Abziehen; Abzug; ~*e certifiée conforme* beglaubigte Abschrift; *pour* ~*e conforme…* d.

Richtigkeit d. Abschrift beglaubigt…; ~*e héliographique* Lichtpause; ~**er** [-pje] abschreiben; ✍ kopieren; nachäffen; ~**eur** [-pjœːr] *m* Fotokopierautomat; ~**eux** [-pjø] *111* reichlich; ~**ste** [-pist] *m* Abschreiber; Nachahmer

copine [kɔpin] *f pop* Freundin; ~**rie** [kɔpinri] *pej* Kumpanei; die Kumpels

copropriét|aire [kɔproprietɛːr] *m* Miteigentümer; Teileigentümer; ~**é** [-te] *f* Miteigentum; Teileigentum(shaus); Eigentumswohnung

copulation [kɔpylasjɔ̃] *f* Begattung

copyright [kɔpirajt] *m* Urheberrecht

coq [kɔk] *m* Hahn; ~ *de bruyère* Auerhahn; ~ *gallois* d. Hahn als Emblem; *rouge comme un* ~ puterrot ♦ *c'est le* ~ *du village* er ist Hahn im Korb; *vivre comme un* ~ *en pâte* wie Gott in Frankreich leben; ~ **à-l'âne** [kɔkalɑːn] *m 100* Gedankensprung; *faire des* ~-*à-l'âne* vom Hundertsten ins Tausendste kommen

coque [kɔk] *f* (Eier-, Frucht-)Schale; (Schiffs-, Flugzeug-)Rumpf; *œuf à la* ~ weichgekochtes Ei

coquelicot [kɔkliko] *m* Mohn(blume)

coqueluche [kɔklyʃ] *f* Keuchhusten ♦ *il est la* ~ *du patron* er ist beim Chef gut angeschrieben

coquerico [kɔkriko] kikeriki

coquet [kɔkɛ] *114* kokett; schmuck ♦ *la* ~*te somme de 10 000 frs (umg)* d. nette Sümmchen von 10 000 frs; ~**er** [kɔkte] *4* kokettieren

coquetier [kɔktje] *m* Eierbecher

coquetterie [kɔkɛtri] *f* Koketterie; Gefallsucht, Eitelkeit; Geziertheit

coquill|age [kɔkijaːʒ] *m* Muschel; ~**e** [-kij] *f* (leere) Muschel; Schneckenhaus; Eierschale; Druckfehler; ~*e de noix (a. fig)* Nußschale ♦ *il vient de sortir de sa* ~*e (umg)* er ist noch nicht trocken hinter d. Ohren

coquin [kɔkɛ] *109* spitzbübisch, schelmisch; *m* Schurke; ~**erie** [-kinri] *f* Schurkerei; Schelmenstreich

cor [kɔːr] *m* (Wald-)Horn; Hühnerauge; ~ *de chasse* Jagdhorn; *à* ~ *et à cri* mit großem Trara; mit aller Gewalt

corail [kɔraj] *m 90* Koralle; ~**leur** [-rajœːr] *m* Korallenfischer

corall|ien [kɔraljɛ] *118* korallen…; ~**in** [-ralɛ] *109* korallenrot

corbeau [kɔrbo] *m 91* Rabe; 🏛 Konsole, Kragstein, Stützstein

corbeille [kɔrbɛj] *f* Korb; ~ *à papier* Papierkorb

corbillard [kɔrbijaːr] *m* Leichenwagen

cord|age [kɔrdaːʒ] *m* Tauwerk; ~**e** [kɔrd] *f* Seil, Tau, Strick; (Wäsche-)Leine; ~*e de remorque* Abschleppseil; ~*e de suspension* ⚡ Tragseil; ~*es vocales* Stimmbänder; *instrument à* ~*es* Saiteninstrument; *pour* ~*es* ♪ für Streicher; *uséjusqu'à la* ~*e* fadenscheinig, verschlissen ♦ *avoir plusieurs* ~*es à son arc* mehrere Eisen im Feuer haben; *il ne vaut pas la* ~*e pour le pendre* er ist k-n Schuß Pulver wert; *se mettre la* ~*e au cou* s. mutwillig ins Unglück stürzen

cord|eau [kɔrdo] *m 91* (Richt-)Schnur; *tiré au* ~*eau* schnurgerade; ~**ée** [-de] *f alp* Seilmann-

schaft; **~elier** [-dəljḛ] *m* Franziskaner; **~er** [-dḛ]
(Seil) drehen; *(Wolle)* zwirnen; **~erie** [-dri] *f*
Seilerei
cordial [kɔrdjạl] *124* herzlich; *m* **⚕** Herzmittel;
~ité [-djalitḛ] *f* Herzlichkeit
cord|ier [kɔrdjḛ] *m* Seiler; **~on** [-dɔ̃] *m (a.* **⚡)**
Schnur; **⚡** Leitungsschnur; Zuleitung; Litze; *mil*
Sperrgürtel; **~on** *d'alimentation* Anschlußka-
bel; **~on bleu** erstklassige Köchin; **~on littoral**
Nehrung; **~on ombilical** Nabelschnur; **~on de**
police Polizeikette; **~on sanitaire** Absperrung
um e. Seuchengebiet **♦** *tenir serrés les ~ons de la*
bourse kein Geld herausrücken
cordonnerie [kɔrdɔnri] *f* Schuhmacherei
cordonnet [kɔrdɔnḛ] *m* Nähseide
cordonnier [kɔrdɔnjḛ] *m* Schuster, Schuhma-
cher
Coré|e [kɔrḛ]: *la* **~e** Korea; **~en** [-reḛ̃] *m*
Koreaner; **~en** *118* koreanisch
coreligionnaire [kɔrəliʒjɔnḛːr] *m* Glaubensge-
nosse
coresponsabilité [kɔrɛspõsabilitḛ] *f* Mitver-
antwortung; gemeinsame Haftung
coriace [kɔrjas] *a. fig* zäh
coricide [kɔrisịd] *m* Hühneraugenmittel
corindon [kɔrɛ̃dɔ̃] *m* Korund
cornac [kɔrnạk] *m* Elefantentreiber
cornard [kɔrnạːr] *m pop* betrogener Ehemann
corn|e [kɔrn] *f* Horn *(a. Material);* Signalhorn;
Fühlhorn; Schuhlöffel; Ecke; *(Buch)* Eselsohr;
~e *d'appel* Signalhorn; *bêtes à ~es* Hornvieh **♦**
faire porter des ~es à qn (umg) j-m Hörner
aufsetzen; **~é** [-nḛ] hornartig; Horn...; **~ée**
[-nḛ] *f (Auge)* Hornhaut
corneille [kɔrnḛj] *f* Krähe
corn|emuse [kɔrnmyːz] *f* Dudelsack; **~er¹**
[kɔrnḛ] hupen, tuten; *les oreilles me ~ent* ich
habe Ohrensausen
corner² [kɔrnḛːr] *m* **⚽** Eckball
cornet [kɔrnḛ] *m* Tüte; Würfelbecher; **♪**
Kornett; Horn; Trichter; **~** *à pistons* **♪**
Klapphorn; **~** *accoustique* Hörrohr; **~te** [-nḛt]
f (Schwestern-)Haube
corniche [kɔrnịʃ] *f* Gesims, Kranzleiste;
Uferstraße
cornichon [kɔrniʃɔ̃] *m* Essiggurke; *umg* Einfaltspinsel
cornu [kɔrny] gehörnt; **~e** [-ny] *f chem* Retorte;
Kolben
coroll|aire [kɔrɔllḛːr] *m math* Folgesatz; Folge-
erscheinung; **~e** [-rɔl] *f* Blumenkrone
coron [kɔrɔ̃] *m* Bergarbeitersiedlung
corpor|atif [kɔrpɔratif] *112* körperschaftlich;
~ation [-rasjõ] *f* Körperschaft; Innung; **~el**
[-rḛl] *115* körperlich; *biens ~els* materielle
Güter, Sachwerte; *punition ~elle* Prügelstrafe
corps [kɔːr] *m (a. phys)* Körper; Leib; Rumpf;
Leiche; Konsistenz; Hauptstück; Gesamtmas-
se; *mil* Korps; Gremium, Körperschaft, Stelle;
⚙ Gehäuse; Rumpf; Schaft; *chem* Element;
Substanz; Masse; Stoff; **~** *à* **~** Handgemenge;
Nahkampf; **~** *administratif* Verwaltungsorgan,
V.stelle; **~** *du délit* Corpus delicti; *esprit de* **~**
Korpsgeist; **~** *de ballet* Ballettgruppe; **~**

enseignant Lehrerschaft; **~** *de garde* Wache;
~ *de troupe* Truppe(nteil); *plaisanterie de* **~** *de*
garde Kasernenwitz; **~** *composé (chem)* Verbindung; **~** *gras (chem)* Fettstoffe; **~** *médical*
Ärzteschaft; **~** *simple (phys)* Element; **~** *et*
biens mit Mann u. Maus; *à* **~** *perdu* blindlings;
faire **~** *avec* e. Ganzes bilden mit; *lutter* **~** *à* **~**
(Kampf) Mann gegen Mann; *prendre* **~** Gestalt
annehmen; *il n'a rien dans le* **~** er hat kein
Temperament
corpu|lence [kɔrpylãs] *f* Korpulenz, Beleibt-
heit; **~lent** [-lã] *108* korpulent, beleibt;
~sculaire [-pyskylḛːr] korpuskular; **~scule** [-pys-
kyl] *m phys* Elementarteilchen
correct [kɔrḛkt] korrekt, richtig; fehlerfrei;
einwandfrei; **~eur** [-rḛktœːr] *m* **📖** Korrektor;
~if [-rḛktif] *m* mildernder Ausdruck; **~ion**
[-rḛksjõ] *f* Berichtigung; Korrektur; Strafe;
Richtigkeit; *maison de ~ion* Besserungsanstalt;
~ionnel [-rḛksjɔnḛl] *115* **⚖** Straf...; *tribunal*
~ionnel Strafkammer *(für Vergehen)* beim frz.
Großinstanzgericht
corrélation [kɔrelasjõ] *f math* Korrelation;
gegenseitige Verwandtschaft; *umg* Wechselbe-
ziehung
correspond|ance [kɔrɛspõdãs] *f* Entspre-
chung; Korrespondenz; Schriftwechsel; Zugan-
schluß; **🚆** Anschlußstrecke; *cours par ~ance*
Fernunterricht; **~ant** [-dã] *108* entsprechend;
siehe **corresponde**; *m* Geschäftsfreund; Brief-
partner; *~ant permanent* ständiger Mitarbeiter
(e-r Zeitung); **~re** [-põdr] *76* entsprechen; in
Briefwechsel stehen, korrespondieren *(avec* mit)
corrida [kɔrida] *f* Stierkampf; Festivität; *umg*
unangenehme u. undurchsichtige Angelegenheit
corridor [kɔridɔːr] *m* Korridor, Flur, Gang
corrig|é [kɔriʒḛ] *m* Verbesserung *(e-r Schülerar-*
beit); **~er** [-ʒḛ] *14* korrigieren, verbessern; *(Kind)*
bestrafen, schlagen, züchtigen
corrobor|ant [kɔrɔbɔrã] *m* **⚕** Kräftigungsmittel;
~er [-rḛ] **⚕** stärken; **⚖** bekräftigen
corroder [kɔrɔdḛ] zerfressen; ätzen; rosten
corrompre [kɔrɔ̃pr] *83* verderben; bestechen;
air ~u verbrauchte Luft
corros|if [kɔrozif] *112* ätzend; *m* **⚗, ⚕** Ätzmittel;
~ion [-zjõ] *f* **⚗, ⚕** Ätzung; *geol* Korrosion
corroyer [kɔrwajḛ] *5* **⚙** verformen, durcharbeiten; schweißen; *(Mörtel)* anrühren
corrupt|eur [kɔryptœːr] *m* Verderber; **~ible**
[-tịbl] verderblich; bestechlich; **~ion** [-sjõ] *f*
Korruption, Bestechung; Verderb; *(Text)* Ver-
fälschung
corsage [kɔrsạːʒ] *m* Bluse; Mieder
corsaire [kɔrsḛːr] *m* Seeräuber
corse [kɔrs] korsisch; **⚘** *m* Korse; *f: la* **⚘**
Korsika
corselet [kɔrsəlḛ] *m (Insekt)* Brustschild;
Mieder
corser [kɔrsḛ] *a. fig* würzen
corset [kɔrsḛ] *m* Korsett
cortège [kɔrtḛːʒ] *m* (festlicher) Zug; Gefolge
corvée [kɔrvḛ] *f* Frondienst; lästige Arbeit; **~**
de propreté (mil) Stubenreinigen

coryphée [kɔrifę] *m* Koryphäe; Meister *(e-r Wissensch.)*; Führer *(e-r Partei)*; Ballettmeister

coryza [kɔrizą] *m* **⚡** Schnupfen; ~ *sec* Stockschnupfen

cosignataire [kosiɲatę:r] *m* Mitunterzeichner

cosm|étique [kɔsmetịk] kosmetisch; *m* Haut-, Haarpflegemittel; Kosmetikum; **~étologue** [-metɔlɔg] *m* Fachmann für Körper- u. Schönheitspflege, Kosmetiker; **~ique** [-mịk] kosmisch; Weltall-, Raumfahrt-; *fig* universell, (all-)umfassend; **~onaute** [kɔsmɔnǫt] *m* Astronaut, Weltraumfahrer; **~onef** [-mɔnęf] *f* Raumfahrzeug; **~opolite** [-mɔpɔlịt] kosmopolitisch, weltbürgerlich; *m* Kosmopolit, Weltbürger; **~opolitisme** [-mɔpɔlitịsm] *m* Weltbürgertum; **~os** [-mɔs] *m* Kosmos, Weltall

coss|ard [kɔsą:r] *m pop* Faulpelz; **~e¹** [kɔs] *f pop* Faulfieber

cosse² [kɔs] *f* Schote; **~u** [kɔsy] reich, stattlich

cost|al [kɔstąl] *124* Rippen...; **~aud** [-tǫ] *108 pop* stämmig

costum|e [kɔstym] *m* Anzug; Tracht; **~e** *(officiel)* Amtstracht; ~ *à jaquette* Cut(away); **~er** [-tymę] kostümieren; *bal ~é* Kostümball

cosy-corner [kozikɔrnœ:r] *m* Leseecke

cote [kɔt] *f com* (Kurs-)Notierung; Aktenzeichen; Quote; *(Landkarte)* Höhenziffer; **⚙** Maßzahl; *päd* Note; *fig* Ansehen; ~ *d'alerte* Alarmpegelstand (Wasser); *fig* Alarmstufe, Krisensituation; ~ *d'amour* Wohlwollen, Sympathie; ~ *mal taillée* (Zwangs-)Kompromiß ♦ *avoir la ~ (umg)* gut angeschrieben sein, günstig beurteilt werden

côte [ko:t] *f* Rippe; Hügel; (Ab-)Hang; Küste; *à ~ (Stoff)* gerippt; ~ *à ~* nebeneinander; Schulter an Schulter; *sur la ~* an d. Küste; *la ⚡ d'Azur* di. Riviera; ~s *du Rhône* Wein aus dem Rhônetal; ♦ *c'est à se tenir les ~s* d. ist ja z. Lachen; *avoir les ~s en long (umg)* stinkfaul sein; *il est à la ~* er ist abgebrannt

côté [kotę] *m* Seite; *math* Schenkel (e-s Winkels); *à ~* neben(an); *de ~* schräg; *de ~ et d'autre* auf beiden Seiten; *fig* hier u. da; *de tous ~s* von (nach) allen Seiten; *d'un ~* einerseits; *d'un autre ~* andererseits; *de ce (de l'autre) ~ du Rhin* diesseits (jenseits) des Rheins; *regard de ~* Seitenblick; *du ~ de mon père* in m-r Verwandtschaft väterlicherseits; *mettre de ~* z. Seite legen; *(Geld)* zurücklegen; *se mettre sur le ~* sich auf d. Seite legen; *du ~ du Midi* irgendwo in Südfrankreich

coteau [kɔtǫ] *m 91* Hügel, Abhang; Weinberg

côtel|é [kotlę] gerippt; **~ette** [-lęt] *f* Kotelett; *pl* Backenbart, Koteletten

cot|er [kɔtę] *(Börse)* notieren; mit e-r Kennziffer versehen; **~er** *trop bas* unterschätzen; *être bien ~é* gut angeschrieben sein; **~erie** [-trị] *f* Gründchen, Klüngel

côtier [kotję] *116* Küsten...

cotillon [kɔtijɔ̃] *m: il court le ~* er ist e. Schürzenjäger

cotis|ant [kɔtizɑ̃] *m* (beitrag-)zahlendes Mitglied; **~ation** [kɔtizasjɔ̃] *f (Geld)* Beitrag; **~ation** *forfaitaire* einmaliger Beitrag; Pauschal-

beitrag; **~er** [-zę] e-n Beitrag zahlen; *se ~er* e-e gemeinsame Ausgabe umlegen

coton [kɔtɔ̃] *m* Baumwolle; *de ~* baumwollen; ~ *brut* Rohbaumwolle; ~ *hydrophile* (Verband-)Watte; ~ *de verre* Glaswolle; ♦ *élever un enfant dans le ~* e. Kind verhätscheln; *il file un mauvais ~* es geht bergab mit ihm; *j'ai les jambes en ~* ich kann mich kaum auf d. Beinen halten; **~nade** [-tɔnąd] *f* Baumwollstoff; **~nerie** [-tɔnrị] *f* Baumwollpflanzung; B.spinnerei; **~neux** [-tɔnø] *111* wollig; flockig; *(Frucht)* teigig; **~nier** [-tɔnję] *116* Baumwoll...; *m* B.strauch; **~-poudre** [-tǫpydr] *m* Nitrozellulose, Schießbaumwolle

côtoyer [kotwają] *5 vt (a. fig)* nahe vorübergehen *(qch an etw.)*; entlanggehen

cottage [kɔtąʒ] *m* Landhäuschen

cotte [kɔt] *f* Arbeitskittel, blaue Arbeitshose

cou [ku] *m* Hals; *se casser le ~* sich d. Hals brechen; *tordre le ~ à qn umg* j-n abmurksen, umbringen, d. Hals umdrehen; *sauter au ~ de qn* j-n um den Hals fallen; *prendre ses jambes à son ~* s. Hals über Kopf davon machen; **~-de-pied** [kudpję] *m 98* Spann, Rist

couac [kwak] *m ♪* Mißton, falsche Note

couard [kwa:r] *m* Feigling; **~ise** [kwardị:z] *f* Feigheit

couch|age [kuʃąʒ] *m* Bettzeug; *umg (Beischlaf)* Schlafen; *sac de ~age* Schlafsack; **~ant** [-ʃɑ̃] *m* Abendhimmel; **~e** [kuʃ] *f* (Ruhe-)Lager; Lage; Windel; Schicht, Beschichtung, Anstrich; Mistbeet; *fpl* Wochenbett; *fausse ~e* Fehlgeburt; *femme en ~es* Wöchnerin; *relever de ~es* (nach d. Wochenbett) wieder aufstehen; *les jeunes ~es* d. Nachwuchs ♦ *en avoir une ~e (pop)* e. Brett vor d. Kopf haben; **~er** [-ʃę] **1.** zu Bett bringen; nieder(hin)legen; niederdrücken; schlafen *(avec mit)*; übernachten; *être ~é* liegen; ~ *en joue (Gewehr)* auf j-n anlegen; **~er** *par écrit* niederschreiben; *aller se ~er* zu Bett gehen; *se ~er à plat ventre* s. auf d. Bauch legen; *le soleil se ~e* d. Sonne geht unter; **2.** *m* Sonnenuntergang; **~erie** [kuʃrị] *f pop* Beischlaf; **~ette** [-ʃęt] *f* Metallbett; Liege; Koje **🛏** Liegeplatz; **~eur** [-ʃœ:r] *m: mauvais ~eur* Querulant

couci-couça [kusikusą] *umg* soso, lala

coucou [kuku] *m* Kuckuck(suhr); Schlüsselblume

coud|e [kud] *m* Ellbogen; *(Wasserlauf, Rohr)* Knie, Knick; *jouer des ~es* s. nach vorne drängen, s-e Ellbogen gebrauchen; *il lève le ~e (umg)* er hält gern einen; **~ée** [-dę] *f* Elle *(als Maß)*; *avoir les ~ées franches* Ellbogenfreiheit haben

coud|er [kudę] abwickeln; **~ière** [-ję:r] *f* Ellbogenschützer; **~oyer** [-dwają] *5 vt* in nahe Berührung kommen mit

coudraie [kudrę] *f* Haselgebüsch

coudre [kudr] *62* (an)nähen; *machine à ~* Nähmaschine; *mal cousu (fig)* unzus.hängend; *mensonge cousu de fil blanc* durchsichtige Lüge; *rester bouche cousue* kein Wort über d. Lippen bringen; *être cousu d'or* Geld wie Heu haben

coudrier [kudrię] Hasel(nuß)strauch

couenne [kwan] *f* (Speck-)Schwarte
couic! [kwik] quiek! *fig* Hals ab!

couill|e [kuj] *pop* Eier, Hoden; ~*e molle pop*
Angsthase; ~**on** [kujɔ̃] *m* (kujɔ̃] *m pop* Blödmann;
~**onnade** [-jɔnad] *f pop* Schwachsinn, Blödsinn;
~**onner** [-jɔne] *pop* hereinlegen, anschmieren,
betrügen
coul|age [kula:ʒ] *m* Auslaufen *(von Flüssigkeit);*
✿ Gießen, Guß; *fig* Verlust *(durch Unehrlich-
keit od. Vergeudung);* ~**ant** [-lɑ̃] **1.** *108* (Stil)
fließend, leicht; *(Benehmen)* kulant, umgänglich; *nœud* ~**ant** Schiebeknoten; **2.** *m* (Erd-
beer-)Ranke; ~**e** [kul] *f* Kapuzenmantel; *être à
la* ~*e (pop)* Bescheid wissen, im Bilde sein; d.
Dreh heraushaben; nachsichtig sein; ~**ée** [-le] *f*
✿ Guß; Abstich; ~*ée de lave* Lavastrom; ~**er**
[-le] *vi* fließen; strömen; rinnen; auslaufen,
lecken; *(Schiff)* sinken; *(Zeit)* verrinnen; *vt*
seihen; versenken; hineinschieben; ✿ gießen;
umg ruinieren ♦ *se la* ~*er douce (pop)* es s. gut
gehen lassen
couleur [kulœ:r] *f* Farbe; Färbung; *homme de*
~ Farbiger; *changer de* ~ bleich werden,
erblassen; *venir sous* ~ *de* unter d. Vorwand...
kommen; *l'affaire prend* ~ d. Sache läßt s. gut
an; *amener les* ~*s* d. Flagge niederholen; ~
locale Lokalkolorit; ♦ *il en a vu de toutes les* ~*s*
er hat viel durchgemacht
couleuvre [kulœ:vr] *f* Natter; ~ *d'eau* Ringel-
natter ♦ *avaler des* ~*s* s-n Ärger hinunterschluk-
ken
coul|issant [kulisɑ̃] *108* verschiebbar; auszieh-
bar; Schiebe...; ~**isse** [-lis] *f* Rinne; Falz;
Zugsaum; ✿ Kulisse(nraum); *porte à* ~*isse*
Schiebetür; *pied à* ~*isse* ✿ Schublehre; *rester
dans la* ~*isse (fig)* im Hintergrund bleiben; ~**oir**
[-lwa:r] *m* Gang; Korridor, Flur; (z. B. für Busse
reservierte) Fahrbahn; *(Schnellzugwagen)*
Durchgang; ~*oir aérien* Luftkorridor; ~*oir de
passage* Verbindungsgang
coup [ku] *m* Schlag; Hieb; Stoß; Knall; Ruck;
~ *d'accélérateur (a. fig)* plötzliche Beschleunigung; ~ *d'archet* ♪ Bogenstrich; ~ *d'arrêt fig*
abrupter Halt, Stoppen; ~ *bas* Tiefschlag; *fig*
Unfaireß; ~ *de bêche* Spatenstich; ~ *de
brosse* Pinselstrich; ~ *de boutoir* kurze
erfolglose Anstrengung; ~ *de chapeau* Gruß;
fig Zeichen d. Bewunderung, d. Anerkennung;
~ *de dés (Würfeln)* Wurf; ~ *d'éclat* Knallef-
fekt; ~ *d'envoi* ✿ Anstoß; *fig* Beginn, Start; ~
de fer Aufbügeln; ~ *de feu* Schuß; ~ *de force
(pol)* Putsch; ~ *franc* ✿ Freistoß; ~ *de frein*
Betätigung d. Bremse; Vollbremsung; *donner
un* ~ *de main* mit anpacken; ~ *de massue (fig)*
unerwarteter Schlag; ~ *de pied* Fußtritt; ~ *de
poing* Faustschlag; *fig* eindrucksvoll, durch-
schlagend; ~ *de pouce* kleine (zumeist
unzureichende) Hilfe, zaghafte Hilfsmaßnah-
me; ~ *de soleil* Sonnenbrand, -stich; ~ *de
téléphone* Anruf; ~ *de tête* unüberlegter
Streich; ~ *de théâtre* sensationelle Wendung;
~ *de vent* stürmischer Wind; Windstoß; *d'un*
~ *d'œil* auf d. ersten Blick; *d'un seul* ~
schlagartig; *pour le* ~ diesmal; *sur le* ~ auf d.

Minute; *tout à* ~ plötzlich; *tout d'un* ~ auf e-n
Schlag; ~ *sur* ~ Zug um Zug; *c'est le* ~ *de
foudre* d. ist Liebe auf d. ersten Blick; *accuser le*
~ e-n Treffer einstecken müssen; *tomber sous le*
~ *d'un article* ♫ unter e-n Paragraphen fallen;
en mettre un ~ sich in d. Riemen legen; *être aux
cents* ~*s* nicht wissen, wo e-m d. Kopf steht;
tenir le ~ standhalten; *valoir le* ~ sich lohnen
coupable [kupabl] schuldig; strafbar
coup|age [kupa:ʒ] *m* (Wein-)Verschnitt; ~**ant**
[-pɑ̃] *108* scharf; schneidend; *m* Schneide
coup-de-poing [kudpwɛ̃] *m 98* Faustkeil;
Schlagring
coupe¹ [kup] *f (Holz)* Fällen; (Haar-)Schnitt;
Schnittzeichnung; Schnittfläche; Zuschneiden;
(Spiel) Abheben; *mettre qn en* ~ *réglée* j-n
planmäßig ausbeuten
coupe² [kup] *f (a.* ✿*)* Pokal; Kelch; ~
empoisonnée Giftbecher
coup|é [kupe] *m* Kutsche; 🚗, ✿ Coupé;
~**e-asperges** [kupasperʒ] *m 100* Spargelmesser;
~**e-cigares** [kupsiga:r] *m 100* Zigarrenabschnei-
der; ~**e-circuit** [kupsirkɥi] *m 100* ⚡ Sicherung;
~**e-file** [kupfil] *m 100* offizielle Einlaßkarte;
Passierschein *(z. B. für Presse);* ~**e-gorge** [kup-
gɔrʒ] *m 100* Räuberhöhle; ~**e-jarret** [kupʒare] *m*
99 Strauchdieb; ~**ement** [kupmɑ̃] *m (Geleise)*
Kreuzung; ~**e-papier** [kuppapje] *m 100* Papier-
messer; Brieföffner
couper [kupe] (ab-, be-, durch-, zer-, auf-)-
schneiden; *(Wein)* verschneiden; ~ *en deux*
entzweischneiden; ~ *la communication* ✆ d.
Verbindung trennen; ~ *l'électricité* d. Strom
abstellen; ~ *les gaz* 🚗 d. Gas wegnehmen; ~
l'appétit d. Appetit verderben; ~ *court
(Gespräch)* abbrechen; *se* ~ *au doigt* s. in d.
Finger schneiden; *se faire* ~ *les cheveux* s.
Haare schneiden lassen; *se* ~ *de qn* Kontakt
verlieren mit j-m, d. Zuneigung verspielen, d.
Feindseligkeit von j-m erregen; ♦ *tu t'es coupé
(umg)* du hast dich verplappert; *tu n'y* ~*as pas
(umg)* du kommst noch an d. Reihe; *je coupe du
roi (Spiel)* ich steche mit d. König; *coupons au
plus court!* nehmen wir d. nächsten Weg!; ~**et**
[-prɛ] *m* Hackmesser; Fallbeil; ~**ose** [-pro:z] *f* 💊
Gesichtsrose; *chem* Vitriol
coupeur [kupœ:r] *adj 121* schneidend;
Schneid...; *m* Zuschneider
coupl|age [kupla:ʒ] *m* (Maschinen) Kuppeln *n,*
Kupplung; 🔗 Kopplung; Schaltung; ~*age en
parallèle* ⚡ Parallelschaltung; ~**e** [kupl] *m* Paar;
Ehepaar; *(Physik)* Kräftepaar, Kraftmoment;
(Getriebe) Zahnradpaar; ~*e moteur* ✿ An-
triebsmoment; ~*e de rotation* Drehmoment;
~**ement** [-pləmɑ̃] *m* ✿ Kupplung; ~**er** [-ple]
(Hunde, 🔗*)* koppeln; paarweise aussortieren;
~**et** [-plɛ] *m* (Lied-)Strophe
coupole [kupɔl] *f* 🏛 Kuppel; *la* ~ d.
Académie française
coupon [kupɔ̃] *m* (Stoff-)Rest; Abschnitt; *com*
Coupon; ~ *de dividende* Gewinnanteilschein;
~ *de parcours* Streckenfahrschein *(e-s Fahr-
scheinheftes);* ~**-réponse** [-repɔ̃s] *m 98* Antwort-
schein

coupure [kupy:r] *f* Einschnitt; (Zeitungs-)Ausschnitt; Schnittwunde; Stromunterbrechung; Stromsperre; kleinerer Geldschein
cour [ku:r] *f* Hof; Hofhaltung; Gerichtshof; *faire la ~* d. Hof machen; *⚹ d'appel* Berufungsgericht; *⚹ d'assises* Schwurgericht; *⚹ de cassation* Oberstes Revisionsgericht; *⚹ des comptes* Rechnungshof
courage [kura:ʒ] *m* Mut ♦ *prendre son ~ à deux mains* s. aufraffen
courageux [kuraʒø] *III* mutig
cour|amment [kuramã] geläufig; *il lit ~amment* er liest fließend; **~ant** [-rã] *108, 127* gewöhnlich; alltäglich; gangbar; *com* marktüblich; *m (a. ⚡)* Strom; Stromstärke; *a. fig* Strömung; *~ant d'air* Luftzug; *~ant alternatif ⚡* Wechselstrom; *~ant continu ⚡* Gleichstrom; *~ant force* Kraftstrom; *~ant triphasé* Drehstrom; *pour tous ~ants* Allstrom…; *le ~ passe/ne passe pas fig* Anklang, Widerhall finden/auf Ablehnung stoßen; *être au ~ant* auf dem laufenden sein; *mettre qn au ~ant* j-n informieren, unterrichten; *le français ~ant* d. französische Umgangssprache; *le 10 courant* am 10. des Monats; *compte ~ant* Kontokorrent; *prix ~ant* Preisliste; **~ante** [-rãt] *f* Kursivschrift; *pop* flotter Heinrich *(Durchfall)*
courbatur|e [kurbaty:r] *f* Steife *(d. Glieder);* **~é** [-tyre] *(Glieder)* steif; wie gerädert
courb|e [kurb] gebogen; krumm; gekrümmt; *f (a. math)* Kurve; Krümmung; Bogen(linie); Biegung; *espace ~e (math)* gekrümmter Raum; *~e de niveau* Höhenlinie; **~er** [-bɛ] biegen; beugen; krümmen; *~er le dos* klein beigeben; *~é de vieillesse* vom Alter gebeugt; **~ette** [bɛt] *f: faire des ~ettes* Bücklinge machen; **~ure** [-by:r] *f* Biegung; Krümmung; Wölbung
courette [kurɛt] *f* kleiner Hof
coureur [kurœ:r] *m* Läufer; Rennpferd; Rennfahrer; Laufvogel; *mil* Melder; Lebemann; *~ cycliste* Radrennfahrer; *~ de filles* Schürzenjäger; *~ de fond* Langstreckenläufer
courge [kurʒ] *f* Kürbis
cour|ir [kuri:r] *19* laufen, rennen; *~ir à sa perte* s. ins Verderben stürzen; *il fit ~ir tout Paris* er brachte ganz Paris auf d. Beine; *par le temps qui ~t* heutigentags; *~ir après l'argent* hinter d. Geld her sein; *il ~t les bals* er ist auf allen Bällen zu sehen; *c'est une chance à ~ir* man sollte es versuchen; *~ir un grand danger* s. e-r großen Gefahr aussetzen; *faire ~ir le bruit* ein Gerücht verbreiten
couronn|e [kurɔn] *f* Kranz; *(a. Zahn)* Krone; *(Uhr)* Aufziehknopf; *(Stadt)* Randgebiet; Einzugsgebiet (e-r Großstadt); *⚙ de* Kettenrad; Zahnkranz, Ritzel; Leitrad (Turbine); *~e de laurier* Lorbeerkranz; *~e impériale* Kaiserkrone; **~é** [-rɔne] preisgekrönt; **~ement** [-rɔnmã] *m* Krönung; **~er** [-rɔne] (be)krönen; be-(um-)kränzen
courr|e [kur] *(nur im inf gebr.): ~e le cerf* auf Hirschjagd gehen; **~ier** [-rje] *m* Kurier, Eilbote; Post(sachen); Korrespondenz; Postwagen, -schiff, -flugzeug; *court ~ier* Kurzstreckenflug-

zeug; *long ~ier* Langstreckenfl.; *moyen ~ier* Mittelstreckenfl.; *par retour du ~ier* umgehend, postwendend; *par le même ~ier* mit gleicher Post
courrole [kurwa] *f* Riemen; Gurt; Förderband; *~ (de transmission) ⚙* Treibriemen; *fig* Weiterleitungsorgan; Vermittlungsstelle
courrou|cer [kuruse] *15* erzürnen; **~x** [-ru] *m lit* Grimm; Groll; Zorn
cours [ku:r] *m* **1.** Lauf; Verlauf; *~ d'eau* Wasserlauf; *en ~ de route* unterwegs; *l'affaire suit son ~* d. Sache geht ihren Gang; *au ~ de l'année* im Lauf des Jahres; **2.** *päd* Kurs, Vorlesung; *faire un ~* e-e Vorlesung halten; *~ du soir* Abendkurs; *~ postscolaire, ~ de perfectionnement* Fortbildungskurs; *~ commercial* Handelslehrkurs; **3.** *com* Kurs; *~ du change* Wechselkurs; *~ de conversion* Umrechnungskurs; *~ du jours* Tageskurs; *avoir ~* in Umlauf (gültig) sein; **4.** Promenade
course [kurs] *f* Lauf(en); Rennen; Besorgung; Einkauf; *(Taxe)* Fahrt; *(Maschine)* Weg; Hub; *au pas de ~* im Laufschritt; *cheval de ~* Rennpferd; *~ aux armements* Wettrüsten; *~ au trot attelé* Trabrennen; *~ de championnat* Meisterschaftslauf; *~ cycliste* Radrennen; *~ de descente (Schi)* Abfahrtslauf; *~ de fond* Langstreckenlauf; *~ de huit* Achterrennen *(im Rudersport);* *~ de six jours* Sechstagerennen; *~ d'obstacles* Hindernisrennen; *~ relais* Staffellauf; *~ de vitesse* Wettlauf; *~ contre la montre* Wettlauf mit d. Zeit; *~ de piston ⚙* Kolbenweg, Hub
coursier [kursje] *m* Bote
court¹ [ku:r] *108* kurz; *tout ~* kurzum; *avoir l'haleine ~e* kurzatmig sein; *avoir la vue ~e (a. fig)* kurzsichtig sein; *couper ~ à une affaire* mit e-r Sache kurzen Prozeß machen; *tirer à la ~ paille* Hälmchen ziehen; *nous sommes à ~ de tout* es fehlt uns an allem
court² [ku:r] *m* Tennisplatz
courtage [kurta:ʒ] *m* Maklergeschäft; Maklergebühr; Vertreterprovision
court|aud [kurto] *108 (Hund)* gestutzt; untersetzt; **~bouillon** [-bujõ] *m 97* (gewürzte) Fischbrühe; **~circuit** [-sirkɥi] *m 97* Kurzschluß; **~circuiter** [-sirkɥite] *⚡* kurzschließen; *fig* ausschließen, beiseite schieben, außer Acht lassen, umgehen; **~epointe** [-tɔpwɛt] *f* Steppdecke
courtier [kurtje] *m com* Makler, Agent; *~ maritime* Schiffsmakler; *~ de transport* Spediteur
courtis|an [kurtizã] *m* Höfling, **~ane** [-zan] *f* Kurtisane; **~er** [-ze] *qn* j-m d. Hof machen; j-n umschmeicheln
courtois [kurtwa] *108* höflich; zuvorkommend; ritterlich; **~ie** [-twazi] *f* Höflichkeit; Ritterlichkeit
couru [kury] stark ge-(be-)sucht; *c'est ~! (umg)* d. ist klar!
couscous [kuskus] *m* nordafrikanischer Hirsebrei mit Hammelfleisch, Kuskus
cousette [kuzɛt] *f* junge Schneiderin

couseuse [kuzøːz] *f* Näherin; 🕮 Heftmaschine
cousin[1] [kuzɛ̃] *m* Vetter; ~s germains Geschwisterkinder
cousin[2] [kuzɛ̃] *m* Stechmücke; Schnake
cousin|age [kuzinaːʒ] *m* weitere Verwandtschaft; ~e [-zjn] *f* Kusine, Base
cousoir [kuzwaːr] *m* 🕮 Heftlade
coussin [kusɛ̃] *m* Kissen; Polster; ~ chauffant Heizkissen; ~et [-sinɛ] *m* kleines Kissen; ✿ Lager(büchse); ~et à billes Kugellager
cousu-main [kuzymɛ̃] *inv* handgenäht; *fig* erstklassige Arbeit
coût [ku] *m* Kosten; ~ d'exploitation Betriebskosten; ~ de production Herstellungskosten; ~s salariaux Lohnkosten; ~ de la vie Lebenshaltungsk.; ~ant [kutã] 108; prix ~ant Selbstkostenpreis
cout|eau [kutø] *m* 91 Messer; ~eau à cran d'arrêt feststehendes Messer; ~eau de poche Taschenmesser; ~eau de table Tischmesser; coup de ~eau Messerstich; mettre le ~eau sur la gorge à qn j-m d. Messer an d. Kehle setzen; à ~eaux tirés in offener Feindschaft; ~elas [kutla] *m* Tranchiermesser; ~elier [-təlje] *m* Messerschmied; ~ellerie [-tɛlri] *f* Messerwaren; Stahlwarengeschäft
coût|er [kute] kosten; ~er cher teuer sein; il m'en ~e de... es fällt mir schwer, zu...; ~e que ~e um jeden Preis; ~eux [-tø] 111 kostspielig
coutil [kuti] *m* Zwillich
coutre [kutr] *m* Pflugmesser
coutum|e [kutym] *f* Gewohnheit; Sitte, Brauch; *pl* Brauchtum; de ~e gewöhnlich ♦ une fois n'est pas ~e einmal ist keinmal; ~ier [-tymje] 116 gewohnheitsmäßig; droit ~ier 🕮 Gewohnheitsrecht
coutur|e [kutyr] *f* Nähen *n*, Schneiderhandwerk; Naht; Narbe; battre à plate ~e vollständig schlagen; examiner sur toutes les ~es (fig) auf Herz u. Nieren prüfen; ~é [-tyre] narbenbedeckt; ~ier [-tyrje] *m* Modemacher; ~ière [-tyrjɛːr] *f* Schneiderin; ~ière à la journée Hausschneiderin
couv|ain [kuvɛ̃] *m* (Bienen) Brut(-wabe); ~aison [-vɛzɔ̃] *f* Brutzeit; ~ée [-ve] *f* (Eier) Gelege; (junge) Brut
couvent [kuvã] *m* Kloster; Mädchenpensionat (von Nonnen geleitet)
couver [kuve] (aus)brüten; aushecken; (Krankheit) ausbrüten; ~ des yeux mit verzehrenden Blicken ansehen
couver|cle [kuvɛrkl] *m* Deckel; Abdeckung; ~cle de carter Gehäusedeckel; ~cle de coffre Kofferraumdeckel; ~cle d'obturation Verschlußdeckel; ~t [-vɛr] *m* Gedeck; Besteck; mettre le ~t d. Tisch decken; être à ~t geschützt sein (de vor); sous le ~t de unter d. Deckmantel...; im Auftrage...; ~ture [-vɛrtyːr] *f* (Bett-)Decke; Schlafdecke; (Buch, Heft) Umschlag; 🏛 Bedachung; com Deckung; Sicherung; ~ture des dépenses Ausgabendeckung; ~ture radar Radarbereich; ~ture végétale Bodenbewachsung; ~ture-or *f* com Golddeckung

couv|euse [kuvøːz] *f* Bruthenne; Brutofen; ⚚ Couveuse; Brutreaktor; ~i [-vi] angebrütet
couvr|e-cafetière [kuvrəkaftjɛːr] *m* 99 Kaffeewärmer; ~e-chef [-ʃɛf] *m* 99 umg (Hut) Deckel; ~e-feu [-fø] *m* 100 Sperrstunde; ~e-joint [-jwɛ̃] *m* 99 Firstziegel; ~e-lit [-li] *m* 99 (Bett) Tagesdecke; ~e-pied [-pje] *m* 99 (Bett) Paradedecke; ~e-radiateur [-radjatœːr] *m* 100 🚗 Kühlerhaube; ~eur [-vrœːr] *m* Dachdecker; ~ir [-vriːr] 28 (be-, zu-, ver-)decken; einhüllen; schützen; überhäufen; übertönen; (Tierzucht) bespringen, beschälen; (Strecke) zurücklegen; (Fläche) einnehmen; ⚡ überstreichen; erreichen; journ berichten über; fig beschönigen; ~ir de boue (fig) mit Schmutz bewerfen; se ~ir d. Hut aufsetzen; se ~ir chaudement s. warm anziehen; par temps couvert bei bedecktem Himmel; à mots couverts durch d. Blume; restez couvert! behalten Sie d. Hut auf!
crabe [krab] *m* Krabbe; ~-tourteau [-turto] *m* 97, 91 Taschenkrebs
crach|at [kraʃa] *m* (Speichel) Auswurf; ~ement [kraʃmã] *m* Ausspucken; ~ement de sang Blutspucken; ~er [-ʃe] (aus)spucken; (Feder) spritzen; fig auspacken; ♦ son père tout ~é(umg) ganz d. Vater; ne pas ~er sur les bons morceaux kein Kostverächter sein; ~in [-ʃɛ̃] *m* Sprühregen; ~oir [-ʃwaːr] *m* Spucknapf ♦ tenir le ~oir (pop) wie e. Wasserfall reden
craie [krɛ] *f* Kreide
crain|dre [krɛ̃dr] 87 (be)fürchten (de zu); je ~s qu'il ne veuille partir ich fürchte, er will gehen; je ~s qu'il ne veuille pas partir ich fürchte, er will nicht gehen; se faire ~dre s. Respekt verschaffen; ~te [krɛ̃t] *f* Furcht; Bedenken; ~te de Dieu Gottesfürchtigkeit; ~tif [-tif] 112 furchtsam, ängstlich
cramoisi [kramwazi] karmesinrot
crampe [krãp] *f* ⚚ Krampf
crampon [krãpɔ̃] *m* Krampe; Steigeisen; bot Haftwurzel; chaussures à ~s Bergschuhe ♦ ce qu'il est ~! (umg) er ist wie e-e Klette!; ~ner [-pɔne] anklammern; se ~ner (a. fig) s. anklammern
cran [krã] *m* 1. Kerbe; Einschnitt; Schlitz; ~ d'arrêt Rasterung; Sperrklinke; baisser d'un ~ (fig) um e-e Stufe sinken; mettre au ~ d'arrêt (Waffe) sichern; 2. umg Schneid
crân|e [krɑːn] *m* Schädel; ~er [krane] umg großtun, prahlen; ~erie [kranri] *f* Tollkühnheit; Großsprecherei, Großtuerei; ~eur [-krœːr] 121 prahlerisch, großtuerisch; *m* umg Aufschneider, Angeber; ~ien [kranjɛ̃] 118 Schädel...
crapaud [krapo] *m* Kröte; (Feuerwerks-)Frosch ♦ avaler un ~ in d. sauren Apfel beißen; ~ière [-podjɛːr] *f* (Wohnung) feuchtes Loch; ~ine [-podin] *f* ✿ Stützlager; Ablaufsieb
crapul|e [krapyl] *f* Sumpf; (fig) Schuft, Lump; Mob; ~eux [-pylø] 111 gemein, hinterlistig; gens ~eux Gesindel
craqu|age [krakaʒ] *m* Kracken *n* (Erdöl); ~elé [krakle] rissig; ~ement [krakmã] *m* Krachen; fig Unstimmigkeit; ~er [-ke] 6 krachen;

knacken; *a. fig* zus.brechen; **~ètement** [-kɛtmɑ̃]
m Zähneknirschen; *(Storch)* Klappern; **~eter**
[-tɛ] *10 (Storch)* klappern
crash [kraʃ] *m* ✈ Bruchlandung
crass|e [kras] grob, kraß; *f* Schmutz; ✿
Schlacke; *fig* Elend; Filzigkeit; *pop* gemeiner
Streich; **~eux** [-sø] *111* schmutzig, schmierig; *fig*
geizig, filzig; **~ier** [-sjɛ] *m* Schlackenberg, -halde
cratère [kratɛːr] *m* Krater
cravache [kravaʃ] *f* Reitpeitsche
cravat|e [kravat] *f* Krawatte; *s'envoyer un coup
derrière la ~e* sich e-n hinter d. Binde gießen;
~er [-vatɛ]: *il s'est fait ~er (pop)* sie haben ihn
beim Schlafittchen genommen *(verhaftet)*
cray|eux [krɛjø] *111* kreidig; **~on** [-jɔ̃] *m*
(Blei-)Stift; 🖉 Strich; Bleistiftzeichnung; *~on
d'ardoise* Griffel; *~on de couleur* Buntstift;
~on feutre Filzstift; *~on noir* Kohle-Kajal-
Liner; *~on rouge* Rotstift; **~onner** [-jɔnɛ] mit
Bleistift zeichnen; skizzieren; kritzeln
créanc|e [kreɑ̃s] *f* Glaubwürdigkeit; Gläubiger-
schaft; ⚖ Schuldforderung; *donner ~e à un
récit* e-r Erzählung Glauben schenken; *lettres de
~e (pol)* Beglaubigungsschreiben; *~e hypothécaire* Hypothekenforderung; **~ier** [kreɑ̃sjɛ] *m*
Gläubiger; *~iers solidaires* Gesamtgläubiger
créat|eur [kreatœːr] *122* schöpferisch; *m* Schöp-
fer; Erfinder; ♀ erster Darsteller e-r Rolle; *le
≗eur* d. Schöpfer; **~if** [-tif] *adj* kreativ,
schöpferisch, erfindungsreich; **~ion** [kreasjɔ̃] *f*
Schöpfung; Erschaffung; (Kunst-)Werk; Erfindung; ♀ Uraufführung; erste Darstellung e-r
Rolle; *~ion de travail* Arbeitsplatzbeschaffung;
~ivité [-tivitɛ] *f* Kreativität, Schöpferkraft; *ling*
Kompetenz; **~ure** [-tyːr] *f* Geschöpf; *a. pej*
Kreatur
crécelle [kresɛl] *f rel* Klapper; *voix de ~*
kreischende Stimme
crèche [krɛʃ] *f* Futterraufe, Krippe; Klein-
kinder(tages)heim
crédence [kredɑ̃s] *f* Kredenz, Anrichte
crédib|ilité [kredibilitɛ] *f* Glaubwürdigkeit; **~le**
[-bl(ə)] *adj* glaubwürdig
crédit [kredi] *m* Kredit; Ansehen; *mpl* Ausgabe-
mittel, Haushaltsmittel; *~ à long terme*
langfristiger Kredit; *~ municipal* Leihhaus,
-amt; *~s supplémentaires* Haushaltsnachtrag;
avoir du ~ Ansehen genießen; *porter qch au ~
de qn* j-m etw. gutschreiben; *vivre de ~* auf
Pump leben; **~-bail** [-baj] *m 100* Leasing,
Mietkauf; **~er** [-ditɛ] gutschreiben
credo [kredo] *m 102 (a. fig)* Glaubensbekenntnis; *pol* Grundsätze, Leitlinie
crédul|e [kredyl] leichtgläubig; **~ité** [-dylitɛ] *f*
Leichtgläubigkeit
créer [kreɛ] (er)schaffen; erfinden; errichten;
gründen; *se ~* s. herausbilden; ♀ (e-e Rolle) als
erster darstellen, kreieren; *(Kardinal)* ernennen;
(Wechsel) ausstellen; *~ des difficultés* Schwierigkeiten bereiten
crémaillère [kremajɛːr] *f* 1. Kesselhaken *(über
off. Feuer)*; *pendre la ~* s-e Wohnung
einweihen, Einstand feiern; 2. ✿ Zahnstange;
chemin de fer à ~ Zahnradbahn

crémat|ion [kremasjɔ̃] *f* Feuerbestattung, Ein-
äscherung; **~oire** [-twaːr]: *four ~oire* Einäsche-
rungsofen
crème [krɛm] 1. *f* Rahm, Sahne; *a. fig* Creme;
~ fouettée Schlagsahne; *~ glacée* Eiscreme; *la
~ de la société* d. Spitzen d. Gesellschaft; 2. *adj
inv* cremefarben
crém|er [kremɛ] *13* Rahm absetzen; **~erie**
[kremri] *f* Milchgeschäft; Milchtrinkstube; **~ier**
[-mjɛ] *m* Milchhändler; **~ière** [-mjɛːr] *f* Sahne-
kännchen
crémone [kremɔn] *f* Fensterriegel
crén|eau [kreno] *m 91* 🏰 Zinne; Schießscharte,
Blende; *com* Marktlücke; ⚙ Sprechzeit (beim
Radio u. Fernsehen); 🚗 Abstand (zw. 2
Fahrzeugen); **~eler** [krenlɛ] *4 (Münzen)* rändern; **~elure** [krenlyːr] *f bot* Zahnung
créole [kreɔl] kreolisch; ≗ *m* Kreole
crêp|e [krɛp] 1. *m* Flor; Krepp; Trauerflor; *~e
de Chine* echte Seide; *~e de latex* Schaumgum-
mi; 2. *f* leichter Eierkuchen; **~er** [-pɛ] kräuseln
♦*se ~er le chignon (umg)* s. in d. Haare geraten;
~erie [krɛpri] *f* Creperie
crêp|i [krɛpi] *m* Verputz; **~issage** [-pisaːʒ] *m*
Verputzen; **~ir** [-piːr] *22 (Mauer)* verputzen,
bewerfen; **~itation** [-pitasjɔ̃] *f (Flamme)* Knistern, Prasseln; *(Gewehre)* Knattern; ⚙ Knackgeräusch; **~itement** = ~itation; **~iter** [-pitɛ]
(Flamme) knistern, prasseln; *(Gewehrfeuer)*
knattern
crépu [krepy] *(bes Haar)* kraus, gekräuselt
crépuscul|aire [krepyskylɛːr] dämmerig, Däm-
merungs...; **~e** [-kyl] *m* (Abend-)Dämmerung
cresson [krésɔ̃] *m* Kresse
crétacé [kretasɛ] *geol* Kreide...
Crète [krɛt] *la ~* Kreta
crête [krɛt] *f (Hahn, Welle)* Kamm; *alp* Grat;
math ✿ Scheitel(punkt); Spitze, Maximum;
valeur de ~ Scheitelwert
crétin [kretɛ̃] *m* Idiot; Dummkopf; **~isme**
[-tinjsm] *m* ✚ Kretinismus
crétois [kretwa] *108* kretisch; ≗ *m* Kreter
cretonne [krətɔn] *f* Kretonne
creus|age [krøzaːʒ] *m.* **~ement** [krøzmɑ̃] *m
(Erde)* Ausheben; Ausbohren; **~er** [-zɛ] graben;
aushöhlen; ausheben; *~er les fondements* d.
Fundamente ausschachten; *~er sa fosse* s. sein
eigenes Grab schaufeln; *se ~er la tête* (od *la
cervelle)* s. d. Kopf zerbrechen; *~er l'estomac*
hungrig machen
creuset [krøzɛ] *m (a. fig)* Schmelztiegel; Gestell
(Hochofen)
creu|x [krø] 1. *111* hohl; leer; *(Jahrgang)*
schwach; *(Husten)* trocken; *heure ~se* Springstunde; *période ~se (com)* Flaute; *phrases ~ses*
Gemeinplätze; *yeux ~x* tiefliegende Augen ♦
avoir le ventre ~x ein Loch im Bauch haben;
avoir le nez ~x e-n guten Riecher haben; 2. *m*
Höhlung; Leere; *(Konjunktur)* Einbruch; *(Wellen)* Wellenhöhe, W.tal; *~x de la dent*
Zahnlücke; *le ~x de la main* d. hohle Hand
crev|aison [krəvɛzɔ̃] *f* Platzen; Reifenpanne;
~ant [-vɑ̃] *108 pop* zum Totlachen; **~ard** [-vaːr]
m pop Hungerleider; **~asse** [-vas] *f alp* Spalte;

(Haut) Riß; **~assé** [-vaşę] zerklüftet; **~asser**
[-vaşę] *(Haut)* aufspringen; *(Boden, Mauer)*
rissig werden
crève [krɛːv] *f: tu vas attraper la ~ (pop)* du
holst dir den Tod; **~cœur** [-kœːr] *m 100*
Herzeleid; **~-la-faim** [-lafɛ̃] *m 100* Hungerleider, Schmachtlappen
crever [krǫvę] *8* zerplatzen; *a. fig* platzen; (auf-,
zer-)springen; verenden; *(Augen)* ausstechen;
(Deich) brechen; zuschanden reiten; *umg* 🚗 e-n
Plattfuß haben; *pop* krepieren, abkratzen; *~ le
cœur à qn* j-m das Herz brechen (zerreißen); ~
l'écran 📺 gut ankommen; ~ *le plafond* 🛩 alle
Rekorde schlagen ♦ *mais cela crève les yeux!* das
sieht doch jeder!; ~ *dans sa peau* aus der Haut
fahren; *l'orage va* ~ d. Gewitter bricht sofort
los; ~ *de faim* vor Hunger umkommen; *son
vélo a crevé* er hat e-n Platten; *il crève d'envie
de…* er brennt darauf, zu…
crevette [krǫvęt] *f* Garnele; Krabbe
cri [kri] *m* Schrei; Ruf; *(Tiere)* Stimme; *(Säge)*
Kreischen; ~ *de détresse* Hilferuf; ~ *du sang*
Stimme d. Blutes; *pousser des ~s* Schreie
ausstoßen; **~ailler** [-aję] viel (herum-)schreien;
~aillerie [-ɑrji] *f umg* Gezänk; **~ant** [kriɑ̃] *108*
himmelschreiend; **~ard** [-aːr] *108* gellend;
schreiend *(a. Farben);* zänkisch; *m* zänkischer
Mensch; Schreihals
cribl|age [kriblɑːʒ] *m* Sieben; **~e** [kribl] *m* Sieb;
passer au ~e (a. fig) (aus-)sieben; **~er** [-blę]
sieben; durchlöchern; *être ~é de dettes* bis an d.
Ohren in Schulden stecken
cric [krik] *m* Schraubenwinde; 🚗 Wagenheber
cricri [krikri] *m* zool Grille, Heimchen
cri|ée [krię] *f* öffentliche Versteigerung, Aukti-
on; **~er** [krię] schreien; (aus-)rufen; *(zum
Verkauf)* anbieten; s. empören *(à* über);
streiten; *(Säge)* kreischen; *(Tür)* knarren;
(Wagen) quietschen; *(Sand)* knirschen; *~er au
secours* nach Hilfe rufen; *~er qch sur les toits*
etw. an d. große Glocke hängen; *~er vengeance*
nach Rache schreien; **~eur** [kriœːr] *m* Ausrufer;
Straßenverkäufer
crime [krim] *m* Verbrechen
crimin|aliste [kriminaljst] *m* Strafrechtler; **~ali-
té** [-nalitę] *f* Kriminalität; **~el** [-nęl] *115*
verbrecherisch; *m* Verbrecher; **~ogène** [-ɔʒęn]
die verbrecherische Tätigkeit fördernd; **~ologie**
[-nɔlɔʒi] *f* Kriminalistik
crin [krɛ̃] *m* Roßhaar; *pl pop (Haar)* Mähne; ~
végétal Pflanzenfaser; *à tous ~s* von reinstem
Wasser; **~ière** [krinjęːr] *f* Mähne
crique [krik] *f* kleine (Meeres-)Bucht, Bran-
dungsnische; Riß, Spalt
criquet [krikę] *m* Heuschrecke; ~ *migrateur*
Wanderheuschrecke
crise [kriːz] *f* Krise; Wende(punkt); ~
économique Wirtschaftskr.; ~ *de logement*
Wohnungsnot; ~ *ministérielle* Regierungskr.;
~ *de nerfs* Nervenkr.
crisp|ant [krispɑ̃] *108* aufreizend; höchst
ärgerlich; **~ation** [-pasjɔ̃] *f* Schrumpfung; 💲
Krampf; **~er** [-pę] *~er le visage* d. Gesicht
verziehen; *cela me ~e les nerfs* d. regt mich auf

criss|ement [krismɑ̃] *m* Knirschen; **~er** [-sę]
(Zähne, Schnee, Kies) knirschen; *(heißes Eisen
im Wasser)* zischen
cristal [kristal] *m 90* Kristall; ~ *de roche*
Bergkr.; **~lerie** [-talri] *f* Kristallwaren; **~lin**
[-talɛ̃] *109* kristallinisch; *m* Linse *(d. Auges);*
~lisation [-talizasjɔ̃] *f* Kristallisation; **~liser**
[-talizę] (aus)kristallisieren
crit|ère [kritęːr] *m* Kriterium, Bewertungsmaß-
stab; Kennzeichen; **~icité** [-izitę] *f* kritischer
Zustand, Kritizität; **~ique** [-tịk] **1.** kritisch;
entscheidend; *situation ~ique* mißliche Lage;
âge ~ique Wechseljahre; **2.** *m* Kritiker; **~ique**
littéraire Rezensent; **3.** *f* Kritik; **~iquer** [-tikę] *6*
kritisieren, beurteilen
croass|ement [krɔasmɑ̃] *m* Gekrächze; **~er**
[-sę] krächzen
croc [kro] *m* Haken; *zool* Reißzahn ♦ *avoir les
~s (pop)* Kohldampf schieben; **~-en-jambe**
[krɔkɑ̃ʒɑ̃b] *m 98* Beinstellen; hinterlistiger
Streich
croch|e [krɔʃ] *f* Achtelnote; *double ~e* Sech-
zehntelnote; **~er** [-ʃę] 🚗 anhaken; **~et** [-ʃę] *m
(a. Boxen)* Haken; Dietrich; Häkelnadel; *mpl*
eckige Klammern; *(Schlange)* Giftzähne; *ouvrage au ~et* Häkelarbeit; *faire un ~et* e-n
Abstecher machen, *(Hase)* e-n Haken schlagen
♦ *vivre (od. être) aux ~ets de qn* j-m auf d.
Tasche liegen; **~eter** [krɔʃtę] *l* aufbrechen, mit
e-m Dietrich öffnen; **~u** [-ʃy] krumm; *avoir les
doigts ~us* lange Finger machen
crocodile [krɔkɔdil] *m* Krokodil; 🚂 Schienen-
kontakt; *larmes de* ~ Krokodilstränen
crocus [krɔkys] *m 105* Krokus
croi|re [krwaːr] *63* glauben; annehmen; s.
einbilden; *je le ~s honnête* ich halte ihn für
ehrlich; *il n'en ~t rien* er glaubt es nicht; *~re sur
parole* aufs Wort glauben; *croyez-moi!* (od.
croyez-le!) glauben Sie es mir!; *je ~s que oui* ich
glaube ja; *~re en Dieu* an Gott glauben; *~re
aux revenants* an Gespenster glauben; *tout porte
à ~re que* alles läßt vermuten, daß; *à ce que je
~s* nach m-r Auffassung; *à l'en ~re* nach s-n
Reden zu urteilen; *~re au père Noël (umg)* s.
etw. vormachen; *elle se ~t belle* sie glaubt, sie
sei schön; *il s'en ~t beaucoup* er denkt wunder,
wer er sei
crois|ade [krwazad] *f* Kreuzzug; **~é** [-zę] **1.**
gekreuzt; *mots ~és* Kreuzworträtsel; **2.** *m*
Kreuzfahrer; **~ée** [-zę] *f* Fenster(kreuz); (Stra-
ßen-)Kreuzung; 🚢 Querschiff; **~ement** [krwaz-
mɑ̃] *m* (Straßen-)Kreuzung; Begegnung *(v.
Fahrzeugen); zool, bot* Kreuzung; **~er** [-zę]
(zool, bot, 🦴*, Weg, Brief)* kreuzen; *(Anzug)*
übereinandergehen; *~er les jambes* d. Beine
übereinanderschlagen; *se ~er les bras* d. Hände
in d. Schoß legen; *se ~er (Fahrzeuge)* s.
begegnen; **~eur** [-zœːr] *m* 🦴 Kreuzer; **~ière**
[-zjęːr] *f* Seereise; Kreuzfahrt; ✈ Flug; *vitesse de
~ière* 🦴, ✈ Reisegeschwindigkeit; **~illon** [-zijɔ̃]
m Handkreuz; Fensterprosse
croiss|ance [krwasɑ̃s] *f* Wachstum; Anstieg,
Zunahme; ~ *zéro* Nullwachstum; **~ant** [-sɑ̃] *m*
Mondsichel; *(Gebäck)* Hörnchen

croître [krwatr] *64* wachsen, steigen, zunehmen; s. vermehren

croix [krwa] *f 105* Kreuz(zeichen); ~ *gammée* Hakenkr.; Swastika; ~ *de Malte* Malteser Kreuz; *-Rouge* Rotes Kreuz; *attacher à la* ~ ans Kreuz schlagen; *en* ~ in Kreuzstellung; *fig pop* im Eimer; *faire une* ~ *sur qch* e-n Strich unter etw. ziehen; *marquer d'une* ~ ankreuzen; *porter une* ~ e. schweres Kreuz zu tragen haben ♦ *c'est la* ~ *et la bannière* es ist äußerst schwierig

croqu|ant [krɔkɑ̃] *108* knusprig; *m umg* Bauer, Tölpel, Trottel; **~e-mitaine** [krɔkmitɛ̃n] *m 99* schwarzer Mann, Kinderschreck; **~e-mort** [krɔkmɔːr] *m 99 umg* Totengräber; **~enot** [-nọ] *m pop* Schuh; **~er** [-kẹ] *6* knabbern; 🦎 skizzieren; *joli à* ~*er* bildhübsch ♦ ~*er de l'argent* d. Geld aus d. Fenster werfen; **~ette** [-kẹt] *f* Krokette, (Fleisch-, Kartoffel-)Bällchen; Schokoladeplätzchen; **~ignolet** [-kiɲɔlɛ̃] *114 umg* reizend, süß; **~is** [-ki] *m* Skizze, Entwurf

cross|e [krɔs] *f* Gewehrkolben; Golf-(Hockey-)Schläger; Krummstab ♦ *chercher des* ~*es à qn* (*pop*) mit j-m Streit suchen

crotale [krɔtal] *m* Klapperschlange

crott|e [krɔt] *f* Kot; (Straßen-)Schmutz; *interj umg* schade!; *c'est de la* ~*e de bique!* das ist keinen Pfifferling wert!; ~ *de chocolat* Praline; **~er** [-tẹ] beschmutzen; **~in** [-tɛ̃] *m* Pferdemist

croul|ant [krulɑ̃] *108* baufällig; *fig* vom Untergang bedroht; *mpl: les* ~*ants* (*arg scol*) die Erwachsenen; **~ement** [krulmɑ̃] *m* Einsturz; **~er** [-lẹ] einstürzen; *a. fig* zus.stürzen

croup [krup] *m* 🦎 Krupp

croup|e [krup] *f* (*Pferd*) Kruppe, Kreuz; Bergrücken; **~etons** [-tɔ̃]: *à* ~*etons* im Hocken; **~ier** [-pjẹ] *m* Croupier; **~ière** [-pjɛːr] *f* Schwanzriemen ♦ *tailler des* ~*ières à qn* j-m arg zusetzen, j-m zu schaffen machen; **~ion** [-pjɔ̃] *m* Steißbein; **~ir** [-piːr] *22* (*Wasser*) stagnieren; verderben

croustade [krustad] *f* knusprige Kruste; Überbackenes

croustill|ant [krustijɑ̃] *108* (*a. fig*) knusprig; *histoire* ~*ante* pikante Geschichte; **~er** [-tijẹ] knusprig sein

croût|e [krut] *f* Kruste; Brotrinde; (*Wunde*) Grind, Schorf; 🦎 *umg* Schinken; ~*e terrestre* (*geol*) Erdrinde; *casser la* ~*e* (*umg*) e-n Imbiß nehmen, vespern; **~on** [-tɔ̃] *m* Brotkruste, -kanten; gerösteter Brotwürfel; *umg* verknöcherter Mensch

croy|able [krwajabl] glaubhaft; **~ance** [-jɑ̃s] *f* Glaube; Glaubwürdigkeit; *pol* Überzeugung, Anschauung; **~ant** [-jɑ̃] *108* gläubig; *m rel* Gläubiger

cru[1] [kry] *129* roh, ungekocht; derb, anstößig; (*Licht*) grell; *soie* ~*e* Rohseide; *la vérité toute* ~*e* d. nackte Wahrheit; *des propos trop* ~*s* allzu freie Reden

cru[2] [kry] *m* Weinsorte; (*Weinbau*) Lage; *grand* ~ edle (Wein-)Sorte; (*Wein*) gute Lage; *vin du* ~ einheimischer Wein; *de son* ~ von ihm selbst, *umg* auf eigenem Mist gewachsen

cru[3] [kry] *siehe* croire

crû[4] [kry] *siehe* croître

cruauté [kryotẹ] *f* Grausamkeit

cruch|e [kryʃ] *f* Krug; *pop* dumme Gans; **~on** [-ʃɔ̃] *m* Kruke, kl. Krug

cruci|al [krysjal] *124* 🦎 (*Schnitt*) kreuzförmig; entscheidend; *problème* ~*al* Hauptproblem; **~fiement** [-sifimɑ̃] *m* Kreuzigung; **~fier** [-sifjẹ] kreuzigen; **~fix** [-sifi] *m* Kruzifix; **~fixion** [-sifiksjɔ̃] *f* Kreuzigung

crudité [kryditẹ] *f* roher Zustand; Derbheit (*e-r Rede*); (*Farbe*) Grellheit; *pl* Rohkost

crue [kry] *f* Hochwasser; *les eaux sont en* ~ d. Wasser steigt

cruel [kryɛl] *115* grausam

crûment [krymɑ̃] ungeschminkt, unverblümt; schonungslos

crustacés [krystasẹ] *mpl zool* Schaltiere

cryo|biologie [krijɔbjɔlɔʒi] *f* Kältebiologie; **~génique** [-ʒenik] *adj* kälteerzeugend

crypt|e [kript] *f* Krypta, Gruftkapelle; **~ogames** [-tɔgam] *fpl bot* Sporenpflanzen; **~ogramme** [-tɔgram] *m* chiffrierte Mitteilung; **~ophonie** [-ɔfɔni] *f* verschlüsselter Sprechverkehr

cubage [kybaːʒ] *m* Raummessung

cub|e [kyb] *m*: *mètre* ~*e* Kubikmeter; *m* **1.** Würfel; Suppenwürfel; **2.** Kubikzahl; *élever au* ~*e* in d. 3. Potenz erheben; *un gros* ~*e umg* Feuerstuhl, heißer Ofen; **~er** [-bẹ] (*an Rauminhalt*) fassen; *fig ça va* ~*er* Geld verdienen wie Heu; **~ique** [-bik] kubisch, würfelförmig; *racine* ~*ique* (*math*) Kubikwurzel; **~isme** [-bism] 🦎 Kubismus; **~iste** [-bist] kubistisch; *m* Kubist

cubit|al [kybital] *124* 🦎 Ellbogen...; **~us** [-tys] *m* 🦎 Elle

cucul [kyky] *umg* dumm, lächerlich, idiotisch; ~-*la-Praline umg* völlig blöd

cueill|ette [kœjɛt] *f* (Obst-)Ernte; ~*ette du coton* Baumwollernte; **~ir** [-jiːr] *20* pflücken; (*Obst*) ernten; *umg* dingfest machen; ~*ir à froid* j-n überraschen, überrumpeln; **~oir** [-jwaːr] *m* Obstkorb, -pflücker

cuille|r, cuillère [kɥijɛːr] *f* Löffel ♦ *ne pas y aller avec le dos de la* ~ (*fig*) rücksichtslos vorgehen, handeln; **~rée** [kɥijrẹ] *f* Löffelvoll

cuir [kɥiːr] *m* Leder; *pl mil* Lederzeug; ~ *artificiel* Kunstleder; ~ *grenu* genarbtes Leder; ~ *chevelu* Kopfhaut; *relier en* ~ in Leder binden; *articles en* ~ Lederwaren ♦ *tanner le* ~ *à qn* (*pop*) j-m d. Fell gerben; *faire des* ~*s* (*ling*) Bindungsfehler machen

cuirass|e [kɥiras] *f* Harnisch; *zool* Panzer; *défaut de la* ~ (*fig*) wunder (schwacher) Punkt; ~*é* [-sẹ] *m* Panzerkreuzer

cui|re [kɥiːr] *vt/i 80* backen; braten; kochen; (*Ziegel, Porzellan*) brennen; *pomme* ~*te* Bratapfel; *en terre* ~*te* aus Terrakotta ♦ *un dur à* ~*re* e. hartgesottener Mensch; *il est* ~*t* (*pop*) mit ihm ist es (*gesundheitl. od. geschäftl.*) aus; *il lui en* ~*ra* er wird dafür büßen; **~sant** [kɥizɑ̃] *108* leicht zu kochen; (*Schmerz*) stechend; (*Bemerkung*) verletzend; **~seur** [kɥizœːr] *m* großer Kochtopf; **~sine** [kɥizin] *f* Küche; Kochen; ~*sine par éléments* Anbauküche; *livre de* ~*sine*

Kochbuch; *batterie de* ~*sine* Küchengerät; *umg* Machenschaft(en); ~*sine électorale* Wahlintrigen; **~siner** [kɥizinɛ̞] (in d. Küche) zubereiten, zurechtmachen; *fig* ausfragen, -quetschen; **~sinette** [kɥinzinɛ̞t] *f* Kochnische; **~sinier** [kɥizinjɛ̞] *m* Koch; **~sinière** [kɥizinjɛ̞:r] *f* Köchin; (Koch-)Herd; ~*sinière à feu continu* Dauerbrandherd

cuisse [kɥis] *f* (Ober-)Schenkel; Keule; Schlegel; **~au** [kɥiso̞] *m* Kalbsschlegel

cuisson [kɥisɔ̃] *f* (Ab-)Kochen; Backen, Braten; ⚕ brennender Schmerz

cuissot [kɥiso̞] *m* (Wild-)Schlegel, Keule

cuist|ot [kɥisto̞] *m* (*umg*) Küchenbulle; **~re** [kɥistr] *m* Pedant, Schulfuchs

cuite [kɥit] *f* (*Töpferei*) Brennen; *prendre une* ~ (*pop*) s. besaufen

cuivr|e [kɥivr] *m* Kupfer; Messing; *mpl* Kupfergeschirr; ♪ Blech; *de* ~*e* kupfern, Kupfer...; ~*e jaune* Messing; **~é** [kɥivre] kupferfarben; (*Stimme*) markig; **~er** [kɥivre] verkupfern

cul [ky] *m pop!* Arsch, Hintern; *gros* ~ Brummi, LKW; *faire* ~ *sec* ex trinken; *en avoir plein le* ~ d. Nase voll haben; *se casser le* ~ schuften, malochen; *tirer au* ~ s. vor d. Arbeit drücken; *un tire au* ~ e. Drückeberger; ~ *de bouteille* Flaschenboden; **~asse** [-lɑs] *f* Gewehrschloß; (*Motor*) Zylinderkopf; **~bute** [kylbyt] *f* Purzelbaum; *fig* Sturz; **~buter** [kylbyte] *vt/i* stürzen; purzeln; **~-de-basse-fosse** [kydbɑsfo̞:s] 98 unterirdisches Verlies, **~-de-jatte** [-dʒat] *m* 98 Krüppel ohne Beine; **~-de-lampe** [-dlɔ̃p] *m* 98 🕮 Schlußvignette; **~-de-sac** [-dsak] *m* 98 (*a. fig*) Sackgasse; **~ée** [kyle] *f* (*Brücke*) Widerlager

culinaire [kylinɛ̞:r] kulinarisch; *art* ~ Kochkunst

culmin|ant [kylminɑ̃] 108: *point* ~*ant* Gipfelpunkt, Höhepunkt; **~er** [-ne] kulminieren, d. Höhepunkt erreichen

culot [kylo̞] *m* ⚡ (Lampen-)Sockel; *umg* Nesthäkchen; *fig umg* Dreistigkeit, Frechheit; **~te** [-lɔt] *f* (kurze) Hose; Schlüpfer; *pop* Rausch; (*Spiel*) beträchtlicher Verlust; ~*te de peau* (*umg*) alter, eingefleischter Soldat; *porter la* ~ (*fig*) d. Hosen anhaben; **~té** [-lɔte] *umg* frech, dreist; **~ter** [-lɔte] (*durch Rauch*) schwärzen; **~tier** [-lɔtje] *m* Hosenschneider

culpabili|ser [kylpabilize] verunsichern, e-r Schuld bewußt machen; **~té** [-ite] *f* 🔒 Schuld, Straffälligkeit; *avouer sa* ~ 🔒 s. schuldig bekennen

cult|e [kylt] *m* Kult; (*bes prot*) Gottesdienst; *fig* Verehrung; ~ *de la personnalité* Personenkult; **~ivateur** [-tivatœ̞:r] 122 ackerbautreibend; *m* Bauer; Landwirt; (*Gerät*) Kultivator, Grubber; **~iver** [-tive] (an-, be-)bauen; (*Land*) bestellen; (an-)pflanzen; *fig* pflegen; *personne* ~*ivée* gebildeter Mensch; ~*iver qn* s. j-n warmhalten; **~uel** [-tɥɛ̞l] 115: *association* ~*uelle* Kultgemeinde; **~ural** [-tyral] landwirtschaftlich; **~ure** [-ty:r] *f* (Land-)Bestellung; (An-, Be-)Bauen; (Geistes-)Bildung; (*Wissensch. u. Kunst*) Pflege; *pl* Felder; ~*ure générale* Allgemeinbildung; ~*ure*

maraîchère Gemüsebau; ~*ure mécanique* motorisierte Landwirtschaft; ~*ure physique* Leibesübungen; Morgengymnastik; *bouillon de* ~*ure* ⚕ Nährlösung; **~urel** [-tyrɛ̞l] 115 kulturell

cumin [kymɛ̃] *m* Kümmel

cumul [kymyl] *m* Ämterhäufung; **~ard** [-mylɑ:r] *m umg* Doppelverdiener; **~er** [-myle] anhäufen, s. ansammeln; (*Ämter usw.*) auf s-e Person vereinigen; **~us** [-mylys] *m* 105 Haufenwolke

cunéiforme [kyneifɔrm] keilförmig; *écriture* ~ Keilschrift

cupid|e [kypid] (geld-, hab-)gierig; **~ité** [-pidite] *f* Habsucht

cupri|fère [kyprifɛ̞:r] kupferführend; **~que** [-prik] Kupfer...; **~te** [-it] *f* Rotkupfererz, Kuprit

cura|bilité [kyrabilite] *f* Heilbarkeit; **~ble** [-rabl] heilbar; **~ge** [-ra:ʒ] *m* Reinigung; (*Kanal*) Ausräumung; **~telle** [-ratɛ̞l] *f* 🔒 Pflegschaft, Kuratel; **~teur** [-ratœ̞:r] *m* Vormund; **~tif** [-ratif] 112 heilend; *effet* ~*tif* Heilwirkung

cure [ky:r] *f* 1. Kur; Heilbehandlung; Heilung; ~ *d'amaigrissement* Abmagerungskur; ~ *de désintoxication* Entziehungskur; ~ *de repos* Liegekur; 2. Pfarrstelle, -haus ♦ *n'en avoir* ~ sich nicht darum kümmern

cur|é [kyre] *m kath* Pfarrer; **~e-dent** [kyrdɑ̃] *m* 99 Zahnstocher; **~ée** [-re] *f* (*Jagd*) Aufbruch; **~e-ongles** [-rɔ̃gl] *m* 100 Nagelreiniger; **~e-oreille** [-rɔrɛ̞j] *m* 99 Ohrlöffel; **~er** [-re] reinigen; ausbaggern, räumen; *se* ~*er les dents* s. d. Zähne (*mit d. Zahnstocher*) reinigen; **~etage** [kryta:ʒ] *m* ⚕ Kürettage; Auskratzung; **~ette** [-rɛ̞t] *f* Kürette; Schabeisen; **~ie** [-ri] *f* Kurie; **~ieux** [-rjø̞] 111 wißbegierig, neugierig; sonderbar, interessant; *m* Gaffer; *pop* Untersuchungsrichter; **~iosité** [-rjozite] *f* Wißbegier, Neugier; Kuriosität, Seltenheit; Merk-, Sehenswürdigkeit; *visite* [-rist] *m* Kurgast

curs|eur [kyrsœ̞:r] *m* (*an Instrumenten*) Läufer, Schieber, Reiter; **~if** [-sif] 112 flüssig; kurz; *écriture* ~*ive* Kursivschrift

curvi|ligne [kyrviliɲ] *math* krummlinig; **~mètre** [-mɛ̞tr] *m* Kurvenmesser

custode [kystɔd] *f* 🚗 hintere Seitenlehne; *glace de* ~ 🚗 hinteres Seitenfenster

cutané [kytane] ⚕ Haut...; *maladie* ~*e* Hautkrankheit

cuv|age [kyva:ʒ] *m* Vergären (*des Weins*); **~e** [ky:v] *f* Gefäß; Wanne; Tank; Kessel; Kufe, (Gär-)Bottich, Zuber; (*Hochofen*) Schacht; ~*e de peinture* Tauchbad; ~ *de réacteur* Reaktorbehälter; ~*e à vin* Weintank; **~elage** [-vla:ʒ] *m* (*Bergwerk*) Schachtzimmerung; **~er** [-ve] *vi* (*Wein*) gären; *vt:* ~*er son vin* s-n Rausch ausschlafen; **~ette** [-vɛ̞t] *f* (Wasch-)Becken, W.C.-Schüssel; *geol* Mulde; **~ier** [-vje] *m* Waschfaß, -wanne

cybernétique [sibɛ̞rnetik] *f* Kybernetik, Kommunikationsforschung

cycl|able [siklabl]: *piste* ~*able* Radweg; **~amen** [-klamɛ̞n] *m* Alpenveilchen; **~e** [sikl] *m* Zyklus; Periode; (*Natur*) Kreislauf; *chem* Ring; 🚲 Hertz; (Fahr-)Rad; ~*e de l'azote* Stickstoff-

kreislauf; ~e d'essais Versuchsreihe; ~e solaire
Sonnenzyklus; ~ique [-klik] zyklisch; ~isme
[-klism] m Radsport; ~iste [-klist] m Radfahrer;
~iste professionnel Berufsradfahrer; ~oïde
[-klɔid] f math Zykloide; ~omoteur [-klɔmɔtœːr]
m Moped; ~omotoriste [-klɔmɔtɔrist] m Moped-
fahrer; ~one [-klɔn] m Zyklon, Wirbelsturm;
chem Fliehkraftabscheider; ~ope [-klɔp] m
Zyklop; ~otourisme [-klɔturism] m Radwan-
dern; ~otron [-klɔtrɔ̃] m (phys, ⚡, ⚙) Zyklotron,
Elektronenschleuder

cygne [siɲ] m Schwan; chant du ~ Schwanen-
gesang

cylindr|e [silɛ̃dr] m (⚙, 🚗, math) Zylinder;
(Straßenbau, Schreibmaschine) Walze; ⚙ Trommel, Welle; (Turbine) Gehäuse; une six ~es
Sechszylinderwagen; ~ée [-lɛ̃dre] f 🚗 Hub-
raum; ~er [-lɛ̃dre] ⚙ (aus-)walzen, einebnen;
~ique [-lɛ̃drik] zylindrisch, walzenförmig

cymbales [sɛ̃bal] fpl 🎵 Becken

cynégétique [sineʒetik] Jagd...; weidmännisch

cyn|ique [sinik] zynisch, verletzend-spöttisch,
bissig; ~isme [-nism] m Zynismus; ~océphale
[-nɔsefal] m Pavian; ~odrome [-ɔdrɔm] m
Windhundrennbahn

cypr|ès [siprɛ] m Zypresse; ~ière [-priɛːr] f
Zypressenhain

cypriote [sipriɔt] aus Zypern; ♗ m Zypriot

cystite [sistit] f Blasentzündung

cytise [sitiz] m bot Goldregen

cytoplasme [sitɔplasm] m Zellplasma

czar siehe tsar

D

D [de]: le système ~ (umg) d. Kunst, s.
durchzuwursteln u. s. zu helfen wissen

dactylo|(graphe) [daktilo, daktilɔgraf] f
Schreibkraft; Stenotypistin; ~graphie [-grafi] f
Maschineschreiben; ~graphié [-grafje] maschi-
nenschriftlich; ~logie [-ɔʒi] f Taubstummen-
sprache; ~scopie [-skɔpi] f Fingerabdruckver-
fahren

dada [dada] m Hottepferd; fig Steckenpferd

dadais [dadɛ] m Tölpel; Tolpatsch

dague [dag] f Dolch; ~ à ressort Springklinge

dahlia [dalja] m Dahlie

daign|er [dɛɲe] s. herablassen (faire qch etw. zu
tun); geruhen; il n'a pas ~é me regarder er hat
mich k-s Blickes gewürdigt

daim [dɛ̃] m Damhirsch; Velours-, Wildleder

dais [dɛ] m Thronhimmel, Baldachin

dall|age [dalaːʒ] m Fliessenboden; Platten-,
Fließenlegen; ~e [dal] f Fliese, Platte; ~er [-le]
mit Fliesen, Platten belegen; ~eur [-lœːr] m
Fliesen-, Plattenleger

dalton|ien [daltɔnjɛ̃] 118 farbenblind; ~isme
[-nism] m Farbenblindheit

dam [dɑ̃] m: à son ~ zu s-m Schaden; au grand
~ de qch ohne besondere Rücksicht auf

Damas [damɑs] m Damaskus; ♗ m [-mɑ]
Damast; Damaszenerklinge; ♗quin [-kɛ̃]: ouvra-
ge ♗ quin Damaszener Arbeit; ♗sé [-mɑse] mit
Damastmustern

dam|e [dam] f 1. Frau; Dame; 🐎 Ehefrau; ~e
de compagnie Gesellschafterin; 2. (Kartenspiel)
Dame; jeu de ~es Damespiel; 3. Handramme;
Stampfer; ~e à béton Betonst.; 4. ~e! ja
gewiß!; ~e-jeanne [damʒan] f 97 Glasballon;
große Korbflasche; ~er [-me] feststampfen ♦
~er le pion à qn j-n ausstechen; ~ier [-mje] m
Damebrett; Schachbrettmuster; en ~ier gewür-
felt

damn|able [danabl] verdammenswert; ~ation
[-nasjɔ̃] f rel Verdammnis; ~ation! verdammt!;
~é [-ne] m rel Verdammter; ce ~é retard umg
diese verflixte Verspätung; souffrir comme un
~é Höllenqualen ausstehen; ~er [-ne] rel
verdammen

damoiseau [damwazo] m Stutzer, Geck

dancing [dãnsiŋ] m Tanzlokal

dandin [dãdɛ̃] m linkischer Mensch; Einfaltspinsel; ~er [-dine]: se ~er schlenkernd
(einher)gehen

dand|y [dãdi] m 102 Dandy; pej Geck; ~ysme
[-dism] m Dandyismus; pej Geckenhaftigkeit

Danemark [danmark]: le ~ Dänemark

danger [dãʒe] m Gefahr; ~ de mort Lebensg.;
~ d'infection Ansteckungsg.; se mettre en ~
sich in G. begeben; il n'y a pas de ~! (umg)
bewahre!; ~eux [-ʒrø] 111 gefährlich; ~osité
[-ʁozite] f Gefährlichkeit

danois [danwa] 108 dänisch; m d. Dänische;
dänische Dogge; ♗ m Däne

dans [dɑ̃] in; an; bei; auf; nach; aus; binnen;
~ la rue auf der (die) Straße; être ~ ses
meubles seine eigenen Möbel haben; ~ Paris
innerhalb v. Paris; aller ~ le Midi nach
Südfrankreich reisen; boire ~ un verre aus
einem Glas trinken; ~ Racine bei Racine; ce
poisson pèse ~ les dix livres d. Fisch wiegt um
die 100 Pfund; ~ l'année binnen Jahresfrist; ~
10 jours in 10 Tagen

dans|ant [dãsɑ̃] 108 Tanz...; thé ~ant
Tanztee; ~e [dãs] f Tanz; Rüffel; leçon de ~e
Tanzstunde; ~e macabre Totentanz; mener la
~e (fig u. mst pej) d. erste Geige spielen; ~er
[-se] tanzen (avec mit); ~er devant le buffet
(etwa:) vor leeren Schüsseln sitzen; ne savoir sur
quel pied ~er schwanken, unschlüssig sein;
~eur [-sœːr] m Tänzer; ~eur mondain Eintän-
zer; ~euse [-søːz] f Tänzerin

Danube [danyb]: le ~ die Donau

dard [daːr] m (Insekt) Stachel; (Schlange)
Zunge; Wurfspieß; ~er [darde] schießen;
werfen; le soleil ~e ses rayons d. Sonne sticht;
~er un regard furieux e-n wütenden Blick
werfen (vers auf)

dare-dare [dardaːr] umg dalli-dalli

darse [dars] f Hafenbecken; Binnenhafen (bes.
im Mittelmeerraum)

dartr|e [dartr] f 🩺 Flechte; ~eux [-trø] 111 🩺 mit
Flechten behaftet; flechtenartig

dat|e [dat] f Datum, Zeitpunkt; ~e de livraison
Liefertermin; ~e d'émission (Scheck) Ausstel-
lungstag; ~e limite letzter Termin, äußerster T.;
~e limite de validité (d'un billet) Verfallstag (e-s
Fahrausweises); à cette ~e zu diesem Zeit-

punkt; *de fraîche* ~*e* neu; *faire* ~*e* Epoche machen, e-n Einschnitt darstellen; *prendre* ~ e-n Termin festsetzen; ~**er** [-te] datieren; *cela* ~*e de loin* das geht weit zurück; ~**eur** [-œːr] *m* Datum(s)anzeige; ~**if** [-tif] *m ling* Dativ

datt|e [dat] *f* Dattel; ~**ier** [-tje] *m* Dattelpalme

daub|e [doːb] *f* Schmoren; Schmorbraten; *en* ~*e* geschmort; ~**er** [dobe] schmoren; ~*er (sur) qn (umg)* schlecht über j-n sprechen, über j-n herziehen; ~**eur** [dobœːr] *m* Lästermaul

dauphin [dofɛ̃] *m* Delphin, Tümmler; *hist* französ. Kronprinz; *umg iron* Erbe; ~**e** [-fin] *f hist* Gemahlin d. französ. Kronprinzen; ~**elle** [-finɛl] *f bot* Rittersporn

daurade [dorad] *f* Goldbrasse(n)

davantage [davɑ̃taːʒ] (noch) mehr; länger(e Zeit); *je n'en dis pas* ~ ich will nichts weiter sagen; *attendre* ~ länger warten

davier [davje] *m* 🦷 Zahnzange

de [də] von; aus; nach; auf; vor; zu; *va* ~ *ce côté!* stell dich auf diese Seite!; *route* ~ *Paris* Straße nach Paris; *il vient* ~ *Rouen* er kommt aus R.; *du matin au soir* vom Morgen bis zum Abend; *du vivant de ma mère* zu Lebzeiten m-r Mutter; ~ *bon appétit* mit gutem Appetit; *être* ~ *la soirée* an d. Abend(veranstaltung) teilnehmen; *banc* ~ *pierre* Steinbank; *traiter qn* ~ *fainéant* j-n e-n Faulenzer schelten; ~ *vive voix* mündlich; *jouer* ~ *la flûte* Flöte spielen; ~ *cette manière* auf diese Weise; *long* ~ *4 mètres* 4 Meter lang; *quoi* ~ *neuf?* was gibt's Neues?

dé¹ [de] *m:* ~ *(à coudre)* Fingerhut

dé² [de] *m (Spiel)* Würfel; *jeu de* ~*s* Würfelspiel; *jouer aux* ~*s* würfeln

déambuler [deɑ̃byle] umhergehen, -wandern

débâcle [debɑkl] *f* Niedergang; Zus.bruch; Brechen d. Eisdecke; *refluer en* ~ Hals über Kopf fliehen

déball|age [debalaːʒ] *m* Auspacken; ~**er** [-le] *(Waren, Koffer)* auspacken

déband|a [debɑ̃dad] *f* Auflösung; *à la* ~*ade* wild durcheinander, ohne Ordnung; ~**er** [-de] d. Verband abnehmen *(qch* von etw.); *(Bogen, Feder)* entspannen; auseinanderstreben; *se* ~*er (z. B. mil)* auseinanderlaufen

débaptiser [debatize] umtaufen

débarbouill|age [debarbujaːʒ] *m* Waschen *(d. Gesichts);* ~**er** [-je] *(z. B. e-m Kind)* schnell d. Gesicht waschen

débarcadère [debarkadɛːr] *m* Landungsbrücke; Entladeplatz

débard|er [debarde] ⚓, *(Waren)* löschen; ~**eur** [-dœːr] *m* Hafenarbeiter; kurzes ärmelloses Hemd

débarqu|ement [debarkəmɑ̃] *m* Ausschiffung; Löschen (d. Ladung); Abmusterung (d. Mannschaft); Landung; *a.* 🚢 Aussteigen; etw. Kaltstellen; ~**er** [-ke] *6* (s.) ausschiffen; *(Waren)* löschen; *a.* 🚢 aussteigen; *umg* kaltstellen; *d'où* ~*ez-vous?* Sie kommen wohl vom Mond!

débarras [debara] *m* Entlastung; Abstellraum; *bon* ~*!* den wären wir los! ~**ser** [-rase] ab-, weg-,

aufräumen; befreien; *se* ~*ser de qch* etw. loswerden; s. etw. vom Hals schaffen; ~*sez-vous!* legen Sie ab!

débat [deba] *m* Debatte; Auseinandersetzung; *causerie-*~ Gesprächsrunde; *dîner-*~ Arbeitsessen; *émission-*~ Radio-, Fernsehdiskussion; ~**teur** [-tœːr] *m* Diskussionsredner; D.-teilnehmer; ~**tre** [-batr] *76* debattieren; durchsprechen; *se* ~*tre* zappeln; s. sträuben

débauch|age [deboʃaːʒ] *m* Entlassung, Abbau *(von Personal);* ~**e** [-boːʃ] *f* Ausschweifung; *se livrer à la* ~*e* ausschweifend leben; *faire une* ~ *de qch* etw. übermäßig gebrauchen; ~**é** [-ʃe] *m* Wüstling; ~**er** [-ʃe] *(z. Laster)* verführen; verderben; *(Personal)* entlassen, abbauen; *se* ~*er e.* ausschweifendes Leben führen

débil|e [debil] kraftlos; schwächlich; *umg* verrückt, idiotisch; *m:* ~*e mental* Geistesschwacher; ~**ité** [-lite] *f* Kraftlosigkeit; Schwächlichkeit; ~*ité mentale* Geistesschwäche

débin|e [debin] *f umg* Elend, Armut; *être dans la* ~*e* am arm sein; ~**er** [-bine] *umg* anschwärzen; *se* ~*er (pop)* s. drücken; abhauen

débit [debi] *m com* Absatz; Laden; Ausstoß (Produktion); (transportierte) Menge, Anzahl; Verkauf; *(Konto)* Soll; (aus-, durch-)strömende, abgegebene Menge; *(Pumpe)* Leistung; Durchsatz; ~ *d'air* Luftdurchfluß; *d'un* ~ *facile (Waren)* leicht abzusetzen, gängig; ~ *de boissons* Ausschank, Schenke; ~ *de tabac* Tabakwarengeschäft; ~ *de la Seine* Wassermenge d. Seine; *avoir le* ~ *facile* redegewandt sein; ~**ant** [bitɑ̃] *m* Einzelhändler; ~**er** [-bite] *(im Einzelhandel)* verkaufen; *(Konto)* belasten; *(Wassermenge usw.)* liefern; herunterleiern; ~**eur** [-bitœːr] **1.** *122* Schuld...; *compte* ~**eur** Schuldkonto; **2.** *m* Schuldner; *pays* ~**eur** Schuldnerstaat

déblai [deblɛ] *m (Erdarbeiten)* Einebnung, Durchstich; ~**ement** [-blɛmɑ̃] *m (Erde, Schutt)* Abtragung; Wegräumen, Aufräumen

déblatérer [deblatere] *13 umg* schimpfen *(contre* auf)

déblayer [deblɛje] *12* aufräumen, wegschaffen; ~ *le terrain* d. Weg ebnen

déblo|cage [deblokaːʒ] *m* Lösen (e-r Bremse); 🚩 Streckenfreigabe; *fig* Beseitigung d. Hemmnisse; Entspannung; ~*cage des pix* Abbau d. amtlichen Preisfestsetzung; ~**quer** [deblɔke] *6 (Bremse)* lösen; *(rationierte Waren, Sperrkonto)* freigeben; ~*quer des crédits* Mittel bereitstellen

déboire [debwaːr] *m (mst pl)* Unannehmlichkeit; Verdruß

débois|ement [debwazmɑ̃] *m* Abholzung; ~**er** [-ze] abholzen

déboît|ement [debwatmɑ̃] *m* 🦴 Verrenkung; ~**er** [-te] auseinandernehmen; 🦴 ver-, ausrenken; *se* ~*er* aus d. Fugen gehen

débonder [debɔ̃de] *(Faß)* anstechen

débonnaire [debɔnɛːr] gutmütig; allzu nachsichtig

débord|ant [debɔrdɑ̃] *108* überströmend; übermäßig; überschwenglich, überschäumend; ~**é** [-de] *(mit Arbeit)* überlastet; ~**ement** [-dəmɑ̃] *m*

Überschwemmung; Ausgelassenheit; Zügellosigkeit; **~er** [-dę] *vt* hinausragen über; *vi (Fluß)* über d. Ufer treten

débosseler [debɔslę] *4* ausbeulen

débotté [debɔtę] *m: au* ~ gleich bei d. Ankunft

débouch|é [debuʃę] *m* Einmündung *(von Straßen); com* Absatzgebiet, Markt; *fig* Berufsaussichten; **~er** [-ʃę] *(Rohr)* frei machen, reinigen; entkorken; (heraus)kommen *(de* aus); *(Weg)* einmünden; ~ *sur qch* führen zu, als Folge haben

déboucler [debuklę] auf-, losschnallen; *se* ~ aufgehen

déboulonner [debulɔnę] d. Bolzen entfernen *(qch* von etw.); ~ *un grand homme* d. Ruf e-r Persönlichkeit vernichten

débourber [deburbę] *a. fig* aus d. Dreck ziehen

débourrer [deburę] *(Gewehr)* reinigen; *(Pfeife)* ausklopfen

débours [debu:r] *mpl com* Auslagen; *renter dans ses* ~ sein Geld wiederbekommen; **~ement** [-səmɑ̃] *m* Auszahlung; Ausgabe; **~er** [-sę] ausgeben, zahlen

déboussoler [debusɔlę] verwirren, kopfscheu machen; desorientieren; unsicher machen

debout [dəbų] aufrecht; *se tenir* ~ stehen; *il était encore* ~ er war noch auf; *je ne peux guère me tenir* ~ ich kann mich kaum aufrecht halten; *vent* ~ Gegenwind; *c'est à dormir* ~ das ist z. Auswachsen (langweilig); *cela ne tient pas* ~ das ist Unsinn

débout|ement [debutmɑ̃] *m* ♋ Abweisung *(e-r Klage);* **~er** [-butę]: ~ *er qn de sa demande* ♋ j-s Klage abweisen

déboutonner [debutɔnę] aufknöpfen; *se* ~ *(umg)* sein Herz ausschütten

débraillé [debraję] nachlässig angezogen; *fig* zu frei; *m* nachlässige *od.* zu freie Kleidung

débrancher [debrɑ̃ʃę] *(Zug)* auflösen; ⚡ umstecken; abschalten; trennen

débray|age [debrɛja:ʒ] *m* Arbeitsniederlegung; (kurzer) Streik; ⚙ Ausrücken; 🚗 Auskuppeln; *double ~age* 🚗 Zwischengasgeben; **~er** [-ję] *12* d. Arbeit niederlegen; ausrücken; 🚗 auskuppeln; **~er de la réalité** wirklichkeitsfremd werden

débrid|é [debridę] *fig* zügellos; entfesselt; **~er** [-dę] abzäumen; ⚕ *(Wunde)* ausschneiden; *sans ~er* unaufhörlich

débris [debri] *m (mst pl)* Bruchstücke, Scherben; Überreste, Trümmer; Schrott

débrouill|ard [debruja:r] *108* findig; *m* Schlaukopf; **~ardise** [-jardi:z] *f umg* Gewitztheit, Findigkeit; **~er** [-ję] entwirren; *(Schrift)* entziffern; *savoir se ~er* s. zu helfen wissen; *se ~er (umg)* s. heraushelfen

débusquer [debyskę] *(Wild)* aufjagen, -scheuchen; *(aus e-m Posten)* verdrängen; *mil* vertreiben

début [debų] *m* Anfang; Beginn; 🎭 Anspiel; *au* ~ anfangs; *faire ses ~s au théâtre* debütieren; **~ant** [-bytɑ̃] *m* Anfänger; Neuling; ♛ Debütant; **~er** [-bytę] anfangen; ♛ z. erstenmal auftreten

deçà [dəsą]: *en* ~ *de* diesseits...

décacheter [dekaʃtę] *10 (Brief)* öffnen

décade [dekąd] *f* Dekade

décaden|ce [dekadɑ̃s] *f* Dekadenz, Verfall; **~t** [-dɑ̃] *108* dekadent, entartet; *m* dekadenter Mensch

décaféiné [dekafeinę] koffeinfrei

décagon|al [dekagɔnąl] *124* zehneckig; **~e** [-gɔn] *m* Zehneck

décaisser [dekɛsę] auszahlen

décal|age [dekala:ʒ] *m (a. zeitl.)* Verschiebung; Verstellung; (Bild-)Versetzung; Entfernen (von Keilen); Mangel an Übereinstimmung; **~er** [-lę] d. Keil wegnehmen *(qch* von etw.); *(a. zeitl.)* verschieben

décalcification [dekalsifikasjɔ̃] Entkalkung; ⚕ Kalkverlust

déca|litre [dekalitr] *m* Zehnlitermaß; **~logue** [-lɔg] *m* Dekalog, d. Zehn Gebote

décalqu|e [dekalk] *m* (Licht-)Pause; Abzug; genaues Abbild; **~er** [-kalkę] *6* durchzeichnen; pausen; *fig* nachmachen

décamètre [dekamɛtr] *m* Messband

décamper [dekɑ̃pę] *umg* abhauen

décanat [dekaną] *m (Univ. u. rel)* Dekanat; Amt(szeit, -würde)

décant|ation [dekɑ̃tasjɔ̃] *f* (Ab-)Klären; Ablagern; Entschlammen; *cuve de ~ation (chem)* Abklärgefäß, Abscheider; **~er** [-tę] *(z. B. Wein, über d. Bodensatz)* abgießen

décap|ant [dekapɑ̃] *m* Beizmittel, Beize; Lötpaste; **~er** [-pę] reinigen; entrosten; wegätzen; abbeizen

décapit|ation [dekapitasjɔ̃] *f* Enthauptung; **~er** [-pitę] enthaupten

décapotable [dekapɔtabl] 🚗 mit aufklappbarem Verdeck; *f* Kabriolett

décarburer [dekarbyrę] *(Stahl)* entkohlen

décarcasser [dekarkasę]: *se* ~ *(umg)* s. schinden, s. abrackern

décartelisation [dekartɛlizasjɔ̃] *f com* Entflechtung

décathlon [dekatlɔ̃] *m* 🏃 Zehnkampf; **~ien** [-njɛ̃] *m* Zehnkämpfer

décat|i [dekati] *umg (Frau)* verblüht; **~ir** [-ti:r] *22 (Stoff)* dekatieren, den Preßglanz nehmen, krimpen; **~issage** [-tisa:ʒ] *m (Stoff)* Dekatieren

décaver [dekavę]: *se* ~ sich im Spiel ruinieren

décédé [desedę] *m* Verstorbener; **~er** [-dę] *13* sterben

décelable [deslabl] *chem* nachweisbar

décèlement [deslmɑ̃] *m* Aufdeckung

déceler [deslę] *8* aufdecken; *(Fehler)* ans Licht bringen; *chem* nachweisen

décé|lération [deselerasjɔ̃] *f* Abbremsung (Raumfahrzeug); Bremsverzögerung; Verlangsamung; negative Beschleunigung; **~leur** [-lœ:r] *m:* ~ *de tension* Spannungsanzeiger

décembre [desɑ̃br] *m* Dezember

décence [desɑ̃s] *f* Anstand, Schicklichkeit

décenn|al [desɛnąl] *124* Zehnjahres...; **~ie** [-nį] *f* Jahrzehnt, Dekade

décent [desɑ̃] *108, 127* anständig, schicklich; dezent

décentralis|ation [desātralizasjɔ̃] f Dezentralisierung; **~er** [-lizę] dezentralisieren
déception [desɛpsjɔ̃] f Enttäuschung
décerner [desɛrnę] ꭥ erlassen; zuerkennen; ~ un prix à qn j-m e-n Preis verleihen
décès [desɛ] m Ableben; acte de ~ Sterbeurkunde; cas de ~ Todesfall
décev|ant [desəvā] 108 enttäuschend; **~oir** [-vwạ:r] 44 enttäuschen
déchaîn|ement [deʃɛnmā] m Entfesselung, Ausbruch; **~er** [-ʃɛnę] losketten; fig entfesseln; se ~er (z. B. Leidenschaften) ausbrechen; toben
déchanter [deʃātę] umg zurückstecken; s-e Illusionen verlieren
décharg|e [deʃarʒ] f Ab-(Aus-, Ent-)Laden; ⚓ Löschen; ✿, ꭥ Entlastung; ⚡ Entladung; mil Salve; Abzug(sgraben), Abfluß; témoin à ~e Entlastungszeuge; **~ement** [-ʃarʒmā] m Ab-(Aus-, Ent-)Laden; ⚓ Löschen; **~er** [-ʃarʒę] 14 ab-(aus-, ent-)laden; ⚡ entladen; ✿, ꭥ entlasten; (Gewehr) abschießen; ~er les voiles ⚓ abbrassen; ~er sa bile s-m Ärger Luft machen; se ~er de ses fautes sur d'autres s-e Fehler auf andere abwälzen
décharné [deʃarnę] abgezehrt, Haut u. Knochen
déchausser [deʃosę] d. Schuhe ausziehen (qn j-m); (Zahn, Baum) bis z. Wurzel freilegen; unterspülen; ~ un pavé e. Pflaster aufreißen
dèche [dɛʃ] f pop Not, Armut; être dans la ~ (pop) in d. Klemme sein
déch|éance [deʃeās] f (moral.) Verfall; Verkommenheit; (Anspruch) Erlöschen; (Recht) Aberkennung; Verlust; Verwirkung; **~et** [-ʃɛ] m Abfall; ✿ Schwund, Abgang; fig Verminderung, Verlust; **~ets radioactifs** Atommüll, radioaktiver Abfall
déchiffr|able [deʃifrabl] entzifferbar; **~ement** [-fromā] m Entschlüsselung; **~er** [-frę] dechiffrieren; entziffern; fig enträtseln; (Rätsel) lösen; ♪ vom Blatt spielen; **~eur** [-frœ:r] m Decoder, Entschlüßler
déchiqueter [deʃiktę] 10 zerfetzen; (durch Kritik) heruntermachen, verreißen
déchir|ant [deʃirā] 108 herzzerreißend; **~ement** [-ʃirmā] m Zerreißen; (Schmerz) Reißen; Kummer; **~er** [rę] a. fig zerreißen; aufreißen; (Land) spalten, zerrütten; ~er qn (à belles dents) kein gutes Haar an j-m lassen; se ~er (auf)reißen; Risse bekommen; **~ure** [-ʃiry:r] f Riß
déchoir [deʃwạ:r] 35 fallen, sinken; nachlassen; (e. Recht) verlieren; verfallen; être déchu de sa qualité de citoyen der Bürgerrechte verlustig gehen
déchristianiser [dekristjanizę] dem Christentum entfremden
décid|é [desidę] entschieden; abgemacht; entschlossen; **~ément** [-demā] offensichtlich; sicherlich; **~er** [-dę] entscheiden; beschließen; bestimmen; ~er de (od. se ~er à) faire qch beschließen, etw. zu tun; **~eur** [-dœ:r] m Entscheidungsorgan; Verantwortlicher (für Entscheidungen)

déci|litre [desilịtr] m Zehntelliter; **~mal** [-mạl] 124; dezimal; calcul ~mal D.rechnung; fraction ~male D.bruch; système ~mal D.system; **~male** [-mạl] f Dezimale, Dezimalstelle; **~mation** [-masjɔ̃] f Dezimierung; **~mer** [-mę] dezimieren; **~mètre** [-mɛtr] m Dezimeter
décis|if [desizịf] 112 entscheidend; bestimmt; **~ion** [-zjɔ̃] f Entscheidung; Beschluß; Bescheid; Entschlossenheit; prendre une ~ion e-n Beschluß fassen; ~ judiciaire Gerichtsurteil; ~ de principe Grundsatzentscheidung
déclam|ateur [deklamatœ:r] m Vortragskünstler; **~ation** [-masjɔ̃] f Deklamation, Vortrag; Schwulst (der Rede); **~atoire** [-matwạr] deklamatorisch; schwülstig; **~er** [-mę] deklamieren, vortragen; geschwollen reden; fig zu Felde ziehen (contre gegen)
déclar|ation [deklarasjɔ̃] f Erklärung; Aussage; Inhalts-, Wertangabe; (Zoll-)Anmeldung; ~ation (d'amour) Liebeserkl.; ~ation d'accident Unfallbericht, Unfallanzeige; ~ation d'expédition Versanderklärung; ~ation d'intention Grundsatzerklärung; ~ation de faillite Konkursanmeldung; ~ation de guerre Kriegserkl.; ~ation de naissance ꭥ Geburtsanzeige; ~ation de perte Verlustanzeige; ~ation des revenus Einkommensteuererklärung; ~ation de sortie Zollausfuhrerklärung; ~ation des droits de l'Homme Menschenrechtserklärung; **~er** [-rę] erklären; aussagen; anmelden; anzeigen; com deklarieren; se ~er (Liebe) s. erklären; s. aussprechen (pour für); il se ~e satisfait er gibt s-r Befriedigung Ausdruck; ~er nul für nichtig erklären; avez-vous qch à ~er? haben Sie etw. zu verzollen?
déclass|é [deklasę] m heruntergekommener Mensch; **~er** [-sę] aussortieren, -sondern; in Unordnung bringen; (Verkehrslinie) stillegen; (Fahrgast) in e-e andere Klasse überwechseln lassen; (Arbeitnehmer) niedriger einstufen
déclench|ement [deklāʃmā] m Ausklinken; a. fig Auslösung; fig Ausbruch; **~er** [-ʃę] ausklinken; (⦿, a. fig) auslösen; Anstoß geben zu; ~er une attaque (mil) e-n Angriff ansetzen; se ~er losgehen, einsetzen; **~eur** [-ʃœ:r] m ⦿ Auslöser; **~eur souple** Drahtauslöser; **~eur à retardement** Selbstauslöser
déclic [deklịk] m ✿ Sperrklinke; Auslösevorrichtung; ~ d'un verrou Einrasten e-s Riegels
déclin [deklɛ̃] m Abnahme; Verfall, Untergang; (Licht) Abklingen; au ~ du jour (lit) gegen Abend; au ~ de sa vie (lit) in s-n späteren Jahren; **~able** [-klinabl] ling deklinierbar; **~aison** [-klinɛzɔ̃] f (ling, astr, phys) Deklination; **~atoire** [-klinatwạr] m ꭥ Einwand d. gerichtlichen Unzuständigkeit; **~er** [-klinę] ling, astr deklinieren; (Kräfte) abnehmen; (Ehrung, Verantwortung) ablehnen; ꭥ (gerichtliche Zuständigkeit) e-n Einwand erheben; ~er son identité s. ausweisen; ~er toute responsabilité jegliche Haftung ablehnen
décliv|e [deklị:v] abschüssig; **~ité** [-klivitę] f Abschüssigkeit; en ~ité bergab, im Gefälle, abschüssig

décloisonner [deklwazɔnę] e-e fachübergreifende Forschung (Lehre usw.) gewährleisten

déclouer [dekluę] *(Kiste)* öffnen

décocher [dekɔʃę] *(Pfeil)* abschießen; *(Grobheit)* äußern; ~ *une œillade* e-n verstohlenen Blick zuwerfen

décoction [dekɔksjɔ̃] *f* 🏥 Abkochen; Absud

décoffrer [dekɔfrę] *(Beton)* ausschalen

décoiffer [dekwafę] d. Kopfbedeckung abnehmen *(qn* j-m); d. Haare in Unordnung bringen

décol|érer [dekɔlerę] *13: il ne ~ère pas* s-e Wut will s. nicht legen

décollage [dekɔlaːʒ] *m* Ablösung *(von Geleimtem);* ✈ Abheben *(vom Boden),* Start

décollation [dekɔlasjɔ̃] *f (bes. Märtyrer)* Enthauptung

décoll|er [dekɔlę] ✈ s. vom Boden abheben, starten; *fig com* e-n Aufschwung nehmen, s. im Aufwind befinden; ~*er de la réalité* wirklichkeitsfremd werden; *il ne ~e pas (umg)* man wird ihn nicht los; *il ~e (pop)* mit ihm geht's *(gesundheitl.)* abwärts

décollet|é [dekɔltę] (tiefer) Ausschnitt; ~**er** [-tę] *10 (Kleid)* ausschneiden

décolonisation [dekɔlɔnizasjɔ̃] Dekolonisierung

décolor|ant [dekɔlɔrɑ̃] *m* Entfärbungsmittel; ~**ation** [-rasjɔ̃] *f* Entfärbung; ~**é** [-rę] *a. fig* farblos; blaß; ~**er** [-rę] entfärben; ausbleichen; *se ~er (Stoff)* verschießen

décombres [dekɔ̃br] *mpl* Trümmer; *un tas de ~* e. Schutthaufen

décommander [dekɔmɑ̃dę] *com* abbestellen; *se~* (s-n Besuch) absagen

décomplexer [deçɔ̃plɛksę] Hemmungen abbauen

décompos|able [dekɔ̃pozabl] zerlegbar; ~**er** [-zę] *bes. chem* zerlegen; zersetzen; *se ~er* verwesen; zerfallen; *visage ~é* entstelltes Gesicht; ~**ition** [-zisjɔ̃] *f (a. math)* Zerlegung; Zersetzung; Verwesung; Zerfall

décompression [dekɔ̃prɛsjɔ̃] *f* ⚙ Kompressionsverminderung; *mal de ~* Dekompressionskrankheit

décompt|e [dekɔ̃t] *m com* Abzug; Abrechnung; ~*e définitif* Schlußabrechnung; ~**er** [-kɔ̃tę] abziehen, in Abzug bringen; ab-, verrechnen; *(Uhr)* falsch schlagen

déconcert|ant [dekɔ̃sɛrtɑ̃] *108* verblüffend; verwirrend; ~**er** [-tę] aus d. Fassung bringen

déconfit [dekɔ̃fi] verdutzt; fassungslos; kleinlaut; ~**ure** [-fityːr] *f com* Ruin, Zahlungsunfähigkeit

déconnecter [dekɔnɛktę] ⚡ abschalten; abklemmen; *fig* trennen, loslösen

déconner [dekɔnę] *pop!* spinnen, verrückt spielen; durchdrehen

déconseiller [dekɔ̃sɛję] abraten *(qch à qn* j-m von etw.)

déconsidér|ation [dekɔ̃siderasjɔ̃] *f* Verruf; ~**er** [-rę] *13* in Verruf bringen; *se ~er* in Verruf kommen

décontamination [dekɔ̃taminasjɔ̃] *f* Entgiftung, Entseuchung, Entstrahlung; ~ *sommaire* Behelfsdekontaminierung; ~ *d'urgence* Sofortentgiftung

décontenanc|é [dekɔ̃tnäsę] fassungslos; ~**er** [-sę] *15* aus d. Fassung bringen; *se ~er* aus d. Fassung geraten

décontracté [dekɔ̃traktę] entspannt; selbstsicher; lebensfroh; unbekümmert; s. wohlfühlend

déconvenue [dekɔ̃vny] *f* Mißgeschick; Enttäuschung

décor [dekɔːr] *m* Schmuck; Verzierung; *pl* 🎭 Dekoration; *changement de ~ (a. fig)* Szenenwechsel; *peintre en ~s* Theatermaler; ~**ateur** [-kɔratœːr] *m* Dekorateur; ~**ation** [-kɔrasjɔ̃] *f* Schmuck; Dekoration; Raumgestaltung; Raumkunst; Bühnenausstattung; Bühnenbild; *mil* Orden; ~*ation d'étalage* Schaufensterdekoration; ~**é** [-kɔrę] *m* Ordensträger; ~**er** [-kɔrę] dekorieren, (aus)schmücken; e-n Orden verleihen, mit e-m Orden auszeichnen

décortiquer [dekɔrtikę] *6* entrinden; *(z. B. Reis)* schälen

décorum [dekɔrɔm] *m 106 (gesellschaftl.)* Schicklichkeit; Etikette; *garder le ~* d. Form wahren

découcher [dekuʃę] außer Haus schlafen, d. Nacht außer Haus verbringen

découdre [dekudr] *62* (ab-, auf-)trennen *(von Nähten); en ~ (umg)* s. prügeln

découler [dekulę] rieseln; *fig* s. herleiten *(de* von)

découp|age [dekupaːʒ] *m* Ausschneiden; 🎬 Drehbuch; *(Fleisch)* Tranchieren; *fig* Einteilung; Aufteilung (d. Zuständigkeiten); ~**er** [-pę] ausschneiden; ~*er une volaille* e. Stück Geflügel tranchieren

découpl|é [dekuplę]: *bien ~lé* kräftig gebaut; ~**er** [-plę] *(Hund)* loskoppeln; *(Maschinen)* auskuppeln

découpure [dekupyːr] *f* Zacke; *(Küste)* Einschnitt; Scherenschnitt

décourag|eant [dekuraʒɑ̃] *108* entmutigend; ~**ement** [-raʒmɑ̃] *m* Mutlosigkeit; Entmutigung; ~**er** [-ʒę] *14* entmutigen, mutlos machen; *se ~er* d. Mut verlieren

décours [dekuːr] *m (Mond)* Abnehmen; *(Krankheit)* Rückgang, Abklingen

décousu [dekuzy] *(Worte)* unzus.hängend, zus.hanglos; abgerissen

découv|ert [dekuvɛːr] *108* unbedeckt; offen; *à ~ert* ungedeckt; *laisser à ~ert (Konto)* überziehen; ~**erte** [-vɛrt] *f* Entdeckung; Fund; *aller à la ~erte* auskundschaften; ~**reur** [-vrœːr] *m* Entdecker; ~**rir** [-vriːr] *28* auf-(ab-)decken; entdecken; enthüllen; entblößen; *se ~rir* d. Hut abnehmen; *(Wetter)* s. aufklären; ~*rir son jeu (a. fig)* s-e Karten aufdecken ♦ ~*rir le pot aux roses* hinter d. Geheimnis, e-r Sache auf d. Spur kommen

décrass|er [dekrasę] säubern, d. Schmutz *(z. B. aus d. Wäsche)* entfernen; Manieren beibringen *(qn* j-m); ~**oir** [-swaːr] *m* Schmutzbürste

décrép|ir [dekrepiːr] *22: ~ir un mur* d. Verputz von e-r Mauer abkratzen; ~**it** [-pi] *108* altersschwach; **~itude** [-pityd] *f* Alterschwäche, Gebrechlichkeit

décret [dekrɛ] *m* Dekret, Erlaß; Verordnung, Verfügung; *les* **~s** *de la Providence* d. Ratschlüsse d. Vorsehung; **~~loi** [-lwa] *m* 97 Verordnung mit Gesetzeskraft

décréter [dekretɛ] *13* verordnen, verfügen; entscheiden, bestimmen

décrier [dekriɛ] herabsetzen; in Verruf bringen, verleumden

décrire [dekriːr] *67* schildern; *(a. math, phys)* beschreiben

décrispation [dekrispasjɔ̃] *f pol* Abbau d. politischen Gegensätze u. Spannungen

décroch|age [dekrɔʃaːʒ] *m (Maschine)* Abkuppeln; ✝ Überziehen, Strömungsabriß; *fig* Rückzug; Abbrechen (von Beziehungen); *com* Rückgang; **~er** [dekrɔʃe] loshaken; vom Haken nehmen; ⌾ *(Hörer)* abnehmen; ❦ abkuppeln; *umg* ergattern; *fig* d. Interesse verlieren, aufgeben; d. Beruf an d. Nagel hängen; Abwechslung suchen; **~er** *une sinécure* e. Pöstchen erhaschen ♦ **~er** *la timbale (fig)* d. Vogel abschießen, d. Rennen machen; **~ez-moi-ça** -ʃemwasa] *m* Trödelladen

décroissance [dekrwasãs] *f* Abnahme, Abnehmen; **~** *de la natalité* Geburtenrückgang; **~** *radioactive* radioaktiver Zerfall

décroître [dekrwatr] *64* abnehmen, sinken; fallen

décrott|er [dekrɔte] *(Schuhe)* abstreifen; Schmutz entfernen; **~euse** [-tøz] *f* Schmutzbürste; **~oir** [-twaːr] *m* Schuhabstreifer

décrue [dekry] *f* Fallen, Sinken *(d. Wassers)*

décryptement [dekriptəmã] *m* Entschlüsselung, Dechiffrierung

déçu [desy] enttäuscht

déculotter [dekylɔte]: *se* **~** d. Hose ausziehen

déculpabiliser [dekylpabilize] vom Schuldgefühl befreien

déculturation [dekyltyrasjɔ̃] Umwandlung von Ackerland in Brachland

décupler [dekyple] verzehnfachen

décuvage [dekyvaːʒ] *m (Wein)* Abfüllung in Fässer

dédaig|ner [dedɛɲe] geringschätzen; verschmähen; **~gneux** [-ɲø] *111* verächtlich; geringschätzig; **~n** [-dɛ̃] *m* Verachtung, Geringschätzung

dédale [dedal] *m* Irrgarten; *fig* Wirrwarr

dedans [dədã] **1.** darin; innen; inwendig; hinein; *en* **~** nach innen; innerhalb; *mettre qn* **~** j-n hereinlegen; **2.** m d. Innere; *la porte est fermée du* **~** d. Tür ist von innen abgeschlossen

dédica|ce [dedikas] *f* Widmung; Einweihung *(e-r Kirche)*; **~cer** [-kase] *15* mit e-r Widmung versehen; **~toire** [-katwaːr] Widmungs...

dédier [dedje] *(Kirche)* weihen; *(Buch)* widmen

dédi|re [dediːr] *78:* **~re** *un mandataire* d. Handlungen (od. Worte) e-s Beauftragten widerrufen; *se* **~re** *de qch* s. von etw. lossagen, von etw. zurücktreten; *je ne m'en* **~rai** *pas* ich werde k-n Rückzieher machen; **~t** [-di] *m* Widerruf, Absage; Abfindung, Abstandsgeld

dédommag|ement [dedɔmaʒmã] *m* Entschädigung; Schadenersatz; **~er** [-ʒe] *14* entschädigen *(de* für)

dédouan|age, **~ement** [dedwanaːʒ, -dwanmã] *m* Zollabfertigung, Verzollung; *fig* Rehabilitierung; **~er** [-ne] verzollen; klarieren; *fig pol* rehabilitieren; *à* **~er** unter Zollverschluß

dédoubl|ement [dedubləmã] *m* Zweiteilung; **~er** [-ble] halbieren; **~er** *un train* ❦ e-n Vorzug einsetzen; *se* **~er (fig)** s. teilen

dédramatiser [dedramatize] entdramatisieren, e-r Sache ihre Dramatik nehmen

déduct|ibilité [dedyktibilite] *f (Steuer)* Abzugsfähigkeit; **~ible** [-tibl(ə)] *adj* abzugsfähig; **~ion** [dedyksjɔ̃] *f phil* Deduktion; Darlegung; *com* Abzug; **~** *d'impôt* Steuerabzug

déduire [dedɥiːr] *80 phil* deduzieren; folgern *(de* aus); *com* abziehen; *(Betrag)* absetzen

déesse [deɛs] *f* Göttin

défaill|ance [defajãs] *f* Schwäche(-anfall); *(Mensch, Instrument)* Versagen; *(Maschine)* Betriebsausfall; Störung; **~ance** *du débiteur* Leistungsverzug d. Schuldners; **~ance** *de fonctionnement* Betriebsstörung; **~ant** [-jã] *108* geschwächt; ausbleibend, nicht erscheinend; *d'une voix* **~ante** mit erstickter Stimme; **~ir** [-jiːr] *21* schwach werden, schwinden; ℳ nicht erscheinen; *elle se sentait* **~ir** sie fühlte ihre Sinne schwinden

défai|re [defɛːr] *70* los- (ab-, auf-)machen; (auf)lösen; auseinandernehmen; auspacken; besiegen; in Unordnung bringen; *lit* **~t** ungemachtes Bett; *se* **~re** s. lösen, aufgehen; *se* **~re** *de qch* etw. veräußern; s. etw. vom Hals schaffen; **~te** [-fɛt] *f* Niederlage; **~tisme** [-fetism] *m* Defaitismus, Miesmacherei; **~tiste** [-fetist] *m* Defaitist, Miesmacher

défal|cation [defalkasjɔ̃] *f com* Abzug; **~quer** [-ke] in Abzug bringen, abziehen

défausser [defose] wieder geradebiegen; *se* **~** *(d'une carte)* e-e (Spiel-)Karte abwerfen

défaut [defo] *m* Fehler; Gebrechen; Mangel; **~** *d'aspect (Sache)* Schönheitsfehler; **~** *de fabrication* Fabrikationsfehler; **~** *de la matière* Materialfehler; **~** *de montage* Einbaufehler; **~** *visuel* Sehfehler; *faire* **~** im Stich lassen *(à qn* j-n), fehlen *(à qn* j-m); ℳ *(auf Vorladung)* nicht erscheinen; *jugement par* **~** ℳ Kontumaz-, Versäumnisurteil; *à* **~** *de* in Ermangelung von, mangels

défav|eur [defavœːr] *f* Ungunst; Ungnade; **~orable** [-vɔrabl] ungünstig; abträglich; abgeneigt; **~orisé** [-vɔrize] benachteiligt

défécation [defekasjɔ̃] *f chem* Abklärung; ⚕ Stuhlgang

défect|if [defɛktif] *112* mangelhaft; *ling* defektiv; **~ion** [-sjɔ̃] *f* Abfall; *mil* Überlaufen; *faire* **~ion** abfallen; *mil* überlaufen; **~ueux** [-tɥø] *111* fehlerhaft; schadhaft; mangelhaft; unvollständig; **~uosité** [-tɥozite] *f* Fehlerhaftigkeit; Schadhaftigkeit

défend|able [defãdabl] *(Meinung)* vertretbar; haltbar; **~eur** [-dœːr] *m* ℳ Beklagter; **~re** [-fãdr] *76 (a. ℳ)* verteidigen *(contre* gegen); verbieten; untersagen; *se* **~re** s. erwehren; *umg* s.

(geschickt) durchschlagen; *ne pouvoir se ~re de*
nicht umhin können zu
défens [defɑ̃] *m: bois en* ~ Schonung; **~e** [-fɑ̃s]
f (a. 🝊) Verteidigung; Abwehr; Schutz, Verbot;
(Elefant) Stoßzahn; *(Eber)* Hauer; *légitime* **~e**
Notwehr; ~ *avancée* Vorne-Verteidigung; ~
civile zivile Verteidigung; **~e** *nationale* Lan-
desverteidigung; **~e** *passive* Selbstschutz; Luftschutz;
prendre la **~e** *de qn* j-n verteidigen, s. für j-n
einsetzen; **~e** *de fumer!* Rauchen verboten!;
~eur [-fɑ̃sœːr] *m (a. 🝊)* Verteidiger; Vertreter
(e-r Meinung);~eur d'office 🝊 Offizialverteidi-
ger; **~if** [-fɑ̃sif] *112* defensiv; *guerre ~ive*
Verteidigungskrieg; **~ive** [-fɑ̃siv] *f* Verteidigung-
(sstellung); *se tenir sur la ~ive* d. Dinge an s.
herankommen lassen
défér|ence [deferɑ̃s] *f* Ehrerbietung; **~ent** [-rɑ̃]
108 ehrfürchtig; ehrerbietig; **~er** [-re] *13 (Ehre)*
zuerkennen; 🝊 überweisen; übereignen; *vi*
nachgeben, Folge leisten (*à qch* etw.)
défer|ement [deferlmɑ̃] *m* Brandung; **~er** [-le]
branden
défeuiller [defœje] entblättern; *se ~* d. Blätter
verlieren
défi [defi] *m* Herausforderung; Trotz; *mettre qn*
au ~ de... wetten, daß j-d nicht...; **~ance**
[-fjɑ̃s] *f* Mißtrauen; **~ant** [-fjɑ̃] *108* mißtrauisch,
argwöhnisch
déficeler [defisle] *4 (Paket)* aufschnüren
déficien|ce [defisjɑ̃s] *f* Untauglichkeit, Schwä-
che; Mangel; *~ce mentale* geistige Zurückge-
bliebenheit; *~ce génétique* erbliche Belastung;
~t [-sjɑ̃] *108* unvollkommen, mangelhaft;
untauglich
déficit [defisit] *m* Defizit, Fehlbetrag; *combler le*
~ d. Defizit decken; **~aire** [-sitɛːr] mit
Fehlbetrag; *(Bilanz)* passiv
défier [defje] herausfordern; trotzen, d. Stirn
bieten *(qch* etw.); ~ *qn à la course* mit j-m um d.
Wette laufen; ~ *la comparaison* unvergleichlich sein; *il faut se ~ de lui* er ist mit Vorsicht zu
genießen; *se ~ de ses forces* s-n Kräften nicht
vertrauen
défigurer [defigyre] entstellen, verunstalten;
verzerren
défil|é [defile] *m* Engpaß; Wagenreihe; Vorbei-
marsch; *~é de mode* Modenschau; **~ement**
[-filmɑ̃] *m* Ablaufen (e-r Spule); *mil* Deckung;
gedeckte Stellung; *vitesse de ~ement (Tonband)*
Bandgeschwindigkeit; **~er** [-le] vorbeimarschie-
ren; *se ~er (pop)* s. aus d. Staube machen
défin|i [defini] bestimmt; **~ir** [-niːr] *22* definie-
ren, bestimmen; umreißen; erklären; kenn-
zeichnen; **~issable** [-nisabl] definierbar; **~itif**
[-nitif] *112* definitiv, endgültig; *en ~itive* alles in
allem; **~ition** [-nisjɔ̃] *f* Definition, (Begriffs-)Be-
stimmung; ⏚ Fernsehnorm, Zeilenzahl; *(Op-*
tik) Auflösungsvermögen, Bildgüte, Bildschär-
fe; *~ition d'un problème* Problemstellung
déflagration [deflagrasjɔ̃] *f* Explosion; Verpuf-
fung; Auflodern
déflation [deflasjɔ̃] *f geol* Ausblasen u.
Abtragen von lockerem Gestein (durch Wind);

com Deflation; Verminderung des Geldum-
laufs; **~niste** [-nist(ə)] *adj* deflatorisch, den
Geldumlauf herabsetzend
déflor|aison [deflɔrɛzɔ̃] *f bot* Verblühen; **~er**
[-re] deflorieren; *fig* d. Reiz d. Neuheit rauben
défonc|er [defɔ̃se] *15:* ~*er un tonneau* e-m Faß
d. Boden einschlagen; ~*er un terrain* ↕ Land
rigolen, tief umgraben; *route* ~*ée* ausgefahrene
Straße; **~euse** [-søːz] *f* Straßenaufreißmaschine
déform|ation [defɔrmasjɔ̃] *f (a. 🝀)* Mißbildung,
Verbildung; *~ation professionnelle* berufliche
Einseitigkeit; *fig* Berufskrankheit; **~er** [-me] *a.*
🝀 deformieren; verzerren; *se ~er* verwachsen;
(Schuh) s. austreten
défoul|ement [defulmɑ̃] *m* Abreaktion, Entla-
dung (seelischer Spannungen u. Hemmungen);
~er [-le]: *se ~er* s. abreagieren
défraîch|i [defrɛʃi] *(Kleidung)* abgetragen; **~ir**
[-ʃiːr] *22: se ~ir* d. Frische, d. Glanz verlieren
défray|er [defreje] *12* freihalten, sämtliche
Kosten übernehmen; *être ~é de tout* alles frei
od. freie Station haben; ~*er la conversation* d.
Gespräch allein führen; einziges Gesprächsthema sein
défrich|ement [defriʃmɑ̃] *m* Urbarmachung;
urbar gemachtes Land; **~er** [-ʃe] urbar machen,
roden
défriser [defrize] d. Haare in Unordnung
bringen; enttäuschen; *en* Strich durch d.
Rechnung machen *(qn* j-m)
défroqu|e [defrɔk] *f* abgelegte Kleidung; **~é**
[-frɔke] *m* ehemaliger Mönch; Abtrünniger
défunt [defœ̃] *108* verstorben; *m* Verstorbener;
la famille du ~ die Hinterbliebenen
dégag|é [degaʒe] ungezwungen; *allure ~ée*
Unbefangenheit; **~ement** [-aʒmɑ̃] *m* Loslösung; *(Wort)* Einlösung; *(Versprechen, Verant-*
wortung) Entbindung; *(pol)* Disengagement,
Auseinanderrücken (d. Machtblöcke); *(Gas)*
Entweichen; *escalier de ~ement* Nebentreppe;
~er [-ʒe] *14* frei machen; losmachen, loslösen;
entbinden *(qn de qch* j-n von etw.); *(Gas,*
Geruch) ausströmen; *(Wärme)* entwickeln; ~*er*
des conclusions de Schlüsse ziehen aus; *se ~er*
(chem) frei werden; *interj: ~ez!* (Aufforderung
d. Polizei:) weitergehen; ~ fahren!
dégainer [degɛne] *(Waffe)* blankziehen
dégarnir [degarniːr] *22* entblößen; ~ *un arbre*
e-n Baum ausputzen; *se ~ (Kopf)* kahl werden
dégât [degɑ] *m* Schaden
dégauchir [degoʃiːr] *22 (Holz, Stein)* behauen;
fig zurechtstutzen
dégazage [degazaʒ] *m* Entgasung; Lüftung;
Reinigung d. Tanker auf hoher See
dégel [deʒɛl] *m* Tauwetter; *fig* Entspannung,
Entschärfung (d. Krise), Verbesserung (d.
Beziehungen); ~ *des crédits* Kreditlockerung;
~ée [-ʒəle] *f umg* Tracht Prügel; **~er** [-ʒəle] *8*
vt/i (auf)tauen *(a. com); il dégèle* es taut; *se ~er*
(fig) auftauen
dégénér|ation [deʒenerasjɔ̃] *f* Degeneration,
Entartung; **~er** [-re] *13* degenerieren, entarten;
ausarten *(en zu)*; **~escence** [-resɑ̃s] *f* Degenera-
tion, Entartung; Ausartung

dégingandé [deʒɛ̃gãdé] ungelenk, unbeholfen
dégivr|age [deʒivrãːʒ] *m* Enteisung; **~eur** [deʒivrœ̃ːr] *m* Entfroster
déglaçage [deglasãːʒ] *m* Enteisung *(von Stra-ßen)*
déglinguer [deglɛ̃gé] 6 *umg* kaputtmachen, ausleiern
dégluti|r [deglytiːr] 22 (ver)schlucken; **~tion** [-tisjɔ̃] *f* ℥ Schlucken
dégobiller [degɔbijé] *pop* kotzen
dégoiser [degwazé] *vt pop* herplappern, quatschen *(a. vi)*
dégommer [degɔmé] d. Gummi entfernen; *umg* absägen, kaltstellen
dégonfl|ement [degɔ̃fləmã] *m (Ballon)* Entleerung; **~er** [-flé] *(Ballon)* entleeren; *~er les prix* e-e Preissenkung herbeiführen; d. Preise zurückschrauben; *se ~er (umg)* kneifen, Angst haben
dégorg|ement [degɔrʒmã] *m* Ausräumen; Reinigung; Abfluß; **~er** [-ʒé] *14* ausräumen; abfließen, münden
dégotter [degɔté] *pop* auftreiben
dégouliner [deguliné] *umg* rieseln, tröpfeln
dégourd|i [degurdi] aufgeweckt; findig; *m* Schlaukopf; **~ir** [-diːr] *22* gelenkig machen; leicht erwärmen; *se ~ir les jambes* d. Füße vertreten
dégoût [degu] *m* Ekel *(pour* vor); Abneigung *(de* gegen); **~ant** [-gutã] *108* ekelerregend; ekelhaft, widerlich; **~é** [-guté] überdrüssig; **~er** [-guté] anekeln; d. Appetit verderben; *se ~er de qch* e-r Sache überdrüssig werden
dégoutter [deguté] (her)abtropfen, triefen
dégrad|ation [degradasjɔ̃] *f mil* Degradierung; Beschädigung; Herunterwohnen; ☽ Wertminderung; Verkommenheit; 🎨 Abtönung; *chem* Abbau *(von Verbindungen); ~ation civique* ☽ Aberkennung d. bürgerl. Ehrenrechte; **~er** [-dé] *mil* degradieren; beschädigen; 🎨 abtönen; *se ~er* s. herabwürdigen; verfallen
dégrafer [degrafé] aufhaken
dégraiss|age [degrɛsaːʒ] *m* Entfettung; **~er** [-sé] entfetten; Fettflecke entfernen; *(Holz)* abkanten; *~er une entreprise* d. Betriebskosten verringern
degré [dəgré] *m* Stufe; Grad; ☽ Instanz; *au dernier ~* im höchsten Grad; *~ de longitude* Längengrad; *~ de latitude* Breitengrad; *~ de civilisation* Kulturstufe; *~ d'instruction* Ausbildungsstand; *~ intermédiaire* Zwischenstufe
dégress|if [degrɛsif] *112* (stufenweise) abnehmend; **~ion** [-sjɔ̃] *f* Abnahme, Rückgang; Abstufung
dégr|èvement [degrɛvmã] *m* Steuerermäßigung; **~ever** [-gravé] *8* von Steuern entlasten
dégringol|ade [degrɛ̃gɔlad] *f umg* Herunterpurzeln; *a fig* Sinken; Fallen; **~er** [-lé] *umg* herunterpurzeln; *a. fig* herunterkommen
dégris|ement [degrizmã] *m (bes fig)* Ernüchterung; **~er** [-zé] *bes fig* ernüchtern
dégross|ir [degrosiːr] *22 (Holz)* grob behauen; *mal ~ir* ungeschlacht
déguenillé [degnijé] zerlumpt [fliehen
déguerpir [degɛrpiːr] *22* Reißaus nehmen,

dégueul|asse [degœlas]: dreckig; *c'est ~asse (pop!)* d. ist z. Kotzen; **~er** [-lé] *pop!* kotzen
déguis|ement [degizmã] *m* Verkleidung; **~er** [-zé] verkleiden *(en* als); *(z.B. Stimme)* verstellen; *(Gefühle)* verbergen
dégust|ation [degystasjɔ̃] *f* Probieren *(von Getränken); ~ation de vins* Weinprobe; **~er** [-té] *(Getränke, Speisen)* probieren, kosten; *pop* allerhand durchmachen
déhancher [deãʃé]: *se ~* sich in d. Hüften wiegen
dehors [dəɔr] **I.** draußen, hinaus; *en ~* nach außen; auswärts; *en ~ de* außerhalb…; *de ~* von außen; *du ~* von draußen; *mettre qn ~* j-n vor d. Tür setzen; **2.** *m (a. fig)* Außenseite; *sauver (od garder) les ~* d. Schein wahren
déi|fication [deifikasjɔ̃] *f* Vergötterung; **~fier** [deifjé] vergöttern
déjà [deʒa] schon; *c'est ~ ça (umg)* besser als nichts
déjection [deʒɛksjɔ̃] *f (Vulkan)* Auswurf; Darmentleerung; *pl* Exkremente
déjeté [deʒté] krumm; windschief
déjeuner [deʒœné] frühstücken *(de qch* etw.); zu Mittag essen; *m* Mittagessen; *(Belgien u. Schweiz)* Frühstück; *petit ~* Frühstück
déjouer [deʒwé] *(Pläne)* vereiteln
déjuger [deʒyʒé]: *se ~* s-e Meinung ändern
délabr|é [delabré] baufällig; *santé ~ée* schlechter Gesundheitszustand; **~ement** [-bramã] *m* Baufälligkeit; schlechter Zustand; *fig* Verfall, Zerrüttung; **~er** [-bré] verwahrlosen; *(Gesundheit)* ruinieren; *se ~er l'estomac* s. d. Magen verderben
délacer [delasé] *15* aufschnüren
délai [delɛ] *m (a. ☽)* Frist; Aufschub; *~ de livraison* Lieferfrist; *~ de paiement* Zahlungsfrist; Zahlungsaufschub; Stundung; *~ de protection* ☽ Schutzfrist *(für geistige Erzeugnisse); ~ de validité* Gültigkeitsdauer; *à bref ~* kurzfristig; *sans ~* fristlos, sofort; *dans un ~ de 8 jours* binnen 8 Tagen; *dans le plus bref ~* in kürzester Frist; *dans les meilleurs ~s* so schnell wie möglich; *demander un ~* um Aufschub bitten; *fixer un ~* impartir un ~ e-n Termin festsetzen; *respecter un ~* e-e Frist einhalten; **~congé** [-lɛkɔ̃ʒé] *m 98* Kündigungsfrist
délaiss|ement [delɛsmã] *m* Verlassenheit; Hilflosigkeit; ☽ Aufgabe (d. Besitzes); **~er** [-sé] im Stich lassen, sitzenlassen, verlassen; *(Arbeit)* aufgeben
délass|ement [delasmã] *m* Ausruhen, Erholung; **~er** [-sé]: *se ~er* s. ausruhen, s. erholen
délat|eur [delatœːr] *m* Denunziant; **~ion** [-lasjɔ̃] *f* Denunziation, Anschwärzung
délavé [delavé] *(Farbe)* verwaschen
délay|age [delɛjaːʒ] *m* Verdünnung; **~er** [-lɛjé] *12* verdünnen; *fig* verwässern
délébile [delebil] auswischbar; wasserlöslich
délect|able [delɛktabl] genußreich; **~ation** [-tasjɔ̃] *f* Hochgenuß; **~er** [-té]: *se ~er* s-e Freude haben *(à* an), sich laben
délég|ataire [delegatɛːr] *m* ☽ Anweisungsempfänger; **~ation** [-gasjɔ̃] *f* Beauftragung; Delega-

tion, Übertragung von Befugnissen; Abordnung; ~ué [-ge] m Delegierter, Abgeordneter; ~ué médical Ärztebesucher; ~uer [-ge] 6 delegieren, abordnen, (Befugnisse) übertragen

délester [delɛstɇ] Ballast abwerfen; fig erleichtern

délétère [deletɇ:r] ⚕ gesundheitsschädlich

délibér|ant [deliberɑ̃] 108 beratend; ~atif [-ratif] 112 (Stimme) beschließend; ayant voix ~tive stimmberechtigt; corps ~atif Beratungsgremium; ~ation [-rasjɔ̃] f Beratung; Beschlußfassung; Beschluß, Entscheidung; ~é [-re] 128 wohlüberlegt; entschlossen; vorsätzlich; de propos ~é mit voller Absicht; ~er [-re] 13 beraten; überlegen; beschließen

délic|at [delika] 108 delikat, köstlich; a. ⚕ zart; zartfühlend, rücksichtsvoll; fig heikel; estomac ~at empfindlicher Magen; goût ~at feiner Geschmack; sommeil ~at leichter Schlaf; ~atesse [-katɛs] f Zartheit; Zartgefühl; Taktgefühl; Gewissenhaftigkeit; (Geschmack) Feinheit; ⚕ Schwächlichkeit; être en ~atesse avec qn mit j-m auf gespanntem Fuß stehen; ~e [-lis] m Wonne; fpl Freuden, Genüsse; ~ieux [-sjø] 111 köstlich; wonnig; liebenswert

délictueux [deliktɥø] 111 strafbar; acte ~ 🚗 Straftat; Vergehen

déli|é [delje] dünn; zierlich; schlank; gewandt; il a l'esprit ~é er ist e. heller Kopf; ~er [delje] losbinden; lösen; ~er d'un serment von e-m Eid entbinden

délimit|ation [delimitasjɔ̃] f Abgrenzung; ~ation des frontières Grenzfestsetzung; ~er [-te] abgrenzen

délinquan|ce [delɛ̃kɑ̃s] Kriminalität, Verbrechertum; ~ce juvénile Jugendkriminalität; ~t [-kɑ̃] m 🚗 Verbrecher; Straftäter; Übeltäter

déliquescence [delikɛsɑ̃s] f Zerfließen; a. fig Auflösung

délir|ant [delirɑ̃] 108 ⚕ fiebernd; wahnsinnig, rasend; joie ~ante Freudentaumel; ~e [delji:r] m ⚕ Fieberwahn; Wahnsinn, Raserei; ~er [-re] Delirium tremens, Säuferwahnsinn

délit [deli] m 🚗 Delikt, Vergehen; strafbare Handlung; ~ de fuite Fahrerflucht; prendre qn en flagrant ~ j-n auf frischer Tat ertappen

délivr|ance [delivrɑ̃s] f Befreiung; (Waren) Zustellung; (Zeugnis) Ausstellung; (Führerschein) Ausfertigung; ⚕ Ausstoßung d. Nachgeburt; Entbindung; ~er [-vre] befreien; (Waren) zustellen; (Zeugnis, Paß) ausstellen; aushändigen; (Führerschein) ausfertigen

déloger [deloʒe] 14 mil aus e-r Stellung werfen; umg wegkriegen ♦ ~ sans tambour ni trompette (umg) heimlich abziehen, verschwinden

déloy|al [delwajal] 124 unredlich; unfair; concurrence ~ale unlauterer Wettbewerb; ~auté [-jote] f Unredlichkeit

delta [delta] m (Fluß-)Delta; ~ plane [plɑn] m Drachen (Fluggerät)

déluge [dely:ʒ] m Sintflut ♦ remonter au ~ (in e-r Erzählung) bei Adam u. Eva anfangen

déluré [delyre] gewitzt; se ~er d. Unschuld verlieren

délustrer [delystrɇ] mattieren

démagog|ie [demagɔʒi] f Demagogie, Volksverführung, Irreführung; ~ique [-ʒik] demagogisch; ~ue [-gɔg] m Demagoge

démaill|er [demajɇ] Maschen aufziehen; ~oter [-majotɇ] (Kind) auswickeln

demain [dəmɛ̃] morgen; la journée de ~ d. morgige Tag; ~ matin morgen früh; ~ (à) midi morgen mittag; ~ soir morgen abend; ~ en huit morgen in 8 Tagen ♦ à ~ les affaires sérieuses! morgen ist auch noch ein Tag!

démancher [demɑ̃ʃɇ] d. Stiel losmachen (qch von etw.); ♪ (bei Saiteninstrumenten) in e-e höhere Lage gehen; umg ausrenken

demand|e [dəmɑ̃d] f Gesuch, Antrag; Anforderung; Bitte, Frage; com Nachfrage; Bedarf; à la ~e générale auf allgemeinen Wunsch; belle ~e! (umg) so e-e Frage! ~e d'aide Hilfsgesuch; ~e de brevet Patentanmeldung; ~e de communication Gesprächsanmeldung; ~e en divorce 🚗 Scheidungsantrag; ~e en dommages-intérêts Schadenersatzforderung; ~e d'emploi Stellengesuch; ~e en instance laufender Antrag; ~e en justice Klage; ~e en mariage Heiratsantrag; ~e de remboursement Erstattungsantrag; ~e d'urgence Dringlichkeitsantrag; faire une ~e en Antrag stellen; ~er [-mɑ̃de] verlangen; erbitten; ersuchen; beantragen; erfordern; fragen; (Programm) abrufen; (Gespräch) anmelden; je le veux ~e ich verlange (erbitte) es von ihm, ich bitte ihn darum; ich frage ihn danach; ~er à faire qch bitten, etw. tun zu dürfen; ~er à qn de faire qch j-n bitten, etw. zu tun; je ne ~e pas mieux! von Herzen gern!; on vous ~e j-d möchte Sie sprechen; cela ne se ~e pas d. versteht s.; très~e (com) sehr gefragt; ~eur (~eresse) [-mɑ̃dœ:r, -mɑ̃dərɛs] m (f) Bittende(r); Antragsteller(in); Kläger

démang|eaison [demɑ̃ʒɛzɔ̃] f Jucken; Juckreiz; fig unbändige Lust (de zu); ~er [-ʒe] 14 jucken; tout le corps lui ~e es juckt ihn am ganzen Körper

démant|èlement [demɑ̃tɛlmɑ̃] m Schleifen (e-r Festung); fig Zerschlagung; ~eler [demɑ̃tlɇ] (Festung) schleifen, abtragen

démantibuler [demɑ̃tibylɇ] kaputtmachen

démaquill|ant [demakijɑ̃] m Make-up-Entferner; ~er [demakijɇ] abschminken

démarcation [demarkasjɔ̃] f Abgrenzung; ligne de ~ Demarkationslinie

démarch|e [demarʃ] f Gang(art); Schritt; Maßnahme; fig Gedankengang; Methode; faire toutes les ~es possibles alle nur möglichen Schritte unternehmen; ~eur [-marʃœ:r] m Haustürverkäufer

démarier [demarje] ↓ (Pflänzchen) verziehen

démarquer [demarke] 6 für d. Ausverkauf neu auszeichnen; nachahmen; entstellen; se ~ 🏉 s. freispielen; fig Abstand nehmen (von)

démar|rage [demara:ʒ] m 🚲 Losmachen; ⛵ ♦, 🚗 Anfahren; (Motor) Anlaufen, Anlassen, Start; fig Anfang, Beginn; Aufschwung; temps de ~age = période de ~age (a. fig) Anlaufzeit; ~er [-re] ⛵ losmachen; ⚓, 🚗 anfahren,

starten; *(Motor u. fig);* anlassen; anlaufen; *umg* weggehen; **~eur** [-rœːr] *m* ☼ Anlasser
démasquer [demaskę] *6* entlarven; ~ *ses batteries* s-e Karten aufdecken
démêl|é [demɛlę] *m* Zwist; **~er** [-lę] entwirren; erkennen, durchschauen; *(Haar)* auskämmen; *se ~er d'une affaire* s. aus d. Klemme ziehen; **~oir** [-lwąːr] *m* breiter Kamm; **~ures** [-lyːr] *fpl* ausgekämmte Haare
démembr|ement [demãbrəmã] *m* Aufteilung; *fig* Zerstückelung; **~er** [-brę] zerstückeln
déménag|ement [demenaʒmã] *m* Aus(Um-)- zug; **~er** [-ʒę] *14* aus-(um-)ziehen; *(Möbel)* umräumen; wegschaffen; *il ~e (umg)* er spinnt; **~eur** [-ʒœːr] *m* Umzugs-(Transport-)Arbeiter
démence [demãs] *f* ⚕ Demenz, Schwachsinn, Verblödung
démener [demənę] *8: se ~* herumtoben; s. abmühen
dément [demã] *108* ⚕ schwachsinnig; *m* ⚕ Wahnsinniger
dément|i [demãti] *m* Dementi; amtliche Berichtigung (e-r Nachricht); **~ir** [-tiːr] *29* Lügen strafen; in Abrede stellen; dementieren, widersprechen; ableugnen
démérit|e [demerįt] *m* Schuld, Fehler; **~er** [-ritę] s. versündigen; d. Achtung, d. Sympathie verlieren *(de qch in etw.)*
démesuré [deməzyrę] *128* maßlos; übermäßig, übertrieben
démettre [demɛtr] *72* aus-(ver-)renken; *se ~ le bras* s. d. Arm ausrenken; *se ~ d'une charge* e. Amt niederlegen
démeubler [demœblę] ausräumen
demeur|ant [dəmœrã] *108* wohnhaft *(à* in); *au ~ant* im übrigen; im Grunde; **~e** [-mœːr] *f* Wohnung; Heim; ständiger Wohnsitz; 🕰 Verzug; Stand *(d. Wildes); à ~e* für dauernd; *mise en ~e* Zahlungsaufforderung; Inverzugsetzung; *dernière ~e* letzte Ruhestätte; **~er** [-rę] wohnen; bleiben; *le dîner m'est ~é sur l'estomac* d. Essen liegt mir schwer im Magen; *~er d'accord* einverstanden sein; *en ~er là (Ansicht)* dabeibleiben
demi [dəmi] **1.** halb; *une heure et ~e* anderthalb Stunden; *une heure et ~e* halb zwei Uhr; **2.** *m* Halbes; e. Halbes (Bier); *(Fußball)* Läufer; **~-bas** [-mibą] *m* 99 Kniestrumpf; **~-centre** [-misãtr] *m* 99 Mittelläufer; **~-cercle** [-misɛrkl] *m* 99 Halbkreis; **~-cultivé** [-mikyltivę] halbgebildet; *m* 99 Halbgebildeter; **~-dieu** [-midjø] *m* 99 Halbgott; **~-douzaine** [-duzęn] *f* 99 halbes Dutzend; **~e** [dəmi]: *la ~e vient de sonner* es hat gerade halb geschlagen; **~-finale** [-mifinąl] *f* 99 🏉 Vorschlußrunde, Halbfinale; **~-fini:** *produit ~-fini* Halbfabrikat; **~-fond** [-mifɔ̃] *m: coureur de ~-fond* 🏉 Mittelstreckenläufer (-fahrer); **~-frère** [-mifrɛr] *m* 99 Halbbruder; **~-gros** [-migrǫ] *m* com Zwischenhandel; **~-heure** [-miœːr] *f* 99 halbe Stunde; **~-jour** [-miʒuːr] *m* 99 Zwielicht
démilitaris|ation [demilitarizasjɔ̃] *f* Entmilitarisierung; **~er** [-zę] entmilitarisieren
demi|-lune [dəmilyn] *f* 99 halbmondförmiger Platz, Gegenstand; **~-mal** [-mąl] *m: il n'y a que*

~-mal à cela (umg)* es ist nur halb so schlimm; **~-mondain [-mɔ̃dę̃] *108* Halbwelt...; **~-monde** [-mɔ̃d] *m* Halbwelt; **~-mort** [-mɔːr] *108* halbtot; **~-mot** [-mǫ]: *comprendre à ~-mot* erraten, am Gesicht absehen
démin|age [deminąːʒ] *m* mil Minenräumung; **~er** [-nę] mil Minen räumen
demi|-pause [dəmipoːz] *f* 99 ♪ halbe Pause; **~-peau** [-pǫ] *f* 99 📖 Halbledereinband; **~-pension** [-pãsjɔ̃] *f* 99 Halbpension; **~-produit** [-prɔdɥi] *m* 99 Halbfabrikat
démis [demi] *108* verrenkt
demi|-saison [dəmisezɔ̃] *f* Übergangs-(jahres)- zeit; *manteau de ~-saison* Übergangsmantel; **~-sang** [dəmisã] *m* 99 Halbblut; **~-sœur** [-sœːr] *f* 99 Halbschwester; **~-soupir** [-supįːr] *m* 99 ♪ Achtelpause
démission [demisjɔ̃] *f* Demission, Amtsniederlegung; *donner sa ~* s-e Entlassung einreichen; **~ner** [-sjɔnę] zurücktreten, abdanken
demi|-teinte [dəmitę̃t] *f* 99 Halbschatten; **~-ton** [-tɔ̃] *m* 99 ♪ halber Ton; **~-tour** [-tuːr] *m* 99 Kehrtwendung; *faire ~-tour* kehrtmachen; **~-vie** [-vi] *f* Halbwertzeit
démiurge [demjyːrʒ] *m* Weltschöpfer
démobilis|ation [demɔbilizasjɔ̃] *f* mil Demobilisierung; Verringerung d. Streitkräfte; Entlassung; *fiche de ~ation (mil)* Entlassungsschein; **~er** [-zę] mil entlassen; *fig* d. Widerstandskraft verringern; d. Kampfgeist mindern
démocrat|e [demɔkrąt] *(Person)* demokratisch; *m* Demokrat; **~ie** [-krasi] *f* Demokratie; **~ie populaire** Volksrepublik; **~isation** [tizasjɔ̃] *f* Demokratisierung; **~ique** [-kratįk] *(Einrichtungen)* demokratisch
demoiselle [dəmwazęl] *f* junge Dame; Fräulein; *zool* Wasserjungfer, Libelle; ☼ Handramme
démol|ir [demɔlįːr] *22 (Gebäude)* ein-(ab-, nieder-)reißen, abbrechen; *(Ruf)* zerstören; *(Einfluß)* untergraben; *fig* vernichten, stürzen; *pop* zus.schlagen *(qn* j-n); **~isseur** [-lisœːr] *m* Abbruchfirma; *pol* Umstürzler; **~ition** [-lisjɔ̃] *f* Niederreißung, Abbruch; *pl* Trümmer
démon [demɔ̃] *m* Dämon; böser Geist; Teufel; *~ du jeu* Spielteufel
démonétiser [demɔnetizę] außer Kurs setzen; *fig* herabsetzen
démoniaque [demɔnjąk] dämonisch; besessen; *m* Besessener
démonstrat|eur [demɔ̃stratœːr] *m com* Vorführer; **~if** [-tįf] *112* beweisend; *(Person)* überschwenglich; **~ion** [-sjɔ̃] *f* Nachweis; Beweisführung; Vorführung, Gefühlsbezeigung
démont|able [demɔ̃tąbl] zerlegbar; **~age** [-tąːʒ] *m* ⚙ Auseinandernehmen; Abmontieren; Zerlegung; ⚓ Abwracken; **~é** [-tę] *(Meer)* stürmisch; *fig* fassungslos; **~er** [-tę] ⚙ (ab-)demontieren, auseinandernehmen; zerlegen; ⚓ abwracken; *se ~er* d. Fassung verlieren
démontr|able [demɔ̃trąbl] beweisbar; **~er** [-trę]

beweisen, demonstrieren; vorführen; d. Nachweis erbringen

démoralis|ant [demɔralizɑ̃] *108,* **~ateur** [-zatœ:r] *122* sittenverderbend; entmutigend; demoralisierend; **~ation** [-zasjɔ̃] *f* Sittenverfall; Entmutigung, Demoralisierung; **~er** [-ze̜] sittlich verderben; entmutigen, demoralisieren

démordre [demɔrdr] *76* d. Biß lockern; ablassen *(de* von); *ne pas ~ (fig)* nicht lockerlassen

démouler [demule̜] ✿ aus d. Form nehmen; entschalen

démultipli|cateur [demyltiplikatœ:r] *m* ✿ Reduziergetriebe; **~cation** [-plikasjɔ̃] *f* ✿ Untersetzung; ⚙ Feineinstellung; **~er** [-plje̜] ✿ untersetzen

démun|ir [demynj:r] *22* entblößen *(de qch* von etw.); ~*i de tous moyens* bar aller Mittel; *se ~ir de qch* etw. weggeben, s. e-r Sache entäußern

démystifi|cation [demistifikasjɔ̃] *f* Aufklärung; Aufdeckung (e-s Betruges); Enthüllung (d. Wahrheit); ~ **er** [-fje] aufklären; aufdecken; enthüllen; d. Augen öffnen

dénégation [denegasjɔ̃] *f* ⚖ Ableugnung, Bestreiten

dénat|alité [denatalite̜] *f* Geburtenrückgang; **~urer** [-tyre̜] *chem* denaturieren; *mère ~urée* Rabenmutter

déneigement [dene̜ʒmɑ̃] *m* Schneeräumung

déni [deni] *m:* ~ *de justice* Rechtsverweigerung; Ungerechtigkeit

déniaiser [denje̜ze̜] erfahren machen; *(Kinder)* aufklären

dénich|er [deniʃe̜] aus d. Nest nehmen; ausfindig machen; d. Weite suchen; ~ *er une couvée (a. fig)* e. Nest ausheben

dénicotiniser [denikɔtinize̜] nikotinfrei machen

denier [dənje̜] *m* Heller; *jusqu'au denier ~* auf Heller und Pfennig

dénier [denje̜] ableugnen; ~ *un droit* e. Recht verweigern

dénigr|ement [denigrəmɑ̃] *m* Herabsetzung; Verleumdung; *par ~ement* in pejorativem Sinn; **~er** [-gre̜] herabsetzen, schlechtmachen; verleumden; **~eur** [-grœ:r] *m* Lästerzunge

dénivellation [denive̜lasjɔ̃] *f* Höhenunterschied; Unebenheit

dénombr|ement [denɔ̃brəmɑ̃] *m* (Auf-)Zählung; **~er** [-bre̜] (auf-)zählen

dénom|inateur [denɔminatœ:r] *m* *math* Nenner; ~*inateur commun (a. fig)* gemeinsamer Nenner; Gemeinsamkeiten; **~mer** [-me̜] (be)nennen

dénonc|er [denɔ̃se̜] *15* ⚖ anzeigen, denunzieren; *fig* brandmarken; *(Vertrag)* (auf)kündigen; **~iateur** [-sjatœ:r] *m* Denunziant; Spitzel; **~iation** [-sjasjɔ̃] *f* ⚖ Anzeige, Denunzierung; *(Vertrag)* (Auf-)Kündigung

dénoter [denɔte̜] bezeichnen, anzeigen

dénou|ement [denumɑ̃] *m* Lösung *(d. dramatischen Knotens);* Ausgang *(e-r Sache);* **~er** [denwe̜] aufknüpfen, (auf-)lösen

dénoyauter [denwajote̜] entkernen, entsteinen

denrées [dɑ̃re̜] *fpl* Konsumgüter; ~ *alimentaires* Nahrungsmittel; ~ *périssables* verderbliche Nahrungsmittel

dens|e [dɑ̃s] dicht; spezifisch schwer; *(Stil)* gedrängt; ~ **ification** [dɑ̃sifikasjɔ̃] *f* Verdichtung (d. Bevölkerung, d. Bebauung); **~imètre** [-sime̜tr] *m* ✿ Dichtenmesser; **~ité** [-site̜] *f (a. phys)* Dichte; spezifisches Gewicht; ~*ité de trafic* Verkehrsdichte; ~*ité de la population* Bevölkerungsdichte

dent [dɑ̃] *f (a.* ✿) Zahn; Scharte; ~*s de lait* Milchzähne; ~ *de sagesse* Weisheitszahn; *mal aux ~s* Zahnschmerzen; ~*s artificielles* Zahnersatz ♦ *avoir les ~s longues* habgierig sein; *avoir une ~ contre qn* e-n Pik auf j-n haben; *être sur les ~s* überanstrengt sein; *mordre à belles ~s (umg)* tüchtig 'reinhauen; *ne pas desserrer les ~s* beharrlich schweigen; ~*aire* [-tɛ:r] Zahn...; *appareil ~aire* Zahnspange, (künstliches) Gebiß; **~de-lion** [-dɑ̃ljɔ̃] *f 98* Löwenzahn; ~**é** [-te̜] gezahnt; ~**eler** [-tle̜] *4* auszacken; ~**elle** [-tɛl] *f* Spitze; ~*elle au crochet* Häkelspitze ~*elle au fuseau* Klöppelspitze; **~elure** [-tɑly:r] *f* Spitzenwerk; Auszackung; Zahnung (Säge); 🏛 gezahnte Verzierung; ~**ier** [-tje] *m* künstliches Gebiß, Zahnersatz; **~ifrice** [-tifris]: *pâte ~ifrice* Zahnpasta; **~iste** [-tist] *m* Zahnarzt; *chirurgien ~iste* Zahnchirurg; *mécanicien ~iste* Zahntechniker; ~**ition** [-tisjɔ̃] *f* Gebiß; ~**ure** [-ty:r] *f (natürliches)* Gebiß; ✿ (Ver-)Zahnung

dénucléariser [denyklearize̜] e-e atomwaffenfreie Zone schaffen

dénud|é [denyde̜] entblößt; nackt; **~er** [-de̜] entblößen; entrinden; entblättern

dénu|é [denye̜] des Nötigen beraubt; ~*é d'argent* ganz ohne Geld; ~*é d'esprit* geistlos; ~*é de tout fondement* grundlos; **~ement** [-nymɑ̃] *m* Mittellosigkeit, Not

déodorant [deɔdɔrɑ̃] *m* Deodorant *n*

déontologie [deɔ̃tɔlɔʒi] *f* Berufsethos

dépann|age [depanaːʒ] *m* 🚗 Reparatur; Instandsetzung; Hilfeleistung zw Nachbarn; *service de ~age* Abschleppdienst; **~er** [-ne̜] reparieren; *a. fig* wieder in Gang bringen, wieder flottmachen; aus e-r mißlichen Lage helfen, beispringen, j-m zu Hilfe kommen; *m'a ~é (umg)* er hat mir aus der Patsche geholfen; **~eur** [-nœ:r] *m* Reparaturschlosser; **~euse** [-nøːz] *f* Abschleppwagen

déparasitage [deparazitaːʒ] *m* ⚙ Entstörung

dépareillé [depare̜je̜] unvollständig; nicht zus.gehörig

départ [depa:r] *m* Weg-, Abgang; Abreise, -fahrt, -flug; 🏴 , ✝ Start; *(Motor)* Anlauf; *(Post)* Ausgang; *(Personal)* Ausscheiden; Trennung; *fig* Anfang; *heure du ~* Abfahrt, Abflugzeit; *point de ~* Ausgangspunkt; *déclarer son ~ à la police* s. polizeilich abmelden; *prendre le ~* starten; *au ~* fig anfangs, zu Beginn; *dès le ~* von Anfang an; **~ager** [-partaʒe̜] *14 (bei Stimmengleichheit)* d. Ausschlag geben; **~ement** [-partmɑ̃] *m* Department *(frz.* Verwaltungsbezirk); Geschäftsbereich, Ressort *(e-s Ministers);* Abteilung *(e-s Unternehmens);* **~emental** [-partəmɑ̃tal] *124* Departements...; **~ir** [-parti:r] *29:* *se ~ir de* Abstand nehmen von, ablassen von, aufgeben

dépass|ement [depasmɑ̃] m (Kredit) Überziehung; 🐎 🚗 Überholen ~er [-se] überholen; hinausgehen über, übertreffen; (Geschwindigkeit) überschreiten; (Kredit) überziehen; com überzeichnen; ~er le but über d. Ziel hinausschießen; ~er la mesure commune überdurchschnittlich sein; interdiction de ~er Überholen verboten; cela ~e les limites d. geht zu weit; cela me ~e (umg) da kann ich nicht mehr mit, das ist mir zu hoch; il me ~e d'une tête er ist e-n Kopf größer als ich

dépassionner [depasjɔne] entschärfen, die Spitze nehmen, (ab)mildern

dépaver [depave]: ~ une rue d. Straßenpflaster aufreißen

dépays|ement [depeizmɑ̃] m Entfremdung; ~é [-ze]: je me sens ~é ici ich fühle mich hier nicht zu Hause; ~er [-ze] fig irreführen, verwirren

dépe|çage [depəsaːʒ] m (Fleisch) Zerlegung; fig Zerstückelung; ~cer [-se] 15 (Fleisch) zerlegen; fig zerstückeln

dépêch|e [depɛʃ] f Depesche, Telegramm; ~er [-pɛʃe] beschleunigen; se ~er s. beeilen; ~ons! schnell!; ~e-toi! beeil dich!, mach voran!; ~er qn dans l'au-delà j-n ins Jenseits befördern

dépeigner [depɛɲe] d. Haar zerzausen (qn j-m)

dépeindre [depɛ̃dr] 87 schildern; darstellen

dépenaillé [dɛpnaje] zerlumpt

dépénalisation [depenalisasjɔ̃] Beseitigung des kriminellen Gehalts (bei Rechtsverstößen)

dépend|ance [depɑ̃dɑ̃s] f Abhängigkeit; Nebengebäude; ~ant [-dɑ̃] 108 abhängig; ~re [-pɑ̃dr] 76 abhängen (de von); je ne ~s de personne ich bin mein eigener Herr; cela ~ je nachdem, das kommt darauf an

dépens [depɑ̃] mpl Prozeß-, Gerichtskosten; aux ~ de (a. fig) auf Kosten von; il l'a appris à ses ~ er ist durch Schaden klug geworden; ~e [-pɑ̃s] f Ausgabe; a. fig Aufwand; ~e énergétique Energieverbrauch; pl Ausgaben, Kosten; ~er [-pɑ̃se] (Geld) ausgeben; ~er sans compter k-e Kosten scheuen; se ~er s. verausgaben; se ~er sans compter s-e Kräfte vergeuden; ~ier [-pɑ̃sje] 116 verschwenderisch

déperdition [depɛrdisjɔ̃] f (bes phys) Verlust

dépér|ir [deperiːr] 22 (gesundheitlich) heruntergekommen; ~issement [-rismɑ̃] m Kräfteverfall

dépersonnaliser [depɛrsonalize] entpersönlichen, d. Persönlichkeit berauben; entfremden; ins Banale ziehen; verflachen

dépêtrer [depetre] umg befreien (de von); se ~ de qch von etw loskommen

dépeupl|ement [depœpləmɑ̃] m Entvölkerung; Bevölkerungsschwund; ~ement rural Landflucht; ~er [-ple] entvölkern

déphasage [defazaːʒ] m Verschiebung; fig Gefälle; Verständnislosigkeit

dépiauter [depjote] vt umg d. Haut abziehen; fig (e-n Text) kritisch durchleuchten

dépilation [depilasjɔ̃] f Enthaarung; Haarentfernung

dépiquer [depike] (Naht) auftrennen; (Getreide) ausstampfen

dépist|age [depistaːʒ] m (z.B. Krankheitsfälle)

Erfassung; ~age précoce 💲 Früherkennung; ~er [-te]: ~er un crime e-m Verbrechen auf d. Spur kommen; ~er ses persécuteurs s-e Verfolger von d. Spur abbringen

dépit [depi] m Ärger, Verdruß; en ~ de trotz; en ~ du bon sens gegen alle Vernunft; ~er [-pite] verärgern

déplac|é [deplase] unpassend, unangebracht; pol zwangsverschleppt; ~ement [-smɑ̃] m Verrücken (e-s Gegenstandes); Verlagerung; Ortsveränderung; Versetzung (e-s Beamten); ⚓ Wasserverdrängung; (Maschine) Verstellung, Verschiebung; 🌊 Drift; ~ement de troupes Truppenbewegung; frais de ~ement Reisekosten; ~er [-se] 15 von d. Stelle rücken; verschieben (Beamte) versetzen; se ~er s. fortbewegen; verreisen; je me suis ~é exprès ich bin eigens hergekommen

déplafonner [deplafone] d. Beitragshöchstgrenze heraufsetzen; d. Pflichtversicherungsgrenze anheben

déplai|re [deplɛːr] 77 mißfallen; Verdruß (Ärger) bereiten; se ~re: il se déplaît ici es gefällt ihm hier nicht; ne vous en ~se wenn Sie nichts dagegen haben; ~sant [-plɛzɑ̃] 108 unangenehm; mißliebig; ~sir [-plɛziːr] m Mißfallen; Verdruß

déplant|er [deplɑ̃te] verpflanzen, versetzen

dépl|iant [depliɑ̃] m Faltprospekt; ~ier [-plie] auseinanderfalten; ~isser [-plise] glätten; ~oiement [-plwamɑ̃] m Auseinanderbreiten; a. fig Entfaltung; ~oiement de forces Kraftentfaltung, -aufwand

déplomber [deplɔ̃be]: ~ les bagages d. Zollplomben vom Gepäck lösen

déplor|able [deplɔrabl] bedauernswert, beklagenswert; ~er [-re] bedauern, beklagen

déploy|er [deplwaje] 5 ausbreiten; entfalten; ~er ses forces s-e Kräfte spielen lassen; rire à gorge ~ée aus vollem Halse lachen

déplum|é [deplyme] federlos; crâne ~é (umg) Kahlkopf; ~er [-me] (aus)rupfen; se ~er s. mausern; umg d. Haare verlieren

dépoli [depɔli] 1. (elektr. Birnen usw.) mattiert; verre ~ Milchglas; 2. m (Oberfläche) Mattierung

dépolitiser [depolitize] entpolitisieren

dépollu|er [depolɥe] Schadstoffe beseitigen, verseuchte Umweltbereiche sanieren, (Boden, Wasser, Luft) entseuchen; ~eur [-ɥœːr] m Entseuchungsfachmann; ~tion [-sjɔ̃] f Entseuchung; Schadstoffbeseitigung; Umweltsanierung

dépopulation [depopylasjɔ̃] f Entvölkerung; Bevölkerungsschwund; ~ rurale Landflucht

déport|ation [depɔrtasjɔ̃] f Deportierung, Verschleppung; ~ements [-mɑ̃] mpl lockerer Lebenswandel; ~er [-te] deportieren, verschleppen

dépos|ant [depozɑ̃] m com Deponent; ~er [-ze] ab(hin-, nieder-, weg-)legen; com deponieren; ⚖ aussagen; chem Niederschlag bilden; (Antrag) einbringen; (Klage) einreichen; (Telegramm) aufgeben; ~er son bilan (com) s. für zahlungsunfähig erklären; ~er la couronne auf

d. Krone verzichten; *marque ~ée* eingetragene Schutzmarke; **~itaire** [-zitɛːr] *m* Verwahrer; Mitwisser *(e-s Geheimnisses)*; *~itaire général* Alleinauslieferer *(von Zeitungen usw.)*; *liste des ~itaires (com)* Bezugsquellennachweis; **~ition** [-zisjɔ̃] *f* Amtsenthebung; Zeugenaussage

déposs|éder [depɔsedę] *13* enteignen; **~ession** [-sɛsjɔ̃] *f* Enteignung

dépôt [depo] *m* Hinterlegung, Abgabe; *com* (Geld-)Einlage; Lager(raum), Abstellplatz, Depot; Sammelstelle; (Fahrzeug-)Schuppen; *chem* Niederschlag, Bodensatz; *geol* Ablagerung, Schwemmgut; *(Farbe)* Schicht, Auftragung, Überzug; 🔒 Arrestlokal; *(Patent)* Anmeldung; *~ légal* 📖 Ablieferung von Pflichtexemplaren; *~ d'appareils* Gerätepark; *~ de matériel* Materiallager; *~ à vue (com)* Sichteinlage; *banque de ~s* Depositenbank; *mandat de ~* Haftbefehl; *mettre en ~ com, Geld)* hinterlegen, deponieren; *mettre en ~ à la librairie...* 📖 in Kommission geben bei...

dépôt|er [depotę] ⬇ umtopfen; **~oir** [-twaːr] *m* Kläranlage; Schuttabladeplatz; *fig* Rumpelkammer

dépouill|e [depuj] *f* abgestreifte (abgezogene) Tierhaut; *pl* Beute; *~e mortelle* d. sterblichen Überreste; **~é** [-puję] kahl, nackt; *(Stil)* schmucklos; **~ement** [-pujmɑ̃] *m* Beraubung; Dürftigkeit; Auswertung *(von Daten);* Auszählen *(von Stimmen);* Ausziehen *(aus Büchern);* **~er** [-puję] berauben; abhäuten; *(Stimmen)* auszählen; *(com, Rechnung)* prüfen; *~er le courrier* d. Post durchsehen; *se ~er* s. häuten; *(Baum)* kahl werden

dépourvu [depurvy] entblößt *(de* von); *~ de bon sens* ohne Sinn u. Verstand; *au ~* unvorbereitet, unversehens, plötzlich; *être pris au ~ (z.B. mit e-r Frage)* überrumpelt werden

dépoussiér|age [depusjeraːʒ] *m* 🌀 Entstaubung; **~er** [-jerę] entstauben; *fig* erneuern, aktualisieren, modernisieren

déprav|ation [depravasjɔ̃] *f* Verdorbenheit; **~é** [-vę] verderbt, verdorben, lasterhaft; *m* schlechter Mensch; **~er** [-vę] *vt* verderben, verführen

dépréci|ateur [depresjatœːr] *122* herabsetzend; **~ation** [-sjasjɔ̃] *f* Wertminderung; *(Geld)* Entwertung; **~er** [-sję] (im Wert) herabsetzen

déprédation [depredasjɔ̃] *f* Plünderung; Veruntreuung; Unterschlagung

dépress|if [deprɛsif] *112* 💲 schwächend; depressiv; **~ion** [-sjɔ̃] *f* Vertiefung; *geol* Senkung; *com* 💲 Depression; *meteo* Tief(-druck); *fig* Tiefstand; Gedrücktheit; **~ionnaire** [-jɔnɛːr] *adj: zone ~ionnaire* Tiefdruckgebiet

déprim|e [depręm] *f umg* Trübsinn, Weltschmerz, Schwermut, Gefühl d. Minderwertigkeit u. Hoffnungslosigkeit; **~er** [depręmę] deprimieren, niederdrücken; 💲 schwächen

dépuceler [depyslę] *pop* entjungfern

depuis [dəpɥi] seit; seitdem; von (... bis; ... aus); *~ toujours* von jeher; *~ quand?* seit wann?; *~ peu* seit kurzem; *~ que* seit(dem); *~ que je ne l'ai vu* seit(-dem) ich ihn z. letztenmal sah

dépuratif [depyratif] *112* blutreinigend; *m* 💲 Blutreinigungsmittel

déput|ation [depytasjɔ̃] *f* Deputation; Abordnung; *pol* Mandat; **~é** [-tę] *m* Abgeordneter; *Chambre des ~és* Abgeordnetenkammer *(in d. 3. Republik);* **~er** [-tę] abordnen

déqualification [dekalifikasjɔ̃] *f* beruflicher Abstieg; Entwertung d. (beruflichen) Tätigkeit

déracin|é [derasinę] *m* Entwurzelter; **~er** [-sinę] *a. fig* entwurzeln

dérager [deraʒę] *14: ne pas ~* ununterbrochen toben, wüten; *s.* nicht wieder beruhigen

déraill|ement [derajmɑ̃] *m (a. fig)* Entgleisung; **~er** [-raję] *a. fig* entgleisen; *fig* faseln; **~eur** [-rajœːr] *m (Fahrrad)* Kettenschaltung

déraisonner [derɛzɔnę] dummes Zeug reden

dérang|ement [derɑ̃ʒmɑ̃] *m* Störung; *(Gerät)* Ausfall; unordentliche Lebensführung; *~ement d'esprit* geistige Zerrüttung; **~er** [-ʒę] *14* stören; von d. Stelle rücken; *est-ce que je vous ~e?* störe ich (Sie)?; *ne vous ~ez pas!* lassen Sie s. nicht stören, bemühen Sie s. nicht!; *j'ai l'estomac ~é* ich habe mir d. Magen verdorben

dérap|age [derapaːʒ] *m* 🚗 Rutschen, Schleudern; *fig com* (plötzlicher) Wandel (zum Schlechten), außer Kontrolle geraten; Entgleiten; **~er** [-pę] (ab)rutschen, schleudern; *fig* die Kontrolle verlieren, entgleiten

dératé [deratę] *m: courir comme un ~* wie e. Besessener rennen

dératisation [deratizasjɔ̃] *f* Rattenbekämpfung, -vertilgung

derechef [dərəʃɛf] abermals; wiederum

déréglé [dereglę] *(Uhr, Puls)* unregelmäßig; unordentlich; liederlich

dérèglement [derɛgləmɑ̃] *m (Uhr, Puls)* Unregelmäßigkeit; Liederlichkeit

dérégler [dereglę] *13* in Unordnung bringen; *(d. richtigen Gang)* stören

dérider [deridę] aufheitern; *se ~* heiter werden

déris|ion [derizjɔ̃] *f* Spott; Hohn; *tourner en ~ion* verlachen, (ver)höhnen; *devenir un objet de ~ion* z. Gespött werden; *c'est une ~ion* das ist zum Lachen *(zu wenig usw);* **~oire** [-zwaːr] lächerlich *(klein usw.);* *prix ~oire* Spottpreis; *salaire ~oire* Hungerlohn

dériv|ation [derivasjɔ̃] *f (a. ling)* Ableitung; *(Fluß)* Umleitung; ⚓ , ⚓ Abtreiben; *boîte de ~ation* ⚡ Abzweigdose; **~e** [-riːv] *f* Abweichung; *a. fig* Drift; *tout va à la ~e* alles geht drunter u. drüber; **~é** [-vę] *m chem* Derivat *com* Weiterentwicklung; weiter verarbeitetes Erzeugnis; **~ée** [-vę] *f math* Ableitung, abgeleitete Funktion; **~er** [-vę] ableiten; *(Fluß)* umleiten; *(Wort)* s. herleiten *(de* von); *fig* herrühren *(de* von); ⚓, ⚓ abtreiben, abdriften

derm|atologie [dɛrmatɔlɔʒi] *f* 💲 Dermatologie, Hautkunde; **~atose** [-matoːz] *f* Hautkrankheit; **~e** [dɛrm] *m* 💲 Lederhaut

dern|ier [dɛrnję] **1.** *116* letzte; *en ~ier lieu* zuletzt; *arriver le ~ier* als letzter kommen; *~ier cri (Mode)* letzter Schrei; *le ~ier né fig com* d. neueste Produkt; *mardi ~ier* vorigen, vergangenen Dienstag; *jugement ~ier* Jüngstes Gericht;

le ~*ier des hommes (umg)* der letzte Typ; *ces ~iers temps* in letzter Zeit; *le ~ier prix* der äußerste Preis; **2.** *m* d. letzte; *ce ~ier* letzterer; **~ièrement** [-njɛrmã] kürzlich; **~ier-né** [-njenę] *m* 97 Letztgeborener

dérob|ade [derɔbạd] *f* Ausweichen *(vor e-r Schwierigkeit); (Pferd)* Ausbrechen; **~ée** [-bę]: *à la ~ée* heimlich, verstohlen; *partir à la ~ée* s. wegschleichen; **~er** [-bę] entwenden; verbergen; *se ~er (fig)* aus d. Weg gehen, ausweichen; *se ~er à un devoir* s. e-r Pflicht entziehen

dérog|ation [derɔgasjɔ̃] *f* 🐍 Änderung; Abweichung *(à* von); Verstoß *(à* gegen); **~ation à un traité** Vertragswidrigkeit; *par ~ation à* abweichend von; **~er** [-ʒę] 14 🐍 ändern; abweichen *(à* von); verstoßen *(à* gegen); *~er à un traité* s. vertragswidrig verhalten

dérouiller [deruję] entrosten; *fig* gelenkig machen *(se ~ les jambes* s. d. Füße vertreten); *umg* verdreschen; *vi* Dresche beziehen

déroul|ement [derulmã] *m* Ab-, Aufrollen; *a. fig* Abwicklung; *(lit, Handlung)* Gang; **~er** [-lę] *a. fig* aufrollen; *se ~er (lit, Handlung)* spielen; *(Ereignisse)* s. abspielen; **~eur** [-lœːr] *m* Abwickelwalze; Abspulhaspel; (Kabel-)Auslegegerät

dérout|age [derutạːʒ] = **~ement** [derutmã] *m* Umleitung, Umdisponierung; *aérodrome de ~* Ausweichflugplatz; **~e** [derụt] *f mil* Auflösung *(d. Feindes), fig* schwere Niederlage; Zerrüttung; Zus.bruch; Ruin; **~er** [-tę] umleiten; *fig* aus d. Fassung bringen

derrick [dɛrịk] *m* Bohrturm; *(Schiff)* Ladebaum; Derrickkran

derrière [dɛrjɛːr] **1.** hinter; hinten; *de ~ la porte* hinter d. Tür hervor; *par ~* von hinten; verräterisch, hinterrücks; **2.** *m* hinterer Teil; *(Schiff)* Achtern; *chambre sur le ~* Hinterzimmer; *assurer ses ~s* sich d. Rücken decken; *le ~ (umg)* d. Hintern

dès [dɛ] (schon) seit; von... ab; *~ son enfance* von Jugend auf; *~ aujourd'hui* von heute ab; *~ l'aube* mit Tagesanbruch; *~ lors* seitdem; *~ que* sobald, sowie

désabonner [dezabɔnę]: *se ~er* e-e Zeitung abbestellen

désabuser [dezabyzę] *fig* d. Augen öffnen *(qn* j-m)

désaccord [dezakɔr] *m* Uneinigkeit; Nichtübereinstimmung; *en cas de ~* kommt e-e Einigung nicht zustande, so...; *être en ~ avec qn sur qch* mit j-m über etw. uneinig sein

désaccoutumer [dezakutymę]: *se ~ de qch* s. etw. abgewöhnen

désacralisation [dezakralizasjɔ̃] *f* Autoritätsverlust; Prestigeverlust; Entwürdigung; Profanierung

désaffect|ation [dezafɛktasjɔ̃] *f (Gebäude usw.)* anderweitige Verwendung; **~er** [-tę] *(Gebäude usw.)* anderweitig verwenden; *réacteur ~é* stillgelegter Reaktor; **~ion** [-fɛksjɔ̃] *f* (innere) Abkehr *(de* von)

désagréable [dezagreạbl] unangenehm

désagrég|ation [dezagregasjɔ̃] *f geol* Verwitte-

rung; Brüchigkeit; *(a. fig)* Zerfall; **~er** [-ʒę] 2 zersetzen, auflösen; *se ~er (a. fig)* zerfallen

désagrément [dezagremã] *m* Unannehmlichkeit

désaliéner [dezaljenę] befreien, (Zwänge u. Hemmnisse) abbauen

désaltér|ant [dezalterã] 108 durststillend; **~er** [-rę] 13 d. Durst stillen, löschen; *se ~er* s-n Durst stillen, löschen

désamorcer [dezamɔrsę] 15 *(Zünder)* entfernen; *(Munition)* entschärfen *a. fig.; ~ une pompe* Wasser aus e-r Pumpe ablassen

désappoint|ement [dezapwɛ̃tmã] *m* Enttäuschung; **~er** [-tę] enttäuschen; *faire une mine ~ée* e. langes Gesicht machen

désapprendre [dezaprãdr] 79 verlernen

désappr|obateur [dezaprɔbatœːr] 122 mißbilligend; **~obation** [-prɔbasjɔ̃] *f* Mißbilligung; **~ouver** [-pruvę] mißbilligen

désarçonner [dezarsɔnę] aus d. Sattel heben; aus d. Fassung bringen

désargenté [dezarʒãtę] *umg* abgebrannt, pleite

désarm|ement [dezarməmã] *m* Entwaffnung; Abrüstung; **~er** [-mę] *a. fig* entwaffnen; abrüsten; ⚓ abtakeln

désarroi [dezarwạ] *m* Drunter u. Drüber, Verwirrung; *en ~* in Unordnung

désarticuler [dezartikylę] *(Gelenk)* auskugeln, -renken

désassortir [dezasɔrtiːr] *(Garnitur, Satz)* unvollständig machen; *(Laden)* räumen

désastr|e [dezastr] *m* Unheil; Zusammenbruch; *com, a. fig* Pleite; Reinfall; **~eux** [dezastrø] *111* unheilvoll, verheerend; unglücklich, schlecht

désavantage [dezavãtạːʒ] *m* Nachteil; **~er** [-taʒę] *14* benachteiligen; **~eux** [-taʒø] *111* nachteilig, unvorteilhaft

désav|eu [dezavø] *m* Ableugnung; Widerrufung; Rückzieher; **~ouer** [-vwę] (ab)leugnen; desavouieren; mißbilligen

désaxer [dezaksę] ✿ versetzen; *fig* aus d. Geleise werfen

desceller [desɛlę] entsiegeln

descend|ance [desãdãs] *f* Abkunft; Nachkommen(schaft); **~ant** [-dã] *108* abnehmend; absteigend; *m* Nachkomme; **~re** [-sãdr] *76* herab- (herunter-, hinab-, hinunter-)steigen, -fahren, -gehen, -kommen, -reiten; *(Reiter, Radfahrer)* absteigen; aussteigen; *(Thermometer)* fallen; herunter-(hinunter-)tragen; ✝ niedergehen; abstammen *(de* von); *~re à Toulouse* nach Toulouse fahren; s. in Toulouse niederlassen; *pop* über d. Haufen knallen; *~ qn en flammes fig* abschießen; *~ les vitesses* herunterschalten

descen|seur [desãsœːr] *m* Rutsche *(im Lagerraum); ~te* [desãt] *f* Herab-(Herunter-, Hinab-, Hinunter-)steigen, -fahrt, -gehen, -kommen, -reiten; *alp* Abstieg; *(Schi)* Abfahrt; *(Straße)* Gefälle; *en ~te* bergab; *~te de bain* Bademat-te; *~te d'estomac* Magensenkung; *~te sur les lieux* 🐍 Lokaltermin; *~te de lit* Bettvorleger; *~te de police* Razzia; *~te en piqué* ✝ Sturzflug; *~te en parachute* Fallschirmabsprung

descript|if [dɛskriptif] *112* schildernd; beschreibend; **~ion** [-sjɔ̃] *f* Schilderung; Beschreibung; ... *qui défie toute ~ion (pej)* unter aller Kanone

désembouteiller [dezãbutejɛ] 🚗 e-e Überlastung beheben; e-n Verkehrsstau beseitigen

désembuage [dezãbyɑ:ʒ] Beschlagfreihalten (e-r Sichtscheibe)

désempar|er [dezãparɛ]: *sans ~er* stehenden Fußes; ununterbrochen; *navire ~é* manövrierunfähiges Schiff

désempli|r [dezãpli̧r]: *ce café ne ~t pas* dieses Café ist immer voll (besetzt)

désenchant|é [dezãʃãtɛ] ernüchtert, enttäuscht; **~eur** [-tœ:r] *123* ernüchternd

désenclaver [dezãklavɛ] d. Verkehrsverbindungen verbessern; aus der Isolierung herausführen

désenfler [dezãflɛ] 🏥 abschwellen

désenivr|er [dezãnivrɛ]: *il ne ~e pas* er ist nie nüchtern

désennuyer [dezãnɥijɛ] *5* Zerstreuung bieten

désensibiliser [dezãsibilizɛ] 🏥 unempfindlich machen, desensibilisieren

déséquilibr|e [dezekili̧br] *m* Gleichgewichtsstörung; Mißverhältnis; **~é** [-librɛ] *(geistig, moral.)* unnormal; **~er** [-librɛ] *a. fig* aus d. Gleichgewicht bringen

désert [dezɛ:r] *108* ausgestorben; verlassen; *m* Öde; Wüste; *prêcher dans le ~* in d. Wind reden; **~er** [-zɛrtɛ] desertieren, fahnenflüchtig werden; *~er une cause* e-e Sache verraten; **~eur** [-zɛrtœ:r] *m* Deserteur; **~ifier** [-ifjɛ] veröden, in e-e Wüste verwandeln; **~ion** [-zɛrsjɔ̃] *f* Fahnenflucht; *~ion des campagnes* Landflucht; **~ique** [-zɛrtik] wüstenartig; Wüsten... *fig* öde

désescalade [dezɛskalɑd] *f pol* Entschärfung (e-s Konflikts)

désespér|ance [dezɛspɛrãs] *f* Hoffnungslosigkeit; **~ant** [-rã] *108* entmutigend; *c'est ~ant!* es ist z. Verzweifeln!; **~é** [-rɛ] *128* verzweifelt; hoffnungslos; **~er** [-rɛ] *13 vt* z. Verzweiflung bringen; *vi* verzweifeln *(de* an); d. Hoffnung aufgeben; *~er de qn (qch) (fig)* j-n (etw.) aufgeben

désespoir [dezɛspwɑ:r] *m* Verzweiflung; *plonger dans le ~* in Verzweiflung stürzen; *en ~ de cause* als letzten Ausweg; *être au ~* untröstlich sein *(de* über)

déshabill|é [dezabijɛ] *m* Morgenrock; Hauskleid; **~er** [-jɛ] entkleiden, ausziehen; **~oir** [-jwa:r] Umkleidekabine

déshabituer [dezabitɥɛ] abgewöhnen *(qn de qch* j-m etw.)

désherber [dezɛrbɛ] ausjäten

déshérit|é [dezeritɛ] *fig (von d. Natur)* benachteiligt; **~er** [-tɛ] enterben

déshon|nête [dezɔnɛt] unschicklich; unanständig; **~neur** [-nœ:r] *m* Unehre; Schande; **~orant** [-nɔrã] *108* entehrend; **~orer** [-nɔrɛ] entehren; *se ~orer* s. unehrenhaft benehmen

déshuiler [dezɥilɛ] entölen, entfetten

déshumanisation [dezymanizasjɔ̃] Entmenschlichung

déshydrater [dezidratɛ]: *~ un corps (chem)* e-m Körper d. Wasser entziehen

desiderata [dezideratɑ] *mpl* Lücken; Forderungen; Wünsche

design [dizɛjn] *m* Formgebung, Gestaltung, Muster, Design; **~er** [-jnœ:r] Formgestalter, Musterzeichner, Designer

design|ation [dezinasjɔ̃] *f* Bezeichnung; *(Organ)* Wahl; *(Personal)* Bestellung; **~er** [-ɲɛ] bezeichnen; bestimmen; *~er qn pour qch* j-n zu etw. bestimmen

désillusion [dezilyzjɔ̃] *f* Ernüchterung, Enttäuschung; **~ner** [-zjɔnɛ] ernüchtern, enttäuschen

désinence [dezinãs] *f ling* Endung

désinfect|ant [dezɛ̃fɛktã] *108* desinfizierend; *m* Desinfektionsmittel; **~er** [-tɛ] desinfizieren; **~ion** [-sjɔ̃] *f* Desinfizierung; Dekontaminierung; Entseuchung

désintégr|ation [dezɛ̃tegrasjɔ̃] *f geol* Verwitterung; *phys* Zerfall, Abbau *(e-s Elements);* ~ation *de l'atome* Atomzertrümmerung; *~ation du noyau* Kernzerfall; **~er** [-grɛ] *13 phys (Element)* abbauen; *se ~er (phys)* zerfallen

désintérêt [dezɛ̃terɛ] *m* Gleichgültigkeit, inneres Unbeteiligtsein, Desinteresse

désintéress|é [dezɛ̃terɛsɛ] unbeteiligt *(dans* bei, an); gleichgültig, uneigennützig, unparteiisch; **~ement** [-rɛsmã] *m* Gleichgültigkeit; Uneigennützigkeit; Unparteilichkeit; **~er** [-sɛ] *com* abfinden; *se ~er de* s. nicht mehr interessieren für

désintoxi|cation [dezɛ̃tɔksikasjɔ̃] *f* Entgiftung; 🏥 Entwöhnung; *cure de ~cation* Entwöhnungskur; **~quer** [-kɛ] 🏥 *a. fig* entwöhnen

désinvestissement [dezɛ̃vɛstismã] *m* Investitionsrückgang

désinvolt|e [dezɛ̃vɔlt] ungezwungen; *fig* frech; **~ure** [-vɔlty:r] *f* Ungezwungenheit; Frechheit

désir [dezi:r] *m* Wunsch; Verlangen *(de* nach) ~ *charnel* Geschlechtstrieb; ~ *de s'instruire* Wissensdrang; **~able** [-zirabl] wünschenswert; *(Frau)* verführerisch; **~er** [-zirɛ] wünschen; begehren; *je ~erais savoir* ich möchte wissen; *se faire ~er* auf s. warten lassen; *ne rien laisser à ~er* einwandfrei sein; **~eux** [-rø] *111* a. *Wunsche, mit d. Absicht (de* zu)

désist|ement [dezistmã] *m* 🏛 Verzicht(leistung); **~er** [-tɛ]: *se ~er de* 🏛 Verzicht leisten auf; *(Wahl)* zurücktreten

désobé|ir [dezobe:r] *22* ungehorsam sein; *~ir à la loi* d. Gesetz übertreten; **~issance** [-beisãs] *f* Ungehorsam; **~issant** [-beisã] *108* ungehorsam, unfolgsam

désoblig|eance [dezɔbliʒãs] *f* Ungefälligkeit; Unfreundlichkeit; **~eant** [-ʒã] *108, 127* ungefällig, unfreundlich; **~er** [-ʒɛ] *14* ungefällig sein *(qn* gegen j-n); kränken, beleidigen

désobstruer [dezɔpstryɛ] *(Weg)* frei machen

désodoris|ant [dezɔdɔrizã] *m* Desodorant *n,* Deodorant; **~er** [-izɛ] geruchlos machen

désœuvr|é [dezœvrɛ] untätig; *m* Müßiggänger; **~ement** [-vrəmã] *m* Untätigkeit, Müßiggang

désol|ant [dezɔlã] *108* betrüblich; **~ation** [-lasjɔ̃] *f* Betrübnis, Trostlosigkeit; Verheerung; **~er** [-lɛ] betrüben; verheeren; *je suis ~é (de)...* es tut mir leid...

désolidariser [desɔlidarizę]: *se ~ de qn* s. von j-m distanzieren

désopilant [dezɔpilɑ̃] *108* zwerchfellerschütternd

désord|onné [dezɔrdɔnę] unordentlich; *(Sitten)* verwildert; **~re** [-zɔrdr] *m* Unordnung; *(Sitten)* Verwilderung; *pol* Unruhe

désorganis|ation [dezɔrganizasjɔ̃] *f* mangelhafte Planung; Unordnung; Zerrüttung; **~er** [-zę] zerrütten, in Unordnung bringen, nachhaltig stören

désorient|ation [dezɔrjãtasjɔ̃] *f* Verwirrung; **~er** [-tę] vom Weg abbringen; aus d. Fassung bringen

désormais [dezɔrmę] in Zukunft, von nun an

désosser [dezosę]: *~ la viande* d. Fleisch von d. Knochen lösen; *~ un poisson* e-n Fisch entgräten

despot|e [dɛspɔt] *m* Despot; **~ique** [-pɔtik] despotisch, selbstherrlich; **~isme** [-pɔtism] *m* Despotismus; Gewaltherrschaft

desquamation [dɛskwamasjɔ̃] *f* ⚕ Abschuppen

desquel(le)s [dekęl] *siehe* lequel, laquelle

dessaisir [desɛziːr] *22*: *se ~ de qch* etw. abtreten, aus d. Hand geben

dessal|é [desalę] *(Küche)* gewässert; *fig* mit allen Wassern gewaschen; **~ement** [-əmɑ̃] Entsalzung; **~er** [-lę] *(Heringe)* wässern

des|sèchement [desɛʃmɑ̃] *m* Austrocknung; Trockenlegung; *(geistige)* Abstumpfung; **~sécher** [-sefę] *13* austrocknen, trockenlegen; *(geistig)* abstumpfen

dessein [desɛ̃] *m* Plan; Vorhaben; *un grand ~ pol* e-e Zukunftsperspektive; *dans quel ~?* zu welchem Zweck?; *à ~* absichtlich; *sans ~ préconçu* ohne besondere Absicht

desseller [desęlę] absatteln

desserrer [desɛrę] *(Gürtel, Schraube)* lockern; *(Bremse)* lösen

dessert [desęːr] *m* Nachtisch; **~e** [-sɛrt] *f* Serviertischchen, -wagen; *rel* Seelsorge; (Verkehrs-)Verbindung *(de mit)*; Zubringerverkehr **dessertir** [desɛrtiːr] *29 (Edelstein)* aus d. Fassung nehmen

desserv|ant [desɛrvɑ̃] *m* Pfarrvikar, Expositus; **~ir** [-viːr] *29* 1. ⚙ d. Verbindung herstellen mit; *(Strecke)* befahren; *(Gemeinde)* (seelsorgerisch) betreuen; **2.** d. Tisch abdecken; *~ir qn* j-m z. Nachteil ausschlagen

dessication [desikasjɔ̃] *f* (Aus-)Trocknen

dessiller [desiję]: *~ les yeux à qn (fig)* j-m d. Augen öffnen

dessin [desɛ̃] *m* Zeichnung; Zeichnen; *lit* Entwurf; *(Gewebe)* Muster; *~ au crayon* Bleistiftzeichnung; *~ en coupe* ⚙ Schnittzeichnung; **~s animés** Trickfilm; **~ateur** [-sinatœːr] *m* Zeichner; *~ateur en publicité* Werbegraphiker; **~er** [-sinę] (ab)zeichnen; *se ~er (fig)* s. abzeichnen, Gestalt annehmen

dessoul|er [desulę] *pop*: *il n'a pas ~é depuis trois jours* er ist seit drei Tagen betrunken

dessous [dəsu] **1.** darunter; *de ~* von unten her; *en ~* unterhalb; *faire ses coups en ~* heimtückisch handeln; *regarder en ~* nicht frei ins Gesicht sehen; **2.** Unterseite; Unterlage; *pl* Damenwäsche; geheime Hintergründe; *vêtements de ~* Unterwäsche; *drap de ~* Bettuch, Bettlaken; *au-~ de tout* unter aller Kritik; *avoir le ~* unterliegen; *connaître le ~ des cartes* d. Hintergründe kennen; *être dans le trente-sixième ~ (umg)* recht übel dran sein; **~-de-plat** [-sudəpla] *m 100* (Schüssel-)Untersatz; **~-de-table** [-sudətabl] *m com* heimlich gezahlter Mehrpreis

dessus [dəsy] **1.** darüber, darauf; *de ~* von oben her; *en ~* auf d. oberen Seite; *bras ~ bras dessous* Arm in Arm; *sens ~ dessous* drunter u. drüber, durcheinander; *j'ai mis le doigt ~* ich habe d. Richtige getroffen; **2.** *m* Oberseite, Oberteil; *mpl* ⚙ Schnürboden; *vêtements de ~* Oberbekleidung; *le ~ du panier* d. Allerbeste; d. oberen Zehntausend; *les locataires du ~* d. Mieter über uns; *avoir le ~* d. Oberhand gewinnen; *mettre la main ~ fig* fangen; finden; schnappen; **~-de-lit** [-sydəli] *m 100 (Bett)* Tagesdecke; **~-de-table** [-sydətabl] *m 100* Tischdecke

déstabiliser [destabilizę] d. Gleichgewicht stören

destin [dɛstɛ̃] *m* Schicksal, Geschick; Los; Bestimmung; **~ataire** [-tinatęːr] *m* ✉ Empfänger; **~ation** [-tinasjɔ̃] *f* Bestimmung(sort); *à ~ation de* ✈ nach; **~ée** [-tinę] *f* Schicksal; **~er** [-tinę] bestimmen *(à* für), richten (an)

destitu|er [dɛstituę]: *~er qn d'un emploi* j-n e-s Amtes entheben; **~tion** [-tysjɔ̃] *f* Absetzung, Amtsenthebung

déstockage [destɔkaːʒ] *m* Lagerabbau; Lagerentnahme

destroyer [dɛstrɔjœːr] *m* ⚓ Zerstörer

destruct|eur [dɛstryktœːr] *122* zerstörend, vernichtend; *m* Zerstörer; **~if** [-tif] *112* zerstörerisch; **~ion** [-sjɔ̃] *f* Zerstörung, Vernichtung; Zerschlagung *(a. fig);* Sachbeschädigung; *~ion massive* Massenvernichtung

désu|et [desyę] *116* altmodisch; ungebräuchlich; veraltet; **~étude** [-syetyd] *f* Verfall; Abnutzung, Verschleiß; *~ calculée* gewollte Begrenzung d. Lebensdauer (von Waren); *tomber en ~étude* außer Gebrauch kommen, veralten

désun|ion [dezynjɔ̃] *f* Uneinigkeit, Zwietracht; **~ir** [-niːr] *22* entzweien, uneinig machen

détach|age [detaʃaʒ] *m* Reinigung *(von Kleidern);* Fleckenentfernung; **~ant** [-aɑ̃] *m* Fleckenlösungsmittel; **~é** [-ę] losgelöst, einzeln; *d'un ton ~é* in gelassenem Ton; **~ement** [-taʃmɑ̃] *m* Losgelöstheit; Gelassenheit; *mil* Trupp, Kommando; *~ement avancé* Vorausabteilung; *~ement d'honneur* Ehrenformation; **~er** [-ę] entflecken, reinigen; losmachen, abtrennen, losbinden; *se ~er* hervortreten; s. abheben *(de* von); *à ~er* hier abtrennen

détail [detaj] *m* Einzelheit; Einzelangabe; *com* Kleinhandel; *entrer dans les ~s* auf Einzelheiten eingehen; *expédition de ~* Stückgutsendung; *vente au ~* Kleinhandel; *en ~* ausführlich, im einzelnen; **~lant** [-tajɑ̃] *m*

Kleinhändler; Wiederverkäufer; ~ler [-taje]
com detaillieren; en detail verkaufen; *fig* lang u.
breit erzählen
détaler [detale] *umg* Reißaus nehmen
détax|ation [detaksɑsjɔ̃] *f* Steuerherabsetzung,
Steuerbefreiung; ~er [detakse] (Preis, Steuer,
Porto) herabsetzen, senken *(qch* von etw.)
détect|er [detɛkte] erkennen; aufspüren; auf-
decken; ~*er qch* e-r Sache auf d. Spur kommen;
~eur [-tœ:r] *m* 🔁 Detektor; Sensor; *(Radar)*
Beobachtungsgerät; ~*eur incendie* Feuerwarn-
schalter; ~*eur à galène* Kristalldetektor; ~ion
[-sjɔ̃] Aufspüren; Auffinden; Erkennung; Nachweis; Ortung; ~*ion éloignée* Frühwarnung;
~ive [-ti:v] *m* (Privat-)Detektiv
déteindre [detɛ̃dr] *87* entfärben; d. Farbe
verlieren; abfärben *(sur auf)*
dételer [detle] *4 (Pferd)* ausspannen
détendre [detɑ̃dr] *76 (a. fig)* entspannen
détenir [detni:r] *30* besitzen, bewahren; innehaben
détente [detɑ̃t] *f (Gewehr)* Abzug; Entspannung; Ausspannung; Erholung; *position de ~
entspannte Körperlage ♦ être dur à la ~*
knausern
déten|teur [detɑ̃tœ:r] *m* Besitzer, Inhaber;
~tion [-sjɔ̃] *f* Besitz; Haft; ~*tion provisoire*
Untersuchungshaft; ~*tion cellulaire* Einzelhaft;
~u [detny] *m* Häftling
déterg|ent [detɛrʒɑ̃] *m* Waschmittel; *chem*
grenzflächenaktiver Stoff; ~er [detɛrʒe] *14* 🔁
reinigen
détérior|ation [deterjɔrasjɔ̃] *f* Verschlechte-
rung; Auftreten von Mängeln; Beschädigung;
~er [-re] beschädigen; *se* ~ sich verschlechtern
(Beziehungen)
détermin|ant [detɛrminɑ̃] *108* bestimmend;
ausschlaggebend; *m ling* Bestimmungswort;
~ation [-nasjɔ̃] *f* Bestimmung; Festlegung;
Entschlossenheit; ~é [-ne] bestimmt; entschlossen; ~er [-ne] bestimmen, festlegen; ermitteln;
veranlassen, z. Folge haben
déterr|é [detɛre] *m: avoir la mine d'un ~é*
leichenblaß sein; ~er [-re] *a. fig* ausgraben;
ausfindig machen
détersif [detɛrsif] *m* 🔁 Reinigungsmittel
détest|able [detɛstabl] abscheulich; ~er [-te]
verabscheuen; *se faire* ~*er* s. verhaßt machen
déton|ant [detɔnɑ̃] *108: mélange* ~*ant* Knall-
gas; ~ateur [-natœ:r] *m* Detonator; *a. fig*
Sprengsatz, Zünder; ~ation [-nasjɔ̃] *f* Detonati-
on, Explosion; ~er [-ne] explodieren
détonner [detɔne] falsch singen; nicht zus.pas-
sen; aus d. Rahmen fallen
détor|dre [detɔrdr] *76 (Seil usw.)* aufwinden;
~tiller [-tɔrtije] aufdrehen, -wickeln
détour [detur] *m (Weg)* Biegung; *(Fluß)*
Windung; Umweg ♦ *connaître tous les ~s* alle
Wege u. Schliche kennen; *parler sans ~* ohne
Umschweife reden; ~nement [-turnəmɑ̃] *m*
Unterschlagung; *(Verkehr)* Umleitung; ~*nement d'avion* Flugzeugentführung; ~ *nement de
pouvoir* Willkür, Ermessensmißbrauch; ~ *de
trafic* Verkehrsverlagerung; ~ner [-ne] vom Weg

abbringen; *(Schlag)* ablenken; *(Fluß)* ableiten;
(Kopf, Blick) abwenden; 🐘 umleiten; ⚓
entführen; abspenstig machen; abhalten *(de*
von), unterschlagen, veruntreuen; *(Redesinn)*
verdrehen; ~*ner la conversation* dem Gespräch
e-e andere Wendung geben, e. anderes Thema
anschneiden
détracteur [detraktœ:r] *m* Verleumder
détraqu|é [detrake] *(Maschine)* schadhaft; *il a le
cerveau* ~*é (umg)* er ist nicht ganz klar im Kopf;
~er [-ke] *6 (Maschine)* beschädigen, kaputt
machen; *umg (Geist)* verwirren
détremp|e [detrɑ̃p] *f* Temperafarbe; ~er [-pe]
(Leim) einweichen; *(Weg)* aufweichen; *(Stahl)*
enthärten
détresse [detrɛs] *f* Angst; Not; *navire en* ~
Schiff in Seenot; *signal de* ~ Notsignal; *région
en* ~ Notstandsgebiet
détriment [detrimɑ̃] *m: à mon* ~ zu m-m
Nachteil (Schaden)
détritus [detrity(s)] *m* Schutt, Abfall
détroit [detrwa] *m* Meerenge, Meeresstraße
détromper [detrɔ̃pe] e-s Besseren belehren
détrôner [detrone] *a. fig* entthronen
détrouss|er [detruse] ausplündern, berauben;
~eur [-sœ:r] *m* Straßenräuber; ~*eur de cadavres*
Leichenfledderer
détruire [detrɥi:r] *80* zerstören; vernichten;
zugrunde richten; ~ *la santé* d. Gesundheit
schädigen
dette [dɛt] *f (Geld)* Schuld; *reconnaissance de* ~
Schuldanerkenntnis; ~ *publique* Staatsschuld;
~ *flottante* schwebende S.; *contracter des* ~*s*
Schulden machen; *s'acquitter d'une* ~ e-e
Schuld bezahlen; *être criblé de* ~*s* hochver-
schuldet sein
deuil [dœj] *m* Trauer(fall); *être en* ~ in Trauer
sein ♦ *faire son* ~ *de qch* etw. abschreiben; in d.
Kamin schreiben
deux [dø] zwei; ~ *à* ~ paarweise; ~ *sortes de*
zweierlei; *les* ~ beide; *de* ~ *choses l'une*
entweder oder; *partager en* ~ halbieren; *ça fait*
~ *(umg)* das ist zweierlei; ~ième [døzjɛm]
zweite(r); *au* ~*ième (étage)* im 2. Stock;
~ièmement [-ʒjɛmmɑ̃] zweitens; ~-pièces [-pjɛs]
m 100 Zweizimmerwohnung; *(Kleid)* Zweitei-
ler; ~-points [-pwɛ̃] *m 100* Doppelpunkt;
~-roues [-ru] *m* Zweirad
dévaler [devale] her-(hin-)unterfließen, -gleiten,
-rollen *usw.*
déval|iser [devalize] ausplündern; ~orisation
[-lɔrizasjɔ̃] *f com* Entwertung; *fig* Entmenschlichung; ~oriser [-lɔrize] *com* entwerten; ~uation
[-lɥasjɔ̃] *f com* Abwertung; *fig* Prestigeverlust;
~uer [-lɥe] *com* devalvieren, abwerten
devan|cer [dəvɑ̃se] *15* vorausgehen; überholen;
übertreffen *(qn* j-m); ~*cer l'appel (mil)* s.
freiwillig stellen; ~*cier* [-sje] *m* Vorgänger
devant [dəvɑ̃] **1.** *(räumlich)* vor(aus); vorne;
marche ~*!* geh voran!; *de* ~ Vorder...; *avoir du
temps* ~ *soi* noch Zeit genug haben; **2.** *m*
Vorderteil; *prendre les* ~*s* vorausgehen; *fig* j-m
zuvorkommen; ~ure [-ty:r] *f* Auslage, Schaufenster

dévast|ateur [devastatœ:r] *122* verheerend; **~ation** [-tasjõ] *f* Verwüstung; **~er** [-tẹ] verwüsten

dévein|ard [devɛnạ:r] *m umg* Pechvogel; **~e** [-vɛn] *m umg* Pech

développ|ement [devǝlɔpmã] *m (a. ⓘ)* Entwicklung; Verlauf; Abwicklung; *(Seuche, Fieber)* Umsichgreifen; **~ement du commerce** Förderung d. Handels; **~er** [-lɔpẹ] *a.* ⓘ entwickeln; entfalten ♦ *inutile de ~er* mehr brauche ich nicht zu sagen

devenir [dǝvnị:r] *30* werden; *que vais-je ~?* was soll aus mir werden?; *que devenez-vous?* was machen Sie?

dévergond|age [devɛrgõdạ:ʒ] *m* Schamlosigkeit; **~é** [-dẹ] schamlos

déverrouiller [devɛrujẹ] aufriegeln; ✿ entriegeln

devers [dǝvɛ:r]: *par-~ le juge* 𝕾 vor d. Richter; *retenir par-~ soi* 𝕾 in Händen behalten

dévers [devɛ:r] *m* 𝖂 Überhöhung

dévers|er [devɛrsẹ] ausgießen; *~er sa colère sur qn* s-e Wut an j-m auslassen; *se ~er* abfließen; **~oir** [-swạ:r] *m* Abzugsrinne; Wehr *n*

dévêtir [devɛtị:r] *31* entkleiden

dévia|nt [devjã] *m* Nonkonformist, Abweichler, Andersdenkender; **~tion** [devjasjõ] *f* Abweichung; Ablenkung; *(Zeiger)* Ausschlag; 𝕾 Verkrümmung; 𝖂 Umleitung; **~tionnisme** [-sjɔnịsm(ǝ)] *m pol* Nonkonformismus, Dissidententum; mangelnde Anpassung (an d. herrschende Meinung); **~tionniste** [-sjɔnịst] m Dissident; Abtrünniger

dévid|er [devidẹ] ablenken; abweichen; 𝖂 umleiten; *~ d'un sujet* vom Thema abkommen

devin [dǝvɛ̃] *m* Wahrsager; **~er** [dǝvinẹ] (er)raten; **~ette** [dǝvinɛt] *f* Rätsel(frage)

devis [dǝvị] *m* Kostenvoranschlag; *~ descriptif* Bauleistungsbeschreibung; *~ estimatif* Kostenvoranschlag; *~ de volumes* Raumberechnung

dévisager [devizaʒẹ] *14 (qn jm)* gerade ins Gesicht schauen; scharf anblicken

devis|e [dǝvị:z] *f* Wahlspruch; Motto; *com* Devise; ausländisches Zahlungsmittel; **~er** [-vizẹ] plaudern

dévisser [devisẹ] ab-(los-)schrauben

dévoiler [devwalẹ] *a. fig* entschleiern; *(Geheimnis)* enthüllen

devoir [dǝvwạ:r] **1.** *34* sollen, müssen; schulden, (ver)danken; *(Geld)* schuldig sein; *comme il se doit* gehörig; *il a dû arriver hier* er muß wohl gestern angekommen sein; **2.** *m* Pflicht; *päd* Schulaufgabe, -arbeit; *il est de mon ~ d'agir* es ist m-e Pflicht, zu handeln; *rendre les derniers ~s à qn* j-m d. letzte Ehre erweisen

dévolu [devɔly]: *être ~ à qn* 𝕾 j-m zufallen; *jeter son ~ sur qch* auf etw. e. Auge werfen; **~tion** [-lysjõ] *f* 𝕾 Übergang; Übertragung

dévor|ant [devɔrã] *108 fig* verzehrend; unersättlich; **~er** [-rẹ] *a. fig* verschlingen; *~é d'ambition* von Ehrgeiz verzehrt; *~er un livre* e. Buch verschlingen; *~er des yeux* mit d. Augen verschlingen

dévot [devo] *108* fromm; *m* frommer Mensch; *faux ~* Frömmler; **~ion** [-vɔsjõ] *f* Frömmigkeit, Gottesfurcht; völlige Ergebenheit; *faire ses ~ions* s-e Andacht verrichten

dévou|ement [devumã] *m* Ergebenheit; Einsatzwille; **~er** [-vwẹ] weihen; preisgeben; *se ~er* s. widmen, aufgehen *(à* in); *votre ~é* *(Briefschluß)* Ihr ergebener

dévoyer [devwajẹ]: *se ~ (fig)* vom rechten Wege abkommen, verkommen

dext|érité [dɛksteritẹ] *f* Geschicklichkeit; **~rogyre** [-trɔʒị:r] *phys* rechtsdrehend; **~rose** [-trọ:z] *f* Traubenzucker

dia [dja] *(Fuhrmann)* hott! ♦ *ils tirent à hue et à ~* der e-e will hü, der andere hott

diab|ète [djabɛt] *m* Diabetes, Harnruhr; **~ète sucré** Diabetes mellitus, Zuckerkrankheit; **~étique** [-betịk] zuckerkrank; *m* Diabetiker, Zuckerkranker

diab|le [djabl] *m* Teufel, Satan, Luzifer, Beelzebub, der Leibhaftige, Versucher, Erzfeind; Sackkarre; *bon ~le* guter Kerl; *pauvre ~le* armer Schlucker; *~le d'homme* Teufelskerl; *à la ~le* unordentlich; *~le!* zum Teufel noch mal!; *avoir le ~le au corps* den Teufel im Leib haben; *ce n'est pas le ~le* das ist nicht so schwer; *le ~le et son train* der Teufel u. s-e Großmutter; *faire le ~le à quatre* ein Höllenlärm machen, herumtoben; *que ~le fait-il là?* was, zum Teufel, tut er da?; *tirer le ~le par la queue* s. kümmerlich durchschlagen; *la beauté du ~le* d. vergängliche Schönheit d. Jugend; *une faim du ~le* e. Mordshunger; **~lement** [-blǝmã] *adv* verflucht; verdammt; verteufelt; **~lerie** [-blǝrị] *f* Teufelei; **~lesse** [-blɛs] *f* Teufelin; **~lotin** [-blɔtɛ̃] *m* Teufelchen; *(Kind)* Schalk; **~olique** [-ɔlịk] teuflisch

diac|onat [djakɔnạ] *m* Diakonat; **~re** [djakr] *m* Diakon

diadème [djadɛm] *m* Diadem, Kopfschmuck

diagnos|tic [djagnɔstịk] *m* 𝕾 Diagnose; *établir un ~tic* e-e D. stellen; **~tique** [-tịk] diagnostisch; **~tiquer** [-tikẹ] d. D. stellen, *(Krankheit)* erkennen

diagonal|e [djagɔnạl] *124* diagonal; **~e** [-nạl] *f* Diagonale

diagramme [djagrạm] *m* ✿ Diagramm, Schaubild

dialect|al [djalɛktạl] *124* dialektisch, mundartlich; **~e** [djalɛkt] *m* Mundart(engruppe); **~ique** [-tịk] *phil* dialektisch; *f* Dialektik

dialogu|e [djalɔg] *m* Dialog, Zwiegespräch; *pol* Diskussion, Verhandlung, Unterredung; **~é** [-lɔgẹ] *lit* in Dialogform; **~er** [-lɔgẹ] s. e-m Gespräch stellen, verhandeln; miteinander reden

diamant [djamã] *m* Diamant; Glasschneider; **~aire** [-mãtɛ:r] *m* Diamantschleifer; **~in** [-mãtɛ̃] *109* hart wie Diamant

dia|métral [djametrạl] *124* diametral; **~mètre** [djamɛtr] *m* Durchmesser; **~mètre intérieur** lichte Weite

diane [djan] *f mil* Wecken, Morgenappell

diantre! [djãtr] Teufel noch mal!

diapason [djapazɔ̃] *m* ♪ Stimmgabel; (Stimm)-Umfang; Register; *fig* Übereinstimmung; ~ *normal* ♪ Kammerton; *se mettre au* ~ *des autres* s. auf d. anderen einstellen

diaphane [djafan] durchscheinend, -sichtig

diaphragm|e [djafragm] *m* Membran; ♀ Zwerchfell; ▣ Blende; ~**er** [-me] ▣ abblenden

diapositive [djapozitiːv] *f* Dia(positiv) *n*

diapré [djapre] vielfarbig, bunt

diarrhée [djare] *f* ♀ Durchfall

diatribe [djatriːb] *f* heftige Kritik; Schmähschrift

dict|aphone [diktafɔn] *m* Diktiergerät; ~**ateur** [-tatœːr] *m* Diktator; ~**atorial** [-tatɔrjal] diktatorisch, gebieterisch; ~**ature** [-tatyːr] *f* Diktatur; ~**ée** [-te] *f* Diktat; ~**er** [-te] diktieren; *(Bedingungen)* auferlegen; ~**ion** [diksjɔ̃] *f* Vortrag(sweise); ~**ionnaire** [diksjɔnɛːr] *m* Wörterbuch; ~*ionnaire vivant* wandelndes Lexikon; ~**on** [-tɔ̃] *m* sprichwörtliche Redensart

didactique [didaktik] didaktisch; Lehr…, belehrend

dièse [djɛːz] *m* ♪ Kreuz; *adj: fa* ~ *mineur* fis-Moll

dièt|e[1] [djɛt] *f* ♀ Diät; *mettre à la* ~ *e* j-m e-e Diät verordnen; *être à la* ~ nicht alles *(od* nichts) essen dürfen; ~**éticienne** [-etisjɛn] *f* Diätistin, Diätassistentin

diète[2] [djɛt] *f pol* Reichstag

dieu [djø] *m* 91 Gott(heit); ⚜ Gott; *crainte de* ⚜ Gottesfurcht; *croire en* ⚜ an Gott glauben; ⚜ *merci!* gottlob; *le bon* ⚜ d. liebe Gott; *plût à* ⚜ *que…* wolle Gott, daß…

diffam|ant [difamã] *108* ehrenrührig, verleumderisch; ~**ation** [-masjɔ̃] *f* üble Nachrede; Verächtlichmachung; Verleumdung; ~**atoire** [-matwaːr] verleumderisch; ~**er** [-me] entehren; in Verruf bringen

différ|é [difere] *m: émission en* ~*é* ♨ spätere Sendung, Übertragung; ~**ence** [-rãs] *f* Unterschied; Verschiedenheit; *math* Differenz; *à la* ~*ence de* zum Unterschied von; *avec cette* ~*ence que* mit d. Unterschied, daß; ~**enciation** [-rãsjasjɔ̃] *f* Differenzierung; ~**encier** [-rãsje] differenzieren; ~**end** [-rã] *m* Meinungsverschiedenheit; ~**ent** [-rã] *108* verschieden; *c'est* ~*ent* das ist etw. anderes; ~**entiable** [-rãsjabl] *math* differenzierbar; ~**entiel** [-rãsjɛl] **1.** *115* Unterscheidungs…; *math.* ⚙ Differential…; **2.** *m* 🚗 Ausgleichs-(Differential-)Getriebe; ~**er** [-re] *13* auf-(ver-, hinaus-)schieben; abweichen; verschieden sein *(de* von)

diffi|cile [difisil] schwierig; schwer zu behandeln; anspruchsvoll; ~*cile à comprendre* schwer verständlich; ~**culté** [-kylte] *f* **1.** Schwierigkeit; *sans* ~*cultés* reibungslos; **2.** Einwand, Bedenken

difform|e [difɔrm] unförmig; mißgestaltet; ~**ité** [-fɔrmite] *f* Unförmigkeit; Mißbildung

diffract|er [difrakte] *(Licht)* ungleichmäßig reflektieren, beugen, brechen; ~**ion** [-sjɔ̃] *f (Licht)* diffuse Reflexion, Beugung

diffus [dify] *108* unbestimmt; unklar, gestreut; *lumière* ~*e* diffuses Licht; *(Stil)* weitschweifig; ~**er** [-ze] *(Nachrichten)* verbreiten; ♨ senden, ausstrahlen, übertragen; *com* vertreiben; ~*er en direct* ♨ direkt übertragen; ~**eur** [-zœːr] *m* 🚗 (Vergaser-)Düse; Zerstäuber; Lautsprecher; *journ* Auslieferer; ~**ion** [-zjɔ̃] *f (Nachrichten)* Verbreitung; Ausbreitung; ♨ Übertragung; *phys* Zerstreuung, Streuung

digérer [diʒere] *13 (a. fig)* verdauen

digest|e [diʒɛst] *umg* (leicht) verdaulich; ~**if** [-ʒɛstif] *112* Verdauungs…; ~**ion** [-tjɔ̃] *f* Verdauung

digital[1] [diʒital] *124* Finger…; *empreinte* ~*e* F.abdruck; ~**e** [-tal] *f bot* Fingerhut

digital[2] [diʒital] *adj* digital, numerisch, Daten u. Informationen in Ziffern darstellend; *lecture* ~*e* numerische Ablesung

digne [diɲ] würdig; wert; ~ *de foi* glaubhaft; vertrauenswürdig; ~ *d'intérêt* förderungswürdig; ~ *de considération* beachtenswert; ~ *d'efforts* erstrebenswert; ~ *de confiance* zuverlässig; *ce serait peu* ~ *de moi* ich halte das für unter m-r Würde

dignit|aire [diɲitɛːr] *m* Würdenträger; ~**é** [-te] *f* Würde; Ehrenamt; *avec* ~*é* würdevoll

digression [digresjɔ̃] *f* Abschweifung

digue [dig] *f* Damm, Deich

dilapid|ation [dilapidasjɔ̃] *f (Vermögen)* Vergeudung; ~**er** [-de] *(Vermögen)* vergeuden

dilat|ation [dilatasjɔ̃] *f phys*, ♀ Dehnung; Erweiterung; ~**er** [-te] *phys*, ♀ (aus-)dehnen, strecken; erweitern; ~*er le cœur* d. Herz erfreuen; ~**oire** [-twaːr] ♐ aufschiebend

dilemme [dilɛm] *m* Dilemma, Zwangslage

dilettant|e [diletãt] *m* Dilettant; ~**isme** [-tãtism] *m* Dilettantismus

dilig|ence [diliʒãs] *f* Flinkheit, Emsigkeit; Postkutsche; *à la* ~*ce de qn* auf Antrag von…; ~**t** [-ʒã] *108, 127* flink, emsig; *soins* ~*ts* Sorgfalt

diluer [dilye] *chem* auflösen; verdünnen

diluvien [dilyvjɛ̃] *118: pluie* ~*ne* Wolkenbruch

dimanche [dimãʃ] *m* Sonntag; *conducteur du* ~ Sonntagsfahrer

dîme [dim] *f hist* Zehnte; Anteil *(den man s. sichert)*

dimension [dimãsjɔ̃] *f* Dimension, Ausdehnung; *fig* Bedeutung, Bedeutsamkeit, Wichtigkeit, Relevanz; ~ *d'une entreprise* Betriebsgröße, Unternehmensumfang; *prendre la* ~ *de qch* d. Bedeutung e-r Sache erkennen; *de* ~*s mondiales* weltweit

diminu|é [diminɥe] *m: ~é physique* Körperbehinderter; ~**er** [-nɥe] *vt* vermindern; verkleinern; schmälern; *(Preis)* herabsetzen; *(Stricken)* abnehmen; *vi* ♀ s. verjüngen; kleiner werden; abmagern; *(Fieber)* heruntergehen; *le froid* ~*e* d. Kälte läßt nach; ~**tif** [-nytif] *112* verkleinernd; *ling* Diminutiv…; ~**tion** [-nysjɔ̃] *f* Verringerung; Abnahme; Verminderung; *(Stricken)* Abnehmen; ~*tion des effectifs* Personalabbau; ~*tion de prix* Preissenkung

dind|e [dɛ̃d] *f* Truthenne, Pute; *umg* dumme Gans; ~**on** [-dɔ̃] *m* Truthahn ♦ *être le* ~*on de la* *farce* der Geprellte sein; **~onner** [-dɔnę] *umg* betrügen, anführen

dîn|er [dine] zu Abend essen; *m* Abendessen; *(in Belgien u. in d. Schweiz)* Mittagessen; ~*er en ville* auswärts essen; **~ette** [-nęt] *f* Zwischenmahlzeit; kleiner Imbiß

dingue [dɛ̃g], **dingo** [dɛ̃gọ] *pop* irre, verrückt; meschugge, plemplem

diphtérie [difterį] *f* Diphtherie

diphtongue [diftɔ̃g] *f ling* Doppellaut

diplomat|e [diplɔmąt] *a. fig* diplomatisch; *m* Diplomat; **~ie** [-masį] *f (a. fig)* Diplomatie; **~ique** [-matįk] *pol* diplomatisch; *corps ~ique* diplomatisches Korps

diplôm|e [diplọm] *m* Diplom, Urkunde; Prüfungszeugnis; ~*e de bachelier* Reifezeugnis; **~é** [-plọmę] geprüft, diplomiert

dire [dịːr] **1.** *65* sagen, hersagen; erzählen; ausdrücken, bedeuten; behaupten; ~ *la bonne aventure* wahrsagen; ~ *sa leçon* s-e Aufgabe hersagen; ~ *la messe* d. Messe lesen; *je vous dis de*... ich befehle Ihnen, zu...; *il dit être ruiné* er behauptet, ruiniert zu sein; *il se dit mon ami* er nennt s. mein Freund; *à qui le dites-vous!* das brauchen Sie mir doch nicht zu sagen!; *si le cœur vous en dit* wenn Sie wollen; *cela ne me dit rien* ich habe k-e Lust dazu; *c'est dit!* abgemacht!; *cela va sans* ~ d. ist selbstverständlich (versteht sich); *j'ai entendu* ~ *que*... ich habe gehört, daß...; *il a beau* ~ er mag sagen, was er will; ~ *que je l'ai encore vu hier* wenn man bedenkt, daß ich ihn noch gestern traf; *dis donc!* hör mal!; *tiens-le toi pour dit* laß es dir gesagt sein!; *à vrai* ~ offen gestanden; *autant* ~ *rien* so gut wie nichts; *comme qui dirait, pour ainsi* ~ sozusagen; **2.** *m* Aussage, Angabe; *selon ses* ~*s* nach s-n Angaben; *au* ~ *des gens*... wie d. Leute behaupten...

direct [dirękt] **1.** direkt; gerade, unmittelbar; *le chemin* ~ d. gerade Weg; *complément* ~ *(ling)* Akkusativobjekt; *discours* ~ *(ling)* direkte Rede; *en* ~ ⚡ live, original übertragen, direkt gesendet; *émission en* ~ Live-Sendung, Direktübertragung; **2.** *m (Boxen)* Gerade(r); **~eur** [-rɛktœːr] *122* leitend; *m* Direktor; Leiter; ~*eur de conscience* Beichtvater; **~ion** [-rɛksjɔ̃] *f* Direktion; Leitung; Führung; Geschäftsleitung; Lenkung; Richtung; ~*ion à distance* Fernsteuerung; ~*ion à gauche* ⊖ Linkssteuerung; ~*tion des travaux* Bauleitung; ~*tion du vent* Windrichtung; **~ionnel** [-rɛksjɔnɛl] *adj: antenne ~ionnelle* Richtantenne; *m* Richtungskreisel, Kurszeiger; **~ive** [-rɛktịːv] *f* Direktive, Richtlinie; Weisung; *pl* Betriebsanweisung; **~rice** [-trịs] *f* Leiterin; *math* Leitlinie

dirig|eable [dirižąbl] lenkbar; *m* Luftschiff; **~eant** [-ʒɑ̃] *108* leitend; *mpl* d. regierenden Kreise; d. führenden Männer, Machthaber; **~er** [-ʒe] *14* leiten; führen; *(Schritte, Aufmerksamkeit)* lenken; *(Blicke)* richten *(vers* auf); **~isme** [-ʒịsm] *m com* gelenkte Wirtschaft

discern|able [disɛrnąbl] unterscheidbar; erkennbar; **~ement** [-nǝmą] *m* Unterscheidung(svermögen); *sans ~ement* urteilslos, ⚙ unzu-

rechnungsfähig; **~er** [-nę] unterscheiden; erkennen

discipl|e [disipl] *m* Jünger; *(wissenschaftl.)* Schüler; **~inaire** [-plinęːr] Disziplinar...; **~ine** [-plịn] *f* Disziplin, Zucht; Fachrichtung; Studien-, Unterrichtsfach; *rel* Geißel(-ung)

disc-jockey [diskʒɔkę] *m* Diskjockey, Ansager von Schallplatten

disco [diskọ] *f* Diskothek, Tanzlokal

discontin|u [diskɔ̃tiny] unzusammenhängend; *phys* diskontinuierlich; *math* unstetig; **~uer** [-nųę] aufhören *(de* zu); **~uité** [-nųitę] *f* Zusammenhanglosigkeit

disconvenir [diskɔ̃vnịːr] *30* in Abrede stellen; leugnen *(de qch* etw.)

discophile [diskɔfịl] *m* Schallplattenliebhaber

discord|ance [diskɔrdɑ̃s] *f (a. fig)* Mißton; **~ant** [-dɑ̃] *108* unvereinbar, uneinheitlich; *les avis sont ~ants* d. Meinungen gehen auseinander; *son ~ant* ♪ Mißklang; **~e** [-kɔrd] *f* Zwietracht; *pomme de ~e* Zankapfel

discothèque [diskɔtęk] *f* Diskothek; Schallplattensammlung

discount [diskaunt] *m* Preisnachlaß; Einkaufszentrum

discour|eur [diskurœːr] *m* Schwätzer; **~ir** [-rịːr] *19* ausführlich besprechen *(de, sur qch* etw.); hin u. her reden; **~s** [-kųr] *m* Rede; Redeweise; **~s** *gouvernemental* Meinung in Regierungskreisen, Regierungsoptik; ~*s politique* Ideologie, Systemdenken

discourtois [diskurtwa] *108* unhöflich

discrédit [diskredį] *m* Mißkredit; **~er** [-ditę] um d. guten Ruf bringen

dis|cret [diskrę] *116* diskret, zurückhaltend; unauffällig; umsichtig; verschwiegen; **~crétion** [-kresjɔ̃] *f* Diskretion, Zurückhaltung; Umsicht; Verschwiegenheit; Belieben; *à ~crétion* nach Belieben; *manque à la ~crétion* Verletzung d. Schweigepflicht; **~crétionnaire** [-kresjɔnɛr] dem eigenen Ermessen überlassen

discrimination [diskriminasjɔ̃] *f* Unterscheidung(svermögen); Diskriminierung; Herabwürdigung; unterschiedliche Behandlung; *(Radar)* Auflösungsvermögen

disculper [diskylpę] rechtfertigen *(de* wegen)

discussion [diskysjɔ̃] *f* Diskussion, Besprechung, Erörterung; Streit, Zank; *en* ~ zur Beratung stehend; ~ *finale* Schlußbesprechung; ~ *générale* allg. Aussprache

discut|able [diskytąbl] bestreitbar; anfechtbar; *fort ~able* höchst fragwürdig; **~ailler** [-taję] *(sur qch* etw.) zerreden; **~é** [-tę] umstritten; **~er** [-tę] diskutieren, besprechen; erörtern; ~*er le prix* um d. Preis handeln

disert [dizęːr] *108* redegewandt

disette [dizęt] *f* Hungersnot; Knappheit; Mangel *(de* an)

diseu|r [dizœːr] *m* Vortragskünstler; ~*r de bons mots* Witzeerzähler; **~se** [-zøːz] *f:* ~*se de bonne aventure* Wahrsagerin

disgrâce [disgrɑs] *f* Ungnade; Unglück; Häßlichkeit

disgraci|é [disgrasję] *(von Natur od Schicksal)*

stiefmütterlich behandelt; ~er [-sjɛ] in Ungnade fallen lassen; ~eux [-sjø] *111* unelegant; *(Aussehen)* unvorteilhaft; unfreundlich
disjoindre [disʒwɛ̃dr] *87* trennen
disjonct|eur [disʒɔ̃ktœːr] *m* ⚡ Schutzschalter, Selbstschalter; ~ion [-sjɔ̃] *f* ⚡ Abschaltung; *math* Disjunktion
dislo|cation [dislɔkasjɔ̃] *f* Zerstückelung; *(Geleise)* Lockerung; Versetzung; ~quer [-kɛ] 6 *(Maschine unsachgemäß)* auseinandernehmen; zerstückeln; ⚡ ausrenken
disparaitre [disparɛtr] *61* verschwinden; sterben; vermißt werden
dispar|ate [disparat] ungleichmäßig; unzus.hängend; ~ité [-ritɛ] *f* Ungleichheit
dispar|ition [disparisjɔ̃] *f* Verschwinden; Hinscheiden; ~u [-ry] verschollen; *m mil* Vermißter
dispen|dieux [dispãdjø] *111* kostspielig; ~saire [-sɛːr] *m* Klinik *(für ambulante, unentgeltl. Behandlung);* ~sateur [-satœːr] *m lit* Spender; ~se [-pãs] *f* Befreiung (von e-r Verpflichtung); Erlaß; ~ser [-sɛ] *lit* spenden; erlassen *(qn de qch* j-m etw.); dispensieren *(de* von)
dispers|ant [dispɛrsã] *m* Dispergiermittel; ~er [dispɛrsɛ] zerstreuen; zersprengen; ~ er ses *efforts* s. verzetteln; ~ion [-sjɔ̃] *f* Zerstreuung; Zersplitterung; *phys* Streuung *(d. Lichts)*
disponib|ilité [dispɔnibilitɛ] *f* Verfügbarkeit; *pl* flüssiges Kapital; ~le [-nibl] verfügbar; *(im Handel)* erhältlich; *(Kapital)* flüssig; *m* Bargeld
dispos [dispo] *108* munter; *(Stimmung)* aufgeräumt; *(Geist)* geweckt; *frais* e ~ frisch und munter; ~er [-pozɛ] disponieren, (an)ordnen; verfügen *(de* über); *être* ~é à zu etw. geneigt (gewillt) sein; *il est bien* ~é *pour moi* er meint es gut mit mir; *se* ~er à *partir* s. reisefertig machen; ~itif [-zitif] *m* ⚙ Vorrichtung, Einrichtung, Gerät; Apparatur, Anlage; ~itif de *combat* Kampfverband; ~itif de *commande* Bedienteil; ~itif de freinage Bremsvorrichtung; ~itif de protection Schutzv.; ~ition [-zisjɔ̃] *f* Disposition, Anordnung; Anlage; Aufbau; Einrichtung; Verfügung; Hang *(à* zu); Verfassung; *pl* Begabung *(pour* für); *je suis à votre* ~ition ich stehe zu Ihrer Verfügung; *prendre ses* ~itions Vorkehrungen treffen; ~itions *testamentaires* letztwillige Verfügungen; ~ition *d'application* 🔁 Ausführungsbestimmung; *droit de libre* ~ition Selbstbestimmungsrecht; *sauf* ~itions contraires falls nichts anderes bestimmt
disproportion [dispropɔrsjɔ̃] *f* Mißverhältnis
disput|e [dispyt] *f* Wortwechsel; Streit; ~er [-pytɛ] streiten *(de* über); wetteifern (mit j-m); *umg* tadeln; ~ er le pas à qn j-m etw. Vorrang streitig machen; ~ er un match 🏉 e. Spiel austragen; ~ er un rallye an e-m (Automobil-)-Rennen teilnehmen; se ~er avec qn mit j-m streiten *(od* zanken); se ~er qch s. um etw. streiten
disquaire [diskɛːr] *m* Schallplattenhändler; Plattenshop
disqualifi|cation [diskalifikasjɔ̃] *f* Disqualifizierung, Ausschließung; ~er [-fjɛ] disqualifizieren

disque [disk] *m* Scheibe; Schallplatte; 🚩 Signalscheibe; 🎯 Diskus; ~ *d'appel* ☎ Wählscheibe; ~ de frein Bremsscheibe; ~ *(à) microsillon(s)* Langspielplatte; ~ de stationnement Parkscheibe
dissection [disɛksjɔ̃] *f* ⚕ Sezieren
dissembl|able [disãblabl] ungleich; unähnlich; ~ance [-blãs] *f* Ungleichheit; Unähnlichkeit
dissémin|ation [diseminasjɔ̃] *f* Aus-, Zerstreuung; ~ation des armes nucléaires Verbreitung d. Atomwaffen; ~er [-nɛ] ausstreuen; weiterbreiten
dissen|sion [disãsjɔ̃] *f* Mißhelligkeit; Zwietracht; ~timent [-timã] *m* Meinungsverschiedenheit; Spannung
disséquer [disekɛ] 6 ⚕ sezieren
dissert|ation [disɛrtasjɔ̃] *f* Aufsatz; Abhandlung; ~er [-tɛ] (gelehrt) sprechen *(sur* über)
dissidence [disidãs] *f* (Glaubens-) Spaltung; (Meinungs-)Verschiedenheit
dissimul|ation [disimylasjɔ̃] *f* Verstellung(skunst); Heimlichtuerei; ~er [-lɛ] verbergen; verstecken; *com* verschleiern; *ne pas se* ~er *que...* s. nicht verhehlen, daß...
dissip|ateur [disipatœːr] *122* verschwenderisch; *m* Verschwender; ~ation [-pasjɔ̃] *f* Verschwendung; verschwenderische Lebensführung; Zerstreutheit; ~er [-pɛ] *(Zweifel)* beseitigen
dissocier [disɔsjɛ] trennen; *chem* auflösen; aufspalten
dissol|u [disɔly] ausschweifend; *mœurs* ~ues Lasterhaftigkeit; ~uble [-lybl] löslich; ~ution [-lysjɔ̃] *f (phys u. fig)* Auflösung; *chem* Lösung; 🛞 Gummilösung; ~ution des mœurs Sittenverfall; ~vant [-vã] *m chem* Lösungsmittel
dissonan|ce [disɔnãs] *f* Mißklang; 🎵 Dissonanz; ~t [-nã] *108* mißtönend; *accord* ~t falscher Akkord
dissou|dre [disydr] *51 (phys, com, pol,* 🔗*)* (auf)lösen; *qui se* ~t *(phys)* löslich; ~s [disy] aufgelöst
dissua|der [disɥadɛ] von e-m Vorhaben abbringen; ausreden, abraten; ~sif [disɥazif] *adj* abschreckend; *moyen* ~sif Abschreckungsmittel; ~sion [-zjɔ̃] *f* Abschreckung; *forces de* ~sion Abschreckungskraft; *arme de* ~sion *(a. fig)* Abschreckungswaffe
distan|ce [distãs] *f* Abstand, Entfernung *(de* von); *à* ~ce von weitem; *tenir qn à* ~ce j-n fernhalten; ~cer [-sɛ] *15* hinter s. lassen; überholen; *vt* auseinanderrücken; ~ciation [-sjasjɔ̃] Entfremdung; Verfremdungseffekt; ~t [-tã] *108 math* entfernt; *(Benehmen)* reserviert
disten|dre [distãdr] *76* überdehnen; ~sion [-tãsjɔ̃] *f* übermäßige Ausdehnung
distill|ateur [distilatœːr] *m* Destillateur, Branntweinbrenner; ~ation [-lasjɔ̃] *f* Destillation; *(Branntwein)* Brennen; ~er [-lɛ] destillieren; *(Branntwein)* brennen; ~erie [-tilri] *f* Brennerei
distinct [distɛ̃] *108* unterschieden; deutlich; ~if [-tɛktif] *112* unterschiedend; ~ion [-tɛksjɔ̃] *f* Unterscheidung; Trennung; Auszeichnung; Verdientheit; Vornehmheit; *sans* ~ion *de personnes* ohne Ansehen der Person

distingu|é [distɛ̃ge] vornehm; hervorragend; **~er** [-ge] 6 unterscheiden *(de* von); auszeichnen; **~o** [-go] *m: faire un ~o* unterscheiden

distorsion [distɔrsjɔ̃] *f* ⚡ Verrenkung; (⬦ *Klang, Fernsehbild)* Verzerrung; *fig* Gefälle, Unterschied, Ungleichgewicht

distraction [distraksjɔ̃] *f* Zerstreuung; Zerstreutheit; ♏ Aussonderung; *faire ~ d'une somme* e-e Summe abziehen

distrai|re [distrɛːr] 66 zerstreuen; ablenken *(de* von); *(Geld)* unterschlagen; **~t** [-trɛ] *108* zerstreut, unaufmerksam

distrayant [distrɛjɑ̃] *108* entspannend

distribu|er [distribɥe] ver-, austeilen; *(Dividende)* ausschütten; **~er son temps** s-e Zeit einteilen; **~er la composition** ▦ Schriftsatz ablegen; **~teur** [-bytœːr] *m* Ver-, Austeiler; Lieferfirma; ▦ Auslieferer; *(Dampfmasch.)* Steuerung; 🚗 Verteiler; **~teur automatique** Automat; **~teur d'essence** Zapfsäule; **~tion** [-bysjɔ̃] *f* Verteilung; ⚖ Austragung, Zustellung; ▦ Auslieferung; ♉ (Rollen-)Besetzung; ⚙ Steuervorrichtung; Ventilsteuerung

district [distri(kt)] *m* Bezirk

dit [di] *108* genannt *(Louis, ~ le Grand* Ludwig, d. Große genannt); *m lit* (Aus-)Spruch

diurétique [djyretik] ⚡ harntreibend; *m* ⚡ Diuretikum, harntr. Mittel

diurne [djyrn] Tag…; e-n Tag dauernd; *papillon ~* Tagfalter

divag|ation [divagasjɔ̃] *f* Umherirren; *(Hund)* Streunen; *pl* Faselei, Gefasel; **~uer** [-ge] umherirren; streunen; irrereden; faseln; *tu ~ues* du bist nicht bei Trost

divan [divɑ̃] *m* Diwan

diverg|ence [divɛrʒɑ̃s] *f* Abweichung; *math, phys* Divergenz; Gegensätzlichkeit; **~ent** [-ʒɑ̃] *108 (math, phys)* divergierend; **~er** [-ʒe] divergieren; auseinandergehen, voneinander abweichen

diver|s [divɛːr] *108* verschiedene; mehrere; *à ~ ses reprises* mehrmals; *à ~s égards* in mehrfacher Hinsicht; *faits ~s (journ)* Vermischtes, «Unglücksfälle und Verbrechen»; **~sification** [-sifikasjɔ̃] *com* Diversifikation; **~sifier** [-sifje] abwechslungsreich gestalten; **~sion** [-sjɔ̃] *f* Ablenkung(smanöver); **~sité** [-site] *f* Verschiedenheit; Mannigfaltigkeit; **~tir** [-tiːr] *22* belustigen; *se ~tir* s. unterhalten, s. zerstreuen; **~tissant** [-tisɑ̃] *108* belustigend; **~tissement** [-tismɑ̃] *m* Belustigung; ♈, ♪ Zwischenspiel

divette [divɛt] *f* Operetten-, Kabarettsängerin

dividende [dividɑ̃d] *m math* Dividend *m; com* Dividende *f;* Ausschüttung

divin [divɛ̃] *109* göttlich; *de droit ~* von Gottes Gnaden; **~ation** [-vinasjɔ̃] *f* Wahrsagekunst; **~ité** [-vinite] *f* Göttlichkeit; *myth* Gottheit

divis|er [divize] (ab-, ein)teilen; zerlegen; scheiden; entzweien; dividieren; **~er par trois** durch drei dividieren; *se ~er* uneinig werden; *phys* zerfallen *(en* zu); **~eur** [-zœːr] *m math* Divisor; **~ibilité** [-zibilte] *f (a. math, phys)* Teilbarkeit; **~ible** [-zibl] *(a. math, phys)* teilbar; **~ion** [-zjɔ̃] *f (math, mil)* Division, Teilung;

Einteilung; Abteilung; *(Buch)* Abschnitt; Uneinigkeit; *~ion du travail* Arbeitsteilung; *~ion cellulaire (biol)* Zellteilung; **~ionnaire** [-zjɔnɛːr] Divisions…; *monnaie ~ionnaire* Scheidemünze; *m* Divisionsgeneral

divorc|e [divɔrs] *m* Ehescheidung; Bruch; Gegensatz; Unstimmigkeit; Widerspruch; Meinungsverschiedenheit; **~é** [-se] *m* Geschiedener; **~er** [-se] *15* s. scheiden lassen *(d'avec* von); brechen *(avec* mit)

divulg|ation [divylgasjɔ̃] *f* Verbreitung; Popularisierung; Vulgarisation; **~uer** [-ge] 6 verbreiten, unter d. Leute bringen; popularisieren; vulgarisieren; **~uer au grand public** e-m größeren Publikum nahebringen

dix [dis, di] *132* zehn; *m* Zehn; *le 10 mai* der (den, am) 10. Mai; **~ième** [dizjɛm] zehnte(r); *m* Zehntel

dizaine [dizɛn] *f* Zehnergruppe; *une ~ de …* etwa zehn…

do [do] *m* ♪ c; *~ dièse* cis

docil|e [dɔsil] gelehrig; gefügig; **~ité** [-lite] *f* Gelehrigkeit; Gefügigkeit

dock [dɔk] *m* ⚓ Dock; Hafenanlage; Lagerhaus; *~ flottant* Schwimmdock; **~er** [-kɛr] *m* Hafenarbeiter, Schauermann

doct|e [dɔkt] *a. iron* gelehrt; **~eur** [-tœːr] *m* Doktor; Arzt; **~eur en droit** Doktor der Rechte, Dr. jur.; **~eur ès lettres** Doktor der Philosophie, Dr.phil.; **~eur de l'Église** Kirchenlehrer; **~oral** [-tɔral] *124* pedantisch; **~orat** [-tɔra] *m* Doktor(würde); **~oresse** [-tɔrɛs] *f* Ärztin; **~rinaire** [-trinɛːr] doktrinär; *m* Doktrinär; **~rine** [-trin] *f* Lehre; Lehrmeinung; Grundsätze

document [dɔkymɑ̃] *m* Urkunde, Dokument; *pl* Unterlagen; *~ comptable* Buchungsbeleg; *~ secret* Verschlußsache; *~ de transport* Versandpapiere; **~aire** [-tɛːr] urkundlich; *(film) ~aire (m)* Dokumentarfilm; **~ation** [-tasjɔ̃] *f* Dokumentation, Belege; Urkundenmaterial; *com* Druckschriften, Prospekte; technische Unterlagen; **~er** [-te] dokumentieren, durch Unterlagen belegen; *se ~er* s. erkundigen

dodeliner [dɔdline]: *~ (de) la tête* d. Kopf hin und her wiegen

dodo [dɔdo] *m (Kindersprache)* Heia(bettchen)

dodu [dɔdy] feist, fett

dogm|atique [dɔgmatik] dogmatisch; *f* Dogmatik; **~atiser** [-matize] selbstherrlich *od* schulmeisterlich reden; **~e** [dɔgm] *m* Dogma, Glaubenssatz; Lehrsatz

dogue [dɔg] *m* (Bull-)Dogge ♦ *d'une humeur de ~* bärbeißig

doigt [dwa] *m* Finger(breite); ⚙ Zapfen; Bolzen; Nocken; *~s de pied* Zehen; *deux ~s de vin* e. Schlückchen Wein; *montrer qn (qch) du ~* mit dem Finger auf j-n (etw.) zeigen; *avoir de l'esprit jusqu'au bout des ~s* vor Geist sprühen; *avoir les ~s crochus* lange Finger haben; *être à deux ~s de sa ruine* s-m Untergang nahe sein; *se mettre le ~ dans l'œil (umg)* s. gewaltig verrechnen; **~é** [dwate] *m* ♪ Fingersatz; Taktgefühl; **~ier** [-tje] *m* Fingerling

doit [dwa] *m com* Soll; *~ et avoir* Soll u. Haben

dol [dɔl] *m* 🐍 arglistige Täuschung
doléances [dɔleãs] *fpl* Beschwerde
dolent [dɔlã] *108* kläglich; traurig
domaine [dɔmɛn] *m* (Land-)Gut; *fig* Bereich; Arbeitsgebiet; ~ *d'emploi* Anwendungsbereich; ~ *de validité* Gültigkeitsbereich; *tomber dans le* ~ *public (geistiges Eigentum)* frei werden; *dans ce* ~ *(fig)* auf diesem Gebiet
dôme [do:m] *m* 🏛 Kuppel; Gewölbe
domest|ication [dɔmɛstikasjõ] *f (Tiere)* Zähmung; **~icité** [-tisite] *f* Dienerschaft; **~ique** [-tik] 1. Haus...; häuslich; *économie ~ique* Hauswirtschaft; *animal ~ique* Haustier; 2. *m* Diener; **~iquer** [-tike] *6* zum Haustier machen; zähmen; kirre machen
domicil|e [dɔmisil] *m* Wohnsitz; Wohnort; *travail à* ~*e* Heimarbeit; *visite à* ~*e* Hausbesuch; **~iaire** [-ljɛːr]: *visite ~iaire* Haus(durch)suchung; **~ié** [-silje] wohnhaft, ansässig *(à in)*
domin|ant [dɔminã] *108* (vor)herrschend; *(Erbgang)* dominant, überdeckend; Haupt...; **~ante** [-nãt] *f* ♪ Dominante; **~ateur** [-natœːr] *122* (be-)herrschend; *m* Beherrscher; **~ation** [-nasjõ] *f* Beherrschung; Herrschaft; **~er** [-ne] beherrschen, vorherrschen; überragen; *se* ~*er* s. beherrschen; **~icain** [-nikɛ̃] *m* Dominikaner; **~ical** [-nikal] *124* sonntäglich; *repos ~ical* Sonntagsruhe; *oraison ~icale* Vaterunser; **~ion** [-minjõ] *m* Dominium; **~o** [-minɔ] *m* *102* Domino; *pl* Dominospiel
dommage [dɔmaːʒ] *m* Schaden; ~*e corporel* Personenschaden; ~*e matériel* Sachschaden; ~*e moral* immaterieller Schaden, Nichtvermögensschaden; ~*es de guerre* Kriegsschäden; *c'est* ~*e!* schade!; **~eable** [-maʒabl] nachteilig; schädlich; **~es-intérêts** [-maʒeterɛ] *mpl* Schadenersatz
dompt|age [dõtaːʒ] *m* Bändigung; **~er** [-te] *a. fig* bändigen; bezähmen; **~eur** [-tœːr] *m* (Tier-)Bändiger
don [dõ] *m* Gabe; Geschenk; *avoir le* ~ *de la parole* redegewandt sein; ~ *des langues* Sprachbegabung; *faire* ~ *(de)* schenken; **~ataire** [dɔnatɛːr] *m* Beschenkter; **~ateur** [dɔnatœːr] *m* 🐍 Schenker; **~ation** [dɔnasjõ] *f* 🐍 Schenkung
donc [dõ(k)] also; doch; denn; *allons* ~*!* ach was!; *dites* ~*!* hören Sie mal!; *et moi* ~*!* und ich erst!; *pourquoi* ~*?* wieso denn?
dondon [dõdõ] *f umg* Trampel, mollige(s) Frau (Mädchen)
donjon [dõʒõ] *m* Schloßturm; Bergfried
donn|ant [dɔnã]: *il n'est pas très* ~*ant (umg)* er ist e. Geizhals; ~*ant* ~*ant* Zug um Zug; **~e** [dɔn] *f* (Karten-)Geben; *à toi la* ~*e!* (Spiel) du gibst!; **~é** [-ne]: *étant* ~*é...* in Anbetracht...; *étant* ~*é que* da, weil; **~ée** [-ne] *f* Gegebenheit; *math* gegebene Größe; *pl* Daten, Tatsachen; ~*ée chiffrée* Zahlenangabe; ~*ée initiale* Eingangswert; **~er** [-ne] 1. *vt* geben, schenken; verteilen; *(Befehl)* erteilen; verursachen; erzeugen; *(Früchte)* tragen; *pop* verpfeifen; ~*er le bonjour* guten Tag wünschen; ~*er l'exemple* mit gutem Beispiel vorangehen; ~*er lieu à* Anlaß

sein zu; ~*er la main* d. Hand reichen; ~*er sa main* heiraten; ~*er raison* zustimmen, recht geben; ~*er tort* unrecht geben; *quel âge me* ~*ez-vous?* wie alt schätzen Sie mich?; *je vous le* ~*e en mille* ich wette, was Sie wollen; 2. *vi* ergiebig sein; anrennen *(contre* gegen); hineinstoßen *(dans* in); *(Sonne)* scheinen; *la fenêtre* ~*e sur la rue* d. Fenster geht auf d. Straße; ~*er tête baissée dans* s. stürzen in; ~*er à rire* Anlaß z. Lachen geben; ~*er à penser* nachdenklich stimmen; ~*er sur les doigts* auf d. Finger klopfen; ~*er dans le piège* (od *le panneau)* in d. Falle gehen; 3. *se* ~*er à* s. hingeben, s. widmen; *se* ~*er pour* s. ausgeben als; *se* ~*er des airs* s. aufspielen, angeben; *se* ~*er le bras* Arm in Arm gehen; **~eur** [-nœːr] *m* Geber; *pop* Zuträger; ~*eur (de sang)* Blutspender
dont [dõ] dessen, deren; von dem; von der; *l'homme* ~ *je parle* d. Mann, von dem ich spreche; *six personnes,* ~ *lui-même* 6 Personen, darunter er selbst; *ce* ~ *je doute* was ich bezweifle; ~ *acte* hierüber Urkunde
donzelle [dõzɛl] *f umg* Weibsstück
dop|age [dɔpaːʒ] *m* Doping *n*; **~ant** [-pã] *m* Dopingmittel, leistungssteigernde (unzulässige) Medikamente; **~er** [dɔpe] dopen; *fig* verstärken, d. Leistungsfähigkeit verbessern
dor|ade [dɔrad] *f* Goldbrassen; ~*ade chinoise* Goldfisch; **~age** [-raːʒ] *m* Vergoldung; **~é** [-re] goldgelb; vergoldet
dorénavant [dɔrenavã] fortan; von nun an; künftig
dorer [dɔre] vergolden ♦ ~ *la pilule* eine bittere Pille versüßen, eine Sache schmackhaft machen
doreur [dɔrœːr] *m* Vergolder
dorique [dɔrik] 🏛 dorisch
dorloter [dɔrlote] verhätscheln
dorm|ant [dɔrmã] *m* (Tür-)Futter; (Fenster-)Rahmen; **~eur** [-mœːr] *m* Schläfer; **~euse** [-møːz] *f* Schläferin; **~ir** [-miːr] *29* schlafen; *fig* ruhen; *eaux ~antes* stehende Gewässer; **~itif** [-mitif] *112* 💊 einschläfernd; *m* Schlafmittel
dorsal [dɔrsal] *124* Rücken...
dortoir [dɔrtwaːr] *m* Schlafsaal
dorure [dɔryːr] *f* Vergoldung
doryphore [dɔrifɔːr] *m* Kartoffelkäfer
dos [do] *m (a.* Buch-, Messer-, Hand-)Rücken; Rückseite; (Stuhl-)Lehne; *tourner le* ~ d. Rücken zuwenden; *courber le* ~ *(fig)* s. ducken; *avoir bon* ~ e-n breiten Rücken haben; *en avoir plein le* ~ *(pop)* die Nase (gestrichen) voll haben; *mettre qch sur le* ~ *de qn (fig)* j-m etw. aufladen, in d. Schuhe schieben; *renvoyer* ~ *à* ~ k-r Partei recht geben; *se mettre qn à* ~ sich j-n z. Feinde machen
dos|age [dozaːʒ] *m* Dosierung; quantitative Bestimmung; ~*age de volume* Lautstärkeregelung; Volumendosierung; ~*age d'alcool* Alkoholgehalt; **~e** [doːz] *f* Dosis; ~*e admissible* zulässige Dosis; ~*e de seuil* Schwellendosis; **~er** [doze] dosieren
dossard [dɔsar] *m* 🎽 Startnummer
dossier [dɔsje] *m* Rückenlehne; 🐍 Akte; Unterlagen; ~ *personnel* Personalakte

dot [dɔt] *f* Mitgift; **~ation** [-tasjɔ̃] *f* Schenkung; *com* Ausstattung (mit Vermögenswerten); **~er** [-te] dotieren; ausstatten

douairière [dwɛrjɛːr] *f: reine ~* Königinwitwe

douan|e [dwan] *f* Zoll(amt); **~ier** [dwanje] *116* Zoll…; *m* Zollbeamter

doubl|age [dublaːʒ] *m* Verdoppelung; 🗔 Synchronisation; **~e** [dubl] **1.** doppelt; Doppel…; *faire coup ~e* zwei Fliegen mit e-r Klappe schlagen; *faire ~e emploi* überflüssig sein; *~e croche* ♪ Sechzehntelnote; *homme à ~e face* falscher, doppelzüngiger Mensch; **2.** *m* das Doppelte; Duplikat, Doppel, Durchschlag; Doppelgänger; ⚖ Zweier; **~é** [-ble] *m* Dublee; ⚔ Doppelsieg; **~ement** [-bləmɑ̃] *m* Verdoppelung; **~er** [-ble] verdoppeln; *(Kleidung)* füttern; *(Fahrzeug)* überholen; *(Kap)* umsegeln; 🚶 überrunden; *~er une classe (päd)* sitzenbleiben; **~e-toit** [-blətwa] *m 97 (Zelt)* Überdach; **~onner** [-blɔne] unnütz verdoppeln; **~ure** [-blyːr] *f (Kleidung)* Futter; ⚔ Lückenbüßer

douc|e [dus]: *énergie ~e* sanfte Energie(form); *croissance ~e* langsames Wachstum; *en ~e (pop)* still und leise; **~eâtre** [-sɑtr] süßlich; labbrig; **~ement** [-mɑ̃] *adv* leise; behutsam; in aller Ruhe; **~ement!** sachte!; **~ereux** [-rø] *111 fig* zuckersüß; **~ette** [-sɛt] *f* Feldsalat; **~eur** [-sœːr] *f (a. fig)* Süße; Milde, Sanftmut; *pl* Süßigkeiten; *atterissage en ~eur* weiche Landung

douch|e [duʃ] *f* Dusche; *~e écossaise fig* kalte D.; **~er** [-ʃe] duschen; *fig* ernüchtern

dou|é [dwe] begabt; **~er** [dwe] versehen, ausstatten *(de mit)*

douille [duj] *f* ⚡ Fassung; (Kontakt-)Buchse; 🏛 ⚙ Futter, Füllung; (Patronen-)Hülse; *~ à baionnette* ⚡ Bajonettfassung; *~ à vis* ⚡ Schraubf.; *~ de lampe* 💡 Röhrenf.

douillet [dujɛ] *114* mollig; weich; wehleidig; *m* Weichling

doul|eur [dulœːr] *f* Schmerz; Weh; *~eurs d'enfantement* Geburtswehen; **~oureuse** [-lurøːz] *f umg* Rechnung; **~oureux** [-lurø] *111* schmerzhaft; schmerzlich

dout|e [dut] *m* Zweifel; Vermutung; Bedenken; Befürchtung; *hors de ~e* außer Zw.; *dans le ~e* im Zweifelsfall; *sans ~e* wahrscheinlich, vielleicht; gewiß; *sans aucun ~e* zweifellos; *mettre en ~e* bezweifeln; **~er** [-te] (be-)zweifeln; *je ~e qu'il vienne* ich glaube kaum, daß er kommen wird; *je ne ~e pas qu'il ne vienne* ich zweifle nicht, daß er kommt; *se ~er de* ahnen; *je m'en suis ~é tout de suite* das habe ich mir gleich gedacht; **~eux** [-tø] *111* zweifelhaft; fragwürdig

douve [duːv] *f* (Faß-)Daube; *(Pferdesport)* Wassergraben; Schloßgraben

dou|x [du] *119* süß; mild; sanft; sachte; leise; *(Tier)* fromm; 🗔 weich; *eau ~ce* Süßwasser; *il fait ~x* es ist mild (draußen); *filer ~x* klein beigeben

douz|aine [duzɛn] *f* Dutzend; **~e** [duːz] zwölf; **~ième** [-zjɛm] zwölfter; *m* Zwölftel

doyen [dwajɛ̃] *m* Ältester; *(rel u. Univ.)* Dekan;

~ du chapitre Domdechant; **~né** [-jɛne] *m rel* Dekanat; *bot* Butterbirne

draconien [drakɔnjɛ̃] *118* drakonisch, sehr streng

dragée [draʒe] *f* Dragee; *(Jagd)* Schrot ♦ *tenir la ~ haute à qn* j-n teuer bezahlen lassen

dragon [dragɔ̃] *m* Drache; Dragoner

dragu|e [drag] *f* (Naß-)Bagger; Minenräumgerät; *umg* Techtelmechtel, Flirt; **~er** [-ge] *6* (aus)baggern; *umg* j-n ansprechen, j-n aufreißen, e. Liebesabenteuer suchen; **~eur** [-gœːr] *121* Bagger…; *m* Baggerschiff; *umg* Schürzenjäger, Schwerenöter; *~eur de mines* ⚓ Minensuchboot; **~euse** [-gøːz] *f* Bagger

drain [drɛ̃] *m* Dränröhre; ⚕ Drain, Drän; **~age** [drɛnaːʒ] *m* (Boden-)Entwässerung; Dränage; **~er** [drɛne] *(Boden,* ⚕*)* dränieren

dram|atique [dramatik] dramatisch; *f* Theatervorstellung im Fernsehen; *auteur ~atique* Bühnendichter, Dramatiker; **~atisation** [-matizasjɔ̃] übertriebene Darstellung; **~atiser** [-matize] dramatisieren; **~aturge** [-matyrʒ] *m* Bühnendichter, Dramatiker; **~e** [dram] *m (a. fig)* Drama

drap [dra] *m* Tuch; Bettuch; Laken ♦ *être dans de beaux ~s (umg)* in d. Tinte sitzen; **~eau** [-po] *m 91* Fahne; *fig* Prestige(objekt); *être sous les ~eaux* Soldat sein; **~er** [-pe] drapieren; *se ~er s.* hüllen; **~erie** [-pri] *f* Tuchfabrik; Tuchfabrikation; Draperie; **~ier** [-pje] *m* Tuchfabrikant; Tuchhändler

drastique [drastik] *adj* drastisch, wirksam, sehr stark; *mesures ~s* energische Maßnahmen; *réforme ~* durchgreifende Reform

drèche [drɛʃ] *f* Treber, Trester

dress|age [drɛsaːʒ] *m* Dressur; *(Hund)* Abrichten; **~er** [-se] (auf-, gerade-)richten; *(Lager)* aufschlagen; *(Hund)* abrichten; *(Inventar)* aufnehmen; *(Plan)* entwerfen; *(Pferd)* zureiten; *(Rekruten)* drillen; *~er l'oreille* aufhorchen, d. Ohren spitzen; *à faire ~er les cheveux sur la tête* daß e-m d. Haare zu Berge stehen; **~oir** [-swaːr] *m* Anrichte(tisch)

dribbler [drible] 🚶 dribbeln

drille¹ [drij] *f* Drillbohrer

drille² [drij] *m* Kerl; *un joyeux ~* e. lustiges Haus

drisse [dris] *f* Segel-, Flaggenleine; *~ de fixation* Befestigungsseil

drogu|e [drɔg] *f* Droge; Rauschgift; **~é** rauschgiftsüchtig; *fig* süchtig, vergiftet; *m* Rauschgiftsüchtiger; **~er** [-ge] *6: se ~er* Rauschgift gebrauchen; **~erie** [-gri] *f* Drogerie; **~iste** [-gist] *m* Drogist

droit [drwa] **1.** *108* gerade; aufrecht; *(Seite, Winkel)* recht; *tout ~* ganz gerade, geradeaus; *dans le ~ fil* auf derselben Linie; **2.** *m* Recht, Berechtigung; Anspruch; *~ de cité (a. fig)* Bürgerr.; *~ civil* bürgerliches R.; *~ commercial* Handelsr.; *~ privé* Privatr.; *~ du travail* Arbeitsr.; *~ administratif* Verwaltungsr.; *~ constitutionnel* Verfassungsr.; *~ public* öffentliches R. ~ *pénal* Strafr.; *~s de l'homme* Menschenrechte; *~ des gens, ~ international* *public* Völkerr.; ~ *des peuples à disposer d'eux-mêmes* Selbstbestimmungsrecht d. Völker; ~ *d'option* Vorkaufsr.; ~ *d'auteur* Urheberrecht; ~ *de recours* Regreßanspruch; *de* ~ de jure, von Rechts wegen; *docteur en* ~ Dr.jur.; *faculté de* ~ rechtswissenschaftl. Fakultät; *faire son* ~ Jura studieren; **3.** *m* Gebühr; ~ *de douane* Zoll; ~ *d'enregistrement* Einschreibegebühr; Registrierungskosten; ~*s de succession* Erbschaftssteuer; **4.** *m (Boxen)* Rechte; ~e [drwat] *f* rechte Seite; *pol* Rechte; rechte Hand; *math* Gerade; Linie; *à* ~*e* rechts; *à ma* ~*e* zu m-r Rechten; rechts von mir; *tenir sa* ~*e* rechts fahren; *tournez à* ~*e!* rechts abbiegen!; ~**ier** [-tjɛ] *116* rechtshändig; *m* Rechtshänder; ~**isme** [drwatjsm] *m* Rechtsextremismus; ~**ure** [-tyːr] *f* Aufrichtigkeit, Redlichkeit

drolatique [drɔlatjk] *lit* lustig, drollig

drôl|e [droːl] drollig; amüsant; verwunderlich; *m* Original, Kauz; *une* ~*e d'histoire (umg)* e-e komische Geschichte; *un* ~*e de pistolet* e. sonderbarer Kauz; ~**erie** [drolrj] *f* Drolligkeit, Spaßhaftigkeit, Spaßigkeit; ~**esse** [-lɛs] *f* freches Weib(sbild)

dromadaire [drɔmadɛːr] *m* Dromedar

drosère [drozɛːr] *m bot* Sonnentau

drosser [drɔsɛ] ⚓, ⟂ abtreiben

dru [dry] dicht; prall; *la pluie tombe* ~ es regnet in Strömen

drugstore [drœgstɔːr] *m* Drugstore *m*, Café-Restaurant (mit Tabak- u. Kosmetikabteilung)

drupe [dryp] *f bot* Steinfrucht

dû [dy] *107, 128* gebührend; *en bonne et due forme* ⚖ vorschriftsmäßig; *m: mon* ~ das mir Zustehende

dual|isme [dɥaljsm] *m* Dualismus; ~**ité** [-litɛ] *f* Zweiheit

dubitatif [dybitatjf] *112* Zweifel ausdrückend; *(z.B. Antwort)* zweifelnd

duc [dyk] *m* Herzog; *grand* ~ Uhu; ~**al** [-kal] *124* herzoglich

duch|é [dyʃɛ] *m* Herzogtum; ~**esse** [-ɛs] *f* Herzogin

ductile [dyktjl] *phys* dehnbar; geschmeidig *(Metall)*

duel [dɥɛl] *m* Duell; ~ *oratoire* Rededuell; ~**liste** [dɥɛljst] *m* Duellant

dune [dyn] *f* Düne

dunette [dynɛt] *f* ⚓ Kajüte auf Deck

duo [dɥo] *m 102* Duett; ~**décimal** [-desimal] *124* Duodezimal...; ~**dénum** [-denɔm] *m* Zwölffingerdarm

dup|e [dyp] *f* Betrogener; *être la* ~*e de qn* von j-m betrogen *od* geprellt werden; *faire un marché de* ~*e* zu kurz kommen; ~**er** [-pɛ] anführen; hintergehen; betrügen; ~**erie** [-prj] *f* Betrügerei, Schwindel(ei); ~**eur** [-pœːr] *m* Schwindler

duplex [dyplɛks] *m* ☎ Gegensprechverkehr; Duplexbetrieb; 🏛 zweigeschossige Appartementwohnung

duplic|ata [dyplikata] *m 104* Duplikat, Zweitausfertigung; ~**ata de la lettre de voiture**

Frachtbriefdoppel; ~**ateur** [-katœːr] *m* Vervielfältiger; ~**ation** [-kasjɔ̃] *f* Verdoppelung; ~**ité** [-sitɛ] *f* Falschheit, Heuchelei

dur [dyːr] **1.** *a. fig* hart; *(Farbe)* grell; *(Wein)* herb; *œuf* ~ hartgekochtes Ei; *eau* ~*e* hartes Wasser; *un* ~ *à cuire* hartgesottener Mensch; *avoir l'oreille* ~*e* schlecht hören; *avoir la tête* ~*e* schwer von Begriff sein; dickköpfig sein; *les temps sont* ~*s* d. Zeiten sind schlecht; *construit en* ~ massiv gebaut; *bâtiment en* ~ Massivbau; *coucher sur la* ~*e* auf d. Erdboden schlafen; *le* ~ *(arg pop)* der (Eisenbahn-)Zug; *brûler le* ~ *(arg pop)* schwarzfahren; **2.** *m (pl) pol* d. harte Kern, d. Unversöhnlichen; diejenigen, die zu keinen Kompromissen od. Konzessionen bereit sind; ~**abilité** [dyrabilitɛ] *f* Haltbarkeit; Dauerhaftigkeit; ~**able** [dyrabl] haltbar; dauerhaft; ~**alumin** [dyralymɛ̃] *m* Duraluminium; ~**ant** [dyrɑ̃] während; ~*ant un mois* e-n ganzen Monat lang; ~**cir** [dyrsiːr] *22* härten; *(Streik)* verschärfen; *se* ~*cir* hart werden; ~**cissable** [dyrsisabl] härtbar; ~**cissement** [dyrsismɔ̃] *m* Hartwerden; *(Stahl)* (Er-)Härtung; *fig* Verhärtung; ~**ée** [dyrɛ] *f* Dauer; *(Sachen)* Lebensdauer; Betriebszeit; Haltbarkeit; *disque à longue* ~*ée* Langspielplatte; ~*ée de marche (Uhr)* Laufzeit; ~*ée de conversation* ☎ Gesprächsdauer; ~*ée de déchargement (Schiff)* Löschzeit; Entladedauer; ~*ée de parcours* Fahrzeit; Laufzeit; ~*ée de vie* Lebensdauer; ~*ée de validité (z.B. Fahrkarte)* Gültigkeitsdauer; ~**er** [dyrɛ] (an-, fort)dauern; *währen* ♦ *le temps me* ~*e* es wird mir lang; ~**eté** [dyrtɛ] *f (a. fig)* Härte; *pl* Grobheiten; ~*eté de cœur* Hartherzigkeit

durillon [dyrijɔ̃] *m* Schwiele, Hornhaut

duvet [dyvɛ] *m (a. Früchte u. Bart)* Flaum; Daunen(bett); ~**é** [dyvtɛ] flaumig

dyna|mique [dinamjk] dynamisch; *f phys* Dynamik; *fig* Kraft, Fähigkeit, Dynamismus; ~*mique des groupes* Gruppendynamik; ~**miser** mit neuer Energie erfüllen, Auftrieb geben; ~**misme** [-mjsm] *m* Kraftfülle; Dynamik; ~**mite** [-mjt] *f* Dynamit; *a. fig* Sprengstoff; ~**miter** [-mitɛ] mit Dynamit in d. Luft sprengen; *fig* grundsätzlich in Frage stellen; ~**mo** [-mo] *f* Dynamo(maschine); ~**stie** [-nastj] *f* Herrschergeschlecht, Dynastie

dysenterie [disɑ̃trj] *f* ☧ Ruhr, Dysenterie; Durchfall

dys|lexie [dislɛksj] *f* Leseschwäche; L.störung; ~**orthographie** [disɔrtografj] Rechtschreibschwäche, Legasthenie; ~**pepsie** [-pɛpsj] *f* ☧ Verdauungsstörung

E

eau [o] *f 91* Wasser; *pl* Gewässer, Flut; ~ *bénite* Weihw.; ~ *courante* fließendes W.; ~ *de Cologne* Kölnischw.; ~ *de Javel* Chlorw.; ~ *de pluie* Regenw.; ~ *douce* Süßw.; ~ *gazeuse* Sprudel; ~ *lourde (phys)* schweres W.; ~ *oxygénée* Wasserstoffsuperoxyd; ~ *potable* Trinkw.; ~ *souterraine* Grundw.; ~*x usées*

Abwässer; ~x territoriales Hoheitsgewässer,
Küstenmeer; aller aux ~x zur Kur gehen; coup
d'épée dans l'~ fig Schlag ins W.; faire de l'~ ⚓
Frischwasser übernehmen; faire ~, avoir une
voie d'~, e. Leck aufweisen ♦ mettre de l'~
dans son vin; (fig) s-e Ansprüche zurückstecken;
nager entre deux ~x zw zwei Parteien lavieren;
prendre les ~x e-e Wasserkur machen; il va
tomber de l'~ (umg) es wird regnen; s'en aller en
~ de boudin ins Wasser fallen; ~-de-vie [odvi] f
98 Branntwein, Schnaps; ~-forte [ofɔrt] f 97
Radierung; Ätze

ébah|ir [ebaɪːr] 22 verwundern, verblüffen;
~**issement** [-ismɑ̃] m Verblüffung

ébarber [ebarbe] (am Rand) glattschneiden; ⚙
(Guß) entgraten, putzen

ébat|s [eba] mpl Herumtollen; ~**tre** [ebatr] 76;
s'~tre s. tummeln

ébauch|e [eboʃ] f Entwurf; Vorarbeiten; ⚙
Gußrohteil, Rohling; fig Andeutung; ~**er**
[eboʃe] entwerfen; andeuten

éb|ène [ebɛn] f Ebenholz; cheveux d' ~ène
rabenschwarzes Haar; ~**éniste** [ebenist] m
(Kunst-)Tischler; ~**énisterie** [ebenistəri] f
(Kunst-)Tischlerei

éberlué [ebɛrlye] verdutzt

éblou|ir [ebluɪːr] 22 (a. fig) blenden; ~**issant**
[-isɑ̃] 108 leuchtend; blendend; ~**issement**
[-ismɑ̃] m Blendung; Verblendung; j'ai des
~issements es flimmert mir vor d. Augen

ébonite [ebɔnit] m Ebonit, Hartgummi

éborgner [ebɔrɲe] auf e-m Auge blenden

éboueur [ebwœːr] m Müllmann; Straßenfeger

ébouillanter [ebujɑ̃te] verbrühen; abbrühen,
dämpfen, blanchieren

éboul|ement [ebulmɑ̃] m Einsturz; Erdrutsch;
~**er** [-le]; s'~er einstürzen; ~**is** [-li] m
Geröll(halde)

ébouriff|ant [eburifɑ̃] 108 haarsträubend; ver-
blüffend; ~**é** [-fe] zerzaust, struppig; m
Struwwelpeter; ~**er** [-fe] zerzausen; fig verblüf-
fen

ébrancher [brɑ̃ʃe] (Baum) ausschneiden

ébranl|ement [ebrɑ̃lmɑ̃] m Erschütterung;
Schock; ~**er** [-le] erschüttern; (Entschluß) ins
Wanken bringen; le train s'~e d. Zug fährt an

ébréch|é [ebreʃe] schartig; ~**er** [-e] 13 schartig
machen; ~**er sa fortune** e-n beträchtlichen Teil
seines Vermögens durchbringen

ébriété [ebrijete] f Trunkenheit

ébrouer [ebrue]; s'~ (Pferd) schnauben; (Vogel)
s. aufplustern; prusten

ébruiter [ebrɥite] ausplaudern, -schwatzen; s'~
(Neuigkeit) unter d. Leute kommen, publik
werden

ébullition [ebylisjɔ̃] f Kochen; Sieden; point d'
~ (phys) Siedepunkt; en ~ siedend, fig
aufbrausend

écaill|e [ekɑj] f (Fisch-)Schuppe; (Muschel-)-
Schale; Schildpatt; ~**er** [-je] abschuppen;
abblättern; (z.B. Auster) aufmachen; s'~er
abbröckeln

écarlate [ekarlat] scharlachrot; (Gesicht) scham-
rot; f (Farbe) Scharlach(rot)

écarquiller [ekarkije]: ~ les yeux d. Augen
aufreißen

écart [ekaɪr] m Abweichung; Abstand; Unterschied; fig Seitensprung; (Preis-)Schwankung;
grand ~ 🤸 Spagat; ~s de jeunesse Jugendstreiche; à l'~ abseits; se tenir à l'~ (de qch) s. von
etw. fernhalten; mettre qn à l'~ j-n kaltstellen;
~**é** [ekarte] abgelegen, entfernt; abstehend;
~**èlement** [ekartɛlmɑ̃] m Vierteilung; ~**eler**
[-təle] 8 vierteilen; ~**ement** [ekartmɑ̃] m
Abstand; Spalt; Spannweite; ~ement des rails
(Eisenbahn) Spurweite; ~**er** [-te] spreizen;
beiseite schieben; fig kaltstellen; (Karten)
ablegen; ~er les bras d. Arme ausbreiten; ~er
un obstacle e. Hindernis aus d. Weg räumen;
s'~er du sujet nicht bei d. Sache bleiben

ecchymose [ekimoːz] f Bluterguß

ecclésiastique [ɛklezjastik] kirchlich; m Geistlicher

écervelé [esɛrvəle] m leichtsinniger Mensch

échafaud [eʃafo] m (Bau-)Gerüst; Schafott; ~
volant Hängegerüst; ~**age** [-fodaːʒ] m Einrü-
stung (e-s Gebäudes); (Bau-)Gerüst; ~**er** [-fode]
aufeinanderhäufen; (Pläne) schmieden

échalas [eʃala] m Rebenpfahl; umg Bohnenstange

échalote [eʃalɔt] f Schalotte

échancr|er [eʃɑ̃kre] rund ausschneiden; ~**ure**
[-kryːr] f runder Ausschnitt

échang|e [eʃɑ̃ʒ] m (Aus-, Um-)Tausch; ~e de
notes diplomatiques diplomatischer Notenwech-
sel; ~e de vues Meinungsaustausch; zone de
libre ~e Freihandelszone; en ~ de quoi wofür
(als Gegenleistung); ~**eable** [-ʒabl] austausch-
bar; ⚙ auswechselbar; ~**er** [-ʒe] 14 (aus-, um-,
ein)tauschen (contre gegen); auswechseln; ~**eur**
[eʃɑ̃ʒœːr] m (Wärme-)Austauscher; (Auto-
bahn-)Kreuz, Anschlußstelle

échanson [eʃɑ̃sɔ̃] m Mundschenk

échantillon [eʃɑ̃tijɔ̃] m (a. com) Muster;
Probe(stück); Stichprobe; ⚗ Warenprobe;
~**nage** [-jɔnaːʒ] m Mustersammlung; ~**ner**
[-jɔne] com sortieren; (Stoff) zu Mustern
zerschneiden

échapp|atoire [eʃapatwaːr] f Ausflucht; Aus-
weg; ~**ée** [-pe] f (Radsport) d. Hauptfeld
abhängen, s. absetzen; 🏛 Durchblick; fig
kurzer Augenblick; ~**ement** [eʃapmɑ̃] m Entweichen, Ausströmen; ⚙ Auspuff; (Uhr)
Hemmung; ~ement libre 🚗 offener Auspuff;
~**er** [pe] entkommen; davonkommen; entschlüpfen; entwischen; entlaufen; entrinnen;
(Gedächtnis) entfallen; cela m'a ~é das habe ich
übersehen; cela m'est ~é das ist mir (im
Gespräch) herausgerutscht ♦ nous l'avons ~é
belle wir sind noch einmal davongekommen

écharde [eʃard] f (Holz-)Splitter od (Dorn unter
d. Haut)

écharpe [eʃarp] f Schärpe; Schal; porter le bras
en ~e d. Arm in d. Binde tragen; ~**er** [-pe]
(Feind) zus.schlagen, lynchen

échass|e [eʃas] f Stelze; ~**ier** [-sje] m
Stelzvogel

échau|dé [eʃode] m Spritzkuchen, Windbeutel;

~der [-de] verbrühen ♦ *chat ~dé craint l'eau froide* gebranntes Kind scheut d. Feuer; **~ffant** [-fɑ̃] *108* erhitzend; **☙** stopfend; aufregend; **~ffement** [eʃofmɑ̃] *m* Erhitzung; Aufheizung; **☙** Heißlaufen; *fig* Aufregung; **~ffer** [-fe] erwärmen; erhitzen ♦ *~ffer les oreilles à qn* j-n auf d. Palme bringen; *s'~ffer (a. fig)* s. erwärmen, s. erhitzen; **☙** heißlaufen; **~ffourée** [-fure] *f mil* Zus.stoß, Scharmützel; Krawall

éché|ance [eʃeɑ̃s] *f* Fälligkeit; Termin; *(Wechsel)* Verfallstag; *venir à ~ance* fällig werden; *à brève ~ance* in absehbarer Zeit; *à longue (courte) ~ance* lang-(kurz-)fristig; **~ant** [eʃeɑ̃]: *le cas ~ant* gegebenenfalls

échec [eʃɛk] *m* Mißerfolg; Fehlschlag; Mißgriff; *pl* Schachspiel; Schachfiguren; *jouer aux ~s* Schach spielen; ~ *et mat* schachmatt ♦ *tenir en ~* in Schach halten

échel|le [eʃɛl] *f* **1.** Leiter; *~le de corde* Strickleiter; *~le double* Klappleiter; *~le coulissante* ausziehbare L.; *~le d'incendie* Feuerwehrl.; **2.** Skala, Skale; Rangordnung; *~le mobile (com)* gleitende Skala; *~le d'intérêts* Zinsstaffel; *~le sociale* gesellschaftliche Rangordnung; *~le des valeurs* Wertordnung; **3.** Maßstab; *à l'~le du millionnième* im Maßstab 1:100000; *à l'~le* maßstäblich; *faire la courte ~le à qn* j-m *(beim Klettern)* Hilfestellung leisten; *fig* j-m d. Steigbügel halten; *monter à l'~le* e-n Scherz ernst nehmen, auf e-n Scherz hereinfallen; **~on** [eʃlɔ̃] *m* Sprosse; *fig* (Dienstalters-)Stufe; Ebene; *mil* Staffel; **~onnement** [eʃlɔnmɑ̃] *m* Staffelung; **~onner** [eʃlɔne] staffeln; *payement ~onné* Ratenzahlung

écheveau [eʃvo] *m 91* (Wolle) Strang ♦ *démêler l'~ d'une affaire* e-e Sache entwirren

échevelé [eʃavle] mit fliegenden Haaren; *(z.B. Tanz)* wild

échevin [eʃvɛ̃] *m* **☙** Schöffe; *(in Belgien)* Beigeordnete d. Bürgermeisters; *(in Kanada)* Stadtrat; **~age** [-vinaːʒ] *m* Schöffenamt

échin|e [eʃin] *f* Rückgrat ♦ *avoir l'~e souple* e. Kriecher sein; **~er** [-ne] *s'~er* s. abrackern

échiquier [eʃikje] *m* Schachbrett; *chancelier de l'~* Schatzkanzler *(in England)*

écho [eko] *m (a. fig)* Echo, Widerhall; *se faire l'~ de qn* j-m etw. nachplappern, -beten

échoir [eʃwaːr] *35* zufallen; *com* fällig sein

échoppe [eʃɔp] *f* **1.** (Verkaufs-, Handwerks-)-Bude; **2.** (Graveur-)Stichel

échou|ement [eʃumɑ̃] *m* **⚓** Stranden; *fig* Scheitern; **~er** [eʃwe] **⚓** stranden; *fig* scheitern, mißlingen; fehlschlagen; *~er à un examen* in e-r Prüfung durchfallen

échu [eʃy] *(Frist)* abgelaufen; *(Geldbetrag)* zahlbar; *(Wechsel)* verfallen, fällig

écimer [esime] **⚘** kappen, stutzen

éclabouss|er [eklabuse] *m* Schachbrett (mit Schmutz) bespritzen *(a. fig)*; **~ure** [-busyːr] *f* (Schmutz-)Spritzer; *fig* Flecken, Makel

éclair [eklɛːr] *m* **1.** Blitz; *il fait des ~s* es blitzt; *fermeture ~* Reißverschluß; *guerre ~* Blitzkrieg; *manifestation ~* spontane Demonstration; *noces ~* übereilte Heirat; *visite ~*

Blitzbesuch; *~s de chaleur* Wetterleuchten; *partir comme l'~* blitzschnell verschwinden; **2.** Liebesknochen; **~age** [eklɛraːʒ] *m* Beleuchtung; *~age en code* **🚗** Abblendlicht; *~age d'ambiance* Fernsehleuchte; *~age de secours* Notbeleuchtung; *~age localisé* Platzbeleuchtung; **~agisme** [-raʒism] *m* Beleuchtungstechnik; **~agiste** [-raʒist] *m* Beleuchtungstechniker; **~cie** [eklɛrsi] *f* (Wald-)Lichtung; *(Himmel)* Aufhellung; Hoffnungsstrahl; **~cir** [eklɛrsiːr] *22 (a. fig)* aufhellen; aufklären; *(Soße)* verdünnen; lichten; *s'~cir (a. fig)* s. aufhellen; *s'~cir la voix* s. räuspern; **~cissement** [eklɛrsismɑ̃] *m* Aufklärung *(e-r Angelegenheit)*; **⚘** Auslichtung; **~er** [eklɛre] (be-, er)leuchten; leuchten; blitzen; *je vais l'~er* ich will ihn aufklären; *un esprit ~é* e. aufgeklärter Geist; **~eur** [eklɛrœːr] *m mil* Aufklärer; Pfadfinder

éclat [ekla] *m* Splitter; Knall; Auftritt; Glanz; Pracht; Helligkeit *(e-s Sterns);* ~ *de bombe* Bombensplitter; *~ emprunté* falscher Glanz; *action d'~* glänzende Tat, Leistung; *faire de l'~* Aufsehen erregen; *rire aux ~s* schallend lachen; **~ant** [eklatɑ̃] *108* blendend, hell, glänzend; *succès ~ant* glänzender Erfolg; **~ement** [eklatmɑ̃] *m* Platzen; Zerspringen, Bersten; *(Granate)* Einschlag; *fig pol (Parteien)* Zersplitterung; Zwist; Konflikt; *(Organisation)* Zerschlagung; **~er** [eklate] platzen, bersten; zerspringen, -splittern; explodieren; *(Krieg)* ausbrechen; blitzen, glänzen; *fig* leuchten, strahlen; *fig pol* auseinanderfallen, *(Bündnis)* fehlschlagen, zerbrechen; **♟** (endlich) Erfolg haben; *faire ~er (Bombe)* sprengen, zur Explosion bringen; *~er de rire* laut auflachen; *~er en applaudissements* in Beifall ausbrechen

éclips|e [eklips] *f* Sonnen-(Mond-)Finsternis; *fig* Verdunkelung; *~er [-se] fig* verdunkeln, überstrahlen, in d. Schatten stellen, ausstechen; *s'~er* s. davonmachen

éclisse [eklis] *f* **🚋** Schiene; **🐀** (Schienen-)-Lasche; **~er** [-se] **🚋** schienen

éclopé [eklɔpe] humpelnd; *m* Krüppel

éclo|re [eklɔːr] *58* aufblühen; *(Blüte)* s. öffnen; *(Küken)* ausschlüpfen; **~sion** [eklozjɔ̃] *f (a. fig)* Aufblühen

éclus|age [eklyzaːʒ] *m* **⚓** Durchschleusung; **~e** [eklyːz] *f* Schleuse; **~er** [-ze] durchschleusen; *~er un verre (pop)* e-n heben; **~ier** [-zje] *m* Schleusenwärter

écœur|ant [ekœrɑ̃] *108* ekelerregend, widerlich; **~ement** [ekœrmɑ̃] *m* Ekel; **~er** [-re] anekeln

écol|e [ekɔl] *f (a. Kunst)* Schule; *~e maternelle* Kindergarten; *~e primaire* Grundsch.; *~e secondaire* weiterführende Schule; Oberschule; Gymnasium; *~e supérieure* Hochschule; *~e de commerce* Handelssch.; *~e professionelle* Berufsfachsch.; *~e des Hautes Études Commerciales (in Paris)* Handelshochsch.; *grande ~e* Hochschulen; *~e des Beaux-Arts* Kunstakademie; *~e normale* Lehrerbildungsanstalt; *faire ~e* Schule machen ♦ *faire l'~e buissonnière* e. Schule schwänzen; **~ier** [ekɔlje] *m* Schüler; **~ière** [ekɔljɛːr] *f* Schülerin

écolo [ekɔlɔ] *m umg* Grüner; **~gie** [-ʒi] *f* Ökologie, Umweltforschung; **~gique** [-ʒik] *adj* ökologisch, d. Umwelt betreffend; **~giste** [-ʒist] *m* Umweltschützer; Umweltspezialist

éconduire [ekɔ̃dɥiːr] *80* hinausweisen; abblitzen lassen; e-n Korb geben

économ|at [ekɔnɔma] *m* Schulverwaltung; Verwalterstelle; **~e** [-nɔm] sparsam, wirtschaftlich; *m* Schulverwalter; **~ie** [-mi] *f* Wirtschaft; Sparsamkeit; *pl* Ersparnisse; **~ie politique** Volksw.; **~ie domestique** Hausw.; **~ie dirigée** Dirigismus, dirigistische Wirtschaftspolitik; **~ie planifiée** Planw.; **~ie à plan central** Zentralverwaltungswirtschaft; **~ie de bouts de chandelle** Knauserei; **faire des ~ies** sparen; **~ique** [-mik] wirtschaftlich; Wirtschafts…; **~iser** [-mize] sparen; erübrigen; **~iser son temps** s-e Zeit einteilen; **~iste** [-mist] *m* Wirtschaftler; Volkswirt

écop|e [ekɔp] *f* Schöpfkelle; **~er** [-pe] *(Boot)* ausschöpfen; *umg* d. Zeche bezahlen müssen

écor|çage [ekɔrsaːʒ] *m* Entrindung; **~ce** [ekɔrs] *f* Rinde, Borke; *(Zitronen, Orangen)* Schale; **~ce terrestre** Erdrinde; **~ce cérébrale** Hirnrinde; **~cer** [-se] *15* entrinden

écorch|er [ekɔrʃe] abhäuten; wundschürfen; *fig* d. Fell über d. Ohren ziehen *(qn* j-m); **~er un mur** e-e Wand schrammen; **~er un miroir** e-n Spiegel verkratzen; **~er le gosier** in d. Kehle brennen; **~er le français** Französisch radebrechen; **cette musique ~e les oreilles** diese Musik zerreißt e-m d. Trommelfell; **~erie** [-əri] *f* Abdeckerei; **~eur** [-ʃœːr] *m* Abdecker; Beutelschneider; **~ure** [-ʃyːr] *f* Abschürfung; Kratzer, Kratzwunde; Schramme; *(Email)* abgeschlagene Stelle

écorn|er [ekɔrne]: **~er un livre** Eselsohren in e. Buch machen; **~ifleur** [-niflœːr] *m* Schmarotzer, Nassauer

écoss|ais [ekɔsɛ] *108* schottisch; **étoffe ~aise** Schottenstoff; **⚥ais** *m* Schotte; **~aise** [-sɛz] *f (Tanz)* Schottisch; **⚥aise** *f* Schottin; **⚥e** [ekɔs] *f: l' ⚥e* Schottland

écosser [ekɔse] *(Hülsenfrüchte)* aus-, enthülsen

écot [eko] *m* 1. Baumstumpf; 2. Anteil an e-r Zeche *(Rechnung)*

écoul|ement [ekulmɑ̃] *m* Abfluß, Abzug; Ablauf; **~ement du trafic** Verkehrsabwicklung; **~er** [-le] *com* absetzen; **s'~er** abfließen; *com* Absatz finden; *(Zeit)* verfließen

écourter [ekurte] stutzen; (ver)kürzen; kürzer machen; *(Text)* zus.streichen

écout|e [ekut] *f* Hören, Horchen; **⚓** Abhören, Empfang; **~e radiophonique** Rundfunkhören; **~e téléphonique** Telefonüberwachung; **station d'~e** Abhörstation; **se tenir aux ~es** (horchend) auf der Lauer liegen; **~er** [-te] horchen; hin-, herhören; **⚓** hören *qch (qn)* auf etw. (j-n) hören; **n'~er que d'une oreille** nur mit halbem Ohr hinhören; **il s'~e trop** er ist zu ängstlich um s-e Gesundheit besorgt; **~eur** [-tœːr] *m* ☎ Hörer

écoutille [ekutijj] *f* ⚓ Treppenluke [fahren

écrabouiller [ekrabuje] *umg* zerquetschen, über-

écran [ekrɑ̃] *m (Kernphysik)* Abschirmung; Schutzwand; (Ofen-, Kamin-)Schirm; *(Kino)* Leinwand; Bildwand; 📺 Filter; *(Fernsehen)* Bildschirm; **~ luminescent** *(phys)* Leuchtschirm; **~ de visualisation** Datensichtgerät

écras|ement [ekrazmɑ̃] *m* Zermalmen; **~ement centrifuge** Zentrifugaldruck; **~er** [-ze] zerdrükken; zermalmen; zerquetschen; überfahren; **~é de fatigue** todmüde; **majorité ~ante** überwältigende Mehrheit; **en ~er** *(pop)* wie e. Murmeltier schlafen; **s'~** *(pop)* klein beigeben; **~eur** [-zœːr] *m* rücksichtsloser Autofahrer

écrém|age [ekremaːʒ] *m (a. fig)* Absahnen; **~er** [ekreme] *13* abrahmen; *fig* d. Rahm abschöpfen *(qch* von etw.); **lait ~é** Magermilch; **~euse** [-møːz] *f* Milchzentrifuge

écrêter [ekrete] Spitzen abschneiden; *fig* begrenzen; dämpfen

écrevisse [ekrəvis] *f zool* Krebs

écrier [ekrie]: **s'~** ausrufen

écrin [ekrɛ̃] *m* Schmuckkästchen; Schatulle (nebst Inhalt); Besteckkasten

écri|re [ekriːr] *67* schreiben *(à* an, nach); *(e. Blatt)* beschreiben; **c'était ~t** es mußte ja so kommen; **il se mêle d'~re** er schriftstellert; **~t** [ekri] *m* Schrift(-stück); 📖 Urkunde; *päd* schriftliche Prüfung; **coucher par ~t** schriftlich niederlegen

écri|teau [ekrito] *m 91* (Schrift-)Schild, Tafel; **~toire** [-twaːr] *f* Schreibzeug; **~ture** [-tyːr] *f* Handschrift; *l' ⚥ture sainte* d. Heilige Schrift; **~ture cursive** Kursivschrift; **porter en ~ture** *(com)* (ver)buchen; **commis aux ~tures** Schreiber, Buchhalter; **~vailler** [-vaje] (schlecht) schriftstellern; **~vailleur** [-vajœːr] *m* Schmierer, Schreiberling; **~vain** [-vɛ̃] *m* Schriftsteller(in); **~vassier** [-vasje] *m* Schreiberling

écrou¹ [ekru] *m* (Schrauben-)Mutter

écrou² [ekru] *m (Gefängnis)* Einlieferungsschein; **registre d'~** Häftlingsliste; **lever l'~ d'un prisonnier** e-n Gefangenen entlassen

écrouelles [ekruɛl] *fpl* ⚕ Skrofulose

écrouer [ekrue] einsperren

écrouissage [ekruisaːʒ] *m* ⚙ Kalthämmern; Härten

écroul|ement [ekrulmɑ̃] *m* Einsturz; *a. fig* Zus.bruch; **~er** [-le]: **s'~er** einstürzen; *a. fig* zus.brechen

écru [ekry] *(Leinen)* ungebleicht

écu [eky] *m* Taler; (Wappen-)Schild; *com* Europäische Währungseinheit

écueil [ekœj] *m (a. fig)* Klippe

écuelle [ekɥɛl] *f* Schale, Napf ♦ *manger à la même ~* *(fig)* aus d. gleichen Schüssel essen, gemeinsame Interessen haben

éculer [ekyle] *(Schuhe)* schieftreten

écum|e [ekym] *f* Schaum; *fig* Abschaum; *(Pferd)* Schweiß; **pipe en ~** e-e Meerschaumpfeife; **~er** [-me] *a. fig* schäumen; *(Suppe)* abschäumen; *(vor Wut)* rasen; **~oire** [ekymwaːr] *f* Schaumlöffel

écureuil [ekyrœj] *m* Eichhörnchen

écurie [ekyri] *f* (Pferde-)Stall; *a. fig* 🏎 Rennstall

écusson [ekysɔ̃] *m* Wappen; Schlüsselschild; *(Uniform)* Kragenspiegel

écuy|er [ekɥije] *m* Kunstreiter; **~ère** [ekɥijɛːr] *f* Kunstreiterin; *bottes à l'~ère* Reitstiefel

eczéma [ɛgzema] *m* Ekzem *n*, Juckflechte

édenté [edɑ̃te] zahnlos

édicule [edikyl] *m* Häuschen; Bedürfnisanstalt

édicter [ediktе] 𝕤 *(Vorschriften)* erlassen; festlegen, festsetzen

édifi|ant [edifjɑ̃] erbaulich; **~cation** [-fikasjɔ̃] *f a. fig* Aufbau; *rel* Erbauung; **~ce** [-fis] *m* Gebäude; *~ces publics* öffentliche Bauten; **~er** [-fje] aufrichten; *rel* erbauen; *je suis ~é sur sa conduite* ich weiß, was ich von ihm zu halten habe

édil|e [edil] *m (Person)* Stadtrat; **~ité** [-lite] *f* Magistrat

édit [edi] *m* Edikt, amtlicher Erlaß, Anordnung

édit|er [edite] 𝕃 verlegen; herausgeben; **~eur** [-tœːr] *m* Verleger; Herausgeber; **~ion** [-sjɔ̃] *f* 𝕃 Ausgabe, Auflage; Verlagswesen; *~ion spéciale* Sonderausgabe *(e-r Zeitung); maison d'~ion* Verlag(shaus); **~orial** [-tɔrjal] *m* 90 Leitartikel; **~orialiste** [-tɔrjalist] *m* Leitartikler

édredon [edrədɔ̃] *m* Eiderdaunen; Federbett

éducat|eur [edykatœːr] *122* erzieherisch; Erziehungs...; *m* Erzieher; **~if** [-tif] *112* erzieherisch; *méthode ~ive* Erziehungsmethode; **~ion** [-kasjɔ̃] *f* Erziehung; *~ion permanente* Fortbildung, Erwachsenenbildung; *~ion physique* Leibesübungen, Turnen; *~ion routière* Verkehrserziehung; *sans ~ion* ohne Manieren; **~ionnel** [-sjɔnɛl] adj: *problèmes ~ionnels* Erziehungsfragen

édulcor|ant [edylkɔrɑ̃] *m* Süßstoff; **~er** [-kɔre] *a. fig* versüßen

éduquer [edyke] *6* erziehen; ertüchtigen

effac|ement [efasmɑ̃] *m* Auswischen; (Aus-)Streichen; bescheidenes Zurücktreten; *(Sünde)* Tilgung; *(Tonband)* Löschen; **~er** [efase] *15* ver-, auswischen; (aus)streichen; ausradieren; *fig* in d. Schatten stellen; v. Erdboden verschwinden lassen; *(Tonband)* löschen; *~er une faute* e-n Fehler vergessen machen; *il s'effaça* et trat zur Seite; *rôle ~é* bescheidene Rolle; *s'~er devant (a. fig)* zurücktreten vor

effar|ant [efarɑ̃] bestürzend; unglaublich; **~é** [-re] verstört, verwirrt; **~ement** [efarmɑ̃] *m* Bestürzung; **~er** [-re] bestürzen *(qn* j-n); **~oucher** [-ruʃe] verscheuchen; einschüchtern; abschrecken

effect|if [efɛktif] **1.** *112* tatsächlich; wirklich; real; *puissance ~ive* ⚙ Nutzleistung; **2.** *m* (Personal)Bestand; Belegschaft; *mil* Truppenstärke; **~uer** [-tɥe] aus-(durch-)führen; bewerkstelligen; *(Handel)* tätigen; *(Zahlung)* leisten; *(Schritte)* unternehmen; *s'~uer s.* vollziehen, eintreten

effémin|é [efemine] *m* Weichling; **~er** [-mine] verweichlichen

effervesc|ence [efɛrvesɑ̃s] *f (a. fig)* Brodeln; Gären; *être en ~ence (fig)* gären; **~ent** [-sɑ̃] *108 (a. fig)* (auf)wallend, gärend

effet [efɛ] **1.** *m* Wirkung; Einwirkung; Wirksamkeit; Eindruck; *avoir (produire, faire) de l'~* wirken; *~ rétroactif* Rückwirkung; *~ secondaire* Nebenwirkung; *~ ultérieur* Nachw.; *si c'était un ~ de votre bonté* wenn Sie d. Güte hätten; *relation de cause à ~* Kausalzus.hang; *à cet ~* zu diesem Zweck; *en ~* in der Tat; *faire l'~ de* d. Anschein haben; *il me fait l'~ d'un aventurier* er kommt mir wie e. Hochstapler vor; *viser à l'~* nach Effekt haschen; *couper ses ~s* à qn j-n aus d. Fassung bringen; j-m die Pointe nehmen; **2.** *com* Orderpapier; Wechsel; Scheck; Lagerschein; *~ à l'encaissement* Inkassowechsel; *~ à court terme* kurzfristiger Wechsel; *~s publics* Staatspapiere; **3.** *pl* Bekleidungsstücke; Gegenstände des persönlichen Gebrauchs; Habe

effeuiller [efœje] entlauben; entblättern; *s'~* d. Blätter abwerfen

effic|ace [efikas] wirksam; *(Person)* tatkräftig; leistungsfähig; **~acité** [-kasite] *f* Wirksamkeit; Leistungsfähigkeit; Wirkungsgrad; Einsatzbereitschaft; *fig* Gewicht; *esprit d'~acité* Erfolgsstreben; **~ience** [-sjɑ̃s] *f* Leistungsfähigkeit; **~ient** [-sjɑ̃] *108* leistungsfähig; bewirkend; wirksam

effigie [efiʒi] *f (Münze)* Bildnis

effil|é [efile] spitz zulaufend; schlank; **~er** [-le] ausfasern; *(Haare)* ausschneiden; **~ocher** [-lɔʃe] ausfasern; ausfransen

efflanqué [eflɑ̃ke] *(Gestalt)* mager, abgemagert, ausgemergelt

effleur|ement [eflœrmɑ̃] *m* leichte *od* zarte Berührung; **~er** [-re] leicht berühren; *a. fig* streifen

efflorescence [eflɔresɑ̃s] *f (chem, geol)* Auswitterung

effluent [eflyɑ̃] *adj* ausströmend; *mpl* Abwässer und Abgase

effluve [eflyːv] *m* Ausdünstung *(v. Körpern);* ⚡ Leuchtentladung

effondr|ement [efɔ̃drəmɑ̃] *m* Einsturz; *a. fig* Zus.bruch; *~ement monétaire* Währungssturz; *~ement nerveux* Nervenzus.bruch; **~er** [-dre] einschlagen; einstoßen; *s'~er* einstürzen

effor|cer [efɔrse] *15: s'~er* s. anstrengen; s. bemühen *(de* zu); **~t** [efɔːr] *m* Anstrengung; Bemühung; ⚙ Beanspruchung; *~ts propres* Selbsthilfe; *fais un ~t!* gib dir e-n Ruck!; reiß dich zusammen!; *être soumis à de grands ~ts* (⚙, *a. fig)* stark beansprucht werden

effraction [efraksjɔ̃] *f* Einbruch; *vol avec ~* 𝕤 Einbruchdiebstahl

effraie [efrɛ] *f* Schleiereule

effranger [efrɑ̃ʒe] *14* vt ausfransen

effray|ant [efrɛjɑ̃] *108* erschreckend; fürchterlich; **~er** [efrɛje] *12* vt erschrecken *(qn* j-n); *s' ~er* erschrecken *(de* über); s. beunruhigen

effréné [efrene] ausgelassen; zügellos

effriter [efrite] *s'~* zerbröckeln; verwittern

effroi [efrwa] *m* Schrecken, Entsetzen, Grausen

effront|é [efrɔ̃te] *128* unverschämt; dreist; *m* frecher Mensch; **~erie** [-tri] *f* Unverschämtheit, Unverfrorenheit, Frechheit [furchtbar

effroyable [efrwajabl] fürchterlich, schrecklich,

effusion [efyzjɔ̃] *f* Ausströmung; Erguß; *pl* Zärtlichkeitsbezeugungen; ~ *de sang* Blutvergießen; *il parlait avec* ~ er sprach aus tiefstem Herzen

égaiement [egɛmɑ̃] *m* Aufheiterung

égailler [egaje]: *s'*~ sich zerstreuen, (rasch) auseinanderlaufen, -fliegen

égal [egal] *124* **1.** gleich; gleichmäßig; *d'humeur* ~*e* gleichmütig; *toutes conditions* ~*es* unter gleichen Bedingungen; *cela m'est* ~ das ist mir gleich; **2.** *m* der, das gleiche; *(Dienstgrad)* Gleichgestellter; *traiter d'* ~ *à* ~ wie seinesgleichen behandeln; ~**ement** [-mɑ̃] ebenfalls; ~**er** [-lɛ] gleichkommen (*qn, qch* j-m, e-r Sache); gleichsetzen; gleichmachen; *(Rekord)* erreichen; ~**isation** [-lizasjɔ̃] *f* Ausgleich; ~**iser** [-lize] *a.* 🡒 ausgleichen; *(Boden)* ebnen; ~**itaire** [-litɛ:r] *pol* Gleichheits...; ~**ité** [-lite] Gleichheit; Gleichförmigkeit; ~**ité** *d'humeur* Gleichmut, Ausgeglichenheit; ~**ité** *des droits* Gleichberechtigung; *être à* ~*ité* 🡒 gleichstehen

égard [ega:r] *m* **1.** Hinsicht; *à cet* ~ in dieser H. *od* Beziehung; *à maints* ~*s* in mancher Beziehung; *à mon* ~ was mich betrifft; *à tous* ~*s* in jeder H.; *eu* ~ *à* in Anbetracht von, im Hinblick auf; *sans* ~ *pour...* ohne... zu berücksichtigen; **2.** *pl* Achtung; Rücksicht; *avoir des* ~*s pour qn* j-m Achtung erweisen; *plein d'* ~*s* rücksichtsvoll; *sans* ~*s* rücksichtslos *(pour qn* j-m gegenüber)

égar|ement [egarmɑ̃] *m (a. fig)* Verirrung; ~**ement** *d'esprit* geistige Umnachtung; ~**er** [-re] *a. fig* irreführen; *(e-n Gegenstand)* verlegen; *s'*~*er* s. verirren; verlorengehen; *a. fig* irregehen; *vous vous* ~*ez* Sie täuschen sich

égayer [egeje] *12* auf-, erheitern, ermuntern

égide [eʒid] *f* Schutz; *sous l'* ~ *de* unter d. Schirmherrschaft von

églant|ier [eglɑ̃tje] *m* wilder Rosenstock; ~**ine** [-tin] *f* Heckenrose

église [egli:z] *f (Gebäude)* Kirche; 🡒 *(Institution, allgemein christl.)* Kirche; *homme d'* ~ Geistlicher; *pilier d'* ~ eifriger Kirchgänger

égoïne [egoin] *f* Stichsäge, Fuchsschwanz

égo|ïsme [egoism] *m* Egoismus, Selbstsucht, Eigennützigkeit; ~**ïste** [-ist] egoistisch, selbstsüchtig, eigennützig; *m* Egoist

égorg|ement [egɔrʒəmɑ̃] *m* Tötung; ~**er** [-ʒe] *14* die Kehle durchschneiden; ermorden; ~**eur** [-ʒœ:r] *m* Mörder; *fig* Halsabschneider

égosiller [egozije]: *s'*~ sich heiser schreien

égout [egu] *m* Abfluß; Abwasserkanal; *a. fig* Gosse; ~**ier** [-tje] *m* Kanalarbeiter; *bottes d'* ~*ier* Wasserstiefel

égoutt|ement [egutmɑ̃] *m (Wäsche usw.)* Abtropfen; ~**er** [-te]: *(Wäsche usw.)* abtropfen lassen; *s'*~*er* abtropfen; ~**oir** [-twa:r] *m* Trockenständer

égratign|ure [egratiɲy:r] *f* Kratzer; *(a. fig)* Schramme

égrener [egrəne] *8* ausdreschen; entkörnen; abbeeren; ~ *un chapelet* d. Rosenkranz beten; *s'*~ *(reifer Same)* ausfallen [schlüpfrig

égrillard [egrija:r] *108* ausgelassen; zotenhaft,

égrug|eoir [egryʒwa:r] *m* Mörser; ~**er** [-ʒe] *14* zerstoßen; mörsern; zerkleinern; *blé* ~*é* Schrot (korn)

Égypt|e [eʒipt] *f: l'* ~ Ägypten; ~**ien** [eʒipsjɛ̃] *m* Ägypter; 🡒**ien** *118* ägyptisch

eh! [e] ei!; nun; ~ *bien!* nun also!, wie ist's?; ~*! là-bas* hallo!

éhonté [eɔ̃te] schamlos; unverschämt

éjacul|ation [eʒakylasjɔ̃] *f* Ausspritzung; 💊 Samenerguß; ~**er** [-le] 💊 d. Samen ausstoßen

éject|er [eʒɛkte] ⚙ *(Fertigprodukt automatisch)* auswerfen; *(Insassen aus d. Flugzeug)* herausschleudern; ~**eur** [eʒɛktœ:r] *m* Auswurfvorrichtung *(bei autom. Maschinen);* ~**ion** [eʒɛksjɔ̃] *f* ⚙ Ausstoßung; Auswurf

élabor|ation [elabɔrasjɔ̃] *f* Ausarbeitung; *com* Gewinnung; Herstellung; ~**er** [-bɔre] ausarbeiten

élaguer [elage] *6 (Baum)* ausschneiden; *fig* ausmerzen; *(Text)* kürzen

élan¹ [elɑ̃] *m* Anlauf; (innerer) Schwung; *prendre son* ~ e-n Anlauf nehmen; *plein d'* ~ schneidig

élan² [alɑ̃] *m* Elch

élanc|é [elɑ̃se] hochgewachsen; schlank; ~**ement** [elɑ̃smɑ̃] *m* stechender Schmerz, Stich; ~**er** [-se] *15* 💊 klopfen; *le doigt m'*~*e* es klopft mir im Finger *(bei eitriger Verletzung); s'*~*er* s. stürzen, losspringen *(sur* auf), s. emporschwingen

élarg|ir [elarʒi:r] *22* verbreiten; erweitern; *(aus d. Haft)* entlassen; *s'*~*ir* breiter, weiter werden; ~**issement** [-ʒismɑ̃] *m* Verbreiterung, Erweiterung; Haftentlassung

élast|icité [elastisite] *f* Elastizität; (innere) Spannkraft; ~**ique** [-tik] **1.** elastisch; *conscience* ~*ique* weites Gewissen; **2.** *m* Gummizug, -band

élect|eur [elɛktœ:r] *m* Wähler; *il n'est ni* ~ *eur ni éligible* er hat weder d. aktive noch d. passive Wahlrecht; ~**ion** [-sjɔ̃] *f* Wahl; Erwählung; ~*ion complémentaire* Nachwahl; ~*ions législatives* Wahl zur Nationalversammlung; ~*ions présidentielles* Präsidentschaftswahl(en); *patrie d'*~*ion* Wahlheimat; ~**oral** [-tɔral] Wahl...; *circonscription* ~*orale* Wahlbezirk; *collège* ~*oral* Wahlkörper; *réunion* ~*orale* Wahlversammlung; ~**oralisme** [-tɔralism] *m* wahltaktisches Verhalten, ständiges Schielen auf die Wähler; ~**orat** [-tɔra] *m* Wahlvolk, Wählerschaft; Wahl-, Stimmrecht; ~**rice** [-tris] *f* Wählerin

électr|icien [elɛktrisjɛ̃] *m* Elektrotechniker, Elektriker; ~*icien amateur* Elektrobastler; ~**icité** [-trisite] *f* Elektrizität; ⚡*il y a de l'*~*icité dans l'air* es ist dicke Luft; ~**ification** [-fikasjɔ̃] *f* Elektrifizierung; ~**ifier** [-fje] elektrifizieren; ~**ique** [-trik] elektrisch; ~**iser** [-trize] *a. fig* elektrisieren; elektrisch laden; ~**o-aimant** [-trɔemɑ̃] *m* 99 Elektromagnet; ~**ocardiogramme** [-trɔkardjɔgram] *m* Elektrokardiogramm (EKG); ~**ocuter** [-trɔkyte]: *se faire* ~*ocuter* e-n Schlag bekommen; ~**ocution** [-trɔkysjɔ̃] *f* ⚡ Schlag, Stromstoß; ~**ode** [-trɔd] *f* Elektrode; ~**ogène** [-trɔʒɛn] stromerzeugend;

~oménager [-ɔmenaʒe] *adj: appareil* ~ elektr. Haushaltsgerät; **~onicien** [-ɔnisjɛ̃] *m* Elektroniker; **~onique** [-trɔnik] elektronisch; *f* Elektronik; **~onucléaire** [-ɔnyklee:r] *adj: centrale* ~*onucléaire* Kernkraftwerk, Atomkw.; **~ophone** [-trɔfɔn] *m* Plattenspieler mit Verstärker, Phonokoffer

élég|amment [elegamɑ̃] *adv* elegant; *parler* ~*amment* gewählt sprechen; **~ance** [-gɑ̃s] *f* Eleganz; Anmut; **~ant** [-gɑ̃] *108* elegant, geschmackvoll

élément [elemɑ̃] *m* 1. *(Chem. ⚡ , fig)* Element; (Anbaumöbel-)Teil; *cuisine à* ~*s* Anbauküche; ~ *constitutif* Bauelement *(z.B. e-r Maschine);* ~ *essentiel* Kernstück; ~ *de mesure* Meßwert; ~ *moteur (a. fig)* Antrieb; ~ *de réponse* Teilantwort; ~ *préfabriqué* Fertigteil; *être dans son* ~ in s-m Element sein; 2. *pl* Anfangsgründe; **~aire** [-tɛ:r] elementar; Anfangs...

éléphant [elefɑ̃] *m* Elefant

él|evage [elvaːʒ] *m* (Vieh-)Zucht; *petit* ~*evage* Kleintierzucht; **~évateur** [elevatœ:r] *m* ⚙ Hebevorrichtung; **~évation** [elevasjɔ̃] *f* Erhebung; Bodenerhebung, Anhöhe; Erhöhung; Hebung; *math* Aufriß; ~*évation de la tension* ⚡ Erhöhung d. Blutdrucks; ⚡ Spannungssteigerung; ~*évation à la puissance trois* Erhebung i. d. 3. Potenz; **~évé** [elve]; *style* ~*evé* gehobener Stil; *bien* ~*evé* wohlerzogen; *mal* ~*evé* ungezogen

élève [elɛv] *m* Schüler; **~-pilote** [elɛvpilɔt] *m* 97 Flugschüler

élev|er [elve] *8* 1. (auf-, er-, hoch-) heben; *(Gebäude)* errichten; *(Mauer)* hochziehen; ~ *er à une dignité* zu e-r Würde erheben; ~ *er au carré (math)* quadrieren, in d. 2. Potenz erheben; ~ *er les prix* d. Preise erhöhen; ~ *er une protestation auprès de* Protest erheben bei; ~ *er le ton* lauter sprechen; *s'*~*er* steigen, s. emporschwingen; s. hocharbeiten; *s'*~*er au-dessus de* emporragen über; *il s'*~*a une tempête* e. Sturm erhob s.; *la facture s'élève à 300 NF* die Rechnung beläuft s. auf 300 NF; *il faut s'*~*er au-dessus de cela* man muß s. darüber hinwegsetzen; *s'*~*er contre qn (qch)* gegen j-n (etw.) auftreten; 2. *(Kinder)* erziehen; *(Vieh)* züchten; **~eur** [-vœ:r] *m* Viehzüchter; **~euse** [-vøːz] *f* Brutkasten

élider [elide] *ling* elidieren, auslassen

élig|ibilité [eliʒibilite] *f* Wählbarkeit; passives Wahlrecht; **~ible** [-ʒibl] wählbar

élimer [elime] *(Stoff)* abnutzen, durchscheuern

élimin|ation [eliminasjɔ̃] *f (a. math)* Eliminierung; *(Einfluß)* Ausschaltung; *(Hindernis)* Beseitigung; **~atoire** [-natwa:r] Ausscheidungs...; *f* 🏇 Ausscheidungskampf, -runde, -spiel; **~er** [-ne] *a. math* eliminieren; ausschalten; ausscheiden; beseitigen; ausmerzen; ab-, aussondern; *être* ~*é* 🏇 ausscheiden

élire [eli:r] *69* (er)wählen

élit|aire [elitɛːr] *adj* elitär, auserlesen; e-r Elite angehörend; **~e** [elit] *f* Elite; *d'* ~ auserlesen; *troupe d'* ~ Kerntruppe; **~isme** [-ism] *m* System d. natürlichen Auslese (d. Stärkeren z.B.)

élixir [eliksi:r] *m* Elixier, Heil-, Zaubertrank; ~ *de longue vie* Lebenselixier

elle [ɛl] sie; *c'est à* ~ das gehört ihr; ~*-même* sie selbst

ellébore [ɛllebɔːr] *m bot* Nieswurz

élocution [elɔkysjɔ̃] *f* Rede(weise)

élog|e [elɔːʒ] *m* Lob(rede); ~*e funèbre* Grabrede; *digne d'*~*es* lobenswert; *faire l'*~*e de qch* etw. rühmen; **~ieux** [elɔʒjø] *111* lobend; *paroles* ~*ieuses* Lobesworte

éloign|é [elwaɲe] *(örtl., zeitl.)* fern; *parents* ~*és* entfernte Verwandte; **~ement** [elwaɲmɑ̃] *m* Entfernen; Entfernung; Entfremdung; Abneigung, Widerwille; **~er** [-ɲe] entfernen; wegschieben; wegstellen; entfremden; *s'*~*er de son sujet* vom Thema abkommen

éloqu|emment [elɔkamɑ̃] *adv* beredt; **~ence** [-kɑ̃s] *f* Beredsamkeit; **~ent** [-kɑ̃] *108* redegewandt, beredsam; *ces chiffres sont* ~*ents* diese Zahlen sprechen für sich

élu [ely] *m (a. pol)* Gewählter; *rel* Auserwählter

élucider [elyside] erläutern, erklären; aufklären

élucubration [elykybrasjɔ̃] *f* Hirngespinst; Ausgeburt schlafloser Nächte

éluder [elyde] *(Gesetz)* umgehen; ~ *une question* e-r Frage (geschickt) aus d. Weg gehen *od.* ausweichen

émacié [emasje] dünn, schmächtig ⚡ abgezehrt

émail [emaj] *m* 90 Email; Zahnschmelz; *lit* Farbenpracht *(bes. d. Blumen);* **~ler** [emaje] emaillieren; ~*ler un discours de belles phrases* e-e Rede mit schönen Redensarten ausschmücken

émanation [emanasjɔ̃] *f* Ausströmung; Ausdünstung; Emanation

émancip|ation [emɑ̃sipasjɔ̃] *f* Emanzipierung; 🏛 Mündigkeitserklärung; ~*é* [-pe] *fig* ausgelassen; **~er** [-pe] emanzipieren; *(Volk)* frei machen; 🏛 für mündig erklären; *s'*~*er* s. von Konventionen frei machen; s. (zu große) Freiheiten herausnehmen

émaner [emane] *vi* ausströmen; ausdünsten; *fig* ausgehen *(de* von)

émarg|ement [emarʒəmɑ̃] *m* Gehaltszahlung; *feuille d'*~*ement* Anwesenheitsliste; **~er** [-ʒe] *(Buch)* beschneiden; *(Schriftstücke)* abzeichnen; *(Belege)* quittieren; ~*er au budget* sein Gehalt vom Staat beziehen

émasculer [emaskyle] entmannen; *fig* verweichlichen

emball|age [ɑ̃balaːʒ] *m* Verpackung; ~*age maritime* seemäßige V.; ~*age perdu* Wegwerfverpackung, Einwegpackung; **~ement** [-balmɑ̃] *m* Aufwallung; *(Reaktor)* unkontrollierte Reaktion; *(Maschine)* Durchgehen; **~er** [-le] ein(ver-)packen; *(Begeisterung)* mitreißen; *s'*~*er (Pferd)* durchgehen; *(Motor)* durchdrehen; *(Mensch)* s. erregen; *il s'*~*e facilement* er ist e. Feuerkopf; *il en est* ~*é* er schwärmt dafür; **~eur** [-lœ:r] *m* Packer

embarbouiller [ɑ̃barbuje] beschmieren; *s'*~ *(umg)* s. verhaspeln

embar|cadère [ɑ̃barkadɛ:r] *m* ⚓ Anlegeplatz; 🚉 Bahnsteig; **~cation** [-sjɔ̃] *f* (Ruder-, Segel-,

Dampf-, Motor-)Boot; ~cation de sauvetage Rettungsboot

embardée [ābardȩ̄] f ⚓ Schleuderbewegung; ✈ Ausbrechen, Ausscheren

embargo [ābargǫ] m Embargo, Hafensperre; mettre l'~ sur qch etw. mit Beschlag belegen

embarqu|ement [ābarkəmā] m Einschiffung; ♒ Verladung; lieu d'~ ement Verladeort; ~er [-kȩ] 6 ♒ verladen; s'~er s. einschiffen (pour nach); s'~er dans une affaire (umg) s. auf e-e Sache einlassen

embarras [ābarā] m Verlegenheit; Belastung; ~ d'argent Geldknappheit; ~ gastrique Magenverstimmung; ~ de voitures Verkehrsstockung; faire des ~ viel Wesens machen; mettre dans l'~ in Verlegenheit bringen; tirer d'~ aus d. Verlegenheit helfen; avoir l'~ du choix e-e Qual der Wahl haben; ~sant [-rasā] 108 beschwerlich; situation ~ante Bedrängnis; ~ser [-rasȩ] hindern; (Weg) versperren; in Verlegenheit bringen; s'~er de qn (de qch) s. j-n (etw.) auf d. Hals laden; tu m'~ses du stehst mir im Weg

embase [ābqz] f ⚙ (Metallteil) Verstärkung; 🔩 (Röhren-)Sockel; Befestigungsflansch; Beschlag

embastiller [ābastijȩ] einsperren

embauch|age [āboʃaːʒ] m Einstellung (von Arbeitern); ~e [āboʃ] f (Neu-)Einstellung; ~er [-ʃȩ] (Arbeiter) einstellen; se faire ~er e-e Beschäftigung annehmen; ~oir [-ʃwaːr] m Schuhspanner

embaumer [ābomȩ] einbalsamieren; duften

embell|ir [ābɛliːr] 22 verschönern ♦ cela ne fait que croître et ~ir (iron) es wird immer schöner; ~issement [-lismā] m Verschönerung

emberlificot|er [ābɛrlifikotȩ] umg reinlegen, aufs Kreuz legen; ~é [-tȩ] verzwickt; ~eur [-tœːr] m umg Bauernfänger

embêt|ant [ābɛtā] 108 umg lästig; langweilig; ~ement [ābɛtmā] m umg Ärger; ~er [-tȩ] umg ärgern; langweilen

emblav|er [āblavȩ] (Kornfeld) bestellen; ~ure [-vyːr] f Kornfeld

emblée [āblȩ]: d'~ sofort, auf Anhieb

emblème [āblɛm] m Sinnbild; pl Insignien; ~ de nationalité Hoheitszeichen

embobiner [ābɔbinȩ] (Spule) (um-)wickeln; ~ qn (umg) j-n einwickeln, anschmieren

emboît|é [ābwatȩ] ⚙ ineinandergreifend; ~ement [ābwatmā] m Einfügen; ~er [-tȩ] einfügen; 📖 (Buchblock) einhängen; ~er le pas à qn (a. fig) in j-s Fußstapfen treten; j-n verfolgen

embolie [ābɔli] f ⚕ Embolie; ~ gazeuse Luftembolie; ~ graisseuse Fettembolie

embonpoint [ābɔ̄pwȩ̄] m Beleibtheit; prendre de l'~ dicker werden

embouch|é [ābuʃȩ]: être mal ~é e. loses Maul haben; ~er [ābuʃȩ] (Blasinstrument) ansetzen; ~oir [ābuʃwaːr] m (Instrument) Mundstück; Schuhspanner; ~ure [ābuʃyːr] f (Instrument) Mundstück; (Fluß) Mündung; (Pferd) Trense

embourb|er [āburbȩ] (e-n Wagen) in d. Morast

hineinfahren; s'~er s. festfahren; il s'~e dans des contradictions er verwickelt s. in Widersprüche

embourgeois|er [āburʒwazȩ]: s'~er verbürgerlichen, philisterhaft werden; ~ement [-ʒwazmā] m Verbürgerlichung

embout [ābu] m Anschlußstück; Stutzen; Zwinge (am Schirm usw.)

embouteill|age [ābutɛjaːʒ] m Flaschenabfüllung; fig Verkehrsstau(ung); (Beruf) Überfüllung; ~er [-tȩjȩ] auf Flaschen abziehen; (Straße) verstopfen

emboutir [ābutiːr] ⚙ (Metall) (form)treiben; tiefziehen; prägen; pressen; (Wagen) zerbeulen

embranch|ement [ābrāʃmā] m Verzweigung; ✈ Abzweigung; Gleisanschluß; zool Kreis, Stamm; ~ement particulier ✈ Privatgleisanschluß; ~er [-ȩ] (Straßen, Röhren usw.) verbinden

embras|ement [ābrazmā] m Feuersbrunst; Großfeuer; ~ement général (fig) Weltbrand; ~er [-zȩ] bes. fig entflammen, in Aufruhr versetzen; s'~er (a. fig) Feuer fangen, entbrennen

embrass|ades [ābrasȩd] fpl umg Küssen; ~ement [-brasmā] m Umarmung; ~er [-sȩ] umarmen; küssen; umschlingen; in s. schließen; ~er d'un seul regard alles mit e-m Blick überschauen; ~er la cause de qn für j-n Partei ergreifen; ~er une autre religion e-e andere Religion annehmen ♦ qui trop ~e mal étreint wer alles tun will, tut nichts recht

embrasure [ābrazyːr] f Türöffnung; Fensternische

embray|age [ābrɛjaːʒ] m ⚙ Einkuppeln; Kupplung; ~age hydraulique Flüssigkeitsk.; ~er [-jȩ] 12 (ein)kuppeln; fig anfangen, beginnen; ~er sur qch Einfluß ausüben (auf)

embrigader [ābrigadȩ] eingliedern; ~ des partisans Anhänger werben

embrocher [ābrɔʃȩ] auf d. Bratspieß stecken; fig aufspießen

embrouill|amini [ābrujamini] m umg Durcheinander, Wirrwarr; ~er [-jȩ] verwirren; s'~er d. Faden verlieren

embroussaillé [ābrusajȩ] mit Gestrüpp bewachsen; (Kinn) struppig; (Augenbrauen) buschig; (Darlegung) verwickelt, schwer durchschaubar

embrumer [ābrymȩ] in Nebel hüllen; fig verdüstern

embrun [ābrȩ̄] m Gischt

embry|on [ābriɔ̄] m ⚕ Embryo; bot Keim; umg Knirps; ~onnaire [ābriɔnɛːr] a. fig embryonal

embûche [ābyʃ] f (mst pl) fig Falle, Schlinge; Hinterhalt; tendre des ~s à qn j-m e-e Falle stellen

embué [ābyȩ] (Fenster) beschlagen

embus|cade [ābyskad] f (a. fig) Hinterhalt; se tenir en ~cade auf d. Lauer liegen; ~qué [-kȩ] m (arg mil) Etappenschwein; ~quer [-kȩ] 6: s'~quer s. auf d. Lauer legen; mil s. e-n Druckposten sichern   [schwipst

éméché [emeʃȩ] umg leicht angesäuselt, be-

émeraude [emrɔd] smaragdfarben; *f* Smaragd
émerger [emɛrʒe] *14 (a. fig)* auftauchen
émeri [emri] *m* Schmirgel; *papier d'~* Schmirgelpapier; *bouchon à l'~* eingeschliffener Glasstopfen; *bouché à l'~ (umg)* begriffsstutzig
émérite [emerit] *adj* im Ruhestand, emeritiert; *fig* erfahren, geschickt
émersion [emɛrsjɔ̃] *f* Auftauchen
émerveill|ement [emɛrvɛjmɑ̃] *m* Verwunderung; **~er** [-vɛje] in Verwunderung versetzen; *s'~er* s. (ver)wundern, staunen
émétique [emetik] *m* Brechmittel
émett|eur [emɛtœ:r] 1. ⚓ Sende...; *(poste)* ~*eur* Sender; *voiture* ~*rice* Sendewagen; 2. *m* ⚓ Sender; *com* Emittent; ~*eur brouilleur* Störsender; ~*eur à modulation de fréquence* UKW-Sender; ~*eur-récepteur* Modulator; Sende- u. Empfangsanlage; **~re** [emɛtr] *72 (Strahlen)* aussenden, aus-, abstrahlen, emittieren; *(Banknoten)* ausgeben; *(Anleihe)* auflegen; *(Wunsch)* äußern
émeut|e [emøt] *f* Aufstand; Meuterei; Aufruhr; **~ier** [emøtje] *m* Aufständischer
émietter [emjɛte] zerbröckeln; *fig* zerstückeln
émigr|ant [emigrɑ̃] *m* Auswanderer; **~ation** [-grasjɔ̃] *f* Auswanderung; **~é** [-gre] *mst pol* Emigrant; **~er** [-gre] auswandern, emigrieren
émincer [emɛ̃se] *15* in dünne Scheiben schneiden
émin|emment [eminamɑ̃] *adv* in höchstem Maße; **~ence** [-nɑ̃s] *f* Anhöhe; Vorsprung; Geistesgröße; ✝*ence* Eminenz; **~ent** [-nɑ̃] *108 (räuml.)* erhaben; *fig* hervorragend
émiss|aire [emisɛ:r] 1. Ableitungs...; *bouc~aire* Sündenbock; 2. *m* Geheimagent; Abwässerkanalisation; **~ion** [-sjɔ̃] *f* 1. com Ausgabe *(von Wertpapieren usw.)*; *banque d'~ion* Notenbank; 2. ⚓ Sendung; (Aus-)Strahlung; Emission, Aussendung (von Strahlungsenergie); ~*ion de chaleur (phys)* Wärmeabgabe; ~*ion radiophonique (od de radio)* Rundfunksendung; ~*ion directe* ⚓ Direktübertragung
emmagasin|age [ɑ̃magazinaːʒ] *m* Aufbewahrung; Einlagerung; Stapelung; Speicherung; *fig* Ansammeln; ~*age de marchandises* Wareneinlagerung; **~er** [-ne] (auf)speichern
emmailloter [ɑ̃majɔte] *(Kind)* wickeln
emmanch|er [ɑ̃mɑ̃ʃe] *(Werkzeug)* bestielen; ~*er une affaire (umg)* e-e Sache in Gang bringen; **~ure** [-ʃyːr] *f* Ärmelloch
emmêler [ɑ̃mɛle] verwirren, durcheinanderbringen
emménag|ement [ɑ̃menaʒmɑ̃] *m* Einzug; ⚓ Raumunterteilung; **~er** [-naʒe] einziehen *(in e-e Wohnung)*
emmener [ɑ̃mne] *8* wegbringen, -führen; *(Person)* mitnehmen
emmerd|ement [ɑ̃mɛrdəmɑ̃] *m pop!* Schlamassel, Schererei; Ärger; Unannehmlichkeit; **~er** [ɑ̃mɛrde]: *cela m'~e (pop!)* das kotzt mich an; **~eur** [-dœːr] *m pop!* Nervensäge, Nervtöter
emmiell|er [ɑ̃mjɛle] 1. mit Honig bestreichen; *paroles ~ées* zuckersüße Worte; 2. *pop* auf d. Nerven gehen *(qn* j-m)

emmitoufler [ɑ̃mitufle] warm einhüllen
emmurer [ɑ̃myre] einmauern, schließen
émoi [emwa] *m* Aufregung; *mettre en ~* in A. versetzen
émollient [emɔljɑ̃] *m* ✚ Emolliens *n*
émoluments [emɔlymɑ̃] *mpl* ⚓ Wertgebühren; Gehalt, Bezüge
émonder [emɔ̃de] *(Baum)* ausputzen, ausschneiden
émot|if [emɔtif] *112* ✚ emotionell; **~ion** [-sjɔ̃] *f* Rührung; Aufregung; **~ionnable** [-sjɔnabl] erregbar; **~ivité** [-tivite] *f* Erregbarkeit
émoulu [emuly]: *frais ~ (fig)* neugebacken
émousser [emuse] *a. fig* abstumpfen
émoustiller [emustije] aufheitern; *umg* aufdrehen
émouvoir [emuvwa:r] *38* erregen, beunruhigen; *(innerlich)* rühren; ergreifen; *être ému* ergriffen sein
empailler [ɑ̃paje] *(Tier)* ausstopfen; *(Stuhl)* mit Stroh beflechten
empaler [ɑ̃pale] pfählen
empaqueter [ɑ̃pakte] *4* einpacken; *machine à ~* Paketiermaschine
emparer [ɑ̃pare]: *s'~* sich bemächtigen (*de qch* e-r Sache)
empât|er [ɑ̃pate] *vt* verschleimen; *(Geflügel)* mästen; *voix ~ée* belegte Stimme
empattement [ɑ̃patmɑ̃] *m* ⚓ Radstand
empaumer [ɑ̃pome]: ~ *qn (umg)* j-n beschwindeln; j-n reinlegen
empêch|ement [ɑ̃pɛʃmɑ̃] *m* Verhinderung; Hindernis; **~er** [-ɛ] (ver)hindern; *je ne t'en ~e pas* meinetwegen kannst du es tun; *je ne puis m'~er de...* ich kann nicht umhin zu...; **~eur** [-ʃœ:r] *m:* ~*eur de tourner en rond* Spielverderber
empeigne [ɑ̃pɛɲ] *f (Schuh)* Oberleder
empenn|age [ɑ̃penaːʒ] *m* ✚ Stabilisierungsflächen; Leitwerk; **~é** [-ne] gefiedert; ✚ flugstabilisiert
empereur [ɑ̃prœ:r] *m* Kaiser
emperlé [ɑ̃pɛrle]: ~ *de sueur* mit Schweißtropfen bedeckt
empes|age [ɑ̃pazaːʒ] *m (Wäsche)* Stärken; **~er** [-ze] *8 (Wäsche)* stärken; *style ~é* gezierter Stil
empest|é [ɑ̃pɛste] stinkend; **~er** [ɑ̃pɛste] verpesten; stinken *(qch* nach etw.)
empêtrer [ɑ̃pɛtre]: *s'~ (fig)* sich verstricken *(dans* in)
empha|se [ɑ̃fa:z] *f* Emphase; Schwulst; Pathos; Phrasendrescherei; **~tique** [ɑ̃fatik] emphatisch, hochtrabend; pathetisch
empiècement [ɑ̃pjɛsmɑ̃] *m (Kleid)* Einsatzstück
empierr|ement [ɑ̃pjɛrmɑ̃] *m* Beschotterung; **~er** [-pjɛre] beschottern
empiét|ement [ɑ̃pjetmɑ̃] *m* Eingriff *(in fremde Rechte);* ~*ement de l'État* Übergriff d. Staates; **~er** [ɑ̃pjete] *13* eingreifen *(sur les droits de qn* in j-s Rechte); ~*er sur la ligne médiane* die Mittellinie überfahren (Straßenverkehr)
empiffrer [ɑ̃pifre]: *s'~ (pop)* s. vollfressen
empiler [ɑ̃pile] aufstapeln, aufhäufen; *pop* anschmieren

empire [ɑ̃pịːr] *m* Reich; Kaiserreich; *(a. geistig)* Herrschaft; *sous l'~ de* unter Einfluß (von); ~ *sur soi-même* Selbstbeherrschung

empirer [ɑ̃pirẹ] (s.) verschlimmern

empirique [ɑ̃pirịk] empirisch, erfahrungsgemäß; *m* Naturheilkundiger

emplacement [ɑ̃plasmɑ̃] *m* Stelle; Standort; Einbau-, Aufbauort; ~ *de stockage* Lagerort

emplâtre [ɑ̃plɑtr] *m* ♀ Pflaster; *fig umg* Schlafmütze, Nichtsnutz

emplette [ɑ̃plẹt] *f* Einkauf; gekaufte Sache; *faire des ~s* Einkäufe machen

empl|oi [ɑ̃plwạ] *m* Anwendung, Verwendung, Gebrauch; *(Beruf)* Stelle, Stellung; (Dienst-)-Posten; Anstellung, Beschäftigung; *demande (offre) d'~oi* Stellengesuch (-angebot); *plein ~oi* Vollbeschäftigung; *mode d'~oi* Gebrauchsanweisung, -anleitung; ~*oi budgétaire* Planstelle; ~*oi rétribué* Beschäftigungsverhältnis; ~*oi du temps* Stundenplan; Arbeitsplan; *faire double ~oi* überflüssig sein; s. überschneiden; **~oyé** [ɑ̃plwajẹ] *m* Angestellter; ~*oi supérieur* leitender A.; **~oyer** [ɑ̃plwajẹ] 5 an-, verwenden; gebrauchen; anstellen, beschäftigen; *s'~oyer pour qn* s. für j-n verwenden; **~oyeur** [ɑ̃plwajœːr] *m* Arbeitgeber

empocher [ɑ̃pɔʃẹ] *a. fig* einstecken; ~ *de l'argent (umg)* Geld einstreichen

empoign|ade [ɑ̃pwaɲad] *f* heftige Zankerei, heftige Auseinandersetzung; **~e** [ɑ̃pwaɲ] *f*: *acheter à la foire d'~e (umg)* mausen, klauen; **~er** [-ɲẹ] *a. fig* packen, fassen; *s'~er* s. raufen

empois [ɑ̃pwạ] *m* (Wäsche-)Stärke; Kleister

empoisonn|ant [ɑ̃pwazonɑ̃] 108 *umg* lästig; **~ement** [-zɔnmɑ̃] *m* Vergiftung; **~er** [-zɔnẹ] *a. fig* vergiften; verpesten; *umg* stinken; ärgern; **~eur** [-zɔnœːr] *m* Giftmischer

empoisser [ɑ̃pwasẹ] (aus)pichen

empoissonner [ɑ̃pwasonẹ] *(Gewässer)* mit Fischbrut besetzen

emport|é [ɑ̃pɔrtẹ] aufbrausend, heftig, jähzornig; **~ement** [-tɑmɑ̃] *m* Zornwallung, Wutausbruch; **~e-pièce** [ɑ̃pɔrtəpjɛs] *m* 100 Lochzange; ✿ Durchschlag; *à l'~e-pièce (Rede)* beißend; **~er** [-tẹ] wegschaffen, wegbringen; *(Sachen)* mitnehmen; fortreißen; dahinraffen; *m* Eifer; Dienstfertigkeit; **~esser** [ɑ̃prɛsẹ]: *s'~esser* s. beeilen *(de zu)*; *s'~esser en vain* s. umsonst bemühen

emprise [ɑ̃prịːz] *f* Einfluß, Einwirkung; *sous l'~ de* unter dem Einfluß von

emprisonne|ment [ɑ̃prizɔnmɑ̃] *m* Gefangensetzung; *(peine d')* ~*ment* Gefängnisstrafe; ~*ment cellulaire* Einzelhaft; **~r** [-zɔnẹ] einsperren

emprunt [ɑ̃prœ̃] *m* Entlehnung; *com* Anleihe; *souscrire à un ~* e-e Anleihe zeichnen; *nom d'~* falscher Name; **~é** [-tẹ] unbeholfen, linkisch; gekünstelt; *éclat ~é* falscher Glanz; **~er** [-tẹ] borgen *(à von)*, (aus)leihen; ⚡ *(Strom)* entnehmen; **~eur** [-tœːr] *m* Darlehensnehmer

empuantir [ɑ̃pɥɑ̃tịːr] *(d. Luft)* verpesten

émul|ation [emylasjɔ̃] *f* Nacheiferung; **~e** [emyl] *m* Nacheiferer

émulsion [emylsjɔ̃] *f* Emulsion

en [ɑ̃] in; nach; an; zu; als; davon; darum; ~ *France* nach *od* in Frankreich; *de père ~ fils* vom Vater auf d. Sohn; *aller ~ voiture* mit d. Wagen fahren; *étudiant ~ droit* Student d. Rechtswissenschaft; ~ *rouge* rot gekleidet; ~ *allemand* auf deutsch; ~ *ami* als Freund; ~ *U* U-förmig; ~ *sortant* beim Hinausgehen; ~ *bois* aus Holz; *il ~ est* er gehört dazu; *qu'~ dites-vous?* was sagen Sie dazu?; *c'~ est trop* das geht zu weit; *n'~ parlons plus* lassen wir das; *il m'~ veut* er ist mir böse; *où ~ es-tu?* wie weit bist du?; ~ *avant!* vorwärts!; ~ *arrière* hinten; ~ *bas* unten; ~ *dessous* unten; *fig* heimlich; ~ *dessus* oben; ~ *haut* oben; ~ *outre* dazu, außerdem, darüber hinaus

énamourer [enamurẹ]: *s'~* sich verlieben *(de* in), Feuer fangen

énarque [enark] *m* Absolvent d. franz. Verwaltungshochschule (= École nationale d'administration)

encablure [ɑ̃kablyːr] *f* ♃ Kabellänge

encadr|ement [ɑ̃kadrəmɑ̃] *m* Einfassung; Eingliederung; *(Politik)* Kaderbildung; ~*ement du crédit* Kreditrestriktion; **~er** [-drẹ] (ein)rahmen, einfassen; ~*er la population* d. Bevölkerung fest in d. Hand bekommen; **~eur** [-drœːr] *m* Einrahmer

encager [ɑ̃kaʒẹ] 14 *umg* einsperren

encaiss|e [ɑ̃kɛs] *f* Kassenbestand; ~*e or* Goldvorrat; **~ement** [ɑ̃kɛsmɑ̃] *m com* Kassieren, Inkasso, Beitreibung; (Geld-)Aufkommen; *frais d'~ement* Inkassogebühren; **~er** [ɑ̃kɛsẹ] kassieren; vereinnahmen; *(Scheck)* einlösen; *umg* einstecken *(z.B. Schläge)*; *rivière ~ée* tief eingeschnittener Fluß ♦ *je ne puis l'~er* ich kann ihn nicht riechen

encan [ɑ̃kɑ̃] *m* öffentl. Versteigerung, Auktion; *vendre à l'~* versteigern

encanailler [ɑ̃kanajẹ]: *s'~* in schlechter Gesellschaft verkehren

encaquer [ɑ̃kakẹ] 6 *(Heringe)* in Tonnen packen; *(Menschen)* wie die Heringe zus.pferchen

encart [ɑ̃kaːr] *m (Zeitung)* (Werbe-)Beilage; **~er** [ɑ̃kartẹ] 📖 einheften

en-cas [ɑ̃kɑ] *m* 100 Notbehelf; (bereitgehaltener) Imbiß; kleiner Regenschirm

encaserner [ɑ̃kazɛrnẹ] kasernieren

encastrer [ɑ̃kastrẹ] ✿ einfügen; einspannen; ~ *dans le béton* einbetonieren

encaustiqu|e [ɑ̃kɔstịk] *f* Bohnerwachs; **~er** [-stịkẹ] 6 bohnern

encaver [ākavẹ] einkellern
enceinte [āsɛ̃t] schwanger, in anderen Umständen; f Umwallung; Stadtmauer; (geschlossener) Raum; ~ *acoustique* Lautsprecherbox; ~ *de sécurité* (Reaktor-)Schutzhülle
encens [āsãs] m *(a. fig)* Weihrauch; ~er [āsāsẹ] mit Weihrauch beräuchern; *fig* beweihräuchern; ~oir [āsāswaːr] m Weihrauchfaß ♦ *donner des coups d'~oir à qn* j-n beweihräuchern
encéphal|ique [āsefalịk] 💲 Gehirn...; ~ite [-lịt] f Gehirnentzündung
encercl|ement [āsɛrkləmã] m Einkreisung; ~er [-klẹ] ein-, umkreisen
enchain|ement [āʃɛnmã] m Verkettung; Zus.hang *(d. Ideen)*; Abfolge; ~er [-nẹ] anketten, an d. Kette legen; *(Gedanken)* verknüpfen; fortfahren *(in e-r Rede)*
enchant|ement [āʃãtmã] m Zauber; Zauberei; Entzücken; ~er [āʃãtẹ] verzaubern; behexen; entzücken; ~é! *(beim Bekanntmachen)* angenehm!, sehr erfreut!; ~eur [-tœːr] *123* Zauber...; bezaubernd; m Zauberer
enchâsser [āʃasẹ] *(Edelstein)* fassen
enchères [āʃɛːr] fpl: *vente aux ~ (publiques)* öffentl. Versteigerung
enchér|ir [āʃerịːr] e. höheres Angebot machen; ~*ir sur qch* etw. überbieten; ~issement [-rismã] m Verteuerung, Steigen der Preise; ~isseur [-risœːr] m: *dernier ~isseur* Meistbietender
enchevêtré [āʃəvɛtrẹ] verwickelt; durcheinander; 💠 s. überlappend
enclave [āklɑːv] f Enklave
enclench|ement [āklāʃmã] m 🔧 Sperrvorrichtung; ~er [-klāʃẹ] 🔧 sperren; *(Weiche)* verriegeln
enclin [āklɛ̃] *109* geneigt *(à* zu); *peu ~* abgeneigt
encliquetage [ākliktaːʒ] m 🔧 Sperrvorrichtung
enclo|re [āklɔːr] *58* einschließen; ~s [āklọ] m Umfriedung; Zaun
enclou|age [ākluaːʒ] m 💲 Nagelung; ~er [ākluẹ] *(Pferd)* vernageln
enclume [āklym] f Amboß; *entre l'~ et le marteau* in der Klemme
encoche [ākɔʃ] f Kerbe; Nut; *écrou à ~s* Nutmutter; *faire une ~ à qch* etw. einschneiden, einkerben
encoignure [ākwaɲyːr] f 🏛 einspringender Winkel
encoll|age [ākɔlaːʒ] m *(Papier)* Leimung; ~er [-lẹ] *(Papier)* leimen
encolure [ākɔlyːr] f Hals-, Kragenweite
encombr|ant [ākɔ̃brã] *108* platzraubend, sperrig; *marchandises ~antes* Sperrgut; ~e [ākɔ̃br]: *sans ~e* unbehindert; ~ement [-brəmã] m 🔧 Platzbedarf; Raumbeanspruchung; *(Möbel, Masch.)* Ausmaße; ⚓ Stauraum; ~*ement réduit* gedrungene Bauweise; geringer Raumbedarf; *pour des raisons d'~ement* aus Raumgründen; ~*ement de rue* Verkehrsstockung; ~er [-brẹ] versperren; *com* mit Waren überschwemmen
encontre [ākɔ̃tr]: *aller à l'~ de* zuwiderlaufen
encorbellement [ākɔrbɛlmã] m 🏛 Auskragung;

Mauervorsprung; Erker, Vorbau *(e-s Stockwerks)*
encorder [ākɔrdẹ]: *s'~ (alp)* s. anseilen
encore [ākɔːr] noch; auch; überdies; allerdings; ~! schon wieder!; ~ *une fois* noch einmal; *pas ~* noch nicht; *en veux-tu ~?* willst du noch etw. davon?; *et ~? (umg)* was ist dabei?; ~ *s'il s'était excusé* wenn er s. wenigstens entschuldigt hätte; ~ *qu'il soit riche* wenn er auch reich ist
encourag|eant [ākuraʒã] *108* ermutigend; ~ement [-mã] m Ermutigung; Förderung; ~er [-ʒẹ] *14* ermutigen; fördern
encourir [ākurịːr] auf s. laden; s. e-r Sache aussetzen; ~ *une peine* s. e-r Strafe aussetzen; ~ *la disgrâce de qn* bei j-m in Ungnade fallen
encrage [ākraːʒ] 📖 Farbauftrag
encrass|ement [ākrasmã] m Verschmutzung; *(Zündkerze)* Verrußen; ~er [-sẹ]: beschmutzen; verschmutzen; *s'~er (Zündkerze)* verrußen
encr|e [ākr] f Tinte; Druckerschwärze; ~*e de Chine* Tusche; ~*e sympathique* sympathetische Tinte; ~*e stylographique* Füllhaltertinte; ~*e à tampon* Stempelfarbe; *tache d'~e* Tintenklecks; *crayon ~e* Tintenstift ♦ *c'est la bouteille à l'~e* man wird nicht klug daraus; ~ier [ākriẹ] m Tintenfaß
encroût|é [ākrutẹ] verkalkt, verknöchert; ~er [-tẹ] *(mit Mörtel)* bewerfen; *s'~er* verkrusten; *fig* verknöchern
encycl|ique [āsiklịk] f päpstl. Rundschreiben, Enzyklika; ~opédie [-klɔpedị] f Enzyklopädie; Lexikon
endémique [ādemịk] 💲 endemisch
endenté [ādātẹ] gezähnt; 🔧 verzahnt
endett|é [ādɛtẹ] verschuldet; ~ement [ādɛtmã] m Verschuldung; ~er [-tẹ] in Schulden stürzen
endeuiller [ādœjẹ] mit tiefer Trauer erfüllen
endiablé [ādjablẹ] vom Teufel besessen; verteufelt; toll, leidenschaftlich
endiguer [ādigẹ] *a. fig* eindämmen
endimancher [adimāʃẹ]: *s'~* seinen Sonntagsstaat anlegen; *avoir l'air ~é* gezwungen u. unnatürlich aussehen
endive [ādiːv] f Chicorée(salat)
endocrine [ādokrịn]: *glandes ~s* 💲 innersekretorische (endokrine) Drüsen
endoctriner [ādoktrinẹ] j-n für s-e Meinung zu gewinnen suchen
endolori [ādolɔrị] schmerzend; *j'ai le pied ~* d. Fuß schmerzt mich; *être tout ~* am ganzen Körper Schmerzen verspüren
endommager [ādomaʒẹ] *14* beschädigen
endormir [ādɔrmịːr] *29 (a. fig)* einschläfern; *(Schmerz)* betäuben; *fig* einlullen; täuschen; *s'~* einschlafen, ♦ *s'~ sur ses lauriers* s. auf s-n Lorbeeren ausruhen
endos [ādọ] m *com* Indossament Giro; ~sataire [ādosatẹːr] m *com* Indossat(ar), Girat(ar); ~sement [ādosmã] m Indossament, Giro; ~ser [ādosẹ] *(Kleider)* anziehen; *(Verantwortung)* übernehmen; *com* indossieren, girieren; ~seur [ādosœːr] m Indossant, Girant
endroit [ādrwã] m **1.** Ort, Stelle; *à quel ~?* an welcher St.?; *l'~ où* da wo; *au bon ~* an der

richtigen St.; *par ~s* stellenweise; *le petit ~ (umg)* d. Örtchen; **2.** *(Stoff, Medaille)* rechte Seite; *l'étoffe se repasse à l'~* d. Stoff bügelt man rechts **3.** *il a mal agi à ton ~* er hat dir gegenüber nicht gut gehandelt; *à l'~ de* in bezug auf

endui|re [ãdɥi:r] 80 bestreichen *(de* mit), auftragen, beschichten, lackieren; imprägnieren; **~t** [ãdɥi] *m* Verputz; Anstrichstoff; Auflage, Schicht

endur|ance [ãdyrãs] *f* Ausdauer; *(Material)* Dauerfestigkeit, Lebensdauer; **~ant** [ãdyrã] 108 ausdauernd; geduldig; **~ci** [ãdyrsi] verhärtet; *(Sünder)* verstockt; *célibataire* ~ci eingefleischter Junggeselle; **~cir** [ãdyrsi:r] 22 (er)härten; abhärten; *s'*~cir hart werden, s. verhärten, gefühllos werden; **~cissement** [-sismã] *m* Erhärten *n*; *(a.* **§)** *Verhärtung; Abhärtung (à* gegen); Verstocktheit; **~er** [-rę] ausstehen; (er)tragen; (er)dulden; aushalten

énerg|étique [enɛrʒetik] Energie...; **~ie** [-ʒi] *f* Energie; Arbeitsvermögen, Arbeit; Willens-, Tatkraft; Wirksamkeit; *~ie atomique* Atomenergie; *~ie calorifique* Wärmeenergie; *~ie nucléaire* Kernenergie; *~ie solaire* Sonnenen.; *sans ~ie* kraftlos, schlaff; **~ique** [-ʒik] energisch; tatkräftig; wirksam; nachdrücklich; *prendre des mesures ~iques* durchgreifen; **~umène** [-gymɛn] *m* Besessener, Rasender

énerv|ant [enɛrvã] 108 auf d. Nerven gehend; **~ement** [-vəmã] *m* Nervosität; **~er** [-vę] nervös machen; *s'*~er s. aufregen, nervös werden

enf|ance [ãfãs] *f* Kindheit; *fig* Beginn, Ursprung; *dès sa tendre ~ance* von Kindesbeinen an; *retomber en ~ance (Greis)* kindisch werden ♦ *c'est l'~ance de l'art* das ist kinderleicht; **~ant** [ãfã] *m* Kind; Junge; *f* Mädchen; *~ant adoptif* angenommenes K., Adoptivk.; *fig (umg)* Einfaltspinsel; *ne pas être un ~ant de chœur* durchtrieben, skrupellos sein; *~ant prématuré* **§** Frühgeburt; *~ant trouvé* Findelkind; *jeune ~ant* Kleink.; *faire l'~ant* s. kindisch benehmen; *ce n'est pas un jeu d'~ant* das ist kein Kinderspiel; *il est bon ~ant* er ist e. gutmütiger Kerl; **~antement** [ãfãtmã] *m (a. fig)* Gebären; **~anter** [ãfãtę] *a. fig* gebären, zur Welt bringen; **~antillage** [ãfãtija:ʒ] *m* Kinderei; **~antin** [ãfãtɛ̃] 109 kindlich; *c'est d'une simplicité ~antine* das ist kinderleicht

enfariné [ãfarinę] mehlig; mit Mehl bestäubt; *la bouche ~e (umg)* vertrauensselig

enfer [ãfɛ:r] *m (a. fig)* Hölle; *feu d'~ (fig)* Höllenfeuer ♦ *aller un train d'~* dahinrasen; *jouer un jeu d'~* e. gewagtes Spiel spielen

enfermer [ãfɛrmę] einschließen, sperren; *fig* enthalten

enferrer [ãfɛrę] *s'*~ *(fig)* s. in e-r Lüge verfangen

enfiévrer [ãfjevrę] 13 erregen; überreizen

enfil|ade [ãfilad] *f* lange Reihe; *~ade de chambres* Zimmerflucht; *en ~ade* hintereinander; **~er** [-lę] *(Nadel)* einfädeln; *(Perlen)* aufreihen; aufspießen; *(Kleidungsstück)* schnell anziehen; *(Weg)* einschlagen

enfin [ãfɛ̃] endlich, schließlich; kurzum

enflamm|er [ãflamę] anzünden; *a. fig* entflammen; *regards ~és* feurige Blicke; *s'*~er **§** s. entzünden; *s'~er pour qch* s. für etw. begeistern *od* ereifern

enfl|er [ãflę] *(a.* **§**, *Fluß)* (an-, auf-)schwellen; *style ~é* schwülstiger Stil; **~ure** [(ã)fly:r] *f* **§** Geschwulst; *(Stil)* Schwulst

enfonc|é [ãfõsę] *(Augen)* tiefliegend; *~é dans (fig)* vertieft, versunken in; **~ement** [ãfõsmã] *m (Pfahl, Tür)* Einschlagen; *(Tür)* einschlagen, -rammen; *(Dach durch Luftdruck)* eindrücken; *~er son chapeau sur la tête* d. Hut ins Gesicht drücken; *s'*~er sinken, untergehen

enfoui|r [ãfwi:r] 22 vergraben, -scharren; *fig* verbergen; **~ssement** [ãfwismã] *m* Ver-, Eingraben

enfourcher [ãfurʃę] aufgabeln; *~ son vélo* aufs Rad steigen; *~ son dada (umg)* sein Steckenpferd reiten

enfourner [ãfurnę] in den Ofen zum Backen schieben; *umg* gierig verschlingen

enfreindre [ãfrɛ̃dr] 87 *vt* 🜹 übertreten, zuwiderhandeln

enfuir [ãfɥi:r] 24: *s'*~ entfliehen; *(Zeit)* verrinnen, verfliegen

enfumer [ãfymę] verräuchern

engag|é [ãgaʒę] *écrivain ~é* Schriftsteller, d zu Gegenwartsproblemen Stellung nimmt; *m mil* Freiwilliger; **~eant** [-ʒã] 108 einladend; verlockend; **~ement** [-ʒmã] *m* Verpflichtung; 🜺 Engagement; 🜹 Verpfändung; Freiwilligenmeldung; *mil* Gefecht; *sans ~ement (com)* freibleibend, unverbindlich; *faire honneur à ses ~ements* s-n Verpflichtungen nachkommen; *~ement naval* Seegefecht; **~er** [-ʒę] 14 verpflichten, binden; verpfänden; veranlassen *(à* zu); verwickeln *(dans* in); *~er des capitaux dans une entreprise* Kapital in e.Unternehmen investieren; *~er une discussion* e-e Diskussion eröffnen; *~er un ouvrier* e-n Arbeiter einstellen; *s'*~er *à fond* rückhaltlos mittun; *s'*~er *(dans l'armée)* s. freiwillig melden

engeance [ãʒãs] *f pej* Sippschaft

engelure [ãʒly:r] *f* Frostbeule

engendr|ement [ãʒãdrəmã] *m* Zeugung; **~er** [-drę] zeugen; verursachen; erzeugen; zur Folge haben

engin [ãʒɛ̃] *m* Apparat, Gerät, Maschine; Vorrichtung; Werkzeug; *~ balistique* Flugkörper, Geschoß; *~ blindé* Panzerfahrzeug; *~ explosif* Sprengkörper; *~ cosmique, ~ spatial* Raumfahrzeug; *~ téléguidé* ferngelenkter Flugkörper

englober [ãglobę] einschließen; eingemeinden; verwickeln *(dans* in)

engloutir [ãgluti:r] 22 *(a. fig)* verschlingen

engluer [ãglyę] mit Leim bestreichen *od* fangen; *fig* übervorteilen

engoncé [ãgõsę] gezwungen, linkisch

engorg|ement [ãgɔrʒmã] *m* 🜹 Verstopfung; *fig* Stockung; **~er** [-ʒę] 14 *(Rohr)* verstopfen

engou|ement [ãgumã] *m* Hingerissensein,

Schwärmen; ~er [ãgwẹ]: s'~er schwärmen (de
für); s. vernarren (de in)
engouffer [ãgufrẹ] fig verschlingen; s'~ sich
stürzen (dans in)
engourd|ir [ãgurdị:r] 22 fühllos, starr machen;
j'ai le pied ~i mir ist d. Fuß eingeschlafen;
~**issement** [-dismã] m Erstarrung, Betäubung;
fig Stumpfheit
engrais [ãgrɛ] m Düngemittel; bétail à l' ~
Mastvieh; ~ azoté Stickstoffdünger; ~ chimique (od minéral) Kunstd.; ~ phosphaté
Phosphord.; ~ potassique Kalidüngemittel;
~**ser** [ãgrɛsẹ] mästen; düngen; stärker, dicker
werden; zunehmen
engranger [ãgrãʒẹ] 14 (Ernte) einbringen
engren|age [ãgrǝnạ:ʒ] m ✿ Zahnradgetriebe,
Räderwerk; Verzahnung; fig Verwicklung;
~age conique Kegelradgetriebe; ~age cylindri-
que Stirnradgetriebe ♦ être pris dans un ~age in
immer größere Schwierigkeiten geraten; ~**er**
[-nẹ] 8 (Zahnrad) eingreifen
engrosser [ãgrosẹ] pop schwängern
engueul|ade [ãgœlạd] f pop Anschnauzer,
Anpfiff, ~**er** [-lẹ] pop anschnauzen; anranzen;
anfauchen, anblöken
enguirlander [ãgirlãdẹ] mit Girlanden schmük-
ken; umg grob kommen, anschreien
enhardir [ãardị:r] 22 kühn machen; s'~ sich
erkühnen; Mut fassen (à qch zu etw.)
énigm|atique [enigmatịk] rätselhaft; ~**e** [enịgm]
f (a. fig) Rätsel; le mot de l'~e d. Rätsels
Lösung
enivr|ant [ãnivrã] 108 (a. fig) berauschend;
betäubend; ~**ement** [-vrǝmã] m Rausch; Taumel; ~**er** [-vrẹ] a. fig berauschen; s'~er s.
betrinken; s. berauschen (de an)
enjamb|ée [ãʒãbẹ] f weiter Schritt; faire de
grandes ~ées weit ausholen; ~**er** [-bẹ] qch e-n
großen Schritt über etw. machen; s. über etw.
hinwegsetzen
enjeu [ãʒø] m (Spiel) Einsatz
enjoindre [ãʒwɛ̃dr] (an)befehlen; einschärfen
enjôl|er [ãʒolẹ] beschwatzen; umgarnen; um-
schmeicheln; Honig um den Mund schmieren
(qn j-m); ~**eur** [-lœ:r] m Schmeichelkatze;
Süßholzraspler
enjoliv|er [ãʒolivẹ] verzieren; a. fig schmücken;
~**eur** [-vœ:r] m 🚗 Radkappe
enjou|é [ãʒwẹ] m (Gemüt) aufgeräumt; munter;
~**ement** [ãʒumã] m Heiterkeit, Munterkeit;
Unbeschwertheit
enkyst|ement [ãkistmã] m 🟥 Einkapselung;
~**er** [-tẹ] s'~er 🟥 s. ein-, verkapseln
enlac|ement [ãlasmã] m Verflechtung; ~**er** [-sẹ]
15 verflechten, umschlingen; mains ~ées
verschlungene Hände
enlaidir [ãlɛdị:r] 22 häßlich machen; häßlich
werden
en|levage [ãlvạ:ʒ] m 🧵 Endspurt; ~**levé** [ãlvẹ]
leicht, gekonnt; schmissig; jeu bien ~levé ♪
gekonntes, leichtes Spiel; ~**lèvement** [ãlɛvmã] m
Entfernen; Wegnahme; Entführung; com Ab-
transport; (Güter-)Abholung; mil Erstürmung;
~lèvement des ordures Müllabfuhr; ~**lever**

[ãlvẹ] 8 entfernen, wegnehmen; aufkaufen;
abholen; (Kleidung) ausziehen; entführen; mil
im Sturm nehmen; ~lever le couvert d. Tisch
abdecken; ~lever son auditoire s-e Zuhörer
mitreißen; la mort l'~leva d. Tod hat ihn
dahingerafft
enliser [ãlizẹ] s'~ im Treibsand, Schlamm usw.
steckenbleiben; fig nicht mehr weiterkönnen
enlumin|é [ãlyminẹ]: visage ~é hochrotes
Gesicht; ~**er** [-nẹ] kolorieren; ~**ure** [-ny:r] f
Buchmalerei
enneig|é [ãnɛʒẹ] verschneit, eingeschneit;
~**ement** [ãnɛʒmã] m Schneelage; Schneedecke;
pl Schneeverhältnisse
ennemi [ɛnmi] feindlich; m Feind; ~ héréditaire Erbfeind; ~ mortel Todfeind
ennobl|ir [ãnɔblị:r] 22 fig adeln; veredeln;
~**issement** [-blismã] m fig Veredelung, Läute-
rung
ennuag|ement [ãnɥaʒmã] m Bewölkungszu-
nahme; ~**er** [-ʒẹ]: s'~er (Himmel) s. beziehen, s.
bewölken
ennu|i [ãnɥi] m Langeweile; Verdruß, Ärger,
Überdruß; (Maschine) Störung; mourir d'~i s.
zu Tode langweilen; ~**yer** [ãnɥijẹ] 5 langweilen;
verdrießen; cela m'~ie beaucoup d. ist mir
peinlich; ~**yeux** [ãnɥijø] 111 langweilig, öde;
(Vorkommnis) ärgerlich
énonc|é [enõsẹ] m Darlegung; Wortlaut, For-
mulierung; Behauptung; wissenschaftl. Ansatz;
~**er** [-sẹ] 15 aussagen; formulieren; ansetzen;
~**iation** [-sjasjõ] f Aussage
enorgueillir [ãnɔrgœjị:r] 22 stolz machen; s'~
de qch auf etw. stolz sein
énorm|e [enɔrm] 131 enorm; ungeheuer;
~**ité**[-mitẹ] f Ungeheuerlichkeit
enqu|érir [ãkerị:r] 18: s'~érir de s. erkundigen
nach; ~**ête** [ãkɛt] f Untersuchung, Umfrage;
Überprüfung; Ermittlung; faire une ~ête
ermitteln; ~ête judiciaire polizeil. Ermittlung,
Fahndung; ~**êter** [-kɛtẹ] e-e Untersuchung
durchführen; Nachforschungen anstellen;
~**êteur** [-kɛtœ:r] m Untersuchungsbeauftragter
enquiquiner [ãkikinẹ] umg ärgern, hochbringen;
auf d. Palme bringen
enraciner [ãrasinẹ]: s'~ einwurzeln; a. fig
Wurzeln schlagen
enrag|é [ãraʒẹ] wütend; toll; (Hund) tollwütig;
joueur ~é leidenschaftl. Spieler; ~**és** mpl (pol)
d. Radikalen, d. Extremisten; ~**er** [-ʒẹ] 14
wütend sein; j'~e! ich platze vor Wut!; faire
~er z. Weißglut bringen
enray|age [ãrɛjạ:ʒ] m Hemmen, Bremsen;
Ladehemmung; ~**er** [-jẹ] 12 (Rad) einspeichen;
(Wirkung) hemmen, bremsen
enrégimenter [ãreʒimãtẹ] (Personen) sammeln,
werben; (in e-e Partei usw.) einreihen
enregistr|ement [ãrǝʒistrǝmã] m Eintragung;
(Schallplatte, Tonband) Aufnahme, Aufzeichnung; (Daten) Speicherung; ~ement des bagages Gepäckabfertigung; ~ement sur disque
Schallplattenaufnahme; ~ement sur bande
(Ton-)Bandaufnahme; ~ement des images et du
son Bild- u. Tonaufzeichnung; ~**er** [-trẹ] (amtl.)

eintragen; aufzeichnen; einspeichern; *(auf
Schallplatte, Tonband)* aufnehmen; *faire ~er ses
bagages* sein Gepäck aufgeben; **~eur** [-trœːr] **1.**
121 Selbstspeicher, Registrier...; *appareil ~eur*
Registriergerät; *caisse ~euse* Registrierkasse;
2. *m* Registriergerät; (Daten-)Speicher; *~eur de
vitesse* 🚗 Fahrtenschreiber; *~eur de vol*
Flugdatenschreiber

enrhu|mé [ãrymẹ] erkältet; *être ~é* Schnupfen
haben; **~er** [-mẹ]: *s'~er* s. erkälten, s. e-n
Schnupfen holen

enrich|ir [ãriʃiːr] *22* bereichern; *(Atom)* anrei-
chern; konzentrieren; *fig* entwickeln, verschö-
nern; *~ir ses connaissances* s-e Kenntnisse
erweitern; **~issement** [-ʃismã] *m* Bereicherung;
Anreicherung

enrob|age [ãrɔbɑːʒ] *m* Hülle, Ummantelung,
Verkleidung; **~er** [ãrɔbẹ] *(zum Schutz)* umgeben; verpacken; *~er de béton* mit Beton
umgießen

enrôl|ement [ãrolmã] *m (bes mil)* Anwerbung;
~er [-lẹ] anwerben; ⚓ anmustern; gewinnen
(pour für); *s'~er dans un parti* in e-e Partei
eintreten

enrou|é [ãrwẹ] heiser; **~ement** [ãrumã] *m*
Heiserkeit; **~er** [ãrwẹ]: *s'~er* heiser werden

enroul|ement [ãrulmã] *m* (Auf-, Zus.-)Rollen;
⚙ Wicklung; **~er** [-lẹ] (auf-, zus.-)rollen;
umwickeln; **~euse** [-løːz] *f (Film)* Umroller,
Aufspulvorrichtung; ⚡ Kabelwickelmaschine;
Haspel

enrubanner [ãrybanẹ] bebändern; umwickeln

ensabl|ement [ãsabləmã] *m* Versandung; **~er**
[-blẹ] *vt* versanden; *le navire s'est ~é* d. Schiff ist
auf Sand gelaufen

ensach|age [ãsaʃɑːʒ] *m* Abfüllung *(in Säcke od
Tüten)*; *poids net à l'~age* Füllgewicht; **~er** [-ʃẹ]
abfüllen *(in Säcke od Tüten)*

ensanglanter [ãsãglãtẹ] *a. fig* mit Blut
beflecken

enseign|ant [ãsɛɲã] *m* Lehrkraft, Lehrperson;
adj: corps ~ant Lehrkörper *(aller Unterrichtsstu-
fen)*; **~e** [ãsɛɲ] **1.** *f* Ladenschild; *~e lumineuse*
Lichtreklame; *à bonne ~e* mit Fug u. Recht; *à
telle ~e que so*, daß; dergestalt, daß; *être logé à
la même ~e* in d. gleichen Lage sein; **2.** *m*
Leutnant z. See; **~ement** [ãsɛɲəmã] *m* Unterricht; Lehre; *~ement obligatoire* Schulpflicht;
~ement général allgemeinbildender Unterricht;
~ement postscolaire Fortbildungsschulwesen;
~ement primaire Grundschulunterricht;
~ement professionnel Fachunterricht, Berufs-
schulwesen; *~ement programmé* programmierter Unterricht; *~ement secondaire* weiterfüh-
rende Schule; *~ement supérieur* Hochschulwe-
sen; *~ement technique* Berufsfachschulwesen;
~er [-ɲẹ] *päd* unterrichten, lehren

ensembl|e [ãsãbl] **1.** zusammen; zugleich; *met-
tre ~e* zus.legen; *cela ne va pas ~e* das paßt
nicht zus.; **2.** *m* das Ganze; *(Wohnung)*
Innenausstattung; Zimmereinrichtung; *(Damenmode)* Komplet; ♟, ♪ Zus.spiel; 🏛: *grand
~e* Trabantenstadt, Satellitenst., Wohnsiedlung; *l'~e de faits* Tatsachengrundlage; *~e*

instrumental (Orchester) Klangkörper; *vue d'~e*
Gesamtansicht; **3.** *pl: théorie des ~es* Mengen-
lehre; **~ier** [-bljẹ] *m* Innenarchitekt; Dekorateur

ensemencer [ãsmãsẹ] *15* be-, aussäen; *(Feld)*
bestellen

enserrer [ãsɛrẹ] (zu) eng umschließen

ensevel|ir [ãsəvliːr] *(a. fig)* beerdigen; *mil*
verschütten; *~i dans l'oubli* in Vergessenheit
geraten; **~issement** [-lismã] *m* Verdrängung

ensil|age [ãsilɑːʒ] *m* Einsilieren; Speichern von
Schüttgut; **~er** [-silẹ] einsilieren, im Silo
speichern

ensoleill|ement [ãsɔlɛjmã] *m* Sonneneinstrah-
lung; **~er** [ãsɔlɛjẹ] besonnen; *côté ~é* Sonnen-
seite

ensommeillé [ãsɔmɛjẹ] verschlafen, schläfrig,
schlaftrunken

ensorcel|er [ãsɔrsəlẹ] *4* verhexen; bestricken;
~eur [-lœːr] *121* bestrickend; *m* Hexenmeister;
~euse [-løːz] *f* Hexe; **~lement** [-sɛlmã] *m*
Verhexung; Bezauberung

ensui|te [ãsɥit] sodann; darauf; *~te de quoi*
worauf; **~vre** [ãsɥiːvr] *84 refl* hervorgehen, s.
ergeben; *il s'~t que* daraus (hieraus) ergibt sich,
daß...

entablement [ãtabləmã] *m* Gesims; Gebälk;
Verkleidung; (Bedien)Pult, Konsole

entach|er [ãtaʃẹ] *fig* beflecken; besudeln; *~é
d'une erreur* mit e-m Fehler behaftet; *~é de
nullité* 🔧 null u. nichtig

entaill|e [ãtɑːj] *f* Einschnitt; Kerbe; Schnitt-
wunde; **~er** [ãtɑjẹ] einkerben

entamer [ãtamẹ] *(a. Problem)* anschneiden;
beginnen; anbrechen; *(Geldsumme)* angreifen;
(Gespräch) anknüpfen; *(Kampf)* aufnehmen; *mil
(in Stellung)* einbrechen

entasser [ãtasẹ] aufhäufen; zus.drängen, -pfer-
chen; *~ des provisions* hamstern

enten|dement [ãtãdmã] *m* Begriffsvermögen;
Denkvermögen; Auffassungsgabe, Intelligenz;
passer l'~dement d. Fassungskraft übersteigen;
~deur [-dœːr] *m: à bon ~deur salut* wer Ohren
hat zu hören, der höre; **~dre** [ãtãdr] *76* hören;
vernehmen; verstehen; beabsichtigen; *à l'~dre*
s-n Reden nach; *comme vous l'~dez* wie es
Ihnen paßt; *cela s'~d* das ist selbstverständlich;
je n'y ~ds rien darauf verstehe ich mich nicht;
qu'~dez-vous par là? was meinen Sie damit?;
j'~ds être obéi ich verlange Gehorsam; *bien
s'~dre avec qn* mit j-m gut auskommen; **~du**
[-y] ausgemacht; *bien ~du* wohlverstanden; *m:
faire l'~du* den Fachmann, Kenner spielen; **~te**
[ãtãt] *f* Einverständnis; -nehmen; *com* Absprache, Kartell; *à double ~te* zweideutig, doppelsinnig

enter [ãtẹ] ↓ pfropfen *(sur* auf); *~ des
chaussettes* Socken anstricken

entériner [ãterinẹ] hinnehmen; anerkennen; für
gültig erklären; gerichtl. bestätigen

entérite [ãterit] *f* Darmentzündung

enterr|ement [ãtɛrmã] *m* Beerdigung; **~er** [-rẹ]
a. fig begraben; beerdigen, bestatten; *s'~er en
province* s. in d. Provinz vergraben

en-tête [ãtɛt] *m 99* Briefkopf; Überschrift

entêt|é [ātɛtę] dickköpfig, eigensinnig; *m* Dickkopf; **~ement** [-mą] *m* Eigensinn, Halsstarrigkeit; **~er** [-tę] *a. fig* zu Kopf steigen; *s'~er à vouloir qch* eigensinnig etw. wollen; *s'~er dans qch* auf etw. beharren

enthous|iasme [ātuzjąsm] *m* Begeisterung; **~iasmer** [-zjasmę]; *s'~iasmer* s. begeistern (*pour* für); **~iaste** [-zjąst] begeistert; begeisterungsfähig; *m* Enthusiast

entich|er [ātiʃę]: *s'~er de qn* s. in j-n vernarren; *umg* s. in j-n verknallen; *être ~é de sa petite personne* sehr von s. eingenommen sein

enti|er [ātję] *116* ganz, gesamt; völlig; unangetastet; *le monde ~er* d. ganze Welt; *nombre ~er* ganze Zahl; *en ~er* gänzlich; *un homme ~er dans ses opinions* e. eigenwilliger Mensch; *le probleme reste ~er* d. Problem bleibt dasselbe; **~èrement** [ātjɛrmą] ganz u. gar; *~èrement automatique* vollautomatisch; **~té** [ātitę] *f phil* Wesen(heit)

entôl|age [ātolą:ʒ] *m pop* Diebstahl durch e-e Dirne; **~euse** [-lø:z] *f pop* diebische Dirne

entomo|logie [ātomolɔʒi] *f* Insektenkunde; **~logiste** [-zist] *m* Insektenforscher, Entomologe

entonn|er [ātonę] 1.in Fässer abfüllen; *~er qch à qn* j-m etw. einpauken; **2.** *(Lied)* abstimmen; *~er les louanges de qn* ein Loblied auf j-n singen; *~oir* [-nwą:r] *m* Trichter

entorse [ātɔrs] *f* Verstauchung, Verrenkung; *se donner une ~ au pied* s. d. Fuß verrenken; *faire une ~ au règlement* d. Vorschrift verletzen; d. Dienstordnung mißachten;

entortiller [ātɔrtiję] um-, einwickeln; *fig* verwickeln; *~ qn* j-n umstricken; -garnen; *s'~ autour* s. herumwickeln um

entour [ātu:r] *m*: *à l'~* in d. Umgebung; *à l'~ de* um... herum; **~age** [āturą:ʒ] *m* Umrandung; *(Personen)* Umgebung; **~er** [āturę] umgeben *(de* mit); *~er qn de ses soins* s. j-s annehmen; *s'~er de mystère* geheimnisvoll tun

entourloupette [āturlupęt] *f umg* (übler) Streich, Jux, Fez

entournure [āturny:r] *f* Ärmelausschnitt; *être gêné aux ~s (fig)* s. nicht frei bewegen können, s. genieren

entracte [ātrakt] *m* (♄, *Konzert*) Pause

entraid|e [ātrɛd] *f* gegenseitige Hilfe; **~er** [ātrɛdę]: *s'~er* einander helfen

entrailles [ārąj] *fpl* Eingeweide; *fig* Innerstes; Mutterschoß; *dans les ~ de la terre* im Schoß d. Erde; *homme sans ~* herzloser Mensch

entrain [ātrɛ̃] *m* Munterkeit, Frohsinn; Lebendigkeit; Schwung; *plein d'~* guten Muts

entrain|ant [ātrɛñą] *108* mitreißend, packend; **~ement** [ātrɛnmą] *m* praktische Ausbildung; Training; Ertüchtigung; ♄ Antrieb; *céder à l'~ement de qch* von etw. hingerissen werden; **~er** [-nę] mitschleppen; ♄ antreiben; *(Folgen)* nach s. ziehen, zur Folge haben, mit sich bringen; ertüchtigen; trainieren; schulen; (inerl.) mitreißen; *~er la mort* d. Tod herbeiführen, zur Folge haben; *~é* [-nę] ♄ geübt; **~eur** [-nœ:r] *m* Trainer, Betreuer, Coach; **~euse** [-nø:z] *f* Animierdame

entrav|e [ātrąv] *f (Tier)* (Fuß-)Fessel; Hindernis; *sans ~e* ohne Behinderung; *~e à la circulation* Verkehrshindernis; *~e aux échanges* Handelsschranke; **~er** [ātravę] *(Tier)* d. Füße fesseln; behindern; *arg pop* kapieren

entre [ātr] **1.** zwischen; *~ deux âges* im mittleren Alter; *~ deux guerres* Zeit nach d. 1. Weltkrieg; *~ chien et loup* in d. Dämmerung; *~ la poire et le fromage* beim Nachtisch; *tenir ~ ses bras* in s-n Armen halten; **2.** unter; *~ amis* unter Freunden; *~ autres* u. a.; *~ quatre yeux* [-katzjø] unter vier Augen; *soit dit ~ nous* unter uns gesagt; *~ eux* untereinander; *l'un d'~ vous* e-r von euch; *brave ~ tous* von höchster Tapferkeit

entrebâill|er [ātrəbaję] halb öffnen; *porte ~ée* angelehnte Tür; **~eur** [-jœ:r] *m* Sperrkette *(e-r Tür)*

entrechat [ātrəʃą] *m (Ballett)* Kreuzsprung

entre|choquer [ātrəʃokę] 6 *vt* gegeneinanderstoßen; **~côte** [-ko:t] *f* Mittelrippenstück; **~couper** [-kupę] unterbrechen; **~croiser** [-krwazę] *(z. B. Fäden)* s. *(in mehreren Richtungen)* kreuzen

entre|-déchirer [ātrədeʃirę]: *s'~-déchirer (a. fig)* s. gegenseitig zerfleischen; **~deux** [-dø] *m* 99, 105 Mittelstück; Spitzeneinsatz

entrée [ātrę] *f* Eingang; Einfahrt; Eintritt (spreis); Einzug; Einreise; *alp* Einstieg; Vorspeise; *ling* Stichwort; *~ en fonctions* Amtsantritt; *~ libre* freier Eintritt; *~ en possession* Besitzergreifung; *~ en vigueur (Gesetz)* Inkrafttreten

entre|faites [ātrəfɛt] *fpl: sur ces ~faites* unterdessen, inzwischen; **~filet** [-filę] *m* Pressenotiz, Kurzmeldung; **~gent** [-ʒą] *m* Gewandtheit; **~jambe** [-ʒąb] *m (Hose)* Schritt; **~lacer** [-lasę] verflechten; durch-, ineinanderschlingen; **~lacs** [-lą] *m (Ornament)* Geflecht; Arabesken; **~larder** [-lardę] spicken; **~mêler** [-mɛlę] durcheinandermengen; **~mets** [-mɛ] *m* Nachtisch; *~mets sucré* Süßspeise; **~metteuse** [-mɛtøːz] *f* Kupplerin; **~mettre** [mɛtr] 72: *s'~mettre* s. ins Mittel legen; **~mise** [-mĳːz] *f* Vermittlung; Zutun; Verwendung *(für j-n)*; **~pont** [-pɔ̃] *m* ♄ Zwischendeck

entrepos|age [ātrəpozą:ʒ] *m* Deponierung; Lagerung; **~er** [-pozę] einlagern; **~itaire** [-pozitɛːr] *m com* Lagerverwalter; Einlagerer

entrepôt [ātrəpo] *m* Lagerhaus; Warenspeicher; *~ de douane* Zollager

entre|prenant [ātrəprəną] unternehmend; dreist; **~prendre** [prądr] 79 unternehmen; versuchen *(de* zu); *umg* bearbeiten *(qn* j-n); **~preneur** [-prənœ:r] *m* (Bau-)Unternehmer; Industrieller; **~prise** [-priːz] *f* Unternehmung, Unternehmen; Betrieb; *chef d'~prise* Unternehmer, Arbeitgeber; *~prise de camionnage* Rollfuhrunternehmen; *~prise de transports* Verkehrsunternehmen

entr|er [ātrę] eintreten; hereinkommen; hineingehen; einreisen; *~ez!* herein!; *~er en coup de vent* hereinstürmen; *~er en gare* (in e-n Bahnhof) einfahren; *~er dans un arbre* gegen e-n Baum fahren; ~er en ménage e-n Hausstand gründen; ~er en relation Verbindung aufnehmen (avec mit); ~er en considération (od en ligne de compte) in Betracht (od in Frage) kommen; ~er dans la composition e. Bestandteil sein (de von); ~er dans la dépense zu den Ausgaben beitragen

entre|-rail [ãtrərãj] m 99 Spurweite; ~sol [-sɔl] m Zwischengeschoß; ~temps [-tã] in d. Zwischenzeit; ~tenir [-tnįːr] 30 unterhalten; in Stand halten; pej aushalten; ~tenir qn de qch j-m etw. erzählen; s'~tenir s. unterhalten; ~tien [-tjẽ] m Unterhalt; (Maschine) Wartung; Instandhaltung; Unterhaltung, Gespräch; ~toise [-twąːz] f ✿ Querverstrebung; ~tuer [-tчę]: s'~tuer s. gegenseitig umbringen; ~voir [-vwąːr] 49 flüchtig sehen; mutmaßen; ~vue [vч] f Zus.kunft, Treffen

entrouv|ert [ãtruvęːr] adj halboffen; ~rir [-vriːr] 28 halb öffnen

énumér|ation [enymerasjõ] f Aufzählung; ~er [-rę] 15 aufzählen, -führen

envah|ir [ãvaįːr] 22 (Land) überfallen; erfassen; überschwemmen; überwuchern; ~issement [-simã] m Einfall (in e. Land); fig Umsichgreifen; Übergriff; ~isseur [-isǫːr] m Eindringling

envaser [ãvazę]; s'~ verschlammen

envelopp|ant [ãvlɔpã] 108 fig einnehmend; ~e [ãvlɔp] f Hülle; (Brief-)Umschlag; (Reifen) Mantel; fig äußere Erscheinung, d. Äußere; com Ausgabemittel; ~er [ãvlɔpę] (ein)hüllen; einwickeln; einkreisen; fig verwickeln (dans in); parler d'une manière ~ée durch d. Blume sprechen

envenimer [ãvnimę] (Wunde, a. fig) vergiften; (Unzufriedenheit) schüren; s'~ (fig) schlimmer werden

envergure [ãvɛrgyːr] f (Vogel, ✈, fig) Spannweite; fig Weitblick; entreprise d'~ großangelegtes Unternehmen

envers [ãvęːr] 1. gegen (geistiges Verhältnis); ~ et contre tous gegen Freund u. Feind; 2. m Kehrseite; (Stoff) linke Seite; à l'~ links, verkehrt(herum)

envi [ãvį] env: à l'~ um die Wette; ~able [ãvjãbl] beneidenswert; ~e [ãvį] f 1. Verlangen; Neid; avoir ~e de Lust haben zu; ~e de vomir Brechreiz; exciter l'~e Neid erregen; 2. Muttermal; 3. Niednagel; ~er [ãvję] beneiden (qch à qn j-n um etw.); ~eux [ãvjø] 111 neidisch

environ [ãvirõ] etwa; ungefähr; il a ~ trente ans er ist etwa dreißig; ~s mpl (Stadt) Umgebung; aux ~s de in d. Umgebung von; ~nant [-rɔnã] 108 umliegend; ~nement [-rɔnmã] m Umwelt; Milieu, Umgebung; ~nementaliste [-mãtalįst] m Umweltschutzfachmann; ~ner [-rɔnę] umgeben (de mit)

envisager [ãvizaʒę] 14 in Betracht ziehen; ins Auge fassen, in Aussicht nehmen

envoi [ãvwą] m Sendung; (Waren)Lieferung; ~ collectif Postwurfsendung; ~ avec valeur déclarée Wertsendung; ~ à domicile Versand an Privat

envol [ãvɔl] m Abflug; ✈ Start; piste d'~ ✈

Startbahn; pont d'~, plate-forme d'~ (Flugzeugträger) Flugdeck; ~er [ãvɔlę]: s'~er davon-(weg-)fliegen; ✈ abfliegen (pour nach); (Preise) stark anziehen; (Zeit) im Flug vergehen

envoût|ement [ãvutmã] m Behexung; ~er [-tę] verhexen; berücken

envoy|é [ãvwają] m Abgesandter; ~é extraordinaire Gesandter; ~é spécial (journ) Sonderberichterstatter; ~er [-ję] 7 schicken; (ein-, zu)senden; ~er chercher holen lassen; ~er dans l'autre monde (umg) ins Jenseits befördern; ~er promener (od paître, coucher, se faire pendre, au diable) zum Kuckuck schicken; bien ~é! das sitzt!; ~ez! (Fahne) hißt; ~eur [-jœːr] m com Absender

enzyme [ãzįm] f Enzym n, Ferment n

éolien [eoljẽ] adj Wind...; ~ne [eoljɛn] f Windmotor

épagneul [epaɲœl] m Spaniel; Wachtelhund

épais [epɛ] 114 dick; dicht; fig schwerfällig; avoir la langue ~se e-e schwere Zunge haben; ~seur [-sœːr] f Dicke; Dichte; Stärke; (geistige) Schwerfälligkeit; ~sir [-siːr] 22 eindicken; dicker machen; fig verstärken; s'~sir dick (schwerfällig) werden

épanch|ement [epãʃmã] m (a. fig) Erguß; ~ement de sang Bluterguß; ~er [-14e] er sa bile s-m Zorn (Ärger) freien Lauf lassen; s' ~er sein Herz ausschütten

épand|age [epãdaːʒ] m: ~age d'engrais Mistbreiten, Düngerstreuen; Jauchen; champs ~age Rieselfelder; ~re [epãdr] 83 aus-, verstreuen; aus-, verbreiten; s'~re s. ergießen, ausbreiten

épanou|ir [epanwįːr] 22: s'~ir aufblühen; s. entfalten; (Gesicht) s. aufheitern; ~issement [-nwismã] m Aufblühen; Entfaltung; Erheiterung

épargn|ant [eparɲã] m Sparer; ~e [eparɲ] f Sparsamkeit; Ersparnis(se); Spareinlage(n); caisse d'~e Sparkasse; ~e-logement Bausparen; ~e de temps Zeitersparnis; la petite ~e Kleinsparguthaben; Kleinsparer (pl); ~er [eparɲę] (er)sparen; schonen

éparpiller [eparpiję] umherstreuen; s'~ sich verzetteln

épars [epaːr] 108 verstreut; vereinzelt

épat|ant [epatã] 108 umg famos, großartig; ~e [epat] f: faire de l'~e (umg) angeben; ~ement [epatmã] m umg Verblüffung; ~er [-tę] verblüffen; nez ~é Stubsnase

épaul|e [epoːl] f Schulter; (bei Schlachttieren) Bug; hausser les ~es d. Achseln zucken; largeur d'~e Schulterbreite; donner un coup d'~ à qn (fig) j-m unter d. Arme greifen; traiter qn par-dessus l'~e j-n von oben herab behandeln; ~er [epolę] j-n (unter)stützen; ~ette [epolɛt] f Schulterstück; Achselklappe

épave [epaːv] f (a. fig) Wrack; pl Trümmer, Strandgut; droit d'~ Strandrecht

épeautre [epoːtr] m bot Dinkel, Spelz

épée [epę] f Schwert; Degen; coup d'~ Schwertstreich; Degenstich; coup d'~ dans l'eau (fig) Schlag ins Wasser

épeiche [epɛʃ] f Rot-, Buntspecht

épeler [eplę] 4 buchstabieren

éperdu [epɛrdy] 128 (Liebe) glühend; (Bewunderung) rückhaltlos

éperon [eprɔ̃] m Sporn; **~ner** [eprɔnę] d. Sporen geben; anspornen

épervier [epɛrvję] m 1. Sperber; 2. (Fischfang) Wurfnetz

épeuré [epœrę] verängstigt

éphèbe [efɛb] m (mst iron) Jüngling

éphém|ère [efemɛːr] vergänglich, kurz, vorübergehend; m Eintagsfliege; **~érides** [-merjd] fpl: (calendrier à) ~érides Abreißkalender

épi [epi] m Ähre; ♃ Buhne

épice [epis] f Gewürz; pain d'~ Leb-, Honig-, Pfefferkuchen

épicéa [episeą] m Fichte, Rottanne

épic|er [episę] 15 würzen; récit ~é pikante Erzählung; **~erie** [episri] f Nahrungsmittel; Lebensmittelgeschäft; **~ier** [episję] m Kolonialwarenhändler; fig Philister, Spießbürger

épicurien [epikyrjɛ̃] 118 epikureisch; genießerisch, dem Lebensgenuß ergeben; m Epikureer

épidém|ie [epidemj] f Epidemie, Seuche; **~ique** [-mjk] epidemisch, seuchenartig

épiderme [epidɛrm] m ♄ (Ober-)Haut; avoir l'~ sensible (fig) überempfindlich sein

épier [epję] belauern; ausfindig machen, aufspüren; ~ l'occasion d. Gelegenheit abpassen

épieu [epjø] m 91 Spieß

épigastre [epigastr] m Magengrube

épigr|amme [epigram] f Spottgedicht; **~aphe** [-graf] f Inschrift; ▢ Motto

épilat|ion [epilasjɔ̃] f Enthaarung; **~oire** [-twaːr] Enthaarungs...

épilep|sie [epilɛpsi] f Epilepsie; **~tique** [lɛptjk] epileptisch; m Epileptiker

épiler [epilę] enthaaren

épilobe [epilɔb] m Weidenröschen

épilogu|e [epilɔg] m Nachwort; Nachspiel; **~er** [lɔgę] glossieren; bekritteln (sur qch etw.)

épinard [epinaːr] m Spinat (als Speise stets pl); vert ~ dunkelgrün; ♦ cela ne mettra pas de beurre dans nos ~s d. macht d. Kohl auch nicht fett

épin|e [epin] f Dorn(strauch); Stachel; **~e** dorsale Rückgrat ♦ être sur des ~s auf heißen Kohlen sitzen; tirer à qn une ~ du pied umg j-m aus d. Patsche helfen; **~ette** [epinɛt] f Spinett; **~eux** [epinø] 111 dornig; heikel; **~e-vinette** [vinɛt] f 97 Berberitze; **~ière** [epinɛːr] adj: moelle ~ière Rückenmark

épingl|e [epɛ̃gl] f (Steck-)Nadel; Schmucknadel; ~e à cravate Krawattennadel; ~e à tricoter Strickn.; ~e à cheveux Haarn.; ~e de sûreté Sicherheitsn.; ~e à linge Wäscheklammer; coup d'~e (a. fig) Nadelstich ♦ monter en ~e (umg) in d. Vordergrund rücken (qch etw.); tirer son ~e du jeu s. aus d. Affäre ziehen; tiré à quatre ~es wie aus d. Ei geschält (gepellt); **~er** [epɛ̃glę] feststecken; (Kleid) abstecken; (Schmetterling) spießen; **~erie** [epigləri] f Nadelfabrik

épinoche [epinɔʃ] f Stichling

Épiphanie [epifani] f Dreikönigsfest

épiphyse [epifiːz] f ♄ Epiphyse, Gelenkstück e-s Knochens; Zirbeldrüse

épique [epik] episch; pej großspurig; poésie ~ Heldendichtung

épiscop|al [episkɔpąl] 124 bischöflich; Bischofs...; **~at** [-pą] m Episkopat; Bischofswürde

épisod|e [epizɔd] m Episode, gelegentl. Vorkommnis; flüchtiges Erlebnis; **~ique** [-zɔdjk] gelegentlich; vorübergehend

épis|ser [episę] spleißen; **~ure** [-syːr] f Spleißung, Spleiß

épistol|aire [epistolɛːr] Brief...; brieflich; style ~aire Briefstil; **~ier** [lję] (eifriger) Briefscheiber

épitaphe [epitaf] f Grabinschrift

épithète [epitɛt] f Beiwort; ~s malsonnantes Schimpfwörter

épître [epiːtr] f Epistel; iron Brief

épizootie [epizɔɔti] f Tierseuche

éploré [eplɔrę] in Tränen aufgelöst

épluch|er [eplyʃę] (Gemüse) putzen; (Kartoffeln, Obst) schälen; (Wolle) zupfen; fig peinlich genau prüfen; **~eur** [-ʃœːr] m: ~eur de mots Wortklauber; **~ures** [-ʃyːr] fpl Abfälle; ~ures de pommes de terre Kartoffelschalen

épong|e [epɔ̃ʒ] f Schwamm; jeter l'~e fig aufgeben; passer l'~e sur qch (fig) etw. vergeben u. vergessen; **~er** [epɔ̃ʒę] 14 (mit Schwamm) abwischen, abtrocknen; com ausgleichen, abschöpfen

épopée [epɔpę] f Epos

époque [epɔk] f Epoche, Zeitabschnitt; ~ glaciaire Eiszeit; meuble d'~ Stilmöbel; la Belle ⩲ d. Zeit um 1900; à l'~ damals; à la même ~ zur selben Zeit

épouiller [epuję] (ent)lausen

époumoner [epumɔnę] s'~ sich heiser reden, schreien

épous|e [epuːz] f Gemahlin, Gattin; ♃ Ehefrau; **~ée** [-zę] f die Neuvermählte; (Hochzeitstag) Braut; **~er** [epuzę] vt j-n heiraten; s. verheiraten mit; fig. s. anpassen; ~er la forme d. s. anschmiegen an; ~er une dot e-e gute Partie machen; ~er une opinion s. e-e Meinung zu eigen machen; **~eur** [epuzœːr] m umg Freier

épousset|er [epustę] 10 abstauben; **~te** [epusɛt] f Staubpinsel

époustouflant [epustuflą] 108 umg erstaunlich; verblüffend

épouvant|able [epuvãtąbl] entsetzlich; nouvelle ~able Schreckensbotschaft; **~ail** [-taj] m 90 (a. fig) Vogelscheuche; **~e** [vãt] f Entsetzen; **~er** [-vãtę] entsetzen

époux [epu] m 105 Gemahl, Gatte; ♃ Ehemann; Ehefrau; les ~ Eheleute, Gatten; jeunes ~ Neuvermählte

éprendre [eprɑ̃ːdr] 79: s'~ sich verlieben (de in); von e-r Leidenschaft ergriffen werden (de für)

épreuve [eprœːv] f 1. Probe; (a. Schicksal) Prüfung; Versuch; Untersuchung, Heimsuchung; ~ d'endurance 🚗 Testfahrt; ~ éliminatoire 🏹 Wettkampf, Ausscheidungs-

kampf, -rennen; ~ *de force* Kraftprobe;
~ *improvisée* Stichprobe; ~ *de performance*
Leistungsprüfung; ~ *de réception* ✿ Abnahme-
prüfung; *charge d'* ~ Probebelastung; *à l'* ~ *de
l'eau (du feu)* wasserdicht (feuersicher); *un ami
à toute* ~ e. verläßlicher Freund; *mettre la
patience à rude* ~ d. Geduld auf e-e harte Probe
stellen; *temps d'* ~ Probezeit; *passer par de rudes*
~*s* harte Prüfungen bestehen; Leid tragen; 2.
⬜, 🔲 Abzug; ⬜ Fahne, Korrekturbogen;
corriger des ~*s* Korrektur lesen; ~ *positive
(négative)* 🔲 Positiv (Negativ)
épris [epri] verliebt (*de* in); ~ *de soi-même* von
s. eingenommen; ~ *de paix* friedliebend
éprouv|er [epruve] 1. auf d. Probe stellen; *a.* ✿
erproben; prüfen; *praticien* ~*é* gewiegter
Praktiker; *méthode* ~*ée* bewährte Methode; 2.
empfinden; erleiden; (innerl.) erfahren; durchmachen; *être très* ~*é* schwer angeschlagen sein;
~*er un dommage* e-n Schaden erleiden; ~*ette*
[-vɛt] *f* Reagenzglas; ~*ette graduée* Meßglas
épuis|é [epɥize] erschöpft, abgespannt; *(Buch)*
vergriffen; ~*ement* [epɥizmɑ̃] *m* Erschöpfung;
chem. Auslaugung; ~*er* [-ze] erschöpfen;
(Thema) erschöpfend behandeln; ~*ette* [-zɛt] *f*
Kescher
épur|ation [epyrasjɔ̃] *f (chem. fig)* Reinigung,
Säuberung; ~*ation des eaux* Wasseraufberei-
tung; *station d'* ~*ation* Kläranlage; ~*e* [epy:r] *f*
Konstruktionszeichnung, Aufriß, Entwurf; ~*er*
[-re] läutern; verfeinern; *fig* säubern
équarr|ir [ekari:r] 22 *(Stein, Holz)* rechteckig
behauen; *(Tier)* abdecken; ~*issage* [-risa:ʒ] *m*
Abdeckerei; ~*isseur* [-risœ:r] *m* Abdecker
équat|eur [ekwatœ:r] *m* Äquator; ~*ion* [-sjɔ̃] *f*
math Gleichung; ~*ion personnelle* Erfolgsaussicht; ~*orial* [-tɔrjal] *124* Äquatorial...
équerre [ekɛ:r] *f* Zeichendreieck; Winkelmaß
équestre [ekɛstr] Reiter...; *statue* ~ Reiter-
standbild
équidés [ekɥide] *mpl* Pferde u. andere Einhufer
équi|distant [ekɥidistɑ̃] *108* in gleichem Ab-
stand; ~*latéral* [ekɥilateral] *124* gleichseitig
équilibr|age [ekilibra:ʒ] *m* Gewichtsausgleich;
Ausbalancieren; Abgleichung; Auswuchten;
~*e* [ekilibr] *m* Gleichgewicht; Ausgeglichenheit; *en* ~ *e* im G.; *se faire* ~*e* s. d. Waage
halten; *position d'* ~*e* Gleichgewichtslage; ~*er*
[-libre] ins Gleichgewicht bringen; ausgleichen;
s' ~*er* s. d. Waage halten; *caractère* ~*é*
ausgeglichener Charakter; ~*iste* [-librist] *m*
Gleichgewichtskünstler; Seiltänzer
équinoxe [ekinɔks] *m* Tagundnachtgleiche
équip|age [ekipa:ʒ] *m* ⚓, ✈ Bemannung;
Besatzung; ~*e* [ekip] *f* Mannschaft; Rotte;
Schicht; Team; ~*e de football* Fußballmann-
schaft; ~*e de jour* Tagschicht; ~*e scientifique*
Forschungsteam; ~*e sélectionnée* 🏑 Auswahl-
mannschaft; *chef d'* ~*e* Rottenführer, 🏑 Spielführer; *travailler par* ~*e* in Schicht arbeiten;
~*ée* [pe] *f* Schwabenstreich; ~*ement* [-pmɑ̃] *m*
Ausrüstung; ~*er* [-pe] ausrüsten; ⚓, 🔲
bemannen; ~*ier* [-pje] *m* 🏑 Spieler, Mitglied e-r
Mannschaft

équit|able [ekitabl] (recht und) billig; fair,
ehrlich; ~*é* [-te] *f* Rechtlichkeit; Billigkeit
équitation [ekitasjɔ̃] *f* Reiten; *école d'* ~
Reitschule; *maître d'* ~ Reitlehrer
équival|ence [ekivalɑ̃s] *f* Gleichwertigkeit;
~*ent* [lɑ̃] *108* gleichwertig; *m* Äquivalent; ~*oir*
[lwa:r] *48* gleichkommen; gleichwertig sein (*à*
mit)
équivoque [ekivɔk] doppelsinnig; zweideutig;
f Zweideutigkeit; Zweifel
érable [erabl] *m* Ahorn
érafl|er [erafle] schrammen; ~*ure* [-fly:r] *f*
Schramme
éraillé [eraje] *(Augen)* geädert; *(Stimme)* heiser
ère [ɛ:r] *f* Zeitalter; ~ *atomique* Atomzeitalter;
avant l' ~ *chrétienne* vor unserer Zeitrechnung
érection [erɛksjɔ̃] *f (Denkmal)* Errichtung;
Aufrichtung; 🔲 Erektion
éreinter [erɛ̃te] abhetzen; todmüde machen;
(durch Kritik) heruntermachen; *s'* ~ sich
abrackern
érésipèle [erezipɛl] *m* 🔲 Wundrose
ergot [ɛrgo] *m zool* Sporn, Afterzehe, -klaue; ⚕
Mutterkorn ♦ *se dresser sur ses* ~*s (etwa:)* s. aufs
hohe Pferd setzen
ergothérapie [ɛrgɔterapi] *f* Beschäftigungsthe-
rapie
ergot|age [ɛrgɔta:ʒ] *m* Nörgelei; Rechthaberei;
~*eur* [-tœ:r] *m* Nörgler; Rechthaber
ériger [eriʒe] *14 (Denkmal)* errichten, aufrichten; *(Gericht)* einsetzen; *s'* ~ sich erheben, s.
aufwerfen (*en* zu)
ermit|age [ɛrmita:ʒ] *m* Einsiedelei; ~*e* [ɛrmit] *m*
Eremit, Einsiedler
éro|der [erɔde] anfressen; ab-, zernagen; *geol*
abtragen; ~*sion* [erozjɔ̃] *f geol* Erosion; ~*sion
monétaire* schleichende Geldentwertung
érot|ique [erɔtik] erotisch; ~*isme* [tism] *m*
Erotik; Überbetonung des Erotischen
err|ance [ɛrɑ̃s] *f* Nomadismus, unstetes Leben;
Heimatlosigkeit; ~*ant* [ɛrɑ̃] *1081.* umherirrend;
chevalier ~*ant* fahrender Ritter; *le Juif* ~*ant* d.
ewige Jude; 2. irrgläubig; ~*ata* [erata] *m 104*
Druckfehlerverzeichnis; ~*atique* [eratik]: *bloc*
~*atique (geol)* erratischer Block, Findling;
~*atum* [eratɔm] *m* Druckfehler
err|e [ɛ:r] *f* ⚓ Fahrgeschwindigkeit *(bei
abgestellter Masch.); (Hirsch)* Fährte, Spur;
~*ements* [ɛrmɑ̃] *mpl reg* schlechte Angewohn-
heiten; ~*er* [ɛre] umherirren; s. irren; s.
täuschen; ~*eur* [œ:r] *f* Irrtum; Fehler;
Regelabweichung; Versehen; *par* ~*eur* versehentlich; ~*eur judiciaire* Justizirrtum; ~*eurs de
jeunesse* Jugendsünden; *vous faites* ~*eur* da
sind Sie im Irrtum; *induire en* ~*eur* irreführen;
sauf ~*eur* wenn ich nicht irre; Irrtum
vorbehalten; ~*oné* [ɛrɔne] irrig; irrtümlich
éruct|ation [eryktasjɔ̃] *f* Aufstoßen; Rülpsen;
~*er* [te] aufstoßen
érudit [erydi] 1. *108 (in hist. Wissensch.)* gelehrt;
2. *m* Gelehrter; ~*ion* [disjɔ̃] *f* Gelehrsamkeit
éruption [erypsjɔ̃] *f* Eruption; *(Vulkan)* Ausbruch; *(Zähne)* Durchbrechen; Hautausschlag
ès [ɛs]: *docteur* ~ *lettres* Dr. phil.

esbroufe [εsbrụf] *f: faire de l'~* sich produzieren; s. aufspielen, angeben; *vol à l'~* Taschendiebstahl durch Anrempeln

escabeau [εskabọ] *m 91* Hocker; kleine Stehleiter

escadr|e [εskạdr] *f ⚓ ✈* Geschwader; *~e de chasse* Jagdg.; **~ille** [-kadrij] *f ⚓* leichtes Geschwader; **✈** Fluggruppe; **~on** [εskadrɔ̃] *m ✈* Staffel

escal|ade [εkalạd] *f* Erklettern; Besteigung; *pol* Eskalation; Ausweitung; Verstärkung; *matériel d'~ade* Bergausrüstung; **~ader** [-ladẹ] erklettern; **~e** [-kạl] *f* Durchgangshafen; *~e aérienne* Zwischenlandeplatz; *faire ~e ⚓ ✈,* e-e Zwischenlandung machen; **~ier** [-kaljẹ] *m* Treppe; *~ier hors-d'œuvre* Freitreppe ♦ *~ier roulant, ~ier mécanique* Rolltreppe; *avoir l'esprit de l'~ier* (immer) zu spät auf d. richtige Bemerkung kommen

escalope [εskalɔp] *f (Fleisch)* (Kalb)Schnitzel

escamot|able [εskamɔtạbl] versenkbar; umklappbar; **✈** *(Fahrgestell)* einziehbar; **~age** [tạːʒ] *m* Verschwindenlassen; **✈** *(Fahrgestell)* Einfahren; **~er** [-tẹ] verschwinden lassen; wegzaubern; **✈** *(Fahrgestell)* einziehen; *umg* klauen; *~er des mots* Worte verschlucken; *~er une question* e-r Frage ausweichen; **~eur** [tœːr] *m* Taschenspieler; Zauberer; schlauer Dieb

escampette [εskãpẹt] *f: prendre la poudre d'~ (umg)* sich aus dem Staube machen

escapade [εskapạd] *f* Ausreißen; *fig* Seitensprung

escarb|ille [εskarbij] *l* Stückchen halb verbrannter Kohle; **~ot** [-bọ] *m* Käfer; **~oucle** [-bụkl] *f* Karfunkel

escarcelle [εskarsẹl] *f hist* Geldkatze; *fig* Ersparnisse *fpl*

escargot [εskargọ] *m* Weinbergschnecke

escarmouche [εskarmụʃ] *f* Geplänkel

escarp|e [εskạrp] *f* innere Grabenböschung (bei Festungen); **~é** [-pẹ] jäh abfallend; abschüssig; **~ement** [-mɑ̃] *m* steile Böschung; Steilabfall

escarpin [εskarpẽ] *m* Tanzschuh

escarpolette [eskarpɔlẹt] *f* Schaukel *(an Stricken)*

escarre, eschare [εskạːr] *f* Schorf

escient [εsjã] *m: à ~* wissentlich, mit voller Absicht; *à bon ~* geistesgegenwärtig, im richtigen Augenblick

esclaffer [εsklafẹ]: *s'~* laut auflachen

esclandre [εsklɑ̃dr] *m* skandalöser Auftritt; *faire un ~* e-n Skandal machen

esclav|age [εsklavạːʒ] *m (a. fig)* Sklaverei, Knechtung; **~e** [-klạːv] *m, f (a. fig)* Sklave, -in; *traite des ~es* Sklavenhandel

escogriffe [εskogrịf] *m (langer)* Lulatsch

escompt|e [εskɔ̃t] *m (Rechnung)* Skonto *n/m; (Wechsel)* Diskont; *taux d'~e* D.satz; *~e des effets* Wechseld.; **~er** [-kɔ̃tẹ] Skonto gewähren; diskontieren; *fig* erhoffen, rechnen mit...; *~er l'avenir* Zukunftspläne machen

escort|e [εskɔrt] *f* Geleit; Schutz; **~er** [-kortẹ] eskortieren; geleiten; **~eur** [-tœːr] *m* Geleitboot

escouade [εskwạd] *f* Rotte, Trupp

escrim|e [εskrịm] *f* Fechten; **~er** [-krimẹ]: *s'~er à* s. abmühen, zu...

escro|c [εskrọ] *m* Gauner; Betrüger; **~quer** [-krọkẹ] 6 ergaunern; erschwindeln; *(qch à qn* j-m etw.); **~querie** [-krɔkrị] *f* 💰 Betrug; Gaunerei

esgourdes [εsgụrd] *fpl pop (Ohren)* Horcher, Lauscher

espac|e [εspɑ̃s] *m* Raum; Weltraum; *~e aérien* Luftraum; *~e vert* Grünanlage; *~e vital* Lebensraum; *~e de temps* Zeitraum; *dans (od en) l'~e de trois mois* innerhalb dreier Monate; **~es** *fpl* 📖 Ausschluß; **~ement** [-pasmɔ̃] *m* Abstand; 📖 Sperrung; *~ement des trains* 🚆 Zugabstand; **~er** [-pasẹ] 16 *vt* auseinanderrücken; 📖 spationieren; *je vais ~er mes visites* ich werde seltener kommen

espadrille [εspadrij] *f* Segeltuchschuh; Kletterschuh

Espagn|e [εspạn] *f: l'~e* Spanien; **~ol** [-pạnɔl] *m* Spanier; **⚲olette** [-nɔlẹt] *f* Fensterriegel

espalier [εspaljẹ] *m* Spalier; *fruits d'~* Spalierobst

espèce [εspẹs] *f* **1.** Art; Sorte; Gattung; *~ humaine* Menschengeschlecht; *~ d'idiot!* du Idiot!; *en l'~* im vorliegenden Fall; *propre à l'~ (biol)* arteigen; **2.** *pl* Bargeld; *en ~s* in bar; *versement en ~s* Bareinzahlung; *~s sonnantes* Münzgeld

espér|ance [εsperɑ̃s] *f* Hoffnung *(de* auf); Erwartung; *en ~ance* guter Hoffnung, schwanger; **~er** [εsperẹ] 13 (er)hoffen; *il faut ~er que* hoffentlich; *~er beaucoup de qch* s. viel von etw. versprechen

espiègl|e [εspjẹgl] schalkhaft; *m* Schalk; **~erie** [-glẹrị] *f* Schelmenstreich

espion [εspjɔ̃] *m* Spion; Spitzel; **~nage** [-pjɔnạːʒ] *m* Spionage; *~nage industriel* Werkspionage; **~ner** [-pjɔnẹ] (aus-)spionieren; belauern

esplanade [εsplanạd] *f* Esplanade, freier Platz

espoir [εspwạːr] *m* Hoffnung *(de* auf); *plein d'~* hoffnungsvoll

esprit [εsprị] *m (a. Gespenst)* Geist; Esprit, Witz; geistige Verfassung; Verstand, Scharfsinn; Gabe, Fähigkeit; *dans cet ~* in diesem Sinne; *état d'~* Stimmung, Gemütsverfassung; *homme d'~* geistreicher Mensch; *~ de contradiction* Widerspruchsgeist; *~ fort* Freigeist; *un ~ supérieur* e. großer Geist; *avoir mauvais ~* trotzig sein; *faire de l'~* Witze machen; *perdre l'~* verrückt werden; *reprendre ses ~s* s. erholen; **~de-sel** [εspridsẹl] *m* Salzsäure; **~-de-vin** [εspridvẽ] *m* Weingeist

esquif [εskịf] *m* Nachen

esquif [εskịf] *f* (Knochen-, Holz-)Splitter

esquimau [εskimọ] *m 91* Eskimo

esquinter [εskẽtẹ] *umg* kaputt machen; *fig* herunterreißen; *s'~ (pop)* s. schinden, s. abrackern

esquiss|e [εskịs] *f* Skizze, Entwurf; Umriß; *~e à la plume* Federzeichnung; **~er** [-kisẹ] skizzieren, entwerfen; andeuten

esquiver [ɛskive] ausweichen (*qch* vor etw.); *s'~* entschlüpfen; s. davonmachen; s. drücken
essai [esɛ] *m* Versuch; Probe; *lit* Essay; ~ *de charge* ⚙ Belastungsprobe; ~ *constructeur* Werkserprobung; ~ *de fatigue* Ermüdungsprüfung; ~ *sur route* 🚗 Probefahrt; ~ *de vie* Lebensdauerprüfung; ~ *témoin* Kontrollversuch; *prendre à l'~* auf Probe nehmen; *il n'en est pas à son coup d'~* er ist kein Anfänger
essaim [esɛ̃] *m (Bienen)* Schwarm; ~er [esɛme] *(Bienen)* (aus)schwärmen; *fig* s. ausbreiten; s. zerstreuen; auswandern
essanger [esɑ̃ʒe] *14 (Wäsche)* einweichen
essart [esaːr] *m* Rodland; ~age [esartaːʒ] *m* Roden; ~er [esarte] Roden, urbar machen
essay|age [esejaːʒ] *m* Anprobe; ~er [-je] *12* versuchen *(de* zu); (an)probieren; ~eur [-jœːr] *m* 🚗 Testfahrer; ~iste [-jist] *m* Essayist
esse [ɛs] *f* S-Haken
essence [esɑ̃s] *f* 1. Wesen; *par* ~ s-m Wesen nach; *dans son* ~ im wesentlichen; *d'~ divine* göttlichen Ursprungs; 2. *chem* Benzin; (Otto-) Kraftstoff; Essenz; ~ *à détacher* Waschbenzin; ~ *d'aviation* Flugbenzin; ~ *de térébenthine* Terpentinöl; *prendre de l'~* tanken; *faire le plein d'~* volltanken
essentiel [esɑ̃sjɛl] 1. *115* wesentlich; Haupt...; *point* ~ Kernpunkt; *raison* ~*le* Hauptgrund; 2. *m* das Wesentliche
esseulé [esœle] vereinsamt
essieu [esjø] *m* Radachse
essor [esɔr] *m (Vogel)* Auffliegen; ✈ Abheben, Start; *fig* (Auf-)Schwung; *prendre son* ~ sich aufschwingen; ~age [esɔraːʒ] *m (Wäsche)* Trocknen, Schleudern; ~er [esɔre] *(Wäsche)* schleudern; ~euse [esɔrøːz] *f*: ~*euse centrifuge* Wäscheschleuder
essouffl|ement [esufləmɑ̃] *m* Atemlosigkeit; ~er [-sufle] außer Atem bringen; *s'~er* außer Atem kommen; *fig* ins Stocken geraten
ess|uie-glace [esɥiglas] *m 99* 🚗 Scheibenwischer; ~uie-main [-mɛ̃] *m 99* Handtuch; ~uyer [esɥije] *5* abtrocknen; abwischen; *(Verlust, Niederlage)* erleiden; ~*uyer les plâtres fig* d. Kinderkrankheiten durchmachen, Schwierigkeiten (am Anfang e-r Entwicklung) in Kauf nehmen müssen
est [ɛst] *m* Osten; *à l'~* im Osten, östlich; *vers l'~* ostwärts; ~ *allemand* ostdeutsch
estacade [estakad] *f* Pfahlwerk; Wellenbrecher; Hafenbaum
estafette [estafɛt] *f* Stafette
estafilade [estafilad] *f* Schnittwunde, Schmiß
estaminet [estaminɛ] *m* (kleine) Wirtschaft, Schenke
estamp|e [estɑ̃p] *f* (Kupfer-)Stich; Holzschnitt; Prägestempel; Stanze; ~er [-tɑ̃pe] prägen; stempeln; stanzen; *pop* j-n ausnehmen, -pressen; ~ille [-tɑ̃pij] *f* Warenstempel
ester [ɛste]: ~ *en justice* ⚖ vor Gericht auftreten, klagen
esthéti|cienne [ɛstetisjɛn] *f* Kosmetikerin; ~que [ɛstetik] ästhetisch; *f* Ästhetik; ~*que industrielle* industrielle Formgebung

estim|able [ɛstimabl] schätzenswert; ~ateur [-matœːr] *m* Schätzer; ~atif [-matif] *112* auf Schätzung beruhend; *devis* ~*atif* Kostenvoranschlag; *prix* ~*atif* Preisansatz; ~ation [-masjɔ̃] *f* Schätzung; ~*ation approchée* Abschätzung; ~e [-tim] *f* Achtung; Wertschätzung; ~er [-me] (ab)schätzen; veranschlagen; achten; hochschätzen
estiv|age [ɛstivaːʒ] *m* Auftrieb *(d. Herden ins Gebirge);* ~al [-val] *124* sommerlich; Sommer...; ~ant [-vɑ̃] *m* Sommergast, Sommerfrischler
estomac [ɛstɔma] *m* Magen; *creux de l'~* Magengrube; *mon* ~ *gronde* mein Magen knurrt ◆ *avoir l'~ dans les talons (umg)* Kohldampf haben; *avoir de l'~* Mut haben; *avoir un* ~ *d'autruche* e-n Pferdemagen haben; *demeurer sur l'~* nicht verdauen können; *fig* nicht verwinden; *manquer d'~ (umg)* e. Angsthase sein
estomaqué [ɛstɔmake] *umg* verblüfft, bestürzt
estomp|e [ɛstɔ̃p] *f* 🖌 Wischer; ~er [-tɔ̃pe] 🖌 wischen; *fig* verschleiern
estourbir [ɛsturbiːr] *22 pop* abmurksen
estrade [ɛstrad] *f* Estrade, Podium
estropi|é [ɛstrɔpje] *m* Krüppel; ~er [-pje] *a. fig* verstümmeln; *fig* verhunzen
estuaire [ɛstɥɛːr] *m* (weite) Flußmündung
estudiantin [ɛstydjɑ̃tɛ̃] *109* Studenten...
esturgeon [ɛstyrʒɔ̃] *m zool* Stör
et [e] und; und zwar; ~ ... ~ ... sowohl... als auch...; ~ *cætera (etc)* usw.; ~ *lui de rire* da lachte er; ~ *de deux!* da hätten wir zwei!
établ|e [etabl] *m* Stock(werk), Geschoß, Etage; ~i [etabli] *m* Werkbank; Arbeitstisch; ~i *(de menuisier)* Hobelbank; ~ir [etabliːr] *22* festsetzen; einrichten; anlegen; errichten; stiften; gründen; unterbringen; einsetzen; beweisen; *(Bericht)* ausarbeiten; ~*ir ses enfants* s-e Kinder versorgen; ~*ir une communication* ✆ e-e Verbindung herstellen; ~*ir une facture* e-e Rechnung aufstellen; ~*ir expérimentalement* experimentell nachweisen; *il est* ~*i* (od *c'est un fait* ~*i) que...* es steht fest, daß...; *s'~ir à...* sich niederlassen in...; ~*i à* mit Sitz in; *s'~ir commerçant* e. Geschäft eröffnen; ~**issement** [etablismɑ̃] *m* Gründung; Errichtung; Aufstellung; Niederlassung; Firma; (Geschäfts-)Haus; Anstalt; ~*issement du bilan* Bilanzziehung; ~*issement de crédit* Kreditinstitut; ~*issement industriel et commercial* Gewerbebetrieb; ~*issement de nuit* Nachtlokal; ~*issement public* Körperschaft; Anstalt d. öffentlichen Rechts; ~*issement scolaire* Lehranstalt
étag|e [etaːʒ] *m* Stock(werk), Geschoß, Etage; *(Raketen)* Stufe; *à l'~e* im ersten Stock; *à deux* ~*es* zweistöckig; ~**ère** [etaʒɛːr] *f* Regal; Bücherbrett; Gerätegestell
étai [etɛ] *m* Stützbalken
étaim [etɛ̃] *m*: *fil d'~* Kammgarn
étain [etɛ̃] *m* Zinn
étal [etal] *m 90* Fleischbank; ~**age** [etalaːʒ] *m* Auslage; Schaufenster; Zurschaustellung; *faire* ~*age de ses connaissances* mit s-n Kenntnissen

protzen; **~agiste** [etalʒist] *m, f* Schaufenster-
dekorateur(in); **~ement** [etalmɑ̃] *m* Ausdehnung; zeitliche Staffelung; *~ement des vacances*
Urlaubsregelung; **~er** [etalɛ] ausbreiten, -stel-
len, -legen; z. Schau stellen; verteilen (über)
étalon [etalɔ̃] *m* **1.** Eichmaß, Normalmaß;
2. Hengst
étalonn|age [etalɔnaːʒ] *m* Eichung; Justierung;
Kalibrierung; **~er** [-ne] **1.** eichen; **2.** beschälen
étalon|neur [etalɔnœːr] *m* Eichmeister; **~~or**
[etalɔːr] *m* Goldwährung
étamer [etame] verzinnen; *(Spiegel)* belegen
étamine [etamin] *f bot* Staubgefäß
étampe [etɑ̃p] *f* Prägestempel
étanch|e [etɑ̃ʃ] wasserdicht; **~éité** [etɑ̃ʃeite] *f*
Wasserdichtigkeit; **~er** [etɑ̃ʃe] *bes* ⚓ abdichten; *(Blut, Durst)* stillen
étançon [etɑ̃sɔ̃] *m* Stützbalken; *(Bergbau)*
Stempel
étang [etɑ̃] *m* Teich, Weiher
étant [etɑ̃]: *cela ~* da dem so ist
étape [etap] *f mil* Marschziel, Marschstrecke;
(Reise) Teilstrecke; Entwicklungsstufe ♦ *brûler
les ~s* rasch empor-, hochkommen
état [eta] *m* **1.** Zustand; Stand; Verzeichnis;
Beruf; Beschaffenheit; *~ de choses* Sachlage;
~ civil Personenstand; *bureau d'~ civil*
Standesamt; *~ des choses* Befund; *~ d'esprit*
Geistesverfassung; *~ de guerre* Kriegszustand;
~ nominatif Namensliste; *~ récapitulatif*
(Gesamt-)Aufstellung; *~ de santé* Gesund-
heitszustand; *~ transitoire* Übergangsstadium;
~ d'urgence Notstand; *hors d'~* außerstande;
en ~ de imstande, zu; *en tout ~ de cause* auf
jeden Fall; *faire ~ de* in Betracht ziehen; **2.** ♠
Staat; ♠ *patron* Staat als Dienstherr u.
Arbeitgeber; ♠ *providence* Wohlfahrtsstaat;
homme d'♠ Staatsmann; *secrétaire d'♠* Staats-
sekretär; *coup d'♠* Staatsstreich; **~isation**
[-tizasjɔ̃] *f* Verstaatlichung; **~iser** [-tize] verstaatlichen; **~~major** [-maʒɔr] *m* 97*mil* Stab;
♠s-Unis[etazyni] *mpl: les* ♠*s-Unis* die Vereinigten Staaten (von Amerika)
étau [eto] *m* 91 Schraubstock
étayer [eteje] 12 *(a. fig)* stützen
été [ete] *m* Sommer; *en plein ~* im Hochsommer; *~ de la Saint-Martin* Altweibersommer
(um den 11. November)
éteignoir [etɛɲwaːr] *m* Löschhütchen; *fig*
Spielverderber, Griesgram
éteindre [etɛ̃dr] 87 (aus)löschen; *(Licht)* aus-
schalten; *(Durst)* stillen; *(Schuld)* tilgen; *s'~*
erlöschen; *(Farbe)* verblassen; verschießen;
sanft verscheiden; *voix éteinte* tonlose Stimme
étendard [etɑ̃daːr] *m* Standarte
étendoir [etɑ̃dwaːr] *m* Trockenleine
étend|re [etɑ̃dr] 76 ausbreiten; erweitern;
ausdehnen; strecken; *les bras ~us* mit
offenen Armen; *s'~re* s. hinlegen; s. erstrecken;
reichen; **~ue** [etɑ̃dy] *f* Ausdehnung; Weite;
(Stimme) Umfang
étern|el [etɛrnɛl] 115 ewig; *m: l'♠el (rel)* der
Herr; **~iser** [-nize] verewigen; **~ité** [-nite] *f*
Ewigkeit

éternuer [etɛrnɥe] niesen
étêter [etɛte] ♠ stutzen, kappen
éteule [etœl] *f* ↓ Stoppel
éth|er [etɛːr] *m* Äther; **~éré** [etere] *chem. fig*
ätherisch; **~éromane** [eterɔmɑn] *m* Äther-
süchtiger
ethn|ie [ɛtni] *f* Volksgemeinschaft; **~ique** [-nik]
Rasse...; Völker...; *nom ~ique* Völkername;
~ologie [-nɔlɔʒi] *f* Völkerkunde; **~ologiste**
[-nɔlɔʒist] *m* Ethnologe, Völkerkundler; **~ocide**
[-ɔsid] *m* Ausrottung e-r Kultur, e-s Volks-
stammes
éthologie [etɔlɔʒi] *f biol* Verhaltenslehre
éthyl|ique [etilik]: *alcool ~ique* Äthylalkohol;
~isme [-lism] *m* Alkoholvergiftung
étiage [etjaːʒ] *m* niedrigster Wasserstand
étincel|er [etɛ̃sle] 4 *(a. fig)* funkeln; **~le** [etɛ̃sɛl] *f*
Funke; **~lement** [-sɛlmɑ̃] *m* Funkeln, Glitzern
étioler [etjɔle]: *s'~* dahinsiechen; *(Pflanzen)*
verkümmern, eingehen
étique [etik] *(Gestalt, Stil)* dürr, dürftig
étiquet|er [etikte] 8 etikettieren; **~te** [-kɛt] *f*
Aufklebezettel, Etikett, Preisschild; Etikette
étirer [etire] ⚙ ziehen, strecken; *s'~* sich recken
étoff|e [etɔf] *f* Stoff; *~e de laine* Wollstoff;
avoir d'l'~e begabt sein; **~er** [etɔfe] ausstatten;
ausschmücken
étoil|e [etwal] *f* Stern; (Film-)Star; *~e filante*
Sternschnuppe; *~e de mer (zool)* Seestern;
dormir à la belle ~e unter freiem Himmel
schlafen; *~é* [etwale] gestirnt; *bannière ~ée*
Sternenbanner
étole [etɔl] *f* (Pelz-)Stola
étonn|ant [etɔnɑ̃] 108, 127 erstaunlich; **~ement**
[etɔnmɑ̃] *m* Staunen, Verwunderung; **~er** [ne] in
Erstaunen setzen; erstaunen; *s'~er* s. wundern,
staunen *(de* über)
étouff|ant [etufɑ̃] 108 zum Ersticken; schwül;
drückend; **~ée** [-fe] *f: à l'~ée* geschmort,
gedämpft; **~ement** [etufmɑ̃] *m* Ersticken;
Atembeklemmung; **~er** [-fe] *vt/i* ersticken; *fig*
dämpfen, unterdrücken; vertuschen; *on ~e de
chaleur* man kommt vor Hitze um; *s'~er*
ersticken
étoupe [etup] *f* Werg
étourd|erie [eturdəri] *f* Leichtsinn; Unbeson-
nenheit; Schnitzer; Dummheit; Fauxpas; **~i**
[-di] 128 leichtsinnig, unbesonnen; **~ir** [-diːr] 22
betäuben; beschwatzen; **~issement** [-dismɑ̃] *m*
Betäubung; Schwindelanfall
étourneau [eturno] *m* 91 *zool* Star; *fig*
Springinsfeld, Leichtfuß
étrang|e [etrɑ̃ʒ] seltsam, sonderbar; **~er** [etrɑ̃ʒe]
1. 116 fremd; ausländisch; unbeteiligt; *ministère des Affaires ~ères* Außenministerium; *légion
~ère* Fremdenlegion; **2.** *m* Ausländer; Ausland; *aller à l'~er* ins Ausland gehen; **~eté**
[etrɑ̃ʒte] *f* Seltsamkeit
étrangl|ement [etrɑ̃gləmɑ̃] *m* Erwürgen; §
(Bruch) Einklemmung; *a. fig* Engpaß, **~er** [-gle]
(er)würgen; *s'~er* enger werden, *sa voix s'~a*
s-e Stimme versagte
étrave [etraːv] *f* ⚓ Vordersteven
être | [ɛtr] **1.** 68 (da)sein; stehen, sitzen, liegen;

(Passiv) werden; *n'est-ce pas?* nicht wahr?; *ca y est! (umg)* fertig!; ~ *à qn* j-m gehören; *c'est à toi* du bist dran; ~ *de* stammen von; gehen zu; *en* ~ mitmachen; dazugehören; *où en êtes-vous?* wie weit sind Sie; *j'y suis* jetzt bin ich im Bilde; **2.** *m* (Lebe-)Wesen; Mensch; Person; Sein;

étrein|dre [etrɛ̃dr] *87* zus.drücken; umschlingen, umarmen; *fig* beklemmen; *s'~dre* einander umschlingen; **~te** [etrɛ̃t] *f* Umarmung; *(Boxen)* Umklammerung

étrenn|es [etrɛn] *fpl* Neujahrsgeschenk; **~er** [etrɛne] zum erstenmal tragen *(od* anziehen); *umg* einweihen

êtres [ɛtr] *mpl: connaître les* ~ *d'une maison* in e-m Haus Bescheid wissen

étrésillon [etrezijɔ̃] *m* Strebe, Stütze; **~ner** [-jɔne] abspreizen; -stützen

étrier [etrie] *m* (Steig)Bügel; Haltegriff; *le coup de l'*~ Abschiedstrunk; *tenir l'*~ *à qn (a. fig)* j-m d. Steigbügel halten

étrill|e [etrij] *f* Striegel; **~er** [etrije] striegeln; *fig* prellen, neppen

étriper [etripe] *(Wild)* ausweiden

étriqué [etrike] *(Kleidung, fig)* zu eng

étrivière [etrivjɛːr] *f* Steigbügelriemen; *donner les* ~*s à qn* j-n zutiefst demütigen

étroit [etrwa] *108* eng, schmal; beschränkt; *surveiller* ~*ement* scharf überwachen; *à l'*~ beengt, beschränkt; **~esse** [etrwatɛs] *f (a. fig)* Enge, Beschränktheit

étron [etrɔ̃] *m* (Menschen-)Kot

étud|e [etyd] *f* **1.** Studium; Prüfung, Untersuchung; Vorarbeit; Studie; ♪ Etüde; Überlegung; *bureau d'*~*es* Ingenieurbüro; ~*e des marchés* Marktforschung; *faire ses* ~*es* studieren; *mettre à l'*~*e* überprüfen; **2.** Schreibstube; Anwalts-(Notars- *usw.)* Kanzlei; **~iant** [etydjɑ̃] *108* studentisch; *m* Student, Studierender; **~iante** [etydjɑ̃t] *f* Studentin; **~ier** [etydje] studieren; *(Angelegenheit)* prüfen; *prix très* ~*ié* äußerster Preis

étui [etɥi] *m* Etui, Futteral; Hülse; ~ *à lunettes* Brillenfutteral; ~ *de cartouche* Patronenhülse

étuv|e [etyːv] *f* Dampfbad; *chem.* Trockenschrank; ~ *bactériologique* Brutschrank; **~er** [etyve] schmoren; trocknen

eucalyptus [økaliptys] *m* Eukalyptus

eucharistie [økaristi] *f* Eucharistie

euh! [ø] ach!; so so!

eunuque [ønyk] *m* Eunuch

euphonie [øfɔni] *f* Wohlklang

euphorbe [øfɔrb] *f bot* Wolfsmilch

euphorie [øfɔri] *f* ✿ Euphorie; Wohlbefinden; gehobene Stimmung

euro|cheque [øroʃek] *m* Euroscheck; **~crate** [ørokrat] *m* Eurokrat; **~dollar** [-dolar] *m* Eurodollars *pl;* **~marché** [-marʃe] *m* EG-Markt

Europ|e [ørɔp] *f* Europa; *l'* ~ *-e verte* EG-Agrarmarkt; **~éanisation** [-peanizasjɔ̃] *f* Europäisierung; **~éen** [-peɛ̃] *m* Europäer; **~éen** *118* europäisch

Eurovision [ørovizjɔ̃] *f* Eurovision, Eurovisionsnetz; *émission en* ~ Eurovisionssendung

eux [ø] sie; *ce sont* ~ sie sind es

évacu|ation [evakɥasjɔ̃] *f* Entleerung; Evakuierung, Räumung; **~er** [-kɥe] (ent)leeren; evakuieren, räumen

évad|é [evade] *m* Ausbrecher; **~er** [de]: *s'~er* entkommen; entweichen

évalu|ation [evalɥasjɔ̃] *f* Schätzung; Bewertung; **~er** [lɥe] schätzen; veranschlagen

évang|élique [evɑ̃ʒelik] evangelisch; **~éliste** [-list] *m* Evangelist; **~ile** [-ʒil] *m* Evangelium; *prendre qch pour parole d'*~*ile* an etw. wie an d. E. glauben

évanou|ir [evanwiːr] *22:* *s'~ir* ohnmächtig werden; vergehen; **~issement** [-wismɑ̃] *m* ♥ Ohnmacht; Hinschwinden

évapor|ation [evaporasjɔ̃] *f* Verdunstung; **~é** [-re] *m* leichtsinniger Mensch; **~er** [-pore] *chem* abdampfen; *s'~er* verdampfen; verdunsten

évas|er [evaze] ausweiten, erweitern; **~if** [-zif] *112 (Antwort)* ausweichend; **~ion** [-zjɔ̃] *f* Entweichen, Flucht; *(Gefängnis)* Ausbruch; *fig* Zerstreuung; ~ *fiscale* Steuerflucht

Ève [ɛːv] *f* Eva ♦ *je ne le connais ni d'*~ *ni d' Adam* er ist mir völlig unbekannt

évêché [eveʃe] *m* Bistum; Bischofssitz; bischöfl. Palais

éveil [evɛj] *m* Erwachen; *donner l'*~ *à qn* j-n hellhörig machen; **~ler** [eveje] wecken; *esprit* ~*lé* aufgeweckter Geist; *s'~ler* er-, aufwachen; *s.* regen

événement [evɛnmɑ̃] *m* Vorfall, Ereignis; *pl* Mai-Revolte 1968; **~iel** [-mãsjɛl] d. Tagesereignisse betreffend

éven|tail [evɑ̃taj] *m* Fächer; ~ *des prix* Preisspanne; ~ *des salaires* Lohngefälle; *en* ~*tail* fächerförmig; **~taire** [-tɛːr] *m* Bauchladen; Auslage; **~ter** [te] aus-, durchlüften; *(Wein)* schal werden; *s'~ter* s. Luft zufächeln

éventrer [evɑ̃tre] d. Bauch aufschlitzen *(qn* j-m); (gewaltsam) aufreißen, -stoßen, -brechen

éventu|alité [evɑ̃tɥalite] *f* Möglichkeit *(e-s Ereignisses); à toute* ~*alité* für alle Fälle; **~el** [-tɥɛl] *115* eventuell; etwaig; **~ellement** [-tɥɛlmɑ̃] gegebenenfalls

évêque [evɛk] *m* Bischof

évertuer [evɛrtɥe] *s'*~ *à s.* alle Mühe geben, um...

éviction [eviksjɔ̃] *f* ✿ Verdrängung; Vertreibung

évid|é [evide] ausgehöhlt, hohl; **~ement** [evidmɑ̃] *m* ✿ Aussparung; Ausbohren; **~er** [evide] ✿ aushöhlen; ♥ ausräumen

évid|emment [evidamɑ̃] *adv* natürlich, ohne Zweifel; **~ence** [-dɑ̃s] *f* Augenscheinlichkeit, Sinnfälligkeit; Selbstverständlichkeit; *de toute* ~*ence* offensichtlich; *mettre en* ~*ence* nachweisen; *se mettre en* ~*ence* d. Aufmerksamkeit auf s. lenken; s. in d. Vordergrund drängen; *se rendre à l'*~*ence* s. von d. Tatsachen überzeugen lassen; **~ent** [-dɑ̃] *108* augenscheinlich; offensichtlich, sinnfällig; selbstverständlich

évier [evje] *m* Spülstein, Ausguß

évincer [evɛse] *15* ✿ verdrängen; *fig* ausstechen *(qn* j-n) [meiden; aus d. Weg gehen

évit|able [evitabl] vermeidbar; **~er** [-te] (ver-)

évocat|eur [evɔkatœ:r] *122* anschaulich; **~ion** [-kasjɔ̃] *f (Erinnerungen)* Zurückrufen; *(Geister)* Beschwörung

évolu|er [evɔlɥe] s. entwickeln; kreisen; s. drehen; manövrieren; **~tion** [lysjɔ̃] *f* Entwicklung, Evolution; Verlauf; Ablauf; **~tionnisme** [lysjɔnism] *m biol* Evolutionstheorie

évoquer [evɔke] *6 (Erinnerungen)* wachrufen; *(Geister)* beschwören

ex... [ɛks] ehemalig; *l'~-roi* d. ehem. König

exacerb|é [ɛgzasɛrbe] überreizt; **~er** [-be] reizen; verschärfen

exact [ɛgza(kt)] *108* genau, exakt; richtig; zuverlässig; *c'est ~* das stimmt; **~itude** [-zaktityd] *f* Genauigkeit, Exaktheit; Zuverlässigkeit; Pünktlichkeit; Verläßlichkeit

exaction [ɛgzaksjɔ̃] *f* Über-, Wucherforderung

exæquo [egzeko] (✿ *Prüfung)* gleichstehend

exagér|ation [ɛgzaʒerasjɔ̃] *f* Übertreibung; **~er** [-re] *13* übertreiben; *... ne saurait être ~é...* kann gar nicht hoch genug eingeschätzt werden

exalt|ation [ɛgzaltasjɔ̃] *f* Begeisterung; Schwärmerei; Hochstimmung; Überspanntheit; **~é** [-te] *m* Schwärmer; **~er** [-te] in helle Begeisterung versetzen; preisen, rühmen; *s'~er* s. begeistern

exam|en [ɛgzamɛ̃] *m* Prüfung; Examen *n*; Erforschung; Betrachtung; *(Akten)* Einsichtnahme; *~en d'aptitude* Eignungsprüfung; *~en medical* ärztl. Untersuchung; *~en aux rayons X* Durchleuchtung; *passer un ~en* e-e Pr. machen; **~inateur** -minatœ:r] *122 (Blick)* prüfend; *m* Prüfer; **~iner** [-mine] prüfen; untersuchen; prüfend ansehen

exaspér|ant [ɛgzaspera] *108: c'est ~ant* es ist z. Verrücktwerden; **~ation** [-rasjɔ̃] *f* Erbitterung; **~er** [-re] *13* erbittern; *s'~er* außer s. geraten

exauc|ement [ɛgzosmã] *m* Erhörung; **~er** [-se] *15* erhören; *(Wunsch)* erfüllen

excavat|eur [ɛkskavatœ:r] *m* Bagger; **~ion** [-sjɔ̃] *f* Aushöhlung, Vertiefung

excéd|ant [ɛksedã] *108* überzählig, -schüssig; lästig; **~é** [-de] wütend; **~ent** [-dã] *m* Überschuß; Übergewicht; Mehrbetrag; *~ent de dépenses* Mehrausgabe; *~ent de poids* Mehrgewicht; **~entaire** [dãtɛ:r] Überschuß...; *(Handelsbilanz)* aktiv; **~er** [-de] *13* übersteigen, -ragen, -treffen; auf d. Nerven fallen, belästigen

excell|ence [ɛkselãs] *f* Vorzüglichkeit; *par ~ence* in höchstem Grade; **~ent** [-lã] *108, 127* ausgezeichnet; vortrefflich; vorzüglich; **~er** [-le] s. hervortun, s. auszeichnen; hervorragend sein

excentr|icité [ɛksãtrisite] *f* (✿, *fig)* Exzentrizität; **~ique** [-trik] ✿, *fig* exzentrisch; *m* ✿ Exzenter; überspannter Mensch

except|é [ɛksɛpte] ausgenommen; bis auf; **~er** [-te] ausschließen, ausnehmen; **~ion** [-sjɔ̃] *f* Ausnahme; *par ~ion* ausnahmsweise; *à l'~ion de...* ausgenommen...; **~ionnel** [-sjɔnɛl] *115* außergewöhnlich; **~ionnellement** [-sjɔnɛlmã] ausnahmsweise

excès [ɛksɛ] *m* Übermaß; Maßlosigkeit; *(Befugnisse)* Überschreitung; Ausschweifung; Unfug; *pl* Exzesse, Gewalttätigkeiten; *à l'~*

übermäßig; *~ de bonté* übergroße Güte; *~ de modestie* falsche Bescheidenheit; *~ de poids* Übergewicht; *par ~ de prudence* um ganz sicher zu gehen

excessif [ɛksesif] *112* übermäßig, -trieben

exciper [ɛksipe]: *~ de* ⚖ s. berufen auf

excision [ɛksizjɔ̃] *f* ⚕ Ausschneidung

excit|able [ɛksitabl] erregbar; reizbar; **~ant** [tã] *108* anregend; aufregend; *m* ⚕ Aufputschmittel; **~ateur** [-tatœ:r] *m* Aufwiegler; Hetzagent; **~ation** [-tasjɔ̃] *f (a.* ⚕*)* An-, Aufregung; Erregung; Anregung; *pol* Hetze; **~er** [-te] anregen; er-, aufregen; reizen; aufhetzen

exclam|ation [ɛksklamasjɔ̃] *f* Ausruf; *point d'~ation* Ausrufungszeichen; **~er** [-me] *s'~er* (Freuden-)Rufe ausstoßen

exclu|re [ɛkskly:r] *59* ausschließen; *fig* ausklammern; **~sif** [-klyzif] *112* ausschließlich; *représentant ~sif* Alleinvertreter; **~sion** [-klyzjɔ̃] Ausschluß; *à l'~sion de* mit Ausnahme von; **~sivité** [-klyzivite] *f* Ausschließlichkeit; Alleinvertrieb

excommuni|cation [ɛkskɔmynikasjɔ̃] *f* Exkommunizierung; **~er** [-nje] exkommunizieren

excré|ment [ɛkskremã] *m* Exkrement, Kot; *fig* Abschaum; **~tion** [-sjɔ̃] *f* ⚕ Absonderung, Ausscheidung

excroissance [ɛkskrwasãs] *f* Auswuchs; Hökker

excursion [ɛkskyrsjɔ̃] *f* Ausflug; Wanderung; **~niste** [-sjɔnist] *m, f* Ausflügler

excus|able [ɛkskyzabl] entschuldbar; **~e** [-ky:z] *f* Entschuldigung; **~er** [-kyze] entschuldigen; *~ez(-moi)!* Verzeihung!

exécr|able [ɛgzekrabl] abscheulich; scheußlich; **~ation** [-krasjɔ̃] *f* Abscheu; Scheußlichkeit; Greuel; **~er** [-kre] *13* verabscheuen, hassen, nicht ausstehen können

exécut|ant [ɛgzekytã] *m* Ausführender; ♪ Künstler, Mitwirkender; *siehe* exécuter; **~er** [-te] aus-(durch-)führen; ♪ aufführen; vollziehen; *(Urteil, Testament)* vollstrecken; ⚖ hinrichten; *s'~er* in d. sauren Apfel beißen; **~eur** [-tœ:r] *m: ~eur testamentaire* Testamentsvollstrecker; *~eur (des hautes œuvres)* Scharfrichter; **~if** [-kytif] *112* ausübend, vollziehend; *m (= pouvoir ~if)* vollziehende Gewalt; Exekutive; Exekutivorgan; **~ion** [-kysjɔ̃] Aus-, Durchführung; ♪ Aufführung; Vollzug; *(Urteil, Testament)* Vollstreckung; ⚖ Hinrichtung, ✿ Ausführung, Verarbeitung; **~oire** [-twa:r] vollstreckbar; *m* Vollstreckungsbefehl

exempl|aire [ɛgzãplɛ:r] vorbildlich; mustergültig; exemplarisch; *m* Exemplar; *~aire de presse* 📖 Besprechungsex., Rezensionsstück; *~aire justificatif* Belegex.; **~e** [-zãpl] *m* Beispiel; Vorbild; *par ~e (p. ex.)* zum Beispiel (z. B.); *par ~e!* auch das noch!; *à titre d'~e* als Beispiel; *à l'~e de...* nach dem B. von...; *prêcher d'~e* mit gutem B. vorangehen

exempt [ɛgzã] *108* frei *(de* von*)*; *~ d'impôts* steuerfrei; *~ de droits* zollfrei; *~ de soucis* sorgenfrei; *~er* [-zãte] befreien; *~er du service militaire* v. Wehrdienst freistellen **~ion** [-psjɔ̃] *f* (Steuer)Befreiung; *(Wehrdienst)* Freistellung

exerc|er [εgzεrsε̨] *15* üben; *(Soldaten)* ausbilden; *(Beruf, Amt, Recht)* ausüben; *s' ~er à s.* üben in; **~ice** [-sis̨] *m* Übung; Exerzieren; (Berufs-)Ausübung; Rechnungsjahr; *en* ~ amtierend; *~ budgétaire* Haushaltsjahr; *~ de combat (mil)* Geländeübung; *dans l'~ice de ses fonctions* in Ausübung s-s Amtes; *se donner de l'~ice* s. Bewegung verschaffen

exhal|aison [εgzalεzɔ̃] *f* Ausdünstung; Geruch; *pej* Gestank; **~er** [-lε̨] ausdünsten; *a. fig* ausströmen; ausdrücken; *~ le dernier soupir* sein Leben aushauchen

exhausser [εgzosε̨] höher machen; erhöhen

exhib|er [εgzibε̨] *(Papiere)* vorlegen; *s' ~ er (pej)* s. zur Schau stellen, s. produzieren; **~ition** [-bisjɔ̃] *f (Urkunden)* Vorlage; Ausstellung; Zurschaustellung

exhort|ation [εgzɔrtasjɔ̃] *f* Ermahnung; **~er** [-tε̨] ermahnen *(à zu)*

exhumer [εgzymε̨] exhumieren; *a. fig* ausgraben

exig|eant [εgziʒɑ̃] *108* anspruchsvoll; **~ence** [-ʒɑ̃s] *f* (An-)Forderung; **~er** [-ʒε̨] *14* (er)fordern; verlangen; **~ible** [-ʒibl] 𝕷 *(Schuld)* einklagbar

exigu [εgzigy] *107* kärglich; schmal (bemessen); gering; **~ïté** [-gɥitε̨] *f* Kleinheit; Enge, Schmalheit

exil [εgzil] *m* Exil; **~er** [-zilε̨] d. Landes verweisen, ins Exil schicken; verbannen; *s' ~ er du monde* s. aus der Welt zurückziehen

exist|ant [εgzistɑ̃] *108* vorhanden; bestehend; **~ence** [-tɑ̃s] *f* Vorhandensein; Dasein, Existenz; *moyens d'~ence* Einkünfte, Existenzmittel; **~er** [-tε̨] existieren, bestehen, vorhanden sein

exode [εgzɔd] *m* (Massen-)Auswanderung; *~ rural* Landflucht

exonér|ation [εgzɔnerasjɔ̃] *f* Befreiung; Entlastung; *~ation fiscale* Steuerermäßigung, -befreiung; **~er** [-rε̨] befreien, entlasten, freistellen

exorbitant [εgzɔrbitɑ̃] *108* weit übertrieben; *prix ~* Wucherpreis

exorcis|er [εgzɔrsizε̨] *(Geister)* beschwören, austreiben; **~me** [-sism̨] *m* Beschwörung u. Austreibung böser Geister

exorde [εgzɔrd] *m* Einleitung *(e-r Rede)*

exot|ique [εgzɔtik̨] exotisch; tropisch; überseeisch; **~isme** [-tism̨] *m* Fremdartigkeit

expans|ible [εkspɑ̃sibl] *phys* ausdehnbar; **~if** [-sif] *112* mitteilsam; **~ion** [-sjɔ̃] *f (phys, pol)* Ausdehnung; Erweiterung; Ausbreitung; Mitteilsamkeit

expatrier [εkspatriε̨] d. Landes verweisen; verbannen, ausweisen; *s' ~* außer Landes gehen, auswandern

expectative [εkspεktativ] *f* Anwartschaft *(de* auf); *garder l' ~* sich abwartend verhalten

expector|ant [εkspεktɔrɑ̃] *m* 𝕊 schleimlösendes Mittel; **~ation** [-rasjɔ̃] *f* 𝕊 Auswurf; **~er** [-rε̨] auswerfen, aushusten

expéd|ient [εkspedjɑ̃] *108* sachdienlich; zweckmäßig; *m* Ausweg; *pej* Ausflucht; *vivre d' ~ients* s. durchs Leben schwindeln; **~ier** [-djε̨] senden; *(Schriftstück)* ausfertigen; *pej* rasch abmachen;

pop um die Ecke bringen; **~iteur** [-ditœːr] *122* Versand...; *gare ~itrice* Versandbahnhof; *m* Absender, Aufgeber; Verlader; **~itif** [-ditif] *112* (Person, Arbeitsweise) flink; *justice ~ve* Schnelljustiz; **~ition** [-disjɔ̃] *f* Expedition; Unternehmen; Versand; *(Stückgut)* Sendung; 𝕷 (Ein-, Aus-)Klarierung; *(Schriftstück)* Ausfertigung; **~itionnaire** [-disjɔnεːr] **1.** Expeditions...; *corps ~itionnaire (mil)* Expeditionskorps; **2.** *m* Expedient, Versender; Abfertiger

expér|ience [εksperjɑ̃s] *f* Erfahrung; Experiment; (wissenschaftl.) Versuch; **~imental** [-rimɑ̃tal] *124* experimentell; Experimental...; *à titre ~imental* versuchsweise; **~imentation** [-rimɑ̃tasjɔ̃] *f* Experimentieren; *~imentation animale* Tierversuch; *~imentation technique* (Material-)Erprobung; **~imenté** [-rimɑ̃tε̨] erfahren; **~imenter** ausprobieren; erproben; experimentieren

expert [εkspεr] *108* sachverständig; fachmännisch; *m* Sachverständiger; Fachmann; *~ comptable* Rechnungsprüfer; **~ise** [-pεrtiːz] *f* Sachverständigengutachten; **~iser** [-pεrtizε̨] als Sachverständiger begutachten

expi|ation [-sjɔ̃] *f* Sühne; **~atoire** [εkspjatwar] sühnend; Sühn...; **~er** [-pjε̨] sühnen

expir|ation [εkspirasjɔ̃] *f* Ausatmung; *(Frist, Vertrag)* Ablauf; **~er** [-rε̨] ausatmen; *(Frist, Vertrag)* ablaufen, ungültig werden

explétif [εksplεtif] *m* Füllwort

expli|cable [εksplikabl] erklärbar; **~catif** [-katif] *112* erklärend; **~cation** [-kasjɔ̃] *f* Erklärung; Erläuterung; Auslegung; **~cite** [-sit] ausdrücklich; eindeutig; ausführlich; **~quer** [-kε̨] *6* erklären; erläutern; auslegen; *s' ~quer* sich auseinandersetzen

exploit [εksplwa] *m* Großtat; **~able** [-tabl] nutzbar; *(Bergbau)* abbauwürdig; **~ant** [-tɑ̃] *m* Betriebsinhaber; *~ant agricole* Landwirt; **~ation** [-tasjɔ̃] *f* Betrieb; Ausbeutung; *(Bergbau)* Abbau; *(Patent)* Verwertung, Auswertung; *~ation agricole* landwirtschaftl. Betrieb; *~ation des ressources* Erschließung; **~er** [-tε̨] in Betrieb haben; betreiben; ausbeuten; *~er un succès (fig)* e-n Erfolg ausschlachten; **~eur** [-tœːr] *m* Ausbeuter

explor|ateur [εksplɔratœːr] *m* Forschungsreisender; 𝕊 Steinsonde; **~ation** [-rasjɔ̃] *f* Erforschung; *(Bergbau)* Schürfung; **~atoire** [-ratwaːr] *adj: entretiens ~atoires* Sondierungsgespräche; **~er** [-rε̨] *(Land)* erforschen; 𝕊 explorieren

explos|er [εksplozε̨] explodieren; **~ible** [-zibl] explosiv; **~if** [-zif] *m* Sprengstoff; **~ion** [-zjɔ̃] *f* Explosion; Knall; Sprengung; *fig* plötzlicher Ausbruch; *~ion aérienne* Luftdetonation; *~ion de rire* Lachsalve

export|ateur [εkspɔrtatœːr] *122* Export...; *m* Exporteur; **~ation** [-tasjɔ̃] *f* Export, Ausfuhr; Außenhandel; *maison d'~ation* Exportfirma; **~er** [-tε̨] exportieren, ausführen

expos|ant [εkspozɑ̃] *m* Aussteller; *math* Exponent; **~é** [-zε̨] *m* Darlegung; wissenschaftl. Referat; **~er** [-zε̨] darlegen; ausstellen; *(Kind)* aussetzen; *(Kosten)* verausgaben; *s' ~er à un* *danger* s. e-r Gefahr aussetzen; **~ition** [-zisjɔ̃] *f* Ausstellung; *~ition universelle* Welta.; *~ition itinérante* Wandera.; Darlegung *(e-s Sachverhaltes); lit* Exposition; Lage *(e-s Gebäudes nach d. Himmelsrichtung); (Kind)* Aussetzung; 📖 Belichtung; *(Atom)* Bestrahlung

exprès [ɛksprɛ] *114, 131* ausdrücklich; eigens; mit Absicht; *lettre ~* Eilbrief; *par ~* ✧⃝ durch Eilboten

express [ɛksprɛs] *m* Schnellzug; *(Kaffee)* Espresso *m*; **~ément** [-semɑ̃] *adv* ausdrücklich; absichtlich; **~if** [-presif] *112* ausdrucksvoll; **~ion** [-prɛsjɔ̃] *f* Ausdruck; *au-delà de toute ~ion* unbeschreiblich

exprimer [ɛksprimɛ] *a. fig* ausdrücken

expropri|ation [ɛksprɔpriasjɔ̃] *f* ♻ Enteignung; **~er** [-priɛ] ♻ enteignen

expuls|er [ɛkspylsɛ] *pol* ausweisen; *(aus Gesellschaft)* ausschließen; **~ion** [-sjɔ̃] *f* Ausweisung; *phys* Abspaltung

expurger [ɛkspyrʒɛ] *14 (Buch, Film)* anstößige Stellen streichen, herausschneiden

exquis [ɛkski] *108* köstlich; vorzüglich; *politesse~e* ausgesuchte Höflichkeit

exsangue [ɛksɑ̃g] blutarm; -leer

exsuder [ɛksydɛ] ausschwitzen

exta|se [ɛkstɑːz] *f* Ekstase; Verzückung; *tomber en ~se* in V. geraten; **~sier** [-tazjɛ]: *s'~sier* in Verzückung geraten, s-e Bewunderung äußern; **~tique** [-tatik] ekstatisch, verzückt, schwärmerisch

extens|eur [ɛkstɑ̃sœːr] *m* 🐾 Expander; **~ible** [-sibl] dehnbar; streckbar; **~if** [-sif] *112* ausdehnend; ⬇ extensiv; *(Sinn)* erweitert; **~ion** [-sjɔ̃] *f* Ausdehnung; Erweiterung; Streckung; Dehnung; *(Konflikt)* Ausweitung; Umfang; *par ~ion* im weiteren Sinne

exténu|ation [ɛkstenɥasjɔ̃] *f* Entkräftung; Erschöpfung; **~er** [-nɥe] entkräften; erschöpfen; *s'~er* s. überarbeiten, s. aufreiben

extérieur [ɛksterjœːr] **1.** äußerlich; äußere; Außen…; *commerce ~* Außenhandel; **2.** *m* Äußeres, Außenseite

extérioriser [ɛksterjɔrizɛ] *(Gefühl)* äußern, ausdrücken

extermin|ateur [ɛkstɛrminatœːr] *122* vertilgend; *m* Vertilger; **~ation** [-nasjɔ̃] *f* Vertilgung; *guerre d'~ation* Vernichtungskrieg; **~er** [-ne] vertilgen; ausrotten

externe [ɛkstɛrn] **1.** Außen…; von außen; *angle ~ (math)* Außenwinkel; *usage ~* ⚕ äußerl. Gebrauch; **2.** *m* externer Schüler

extinct|eur [ɛkstɛ̃ktœːr] *m* Feuerlöscher; **~ion** [sjɔ̃] *f (a. fig)* Aus-, Erlöschen; *(Kalk)* Löschen; *~ion des feux (mil)* Licht aus nach Zapfenstreich; *~ion de voix* Verlust d. Stimme; *en voie d'~ion* im Aussterben

extirper [ɛkstirpɛ] ausrotten; ⚕ entfernen; *fig* abschaffen; mit viel Mühe erlangen

extor|quer [ɛkstɔrkɛ] *6: ~quer qch de qn* etw. von j-m erschwindeln, ergaunern, erschleichen; j-m etw. abnötigen; **~sion** [-tɔrsjɔ̃] *f* Erpressung

extra [ɛkstra] Sonder…; besonders; außerordentlich; außer…; *umg* feinst; *m 104* **1.** etw.

Besonderes; Sonderausgabe; *s'accorder un petit ~* sich etw. Besonderes leisten; **2.** Aushilfskellner

extract|eur [ɛkstraktœːr] *m chem* Extraktor; Honigschleuder; **~if** [-tif] *112 industries ~ives* Grundstoffindustrie; **~ion** [-sjɔ̃] *f* **1.** *(Bergbau)* Förderung; ♻ Extraktion; *chem* Auslaugung; Abspaltung; *capacité d'~ion* Förderleistung; *~ion à ciel ouvert* Tagebau; **2.** *math* Wurzelziehung; **3.** Abkunft, Abstammung

extradition [ɛkstradisjɔ̃] *f* ♻ Auslieferung

extrai|re [ɛkstrɛːr] *66* (her)ausziehen; *(math. Wurzel)* ziehen; **~t** [ɛkstrɛ] *m* Auszug; Bescheinigung; *~t de mariage* Heiratsurkunde; *~t de décès* Totenschein

extraordinaire [ɛkstraɔrdinɛːr] außerordentlich; ungewöhnlich; *crédits ~s* außerplanmäßige Ausgaben

extravag|ance [ɛkstravagɑ̃s] *f* Überspanntheit, Verrücktheit; **~ant** [gɑ̃] *108* überspannt; *idée ~ante* Hirngespinst

extr|ême [ɛkstrɛm] äußerst; höchst; tiefst; übertrieben; *m* Extrem; äußerste Grenze; Übertreibung *caractère ~ême* Charakter ohne Maß u. Ziel ♦ *les ~êmes se touchent* d. Extreme berühren sich; *porter (od pousser) qch à l'~ême* etw. auf d. Spitze, bis z. Äußersten treiben; **~ême-gauche** [ɛkstrɛmgoʃ] *m pol* äußerste Linke; **~ême-onction** [-trɛmɔ̃ksjɔ̃] *f rel* Letzte Ölung; **≁ême-Orient** [-trɛmɔrjɑ̃] *m* d. Ferne Osten; **~émiste** [-trɛmist] *bes pol* extremistisch; **~émité** [-tremite] *f* äußerstes Ende; *être à toute ~émité* in d. letzten Zügen liegen; *être réduit à la dernière ~émité* s. in d. äußersten Not befinden; **~émités** *fpl* Gliedmaßen

extrinsèque [ɛkstrɛ̃sɛk] äußerlich; *causes ~s* äußere Ursachen

exubér|ance [ɛgzyberɑ̃s] *f* Üppigkeit; Überfülle; Überschwang; **~ant** [-rɑ̃] *108* üppig; strotzend; überschwenglich, -mütig

exulter [ɛgzyltɛ] frohlocken

exutoire [ɛgzytwaːr] *m fig* Ablenkung

ex-voto [ɛksvɔtɔ] *m 100* Votivtafel

eyeliner [ajlajnœːr] *m* Eye-Liner, Augenkonturstift

F

fa [fa]: *~ dièse* ♪ fis; *~ majeur* F-Dur

fable [fɑbl] *f* Fabel; Erdichtung, Märchen ♦ *être la ~ de la ville* Stadtgespräch, Gegenstand des allgemeinen Gespötts sein

fabr|icant [fabrikɑ̃] *m* Fabrikant, Fabrikbesitzer; Hersteller; **~ication** [-kasjɔ̃] *f* Fabrikation; *a.* 💿 Herstellung; **~ique** [fabrik] *f* Fabrik; Produktionsstätte; Kirchenrat; **~iquer** [kɛ] *6* herstellen; fabrizieren ♦ *~ iqué de toutes pièces* von A bis Z erfunden; *qu'est-ce que tu ~iques? (umg)* was machst du?

fabul|er [fabylɛ] fabulieren, zusammenphantasieren; **~eux** [fabylø] *111 (a. fig)* märchenhaft; **~iste** [-list] *m* Fabeldichter

façade [fasad] *f (a. fig)* Fassade; *geog* Küstenregion(en); *~ principale (Haus)* Vorder-

front; ~ *postérieure* Rückseite; *de* ~ heuchlerisch
face [fas] *f* Gesicht, Antlitz; *anat* Gesichtsschädel; *math* (Körper-)Seite; Fläche; *(Münze)* Avers; ~ *antérieure (postérieure)* Vorder-(Rück-)Seite; ~ *frontale (latérale)* Stirn-(Seiten-) Fläche; *à la* ~ *de* im Angesicht…; *de* ~ von vorn; *(d')en* ~ gegenüberliegend; ~ *à* ~ von Angesicht zu Angesicht; Gegenüberstellung; Streitgespräch; *regarder en* ~ ins Gesicht sehen; *sauver la* ~ d. Schein wahren; *faire* ~ *à ses engagements* s-n Verpflichtungen nachkommen; *jouer à pile ou* ~ Kopf od. Schrift raten; *fig* d. Zufall entscheiden lassen; **~-à-main** [-samɛ̃] *m* 98 Lorgnette
facéti|e [fasesi] *f* Schwank, Posse; **~eux** [-sjø] *111* possenhaft
facette [fasɛt] *f* Facette; (geschliffene) Fläche; *style à ~s* glänzender Stil; *yeux à ~s* Facettenauge, Netzauge
fâch|er [faʃe] ärgern; *être ~é* böse (beleidigt) sein; *j'en suis ~é* es tut mir leid; *se ~er* s. aufregen; wütend werden; s. zerstreiten; s. im Streit entzweien; *se ~er pour un rien* s. über jede Kleinigkeit aufr.; **~eux** [faʃø] *111* ärgerlich; unangenehm; lästig; *en ~euse posture* übel dran
faci|al [fasjal] *124* Gesichts…; *angle* ~ Gesichtswinkel; **~ès** [-sjɛs] *m* Gesichtsausdruck; Gesichtszüge
facil|e [fasil] leicht; mühelos; *(Witz)* billig; gefällig; willfährig; *il est ~e de* es ist leicht, zu; *~e à vendre* leicht verkäuflich; *c'est ~e à dire* leicht gesagt, schwer getan; *caractère ~e* umgänglicher Charakter; *femme ~e* leichtfertige Frau; **~ité** [-silite] *f* Leichtigkeit; Bequemlichkeit; *pl* Unterstützung; Mittel, Möglichkeiten; *~ités de paiement* Zahlungserleichterungen; **~iter** [-silite] erleichtern
façon [fasɔ̃] *f* Form; Machart; Art u. Weise; Machen; *faire à* ~ nach Maß anfertigen; *de (telle)* ~ *que, de* ~ *à* so daß; *de cette* ~ auf diese Weise; *de toute* ~ auf jeden Fall; *ne faites pas de ~s!* machen Sie k-e Umstände!; ~ *de parler* Redensart; *bonnes ~s* höfliches Benehmen; *sans* ~ ganz zwanglos; *agir sans* ~ nicht viel Federlesens machen; **~ner** [-sɔne] formen; gestalten; **~nage** [fasɔnaːʒ] *m* Formgebung; **~nier** [sɔnje] *116 (Etikette)* formalistisch; *m* Heimarbeiter
faconde [fakɔ̃d] *f pej* Geschwätzigkeit
fact|age [faktaːʒ] *m* Warentransport; Spedition; (sfirma); Rollgeld; Postzustellung; **~eur** [-tœːr] *m (a. math)* Faktor; mitwirkender Umstand; Briefträger; *~eur d'orgues* Orgelbauer; **~ice** [-tis] erkünstelt; eingebildet; *objet* ~ Attrappe; **~ieux** [-sjø] *111* aufrührerisch; *m* Aufwiegler; **~ion** [sjɔ̃] *f mil* Wache; *pol* Clique; **~ionnaire** [sjɔnɛːr] *m mil* Wachtposten; **~uel** [faktɥɛl] *adj* auf d. Fakten ausgerichtet; **~uration** [-tyrasjɔ̃] *f* Abrechnung, Rechnungslegung, Inrechnungstellung; **~ure** [-tyːr] *f* Ausführung; *com* Rechnung; *prix de ~ure* Einkaufspreis; *d'une bonne ~ure (bes lit)* gekonnt; **~urer** [-tyre] *com* in Rechnung stellen

facult|atif [fakyltatif] *112* fakultativ; beliebig; *arrêt ~atif* Bedarfshaltestelle; **~é** [-te] *f* Fähigkeit, Vermögen, Kraft; Eigenschaft; Befugnis; Fakultät
fad|a [fada] *m umg* Narr; **~aise** [-dɛːz] *f* Albernheit; **~e** [fad] fade; abgeschmackt; **~eur** [-dœːr] *f* Abgeschmacktheit
fading [fadɛg] *m ⚡* Fading
fafiot [fafjo] *m pop (Banknote)* Lappen
fagot [fago] *m* Reisigbündel; *sentir le* ~ *(fig)* Mißtrauen erwecken; *de derrière les ~s (Wein u. fig umg)* von d. besten Sorte; **~er** [-gɔte] *fig umg* komisch anziehen
faibl|e [fɛbl] 1. schwach; niedrig; zer-(ge-)brechlich; *(Kaffee usw.)* dünn; *côté ~e* wunder Punkt; 2. *m* Schwäche *(pour* für); **~esse** [-blɛs] *f* Schwäche; Geringfügigkeit; **~ir** [fɛbliːr] *22* schwach werden; nachlassen; abflauen
faïence [fajɑ̃s] *f* Fayence, Töpferware
faille [faːj] *f* (Fels-)Spalte; *geol* Verwerfung; *sans* ~ lückenlos
faill|i [faji] *m ⚡* Konkurs-, Gemeinschuldner; **~ible** [-jibl] fehlbar; d. Irrtum unterworfen; **~ir** [-jiːr] *21* irren; (ver)fehlen; *~ir à son devoir* gegen s-e Pflicht verstoßen; *j'ai ~i tomber* fast wäre ich gefallen; **~ite** [-jit] *f (a. fig)* Bankrott, Konkurs; *faire ~ite (a. fig)* Bankrott machen
faim [fɛ̃] *f* Hunger; ~ *de loup* Bärenhunger; ~ *de gloire* Ruhmsucht; *crever de* ~ *(pop)* am Verhungern sein; *rester sur sa* ~ nicht satt geworden sein
fainéant [fɛneɑ̃] *m* Faulenzer; *umg* Faulpelz, fauler Sack; **~er** [-neɑ̃te] faulenzen; **~ise** [-neɑ̃tiːz] *f* Faulenzerei; Faulheit, Müßiggang
fai|re [fɛːr] *70* 1. *vt* machen, tun; erschaffen; anfertigen; ausmachen, bedeuten; bewirken, veranlassen; aussehen, wirken wie; spielen; *(Geschirr)* spülen; *(Koffer)* packen; *(Junge)* werfen; *(mil Dienst)* (ab)leisten; *(Rede)* halten; *(Schuhe)* putzen; *(Speise)* zubereiten; *(Wahl)* treffen; *(Weg)* zurückgehen, gehen; *(Zahn)* bekommen; *(Zeichen)* geben; *n'en rien ~re* s. hüten, etw. zu tun; *je ne sais que ~re à cela* ich kenne mich da nicht aus; *pourquoi ~re?* wozu?; *que voulez-vous que j'y fasse?* was soll ich denn tun?, was bleibt mir denn übrig?; *ce ~sant* dabei; *~re de l'argent* Geld scheffeln; *~re la bête* s. dumm stellen; *se ~re ~re un costume* s. e-n Anzug machen lassen; *que ferez-vous de votre fils?* was soll Ihr Sohn werden, *~re le plein* volltanken; *fig* e. maximales Ergebnis erzielen; *~re des siennes* Streiche aushecken; 2. *vi: avoir fort à ~re* viel zu tun haben; *~re bien (mal)* (nicht) gut wirken; *~re dans…* e-n (Beruf) ausüben; *je le croyais, fit-elle* ich glaubte es, erwiderte sie; *~re de son mieux* sein möglichstes tun; *~t comme un rat (pop)* verraten u. verkauft; *rien à* ~ es ist nichts zu machen (od zu wollen); *voilà qui est ~t!* das wäre erledigt! ♦ *bien ~re et laisser dire* tue recht, scheue niemand; *ce qui est ~t est ~t* geschehen ist geschehen; 3. *se ~re* werden, entstehen; stattfinden; *(z. B. Wein)* besser werden; *se ~re à* s. gewöhnen an; *se laisser ~re* es sich gefallen lassen; *se le (la) ~re*

pop (Person) täuschen; töten; *pop* unterbuttern; vögeln, bumsen; *ne t'en ~s pas!* mach dir nichts draus!; **4.** *unpers.: il ~t beau (temps)* es ist schön(es Wetter); *il ~t nuit* es ist (wird) Nacht; *c'en est ~t de lui* nach ihm kräht kein Hahn mehr; *il faut le ~re pop* das will gekonnt sein; wer das nicht gemacht, kann es nicht verstehen; *cela ne ~t rien* das macht nichts (aus); *c'est bien ~t pour toi!* das geschieht dir recht!; **~re-part** [fɛrpạːr] *m 100* (Heirats-, Geburts-, Todes-)-Anzeige; **~sabilité** [-zabilitẹ] *f* Machbarkeit, Durchführbarkeit; **~sable** [fǝzạbl] tunlich; möglich; *c'est ~sable* das läßt s. machen

faisan [fǝzɑ̃] *m* Fasan; *pop* Schwindler; Spitzbube; **~dé** [-dẹ] *(Wild)* abgehangen; **~der** [-dẹ] *(Wild)* abhängen; *se ~der* e-n Wildgeruch bekommen

faisceau [fɛso] *m 91* Bündel; Strahl; Strahlenbündel; *en ~* büschelartig; *~ directeur* Leitstrahl; *~ lumineux* Scheinwerferlicht; *~ d'armes* Gewehrpyramide

fais|eur [fǝzœːr] *m* Macher; Schwindler; **~eur** *de dupes* Bauernfänger; *~eur d'embarras* Wichtigtuer; *~eur de rimes* Verseschmied; *bon ~eur* guter Schneider; **~euse** [fǝǫːz] *f:* *~euse d'anges* Engelmacherin (Abtreiberin)

fait [fɛ(t)] *m* Tatsache; *~ accompli* vollendete Tatsache; *~ dommageable* Schadensfall; *~ technique* Beanstandung; *~s divers (journ)* Vermischtes; «Unglücksfälle u. Verbrechen»; *de ~* de facto; *en ~* in Wirklichkeit; *tout à ~* ganz u. gar; *si ~!* ja doch!; *le ~ est que...* es ist so, daß...; sicher ist, daß...; *comme par un ~ exprès* ausgerechnet; *voies de ~* Tätlichkeiten; *dire son ~ à qn* j-m d. Meinung sagen; *être au ~ de qch* über etw. Bescheid wissen; *prendre sur le ~* auf frischer Tat ertappen; *prendre ~ et cause pour qn* für j-n Partei ergreifen; **~-tout** [fɛtu] *m 100* Kochtopf

faîte [fɛt] *m* First; Gipfel

falaise [falɛːz] *f* Klippe; Felsenküste

fallacieux [fallasjǫ] *111* trügerisch

falloir [falwạːr] *37* **1.** müssen; sollen; *il faut partir* ich muß (du mußt...; man muß) gehen; *il faut que je parte* ich muß gehen; *ce qu'il faut* d. Nötige; *comme il faut* ordentlich, richtig; **2.** benötigen; *que lui faut-il de plus?* was will er noch mehr?; **3.** fehlen; *il s'en fallut de beaucoup (de peu) que* es fehlte viel (wenig) daran, daß...

falot [falǫ] *108* albern; *m* Handlaterne; *arg mil* Kriegsgericht

falsifi|cateur [falsifikatǫːr] *m* Fälscher; **~cation** [-fikasjɔ̃] *f* Fälschung; **~er** [fjẹ] fälschen; *document ~é* gefälschte Urkunde

falzar [falzạːr] *pop* Büx, Hose

famé [famẹ]: *mal ~* verrufen; berüchtigt; anrüchig, übel beleumdet

famélique [famelik] *m* Hungerleider

fameux [famǫ] *111* berühmt; berüchtigt; *umg* famos, großartig; *un ~ gaillard* e. Prachtkerl

famil|ial [familjal] *124* Familien...; **~iale** [-ljal] *f* 🚗 großer Personenwagen; **~iariser** [ljarizẹ] vertraut machen *(avec mit)*; **~iarité** [ljaritẹ] *f* Vertraulichkeit; Vertrautheit; *pl* Freiheiten;

~ier [-jẹ] *116* vertraulich; vertraut; **~le** [famij] *f* Familie; Familienangehörige; *~le nombreuse* kinderreiche F.; *être de la ~le* zur F. gehören; *être en ~le* unter sich sein; *fils de ~le* junger Mann aus wohlhabendem Hause

famine [famịn] *f* Hungersnot; *salaire de ~* Hungerlohn; *prendre qn par la ~* j-m den Brotkorb höher hängen

fan [fan/fã] *m* Fan, begeisterter Anhänger

fan|al [fanạl] *m 90 (a.* 🚢*)* Laterne; *~aux de position* 🚢 Positionslichter

fanat|ique [fanatik] fanatisch; *m* Fanatiker; **~isme** [-tism] *m* Fanatismus

fan|er [fanẹ]: *~er l'herbe* Heu wenden; *se ~er* welken; *(Stoff)* verschießen; **~eur** [-nœːr] *m* Heuer; **~euse** [nǫːz] *f* Heuwender

fanfar|e [fãfạːr] *f* Fanfare; Blechmusikkapelle; **~on** [-farɔ̃] *m* Großsprecher, Prahler; **~onnade** [-faronạd] *f* Großsprecherei

fanfreluche [fãfrǝlyʃ] *f* Flitter; *fig pl* Kinkerlitzchen

fang|e [fãʒ] *f* Schlamm; *se vautrer dans la ~e (a. fig)* s. im Schlamm wälzen; **~eux** [-ʒǫ] *111* schlammig

fanion [fanjɔ̃] *m* Fähnchen; Wimpel; Stander; *~ de neutralité* Rote-Kreuz-Flagge

fanon [fanɔ̃] *m zool* Wamme; Walbarte

fant|aisie [fɑ̃tezi] *f* Phantasie; Extravaganz; Einfall; *agir à sa ~aisie* nach s-m Belieben handeln; **~aisiste** [-tezist] aus der Luft gegriffen; *m* 🎭 Illusionist; **~asmagorie** [-tasmagori] *f* Blendwerk; **~asme** [-tạsm] *m* Traumbild, Wahnvorstellung; **~asque** [-tạsk] schrullenhaft; **~astique** [-tastik] phantastisch; unwirklich; unwahrscheinlich

fantassin [fɑ̃tasɛ̃] *m* Infanterist

fantoche [fɑ̃tɔʃ] *m* Marionette; *fig* Hampelmann; *gouvernement ~* Marionettenregierung

fant|omatique [fɑ̃tɔmatik] gespenstisch, schemenhaft; **~ôme** [-tọːm] *m* Gespenst; *fig* Trugbild, reine Phantasie, Phantasterei

faon [fɑ̃] *m* Rehkalb

faquin [fakɛ̃] *m* Schuft

faramineux [faraminǫ] *111 umg* erstaunlich, kolossal

farandole [farɑ̃dɔl] *f* Farandole *(provenzal. Tanz)*

faraud [farǫ] *m* Prahlhans

farc|e [fars] *f (Speise)* Füllsel; 🎭 Schwank, Posse; Schabernack; *~es et attrapes* Scherzartikel; *faire une ~e à qn* j-m e-n Streich spielen; **~eur** [-sœːr] *m* Spaßvogel; **~ir** [sịːr] *22 (Geflügel)* füllen; *fig* vollstopfen, spicken *(de mit)*; *se ~ir qch (pop)* wie ein Scheunendrescher fressen; wie ein Wilder schuften

fard [faːr] *m* Schminke; *sans ~ (fig)* ungeschminkt ♦ *piquer un ~ (umg)* e-n roten Kopf kriegen

fardeau [fardǫ] *m 91* Last; *a. fig* Bürde

farder [fardẹ] *a. fig* schminken; beschönigen

farf|adet [farfadɛ] *m* Kobold; **~elu** [-fǝly] absonderlich; schrullenhaft; *pej* absurd, lächerlich, unsinnig; *m* Original; *pej* Verrückter, Irrer, Spinner

farfouiller [farfujɛ] herum-, durchwühlen, -kramen

fariboles [fəribɔl] *fpl umg* Geschwätz, Quatsch

farin|e [farin] *f* Mehl; *fleur de ~e* Auszugsmehl; **~eux** [-rinø] *111* mehlig

farouche [faruʃ] *(a. Mensch)* scheu; wild

fart [fart] *m* Schiwachs

fascicule [fasikyl] *f* 🕮 Lieferung; *publication en ~s* Fortsetzungswerk

fascinat|eur [fasinatœːr] *122* fesselnd, bezaubernd; **~ion** [sjɔ̃] *f* Bezauberung

fascine [fasin] *f* Reisigbündel, Faschine

fasciner [fasinɛ] bezaubern, faszinieren

fasc|iser [faʃizɛ] faschisieren, faschistisch machen; **~isme** [faʃism] *m* Faschismus; **~iste** [-ist] faschistisch; *m* Faschist

faste [fast] *m* Prunk; *avec ~* 🕮 in großer Ausstattung; *adj: jour ~* Glückstag

fastidieux [fastidjø] *111* langweilig; abgeschmackt

fastueux [fastɥø] *111* prunkend

fat [fa(t)] *m* Geck, Laffe

fatal [fatal] unheilvoll; unausbleiblich; schicksalhaft; zwangsläufig; unabänderlich; *c'était ~ es* mußte so kommen; **~isme** [-talism] *m* Fatalismus; **~iste** [-talist] fatalistisch; *m* Fatalist; **~ité** [-talitɛ] *f* unabwendbares Schicksal; Verhängnis

fatidique [fatidik] *(z. B. Rede)* zukunftsträchtig; *l'heure ~* Schicksalsstunde

fatig|abilité [fatigabilitɛ] *f* leichte Ermüdbarkeit; **~ant** [fatigã] *108* ermüdend, anstrengend; **~ue** [fatig] *f* Müdigkeit; *(a. Werkstoffe)* Ermüdung; *charge de ~ue* Dauerbelastung; *tomber de ~ue* vor M. umfallen; **~ué** [-gɛ] müde; *(Buch)* zerlesen; *(Boden)* erschöpft; *(Kleidung)* abgetragen; **~uer** [-gɛ] 6 ermüden; belästigen; *(Salat)* anmachen; *se ~uer à s.* abmühen, zu…

fatras [fatrɑ] *m* Kram, Plunder

fatuité [fatɥitɛ] *f* Geckenhaftigkeit

faubour|g [fobuːr] *m* Vorstadt; **~ien** [-burjɛ̃] *118* vorstädtisch; *m* Vorstadtbewohner

fauch|er [foʃɛ] mähen; hinwegraffen; *umg* klauen; *être ~é (umg)* abgebrannt; blank sein; **~eur** [foʃœːr] *m* Mäher; **~euse** [-ʃøːz] *f* Mähmaschine; **~eux** [-ʃø] *m zool* Weberknecht

faucille [fosij] *f* Sichel

faucon [fokɔ̃] *m (a. fig pol)* Falke

faufil [fofil] *m* Heftfaden; **~er** [-filɛ] reihen, heften; *se ~er dans* sich einschleichen in

faune [foːn] 1. *f* Fauna, Tierwelt; 2. *m* Faun

fauss|aire [fosɛːr] *m* Fälscher, **~er** [-sɛ] fälschen; *(Sinn)* verdrehen

fausset [fosɛ] *m* Fistelstimme

fausseté [fostɛ] *f* Falschheit; Unrichtigkeit

faute [foːt] *f* Fehler; Schuld; Irrtum; *~ grave* schwere Verfehlung, grobes Verschulden; *~ de frappe* Tippfehler; *~ d'impression* Druckfehler; *par ma ~* durch m-e Schuld; *c'est sa ~* er hat Schuld; *à qui la ~?* wer ist schuld daran?; *sans ~!* Sie können s. darauf verlassen, bestimmt!; *~ de* mangels, aus Mangel an; **~r** [fotɛ] *umg (Mädchen)* e-n Fehltritt begehen

fauteuil [fotœj] *m* Sessel; *~ à bascule* Schaukelstuhl; *~ de cuir* Klubsessel; *~ d'orchestre* 🕮 Sperrsitz ♦ *arriver dans un ~* spielend gewinnen (siegen)

fauteur [fotœːr] *m* Anstifter; *~ de guerre* Kriegstreiber

fautif [fotif] *112* fehlerhaft; *équipe ~ve* regelwidrig spielende Mannschaft

fauv|e [foːv] 1. rötlich braun; *bêtes ~es* Rotwild; 2. *m* Raubtier; **~ette** [fovɛt] *f* Grasmücke

faux¹ [fo] *f* Sense

faux² [fo] *113* 1. *(a. moral.)* falsch; unrichtig; *fausse couche* Fehlgeburt; *fausse joie* keine reine Freude; *il est ~ comme un jeton (umg)* er ist ein falscher Hund; *à ~* zu Unrecht, fälschlich; 2. *m d.* Falsche; Fälschung; *~ en écritures (publiques)* Urkundenfälschung; **~-frais** [-frɛ] *mpl* (nicht vorher bestimmte) Nebenkosten, unproduktive notwendige Auslagen; **~-fuyant** [-fɥijã] *m 97* Ausflucht, Ausrede; **~-monnayeur** [-mɔnɛjœːr] *97 m* Falschmünzer; **~-pas** [-pɑ] *m (a. fig)* Fehltritt; **~-semblant** [-sãblã] *m 97* List; falscher Schein

fav|eur [favœːr] *f* Gunst; Begünstigung; *billet de ~eur* 🕮 Freikarte; *être en ~eur auprès de qn* in j-s Gunst stehen; *à la ~eur de* im Schutz von; *parler en ~eur de qch* etw. befürworten; **~orable** [-vɔrabl] günstig; **~ori** [-vɔri] *117* beliebt; Lieblings…; *m* Günstling; 🎭 Favorit; *mpl* Backenbart; **~oriser** [-vɔrizɛ] begünstigen, fördern; **~orite** [-vɔrit] *f* Favoritin; **~oritisme** [-vɔritism] *m* Vetternwirtschaft, Nepotismus

fayard [fajaːr] *m* Buche

fébr|ifuge [febrifyːʒ] *m* fiebersenkendes Mittel; **~ile** [febril] 🎭 fiebernd, febril; fieberhaft; *délire ~ile* Fieberwahn

fécal [fekal] *124: matières ~es* Fäkalien

fécond [fekɔ̃] *108* fruchtbar; ergiebig *(en an)*; **~ation** [-kɔ̃dasjɔ̃] *f* Befruchtung; **~er** [-kɔ̃dɛ] befruchten; **~ité** [-ditɛ] *f* Fruchtbarkeit

fécule [fekyl] *f* Stärkemehl; **~nt** [-kylã] *108* stärkehaltig

fédér|al [federal] *124* Bundes…; *République ~ale* Bundesrepublik; **~alisme** [-ralism] *m* Föderalismus; **~ation** [-rasjɔ̃] *f* Verband; Interessengemeinschaft; **~er** [-rɛ] *13* verbünden

fée [fe] *f* Fee; *conte de ~s* Märchen; **~rie** [feri] *f* Märchenpracht; 🕮 Märchenspiel; **~rique** [ferik] zauberhaft

feed|-back [fiːdbak] *m* Rückkoppelung; *fig* Rückwirkung; **~er** [-dɛr] *m* Speiseleitung

fein|dre [fɛdr] *87* s. stellen *(de faire qch* als ob man etw. tue); fingieren; s. verstellen; **~te** [fɛt] *f* Verstellung; *parler sans ~te* ohne Hintergedanken sprechen

fêl|é [fɛle] *(Gefäß)* gesprungen ♦ *il a le cerveau ~é* bei ihm ist e-e Schraube locker; **~er** [fɛle] *m ~er (Gefäß)* springen; rissig werden

félicit|ation [felisitasjɔ̃] *f* Glückwünsch; Belobigung; **~é** [-te] *f* Glückseligkeit; **~er** [-te] beglückwünschen *(de zu)*

félin [felɛ̃] *109* katzenartig; Katzen…

félo|n [felɔ̃] *118* untreu; *m* Verräter; **~nie** [lɔni] *f* Treuebruch; Verrat

fêlure [fɛlyːr] f (Gefäß) Sprung, Riß
femelle [fəmɛl] weiblich; f zool Weibchen
fémin|in [feminɛ̃] 109 weiblich; ~isation [-izasjɔ̃] f Feminisierung; Frauenanteil (im Beruf); pej Verweichlichung; ~iser [-izẹ] feminisieren, verweiblichen; ~isme [-nism] m Frauenbewegung; ~iste [nist] frauenrechtlerisch; f Feministin, Vertreterin der Frauenrechte; ~ité [-nitẹ] f Weiblichkeit
femme [fam] f Frau, Ehefrau; ~ de chambre Zimmermädchen; ~ d'affaires Geschäftsfrau; ~ de ménage Putzfrau; ~ publique Prostituierte, Dirne; ~objet d. Frau als Lustobjekt; prendre ~ heiraten; ~lette [-lɛt] f Frauenzimmer; (Mann) Weichling, Waschlappen
fémur [femyːr] m Oberschenkelknochen
fenaison [fənɛzɔ̃] f Heuernte
fendiller [fãdijẹ]: se ~ rissig werden
fendre [fãdr] 76 spalten; ~ le cœur d. Herz zerreißen; ~ les vagues d. Wellen zerteilen, durchschneiden; ~ la foule s. durch d. Menge drängen; se ~ rissig werden
fenêtre [fənɛtr] f Fenster; fausse ~ blindes F.; ~ en saillie Erkerfenster
fenil [fənil] m ⊥ Heuboden
fenouil [fənuj] m Fenchel
fente [fãt] f Spalte; Ritze
féodal [feɔdal] 124 Lehns...; seigneur ~ Lehnsherr; régime ~ Lehnswesen; ~isation [-izasjɔ̃] f Schaffung e-r Pfründe; ~ité [-litẹ] f Lehnswesen, Feudalsystem
fer [fɛːr] m Eisen; ~ à cheval Hufeisen; ~ doux Weicheisen; ~ de lance a. fig Speerspitze; in erster Linie; an erster Stelle; ~ à repasser Bügeleisen; ~ à souder Lötkolben; en ~ forgé schmiedeeisern; chemin de ~ Eisenbahn; santé de ~ eiserne Gesundheit; mettre aux ~s in Ketten legen; ~-blanc [fɛrblã] m Weißblech; ~blanterie [blãtri] f Blechwaren; umg Lametta; ~blantier [blãtjẹ] m Klempner, Spengler
férié [ferjẹ]: jour ~ gesetzl. Feiertag
férir [feriːr]: sans coup ~ ohne Widerstand, ohne Schwierigkeit
ferm|age [fɛrmaːʒ] m Pachtzins; ~e [fɛrm] 1. fest; standhaft; beständig; commande ~ feste Bestellung; verbindlicher Auftrag; terre ~e Festland; volonté ~e fester Wille; de pied ~ entschlossen; 2. f Pacht(vertrag); Pachthof; Bauernhof; prendre à ~e pachten; 3. f Dachbinder; ~e-modèle [-mɔdɛl] f 97 Mustergut
ferment [fɛrmã] m (a. fig) Ferment; Gärstoff; ~ation [-mãtasjɔ̃] f Gärung; ~er [-tẹ] gären
ferm|er [fɛrmẹ] (ab-, ein-, ver-, zu-)schließen; (Weg) sperren; (Fabrik) stillegen; (Licht, Radio) ausmachen; (Buch) zumachen; (Wasserhahn) zudrehen; ~er à clef zu-, abschließen; ~er à double tour zweimal umschließen ♦ dormir à poings ~és schlafen wie e. Murmeltier; ~er les yeux sur... über... hinwegsehen; mes yeux se ~ent malgré moi die Augen fallen mir zu; la ~e! (pop!) halt die Schnauze!; ~eté [-mətẹ] f Festigkeit; ~eture [-mətyːr] f Verschluß, Schließung (e-s Geschäftes); Stillegung (e-r Fabrik); ~eture éclair Reißverschluß; ~ier [-mjẹ] m

Pächter; Bauer, Landwirt; ~oir [-mwaːr] m Schließe; Verschluß
féroc|e [ferɔs] wild; grausam; ~ité [-rɔsitẹ] f Wildheit
ferr|aille [fɛraːj] f Alteisen, Schrott; ~ailler [-rajẹ] mit d. Säbel herumfuchteln; s. herumstreiten; ~ailleur [-rajœːr] m Alteisenhändler; ~er [-rẹ] (Pferd, Stock) beschlagen; voie ~ée Schienenstrang; être ~é sur beschlagen sein in; ~eux [-rø] 111 eisenhaltig; ~ique [rik] oxyde ~ique Eisenoxyd; ~ite [fɛrit] f Ferrit m; Ferritantenne; ~onickel [-rɔnikɛl] m Nickeleisen; ~onnerie [-rɔnri] f Kunstschlosserei; ~outage [-rutaːʒ] m Huckepackverkehr; ~oviaire [-rɔvjɛːr] f Eisenbahn...; nœud ~oviaire Eisenbahnknotenpunkt; ~ugineux [-ryʒinø] 111 eisenhaltig; Eisen...; ~ure [-ryːr] f Eisenbeschlag; ~y-boat [-ribọt] m 99 Eisenbahnfähre, Fährschiff
fertil|e [fɛrtil] fruchtbar; matière ~e (Atom) brütbares Material; ~iser [-tilizẹ] fruchtbar machen; ~ité [-tilitẹ] f Fruchtbarkeit
féru [fery] besessen (de von); vernarrt (de qch in etw.)
férule [feryl] f: sous la ~ de qn unter j-s Fuchtel
ferv|ent [fɛrvã] 108, 127 inbrünstig; leidenschaftlich; (innerlich) glühend; ~eur [fɛrvœːr] f Inbrunst; (innere) Glut
fess|e [fɛs] f Gesäßhälfte; ~ée [fɛsẹ] f Tracht Prügel; ~e-mathieu [fɛsmatjø] m 99 Geizhals; Wucherer; ~er [fɛsẹ]: ~er un enfant e-m Kind d. Hintern verhauen; ~ier [fɛsjẹ] m umg Hintern
fest|in [fɛstɛ̃] m Festschmaus; ~ival [-tival] m Musikfest; Festspiele; ~ivalier [-ivaljẹ] m Festspielgast; ~ivité [-tivitẹ] f Festlichkeit; ~on [-tɔ̃] m (Stickerei, 🏛) Feston; ~oyer [-twajẹ] 5 schmausen, feiern
fêt|ard [fɛtaːr] m Lebemann; ~e [fɛt] f Fest; Feiertag; Namenstag; jour de ~e Festtag; ~e nationale Nationalfeiertag; ~e jubilaire Jubiläumsfeier; ~e légale gesetzlicher Feiertag; faire ta (sa) ~e pop j-m die Fresse vollhauen; e-n Wucht verpassen; j-n verdreschen; Saures geben; ~e-Dieu [fɛtdjø] f Fronleichnam(sfest); ~er [fɛtẹ] feiern; fig festlich empfangen
fétich|e [fetiʃ] m Fetisch; ~iste [-tiʃist] m Fetischist; Fetischanbeter
fétide [fetid] stinkend, übelriechend
fétu [fety] m: ~ de paille Strohhalm
feu¹ [fø] m 91 Feuer; Leuchtfeuer; Verkehrsampel; pl (Wagen-)Lichter; Ampelanlage; ~ arrière Rücklicht, Schlußleuchte; ~ d'artifice Feuerwerk; ~ clignotant Blinker; ~ de croisement Abblendlicht; ~ follet Irrlicht; ~ de position Positionsfeuer; Standlicht; ~ rouge (Eisenbahn) Rotlicht; 🚗 Schlußlicht; Ampel; d. (Verkehrs)Ampel steht auf Rot; fig Blockierung, Unterbindung, Abblocken; ~ vert a. fig grünes Licht; auf Grün (stehen); ~ orange auf Gelb (stehen); fig sich nicht begeistern können (für e-e Sache), abwartende Haltung; ~ d'éclairage Leuchte; ~ de direction (Navigation) Leitfeuer; ~ de route Fernlicht; ~ de secours Notleuchte; ~ stop Bremslicht; ~ de stationnement

Parkleuchte; ~ *témoin* Kontrolleuchte; ~*x de la rampe* Rampenlicht; *arme à* ~ Feuerwaffe; *coup de* ~ Schuß; *à* ~ *continu* Dauerbrand...; *au* ~! Feuer!; *au coin du* ~ am Kamin; *dans le* ~ *de la conversation* im Eifer des Gespräches; *mettre le* ~ *à* anzünden, anstecken; *être en* ~ in Flammen stehen; *faire* ~ schießen; *faire long* ~ k-e Wirkung haben; *mettre à* ~ *et à sang* verheeren; *sans* ~ *ni lieu* obdachlos ♦ *se jeter dans le* ~ *pour qn* für jemanden durchs F. gehen; *j'en mettrais la main au* ~ dafür lege ich m-e Hand ins Feuer; *je n'y vois que du* ~ das sind für mich böhmische Dörfer

feu² [fø] ~ *le roi* d. verstorbene König

feuill|age [fœjaːʒ] *m* Laub(werk); ~**e** [fœj] *f (Laub, Papier)* Blatt; *(Papier)* Bogen; Zeitung; ~*e morte* welkes Blatt; ~*e de vigne (fig)* Feigenblatt; ~*e métallique* Metallfolie; ~*e de température* Fiebertabelle; ~*e de route (com)* Begleitpapier *(e-r Sendung);* ~*e de garde* Vorsatz; ~*e de chou (umg)* Käseblatt; *il tremble comme une* ~*e* er zittert wie Espenlaub; ~**et** [-jɛ] *m (Buch)* Blatt; *biol* Keimblatt; *(Wiederkäuer)* Blättermagen; ~**eté** [fœjtɛ] *adj: verre* ~*eté* Sekuritglas; ~**eter** [fœjtɛ] 4 (durch)blättern; *pâte* ~*etée* Blätterteig; ~**eton** [-tɔ̃] *m* Fortsetzungsroman, -artikel; ~**u** [-jy] dicht belaubt; *forêt* ~*ue* Laubwald

feutr|e [føtr] *m* Filz; Filzhut; *crayon* ~*e* Filzstift; ~**er** [føtrɛ] verfilzen; *à pas* ~*és* mit leisen Schritten

fève [fɛːv] *f* dicke Bohne; Saubohne

février [fevriɛ] *m* Februar

fi [fi] *faire* ~ *de qch* etw. geringschätzen, verschmähen; auf etw. pfeifen

fiab|ilité [fjabilitɛ] *f* Verläßlichkeit, Vertrauenswürdigkeit; *(Geräte)* Zuverlässigkeit; ~**le** [fjabl] *adj* zuverlässig

fiançailles [fjɑ̃ːj] *fpl* Verlobung; *com* Zusammenschluß (zw Firmen)

fianc|é [fjɑ̃sɛ] verlobt; *m* Verlobter, Bräutigam; ~**ée** [jɑ̃sɛ] *f* Verlobte, Braut; ~**er** [fjɑ̃sɛ] 15 verloben; *se* ~*er à* s. verloben mit

fiasco [fjaskɔ] *m* Mißerfolg, Fiasko; *faire* ~ 🐎 durchfallen; fehlschlagen

fibr|an(n)e [fibrɑn] *f* Zellwolle; ~**e** [fibr] *f* Faser; ~*e textile* Textilfaser; ~*e artificielle* Chemiefaser; ~*e de verre* Glasfaser; ~**eux** [-brø] 111 faserig; ~**illaire** [-brillɛːr] faserig; ~**ille** [-brij] *f biol* Fibrille, Fäserchen; ~**ome** [-brom] *m* ⚕ Fibrom, Fasergeschwulst

ficel|er [fislɛ] 4 verschnüren; ~**le** [fisɛl] *f* Bindfaden, Schnur ♦ *une vieille* ~*le* e. alter Fuchs; *connaître toutes les* ~*les* alle Schliche kennen

fichant [fiʃɑ̃] 108 *umg* ärgerlich

fiche [fiʃ] *f* 1. Karteikarte; Begleitkarte; Arbeitskarte; ~ *analytique* Arbeitsplan; ~ *annexe* Anlageblatt; ~ *d'instruction* Anweisung; ~ *de voyageur* Meldezettel; ~ *de consolation* Trostpreis; 2. Stöpsel; Stecker; ~ *femelle* Steckdose; ~ *mâle* Stecker; ~ *multiple* Mehrfachstecker; ~**r** [fiʃɛ] *(Nagel)* einschlagen; *(Pfahl)* einrammen; *(Schlag)* versetzen; *(in*

Kartei) erfassen; *se* ~*r par terre (umg)* hinfliegen; ~*-moi le camp!* mach, daß du wegkommst!; ~*-moi la paix!* laß mich in Ruh'!; *il se* ~ *de moi (umg)* er macht s. über mich lustig; *je me suis fichu dedans (umg)* ich bin reingefallen; *je m'en* ~ das ist mir wurst

fichier [fiʃjɛ] *m* Kartothek, Kartei, Zettelkasten; ~ *magnétique* (Magnet-)Speicher

fichtre! [fiʃtr] *umg* Donnerwetter!

fichu¹ [fiʃy] *siehe* ficher; *umg* kaputt, futsch; *un* ~ *temps* e. Hundewetter; *je suis* ~! mit mir ist es aus!, ich bin am Ende!; *il est* ~ *d'aller la voir* er ist imstande, zu ihr zu gehen; *je suis mal* ~ ich bin nicht auf dem Damm

fichu² [fiʃy] *m* Schal

fict|if [fiktif] 112 fingiert; vorgespielt; *achat* ~*if* Scheinkauf; ~**ion** [fikjɔ̃] *f* Fiktion, Erdichtung

fid|èle [fidɛl] treu; *m* Getreuer; Gläubiger; ~**élité** [-delitɛ] *f* Treue; ♪ Tontreue; Wiedergabetreue

fiduciaire [fidysjɛːr]: *monnaie* ~ Papiergeld; *circulation* ~ Banknotenumlauf

fief [fjɛf] *m* Lehen; *fig* angestammte Domäne; ~**fé** [-fɛ] abgefeimt; ~*fé coquin* Erzschelm

fiel [fjɛl] *m* Tiergalle; Bitterkeit; ~**eux** [fjɛlø] 111 *(nur fig)* gallig, gehässig

fiente [fjɑ̃t] *f* Mist

fier¹ [fje]: *se* ~ *à* vertrauen, s. verlassen auf

fier² [fjɛːr] 116 stolz *(de auf);* hochmütig ♦ ~ *comme Artaban* stolz wie e. Spanier; ~**-à-bras** [fjɛrabra] *m* (98 od 100) Aufschneider, Prahlhans; ~**té** [fjɛrtɛ] *f* Stolz

fièvre [fjɛːvr] *f (a. fig)* Fieber; Unruhe, Unrast; *accès de* ~ F.anfall; ~ *aphteuse* Maul- u. Klauenseuche; ~ *nerveuse* Nervenf.; ~ *typhoïde* Typhus; ~ *infectieuse* Wundf.; ~ *puerpérale* Kindbettf.

fiévreux [fjevrø] 111 Fieber...; fieberhaft

fifre [fifr] *m* Querpfeife; Pfeifer *(bei d. Marschmusik);* ~**lin** [fifrəlɛ̃]: *ne pas avoir un* ~*lin* k-n roten Heller haben

figaro [figaro] *m (umg, scherzh.)* Friseur

figer [fiʒɛ] 14: *se* ~ gerinnen; *a. fig* erstarren

fignoler [finɔlɛ] mit peinlicher Sorgfalt ausführen

figu|e [fig] *f* Feige ♦ *mi-*~*e, mi-raisin* halb im Ernst, halb im Scherz; sauersüß; ~**ier** [-gje] *m* Feigenbaum

figur|ant [figyrɑ̃] *m* ⚕ Statist; ~**ation** [-rasjɔ̃] *f* ⚕ Komparserie; ~**e** [figyːr] *f* Gestalt; Gesicht; ⚕ Figur; *faire* ~ *de* e-e Rolle spielen; *faire bonne* ~ *à qn* j-n freundlich empfangen; ~**er** [-rɛ] darstellen, erscheinen; ~*er sur la liste* auf d. Liste stehen, *se* ~*er* s. einbilden, s. vorstellen; ~**ine** [-rin] *f* Statuette

fil [fil] *m* 1. Faden; Garn; ~ *à coudre* Nähfaden; ~ *à plomb* Lot; *dans le droit* ~ in derselben Richtung, in der direkten Nachfolge; *sur le* ~ *du rasoir fig* brenzlig; ungewiß; in der Schwebe; unsicher; ~*s d'araignée* Spinngewebe; *pur* ~ Ganzleinen ♦ *de* ~ *en aiguille* vom Hunderten ins Tausendste; *cela me donne du* ~ *à retordre* das ist e-e harte Nuß; *au* ~ *des jours* im Lauf der Tage; *il n'a pas inventé le* ~ *à* *couper le beurre* er hat das Pulver nicht erfunden; **2.** Draht; ~ *de fer* Eisendr.; ~ *barbelé* Stacheldr.; *donner un coup de* ~ *à qn* j-n anrufen; **3.** Schneide; *(Holz)* Strich; **~ament** [filamɑ̃] *m* ⚡ Glühfaden, Heizfaden; **~amenteux** [filamɑ̃tø] *111* faserig; fadenförmig; **~andreux** [filɑ̃drø] *111* faserig; langatmig, weitschweifig; **~ant** [filɑ̃] *108:* *étoile ~ante* Sternschnuppe; **~asse** [filas] *f* Werg; *adj:* *cheveux ~asse* flachsblondes Haar; **~ateur** [filatœːr] *m* Spinnereibesitzer; **~ature** [filatyːr] *f* Spinnerei; *prendre en ~ature* polizeilich beschatten; **~e** [fil] *f* Reihe; *à la ~e indienne* im Gänsemarsch; **~er** [file] spinnen; *umg* s. davonmachen; ~ *er doux* klein beigeben; ~ *ez!* 'raus mit euch (Ihnen)! ♦ ~ *er à l'anglaise* s. französisch verabschieden; **~et** [file] *m* **1.** Fädchen; *a. fig* Garn; **2.** dünner Wasserstrahl; **3.** Netz; ~ *et à coiffer* Haarn.; ~ *et à provisions* Einholn.; ~ *et de grands fonds* Tiefseen.; ~ *et de camouflage* Tarnn.; **4.** Filet*(arbeit)*; **5.** *(Fleisch)* Filet; **6.** Gewinde; ~ *et femelle* Mutterg.; **~eter** [filte] *8* Gewinde schneiden

fili|al [filjal] *124* Kindes...; **~ale** [-jal] *f com* Tochterunternehmen; **~ation** [-jasjɔ̃] *f* Abstammung; Herleitung

fili|ère [filjεːr] ⚙ Schneideisen *(für Gewinde);* Reihenfolge; *com* Typ, System; 🚆 Meldeweg, Schleuse; *passer par la ~ière* d. Instanzenweg gehen; **~grane** [-ligran] *m* Filigran; Wasserzeichen

fill|e [fij] *f* Tochter; Mädchen; *jeune ~e* junges Mädchen; *vieille ~e* alte Jungfer; *~e mère* ledige Mutter; *~e publique* Straßendirne; **~ette** [fijεt] *f* kl. Mädchen, Mädelchen; **~eul(e)** [-jœl] *m, f* Patenkind

film [film] *m* Film; *fig* Schilderung (d. Ereignisse); ~ *documentaire* Dokumentarf.; ~ *sonore* Tonfilm; ~ *er* [-me] (ver)filmen; **~othèque** [-mɔtεk] *f* Filmarchiv *n*, Filmothek

filon [filɔ̃] *m* (Gesteins-)Ader ♦ *il a trouvé le ~ (umg)* er hat d. Dreh heraus

filou [filu] *m* Spitzbube, Gauner; **~ter** [-lute] *umg* geschickt entwenden; **~terie** [-lutri] *f* Gaunerei

fils [fis] *m 105* Sohn; ~ *à papa (umg)* Sohn e-s einflußreichen Mannes; *être* ~ *de ses œuvres* alles s. selbst verdanken

filtr|age [filtraːʒ] *m* Filterung, Filtern; *fig* Überprüfung; (teilweise) Zensur; **~ation** [filtrasjɔ̃] *f* Filtration; **~e** [filtr] *m* Filter; ~*e à essence* Benzinfilter; ~*e coloré* 🔴 Farbfilter; ~*er* [-tre] filtrieren; sickern

fin [fɛ̃] **1.** *109* fein; zart; dünn; leicht; schlank; *(Gehör)* scharf; *(Perle)* echt; *fig* klug, schlau; ~ *bec,* ~*e bouche* Feinschmecker; ~ *matois,* ~*e mouche* schlauer Fuchs; *au* ~ *fond de son âme* in tiefster Seele; *le* ~ *mot de qch* des Pudels Kern; ~*es herbes* (Gewürz)Kräuter; **2.** *f* Ende; Zweck; Schluß; ~ *de série* auslaufende Serie; *mettre* ~ *à qch* e-r Sache e. Ende machen; *approcher de (od tirer à, toucher à) sa* ~ zu Ende gehen; *en* ~ *de compte* letztens Endes; *en* ~ *de*

soirée in d. späten Abendstunden; *parvenir à ses* ~*s* z. Ziel kommen; *à toutes* ~*s utiles* für alle Fälle, zur weiteren Veranlassung; ~ *de non-recevoir* ⚖ Abweisung e-r Klage

final [final] *124* Schluß...; End...; ~*e* [-nal] **1.** *m* ♪ Finale; **2.** *f* Endsilbe; ♪ Tonika; ♫ Finale, Endspiel, Schlußrunde; **~ité** [-nalite] *f* Zweckbestimmtheit; Sinn und Zweck

financ|e [finɑ̃s] *f* Finanzwelt; *pl* Finanzen; Finanzwesen; **~ement** [-smɑ̃] *m* Finanzierung, Mittelbereitstellung; **~er** [-nɑ̃se] *15* finanzieren; **~ier** [-nɑ̃sje] **1.** *116* Finanz...; finanziell; *régie ~ière* Finanzverwaltung; **2.** *m* Finanzmann

fin|asser [finase] *umg* Kniffe anwenden; (j-n) einwickeln; **~aud** [fino] *108* pfiffig, schlau, gewitzt, clever

fin|e [fin] *f* Weinbrand; **~esse** [-nεs] *f* Feinheit; Scharfsinn; *(Sinne)* Schärfe; Kunstgriff, Kniff; Schlauheit; **~i** [-ni] endlich; begrenzt; *m* vollendete Ausführung, Verarbeitung; ~*ir* [-niːr] *22 vt* beenden; fertigmachen; erledigen; *vi* enden, aufhören; ~*ir de travailler* mit der Arbeit aufhören; ~*ir par travailler* endlich mit der Arbeit anfangen; *il faut en* ~*ir* wir müssen zum Schluß kommen; *j'ai* ~*i* ich bin fertig; **~ish** [finiʃ] *m* Finish *n*, Endphase; *au* ~*ish* im letzten Moment; **~issage** [-nisaːʒ] *m* ⚙ Veredelung; **~ition** [-nisjɔ̃] *f (Arbeit)* letzte Vollendung

Finlande [fɛ̃lɑ̃d] *la* ~ Finnland

finnois [finwa] *108* finnisch; ♂ *m* Finne

fiole [fjɔl] *f* Fläschchen

fioriture [fjɔrityːr] *f* Schnörkel

firmament [firmamɑ̃] *m* Himmelsgewölbe; Sternenhimmel

firme [firm] *f* Firma

fisc [fisk] *m* Fiskus, Staatskasse; **~al** [-kal] *124* steuerlich; **~alisation** [-alizasjɔ̃] *f* Besteuerung; **~alité** [-kalite] *f* Steuerwesen

fiss|ile [fisil] *(a. Atom)* spaltbar; **~ion** [-sjɔ̃] *f phys* Kernspaltung; *matériau de ~ion* spaltbares Material; **~ure** [-syr] *f* Riß; Ritz; *(Beweisführung)* schwache Stelle

fiston [fistɔ̃] *m umg* Filius

fistule [fistyl] *f* ⚕ Fistel

fix|age [fiksaːʒ] *m* 📷 Fixierung; **~ateur** [-satœːr] *122* Fixier...; *bain ~ateur* Fixierbad; **~ation** [-sasjɔ̃] *f (Preis)* Festsetzung; *(Steuer)* Veranlagung; *chem* Fixierung; *(Schi)* Bindung; ~*e* [fiks] **1.** fest; festgelegt; *(Maschine)* ortsfest; *étoile ~e* Fixstern; *regard ~e* starrer Blick; *à heures ~es* zu bestimmten Stunden; ~*e!* Augen geradeaus!; **2.** *m* Fixum, festes Gehalt; **~e-chaussettes** [-ʃosεt] *m 100* Sockenhalter; **~er** [-se] befestigen; festsetzen; *(Bedingungen)* festlegen; *(Aufmerksamkeit)* fesseln; starr anschauen; *a.* 📷 fixieren; ~*er les limites de qch* etw. abgrenzen; *le tarif est* ~*é à...* der Tarif beträgt...; *je voudrais être* ~*é* ich möchte wissen, woran ich bin; *à l'heure* ~*ée* zur festgesetzten Stunde; *se* ~*er* s. niederlassen; **~ité** [-site] *f* Festigkeit; Starrheit *(d. Blicks)*

flacon [flakɔ̃] *m* Fläschchen (mit Glasstöpsel); Kleinbehälter; ~ *compte-gouttes* Tropfflasche; ~ *de pharmacie* Arzneiflasche

flagell|ation [flaʒɛllasjõ] f Geißelung; **~er** [-ʒɛllę] geißeln

flageol|er [flaʒɔlę] (Beine) schlottern; wanken; **~et** [-ʒɔlę] m weiße Bohne; (Instrument u. Orgel) Flageolett

flagorner [flagɔrnę] qn (um)schmeicheln, schöntun; **~ie** [-nəri] f Lobhudelei, Speichelleckerei

flagrant [flagrã] 108 offenkundig; prendre en ~ délit auf frischer Tat ertappen

flair [flɛːr] m (Hund) Witterung; Spürsinn ♦ avoir du ~ (fig) e-e feine Nase haben; **~er** [flɛrę] wittern; fig vorausahnen, undeutlich fühlen

flamand [flamã] 108 flämisch; ♣ m Flame

flamant [flamã] m Flamingo

flamb|ant [flãbã] 108 (a. fig) flammend; tout ~ant neuf nagelneu; **~ard** [-baːr] m Aufschneider; **~eau** [-bo] m 91 Fackel; retraite (od cortège) aux ~eaux Fackelzug; **~ée** [-bę] f Strohfeuer; ~ée des prix Preisauftrieb; ~ée de violence Ausbruch von Gewalttätigkeit; **~er** [-bę] vi/t flammen, ausbrennen; vt absengen; être ~é (umg) verloren, erledigt sein; **~oyant** [-bwajã] 108: style ~oyant Hochgotik; **~oyer** [-bwaję] 5 fig blitzen; gleißen

flamm|e [flam] f (a. fig) Flamme; **~èche** [-mɛʃ] f Feuerfunke

flan [flã] m Pudding (a. als Tortenbelag)

flanc [flã] m Flanke; Seite; à ~ de coteau am Abhang ♦ être sur le ~ todmüde (erschöpft) sein; se battre les ~s s. vergebens abmühen; prêter le ~ à (la critique) sich (dem Tadel) aussetzen; tirer au ~ (arg pop) s. drücken

flancher [flãʃę] umg kneifen

Flandre [flãdr]: la ~ Flandern

flandrin [flãdrɛ̃]: grand ~ langer Lulatsch

flanelle [flanɛl] f Flanell(unterjacke)

flân|er [flanę] umherschlendern, bummeln; **~erie** [flanri] f Schlendern, Bummel; **~eur** [-nœːr] m Bummler

flanquer [flãkę] 6 flankieren; umg werfen; (Ohrfeige, Fußtritt) versetzen; ~ à la porte rausschmeißen; ~ par terre hinfallen

flapi [flapi] umg schlapp

flaque [flak] f Pfütze, Lache

flash [flaʃ] m Fotoblitz; kurze Filmszene; 📻 Kurznachrichten

flasque¹ [flask] schlaff

flasque² [flask] m ✿ Flansch

flatt|er [flatę] (a. Bild) schmeicheln (qn j-m); se ~er que s. einbilden, daß...; **~erie** [-tri] f Schmeichelei; **~eur** [-tœːr] 121 (ein)schmeichelnd; schmeichelhaft; m Schmeichler

flatulence [flatylãs] f 💲 Blähung

fléau [fleo] m 91 Dreschflegel; Waagebalken; fig Geißel

fléchage [fleʃaːʒ] m (Straße) Kennzeichnung

flèche¹ [flɛʃ] f Pfeil; Turmspitze; (Kran) Ausleger; Richtungspfeil, Wegweiser; en ~ an d. Spitze; monter en ~ (Preise) stark ansteigen; ~ mobile 🚗 Winker; ~ d'orientation Richtungspfeil; montée en ~ rasche Steigerung ♦ faire ~ de tout bois alle erdenklichen Mittel anwenden

flèche² [flɛʃ] f Speckseite

fléch|ir [fleʃiːr] 22 (s.) biegen, beugen; (Material) nachgeben; (Wertpapier) sinken; fig erweichen; **~issement** [-ʃismã] m Abfallen (d. Kurse)

flegm|atique [flɛgmatjk] phlegmatisch; **~e** [flɛgm] m Trägheit, Gleichgültigkeit

flemm|ard [flɛmaːr] m pop Faulpelz; **~e** [flɛm] f pop Faulheit; j'ai la ~e ich habe nicht für fünf Pfennig Lust (z. Arbeiten)

flétr|ir¹ [fletriːr] 22 zum Welken bringen; se ~ir (ver)welken; **~issure** [-trisyːr] f Welkheit

flétr|ir² [fletriːr] 122 brandmarken; fig geißeln; **~issure** [-trisyːr] f Brandmal; Schandfleck

fleur¹ [flœːr] f Blume, Blüte; ~ de lis Lilie (im franz. Wappen); ~ en pot Topfblume; ~s coupées Schnittblumen; être en ~ (a. fig) blühen; la fine ~ das Feinste (de qch von etw.); couvrir qn de fleurs (od des) Lobes voll sein über j-n; faire une ~ à qn j-m e-n Gefallen tun; à la ~ de l'âge in d. besten Jahren; dites-le avec des ~s! laßt Blumen sprechen!

fleur² [flœːr]: à ~ de sol an der Erdoberfläche anstehend; yeux à ~ de tête hervortretende Augen, Froschaugen

fleur|er [flœrę] duften, riechen (qch nach etw.); **~et** [-rę] m Florett; **~ette** [-rɛt] f Blümchen ♦ conter ~ette à qn mit j-m flirten; **~ir** [-riːr] 23 blühen; teint ~i blühendes Aussehen; **~iste** [-rist] m, f Blumenzüchter(in); Blumenverkäufer(-in); **~on** [-rõ] m 🏛 Kreuzblume

fleuve [flœːv] m Strom; discours-~ (langer) Redeschwall; roman-~ Wälzer

flex|ible [flɛksibl] biegsam; a. fig geschmeidig; m ✿ Schlauch; horaire ~ gleitende Arbeitszeit; **~ion** [-sjõ] f Beugung; ling Flexion; ~ion sur les genoux Kniebeuge

flibustier [flibystję] m Freibeuter; Schwindler

flic [flik] m pop pej Bulle, Polyp; **~aille** [-kɑːj] f pop Polente

fling|o [flɛ̃go] m pop Schießeisen, Flinte; **~ue** [flɛ̃g] m pop Pistole, Schießeisen; **~uer** [flɛ̃gę] pop abknallen, kaltmachen; fertigmachen

flipper¹ [flipœr] m Flipperspiel

flipper² [flipę] vi pop ausflippen; j-n fertigmachen

flirt [flœrt] m Flirt; fig Annäherung; Annäherungsversuch; **~er** [-tę] flirten

floc|on [flɔkõ] m Flocke; ~ons d'avoine Haferflocken; **~onneux** [-konø] 111 flockig; **~ulation** [-kylasjõ] f Flockenbildung

flopée [flɔpę] f pop: ~ de gens Haufen Leute

flor|aison [flɔrɛzõ] f (a. fig) Blütezeit; **~al** [-ral] 124 blumenhaft; Blumen...; Blüten...; **~e** [flɔːr] f Flora; **~ès** [flɔrɛs]: faire ~ès florieren; **~iculture** [-rikyltyːr] f Blumen-, Zierpflanzenzucht; **~ilège** [-rilɛːʒ] m fig Blütenlese; **~issant** [-risã] 108 fig blühend

flot [flo] m Flut; mettre à ~ ⚓ vom Stapel lassen; remettre à ~ (a. fig) wieder flottmachen ♦ chez lui l'argent coule à ~s er gibt sein Geld mit vollen Händen aus; **~table** [flɔtabl] schwimmfähig; flößbar; **~tage** [flɔtaːʒ] m Flößerei; **~taison** [flɔtɛzõ] f: ligne de ~taison ⚓ Wasserlinie; **~tant** [flɔtã] treibend; fig zögernd; unentschieden; com flexibel; **~te** [flɔt] f

1.Flotte; *~te marchande* Handelsfl.; *~te aérienne* Luftfl.; **2.** *pop* Wasser; Regen ♦ *il va tomber de la ~te* gleich gießt's; **~tement** [flɔtmɑ̃] *m* Schwankung *(e-r Linie usw.);* *fig* Schwanken; **~ter** [flɔte] *(auf dem Wasser)* treiben; *(im Wind)* flattern; *(Holz)* flößen; *caractère ~tant* unbeständiger, wankelmütiger Charakter; *dette ~tante* schwebende (Staats-)-Schuld; *rein ~tant* Wanderniere; **~teur** [flɔtœːr] *m* ✿, ⵜ Schwimmer; Holzflößer

flou [flu] ▥ unscharf; flau; unbestimmt, verschwommen; *voir ~* verschwommen sehen

flouer [flwe] *umg* täuschen, reinlegen

flouze [fluːz] *m (arg pop)* Zaster

fluctuation [flyktɥasjɔ̃] *f* Schwankung; *~ des prix* Preisschw.

fluet [flɥɛ] *114* schmächtig; zart; dünn

fluid|e [flɥid] dünnflüssig; *(Verkehr)* fließend; *(Stil, Rede)* flüssig; *m phys* flüssiger *od* gasförmiger Körper; Fluidum; **~ifier** [-difje] verflüssigen; *s*~*ifier* s. verflüchtigen; **~ité** [-dite] *f* Fließen *n*; Fließvermögen; *(Stil, Rede)* Flüssigkeit

fluor [flyɔːr] *m* Fluor; **~escence** [-ɔresɑ̃s] *f* Fluoreszenz; **~escent** [-ɔresɑ̃] *108* fluoreszierend; **~uration** [-ryrasjɔ̃] *f opt* Vergütung

flût|e [flyt] *f* Flöte; *~e à champagne* Sektglas; *~e (de pain)* langes Brot ♦ *~e!* zum Kuckuck!; *jouer des ~es (pop)* rennen, was man kann; **~er** [-te] *(Amsel)* flöten; *d'une voix ~ée* mit süßer Stimme; **~iste** [-tist] *m* Flötist

fluv|ial [flyvjal] *124* Fluß...; *navigation ~iale* Binnenschiffahrt; **~iomètre** [-vjɔmɛtr] *m* Pegel

flux [fly] *m 105 (a. fig)* Flut; ✿ Abgang *(von Flüssigkeiten):* *le ~ et le reflux* Ebbe u. Flut; ✿ Fluß, Strom; *~ lumineux* Lichtstrom; *~ thermique* Wärmefluß; **~ion** [flyksjɔ̃] *f* ✿ Fluß; *~ion de poitrine* Lungenentzündung

focal [fɔkal] *124 opt* Brenn...; *distance ~e* Brennweite; *défection ~e* ✿ Fokuserkrankung; *~e* [fɔkal] *f* Brennweite; **~iser** [-ize] fokussieren; *fig* s. konzentrieren (auf)

fœtus [fetys] *m* ✿ (Leibes-)Frucht

foi [fwa] *f* Glaube; Vertrauen; Treue; Versprechen; Verbindlichkeit; *~ conjugale* eheliche Treue; *bonne ~* Treu u. Glauben; *de bonne ~* gutgläubig, in gutem Glauben; *digne de ~* glaubwürdig; *sur la ~ de* im Vertrauen auf; *en ~ de quoi* zu Urkund dessen; *article de ~* Glaubensartikel; *faire profession de ~ (a. pol)* sein Glaubensbekenntnis ablegen; *faire ~* verbindlich sein; *faire ~ de qch* etw. beweisen ♦ *ma ~ oui!* jawohl!, aber ja!; *ma ~ non!* ausgeschlossen!, niemals!

foie [fwa] *m* Leber; *dilatation du ~* Leberschwellung ♦ *avoir les ~s (pop)* e-n Bammel haben

foin [fwɛ̃] *m* Heu; *rhume des ~s* Heuschnupfen ♦ *avoir du ~ dans ses bottes* reich sein; *~ des soucis!* weg mit d. Sorgen!

foire [fwaːr] *f* Jahrmarkt; *com* Messe; *umg* Rummel; *~ d'échantillons* Mustermesse

foir|er [fware] *(Gewinde)* nicht mehr packen; *pop* schiefgehen; **~eux** [-rø] *m pop* Hasenfuß

fois [fwa] *f* Mal; *pour la première ~* zum erstenmal; *une ~ pour toutes* ein für allemal; *une ~ sur deux* ein über das andere Mal; *chaque ~ que* jedesmal, wenn; *toutes les ~ que* sooft; *à la ~* zugleich; *combien de ~?* wie oft?; *mainte ~* oft, mehrmals ♦ *c'est bon pour cette ~* diesmal kann es so gehen; *il était une ~ (Märchen)* es war einmal...; *une ~ qu'on a commencé...* hat man einmal angefangen...; *une ~ n'est pas coutume* einmal ist keinmal; *ne pas y regarder à deux ~* es s. nicht zweimal sagen lassen

foison [fwazɔ̃] *f 106: avoir à ~* in Hülle u. Fülle haben; **~nement** [-zɔnmɑ̃] *m* Anschwellen; Wuchern; **~ner** [-zɔne] Überfluß haben *(en* an); wimmeln *(en* von)

fol [fɔl] *119: siehe* fou; **~âtre** [fɔlɑtr] närrisch; mutwillig; **~âtrer** [fɔlɑtre] schäkern; **~ichon** [fɔliʃɔ̃] *118 umg* lustig; ausgelassen; **~ie** [fɔli] *f* Verrücktheit; Narretei; *fig* Irrsinn; *~ie furieuse* ✿ Tobsucht; *~ie des grandeurs* Größenwahn; *~ie de la persécution* Verfolgungswahn; *faire des ~ies* über d. Stränge schlagen *(große Geldausgabe u. dgl.)*

folklor|e [fɔlklɔːr] *m* Folklore, Brauchtum; *fig* nicht mehr modern, out; **~ique** [-lɔrik] volkskundlich; *fig* lächerlich; *chanson (danse) ~ique* Volkslied *(-tanz)*

foll|e [fɔl] *f* Närrin; Irrsinnige; **~et** [fɔlɛ] *114* albern; *esprit ~et* Kobold; *feu ~et* Irrlicht; *poil ~et* Flaumhaar

folliculaire [fɔlikylɛːr] *m* Zeitungsschmierer

foment|ateur [fɔmɑ̃tatœːr] *m* Aufwiegler; **~ation** [-tasjɔ̃] *f* ✿ Blähung; Schüren *(von Unruhen);* **~er** [-te] ✿ blähen; *(Unruhen)* schüren

fonc|er [fɔ̃se] *15* **1.** *(Brunnen)* bohren; *(Schacht)* abteufen; **2.** *(Farbe)* dunkler machen; *robe vert ~é* dunkelgrünes Kleid; **3.** s. stürzen *(sur* auf); **~eur** [-œːr] *m* Draufgänger; **~ier** [-sje] *116* grundlegend; Boden...; *crédit ~ier* Bodenkredit; *impôt ~ier* Grundsteuer; *propriété ~ière* Grundbesitz; **~ièrement** [-sjɛrmɑ̃] *m* zutiefst enttäuscht

fonction [fɔ̃ksjɔ̃] *f (a. math)* Funktion; Amt(sgeschäft); Tätigkeit; *faire ~ de qch* als etw. wirken; *entrer en ~* sein Amt antreten; *exercer une ~* e. Amt ausüben; *résigner ses ~s* sein Amt niederlegen; **~naire** [-sjɔnɛːr] *m* Beamter; **~naire à temps** Beamter auf Widerruf; **~nariser** [-narize] verbeamten; **~narisme** [-sjɔnarism] *m* Amtsschimmel; Staatskrippenwirtschaft; **~nel** [-sjɔnɛl] *115* funktionell; zweckentsprechend; **~nement** [-sjɔnmɑ̃] *m* Funktionieren; Lauf, Gang; Wirkungsweise; *mode de ~* Arbeitsweise; Betriebsart; **~ner** [-sjɔne] funktionieren; arbeiten; gehen; in Betrieb sein

fond [fɔ̃] *m* Boden, Grund; Tiefe; Hintergrund; Hauptsache; Inhalt; d. Innerste; *~ marin* Meeresboden; *~ de bouteille* Flaschenrest; *~ sonore* Geräuschkulisse; *article de ~* Leitartikel; *course de ~* Langstreckenlauf; *au ~* im Grunde, eigentlich; *au ~ du bois* tief im Wald; *à ~* gründlich; *à ~ de train* rasend schnell; *aller au ~ des choses* d. Dingen auf d. Grund gehen; *faire ~ sur qch* auf etw. bauen; *brûlé de ~ en comble* völlig abgebrannt; **~amental** [-damãtạl] *124* grundsätzlich; grundlegend; Grund…; *accord ~amental* ♪ Grundakkord; *loi ~amentale* Grundgesetz

fondant [fõdã] *m* ✿ Flußmittel; Fondant *(Zuckerwerk)*

fond|ateur [fõdatœːr] *m* Gründer; Stifter; **~ation** [-dasjõ] *f* Gründung; Stiftung; 🏛 Ausschachtung; Fundament; *(Straße)* Unterbau; *prix de ~ation* Stifterpreis; **~é** [-de] begründet; ermächtigt; *m: ~é de pouvoir* Bevollmächtigter; Prokurist; **~ement** [fõdmã] *m* Begründung; *pl* 🏛, *fig* Fundament, Grundlage; *sans* (od *dénué de) ~ement* grundlos, unbegründet; *aus d.* Luft gegriffen; **~er** [-de] gründen; stiften; *fig* stützen *(sur auf)*; *se ~er sur (fig)* fußen, s. stützen auf, auf… basieren

fond|erie [fõdrị] *f* Gießerei; Schmelzhütte; **~eur** [-dœːr] *m* ✿ Gießer; **~euse** [-døːz] *f* 📖 Gießmaschine; **~re** [fõdr] *76 vi/t* (ein)schmelzen; *z.* Schmelzen bringen; ✿ gießen; verhütten; *~re sur* s. stürzen, losgehen auf; *~re en larmes* in Tränen zerfließen; *~re à vue d'œil* zusehends abnehmen

fondrière [fõdriẹːr] *f* (Schlamm-)Pfütze; Schlagloch

fonds [fõ] *m* *105* **1.** Grundstück; Grund u. Boden; *~ de commerce* kaufmännisches Unternehmen; *céder son ~* sein Geschäft aufgeben; **2.** *(Kapital)* Grundstock; *fig* Bestand, Vorrat *(de* an); *pl* Gelder; *~ publics* öffentliche Mittel; *~ propres* Eigenmittel; *~ social* Stammkapital; *~ spécial* Sonderfonds; *~ de prévoyance* Sicherheitsfonds; *~ de roulement* Betriebskapital; *placer ses ~* sein Geld anlegen ♦ *les ~ sont bas* ich bin nicht bei Kasse

font|aine [fõtẹn] *f* Brunnen; Springbrunnen; *eau de ~aine* Brunnenwasser; **~ainier** [-tɛnjẹ] *m* Brunnenbauer; **~anelle** [-tanẹl] *f* 🕈 Fontanelle

fonte [fõt] *f* Schmelzen; Verhüttung; Gußeisen; 📖 Schriftsatz; *~ des neiges* Schneeschmelze; *~ malléable* Temperguß; *distribuer une ~* 📖 e-n Schriftsatz ablegen

fonts [fõ] *mpl:* *~s baptismaux* Taufbecken; *porter sur les ~ baptismaux fig* bei d. Gründung mitwirken

football [futbọːl] *m* Fußball(spiel); **~eur** [-bolœːr] *m* Fußballspieler

for [fɔːr] *m: dans son ~ intérieur* im Innersten

forage [fɔraːʒ] *m* ✿ Bohrung; *installation de ~* Bohranlage

forain [fɔrɛ̃] *109* Jahrmarkts…; Meß…; *m* Budenbesitzer; Schausteller

forban [fɔrbã] *m* Freibeuter; Halunke

forç|age [fɔrsaːʒ] *m* ↓ Treiben; **~at** [-sạ] *m* Zuchthaussträfling ♦ *travailler comme un ~at* schuften wie ein Irrer

forc|e [fɔrs] *f (a. phys)* Kraft; Stärke; Macht; Gewalt; Zwang; *mil* Truppenteil, Verband; *~e aérienne* Luftwaffe; *~e ascensionnelle* ✝ Auftrieb; *~e d'attraction* Anziehungskraft; *~e de dissuasion* Abschreckungsstreitkräfte; *~e de frappe* frz. Atomstreitkraft; *~e d'intervention* Eingriffsstreitmacht; *~e d'inertie* Beharrungsvermögen; *~e motrice* Antriebskraft; *~e de pesanteur* Schwerkraft; *~e vive* ✿ Schwungkraft; *~e armée* Streitkräfte; *~es navales* Seestreitkräfte; *~e terrestre* Heer; *~e majeure* höhere Gewalt; *~e probante* Beweiskraft; *~e publique* öffentliche Gewalt, Staat (als Ordnungsmacht); *troisième ~e pol* Zentrumspartei; *tour de ~e* Kunststück; *dans la ~e de l'âge* in d. besten Jahren; *dans toute la ~e du terme* im wahrsten Sinne des Wortes; *de ~e* mit Gewalt; *de toutes ses ~es* aus Leibeskräften; *de gré ou de ~e* wohl oder übel; *par ~e* mit Gewalt; *à ~e de prières* durch inständiges Bitten; *à toute ~e* unbedingt; *avoir ~e de loi* rechtskräftig sein; *il a ~e amis* er hat allerhand Freunde; *faire ~e de rames* mit aller Kraft rudern; *~é* [-se] ge-(er-)zwungen; *travaux ~és* Zwangsarbeit; **~ément** [-semã] notwendigerweise; aber natürlich!; **~ement** [-səmã] *m* Aufbrechen *(e-s Schlosses)*

forcené [fɔrsəne] rasend (vor Wut); *m* Rasender

forceps [fɔrsɛps] *m* 🕈 Geburtszange; *accouchement au ~* Zangengeburt

forc|er [fɔrse] *15* (er)zwingen; *(Tür, Schloß)* aufbrechen; *(Gewissen)* Zwang antun; *tu n'y es pas ~é* du brauchst es ja nicht zu tun; *~er l'allure* 🐎 d. Geschwindigkeit erhöhen; *~er la dose (a. fig)* übertreiben; *~er la main à qn* j-s Einwilligung erzwingen; *~er le respect* Respekt einflößen; **~erie** [fɔrsəri] *f* ↓ Treibhaus; **~ir** [fɔrsiːr] *22* stärker (dicker) werden

forces [fɔrs] *fpl* (Blech-, Schaf-)Schere

forer [fɔre] (aus)bohren

forest|ier [fɔrɛstjẹ] *116* Wald…; Forst…; *exploitation ~ière* Wald-(Forst-)Wirtschaft; *garde ~ier* Förster

foret [fɔrɛ] *m* ✿ Bohrer; *~ hélicoïdal* Spiralbohrer

forêt [fɔrɛ] *f* Wald, Forst; *~ de conifères* Nadelw.; *~ feuillue* Laubw.; *~ vierge* Urwald; *~ domaniale* Staatsforst

foreuse [fɔrøːz] *f* Bohrmaschine

forfait¹ [fɔrfɛ] *m* Frevel; Untat; **~ure** [-fɛtyːr] *f* 🕈 Verletzung d. Amtspflicht

forfait² [fɔrfɛ] *m* Pauschale *f*, Pauschbetrag; *travailler à ~* im Akkord arbeiten; *traiter à ~* pour qch* im Pauschalpreis für etw. vereinbaren; **~aire** [-fɛtɛːr] Pauschal… ; *somme ~aire* Pauschalsumme

forfait³ [fɔrfɛ] *m: déclarer ~* 🐎 s. abmelden, absagen

forfanterie [fɔrfãtri] *f* Prahlerei, Großtuerei

forg|e [fɔrʒ] *f* Schmiede; Hütte(nwerk); **~eable** [-ʒabl] schmiedbar; **~er** [-ʒe] *14* schmieden; *en fer ~é* schmiedeeisern; *~er une histoire* e-e Geschichte erfinden ♦ *c'est en ~eant qu'on devient ~eron* Übung macht d. Meister; **~eron** [-ʒərõ] *m* Schmied

form|aliser [fɔrmalize]: *se ~aliser de qch (fig)* s. an etw. stoßen; **~alisme** [-lịsm] *m* Formalismus; **~aliste** [-lịst] formalistisch; umständlich; *m* Formalist; **~alité** [-litẹ] *f* Formalität; Förmlichkeit; Formsache; **~at** [-mạ] *m* Format; *~at de* *poche* Taschenformat; *petit ~at* 🔲 Kleinbild; *~at ablong* 🔲 Querformat; **~ation** [-sjɔ̃] *f* Bildung, Ausbildung; Entwicklung; Formation; Formierung; *~ation continue = ~ation permanente* Fortbildung, Weiterbildung; *~ation professionnelle* Berufsausbildung; **~e** [fɔrm] *f* **1.** Form, Gestalt; Leisten; ⚓ Dock; Art, Weise; *~e primitive* Urform; *en pleine ~e* 🐴 in Hochform; *en bonne et due ~e* 🐄 in aller F.; *en ~e de fer à cheval* hufeisenförmig; *de pure ~e* nur Schein; *pour la ~e* anstandshalber; *pour la bonne ~e* der Ordnung halber; *sans autre ~e de procès* ohne weitere Umstände; *vice de ~e* 🐄 Formfehler; **2.** *pl* Benehmen; *manque de ~es* Unhöflichkeit, Ungeschliffenheit; **~el** [-mɛl] *115* ausdrücklich; förmlich; *il a été ~el* er hat mir reinen Wein eingeschenkt, er ließ k-n Zweifel; *preuve ~elle* schlüssiger Beweis; *~ellement interdit* streng verboten; **~er** [-me] bilden; ausbilden; formen; *~er opposition* 🐄 Einspruch erheben; *je ~e les vœux les plus sincères pour...* mit aufrichtigen Wünschen für...

formidable [fɔrmidabl] fürchterlich; *umg* toll, riesig, super; *c'est ~!* *(umg)* das ist allerhand!, das ist ja toll!, Spitze!, Klasse!

formul|aire [fɔrmylɛːr] *m* Formelsammlung; *umg* Vordruck; **~e** [-myl] *f (a. chem, math)* Formel; Formular; Vordruck; *~e à la mode* Schlagwort; *~e de politesse* Höflichkeitsformel; *~e de serment* Eidesformel; **~er** [-le] ausdrükken; *~er des vœux* Wünsche f. d. Zukunft aussprechen

fornication [fɔrnikasjɔ̃] *f* außerehelicher Beischlaf; *rel* Unzucht; *pop pej* Hurerei

fort [fɔːr] **1.** *108 adj* stark, kräftig; tüchtig; *(Butter)* ranzig; *(Stimme)* laut; *(Preis)* hoch; *(Währung)* hart; *~ comme un bœuf* baumstark; *~ en gueule* Großschnauze; *~ en thème* Primus; *fig* Streber; *~ tête* Querulant; Dickkopf, eigensinniger Mensch; *être ~ de son innocence* s. s-r Unschuld bewußt sein; *à plus ~e raison* um so mehr; *se faire ~ de* behaupten, etw. zu können; *c'est trop ~* das ist e. starkes Stück; *droit du plus ~* Recht d. Stärkeren; **2.** *adv* sehr; *avoir ~ à faire* viel zu tun haben; *je suis ~ étonné* ich bin sehr erstaunt; *chanter ~* laut singen; **3.** *m* die Stärke, starke Seite; *c'est là son ~* darin besteht s-e Stärke; *le plus ~ est fait* das Schlimmste liegt hinter uns; *au ~ de l'hiver* mitten im Winter; **4.** *les ~s des Halles* d. Lastträger in d. Markthallen v. Paris; **5.** Fort; **~eresse** [fɔrtərɛs] *f* Festung; *~eresse volante* ✈ fliegende F.; **~iche** [fɔrtiʃ] *pop* gerissen; **~ifiant** [fɔrtifjɑ̃] *108* stärkend; 💊 *m* Stärkungsmittel; **~ification** [fɔrtifikasjɔ̃] *f* Befestigung; **~ifier** [fɔrtifje] stärken; *mil* befestigen; **~in** [fɔrtɛ̃] *mil* Bunker; **~iori** [fɔrtjɔri]: *à ~iori* um so mehr

fort|uit [fɔrtɥi] *108* zufällig; **~une** [-tyn] *f* Schicksal; Glück; Vermögen; *faire ~une* zu Vermögen kommen; *~une nationale* Volksvermögen; *bonnes ~unes* Frauengunst; *installation de ~une* Behelfs-, Noteinrichtung; **~uné** [-tyne] glückhaft; glücklich; vermögend

foss|e [foːs] *f* Grube; Graben; Grab; *(Bergwerk)* Schacht; *~e d'aisances* Abortgrube; *~e commune* Massengrab; *~e d'extraction* Förderschacht; *~e de réparation* 🚗 Reparaturgr.; *~é* [fose] *m* Graben; *sauter un ~é* über e-n Graben springen; **~ette** [fosɛt] *f* Grübchen *(im Gesicht)*; **~ile** [fɔsil] fossil; *m* Fossil; **~oyeur** [foswajœːr] *m* Totengräber

fou [fu] *119* **1.** verrückt; närrisch; toll; 💰 irr; *~ furieux* tobsüchtig; *de joie* überglücklich; *~ rire* Lachkrampf; *cendres folles* Flugasche; *argent ~* Heidengeld; *être ~ de qn* vernarrt sein, heftig in j-n verliebt sein; *il y a un monde ~* es ist ein tolles Gedränge; **2.** *m* Narr; Irrer; 💰 Geisteskranker; *(Schach)* Läufer; *orn* Tölpel

fouailler [fwaje] unaufhörlich peitschen; *fig* anprangern, scharf kritisieren

foudre[1] [fudr] *f* Blitz(strahl); *coup de ~* Donnerschlag; *fig* Liebe auf d. ersten Blick; *~ globulaire* Kugelblitz

foudre[2] [fudr] *m (Wein)* Fuder; *wagon-~ (Bahn)* Kesselwagen

foudroy|ant [fudrwajɑ̃] *108* niederschmetternd, (blitz)schnell; *poison ~ant* auf d. Stelle tötendes Gift; *regards ~ants* vernichtende Blicke; **~er** [-je] *5* niederschmettern; *(Blitz, Strom)* töten; *(Feind)* niederwerfen

fouet [fwɛ] *m* Peitsche; *(Hund)* Rute; Schneebesen; *de plein ~* frontal; direkt; *coup de ~* Peitschenhieb; *fig* Auftrieb; **~tard** [fwɛtaːr] *m père ~tard* Knecht Ruprecht; **~ter** [fwɛte] peitschen; *crème ~tée* Schlagsahne ♦ *j'ai d'autres chiens à ~ter* ich habe andere Sorgen; *il n'y a pas là de quoi ~ter un chat* das ist völlig belanglos

fougère [fuʒɛːr] *f* Farn(kraut)

fougu|e [fug] *f* (innerer) Schwung; *fig* Feuer; **~eux** [fugø] *111 fig* feurig

fouill|e [fuj] *f* Durchsuchung; Leibesvisitation; *pl* Erdarbeiten; *archäol* Grabungen; **~er** [fuje] durchwühlen; *~er les archives* in Archiven stöbern; *se ~er* in seinen Taschen suchen ♦ *tu peux te ~er (umg)* da kannst du lange warten!; **~is** [fuji] *m* Durcheinander

fouin|ard [fwinaːr] *m* Schnüffler; **~e** [fwin] *f* Steinmarder; **~er** [-ne] herumschnüffeln

fouisseur [fwisœːr] *m zool* Wühler

foul|age [fulaːʒ] *m* Keltern; *(Tuch)* Walken; **~ard** [-laːr] *m* Halstuch; Kopftuch; **~e** [ful] *f* Menge; Gedränge; *en ~e* in Menge; *une ~e de* e-e Unzahl; **~ée** [-e] *f* 🐴 Schrittlänge; *pl* Fährte; *dans la ~ée fig* im gleichen Zug; **~er** [-le] niedertreten; verstauchen; keltern; *(Tuch)* walken; *je me suis ~é le pied* ich habe mir d. Fuß verstaucht ♦ *il ne se ~e pas la rate* er reißt s. kein Bein aus; **~oir** [-lwaːr] *m* ⚙ Stampfer; Kelter; **~on** [-lɔ̃] *m* ⚙ Walker; Walkmühle; **~ure** [-lyːr] *f* Verstauchung

four [fuːr] *m* (Back-)Ofen; *~ à gaz* Gasherd; *~ crématoire* Verbrennungsofen; *~ électrique* elektr. Herd; ⚙ Elektroofen; *~ à arc* ⚙ Lichtbogenofen; *~ solaire* Sonnenofen; *petits ~s* Kleingebäck; *cette pièce fut un ~* dieses (Theater-)Stück ist durchgefallen

fourb|e [furb] *m* Schurke; **~erie** [-bəri] *f* Schurkerei
fourbi [furbi] *m pop* Kram, Krempel
fourbir [furbi:r] 22 blankputzen
fourbu [furby] müde u. matt
fourch|e [furʃ] *f* (Heu-, Mist-)Gabel; Radgabel; *~e avant* Vorderradgabel; **~er** [-ʃe] s. gabeln ♦ *la langue m'a ~é (umg)* ich habe mich versprochen; **~ette** [-ʃɛt] *f* (Eß-)Gabel; *pol* Hochrechnung, Spanne; *com* Gefälle; Höchst-u. Mindestgrenze; *dans une ~ette de...* liegen zwischen... ♦ *la ~ette du père Adam* die Finger; **~u** [-ʃy] gegabelt; gespalten
fourgon [furgɔ̃] *m* Schürhaken; 🚆 Packwagen, gedeckter Güterwagen; *~ postal* 🚆 Postwagen; **~ner** [-gɔne] stochern; *fig* herumwühlen; **~nette** [-gɔnɛt] *f* Lieferwagen
fourguer [furge] *6 pop (Ramschware)* verhökern, verscheuern, verkloppen
fourmi [furmi] *f* Ameise; *fig* Arbeitstier ♦ *avoir des ~s dans les jambes* e. Prickeln in d. Beinen verspüren; **~lier** [-miljе] *m* Ameisenbär; **~lière** [-miljɛ:r] *f* Ameisenhaufen; **~llement** [-mijmɔ̃] *m* Gewimmel; *(Glieder)* Kribbeln; **~ller** [-mije] wimmeln; *(Glieder)* kribbeln
fourn|aise [furnɛ:z] *f* Esse; *fig* Hölle; **~eau** [-no] *m 91* Ofen; *haut ~eau* Hochofen; *~eaù de fusion* Schmelzofen; **~ée** [-ne] *f* Ofenvoll; *par ~ées (fig)* schubweise; **~il** [-ni] *m* Backstube
fourn|ir [furni:r] 22 liefern; beliefern, versehen *(de mit)*; *(Gelder)* aufbringen; *(Beweis)* erbringen; *(Gründe)* anführen; *se ~ir de qch chez qn* bei j-m etw. beziehen; **~iment** [-nimã] *m mil* Ausrüstung; **~isseur** [-nisœ:r] *m* Lieferant; **~iture** [-nity:r] *f* Lieferung; Beschaffung; *(Nähen)* Kurzwaren; *conditions de ~ure* Lieferbedingungen; *~itures de bureau* Bürobedarf
fourrag|e [fura:ʒ] *m* Viehfutter; *~e concentré* Kraftfutter; **~er** [-raʒe] *14* herumwühlen; *adj 116* Futter...; *plantes ~ères* Futterpflanzen; **~ère** [-raʒɛ:r] *f* Futterwiese; *mil* kollektive Auszeichnung *(e-r Einheit)*
fourr|é [fure] **1.** *m* Dickicht; Gestrüpp; **2.** mit Pelz gefüttert; *(fig) coup ~é* heimtückischer Streich; *paix ~ée* Scheinfriede; **~eau** [-ro] *m 91* Futteral; *(Säbel-)Scheide; eng anliegendes Kleid;* **~er** [-re] **1.** hineinstecken; hineinschieben; *ou peut-il bien l'avoir ~é?* wo hat er es nur hingesteckt?; *il ~e son nez partout* er kümmert s. um jeden Dreck; *ne te ~e pas ces idées dans la tête!* setz dir nicht solche Flausen in d. Kopf!; **2.** mit Pelz füttern; **~e-tout** [furtu] *m 100* große (Reise-)Tasche; Rumpelkammer; **~eur** [-rœ:r] *m* Pelzhändler; Kürschner; **~ière** [-rjɛ:r] *f* Pfandstall; *mettre une voiture en ~ière* e-n Wagen (polizeil.) einziehen, e-n Wagen in Verwahrung nehmen; **~ure** [-ry:r] *f* Pelz
four|voiement [furvwamã] *m* Abbringen vom Weg; Irreführung; Irrtum; **~voyer** [-je] *5 (a. fig)* irreführen; *se ~voyer* vom Weg abkommen; s. vergaloppieren
fout|aise [futɛ:z] *f pop* Quatsch; *c'est de la ~aise!* *pop* da ist nicht viel dran, d. ist keinen Pfifferling wert!; **~oir** [-twa:r] *m pop* Schlamassel; Bruchbude; *pop!* Bumslokal; **~re** [futr] *76 pop!* machen, geben, werfen, stecken; bumsen, vögeln; *~ en taule* einsperren; ♦ *fous le camp!* hau ab!; *~ez-nous la paix!* laßt uns in Ruhe!; *se ~re de qn* s. über j-n lustig machen; *ça la ~ mal* d. macht e-n sehr schlechten Eindruck; *je m'en fous!* das ist mir Wurst! *va te faire ~!* geh' zum Teufel!; **~riquet** [-trikɛ] *m umg* Niete, Null; **~u** [-ty] *pop!* kaputt; *être mal ~u* sich mies fühlen; *quel ~u temps!* was für ein Mistwetter!
foyer [fwaje] *m* Feuerstelle; Kamin; Heim; *math, phys, fig* Brennpunkt; Herd *(e-s Brandes)*; 🔥 Feuerbüchse; 🔥 Foyer; 💲 Fokus; *~ des étudiants* Studentenwohnheim; *fonder un ~* e-n Hausstand gründen
frac [frak] *m* Frack
fracas [fraka] *m* Lärm; *(Donner)* Krachen; *entrer avec ~* hereinpoltern; **~sant** [-sã] *adj fig* aufsehenerregend, sensationell; **~ser** [-kase] zerschmettern
fract|ion [fraksjɔ̃] *f* Bruchstück; *math* Bruch; *pol* Fraktion; *~ion décimale* Dezimalbr.; **~ionner** [fraksjone] in kl. Teile zerlegen; **~ionniste** [-sjɔnist] *m pol* Spalter; **~ure** [frakty:r] *f* 💲 (Knochen-)Bruch; **~urer** [fraktyre] brechen; *(z.B. Geldschrank)* auf-, erbrechen; *se ~urer le bras* d. Arm brechen
frag|ile [fraʒil] zerbrechlich; 💲 gebrechlich; *santé ~ile* zarte Gesundheit; **~iliser** [-ilise] anfällig machen; ⚙ verspröden; **~ilité** [-ʒilite] *f* Zerbrechlichkeit; 💲 Gebrechlichkeit; **~ment** [fragmã] *m* Fragment; Bruchstück; **~mentaire** [fragmã:r] bruchstückhaft; **~mentation** [fragmãtasjɔ̃] *f* Zerstückelung; *reproduction par ~mentation (biol)* Vermehrung durch Zellteilung; **~menter** [fragmãte] zerteilen; zerstückeln
frai [frɛ] *m* Laichen; Laichzeit
fraîch|e [frɛʃ] *110 siehe* frais[1]; **~eur** [-ʃœ:r] *f* Frische; **~ir** [-ʃi:r] *22 (Luft)* s. abkühlen; *(Wind)* auffrischen
frais[1] [frɛ] *110* frisch; kühl; neu; *boire ~* etw. Erfrischendes trinken; *de fraîche date* neugebacken; *des nouvelles fraîches* (aller)letzte Nachrichten; *prendre le ~* frische Luft schöpfen ♦ *nous voilà ~!* da sitzen wir schön in d. Patsche!
frais[2] [frɛ] *mpl* Kosten; Unkosten; Spesen; *~ d'études* Studiengebühren; *~ généraux* Gemeinkosten; *~ de publicité* Werbekosten; *à peu de ~* mit geringer Mühe; *à mes ~* auf m-e Kosten; *faire ses ~* auf s-e Kosten kommen; *se mettre en ~* es s. etw. kosten lassen; *j'en suis pour mes ~* das hat mir nichts eingebracht; *elle fait les ~ de la conversation* sie bestreitet d. Unterhaltung *od.* sie ist d. einzige Gesprächsthema
fraise[1] [frɛ:z] *f* Erdbeere
fraise[2] [frɛ:z] *f hist* Halskrause; *(Werkzeug)* Fräser; *(Zahn)* Rosenbohrer; **~er** [frɛze] *(Stoff)* kräuseln; ⚙ fräsen; **~eur** [-zœ:r] *m (Arbeiter)* Fräser; **~euse** [-zø:z] *f* Fräsmaschine
fraisier [frɛzje] *m* Erdbeerpflanze
frambois|e [frãbwa:z] *f* Himbeere; **~ier** [frãbwazje] *m* Himbeerstrauch

franc [frɑ̃] **1.** *120 hist* fränkisch; *m hist* Franke; *(Münze)* Franken; *ancien* ~ = ~ *léger* alter frz. Franc (bis 1960); *nouveau* ~ = ~ *lourd* (neuer) Franc *m* (1 nF = 100 aF); **2.** *110* frei; freimütig; ~ *de port et d'emballage* porto- u. verpackungsfrei; *caractère* ~ offener Charakter; *port* ~ Freihafen; *8 jours* ~*s* volle 8 Tage; *parler franchement* kein Blatt vor den Mund nehmen

français [frɑ̃sɛ] *108* französisch; *en* ~ auf französisch; *à la* ~*e* auf frz Art ♦ *parler* ~ *comme une vache espagnole* Französisch kauderwelschen; ⊥ *m* Franzose

France [frɑ̃s]: *la* ~ Frankreich

franch|ement [frɑ̃ʃmɑ̃] offen; ~*ir* [-ʃiːr] *22* überschreiten; überspringen; ~*ir la porte* durch die Tür gehen; ~*ir les bornes* d. Grenzen überschreiten; übertreiben; ~*isage com* Franchising, Franchisevertrag; ~*ise* [ʃiːz] *f (hist, Privileg)* Freiheit; Freimut, Offenheit; ~*ise postale* Portofreiheit; *en* ~*ise* zollfrei

francis|ation [frɑ̃sizasjɔ̃] *f* Französierung; ~*cain* [-siskɛ̃] *m* Franziskaner; ~*er* [-zẹ] französieren

francité [frɑ̃sitẹ] *f* Zugehörigkeit zu Frankreich; Franzosentum

franc-maçon [frɑ̃masɔ̃] *m 97* Freimaurer; ~*nerie* [-sɔnri] *f* Freimaurerei; ~*nique* [-sɔnik] freimaurerisch

franco [frɑ̃kọ] *adv* portofrei; *envoi* ~ portofr. Sendung; ~ *(à) domicile* frei Haus; ~ *de port et d'emballage* porto- u. verpackungsfrei; ~*-allemand* [-almɑ̃] *108* deutsch-französisch; ~*phile* [-fil] franzosenfreundlich; ~*phobe* [-fɔb] franzosenfeindlich; ~*phone* [-fɔn] *adj* französisch-sprechend

franc-|parler [frɑ̃parlẹ] *m* Freimut im Reden; ~*tireur* [-tirœːr] *m 97* Partisan

frang|e [frɑ̃ʒ] *f* Franse; *pol* Randgruppe; Minderheit; ~*é* [-ʒẹ] gefranst; ~*in* [-ʒɛ̃] *m pop* Bruder; ~*ine* [-ʒin] *f pop* Schwester; ~*lais* [-glɛ] *m pej* anglisierte Französisch

franquette [frɑ̃kɛt]: *à la bonne* ~ ohne Umstände

frapp|ant [frapɑ̃] *108* auffallend; ~*e* [frap] *f (Münze)* Prägung; *(Schreibmasch.)* Anschlag; *faute de* ~*e* Tippfehler; *(Atomkrieg)* (Feuer)-Schlag; *force de* ~*e* frz. Atomstreitkraft; *fig* Durchschlagskraft; Leistungsfähigkeit; ~*er* [-pẹ] schlagen; *(Münze)* prägen; treffen; überraschen; auffallen; *(Steuer)* belegen *(de* mit); *on* ~*e* es klopft; *champagne* ~*é* eisgekühlter Sekt; *se* ~*er (umg)* s. beunruhigen, s. Sorge machen; *ne te* ~*e pas!* reg dich nicht auf!

frasque [frask] *f* Streich; ~*s de jeunesse* Jugendstreiche

frat|ernel [fratɛrnɛl] *115* brüderlich; geschwisterlich; ~*ernisation* [-tɛrnizasjɔ̃] *f* Verbrüderung; ~*ernité* [-tɛrnitẹ] *f* Brüderlichkeit; ~*ricide* [-trisịd] *m* Brudermord

fraud|e [froːd] *f* Betrug; *(Prüfung)* Unterschleif, unerlaubte Hilfe; ~*e fiscale* Steuerhinterziehung; *introduire des marchandises en* ~*e* Waren schmuggeln; *avoir une radio en* ~*e* Schwarzhö-

rer sein; ~*er* [frodẹ] *vi/t* betrügen; hintergehen; ~*eur* [frodœːr] *m* Betrüger; Schmuggler; ~*uleux* [frodylọ] *111* betrügerisch

frayer [frɛjẹ] *12* **1.** *(Weg, a. fig)* bahnen, ebnen; *se* ~ *un passage (a. fig)* s. e-n Weg bahnen; **2.** laichen; **3.** ~ *avec qn* freundschaftl. mit j-m verkehren

frayeur [frɛjœːr] *f* Schrecken

fredaine [frədɛn] *f* (Jugend-)Streich

fredonner [frədɔnẹ] trällern

frein [frɛ̃] *m* Zaum; Bremse; *fig* Hemmung, Dämpfung; Drosselung; Hindernis; ~ *à main* Handbr.; ~ *à disque* Scheibenbr.; ~ *de route* Fußbr.; ~ *à ruban* Bandbr.; ~ *arrière* Hinterradbr.; ~ *sur jante* Felgenbr.; *serrer le* ~ d. Br. anziehen; *desserrer le* ~ d. Br. lösen; *donner un coup de* ~ *a. fig* bremsen, verlangsamen; aufhalten, stoppen; *mettre un* ~ *à qch* etw. zügeln, bändigen ♦ *ronger son* ~ *(fig)* s-n Ärger hinunterschlucken; ~*age* [-nạːʒ] *m* Bremsen; (Ab)Bremsung; ~*er* [frɛnẹ] bremsen; *(Leidenschaften)* zügeln; *(Schraube)* sichern; *(Flüssigkeit)* drosseln; ~*eur* [frɛnœːr] *m* Bremser

frelater [frəlatẹ] *(Getränke)* verfälschen

frêle [frɛl] zerbrechlich; gebrechlich; *santé* ~ zarte Gesundheit

frelon [frəlɔ̃] *m* Hornisse

freluquet [frəlykɛ] *m* Geck, Fatzke, Laffe

frém|ir [fremịr] *22* erschauern; beben *(de* vor); zittern; ~*issement* [-mismɑ̃] *m* Erschauern; Beben

frêne [frɛn] *m* Esche(nholz)

fréné|sie [frenezị] *f* Wahnwitz; Raserei; ~*tique* [-tịk] rasend; fanatisch; *applaudissements* ~*tiques* tobender Beifall

fréquen|ce [frekɑ̃s] *f* Häufigkeit; *math, phys* Frequenz; ~*ce du pouls* Pulsfrequenz; *basse (haute)* ~*ce* Nieder-(Hoch-)Frequenz; ~*ce porteuse* Trägerfr.; ~*ce des trains* 💗 Verkehrsdichte; ~*t* [-kɑ̃] *108* häufig; *(Puls)* rasch; ~*tation* [-kɑ̃tasjɔ̃] *f* Verkehr *(mit Menschen)*; Umgang *(de* mit); ~*ter* [-kɑ̃tẹ] regelmäßig besuchen; ~*ter une école* e-e Schule b.; ~*ter qn* mit j-m verkehren; *il* ~*te chez nous* er verkehrt bei uns; *rue* ~*tée* verkehrsreiche Straße

frère [frɛːr] *m (a. rel)* Bruder; *faux* ~ *(fig)* Judas; *partager en* ~*s* brüderlich teilen; *Durand* ~*s (com)* Gebrüder Durand; *nous sommes* ~ *sœur* wir sind Geschwister; ~ *lai,* ~ *convers (rel)* Laienbruder; ~ *d'infortune* Leidensgenosse

frérot [frerọ] *m umg* Brüderchen

fresque [frɛsk] *f* Fresko

fressure [frɛsyːr] *f* Innereien

fret [frɛ] *m* ⚓ ✝ Charter; Fracht; Ladung

frét|er [fretẹ] ⚓ verfrachten; ~*eur* [-tœːr] *m* Reeder; Verfrachter

frétiller [fretijẹ] *(Fische)* zappeln; ~ *de la queue* mit d. Schwanz wedeln

fretin [frətɛ̃] *m* kleine Fische; *fig* kleines Zeug; Ausschußware; *menu* ~ kleine, bedeutungslose Leute

friable [friabl] bröckelig

friand [frijɑ̃] **1.** *108* lecker; feinschmeckerisch; naschhaft; *être ~ de qch* auf etw. *(Speise)* versessen sein; **2.** *m* Feinschmecker; **~ise** [-ādįːz] *f* Leckerbissen; Feinschmeckerei; Naschhaftigkeit

fric [frik] *m pop* Moneten, Pinkepinke

fric|andeau [frikɑ̃do] *m* gespickte Kalbskeule; **~assée** [frikasę] *f* Frikassee; **~asser** [-kasę] *(Fleisch)* in Stücke schneiden

fric-frac [frikfrak] *m umg* Einbruchsdiebstahl

friche [friʃ] *f* Brachland; *en ~* brach(-liegend)

fri|chti [friʃti] *m pop* Schmaus; **~cot** [-ko] *m umg pej* Fraß; **~cotage** [-kɔtaːʒ] *m* Machenschaften; **~coter** [-kɔtę] *(als Ragout)* zubereiten; *(Speisen)* mit Liebe zubereiten; *umg* s. unerlaubte Vorteile verschaffen; *pop* anzetteln; **~coteur** [-kɔtœːr] *m pop* Schieber

friction [friksjɔ̃] *f* Reibung; § Abreibung; **~ner** [-sjonę] § ab-(ein-)reiben

frig|idaire [friʒidęːr] *m* Kühlschrank; **~ide** [-ʒid] § frigid, gefühlskalt; **~idité** [-ditę] *f* § Frigidität, Geschlechtskälte; **~o** [frigo] *m umg* Kühlschrank; *mettre qch au* **~o** *a. fig* auf Eis legen; **~orifier** [-gɔrifję] *(Lebensmittel)* kühlen; *viande~orifiée* Gefrierfleisch; **~orifique** [-gɔrifįk] *installation ~orifique* Gefrieranlage; *wagon ~orifique* Kühlwagen; *m* Kühlschrank; Kühlraum; **~oriste** [-gɔrįst] *m* Kältetechniker

frileux [frilø] *111* kälteempfindlich

frimas [frimɑ] *m* Reif

frime [frim] *f umg* Klimbim ♦ *c'est pour la ~ (umg)* es ist nur zum Schein, er (sie…) tut nur so

frimousse [frimus] *f umg* Gesichtchen

fringale [frɛ̃gal] *f umg* Kohldampf, Bären-, Heißhunger

fring|ant [frɛ̃gɑ̃] *108 (Benehmen)* flott, feurig; *faire le ~* schwadronieren; **~uer** [-gę] *6 pop: se ~uer* s. anziehen; **~ues** [frɛ̃g] *fpl pop* Kleider, Klamotten

trip|er [fripę] zerknittern; zerknautschen; **~erie** [-pri] *f* Secondhandladen; **~ier** [-pję] *m* Gebrauchtwarenhändler; Trödler

fripon [fripɔ̃] *118* schelmisch; schalkhaft; *m* Schurke; Schalk; Schelm; Spitzbube

fripouille [fripuj] *f* Schuft

frire [friːr] *vt/i 65* braten; *poêle à ~* Bratpfanne; *pommes (de terre) frites* Pommes frites; *il est frit (umg)* er ist erledigt; *avoir la frite umg* Schwein haben, Massel haben

frise [friːz] *f* 𝖒 Fries; Band, Borte

fris|er [frizę] kräuseln; *(Haare)* locken; streifen, an etw. entlangstreichen; *cheveux ~és* krauses Haar; **~er la catastrophe** hart an e-r Katastrophe vorbeigehen; *il ~e la cinquantaine (umg)* er geht auf die 50; **~on** [-zɔ̃] *m* Locke; **~otter** [-zɔtę] (s.) leicht kräuseln

frisquet [friskę] *114: il fait ~ (umg)* es ist (draußen) ziemlich frisch

frisson [frisɔ̃] *m* Schüttelfrost; Frösteln; *(a. fig)* Schauer; **~nement** [-sɔnmɑ̃] *m* Erschauern; **~ner** [-sɔnę] erschauern; schaudern; zittern

frit [fri] *siehe* frire; **~te** [frit] *f* Fritte; Sinter; Schlacke; **~ure** [-tyːr] *f* das Braten; Bratfett; gebackene Kleinfische; ⟅, 🔔 Kratzgeräusch

fritz [frits] *m pop pej* Deutscher

frivol|e [frivɔl] frivol, leichtfertig, nichtig; oberflächlich; **~ité** [-vɔlitę] *f* Leichtfertigkeit; Nichtigkeit; Oberflächlichkeit

froc [frɔk] *m* Mönchskutte; *pop* Hose ♦ *jeter le ~ aux orties (fig)* d. Nagel an d. Nagel hängen

froid [frwa] **1.** *108* kalt; *chambre ~e* Kühlraum; *battre ~ à qn* s. kühl j-m gegenüber verhalten; **2.** *m* Kälte; Frost; *~ de loup* Hundekälte; *avoir ~* frieren; *mourir de ~* erfrieren; *prendre ~* sich erkälten; *j'en ai ~ dans le dos* es läuft mir kalt über d. Rücken; *n'avoir pas ~ aux yeux* entschlossen (mutig) sein; *être en ~ avec qn* mit j-m auf gespanntem Fuß stehen; **~eur** [-dœːr] *f* Gefühlskälte; Frostigkeit; **~ure** [-dyːr] *f* (Winter-)Kälte

froiss|ement [frwasmɑ̃] *m* (Zer-)Knittern; *fig* Verletzung; **~er** [-sę] *(Stoff usw.)* zerknittern; kräuseln; *(Blech)* verbeulen; *fig* verletzen; kränken; *se ~er* knittern; *fig* Anstoß nehmen *(de an)*

frôl|ement [frolmɑ̃] *m* Vorbeistreifen; **~er** [-lę] (vorbei)streifen *(qch* an etw.); *~er un accident* e-m Unfall gerade noch entgehen

fromage [frɔmaːʒ] *m* Käse; *fig* (fette) Pfründe; *~e gras* Fettkäse; *~e de tête* Sülze; *~e blanc* Quark ♦ *c'est un bon ~e (fig)* diese Stellung ist e-e Goldgrube; **~er** [-maʒę] *m* Käsefabrikant, -händler; **~erie** [-maʒri] *f* Käserei; Käsegeschäft

froment [frɔmɑ̃] *m* Weizen(korn, -mehl)

fronc|e [frɔ̃s] *f (Papier)* Falte; *pl (Stoff)* Kräusel; **~ement** [-mɑ̃] *m* Fälteln; *~ement de sourcils* Stirnrunzeln; **~er** [-sę] *15* fälteln; kräuseln; *~er les sourcils* d. Stirn runzeln

frondaison [frɔ̃dęzɔ̃] *f* Laubwerk

frond|e [frɔ̃d] *f* Schleuder; **~er** [-dę] nörgeln; **~eur** [-dœːr] *121* aufsässig

front [frɔ̃] *m* Stirn; Vorderseite; *mil* Front; *meteo* Wetterfront; *aller de ~* nebeneinander gehen; *attaquer de ~* offen angreifen; *faire ~ à* d. Stirn bieten; *avoir le ~ de* s. erdreisten, zu; **~al** [-tal] *124* Stirn…; *collision ~ale* Frontalzusammenstoß; **~alier** [-talję] *1. 116* Grenz…; *trafic ~alier* Grenzverkehr; **2.** *m* Grenzbewohner; Grenzgänger; **~ière** [-tjęːr] *f* (Landes-)Grenze; *~ière climatique* Klimascheide; *~ière douanière* Zollgrenze; **~ispice** [-tispįs] *m* Titelblatt; Frontispiz; **~on** [-tɔ̃] *m* 𝖒 Giebel

frott|ement [frɔtmɑ̃] *m* Reiben; Reibung; Reiberei; **~ée** [frɔtę] *f umg* Tracht Prügel; **~er** [-tę] (ab)reiben; frottieren ♦ *~er les oreilles à qn* j-n verprügeln; *il ne fait pas bon s'y ~er* mit ihm ist nicht gut Kirschen essen; *se ~er les yeux* s-n Augen nicht trauen; *qui s'y ~e s'y pique* daran kann man s. die Finger verbrennen; **~oir** [-twaːr] *m* Bohnerbesen; Badebürste; Frottiertuch

frou-frou [frufru] *m (Seide)* Knistern, Rauschen

frouss|ard [frusaːr] *m pop* Angsthase; **~e** [frus] *f pop* Angst ♦ *avoir une ~e bleue (pop)* e-e Heidenangst haben

fruct|ifier [fryktifję] Früchte bringen; fruchten; gedeihen; *faire ~ifier (Geld)* anlegen; **~ueux** [-tɥø] *111* einträglich, nutzbringend

frugal [frygal] *124* genügsam; *(Mahl)* karg, frugal; **~ité** [-lite] *f* Genügsamkeit; Kargheit

frugivore [fryʒivɔːr] von Früchten lebend

fruit [frɥi] *m* Frucht; Gewinn; *pl* Obst; *~s à noyau* Steinobst; *~s à pépins* Kernobst; *~ de noix* Nußkern; *~s secs* Dörrobst; *~ sec (fig)* schlechter Schüler, verkrachte Existenz, Niete; *travailler avec ~* erfolgreich arbeiten; **~é** [-te] *adj* fruchtig; **~ier** [-tje] *116* Obst…; *arbre ~ier* Obstbaum

frusques [frysk] *fpl umg* alte Kleider; Siebensachen

fruste [fryst] abgegriffen; *a. fig* ungeschliffen

frustr|ant [frystrɑ̃] *adj* frustrierend, enttäuschend; **~ation** [-trasjɔ̃] *f* Frustration, Enttäuschung; **~er** [-tre] *vt* frustrieren; j-n schädigen

fuchsia [fyksja] *m* Fuchsie

fuel(-oil) [fjul(ɔil)] *m* Heizöl; *chauffage au ~* Ölheizung

fug|ace [fygas] vergänglich; **~itif** [-ʒitif] *112 (Verbrecher)* flüchtig; vergänglich; *m* Flüchtiger; **~ue** [fyg] *f* ♪ Fuge; *umg* Ausreißen; Seitensprung

fu|ir [fɥiːr] *24* (ent)fliehen; *(Gefäß)* rinnen, lecken; *~r qn* j-m ausweichen; **~te** [fɥit] *f* 1. Flucht; Entweichen; *~te en avant fig* Flucht nach vorn; *prendre la ~te* die Flucht ergreifen; *~te éperdue* kopflose F.; *délit de ~te* Fahrerfl.; 2. *(Gefäß)* Riß; Rohrbruch

ful|gurant [fylgyrɑ̃] *108* blitzend; *(Schmerz)* stechend; **~micoton** [fylmikɔtɔ̃] *m* Schießbaumwolle; **~minant** [-minɑ̃] *108 (Blicke)* drohend; **~miner** [-mine] *(chem u. fig)* explodieren; *fig* wettern *(contre gegen)*

fumage¹ [fymaːʒ] *m* Düngung

fum|age² [fymaːʒ] *m* Räuchern; **~e-cigare** [-sigaːr] *m* *100* Zigarrenspitze; **~ée** [fyme] *f* Rauch; Qualm; *s'en aller en ~ée* s. in nichts auflösen

fumer¹ [fyme] düngen

fum|er² [fyme] *vi/t* 1. rauchen; *~er comme un Turc* rauchen wie e. Schlot; 2. *(Wiese, Pferd)* dampfen; 3. räuchern; *jambon ~é* Räucherschinken; *verre ~é* Rauchglas; 4. *pop* wütend sein; **~et** [-mɛ] *m (bes. Speisen)* Duft; *(Wein)* Blume; *(Wild)* Geruch; **~eur** [-mœːr] *m* Raucher; **~eux** [-mø] *111* rauchig; *fig* nebelhaft

fumier [fymje] *m* Mist; Dünger

fum|igène [fymiʒɛn] *adj* raucherzeugend; **~iste** [-mist] *m* Ofensetzer; *umg* Witzbold; unseriöse Person; **~isterie** [-mistəri] *f* Ofensetzerei; dummes Zeug; **~ivore** [-mivɔːr] *m* Rauchverzehrer; **~oir** [-mwaːr] *m* Räucherkammer; Rauchzimmer

fumure [fymyːr] *f* Düngung; Dünger

funambulesque [fynãbylɛsk] sonderbar; exzentrisch; grotesk

fun|èbre [fynɛbr] *adj* düster; unheimlich; Trauer…; *convoi ~èbre* Leichenzug, Trauergefolge; *oraison ~èbre* Leichenrede; *pompes ~èbres* Bestattungsinstitut; **~érailles** [-nerɑːj] *fpl* Bestattung; *~érailles nationales* Staatsbegräbnis; **~éraire** [-nerɛːr] *m* Beerdigungs…; *pierre ~éraire* Grabstein

funeste [fynɛst] tödlich; unheilbringend; verderblich; verhängnisvoll

funiculaire [fynikylɛːr] *m* Drahtseilbahn; Schwebebahn

fur [fyr] *m: au ~ et à mesure* der Reihe nach; in d. Maße, im gleichen Maße *(que wie)*

furet [fyrɛ] *m* Frettchen; *umg* Schnüffler; **~er** [fyrte] *1 (Jagd)* frettieren; herumschnüffeln; **~eur** [fyrtœːr] *m* Spionierer, Schnüffler

fur|eur [fyrœːr] *f* Wut; *faire ~eur* Furore machen; **~ibond** [-ribɔ̃] *108* rasend; wutentbrannt; *m* Wüterich; **~ie** [-ri] *f* Furie; Wut, Raserei; Toben; **~ieux** [-rjø] *111* wütend

furoncle [fyrɔ̃kl] *m* Furunkel

furtif [fyrtif] *112* heimlich, verstohlen

fus|ain [fyzɛ̃] *m* (Zeichen-)Kohle; Kohlezeichnung; **~eau** [-zo] *m 91* Spindel; *en ~eau* spindelförmig; *des jambes en ~eau* spindeldürre Beine; *pantalon ~eau* Keilhose; **~ée** [-ze] *f* Zünder; Rakete; *~ée lumineuse* Leuchtr.; *~ée porteuse* ~ée de lancement Trägerr.; *~ée téléguidée* ferngelenkte R.; *~ée de décollage* ✝ Starthilfe; **~elage** [fyzlaːz] *m* Flugzeugrumpf; **~elé** [fyzle] spindelförmig

fus|er [fyze] schmelzen; *(im Feuer)* zischen; *(Sicherung)* durchbrennen; **~ible** [-zibl] schmelzbar; *m ⚡ (Schmelz-)*Sicherung

fusil [fyzi] *m* 1. Gewehr; *à portée de ~* in Schußweite; *coup de ~* Gewehrschuß; *fig (in e-m Lokal)* übertrieben hohe Rechnung ✝ *changer son ~ d'épaule* d. Meinung ändern, umschwenken; 2. Wetzstahl, -stein; **~lade** [-zijad] *f* Gewehrfeuer; Erschießung; **~lade désordonnée** Schießerei; **~ler** [-zije] erschießen; **~-mitrailleur** [-mitrajœːr] *m 97* Maschinenpistole

fusion [fyzjɔ̃] *f* Schmelzen; (Kern)Fusion; *a.* ☋ Verschmelzung; *com* Fusionierung; *point de ~* Schmelzpunkt; **~ner** [-zjɔne] zusammenwachsen; verschmelzen; s. zusammenschließen

fustiger [fystiʒe] *14* (aus)peitschen; *fig* geißeln; anprangern

fût [fy] *m* Baumstamm; Säulenschaft; Faß; Tonne

futaie [fytɛ] *f* Hochwald

futaille [fytaːj] *f* Faß

futé [fyte] *umg* gerieben; schlau

futil|e [fytil] bedeutungslos; leichtfertig; *fig* seicht; **~ité** [-tilte] *f* Belanglosigkeit, Wertlosigkeit; *fig* Seichtheit

futur [fytyːr] (zu)künftig; *m (bes. ling)* Zukunft; *umg (Bräutigam)* d. Zukünftige; **~iste** [-rist] *adj* zukunftsweisend; futuristisch; **~ologie** [-rɔlɔʒi] *f* Zukunftsforschung; **~ologue** [-rɔlɔg] *f* Zukunftsforscher

fuy|ant [fɥijɑ̃] *108* fliehend; zurücktretend; *(Rede)* schwer faßlich; *front ~ant* fliehende Stirn; *regards ~ants* scheue Blicke; **~ard** [-jaːr] *m* Ausreißer

G

gabardine [gabardin] *f* Gabardine(mantel)

gabarit [gabari] *m* (Schiffs-)Modell; Formbrett; Schablone; Ladeprofil

gabegie [gabʒi] ƒ *umg (Wirtschaft, Verwaltung)* Vergeudung; Mißwirtschaft

gabelou [gablu] *m umg* Zollbeamter

gâche [gaʃ] ƒ *(Schloß)* Schließblech

gâch|er [gaʃe] *(Mörtel)* anrühren; verpfuschen; *ouvrage ~é* Pfuscherei

gâchette [gaʃɛt] ƒ *(Schloß)* Zuhaltung; *(Gewehr)* Abzug

gâchis [gaʃi] *m* Mörtel; *fig umg* Durcheinander, Wirrwarr; Vergeudung

gadget [gadʒɛt] *m* neumodischer (kaum brauchbarer) Gegenstand; hochmoderner Apparat; *fig pej* modische Spielerei; unnütze Neuerung; **~iser** [-izе] mit Neuerungen versehen

gadoue [gadu] ƒ organische Abfälle; *umg* Schlamm, Dreck

gaff|e [gaf] ƒ Bootshaken; *umg (Mißgriff)* Schnitzer; *fais ~ ! (arg pop)* paß auf!; **~er** [gafe] *umg* e-n Bock schießen; *se ~er (arg pop)* Schmiere stehen

gaga [gaga] *m pop* Tattergreis

gag|e [gaːʒ] *m* Pfand; *pl (Hausangestellte)* Lohn; *mettre (od donner) en ~e* verpfänden; *aux ~es d'une puissance étrangère* im Sold e-r fremden Macht; **~é** [gaʒe] gedungen; **~eure** [gaʒyːr] ƒ Wette; *c'est une ~eure* das ist e-e sonderbare, unergründl. Geschichte

gagn|ant [gaɲɑ̃] *m* Gewinner; **~e-pain** [gaɲpɛ̃] *m 100* Broterwerb; **~e-petit** [-pəti] *m 100* Kleinverdiener; **~er** [gaɲe] gewinnen; verdienen; erreichen; *(Feuer)* s. ausbreiten *(qch auf etw.)*; *~er sa croûte (pop)* sein Brot verdienen; *~er l'estime (l'amitié) de qn* j-s Achtung (Freundschaft) erwerben; *~er le large* das Weite suchen; *~er du temps* Zeit sparen; *~er du terrain* d. Vorsprung vergrößern; d. Rückstand wettmachen; *~er qn de vitesse* j-m voraneilen, j-m zuvorkommen

gai [ge] froh; fröhlich; lustig; *couleurs ~es* lebhafte Farben; *un peu ~* angeheitert; **~eté** [gete] ƒ Fröhlichkeit; Lustigkeit; *de ~eté de cœur* leichten Herzens

gaillard [gajaːr] **1.** munter und gesund; ausgelassen; *m* starker, forscher Kerl, Bursche; **~ise** [-jardiːz] ƒ Ausgelassenheit

gain [gɛ̃] *m* Gewinn; *âpre au ~* gewinnsüchtig; *obtenir ~ de cause* gewonnenes Spiel haben; ♋ d. Prozeß gewinnen

gain|e [gɛn] ƒ Futteral; Hülle; Hüftgürtel; ✿ Hülse; Kanal; Röhre, Schutzrohr; *~e du tendon (anat)* Sehnenscheide; **~é** [-ne]: *~é de cuir (Gehäuse)* lederbezogen

gala [gala] *m* Festvorstellung; *repas de ~* Festessen; *tenue de ~* festliche Kleidung

galant [galɑ̃] *108, 127* galant; *homme ~* Kavalier; *~ homme* Ehrenmann; *femme ~e* leichtes Mädchen; *aventure ~e* Liebesabenteuer; *vert ~* Schwerenöter, Herzensbrecher; **~erie** [-lätri] ƒ Galanterie; Artigkeit; Kompliment

galantine [galɑ̃tin] ƒ Sülze

galapiat [galapja] *m umg* Halunke

galaxie [galaksi] ƒ *astr* Milchstraße

galbe [galb] *m (Kunst)* Profillinie; *(Körper)* Umrisse, Rundung; Eleganz

gale [gal] ƒ ⚕ Krätze; Räude; *fig umg* Bösewicht, boshafter Mensch

galéjade [galeʒad] ƒ Ulk, Scherz

galène [galɛn] ƒ Bleiglanz; *poste à ~* ⚙ Detektorenempfänger

galère [galɛːr] ƒ Galeere; *fig* Tretmühle; zweifelhafte Angelegenheit ♦ *vogue la ~! comme, was da wolle!*

galerie [galri] ƒ Galerie; langer Korridor; langgestreckter Saal; *(Bergwerk)* Strecke; Publikum; *pour la ~* nur um bewundert zu werden

galet [galɛ] *m* Kiesel(stein); (Lauf)Rolle

galette [galɛt] ƒ runder flacher Kuchen; Fladen; *umg* Kies, Zaster

galeu|x [galø] *111* ⚕ räudig; *brebis ~se (a. fig)* räudiges Schaf

galimatias [galimatja] *m* Kauderwelsch; Quatsch, verworrenes Zeug

galipette [galipɛt] ƒ Luftsprung; *faire des ~s* wild umherjagen

galle [gal] ƒ Gallapfel

gall|icisme [galisism] *m* franz. Spracheigentümlichkeit, Gallizismus; **~inacés** [-linasе] *mpl* Hühnervögel; **~ophobe** [-lɔfɔb] *m* Franzosenfeind

galoche [galɔʃ] ƒ Überschuh; Holzpantine; *menton en ~* vorspringendes Kinn

galon [galɔ̃] *m* Tresse; Spitze; Borte; *mil* Dienstabzeichen; **~né** [-lɔne] betreßt; *m umg* (Unter-)Offizier

galop [galɔ] *m* Galopp; **~er** [-lɔpe] galoppieren; **~in** [-lɔpɛ̃] *m* Schlingel, Bengel

galurin [galyrɛ̃] *m pop (Hut)* Deckel

galvan|ique [galvanik] galvanisch; **~isation** [-nizasjɔ̃] ƒ Verzinkung; **~iser** [-nize] verzinken; *fig* elektrisieren; **~oplastie** [-nɔplasti] ƒ Galvanisierung

galvaud|er [galvode] verpfuschen; *(Vermögen)* vergeuden; **~eux** [-dø] *m* liederlicher Kerl, Taugenichts

gamb|ade [gɑ̃bad] ƒ Luftsprung; **~ader** [-bade] herumspringen; **~erger** [gɑ̃bɛrʒe] *umg* gedanklich umherschweifen; nachdenken, überlegen; **~ettes** [-bɛt] *ƒpl pop* Beine, Stelzen, Gräten; **~iller** [-bije] *pop* tanzen, schwofen

gamelle [gamɛl] ƒ *mil* Kochgeschirr

gamin [gamɛ̃] *109* jungenhaft; *m* kleiner Junge; Bengel; **~e** [-min] ƒ kleines Mädchen; *faire la ~e (umg)* wie e. kl. Mädchen tun; **~erie** [-minri] ƒ Bubenstreich, Kinderei

gamm|e [gam] ƒ Tonleiter; ⚙ Wellenbereich; Skala; *fig* Bereich; Kategorie; Serie, Reihe; *changer de ~ (fig)* s. umstellen, sein Verhalten ändern; **~e majeure** Durtonleiter; **~e mineure** Molltonleiter; **~e O.C. (ondes courtes)** Kurzwellenbereich; **~e de production** Fertigungsprogramm; **~é** [game]: *croix ~ée* Hakenkreuz

ganache [ganaʃ] ƒ *(Pferd)* Unterkiefer; *umg* Stümper; Trottel

gandin [gɑ̃dɛ̃] *m* Geck, Modenarr, Fatzke

gang [gɑ̃g] *m* Verbrecherbande, kriminelle Vereinigung

ganglion [gãgliõ] *m* $ Ganglion; ~ *lymphatique* Lymphknoten

gangr|ène [gãgrɛ] *f* $ Brand; *fig* Krebsschaden; ~**ène** *gazeuse* Gasbrand; ~**ené** [-grǝnę] $ brandig; *fig* zerrüttet

gangue [gãg] *f geol* Ganggestein

ganse [gãs] *f* Besatzschnur, Borte

gant [gã] *m* Handschuh; ~*s de peau* Lederhandschuhe; ~ *de toilette* Waschhandschuh ♦ *sans prendre de* ~*s* ohne Umstände; *il est souple comme un* ~ man kann ihn um d. Finger wickeln; *se donner les* ~*s de qch* s. das Verdienst (d. Ehre) von etw. zuschreiben; ~**é** [-tę] behandschuht; ~**erie** [-tri] *f* Handschuhgeschäft

garag|e [gara:ʒ] *m* Garage; (Reparatur-)Werkstatt; Abstellplatz *(e-s Wagens);* ~*e sous-sol* Tiefgarage; ~*e de vélos* Fahrradwache; *voie de* ~*e* ⚐ Abstellgleis; ~**iste** [-raʒist] *m* Reparatur-Werkstattbesitzer

garant [garã] *m* Beweis (für); sicheres Zeichen; 🐾 Bürge; *se porter* ~ *pour qn* für j-n bürgen; ~**ie** [-ti] *f* Garantie; Gewähr; Sicherheit(sleistung); ~*ie de l'emploi* Sicherung d. Arbeitsplatzes; *délai de* ~*ie* Gewährleistungsfrist; ~**ir** [-ti:r] *22* garantieren; verbürgen; zusichern; schützen (*de* vor)

garce [gars] *f* freches Frauenzimmer, Weib(sbild); bösartige Frau; Hure

garçon [garsõ] *m* 1. Junge; 2. Kellner; ~! Herr Ober!; 3. Junggeselle; 4. Geselle; ~ *boucher* Metzgerg.; *un bon* ~ e. braver Kerl; *mauvais* ~ Gauner; *vieux* ~ Junggeselle; ~ *de bureau* Laufbursche; Bürodiener; ~**nière** [-sɔnjɛ:r] *f* Junggesellenwohnung

gard|e [gard] 1. *f* Wache; Wachmannschaft; Garde; *monter la* ~*e* Wache halten; 2. *f* Bewachung; Obhut; *prenez* ~*e!* gib Acht Obacht!, seien Sie vorsichtig!; *mettre qn en* ~*e* j-n warnen *(contre* vor); 3. *f* (Auf-)Bewahrung; *mettre* (*od donner) qch en* ~*e* etw. in Verwahrung geben; 4. *m* Hüter, Wächter; ~**e-barrière** [-barjɛ:r] *m* 98 Bahn-(Schranken-)-Wärter; ~**e-boue** [-bụ] *m* 100 Kotflügel; Schutzblech; ~**e-chaîne** [-ʃɛn] *m* 100 Kettenschutzblech; ~**e-champêtre** [-ʃãpɛtr] *m* 98 Feldhüter; ~**e-chasse** [-ʃas] *m* 98 Jagdaufseher; ~**e-chiourme** [-ʃjurm] *m* 98 *pej* Gefängniswärter; ~**e-côte** [-kọt] *m* 100 Küstenwachschiff; ~**e-fou** [-fụ] *m* 99 (Brücken-)Geländer; Brüstung; ~**e-frontière** [-frõtjɛ:r] *m* 97 Grenzpolizist; ~**e-malade** [-malad] *m* 99 Krankenpfleger; ~**e-manger** [-mãʒę] *m* 100 Speisekammer; Speiseschrank; ~**e-meuble** [-mœbl] *m* 99 *od* 100 Unterstellgelegenheit f. Möbel; ~**e-pêche** [-pɛʃ] *m* 98 Fischereiaufseher; *m* 100 Fischereiaufsichtsboot; ~**er** [gardę] (be)hüten; schützen; behalten; aufbewahren; bewachen, beaufsichtigen; pflegen; ~*er le silence* schweigen; ~*er le secret de qch* etw. geheimhalten; ~*er le lit* d. Bett hüten; *se* ~*er* s. hüten *(de* vor); ~**erie** [gardri] *f* Kinderhort; ~**-robe** [-rɔb] *f* 99 Kleiderschrank; Kleiderablage; Garderobe; Kleidung; Toilette (W.C.); ~**e-voie** [-vwạ] *m* 97

⚐ Streckenwärter; ~**ien** [-djɛ̃] *m* Wächter; Wärter; ~*ien de but* 🏉 Torwart; ~*ien de la paix* Schutzmann; ~**iennage** [-djenaʒi] *m* 1. Wachdienst; Werkschutz; 2. Kinderverwahrung; Kinderhort

gare [ga:r] 1. *f* Bahnhof; ~ *aérienne* Flughafen; ~ *de jonction* Eisenbahnknotenpunkt; ~ *de(s) marchandises* Güterbahnhof; ~ *terminus* Endstation; ~ *de triage* Verschiebe-(Rangier-)Bahnhof; *chef de* ~ Bahnhofs-, Stationsvorsteher; *(Kanal)* Ausweichstelle; 2. ~*! Achtung!, warte nur!; sans crier* ~ mir nichts, dir nichts

garenne [garɛn] *f* Kaninchengehege

garer [garę]: ~ *un train* e-n Zug auf d. Abstellgeleise schieben; ~ *une voiture* e-n Wagen parken, abstellen; *se* ~ sich hüten (*de* vor); ausweichen

gargar|iser [gargarizę]: *se* ~*iser (Mundpflege)* gurgeln; *fig* s. laben (*de* an); ~**isme** [-rism] *m* Mundwasser

gargot|e [gargɔt] *f* Kneipe; ~**ier** [-gɔtję] *m* Kneipenwirt

gargouill|e [garguj] *f* 🏛 Wasserspeier; ~**ement** [-gujmõ] *m* Gurgeln; ~**er** [-guję] plätschern; *(Magen)* knurren

garnement [garnǝmã] *m* Schlingel

garn|i [garni] *m* möbliertes Zimmer; *loger en* ~*i* möbliert wohnen; ~**ir** [-ni:r] *22* ausstatten; versehen *(de* mit); *(Küche)* garnieren; füttern; *se* ~*ir* s. füllen; *bourse bien* ~*ie* volles Portemonnaie; ~**ison** [-nizõ] *f* Garnison; *mil* Standort; ~**iture** [-nity:r] *f* Ausstattung; Einrichtung; Garnitur; 🐾 Takelage; ~*iture de fourrure* Pelzbesatz; ~*iture de frein* Bremsbelag

garrigue [garig] *f* niedrige Strauchheide im frz. Mittelmeergebiet

garrot [garọ] *m zool* Widerrist; $ Knebel; ~**ter** [-rɔtę] fesseln; *a. fig* d. Hände binden

gars [gã] *m umg* Bursche; Kerl

gascon [gaskõ] *118 gaskognisch; m* Gaskogner; Aufschneider; ~**nade** [-kɔnad] *f* Prahlerei

gaspill|age [gaspijaʒi] *m* Verschwendung; ~**er** [-ję] verschwenden; vergeuden; ~**eur** [-jœ:r] *m* Verschwender

gastr|algie [gastralʒi] *f* Magenschmerzen; ~**ique** [-trik]: *acide* ~*ique* Magensäure; ~**ite** [-trit] Magenschleimhautentzündung; ~**onome** [-trɔnɔm] *m* Feinschmecker; ~**onomie** [-trɔnɔmi] Gastronomie; Feinschmeckerei

gâteau [gatọ] *m 91* Kuchen ♦ *avoir sa part du* ~ *(umg)* etw. abkriegen

gâte-métier [gatmetję] *m 100 com* Preisdrücker

gâter [gatę] verderben; *(Kind)* verwöhnen, verziehen; ~ *l'existence à qn* j-m d. Leben sauer machen; *se* ~ verderben ♦ *ça va se* ~ ich sehe schwarz; ~**ie** [-tri] *f* Verwöhnung; Leckerei

gât|e-sauce [gatsọs] *m 100* Sudelkoch, schlechter Koch; ~**eux** [-tø] *111* altersschwach; *m: vieux* ~*eux* alter Knacker; ~**isme** [-tism] *m* geistiger Verfall

gauch|e [goʃ] links; linkisch, unbeholfen; *f (a. pol)* Linke; linke Seite; *à* ~*e* links; *à ma* ~*e* zu m-r Linken; *prendre la* ~*e* nach links abbiegen

◆ *en mettre à ~e (umg)* s. etw. auf d. Seite legen; *passer l'arme à ~e (pop)* abkratzen; **~er** [goʃe] *116* linkshändig; *m* Linkshänder; **~erie** [goʃri] *f* linkisches Benehmen; Ungeschicklichkeit; **~ir** [goʃiːr] *22 (Holz)* s. werfen; **~isant** [goʃisã] *adj pol* linksgerichtet; **~isme** [goʃism] *m pol* Linksextremismus; **~iste** [-ʃist] *m* Linksextremist

gaudriole [godriɔl] *f* lockerer Witz

gaufr|e [gofr] *f* Waffel; **~ette** [gofrɛt] *f* kleine Waffel; **~ier** [gofrje] *m* Waffeleisen

gaule [goːl] *f* lange Stange; Angelrute; Pumpenschwengel

Gaule [goːl]: *la ~* Gallien

gauler [gole]: *~ des noix* Nüsse (vom Baum) schlagen

gaul|lien [goljɛ̃] *adj* de Gaulle betreffend (s-e Ideen, s-e Politik); **~lisme** [-lism] *m* Gaullismus; **~liste** [-list] *adj* Gaullist, Verfechter d. Gaullismus

gaulois [golwa] *108* gallisch; *esprit ~* derbgeistreiche Art; ♣ *m* Gallier; **~erie** [-lwazri] *f* derber Spaß

gausser [gose]: *se ~ de qn* s. über j-n lustig machen, j-n foppen

gave [gaːv] *m* Gießbach *(in d. Pyrenäen)*

gaver [gave] *(Geflügel)* stopfen; *fig* vollstopfen, überfüttern *(de mit)*

gavroche [gavrɔʃ] *m* Pariser Straßenjunge

gaz [gɑːz] *m* Gas; *~ comprimé* Flaschengas; *~ d'échappement* Abgas; *~ d'éclairage* Leuchtgas; *~ inerte (od. rare)* Edelgas; *~ lacrymogène* Tränengas; *~ de combat* Kampfgas; *~ naturel* Erdgas; *mettre pleins ~ (umg)* Vollgas geben

gaze [gɑːz] *f* Gaze, Mull

gazelle [gazɛl] *f* Gazelle

gazer [gaze] vergasen; *fig* verschleiern; 🚗 *umg* (dahin)rasen; *ça gaze? (pop)* geht's dir gut?

gazette [gazɛt] *f* Nachrichtenblatt

gaz|eux [gazø] *111* gasförmig; gashaltig; *eau ~euse* Mineralwasser; **~ier** [-zje] *m* Gasarbeiter; **~oduc** [gazodyk] *m* Gasleitung; **~ogène** [-zɔʒɛn] *m* (Holz-)Gasgenerator; **~omètre** [-zɔmɛtr] *m* Gaskessel

gazon [gazɔ̃] *m* Rasen

gazouill|ement [gazuimã] *m* Gezwitscher; **~er** [-je] zwitschern; *(Bach)* murmeln; *(Kind)* lallen

geai [ʒɛ] *m* Eichelhäher ♦ *c'est le ~ paré des plumes du paon* er schmückt s. mit fremden Federn

géant [ʒeã] *108* riesig; *m* Riese; *com* Großkonzern; *à pas de ~* mit Riesenschritten

geign|ard [ʒɛɲaːr] *m* Jammerlappen; **~ement** [-ɲəmã] *m* Geächze, Stöhnen

geindre [ʒɛ̃dr] *87* ächzen, stöhnen

gel [ʒɛl] *m* Frost; Zu-, Einfrieren; *~ des prix* Preisstopp

gélatin|e [ʒelatin] *f* Gelatine, Gallerte; **~eux** [-tinø] *111* gallertartig

gel|ée [ʒəle] *f* 1. Frost; *~ée blanche* Reif; *~ée nocturne* Nachtfrost; 2. Gelee; Sülze; **~er** [-le] *8* gefrieren, frieren; *(Pflanzen, Körperteile)* erfrieren; *(Wasser)* einfrieren ♦ *il gèle à pierre fendre* es friert Stein u. Bein

gelinotte [ʒəlinɔt] *f* Haselhuhn

gémeaux [ʒemo] *mpl astr* Zwillinge

géminé [ʒemine] doppelt; *biol* paarig

gém|ir [ʒemiːr] *22* ächzen; seufzen *(de od sur qch)*; **~issement** [-mismã] *m* Ächzen; Seufzer

gemme [ʒɛm] *f* Edelstein, Gemme; *bot* Auge; *sel ~* Steinsalz

gênant [ʒɛnã] *108* unbequem; *fig* unangenehm, peinlich; lästig

gencive [ʒãsiːv] *f* Zahnfleisch

gendarm|e [ʒãdarm] *m* 1. Polizist ♦ *c'est un ~e (umg)* sie ist e. wahrer Drachen; 2. *umg* Bück(l)ing, Räucherhering; **~er** [-darmə]: *se ~er contre* s. ereifern über; **~erie** [-darməri] *f* Gendarmerie, staatliche Polizei (in Landbezirken)

gendre [ʒãdr] *m* Schwiegersohn

gène [ʒɛn] *m biol* Gen

gêne [ʒɛn] *f* Zwang(slage); *être dans la ~* in dürftigen Verhältnissen leben; *sans ~* ungezwungen; *pej* ungeniert

généalog|ie [ʒenealɔʒi] *f* Genealogie; **~ique** [-ʒik]: *arbre ~ique* Stammbaum

gên|er [ʒene] zwängen; unangenehm (peinlich) sein; stören, behindern; *(Schuhe)* drücken ♦ *ne te ~e pas!* tu deinen Gefühlen k-n Zwang an!; *air ~é* verlegene Miene

génér|al [ʒeneral] *1. 124* allgemein; Haupt...; *frais ~aux* Betriebskosten; *répétition ~ale* 🎭 Generalprobe; *d'intérêt ~al* gemeinnützig; *~alement, en ~al* im allgemeinen; 2. *m 90* General; *~al de corps* Generalleutnant; *~ de division* Generalmajor; **~ale** [-ral] *f* 1. Generalin; 2. Alarm; *battre la ~ale (mil)* z. Sammeln blasen; 3. 🎭 Generalprobe; **~alisation** [-ralizasjɔ̃] *f* Verallgemeinerung; **~aliser** [-ralize] verallgemeinern; **~alissime** [-ralisim] *m* Oberbefehlshaber; **~aliste** *m* praktischer Arzt; **~alité** [-ralite] *f* Allgemeinheit; **~ateur** [-ratœːr] *122* Zeugungs...; *m* Erzeuger; ⚡ Generator; **~ation** [-rasjɔ̃] *f* Zeugung; Generation; Menschenalter; *com* technische Erzeugnisse e-r bestimmten Entwicklungsstufe; **~atrice** [-ratris] *f* ⚡ Generator; **~eux** [-rø] *111* edel; großmütig; *(Wein)* feurig; **~ique** [-rik] gattungsmäßig; Gattungs...; *m* (Film-)Vorspann; **~osité** [-rozite] *f* Edelmut; Großzügigkeit

Gênes [ʒɛn] *f* Genua

genèse [ʒənɛːz] *f* Werdegang; ♦ *f* Genesis

genêt [ʒənɛ] *m* Ginster

gêneur [ʒɛnœːr] *m* Störenfried; lästiger Mensch

Genève [ʒənɛːv] *f* Genf

genévrier [ʒenevrje] *m* Wacholderstrauch

gén|ial [ʒenjal] *124* genial; **~ie** [-ni] *f m* Genie; Geist; Geistesart; *mil* Pioniertruppe; *~ie civil* Ingenieurwesen; *~ie spatial* Raumfahrttechnik

genièvre [ʒənjɛːvr] *m* Wacholder(-branntwein)

génisse [ʒenis] *f* Färse, junge Kuh

gén|ital [ʒenital] *124* Geschlechts...; **~iteur** [-tœːr] *m (Vater)* Erzeuger; **~itif** [-tif] *m* Genitiv; **~ocide** [-nɔsid] *m* Völkermord

genou [ʒənu] *m 91* Knie; *se mettre à ~x* s. (hin)knien; *prendre sur ses ~x* auf d. Schoß nehmen; *à ~x* kniend; kniefällig; *être à ~x* *devant qn (fig)* j-n anhimmeln; **~illère** [-nujɛːr] *f* Knieschoner; ✿ Kniegelenk

genre [ʒɑ̃r] *m* Art; Sorte; Gattung; *ling* Geschlecht; ~ *humain* Menschengeschlecht; *de ce* ~ derartig ♦ *ce n'est pas son* ~ das sieht ihm nicht ähnlich; *se donner un* ~, *faire du* ~ nach Effekt haschen

gens [ʒɑ̃] *mpl* Leute; *les jeunes* ~ d. jungen Burschen; d. jungen Leute; ~ *d'affaires* Geschäftsleute; ~ *de lettres* Schriftsteller; ~ *de maison* Dienerschaft; ~ *de robe* Juristen; *le droit des* ~ Völkerrecht

gentiane [ʒɑ̃sjan] *f* Enzian

gentil [ʒɑ̃ti] *115, 130* nett; niedlich; freundlich; **~homme** [-tijɔm] *m 95* Edelmann; **~lesse** [-tijɛs] *f* Nettigkeit; Freundlichkeit

génuflexion [ʒenyflɛksjɔ̃] *f* Kniefall

géodésie [ʒeɔdezi] *f* Landvermessung(skunde), Geodäsie

géograph|e [ʒeɔgraf] *m* Geograph; **~ie** [-grafi] *f* Geographie, Erdkunde; ~*ie économique* Wirtschaftsgeographie; **~ique** [-grafik] geographisch; *carte* ~*ique* Landkarte

geôl|e [ʒoːl] *f* Gefängnis; **~ier** [ʒolje] *m* Gefangenenwärter

géolog|ie [ʒeɔlɔʒi] *f* Geologie; **~ique** [-ʒik] geologisch; **~ue** [-lɔg] *m* Geologe

géom|ètre [ʒeɔmɛtr] *m* Vermessungsingenieur; **~étrie** [-metri] *f* Geometrie; *avion à* ~*étrie variable* Schwenkflügelflugzeug

géo|politique [ʒeɔpɔlitik] *f* Geopolitik; **~thermique** [-termik] *adj* geothermal

gérance [ʒerɑ̃s] *f* Verwaltung; Geschäftsführung

géranium [ʒeranjɔm] *m* Geranie

gérant [ʒerɑ̃] *m* Verwalter; Geschäftsführer; ~ *d'immeuble* Hausverwalter

gerbe [ʒɛrb] *f* Garbe; **~ier** [-bje] *m* (Korn-)Miete

gerce [ʒɛrs] *f* Kleidermotte

gercer [ʒɛrse] *15: (se)* ~ *(Haut)* aufspringen

gerçure [ʒɛrsyːr] *f* Riß *(in d. Haut)*

gérer [ʒere] *13* verwalten

gériatrie [ʒerjatri] *f* Altersheilkunde

germain[1] [ʒɛrmɛ̃] *109: cousin* ~ Vetter *(1. und 2. Grades)*

germ|ain[2] [ʒɛrmɛ̃] *109* germanisch; ⚤ *ain m* Germane; **~anique** [-manik] germanisch; **~anophile** [-manɔfil] deutschfreundlich; **~anophobe** [-manɔfɔb] deutschfeindlich; **~anophone** [-manɔfɔn] *adj* deutschsprechend

germ|e [ʒɛrm] *m* Keim; (Krankheits)Erreger; *étouffer les* ~*es de qch* etw. im Keim ersticken; **~er** [-me] *a. fig* keimen; **~icide** [-misid] keimtötend; **~inal** [-minal] *124* Keim...; **~inatif** [-minatif] *112: pouvoir* ~*inatif* Keimkraft; **~ination** [-minasjɔ̃] *f (a. fig)* Keimen

gérontologie [ʒerɔ̃tɔlɔʒi] *f* Gerontologie

gésier [ʒezje] *m (Geflügel)* Kaumagen

gestation [ʒɛstasjɔ̃] *f biol* Tragzeit; *fig* Vorbereitungszeit

gest|e [ʒɛst] *m* Geste; Gebärde; *un beau* ~*e* e-e Großzügigkeit; *faits et* ~*es* Tun und Treiben; **~iculer** [-tikyle] gestikulieren; **~ion** [-tjɔ̃] *f*

Verwaltung; Geschäftsführung; Bewirtschaftung; ~*ion de l'entreprise* Betriebsführung; **~ique** [-tik] *f* Gestik; **~uel** [tyɛl] *adj* d. Gestik betreffend

ghetto [gɛtɔ] *m* Getto *n*

gibbosité [ʒibozite] *f* Buckel

gibe|cière [ʒipsjɛːr] *f* Jagdtasche; (Schul-)Ranzen; **~lotte** [ʒiblɔt] *f* Kaninchenfrikasse in Weißwein

giberne [ʒibɛrn] *f* Patronentasche

gibier [ʒibje] *m* Wild; ~ *de potence (fig)* Galgenvogel

giboulée [ʒibule] *f* Regen-, Hagelschauer

giboyeux [ʒibwajø] *111* wildreich

gibus [ʒibys] *m* Klappzylinder

gicl|ée [ʒikle] *f umg* Guß; *(z.B. Blut)* Strahl; **~er** [-kle] (hervor)spritzen; **~eur** [-klœːr] *m* Vergaserdüse; Einspritzdüse; *(Brandschutz)* Spritzgerät

gifl|e [ʒifl] *f* Ohrfeige; *tête à* ~*es* Ohrfeigengesicht; **~er** [-fle] ohrfeigen

gigant|esque [ʒigɑ̃tɛsk] riesenhaft, gigantisch; **~isme** [-tism] *m* 💲 Riesenwuchs; Hang z. Kolossalen; *fig* übermäßige Aufblähung

gigogne [ʒigɔɲ] *f: mère* ~ Mutter mit vielen Kindern; *adj* ergänzbar; *lit* ~ Stockbett, Etagenbett; *table* ~ Satz ineinandergeschobener Tische

gigol|ette [ʒigolɛt] *f umg* leichtes Mädchen; **~o** [-lo] *m umg* Gigolo, Geliebter

gigot [ʒigo] *m* Hammelkeule; *manches à* ~*s* Puffärmel; ~ *de* [-gɔte] *umg* strampeln

gilet [ʒilɛ] *m* Weste ♦ *pleurer dans le* ~ *de qn (umg)* j-m sein Herz ausschütten

gingembre [ʒɛ̃ʒɑ̃br] *m* Ingwer

gingivite [ʒɛ̃ʒivit] *f* Zahnfleischentzündung

girafe [ʒiraf] *f* Giraffe

gir|ation [ʒirasjɔ̃] *f* Kreisbewegung; ✿ Drall **~atoire** [-ratwaːr] Kreis...; *sens* ~*atoire* Kreisverkehr

girofl|e [ʒirɔfl] *m: clou de* ~*e* Gewürznelke; **~ée** [-rɔfle] *f* Goldlack; Levkoje

girol(l)e [ʒirɔl] *f* Pfifferling

giron [ʒirɔ̃] *m fig* Schoß *(z.B. der Kirche)*

girouette [ʒirwɛt] *f* Wetterfahne; Windfahne ♦ *c'est une* ~ er hängt d. Mantel nach d. Wind

gis|ant [ʒizɑ̃] *25* liegend; **~ement** [-mɑ̃] *m (Bodenschätze)* Lager(stätte); ~*ement houiller* Kohlevorkommen

git [ʒi] *25: ci~* ... hier ruht... ♦ *c'est là que* ~ *le lièvre* da liegt d. Hase im Pfeffer

gitan|e [ʒitã, -tan] *m, f* Zigeuner(in)

gît|e [ʒit] *m* Nachtquartier; Bleibe; *(Tier)* Lager; *dernier* ~*e* letzte Ruhestätte; ~*e à la noix (Fleisch)* Nuß; **~er** [-te] *(Hase)* liegen

givr|age [ʒivraʒ] *m* Eisblumenbildung; ✝ Vereisung; **~e** [ʒiːvr] *m* Rauhreif; *fleurs de* ~*e* Eisblumen; **~er** [ʒivre] *vt* ✝ vereisen

glabre [glɑbr] *adj* bartlos

glaçant [glasɑ̃] *108 (a. fig)* eiskalt

glac|e [glas] *f* **1.** Eis; *couvert de* ~*e* zugefroren; *être de* ~*e* hartherzig sein; *sport sur* ~*e* Eislauf; ~*e artificielle* Kunsteis; ~ *à la vanille* Vanilleeis; *boisson à la* ~*e* Eisgetränk ♦ *rompre la* ~*e (fig)* d. Eis brechen; **2.** Spiegelscheibe;

Wagenfenster; ~e brise-vent Windschutzscheibe; ~er [-se] 15z. Gefrieren bringen; kühlen; glasieren; gants ~és Glacéhandschuhe; se ~er erstarren; ~erie [glasri] f Spiegelglasfabrik; ~iaire [-sjɛːr]: période ~iaire Eiszeit; ~ial [-sjal] 124 (a. fig) eiskalt; (Empfang) frostig; océan ⁺ial Eismeer; ~ier [-sje] m 1. Gletscher; 2. Eismeer; 3. Spiegelglasfabrikant; ~ière [-sjɛːr] f (a. fig) Eiskeller; Eisschrank; Eismaschine; ~is [glasi] m mil Glacis n; Aufmarschgebiet, Pufferzone; fig Vorfeld

glaçon [glasɔ̃] m Eisscholle; Eiszapfen; Eis-(Bruchstück); ~ure [-syːr] f (Keramik) Glasur

glaïeul [glajœl] m Gladiole

glair|e [glɛːr] f Schleim; rohes Eiweiß; ~eux [glɛrø] 111 schleimig

glaise [glɛːz] f Lehm; Ton(erde)

glaive [glɛːv] m lit Schwert

gland [glɑ̃] m Eichel; Quaste; ~e [glɑ̃d] f Drüse; ~er [-de] vi umg ziellos herumbummeln; ~ulaire [-dylɛːr] Drüsen…

glan|er [glane] Ähren lesen; fig (auf-)sammeln; ~euse [-nøːz] f Ährenleserin

glapir [glapiːr] 22 kläffen

glas [glɑ] m Totengeläut; sonner le ~ de qch d. nahen Untergang e-r Sache prophezeien

glau|come [glokɔm] m ❖ grüner Star; ~que [glok] meergrün

glèbe [glɛb] f (a. fig) (Erd-)Scholle

gliss|ade [glisad] f Rutschen; ⊤ Abrutschen; ~ant [-sɑ̃] 108 glatt, schlüpfrig; chaussée ~ante! Rutschgefahr!; ~ement [glismɑ̃] m Gleiten, Rutschen; ~ement de terrain Erdrutsch; ~er [-se] (aus)gleiten; rutschen, schlittern; hineingleiten lassen; ~er un billet dans la poche de qn j-m e-n Geldschein zustecken; ~er sur un point e-n Punkt übergehen; se ~er s. einschleichen; ~ière [-sjɛːr] f ❖ Gleitbahn; Führungsschiene; Laufschiene; fermeture à ~ière Reißverschluß; ~oire [-swaːr] f Eisbahn; Rutschbahn; ❖ Rutsche

glob|al [glɔbal] 124 global, umfassend, allgemein; Gesamt…; méthode ~ale (päd) Ganzheitsmethode; ~alisation [-alisasjɔ̃] f Gesamtbetrachtung; ~e [glɔb] m Kugel; Erdkugel; Globus; Glasglocke; ~e de l'œil Augapfel; ~e-trotter [-trɔtœːr] m 99 Weltenbummler; ~ulaire [-bylɛːr] kugelförmig; ~ule [-byl] m Kügelchen; ~ules du sang Blutkörperchen; ~uleux [-bylø] 111 kugelig

gloire [glwaːr] f Ruhm; Ehre; Zierde; ~ éternelle ewige Seligkeit; chanter la ~ de qn j-n (lob)preisen

glori|eux [glɔrjø] 111 ruhmreich; selbstgefällig; m Gernegroß; ~fication [-rifikasjɔ̃] f Verherrlichung; ~fier [-rifje] verherrlichen; se ~fier de qch s. e-r Sache rühmen; ~ole [-rjɔl] f Ruhmsucht

glos|e [gloːz] f Glosse; ~er [glozé] lästern, herziehen (sur über); ~saire [glosɛːr] m Glossarium, Glossar

glotte [glɔt] f anat Stimmritze

glouss|ement [glusmɑ̃] m (Henne) Glucken; ~er [-se] (Henne) glucken; kichern

glouton [glutɔ̃] 118 gefräßig; m (a. zool) Vielfraß; ~nerie [-tɔnri] f Gefräßigkeit

glu [gly] f Vogelleim ♦ se laisser prendre à la ~ auf d. Leim gehen; ~ant [glyɑ̃] 108 klebrig; fig hartnäckig, zäh; ~au [glyo] m Leimrute

glucose [glykoːz] f Traubenzucker

glycé|mie [glisemi] f Blutzucker; ~rine [-rin] f Glyzerin

gnangnan [ɲɑ̃ɲɑ̃] m, f (umg) Weichling; Jammerlappen

gnognote [ɲɔɲɔt] f pop Schund; Tinnef; Tand

gnole [ɲɔl] f pop Schnaps, Fusel

gnome [gnoːm] m Erdgeist; fig Gartenzwerg

go [go]: tout de ~ (umg) ohne Umschweife, direkt (ins Gesicht)

gobelet [gɔblɛ] m Trink-, Würfelbecher

gobe-mouches [gɔbmuʃ] m 100 umg Einfaltspinsel

gob|er [gɔbé] (hinunter)schlucken; (Auster) ausschlürfen; ~er un mensonge s. etw. aufbinden lassen; je ne le ~e pas (pop) ich kann ihn nicht riechen; ~erger [-bɛrʒé] 14: se ~erger (umg) schlemmen, prassen; ~eur [-bœːr] m pop Kindskopf, Döskopf

godaill|e [gɔdaːj] f pop Fresserei; ~er [-daje] pop schwelgen, schlemmen

godasse [gɔdas] f pop Latschen

godelureau [gɔdlyro] m Angeber, Geck

god|er [gɔdé] falsche Falten werfen; (Papier) s. wellen; ~et [-dé] m Näpfchen; ❖ Schöpfeimer; chem Reaktionsgefäß; Prüfglas

godiche [gɔdiʃ] m Tolpatsch

godille [gɔdij] f Wrickruder

godillot [gɔdijo] m (arg mil) Knobelbecher; fig pol fanatischer Anhänger

goé|land [gɔelɑ̃] m Seemöwe; ~mon [-mɔ̃] m (See-)Tang

gogo [gɔgo] m umg Einfaltspinsel; à ~ (umg) in Hülle u. Fülle, nach Herzenslust

goguenard [gɔgnaːr] 108 spöttisch; ~er [-nardé] spötteln

goguette [gɔgɛt] f: être en ~ (umg) bei guter Laune (od angeheitert) sein

goinfre [gwɛ̃fr] m Vielfraß, Fressack

goitre [gwatr] m ❖ Kropf

golfe [gɔlf] m Meerbusen, Golf

gomm|age [gɔmaːʒ] m Gummierung; (Haut) Reinigung; fig Abschaffung; ~e [gɔm] f Gummi; Radiergummi; mettre la ~e fig Gas geben; großen Wert legen auf; ~er [-mé] gummieren; ausradieren; fig beseitigen; entfernen; abschwächen; mit Schweigen übergehen; ~eux [-mø] m Geck; ~ier [-mje] m Gummibaum

gond [gɔ̃] m (Tür, Fenster) Angel; faire sortir de ses ~s aus d. Fassung bringen

gondol|e [gɔ̃dɔl] f (Boot) Gondel; ~er [-dɔlé]: se ~er (Holz) s. verziehen; pop s. krümmen vor Lachen; ~ier [-dɔlje] m Gondelführer

gonfl|ement [gɔ̃flɑ̃mɑ̃] m Anschwellung; (Ballon) Füllung; (Luftschlauch) Aufpumpen; ~er [-flé] anschwellen; (Ballon) füllen; (Luftschlauch) aufpumpen; (Motor) umg frisieren; ♦ se ~er d'orgueil s. aufplustern; il est ~é à bloc (umg) er ist Feuer u. Flamme

gong [gɔ̃g] *m* Gong
goniomètre [gɔnjɔmɛtr] *m* ✝ Peilgerät
gonzesse [gɔ̃zɛs] *f arg pop* Käfer, Biene, Puppe
goret [gɔrɛ] *m* Ferkel; *(Kind)* Schmierfink
gorg|e [gɔrʒ] *f* 1. Kehle; *mal à la ~e*
Halsschmerzen; *avoir la ~e prise* heiser sein;
rire à pleine ~e aus vollem Halse lachen ♦ *faire
des ~es chaudes* s. lustig machen *(de* über*)*;
rendre ~e s. übergeben; *fig* etw. zurückgeben
müssen; **2.** Busen, Brüste, Büste; **3.** Schlucht;
~ée [-ʒe] *f* Schluck; **~er** [-ʒe] *14* überfüttern *(de*
mit*)*; *(Geflügel)* stopfen
gorille [gɔrij] *m* Gorilla; *fig* Sicherheitsbegleiter,
persönlicher Begleitschutz;
gosier [gozje] *m* Schlund; *(Mensch)* Rachen; *(a.
Vogel)* Kehle ♦ *il a le ~ en pente (pop)* er hat e-e
trockene Kehle
gosse [gɔs] *m, f (umg)* (kleines) Kind; *pop*
Freundin; *c'est un beau ~ (umg)* er sieht toll aus
gothique [gɔtik] *adj* gotisch; *m* Gotik *f*
gouache [gwaʃ] *f* Deckfarbenmalerei
gouaill|e [gwɑːj] *f* Spott; **~eur** [gwɑjœːr] *adj*
spöttisch; *m umg* Spötter
goualante [gwalɑ̃t] *f pop* Song
gouape [gwap] *f pop* Strolch
goudron [gudrɔ̃] *m* Teer; **~nage** [-drɔnaʒ] *m*
Teerung; **~ner** [-drɔne] teeren
gouffre [gufr] *m* Abgrund
goujat [guʒa] *m* Rohling; Flegel
goujon [guʒɔ̃] *m zool* Gründling; ✿ Stift
goul|ot [gulo] *m* Flaschenhals; *~ot d'étrangle-
ment* Engpaß; *(Straßenverkehr)* Verlangsa-
mung, Behinderung, Stau; **~u** [-ly] *129* gefräßig,
gierig; *pois ~u* Zuckererbse
goupill|e [gupij] *f* ✿ Stift, Splint; **~er** [-pije]
versplinten; *umg* etw. zustande bringen ♦ *cela se
~era très bien* wir werden das schon schaukeln;
~on [-pijɔ̃] *m* Weihwasserwedel; Flaschenbürste
gourbi [gurbi] *m* Zelt, Hütte; Dreckloch
gourd [guːr] *108 (vor Kälte)* steif, starr
gourde [gurd] *f* Flaschenkürbis; Feldflasche;
umg (Frau) dumme Gans
gourdin [gurdɛ̃] *m* Knüppel
gourer [gure]: *se ~ (pop)* s. irren
gourmand [gurmɑ̃] *108* naschhaft; gefräßig; *m*
Leckermaul; Vielfraß; **~er** [-mɑ̃de] ausschimpfen; **~ise** [-dːz] *f* Naschhaftigkeit; Gefräßigkeit;
Leckerbissen
gourm|e [gurm] *f: jeter sa ~e (fig)* s. d. Hörner
abstoßen; **~é** [-me] *(Benehmen)* steif
gourmet [gurmɛ] *m* Feinschmecker
gousse [gus] *f* Hülse, Schote; *~ d'ail*
Knoblauchzehe; **~t** [gusɛ] *m* Westentasche; ✿
Blech; Platte
goût [gu] *m a. fig* Geschmack; Geschmacks-
sinn; Neigung; Belieben; *cela a bon ~* das
schmeckt, mundet; *un petit ~* Beigeschmack;
donner du ~ à qch etw. würzen; *de mauvais ~*
geschmacklos, kitschig; *~ du sensationnel*
Sensationslust ♦ *chacun son ~* jeder nach seiner
Art; *faire qch par ~* etw. aus Freude tun; *n'avoir
plus ~ à rien* zu nichts mehr Lust haben; *des ~s
et des couleurs, il ne faut pas discuter* über d.
Geschmack läßt s. nicht streiten; **~er** [-te] *1.*

(Speise) kosten; schätzen, vespern; *ne pas ~er la
plaisanterie* k-n Spaß verstehen; **2.** *m* Vesper,
Brotzeit; Nachmittagsmahlzeit
goutt|e [gut] *f* 1. Tropfen; *umg* Schnaps; *~e à
~e* tropfenweise; $ Dauerinfusion; Infusions-
gerät ♦ *ils se ressemblent comme deux ~es d'eau*
sie gleichen einander wie e. Ei dem anderen;
une ~ d'eau dans la mer ein Tropfen auf e-n
heißen Stein; *n'entendre ~e* kein Wort
verstehen; *n'y voir ~e* gar nichts sehen; **2.**
Gicht; **~elette** [-lɛt] *f* Tröpfchen; **~er** [-te]
tropfen; **~eux** [-tø] *111* gichtisch; *m* Gichtkran-
ker; **~ière** [-tjɛːr] *f* Dachrinne; Schacht; $
Schiene
gouvern|ail [guvɛrnaj] *m* (⚓ , ✝ , *a. fig)* Ruder;
~ail de profondeur ✝ Höhenr.; *~ail de
direction* ✝ Seitenr.; *prendre le ~ail (fig)* ans D.
kommen; **~ante** [-nɑ̃t] *f* Haushälterin; Erziehe-
rin; **~ants** [-nɑ̃] *mpl* die regierenden Kreise; **~e**
[-vɛrn] *f* 1. Verhaltungsmaßregeln; **2.** ✝
Steuerwerk; Ruder; **~ement** [-nəmɑ̃] *m* Regierung; *avoir le ~ement* d. Leitung in Händen
haben; **~emental** [-nəmɑ̃tal] *124* Regierungs...;
projet ~emental Regierungsvorlage; *aide
~ementale* staatliche Hilfe; **~er** [-ne] regieren;
⚓ , *a. fig* steuern; *(Meinung, Leidenschaft)*
beherrschen; **~eur** [-nœːr] *m* Gouverneur;
Direktor *(e-r Staatsbank)*
grabat [graba] *m* armseliges Bett
grabuge [grabyːʒ] *m umg* Streit, Krach
grâce [grɑːs] *f* Gnade; Begnadigung; Gunst;
Bereitwilligkeit; Anmut; Grazie; Dank; *recours
en ~* 🔓 Gnadengesuch; *droit de ~* 🔓
Begnadigungsrecht; *être dans les bonnes ~s de
qn* bei j-m in Gunst stehen; *de bonne ~*
bereitwillig, gern; *de mauvaise ~* widerwillig;
~ à dank, durch; *action de ~s* Danksagung
graci|er [grasje] begnadigen; **~euseté** [-sjøzte] *f*
Gefälligkeit; **~eux** [-sjø] *111* anmutig; freundlich; *à titre ~eux*, **~eusement** unentgeltlich; **~le**
[-sil] zierlich; **~lité** [-lite] *f* Zierlichkeit
grad|ation [gradasjɔ̃] *f* (Ab-)Stufung; *par ~
ations* stufenweise; *~ation des nuances* Nuan-
cierung; **~e** [grad] *m* Grad; Stufe; *mil* Rang;
monter en ~e aufrücken; *en prendre pour son ~e
(pop)* e-n gehörigen Rüffel bekommen; **~é** [-de]
m mil unterer Dienstgrad; **~er** [-dere] *m*
Planierraupe, Straßenhobel; **~ient** [-djɑ̃] *m*
Grad, Gradient; Gefälle; **~in** [-dɛ̃] *m* Stufe;
Absatz; *pl* stufenweise aufsteigende Bänke;
~uation [-dɥasjɔ̃] *f* Skaleneinteilung; Gradier-
werk; **~uel** [-dɥɛl] *115* stufenweise; **~uellement**
[-dɥɛlmɑ̃] nach u. nach; **~uer** [-dɥe] in Grade
teilen; stufenweise steigern
grail|ler [graje] *umg* essen; **~on** [grajɔ̃] *m umg*
Spucke, Speichel; (unangenehmer) Fett-, Spei-
segeruch
grain [grɛ̃] *m* 1. Korn; (Wein-)Beere; (Kaffee-)
Bohne; *~ de sable* Sandkorn; *~ de beauté*
Muttermal; *~ d'orge (a.* $*)* Gerstenkorn; *poulet
de ~* Masthähnchen; *à ~ fin* feinkörnig; *à gros
~* grobkörnig; *fig* oberflächlich ♦ *pas un ~ de
bon sens (umg)* k-n Funken Verstand; *il a un ~*
er spinnt ein bißchen; *mettre son ~ de sel* s-n

Senf dazugeben; **2.** ♃ Bö, Schauer; *veiller au ~*
(fig) scharf aufpassen; **~e** [grɛn] *f* Same;
mauvaise ~e Lausejunge, -mädel; *monter en ~e*
(Salat) schießen; *(Jungfer)* alt werden; **~etier**
[grɛntjɛ] *m* Samenhändler

graiss|age [grɛsaːʒ] *m* ✿ Schmierung, Ölung;
~e [grɛs] *f* Fett; ✿ Schmiermittel; *~e*
alimentaire Speisefett; *~e végétale* Pflanzen-
fett; *prendre de la ~e* Fett ansetzen; **~er** [-se]
fetten; ölen; ✿ schmieren; beschmutzen ♦ *~er*
la patte à qn (umg) j-n bestechen, schmieren;
~eur [-sœːr] *m* Schmiervorrichtung; **~eux** [-sø]
111 fettig; schmierig; *tissu ~eux (anat)*
Fettgewebe

graminées [graminɛ] *fpl* Gräser
grammaire [gramɛːr] *f* Grammatik
gramme [gram] *m* Gramm
grand [grã] **1.** *adj 108* groß; hoch; weit; stark;
un homme ~ e. großer (hochgewachsener)
Mann; *un ~ homme* e. großer (bedeutender)
Mann; *les ~es personnes* d. Erwachsenen *(im*
Gegensatz z. Kind); *une ~e dame* e-e vornehme
Dame; *le ~ monde* d. vornehme Welt; *~s amis*
dicke Freunde; *au ~ air* im Freien; *un ~ cœur*
e. edles Herz; *de ~ cœur* herzlich gern; *~ froid*
strenge Kälte; *il fait ~ jour* es ist heller Tag; *de*
~ matin frühmorgens; *dire de ~s mots* große
Worte machen; *un ~ nombre d'amis* zahlreiche
Freunde; *~ vent* starker Wind; *un ~ verre* e.
volles Glas; *deux ~es heures* zwei lange
Stunden; *fenêtres ~es ouvertes* weit offene
Fenster; *il est ~ temps de* es ist höchste Zeit zu;
en ~ in großem Maßstab; *voir ~* großzügig
sein; **2.** *mpl* Großmächte; Großkonzerne;
Großbanken; **~-chose** [-ʃoːz]: *ce n'est pas*
~-chose da ist nicht viel dran; **~commis** [-kɔmi]
m hoher Beamter; **~corps** [-kɔr] *m* Gruppe
hoher Beamter; **~dessein** [-desɛ̃] *m* politischer
Gesellschaftsplan; **~duc** [-dyk] *m* Großherzog;
~ensemble [-ãsãbl] *m* (Großraum)Siedlung;
~-e-Bretagne [-brətaɲ] *f* Großbritannien;
~e surface [-syrfas] *f* Einkaufszentrum; **~elet**
[grãdəlɛ] halb erwachsen; **~ement** [grãdəmã]
reichlich; **~eur** [grãdœːr] *f (a. math)* Größe;
prendre des airs de ~eur hochnäsig sein;
~iloquence [grãdilɔkãs] *f* Großsprecherei; **~ilo-**
quent [grãdilɔkã] *108* großsprecherisch; hoch-
trabend; **~iose** [grãdjoːz] grandios; großartig;
~ir [grãdiːr] *22* größer werden; wachsen; größer
machen, erscheinen lassen; **~-maman** [-mamã] *f*
99 Großmama, Oma; **~-mère** [-mɛːr] *f 99*
Großmutter; **~-messe** [-mɛs] *99 rel* Hochamt;
~-oncle [grãtɔkl] *m 97* Großonkel; **~-papa**
[-papa] *m 97* Großpapa, Opa; **~s-parents** [-parã]
mpl Großeltern; **~-peine** [-pɛn]: *à ~-peine* mit
Mühe; **~-père** [-pɛːr] *m 97* Großvater; **~-route**
[-rut] *f 99 (Land)* Hauptverkehrsstraße; **~-rue**
[-ry] *f 99 (Stadt)* Hauptverkehrsstraße

grange [grãʒ] *f* Scheune
gran|it [grani] *m* Granit; **~iteux** [-nitø] *111*
granithaltig; **~itique** [-nitik] Granit...; **~ulaire**
[-nylɛːr] körnig; **~ulation** [-nylasjõ] *f* ➄ Korn;
~ule [-nyl] *m* Kügelchen; **~ulé** [-nyle] *m*
Granulat *n*; **~uler** [-nyle] ✿ körnen

graph|ie [grafi] *f* Schreibweise; **~ique** [-fik]
Schrift...; *m* graphische Darstellung; Funkti-
onskurve; Kurvenbild; **~ite** [-fit] *m* Graphit;
~ologie [-fɔlɔʒi] *f* Graphologie, Handschriften-
deutung

grapp|e [grap] *f* Traube; **~illage** [-pijaːʒ] *m*
Nachlese; *fig* Profitmacherei; Schmu; **~iller**
[-pije] *(Wein)* Nachlese halten; *fig* Geld
zusammenraffen

grappin [grapɛ̃] *m* ♃ Dreganker; *(Bagger)*
Greifer ♦ *jeter le ~ sur qn* j-n kapern

gras [grɑ] *114* fett; fetthaltig; speckig; fleischig;
dick; *corps ~ (mpl: chem, biol)* Fette; *mardi ~*
Fastnacht ♦ *faire la ~se matinée* in d. hellen Tag
hinein schlafen; *parler ~* lockere Reden
führen; **~seyer** [-sɛje] *9* das R unrichtig
sprechen; **~souillet** [-sujɛ] *114* dicklich

gratifi|cation [gratifikasjõ] *f* Gratifikation, Ver-
gütung; **~er** [-fje] beschenken *(de* mit)

gratin [gratɛ̃] *m* **1.** Überbackenes; *macaroni au*
~ überbackene Makkaroni; **2.** *umg* die oberen
Zehntausend; **~é** [-tine] überbacken; *umg*
pfundig, großartig; schlüpfrig; zweideutig

gratis [gratis] *adv* unentgeltlich, umsonst
gratitude [gratityd] *f* Dankbarkeit
gratte [grat] *f umg* Profitchen, Schmu; **~-ciel**
[gratsjɛl] *m 100* Wolkenkratzer; **~-cul** [-ky] *m*
100 Hagebutte; **~-papier** [-papje] *m 100 (umg)*
Bürohengst

gratt|er [grate] *vt* (ab-, aus-)kratzen; *umg* 🚗
überholen; *vi pop* schuften; *se ~er* s. kratzen;
~oir [-twaːr] *m* Radiermesser; Schabeisen

gratuit [gratɥi] *108* unentgeltlich, kostenlos;
grundlos; *comparaison ~e* unzutreffender Vergleich; **~é** [-tɥite] *f* Unentgeltlichkeit; Grundlo-
sigkeit; **~ement** [-tɥitmã] ohne ausreichenden
Grund

gravats [grava] *mpl* Schutt
grave [graːv] ernst(haft); schwer; *c'est ~* das ist
bedenklich; *ce n'est pas ~* es ist nicht schlimm,
es ist unerheblich; *son ~* tiefer Ton

grav|eleux [gravlø] *111* zotenhaft; *m* Harnstein-
kranker; **~le** [-vɛl] *f* 🩺 Harngrieß; **~ure** [-lyːr] *f*
Zoten(haftigkeit)

grav|er [grave] (ein)graben, gravieren; **~er en**
microsillons auf Langspielplatte aufnehmen; *se*
~er dans l'esprit s. einprägen; **~eur** [-vœːr] *m*
Graveur; Stecher; **~eur sur cuivre**, **~eur en**
taille-douce Kupferstecher; **~eur en musique**
Notenstecher; **~eur de poincons** Stempelschnei-
der

gravier [gravje] *m* Kies
gravillon [gravijõ] *m* Rollsplitt
gravir [graviːr] *22* ersteigen, erklettern
grav|itation [gravitasjõ] *f* Gravitation; Schwer-
kraft; Massenanziehung; **~ité** [-vite] *f* Schwere;
Ernst; *(Ton)* Tiefe; *centre de ~ité* Schwerpunkt;
~iter [-vite] *astr* kreisen *(autour* um)

gravois [gravwa] *mpl* Schutt
gravure [gravyːr] *f* Stich; *(Schallplatte)* Schnitt;
(Tonband) Aufnahme; Buchillustration; *~ sur*
bois Holzschnitt; *~ sur cuivre* Kupferstich

gré [gre]: *à votre ~* nach Ihrem Belieben; *bon*
~, mal ~ wohl od. übel; *de ~ à ~* gütlich; *de*

son plein ~ gern, freiwillig; *je le fais contre mon* ~ ich tue es ungern; *savoir* ~ *à qn* j-m Dank wissen

grec *(f* ~**que**) [grɛk] griechisch; ♣ *m* Grieche; ~**que** [grɛk] *f* 𝕸 Mäander

Grèce [grɛs]: *la* ~ Griechenland

gredin [grədɛ̃] *m* Lump, Schuft, Halunke; ~**erie** [-dinri] *f* Schurkerei

gré|ement [gremɑ̃] *m* ⚓ Takelage; ~**er** [greɛ] ⚓ auftakeln

greff|e [grɛf] 1. *m* Gerichtskanzlei; Registratur; 2. *f* Pfropfreis; das Pfropfen; ⚘ Gewebever- pflanzung; Organtransplantation; ~**er** [-fɛ] (auf-)pfropfen; ~**ier** [-fjɛ] *m* ⚖ Gerichtsschrei- ber; ~**oir** [-fwạːr] *m* Pfropfmesser; ~**on** [-fɔ̃] *m* Pfropfreis

grég|aire [greg̰ɛːr] in Herden, Rudeln lebend; ~**arisme** [-garism] *m* Herdenmenschentum; Herdentrieb

grège [grɛːʒ]: *soie* ~ Rohseide

grégorien [gregɔrjɛ̃] *118* gregorianisch

grêle[1] [grɛl] zierlich; hager; dünn; *intestin* ~ Dünndarm

grêle[2] [grɛl] *f* Hagel; *chute de* ~*e* Hagelschlag; ~*e de balles* Kugelregen; ~*é* [-lɛ]: *visage* ~*é* blatternarbiges Gesicht; ~**er** [-lɛ] hageln; verhageln; ~**on** [-lɔ̃] *m* Hagelkorn

grelot [grəlo] *m* Glöckchen; Schelle ♦ *attacher le* ~ d. Initiative ergreifen; ~**ter** [-lɔtɛ] *(vor Kälte, Fieber)* zittern

grenad|e [grənạd] *f* Granatapfel; Handgranate; ~*e sous-marine* Unterwasserbombe; ~*e lacry- mogène* Tränengasbombe; ~**ier** [-nadjɛ] *m* Granatbaum; *mil* Grenadier; ~**ine** [-nadịn] *f* Granatapfelsaft

grenaille [grənạːj] *f* Schrot

grenat [grənạ] *m* Granat

grenier [grənjɛ] *m* Dachboden; Kornspeicher; *fig* Kornkammer

grenouill|e [grənụːj] *f* Frosch; ~*e verte* Laub- frosch ♦ *manger la* ~*e (pop)* Kassengelder unterschlagen; ~**ère** [-nujɛːr] *f* Froschteich

grenu [grəny] 1. *(Leder)* genarbt; 2. voller Körner

grès [grɛ] *m* Sandstein; Steingut; *pot de* ~ Steintopf

grésière [grezjɛːr] *f* Sandsteinbruch

grésil [grezij] *m* Graupeln; ~**lement** [-zijmɑ̃] *m (Grille)* Zirpen; Knacken, Rauschen; ~**ler** [-zijɛ] graupeln

grève [grɛːv] *f* 1. Strand; 2. Streik, Ausstand, Arbeitsniederlegung; ~ *d'avertissement* Warn- streik; ~ *bouchon* Schwerpunktstreik; ~ *générale* Generalstreik; ~ *perlée* Flackerstreik; ~ *sauvage* wilder Streik; ~ *sur le tas* Sitzstreik; ~ *du zèle* Dienst nach Vorschrift, Bummel- streik; ~ *de la faim* Hungerstreik; *piquet de* ~ Streikposten; *faire la* ~ streiken; *se mettre en* ~ in Streik treten

grever [grəvɛ] *8 com* belasten *(de* mit)

gréviste [grevịst] *m* Streikender

gribouill|age [gribujạːʒ] *m* Geschmier; ~**e** [-bụj] *m* Einfaltspinsel, Dussel; ~**eur** [-jœːr] *m* Schmierfink

grief [griɛf] *m* Vorwurf; 🜨 Beschwerde; Klagegrund, Berufungsgrund; Rüge

grièvement [grievmɑ̃]: ~ *blessé* schwer verletzt

griff|e [grif] *f zool* Klaue; Namenszug; Faksimi- lestempel; ~*e (standard)* 𝕸 Aufsteckschuh; *paire de* ~*es* Steigeisen ♦ *donner un coup de* ~*es à qn* j-m eins versetzen; ~**er** [-fɛ] *(z.B. Katze)* kratzen

griffon[1] [grifɔ̃] *m* Hechthaken

griffon[2] [grifɔ̃] *m myth* Greif

griffonn|age [grifɔnạːʒ] *m* Gekritzel; ~**er** [-nɛ] kritzeln; (hin)schmieren

griff|u [grify] krallenbewehrt; ~**ure** [-fyːr] *f* Schramme

grign|on [grinɔ̃] *m* Brotkruste; ~**oter** [-ɲɔtɛ] nagen, knabbern

gril [gri(l)] *m* Bratrost ♦ *être sur le* ~ auf heißen Kohlen sitzen; ~**lade** [-jạd] *f* Rostbraten; ~**lage** [-jạːʒ] *m* Rösten; Gitter; ~*lage métallique* Drahtgeflecht; ~**lager** [-jaʒɛ] *14* vergittern; ~**le** [grij] *f* Tabelle; Schlüssel; *(a.* 🜨) Gitter; ~*le d'attaque* 🜨 Steuerg.; ~*le d'arrêt* 🜨 Bremsg.; ~*le de programmes* Radio-, Fernsehprogramm; ~*le de salaires* Gehaltstabelle; Lohnfächer; ~ *de trains* (Zug)Fahrplan; ~**le-pain** [grijpɛ̃] *m 100* Brotröster; ~**ler** [grijɛ] rösten; auf d. Rost braten; durchbrennen; verbrennen; ♦~*ler de faire qch* darauf brennen, etw. zu tun

grillon [grijɔ̃] *m* Grille; Heimchen

grimac|e [grimạs] *f* Grimasse; Heuchelei; *faire la* ~*e* saures Gesicht ziehen; *faire des* ~*es* Fratzen ziehen; ~**er** [-masɛ] *15* Gesichter schneiden; ~*er un sourire* gezwungen lächeln; ~**ier** [-masjɛ] geziert; zimperlich

grim|age [grimạːʒ] *m* 🜨 Schminken; ~**e** [grim] *m (mst* 🜨) komischer Alter; ~**er** [-mɛ] 🜨 schminken

grimoire [grimwạːr] *m* Zauberbuch; unverständ- liches Schriftstück

grimp|ant [grɛ̃pɑ̃]: *plante* ~*ante* Kletterpflanze; *m (arg pop)* Hose; ~**ée** [grɛ̃pɛ] *f* Aufstieg; ~**er** [-pɛ] klettern *(sur auf)* ♦ *faire* ~*er qn à l'échelle* j-n foppen; ~**ette** [-pɛt] *f* Steige; steiler, schmaler Weg; ~**eur** [-pœːr] *m* Kletterer; *pl* Klettervögel

grinc|ement [grɛ̃smɑ̃] *m* Knirschen; Knarren; Kreischen; Quietschen; ~**er** [-sɛ] knarren; kreischen; quietschen; ~*er des dents* mit d. Zähnen knirschen

grincheux [grɛ̃ʃ ø] *111* mürrisch; *m* Griesgram, Nörgler

gringalet [grɛ̃galɛ] *m umg* Kümmerling

griotte [griɔt] *f* Weichselkirsche

gripp|age [gripạːʒ] *m* ✿ , 🚗 Heißlaufen; *(Kupplung)* Festfressen; ~**e** [grip] *f* Grippe ♦*avoir pris qn en* ~*e* gegen j-n eingenommen sein; ~*é* [-pɛ] grippekrank; ~**er** [-pɛ] fassen; ✿ , 🚗 s. festfressen; *vi, refl fig* nicht richtig funktionieren; ~**e-sou** [gripsụ] *m 99* Pfennig- fuchser

gris [gri] *108* grau; *faire* ~*e mine* e. saures Gesicht machen; *être* ~ e-n Schwips haben; ~**aille** [-zạːj] *f* 🜨 Grau in Grau; ~*aille quotidienne* grauer Alltag; ~**âtre** [-zɑtr] gräulich

grisbi [grizbi] *m (arg pop)* Moos, Moneten
gris|-cendré [grisãdrɛ] *inv* aschgrau; **~er** [-zɛ] *a.*
fig berauschen; *se* **~er** s. betrinken; **~erie**
[grizri] *f (bes. fig)* Rausch; **~ette** [-zɛt] *f*
leichtfertiges Mädchen; **~on** [-zɔ̃] *m* Graubart;
umg Langohr; **~on** Graubündner; *les* **~ons**
Graubünden; **~onner** [-zɔnɛ] grau werden
grisou [grizu] *m* Grubengas; *coup de* **~**
schlagende Wetter *(im Bergwerk)*
grive [griːv] *f* Drossel ♦ *faute de* **~s**, *on mange*
des merles Not frißt d. Teufel Fliegen; *soûl*
comme une **~** blau wie'n Veilchen
grivèlerie [grivɛlri] *f* Zechprellerei
grivois [grivwa] *108* ausgelassen; schlüpfrig;
~erie [-vwazri] *f* schlüpfrige Rede, Zote
grogn|ard [grɔɲaːr] *mil* alter Haudegen; **~ement**
[-ɲəmã] *m* Grunzen; Knurren; Murren; Brummen; **~e** [-ɲə] *f* Unzufriedenheit; **~er** [-ɲe]
grunzen; knurren; murren; brummen; **~on**
[-ɲɔ̃] *108* brummig; *m* Nörgler; Brummbär
groin [grwɛ̃] (Schweine-)Rüssel
grolle [grɔl] *f pop* Latsche
grommeler [grɔmle] *4* vor s. hin brummen
grond|ement [grɔ̃dmã] *m* Brummen; Knurren;
(Donner) Rollen; **~er** [-de] brummen; knurren;
(aus)schimpfen; *(Donner)* rollen; **~eur** [-dœːr]
121 (Ton) brummig, mürrisch
gros [gro] **1.** *114* groß; dick; beleibt; *femme* **~se**
schwangere Frau; **~** *bétail* Großvieh; *du* **~**
bleu schwerer Rotwein; **~** *bras* Ordner; *pej*
Schlägertyp; **~** *lot* großes Los; **~** *mangeur*
starker Esser; **~** *mots* Schimpfworte; **~** *plan*
Großaufnahme; **~** *porteur* Schwerlastflugzeug;
~ *rhume* heftiger Schnupfen; **~** *temps*
schlechtes Wetter; **~** *travaux* grobe Arbeit;
rapporter **~** viel einbringen ♦ *il y a* **~** *à parier*
que man kann 100 zu 1 wetten, daß; *j'ai le cœur*
~ mir ist d. Herz schwer; *mensonge* **~** *comme*
moi (umg) faustdicke Lüge; **2.** *m* Großhandel;
au prix de **~** zum Großhandelspreis; **3.** *m*
Hauptteil, Gros *(z.B. e-r Armee);* Hauptarbeit
groseill|e [grozɛj] *f* Johannisbeere; **~e** *à*
maquereau Stachelbeere; **~ier** [-zeje] *m* Johan-
nisbeerstrauch
gross|e [groːs] *f* Gros *(12 Dutzend);* **~esse**
[grosɛs] *f* Schwangerschaft; **~esse** *nerveuse*
Scheinschwangerschaft; **~eur** [-sœːr] *f* Größe,
Stärke; Umfang; **~ier** [-sje] *116* grob; roh,
gewöhnlich; *ignorance* **~ière** krasse Unwissen-
heit **~ièreté** [-sjɛrte] *f* Grobheit; Frechheit;
Roheit; **~ir** [-siːr] *22* dicker, stärker werden;
(Fluß) anschwellen; zum Anschw. bringen;
verstärken; *verre* **~issant** Vergrößerungsglas;
~issement [-sismã] *m* Vergrößerung; *(Fluß)*
Anschwellen; **~iste** [-sist] *m* Großhändler;
~o-modo [grɔsɔmɔdo] *adv* oberflächlich, in
groben Zügen, in Umrissen
grotesque [grɔtɛsk] grotesk; sonderbar; lächerlich
grotte [grɔt] *f* Höhle, Grotte
grouiller [gruje] wimmeln; *se* **~** *(pop)* flitzen
group|age [grupaːʒ] *m (Waren)* Sammeltrans-
port; Zusammenfassung; **~e** [grup] *m* Gruppe;
pol Fraktion; *mil* Verband; ⚙ Aggregat; **~e**

d'études Arbeitsgemeinschaft; **~e** *motopropul-*
seur ✝ Triebwerk; **~e** *résidentiel* Wohnblock;
~e *sanguin* Blutgruppe; **~e** *de pression*
Interessenverband; Lobby; **~ement** [grupmã] *m*
Gruppierung; Verband; Arbeitsgemeinschaft;
~er [-pe] gruppieren; zus.stellen; umfassen;
~er *autrement* umgruppieren; **~uscule** [-pyskyl]
m pol Splittergruppe, Splitterpartei
gruau [gryo] *m* Grütze; Grützbrei; *pain de* **~**
feines Weißbrot
grue [gry] *f* Kranich; *pop* Dirne; ⚙ Kran; **~** *de*
chargement Ladekran; **~** *de chantier* Baukran;
~ *pivotante* Drehkran ♦ *faire le pied de* **~** s. d.
Beine in d. Bauch stehen
gruger [gryʒe] *14* ausbeuten, -nutzen
grume [grym] *f: bois de* (od *en*) **~** Stammholz
(mit Rinde)
grumeau [grymo] *m 91* Klümpchen
gruyère [gryɛːr] *m (Art)* Schweizerkäse
gué [ge] *m* Furt; Untiefe
guelte [gɛlt] *f* Prämie *(für Verkäufer)*
guenille [gənij] *f* Lumpen; *en* **~s** zerlumpt
guenon [gənɔ̃] *f* Affenweibchen; *umg* häßliches
Weib
guêp|e [gɛp] *f* Wespe; **~ier** [gepje] *m*
Wespennest ♦ *tomber dans un* **~ier** in e.
Wespennest treten
guère [gɛːr] kaum; nicht viel; *je n'en ai* **~** ich
habe kaum etw. davon
guéret [gerɛ] *m* ↓ Brachacker
guéridon [geridɔ̃] *m* rundes Tischchen
guéril|la [gerija] *f* Guerilla *f* Kleinkrieg; **~lero**
[-jero] *m*, Guerillero *m* Untergrundkämpfer
guér|ir [geriːr] *22* heilen *(a. fig);* gesund werden;
~ir *d'une maladie* von e-r Krankheit genesen;
~ison [-rizɔ̃] *f* Heilung; Genesung; **~issable**
[-risabl] heilbar; **~isseur** [-risœːr] *m* (Natur-)-
Heilkundiger; *pej* Kurpfuscher
guérite [gerit] *f* Schilderhaus; Bahnwärterhaus
guerr|e [gɛːr] *f* Krieg; **~e** *aérienne* Luftk.; **~e**
chaude militärische Auseinandersetzung; **~e**
froide kalter Krieg; **~e** *économique* Wirtschafts-
kriegführung; **~e** *des nerfs* Nervenk.; **~e**
offensive Angriffsk.; *petite* **~e** Scheingefecht;
de bonne **~e** fair; *de* **~e** *lasse* d. Streites müde;
faire la **~e** *à qch* e-e Sache bekämpfen; *mettre*
sur pied de **~e** in Kriegszustand versetzen;
entrée en **~e** Kriegseintritt; *déclarer la* **~e** d. K.
erklären; *nom de* **~e** Deckname; **~ier** [gɛrje]
116 kriegerisch; *m* Krieger; **~oyer** [-rwaje]
Krieg führen
guet [gɛ] *m* Überwachung; Warndienst; *faire le*
~ auf d. Lauer liegen; **~-apens** [gɛtapã] *m 98*
Hinterhalt
guêtre [gɛːtr] *f* Gamasche
guett|er [gɛte] belauern; abpassen; **~** *l'occasion*
die Gelegenheit abwarten; **~eur** [-tœːr] *m*
Späher; Aufpasser
gueul|ard [gœlaːr] *m* ⚙ Gicht; *pop* Schreier,
Schreihals; **~e** [gœl] *f* Maul; Schnauze *(a. pop);*
~e *cassée* Gesichtsverletzter; *fine* **~e** *(umg)*
Leckermaul; *avoir la* **~e** *de bois* e-n Kater
haben; *avoir de la* **~e** *(pop)* nach etw. aussehen;
tu vas te casser la **~e** *(pop)* du brichst dir noch d.

Hals; *se jeter dans la ~e du loup* s. in d. Höhle d. Löwen begeben; *ta ~e! (pop)!* halt's Maul!; **~e-de-loup** [-dǝlu] *f 98 bot* Löwenmäulchen; **~er** [-lɛ] *pop!* brüllen; **~eton** [-tɔ̃] *m umg* Schmaus

gueuse¹ [gøːz] *f ✿* Massel; Roheisenform

gueu|se² [gøːz] *f* Bettelweib; Hure; *courir la ~se* e. ausschweifendes Leben führen; **~x** [gø] *m* armseliger Mensch, Bettler

gugusse [gygys] *m umg* Clown

gui [gi] *m* Mistel

guibolle [gibɔl] *f pop* Bein

guichet [giʃɛ] *m* Schalter; *~ des bagages* Gepäcksch.; *~ de paiement* Auszahlungsschalter; *~ des voyageurs* Fahrkartenausgabe

guid|age [gidaːʒ] *m ✿* Lenkung; Steuerung; Einsteuerung *(in d. Flughafen); ~age radioélectrique* Fernlenkung, Fernsteuerung; **~e** [gid] **1.** *m* (Fremden-)Führer *(a. Buch);* **2.** *f* Leitseil ♦ *mener la vie à grandes ~es* auf großem Fuß leben; **~e-âne** [gidɑn] *m 99* Eselsbrücke; Linienblatt; **~er** [-dɛ] leiten; führen; *(Pferd)* lenken; *être ~é par* s. leiten lassen von; **~on** [-dɔ̃] *m ⚓* Wimpel; *(Fahrrad)* Lenker; *(Visier)* Korn

guign|ard [giɲaːr] *m umg* Pechvogel; **~e** [giɲ] *f* Süßkirsche; *umg* Pech; **~er** [giɲɛ] *fig* schielen *(qch* nach etw.); **~er un héritage** auf e-e Erbschaft spekulieren; **~olet** [-ɲɔlɛ] *m* Kirschlikör; **~on** [-ɲɔ̃] *m* Pech; Unglück

guignol [giɲɔl] *m* Hanswurst; Kasperle; Kasperletheater; *✿* Umlenkhebel

guilledou [gijdu] *m: courir le ~ (umg)* zweifelhafte Lokale besuchen

guillemet [gijmɛ] *m* Anführungszeichen; *entre ~s* in A.

guilleret [gijrɛ] *f 114* aufgedreht, munter

guillotin|e [gijɔtin] *f* Guillotine, Fallbeil; *fenêtre à ~e* Schiebefenster; **~er** [-tinɛ] durch d. Fallbeil hinrichten

guimauve [gimoːv] *f* Eibisch; *fig pej: à la ~* sentimental, schnulzig, kitschig

guimbarde [gɛ̃bard] *f 🚗* alte Kiste, Klapperkasten, Mühle

guindé [gɛ̃dɛ] *(Stil)* geschraubt; *(Benehmen)* steif, gekünstelt; *(Person)* affektiert

guingois [gɛ̃gwa] *de ~* schief; schräg

guinguette [gɛ̃gɛt] *f* Schenke; Wirtschaft, Vorstadtkneipe

guirlande [girlɑ̃d] *f* Girlande

guise [giːz] *f: à sa ~* nach s-m Sinne; *à votre ~* ganz wie Sie wollen; *chacun à sa ~* jeder auf s-e Weise; *en ~ de* als, anstatt, an Stelle von

guitare [gitaːr] *f* Gitarre

gus [gys] *m umg* Kerl, Typ, Bursche; Soldat

guttural [gytyral] *124* Gaumen...; Kehl...; *(Stimme)* hohl, kehlig

gymnas|e [ʒimnɑːz] *m* Turnhalle; **~te** [-nast] *m* Turner; Turnlehrer; **~tique** [-nastik] **1.** Turn...; *pas ~tique* Laufschritt; **2.** *f* Turnen; Leibesübungen; *~tique respiratoire* Atemgymnastik; *appareils de ~tique* Turngeräte

gynécolo|gie [ʒinekɔlɔʒi] *f* Frauenheilkunde...; **~gue** [-lɔg] *m* Frauenarzt

gypse [ʒips] *m* Gips(stein)

gyrophare [ʒirofaːr] *m* Blinkleuchte, Blinklicht

gyroscop|e [ʒirɔskɔp] *m phys* Kreisel; Gyroskop; **~ique** [-kɔpik]: *compas ~ique* Kreiselkompaß

H

h [aʃ] *m: heure H* die Stunde Null, d. St. X; *umg* Hasch, Haschisch

ha [a] ha?; so?; ja?; ja?; tatsächlich?; oh!

habil|e [abil] geschickt; gewandt; **~eté** [-biltɛ] *f* Geschicklichkeit; Können; **~itation** [-litasjɔ̃] *f 🜨* Ermächtigung; Erklärung d. Rechtsfähigkeit; **~ité** [-litɛ] *f 🜨* Rechtsfähigkeit; *être ~ité à* befugt, berechtigt; **~iter** [-litɛ] *🜨* rechtsfähig machen; *~iter à* ermächtigen zu

habill|age [abijaːʒ] *m (Küche)* Zurichten; *(Waren)* Packung, Aufmachung; **~ant** [-jɑ̃] *108 umg* kleidsam; **~é** [-jɛ]: *vêtement ~é* Gesellschaftskleidung; **~ement** [abijmɑ̃] *m* Ankleiden; (Be-)Kleidung; **~er** [-jɛ] (an-, be-)kleiden; *(Küche)* zurichten; *✿* verkleiden; *~er de blanc* weiß kleiden; *s'~er* s. anziehen; **~euse** [-jøːz] *f 🜨* Garderobiere

habit [abi] *m* Anzug; Ordenskleid; Gewand; Frack(anzug); *l'~ vert* d. grüne Rock e-s Mitgliedes der Académie française; *changer d'~s* sich umziehen; *l'~ est de rigueur* Frackzwang; *prendre l'~* in e-n Orden eintreten ♦ *l'~ ne fait pas le moine* d. Schein trügt; **~able** [-tabl] bewohnbar; beziehbar; **~ant** [-tɑ̃] *m* Ein-, Bewohner; **~at** [-ta] *m biol (Pflanzen, Tiere)* Heimat, Standort; Besiedlung; Wohnungswesen; Wohnverhältnisse; **~ation** [-tasjɔ̃] *f* Wohnung; *maison d'~ation* Wohnhaus; **~er** [-tɛ] (be)wohnen

habit|ude [abityd] *f* Gewohnheit; *d'~ude* gewöhnlich; *par ~ude* gewohnheitsmäßig; *pour n'en pas perdre l'~ude* um nicht aus d. Übung zu kommen; **~ué** [-tɥɛ] *m* Stammgast; **~uel** [-tɥɛl] *115* gewöhnlich; gewohnheitsmäßig; Gewohnheits...; **~uer** [-tɥɛ] gewöhnen *(à* an)

hâbleur [ablœːr] *m* Aufschneider, Prahler

hach|e [aʃ] *f* Beil; **~e-paille** [-paj] *m 100* Futterschneidemaschine; **~er** [aʃɛ] (zer)hacken; **~ette** [aʃɛt] *f* kleine Axt; **~e-viande** [aʃvjɑ̃d] *m 100* Fleischwolf; **~is** [aʃi] *m* Hackfleisch; **~oir** [aʃwaːr] *m* Hackbrett; Hackmesser; Fleischwolf; **~ure** [aʃyːr] *f* Schraffierung

hagard [agaːr] *108* scheu; verstört

hai|e [ɛ] *f* Hecke; *🜨* Hürde; *faire la ~* Spalier bilden; *~ électrique* Elektrozaun

haillon [ɑjɔ̃] *m* Lumpen, Lappen

hain|e [ɛn] *f* Haß; **~eux** [ɛnø] *111* gehässig

haïr [aiːr] *26* hassen; *se faire ~* sich unbeliebt machen *(de* bei)

haire [ɛːr] *f* Büßergewand

haïssable [aisabl] hassenswert

halage [alaːʒ] *m ⚓* Treideln; Bergen; Abschleppen; *chemin de ~ ⚓* Leinpfad

hâl|e [ɑːl] *m* Bräunung *(d. Haut);* **~é** [alɛ] braungebrannt

haleine 195 **hausse**

haleine [alɛn] f Atem; Hauch; *hors d'~* außer Atem; *tout d'une ~* in e-m Atem, ununterbrochen; *reprendre ~ (a. fig)* verschnaufen; *de longue ~* langwierig; *tenir en ~ (fig)* in Trab (Atem) halten; *il a l'~ forte* er hat e-n üblen Mundgeruch; *discourir à perdre ~* endlos reden

haler [alę] treideln, schleppen

hâler [ɑlę] bräunen; *se ~* von d. Sonne braun werden

hal|ètement [alɛtmɑ̃] m Keuchen; **~eter** [altę] 4 keuchen

hall [ol] m Vestibül, Halle; *(Hotel)* Empfangssaal; *~ de (la) gare* Bahnhofshalle

hallali [alalį] m: *sonner l'~ (Jagd)* Halali blasen; *fig* d. Untergang prophezeien

halle [al] f Markthalle; *±s* Pariser Markthallen; *langage des ±s* grobe Volkssprache

hallebarde [albąrd] f Hellebarde ♦ *il pleut des ~s (umg)* es gießt in Strömen

hallier [alję] m Gestrüpp

hallucin|ation [alysinasjɔ̃] f Halluzination, Sinnestäuschung; **~é** [-nę] m Visionär, Seher; **~ogène** [-nɔʒɛn] m Rauschmittel, Rauschgift

halo [alǫ] m *(Mond)* Hof; *fig*

halte [alt] f Halt; Marschpause; *~!* stehenbleiben!, halt!; *faire ~* haltmachen; **~là!** [altǝlą] genug (davon)!

haltère [altę:r] m 🏋 Hantel

hamac [amąk] m Hängematte

hameau [amǫ] m 91 Weiler

hameçon [amsɔ̃] m Angelhaken; *mordre à l'~ (a. fig)* anbeißen, auf d. Leim gehen

hampe [ɑ̃p] f (Fahnen-)Stange; (Pinsel-)Stiel; (Lanzen-)Schaft

hanche [ɑ̃ʃ] f Hüfte

handball [ɑ̃dbąl] m Handball(spiel); **~eur** [-lœ:r] m Handballspieler

handicap [ɑ̃dikąp] m *(bei Wettkämpfen)* Gewichts-, Distanz-, Punktausgleich; Vorgabe; *fig* Nachteil, Benachteiligung; Hemmnis; Handikap; **~é** [-pę] m Behinderter; *~é physique* Körperbehinderter; **~er** [-pę] behindern, benachteiligen

hangar [ɑ̃gą:r] m *(a. ✈)* Schuppen; Halle; *~ à canots* Bootshaus

hanneton [antɔ̃] m Maikäfer; *~ de la Saint-Jean* Junikäfer; **~nage** [-tɔnąːʒ] m Maikäferbekämpfung

hant|er [ɑ̃tę] spuken; *(Geister)* umgehen; plagen; *maison ~ée* Geisterhaus; *château ~é* verwunschenes Schloß; **~ise** [-tįːz] f Besessenheit, Angst

happ|e [ap] f ⚙ Haspe; Krampe; **~ening** [-penįŋ] m Happening; Veranstaltung; **~er** [apę] schnappen; ertappen

harangu|e [arɑ̃g] f *(oft iron)* feierliche Ansprache; **~er** [arɑ̃gę] *umg* abkanzeln

haras [arą] m Gestüt

harass|ement [arasmą] m Übermüdung; **~er** [-sę] erschöpfen

harc|èlement [arsɛlmą] m Quälen; Necken; Beunruhigung; *mil* Störangriff; **~eler** [-sǝlę] 8 quälen; necken; beunruhigen

hardes [ard] fpl *(Kleidung)* alter Plunder, Klamotten

hardi [ardį] kühn; gewagt; *pej* dreist; unverschämt; *~!* munter!, los!; **~esse** [-djɛs] f Kühnheit; Unverschämtheit; Dreistigkeit

hareng [arɑ̃] m Hering; *~ laité* Milchner; *~ pec* Salzhering; *~ rogué* Rogener; *~ saur* Bück(l)ing; *banc de ~s* Heringszug; *mare aux ~s* 🌊 der große Teich *(Atlant. Ozean)* ♦ *serrés comme des ~s (en caque)* eng wie d. Heringe; **~aison** [arɑ̃gɛzɔ̃] f Heringsfang(zeit); **~ère** [arɑ̃ʒɛːr] f Fischverkäuferin; Schandmaul; **~uet** [arɑ̃gę] m Sprotte

hargn|e [arɲ] f Gehässigkeit; **~eux** [-ɲø] *111* mürrisch; zänkisch; *(Tier)* bissig

haricot¹ [arikǫ] m Bohne; *~ vert* Brechbohne ♦ *c'est la fin des ~s! (pop)* d. ist d. Ende!

haricot² [arikǫ] m: *~ de mouton* Hammelragout mit Rüben

haridelle [aridɛl] f Schindmähre, Klepper

harmon|ica [armɔniką] m Mundharmonika; **~ie** [-nį] f 1. Harmonie; Wohlklang; Eintracht; Übereinstimmung; Ausgeglichenheit; *mettre en ~ie* aufeinander abstimmen, in Einklang bringen; *être en ~ie* im Einklang stehen; 2. Blasorchester; **~ieux** [-njø] harmonisch; wohlklingend; *proportions ~ieuses* Ebenmaß; **~ique** [-nįk] harmonisch; *m* Oberton; Oberwelle; **~isation** [-nizasjɔ̃] f Abstimmung (aufeinander); **~iser** [-nizę] (aufeinander) abstimmen; in Einklang bringen; *s'~iser* übereinstimmen; **~ium** [-njɔm] m Harmonium

harnach|ement [arnaʃmɑ̃] m Pferdegeschirr; *mil* Ausrüstung; *umg* lächerlicher Anzug; **~er** [-ʃę] *(Pferd)* anschirren

harnais [arnɛ] m Harnisch; Pferdegeschirr; Gurtzeug; *cheval de ~* Zugpferd ♦ *blanchir sous le ~* im Dienst ergrauen

haro [arǫ] m: *crier ~ sur qn* s. über j-n entrüsten

harpagon [arpagɔ̃] m Knauser, Geizhals

harpe [arp] f Harfe

harpie [arpį] f *(Frau)* Besen

harpon [arpɔ̃] m Harpune; **~nage** [-pɔnąːʒ] m Harpunieren; **~ner** [-pɔnę] harpunieren

hasard [aząːr] m Zufall; *à tout ~* für alle Fälle; *au ~* aufs Geratewohl; *par ~* zufällig; *jeu de ~* Glücksspiel; *croiriez-vous par ~ que...?* glauben Sie etwa, daß...?; **~er** [azardę] wagen; aufs Spiel setzen; *~er un mot* e. Wort riskieren; *se ~er à qch* etw. wagen, s. e-r Gefahr aussetzen; **~eux** [azardø] *111* gewagt; waghalsig

hase [ɑːz] f Häsin

hât|e [ɑːt] f Eile, Hast; *à la ~e* überstürzt; *en ~e* in aller Eile; *il a ~e de* es drängt ihn, zu...; **~er** [ątę] beschleunigen; *se ~er* s. beeilen ♦ *~e-toi lentement!* eile mit Weile!; **~if** [ątįf] *112* frühreif; *(Obstbaum)* frühtragend; übereilt

hauban [obą̃] m Halteseil; *pl* 🌊 Wanten; ⚡ Steuerdraht; **~er** [obanę] ⚙ verspannen, abspannen

hauss|e [oːs] f 1. Preiserhöhung; Aufwärtsbewegung *(d. Preise, Kurse)*; *~e sur la viande* Anziehen (Steigen) d. Fleischpreise; *~e illicite* Preistreiberei; *jouer à la ~e (auf Hausse)*

spekulieren; *en ~e (com)* im Steigen; **2.**
(Gewehr) Visier; **~ement** [osmɑ̃] *m* Erhöhung;
~ement *d'épaules* Achselzucken; **~er** [ose]
erhöhen; *(Preise)* heraufschrauben; *(Wasser,
Aktien)* steigen; *~er les épaules* d. Achseln
zucken; *~er la voix* d. Stimme erheben; *se ~er
sur la pointe des pieds* s. auf d. Fußspitzen
stellen **~ier** [-sje] *m* Haussier
haut [o] *108* **1.** *adj* hoch; *(Stimme)* laut; *~ de 30
mètres* 30 m hoch; *~e mer* Hochsee; *~e
nouveauté* d. Allerneueste; *~e fidélité* High-
Fidelity, Hi-Fi; *~e sécurité* große Zuverlässigkeit; *~e société (pop: la ~e)* d. vornehme
Gesellschaft; *~e tension* Hochspannung; *~e
trahison* Hochverrat; *~e volée* feine Gesellschaft; *la* ⸸*e Loire* d. obere Loire; *à ~e voix*
(mit) laut(er Stimme); *~ en couleurs* von
frischen Farben, farbenprächtig; *avoir la ~e
main* die Oberhand haben *(sur* über); *avoir une
~e opinion de soi* sehr von s. eingenommen
sein; *jeter les ~s cris* Ach u. Weh schreien;
exécuteur des ~es œuvres Scharfrichter; **2.** *adv:
en ~* oben, hinauf; *plus ~* (weiter) oben *(im
Buch); parler ~* laut sprechen; *penser tout ~*
laut denken; *~ la main* spielend, mühelos; *~
le pied* allein, einzeln *(z.B. Lokomotive)*; **3.** *m*
Höhe; Gipfel; Oberteil; *les ~s et les bas* d. Auf
u. Ab; *de ~ en bas* von oben bis unten; *traiter
qn de ~(en bas)* j-n von oben herab behandeln;
tomber de son ~ aus allen Wolken fallen; **~ain**
[otɛ̃] *109* hochmütig
hautbo|is [obwa] *m* Oboe
haut|-commissaire [okɔmisɛːr] *m* Hochkom-
missar; **~-de-forme** [odfɔrm] *m 98 (Hut)*
Zylinder; **~-contre** [otkɔ̃tr] *f 98* hoher Tenor;
~ement [otmɑ̃] höchst, sehr; *proclamer ~ement*
frei heraussagen; **~eur** [otœːr] *f* Höhe; Anhöhe;
Erhabenheit; *à ~eur d'homme* in Manneshöhe;
être à la ~eur de la situation d. Lage gewachsen
sein; *saut en ~eur* Hochsprung; **~-fond** [ofɔ̃] *m
97* ♫ Untiefe; **~-le-cœur** [olkœːr] *m 100*
Übelkeit; Ekel; **~-le-corps** [olkɔːr] *m 100* Ruck
(vor Überraschung, Empörung); **~-lieu** [-ljø] *m*
Zentrum, Mittelpunkt; **~-mal** [omal] *m* ⚡
Fallsucht, Epilepsie; **~-parleur** [oparlœːr] *m 99*
Lautsprecher; **~-relief** [oraljɛf] *m 97* Hochrelief
Havane [avan]; *la ~* Havanna; ⸸ *m* Havanna-
zigarre; *adj* kaffeebraun
hâve [ɑːv] blaß; abgezehrt
havre [ɑvr] *m* kleiner Hafen; Zufluchtsort; **~sac**
[ɑvrəsak] *m* Tornister
hé [e] he!, heda!; *~ viens ici!* komm doch mal
her!
hebdomadaire [ɛbdɔmadɛːr] wöchentlich; *m*
Wochenschrift
héberg|ement [ebɛrʒəmɑ̃] *m* Beherbergung;
frais d'~ement Übernachtungskosten; **~er** [-ʒe]
14 beherbergen
hébét|é [ebete] stumpfsinnig; **~er** [-te] stumpf-
sinnig machen; **~ude** [-tyd] *f* Stumpfsinn
hébr|aïque [ebraik] hebräisch; **~eu** [ebrø] *125*
hebräisch *(ohne f!)*; *m* d. Hebräische
hécatombe [ekatɔ̃b] *f* Blutbad; *fig umg*
Massaker *n*

hectare [ɛktaːr] *m* Hektar
hectolitre [ɛktɔlitr] *m* Hektoliter
hégémonie [eʒemɔni] *f* Vorherrschaft
hein [ɛ̃]: *~? (umg)* nicht wahr?; *pop* was?
hélas! [elɑs] ach!; *~ non* leider nein!
héler [ele] *13 (z.B. Taxe, Gepäckträger)*
heranrufen
hélic|e [elis] *f* Schraubenlinie; (Schiffs-, Luft-)
Schraube; Treibschraube; Propeller; *escalier en
~e* Wendeltreppe; **~oïdal** [elikɔidal] *124*
schraubenförmig; *foret ~oïdal* ✿ Spiralbohrer;
~optère [elikɔptɛːr] *m* Hubschrauber
hélio|gravure [eljɔgravyːr] *f* Kupfertiefdruck;
~thérapie [-terapi] *f* Heliotherapie
héliport [elipɔr] *m* Hubschrauber-Landeplatz;
~age [-taːʒ] *m* Hubschraubertransport
hélium [eljɔm] *m* Helium
helvétique [ɛlvetik]: *la Confédération ~ (Abk
CH)* Schweizer. Eidgenossenschaft
hémi|cycle [emisikl] *m* Halbkreis; Amphithea-
ter; **~sphère** [-sfɛːr] *m* Hemisphäre, Halbkugel
hémo|globine [emɔglɔbin] *f* Blutfarbstoff;
~philie [-fili] *f* Bluterkrankheit; **~ptysie** [-ptizi] *f*
Blutspucken; **~rragie** [-raʒi] *f* Blutung; *fig*
großer Verlust; *~rragie de capitaux* Kapital-
flucht; **~rroïdes** [-rɔid] *fpl* Hämorrhoiden;
~scopie [-skɔpi] *f* Blutuntersuchung; **~statique**
[-statik] *m* blutstillendes Mittel
henn|ir [eni:r] *22* wiehern; **~issement** [enismɑ̃] *m*
Gewieher
hep! [ɛp] hallo!
hépat|ique [epatik] **1.** ⚕ Leber...; *colique ~ique*
Gallenkolik; **2.** *f bot* Lebermoos
héraldique [eraldik] wappenkundlich; *f* Wap-
penkunde
herb|age [ɛrbaːʒ] *m* Viehweide; **~e** [ɛrb] *f* Gras;
fines ~es Gewürzkräuter; *~e médicinale*
Heilkraut; *~es potagères* Suppenkräuter; *en
~e* angehend, in spe ♦ *mauvaise ~e croît
toujours* Unkraut vergeht nicht; *couper l'~e sous
le pied de qn* j-m d. Wasser abgraben; *manger
son blé en ~e* s-e Einkünfte im voraus
verzehren; **~ivore** [-bivɔːr] *m* Pflanzenfresser;
~ier [-bje] *m* Herbarium; **~oriser** [-bɔrize]
botanisieren, Pflanzen sammeln; **~oristerie**
[-bɔristəri] *f* Kräuterhandlung; **~u** [-by] grasig
hercul|e [ɛrkyl] *m* starker Mann; **~éen** [-leɛ̃]:
force ~éenne Riesenkraft
hère [ɛːr]: *un pauvre ~* ein armer Schlucker,
Habenichts
héréd|itaire [eredite:r] erblich; angeboren;
maladie ~itaire Erbkrankheit; **~ité** [-dite] *f* das
Erbe; Erblichkeit; Vererbung
héré|sie [erezi] *f* Ketzerei; **~tique** [-tik] ketze-
risch; *m* Ketzer
hériss|é [erise] borstig, struppig; *~é de
difficultés* voller Schwierigkeiten; **~er** [-se]
(Haare, Federn) sträuben; *se ~er* s. sträuben;
fig borstig werden; **~on** [-sɔ̃] *m* Igel; Flaschenbürste; Kaminbesen
hérit|age [eritaːʒ] *m* Erbe *n*, Erbschaft; **~er** [-te]:
~er de qch etw. erben; *~er de qn* j-n beerben;
~er qch de qn etw. von j-m erben; **~ier** [-tje] *m*
der Erbe; **~ière** [-tjɛːr] *f* Erbin

hermaphrodite [ɛrmafrɔdit] *m* Zwitter

hermétique [ɛrmetik] hermetisch, luftdicht; *fig* unklar, unverständlich

hermine [ɛrmin] *f* Hermelin(pelz)

herni|aire [ɛrnjɛːr] **\$** Bruch...; *bandage ~aire* Bruchband; **~e** [ɛrni] *f* **\$** Bruch; *~e inguinale* Leistenbruch

héro|ïne [erɔin] *f* Heldin; Heroine; **~ïque** [-ik] heldenhaft; *aux temps ~ïques de l'aviation* in d. Anfangszeit d. Fliegerei; *remède ~ïque* **\$** stark wirkendes Heilmittel; **~ïsme** [-ism] *m* Heldenmut

héron [erɔ̃] *m* Reiher

héros [erо] *m 105* Held

hers|e [ɛrs] *f* Egge; Fallgatter; **⚡** Kabelrost; **~er** [-se] eggen

hésit|ation [ezitasjɔ̃] *f* Zögern; Bedenken; *sans ~ation* bedenkenlos, ohne weiteres; **~er** [-te] zögern; zaudern; Bedenken tragen, hegen (*à* zu; *sur* hinsichtlich); *sans ~er* ohne zu zögern, kurzerhand

hétéro|clite [eterɔklit] *(Stil,* 🏛) unausgeglichen; abweichend; seltsam; wunderlich; **~doxe** [-dɔks] anders-, irrgläubig; **~gène** [-ʒɛn] heterogen; verschiedenartig

hêtre [ɛtr] *m* Buche

heure [œːr] *f* 1. Stunde *(Dauer); une demi-~* e-e halbe St.; *une ~ et demie* anderthalb St.; *un quart d'~* e-e Viertelst.; *à deux ~s de Paris* zwei St.n von Paris entfernt; *des ~s entières* stundenlang; *à l'~ actuelle* zur Zeit; *la dernière ~* d. Todesstunde; *creuse* Springstunde; *~s de pointe* Hauptverkehrs-(verbrauchs-)Zeit, Stoßzeit; *~s d'ouverture* Schalterstunden; Öffnungszeit; *il est peintre à ses ~s* er ist zuweilen auch Maler; 2. (Uhr-)Zeit; *quelle ~ est-il?* wieviel Uhr ist es?; *à 4 ~s* um vier Uhr; *à 4 ~s et demie* um halb fünf; *~ d'été* Sommerzeit; *~ locale* Ortsz.; *~ solaire* Sonnenz.; *de bonne ~* frühzeitig; *tout à l'~* gleich; *sur l'~* auf d. Stelle; *c'est l'~* es ist Zeit; *le train est à l'~* d. Zug läuft pünktlich ein; *de meilleure ~* zeitiger; *l'~ H* die Stunde X, d. entscheidende Stunde; *se mettre à l'~ de...* s. anpassen an ♦ *chercher midi à quatorze ~s* Schwierigkeiten sehen, wo keine sind; *à la bonne ~!* zum Glück!; 3. Zeitalter; Ära; *à l'~ électronique* im Zeitalter der elektronischen Datenverarbeitung

heur|eusement [œrøzmɑ̃] glücklicherweise; **~eux** [œrø] *111* glücklich; froh, zufrieden; günstig; treffend

heurt [œːr] *m* Stoß; Aufprall; *sans ~* reibungslos; **~er** [œrte] stoßen; auftreffen, -fahren; *fig* verletzen, vor d. Kopf stoßen; *~er de front* rückhaltlos angreifen, bekämpfen; *se ~er à* (od *contre*) s. stoßen an; **~oir** [œrtwaːr] *m* Türklopfer; 🐗 Prellbock

hexagone [εgzagɔn] *m* Sechseck; **l'⚡** Frankreich, das frz. Territorium

hiatus [jatys] *m* Lücke, Unterbrechung; *ling* Hiatus

hibern|al [ibɛrnal] *124* winterlich; **~ation** [-nasjɔ̃] *f* Winterschlaf; Passivität; Untätigkeit; *en ~ation* in Wartestellung; in Reserve

hibou [ibu] *m 91* Eule

hic [ik] *m: voilà le ~!* das ist d. Haken!

hid|eur [idœːr] *f* Scheußlichkeit; Gräßlichkeit; **~eux** [idø] *111* scheußlich; gräßlich

hier [jɛːr] gestern; *~ (au) soir* gestern abend ♦ *je ne suis pas né d'~ (umg)* ich bin nicht von gestern

hiérarch|ie [jerarʃi] *f* Rangordnung; Hierarchie; Führungsspitze; **~ique** [-ʃik]: *par la voie ~ique* auf d. Dienstweg

hiéroglyphe [jerɔɡlif] *m (a. fig)* Hieroglyphe

hilar|ant [ilarɑ̃] *108* erheiternd; *gaz ~ant* Lachgas; **~e** [ilaːr] naiv heiter; **~ité** [ilarite] *f* Heiterkeitsausbruch

hindou [ɛ̃du] indisch; Hindu...

hippie [ipi] *m* Hippie *m;* Blumenkind; *adj* antibürgerlich; pazifistisch

hipp|ique [ipik]: *concours ~ique* Reitturnier; **~isme** [ipism] *m* Pferde-, Reitsport; **~ocampe** [ipɔkɑ̃p] *m* Seepferdchen; **~odrome** [-ɔdrom] *m* Pferderennbahn; **~ologie** [ipɔlɔʒi] *f* Pferdekunde; **~omane** [-man] *m* Pferdenarr; **~opotame** [ipɔpɔtam] *m* Nilpferd

hirondelle [irɔ̃dɛl] *f* Schwalbe; *~ de cheminée* Rauchsch.; *~ de rivage* Ufersch. ♦ *une ~ ne fait pas le printemps* e-e Sch. macht noch k-n Sommer

hirsute [irsyt] *(Haar, Bart)* struppig; *(Charakter)* störrisch

hispanique [ispanik] spanisch

hisser [ise] hissen; ⚓ hieven; *se ~* s. aufschwingen; *fig* s. emporarbeiten

histoire [istwaːr] *f* Geschichte; Erzählung; *~ universelle* Weltgeschichte; *~ de brigands* Flunkerei; *de rire* nur so z. Scherz; *avoir des ~s avec qn* mit j-m Streitigkeiten haben; *faire des ~s* Umstände machen; *raconter des ~s* flunkern

histor|ien [istɔrjɛ̃] *m* Geschichtsschreiber; Historiker; **~iette** [-rjɛt] *f* Geschichtchen; **~ique** [-rik] geschichtlich, historisch; *m* Werdegang, Entwicklung; Über-, Rückblick

histrion [istriɔ̃] *m* Schmierenkomödiant

hit-parade [itparad] *m* Hitparade *f*

hiver [ivɛːr] *m* Winter; **~nage** [ivɛrnaːʒ] *m (Tropen)* Regenzeit; Überwinterung; ↓ Winterbestellung; **~nal** [ivɛrnal] *(ohne mpl): station ~nale* Winterkurort; **~nant** [ivɛrnɑ̃] *m* Winterkurgast; **~ner** [ivɛrne] überwintern; *~ner les terres* ↓ d. Winterbestellung machen

hobby [ɔbi] *m* Hobby *n;* Steckenpferd; Liebhaberei

hobereau [ɔbro] *m* Krautjunker

hoch|ement [ɔʃmɑ̃] *m: ~ement de tête* Kopfschütteln; **~equeue** [-kø] *m* Bachstelze; **~er** [ɔʃe] *(Kopf)* schütteln; **~et** [ɔʃɛ] *m* Kinderklapper; *fig* Spielzeug

hockey [ɔkɛ] *m* Hockey; *~ sur glace* Eishockey; **~eur** [ɔkɛjœːr] *m* Hockeyspieler

hoir [waːr] *m* 🕊 Leibeserbe; **~ie** [wari] *f* direktes Erbe

holà [ɔla] heda!, hallo!; *mettre le ~ (à)* e-r Sache Einhalt gebieten

hold-up [ɔldœp] *m* Raubüberfall

holland|ais [ɔlɑ̃dε] *108* holländisch; **ᴸais** m Holländer; **ᴸe** [ɔlɑ̃d]: *la* ᴸe Holland; **~e** m Edamer Käse

holocauste [ɔlɔkɔst] m Brand-, Sühnopfer; Judenvernichtung (im 2. Weltkrieg)

homard [ɔmaːr] m Hummer; *rouge comme un ~* krebsrot

home [hom] m Heim; eigener Herd; ~ *d'enfants* Kinderheim

homélie [ɔmeli] *f* (Moral-)Predigt

homéopathe [ɔmeɔpat] m Homöopath

homérique [ɔmerik]: *rire* ~ homerisches, schallendes Gelächter

hom|icide [ɔmisid] *lit* mörderisch; *m* ♋ Tötung, Totschlag; *~icide par imprudence* fahrlässige Tötung; **~mage** [ɔmaːʒ] m Huldigung; *rendre ~mage à qch* etw. würdigen; *faire ~mage d'un livre* e. Buch überreichen; *mes ~mages à Madame...* grüßen Sie bitte Ihre Frau Gemahlin; **~masse** [ɔmas]: *femme ~masse* Mannweib

homme [ɔm] m Mensch; Mann; ~ *d'affaires* Geschäftsmann; ~ *de confiance* Vertrauensmann; ~ *fait* Erwachsener; ~ *de science* Wissenschaftler; ~ *de lettres* Schriftsteller; ~ *de main* (*fig*) Handlanger, Helfershelfer; ~ *du monde* Weltmann; *grand* ~ großer (hochgewachsener) Mann; *grand* ~ großer (berühmter) Mann; *l'* ~ *dans la rue* Mann auf d. Straße; *il n'est pas* ~ *à faire cela* er ist nicht d. Mann dazu; **~-grenouille** [-grənụj] m *97* Froschmann; **~-orchestre** [-ɔrkεstr] Inhaber mehrerer Ämter; **~-robot** [-rɔbo] Massenmensch; Standard-Mensch; **~-sandwich** [-sɑ̃dwitʃ] m *98* Plakatträger

homo|gène [ɔmɔʒεn] homogen, gleichartig zus.gesetzt; **~généité** [-ʒeneite] *f* Homogenität, gleichartige Zssg; **~logation** [-lɔgasjɔ̃] *f* ♋ Genehmigung; ⚓ Zulassung; Beglaubigung, Anerkennung; **~logue** [-lɔg] m Gegenstück; (*Person*) Gegenüber; Gesprächspartner; **~loguer** [-lɔge] *6* ♋, ⚓ beglaubigen, anerkennen; (*Werkstoff*) (amtlich) zulassen; **~nyme** [-nim] *ling* gleichlautend; **~phile** [-fil] = **~sexuel** [-sεksɥεl] *115* homosexuell

hongre [ɔ̃gr] (*Pferd*) Wallach

Hongr|ie [ɔ̃gri]: *la ~ie* Ungarn; **~ois** [ɔ̃grwa] m Ungar; **ᴸois** *108* ungarisch

hon|nête [ɔnεt] ehrlich; rechtschaffen; bieder; anständig, gesittet; (*Preis*) angemessen; **~nêteté** [ɔnεtte] *f* Ehrlichkeit; Rechtschaffenheit; Biederkeit; Angemessenheit; **~neur** [ɔnœːr] m Ehre; *pl* Ehrenbezeigung; Ämter, Würden; *garçon d'~neur* Brautführer; *parole d'~neur!* bei m-r Ehre!, Ehrenwort!; *j'ai l'~neur de...* ich beehre mich...; *faire ~neur à sa signature* s-n Verbindlichkeiten nachkommen; *faire ~neur à un repas (au vin)* tüchtig zulangen (trinken); *en l'~neur de qn* zu j-s Ehren; *faire les ~neurs de la maison* Gäste willkommen heißen

hon|nir [ɔniːr] anprangern ♦ ~*ni soit qui mal y pense* ein Schelm, der Böses dabei denkt

honor|able [ɔnɔrabl] ehrbar; ehrenvoll; ansehnlich; *faire amende ~able* sein Unrecht eingestehen; **~aire** [-rεːr] Ehren...; (*Univ.*) emeritiert;

mpl (Arzt, Rechtsanwalt) Honorar; **~ée** [-re] *f*: *en possession de votre ~ée du...* im Besitz Ihres Schreibens vom...; **~er** [-re] ehren; beehren (*de* mit); ~*er une lettre de change* e-n Wechsel honorieren; **~ifique** [-rifik] ehrenamtlich

hont|e [ɔ̃t] *f* Schande; Scham(gefühl); *avoir ~e* s. schämen; *se couvrir de ~e* s. blamieren; *avoir toute ~e bue* jegliches Schamgefühl verloren haben; *courte ~e* Blamage, Reinfall; **~eux** [ɔ̃tø] *111* schändlich, schimpflich; beschämt (*de* über)

hôpital [ɔpital] m *90* Krankenhaus; ~ *militaire* Lazarett

hoquet [ɔkε] m Schluckauf

horaire [ɔrεːr] **1.** Stunden...; stündlich; *moyenne* ~ mittlere Stundengeschwindigkeit; **2.** m Fahrplan; Arbeits-, Bürozeit; päd. Stundenplan; ~ *à la carte* = ~ *libre* gleitende Arbeitszeit; ~ *aérien* Flugplan; ~ *des séances* (*Kino*) Anfangszeiten; *conformément à l'~* fahrplanmäßig

horde [ɔrd] *f* Horde

horion [ɔrjɔ̃] m (heftiger) Stoß, Schlag

horizon [ɔrizɔ̃] m Horizont; *à* (od. *sur*) *l'~* am H.; *à l'~ 2000* Zukunftsperspektive für d. Jahr 2000; ~ *artificiel* ♒, ✚ künstlicher H.; Kreiselhorizont; *l'~ est bien sombre* d. Aussichten sind schlecht; *ouvrir des ~s* neue Aussichten eröffnen; **~tal** [-zɔ̃tal] *124* horizontal, waagerecht

horlog|e [ɔrlɔʒ] *f* öffentliche Uhr; Turmuhr; Zeitgeber; ~ *parlante* telefonische Zeitansage; **~er** [-lɔʒe] **1.** *116* Uhren...; *industrie ~ère* Uhrenindustrie; **2.** m Uhrmacher; **~erie** [-lɔʒri] *f* Uhrmacherei; Uhrmacherwaren

hormis [ɔrmi] außer, ausgenommen

hormone [ɔrmɔn] *f (biol, ⚕)* Hormon; ~ *sexuelle* Geschlechtshormon; ~ *végétale* Pflanzenhormon

horoscope [ɔrɔskɔp] m Horoskop

horr|eur [ɔrœːr] *f* Entsetzen; Greuel(-tat); Abscheu; Scheusal; *fpl* Schrecken; Obszönitäten; *avoir ~eur de qch* etw. verabscheuen; **~ible** [ɔribl] entsetzlich; schauderhaft; scheußlich; *froid ~ible* grimmige Kälte; **~ifier** [ɔrifje] Grauen erregen; **~ipiler** [ɔripile] *umg* auf d. Palme bringen, wahnsinnig machen

hors [ɔːr] außer(halb); ausgenommen; hinaus; ~ *cadre (Personal)* überplanmäßig; ~ *de combat* kampfunfähig (gemacht), erledigt; ~ *concours* außer Konkurrenz; ~ *de danger* außer Gefahr; ~ *d'haleine* atemlos; ~ *ligne* unvergleichlich, außergewöhnlich; ~ *(de) pair* unvergleichlich; ~ *de prix* übermäßig teuer; ~ *de propos* unpassend; ~ *service* unbrauchbar; nicht einsatzbereit; ~ *de soi* außer sich; *cela est* ~ *de cause* davon ist nicht die Rede; **~-bord** [ɔrbɔːr] m *100* Außenbordmotorboot; **~-jeu** [ɔrʒø] *100* Abseits; **~-d'œuvre** [-dœːvr] m *100* Vorspeise; **~-la-loi** [-lalwa] m *100* Geächteter; **~-texte** [-tεkst] m *100* ganzseitige Abbildung, Tafel

horti|cole [ɔrtikɔl] Gartenbau...; **~culteur**

[-kyltœːr] *m* Handelsgärtner; **~culture** [-kyltyːr] *f* Gartenbau

hosp|ice [ɔspis] *m* Hospiz; **~ice de vieillards** Altersheim; **~italier** [-pitaljɛ] *116* gastlich; Krankenhaus…; *établissement ~italier* Krankenanstalt; **~italisation** [-pitalizasjɔ̃] *f* ❩ Unterbringung, Aufnahme in e-m Krankenhaus; stationäre Behandlung; **~italiser** [-pitalizɛ] in e-m Krankenhaus unterbringen, aufnehmen; **~italité** [-pitalite] *f* Gastfreundschaft; *donner l'~italité à un ami* e-n Freund bei s. aufnehmen

hostie [ɔsti] *f* Hostie, Oblate

hostil|e [ɔstil] feindlich; feindselig; **~ité** [ɔstilite] *f* Feindseligkeit; *ouvrir (suspendre) les ~ités* d. F.en eröffnen (einstellen); *cessation des ~ités* Einstellung d. F.en

hôt|e [oːt] *m* 1. Gast; 2. Gastgeber; Wirt; *être l'~e de qn* bei j-m zu Gast sein; *table d'~e* (gemeinsame) Gasthaustafel; **~el** [otɛl] *m* Hotel; Gasthof, -haus; *loger en ~el* im H. wohnen; *~el particulier* herrschaftl. Haus; *~el de ville* Rathaus; *maître d'~el* Oberkellner; **~el-Dieu** [otɛldjø] *m 98* Zentralkrankenhaus *(e-r Großstadt);* **~elier** [otəljɛ] 1. *116* Hotel…; *industrie ~elière* Gaststättengewerbe; 2. *m* Hotelbesitzer; **~ellerie** [otɛlri] *f* Gasthof; Beherbergungsgewerbe; **~esse** [otɛs] *f* Wirtin; Hosteß; Betreuerin; Begleiterin; *~esse de l'air* ✈ Stewardeß

hotte [ɔt] *f* Kiepe, Tragbütte; *(Kamin)* Rauchfang, Abzug

houblon [ublɔ̃] *m* Hopfen; **~nier** [ublɔnjɛ] *m* Hopfenbauer; **~nière** [ublɔnjɛːr] *f* Hopfengarten

houe [u] *f* ❩ Hacke, Karst

houill|e [uj] *f* Steinkohle; *~e grasse* Fettkohle; *~e maigre* Magerkohle; *~e blanche* Wasserkraft; *~e bleue* Gezeitenenergie; *~e azur* (od. *incolore)* Windkraft; **~er** [ujɛ] *116* Kohlen…; *extraction ~ère* Kohlenbergbau; **~ère** [ujɛːr] *f* Kohlengrube; **~eur** [ujœːr] *m* Bergmann vor Ort, Hauer; **~eux** [ujø] *111 geol* kohlehaltig

houle [ul] *f* Dünung

houlette [ulɛt] *f* Schäferstab; Krummstab

houleux [ulø] *111 (Meer)* hohl; *fig* stürmisch, erregt

houpp|e [up] *f* Quaste; **~ette** [upɛt] *f* Puderquaste

hourra(h) [ura] *m* Hurra(ruf)

hourvari [urvari] *m umg* Heidenlärm, Spektakel

houspiller [uspijɛ] ausschimpfen; *se ~* sich in d. Haaren liegen

housse [us] *f* Pferdedecke; Möbelüberzug; Abdeckplane; *~e pour sièges de voiture* Sitzbezug; **~ine** [usin] *f* Gerte

houx [u] *m 105* Stechpalme

hovercraft [ɔvœrkraft] *m* Luftkissenfahrzeug

hublot [yblo] *m* ⚓ Bullauge; *(Waschmaschine)* Fenster

huche [yʃ] *f* Backtrog; Brotkasten

hue! [y] hü! ♦ *l'un tire à ~, l'autre à dia* der eine will hü, der andere will hott

hu|ée [ɥe] *f* Hohnrufe, -gelächter; **~er** [ɥe] auspfeifen; verhöhnen

huguenot [ygnɔ] *108* hugenotisch; *m* Hugenotte

huil|age [ɥilaːʒ] *m* Schmieren; **~e** [ɥil] *f* Öl; *~e brute* Rohöl; *~e de foie de morue* Lebertran; *~e de graissage* Schmieröl; *~e lourde* Roh-, Schweröl; *~e de table* Speiseöl; *peinture à l'~e* Ölgemälde ♦ *les ~es (umg)* d. hohen Tiere; *il est bien avec les ~es* er hat Beziehungen; *~e de coude (umg)* Knochenschmalz; *dans l'~e* (alles läuft) wie geschmiert; *faire tache d'~e* s. ausbreiten; **~er** [-lɛ] ölen; **~erie** [ɥilri] *f* Ölmühle; **~eux** [-lø] *111* ölig; **~ier** [-ljɛ] *m* Menage, Gewürzständer

huis [ɥi] *m: à ~ clos* ⚖ unter Ausschluß der Öffentlichkeit; **~serie** [-səri] *f* Tür-, Fenstereinfassung; **~sier** [-sjɛ] *m* Gerichtsvollzieher; Amtsdiener

huit [ɥi(t)] *132* acht; *m* die Acht; *(Boot)* Achter; **~aine** [-tɛn] *f: dans une ~aine* in etwa acht Tagen; **~ante** [-tɑ̃t] *f (in Belgien u. d. Schweiz)* achtzig; **~ième** [-tjɛm] achte; *m* Achtel

huîtr|e [ɥitr] *f* Auster; *~e perlière* Perlmuschel; **~ière** [-triɛːr] *f* Austernbank

huit-reflets [ɥiraflɛ] *m 100* Zylinderhut

hul|otte [ylɔt] *f* Waldkauz; **~uler** [ylylɛ] *(Nachtvögel)* schreien

hum! [œm] hm!

hum|ain [ymɛ̃] *109* menschlich; Menschen…; *les ~ains* die Menschen; *genre ~ain* Menschheit; **~ainement impossible** nicht menschenmöglich; **~ainement parlant** nach menschl. Ermessen; **~anisation** [ymanizasjɔ̃] *f* Vermenschlichung; Erhöhung der Lebensqualität; **~aniser** [ymanizɛ] umgängl. machen; kultivieren; **~anisme** [ymanism] *m* Humanismus; **~aniste** [ymanist] *m* Humanist; **~anitaire** [ymanitɛːr] humanitär; menschenfreundlich; **~anité** [ymanite] *f* Menschheit; Menschlichkeit; *pl* humanistische Studien; *avec ~anité* human, menschlich; *sans ~anité* lieblos

humble [œ̃bl] demütig; schlicht; *d'~ origine* aus einfachen Verhältnissen; *les ~s* die einfachen Leute; *mon ~ personne* m-e Wenigkeit; *à mon ~ avis* nach m-r unmaßgeblichen Meinung

humecter [ymɛktɛ] be-, anfeuchten; *(Wäsche)* (ein)sprengen; *s'~ le gosier (umg)* e-n hinter die Binde gießen

humer [ymɛ] schlürfen; *(Duft)* tief einziehen

humérus [ymerys] *m* Oberarmknochen

humeur [ymœːr] *f* 1. ❩ Körperflüssigkeit; 2. Stimmung, Laune; *de bonne (mauvaise)* ~ gut (schlecht) aufgelegt; *d'~ capricieuse* launisch; *~ massacrante* Bärbeißigkeit; *~ noire* Trübsinn; *d'~ à faire qch* aufgelegt, etw. zu tun

humid|e [ymid] feucht; naß; **~ification** [-difikasjɔ̃] *f* Be-, Anfeuchtung; **~ité** [-dite] *f* Feuchtigkeit; Nässe; *craint l'~ité!* vor Nässe schützen

humili|ation [ymiljasjɔ̃] *f* Demütigung; Erniedrigung; **~er** [-ljɛ] demütigen; erniedrigen; **~té** [-lite] *f* Demut; Unterwürfigkeit

humorist|e [ymɔrist] *m* Humorist; **~ique** [-ristik] humoristisch

humour [ymy:r] *m* Humor; ~ *noir* Galgenhumor

humus [ymys] *m* Humus, Gartenerde

hune [yn] *f* ⚓ Mastkorb

huppe [yp] *f* Wiedehopf

hupp|é [ype]: *alouette ~ée* Haubenlerche; *des gens ~és (umg)* vornehme (*od* reiche) Leute

hure [y:r] *f* (Wild-)Schweinkopf

hurl|ement [yrləmɑ̃] *m* (*Hund; lit: Sturm*) Heulen; *(Mensch)* Gebrüll; **~er** [-le] heulen; brüllen

hurluberlu [yrlybɛrly] *m umg* Leichtfuß, Luftikus

hussarde [ysard]: *à la ~* draufgängerisch, stürmisch (*Liebhaber*)

hutte [yt] *f* Hütte

hybrid|ation [ibridasjɔ̃] *f biol* Rassenkreuzung; **~e** [ibrid] *m biol* Hybrid *m*, Bastard

hydr|ate [idrat] *m:* ~*ate de carbone* Kohlehydrat; **~aulicien** [idrolisjɛ̃] *118:* ingénieur ~*aulicien* Wasserbauingenieur; **~aulique** [idrolik] hydraulisch; *f* Hydraulik; *installation ~aulique* wasserbauliche Anlage; **~avion** [idravjɔ̃] *m* Wasserflugzeug; Flugboot; **~e** [idr] *f:* ~*e d'eau douce* Süßwasserpolyp; **~ocarbure** [idrokarby:r] *m* Kohlenwasserstoff; **~océphale** [idrosefal] *m* ⚕ Wasserkopf; **~o-électrique** [idroelɛktrik]: *centrale* (*od usine*) ~*o-électrique* Wasserkraftwerk; **~ofuge** [idrofy:ʒ] wasserabstoßend; **~ogène** [idrɔʒɛn] *m* Wasserstoff; ~*ogène sulfuré* Schwefelwasserst.; **~ogéné** [idrɔʒene] wasserstoffhaltig; **~oglisseur** [idrɔglisœ:r] *m* Gleitboot; **~ographique** [idrografik]: *Service ~ographique* Hydrographisches Institut; **~ologie** [idrɔlɔʒi] *f* Gewässerkunde; **~omel** [idrɔmɛl] *m* Met; **~ophile** [idrɔfil] wasseranziehend; **~ophobe** [idrɔfɔb] ⚕ wasserscheu; tollwütig; **~opique** [idropik] wassersüchtig; **~opisie** [idropizi] *f* Wassersucht; **~oplanage** [idroplanaːʒ] *m* Aquaplaning; **~othérapie** [idroterapi] *f* Wasserheilkunde

hyène [jɛn] *f* Hyäne

hygi|ène [iʒjɛn] *f* Hygiene; ~*ène corporelle* Körperpflege; **~énique** [iʒjenik] hygienisch; *bande ~énique* Damenbinde; *papier ~énique* Toilettenpapier

hygro|mètre [igromɛtr] *m* Hygrometer, Feuchtigkeitsmesser; **~métrique** [-metrik]: *état ~métrique de l'air* Feuchtigkeitsgehalt d. Luft

hymen [imɛn] *m* ⚕ Jungfernhäutchen; *lit* Ehe; **~optères** [imɛnɔptɛ:r] *mpl* Hautflügler

hymne [imn] *m* Hymne; *f* Kirchenhymnus; ~ *national* Nationalh.

hyper|bole [ipɛrbɔl] *f* (*a. math*) Hyperbel; Übertreibung; **~esthésie** [-ɛstezi] *f* ⚕ Überempfindlichkeit; **~marché** [-marʃe] *m* Großmarkt, Einkaufszentrum; **~nerveux** [-nɛrvø] übernervös; **~tension** [-tɑ̃sjɔ̃] *f* ⚕ erhöhter Blutdruck; **~trophie** [-trofi] *f* krankhafte Vergrößerung; ~*trophie cardiaque* Herzerweiterung

hypno|se [ipnoːz] *f* Hypnose; **~tiser** [-notize] hypnotisieren; *fig* bannen; *s'~tiser sur une idée* s. in e-e Idee verrennen; **~tisme** [-nɔtism] *m* hypnotischer Zustand

hypo|condrie [ipokɔ̃dri] *f* ⚕ Hypochondrie;

~crisie [-krizi] *f* Heuchelei, Scheinheiligkeit; **~crite** [-krit] heuchlerisch; *m, f* Heuchler(in); **~dermique** [-dɛrmik] ⚕ subkutan; **~physe** [-fi:z] *f* Hypophyse, Hirnanhangdrüse; **~tension** [-tɑ̃sjɔ̃] *f* ⚕ zu niedriger Blutdruck; **~ténuse** [-teny:z] *f* Hypotenuse; **~thécaire** [-tekɛ:r]: *caisse ~thécaire* Bodenkreditanstalt; **~thèque** [-tɛk] *f* Hypothek; *grever d'une ~thèque* mit e-r H. belasten; *registre des ~thèques* Grundbuch; **~théquer** [-teke] 6 mit e-r Hypothek belasten; **~thermie** [-tɛrmi] *f* ⚕ Unterkühlung; Untertemperatur; **~thèse** [-tɛ:z] *f* Hypothese, Mutmaßung; ~*thèse de calcul* Ansatz; **~thétique** [-tetik] hypothetisch, angenommen; **~trophie** [-trofi] *f* ⚕ Unterernährung

hypsométrie [ipsɔmetri] *f* Höhenmessung

hystér|ie [isteri] *f* Hysterie; **~ique** [-rik] hysterisch

I

i: *mettre les points sur les «i»* etw. klarstellen, etw. haargenau auseinandersetzen; *droit comme un i* kerzengerade

ibidem [ibidɛm] *adv* ebenda

iceberg [isbɛrg] *m* Eisberg

ici [isi] hier; hierher; *d'~* hiesig; *d'~ là* von hier bis dorthin, (von jetzt) bis dahin, einstweilen; *d'~ peu* binnen kurzem; *d'~ quinze jours* heute in 14 Tagen; *jusqu'~* bis hierher, bis jetzt; *viens (par) ~!* komm her!; **~-bas** [-bɑ] auf dieser Erde

ictère [iktɛ:r] *m* ⚕ Gelbsucht

idéal [ideal] *124* ideal; *m* (*pl: ~s, 90*) Ideal; **~iste** [-list] idealistisch; *m* Idealist

idée [ide] *f* Idee; Gedanke; Begriff; Vorstellung; ~ *directrice* (*od maîtresse*) Leitgedanke; ~ *fixe* fixe Idee, Zwangsvorstellung; ~*s noires* trübe Gedanken; ~ *subite* plötzl. Einfall; *avoir son ~ à soi* s. sein Teil denken; *avoir une haute ~ de qn* e-e hohe Meinung von j-m haben; *se faire des ~s* sich etw. einbilden, s. (unnötige) Sorgen machen; *on n'a pas ~ de cela!* das ist ja nicht möglich!; *quelle ~!* was denken Sie!

idem [idɛm] ebenso; desgleichen

identi|fication [idɑ̃tifikasjɔ̃] *f* Identifizierung, Bestimmung; Kenntlichmachung; Gleichsetzung; **~fier** [-fje] identifizieren, erkennen, bestimmen; gleichsetzen; **~que** [-tik] identisch; **~té** [-te]: *f* Identität; Gleichheit; (*Zoll*) Nämlichkeit; *carte d'~té* Personalausweis

idéologie [ideɔlɔʒi] *f* Begriffslehre; *pej* reine Theorie

idiom|atique [idjɔmatik] idiomatisch; **~e** [idjɔm] *m* Idiom; Nationalsprache

idiot [idjo] *108* dumm; blöde; verrückt; *m* Idiot; Dummkopf; **~ie** [idjɔsi] *f* ⚕ Idiotie; Dummheit; **~isme** [idjɔtism] *m* Spracheigentümlichkeit

idoine [idwan] passend, geeignet

idol|âtrie [idolatri] *f* Götzendienst; Abgötterei; **~e** [idɔl] *f* Götzenbild; Abgott; Idol *n*, Star; *être l'~e de qn* von j-m vergöttert werden

idylle [idil] *f* Idyll

if [if] *m bot* Eibe

igame [igam] *m (Abk. von: inspecteur général de l'Administration en mission extraordinaire)* Oberpräfekt

ignare [iɲaːr] ungebildet, unwissend

ignifug|e [iɲifyːʒ] feuerfest; feuersicher; **~er** [-fyʒe] *14* feuerfest, -sicher machen

ignoble [iɲɔbl] gemein; schändlich

ignominie [iɲɔminj] *f* Schmach

ignor|ance [iɲɔrɑ̃s] *f* Unwissenheit; **~ant** [-rɑ̃] *108* unwissend; unkundig; **~er** [-re] nicht wissen; *on n'~e pas que*... es ist wohlbekannt, daß... ; *nul n'est censé ~er la loi* Unkenntnis schützt vor Strafe nicht; *feindre d'~er qn* j-n ignorieren, schneiden

il [il] er; es

île [iːl] *f* Insel

iliaque [iljak]: *os ~ (anat)* Hüftbein

illég|al [illegal] *124* ungesetzlich, illegal; **~itime** [-ʒitim] unrechtmäßig; *(Kind)* nichtehelich; **~itimité** [-ʒitimite] *f* Rechtswidrigkeit

illettré [illetre] ungebildet; *m* Analphabet

illicite [illisit] unerlaubt

illico [illiko] *umg* auf der Stelle, sofort

illi|mité [illimite] unbegrenzt; unumschränkt; **~sible** [-zibl] unleserlich

illog|ique [illɔʒik] unlogisch; **~isme** [-ʒism] *m* Folgewidrigkeit

illumin|ation [illyminasjɔ̃] *f* Beleuchtung; Anstrahlung *(von Gebäuden);* (innere) Erleuchtung; **~é** [-ne] *m* Illg Schwärmer; **~er** [-ne] beleuchten; *(Gebäude)* anstrahlen; *s'~er* aufleuchten, erstrahlen

illus|ion [illyzjɔ̃] *f* Illusion; Einbildung; Täuschung; **~ionner** [-zjɔne] täuschen; *s'~ionner sur* s. Täuschungen hingeben über; **~ionniste** [-zjɔnist] *m* Zauberkünstler; **~oire** [-zwaːr] illusorisch, trügerisch

illustr|ation [illystrasjɔ̃] *f* Illustration; Bebilderung; Berühmtheit; *~ation dans le texte (od in-texte)* Textillustr.; *~ation hors-texte* ganzseitige Abbildung; **~e** [illystr] berühmt; **~é** [-tre] *m* Illustrierte; **~er** [-tre] illustrieren, bebildern; verherrlichen; *s'~er* s. hervortun

îlot [ilo] *m* Inselchen; *fig* Häuserblock

imag|e [imaːʒ] *f* Bild; Bildnis; Gleichnis; Vorstellung; *~e de marque com* (guter) Ruf, Ansehen; Bekanntheit; *pol* Popularität, Beliebtheit; *livre d'~es* Bilderbuch; **~inable** [imaʒinabl] vorstellbar; **~inaire** [imaʒinɛːr] eingebildet, unwirklich; *math* imaginär; **~inatif** [imaʒinatif] *112* erfinderisch; **~ination** [imaʒinasjɔ̃] *f* Einbildungskraft; Phantasie; Einfallsreichtum; *cela dépasse l'~ination* das übersteigt alle Begriffe; **~iner** [imaʒine] s. etw. (aus)denken; erdenken; auf etw. verfallen; s. vorstellen

imbattable [ɛ̃batabl] unbesiegbar

imbécil|e [ɛ̃besil] schwachsinnig; einfältig; **~ité**[-lite] *f* Schwachsinn; Einfältigkeit

imberbe [ɛ̃bɛrb] bartlos

imbiber [ɛ̃bibe] *a. fig* (durch)tränken *(de* mit)

imbriqué [ɛ̃brike] ziegelförmig übereinanderliegend; *fig* eng verbunden

imbroglio [ɛ̃brɔljo] *m 102* Verwicklung, Wirrnis, Wirrwarr

imbu [ɛ̃by]: *~ de* durchdrungen von; behaftet mit; voller...; *être ~ de sa personne* eingebildet sein; **~vable** [ɛ̃byvabl] ungenießbar, nicht zu trinken; *fig* unmöglich, unausstehlich

imit|ateur [imitatœːr] *122* Nachahmungs...; *m* Imitator, Nachahmer; **~atif** [-tif] *112* nachahmend; **~ation** [-sjɔ̃] *f* Nachahmung; Nachbildung; **~er** [-te] nachahmen; nachmachen

immaculé [immakyle] unbefleckt; **≠e** *Conception* Unbefleckte Empfängnis

imman|ence [immanɑ̃s] *f* Immanenz; **~ent** [-nɑ̃] *108* innewohnend

imman|geable [ɛ̃mɑ̃ʒabl] ungenießbar; **~quable** [ɛ̃mɑ̃kabl] unausbleiblich

immatériel [immaterjɛl] *115* unkörperlich

immatricul|ation [immatrikylasjɔ̃] *f* Einschreibung, Registrierung; *numéro d'~ation* 🚗 amtliches Kennzeichen; **~er** [-le] eintragen, immatrikulieren

immédiat [immedja] *108* unmittelbar; sofortig, unverzüglich; *~ement après* gleich darauf; *m: dans l'~* in allernächster Zeit

immémorial [immemɔrjal] *124* uralt; *de temps ~* seit unvordenklichen Zeiten

immens|e [immɑ̃s] *131* unermeßlich; enorm; **~ité** [-site] *f* Unermeßlichkeit

immerger [immɛrʒe] *14* ein-(unter-)tauchen; versenken

immérité [immerite] unverdient

immersion [immɛrsjɔ̃] *f* Eintauchen; *phys* Einbettung

immeuble [immœbl] *m* unbewegliche Sache; Gebäude; (Miets-)Haus; Anwesen; *pl* Immobilien, Liegenschaften

immigr|ation [immigrasjɔ̃] *f* Einwanderung; **~é** [-gre] *m* Immigrant, Einwanderer; Gastarbeiter; **~er** [-gre] einwandern

imminent [imminɑ̃] *108* bevorstehend; drohend

immi|scer [immise] *15: s'~scer dans* s. einmischen in; **~xtion** [immikstjɔ̃] *f* Einmischung

immobil|e [immɔbil] unbeweglich; ⚙ ortsfest; **~ier** [-lje] *116* 🐌 unbeweglich; *banque ~ière* Bodenkreditanstalt; *biens ~iers* Immobilien; *crédit ~ier* Immobiliarkredit; *propriété ~ière* Grundeigentum; **~isation** [-lizasjɔ̃] *f* Stillegung; *(Kapital)* Einfrieren; *com* feste Anlagen; **~iser** [-lize] stillegen; unbeweglich machen; *(Kapital)* einfrieren lassen; *s'~iser* stehenbleiben; **~isme** [-lism] *m* Starrheit; Fortschrittsfeindlichkeit; **~ité** [-lite] *f* Unbeweglichkeit; Regungslosigkeit

immo|déré [immɔdere] *128* maßlos; unmäßig; **~deste** [-dɛst] unbescheiden; unanständig, schamlos; **~destie** [-dɛsti] *f* Unbescheidenheit; Unanständigkeit, Schamlosigkeit

immol|ation [immɔlasjɔ̃] *f* Opfer; **~er** [-le] opfern

immond|e [immɔd] *a. fig* unrein; dreckig; ekelhaft; **~ices** [-dis] *fpl* Kehricht, Unrat

immoral [immɔral] *124* unmoralisch, unsittlich; **~ité** [-lite] *f* Unsittlichkeit

immort|aliser [immɔrtalize] unsterblich machen; **~alité** [-talite] *f* Unsterblichkeit; **~el** [-tɛl] *115* unsterblich; *m: les ≠els* d. Mitglieder der Académie française; **~elle** *f (bot)* Strohblume

immuable [immụabl] unwandelbar
immuni|ser [immynizẹ] ⚡ immunisieren; *être*
~*sé contre* unempfänglich sein für; ~**taire**
[-nitɛr] *adj* immunisierend; ~**té** [-tẹ] *f (pol,* ⚡)
Immunität; ~*té fiscale* Steuerfreiheit
immutabilité [immytabilitẹ] *f* Unveränderlich-
keit; Unwandelbarkeit
impact [ɛ̃pakt] *m* Stoß; *(Geschoß)* Einschlagstel-
le; ✝ Aufsetzen (d. Räder); *phys* Aufleuchten
(e-s Schirms); fig Einfluß; Wirkung (auf),
Auswirkung; *force d'*~ Durchschlagskraft
impair [ɛ̃pɛːr] ungerade; unpaarig; *m* Patzer,
Ungeschicklichkeit ♦ *commettre un* ~ e-n Bock
schießen
impalpable [ɛ̃palpabl] unfühlbar
impar|donnable [ɛ̃pardɔnabl] unverzeihlich;
~**fait** [-fɛ] unvollkommen; *m ling* Imperfekt;
~**tial** [-sjal] *124* unparteiisch; ~**tialité** [-sjalitẹ] *f*
Unparteilichkeit
impart|ir [ɛ̃partiːr] *29 (bes* 🜹*)* gewähren,
genehmigen; ~*ir un délai* e-e Frist setzen; *délai*
~*i* gewährte Frist
impass|e [ɛ̃pɑs] *f (a. fig)* Sackgasse; Engpaß;
~*e budgétaire* Haushaltsdefizit ♦ *être dans une*
~*e (umg)* in d. Klemme sitzen; *faire l'*~*e sur qch*
etw. ausklammern; ~**ibilité** [ɛ̃pasibilitẹ] *f*
Unerschütterlichkeit; Kaltblütigkeit; ~**ible**
[ɛ̃pasibl] unerschütterlich; kaltblütig
impati|ence [ɛ̃pasjɑ̃s] *f* Ungeduld; ~**ent** [-sjɑ̃]
108, 127 ungeduldig; ~**enter** [-sjɑ̃tẹ] ungeduldig
machen; *s'*~*enter* ungeduldig, nervös werden
impay|able [ɛ̃pɛjabl] *fig* unbezahlbar; ~**é** [ɛ̃pejẹ]
unbezahlt
impeccable [ɛ̃pɛkabl] tadellos, einwandfrei
impécuniosité [ɛ̃pekynjozitẹ] *f* Geldmangel,
Mittellosigkeit
impédance [ɛ̃pedɑ̃s] *f* ⚡ Widerstand, Impedanz
impénétrable [ɛ̃penetrabl] *a. fig* undurchdring-
lich, geheimnisvoll
impénitent [ɛ̃penitɑ̃] *108 rel* unbußfertig;
verstockt
impensable [ɛ̃pɑ̃sabl] undenkbar, unvorstellbar
impéra|tif [ɛ̃peratif] *112* gebieterisch, autoritär;
m ling Imperativ; ~**trice** [-tris] *f* Kaiserin
imper|ceptible [ɛ̃pɛrsɛptibl] unmerkbar; un-
merklich; ~**fection** [-fɛksjɔ̃] *f* Unvollkommen-
heit
impérial [ɛ̃perjal] *124* kaiserlich; ~**e** [-rjal] *f*
Spitzbart; *(Bus)* Oberdeck; ~**isme** [-rjalɪsm] *m*
Imperialismus; Weltherrschaftspläne; ~**iste**
[-ist] imperialistisch
impérieux [ɛ̃perjø] *111* gebieterisch, herrisch;
dringend, unabwendbar; *raison* ~*euse* zwingen-
der Grund
impéri|ssable [ɛ̃perisabl] unvergänglich; ~**tie**
[-si] *f* Ungeschicklichkeit, Unerfahrenheit
imperméa|biliser [ɛ̃pɛrmeabilizẹ] *(Stoffe)* was-
serdicht machen, imprägnieren; abdichten;
~**bilité** [-tẹ] *f* Undurchlässigkeit; ~**ble** [-abl]
undurchlässig *(à* für); wasserdicht; *fig* unempfindlich *(à* gegen); *m* Regenmantel
impersonnel [ɛ̃pɛrsɔnɛl] *115* unpersönlich
imperti|nence [ɛ̃pɛrtinɑ̃s] *f* Unverschämtheit;
~**nent** [-nɑ̃] *108, 127* unverschämt, frech, dreist

imperturbable [ɛ̃pɛrtyrbabl] unerschütterlich
impétu|eux [ɛ̃petyø] *111* ungestüm; stürmisch;
~**osité** [-tụozitẹ] *f* Ungestüm
impi|e [ɛ̃pi] gottlos; ehrfurchtslos; ~**été** [ɛ̃pjetẹ]
f Gottlosigkeit; Ehrfurchtslosigkeit; ~**toyable**
[-twajabl] unerbittlich, mitleidslos, unbarmherzig; schonungslos
implacable [ɛ̃plakabl] unversöhnlich
implant|ation [ɛ̃plɑ̃tasjɔ̃] *f* Ansiedlung, Nieder-
lassung; Verankerung; Einfügung; ~**er** [ɛ̃plɑ̃tẹ]
errichten, ansiedeln; einrichten; verankern; *bes*
fig einpflanzen; *s'*~ *(fig)* Fuß fassen
impli|cation [ɛ̃plikasjɔ̃] 🜹 Verwicklung *(dans*
in); *pl* Auswirkungen; ~**cite** [-sit] einbegriffen;
stillschweigend; ~**quer** [-kẹ] *6* 🜹 verwickeln;
einschließen; mit s. bringen
implorer [ɛ̃plɔrẹ] anflehen
implosion [ɛ̃plozjɔ̃] *f* Implosion
impoli [ɛ̃pɔli] *128* unhöflich; ungehobelt;
~**tesse** [-litẹs] *f* Unhöflichkeit
impolitique [ɛ̃pɔlitik] politisch unklug
impondér|abilité [ɛ̃pɔ̃derabilitẹ] *f* Unwägbar-
keit; ~**able** [-rabl] unwägbar; *mpl* Imponderabi-
lien, unberechenbare Umstände
impopulaire [ɛ̃pɔpylɛːr] unpopulär, unbeliebt
import|ance [ɛ̃pɔrtɑ̃s] *f* Wichtigkeit; Bedeu-
tung; Einfluß; *d'*~*ance* wichtig, beträchtlich;
sans ~*ance* belanglos; *se donner des airs*
d'~*ance* s. aufspielen; ~**ant** [-tɑ̃] *108* (ge)wich-
tig; bedeutungsvoll; ansehnlich, beträchtlich; *m*
Hauptsache; ~**ateur** [-tatœːr] *m* Importeur;
~**ation** [-tasjɔ̃] *f* Einfuhr(ware); ~**er** [-tẹ] **1.** *com*
einführen; **2.** *(nur im inf u. unpers. gebr.)* wichtig
sein; *il* ~*e de*… es liegt viel daran, zu…; *n'*~*e*
qui (quoi, quand, où, comment) irgend jemand
(-was, -wann, -wo, -wie); *qu'*~*e?* was liegt schon
daran?; *qu'*~*e que*… was schadet es, wenn…;
~**un** [-tœ̃] *109, 131* lästig, aufdringlich; ~**uner**
[-tynẹ] belästigen
impos|able [ɛ̃pozabl] be-(ver-)steuerbar; steuer-
pflichtig; ~**ant** [-zɑ̃] *108* achtunggebietend,
imponierend; eindrucksvoll; ~**é** [-zẹ] besteuert;
m Steuerpflichtiger; *prix* ~*é* Festpreis; ~**er** [-zẹ]
auferlegen, aufzwingen; besteuern, veranlagen;
(Preis) vorschreiben; *(Hände)* auflegen; ~*en*
silence Schweigen gebieten; *en* ~*er* Achtung
einflößen, imponieren; *s'*~*er* s. durchsetzen; s.
aufdrängen; *cela s'*~*e* das ist absolut notwendig; ~**ition** [-zisjɔ̃] *f* Besteuerung; Abgabe;
catégorie d'~*ition* Steuerklasse; *double* ~
Doppelbesteuerung; *taux d'*~*ition* Veranla-
gungssatz; ~*ition des mains* Handauflegung
impossi|bilité [ɛ̃pɔsibilitẹ] *f* Unmöglichkeit;
~**ble** [-sibl] unmöglich; *m* d. Unmögliche
impost|e [ɛ̃pɔst] *f* Oberlicht; ~**eur** [ɛ̃pɔstœːr] *m*
Betrüger, Schwindler; Hochstapler; ~**ure**
[ɛ̃pɔstyːr] *f* Betrug, Schwindel; Hochstapelei
impôt [ɛ̃po] *m* Steuer, Abgabe; Auflage; ~ *sur*
les bénéfices Gewinnst.; ~ *sur le chiffre*
d'affaires Umsatzst.; ~ *à cascades* Mehrpha-
senbesteuerung; ~ *foncier* Grundst.; ~ *sur le*
revenu Einkommenst.; ~ *sur les salaires*
Lohnst.; ~ *sur les sociétés* Körperschaftsst.;
feuille d'~ St.erklärung

impotent [ɛ̃pɔtɑ̃] *108* gebrechlich; gelähmt
impraticable [ɛ̃pratikabl] ungangbar; unwegsam; unbefahrbar; *(Plan)* undurchführbar
imprécation [ɛ̃prekasjɔ̃] *f* Verwünschung
imprécis [ɛ̃presi] *108* ungenau; **~ion** [-sizjɔ̃] *f* Ungenauigkeit
imprégn|ation [ɛ̃prɛɲasjɔ̃] *f* Imprägnierung; **~ation alcoolique** hoher Blutalkoholgehalt; **~er** [ɛ̃preɲe] imprägnieren, tränken *(de* mit); *être ~é de (fig)* erfüllt, durchdrungen sein von
imprenable [ɛ̃prənabl] *mil* uneinnehmbar; *(Aussicht)* nicht zu verbauen
imprésario [ɛ̃prezarjo] *m* 🔊 Manager; Konzertunternehmer
imprescriptible [ɛ̃preskriptibl] unwandelbar; 🔊 unverjährbar
impression [ɛ̃presjɔ̃] *f* Eindruck; Abdruck; (Buch-)Druck; **~** *sur tissu* Textildruck; **~** *en creux* Tiefdr.; **~** *en taille-douce* Kupfertiefdr.; **~nable** [-sjɔnabl] beeindruckbar; 🔊 lichtempfindlich; **~nant** [-sjɔnɑ̃] *108* beeindruckend; **~ner** [-sjɔne] beeindrucken; einwirken *(qch* auf etw.); **~nisme** [-sjɔnism] *m (Kunst)* Impressionismus
impré|visible [ɛ̃previzibl] unvorhersehbar; **~voyant** [-vwajɑ̃] *108* unvorsichtig; **~vu** [-vy] unvorhergesehen; unvermutet; *sauf ~vu* wenn nichts dazwischenkommt
imprim|ante [ɛ̃primɑ̃t] *f (EDV)* Drucker; **~é** [ɛ̃prime] *m* Druckwerk; ♂ Drucksache; **~er** [-me] (auf-, ein-)drücken; drucken; *fig* aufprägen; *(Furcht, Respekt)* einflößen; *(Geschwindigkeit)* verleihen; **~erie** [ɛ̃primri] *f* Buchdruckerkunst; Druckerei; **~eur** [-mœːr] *m* Drucker; **~euse** [-mœːz] *f* Druckerpresse
improbable [ɛ̃prɔbabl] unwahrscheinlich, kaum denkbar
improductif [ɛ̃prɔdyktif] *112* unproduktiv, ertragsarm
impromptu [ɛ̃prɔ̃pty] *adv* sofort; aus d. Stegreif; *attaque ~e* Überraschungsangriff; *m* Stegreifgedicht; ♪ Impromptu
imprononçable [ɛ̃prɔnɔ̃sabl] unaussprechbar
impropre [ɛ̃prɔpr] uneigentlich; *(Wort)* ungenau, unpassend; untauglich *(à zu)*
improuvable [ɛ̃pruvabl] unbeweisbar
improvis|ation [ɛ̃prɔvizasjɔ̃] *f* Improvisation; **~er** [-ze] improvisieren; **~te** [-vist]: *à l'~te* unangemeldet; plötzlich; unvermutet
imprud|ence [ɛ̃prydɑ̃s] *f* Unvorsichtigkeit; Unklugkeit; *par ~ence* 🔊 fahrlässig; **~ent** [-dɑ̃] *108* unvorsichtig; unklug
impubère [ɛ̃pybɛːr] unreif *(fig);* noch nicht erwachsen
impud|ence [ɛ̃pydɑ̃s] *f* Schamlosigkeit; *avoir l'~ence de faire qch* s. erdreisten, etw. zu tun; **~ent** [-dɑ̃] *108* frech; unverschämt; **~eur** [-dœːr] *f* Schamlosigkeit; **~ique** [-dik] unzüchtig; schamlos
impuiss|ance [ɛ̃pɥisɑ̃s] *f* Machtlosigkeit; Unvermögen; 💲 Impotenz; **~ant** [-sɑ̃] *108* machtlos; 💲 impotent
impuls|er [ɛ̃pylse] *vt* e-n Anstoß geben; **~if** [ɛ̃pylsif] *112* impulsiv; **~ion** [-sjɔ̃] *f* Stoß;

Anstoß; *phys, fig* Impuls, ⚡ Stromstoß; **~ions criminelles** verbrecherische Neigungen; *sous son ~ion* auf s-e Veranlassung
impun|i [ɛ̃pyni] *128* straflos, ungestraft; **~ité** [-nite] *f* Straflosigkeit
impur [ɛ̃pyːr] unrein; **~eté** [ɛ̃pyrte] *f* Unreinheit; Verunreinigung; *pl* Fremdstoffe
imput|able [ɛ̃pytabl] *com* anrechenbar; **~ation** [-tasjɔ̃] *f com* Anrechnung; Beschuldigung; **~er** [-te] *com* anrechnen; zuschreiben; zur Last legen
in [in] *adj inv* in (sein), dazugehören; zeitgemäß, modern; schick, modisch
in|abordable [inabɔrdabl] unzugänglich; unnahbar; *(Preis)* unerschwinglich; **~accessible** [-aksɛsibl] *a. fig* unzugänglich; unnahbar; **~accoutumé** [-akutyme] ungewohnt; **~achevé** [-aʃve] unvollendet
inact|if [inaktif] *112* untätig; unwirksam; **~ion** [-aksjɔ̃] *f* Untätigkeit; **~ivité** [-tivite] *f* Tatenlosigkeit; Wartestand; Unwirksamkeit
in|adapté [inadapte] *psych* kontaktarm; schwererziehbar; **~adéquat** [inadekwa] ungeeignet; **~admissible** [inadmisibl] unannehmbar; unzulässig; **~advertance** [inadvɛrtɑ̃s] *f* Unachtsamkeit; *par ~advertance* aus Versehen; **~aliénable** [inaljenabl] unveräußerlich; **~altérable** [inalterabl] unveränderlich; alterungsbeständig; *fig* unerschütterlich; **~amical** [inamikal] *124* unfreundlich; **~amovible** [inamɔvibl] 🔧 fest verbunden; nicht entfernbar; *(Amt)* auf Lebenszeit; **~animé** [inanime] leblos; *(Materie)* unbelebt
inanit|é [inanite] *f* Nichtigkeit; Nutzlosigkeit; **~ion** [-sjɔ̃] *f* 💲 Entkräftung, Erschöpfungszustand
in|apaisable [inapɛzabl] *a. fig* unstillbar; **~aperçu** [inapɛrsy] unbemerkt; **~applicable** [inaplikabl] unanwendbar; **~appréciable** [inapresjabl] unschätzbar
inapt|e [inapt] unfähig; ungeeignet *(à zu); mil* untauglich; **~itude** [-tityd] *f* Unfähigkeit, Ungeeignetheit; mangelnde Eignung; *mil* Untauglichkeit
in|articulé [inartikyle] undeutlich; **~assouvi** [inasuvi] *(Hunger, Verlangen)* ungestillt, unbefriedigt; **~attaquable** [inatakabl] unangreifbar; 🔧 beständig; *~attaquable aux acides* säurefest
inatten|du [inatɑ̃dy] unerwartet; **~tif** [-tif] *112* unaufmerksam; **~tion** [-sjɔ̃] *f* Unaufmerksamkeit; Unachtsamkeit; *faute d'~tion* Flüchtigkeitsfehler
inaudible [inodibl] *phys* unhörbar; 👂, ♂ *(wegen Störgeräuschen)* nicht abhörbar
inaugur|al [inogyral] *124* Antritts...; Einweihungs...; *séance ~ale* Eröffnungssitzung; **~ation** [-rasjɔ̃] *f* Einweihung; Eröffnung; (Denkmals-)Enthüllung; *discours d'~ation* Einweihungs-, Eröffnungsrede; **~er** [-re] einweihen; eröffnen; *(Denkmal)* enthüllen
inavou|able [inavwabl] nicht einzugestehen; **~é** [-vwe] uneingestanden
incalculable [ɛ̃kalkylabl] *a. fig* unberechenbar
incandesc|ence [ɛ̃kɑ̃desɑ̃s] *f (a. fig)* Weißglut; *lampe à ~ence* Glühlampe; *porter à l'~ence* 🔧

zur Weißglut bringen; **~ent** [-sᾶ] *108* weißglü-
hend; *fig* erhitzt; (von Leidenschaft) entbrannt
incanta|tion [ɛ̃kᾶtasjɔ̃] *f* Zauber(-spruch);
~toire [-twaːr] zauberhaft
incap|able [ɛ̃kapabl] unfähig (*de* zu); außer-
stande (*de* zu); ♋ geschäfts-, rechtsunfähig;
~acitant [-pasitᾶ] *adj* vorübergehend kampfunfähig machend; *m* Kampfstoff; **~acité** [-pasitɛ] *f*
Unfähigkeit (*de* zu); Rechtsunfähigkeit; **~acité**
d'exercice ♋ Geschäftsunfähigkeit
incarcérer [ɛ̃karserɛ] *13* inhaftieren, einsperren
incarn|at [ɛ̃karna] *108* hochrot; **~ation** [-nasjɔ̃] *f*
rel Menschwerdung; **~er** [-nɛ] *rel, myth* Fleisch
u. Blut annehmen lassen; verkörpern; *ongle ~é*
♣ eingewachsener Nagel
in|cartade [ɛ̃kartad] *f* mutwilliger Streich;
~cassable [-kasabl] unzerbrechlich; bruchsicher
incend|iaire [ɛ̃sᾶdjɛːr] Brand...; *m* Brandstifter;
B.stoff; **~ie** [-di] *m* Brand; *pompe à ~ie*
Feuerspritze; *matériel d'~ie* Feuerlöschgeräte;
(crime d')~ie volontaire ♋ Brandstiftung; **~ier**
[-dje] in Brand stecken, schießen; in Aufruhr
bringen; *pop* anschnauzen, mit Vorwürfen
überhäufen
incert|ain [ɛ̃sertɛ̃] *109* ungewiß, unsicher;
(Wetter, Gunst) unzuverlässig; **~itude** [-tityd] *f*
Ungewißheit, Unsicherheit
incess|amment [ɛ̃sɛsamᾶ] unaufhörlich; *umg*
unverzüglich; **~ant** [-sᾶ] *108* unaufhörlich;
~ible [ɛ̃sesibl] nicht übertragbar
inceste [ɛ̃sɛst] *m* Blutschande; **~ueux** [-tɥø]
111 blutschänderisch
inchangé [ɛ̃ʃᾶʒe] unverändert
incid|ence [ɛ̃sidᾶs] *f* Folge, Wirkung; Einwir-
ken; *angle d'~ence* (*phys*) Einfallswinkel;
~emment [-damᾶ] *adv* gelegentlich; **~ent** [-dᾶ]
1. *108* einfallend; beiläufig; *rayon ~ent* (*phys*)
einfallender Strahl; **2.** *m* Zwischenfall, Vorfall
incinér|ation [ɛ̃sinerasjɔ̃] *f* Feuerbestattung;
Einäscherung; Verbrennung; Vernichtung; *installation d'~ation d'ordures* Müllverbren-
nungsanlage; **~er** [-re] *13 vt* zu Asche
verbrennen; einäschern
incis|er [ɛ̃size] einschneiden; **~if** [-zif] *112 (a.
fig)* schneidend; *(dent) ~ive* Schneidezahn;
~ion [-zjɔ̃] *f (a.* ♣) (Ein-)Schnitt
incit|ation [ɛ̃sitasjɔ̃] *f* Anregung; Anstiftung (*à*
zu); **~er** [-te] anregen; veranlassen; anstiften (*à*
zu)
incivilité [ɛ̃sivilite] *f* Unhöflichkeit
inclément [ɛ̃klemᾶ] *108 (Wetter)* rauh, unfreundlich
inclin|aison [ɛ̃klinɛzɔ̃] *f (phys,* ⚙) Neigung;
Inklination; Gefälle; **~ation** [-nasjɔ̃] *f* (seelische) Neigung; Zuneigung (*pour* zu); Vernei-
gung, Verbeugung; **~é** [-ne] schräg, abfallend;
~er [-ne] *vt* neigen, beugen; schrägstellen; *vi* s.
neigen; *fig* geneigt sein (*à* zu); *s'~er* s.
verneigen; *fig* s. unterwerfen
inclu|re [ɛ̃klyːr] *59 (e-m Brief)* beilegen; **~s** [ɛ̃kly]
108 (im Brief) beiliegend, eingeschlossen;
~sivement [ɛ̃klyzivmᾶ] einschließlich
in|coercible [ɛ̃kɔersibl] unaufhaltsam; **~cognito**
[ɛ̃kɔgnito] inkognito; *m 104* Inkognito

incohér|ence [ɛ̃kɔerᾶs] *f* Zus.hanglosigkeit;
Mangel an Folgerichtigkeit; **~ent** [-rᾶ] *108*
unzus.hängend; zus.hanglos; nicht folgerichtig
incollable [ɛ̃kɔlabl] *umg* helle; *(Person)* mit
großem Sachverstand
incolore [ɛ̃kɔlɔːr] farblos; *fig* blaß
incomber [ɛ̃kɔbe] obliegen (*à qn* j-m)
in|combustible [ɛ̃kɔbystibl] nicht brennbar;
feuerfest; **~commensurable** [ɛ̃kɔmᾶsyrabl] uner-
meßlich, unendlich, grenzenlos; maßfremd
incommod|e [ɛ̃kɔmɔd] *131* unbequem, unbe-
haglich; lästig; **~er** [-mɔde] belästigen; stören;
~ité [-mɔdite] *f* Unbehaglichkeit
incomparable [ɛ̃kɔparabl] unvergleichlich
incompat|ibilité [ɛ̃kɔpatibilite] *f* Unvereinbar-
keit; Unverträglichkeit; *~ibilité d'humeur* Un-
vereinbarkeit der Charaktere; **~ible** [-tibl]
unvereinbar; unverträglich; widerspruchsvoll
incompét|ence [ɛ̃kɔpetᾶs] *f* Unzuständigkeit;
~ent [-tᾶ] *108* unzuständig; unmaßgeblich
incom|plet [ɛ̃kɔplɛ] *116* unvollständig; **~pré-
hensible** [-preᾶsibl] unverständlich, unbegreif-
lich; **~préhensif** [-preᾶsif] *112* verständnislos;
~préhension [-preᾶsjɔ̃] *f* Verständnislosigkeit
(*de* für); **~pressible** [-presibl] nicht zus.drück-
bar; unelastisch; **~pris** [-pri] *108* unverstanden
incon|cevable [ɛ̃kɔsvabl] undenkbar; unbe-
greiflich; unvorstellbar; **~ciliable** [-siljabl] unvereinbar; **~ditionné** [-disjɔne], **~ditionnel**
[-disjɔnɛl] *115* bedingungslos; unbedingt; *m*
fanatischer Anhänger; Fan *m;* **~duite** [-dɥit] *f*
schlechtes Betragen, Benehmen
incon|fort [ɛ̃kɔfɔːr] *m* Unbequemlichkeit; **~for-
table** [-fɔrtabl] unbequem, unhandlich; **~gru**
[-gry] *129* unpassend; ungehörig; **~gruité**
[-grɥite] *f* Ungehörigkeit
inconn|aissable [ɛ̃kɔnɛsabl] *phil* nicht erkenn-
bar; unerforschlich; **~u** [-ny] unbekannt;
unerforscht; *m* Unbekannter; **~ue** [-ny] *f math*
Unbekannte
inconsci|ence [ɛ̃kɔsjᾶs] *f* Bewußtlosigkeit;
Unbewußtheit; **~ent** [-sjᾶ] *108, 127* unbewußt;
m: l'~ent d. Unbewußte
inconséqu|ence [ɛ̃kɔsekᾶs] *f* Mangel an Folge-
richtigkeit, Inkonsequenz; **~ent** [-kᾶ] *108, 127*
unbesonnen; inkonsequent
inconsidér|ation [ɛ̃kɔsiderasjɔ̃] *f* Unbedacht-
samkeit; **~é** [-re] *128* unbedacht(sam), unüber-
legt; *propos ~és* unüberlegtes Gerede
inconsistance [ɛ̃kɔsistᾶs] *f* Mangel an Festigkeit; *(Meinung)* Unbeständigkeit
inconsolable [ɛ̃kɔsɔlabl] untröstlich
inconst|ance [ɛ̃kɔstᾶs] *f* Unbeständigkeit, Wan-
kelmut; **~ant** [-stᾶ] *108, 127* unbeständig,
wechselhaft, launisch, wankelmütig; wetterwendisch
incon|stitutionnel [ɛ̃kɔstitysjɔnɛl] *115* verfas-
sungswidrig; **~structible** [-stryktibl] unbebau-
bar; **~testable** [-tɛstabl] unbestreitbar; **~testé**
[-tɛste] unbestritten; **~tinence** [-tinᾶs] *f* (geschlechtl.) Unenthaltsamkeit; *~tinence d'urine*
♣ Harninkontinenz; *~tinence de langage*
Schwatzhaftigkeit; **~tinent** [-tinᾶ] *108, 127*
(geschlechtl.) unenthaltsam; ohne Mäßigung;

adv auf d. Stelle, sofort; **~trôlable** [-trolabl] nicht nachprüfbar; **~trôlé** [-trolę] unkontrolliert; *(Gerücht)* unbestätigt; **~venant** [-vənã] *108* unschicklich, unanständig; **~vénient** [-venjã] *m* Unannehmlichkeit; Nachteil; *je n'y vois pas d'~vénient* ich habe nichts dagegen; **~vertible** [-vɛrtįbl] *com* unkonvertierbar

incorpor|ation [ɛ̃kɔrpɔrasjɔ̃] *f* Einverleibung; Eingliederung; *mil* Einberufung; **~el** [-rɛl] *115* unkörperlich; *biens ~els* immaterielle Güter; **~er** [-rę] einverleiben; eingliedern; *mil* einberufen; ✿ einbauen

incorrect [ɛ̃kɔrɛkt] unkorrekt; *a.* *ling* unrichtig; unpassend; **~ion** [-rɛksjɔ̃] *f* Fehler(haftigkeit); Unrichtigkeit; Ungehörigkeit

incorr|igible [ɛ̃kɔriʒįbl] unverbesserlich; **~uptible** [-ryptįbl] unverderblich; unverweslich; unbestechlich

incréd|ibilité [ɛ̃kredibilitę] *f* Unglaublichkeit; Unglaubwürdigkeit; **~ule** [-dyl] *a. rel* ungläubig; **~ulité** [-dylitę] *f* Ungläubigkeit; Unglaube

increvable [ɛ̃krəvabl]: *pneu ~* pannensicherer Reifen; *pop* unermüdlich

incriminer [ɛ̃kriminę] beschuldigen

incroy|able [ɛ̃krwajabl] unglaublich; **~ance** [-jãs] *f* Unglaube; **~ant** [-jã] *108* ungläubig

incruster [ɛ̃krystę] inkrustieren; auslegen *(de mit)*; Ablagerungen bilden; *s'~* *(fig umg)* Wurzeln schlagen; *s'~ dans l'esprit* s. im Gedächtnis festsetzen

in|cubation [ɛ̃kybasjɔ̃] *f* ✚ Inkubation(szeit); **~culpation** [ɛ̃kylpasjɔ̃] *f* Beschuldigung; *acte d'~culpation* Anschuldigungsschrift; **~culpé** [-pę] *m* ✿ Beschuldigter; **~culper** [-pę] ✿ beschuldigen; **~culquer** [ɛ̃kylkę] *6 (ins Gedächtnis)* einprägen; **~culte** [ɛ̃kylt] *(Land)* unbebaut; *(Haar)* ungepflegt; *(Geist)* ungebildet; unzivilisiert; **~cultivable** [ɛ̃kyltivabl] *(Land)* unbebaubar

incur|able [ɛ̃kyrabl] unheilbar; **~ie** [-rį] *f* Schlendrian; Fahrlässigkeit

incur|sion [ɛ̃kyrsjɔ̃] *f* Raubzug; (feindl.) Grenzüberschreitung; *fig* Streifzug; Übergriff; **~vation** [-vasjɔ̃] *f* Krümmung; Ausbiegung; ✚ Verkrümmung

Inde [ɛ̃d] *f: l'~* Indien; *mer des ~s* Indischer Ozean; *les ~s occidentales* Westindien

indé|brouillable [ɛ̃debrujabl] unentwirrbar; **~cence** [-sãs] *f* Anstößigkeit; **~cent** [-sã] *108, 127* anstößig; **~chiffrable** [-ʃifrabl] unentzifferbar; **~cis** [-si] *108* unentschieden; unschlüssig; **~cision** [-sizjɔ̃] *f* Unentschlossenheit; Unbestimmtheit; **~crottable** [-krɔtabl] *umg* unverbesserlich; **~fectible** [-fɛktįbl] unvergänglich, unwandelbar; **~fendable** [-fãdabl] unvertretbar; **~fini** [-fini] *128* unbestimmt; *ajourner ~finiment* auf unbestimmte Zeit verschieben, vertagen; **~finissable** [-finisabl] unbestimmbar; unerklärlich; *il est ~finissable* man wird nicht klug aus ihm; **~formable** [-fɔrmabl] formbeständig; **~frichable** [-friʃabl] *(Land)* unbebaubar; **~frisable** [-frizabl] *f* Dauerwelle(n); **~lébile** [-lebįl] *a. fig* unauslöschlich; *(Lippenstift)* küßecht; **~licat** [-delika] *108* unfein; unehrlich; **~licatesse** [-likatɛs] *f* Taktlosigkeit; Veruntreuung; **~maillable** [-majabl] maschenfest

indemn|e [ɛ̃dɛmn] unbeschädigt; **~isation** [-nizasjɔ̃] *f* Entschädigung; **~iser** [-nizę] entschädigen *(de* für); *s'~iser* s. schadlos halten an *(de* für); **~ité** [-nitę] *f* Entschädigung; Schadenersatz; Ersatzleistung; Abfindung; **~ité forfaitaire** Pauschalentschädigung; **~ité de déplacement** Reisekostenvergütung; **~ité journalière** Tagegeld; **~ité de résidence** Ortszuschlag; **~ité de vie chère** Teuerungszulage

indé|niable [ɛ̃denjabl] unleugbar; **~pendance** [-pãdãs] *f* Unabhängigkeit; **~pendant** [-p ãdã] *108, 127* unabhängig; *pol* parteilos; *m com* Freiberufler; **~racinable** [-rasinabl] unausrottbar; **~réglable** [-reglabl] *(Uhr)* ganggenau

indescriptible [ɛ̃dɛskriptįbl] unbeschreiblich

indésirable [ɛ̃dezirabl] unerwünscht

indestructible [ɛ̃dɛstryktįbl] unzerstörbar; unverwüstlich

indétermin|able [ɛ̃detɛrminabl] unbestimmbar; **~ation** [-nasjɔ̃] *f (a. math)* Unbestimmtheit; Unentschlossenheit; **~é** [-nę] nicht festgelegt; *a. math* unbestimmt

index [ɛ̃dɛks] *m* Zeigefinger; *(Buch)* Register; Verzeichnis; ✿ (An-)Zeiger; *math* Kennziffer; *EDV* Index, Einstell-, Ablesemarke; *mettre à l'~* auf d. Index setzen; *être à l'~* auf d. schwarzen Liste stehen; **~ation** [-ksasjɔ̃] *f* Indexierung; *clause d'~ation* Wertsicherungsklausel; **~er** [-ksę] indexieren; dynamisieren

indicat|eur [ɛ̃dikatœ:r] **1.** *122* Zeige...; *poteau ~eur* Wegweiser; **2.** *m* ✿ Melder; (An-)Zeiger; Anzeigegerät; Sichtgerät; *chem, biol* Indikator; Polizeispitzel; *~eur (des chemins de fer)* Kursbuch; **~eur de direction** 🚗 Fahrtrichtungsanzeiger; *~eur de niveau d'essence* Benzinstandanzeiger; *~eur de vitesse* Tachometer; **~if** [-tįf] *m ling* Indikativ; 📶 Sendezeichen; Kennzahl; Kennung; *~if d'appel* 📶 Rufzeichen; **~ion** [-sjɔ̃] *f* Hinweis; Auskunft; ✚ Indikation; Anzeichen *(de qch* für etw.); *~ion visuelle* Sichtanzeige; *~ion d'origine (com)* Ursprungsvermerk

indic|e [ɛ̃dįs] *m* Anzeichen; Richtzahl; *com* Index; Meßziffer; Kennzahl; *math* Wurzelexponent; *~e du coût de la vie* Lebenshaltungsindex; **~ible** [ɛ̃dįsįbl] unsagbar, unaussprechlich

indien [ɛ̃djɛ̃] *118* indisch; indianisch; *océan ⚲ Indischer Ozean; ⚲ m* Inder; Indianer; **~ne** [ɛ̃djɛn] *f* Kattun

indiffér|emment [ɛ̃diferamã] unterschiedslos; wahlweise; **~ence** [-rãs] *f* Gleichgültigkeit; **~ent** [-rã] *108* gleichgültig

indi|gence [ɛ̃diʒãs] *f* Dürftigkeit; **~gène** [-diʒɛn] **1.** eingeboren; *plante ~gène* einheimische Pflanze; **2.** *m* Eingeborener; **~gent** [-ʒ ã] *108* dürftig; *m* Bedürftiger

indigestε|e [ɛ̃diʒɛst] *a. fig* schwer verdaulich; **~ion** [-ʒɛstjɔ̃] *f* Verdauungsstörung; *umg* Überdruß

indign|ation [ɛ̃diɲasjɔ̃] *f* Empörung, Entrüstung; **~e** [ɛ̃diɲ] unwürdig; schändlich; **~er** [-ɲę] *fig* aufbringen; Unwillen hervorrufen;

s'~er s. entrüsten; (*de* über); **~ité** [-ɲitẹ] *f* Unwürdigkeit; Niedertracht

indigo [ɛ̃digọ] *m* Indigo(blau)

indiqu|er [ɛ̃dikẹ] *6* (an)zeigen; angeben; vermerken; andeuten; angezeigt erscheinen lassen; *il n'est pas ~é de... es* ist nicht angebracht, zu...

indirect [ɛ̃dirɛkt] indirekt; mittelbar

indis|cipliné [ɛ̃disiplinẹ] zuchtlos; **~cret** [-krɛ] *116* indiskret, nicht verschwiegen; taktlos; unbesonnen; **~crétion** [-kresjɔ̃] *f* Indiskretion, Mangel an Verschwiegenheit; Vertrauensbruch; Taktlosigkeit; **~cutable** [-kytạbl] unbestreitbar; **~pensable** [-pãsạbl] unumgänglich, unerläßlich; unentbehrlich

indispo|nible [ɛ̃dispɔɲibl] nicht verfügbar; *mil* unabkömmlich; **~ser** [-pozẹ] verstimmen; *se sentir ~sé* s. unwohl fühlen; **~sition** [-pozisjɔ̃] *f* Unpäßlichkeit

indis|soluble [ɛ̃disɔlybl] *fig* unauflöslich; **~tinct** [-tɛ̃] *108* undeutlich; **~tinctement** [-tɛ̃ktmã] ohne Unterschied

individu [ɛ̃dividy] *m* Individuum; Einzelmensch; Person; *pej* Kerl; **~alisme** [-dɥaliṣm] *m* Individualismus; Ichbetonung; **~alité** [-dɥalitẹ] *f* Individualität; Eigentümlichkeit; Persönlichkeit; **~el** [-dɥɛl] *115* individuell; persönlich

indivis [ɛ̃divi] *108* ⚘ ungeteilt; **~ible** [-vizịbl] unteilbar; **~ion** [-vizjɔ̃] *f* ⚘ Rechtsgemeinschaft

Indochin|e [ɛ̃dɔʃin] *f*: *l'~e* Indochina; **~ois** [-ʃinwạ] *m* Indochinese; **~ois** *108* indochinesisch

indocil|e [ɛ̃dɔsịl] unfolgsam, störrisch; *enfant ~e* Trotzkopf; **~ité** [-silitẹ] *f* Unlenksamkeit, Widerspenstigkeit

indo-européen [ɛ̃dɔərɔpeẽ] *118* indogermanisch

indol|ence [ɛ̃dɔlãs] *f* Trägheit; Lässigkeit; **~ent** [-lã] *108* träge; lässig; **~ore** [-lɔːr] 🦋 schmerzlos

in|domptable [ɛ̃dɔ̃tạbl] unbezähmbar; **~du** [ɛ̃dy] *129* ungehörig; ungewohnt; ungelegen; ungerechtfertigt; **~dubitable** [ɛ̃dybitạbl] unzweifelhaft

induct|eur [ɛ̃dyktœːr] *m phys* Induktor; **~if** [-tịf] *112 phil* induktiv; *phys* Induktions...; **~ion** [-sjɔ̃] *f* (*phil*, *phys*) Induktion; *courant d'~ion* Induktionsstrom

indui|re [ɛ̃dɥiːr] *80* hervorrufen; führen zu; *phys* induzieren; *~re en erreur* irreführen; *circuit ~t* 🦋 Induktionsstrom; **~t** [ɛ̃dɥi] *m* 🦋 Anker

indulgen|ce [ɛ̃dylʒãs] *f* Nachsicht; *rel* Ablaß; *~ce plénière* vollkommener Ablaß; **~t** [-ʒã] *108* nachsichtig

industri|aliser [ɛ̃dystrializẹ] industrialisieren; **~e** [-tri] *f* 1. Gewerbe; Industrie; *~e automobile* Kraftfahrzeugi.; *~e de base* Grundstoffi.; *~e du bâtiment* Baugewerbe; *~e de l'électricité* Stromerzeugung; *~e hôtelière* Gaststättengewerbe; *~e lourde* Schweri.; *~e metallurgique* Metalli.; *~e sidérurgique* Eisenhütteni.; *~e touristique* Fremdenverkehr; *~e de transformation* Veredelungsi.; **2.** Fleiß; **3.** Geschicklichkeit; *chevalier d'~e* Hochstapler; *vivre d'~e* s. durchschwindeln, -lavieren; **~e-clef** [-triklẹ] *f 97* Schlüsselindustrie; **~el** [-triẹl] *115* industriell;

fabrication *~elle* Serienfertigung; *m* Industrieller; **~eux** [-triø] *111* geschickt, gewandt; arbeitsam

in|ébranlable [inebrãlạbl] unerschütterlich; **~édit** [-di] *108* unveröffentlicht; noch nie dagewesen, neu

ineff|able [inefạbl] unaussprechlich; **~açable** [-fasạbl] unauslöschlich; **~icace** [-fikạs] unwirksam; **~icacité** [-fikasitẹ] *f* Unwirksamkeit; Wirkungslosigkeit

inégal [inegạl] *124* ungleich; *a. fig* uneben; holperig; *humeur ~e* wechselnde Stimmung; **~able** [-galạbl] unerreichbar; **~ité** [-galitẹ] *f* Ungleichheit; *a. fig* Unebenheit; *~ité d'esprit* Unzuverlässigkeit

in|éluctable [inelyktạbl] unvermeidlich; **~employé** [inãplwajẹ] ungenutzt; **~énarrable** [inenarạbl] *oft iron* unaussprechlich, unsagbar; *umg* unbeschreiblich, komisch

inept|e [inɛpt] absurd; sinnlos; dumm; **~ie** [inɛpsi] *f* Unsinn; *umg* Blödsinn

in|épuisable [inepɥizạbl] unerschöpflich; **~erte** [inɛrt] (*phys u. geistig*) träge; *matière ~erte* leblose Materie; *gaz ~erte* Edelgas; **~ertie** [inɛrsi] *f (phys u. geistig)* Trägheit; *moment d'~ertie (phys)* Trägheitsmoment

in|espéré [inɛsperẹ] unverhofft; **~estimable** [inɛstimạbl] unschätzbar; **~évitable** [inevitạbl] unvermeidlich

inex|act [inɛgzạkt] ungenau; unpünktlich; **~actitude** [inɛgzaktityd] *f* Ungenauigkeit; Unpünktlichkeit; **~cusable** [inɛkskyzạbl] unverzeihlich; **~écutable** [inɛgzekytạbl] undurchführbar; **~ercé** [inɛgzɛrsẹ] ungeübt; **~istant** [inɛgzistạ̃] *108* nicht vorhanden; **~istence** [inɛgzistɑ̃s] *f* Nichtvorhandensein; **~orable** [inɛgzɔrạbl] unerbittlich; **~périence** [inɛksperjãs] *f* Unerfahrenheit; **~périmenté** [inɛksperimãtẹ] unerfahren; **~piable** [inɛkspjạbl] unsühnbar; **~plicable** [inɛksplikạbl] unerklärlich; **~plorable** [inɛksplɔrạbl] unerforschbar; **~ploré** [inɛksplɔrẹ] unerforscht; **~pressif** [inɛkspresịf] *112* ausdruckslos, nichtssagend; **~primable** [inɛksprimạbl] unaussprechlich; **~tensible** [inɛkstãsịbl] undehnbar; **~tinguible** [inɛkstɛ̃gịbl] nicht zu löschen; (*Durst*) unstillbar; unauslöschlich; *rire ~tinguible* unbändiges Gelächter; **~tricable** [inɛkstrikạbl] unentwirrbar

infaill|ibilité [ɛ̃fajibilitẹ] *f* Unfehlbarkeit; **~ible** [-jibl] unfehlbar; unausbleiblich; *remède ~ible* absolut sicheres Heilmittel

infaisable [ɛ̃fəzạbl]: *c'est ~* das läßt s. nicht machen

inf|amant [ɛ̃famã] *108* ehrenrührig; entehrend; **~âme** [ɛ̃fạm] ehrlos; niederträchtig; **~amie** [ɛ̃famị] *f* Ehrlosigkeit; Niederträchtigkeit

infant|erie [ɛ̃fãtri] *f* Infanterie; **~erie aéroportée** Luftlandetruppen; **~erie blindée** Panzergrenadiere; **~icide** [-tisịd] *m* Kindesmord; **~ile** [-tịl] kindlich; *maladie ~ile* Kinderkrankheit

infarctus [ɛ̃farktys] *m* 🦋 Infarkt; **~ du myocarde** Herzinfarkt

infatigable [ɛ̃fatigạbl] unermüdlich

infatu|ation [ɛ̃fatɥasjɔ̃] *f* lächerliche Eingenom-

menheit (*de* für); Eingebildetheit; ~é [-tɥe]
eingebildet; ~é *de sa propre personne* von s.
überzeugt, selbstgefällig

infécond [ɛ̃fekɔ̃] *108 (a. fig)* unfruchtbar; ~ité
[-dite] *f (a. fig)* Unfruchtbarkeit

infect [ɛ̃fɛkt] übelriechend; ekelhaft; ~er
[ɛ̃fɛkte] § infizieren; übel riechen; verpesten;
~ieux [ɛ̃fɛksjø] *111* ansteckend; ~ion [ɛ̃fɛksjɔ̃] *f*
§ Infektion; Verseuchung; Gestank; Verpe-
stung; ~*ion chimique* Vergiftung

inféoder [ɛ̃feɔde]: *s'~ à qn (qch) (bes pol)* s. j-m
(e-r Sache) ganz verschreiben, völlig hingeben;
~*é à* einer Parteilinie folgend; linientreu

inférer [ɛ̃fere] schließen, folgern *(qch de qch
etw. aus etw.)*

inféri|eur [ɛ̃ferjœ:r] **1.** untere; Unter...; ~*eur à*
kleiner als; *il lui est ~eur* er ist ihm unterlegen;
2. *m* Untergebener; ~orité [-rjorite] *f* Unterle-
genheit; geringerer sozialer Stand; *complexe
d'~orité* Minderwertigkeitskomplex

infernal [ɛ̃fɛrnal] *124* höllisch

infertilité [ɛ̃fɛrtilite] *f (bes Boden)* Unfruchtbarkeit

infester [ɛ̃fɛste] unsicher machen; beunruhigen,
plagen; *(Ungeziefer)* heimsuchen

infid|èle [ɛ̃fidɛl] untreu; ungetreu; ~élité
[-delite] *f* Untreue; *(Übersetzung usw.)* Ungenauigkeit; ~*élité de la mémoire* Unzuverlässigkeit des Gedächtnisses

infiltrer [ɛ̃filtre]: *s'~ (a. fig)* einsickern;
einziehen *(dans* in)

infime [ɛ̃fim] winzig; (verschwindend) klein

infini [ɛ̃fini] *(a. math)* unendlich; *m (a. math)* das
Unendliche; ~**ment** [-nimɑ̃] *adv* unendlich,
außerordentlich, gewaltig; *les ~ment petits
(biol.)* d. Kleinstlebewesen; ~**té** [-nite] *f*
Unendlichkeit; *umg* Unmenge

infinitésimal [ɛ̃finitezimal] *124* unendlich klein;
calcul ~ Infinitesimalrechnung; *quantités ~es*
kleinste Mengen

infinitif [ɛ̃finitif] *m ling* Nennform

infirm|e [ɛ̃firm] körperbehindert; gebrechlich;
rendre ~e z. Krüppel machen; ~**er** [ɛ̃firme] *bes*
⚏ entkräften; ~**erie** [ɛ̃firməri] *f* Krankenabtei-
lung; ~**ier** [ɛ̃firmje] *m* Krankenpfleger; *mil*
Sanitäter; ~**ière** [ɛ̃firmjɛ:r] Krankenschwester;
~**ité** [ɛ̃firmite] *f* Leiden; Gebrechen

inflamm|abilité [ɛ̃flamabilite] *f* Entflammbar-
keit; ~**able** [ɛ̃flamabl] leicht entzündlich;
feuergefährlich; ~**ation** [ɛ̃flamasjɔ̃] *f (a.* §
Entzündung; ~**atoire** [ɛ̃flamatwa:r] § Entzün-
dungs...

inflation [ɛ̃flasjɔ̃] *f* Inflation; ~ *rampante*
schleichende I.; ~**niste** [-sjɔnist] Inflations...;
inflationistisch

infléchir [ɛ̃fleʃi:r] *22 (bes opt)* beugen

inflex|ible [ɛ̃flɛksibl] unbeugsam; ~**ion** [-sjɔ̃] *f*
Neigung *(a.* *fig)*; *ling* Umlaut; *phys*
Ablenkung; *point d'~ion (math)* Wendepunkt

infliger [ɛ̃fliʒe] *14* ⚏ *(Strafe)* verhängen;
(Entbehrung) auferlegen; *(Niederlage)* beibringen; ~ *un blâme à qn* j-m e-e Rüge erteilen

inflorescence [ɛ̃florɛsɑ̃s] *f bot* Blütenstand

influ|ençable [ɛ̃flyɑ̃sabl] beeinflußbar; ~**ence**

[ɛ̃flyɑ̃s] *f* Einfluß *(sur* auf); ~**encer** [ɛ̃flyɑ̃se] *15*
beeinflussen; ~**ent** [ɛ̃flyɑ̃] *108* einflußreich; ~**er**
[ɛ̃flye] Einfluß ausüben *(sur* auf); ~**x** [ɛ̃fly] *m* §
Reizleitung

in-folio [ɛ̃foljo] *m* Folio(format, -band)

inform|ateur [ɛ̃formatœr] *m 122* Auskunftsper-
son; Informant; ~**aticien** [-matisjɛ̃] *m 118*
Informationstechniker, Informatiker; ~**ation**
[ɛ̃formasjɔ̃] *f* **1.** Auskunft; Benachrichtigung;
Mitteilung; *pl* ⚏ Meldungen; *service d'~ations*
Nachrichtendienst; **2.** *pl* Erkundigung(en); *aller
aux ~ations* E.en einziehen; **3.** ⚏ Ermittlung,
(Zeugen-)Vernehmung; *ouvrir une ~ation* e.
Ermittlungsverfahren einleiten; ~**atique** [-ma-
tik] *f* elektronische Datenverarbeitung (EDV),
Informatik; ~**atiser** [-matize] d. elektronische
Datenverarbeitung einführen; ~**e** [ɛ̃form] unför-
mig; mißgestaltet; ~**er** [-me] benachrichtigen
(de von); ⚏ Untersuchung einleiten *(contre qn
de qch* gegen j-n wegen etw.); *s'~er* s.
erkundigen *(de* nach); *bien ~é* gut unterrichtet

infortun|e [ɛ̃fortyn] *f* Unglück, Mißgeschick;
~**é** [-tyne] unglücklich; *m* Unglücklicher

infraction [ɛ̃fraksjɔ̃] *f* ⚏ strafbare Handlung;
Straftat; Zuwiderhandlung; ~ *à la loi* Übertretung d. Gesetzes; *commettre une ~ au traité
(pol)* vertragsbrüchig werden

infranchissable [ɛ̃frɑ̃ʃisabl] unüberschreitbar;
(Hindernis) unüberwindlich

infra|rouge [ɛ̃fraruːʒ] infrarot; *m* Infrarotstrah-
lung; ~**structure** [-stryktyːr] *f (⚔, fig)* Unterbau; *com* Infrastruktur; Anlagegüter; *mil*
militärische Anlagen

in|froissable [ɛ̃frwasabl] knitterfrei; ~**fructueux**
[ɛ̃fryktɥø] *111* fruchtlos; erfolglos

infus [ɛ̃fy] *108* natürlich, angeboren

infus|er [ɛ̃fyze] *(in Alkohol)* ansetzen; einsprit-
zen, -führen; *(Blut)* übertragen; *laisser ~er (Tee)*
ziehen lassen; ~**ible** [-zibl] unschmelzbar; ~**ion**
[-zjɔ̃] *f* (Kräuter-)Tee; Aufguß; ~*ion de menthe*
Pfefferminztee; ~**oires** [-zwaːr] *mpl biol* Aufguß-
tierchen, Infusorien

ingambe [ɛ̃gɑ̃b] flink; *(Greis)* rüstig

ingéni|er [ɛ̃ʒenje]: *s'~er à* s. bemühen,
versuchen zu; ~**erie** [-ʒeniri] *f* Projektplanung;
~**eur** [-njœːr] *m* Ingenieur; ~*eur des Ponts et
Chaussées* Straßenbauing.; ~*eur en chef* techni-
scher Leiter; ~*eur consultant* Unternehmensberater; ~*eur du son* ⚏ Toning.; ~**eux** [-njø] *111*
erfinderisch; kunstvoll angelegt; ~**osité** [-njozi-
te] *f* Erfindungsgabe; kunstvolle Anlage

ingénu [ɛ̃ʒeny] *128* unbefangen; harmlos; naiv;
~**ue** [-ny] *f 746* Naive; *jouer les ~ues (fig)* d.
Unschuldige spielen; ~**uité** [-nɥite] *f* Unbefangenheit; Harmlosigkeit; Naivität

ingérence [ɛ̃ʒerɑ̃s] *f (a. pol)* Einmischung

ingrat [ɛ̃gra] *108* undankbar; *extérieur ~*
unvorteilhaftes Äußere; *âge ~* Entwicklungsal-
ter, Flegeljahre; ~**itude** [ɛ̃gratityd] *f* Undank
(barkeit)

ingrédient [ɛ̃gredjɑ̃] *m* Bestandteil; Zubehör;
Hilfsstoff

inguérissable [ɛ̃gerisabl] unheilbar

ingurgiter [ɛ̃gyrʒite] (gierig) verschlingen

inhab|ile [inabịl] ungeschickt; **~itable** [-bitạbl] unbewohnbar; **~ité** [-bitẹ] unbewohnt; *(Raumkapsel)* unbemannt
inhabitu|é [inabituẹ] ungewohnt; **~el** [-tụɛl] *115* ungewöhnlich
inhal|ateur [inalatœ:r] *m* Inhalationsapparat, Atemgerät; **~ateur d'oxygène** Sauerstoffgerät; **~ation** [-lasjɔ̃] *f* Inhalation; **~er** [-lẹ] inhalieren
inhib|er [inibẹ] *biol (Entwicklung)* hemmen; unterbinden; **~ition** [-bisjɔ̃] *f* ⚕ Hemmung
inhospitalier [inɔspitaljẹ] *116* ungastlich; unwirtlich; *(Landschaft)* öde
inhum|ain [inymɛ̃] *109* unmenschlich, grausam; **~ation** [-masjɔ̃] *f* Bestattung; **~er** [mẹ] bestatten, beerdigen
inim|aginable [inimaʒinạbl] unvorstellbar; **~itable** [-mitạbl] unnachahmlich; **~itié** [-mitjẹ] *f* Feindschaft
inin|flammable [inɛ̃flamạbl] unbrennbar; **~telligible** [-tɛlliʒịbl] unverständlich; **~terrompu** [-tɛrɔ̃py] ununterbrochen
iniqu|e [inịk] d. Rechtsgefühl verletzend; **~ité** [inikitẹ] *f* schwere Ungerechtigkeit
initi|al [inisjạl] *124* Anfangs...; *vitesse ~ale* Anfangsgeschwindigkeit; *classes ~ales (päd)* d. unteren Klassen; **~ale** [-sjạl] *f* Anfangsbuchstabe; **~ateur** [-sjatœ:r] *122* bahnbrechend; *m fig* Lehrmeister; Wegbereiter; **~ation** [-sjasjɔ̃] *f* Einführung; Einweihung; **~ative** [-sjatịv] *f* Initiative; *prendre l'~ative* d. ersten Anstoß geben *(de* zu); *syndicat d'~ative* Verkehrsverein; **~é** [-sjẹ] *m* Eingeweihter; **~er** [-sjẹ] einführen *(à* in); einweihen
inject|er [ɛ̃ʒɛktẹ] ⚕, ⚘ einspritzen; *yeux ~és (de sang)* blutunterlaufene Augen; **~eur** [-tœ:r] *m (Motor)* Einspritzdüse; **~ion** [-sjɔ̃] *f* ⚕ Spülung; ⚕, ⚘ Einspritzung; Injektion; Zufuhr
injonction [ɛ̃ʒɔ̃ksjɔ̃] *f* Einschärfung; ausdrücklicher Befehl
injur|e [ɛ̃ʒy:r] *f* Beleidigung; Schimpfwort; *~es du temps* Zahn d. Zeit; **~ier** [ɛ̃ʒyrjẹ] beschimpfen; **~ieux** [ɛ̃ʒyrjø] *111* schimpflich; beleidigend
injust|e [ɛ̃ʒyst] ungerecht; **~ice** [ɛ̃ʒystịs] *f* Ungerechtigkeit; **~ifiable** [ɛ̃ʒystifjạbl] nicht zu rechtfertigen; **~ifié** [ɛ̃ʒystifjẹ] ungerechtfertigt
inlassable [ɛ̃lɑsạbl] unverdrossen; rastlos; unermüdlich
in|né [innẹ] angeboren; **~nocence** [inɔsɑ̃s] *f* Unschuld; Schuldlosigkeit; **~nocent** [inɔsɑ̃] *108* unschuldig; schuldlos; harmlos; *m umg* beschränkter Mensch; **~nocuité** [inɔkɥitẹ] *f* Unschädlichkeit; **~nombrable** [innɔ̃brạbl] unzählig; **~nommable** [innɔmạbl] *fig* scheußlich; **~novation** [innɔvasjɔ̃] *f* Neuerung; **~nover** [innɔvẹ] Neuerungen einführen; **~nover** [innɔvẹ] Neuerungen einführen; **~nbservation** [-ɔbsɛrvasjɔ̃] *f* Nichtbeachtung; **~nccupé** [inɔkypẹ] unbeschäftigt; **~-nctavo** [inɔktavo] *m* 🕮 Oktavformat
inocul|ation [inɔkylasjɔ̃] *f* ⚕ Impfung; *(Ideen)* Einimpfung; **~er** [-lẹ] ⚕ impfen; *(Ideen)* einimpfen
in|odore [inɔdɔːr] geruchlos; **~offensif** [inɔfɑsịf] *112* harmlos; **~ondation** [inɔ̃dasjɔ̃] *f* Über-

schwemmung; **~onder** [inɔ̃dẹ] überschwemmen; **~opérant** [inɔperɑ̃] *108* unwirksam; **~opiné** [inɔpinẹ] *128* unerwartet; **~opportun** [inɔpɔrtœ̃] *109, 131* ungelegen; unpassend; **~organique** [inɔrganịk] anorganisch; **~organisation** [-ɔrganizasjɔ̃] *f* Organisationsmangel; **~organisé** [ɔrganizẹ] keiner Gewerkschaft angehörend; **~oubliable** [inublịabl] unvergeßlich; **~ouï** [inwị] unerhört; **~oxydable** [inɔksidạbl] nicht oxydierbar; *acier ~oxydable* rostfreier Stahl
inquiet [ɛ̃kjɛ] *116* unruhig; beunruhigt *(de* über); **inquiét|ant** [ɛ̃kjetɑ̃] *108* beunruhigend; unheimlich; **~er** [-tẹ] *13* beunruhigen; *s'~er* s. Sorgen machen *(de* um, wegen); **~ude** [-tyd] *f* Unruhe, Besorgnis
inquisit|eur [ɛ̃kizitœ:r] **1.** *122* Inquisitions...; *regards ~eurs* forschende (prüfende) Blicke; **2.** *m* Inquisitor; **~ ion** [-zisjɔ̃] *f* Inquisition; **~orial** [-tɔrjal] *124* inquisitorisch
ins|aisissable [ɛ̃sɛzisạbl] ungreifbar; unfaßlich; ℠ unpfändbar; **~alissable** [ɛ̃salisạbl] nicht schmutzend; **~alubre** [ɛ̃salybr] ungesund; *îlots ~alubres* Elendsviertel; **~alubrité** [ɛ̃salybritẹ] *f* Ungesundheit; **~anité** [ɛ̃sanitẹ] *f* Torheit; **~atiable** [ɛ̃sasjạbl] unersättlich; **~ciemment** [ɛ̃sjamɑ̃] unbewußt
inscri|ption [ɛ̃skripsjɔ̃] *f* Inschrift; Beschriftung; *(a. Univ.)* Einschreibung; Eintragung; *math* Einbeschreibung; 🩺 Meldung; *~ption au débit* Lastschrift; **~re** [ɛ̃skri:r] *67* einschreiben; eintragen; *math* einbeschreiben; *s'~re sur une liste* s. in e-e Liste eintragen; *s'~re en faux* ℠ Fälschungsklage einreichen; *fig* bestreiten *(contre qch* etw.)
insect|e [ɛ̃sɛkt] *m* Insekt; **~icide** [ɛ̃sɛktisịd] *m* Insektenpulver
insé|curité [ɛ̃sekyritẹ] *f* Unsicherheit; **~mination** [-minasjɔ̃] *f* *zool* künstl. Befruchtung
insens|é [ɛ̃sɑ̃sẹ] unsinnig; **~ibiliser** [-sibilizẹ] ⚕ betäuben; **~ibilité** [-sibilitẹ] *f (a. fig)* Unempfindlichkeit *(à* für); **~ible** [-sịbl] *a. fig* unempfindlich *(à* für); unmerklich
inséparable [ɛ̃separạbl] untrennbar; unzertrennlich
insérer [ɛ̃serẹ] *13* einschieben, -fügen, -schalten; inserieren; 🕮 einrücken
insertion [ɛ̃sɛrsjɔ̃] *f* Einfügung, -rücken; Inserieren; Inserat, *fig (Personen)* Assimilation, Integration; *~ dans un milieu* Vertrautwerden mit, Hineinwachsen in; *~ dans la vie professionnelle* Eingliederung in das Berufsleben
insexué [ɛ̃sɛksɥẹ] *biol* geschlechtslos
insidieux [ɛ̃sidjø] *111* hinterhältig; *(Frage)* verfänglich; ⚕ schleichend
insign|e [ɛ̃sịɲ] ausgezeichnet; hervorragend; *m* Abzeichen; *mpl* Ehrenzeichen; *~es de souveraineté* Hoheitszeichen; *~e de grade (mil)* Rangabzeichen; **~ifiance** [-nifjɑ̃s] *f* Bedeutungslosigkeit; **~ifiant** [-ɲifjɑ̃] *108* bedeutungslos; geringfügig; unscheinbar
insinu|ant [ɛ̃sinɥɑ̃] *108* einschmeichelnd; **~ation** [-ɲnasjɔ̃] *f* versteckte Andeutung; **~er** [-ɲnẹ] andeuten; *s'~er* s. einschleichen

insipid|e [ɛ̃sipid] *a. fig* geschmacklos; **~ité** [-pidite] *f (a. fig)* Geschmacklosigkeit; Abgeschmacktheit

insist|ance [ɛ̃sistɑ̃s] *f* Beharrlichkeit; **~er** [-te] bestehen, beharren, Nachdruck legen (*sur* auf); *n'~ez pas!* geben Sie s. k-e Mühe!; danke, wirklich nicht!

insociable [ɛ̃sɔsjabl] ungesellig

insol|ateur [ɛ̃sɔlatœ:r] *m* Sonnenbatterie; **~ation** [-lasjɔ̃] *f* Sonnenstrahlung; *meteo* Sonneneinstrahlung; **⚕** Sonnenstich

insol|ence [ɛ̃sɔlɑ̃s] *f* Unverschämtheit; Frechheit; **~ent** [-lɑ̃] *108* unverschämt, frech; **~ite** [-lit] ungewohnt, außergewöhnlich

insol|uble [ɛ̃sɔlybl] *chem* unlöslich; *(Problem)* unlösbar; **~vabilité** [-vabilite] *f* Zahlungsunfähigkeit; **~vable** [-vabl] zahlungsunfähig

in|somnie [ɛ̃sɔmni] *f* Schlaflosigkeit; **~sondable** [ɛ̃sɔ̃dabl] *a. fig* unergründlich; **~sonorisation** [ɛ̃sɔnɔrizasjɔ̃] *f* Schalldämmung; **~sonorisé** [ɛ̃sɔnɔrize] schalldicht

insou|ciance [ɛ̃susjɑ̃s] *f* Sorglosigkeit; Leichtsinn; **~ciant** [-sjɑ̃] *108* sorglos, unbekümmert (*de* um); **~mis** [-mi] *108* aufsässig; *m* Wehrdienstverweigerer; **~mission** [-misjɔ̃] *f* Aufsässigkeit; Nichtbefolgung d. Einberufungsbefehls; **~pçonnable** [ɛ̃supsɔnabl] über jeden Verdacht erhaben; **~pçonné** [ɛ̃supsɔne] ungeahnt; **~tenable** [ɛ̃sutnabl] unhaltbar

inspect|er [ɛ̃spɛkte] inspizieren; be(auf)sichtigen; **~eur** [-tœ:r] *m* Inspektor; *~eur d'académie (etwa:)* Schulrat; **~ion** [-sjɔ̃] *f* Aufsicht, Überwachung; Inspektion; *~ion de qualité* Güteprüfung

inspir|ation [ɛ̃spirasjɔ̃] *f* Einatmung; Eingebung; Einfall, Inspiration; **~er** [-re] einatmen; *fig* eingeben, einflößen; *(Tat)* veranlassen; inspirieren; *s'~er* s. leiten lassen (*de* von); *être bien ~é* gut beraten sein

insta|bilité [ɛ̃stabilite] *f* Unbeständigkeit; Labilität; **~ble** [ɛ̃stabl] unbeständig; labil

install|ation [ɛ̃stalasjɔ̃] *f* Einrichtung; ✿ Anlage; *(Maschine)* Einbau; Installation; Einsetzung *(ins Amt);* **~er** [-le] einrichten; ✿ anlegen; *(Maschine)* einbauen, installieren; *(ins Amt)* einsetzen; *s'~er à son (propre) compte (com)* s. selbständig machen

inst|amment [ɛ̃stamɑ̃] *adv* flehentlich; **~ance** [ɛ̃stɑ̃s] *f* 1. 🕸 Instanz(enzug) *(108);* 2. dringende Bitte; **~ant** [ɛ̃stɑ̃] *m* Augenblick; *à l'~ant* augenblicklich, sofort; *il peut venir d'un ~ant à l'autre* er kann jeden A. kommen; **~antané** [-statane] *128* augenblicklich; *(Speisen)* kochfertig, tischbereit; *pansement ~antané* Schnellverband; *m* 📷 Schnappschuß

inst|ar [ɛ̃sta:r]: *à l'~ar de* nach d. Vorbild von; **~aurer** [ɛ̃stɔre] einführen

instigat|eur [ɛ̃stigatœ:r] *m* Anstifter, Drahtzieher; Rädelsführer; **~ion** [-sjɔ̃] *f* Anstiftung

instiller [ɛ̃stile] einträufeln

instinct [ɛ̃stɛ̃] *m* Instinkt; Trieb; *~ grégaire* Herdentrieb; *~ de conservation* Selbsterhaltungstrieb; **~if** [ɛ̃stɛ̃ktif] *112* instinktiv; triebhaft

institu|er [ɛ̃stitɥe] stiften; begründen; *(ins Amt)*

einsetzen; *il m'a ~é son héritier* er hat mich zu s-m Erben eingesetzt; **~t** [-ty] *m* Institut; Anstalt; Akademie; *~t de beauté* Schönheitssalon; **~teur** [-tytœ:r] *m* Volksschullehrer; **~tion** [-tysjɔ̃] *f* Stiftung; Gründung; Anstalt; Einsetzung *(ins Amt, als Erben); ~ion sociale* Wohlfahrtseinrichtung; **~tionaliser** [-sjɔnalize] institutionalisieren, e-e gesellschaftlich anerkannte Form geben; **~trice** [-tytris] *f* Volksschullehrerin

instruct|eur [ɛ̃stryktœ:r] *122* Ausbildungs...; 🕸 Untersuchungs...; *m mil* Ausbilder; **~if** [-tif] *112* instruktiv, lehrreich; **~ion** [-sjɔ̃] *f* 1. Unterweisung, Schulung; *sans ~ion* ungebildet; *~ion civique* Staatsbürgerkunde; *~ion publique* staatl. Unterrichtswesen; 2. Instruktion, Befehl; Anweisung; Vorschrift; 3. 🕸 Untersuchung; *mesure d'~ion* Beweisaufnahme

instru|ire [ɛ̃strɥi:r] *80* unterweisen (*dans* in); schulen; 🕸 d. Prozeß einleiten (*contre* gegen); **~it** [ɛ̃strɥi] *108* gebildet; informiert; **~ment** [ɛ̃strymɑ̃] *m* 1. Instrument; *~ment à cordes* Saiteninstr.; *~ment à vent* Blasinstr.; *~ment à percussion* Schlaginstr.; 2. Gerät; *a. fig* Werkzeug; 3. 🕸 Urkunde; **~mental** [ɛ̃strymɑ̃tal] *124* Instrumental...; **~mentation** [ɛ̃strymɑ̃tasjɔ̃] *f* ♪ Instrumentierung; **~mentiste** [ɛ̃strymɑ̃tist] *m* ♪ Instrumentalist

insu [ɛ̃sy]: *à l'~ de qn* ohne j-s Wissen

insub|mersible [ɛ̃sybmɛrsibl] unversenkbar; **~ordination** [-bɔrdinasjɔ̃] *f* Unbotmäßigkeit; Gehorsamsverweigerung; **~ordonné** [-bɔrdɔne] unbotmäßig

insuccès [ɛ̃syksɛ] *m* Mißerfolg, Fehlschlag

insuffis|ance [ɛ̃syfizɑ̃s] *f* Unzulänglichkeit; Unfähigkeit; ⚕ Insuffizienz; **~ant** [-zɑ̃] *108, 127* ungenügend; unzulänglich; unzureichend; unfähig

insuffler [ɛ̃syfle] einblasen; einhauchen; einflüstern

insul|aire [ɛ̃sylɛ:r] Insel...; *m* Inselbewohner; **~arité** [-larite] *f* Insellage

insult|e [ɛ̃sylt] *f* Beleidigung; **~er** [-te] beleidigen; hohnsprechen (*à qch* etw.); **~eur** [-tœ:r] *m* Beleidiger

insupportable [ɛ̃sypɔrtabl] unerträglich; unausstehlich

insurg|é [ɛ̃syrʒe] *m* Aufständischer; **~er** [-ʒe] *14: s'~er* s. erheben, empören, auflehnen (*contre* gegen)

insur|montable [ɛ̃syrmɔ̃tabl] unüberwindlich; **~passable** [-pɑsabl] unübertrefflich

insurrection [ɛ̃syrɛksjɔ̃] *f* Aufstand; Aufruhr; **~nel** [-sjɔnɛl] *115* aufständisch; aufrührerisch

in|tact [ɛ̃takt] heil, unversehrt; *fig* makellos, untadelig; **~tangible** [ɛ̃tɑ̃ʒibl] unberührbar; unantastbar

intarissable [ɛ̃tarisabl] *a. fig* unversiegbar

intégr|al [ɛ̃tegral] *125* vollständig; unberührt; *calcul ~al* Integralrechnung; *édition ~ale* ungekürzte Ausgabe; **~alement** durch u. durch; **~ale** [-gral] *f math* Integral; *lit* Gesamtausgabe (e-s Werkes); **~alité** [-gralite̜] f Vollständigkeit; **~ant** [-grɑ̃] *108* dazugehörend; *(Bestandteil)* wesentlich; **~ation** [-grasjɔ̃] f *(a. math)* Integration; Eingliederung; Verbindung; Anpassung **in|tègre** [ɛ̃te̜gr̜] unbescholten; redlich; **~tégrer** [ɛ̃tegre̜] *13 (math, com)* integrieren; **~tégrisme** [-te̜grism] religiöser Konservatismus; **~tégriste** [-te̜grist] *adj* konzessionslos, kompromißlos; **~tégrité** [ɛ̃tegrite̜] f Unversehrtheit; Unbescholtenheit

intell|ectuel [ɛ̃te̜lε̜ktɥε̜l] *115* intellektuell, geistig; *m* Intellektueller; **~igence** [-liʒɑ̃s] f Intelligenz; Verstand; Erkenntniskraft; Verständnis *(de* für); Einvernehmen; *être d'~igence* unter e-r Decke stecken *(avec qn* mit j-m); **~igences avec l'ennemi** Feindbegünstigung; **~igent** [-liʒɑ̃] *108* intelligent, klug; **~igible** [-liʒibl] verständlich

intemp|érance [ɛ̃tɑ̃perɑ̃s] f Unmäßigkeit; Zügellosigkeit; **~éries** [-peri] fpl Unbilden d. Witterung; **~estif** [-pε̜stif] *112* ungelegen; unangebracht

intenable [ɛ̃tənabl] unhaltbar

inten|dance [ɛ̃tɑ̃dɑ̃s] f Verwaltung; *mil* Heeresverwaltung, Intendantur; *com* Haushaltsmittel; Infrastruktur; **~dant** [-dɑ̃] m Verwalter; **~se** [ɛ̃tɑ̃s] intensiv; heftig; kräftig; **~sif** [-sif] *112: culture ~sive* ↓ intensive Bodenbewirtschaftung; **~sifier** [-sifje] verstärken; **~sité** [-site̜] f Intensität, Heftigkeit; *~sité du son* Tonstärke; *~sité du courant* ⚡ Stromstärke; **~ter** [-te̜]: *~ter un procès à qn* geg. j-n e-n Prozeß anhängig machen; **~tion** [-sjɔ̃] f Absicht, Vorsatz; Gesinnung; Zweck; *à l'~tion de* zugunsten; zu Ehren von; **~tionné** [-sjɔne̜] gesinnt; **~tionnel** [-sjɔnε̜l] *115 (bes* 🐍*)* beabsichtigt; **~tionnellement** [-sjɔnε̜lmɑ̃] *adv* absichtlich, vorsätzlich

inter [ɛ̃te̜r] m (⚽ , *umg)* Fernamt; 🏑 Innenstürmer

inter|action [ɛ̃te̜raksjɔ̃] f Wechselwirkung; gegenseitige Beeinflussung; **~allié** [-ralje] verbündet; **~calaire** [-kalε̜r]: *jour ~calaire* Schalttag; **~caler** [-kale̜] einschieben; **~céder** [-sede̜] *13* s. einsetzen *(en faveur de* für); **~cepter** [-se̜pte̜] *(Brief, Telefongespr.)* abfangen; abhören; **~cesseur** [-se̜sɔ̜r] m Fürsprecher; **~cession** [-se̜sjɔ̃] f Fürsprache; Verwendung; **~changeable** [-ʃɑ̃ʒabl] auswechselbar; (voll)austauschbar; **~connexion** [-kɔnε̜ksjɔ̃] f (⚡ , *fig)* Querverbindung; **~continental** [-kɔ̃tinɑ̃tal] *124* interkontinental; **~costal** [-kɔstal] *124* 🦴 Zwischenrippen...; **~dépendance** [-depɑ̃dɑ̃s] f gegenseitige Abhängigkeit; Wechselbeziehung; **~diction** [-diksjɔ̃] f Verbot; Suspendierung; *~diction de dépasser* Überholverbot; *~diction (judiciaire)* Entmündigung; *~diction légale* 🐍 Aberkennung der bürgerlichen Ehrenrechte; **~dire** [-diːr] *78* untersagen; verbieten; suspendieren; 🐍 entmündigen; **~disciplinaire** [-disiplinε̜r] multidisziplinär, fachübergreifend; **~dit** [-di] **1.** *108* verboten; suspendiert; bestürzt; *entrée ~dite* Eintritt verboten; *~dit de séjour* mit e-m Aufenthaltsverbot belegt. **2.** *m rel* Interdikt **intér|essant** [ɛ̃te̜re̜sɑ̃] *108* interessant; wichtig;

vorteilhaft; **~essé** [-re̜se̜] eigennützig; *com* beteiligt; *m* Beteiligter; **~essement** [-te̜re̜smɑ̃] *com* finanzielle Beteiligung; **~esser** [-re̜se̜] interessieren; angehen, betreffen; *com* beteiligen *(dans* an); *s'~esser à qch* s. für etw. interessieren; **~êt** [-rε̜] m **1.** Vorteil; Nutzen; *pl* Belange; Interessen; *~êt général* Gemeinwohl; *~êt particulier* Eigennutz; **2.** Interesse; Bedeutung; Spannung; **3.** Zinsen; *~êt composé* Zinseszins; *~êt échelonné* Staffelzins

inter|férence [ɛ̃te̜rferɑ̃s] f *phys* Interferenz; Störung; Behinderung; **~férer** [-fere̜] interferieren; *fig* s. stören, s. behindern; verstärken; **~folier** [-fɔlje] 📖 durchschießen

intér|ieur [ɛ̃te̜rjœ̜r] **1.** innere; Innen...; *mer ~ieure* Binnenmeer; *commerce ~ieur* Binnenhandel; **2.** das Innere; *ministère de l'~ieur* Ministerium d. Inneren; *à l'~ieur* im Innern; **3.** *m* Heim; *une femme d'~ieur* e. gute Hausfrau; *avoir son ~ieur à soi* im eigenen Heim wohnen; **~im** [-rim] m Zwischenzeit; vorläufige Regelung; *par ~im* vertretungsweise; **~imaire** [-rime̜r] Vertretungs...; *travail ~imaire* Zeitarbeit; *personnel ~imaire* Zeitarbeiter

inter|jection [ɛ̃te̜rʒε̜ksjɔ̃] f *ling* Interjektion; **~jeter** [ʒəte̜]: *~jeter appel* 🐍 Berufung einlegen; **~ligne** [-liɲ] m Zeilenabstand, Durchschuß; 📖 Reglette; **~locuteur** [-ɔkytœ̜r] m Gesprächspartner, Gegenüber; **~lope** [-lɔp] zweideutig, verdächtig; *commerce ~lope* Schleichhandel; **~loqué** [-lɔke̜] sprachlos; **~mède** [-mε̜d] m Zwischenzeit; 🎭 Zwischenspiel; **~médiaire** [-medjε̜r] Zwischen...; Mittel...; *m* Vermittlung; Vermittler; *com* Zwischenhändler; **~minable** [-minabl] endlos; **~mittence** [-mitɑ̃s] f Unterbrechung; Aussetzen; *par ~mittence* ab u. zu; **~mittent** [-mitɑ̃] *108* aussetzend; Wechsel...; **~nat** [-na] m Internat; Assistenzarztstelle; **~national** [-nasjɔnal] *124* international; zwischenstaatlich

intern|e [ɛ̃te̜rn] **1.** intern; *droit ~e* innerstaatliches Recht; *maladie ~e* innere Krankheit; **2.** *m* Internatsschüler; Assistenzarzt; **~ement** [-nəmɑ̃] m Internierung; **~er** [-ne̜] internieren; in e-r Heilanstalt unterbringen

inter|pellation [ɛ̃te̜rpelasjɔ̃] f (🐍 , *pol)* Interpellation; *pol* Anfrage; **~peller** [-pele̜] anrufen; befragen; **~pénétration** [-penetrasjɔ̃] f gegenseitige Durchdringung; **~phone** [-fɔn] m Wechselsprechanlage; **~planétaire** [-planete̜r] interplanetarisch; **~poler** [-pɔle̜] *math* interpolieren; einschieben; **~poser** [-poze̜] dazwischenlegen; *s'~poser* dazwischentreten, vermitteln, s. einschalten; *par (personne) ~ée* durch Vermittlung von; **~prétatif** [-pretatif] *112* erläuternd; **~prétation** [-pretasjɔ̃] f *(a.* 🎭*)* Interpretation; Darstellung; Erläuterung; Deutung; *~prétation des données* Datenauswertung; **~prète** [-prε̜t] m *(a.* 🎭*)* Interpret; Dolmetscher; 🎭 Darsteller; *pl* 🎵 Ausführende; **~préter** [-prete̜] *13* interpretieren; erläutern; 🎭 darstellen; 🎵 ausführen; *mal ~préter* falsch auffassen; **~rogatif** [-rɔgatif] *112* fragend; **~rogation** [-rɔgasjɔ̃] f *(Prüfung,* 🐍*)* Frage; *point d'~rogation* Fragezeichen; **~roga-**

toire [-rɔgatwa̱ːr] *m;* Befragung; ☊ Verhör; Vernehmung; **~roger** [-rɔʒe̱] *14* (aus-)fragen; ☊ verhören; **~rompre** [-rɔ̃pr] *76* unterbrechen; **~rupteur** [-ryptœ̱ːr] *m ⚡* (Aus-)Schalter; *~rupteur à bascule ⚡* Kippsch.; *~rupteur à poussoir* Druckknopfsch.; **~ruption** [-rypsjɔ̃] *f* Unterbrechung; *(Schwangerschaft)* Abbruch; *sans ~ruption* durchgehend, ununterbrochen; **~section** [-sɛksjɔ̃] *f math* Schnittpunkt, Schnittebene, Schnittfläche; Kreuzung; **~stice** [-stis] *m* Zwischenraum; Lücke; **~urbain** [-yrbɛ̃] *109: circuit ~urbain* ℺ Fernleitung; *réseau téléphonique ~urbain* ℺ Fernnetz; **~valle** [-val] *m (a. ♪)* Intervall; Abstand; Zeitabstand; *dans l'~valle* in d. Zwischenzeit; *par ~valles* von Zeit zu Zeit; **~venir** [-vəni̱ːr] *30* intervenieren; s. einschalten, eingreifen; *un accord est ~venu* e-e Vereinbarung ist getroffen worden; **~vention** [-vãsjɔ̃] *f* Intervention; Dazwischentreten; **⚡** Eingriff; *police d'~vention* Bereitschaftspolizei; **~vertir** [-vɛrti̱ːr] *22* umkehren; vertauschen; **~view** [-vjy] *f 102* Interview; **~viewer** [-vjuve̱] interviewen; *m* [-vjuvœ̱ːr] Interviewer

intestin [ɛ̃tɛstɛ̃] *109* innere; *guerre ~e* Bürgerkrieg; *2. m* Darm; *mpl* Eingeweide; *~ grêle* Dünndarm; *gros ~* Dickdarm

intim|e [ɛ̃tim] intim; innerst; vertraut; *ami ~e* bester Freund; *~imement lié* eng verbunden; **~ider** [-mide̱] einschüchtern; **~ité** [-mite̱] *f* Vertraulichkeit

intituler [ɛ̃tityle̱] betiteln

intolér|able [ɛ̃tɔlerabl] unerträglich; **~ance** [-rãs] *f* Unduldsamkeit; **~ant** [-rã] *108* unduldsam

into|nation [ɛ̃tɔnasjɔ̃] *f* Tonfall; **~xication** [ɛ̃tɔksikasjɔ̃] *f* Vergiftung; *fig pol* Indoktrinierung; Verwirrung; Täuschungsmanöver; ideologische negative Beeinflussung; **~xiquer** [-tɔksike̱] vergiften; *fig* indoktrinieren; einschläfern; irreführen

intr|aduisible [ɛ̃tradɥizibl] unübersetzbar; **~aitable** [ɛ̃trɛtabl] *(Charakter)* unzugänglich; querköpfig; **~ansigeant** [ɛ̃trãsiʒã] *108* unnachgiebig; **~ansmissible** [ɛ̃trãsmisibl] nicht übertragbar; **~épide** [ɛ̃trepid] unerschrocken; **~igant** [ɛ̃trigã] *m* Intrigant; **~igue** [ɛ̃trig] *f* Intrige; *lit,* ℧ Verwicklung; **~iguer** [ɛ̃trige̱] *6* beunruhigen, neugierig machen; intrigieren; **~insèque** [ɛ̃trɛ̃sɛk] innewohnend; wesentlich; **~oduction** [ɛ̃trɔdyksjɔ̃] *f (a. ⚡)* Einführung; Einleitung; **~oduire** [ɛ̃trɔdɥiːr] *80* einführen; *(Daten)* speichern; *s'~oduire* s. eindrängen, einschleichen; **~onisation** [ɛ̃trɔnizasjɔ̃] *f* Inthronisierung; **~ouvable** [ɛ̃truvabl] unauffindbar; **~us** [ɛ̃try] *m* Eindringling; **~usion** [ɛ̃tryzjɔ̃] *f* Einschleichung; *(Raum)* Eindringen

intuit|if [ɛ̃tɥitif] *112* intuitiv; **~ion** [-sjɔ̃] *f* Intuition; Ahnung

inus|able [inyzabl] unverwüstlich; **~ité** [-zite̱] ungebräuchlich

inutil|e [inytil] nutzlos; unnütz; vergeblich; **~ement** [-tilmã] vergebens; **~isable** [-tilizabl] unbenutzbar; **~isé** [-tilize̱] unbenutzt; **~ité** [-tilite̱] *f* Nutzlosigkeit; Vergeblichkeit

invalid|e [ɛ̃valid] gebrechlich; arbeitsunfähig; ☊ ungültig; **~er** [-de̱] ☊ für ungültig erklären; **~ité** [-dite̱] *f* Erwerbsunfähigkeit; ☊ Ungültigkeit

invari|abilité [ɛ̃varjabilite̱] *f* Unveränderlichkeit; **~able** [-rjabl] unveränderlich

invasion [ɛ̃vazjɔ̃] *f* Invasion; *mil* Einfall; Überhandnehmen; *~ d'air froid* Kälteeinbruch

invective [ɛ̃vɛktiːv] *f* Schmähung

invendable [ɛ̃vãdabl] unverkäuflich

invent|aire [ɛ̃vãtɛːr] *m* Inventur; Inventar, Verzeichnis; Bestand; *fig* Katalog; *faire l'~aire* Bestandsaufnahme machen; **~er** [-te̱] erfinden; erdichten; **~eur** [-tœːr] *m* Erfinder; **~ion** [-sjɔ̃] *f* Erfindung; Erdichtung; Erfindungsgabe; **~orier** [-tɔrje̱] inventarisieren

invérifiable [ɛ̃verifjabl] nicht nachprüfbar

invers|e [ɛ̃vɛrs] *1.* entgegengesetzt; *dans le sens ~e* in umgekehrter Richtung; *2. m* Gegensatz; *math* Probe; Kehrwert, Reziprokwert; *à l'~e de* im Gegensatz zu; **~er** [ɛ̃vɛrse̱] umkehren; *⚡* umschalten; **~eur** [ɛ̃vɛrsœːr] *m ⚡* Stromwender; **~ion** [ɛ̃vɛrsjɔ̃] *f* Inversion; Umkehrung

invertébrés [ɛ̃vertebre̱] *mpl* wirbellose Tiere

invert|i [ɛ̃verti] *m* Homosexueller; **~ir** [-tiːr] *22* umkehren

invest|igation [ɛ̃vɛstigasjɔ̃] *f* (Nach-)Forschung; **~ir** [-vɛstiːr] *22 com* investieren; *mil* einschließen; ausstatten *(de* mit); *~ir qn de sa confiance* j-m sein volles Vertrauen schenken; *~ir d'une dignité* mit e-r Würde bekleiden; **~issement** [-tismã] *m com* Investition, Kapitalanlage; *biens d'~issement* Investitionsgüter; *mil* Umzingelung; **~isseur** [-tisœːr] *m* (Kapital)Anleger; **~iture** [-tityːr] *m* (feierliche) Einsetzung; Investitur

invl|étéré [ɛ̃vetere̱] *fig* eingewurzelt; **~incible** [ɛ̃vɛ̃sibl] unbesiegbar; **~iolable** [ɛ̃vjɔlabl] unverletzlich; unverbrüchlich; unantastbar; **~isible** [ɛ̃vizibl] unsichtbar; **~itation** [ɛ̃vitasjɔ̃] *f* Einladung; Aufforderung; *sur l'~itation de* auf E. von; **~ite** [ɛ̃vit] *f* Ermunterung; ermunternde Geste; **~ité** [ɛ̃vite̱] *m* Gast; **~iter** [ɛ̃vite̱] einladen; auffordern *(à* zu); **~ivable** [ɛ̃vivabl] *adj umg* unerträglich

invo|cation [ɛ̃vɔkasjɔ̃] *f rel* Anrufung; **~lontaire** [-lɔ̃tɛːr] unfreiwillig; unwillkürlich; **~quer** [-ke̱] *6 rel* anrufen; *⚡* geltend machen; *~quer un témoignage* s. auf e-e Aussage berufen

invraisembl|able [ɛ̃vrɛsãblabl] unwahrscheinlich; **~ance** [-blãs] *f* Unwahrscheinlichkeit

invulnérable [ɛ̃vylnerabl] unverwundbar

iod|e [jɔd] *m* Jod; *teinture d'~e* Jodtinktur; **~é** [-de̱] jodhaltig

ion [jɔ̃] *m* Ion; **~iser** [jɔnize̱] ionisieren

iouler [jule̱] jodeln

Ira|q [irak] *m: l'~k* der Irak; **~quien** [-kjɛ̃] *m* Bewohner d. Irak

Iran [irã] *m: l'~ Iran;* **~ien** [iranjɛ̃] *m* Iran(i)er

irascible [irasibl] jähzornig; reizbar

iris [iris] *m* Regenbogenhaut; Schwertlilie; **~é** [-ze̱] in Regenbogenfarben schillernd

irland|ais [irlãdɛ] *108* irisch; **⚤ais** *m* Ire; **⚤e** [-lãd] *f: l'⚤e* Irland

iron|ie [irɔni] *f* Ironie; ~**ique** [-nik] ironisch; ~**iser** [-nize] spötteln; ~**iste** [-nist] *m* geistreicher Spötter

irradi|ation [iradjasjɔ̃] *f* (Aus-, Be-)Strahlung; ~**er** [-dje] (aus-, be-)strahlen; ~**ié** strahlenverseucht

irr|aisonnable [irɛzɔnabl] unvernünftig; ~**aisonné** [-ne] unüberlegt; ~**ationnel** [irasjɔnɛl] *115* unvernünftig; *math* irrational

irréal|isable [irealizabl] undurchführbar; ~**isme** [-lism] *m* Weltfremdheit; ~**ité** [-lite] *f* Irrealität, Unwirklichkeit

irrecevable [irəs(ə)vabl] unannehmbar; ⚙ unzulässig

irré|conciliable [irekɔ̃siljabl] unversöhnlich; ~**couvrable** [-kuvrabl] *(Schulden)* nicht beitreibbar; ~**cupérable** [-kyperabl] nicht mehr einzugliedern; ~**cusable** [-kyzabl] einwandfrei; unwiderlegbar; ~**ductible** [-dyktibl] *chem* nicht reduzierbar; ⚘ nicht einrenkbar; *math* unkürzbar; *fig* unerbittlich, hart, unbeugsam; ~**el** [irɛl] *115* unwirklich, wesenlos; ~**flexion** [-flɛksjɔ̃] *f* Unüberlegtheit; ~**futable** [-fytabl] unwiderlegbar; ~**gularité** [-gylarite] *f (a. fig)* Unregelmäßigkeit; Regelwidrigkeit; ~**gulier** [-gylje] *116* unregelmäßig; *mil* irregulär; regelwidrig; ~**ligieux** [-liʒjø] *111* glaubenslos; gottlos; ~**ligion** [-liʒjɔ̃] *f* Glaubenslosigkeit; Gottlosigkeit; ~**médiable** [-medjabl] unheilbar; *fig* nicht wiedergutzumachen; ~**médiablement perdu** unrettbar verloren; ~**missible** [-misibl] unverzeihlich

irremplaçable [irãplasabl] unersetzlich

irré|parable [ireparabl] *a. fig* nicht wiedergutzumachen; *dégâts* ~**parables** Totalschaden; ~**prochable** [-prɔʃabl] tadellos, einwandfrei; ⚙ unbescholten; ~**sistible** [-zistibl] unwiderstehlich; ~**solu** [-zɔly] unentschlossen; ~**solution** [-zɔlysjɔ̃] *f* Unentschlossenheit, Unschlüssigkeit

irrespect [irɛspɛ] *m* Unehrerbietigkeit; ~**ueux** [-pɛktɥø] *111* unehrerbietig; respektwidrig

irrespirable [irɛspirabl] nicht atembar; erstickend

irrespons|abilité [irɛspɔ̃sabilite] *f* Unverantwortlichkeit; Unzurechnungsfähigkeit; ~**able** [-sabl] unverantwortlich; unzurechnungsfähig

irré|trécissable [iretresisabl] *(Gewebe)* nicht einlaufend; ~**vérence** [-verãs] *f* Unehrerbietigkeit; ~**versible** [-vɛrsibl] *bes phys* nicht umkehrbar; irreversibel; endgültig zerstört; ~**vocable** [-vɔkabl] unwiderruflich; unabänderlich; unabsetzbar

irrig|ateur [irigatœ:r] *m* ⚘ Irrigator; ⬇ Regner; ~**ation** [-gasjɔ̃] *f* Bewässerung; ~**uer** [-ge] *6* bewässern

irrit|abilité [iritabilite] *f* Erregbarkeit; ~**able** [-tabl] erregbar; ~**ant** [-tã] aufregend; ärgerlich; *m* Reizstoff; ~**ation** [-tasjɔ̃] *f (a. fig)* Reizung; Reizzustand; Gereiztheit; ~**er** [-te] reizen; aufbringen; erregen, *s'*~**er** in Zorn geraten; ⚘ s. entzünden

irruption [irypsjɔ̃] *f mil* Einfall; Einbruch; *faire* ~ *(plötzlich)* erscheinen, auftauchen; *mil* einbrechen

islam [islam] *m* Islam; ~**ique** [-mik] islamisch

island|ais [islãdɛ] *108* isländisch; ⬥**ais** *m* Isländer; ⬥**e** [-lɔ̃d] *f: l'*⬥**e** Island

isocèle [izɔsɛl] *math* gleichschenklig

isol|able [izɔlabl] isolierbar; ~**ant** [-lã] *m* Isolator; Nichtleiter; ~**ant du son** Schallisolator; ~**ant thermique** Wärmeisolator; ~**ateur** [-latœ:r] *m* (elektr.) Isolator; ~**ation** [-lasjɔ̃] *f* Isolierung; Dämmung; ~**ation thermique** Wärmedämmung; ~**é** [-le] **1.** einsam; losgelöst; *a* ⚙ isoliert; *cas* ~**é** Einzelfall; **2.** *m mil* Versprengter; ~**ement** [izɔlmã] *m* Vereinsamung; ⬇ Isolierung; ~**er** [-le] *(von d. Umgebg.)* trennen; absondern; *(a. chem* ⚡*)* isolieren; ~**oir** [-lwa:r] *m* Wahlzelle

israéli|en [israeljɛ̃] *118* israelisch; ⬥**en** *m* Israeli; ~**te** [-lit] israelitisch; ⬥**te** *m* Israelit

issu [isy] hervorgegangen *(de* aus); stammend *(de* von); *cousins* ~*s de germains* Vettern 2. Grades; ~**e** [isy] *f (a. fig)* Ausgang; Ende, Erfolg; Ausweg; ~*e de secours* Notausgang

isthme [ism] *m* Landenge

Ital|ie [itali] *f: l'*~**e** Italien; ⬥**en** [-ljɛ̃] *118* italienisch; ~**en** *m* Italiener; ⬥**que** [-lik] kursiv

item [itɛm] **1.** *adv* desgleichen; dazu, außerdem; **2.** *m* Einzelgegenstand; Frage mit mehreren richtigen Lösungen

itinér|aire [itinerɛ:r] *m* Reiseroute; Weg; Strecke; ~*aire court* kürzester Beförderungsweg; ~**ant** [-rã] *108* Wander...; *exposition* ~**ante** Wanderausstellung

itou [itu] *umg* auch, gleichfalls

ivoire [ivwa:r] *m* Elfenbein

ivr|aie [ivrɛ] *f* Lolch; *fig* Unkraut; ~**e** [i:vr] betrunken; berauscht; ~*e mort* stockbetrunken; ~**esse** [ivrɛs] *f* Rausch; Betrunkenheit; Trunkenheit; ~*esse de la joie* Freudentaumel; *en état d'*~*esse* unter Einwirkung von Alkohol; ~**ogne** [ivrɔɲ] *m* Trinker, Säufer; ~**ognerie** [ivrɔɲəri] *f* Trunksucht; ~**ognesse** [ivrɔɲɛs] *f* Trinkerin

J

J [ʒi] J; *le jour J* d. Tag X; **J 3** [ʒitrwa] *m* Jugendlicher *(zw. 18 u. 21)*

jabot [ʒabo] *m zool* Kropf; Hemdkrause

jacass|e [ʒakas] *f* Elster; *umg* Klatschbase; ~**er** [-kase] *(Elster)* schreien; *umg* schwatzen, plappern

jacent [ʒasã] *108* herrenlos

jachère [ʒaʃɛ:r] Brache; *laisser en* ~ ⬇ brachliegen lassen

jacinthe [ʒasɛ̃t] *f* Hyazinthe

jack [ʒak] *m* ⚘ Buchse; Klinke

jacques [ʒak] *m: faire le* ~ *(umg)* herumalbern

jacquet [ʒakɛ] *m* Brettspiel; Eichhörnchen

jacquot [ʒako] *m* Jako, Graupapagei

jact|ance [ʒaktãs] *f* Großtuerei; leeres Gerede, Geplapper; ~**er** [-te] *pop* quasseln

jade [ʒad] *m* Jade

jadis [ʒadis] vorzeiten; einst; ehedem, vormals

jaill|ir [ʒaji:r] *22* (hervor)sprudeln; herausspritzen; ~**issement** [-jismã] *m* Sprudeln; Spritzen

jais [ʒɛ] *m* Jett, Gagat; *noir comme du ~* kohlrabenschwarz

jalon [ʒalɔ̃] *m* Absteckpfahl; *poser les premiers ~s* vorbereiten; **~ner** [-lɔne] abstecken

jalou|ser [ʒaluze] neidisch sein *(qn* auf j-n); **~sie** [-zi] *f* **1.** Eifersucht; Neid; Mißgunst; **2.** Jalousie, Rolladen; **~x** [ʒalu] *111* eifersüchtig *(de* auf); neidisch *(de* auf); mißgünstig; *~x de son autorité* auf s-e Autorität bedacht

jamais [ʒamɛ] jemals; *si ~* wenn je; *(ne) ~* nie(mals); *~ plus* nie mehr; *à ~* für immer; *au grand ~* nie und nimmer

jamb|age [ʒɑ̃baːʒ] *m (Schrift)* Grundstrich; 🏛 Sockel, Grundmauer; *(Tür)* Pfosten; **~e** [ʒɑ̃b] *f* Bein; Unterschenkel; *(Zirkel)* Schenkel; *~e de force* 🏛 Strebe ♦ *à toutes ~es* Hals über Kopf; *jouer des ~es, prendre ses ~es à son cou* d. Beine unter d. Arme nehmen; *tenir la ~e à qn* j-m auf d. Wecker fallen; *cela me fait une belle ~e!* *(umg)* dafür kann ich mir nichts kaufen; *traiter qn par-dessous la ~e* j-n von oben herab behandeln; **~ière** [-bjɛːr] *f* Wickelgamasche; 🪖 Beinschutz; Schienbeinschutz; **~on** [-bɔ̃] *m* Schinken; **~onneau** [-bɔno] *m* Eisbein; *pop* Klampfe

jante [ʒɑ̃t] *f* Felge

janvier [ʒɑ̃vje] *m* Januar

Japon [ʒapɔ̃]: *le ~* Japan; **~ais** [-pɔnɛ] *m* Japaner; **~ais** *108* japanisch

japper [ʒape] kläffen

jaquette [ʒakɛt] *f* Cut; 📖 Schutzumschlag; *~ électrique* Heizdecke

jardin [ʒardɛ̃] *m* Garten; *~ anglais* Landschaftspark; *~ potager* Gemüseg.; *~ d'enfants* Kindergarten; *~s publics* Anlagen; **~age** [-dinaːʒ] *m* Gartenarbeit; **~er** [-dine] im Garten arbeiten; **~er** [-dine] *m* Gärtchen; Kleingarten; **~ier** [-dinje] *m* Gärtner; **~ier** *amateur* Kleingärtner; **~ier** *fleuriste* Blumenzüchter; **~ière** [-dinjɛːr] *f* Gärtnerin; Blumenständer; Gericht aus verschiedenen Gemüsen

jargon [ʒargɔ̃] *m* Fachsprache; Kauderwelsch; Jargon; **~ner** [ne] sich unverständlich ausdrükken; *(Gänse)* schnattern

jarre [ʒaːr] *f* Tonkrug

jarret [ʒarɛ] *m* Kniekehle; *~ de veau* Kalbshaxe; **~elle** [ʒartɛl] *f* Strumpfhalter; **~ière** [ʒartjɛːr] *f* Strumpfband

jars [ʒaːr] *m* Gänserich

jaser [ʒaze] schwatzen; herziehen *(de* über); *umg* aus d. Schule plaudern

jaspe [ʒasp] *m* Jaspis

jaspiner [ʒaspine] *arg pop* quatschen, sabbeln

jatte [ʒat] *f* Schale, Schüssel

jaug|e [ʒoːʒ] *f* Eichmaß; ⚙ Lehre; ⚓ Tonnage; *~e nette* ⚓ Laderaum; **~er** [ʒoʒe] *14* eichen; **~eur** [-ʒœːr] *m* Meßvorrichtung, Messer

jaun|âtre [ʒonɑtr] gelblich; **~e** [ʒoːn] **1.** gelb ♦ *rire ~e* gezwungen lachen; **2.** *m* Gelb; *umg* Streikbrecher; *~e d'œuf* Eidotter; **~et** [-nɛ] *m* *umg* Goldstück, Taler; **~ir** [-niːr] *22* gelb werden; vergilben; **~isse** [-nis] *f* Gelbsucht

Javel [ʒavɛl]: *eau de ~* Bleichwasser

javelle [ʒavɛl] *f (Getreide)* Schwaden

javelot [ʒavlo] *m* 🪖 Speer

je [ʒə] ich

jean [dʒin] *m* (Blue)Jeans *fpl;* *~ délavé* verwaschene Jeans

jean|-foutre [ʒãfutr] *m (pop!)* Hundsfott; **~nette** [ʒanɛt] *f* Ärmel(bügel)brett

je-m'en-fichisme [ʒ(ə)mɑ̃fiʃism] *m umg* Gleichgültigkeit, Uninteressiertheit

je-ne-sais-quoi [ʒənsɛkwa] *m* gewisses Etwas

jérémiade [ʒeremjad] *f* Gejammer

jésuite [ʒezɥit] *m* Jesuit; *pej* Heuchler

Jésus [ʒezy] Jesus; *l'Enfant ~* d. Christkind; **~-Christ** [-kri] Jesus Christus

jet [ʒɛ] *m* **1.** Wurf; Strahl; *(Netz)* Auswerfen; *~ d'eau* Wasserstrahl; *du premier ~* auf d. ersten Anhieb; *à ~ continu* unaufhörlich; *d'un seul ~* aus -em Guß *(a. fig);* **2.** [dʒɛt] *m* Düsen-, Strahlflugzeug; **~able** [-tabl] wegwerfbar; **~ée** [ʒəte] *f* Hafenmole; **~er** [ʒəte] *10* (weg-, hin-, ab-)werfen; verschütten; *(Funken)* sprühen; *(Schrei)* ausstoßen; *~er les fondements (a. fig)* d. Grund legen; *se ~er (Fluß)* münden; *se ~er sur qn* über j-n herfallen; *les dés sont ~és* d. Würfel sind gefallen; **~on** [ʒətɔ̃] *m* Spiel-, Telefonmarke; *~ons de présence* Tagegeld, Diäten

jeu [ʒø] *m* **1.** Spiel; *~ serré* vorsichtiges Sp.; *entrer en ~* eingreifen; *mettre en ~* auch Sp. setzen; *jouer gros ~* e. gewagtes Spiel treiben, viel riskieren; *c'est vieux ~* das ist altmodisch; *se piquer au ~* sich auf etw. versteifen, nicht lockerlassen; *avoir beau ~* gewonnenes Spiel haben, **2.** Satz, Serie; *~ de clefs* Schlüsselbund; *~ d'orgues* Orgelregister; **3.** ⚙ Spiel(raum); *~ du roulement* Lagerluft

jeudi [ʒødi] *m* Donnerstag; *~ saint* Gründonnerstag; *la semaine des quatre ~s* Nimmerleinstag

jeun [ʒœ̃]: *à ~* nüchtern

jeune [ʒœn] **1.** jung; *~ enfant* Kleinkind; *~ fille* (junges) Mädchen; *~s gens* junge Burschen; junge Leute; *~ premier* 🎭 erster Liebhaber; **2.** *m* junger Mann; *pl* Nachwuchs; *~ loup* Nachwuchspolitiker (mit großem Ehrgeiz)

jeûn|e [ʒøn] *m* Fasten; **~er** [-ne] fasten

jeunesse [ʒœnɛs] *f* Jugend; Jugendlichkeit; Jugendzeit

joaill|erie [ʒɔajri] *f* Juwelierkunst; Schmuckwaren; **~ier** [-je] *m* Juwelier

job [dʒɔb] *m* Job *m;* berufliche Tätigkeit; Stellung; Arbeit; Beschäftigung

jobard [ʒɔbaːr] *m* Einfaltspinsel

joc|iste [ʒɔsist] *m* Mitglied d. christl. Arbeiterjugend *(J.O.C.);* **~risse** [-kris] *m* Tropf, Einfaltspinsel

jogging [(d)ʒɔgiŋ] *m* Jogging *n,* Freizeitlaufen

joie [ʒwa] *f* Freude, Lust, Wonne

joindre [ʒwɛ̃dr] *87* verbinden, zus.fügen, -legen, -nähen, -stellen; hinzufügen, -setzen; aneinanderstoßen; *~ qn* j-n erreichen; *~ les mains* d. Hände falten; *vi (Fenster)* schließen; *se ~ à* s. anschließen an ♦ *~ les deux bouts* mit s-m Geld (knapp) auskommen

joint [ʒwɛ̃] *m* **1.** (anat, ⚙) Gelenk; Trennstelle;

Klebverbindung; **2.** [dʒɔint] *pop arg* Joint, Haschzigarette ♦ *trouver le* ~ *(umg)* d. richtige Lösung finden; **~ure** [-tyːr] *f* ✿ Fuge; *anat* Gelenk

joli [ʒɔli] **1.** *128* hübsch; niedlich, nett; *un* ~ *monsieur (iron)* e. sauberer Bursche ♦ *c'est du* ~*! (umg)* das ist eine schöne Bescherung!; **~esse** [-ljɛs] *f* Hübschheit; **~ment** [-limã] *iron* gehörig, ganz schön

jonc [ʒɔ̃] *m* Binse; Rohr; ✿ Sperring; *droit comme un* ~ kerzengerade

jonch|er [ʒɔ̃ʃe] *(d. Boden)* bestreuen *(de* mit); **~et** [-ʃɛ] *m* Stäbchenspiel

jonction [ʒɔ̃ksjɔ̃] *f* Verbindung; Anschluß; Nahtstelle; Übergang; *point de* ~ 🐝 Knotenpunkt

jongler [ʒɔ̃gle] jonglieren

jonque [ʒɔ̃k] *f* Dschunke

jonquille [ʒɔ̃kij] *f* Narzisse

Jordanie [ʒɔrdani]: *la* ~ Jordanien

joual [ʒual] *m* (schlechtes) Kanadischfranzösisch

joue [ʒu] *f* Wange, Backe; *mettre qn en* ~ auf j-n zielen

jou|er [ʒwe] spielen; *(Karte)* ausspielen; ✿ Spiel(raum) haben; *~er aux échecs* Schach sp.; *~er du piano* Klavier sp.; *~er à livre ouvert* 🎵 vom Blatt sp.; *~er qn* j-n anführen, hereinlegen; *~er à la bourse* an d. Börse spekulieren; *~er sur les mots* mit Worten sp.; *se ~er de qn* j-n auslachen; **~et** [ʒwɛ] *m* Spielzeug; **~eur** [ʒwœːr] *m* Spieler

joufflu [ʒufly] pausbackig

joug [ʒu] *m* Joch; *mettre sous le* ~ unterjochen

jou|ir [ʒwiːr] Lust empfinden; *~ir de qch* etw. genießen; s. an etw. freuen; etw. besitzen; **~issance** [ʒwisãs] *f (a. com)* Genuß; Nutznießung; **~isseur** [ʒwisœːr] *m* Genießer; Genußmensch; **~jou** [ʒuʒu] *m 22* Spielzeug

jour [ʒuːr] *m* **1.** Tag; *ce* ~ heute; *ces ~s-ci* in diesen Tagen; *l'autre* ~ neulich; *un* ~ einst; *un* ~ *ou l'autre* früher oder später; *un* ~ *viendra* d. Zeit wird kommen *(où* wo); *un de ces* ~s demnächst; ~ *pour* ~ genau auf denselben Tag; *quinze* ~s vierzehn Tage; *deux fois par* ~ zweimal täglich; *il fait* ~ es ist Tag; *le* ~ *se lève* (od *point, vient)* es wird T.; *au petit* ~, *au point du* ~ im Morgengrauen; *de* ~ *(le* ~) bei T.; *en plein* ~ am hellen T.; *de nos* ~s heutzutage; *homme du* ~ Mann d. Tages; *les beaux* ~s d. Frühling; d. Jugend ♦ *c'est long comme un* ~ *sans pain* es dauert furchtbar lange; *vivre au* ~ *le* ~ von d. Hand in d. Mund leben; *à chaque* ~ *suffit sa peine* morgen ist auch noch e. Tag; *couler des* ~s *heureux* glücklich dahinleben; **2.** *fig* Licht; *à* ~ durchbrochen; *au* ~ *(Bergbau)* über Tage; *faux* ~ falsches Licht; *clair comme le* ~ sonnenklar; *mettre au* ~ zutage fördern; *montrer qch sous son vrai* ~ etw. ins rechte Licht rücken; *voir le* ~ zur Welt kommen; *donner le* ~ d. Leben schenken; *mettre fin à ses* ~s sich umbringen; *se faire* ~ sich Bahn brechen, ans Licht kommen; *prendre* ~ Licht erhalten *(sur* von); *être à* ~ auf d. laufenden sein; *mettre ses*

affaires à ~ s-e Angelegenheiten in Ordnung bringen

journal [ʒurnal] *m 90* **1.** Zeitung; *papier* ~ Zeitungsdruckpapier; ~ *parlé* 📻 (Fernseh-, Rundfunk-)Nachrichten; ~ *télévisé* 📺 Tagesschau; **2.** Tagebuch; *com* Journal; ~*al de bord* Logbuch; **3.** Morgen (Land); **~ier** [-naljɛ] *116* täglich; *m* Tagelöhner; **~isme** [-nalism] *m* Journalismus; Presse; **~iste** [-nalist] *m* Journalist; Reporter

journ|ée [ʒurne] *f* Tag(eslauf); Tagelohn; Tagewerk; Tagereise; ~ *continue* durchgehende Arbeitszeit; *à la* ~*ée* tageweise, im Tagelohn; *être en* ~*ée chez qn* bei j-m für Tagelohn arbeiten ♦ *toute la sainte* ~*ée* d. lieben langen Tag; **~ellement** [-nɛlmã] Tag für Tag; täglich

joute [ʒut] *f* Wettkampf; ~ *oratoire* Wortgefecht, Rededuell

jouvenc|e [ʒuvãs] *f: fontaine de* ~*e* Jungbrunnen; **~eau** [-vãso] *m* Jüngling; **~elle** [-sɛl] *f* junges Mädchen

jovial [ʒɔvjal] *124* lustig; heiter; **~ité** [-jalite] *f* Lustigkeit; Frohsinn

joyau [ʒwajo] *m 91* Geschmeide; Juwel, Kleinod

joyeux [ʒwajø] *111* fröhlich, lustig; ~ *compère* lustiges Haus

jubé [ʒybe] *m* 🏛 Lettner

jubil|ation [ʒybilasjɔ̃] *f* Jubel; **~é** [-le] *m* Jubiläum; **~er** [-le] jubilieren, frohlocken; jauchzen

juch|er [ʒyʃe]: *(se)* ~*er (Vögel)* s. aufsetzen; *fig (z.B. auf Barhocker)* klettern; **~oir** [-ʃwaːr] *m* (Hühner-)Stange

juda|icité [ʒydaisite] *f* Judaismus; jüdische Religion; **~ïque** [-daik] *adj* jüdisch; **~iser** [-daize] judaisieren, unter jüdischen Einfluß bringen; **~ïsme** [ʒydaism] *m* Judentum; **~s** [-dɑ] *m* Judas; Verräter; Guckloch, -fenster

judici|aire [ʒydisjɛr] gerichtlich; Gerichts...; *erreur* ~*aire* Justizirrtum, -mord; **~eux** [-sjø] *111* scharfblickend; gescheit, klug

jug|e [ʒyːʒ] *m* Richter; ☂ Kampfrichter; ~ *consulaire* Handelsr.; ~ *d'instruction* Untersuchungsr.; ~ *à l'arrivée* ☂ Zielrichter; *se faire* ~*e de qch* s. zum R. über etw. aufwerfen; ~*é* [-ʒe] *m: au* ~*é* nach Gutdünken; aufs Geratewohl; **~ement** [ʒyʒmã] *m* Urteil; Urteilsspruch; Urteilskraft; Urteilsvermögen; **~ement** *par défaut* Versäumnisu.; ~*ement dernier (rel)* Jüngstes Gericht; **~eote** [ʒyʒɔt] *f umg* Grips, Verstand; **~er** [-ʒe] *14* (ab-, be-)urteilen; richten; *~er de* s. denken, s. vorstellen; *~er bon* für richtig halten; *à en* ~*er sur sa mine* s-m Aussehen nach

jugul|aire [ʒygylɛːr] ⚕ Kehl...; *f mil* Sturmriemen; **~er** [-le] (ab)drosseln; *(Krankheit)* unterbinden

juif [ʒɥif] *112* jüdisch; ♃ *m* Jude; ♃ *errant* ewiger Jude; *petit* ~ Musikantenknochen

juillet [ʒɥijɛ] *m* Juli

juin [ʒɥɛ̃] *m* Juni

julienne [ʒyljɛn] *f* Gemüsesuppe

jumbo-jet [dʒœmbodʒɛt] *m* Jumbo-Jet, Großraumdüsenflugzeug

jum|eau [ʒymo] **1.** *119* Zwillings…; *sœurs ~elles* Zwillingsschwestern; *lits ~eaux* Ehebetten; **2.** *m* Zwilling; *trois ~eaux* Drillinge; **~elage** [ʒymlaʒ] *m* (Städte-)Partnerschaft; **~eler** [ʒymlę] *4* (Ähnliches) zus.fügen; *~elé avec (fig)* gepaart mit; **~elles** [-mɛl] *fpl* Fernglas; *~elles de théâtre* Opernglas; *~elles à prismes* Prismenglas

jument [ʒymɑ̃] *f* Stute

jungle [ʒɑ̃gl] *f* Dschungel

jun|ior [ʒynjɔːr] *adj* junior; *m* Jugendlicher, Heranwachsender; **~kie** [dʒœnki] *m* Junkie, Drogenabhängiger, Rauschgiftsüchtiger

jup|e [ʒyp] *f* (Damen-)Rock; ✿ Verkleidung, Mantel; Schürze; **~on** [-pɔ̃] *m* Unterrock

jur|é [ʒyrę] *m* ♊ Geschworener; **~er** [-rę] **1.** schwören; unter Eid aussagen; *~er sur son honneur* bei s-r Ehre schwören; **2.** fluchen; *~er comme un païen* wie e. Landsknecht fluchen; **3.** *(Farben)* nicht zus.passen *(avec* mit); **~idiction** [-ridiksjɔ̃] *f* Gerichtsbarkeit; Gericht; **~idique** [-ridik] Rechts…; *acte ~idique* Rechtsgeschäft; **~isconsulte** [-riskɔ̃sylt] *m* Rechtsberater; **~isprudence** [-risprydɑ̃s] *f* Rechtsprechung; *faire ~isprudence* z. Präzedenzfall werden; **~iste** [-rist] *m* Jurist; **~on** [-rɔ̃] *m* Fluch; **~y** [-ri] *m* Prüfungskommission, Jury; ♊ Geschworenen(bank)

jus [ʒy] *m* Saft; Brühe; *pop* Muckefuck; elektr. Strom; *tomber au ~ (pop)* ins Wasser fallen

jusqu|e [ʒysk] bis; *~ 'à mon frère* sogar mein Bruder; *~ 'à présent* bis jetzt; *~ 'à ce qu'il vienne* bis er kommt; *~e-là* bis dahin, bis zu dieser Zeit; *~ 'ici* bis hierher, bis jetzt

just|e [ʒyst] **1.** gerecht; berechtigt; richtig; knapp; eng anliegend; *avoir l'oreille ~e* e. gutes Gehör haben; *midi ~e* Punkt zwölf; *~e à point (nommé)* gerade recht(zeitig); *comme de ~ (umg)* wie es s. gehört; **2.** *m* Gerechter; **~ement** [-təmɑ̃] mit Recht; eben; gerade; **~esse** [-tɛs] *f* Richtigkeit; Genauigkeit; *~esse du coup d'œil* Augenmaß; *de ~esse* mit knappem Vorsprung, mit knapper Not; **~ice** [-tis] *f* Gerechtigkeit; Justiz; Rechtsprechung; Gerichtsbarkeit; *~ice pénale (civile)* Straf-(Zivil)Gerichtsbarkeit; *poursuivre en ~ice* gerichtlich verfolgen; *rendre ~ice à qn* j-m Gerechtigkeit widerfahren lassen; *se faire ~ice* s. selbst Recht schaffen; s. selbst richten; **~iciable** [-tisjabl]: *être ~iciable de* ♊ s. zu verantworten haben vor; **~icier** [-tisje] *116* gerechtigkeitsliebend; *m* Gerichtsherr; **~ificatif** [-tifikatif] *112* Rechtfertigungs…; Beweis…; *m* ⏤ Belegexemplar; **~ification** [-tifikasjɔ̃] *f* Rechtfertigung; Begründung; ⏤ Satzbreite; **~ifier** [-tifje] rechtfertigen; ⏤ justieren

jute [ʒyt] *m* Jute

jut|er [ʒytę] *umg* s-n Saft abgeben, saften; **~eux** [-tø] *111* saftig; *m (arg mil)* Spieß

juvénile [ʒyvenil] jugendlich; jugendhaft

juxtaposer [ʒykstapozę] nebeneinanderstellen, -legen, -setzen

K

kaki [kakj] *inv* k(h)akifarben

kangourou [kɑ̃guru] *m* Känguruh; ✿ Tieflader

kaolin [kaɔlɛ̃] *m* Kaolin, Porzellanerde

képi [kepi] *m* Käppi; Schirmmütze

kermesse [kɛrmɛs] *f* Kirmes; Jahrmarkt(sbetrieb)

kidnap|per [kidnapę] entführen, kidnappen; **~peur** [-pœːr] *m* Entführer, Kidnapper; **~ping** [-piŋ] *m* Entführung (e-s Menschen)

kif-kif [kifkif]: *c'est ~ (arg pop)* das kommt aufs gleiche heraus, das ist egal

kil [kil] *m pop* Liter (Wein)

kilo [kilo] *m* Kilo; **~gramme** [-lɔgram] *m* Kilogramm; **~mètre** [-mɛtr] *m* Kilometer; *~mètre carré* Quadratkilometer; **~mètre-heure** [-mɛtrœːr] *m 98* Stundenkilometer; **~métrer** [-metre] *13* mit Kilometersteinen versehen; **~métrique** [-metrik]: *borne ~métrique* Kilometerstein; **~tonne** [-tɔn] *f (A-Bombe)* Kilotonne; **~watt** [-wat] *m* Kilowatt; **~wattheure** [-watœːr] *m 98* Kilowattstunde

kiosque [kjɔsk] *m* Kiosk; Zeitungsstand; ⚓ *(U-Boot)* Kommandoturm

kirsch [kirʃ] *m* Kirschwasser

kit [kit] *m* Gegenstand (Möbel usw.) zum Selbstmontieren; **~chenette** [kitʃənɛt] *f* Kochnische

klaxon [klaksɔ̃] *m* Hupe; **~ner** [-sɔnę] hupen

knock-out [nɔkaut] *m* Knockout, Niederschlag; *adj fig* außer Gefecht gesetzt

knout [knut] *m* Knute

know-how [nɔau] *m* Know-how, technisches Wissen

krach [krak] *m* Bankkrach, Finanzkatastrophe

Kremlin [krɛmlɛ̃] *m* Kreml

kummel [kymęl] *m* Kümmel *(Schnaps)*

kyrielle [kirjɛl] *f umg* Unmenge

kyste [kist] *m* ✚ Zyste

L

la¹ [la] die; *acc* sie

la² [la] *m* ♪ a; *~ bémol* as; *~ majeur* A-Dur; *~ normal* Kammerton

là [la] **1.** dort(hin); *çà et ~* da u. dort; *d'ici ~* bis dahin; *à partir de ~* von da an; *être ~* da sein; *restons-en ~* bleiben wir dabei; **2.** daran, daraus, dadurch; *par ~* dadurch, daraus, damit; *dire que nous en sommes ~!* soweit ist es also mit uns gekommen!; **~-bas** [-ba] da unten; dort drüben; **~-haut** [-lao] da oben; **~-dedans** [-dɑ̃] darin; hinein; **~-dessous** [-dsu] darunter; **~-dessus** [-dsy] darüber; darauf(hin)

label [labɛl] *m com* Etikett; Gütezeichen

labeur [labœːr] *m* harte Arbeit

labi|al [labjal] *124* Lippen…; *consonne ~e* Lippenlaut; **~lité** [-litę] *f*. Beeinflußbarkeit, Schwäche, Labilität

labor|atoire [labɔratwaːr] *m* Labor *n;* Laboratorium; *~atoire de langues* Sprachlabor; **~ieux** [-rjø] *111 (Person)* fleißig; arbeitsam; *(Sachen)* mühselig; schwierig

labour [labṳːr] m Umpflügen; Acker; **~age** [-buraːʒ] m Pflügen; Ackerbau; **~er** [-burẹ] umpflügen; ackern; **~eur** [-burœːr] m Pflüger, Landmann; **~euse** [-rọːz] f Motorpflug

labyrinthe [labirẹ̃t] m Labyrinth

lac [lak] m der See ♦ l'affaire est dans le ~ d. Sache ist im Eimer

lacer [lasẹ] 15 (zu-, ver-)schnüren

lacér|ation [laserasjɔ̃] f (Papier) Ab-, Zerreißen; **~er** [-rẹ] 13 (Papier) ab-, zerreißen

lacet [lasẹ] m Schnürsenkel; Schlinge; Windung; Straßenkehre; pl fig Netze

lâch|age [laʃaːʒ] m (fig umg) Sitzen-(Fallen-)-lassen; **~e** [laʃ] locker; schlaff; feige; m Feigling; **~er** [-ʃẹ] loslassen; a. fig fallenlassen; **~er pied** zurückweichen; **~eté** [laʃtẹ] f Feigheit

lacis [lasi] m Geflecht; Gewebe

laconique [lakɔnik] lakonisch; kurz u. bündig

lacrym|al [lakrimal] 124 Tränen...; **~ogène** [-mɔʒɛn]: gaz ~ogène Tränengas

lacs [la] m (a. fig) Schlinge; tomber dans le ~ in d. Falle gehen

lact|ation [laktasjɔ̃] f Milchbildung; **~é** [-tẹ] Milch...; voie ~ée Milchstraße; **~ique** [-tjk]: acide ~ique Milchsäure; **~ose** [-tọːz] m Milchzucker

lacune [lakyn] f (a. fig) Lücke

lacustre [lakystr] See...; cité ~ Pfahldorf

ladite [ladit] die (oben) genannte

ladre [ladr] knauserig; m Geizhals; **~rie** [ladrəri] f Knauserei

lagune [lagyn] f Lagune

lai [lɛ]: frère ~ Laienbruder

laï|c [lajk] 1. 120 rel Laien...; école ~que staatl. Schule; 2. m rel Laie; **~ciser** [laisizẹ] verstaatlichen; verweltlichen; **~cité** [laisitẹ] f weltl. Charakter

laid [lɛ] 108 häßlich; **~eron** [lɛdrɔ̃] f od m häßliche Frau; **~eur** [lɛdœːr] f Häßlichkeit

laie¹ [lɛ] f zool Bache

laie² [lɛ] f Schneise

lain|age [lɛnaːʒ] m Wollwaren; **~e** [lɛn] f Wolle; ~e peignée Kammgarn; ~e de verre Glasw. ♦ se laisser manger la ~e sur le dos s. d. Haare vom Kopf essen lassen; **~er** [-nẹ] (Stoff) rauhen; **~eux** [-nọ] 111 wollig; **~ier** [lenjẹ] 116: industrie ~ière Wollindustrie; m Wollhändler, -arbeiter

laiss|e [lɛs] f Hundeleine; (Meer) Gezeitensaum; Uferlinie; tenir en ~e an d. Leine führen; fig am Gängelband führen; **~e** [lɛsẹ] m:~é pour compte bestellte, aber nicht abgenommene Ware; fig alte Jungfer; **~er** [-sẹ] (zurück-, übrig-, ver-, stehen-)lassen; hinterlassen; überlassen; loslassen; zulassen; unterlassen; ~er à désirer zu wünschen übriglassen; ~er en plan im Stich lassen; se ~er faire s. alles gefallen lassen; se ~er aller s. gehenlassen; se ~er aller à sich hinreißen lassen zu ♦ c'est à prendre ou à ~er entweder... oder; **~er-aller** [lesealẹ] m Sichgehenlassen; **~ez-passer** [lesepasẹ] m 100 Passierschein

lait [lɛ] m Milch; ~ caillé dicke M.; ~ condensé Dosenmilch; ~ écrémé Magerm.; ~ en poudre

---

Milchpulver; dents de ~ Milchzähne ♦ il boit du ~ d. geht ihm herunter wie Honig; **~age** [-taʒ] m Milchspeise; pl Milchprodukte; **~ance** [-tɑ̃s] f (Fisch) Milch; **~erie** [letri] f Molkerei; **~eux** [-tọ] 111 milchig; **~ier** [letjẹ] 116 Milch...; m Milchhändler; Hochofenschlacke

laiton [lɛtɔ̃] m Messing; ~ en feuilles Messingblech; ~ rouge ✿ Rotguß

laitue [lety] f Lattich; salade de ~ grüner Salat; ~ pommée Kopfsalat

laïus [lajys] m (arg scol) Ansprache; piquer un ~ e-e Rede vom Stapel lassen

lama¹ [lama] m das Lama

lama² [lama] m der Lama

lambeau [lɑ̃bo] m 91 Fetzen; en ~x zerlumpt

lambin [lɑ̃bẽ] 109 umg bummelig; m Trödler, Bummelant; **~er** [-binẹ] trödeln

lambris [lɑ̃bri] m Täfelung; Wandverkleidung

lam|e [lam] f Klinge; ✿ Blatt; Blech; ⚓ Woge; ~e de fond Grundsee; ~es à parquet Stahlspäne; ~e de rasoir Rasierklinge; ~e de scie Sägeblatt; **~elle** [-mɛl] f Lamelle; ✿ Folie

lament|able [lamɑ̃tabl] (Zustand, Werk) jämmerlich; beklagenswert; **~ation** [-tasjɔ̃] f Wehklagen; pl Gejammer; **~er** [-tẹ]: se ~er jammern

lamin|age [laminaːʒ] m Walzen; **~er** [-nẹ] walzen; fig stark verringern; **~erie** [-minri] f ✿ Walzwerk; **~oir** [-nwaːr] m ✿ (Maschine) Walzwerk

lamp|adaire [lɑ̃padɛːr] m Straßenlaterne; Stehlampe; **~ant** [-pɑ̃] 108: huile ~ante Petroleum; **~e** [lɑ̃p] f 1. Lampe; ~e d'alarme Warnleuchte; ~e à incandescence Glühlampe; ~e de mineur Grubenlicht; ~e à souder Lötlampe; 2. ⚡ Röhre; ~e amplificatrice Verstärkerröhre; ~e d'émission Senderöhre

lamp|ée [lɑ̃pẹ] f umg ordentl. Schluck; **~er** [-pẹ] gierig trinken; **~e-témoin** [lɑ̃ptemwẽ] f 97 ⚡ Probier-(Kontroll-)Lampe; **~ion** [-pjɔ̃] m Lampion; **~iste** [-pist] m Lampenfabrikant, -händler; umg Prügelknabe

lamproie [lɑ̃prwa] f Neunauge

lanc|e [lɑ̃s] f Lanze; ~e d'incendie Strahlrohr; ~e-missile Startvorrichtung; Abschußbehälter; ~e-roquette Panzerfaust; rompre une ~e avec qn (fig) mit j-m d. Klingen kreuzen; **~é** [lɑ̃sẹ] en Fahrt; in gehobener Stimmung; **~e** [lɑ̃sẹ] f Schwung; (Kreisel) Drehimpuls; fig Erfolg; **~ement** [lɑ̃smɑ̃] m ⚓ Stapellauf; (Rakete) Abschuß; Start; (Zeitschrift) Neugründung; ~ement du disque Diskuswerfen; ~ement du poids Kugelstoßen; prix de ~ement Einführungspreis; **~er** [-sẹ] 15 werfen; schleudern; ⚓ vom Stapel lassen; (Bombe) abwerfen; (Rakete) abschießen; (Ballon) aufblasen; (Motor) anwerfen; unter d. Leute bringen; ~er une mode e-e Mode aufbringen; ~er qn j-m zum Erfolg verhelfen; **~ette** [-sɛt] f ⚕ Lanzette; ~er [lɑ̃sœːr] m Trägerrakete; **~inant** [-sinɑ̃] 108 (Schmerz) stechend; **~inement** [-sinmɑ̃] m ⚕ Reißen

lande [lɑ̃d] f die Heide

lang|age [lɑ̃gaːʒ] m Sprache; Rede; Ausdrucksweise; **~gier** [-ʒjẹ] adj 116 sprachlich

lange [lãʒ] *m* Wickeltuch; Windel
langoureux [lãgurø] *111* schmachtend
langouste [lãgust] *f* Languste
langu|e [lãg] *f* 1. Zunge; ~*e chargée* 💲 belegte Zunge; *mauvaise* (od *méchante*) ~*e*, ~*e de vipère* Lästermaul; *tenir sa* ~*e* d. Mund halten; *tirer la* ~*e* d. Zunge herausstrecken (*à qn* j-m) ♦ *avoir la* ~*e bien pendue* e. flottes Mundwerk haben; *se mordre la* ~*e* (*a. fig*) s. auf d. Zunge beißen ♦ *la* ~*e m'a fourché* ich habe mich versprochen; *je donne ma* ~*e aux chats* ich gebe das Raten auf; 2. Sprache; ~*e administrative* Verwaltungss.; ~*e maternelle* Mutters.; ~*e officielle* Amtssprache; ~*e de spécialité* Fachs.; ~*e vulgaire* Volkss.; ~**ette** [-gɛt] *f* (*Schuh, Blasinstr.*) Zunge; *rainure et* ~**ette** ✿ Feder u. Nut
langu|eur [lãgœːr] *f* 💲 Mattigkeit; Schmachten; Sehnsucht; ~**ir** [-giːr] *22* 💲 dahinsiechen; verkümmern; (*Gespräch*) einschlafen, stocken; *faire* ~*ir qn* (*fig*) j-n auf d. Folter spannen
lanière [lanjɛːr] *f* Riemen
lansquenet [lãskənɛ] *m* Landsknecht
lanterne [lãtɛrn] *f* Laterne; ~ *rouge* Schlußleuchte; *fig* Letzter; ~ *vénitienne* Lampion ♦ *éclairer la* ~ *de qn* j-m e. Licht aufstecken; ~**r** [-tɛrnə] 1. mit leeren Versprechungen hinhalten; 2. bummeln, trödeln
lapalissade [lapalisad] *f* Binsenwahrheit
laper [lape] auflecken
lapid|aire [lapidɛːr] (*Stil, Rede*) knapp, kurz u. bündig; *m* Steinschneider; ~**ation** [-dasjɔ̃] *f* Steinigung; ~**er** [-de] steinigen
lapin [lapɛ̃] *m* Kaninchen; ~ *de garenne* Wildkaninchen; *poser un* ~ *à qn* (*umg*) j-n versetzen; ~**ière** [-pinjɛːr] *f* Kaninchenstall, -gehege
lapon [lapɔ̃] *118* lappländisch; ♃ *m* Lappe; ♃**ie** [-pɔni]: *la* ♃*ie* Lappland
lapsus [lapsys] *m* Sprech- (*od* Schreib-)fehler
laquais [lakɛ] *m* Lakai, Diener
laqu|e [lak] *f* Lack; ~**er** [-ke] 6 lackieren
laquelle [lakɛl] (*pl lesquelles*) 1. (*Fragepron*) welche(r, -s)?; was für ein(e, -er)?; 2. (*Relativpron*) der, die das; welche(r, -s)
larbin [larbɛ̃] *m pej* Lakai
larcin [larsɛ̃] *m* (*a. geistiger*) Diebstahl; Diebesbeute; Plagiat
lard [laːr] *m* Speck; ~ *maigre* durchwachsener Sp.; ~**er** [larde] spicken; ~**oire** [lardwaːr] *f* Spicknadel; ~**on** [lardɔ̃] *m* Speckstreifen; *pop* Baby
largage [largaːʒ] *m* ✈ Abwurf
larg|e [larʒ] 1. breit; (*Kleidung*) weit; dick; geräumig; *fig* großzügig; freigebig; weitgehend; *ne pas en mener* ~*e* s. in s-r Haut nicht wohlfühlen; 2. *m* Breite; Weite, d. offene See; *au* ~*e de* ⚓, auf d. Höhe von; *prendre le* ~*e* das Weite suchen; *être au* ~*e* über viel Platz verfügen; *fig* Überfluß haben; *au* ~*e!* zurück!; ~**ement** [-ʒəmɔ̃] reichlich; ~**esse** [-ʒɛs] *f* Freigebigkeit; ~**eur** [-ʒœːr] *f* Breite; (*Kleidung*) Weite; Großzügigkeit; ~**uer** [-ge] 6 ✈ abwerfen; (*Raketenstufen*) trennen; *fig umg* (*Personen*)

sitzen lassen; auseinandergehen; (*Sachen*) hinter s. lassen, aufgeben
larm|e [larm] *f* Träne; Tropfen; ~**oyant** [-mwajɔ̃] *108* weinerlich; rührselig
larron [larɔ̃] *m* Dieb; Schächer (*am Kreuz*) ♦ *s'entendre comme* ~*s en foire* unter e-r Decke stecken
larv|e [larv] *f zool* Larve; Made; ~**é** [-ve] *fig* verkappt; *crise* ~*ée* schleichende Krise
larynx [larɛ̃ks] *m* Kehlkopf
las [lɑ] *114* müde; erschöpft; überdrüssig; *j'en suis* ~ ich bin es leid
lascar [laskaːr] *m umg* komischer Typ
lasc|if [lasif] *112* wollüstig; schlüpfrig; ~**ivité** [-sivite] *f* Schlüpfrigkeit
laser [lazeːr] *m* Laser; ~ *pulsé* Impulslaser
lass|er [lɑse] *vt* ermüden; *se* ~*er* ermüden; ~**itude** [lasityd] *f* Müdigkeit
latent [latɑ̃] *108* (*bes phys, biol.*) latent; verborgen
latéral [lateral] *124* seitlich
latin [latɛ̃] *109* lateinisch; *m* d. Latein ♦ *y perdre son* ~ mit s-m Latein am Ende sein
latitude [latityd] *f geog.* Breite; Breitengrad; Handlungsfreiheit; ~ *de pose* 📷 Belichtungsspielraum
latrines [latrin] *fpl* behelfsmäßiger Abort
latt|e [lat] *f* Latte; ~**is** [lati] *m* Lattenwerk, -verschlag
laur|éat [lɔrea] *m* Gewinner; Preisträger; ~**ier** [-rje] *m* Lorbeer(baum); *pl fig* Lorbeeren ♦ *s'endormir sur ses* ~*iers* e-e glänzend begonnene Laufbahn abbrechen; *se reposer sur ses* ~*iers* auf s-n Lorbeeren ausruhen; ~**ier-rose** [-rjerɔːz] *m 97* Oleander
lav|able [lavabl] waschecht; ~**abo** [-vabo] *m* Waschbecken, -raum; *pl* Toilette; ~**age** [-vaːʒ] *m* Waschen, Wäsche; 💲 Spülung; 📷 Wässern; ~*age de cerveau* Gehirnwäsche
lavand|e [lavɑ̃d] *f* Lavendel; ~**ière** [-vɑ̃djɛːr] *f* Waschfrau; *zool* Bachstelze
lav|asse [lavas] *f umg* Wassersuppe; ~**e** [laːv] *f* Lava; ~**ement** [lavmɔ̃] *m* 💲 Einlauf; ~**er** [-ve] (ab-, aus-)waschen; spülen; (*Magen*) auspumpen; ~*er la tête à qn* (*a. fig*) j-m d. Kopf waschen; *se* ~ *s.* waschen; *fig* s. reinwaschen ♦ *je m'en* ~*e les mains* ich wasche m-e Hände in Unschuld; ~**e-glace** [lavglas] *m 99* Scheibenwischanlage; ~**e-linge** [lavlɛ̃ʒ] *m 99* Waschmaschine; ~**e-vaiselle** [-vɛsɛl] *m 99* Geschirrspülmaschine; ~**erie** [-vri] *f* Wäscherei; ~**ette** [-vɛt] *f* Abwaschlappen; ~**eur** [-vœːr] *m* Tellerwäscher; ~**euse** [-vøːz] *f* Waschm.; ~**is** [-vi] *m* Tuschzeichnung; ~**oir** [-vwaːr] *m* Waschh.; ~**ure** [-vyːr] *f* Abwaschwasser
laxatif [laksatif] *112* 💲 abführend; *m* 💲 Abführmittel
layette [lɛjɛt] *f* Säuglingsausstattung, -wäsche
lazaret [lazarɛ] *m* Quarantänestation
lazzi [la(d)zi] *m(pl)* Hohngelächter
le [lə] der, das; *acc* ihn; es
lé [le] *m* Stoffbreite
leader [lidœːr] *m pol* Führer; *journ* Leitartikel; *com* Führungsrolle

lèche [lɛʃ] f umg Schmeichelei; **~-bottes** [-bɔt] m 100, **~-cul** [-ky] m 100 pop Arschkriecher; **~-pieds** [-pjɛ] m 100 umg Speichellecker

lécher [leʃe] 13 (ab-, be-, aus-)lecken; fig sorgfältig ausarbeiten, -feilen ♦ les bottes (od les pieds) de qn vor j-m kriechen

leçon [ləsɔ̃] f Unterrichtsstunde; (erteilte) Lehre; Lernaufgabe; ling, lit Lesart; ~ particulière Privatstunde ♦ faire la ~ à qn j-m die Leviten lesen

lect|eur [lɛktœːr] m Leser; (Univ., 𝄢) Lektor; EDV Ablesegerät; tête de ~eur Wiedergabekopf; ~eur de son Tongerät; ~ure [-tyːr] f Lesen; Vorlesen; Lektüre; (Instrument) Ablesung; Anzeige; Meßwert; EDV Abfühlen; appareil de ~ure Leser

ledit [lədi] der (oben) genannte

légal [legal] 124 gesetzlich; rechtmäßig; heure ~e Normalzeit; **~isation** [-galizasjɔ̃] f 𝄢 Beglaubigung; **~iser** [-galize] 𝄢 beglaubigen; rechtskräftig machen; **~ité** [-galite] f Rechtmäßigkeit; Rechtskräftigkeit

légat [lega] m päpstlicher Legat; **~aire** [-gatɛːr] m 𝄢 der Erbe; ~aire universel 𝄢 Universalerbe; **~ion** [-gasjɔ̃] f Gesandtschaft

légend|aire [leʒɑ̃dɛːr] sagenhaft; berühmt; **~e** [-ʒɑ̃d] f Legende; (Landkarte) Zeichenerklärung; Bildunterschrift

lég|er [leʒe] 116 leicht; locker; dünn; zart; behende; (Geräusch) leise; (Fehler) geringfügig; unbedacht; oberflächlich; leichtsinnig; 🏛 Leichtbauweise; à la ~ère leichtsinnigerweise; **~èreté** [-ʒɛrte] f Leichtigkeit; Leichtfertigkeit

légion [leʒjɔ̃] f Legion; ~ étrangère Fremdenl.; ~ d'honneur Ehrenl.; **~naire** [-ʒjɔnɛːr] m Mitglied d. Ehrenlegion; Fremdenlegionär

législat|eur [leʒislatœːr] m Gesetzgeber; **~if** [-tif] 112 gesetzgebend; **~ion** [-sjɔ̃] f Gesetzgebung; Gesetze; **~ure** [-tyːr] f Legislaturperiode

lég|iste [leʒist] m Jurist; Rechtsberater; médecin ~iste Gerichtsarzt; **~itimation** [-ʒitimasjɔ̃] f (Kind) gesetzliche Anerkennung; **~itime** [-ʒitim] legitim; rechtmäßig; enfant ~itime eheliches Kind; ~itime défense Notwehr; ma ~itime (pop) m-e Frau; **~itimer** [-ʒitime] (Kind) gesetzlich anerkennen; rechtfertigen; se ~itimer s. ausweisen; **~itimité** [-ʒitimite] f (Handlung) Gesetzlichkeit; Berechtigung; Ehelichkeit

legs [lɛ(g)] m 𝄢 Vermächtnis

léguer [lege] 6 𝄢 vermachen

légum|e [legym] 1. m Gemüse; ~es verts Frischgemüse; 2. f: grosse ~e (umg) hohes Tier; **~ineuses** [-minœːz] fpl Hülsenfrüchte

Léman [lemɑ̃] m: le (lac) ~ d. Genfer See

lemme [lɛm] m Lehrsatz

lendemain [lɑ̃dmɛ̃] m folgender Tag; fig Zukunft; du jour au ~ von e-m Tag auf d. andern; le ~ matin am andern Morgen

lénitif [lenitif] 112 🕇 lindernd; m Linderungsmittel

lent [lɑ̃] 108 langsam; schwerfällig; (Gift) schleichend; (Fotoblitz) lang; être ~ (fig) e-e lange Leitung haben

lenteur [lɑ̃tœːr] f Langsamkeit

lent|iculaire [lɑ̃tikylɛːr] linsenförmig; **~ille** [-tij] f (bot, opt) Linse

léonin [leɔnɛ̃] 109 Löwen...; 𝄢 leoninisch; part ~e Löwenanteil

léopard [leɔpaːr] m Leopard

lèpre [lɛpr] f 🕇 Aussatz; fig Krebsgeschwür

lépr|eux [leprø] 111 aussätzig; m Aussätziger; **~oserie** [-prozri] f Leprosarium

lequel [ləkɛl] (pl lesquels) 1. (Fragepron) welche(r, -s)?; was für ein(e, -er)?; 2. (Relativpron) der, die, das; welche(r, -s)

lèse-majesté [lɛzmaʒɛste] f: crime de ~ Majestätsbeleidigung

léser [leze] 13 🕇 verletzen; 𝄢 schädigen; benachteiligen

lésin|e [lezin] f Knauserei; **~er** [-zine] knausern; **~eur** [-zinœːr] m Knauserei; **~eux** [-nø] 111 knauserig

lésion [lezjɔ̃] f 🕇 Verletzung; ~ crânienne Schädelv.; ~ interne innere V.; 𝄢 Schädigung; Benachteiligung

lessiv|age [lesivaːʒ] m (Ab-)Waschen; Auslaugen; **~e** [lesiːv] f große Wäsche; Lauge; Waschmittel; **~er** [-ve] (ab-)waschen; umg verscheuern; **~euse** [-vøːz] f Waschkessel

lest [lɛst] m ⚓, ⚓ Ballast

leste [lɛst] flink; behende; leicht; bedenkenlos; (Rede) locker; avoir la main ~ e. lockeres Handgelenk haben

lester [lɛste] mit Ballast versehen; beschweren; se ~ (umg) etw. zu s. nehmen

létal [letal] adj 124 tödlich; zum Tode führend; dose ~e Letaldosis

léthargie [letarʒi] f 🕇 Schlafsucht; fig Teilnahmslosigkeit

lettr|e [lɛtr] f 1. Buchstabe; 𝄢 Letter, Type; ~e initiale Anfangsbuchstabe; ~e distinctive Kennbuchstabe; à la ~, au pied de la ~ buchstäblich; en toutes ~s in Buchstaben; 2. Brief, Schreiben; ~e d'amour Liebesbrief; ~e par avion Luftpostbrief; ~e de change Wechsel; ~e de crédit (Reise-)Kreditbrief; ~e de rappel Mahnschreiben; ~e de voiture Frachtbrief; par ~e brieflich; 3. pl Literaturwissenschaft; homme de ~es Literat; faculté des ~es Philosophische Fakultät; ~é [letre] m (bes. lit.) Gebildeter; **~ine** [letrin] f Initiale; hochgestellter Buchstabe

leu [lø] m: à la queue ~ ~ im Gänsemarsch

leucémie [løsemi] f Leukämie

leur [lœr] pron ihr, ihre; ihnen

leurr|e [lœːr] m (bes fig) Köder; Täuschung; mil Düppel; **~er** [lœrε] anlocken; ködern; se ~er s. verlocken lassen

lev|age [ləvaːʒ] m Heben; 🚗 Aufbocken; appareil de ~age ⚙ Hebezeug; **~ain** [-vɛ̃] m Hefe; Sauerteig; **~ant** [-vɑ̃] soleil ~ant aufgehende Sonne; m Osten; Levante; **~antin** [-vɑ̃tɛ̃] 109 morgenländisch; **~é** [-ve] m (topographische) Aufnahme; **~ée** [ləve] f Wegnahme; (Steuern) Eintreibung; mil Aushebung; (Sitzung) Aufhebung; ♡ Leerung; (Karten) Stich; Damm; ⚙ Hub; **~er** [-ve] 8 1. (hoch-, auf-)heben; beseitigen; (Anker) lichten;

(Steuern) eintreiben; *mil* ausheben; *(Sitzung, Verbot)* aufheben; *(Saat)* aufgehen; *(Posten)* einziehen; *(Überwachung)* einstellen; *~er le pied (fig)* (mit d. Kasse) durchbrennen; *~er un plan* Grundriß aufnehmen; *~er le masque* Farbe bekennen; *~er un lièvre* e-e peinliche Frage stellen; *sans ~er le nez* ohne aufzuschauen; *se ~er* aufstehen; *se ~er d'un bond* aufspringen; *le soleil se lève* d. Sonne geht auf; *le jour se lève* es wird Tag; *le temps se lève* d. Wetter heitert s. auf; **2.** *m* Aufstehen, Aufheben; *(Sonne)* Aufgang; *(Theatervorhang)* Hochgehen; *au ~er du jour* bei Tagesanbruch; **~ier** [-vjɇ] *m* Hebel; *~ier d'une pompe* Pumpenschwengel; *~ier de manœuvre* ☼ Stellhebel; *~ier de vitesse* 🚗 Schalthebel; *engager un ~ier* e-n Hebel ansetzen (*sur qch* an etw.)

levraut [ləvrọ] *m* junger Hase

lèvre [lɛːvr] *f* Lippe; *pl* 💲 Wundränder; *du bout des ~s* von oben herab; verächtlich; gezwungen; *se mordre les ~s* verärgert sein

lévrier [levriɇ] *m* Windhund

levure [ləvyːr] *f* (Wein-, Bier-)Hefe; Hefepilz; *~ en poudre* Backpulver

lex|ème [leksɛm] *m* Bedeutungseinheit; **~ical** [-ksikạl] *adj 124* lexikalisch; **~ique** [lɛksik] *m* (Spezial-)Wörterbuch; Glossar; Wortschatz

lézard [lezạr] *m* Eidechse ♦ *faire le ~* s. aalen, s. sonnen; **~e** [-zạrd] *f* Mauerriß, -spalte; **~é** [-zardɇ] *(Mauer)* rissig

liaison [ljezɔ̃] *f (a. fig)* Verbindung; Liebesverhältnis; Zus.hang; 🏛 Verband; *(Küche)* Bindemittel; *ling,* 🎵 Bindung; ⛓ Anschluß; *~ phonie* Sprechverbindung

li|ane [ljan] *f* Liane; **~ant** [ljã] *108 (a. fig)* geschmeidig; biegsam; *m* ☼ Bindemittel; Binder; *~ant rapide* Schnellbinder

liasse [ljas] *f (Papiere)* Bündel

Liban [libɑ̃]: *le ~, la République* 🍃 *aise* d. Libanon

libation [libasjɔ̃] *f* Zechgelage, Zecherei

libell|e [libɛl] *f* Schmähschrift; **~é** [libellɇ] *m* Wortlaut; **~er** [-bellɇ] *(Schriftstück)* aufsetzen; **~ule** [-bɛlyl] *f* Libelle

libéral [liberạl] *124* freigebig *(envers gegen)*; *pol* liberal; **~isme** [-ralịsm] *m* Liberalismus; **~ité** [-litɇ] *f* Freigebigkeit

libér|ateur [liberatœːr] *122* befreiend; *m* Befreier; **~ation** [-rasjɔ̃] *f* Befreiung; *mil* Entlassung; *(Energie)* Freiwerdung; *(Strahlen)* Aussendung; *com* Liberalisierung; **~é** [-rɇ] *m* Entlassener; **~er** [-rɇ] *13* befreien; ⚖ , *mil* entlassen; *(Energie)* freisetzen; liberalisieren

libert|aire [libertɛːr] *m* Anarchist; **~é** [-tɇ] *f* Freiheit; *~é d'esprit* Unbefangenheit; *~é de manœuvre* Handlungsfreiheit; *~é d'opinion* Meinungsfr.; *mettre en ~é* auf freien Fuß setzen; *prendre des ~és avec qn* s. gegen j-n Freiheiten herausnehmen; **~in** [-tɛ̃] *109 (Mensch)* ausschweifend, liederlich; *(Sitten)* locker; *m* Lüstling, Wüstling; **~inage** [-tinạːʒ] *m* ausschweifendes Leben

libidineux [libidinɇ] *111* libidinös; lüstern

librair|e [librɛːr] *m* Buchhändler; **~e commissionnaire** 📖 Kommissionär; *marchand ~e* Sortiment(sbuchhändl)er; **~e-éditeur** [-brɛreditœːr] *m 97* Verlagsbuchhändler; **~ie** [-brerị] *f* Buchhandel; Buchhandlung

libre [libr] frei; zwanglos; locker; *~ arbitre* freier Wille; *~ circulation com* freier (Waren-)Verkehr; *~ pensée* Freidenkertum; *~ service* Selbstbedienung; Selbstbedienungsgeschäft; Sb-Restaurant; Sb-Tankstelle; *~ tout de suite* sofort beziehbar; *école ~* Privatschule; *papier ~* ungestempeltes Papier; *pas ~* 📞 besetzt; *propos ~s* ungehörige Reden; *~ à vous de ... es* steht Ihnen frei; *donner ~ cours à sa joie s-r* Freude freien Lauf lassen; **~-échange** [librefãʒ] *m* Freihandel; **~-échangiste** [librefãʒịst] *m 99* Anhänger d. Freihandelspolitik

librettiste [libretịst] *m* (Opern-)Textdichter

lice [lis] *f* Schranken; Turnierplatz; *entrer en ~ (fig)* in d. Schranken treten

licenc|e [lisɑ̃s] *f* **1.** behördliche Erlaubnis; *com* Lizenz; **~e d'importation** Einfuhrbewilligung; *droit de ~e* Lizenzgebühr; **2.** Eigenmächtigkeit; *~e poétique* dichterische Freiheit; *~e des mœurs* Sittenlosigkeit; *avoir toute ~e de* völlig freie Hand haben; **3.** Staatsexamen; **~ié** [-sãsjɇ] *m* (Studien-)Referendar, Lizenziat; **~iement** [-sãsimɑ̃] *m com* Entlassung; Abbau; **~ier** [-sãsjɇ] *com* entlassen; *(Personal)* abbauen; **~ieux** [-sãsjɇ] *111* liederlich; anstößig; zügellos

lichen [likɛn] *m (bot,* 💲*)* Flechte

licher [lifɇ] *pop* schlecken, schlürfen

licite [lisịt] zulässig, statthaft

licorne [likɔrn] *f* Einhorn

li|ou, ~ol [liky, liku] *m* Halfter

lie [li] *f (Wein)* Bodensatz; *~ du peuple* Abschaum ♦ *boire le calice jusqu'à la ~* d. Kelch bis z. Neige leeren; *~ de-vin* [lidvɇ̃] malvenfarbig

liège [ljɛːʒ] *m* Kork(eiche)

li|en [ljɇ̃] *m* Band; *fig* Bindung; *pl fig* Bande; *~en conjugal* ehel. Verbindung; **~er** [lje] (zus.-, ver-, fest-)binden; verknüpfen; *~er amitié* s. anfreunden; *~er connaissance* s. kennen lernen; *~er conversation* e-e Unterhaltung anknüpfen; *avoir partie ~ée avec qn* gemeinsame Interessen mit j-m haben

lierre [ljɛːr] *m* Efeu

liesse [ljɛs] *f* Freudentaumel

lieu [ljø] *m 91* Ort; Stelle; *~x d'aisance* Klo, WC; *~ commun* Gemeinplatz; *mauvais ~* verrufenes Haus; *descente sur les ~x* 🔍 Lokaltermin; *en temps et ~* bei passender Gelegenheit; *tenir ~ de* dienen als; *avoir ~* stattfinden; *il y a ~ de* es ist angebracht, zu ...; *s'il y a ~* gegebenenfalls; *donner ~* Anlaß geben (*à* zu); *au ~ de* anstatt ♦ *sans feu ni ~* arm u. obdachlos; **~-dit** [ljødị] *m 97* Flurname

lieue [ljø] *f* Meile ♦ *être à 100 ~s de ... (fig)* meilenweit davon entfernt sein, ...

lieutenant [ljøtnã] *m* Oberleutnant; **~-colonel** [-kɔlɔnɛl] *m 97* Oberstleutnant

lièvre [ljɛːvr] *m* Hase; Hasenfleisch ♦ *une mémoire de ~* e. Gedächtnis wie e. Sieb; *être poltron comme un ~* e. Hasenfuß sein; *courir* *deux ~s à la fois* zwei Fliegen mit e-r Klappe schlagen wollen; *c'est là que gît le ~* da liegt der Hase im Pfeffer; *lever un ~* e. Angelegenheit aufs Tapet bringen

lift|ier [liftjɛ] *m* Fahrstuhlführer; **~ing** [-tiŋ] *m* Lifting *n.* kosmetische Operation

liga|ment [ligamɑ̃] *m anat* Band; **~ture** [-ty:r] *f* ($, 𝄢, ♪) Ligatur

lign|e [liɲ] *f* 1. *(a.* 🐛 *, geneal.)* Linie; Strich; Reihe; *~e (équinoxiale)* Äquator; *en droite ~e* in d. Luftlinie; *en grandes ~es* in groben Umrissen; *hors ~e* unvergleichlich; *~e de banlieue* Vorortstrecke; *~e de ceinture* Ringbahn; *~e collatérale (Familie)* Seitenlinie; *avoir de la ~e* elegant aussehen; *mettre en ~ de compte* in Ansatz bringen; 2. Zeile; *à la ~e!* *(Diktat)* Absatz!; *tirer à la ~e (journ)* Zeilen schinden; 3. Schnur; *a. fig* Richtschnur; Angelschnur; *pêcheur à la ~e* Angler; *~e de conduite* Lebensregel; *~e de départ (d'arrivée)* 🚩 Start-(Ziel-)Band; 4. ⚡, ☎ Leitung; *~e téléphonique* Fernsprechl.; Fernsprechanschluß; *~e à haute tension* Hochspannungsl.; 5. *mil* Linie, Stellung; *vaisseau de ~e* ⚓ Schlachtschiff; *monter en ~e* an d. Front gehen; **~ée** [liɲe] *f* Geschlecht, Stamm; *le dernier de sa ~ée* d. letzte s-s Namens; **~er** [liɲe] linieren

lign|eul [liɲœl] *m* Pechdraht; **~eux** [-ɲø] *111* holzig; **~ite** [-ɲit] *m* Braunkohle

ligot [ligo] *m* kleines Holzbündel; **~er** [ligɔte] fesseln

ligu|e [lig] *f* Liga, Bündnis; **~er** [-ge] *6* zus.schließen; *se ~er* s. verbünden

lilas [lilɑ] *inv* fliederfarben, lila; *m* Flieder

lilliputien [lilipysjɛ̃] *118* zwergenhaft; *m* Liliputaner

lima|ce [limas] *f* Nacktschnecke; **~çon** [-masɔ̃] *m* beschalte Schnecke; *escalier en ~çon* Wendeltreppe

limaille [limɑ:j] *f* Feilspäne

limande [limɑ̃d] *f* Kliesche, Rotzunge

limbes [lɛ̃b] *mpl rel* Vorhimmel; *fig* Anfangsstadium; *être encore dans les ~ (fig)* noch in d. Windeln liegen, noch in d. Anfängen stecken

lim|e [lim] *f* Feile; *~e triangulaire* Dreikantf.; *donner un coup de ~e à qch (a. fig)* an etw. feilen; **~er** [-me] feilen

limier [limje] *m* Spürhund; *fig umg* Kriminalbeamter

limit|atif [limitatif] *112* einschränkend; **~ation** [-sjɔ̃] *f* Be-, Einschränkung; *~ation des dépenses* Einsparung; **~e** [-mit] *f* Grenze; *math* Grenzwert; *~e d'âge* Altersgrenze; *cas ~e* Grenzfall; *date ~e* Verfalltag; Ablaufdatum; *prix ~e* Höchstpreis; *il y a une ~e à tout* alles hat s-e Grenzen; **~er** [-te] begrenzen; beschränken; **~eur** [-tœ:r] *m* Begrenzer; *~eur de débit* Mengenbegrenzer; *~eur de vitesse* ⚙ Geschwindigkeitsregler; Drehzahlr.; **~rophe** [-trɔf] angrenzend; *pays ~rophe* Grenzland; *région ~rophe* Randgebiet

limoger [limɔʒe] *14 umg* absägen, kaltstellen

limon [limɔ̃] *m* 1. Schlamm; Lehm; 2. Deichselarm

limonad|e [limɔnad] *f* (Zitronen-)Limonade; *~e gazeuse* Zitronensprudel; *être dans la ~e (umg)* mit Getränken handeln; **~ier** [-nadje] *m umg* Wirt

limon|ier [limɔnje] *m* Gabelpferd; **~ière** [-njɛ:r] *f* Gabeldeichsel

limpid|e [lɛ̃pid] klar; hell; **~ité** [-dite] *f* Klarheit; Helligkeit

lin [lɛ̃] *m* Flachs; Leinen; **~ceul** [-sœl] *m* Leichentuch

liné|aire [lineɛ:r] *a.* math linear; **~ament** [-neamɑ̃] *m (mst pl)* (Gesichts-)Züge; Umriß; Entwurf

ling|e [lɛ̃ʒ] *m* Wäsche; *~e de corps, ~e de fil, ~e de lit* Leib-, Leinen-, Bettw.; *~e de maison* Haushaltsw.; *~e de table* Tischw.; *~e de pansement* Verbandszeug; *changer de ~e* frische W. anziehen ♦ *laver son ~e sale en famille* s-e schmutzige Wäsche nicht in d. Öffentlichkeit ausbreiten; **~ère** [-ʒɛ:r] *f* Wäschebeschließerin; Weißnäherin; **~erie** [lɛ̃ʒri] *f* Wäsche; W.kammer; W.geschäft

lingot [lɛ̃go] ⚙ Barren, Block; 𝌆 Steg; **~ière** [-gɔtjɛ:r] *f* ⚙ Gußform; Kokille

lingu|al [lɛ̃gwal] *124* Zungen...; **~iste** [-gɥist] *m* Sprachwissenschaftler, Linguist; **~istique** [-gɥistik] sprachwissenschaftlich; Sprach... ; *f* Sprachwissenschaft, Linguistik

liniment [linimɑ̃] *m* 💲 Einreibemittel

linoléum [linɔleɔm] *m (umg lino* [linɔ] *m)* Linoleum

linon [linɔ̃] *m* Linon *(feines Leinen)*

linotte [linɔt] *f orn* Hänfling; *tête de ~* Dussel, Dummkopf

linteau [lɛ̃to] *m 91* 🏛 Oberschwelle

lion [ljɔ̃] *m* Löwe; *la part du ~* Löwenanteil ♦ *il a mangé du ~ (pop)* er wird plötzlich energisch; **~ceau** [ljɔso] *m 91* junger Löwe; **~ne** [ljɔn] *f* Löwin

li|pide [lipid] *m* Fett(stoff); **~poïde** [-pɔid] *m* fettähnliche Substanz; **~pome** [-pom] *m* Fettgeschwulst; **~posoluble** [-pɔsɔlybl] *adj* fettlöslich

lipp|e [lip] *f* dicke Unterlippe ♦ *faire la ~e (umg)* schmollen; **~ée** [-pe] *f: franche ~ée* gute, kostenlose Mahlzeit; **~u** [-py] wulstlippig; wulstig

liqué|faction [likefaksjɔ̃] *f* Verflüssigung; Schmelzen; **~fier** [-fje] verflüssigen; z. Schmelzen bringen

liquette [likɛt] *f umg* Hemd

liqu|eur [likœ:r] *f* Flüssigkeit; Likör; **~idation** [-kidasjɔ̃] *f com* Liquidation; Abwicklung; Ausverkauf; *~idation des biens* Konkurs(verfahren); *~idation d'une dépense* Feststellung e-r Ausgabe; *~idation générale* Totalausverkauf; **~ide** [-kid] flüssig; *m* Flüssigkeit; *~ide d'essai* Prüfungsflüssigkeit; *~ide de vérin* Drucköl; **~ider** [-kide] *com* liquidieren; ausverkaufen; erledigen; *(Waren)* losschlagen; **~idité** [-kidite] *f* flüssiger Zustand; *com* Liquidität; *pl* Barmittel; **~oreux** [-kɔrø] *111* likörartig; **~oriste** [-kɔrist] *m* Likörfabrikant, -händler

lire [li:r] *69 (a. Landkarte)* lesen; ablesen *(sur* an); *~ à haute voix* laut lesen; *~ des épreuves*

◫ Korrektur lesen; ~ *qch à qn* j-m etw. vorlesen

lis [lis] *m* Lilie

liséré [lizere] *m* Borte, farbiger Randstreifen

liseron [lizrɔ̃] *m bot* Winde; ~ *des champs* Ackerwinde

lis|eur [lizœːr] *m umg* Leseratte; **~euse** [-zøːz] *f* Buchhülle; Leselämpchen; Bettjäckchen; **~ibilité** [-zibilite] *f* Lesbarkeit; **~ible** [-zibl] leserlich

lisière [lizjɛːr] *f (Stoff, Wald)* Rand(-streifen); Saum; Laufgurt ♦ *mener qn à la* ~ j-n am Gängelband führen

liss|e [lis] 1. glatt; *m* Glätte; 2. *f* Reling; Geländer; **~er** [-se] glätten

liste [list] *f* Liste, Verzeichnis; ~ *détaillée (com)* Stückliste; ~ *électorale* Wählerliste; ~ *matières* Materialliste; ~ *noire* schwarze Liste; ~ *unique pol* Einheitsliste

list|el, **~eau**, **~on** [listɛl, -to, -tɔ̃] *m* Leiste, Stab; *(Münze)* Rand

lit [li] *m (a. Fluß)* Bett; *bois de* ~ Bettstelle; ~ *de camp* Feldb.; ~ *conjugal* Eheb.; ~*s jumeaux* Doppelb.; ~ *de mort* Sterbeb.; ~ *nuptial* Brautb.; ~ *de plume* Federb.; ~ *de sangle* Gurtb.; *au saut du* ~ gleich beim Austehen; *aller au* ~ ins B. gehen; *faire le* ~ d. B. machen; *faire* ~ *à part (Ehe)* getrennt schlafen; *garder le* ~ d. B. hüten; *se mettre au* ~ zu B. gehen; *mourir dans son* ~ e-s natürlichen Todes sterben; *prendre le* ~ *(Kranke)* s. hinlegen; *enfants du premier* ~ Kinder aus erster Ehe

litanie [litani] *f (a. fig)* Litanei

lit|-cage [likaːʒ] *m* 97 Klappbett; **~eau** [lito] *m* 91 (Holz-)Leiste; *(Stoff)* farbiger Zierstreifen; **~erie** [litri] *f* Bettzeug

litière [litjɛːr] *m* Streu; Sänfte; *faire* ~ *de qch* mit etw. aufräumen, s. über etw. hinwegsetzen

litig|e [litiːʒ] *m* Rechtsstreit; Streitfall; *en* ~*e* strittig; **~ieux** [-tizjø] *111* umstritten, strittig; *objet* ~*ieux* Streitobjekt

litr|e [litr] *m* Liter; **~on** [-trɔ̃] *m pop* Liter (Wein)

littér|aire [literɛːr] literarisch; **~al** [-ral] *124* buchstäblich; wörtlich; **~ature** [-ratyːr] *f* Literatur; Schrifttum; *pej umg* Gerede, Geschwätz

littoral [litɔral] *124* Küsten...; *m* Küstenstrich; Küstengebiet

liturgie [lityrʒi] *f* Liturgie

livid|e [livid] fahl; leichenblaß; **~ité** [-vidite] *f* Fahlheit; Blässe

livr|able [livrabl] lieferbar; **~aison** [-vrɛzɔ̃] *f* (Aus-, Ab-, An-)Lieferung

livre[1] [liːvr] *m* Buch; Band; ~ *de chevet* Lieblingsb.; ~*s de commerce* Geschäftsbücher; ~ *journal (com)* Tagebuch, Journal; *grand* ~ *(com)* Hauptbuch; *à* ~ *ouvert* aus d. Stegreif, vom Blatt

livre[2] [liːvr] *f* Pfund; ~ *sterling* engl. Pfund; *vendre à la* ~ pfundweise verkaufen

livr|ée [livre] *f* Livree; *zool* Haarkleid; Gefieder; **~er** [-vre] aushändigen; liefern; *a. pol* ausliefern; übergeben, -lassen; *se* ~*er à* pflegen, treiben; s. hingeben

livr|esque [livrɛsk] buchmäßig; Buch...; **~et** [-vrɛ] *m* Büchlein; ♥ Libretto, Textbuch; ~*et de caisse d'épargne* Sparbuch; ~*et individuel* = ~*et matricule* Wehrpaß; ~*et de famille* Familienbuch; ~*et scolaire* Schulnotenheft

livreur [livrœːr] *m com* Auslieferer; Austräger

lob|e [lɔb] *m* 𝄢 Lappen; ~*e de l'oreille* Ohrläppchen; ~*é* [-be] *bot* gelappt

lobby [lɔbi] *m* Interessengruppe

loc|al [lɔkal] 1. *124* örtlich; lokal; Orts...; *autorités* ~*ales* Ortsbehörden; 2. *m* Raum; Räumlichkeit; ~*al commercial* Geschäftsraum; **~alisation** [-kalizasjɔ̃] *f* Lokalisierung; **~aliser** [-kalize] lokalisieren; einschränken; *(Brand)* eindämmen; **~alité** [-kalite] *f* Ortschaft; Örtlichkeit; *pl* Ortsverhältnisse; **~ataire** [-katɛːr] *m* Mieter; Pächter; **~atif** [-katif] *112* Miets...; **~ation** [-kasjɔ̃] *f* Vermietung; Verpachtung; Mieten; Pachten; (✎ *Platzkarte)* Lösen; *(Film)* Verleih; *en* ~*ation* im Vorverkauf; *bureau de* ~*ation* (Karten-)Vorverkaufsstelle; ~*ation-vente* Mietkauf

lock-out [lɔkaʊt] *m* Aussperrung (der Arbeiter); **~er** [-te] aussperren

loco|moteur [lɔkɔmɔtœːr] *122* Fortbewegungs...; **~motion** [-mɔsjɔ̃] *f* Fortbewegung; *moyen de* ~*motion* Verkehrsmittel; **~motive** [-mɔtiːv] *f* Lokomotive; *fig pol* Wahllokomotive; *umg* Zugpferd; 🚂 Tempomacher; *(Kultur)* Vorkämpfer; *com* Anreiz, Impuls, Antrieb; Triebkraft; **~tracteur** [-traktœːr] *m* Kleinlokomotive; Trecker

locution [lɔkysjɔ̃] *f* Redewendung

lof [lɔf] *m* ⚓ Luv; **~er** [lɔfe] luven

logarithme [lɔgaritm] *m* Logarithmus; *table des* ~*s* Logarithmentafel

log|e [lɔʒ] *f* Hütte; 🏛 Loggia; Verschlag; *(Freimaurer)* Loge; ~*e d'avant-scène* Proszeniumsl.; ~*es d'artistes* Garderobe d. Schauspieler; ~*e de concierge* Pförtnerwohnung; **~ement** [lɔʒmɑ̃] *m* Wohnung; Unterbringung; Einquartierung; ⚙ Lagerung; Gehäuse; ~*ement provisoire* Notw.; *billet de* ~*ement* Quartierzettel; **~er** [lɔʒe] *14* wohnen; beherbergen; ~*er en meublé* möbliert wohnen; ~*é et nourri* bei freier Station ♦ ~*er à la belle étoile* unter freiem Himmel übernachten; *je suis* ~*é à la même enseigne* ich bin in der gleichen Lage; **~euse** [lɔʒøːz] *f* Zimmervermieterin

log|iciel [lɔʒisjɛl] *m EDV* Software *f;* **~icien** [lɔʒisjɛ̃] *m* Logiker; **~ique** [-ʒik] logisch; folgerichtig; *f* Logik

logis [lɔʒi] *m* Wohnung, Unterkunft ♦ *la folle du* ~ d. Phantasie, Einbildungskraft; **~tique** [-ʒistik] *f mil* Nachschubwesen, Versorgung (d. Truppe); *fig* Organisationsmethoden

loi [lwa] *f* Gesetz; Recht; Gebot; Herrschaft, Gewalt; Zwang; ~ *fondamentale* Grundgesetz; ~ *martiale* Kriegsrecht; ~ *organique* Verfassungsergänzungsgesetz; ~ *du talion* Gesetz d. Vergeltung; *avoir force de* ~ rechtskräftig sein; *n'avoir ni foi ni* ~ weder Gott noch d. Gesetzen gehorchen; *hors la* ~ vogelfrei ♦ *nécessité fait* ~ Not kennt kein Gebot; **~-cadre** [-kadr] *f* 97 Rahmengesetz; **~-programme** [-prɔgram] *97* Finanzplanungsgesetz

loin [lwɛ̃] weit; fern; *au ~* in d. Ferne; *de ~* von weitem; *de ~ en ~* da u. dort; dann u. wann; *~ de* (+ *inf*) weit entfernt, zu …; *~ de là* weit gefehlt ♦ *j'en suis ~* das fällt mir (im Traum) nicht ein; *il ira ~* er wird es weit bringen; *~ des yeux, ~ du cœur* aus d. Augen, aus d. Sinn; *revenir de ~ (fig)* s. von e-r schweren Krankheit erholen; **~tain** [-tɛ̃] *109 (a. zeitl.)* entfernt; *m* Ferne

loir [lwaːr] *m zool* Siebenschläfer; *dormir comme un ~* wie ein Murmeltier schlafen

lois|ible [lwaziͦbl] erlaubt, gestattet; **~ir** [-ziːr] *m* Muße; Freizeit; *animation des ~irs* Freizeitgestaltung; *à ~ir* in (aller) Ruhe

lolo [lɔlɔ] *m umg* Milch; *pop!* Vorbau, Balkon

lomb|aire [lɔ̃bɛːr] Lenden …; **~es** [lɔ̃b] *mpl* Lenden

lombric [lɔ̃brik] *m* Regenwurm

lond|onien [lɔ̃dɔnjɛ̃] *118* aus London; **⨀onien** *m* Londoner; **⨀res** [lɔ̃dr] *f* London

long [lɔ̃] *120* **1.** lang; langsam; *~ de dix mètres* 10 m lang; *en ~* d. Länge nach; *de ~ en large* kreuz u. quer; *tout le ~ de la journée* den ganzen Tag über; *cela en dit ~* das ist vielsagend; *être ~ à venir* auf s. warten lassen; *préparer de ~ue main* von langer Hand vorbereiten; *voyage au ~ cours* Überseereise; **2.** *m* Länge; *le ~ de* längs, entlang; *de tout son ~* d. Länge nach; **3.** *à la ~ue* auf d. Dauer; **~animité** [-ganimitͤ] *f* Langmut; **~courrier** [-kurjͤ] *m 99* Hochseeschiff; Langstreckenflugzeug; **~e** [lɔ̃ʒ] *f* Leitseil; **~er** [-ʒͤ] *14* entlanggehen, -fahren; **~eron** [-ʒrɔ̃] *m* ✿ Längsträger; Holm; **~évité** [-ʒevitͤ] *f* Langlebigkeit; Lebensdauer; **~imétrie** [-ʒimetri] *f* Längenmessung; **~itude** [-ʒityd] *f geog.* Länge; **~itudinal** [-ʒitydinal] *124* in d. Längsrichtung; **~temps** [-tɑ̃] lange; *depuis ~temps* seit langem; **~ueur** [-gœːr] *f (örtl., zeitl.)* Länge; *~ueur d'onde a. fig* Wellenlänge; *~ueur utile* Nutzlänge; *pl* Weitschweifigkeit; *traîner en ~ueur* sich in d. Länge ziehen; *gagner d'une ~ueur* um eine Länge gewinnen; **~ue-vue** [lɔ̃gvy] *f 97* Fernrohr

lopin [lɔpɛ̃] *m:* *~ de terre* Stück Land

loquac|e [lɔk(w)as] gesprächig, redselig; geschwätzig; **~ité** [-kasitͤ] *f* Schwatzhaftigkeit

loque [lɔk] *f* Lumpen, Fetzen; *fig* Wrack

loquet [lɔkͤ] *m* Riegel; Drücker; Klinke

loqueteux [lɔktø] *111* zerlumpt; *m* zerlumpter Mensch

lorgn|er [lɔrɲe] von d. Seite ansehen; durchs Opernglas betrachten; *fig umg* schielen (*qch* nach etw.), liebäugeln (*qch* mit etw.); es abgesehen haben auf (*qch* etw.); **~ette** [-nͤt] *f* Fernglas; Opernglas ♦ *regarder par le gros bout de la ~ette* alles auf d. leichte Schulter nehmen; **~on** [-nɔ̃] *m* Kneifer

loriot [lɔrjo] *m* Pirol

lorrain [lɔrɛ̃] *109* lothringisch; **⨀** *m* Lothringer; **⨀e** [-rͤn]: *la* **⨀e** Lothringen

lors [lɔːr]: *~ de* bei, anläßlich; *depuis ~* seitdem; *dès ~* von da ab, seitdem; deshalb, demzufolge; *~ même que …* selbst dann, wenn …

lorsque [lɔrsk] *(zeitl.)* als; da; wenn

losang|e [lɔzɑ̃ʒ] *m* Raute; Rhombus; **~é** [-zɑ̃ʒͤ] mit Rautenmuster

lot [lo] *m* Anteil; Landparzelle; Lotteriegewinn; Los, Schicksal; *com* Warenposten; *gagner le gros ~* d. große Los ziehen; **~erie** [lɔtri] *f* Lotterie

lotion [losjɔ̃] *f* Abwaschung; Lotion; Lösung; *~ capillaire* Haarwasser

lot|ir [lɔtiːr] *22* parzellieren; *être bien (mal) ~i* es gut (schlecht) getroffen haben; **~issement** [-tismɑ̃] *m* Aufteilung *(in Parzellen);* Siedlerstelle; Siedlung; Verlosung; Loseinteilung

loto [lɔto] *m* Lotto(spiel)

lotos, lotus [lɔtͦs, -tys] *m* Lotos(blume)

louable [lwabl] lobenswert

louage [lwaͦʒ] *m* Vermietung; Mieten; Mietverhältnis; Verpachtung; Pachten; *~ de services* Dienstvertrag

louange [lwɑ̃ʒ] *f* Lob; *chanter les ~s* d. Lobes voll sein

loubard [lubaːr] *m umg pej* Gauner, Strolch

louche[1] [luʃ] *f* Schöpflöffel; Kelle

louch|e[2] [luʃ] zweideutig; verdächtig; **~er** [-ʃͤ] schielen

louer[1] [lwe] loben *(de* für, wegen); *~ Dieu* Gott preisen

lou|er[2] [lwe] vermieten; mieten; verpachten; pachten; ✙ *(Platz)* reservieren; *(Arbeiter)* einstellen; **~eur** [lwœːr] *m* Vermieter

louf|oque [lufͦk] *pop* übergeschnappt; **~oquerie** [-fͦkri] *f* Verrücktheit; **~tingue** [luftͤg] *pop* verrückt, meschugge

loulou [lulu] *m zool* Spitz; *umg* Schatz

loup [lu] *m* Wolf; Halbmaske; Fehler; *~ de mer (zool)* Seebarsch; *fig* Seebär; *hurler avec les ~s* mit d. Wölfen heulen; *se jeter dans la gueule du ~* s. in d. Höhle des Löwen begeben; *marcher à pas de ~* schleichen ♦ *être connu comme le ~ blanc* bekannt sein wie e. bunter Hund; **~-cervier** [luͤrvje] *m 97* Luchs

loupe [lup] *f* Lupe; Vergrößerungsglas; ✿ Luppe; Sackgeschwulst; Baumknorren; *à la ~* mit (unter) d. Lupe

louper [lupͤ] *pop* verpassen; *(Arbeit)* verpfuschen, vermasseln

loup-garou [lugaru] *m 97* Werwolf

loupiot [lupjo] *m pop* Gör

lourd [luːr] *108 (Gewicht, Aufgabe, Fehler, Verlust)* schwer; schwerfällig; plump; *com* mit hohen Ausgaben verbunden; *franc ~* (neuer) Franc (seit 1960); *~ de conséquences* folgenschwer; *~ de promesses* aussichtsreich; *il fait ~* es ist schwül (drückend); *j'ai la tête ~e* ich habe e-n schweren Kopf; **~aud** [-do] *m* Tölpel; **~eur** [dœːr] *f* Schwere; *(a. Stil)* Schwerfälligkeit; *(Wetter)* Schwüle; Benommenheit

loustic [lustik] *m umg* Spaßvogel

loutre [lutr] *f* Fischotter

louve [luːv] *f* Wölfin; **~teau** [luvtͦ] *m* junger Wolf; *(Pfadfinder)* Wölfling

louvoyer [luvwajͤ] *5* ⚓ kreuzen; *a. fig* lavieren

lover [lɔvͤ] ⚓ *(Tau)* aufrollen; *se ~ (Schlange)* s. zus.rollen

loy|al [lwajal] *124* redlich; treu; **~alisme** [-jalism] *m* Gesinnungstreue, Loyalität; **~auté** [-jote] *f* Redlichkeit; Treue

loyer [lwaje] *m* Mietzins, -preis, Miete

luble [lybi] *f* Laune, Marotte, Schrulle

lubri|cité [lybrisite] *f* Wollust, Geilheit; **~fiant** [-fjā] *m* ☼ Schmierstoff; **~fication** [-fikasjɔ̃] *f* ☼ Schmierung; **~fier** [-fje] ☼ schmieren; **~que** [-brik] geil; schlüpfrig

lucarne [lykarn] *f* ☼ Dachluke; Schutzglas; Fenster

luci|de [lysid] *fig* hell, klar; **~dité** [sidite] *f fig* Helle; Klarheit; **~fuge** [-sify:ʒ] *zool* lichtscheu; **~ole** [sjɔl] *f* Glühwürmchen

lucr|atif [lykratif] *112* einträglich; *activité ~ative* Erwerbstätigkeit; *but ~atif* Erwerbszweck; *sans but ~atif* ohne Gewinnabsicht; **~e** [lykr] *m pej* Profit; *esprit de ~e* Gewinnsucht

luette [lɥɛt] *f anat* Zäpfchen

lueur [lɥœ:r] *f* Lichtschein; *a. fig* Schimmer

lug|e [ly:ʒ] *f* Rodelschlitten; *aller en ~e* rodeln; **~er** [lyʒe] rodeln; **~eur** [lyʒœ:r] *m* Rodler

lugubre [lygybr] unheilvoll; grausig; finster

lui [lɥi] er; *je le ~ ai dit* ich habe es ihm (ihr) gesagt; *à cause de ~* seinetwegen; **~-même** *er* selbst; sich

lui|re [lɥi:r] *75 (bes lit)* glänzen, schimmern, leuchten; **~sant** [lɥizɑ̃] *108* leuchtend; *m (Stoff)* Glanz

lumbago [lɔ̃bago] *m* Hexenschuß

lum|ière [lymjɛ:r] *f* **1.** *a. fig* Licht; ☼ Öffnung; Schlitz; *~ière artificielle* künstl. L.; *~ière de fortune* Notl.; *à la ~ière du jour (a. fig)* bei Tagesl.; *mettre en ~ière* deutlich machen, hervorheben; **2.** *pl* Kenntnisse; *avoir des ~ières sur qch* s. in etw. auskennen; *le Siècle des ~ières* d. Aufklärung; **~ignon** [-miɲɔ̃] *m* Kerzendocht; **~inaire** [-minɛ:r] *m* Beleuchtungskörper; Leuchte; *rel* Altarbeleuchtung; **~inance** [-minɑ̃s] *f* Helligkeit; Leuchtdichte; **~inescence** [-minesɑ̃s] *f* Lumineszenz; kaltes Licht; **~inescent** [-minesɑ̃] *108* (kalt) leuchtend; *tube ~inescent* Leuchtröhre; **~ineux** [-minø] *111* leuchtend; lichtstark; lichtvoll; *rayon ~ineux (phys)* Lichtstrahl; **~inosité** [-minozite] *f (a. astr)* Helligkeit; Lichtfülle

lun|aire [lynɛ:r] Mond...; *paysage ~aire* Mondlandschaft; **~aison** [-nɛzɔ̃] *f* Mondumlauf; **~atique** [-natik] launisch

lunch [lœ̃ʃ] *m* Gabelfrühstück

lun|di [lœ̃di] *m* Montag; *~di gras* Rosenm. ♦ *faire le ~di* blauen M. machen; **~e** [lyn] *f* Mond; *croissant de (la) ~e* M.sichel; *éclipse de ~e* M.finsternis; *nouvelle ~e* Neumond; *~e de miel* Flitterwochen; *aller dans la ~e* z. Mond fliegen; *la ~e est dans son plein* es ist Vollmond; *il fait clair de ~e* d. M. scheint ♦ *être dans la ~e (fig)* in d. Wolken sein; *promettre la ~e* d. Blaue vom Himmel versprechen; *avoir ses ~es (umg)* Launen haben; *vouloir prendre la ~e avec les dents* Bäume ausreißen wollen; **~ê** [lynɛ] *être bien (mal) ~ê (umg)* gut (schlecht) gelaunt sein; **~ette** [lynɛt] *f* Fernrohr; 🏛 Lünette; *pl* Brille; *~ettes de soleil (od solaires)* Sonnenbrille; *~ de*

visée Zielfernrohr; **~etterie** [lynɛtri] *f* Brillenfabrik

lupanar [lypanɑ:r] *m* Bordell

lupin [lypɛ̃] *m* Lupine

lupus [lypys] *m* ⚕ Lupus

lurette [lyrɛt] *f: il y a belle ~* (umg) es ist schon lange her

luron [lyrɔ̃] *m* Blitzkerl, Tausendsasa; **~ne** [rɔn] *f* Blitzmädel

lustr|e [lystr] *m* **1.** Glanz; *(Lampe)* Lüster; Kronleuchter; **2.** Jahrfünft; **~ine** [trin] *f (Stoff)* Lüster

luth [lyt] *m* Laute

luthérien [lyterjɛ̃] *118* lutherisch; *m* Lutheraner

luthier [lytje] *m* ♪ Instrumentenmacher, Geigenbauer

lutin [lytɛ̃] *m* Kobold; *fig* Teufel(chen); **~er** [tine] necken; schäkern (*qn mit* j-m)

lutrin [lytrɛ̃] *m* Chorpult

lutt|e [lyt] *f* Kampf; 🤼 Ringk.; *~e des classes* Klassenk.; *~e à mort* K. auf Leben u. Tod; *~ sociale* Arbeitskampf; *l'emporter de haute ~* nach hartem Kampf siegen; **~er** [-te] kämpfen, 🤼 *u. fig* ringen; **~eur** [-tœ:r] *m* Ringer

luxation [lyksasjɔ̃] *f* ⚕ Ausrenkung (e-s Gelenks); Verrenkung

luxe [lyks] *m* Luxus; *édition de ~* 📖 Luxusausgabe; *c'est du ~* das ist Luxus, das ist überflüssig

Luxembourg [lyksɑ̃bu:r]: *le ~* Luxemburg; **~eois** [-burʒwa] *m* Luxemburger; **~eois** *108* luxemburgisch

luxer [lykse] ⚕ ausrenken

lux|ueux [lyksɥø] *111* luxuriös; **~ure** [-sy:r] *f* Wollust; Unzucht; **~uriant** [-syrjā] *108* üppig; **~urieux** [-syrjø] *111* unzüchtig

luzerne [lyzɛrn] *f* Luzerne, Schneckenklee

lycé|e [lise] *m* staatl. Oberschule, Gymnasium; **~en** [liseɛ̃] *m* Oberschüler, Gymnasiast; **~enne** [liseɛn] *f* Oberschülerin

lymph|atique [lɛ̃fatik] lymphatisch; apathisch; **~e** [lɛ̃f] *f* Lymphe

lyncher [lɛ̃ʃe] lynchen

lynx [lɛ̃ks] *m* Luchs

lyophilisation [ljɔfilizasjɔ̃] *f* Gefriertrocknung

lyr|e [li:r] *f* Lyra; **~ique** [lirik] lyrisch; **~isme** [lirism] *m* Lyrik; Gefühlsüberschwang

M

ma [ma] mein(e)

maboul [mabul] *pop* meschugge

macabre [makɔbr] schauerlich; finster; *danse ~* ♟ Totentanz; *humour ~* Galgenhumor

macache! [makaʃ] *pop* nichts da!, keine Spur!, Quatsch!

macadam [makadɑ̃] *m* Makadam-(Schotter-) Decke; **~iser** [-damize] makadamisieren; beschottern

macaque [makak] *m (Affe)* Makak; *fig* häßlicher Kerl

macaron [makarɔ̃] *m* Makrone; *(Haar)* Schnecke; (rundes) Abzeichen; Etikette; **~i** [rɔni] *m* Makkaroni

macchabée [makabȩ] *m (pop)* Kadaver
macédoine [masedwạn] *f* Gemüsesalat; *fig* Durcheinander; ~ *de fruits* Obstsalat
macérer [maserȩ] *13* einweichen; *se* ~ *(rel)* s. kasteien
mâche [maːʃ] *f* Feldsalat
mâchefer [maʃfɛːr] *m* Schlacke, Hammerschlag
mâcher [maʃɛ] (zer)kauen ♦ ~ *la besogne à qn* j-m etw. leicht machen; *ne pas* ~ *ses mots* kein Blatt vor d. Mund nehmen
machin [maʃɛ̃] *m umg* Ding, Dingsbums; *Madame* ~ Frau Dingsda; ~**al** [-ʃinạl] *124* mechanisch; maschinell; *mouvement* ~*al* unwillkürliche Bewegung; ~**ateur** [-ʃinatœːr] *m* Intrigant; ~**ation** [-ʃinasjõ] *f* Machenschaft; ~**e** [-ʃin] *f* Maschine; Lokomotive; ~*e à coudre* Nähmasch.; ~*e à écrire* Schreibmasch.; ~*e à habiter pej* Wohnsilo; ~*e infernale* Höllenmasch.; ~*e à laver* Waschmaschine; ~*e de manœuvre* Rangierlokomotive; ~*e à sous* Spielautomat; *faire* ~*e (en) arrière* rückwärts fahren; ~**e-outil** [-ʃinutij] *m 97* Werkzeugmaschine; ~**er** [-ʃinȩ] anzetteln; ~**erie** [-ʃinrị] *f* Maschinen(ausstattung); ⚓ Maschinenraum; ~**isme** [-ʃinịsm] *m* Maschinengruppe; Maschinenwesen, -zeitalter; *fig* Mechanismus, Maschinerie; ~**iste** [-ʃinịst] *m* Maschinist; Maschinenmeister; ☙ Bühnenarbeiter
macho [matʃo] *m* Männlichkeitswahn, Machismo; Anhänger d. These der Vorherrschaft der Männer
mâch|oire [maʃwạːr] *f* der Kiefer; Kinnlade; ✪ Backe; Greifer; ~ *oire de frein* Bremsbacke; ~**onner** [maʃɔnȩ] *vt* langsam kauen; *umg (Worte)* in s. hineinbrummen; ~**urer** [maʃyrȩ] beschmieren, besudeln
maçon [masõ] *m* Maurer; Bauarbeiter; ~**ner** [-sɔnȩ] (zu-, ver-)mauern; ~**nerie** [-sɔnrị] *f* Mauerwerk; Gemäuer; ~**nique** [-sɔnịk] freimaurerisch
macro|biotique [makrɔbjɔtịk] *f* Makrobiotik; ~**céphale** [makrɔsefạl] großköpfig; ~**cosme** [-kɔsm] *m* Makrokosmos; Weltall
macul|ature [makylatyːr] *f* ▭ Makulatur; ~**er** [-lȩ] beflecken
madame [madạm] *(Abk* Mme) *f 96* (gnädige) Frau; ~ *N.* Frau N.; *comment va* ~ *Dupont?* wie geht es Ihrer Gattin? *(Frage an Herrn D.)*; ~ *votre mère* Ihre Frau Mutter
Madeleine [madlɛn] *f: pleurer comme une* ~ *(umg)* wie e. Schloßhund heulen; ⚹ *f* kleiner Kuchen
mademoiselle [madmwazȩl] *(Abk* Mlle) *f* Fräulein
madone [madɔn] *f* Madonna
madré [madrȩ] gemasert; schlau, pfiffig
madrier [madriȩ] *m* ▥ Bohle, Planke
magasin [magazɛ̃] *m* **1.** Laden, Geschäft; *grand* ~ Kaufhaus; ~ *à prix unique* Einheitspreisgeschäft; ~ *de cosmestibles* Lebensmittel-, Feinkostgeschäft; *fond de* ~ Ladenhüter; *tenir un* ~ e-n Laden besitzen; *commis de* ~ Verkäufer; **2.** Warenlager; ~ *frigorifique* Kühlraum; *en* ~ auf Lager; **3.** *EDV* Speichergerät; Filmkassette;

(Gewehr) Magazin; ~**age** [-zinạːʒ] *m* Lagerung; Lagergeld; Standgeld; Speicherung; ~**ier** [-zinjȩ] *m* Lager-, Magazinverwalter
magazine [magazịn] *m journ* Magazin, Zeitschrift; Fernsehserie
mag|e [maːʒ] *m: les Rois* ~*es* die Hl. Drei Könige; ~**icien** [maʒisjɛ̃] *m* Zauberer; ~**ie** [maʒi] *f* Zauber(ei); ~**ique** [maʒịk] Zauber...; *baguette* ~*ique* Zauberstab
magistr|al [maʒistrạl] *124* meisterhaft, meisterlich; *cours* ~*al* Lernschulunterricht; ~**at** [-trạ] *m* höherer Verwaltungs-, Polizei-, *bes* Gerichtsbeamter; ~**ature** [-tratyːr] *f* höhere Gerichtsbeamtenschaft; Amt(szeit); ~*ature assise* Richterstand; ~*ature debout* Staatsanwaltschaft
magnan [maɲã] *m* Seidenraupe; ~**erie** [-ɲanrị] *f* Seidenraupenzucht
magnanim|e [maɲanịm] groß-(hoch-)herzig; ~**ité** [-mitȩ] *f* Hochherzigkeit
magnat [magnạ] *m* Magnat; ~ *de l'industrie* Industriemagnat
magnét|ique [maɲetịk] magnetisch; ~**isme** [-tịsm] *m* Magnetismus; ~**ite** [-tịt] *f* Magneteisenstein; ~**o** [-tọ] *f* 🚗 Magnetzünder; ~**ophone** [-tɔfɔn] *m* Tonbandgerät; Magnettongerät; ~**oscope** [-toskɔp] *m* Bildbandgerät; ~**ron** [-trõ] *m* Magnetfeldröhre
magni|ficence [maɲifisõs] *f* Pracht(-entfaltung); ~**fique** [-fịk] prächtig
magnol|ia, ~ier [maɲɔljạ, -ljȩ] *m* Magnolie
magot [magọ] *m* **1.** Berberaffe; *fig* häßlicher Mensch; Porzellanfigur; **2.** *umg* verstecktes Spargeld ♦ *épouser le gros* ~ e-n Goldfisch angeln
magouille [maguj] *f umg pej* Machenschaften *pl*; Schiebung; Manipulation; Mauschelei
mahométan [maɔmetã] *109* mohammedanisch; ⚹ *m* Mohammedaner
mai [mɛ] *m* Mai; Maibaum
maigr|e [mɛgr] mager; dürftig; *faire* ~*e* fasten *(kein Fleisch essen)*; *repas* ~*e* fleischlose Mahlzeit; ~**elet** *114* [-grȩlȩ] etw. mager, schmächtig; ~**eur** [-grœːr] *f* Magerkeit; Dürftigkeit; ~**ichon** [-grịʃõ] *m (fig umg)* magerer Hering; ~**ir** [megrịːr] *22* mager werden, abmagern
mail [maj] *m* **1.** Schlägel; **2.** Promenade
maille[1] [maj] *f* Masche; (Ketten-)Glied; ~ *coulée* Laufmasche; *à grosses* ~*s* grobmaschig
maille[2] [maːj]: *n'avoir ni sou ni* ~ k-n roten Heller haben; *avoir* ~ *à partir avec qn* mit j-m e. Hühnchen zu rupfen haben
maillechort [majʃɔːr] *m* Neusilber
maillet [majɛ] *m* Holzhammer; Schlägel
maill|on [majõ] *m* Kettenglied; ~**ot** [majọ] *m* Wickelkissen; Windeln; 👕 Trikot; ~*ot (de bain)* Badeanzug
main [mɛ̃] *f* **1.** Hand; *à* ~ *levée* freihändig *(zeichnen)*; *coup de* ~ H.streich; *homme de* ~ Söldner; *à la* ~ mit (bei) d. Hand; *de la* ~ *à la* ~ unmittelbar, direkt; *préparé de longue* ~ von langer Hand vorbereitet; *sous la* ~ in Reichweite; *agir sous* ~ heimlich handeln; *avoir une belle* ~ e-e schöne Schrift haben; *avoir*

la haute ~ d. Leitungsbefugnis haben (*sur qch in e-r Sache*); *avoir la* ~ *leste* e. lockeres H.gelenk haben; *j'ai les* ~*s liées (fig)* mir sind d. Hände gebunden; *battre des* ~*s* klatschen; *donner un coup de* ~ (*à* qn) mit anpacken, helfen; *en un tour de* ~ im H.umdrehen; *être en bonnes* ~*s* gut aufgehoben sein; *faire* ~ *basse rauben* (*sur qch* etw.); *se faire la* ~ sich üben; *forcer la* ~ *à* qn j-n z. Handeln zwingen; *mettre, la dernière* ~ *à qch* d. letzte H. an etw. legen; *prendre en* ~*s les intérêts de qn* j-s Interessen wahrnehmen; *prêter la* ~ *à qn* j-m helfen, tatkräftig unterstützen; *remettre en* ~ *propre* eigenhändig abgeben; *tendre la* ~ betteln; *tenir de première* ~ aus bester Quelle wissen; *en venir aux* ~*s* handgreiflich werden; **2.** (*Papier*) Lage von 25 Blatt; **3.** *petite* ~ (*in e-m Modehaus*); *première* ~ erste Zuschneiderin; Direktrice; **4.** ~ *courante* (*Treppengeländer*) Handleiste; com Kladde; **~-d'œuvre** [-dœ:vr] *f* Arbeit (*an e-m Werkstück*); Arbeitskräfte; Arbeitslohn; **~-forte** [-fɔrt] *f: prêter* ~*-forte à qn* j-m Beistand leisten; **~levée** [-ləve] *f* 🜨 (*Beschlagnahme*) Aufhebung; (*Hypothek*) Löschung; **~mise** [-mi:z] *f* Beschlagnahme; **~morte** [-mɔrt] *f* 🜨 unveräußerliche Güter (d. Kirche)

maint [mɛ̃] *108* mancher; ~*es fois* so manches Mal; *à* ~*e(s) reprise(s)* vielfach, aber u. abermals, immer wieder, des öfteren

main|tenance [mɛ̃tnɑ̃s] *f* Instandhaltung; Wartung; Unterhaltung; Materialerhaltung; **~tenant** [mɛ̃tnɑ̃] jetzt; **~entir** [-nji:r] *30* aufrechterhalten; erhalten; beibehalten; durchhalten; pflegen; unterhalten; warten; *se* ~*tenir* s. behaupten; **~tien** [-tjɛ̃] *m* Aufrechterhaltung; Erhaltung; Haltung

mair|e [mɛːr] *m* Bürgermeister; **~ie** [meri] *f* Rathaus; Bürgermeisteramt

mais [mɛ] aber; allein; sondern; und zwar; ~ *oui!* aber gewiß!; ~ *non!* aber nein!; ~ *si!* doch, doch!; *je n'en puis* ~ ich kann nichts dafür

maïs [majs] *m* Mais

maison [mɛzɔ̃] *f* **1.** Haus; ~ *d'arrêt* Gefängnis; ~ *de campagne* Landh.; ~ *centrale* Zuchth.; ~ *de correction* Strafanstalt; ~ *individuelle* Einfamilienhaus; ~ *des jeunes* Jugendzentrum; ~ *de maîtres* Herrenhaus; ~ *mortuaire* Trauerh.; ~ *préfabriquée* Fertigh.; ~ *de rapport* Mietshaus; ~ *de repos* Erholungsheim; ~ *de retraite* Altersheim; ~ *de santé* Privatklinik (*bes für Geisteskranke*); ~ *de tolérance* Bordell; *pâté de* ~ Häuserblock; *à la* ~ zu Hause; nach Hause; *de bonne* ~ aus guter Familie; *maîtresse de* ~ Hausfrau; *gens de* ~ Hausangestellte; **2.** Firma; ~ *affiliée* Schwesterf.; ~ *de commerce* Geschäftsh.; ~ *d'édition* Verlag; ~ *d'expédition* Speditionsf.; ~ *mère* Stammf.; **~née** [-zɔne] *f* Hausgemeinschaft; **~nette** [-nɛt] *f* Häuschen

maître [mɛtr] *m* **1.** Herr, Dienstherr; Besitzer; *le* ~ *de la maison* d. Herr des Hauses; *maison de* ~*s* Herrenhaus; *être* ~ *de qch* etw. in s-r Gewalt haben, beherrschen; *être* ~ *de soi* s.

beherrschen; *être son* ~ sein eigener Herr sein; *parler en* ~ herrisch, gebieterisch reden; *se rendre* ~ *de* s. e-r Sache bemächtigen; *trouver son* ~ en qn in j-m s-n Meister finden; **2.** Lehrer, Lehrmeister; ~ *de conférences* Dozent; ~ *d'école* Volksschull.; ~ *d'études* Schulaufseher; **3.** (*Beruf*) Meister; ~ *queux* 🜨 Koch; ~ *de forges* 🜨 Hüttenbesitzer; ~ *d'hôtel* Oberkellner; ~ *maçon* Polier; ~ *mineur* Steiger; ~ *nageur* Bademeister; ~ *d'œuvre* Hauptauftragnehmer; ~ *de l'ouvrage* Bauherr; *les* ~*s anciens* d. alten Meister (*der Künste*); *être passé* ~ *en qch* in etw. tüchtig (*od* erprobt) sein; **4.** (*Titel für*) Anwalt, Notar usw. (*Abk* M[e]); **5.** *pej* ausgemacht, Erz…; ~ *fripon* Erzgauner; ~ *chanteur* Erpresser; ~ *sot* Erzdummkopf; **~autel** [mɛtrɔtɛl] *m* 97 Hochaltar; **~sse** [-trɛs] *f* Herrin; Lehrerin; Geliebte; *la* ~*sse de la maison* d. Frau d. Hauses; *une* ~*sse femme* e-e tüchtige Frau; *qualité* ~*sse* Haupteigenschaft

maîtris|e [metri:z] *f* Meisterschaft; Beherrschung; *agent de* ~*e* Aufsichtsperson; **~er** [-trize] beherrschen; bändigen; bezwingen

majest|é [maʒɛste] *f* Majestät; **~ueux** [-tɥø] *111* majestätisch; würdevoll

maj|eur [maʒœːr] **1.** hauptsächlich; *la* ~*eure partie* d. größere Teil; *force* ~*eure* höhere Gewalt; *mode* ~*eur* ♪ Durtonart; *fa* ~*eur* F-Dur; **2.** mündig; **3.** *m* Mittelfinger; **~or** [-ʒɔːr] *m* Lehrgangsbester; Regimentsadjutant; *umg* Feldarzt; **~oration** [-ʒɔrasjɔ̃] *f* Erhöhung; Preisaufschlag; **~orer** [-ʒɔre] ~*orer des prix* Preise erhöhen (*de* um); heraufsetzen; **~orité** [-ʒɔrite] *f* Mehrzahl; Mehrheit; Volljährigkeit; Mündigkeit; ~*orité silencieuse* schweigende Mehrheit; **~uscule** [-ʒyskyl] *f* Großbuchstabe

mal [mal] **1.** übel; schlecht; schlimm; ~ *à l'aise* unbehaglich; ~ *à propos* ungelegen, ungehörig; ~ *disposé* übelgelaunt; ~ *élevé* schlecht erzogen; ungezogen; *être* ~ *en point* elend daran sein; ~ *vu* (*Person*) unbeliebt (*de* qn bei j-m); (*Sache*) verpönt; *bon gré* ~ *gré* wohl od übel; *de* ~ *en pis* immer schlimmer; *pas* ~ *de* (*umg*) ziemlich viel(e); *pas trop* ~ leidlich; *tant bien que* ~ schlecht u. recht; *il va* ~ es geht ihm schlecht; *être* ~ *avec qn* mit j-m schlecht stehen; *finir* ~ e. trauriges Ende nehmen; *se sentir* ~ s. unwohl fühlen; *se trouver* ~ in Ohnmacht fallen; *elle n'est pas* ~ sie ist ganz hübsch; **2.** *m* 90 Übel, Böses; Schlechtes; Schaden; *dire du* ~ *de qn* über j-n schlecht reden; *mettre une jeune fille à* ~ e. Mädchen verführen; *où est le* ~ (*od quel* ~ *y a-t-il*) *si…?* was schadet es, wenn…?; *sans penser à* ~ ohne böse Absicht; *il n'y a pas de* ~! (*als Antwort auf e-e Entschuldigung*) keine Ursache!, bitte!; **3.** *m* 90 Weh; Schmerz; Leiden; Krankheit; ~ *au cœur* Übelkeit; ~ *aux cheveux* (*umg*) Kater, Katzenjammer; ~ *blanc* Fingergeschwür; ~ *de mer* Seekrankheit; ~ *des montagnes* (*od de l'air*) Höhenkrankheit; ~ *du pays* Heimweh; *haut* ~ Epilepsie; *du siècle* Weltschmerz; **4.** *m* Mühe; *avec bien du* ~ mit Mühe u. Not; *nous avons du* ~ *à faire cela* es fällt uns schwer,

das zu tun; *se donner du ~* sich viel Mühe geben
malabar [malaba:r] *m (arg pop)* Hüne, Kraftmeier, Koloß, Kleiderschrank
malad|e [malad] **1.** krank; *~e de la poitrine* lungenkr.; *tomber ~e* k. werden; *se faire porter ~e* s. k. melden; **2.** *m* Kranker; Patient; *~e mental* Geisteskranker; **~ie** [-di] *f* Krankheit; *~ie héréditaire* Erbkrankheit; *~ie infantile a. fig* Kinderkrankheit; *~ie professionnelle* Berufskrankheit; *pour cause de ~ie* krankheitshalber; *faire une ~ie de* s. grün u. blau ärgern über; **~if** [-dif] *112* kränklich; krankhaft
mala|dresse [maladrɛs] *f* Ungeschicklichkeit; **~droit** [drwa] *108* ungeschickt, linkisch
mal|aise [malɛz] *m* Unwohlsein; Unpäßlichkeit; Unbehagen; **~aisé** [-leze] *128* schwierig; unbequem; **~andrin** [-lɑ̃drɛ̃] *m* Räuber; **~appris** [-lapri] *m* Grobian, Flegel; **~aria** [-larja] *f* Malaria, Sumpffieber; **~avisé** [-lavize] *(Person)* unbedacht
malax|er [malakse] durchkneten; **~eur** [-sœ:r] *m* Knetmaschine; Rührmaschine; Mischer; *~eur à béton* Betonmischmaschine
mal|chance [malʃɑ̃s] *f* Mißgeschick; Pech; **~chanceux** [-ʃɑ̃ø] *111* von Mißgeschick verfolgt; *m* Pechvogel; **~donne** [-dɔn] *f (Kartensp.)* falsches Geben; *fig* Irrtum, Versehen
mâle [mɑl] männlich; mannhaft; *m zool* Männchen; *umg* Mannsbild
mal|édiction [malediksjɔ̃] *f* Fluch; Verwünschung; **~éfice** [-lefis] *m* Ver-, Behexung; **~éfique** [-lefik] unheilvoll; **~emort** [malmɔːr] *f* tragischer Tod; **~encontreux** [-lɑ̃kɔ̃trø] *111* unglückselig; **~en-point** [-lɑ̃pwɛ̃] *inv* übel daran; **~entendu** [-lɑ̃tɑ̃dy] *m* Mißverständnis; **~façon** [-fasɔ̃] *f* Herstellungsfehler; **~faisant** [-fazɑ̃] *108* boshaft; schädlich; **~faiteur** [-fɛtœːr] *m* Übeltäter; Straftäter; **~famé** [-fame] verrufen; **~formation** [-foromasjɔ̃] *f* Mißbildung; **~gré** [-gre] trotz; *il l'a fait ~gré moi* er hat es gegen m-n Willen getan; *je l'ai fait ~gré moi* ich habe es unwillkürlich getan; **~heur** [-lœːr] *m* Unglück; *par ~heur* unglücklicherweise; *jouer de ~heur* e-e Pechsträhne haben ♦ *à qch ~heur est bon* auch das Unglück hat sein Gutes; **~heureusement** [-lœrøzmɑ̃] leider; unglücklicherweise; **~heureux** [-lœrø] *111* unglücklich; unheilvoll; armselig; *m* Unglücklicher; Nichtswürdiger; **~honnête** [-lɔnɛt] unehrlich; unanständig; **~honnêteté** [-lɔnɛtte] *f* Unehrlichkeit; Grobheit; Unanständigkeit; **~ice** [-lis] *f* Bosheit; Schelmerei; Schalkhaftigkeit; *par ~ice* boshafterweise; *plein de ~ice* schelmisch; *sans ~ice* harmlos; *~ices cousues de fil blanc* leicht durchschaubare Kniffe; **~icieux** [-lisjø] *111* schalkhaft; boshaft; **~ignité** [-liɲite] *f* Bosheit; *a.* ⚕ Bösartigkeit; **~in** [-lɛ̃] **1.** *119* bösartig; *~in plaisir* (*joie maligne*) Schadenfreude; **2.** schlau ♦ *ce n'est pas ~in* das ist kein Kunststück; **3.** *m* Schlaumeier; *le ⚭ in* der Böse; *un petit ~in* e. gerissenes Bürschchen; *faire le ~in* sich aufspielen; **~ingre** [-lɛ̃gr] schwächlich; **~intentionné** [-lɛ̃tɑ̃sjɔne] übelwollend

malle [mal] *f* Koffer; *~ (arrière)* 🚗 Kofferraum; *~ armoire* Schrankkoffer; *~(-poste)* *f (98)* Postkutsche; *faire ses ~s* packen; *s.* reisefertig machen
mallé|abilité [malleabilite] *f* ⚙ Verformbarkeit; *fig* Nachgiebigkeit; **~able** [-leabl] ⚙ verformbar; *fig* nachgiebig
mallette [malɛt] *f* Köfferchen
mal|mener [malməne] *8* übel mitspielen (*qn* j-m); **~odorant** [-lɔdɔrɑ̃] *108* übelriechend; **~otru** [-lɔry] *m* Grobian; **~peigné** [-peɲe] *m* Struwwelpeter; Schmierfink; **~propre** [-prɔpr] *a. fig* unsauber; **~propreté** [-prɔprəte] *f* Unsauberkeit; **~sain** [-sɛ̃] *109 (a. fig)* ungesund; *fig* krankhaft; **~séance** [-seɑ̃s] *f* Ungeschicklichkeit; **~séant** [-seɑ̃] *108* unschicklich, unanständig; **~sonnant** [-sɔnɑ̃] *108 (Rede)* anstößig
malt [malt] *m* Malz; **~er** [-te] mälzen
malthusianisme [maltyzjanism] *m* Selbstbeschränkung
mal|traiter [maltrɛte] mißhandeln; **~veillance** [-vejɑ̃s] *f* Böswilligkeit; Übelwollen; **~veillant** [-vejɑ̃] *108* böswillig; **~venu** [-vəny] 🗸🗸 nicht berechtigt (*à* zu); **~versation** [-vɛrsasjɔ̃] *f* Veruntreuung, Unterschlagung, Unterschleif
maman [mamɑ̃] *f* Mama
mamel|le [mamɛl] *f zool* Zitze; Brust; *enfant à la ~le* Brustkind; *on* [mamlɔ̃] *m* Brustwarze; *geol* Hügelkuppe; ⚙ Stutzen
mamm|aire [mammɛ:r] Brust...; *glandes ~aires* Milchdrüsen; **~ifère** [mammifɛːr] *m* Säugetier
mammouth [mamyt] *m* Mammut; *adj fig* riesengroß; unendlich lang dauernd
mamours [mamuːr] *mpl* Liebkosungen; *faire des ~ à qn* mit j-m schmusen
mana|gement [manaʒmɛnt] *m* Betriebsführung; **~ger** [-ʒɛr] *m* Leiter e-s großen Unternehmens; *v.t.* leiten; organisieren
manant [manɑ̃] *m* Bauernlümmel; Flegel
manche¹ [mɑ̃ʃ] *m (Werkzeug)* Stiel, Heft; *~ à balai (a.umg, fig)* Besenstiel; ✛ Steuerknüppel ♦ *branler dans le ~* wackeln, nicht fest im Sattel sitzen; *être du côté du ~ (fig)* es mit d. Stärkeren halten; *jeter le ~ après la cognée* d. Flinte ins Korn werfen
manch|e² [mɑ̃ʃ] *f* **1.** Ärmel; *~es à gigot* Puffärmel; *retrousser ses ~es* d. Ärmel hochkrempeln ♦ *c'est une autre paire de ~es* das ist etw. ganz anderes; *avoir qn dans sa ~e* j-n hinter s. haben; *faire la ~e* betteln; *ne pas se faire tirer la ~e* s. etw. nicht zweimal sagen lassen; **2.** *(Spiel)* Runde; Lauf; Durchgang; **3.** *la ⚭e* Ärmelkanal; **~ette** [-ʃɛt] *f* Manschette; Schlagzeile; 📖 Buchbinde; **~on** [-ʃɔ̃] *m* Muff; Glühstrumpf; ⚙ Muffe; Manschette
manchot [mɑ̃ʃo] **1.** *108* einarmig; einhändig ♦ *ne pas être ~* sich zu helfen wissen; **2.** *m* Pinguin
mand|ant [mɑ̃dɑ̃] *m* 🗸🗸 Vollmachtgeber; **~at** [-dą] *m pol* Mandat; Auftrag; (Zahlungs-)Anweisung; *~at d'arrêt* 🗸🗸 Haftbefehl; *~at légal* gesetzliche Vertretung; *~at de paiement* Zahlungsanweisung; *~at de virement* Überweisungsauftrag; **~ataire** [-datɛːr] *m* Bevollmächtig-

ter; Treuhänder; **~at-carte** [-dakąrt] m 97
Postanweisung *(in Kartenform);* **~ater** [-datę]
beauftragen; *(Geld)* anweisen; **~at-lettre** [-dalętr]
m 97 Postanweisung *(mit Mitteilungsmöglichkeit
an d. Empfänger)*
mande|ment [mãdmã] m *rel* Hirtenbrief; **~r**
[-dę] rufen lassen; zu s. bestellen
mandibule [mãdibyl] f Unterkiefer, Kinnlade
mandragore [mãdragɔːr] f Alraun(-wurzel)
mandrin [mãdrę̃] m ✿ Futter; Dorn, Locheisen,
Durchschlag; *(Nieten)* Stempel
man|ège [manęːʒ] m Reitbahn; Reitschule;
Reitkunst; Göpel; Karussell; *fig* Schliche;
~ette [-nęt] f ✿ (Schalt-)Hebel; Handgriff;
(Gas, Wasser) Haupthahn
manganèse [mãganęːz] m Mangan n
mang|eable [mãʒabl] eß-, genießbar; **~eaille**
[-ʒɔːj] f *umg* Fraß; **~eoire** [-ʒwaːr] f Futterkrip-
pe; Freßnapf; **~er** [-ʒę] 1. *14* essen; fressen; *a.*
✿ zerfressen; **~er** son bien sein Vermögen
durchbringen; **~er** un morceau e-n kleinen
Imbiß nehmen; **~er** les mots unverständlich
sprechen ♦ **~er** la consigne *(umg)* es vergessen;
~er le morceau *(umg)* ein Geständnis ablegen;
~er de la vache enragée bittere Not leiden; 2. m
umg Mahlzeit; Essen; **~e-tout** [mãʒtu] m 100
Schote; grüne Bohne; **~eur** [-ʒœːr] m Esser; *gros
~eur* guter Esser; **~eure** [-ʒyːr] f zerfressene
Stelle; Mottenloch
mani|abilité [manjabilitę] f Handlichkeit; 🚗
Wendigkeit; **~able** [-njabl] handlich; ⚓, ✝, 🚗
wendig; *fig* lenksam, gefügig
man|iaque [manjak] wahnsinnig; besessen;
schrullig; m Wahnsinniger; Besessener; **~ie**
[mani] f❦ Manie; *a. fig* Besessenheit; Schrulle
mani|ement [manimã] m Handhabung; *(a.
Person)* Behandlung; **~ement** humain Men-
schenführung; **~er** [nję] handhaben; bearbeiten; *(Menschen)* führen; **~ère** [-njęːr] f 1. Art;
Weise; *(Kunst)* Manier; **~ère** d'être Wesensart;
~ère de voir Einstellung *(zu d. Dingen); à la
~ère de*... wie, nach d. Art...; *de ~ère à, de
~ère que* so daß; *d'une ~ère ou d'une autre* auf
jeden Fall; *de belle ~ère (iron)* tüchtig, gehörig;
avoir la ~ère (umg) d. Bogen heraus haben;
2. *pl* Benehmen, Manieren ♦ *ne fais pas de
~ères! (umg)* mach k-e Umstände! *(etw.
anzunehmen);* **~éré** [-njerę] geschraubt; geziert
manifest|ant [manifestã] m Demonstrant;
~ation [-tasjɔ̃] f Äußerung; Veranstaltung; *pol*
Kundgebung, Demonstration; **~e** [-fęst] offenkundig; m Manifest; **~er** [-tę] kundgeben;
demonstrieren
maniganc|er [manigãsę] *umg* anzetteln; **~es**
[-gãs] *fpl* Schliche
manille [manij] f *(Art)* Kartenspiel; ✿ Bolzen;
Verbindungsstück
manipul|ateur [manipylatœːr] m Laborant;
Morsetaster; *pol* Manipulator, Drahtzieher;
~ation [-lasjɔ̃] f Handhabung; *chem* prakt.
Vorführung; *pl* Schiebungen; **~er** [-lę] ✿ *(von
Hand)* bedienen; **~er** qch mit etw. hantieren;
manipulieren, geschickt verfälschen; experi-
mentieren; **~er** qn gezielt beeinflussen

manitou [manitų] m: *grand ~ (umg)* hohes Tier
manivelle [manivęl] f ✿ Kurbel; Handkurbel
manne¹ [man] f Manna; Nahrung
manne² [man] f Waschkorb; **~quin¹** [mankę̃] m
Weidenkorb
mannequin² [mankę̃] m Schneider-(Modell-)-
Puppe; Mannequin, Vorführdame; Vogelscheuche; *fig* Strohmann
manœuvr|able [manœvrabl] ⚓, manövrierfähig;
wendig; **~e** [-nœːvr] 1. f Handhabung; Rangie-
ren; *mil* Manöver; Gefecht; *pl* Machenschaften;
2. m Handlanger; Hilfsarbeiter; **~er** [-vrę]
manövrieren; **~ier** [-vrię] m *(bes pol)* gewiegter
Taktiker, geschickter Stratege
manoir [manwaːr] m Landsitz
manomètre [manɔmętr] m Druckmeßgerät
manqu|ant [mãkã]: *porté ~ant* als vermißt
gemeldet; **~e** [mãk] m 1. Mangel; Verknappung; *~e de* mangels; *~e d'égards* Rücksichts-
losigkeit; *~e de parole* Wortbrüchigkeit; *~e de
tempérament* Gefühlskälte; 2. *com* Manko,
Fehlbetrag; *~e à gagner* Gewinnausfall;
~ement [mãkmã] m Fehler; Verstoß; Verletzung (e-r Pflicht); **~er** [-kę] 6 fehlen; *(Ziel, Zug,
Weg, Beruf, Person)* verfehlen; Mangel leiden
(de an); verstoßen *(à* gegen); *ne pas ~er de faire
qch* nicht versäumen, etw. zu tun; *coup ~é*
Fehlschlag; *j'ai ~é tomber* ich wäre beinahe
gefallen; *il nous ~e* wir vermissen ihn; *cette fille
est un garçon ~é* an d. Mädchen ist e. Junge
verlorengegangen; *la voix lui ~e* d. Stimme
versagt ihm (ihr); *il ne ~erait plus que ça!* das
fehlte gerade noch!
mansarde [mãsard] f Mansarde
mansuétude [mãsyetyd] f Milde, Sanftmut
mante¹ [mãt] f Frauenmantel *(ohne Ärmel)*
mante² [mãt] f: *~ religieuse* Gottesanbeterin
(Insekt)
mant|eau [mãto] m 91 *(a. geol)* Mantel;
Deckmantel ♦ *vendre sous le ~eau* unter d.
Hand verkaufen; **~elet** [mãtlę] m kurzer
Damenmantel
manu|cure [manykyːr] f Handpflege; *(a. Person)*
Maniküre; **~el** [-nyęl] *115* Hand...; m Handbuch; **~facture** [-faktyːr] f Fabrik; **~facturé**
[-faktyrę]: *produit ~facturé* Fertigprodukt;
~scrit [-skri] handschriftlich; m Manuskript,
Handschrift; **~tention** [tãsjɔ̃] f Handhabung;
Fördern; Transport; *~tention des conteneurs*
Kontainerumschlag; *~tention des marchandises*
Güterumschlag; *appareil de ~tention* ✿ Förder-
einrichtung; *~tentionnaire* [-tãsjɔnęːr] m Stauer
mappemonde [mapmɔ̃d] f Weltkarte
maquereau¹ [makro] m 91 Makrele
maquer|eau² [makro] m 91 *pop* Zuhälter; **~elle**
[-kręl] f *pop* Kupplerin
maquett|e [makęt] f ✿, 🏛 Modell; **~iste** [-tįst]
m Gestalter; Lay-outer; Entwerfer
maquignon [makiɲɔ̃] m Pferdehändler; Roß-
täuscher; Schacherer; **~nage** [-ɲɔnaːʒ] m *fig*
Kuhhandel
maquill|age [makijaːʒ] m Schminken; **~er** [-ję]
schminken; *fig* vertuschen, verfälschen; **~eur**
[-jœːr] m 🎭 Maskenbildner

maquis [maskị] *m* Gestrüpp; *a. fig* Dickicht; Widerstandsnest; franz. Widerstandsbewegung im 2. Weltkrieg; **~ard** [-zạːr] *m* Widerstandskämpfer

marabout [marabụ] *m* Marabu

mar|aicher [marɛʃẹ] *116* Gemüse...; *m* Gemüsegärtner; **~ais** [-rɛ] *m* Sumpf; Moor; **~ais** *salant* Salzgarten

marasme [marạsm] *m* ⚕ Auszehrung; *com* Flaute

marathon [maratɔ̃] Marathonlauf; *séance ~* Marathonsitzung

marâtre [marọtr] *f* böse Stiefmutter, Rabenmutter

maraud [marọ] *m* Schurke, Lump; **~age** [marodạːʒ] *m* 🐙 Felddiebstahl; **~er** [-dẹ] Feldfrüchte stehlen; **~eur** [-dœːr] *m* Felddieb; *taxi ~eur* Taxi auf Kundenfang

marbr|e [marbr] *m* Marmor; Marmorstatue; **~er** [-brẹ] marmorieren

marc [maːr] *m* (Kaffee-) Satz; *eau-de-vie de ~* Tresterschnaps

marcassin [markasɛ̃] *m* Frischling

marchand [marʃɑ̃] 1. *108* handeltreibend; *navire ~* Handelsschiff; 2. *m* Kaufmann, Handeltreibender; *umg* Händler; *~ en gros* Großkaufm.; *~ en détail* Kleinhändler; *~ des quatre-saisons* ambulanter Gemüseverkäufer; *~ de soupe (pej)* Leiter e-r Pension, e-s schlechten Internats; **~age** [-ʃạdạːʒ] *m* Feilschen; **~er** [-ʃạdẹ] feilschen; **~isage** [-dizạːʒ] *m* Verkaufsförderung, Warenabsatz; Merchandising; **~ise** [-ʃạdịːz] *f* Ware; Ladegut; Fracht; Produkt; Artikel, Erzeugnis; *~ise de choix* Qualitätsware; *~ise en détail* Stückgut; *~ise d'exportation* Exportware; *~ises pondéreuses* Schwergut; *~ises en vrac* Schüttgut, Massengutladung

marche [marʃ] *f* 1. (*a.* ♪) Marsch; *~ forcée* Gewaltmarsch; 2. Gangart; Schritt; 3. (*Maschine*) Lauf, Gang; *~ arrière* 🚗 Rückwärtsgang, -fahrt; *~ avant* Vorwärtsgang; *~ à vide* ⚙, 🚗 Leerlauf; *en ordre de ~* fahrbereit; 4. Verlauf; 5. (Treppen-)Stufe; Trittbrett; 6. (*Schalterstellung*) An, Ein

marché [marʃẹ] *m* 1. Markt; ⚖ *commun* Gemeinsamer M.; *~ hebdomadaire* Wochenm.; *~ noir* Schwarzm.; *~ aux puces* Flohm.; *études des ~s* M.forschung; *faire son ~* Einkäufe machen; 2. Kaufgeschäft; Vertrag; 🐙 Auftrag; *arrêter* (od *conclure, passer*) *un ~* e-n Kauf abschließen; 🐙 e-n Auftrag vergeben; *~ au comptant* Bargeschäft; *~ de fournitures* Liefervertrag; *~ de services* Dienstleistungsvertrag; *bon ~* billig; *par-dessus le ~* obendrein; *faire bon ~ de qch (qn)* etw. (j-n) geringachten; *mettre le ~ à la main* j-n vor d. Wahl stellen

marchepied [marʃəpjẹ] *m* Trittbrett; Tritt; Stehleiter

march|er [marʃẹ] (zu Fuß) gehen; laufen; marschieren; (*Maschine*) laufen, funktionieren, in Betrieb sein; (*Arbeit*) Fortschritte machen; *~er sur les traces de qn* in j-s Fußstapfen treten; *faire ~er* in Betrieb setzen; *faire ~er qn (umg)*

j-n anführen, hereinlegen; j-n an d. Nase herumführen; *ne pas se laisser ~er sur les pieds* s. Respekt verschaffen; *je ne ~e pas! (umg)* ohne mich! ♦ *ça ~e comme sur des roulettes (umg)* es läuft wie am Schnürchen; **~eur** [-ʃœːr] *m* 🐾 Geher; *être bon ~eur* gut zu Fuß sein; *oiseau ~eur* Laufvogel; *navire bon ~eur* Schnelldampfer; *vieux ~eur* genasführter Lebemann

marcotte [markɔt] *f* Ableger, Senker

mardi [mardị] *m* Dienstag; *~ gras* Fastnacht(sdienstag)

mare [maːr] *f* Pfütze; Pfuhl; Teich; *~ de sang* Blutlache

marécag|e [marekạːʒ] *m* Sumpf; Moor; **~eux** [-kạʒø] *111* sumpfig

maréchal [mareʃal] *m 90 mil* (Feld-)Marschall; *~ des logis* (*Kavallerie, Artillerie*) Unteroffizier; **~-ferrant** [-ferɑ̃] *m 90, 97* Hufschmied

marё|e [marẹ] *f* 1. Gezeiten; Tide; *~e montante= ~e haute* Flut; *~e basse* Niedrigwasser; *~e descendante* Ebbe; *~e noire* Ölpest; 2. Seefische; Meeresprodukte; Fangertrag; 3. (*Menschen*) Menge ♦ *arriver comme ~e en carême* wie gerufen kommen; *contre vent et ~e* allen Hindernissen z. Trotz; **~graphe** [-graf] *m* Meeresspegel

marelle [marɛl] *f* Himmel u. Hölle (*Hüpfspiel*)

mareyeur [marɛjœːr] *m* Seefischgroßhändler

margarin|e [margarịn] *f* Margarine; **~erie** [-rinrị] *f* Margarinefabrik

marg|e [marʒ] *f* Rand; *fig* Spielraum; *com* Spanne, Marge; ⚙ Toleranz(bereich); *~ e bénéficiaire* Gewinnspanne; *en ~e (a. fig)* am (an den) Rand; (*Personen*) Randgruppe; *en ~e de* neben; **~elle** [-ʒɛl] *f* Brunnenrand; **~inal** [-ʒinal] *124* Rand...; *m* Außenseiter; **~inaliser** [-inalsẹ] benachteiligen; zum Außenseiter abstempeln

margou|illis [marguji] *m* Schlamm, Matsch; **~lette** [-lɛt] *f pop* Maul, Schnauze; **~lin** [-lɛ̃] *m (pop pej)* Schieber

marguerite [margərịt] *f* Margerite; *~ des prés* Gänseblümchen

mari [marị] *m* (Ehe-)Mann, Gatte; **~able** [-rjabl] heiratsfähig; **~age** [-rjạːʒ] *m* Heirat; Vermählung; Trauung; Hochzeit; Ehe; *fig* Vereinigung, Absprache, Zusammenschluß; *acte de ~age* Trauschein; *~age civil* standesamtl. Trauung; *~age religieux* kirchl. Trauung; *~age blanc* Scheinehe; *~age par procuration* Ferntrauung; *demander qn en ~age um* j-s Hand anhalten; *contracter un ~age* e-e Ehe eingehen; *faire un bon ~age* e-e gute Partie machen; *rompre un ~age* e-e Ehe lösen

marial [marjal] *124 rel* marianisch; *dogme ~* Mariendogma

mari|é [marjẹ] *m: les jeunes ~és* d. junge Paar; **~ée** [-rjẹ] *f* Braut (*am Hochzeitstag*); *nouvelle ~ée* junge Frau; **~er** [-rjẹ] verheiraten; trauen; *fig* aufeinander abstimmen; miteinander verbinden; *se ~er* s. verheiraten (*avec mit*), heiraten; *fille bonne à ~er* heiratsfähige Tochter; **~euse** [-rjøːz] *f* Ehestifterin

marie-salope [marisalɔp] *f 97* Baggerprahm, *umg* Schmutzliese

marin [marɛ̃] **1.** *109* See...; Schiffs-; seemännisch; *carte ~e* Seekarte; *cheval ~* Seepferdchen; *mille ~* Seemeile; *plante ~e* Meerespflanze, *avoir le pied ~* d. Seemannsgang haben, *fig* s. nicht erschüttern lassen; **2.** *m* Seemann, Matrose; **~a** Fremdenverkehrseinrichtungen am Meer mit Hotels u. Jachthafen; **~ade** [-rinad] *f (Küche)* Beize, Marinade; **~e** [-rin] *f* Seeschiffahrt; Marine, Flotte; ~ Seestück; *~e marchande* Handelsmarine; *~e de guerre* (od *militaire*) Kriegsmarine; **~er** [-rine] *(Fleisch)* in d. Beize legen, marinieren; **~ier** [-rinje] *116* Marine..., See...; *m* Fluß-(Kanal-)Schiffer; **~ière** [-njɛːr] *f (Bluse)* Hänger; Umhang

mari|ol [marjɔl] *pop* gerissen, pfiffig; *faire le ~ol (pop)* e-e Nummer abziehen, s. aufspielen; **~onnette** [-jɔnɛt] *f (a. fig)* Marionette; **~onnettiste** [-jɔnetist] *m* Puppenspieler

marital [marital] *124* ehelich; ♋ dem Ehemann zustehend; **~ement** [-talmɑ̃]: *vivre ~ement* wie Eheleute zus.leben

maritime [maritim] See...; *agence ~* Schiffsagentur; *commerce ~* Seehandel; *droit ~* Seerecht; *plantes ~s* Küstenvegetation; *ville ~* Hafenstadt

marivaud|age [marivodaːʒ] *m (Stil)* Geschraubtheit

marjolaine [marʒɔlɛn] *f* Majoran

marketing [marketiŋ] *m* Absatzpolitik, Marketing; Vermarktung

marlou [marlu] *m pop* Zuhälter

marmaille [marmaːj] *f umg* Haufen kleiner Kinder

marmelade [marməlad] *f* Marmelade; *en ~* zerkocht; *fig umg* übel zugerichtet

marmit|e [marmit] *f* Kochtopf; *~e à pression* Schnellkochtopf; *~e norvégienne* Kochkiste ♦ *faire bouillir la ~* s-n Teil z. Haushalt beitragen; **~er** [-mite] *arg mil* bombardieren; **~eux** [-mitø] *m* armer Schlucker; **~on** [-mitɔ̃] *m* Küchenjunge

marmonner [marmɔne] in d. Bart brummen

marmoréen [marmɔreɛ̃] *118* marmorartig; *fig* eiskalt

marmot [marmo] *m* Knirps ♦ *croquer le ~ (umg)* lange warten; **~te** [-mɔt] *f* **1.** Murmeltier; *dormir comme une ~te* wie e. M. schlafen; **2.** Musterkoffer; **~ter** [-mɔte] murmeln

marmouset [marmuzɛ] *m* Knirps

marne [marn] *f* Mergel

Maro|c [marɔk]: *le ~c* Marokko; **~cain** [-rɔkɛ̃] *109* marokkanisch; **~cain** *m* Marokkaner; **~quin** [-rɔkɛ̃] *m* Saffianleder; *fig* Ministerposten; **~quinerie** [-rɔkinri] *f* Lederwaren-(industrie, -geschäft)

maronner [marɔne] *umg* knurren, s. ärgern

marotte [marɔt] *f* Narrenzepter; Schrulle; Steckenpferd; Friseurpuppe

maroufle [marufl] **1.** *m* Lümmel; **2.** *f* Malerleim

marqu|age [markaːʒ] *m* Markierung, Kennzeichnung; ♞ Deckung; **~ant** [markɑ̃] *108* hervorragend; **~e** [mark] *f* (Kenn-, Ab-)Zeichen; Narbe; Mal; (Fuß-)Spur; *com* Marke; ♨ Fabrikat; *fig* Gepräge; *~e déposée* eingetr. Schutzmarke; *~e de fabrique* Warenzeichen; *~e d'origine* Ursprungsvermerk; *~e de qualité* Gütezeichen; *à vos ~es!* ♠ auf d. Plätze!; *donner des ~es de courage* Mut beweisen; *personne de ~e* hochgestellte Persönlichkeit; **~e-points** [markəpwɛ̃] *m 100* Schneiderrädchen; **~er** [-ke] *6* kennzeichnen; notieren; markieren; anzeigen; e-e Spur hinterlassen; *fig* hautnah überwachen; *~er d'une croix* ankreuzen; *~er un but* ♠ e. Tor schießen; *traits ~ants* ausgeprägte Züge; **~eterie** [-kɛtri] *f* Einlegearbeit, Intarsia; **~eur** [-kœːr] *m* ♠ Torschütze; Filzstift, Textliner

marquise [markiːz] *f* **1.** Marquise; **2.** Sonnendach

marraine [marɛn] *f* Patin

marre [maːr] *en avoir ~ (pop)* etw. satt haben, die Nase voll haben

marrer [mare]: *se ~ (pop)* s. kaputtlachen, s. schief lachen

marri [mari] betrübt, traurig; enttäuscht; *je suis tout ~* es tut mir furchtbar leid

marron[1] [marɔ̃] **1.** *118 (Sklave)* entlaufen; *(Tier)* verwildert; *avocat ~* Winkeladvokat; *médecin ~* Kurpfuscher; **2.** *m* verbotswidrig gedrucktes Buch

marron[2] [marɔ̃] *inv* kastanienbraun; *pop* betrogen, hereingelegt; *m* Eßkastanie, Edelkastanie; *pop* Schlag; *tirer les ~s du feu (fig)* d. Kastanien aus d. Feuer holen; **~nier** [-rɔnje] *m* (Edel-)Kastanie(nbaum)

mars [mars] *m* März; *arriver comme ~ en carême* goldrichtig kommen; unweigerlich eintreten

mars|ouin [marswɛ̃] *m zool* Tümmler; *umg* Marineinfanterist; **~upiaux** [-sypjo] *mpl* Beuteltiere

mart|eau [marto] *m 91* Hammer; Türklopfer; Hammerhai; *entre l'enclume et le ~eau* zw Hammer u. Amboß; *être ~eau (pop)* bekloppt sein; **~eau-pilon** [-topilɔ̃] *m 97* Fallhammer; Schmiedehammer; **~el** [-tɛl]: *se mettre ~el en tête* s. Sorgen machen; **~eler** [-tɔle] *8* hämmern; *(Metall)* treiben; schmieden

martial [marsjal] *124* kriegerisch; Kriegs... ; *proclamer la loi ~e* d. Ausnahmezustand verhängen

martinet[1] [martinɛ] *m* Klopfpeitsche; ✿ Blattfederhammer

martinet[2] [martinɛ] *m* Mauersegler

martingale [martɛ̃gal] *f* Mantelgurt; *(Spiel)* Erhöhung d. Einsatzes *(nach System)*

martin-pêcheur [martɛ̃pɛʃœːr] *m 97* Eisvogel

martre [martr] *f* Marder(fell, -pelz)

martyr [martiːr] *m* Märtyrer; **~e** [-tiːr] *m* Martyrium, Märtyrertod; **~iser** [-tirize] martern; quälen

marx|ien [marksjɛ̃] *adj* Karl Marx betreffend; **~isant** [-sizɑ̃] mit d. Marxismus sympathisierend; **~isme** [-sism] *m* Marxismus; **~iste** [-sist] *adj* marxistisch; *su* Marxist; **~ologue** [-sɔlɔg] *m* Marx-Kenner, Marx-Forscher

mas [mɑs] *m* provenzalischer Bauernhof *(bes* Wohngebäude)

mascarade [maskaṛad] *f* Maskerade, Maskenzug

mascaret [maskaṛɛ] *m* Sprungwelle

mascotte [maskɔt] *f* Maskottchen, Talisman

masculin [maskylɛ̃] *109* männlich; *genre ~ (ling)* männl. Geschlecht; **~iser** [-linizɛ] vermännlichen, männlich machen

masqu|e [mask] *m (a. Person)* Maske; ✿ Mantel, Verkleidung; *~e mortuaire* Totenm.; *~e antigaz* Gasm.; *arracher le ~e à qn* j-m d. M. abreißen; *jeter le ~e (fig)* d. M. fallen lassen; **~er** [-kɛ] *6* maskieren; verbergen; *mil* tarnen; ✿ abdecken, verdecken; *bal ~é* Maskenball; *intention ~ée* versteckte Absicht

massacr|ant [masakṛɑ̃] *108: d'une humeur ~ ante (umg)* ungenießbar, unausstehlich; **~e** [sakṛ] *m* Blutbad; Gemetzel; Massenmord; *fig* Verhunzung, Verschandelung; *jeu de ~e* Wurfspiel(bude); *ce fut un véritable jeu de ~e* er hat s-e Gegner e-n nach d. anderen erledigt; **~er** [-kṛe] niedermetzeln; grausam umbringen; *umg* verhunzen; **~eur** [-krœːr] *m* Massenmörder; Pfuscher

massage [masaːʒ] *m* Massage

masse [mas] *f (a. phys)* Masse; Menge; ⚡ Erde; ✿ Vorschlaghammer; *~ d'air (meteo)* Luftmasse; *~ atomique* Atomgewicht; *~ en faillite* Konkursmasse; *~s ouvrières* Arbeitermassen; *~ volumique* Dichte; *en ~* scharenweise

massepain [maspɛ̃] *m* Marzipan

masser¹ [mase] massieren

masser² [mase] gruppieren; *(Truppen)* zusammenziehen

masseur [masœːr] *m* Masseur

massicot [masiko] *m* Papierschneidemaschine; Furnierschere

massif [masif] **1.** *112* massig; massiv; *esprit ~* schwerfälliger Geist; **2.** *m* Baumgruppe; Bergmassiv; 🏛 Fundament; Gründung

mass-media [masmedja] *mpl* Massenmedien *npl*

massue [masy] *f* Keule; *argument ~* schlagender Beweis

masti|c [mastik] *m* Spachtelmasse; (Glaser-)Kitt; **~cage** [-tikaːʒ] *m* Spachteln; Verkitten **~quer¹** [tike] *6* (ver)spachteln; verkitten

masti|cation [mastikasjɔ̃] *f* Kauen; **~quer²** [-kɛ] *6* kauen

mastoc [mastɔk] *umg* klotzig, plump

mastodonte [mastodɔ̃t] *m zool* Mastodon; *umg* Fettwanst; *(Gegenstand)* Monstrum, Ungetüm

mastroquet [mastrɔkɛ] *m pop* Schankwirt; Kneipe, Wirtschaft

masturb|ation [mastyrbasjɔ̃] *f* Selbstbefriedigung, Onanie; **~er:** *se ~er* s. selbst befriedigen, masturbieren, onanieren

m'as-tu-vu [matyvy] *m 100 umg* Angeber, Großmaul, Wichtigtuer

masure [mazyːr] *f* Gemäuer; baufälliges Haus

mat [mat] *(f.: ~e)* (schach)matt; *(Glanz)* stumpf; *(Geräusch)* dumpf; *faire qn échec et ~ (a. fig)* j-n schachmatt setzen; *papier ~* ▥ mattes Papier

mât [mɑ] *m* ⚓, ✿ Mast; *~ de charge* ⚓ Ladebaum; *~ de cocagne* Klettermast

matamore [matamɔːr] *m* Maulheld, Prahlhans

match [matʃ] *m 103* Wettspiel, -kampf; *~ aller* Hinspiel; *~ retour* Rückspiel; *disputer un ~* e. Spiel austragen; *faire ~ nul* unentschieden spielen; *~ de boxe* Boxkampf; *~ de championnat* Spiel um d. Meisterschaftstitel; *~ final* Endspiel; *~ international* Länderkampf; *~ de sélection* Ausscheidungsspiel

matelas [matlɑ] *m* Matratze; *~ pneumatique* Luftm.; *~ à ressorts* Sprungfederm.; *~ à suspension* Federkernm.; **~ser** [-sɛ] polstern; **~sier** [-sje] *m* Polsterer

matelot [matlo] *m* Matrose

mater [mate] schachmatt setzen, bezwingen; bändigen; mattieren

matéri|aliser [materjalize] verkörpern, veranschaulichen; *(Plan)* in d. Tat umsetzen; **~alisme** [-rjaljsm] *m* Materialismus; **~aliste** [-rjaljst] materialistisch; *m* Materialist; **~au** [-rjo] *m 91* Bau-, Werkstoff; **~aux** *mpl* Material(ien); **~el** [-rjɛl] **1.** *115* materiell; stofflich; sachlich; *dégâts ~els* Sachschaden; *fait ~el* Tatbestand; **2.** *m* Material; Ausrüstung, Ausstattung; Bedarf; *~el de l'armée* Heeresgut; *~el de camping* Campingausrüstung; *~el éducatif* Lehrmittel; *~el de publicité* Werbematerial, Druckschriften; *~el roulant* 🚂 Wagenpark; **~elle** [-rjɛl] *f umg* Lebensunterhalt

matern|age [matɛrnaːʒ] *m* Bemutterung; Betreuung; **~el** [matɛrnɛl] *115* mütterlich; Mutter...; *parents ~els* Verwandte mütterlicherseits; *langue ~elle* Muttersprache; *(école) ~elle* Kindergarten; **~er** [-nɛ] bemuttern, liebevoll umsorgen; **~ité** [-nite] *f* Mutterschaft; Entbindungsanstalt

mathémat|icien [matematisjɛ̃] *m* Mathematiker; **~ique** [-tik] mathematisch; **~iques** [-tik] *fpl* Mathematik; *~iques pures* reine M.; *~iques appliquées* angewandte M.

matière [matjɛːr] *f* Materie; Werkstoff; Gegenstand *(e-r Veröffentlichung); (Studium)* Fach; *en cette ~* in dieser Sache; *en ~ civile* ⚖ in Zivilsachen; *~ active* Wirkstoff; *~ de base* Grundstoff, Ausgangsmaterial; *~ colorante* Farbstoff; *~ grise* 🧠 graue Stubstanz, Endhirnrinde; *fig* Intelligenz, Klugheit; Erfindungsreichtum; *~ plastique* Kunststoff; *~ première* Rohstoff; *~s fécales* Kot, Exkremente; *~s grasses* Fette; *entrer en ~* zur Sache kommen; *prêter ~ à* Anlaß geben zu

matin [matɛ̃] *m* Morgen, Vormittag; *ce ~* heute morgen; *le ~* morgens; *un de ces quatre ~s* e-s schönen Tages; *demain ~* morgen früh; *de bon (grand) ~* am frühen Morgen; *du ~ au soir* von früh bis spät; *être du ~* Frühaufsteher sein; *se lever ~* früh aufstehen

mâtin [mɑtɛ̃] *umg* gewitzt, auf Draht; *m* Hofhund; *~!* Donnerwetter!; **~é** [-tinɛ] *(Tier)* nicht reinrassig

matin|al [matinal] *124* morgendlich; Morgen...; *étoile ~ale* M.stern; *être ~al* früh aufstehen; **~ée** [-ne] *f* Vormittag; Nachmittags-

veranstaltung; *faire la grasse ~ée* in d. hellen
Tag hinein schlafen; *dans la ~ée* vormittags;
~es [-tịn] *fpl* Frühmette; **~eux** [-tinọ] *111: être
~eux* e. Frühaufsteher sein
matois [matwạ] *108* durchtrieben
mat|on [matɔ̃] *m arg* Schließer; Gefängnis-
wärter; **~ou** [matụ] *m* Kater
matraqu|age [matrakaːʒ] *m* Niederknüppeln *n*;
Bombardement *n*; *fig (Werbung)* Einhämmern
(durch stete Wiederholung); **~e** [matrạk] *f*
(Gummi-)Knüppel; **~er** [kẹ] 6 niederschlagen;
bombardieren; *fig* einhämmern; übermäßig
besteuern; fertig machen
matri|arcat [matriarkạ] *m* Mutterrecht; **~ce**
[-tris] *f ⚕* Gebärmutter; *math.* ☿ Matrize; *geol.
EDV* Matrix *f;* **~cide** [-sịd] *m* Muttermord;
Muttermörder; **~cule** [-kỵl] *f* Personenverzeich-
nis; *(Krankenhaus)* Aufnahmeliste; *registre
~cule (mil)* Stammrolle; **~monial** [-mɔnjạl] *124
♋ ehelich; agence ~moniale* Eheanbahnungsin-
stitut
matrone [matrọn] *f* Matrone; *umg pej* dickes
Weib
matur|ation [matyrasjɔ̃] *f* Heranreifen; Rei-
fung; **~ité** [-ritẹ] *f* Reife; reifes Alter; *~ité
d'esprit* geistige Reife; *~ité technique* Betriebs-
reife
maud|ire [modịːr] *71* verfluchen; verwünschen;
verdammen; **~it** [-dị]: *le ~it* der Böse
maugréer [mogreẹ] schimpfen *(contre* auf)
maussade [mosạd] verdrießlich; *(Wetter)* unfreundlich, trüb
mauvais [mɔvẹ] 1. *108* schlecht; schlimm; böse;
schädlich; *~ garçon* schwerer Junge; *~e herbe*
Unkraut; *~ sujet* Taugenichts; *~e tête*
Querkopf; *ce n'est pas ~* das ist *(od* schmeckt)
nicht schlecht; *il fait ~* es ist schlechtes Wetter;
avoir une ~e langue e-e böse Zunge haben; 2. *m*
das Böse; das Schlechte ♦ *ça sent ~* es ist dicke
Luft; das kommt mir nicht ganz geheuer vor
mauve [moːv] 1. *f* Malve; 2. *adj* veilchenfarbig,
blaßviolett
mauviette [movjẹt] *f* fette Lerche; *umg*
Schwächling, schwächliche Person
maxillaire [maksillẹːr] *⚕* Oberkiefer...; *m*
Oberkiefer(knochen)
maxim|a [maksimạ]: *température ~a* Höchst-
temperatur; **~al** [-mạl] *adj* sehr groß;
Höchst...; Größt...; **~e** [-sịm] *f* Lebensregel,
Maxime; Leitsatz; Grundsatz; **~um** [-mɔm] *m
103 (a. math)* Maximum; Höchstwert; *au ~um*
höchstens; *~um d'une peine ♋* Höchststrafe;
~um de rendement ☿ Höchstleistung; *prix ~um*
Höchstpreis
mazout [mazụt] *m* Heizöl
me [mə] mir, mich; *~ voici!* da bin ich!
méandre [meɑ̃dr] *m 🏛* Mäander; *(Fluß)*
Schleife; *pl* Windungen
mec [mɛk] *m pop* Kerl
mécan|icien [mekanisjẽ] *m* Mechaniker; Ma-
schinenschlosser; Maschinist; Lokomotivfüh-
rer; *~icien de précision* Feinmechaniker; *~icien
de bord* Bordmechaniker; **~icien-dentiste** [-dã-
tịst] *m 97* Zahntechniker; **~ique** [-nịk] 1.

mechanisch; maschinell; *piano ~ique* elektr.
Klavier; 2. *f (a. phys)* Mechanik; Mechanismus;
Getriebe; Maschinenbau; *~ique de précision*
Feinmechanik; *~ique ondulaire (phys)* Wel-
lenm.; *~ique électronique* Elektronenm.; **~isa-
tion** [-nizasjɔ̃] *f* Mechanisierung; **~iser** [-nizẹ]
mechanisieren; **~isme** [-nịsm] *m* Mechanismus;
Getriebe, Triebwerk; Werk; Ablauf; (physikali-
scher) Vorgang; *~isme de blocage* Verriege-
lung; **~o** [-nọ] *m umg* Mechaniker; Autoschlos-
ser; **~ographie** [-nɔgrafị] *f com* automatische
Buchung; Hollerithverfahren
mécène [mesẹn] *m* Mäzen
méch|anceté [meʃɑ̃stẹ] *f* Bosheit; Boshaftig-
keit; böser Streich; bissige Bemerkung; **~ant**
[-ʃɑ̃] *108* böse; schlecht; unartig; minderwertig;
~ante affaire böse Sache; *il a ~ante mine* er
sieht erbärmlich aus; *il a l'air ~ant* er sieht böse
aus
mèche [mɛʃ] *f* Docht; Lunte, Zündschnur;
Bohrer; Haarsträhne ♦ *éventer la ~ (fig)* Lunte
riechen; *vendre la ~ (umg)* aus d. Schule
plaudern; *être de ~ avec qn* mit j-m unter e-r
Decke stecken; *il n'y a pas ~!* es geht nicht,
nichts zu machen!
mécher [meʃẹ] *13* ausschwefeln
mécompt|e [mekɔ̃t] *m* Rechenfehler; falsche
Hoffnung
mécon|naissable [mekɔnɛsạbl] unkenntlich;
~naître [-nɛtr] *61* verkennen; verleugnen
mécontent [mekɔ̃tạ] *108* unzufrieden; unfroh;
~ement [-tɑ̃mạ] *m* Unzufriedenheit
mécréant [mekreɑ̃] *m* Ungläubiger
médaille [medạj] *f* Medaille, Gedenkmünze ♦
toute ~ a son revers jedes Ding hat zwei Seiten
médecin [medsẽ] *m* Arzt; *~ administratif*
Kreisarzt; *~-chef* Oberarzt; *~ en chef*
Chefarzt; *~ de l'état civil* Amtsarzt; *~ de
famille* Hausarzt; *~ légiste* Gerichtsarzt; *~
soignant = ~ traitant* behandelnder Arzt; **~e**
[-sịn] *f* Medizin; Arznei; *~e légale* Gerichts-
medizin
média [medjạ] *mpl* Massenmedien
médi|an [medjɑ̃] *109* Mittel...; **~ateur** [-jatœːr]
m (a. com) Vermittler; *rel* Mittler; **~ation**
[-djasjɔ̃] *f (a. com)* Vermittlung; **~atrice** [-djatris]
f math Mittelsenkrechte
médic|al [medikạl] *124* ärztlich; medizinisch;
~aliser ärztlich versorgen; **~ament** [-kamɔ̃] *m*
Heilmittel; Arznei; **~amenteux** [-kamɑ̃tọ] *111*
heilkräftig; **~astre** [-kạstr] *m* Kurpfuscher;
~ation [-kasjɔ̃] *f* Heilverfahren; ärztliche Verordnung; **~inal** [-sinạl] *124* Heil...; *plantes (od
herbes) ~inales* Heilkräuter; *eaux ~inales*
Heilbrunnen; *~inier* [-sinjẹ] *m bot* Brechnuß
médiéval [medjevạl] *124* mittelalterlich
médiocr|e [medjɔkr] mittelmäßig; armselig;
minderwertig; mangelhaft; **~ité** [-djɔkritẹ] *f*
Mittelmäßigkeit; Minderwertigkeit
médi|re [medịːr] *78* Übles nachreden *(de qn*
j-m); **~sance** [dizɑ̃s] *f* üble Nachrede; **~sant**
[-dizɑ̃] *m* Lästerzunge
médit|atif [meditatịf] *112* nachdenklich, grüble-
risch; **~ation** [-tasjɔ̃] *f* Nachdenken; Betrach-

tung; Meditation; Kontemplation; *rel* Andacht; *plongé dans la ~ation* in Gedanken versunken; **~er** [-tę] nachdenken, Betrachtungen anstellen (*sur qch* od *qch* über etw.)

Méditerrané|e [mediterang] *f* Mittelmeer; **~en** [-neg̃] *118* Mittelmeer...

medi|um [medjɔm] *m 102 (Spiritismus)* Medium; **♪** Mittellage; *103* ♧ Massenmedium; *com* Werbeträger; **~us** [-djys] *m* Mittelfinger

médullaire [medyllɛːr] **♯** Mark...

médus|e [medyːz] *f* Qualle, Nesseltier; **~é** [-dyzę] starr vor Schrecken sein; *umg* verdutzt

meeting [mitiŋ] *m pol* Versammlung; **♈** Veranstaltung

méfait [mefɛ] *m* Missetat; angerichteter Schaden; schädliche Folge

méfi|ance [mefjɑ̃s] *f* Mißtrauen; **~ant** [-fjɑ̃] *108* mißtrauisch; **~er** [-fję] *se ~er de qn* j-m mißtrauen

méforme [mefɔrm] *f* ♈ Formtief

mégacycle [megasịkl] *m* ♧ Megahertz

mégaloman|e [megalomạn] größenwahnsinnig; **~ie** [maṇi] *f* Größenwahn

mégaphone [megafɔn] *m* Schalltrichter; tragbarer Lautsprecher; Megaphon

mégarde [megạrd] *f: par ~* aus Versehen, versehentlich

mégère [meʒɛːr] *f* Furie, böses Weib

még|ir [meʒiːr] *22,* **~isser** [-ʒisę] weißgerben

mégot [mego] *m umg* Zigaretten-(Zigarren-)-Stummel, Kippe; **~er** [-tę] *umg* kleinlich feilschen; knausern, geizen

meilleur [mɛjœːr] **1.** besser; *le, la ~ (e)* der, die, das beste; *de ~e heure* frühzeitiger; *il fait ~* d. Wetter ist besser; *bien ~* viel besser; **2.** *m* das Beste

mélancol|ie [melɑ̃kɔli] *f* Melancholie, Schwermut; **~ique** [-lịk] melancholisch, schwermütig

mélang|e [melɑ̃ʒ] *m* **1.** Mischung; *chem* Gemenge; *~e explosible* ♬ Explosionsgemisch; *~e gazeux* Gasgemisch; *~e réfrigérant* Kältemischung; *bonheur sans ~* ungetrübtes Glück; **2.** *pl lit* Miszellen, vermischte Schriften; **~er** [lɑ̃ʒę] *14* mischen; vermengen; **~eur** *m* Mischer; Mixer; *(Schweißbrenner)* Mischdüse

mélasse [melạs] *f* Melasse ♦ *tomber dans la ~ (pop)* in d. Patsche geraten

mêl|ée [melę] *f* Handgemenge; ♈ Gedränge; *fig* Auseinandersetzung, Konflikt; **~er** [melę] mischen (*avec, à* mit); *fig* verwickeln (*dans* in); *ne t'en ~e pas!* bleib aus dem Spiel!, laß die Finger davon!

mélèze [melɛːz] *m* Lärche

méli-mélo [melimelọ] *m umg* Tohuwabohu; Durcheinander

melliflue [mɛllifly̆] *fig pej* honigsüß; süßlich

mélo|die [melɔdi] *f* Melodie; Wohlklang; *~die en vogue* Schlagermelodie; **~dieux** [-djø] *111* melodisch; wohlklingend; **~drame** [-drạm] *m* ♥ Volks-, Rührstück; **~mane** [-maṇ] *m* Musikfreund

melon [məlɔ̃] *m (a. Hut)* Melone

mélopée [melɔpę] *f (Art)* Rezitativ; Singsang

membr|ane [mɑ̃brạn] *f* Membran; **~ane**

cellulaire (biol) Zellwand; **~aneux** [-branø] *111 biol* häutig; **~e** [mɑ̃br] *m* Glied; Mitglied; *(Gleichung)* Seite; *pl* Gliedmaßen; *~es de l'équipage* ♗ Schiffsbesatzung; **~é** [-brę]: *bien (mal) ~é* mit gut (schlecht) proportionierten Gliedmaßen; **~u** [-bry̆] starkgliedrig; **~ure** [-bryːr] *f* Gliederbau; 🏛 Gurt(ung); ♗ Rippenwerk

même [mɛm] gleich; derselbe; selbst; sogar; auch; *en ~ temps* zu gleicher Zeit; *cela revient au ~* das kommt aufs gleiche heraus; *moi-~* ich selbst; *ce soir ~* noch heute abend; *être à ~ de faire qch* imstande sein, etw. zu tun; *laisser qn à ~ de faire qch* j-n freistellen, etw zu tun; *boire à ~ la bouteille* aus d. Flasche trinken; *de ~ que* ebenso wie; *quand ~* immerhin; trotzdem; *quand (bien) ~...* selbst wenn...; *tout de ~* trotzdem; schließlich; *~ pas* nicht einmal

mémento [memɛ̃tõ] *m 102* Notizbuch; Handbuch; Nachschlagewerk; Anleitung; *~ d'exploitation* Bedienungsanleitung

mémère [memɛːr] *f umg* Mütterchen

mém|oire [memwạːr] *f* **1.** Gedächtnis; Andenken; *de ~oire* auswendig; *de ~oire d'homme* seit Menschengedenken; *si j'ai bonne ~oire* wenn ich mich nicht irre; *en ~oire (com) z.* Vermerk; **2.** *EDV* Informationsspeicher, Speichergerät, Speicher; *~oire magnétique* Magnetspeicher; *~oire principale* Hauptsp; **3.** *m* Denkschrift; ♧ Gutachten; wissenschaftl. Abhandlung; *pl* Memoiren; **4.** *m com* Kostenrechnung, Aufstellung, Verzeichnis; *dresser un ~oire e-e* Aufstellung anfertigen; **~orable** [-mɔrabl] denkwürdig; **~orandum** [-mɔrɑ̃dɔm] *m 102 pol* Memorandum; **~orial** [-mɔrjal] *m pol* Denkschrift; **~orialiste** [-mɔrjalịst] *m* Memoirenschreiber; **~orisation** [-ɔrizasjõ] *f EDV* Speicherung; **~oriser** [-ɔrizę] s. merken; *EDV* speichern

menac|e [mənạs] *f* (Be-, An-)Drohung; *~es en l'air (umg)* leere Drohungen; *sous la ~e de... in* Gefahr zu...; **~er** [-nasę] *15* drohen (*de* mit); bedrohen; *~er ruine* baufällig sein

ménag|e [menạʒ] *m* **1.** Haushalt; *de ~e (Brot)* selbstgebacken; *femme de ~e* Aufwartefrau; *faire le ~* d. H. besorgen; *faire bon (mauvais) ~e* s. gut (schlecht) vertragen; *se mettre en ~* e-n Hausstand gründen; *zus.ziehen (vi);* **2.** Ehe; Ehepaar; *faux ~e* wilde Ehe; *jeune ~e* junges Paar; *vivre en ~* zusammenleben; **~ement** [-naʒmɑ̃] *m* Schonung; Rücksicht; *sans ~ement* schonungslos; **~er¹** [-naʒę] *116* hauswirtschaftlich; *école des arts ~ers* Hauswirtschaftsschule; *appareil électrique ~* elektr. Haushaltsgerät; **~er²** [-naʒę] *14* sparsam, schonend umgehen (*qch* mit etw.); schonen; bewerkstelligen; *(Begegnung)* herbeiführen; *(Überraschung)* bereiten; Gebrauch machen (*qch* von etw.), ausnützen; *~er son temps s-e* Zeit einteilen; *~er une trêve* e-n Waffenstillstand aushandeln ♦ *~er la chèvre et le chou* es mit k-m verderben wollen; **~ère** [-nɛːr] *f* Hausfrau; Haushälterin; Gewürzständer; Besteckkasten; *verte* [-naʒri] *f* Tierschau; **~iste** [-ʒịst] *m* Haushaltsartikelhersteller

mendi|ant [mɑ̃djɑ̃] *m* Bettler; *les quatre ~ants*

Studentenfutter; **~cité** [-disité] f Bettel(ei); *réduire à la ~cité* an d. Bettelstab bringen; **~er** [-dje] (er)betteln; **~got** [-digo] m pop Schnorrer

men|ées [məne] fpl Machenschaften; *découvrir les ~ées de qn* hinter j-s Schliche kommen; **~er** [-ne] 8 (ab-, an-, her-, hin-, ein-)/führen; lenken; leiten; kutschieren; *~er à bien* vollenden; *~er la danse (a. fig)* d. Tanz anführen; *~er qn à la baguette* j-n herumkommandieren; *~er qn par le bout du nez* j-n an d. Nase herumführen; *~er de front* gleichzeitig behandeln; *ne ~er à rien* zu nichts führen; *~er grand train* auf großem Fuß leben; *cela peut ~er loin* d. kann schwerwiegende Folgen haben; **~eur** [-nœːr] m (Rädels-)Führer

ménétrier [menetrije] m Spielmann, Dorfmusikant

méning|e [menɛ̃ʒ] f Hirnhaut ♦ *faire travailler ses ~es (umg)* s. d. Kopf zerbrechen; **~ite** [-nɛ̃ʒit] f Hirnhautentzündung; Meningitis

ménisque [menisk] m (opt, ♉) Meniskus

ménopause [menopoːz] f ♉ Wechseljahre, Menopause

menotte [mənɔt] f umg Patschhändchen; pl Handschellen

mensong|e [mɑ̃sɔ̃ʒ] m Lüge; *~e officieux* formme L.; **~er** [-ʒe] 116 lügnerisch; unwahr; trügerisch

mens|truation [mɑ̃stryasjɔ̃] f ♉ Menstruation, Regel, Periode; **~ualisation** [-ɥalizasjɔ̃] f (Löhne) monatliche Zahlung; **~ualité** [-sɥalite] f Monatsrate; **~uel** [sɥɛl] 115 monatlich; Monats...

mensur|able [mɑ̃syrabl] meßbar; **~ation** [-rasjɔ̃] f Messing; pl (Körper)Maße

ment|al [mɑ̃tal] 124 1. geistig; Geistes...; gedanklich; *âge ~al* geistige Reife; *calcul ~al* Kopfrechnen; 2. m Geisteskranker; **~alité** [-talite] f Geistesart, -haltung; **~eur** [-tœːr] 111 verlogen, lügnerisch; trügerisch; m Lügner

menth|e [mɑ̃t] f Minze; *thé à la ~* Pfefferminztee; **~ol** [-tɔl] m Menthol

mention [mɑ̃sjɔ̃] f Anmerkung; Notiz; Vermerk; Erwähnung; *(Zeugnis)* Prädikat; *~ion honorable* Auszeichnung; *avec ~ion de* unter Hinweis auf; *faire ~ion de qch* etw. erwähnen; *biffer (od rayer) les ~ions inutiles!* Nichtzutreffendes streichen!; **~né** [-sjone] (vor-)genannt; **~ner** [-sjone] erwähnen; anführen; *ne pas ~ionner* übergehen

mentir [mɑ̃tiːr] 29 lügen, belügen (*à qn* j-n); trügen, täuschen ♦ *il ment comme un arracheur de dents* er lügt wie gedruckt

menton [mɑ̃tɔ̃] m Kinn; **~net** [-tɔnɛ] m ☼ Sperrhaken; Rasthebel; *(Tür)* Schließhaken; **~nière** [-tɔnjɛːr] f Sturmriemen

mentor [mɑ̃tɔːr] m Ratgeber, Mentor

menu [məny] 1. dünn; fein; klein, schmächtig; belanglos; Klein...; Neben...; *bois ~* Kleinholz; *~e monnaie* Kleingeld; *~ plomb* Schrot; ♦ *conter par le ~* in allen Einzelheiten erzählen; 2. m Menü n, Speisenfolge; **~et** [-nɥɛ] m Menuett; **~iserie** [-nɥizri] f Tischlerei, Schreinerei; **~isier** [-nɥizje] m Tischler, Schreiner

mé|prendre [meprɑ̃dr] 79: *se ~prendre* s. täuschen, s. irren (*sur* hinsichtlich); mißverstehen; *se ressembler à s'y ~prendre* s. z. Verwechseln ähneln; **~pris** [-pri] m Verachtung; Geringschätzung; *au ~pris de* unter Mißachtung von; **~prisable** [prizabl] verachtenswert; **~prisant** [-prizɑ̃] 108 geringschätzig; *(Ton)* verächtlich; **~prise** [-priːz] f Versehen; *par ~prise* versehentlich; **~priser** [-prize] verachten; geringschätzen

mer [mɛːr] f Meer; *~ Baltique* Ostsee; *~ Caspienne* Kaspisches M.; *~ Noire* Schwarzes M.; *~ du Nord* Nordsee; *haute ~* Hochsee; *en pleine ~* auf hoher See; *~ territoriale* Küsten-(Hoheits-)Gewässer; *~ grosse* hohe See; *~ houleuse* grobe See; *~ démontée* stürmische See; *lettres de ~* Schiffspapiere; *mettre à la ~* zu Wasser bringen; *mettre en ~* in See stechen ♦ *avaler la ~ et les poissons (umg)* e-n Höllendurst haben; *une goutte d'eau dans la ~* ein Tropfen auf d. heißen Stein; *ce n'est pas la ~ à boire* das ist doch nicht d. Welt

merc|anti [mɛrkɑ̃ti] m Schieber; **~antile** [-til] habgierig, gewinnsüchtig; *esprit ~antile* Krämergeist; **~antilisme** [-tilism] m Merkantilismus; **~enaire** [-sənɛːr] käuflich; m Söldner; **~erie** [-səri] f Kurzwarengeschäft

merci [mɛrsi] 1. f Erbarmen; Gnade; *sans ~* erbarmungslos, ohne Gnade; *je suis à votre ~* ich bin in Ihrer Gewalt; 2. m Dank; *~!* danke!; *Dieu ~!* Gott sei Dank!; *~ beaucoup (od bien)!* vielen Dank!

mercier [mɛrsje] m Kurzwarenhändler

merc|redi [mɛrkrədi] m Mittwoch; *~redi des cendres* Ascherm.; **~ure** [-kyːr] m Quecksilber; **~uriale** [-kyrjal] f Strafpredigt; *com* Marktbericht; **~uriaux** [-kyrjo] mpl ♉ Quecksilberpräparate; **~uriel** [-kyrjɛl] 115 quecksilberhaltig

merd|e [mɛrd] f pop Scheiße; *(Person)* pop Mistkerl; *(Situation)* pop Scheißdreck; Mist; Bescherung; **~eux** [-də] pop: bâton *~eux* widerlicher Kerl; **~ier** [-dje] m pop Saftladen; Sauhaufen; Scheißdreck

mère [mɛːr] f Mutter; *rel* Oberin; *~ célibataire* ledige Mutter; *~ patrie* Mutterland; *entreprise ~* Muttergesellschaft; *idée ~* Grundgedanke; *eau ~ (chem)* Mutterlauge

méridi|en [meridjɛ̃] m Meridian; *~en origine* Nullmeridian; **~onal** [-djɔnal] 124 südlich; Süd...; **~onal** m 90 Südfranzose

meringue [mərɛ̃ɡ] f (Gebäck) Baiser

mérinos [merinos] m Merino(schaf, -wolle)

merisier [mərizje] m Vogelkirschbaum

mérit|ant [meritɑ̃] 108 verdient, verdienstvoll; **~e** [-rit] m Verdienst n; Wert; Vorzüge; *de ~e* verdient; verdienstvoll; **~er** [-te] verdienen, würdig sein, wert sein; bedürfen; **~oire** [-twaːr] verdienstlich, lobenswert

merl|an [mɛrlɑ̃] m zool Merlan; pop Friseur; **~e** [mɛrl] m Amsel; *~e blanc (fig)* weißer Rabe; *fin ~e* schlauer Fuchs; *vilain ~e (iron: beau ~e)* häßlicher Mensch, Scheusal ♦ *faute de grives, on mange des ~es* in d. Not frißt d. Teufel Fliegen; **~in** [-lɛ̃] m Schlachthammer; Axt; **~on** [-lɔ̃] m 🏛

Zinne; *mil* Schutzwall; **~uche** [-lỵ ʃ] *f* Seehecht; Stockfisch

merveill|e [mɛrvɛj] *f* Wunder; *à ~e* ausgezeichnet, vortrefflich; *faire ~e sich auszeichnen* ♦ *promettre monts et ~es* goldene Berge versprechen; **~eux** [-vɛjø] *111* wunderbar; erstaunlich; *m* Außergewöhnliche *n*; Unerklärliche *n*

mes [me] *pl pron* meine

mésalliance [mezaljɑ̃s] *f* Mißheirat; unglückliche Verbindung, Mesalliance

mésange [mezɑ̃ʒ] *f* Meise; *~ charbonnière* Kohlm.

més|aventure [mezavɑ̃tỵːr] *f* Mißgeschick; **~entente** [-zãtɑ̃t] *f* Unstimmigkeit; **~entère** [-zãtɛːr] *m anat* Dünndarmgekrös(e); **~estime** [-zɛstim] *f* Geringschätzung; **~intelligence** [-zɛ̃tɛlliʒɑ̃s] *f* Mißhelligkeit; Entfremdung

méso|derme [mezodɛrm] *m biol* mittleres Keimblatt; **~lithique** [mezolitik] *m* mittlere Steinzeit; **~n** [mezɔ̃] *m phys* Meson *n*

mesquin [mɛskɛ̃] *109* kleinlich; engherzig, knauserig, dürftig, schäbig; **~erie** [-kinri] *f* Kleinlichkeit; Engherzigkeit; Knauserigkeit

mess [mɛs] *m mil* Kasino, Messe; **~age** [mesaːʒ] *m* Botschaft, Meldung; ⟨☞⟩ Durchsage; **~ager** [mesaʒe] *m* Bote; **~agère** [mesaʒɛːr] *f* Botin; **~agerie** [mesaʒri] *f* Transportunternehmen; **~ageries maritimes** Güterschiffahrtsunternehmen; **~ageries de presse** Beförderungsstelle für Druckerzeugnisse; **~e** [mɛs] *f* (*rel,* ♪) Messe; *~e basse* stille M.; *~e haute, grand-~e* Hochamt; *dire la ~e* d. M. lesen

mess|éant [mɛseɑ̃] *108* unschicklich; unziemlich; **~eoir** [-swaːr] *46* s. nicht ziemen; s. nicht schicken; **~ie** [mesi] *m* Messias; *fig* Erlöser, Befreier; **~ieurs** *mpl voir* monsieur; **~ire** [mesjr] *m* (*Anrede*) Mein Herr

mesur|able [mazyrabl] meßbar; **~age** [-raːʒ] *m* Vermessung; **~e** [-zyːr] *f* 1. (*a. fig*) Maß; Messung; Versmaß; ♪ Takt; Mäßigung; *~e de capacité* Hohlm.; *~e de longueur* Längenm.; *~e de superficie* Flächenm.; *prendre les ~es de qch* etw. abmessen; *vêtements sur ~es* Maßkleidung; *sur ~e fig* nach Maß; angemessen; (*au fur et*) *à ~e* nach u. nach; *à ~e que* in d. Maße wie; *dans la ~e de* nach Maßgabe…; *dans la ~e où* insoweit, als; *dans une certaine ~e* bis zu e-m gewissen Grade; *dans une large ~e* in hohem Maße; *dans la ~e de nos forces* nach besten Kräften; *outre ~e* im Übermaß; *garder la ~e* Maß halten; *prendre la ~e (de qn)* (ab-, ein-)schätzen; *être en ~e* imstande sein (*de* zu); *avoir deux poids et deux ~es* mit zweierlei Maß messen; *battre la ~e* ♪ d. Takt schlagen; *observer la ~e* ♪ d. Takt halten; 2. Maßnahme; Vorkehrung; *~e préventive* Vorbeugungsm.; *prendre des ~es* Vorkehrungen treffen; *par ~e de sécurité* aus Sicherheitsgründen; **~é** [-re] *a. fig* gemessen; maßvoll; **~er** [-re] (ab-, aus-, ver-)messen; **~er des yeux** abschätzen; *se ~er avec qn* s. mit j-m messen; *combien ~ez-vous?* wie groß sind Sie?

métabol|isme [metabɔlism] *m* Stoffwechsel; *~ basal* ⚕ Grundumsatz; **~ite** [-lit] *m* Metabolit *m*

métacarpe [metakarp] *m* Mittelhand

métairie [meteri] *f* Meierei, Bauernhof (*in Halbpacht*)

métal [metal] *m 90* Metall; *~ allié* Legierungsm.; *~ cru* Rohm.; *~ fritté* Sinterm.; *~ léger* Leichtm.; *~ non ferreux* Nichteisenm.; *~ précieux* Edelm.; *~ blanc* Neusilber; **~angue** [-lɑ̃g] *f ling* Metasprache; **~lifère** [-lifɛːr] erzhaltig; *gisement ~lifère* Erzlager(stätte); **~lique** [lik] (*a. Stimme*) metallisch; **~lisation** [-lizasjɔ̃] *f* ❀ Metallspritzen; Herstellung e-s metallischen Überzuges; **~lo** [-lo] *m umg* Metallarbeiter; **~lographie** [-lografi] *f* Metallkunde; **~loïdes** [-lɔjd] *mpl chem* Nichtmetalle; **~lurgie** [-lyrʒi] *f* Metallurgie; Verhüttung; Hüttenwesen; eisenschaffende Industrie; *grosse ~lurgie* Hüttenindustrie u. Halbfabrikateherstellung; *petite ~lurgie* Herstellung v. Metallfertigfabrikaten; **~lurgique** [-lyrʒik] hüttenmännisch; *traitement ~lurgique* Verhüttung; *usine ~lurgique* Hüttenwerk; **~lurgiste** [-lyrʒist] *m* Hüttenfachmann

méta|morphose [metamɔrfoːz] *f* Gestaltwandel; *biol* Metamorphose; **~phore** [-fɔːr] *f* Metapher; **~phorique** [-fɔrik] bildlich, metaphorisch; **~tarse** [-tars] *m* Mittelfuß

métay|age [metejaːʒ] *m* ⬇ Halbpacht; **~er** [-je] *m* Pächter

méteil [metɛj] *m* Mengkorn

métempsycose [metɑ̃psikoːz] *f* Seelenwanderung

météo [meteo] *f umg* Wettervorhersage

météor|e [meteoːr] *m* atmosphärische Naturerscheinung; Meteor; **~ique** [-ɔrik] Meteor…; **~ite** [-ɔrit] *f* Meteorit, Meteorstein; **~ologie** [-ɔrɔlɔʒi] *f* Wetterkunde, Meteorologie; **~ologique** [-ɔrɔlɔʒik] wetterkundlich, meteorologisch; *service ~ologique* Wettervorhersage; **~ologiste** [-ɔrɔlɔʒist] *m*, **~ologue** [-ɔrɔlɔg] *m* Meteorologe

méthan|e [metan] *m* Methan(gas); **~ier** [-nje] *m* Methangastanker; **~oduc** [-nɔdyk] *m* Erdgasleitung; **~ol** [-tanɔl] *m* Methylalkohol

méthod|e [metɔd] *f* Methode, Arbeitsweise; (wissensch., techn.) Verfahren; *~e de fabrication* Herstellungsv.; *~e de calcul* Berechnungsv.; *avec ~e* planmäßig; *sans aucune ~e* planlos; *~e de piano* Klavierschule; **~ique** [-dik] methodisch, planmäßig

méticul|eux [metikylø] *111* peinlich genau; pedantisch; **~osité** [-lozite] *f* übertriebene Genauigkeit, Kleinlichkeit

métier [metje] *m* Handwerk, Gewerbe; Beruf, Stand; Webstuhl; *~ d'artisanat* handwerkliche Berufe; *chambre des ~s* Handwerkskammer; *jalousie de ~* Brotneid; *avoir sur le ~* in Arbeit haben; *avoir du ~ (umg)* etw. los haben, Routine haben ♦ *chacun son ~, les vaches seront bien gardées* Schuster, bleib bei deinen Leisten

métis [metis] 1. *114 biol* gekreuzt; *animal ~* Bastard, Kreuzung; *toile ~se* Halbleinen; 2. *m* Mestize; **~ser** [-tise] *biol* kreuzen

métrage [metraːʒ] *m* Abmessung in Metern; *long ~* abendfüllender Spielfilm; *court ~* Kurzfilm

mètre [mɛtr] *m* Meter; Metermaß; *lit* Versmaß; ~ *carré* Quadratm.; ~ *cube* Kubikm.; ~ *de couturière* Maßband; ~ *à ruban* Bandmaß, Metermaß; ~ *étalon* Normalmeter; ~ *pliant* Zollstock; ~ *rigide* Meterstab; ~ *roulant* Rollmaß

métr|er [metre̞] *13* nach Metern ausmessen; ~eur [-trœːr] *m* Vermesser; ~ique [-trik] *a. lit* metrisch; *f* Metrik, Verslehre

métro [metro̞] *m* (Pariser) Untergrundbahn; ♦ ~-boulot-dodo Alltagsstreß; Monotonie des Arbeitslebens in der Großstadt

métro|logie [metro̞lɔ̜ʒi] *f* Meßtechnik; Maß- u. Gewichtskunde; ~nome [-nɔm] *m* ♩ Metronom, Taktgeber

métropol|e [metro̞pɔl] *f* Mutterland; Landeshauptstadt; Erzbischofsstadt; ~e d'équilibre frz Großstädte (wie Lyon u. Lille) als Gegengewicht zu Paris; ~itain [-politɛ̃] *109* dem Mutterland eigen; erzbischöflich; *m* Erzbischof; *(chemin de fer)* ~itain Stadtbahn, Untergrundbahn

met|s [mɛ] *m* Speise, Gericht; ~table [-tabl] *umg: ce n'est plus ~table* das kann man nicht mehr anziehen; ~teur [-tœːr] *m* ▢ Zurichter; ~teur en scène ⚥ Regisseur *(a. Film)*, Spielleiter

mettre [mɛtr] *72* **1.** legen; stellen; setzen; *(Kleidung)* anziehen, umhängen; *(Hut)* aufsetzen; *(Zeit)* brauchen; *(Geld)* anlegen; *(Sorgfalt)* anwenden; *umg* annehmen; *mettons que ce soit vrai* angenommen, daß stimmt; ~ *bas (zool)* Junge werfen; ~ *à bas* einreißen; ~ *en branle (a. fig)* in Bewegung setzen; ~ *en cause* in Frage stellen; ~ *en chantier fig* in Angriff nehmen; ~ *au chômage* entlassen, kündigen; ~ *en colère* in Zorn bringen; ~ *de côté* beiseite legen, sparen; ~ *qn au courant* j-n informieren; ~ *le couvert* d. Tisch decken; ~ *en danger* gefährden; ~ *qn dedans (umg)* j-n hereinlegen; ~ *à l'eau (Boot)* zu Wasser lassen; ~ *à l'épreuve* auf d. Probe stellen; ~ *en état* instandsetzen; ~ *en évidence* hervorheben; nachweisen; ~ *qn au fait* j-n unterrichten; ~ *le feu à* anstecken; ~ *à feu (Hochofen)* anblasen; ~ *fin à* ein Ende machen; ~ *en fuite* in d. Flucht schlagen; ~ *en gage* verpfänden; ~ *en garde contre* warnen vor; ~ *hors de service* ausrangieren; ~ *en jeu* 🏹 *(Ball)* einwerfen; ~ *à jour* aufs laufende bringen; ergänzen; ~ *la main sur qch* etw. mit Beschlag belegen; ~ *en marche* in Bewegung setzen, *(Motor)* anlassen; ~ *à même (od en mesure)* de in d. Lage versetzen; ~ *au monde* ein Kind bekommen, e. Baby zur Welt bringen; ~ *au net* ins reine schreiben; ~ *en œuvre* benutzen; verwenden; einsetzen; ~ *tout en œuvre* alles daransetzen; ~ *en ordre* in Ordnung bringen; ~ *en pages* ▢ umbrechen; ~ *au pas (pol)* gleichschalten; ~ *au pilon (Bücher)* einstampfen; ~ *en place* auslegen; anlegen; ~ *au point* richtigstellen, *(Apparat)* einstellen; *(Verzeichnis)* auf d. neuesten Stand bringen; ~ *qn à la porte* j-n hinauswerfen; ~ *en pratique* in d. Praxis umsetzen; ~ *à prix* 🎰 e-e Belohnung aussetzen; ~ *à profit* ausnutzen; ~

au régime auf Diät setzen; ~ *en serivce* in Betrieb nehmen; ~ *la table* d. Tisch decken; ~ *à terre* ⚓, ⚡ erden; ~ *en terre (Person)* beerdigen; *(Pflanzen)* einpflanzen, einsetzen; ~ *la radio* d. Radio anstellen; ~ *en valeur* erschließen; ~ *le verrou (Tür)* verschließen; **2.** *refl; se* ~ *à* beginnen mit; *se* ~ *à l'abri* s. unterstellen; *se* ~ *d'accord* s. einig werden; *se* ~ *à l'aise* es s. bequem machen; *se* ~ *en avant* s. vordrängen; *se* ~ *à deux* s. zusammentun; *se* ~ *au diapason de qn* s. in j-n einfühlen; *se* ~ *en frais* s. in Unkosten stürzen; *se* ~ *au lit* krank werden; *se* ~ *en mouvement* anfahren; *se* ~ *à l'œuvre* an d. Arbeit gehen; *s'en* ~ *plein les poches* viel (Geld) verdienen; *se* ~ *en quatre (umg)* s. ein Bein ausreißen; *se* ~ *en relief* s. in Szene setzen; *se* ~ *en route* s. auf den Weg machen; *se* ~ *à table* s. zu Tisch setzen; *fig umg* ein Geständnis ablegen; *se* ~ *sur son trente-et-un (umg)* s. in Schale werfen ♦ ~ *la charrue devant les bœufs* d. Pferd beim Schwanz aufzäumen; ~ *le doigt dessus* d. Nagel auf d. Kopf treffen; ~ *la main à la pâte* selbst mit Hand anlegen; ~ *tous les œufs dans un panier* alles auf e-e Karte setzen

meubl|e [mœbl] **1.** *(Boden)* locker; *(Sachen)* beweglich; *bien* ~ 🏬 bewegliche Sache, Fahrnis. **2.** *m* Möbel; ~é [-ble] möbliert; *m* möblierte(s) Zimmer (Wohnung); *habiter en ~é* möbliert wohnen; ~e-classeur [-klasœːr] *m 97* Aktenschrank; ~er [-ble] möblieren, ausstaffieren; wohnlich machen

meugler [mœgle] *(Rind)* brüllen

meul|e [møl] *f* Mühlstein; Schleifscheibe; Käselaib; Heuschober; Getreidemiete; ~er [møle] (ab)schleifen

meun|erie [mønri] *f* Müllerei; Mühlenindustrie; ~ier [-nje] *m* Müller

meurt-de-faim [mœrdəfɛ̃] *100 m* Hungerleider

meurtr|e [mœrtr] *m* Totschlag; ~e prémédité vorsätzlicher T.; ~ier [-trje] *116* mörderisch; *m* Totschläger; ~ière [-trjɛːr] *f* Schießscharte; ~ir [-trjːr] *22* quetschen; *fig* tödlich verletzen; ~issure [-trisyːr] *f* Quetschung; blauer Fleck; *(Obst)* Druckstelle

meute [møt] *f* Hundekoppel; *fig* Meute, wilde Horde, Bande

mévente [mevɑ̃t] *f* Absatzschwierigkeit

mexi|cain [mɛksikɛ̃] *109* mexikanisch; ⚡cain *m* Mexikaner; ⚡ique [-sik] *le* ⚡que Mexiko

mezzanine [mɛdzaniŋ] *f* Zwischengeschoß; *(Kino)* Balkon

mi¹ [mi] ♩ e; ~ *bémol* ♩ es; ~ *mineur* e-Moll; ~ *bémol majeur* Es-Dur

mi² [mi] halb...; *à* ~-*chemin* auf halbem Wege; ~-*clos* halbgeschlossen; *à* ~-*corps* bis an d. Hüften; *à* ~-*côte* auf halber Höhe; ~-*janvier* Mitte Januar; *à la* ~-*mois (com)* per Medio; ~-*temps (f)* 🏹 Halbzeit; Halbtagsarbeit, Halbschicht; *être employé à* ~-*temps* e-e Halbtagsbeschäftigung innehaben; *à* ~-*voix* halblaut

miasme [mjasm] *m (z. B. Moor)* ungesunde Ausdünstung

miauler [mjole] miauen

mica [mika] *m* Glimmer

miche [miʃ] *f* Brotlaib; *pl pop* Hintern

micheton [miʃtɔ̃] *m (arg pop)* zahlender Verehrer

micheline [miʃlin] *f* Triebwagen

mil|-chemin, **~clos** *siehe* mi²

micmac [mikmak] *m umg* undurchsichtige Machenschaften; Schlamassel

micro [mikrɔ] Mikro…, Klein…; *m umg* [-krɔ] Mikrophon; **~be** [-krɔb] *m* Mikrobe, Kleinstlebewesen; **~bus** [-bys] *m* Kleinbus; **~cosme** [-krɔkɔsm] *m* Mikrokosmos; **~fiche** [-fiʃ] *f* Mikrofiche; **~film** [-film] *m* Mikrofilm; **~mètre** [-mɛtr] *m* Feinmesser; Mikrometer; **~miniaturisé** [-minjatyrize] Kleinst…; Subminiatur…; mikrominiaturisiert; **~ordinateur** [-ɔrdinatœːr] *m* Mikroprozessor, Mikrocomputer; **~(-o)rganisme** [-krɔrganism] *m* Kleinstlebewesen; **~phone** [-krɔfɔn] *m* Mikrophon; **~scope** [-krɔskɔp] *m* Mikroskop; **~scope électronique** Elektronenm.; **~scopie** [-krɔskɔpi] *f* mikroskopische Untersuchung; **~scopie optique** Lichtmikroskopie; **~scopique** [-krɔskɔpik] mikroskopisch; **~sillon** [-krɔsijɔ̃] *m* ♪ Mikrorille; *(disque à)* **~sillon** Langspielplatte

midi [midi] *m* Mittag; Süden; *à ~* um 12 Uhr; *à ~ sonnant* Schlag 12; *vers ~* gegen Mittag; *à ~ et demi* um halb eins; *au ~* im Süden, südlich *(de* von), *(Wohnung)* nach Süden; *dans le ⚹ ~* in Südfrankreich; *c'est ~ sonné umg* alles ist aus; nichts geht mehr ♦ *chercher ~ à quatorze heures* Schwierigkeiten sehen, wo keine sind; **~nette** [-nɛt] *f* Nähmädchen *(in Paris)*

mie¹ [mi] *f* Krume *(im Innern d. Brotes)*

mie² [mi] *f* Freundin

miel [mjɛl] *m* Honig; *lune de ~* Flitterwochen; *doux comme le ~* zuckersüß; **~leux** [-lø] *111 fig* honigsüß; süßlich

mien [mjɛ̃] *118* mein(e, es); *le ~* das Mein(ig)e; *le ~ et le tien* Mein und Dein; *les ~s* meine Angehörigen

miette [mjɛt] *f* Krümel; *pl* Brosamen; *en ~s* in tausend Scherben

mieux [mjø] **1.** *adv* besser; *le ~* am besten; *le ~ possible* so gut wie möglich; *de ~ en ~* immer besser; *aimer ~ qch* etw. vorziehen; *j'aime ~ celui-ci* dies hier ist mir lieber; *travailler à qui ~ ~* um d. Wette arbeiten; *je suis ~* es geht mir besser; *tant ~!* um so besser; *encore ~! (iron)* das wäre ja noch schöner!; **2.** *m* das Beste; § Besserung; *faute de ~* in Ermangelung e-s Besseren; *faire de son ~* sein Bestes tun; *je ne demande pas ~* ich wüßte nicht, was ich lieber täte; **~-être** [mjøzɛtr] *m* höherer Lebensstandard

mièvre [mjɛːvr] geziert, gekünstelt; schmächtig; **~rie** [-vrəri] *f* Geziertheit

mign|ard [miɲaːr] *108* geziert, affektiert; **~ardise** [-nardiːz] *f* Geziertheit; **~on** [-nɔ̃] *118* niedlich; allerliebst; *péché* **~on** Lieblingssünde

migraine [migrɛn] *f* Migräne

migrant [migrɑ̃] *m* Gastarbeiter; Pendler

migrat|eur [migratœːr] *122* wandernd; *oiseau* **~eur** Zugvogel; **~ion** [-sjɔ̃] *f (Völker, Tiere;*

phys: Ionen) Wanderung; **~ion des peuples** Völkerwanderung; **~ion(s) vacancière(s)** Ferienreisewelle

mijoter [miʒɔte] *(Küche)* ziehen (schmoren) lassen; *fig* etw. im Schilde führen

mil¹ [mil] tausend *(nur in Jahreszahlen)*

mil² [mil] *m* 🏏 Keule

mil³ [mij] *m* Hirse

milan [milɑ̃] *m orn* Gabelweihe

mildiou [mildju] *m* Meltau; *~ des pommes de terre* Kartoffelkrautfäule

milic|e [milis] *f* Miliz, Bürgerwehr; **~e patronale** Werkschutz; **~e populaire** Volkssturm; **~ien** [-lisjɛ̃] *m* Milizsoldat; *(Belgien)* Wehrpflichtiger

milieu [miljø] *m 91* Mittel; Mittelpunkt; Milieu; Umwelt; *phys* Medium; *fig* Unterwelt; *~ de culture* Nährlösung; *au ~ de* inmitten; *il n'y a pas de ~* hier gibt es k-n Mittelweg; *au beau* (od *en plein) ~* mittendrin; *le juste ~* d. goldene Mittelweg; *dans les ~x bien informés* in gut unterrichteten Kreisen

milit|aire [militɛːr] militärisch; *m* Militär(person); **~aire sous contrat** Soldat auf Zeit; **~ant** [-tɑ̃] *108* kämpferisch; *pol* aktiv; *rel* streitend; *m* Verfechter; Propagandist; aktives Mitglied (e-r Partei od. Gewerkschaft); **~arisation** [-tarizasjɔ̃] *f* Militarisierung; **~ariser** [-tarize] militärisch organisieren; **~arisme** [-tarism] *m* Militarismus; **~ariste** [-tarist] militaristisch; *m* Militarist; **~er** [-te] *(geistig)* kämpfen, streiten

mill|e [mil] **1.** tausend; *des ~e et des ~e* Tausend u. aber Tausend; *les ⚹e et une Nuits* Tausendundeine Nacht; *mettre dans le ~e* ins Schwarze treffen; **2.** *m* Meile; **~e marin** Seemeile; **~énaire** [millenɛːr] tausendjährig; *m* Tausendjahrfeier; **~e-feuille** [-fœj] *99 f bot* Schafgarbe; *m* Blätterteiggebäck; **~e-pattes** [-pat] *m 100* Tausendfüß(l)er; **~ésime** [millezim] *m* Jahreszahl

millet [mijɛ] *m* Hirse

milli|ard [miljaːr] *m* Milliarde; **~ardaire** [-ljardɛːr] *m* Milliardär; **~ème** [-lɛm] tausendste; *m* Tausendstel; **~er** [-lje] *m* das Tausend; *par* **~ers** zu Tausenden; **~gramme** [-ligram] *m* Milligramm; **~mètre** [-limɛtr] *m* Millimeter; **~on** [-ljɔ̃] *m* Million; **~onième** [ljɔnjɛm] millionste; *m* Millionstel; **~onnaire** [-ljɔnɛːr] *m* Millionär; **~thermie** [-tɛrmi] *f* Kilokalorie

mimer [mime] mimen; nachahmen

mimétisme [mimetism] *m biol* Mimikry, Schutzfärbung; Anpassung

mimique [mimik] mimisch, gestisch; *f* Mimik, Gestik, Gebärden- u. Mienenspiel

mimosa [mimoza] *m* Mimose

minable [minabl] jämmerlich; *m* Jammerlappen, Weichling

minaret [minarɛ] *m* Minarett

minaud|er [minode] s. zieren; **~erie** [-dri] *f* Ziererei, Getue; **~ier** [-dje] *116* geziert, affig

minc|e [mɛ̃s] dünn, fein; klein; schmal; kärglich; dürftig; unbedeutend; *feuille* **~e** Folie; **~e alors!** *(Staunen, Ärger)* verdammt noch mal!; **~eur** [-sœːr] *f* Dünne, Schlankheit

mine¹ [min] *f* Miene, Gesichtsausdruck; *faire ~ de* so tun als ob; *avoir mauvaise ~* schlecht aussehen; *faire mauvaise ~* unfreundlich sein; *~ de rien (adv, umg)* unauffällig ♦ *faire bonne ~ à mauvais jeu* gute Miene zum bösen Spiel machen

mine² [min] *f* Bergwerk; Grube; Zeche; *(mil, Bleistift)* Mine; *fig* Fundgrube; *descendre dans une ~e* in e. Bergwerk einfahren; *ingénieur des ~es* Bergbauingenieur; *~e de rechange (Drehbleistift)* Ersatzmine; *champ de ~es* Minenfeld; *~e flottante* ⚓ Treibmine; **~er** [-ne] unterminieren; unterspülen; *fig* untergraben; **~erai** [minre] *m* Erz; *~erai brut* Grubene.; *~erai cru* Rohe.; **~éral** [-neral] 1. *124* Mineral...; *eau ~érale* Mineralwasser; *ressources ~érales* Bodenschätze; 2. *m 90* Mineral *n*; **~éralier** [-eralje] *m* Erztransportschiff; **~éralogie** [-neralɔʒi] *f* Mineralogie; **~éralogique** [-neralɔʒjk] mineralogisch; **~éralogiste** [-neralɔʒjst] *m* Mineraloge; **~ette** [-nɛt] *f* ⚒ Minette, Minetterz

minet [minɛ] *m umg* Mieze

mineur¹ [minœ:r] *m* Bergmann

mineur² [minœ:r] 1. geringer; minderjährig; *d'importance ~e* von untergeordneter Bedeutung; *l'Asie ~e* Kleinasien; *mode ~* ♭ Molltonart; *sol ~* g-Moll; 2. *m* Minderjähriger; *~s de dix-huit ans* Jugendliche unter 18 Jahren

miniatur|e [minjaty:r] *adj* winzig klein; *f* Miniatur; *en ~* im kleinen; **~iser** [-ize] verkleinern, miniaturisieren; **~iste** [-tyrist] *m* Miniaturenmaler

min|ier [-minje] *116* bergmännisch; Bergbau...; *ressources ~ières* Bodenschätze; *industrie ~ière* Montanindustrie; **~ière** [-njɛ:r] *f* Grube im Tagebau; *geol* Gangart

minim|e [minjm] winzig; **~iser** [-nimize] bagatellisieren; **~um** [-nimɔm] *119* minimal; *m 103* Minimum; *~um vital* Existenzm.; *~um d'une peine* ⚖ Mindeststrafe; *~um orageux* Sturmtief; *au ~um* mindestens

minist|ère [ministɛ:r] *m* Ministerium; Ministeramt; Regierung, Kabinett; *~ère des relations extérieures* Außenm.; *~ère de l'Intérieur* Innenm.; *~ère de la Justice* Justizm.; *~ère public* Staatsanwaltschaft; *saint ~ère* Priesteramt; *renverser le ~ère* d. Regierung stürzen; **~ériel** [-terjɛl] *115* ministeriell; *crise ~érielle* Kabinettskrise; **~rable** [-trabl] *umg* für Ministerposten geeignet; **~re** [-njst] *m* Minister; *prot* Pastor; *~re sans portefeuille* Min. ohne Geschäftsbereich; *~re (plénipotentiaire)* Gesandter; *Madame le ~re (selbst amtierende)* Frau Minister; *Premier ~re* Premierminister

minium [minjɔm] *m* Mennige

minois [minwa] *m umg* Gesichtchen; hübsches Gesicht

minori|taire [minɔritɛ:r] Minderheiten... ; **~té** [-te] *f* Minorität, Minderheit; Minderjährigkeit; *être en ~té* in d. Minderheit sein, überstimmt sein

minoterie [minɔtri] *f* Mühlenbetrieb

minuit [minɥi] *m* Mitternacht; *à ~* um Mitternacht

min|uscule [minyskyl] winzig klein; *f* kleiner Buchstabe; **~utage** [-nytaʒ] *m* Minutenberechnung; **~ute** [-nyt] *f* Minute; ⚖ Urschrift; *~ute (papillon)! (umg)* Moment mal!; **~uter** [-nyte] *(Urkunde)* niederschreiben, abfassen; genau die Dauer festlegen *(un discours e-r Rede)*; **~uterie** [-nytri] *f* Zählwerk; Schaltuhr; Minutenzeiger; Zeitgeber; automat. Treppenbeleuchtung; **~utie** [-nysi] *f* Sorgfalt, Gründlichkeit; peinliche Genauigkeit; *pej* Kleinlichkeit; **~utieux** [-nysjø] *111* sorgfältig; peinlich genau

mioche [mjɔʃ] *m umg* Knirps, Gör

mirabelle [mirabɛl] *f* Mirabelle

mir|acle [mirakl] *m rel* Wunder; *faire des ~acles* W. wirken; *cela tient du ~acle* d. grenzt an e. Wunder; **~aculé** [-rakyle] durch Wunder geheilt; **~aculeux** [-rakylø] *111 rel* wunderbar; **~ador** [-radɔːr] *m mil* Beobachtungsstand; Wachtturm; **~age** [-raːʒ] *m* Luftspiegelung, Fata Morgana; Wahn(-vorstellung); **~e** [miːr] *f (Gewehr)* Korn; Visierkreuz; *point de ~e* Zielpunkt; *~e de réglage* 📺 Testbild; **~e-œufs** [mirø] *m 100* Eierprüfgerät; **~er** [-re] zielen *(qch* auf etw.*); (Ei, Stoff)* (im durchfallenden Licht) betrachten, prüfen; *se ~er* s. spiegeln; s. bewundern; **~ette** [-rɛt] *f pop* Auge; **~ifique** [-rifjk] *(umg, iron)* herrlich, wunderbar; **~liton** [-litɔ̃] *m* Rohrflöte; *vers de ~liton* schlechte Knittelverse; **~obolant** [-rɔbɔlɑ̃] *umg* phantastisch, toll; **~oir** [-rwaːr] *m (a. phys)* Spiegel; Auge *(auf Federn, Schmetterlingsflügeln); ~oir ardent* ⚒ Brennspiegel; **~oitement** [-rwatmɑ̃] *m* (Wider)Spiegelung; **~oiter** [-rwate] spiegeln, schillern; *faire ~oiter qch* etw. in glänzenden Farben schildern; **~oiterie** [-rwatri] *f* Spiegelfabrik

miroton [mirɔtɔ̃] *m* Rindfleisch-Ragout mit Zwiebeln

misaine [mizɛn] *f* ⚓ Focksegel; Fockmast, Vormast

misanthrop|e [mizɑ̃trɔp] *m* Menschenfeind; **~ie** [-trɔpi] *f* Menschenfeindlichkeit; **~ique** [-trɔpjk] menschenfeindlich; menschenscheu

mise [miːz] *f* Setzen; (Auf-)Stellen; (Hin-)Legen; Art *(s. zu kleiden); (Spiel)* Einsatz; *(Kapital)* Einlage; *(Versteigerung)* Gebot; *~ en accusation* ⚖ Versetzung in d. Anklagezustand; *~ en application* Anwendung; *(Programm)* Durchführung; *~ en bière* Aufbahrung; *~ en boîte (umg)* Neckerei; *~ en bouteilles* Abziehen *(auf Flaschen); ~ sur cale* ⚓ Kiellegung; *~ en cause* ⚖ Belangung *(durch e-n Prozeß); ~ en chantier* Baubeginn; *~ en commun* Zus.legung; *~ au concours (Wettbewerb)* Ausschreibung; *~ en condition* Training; gezieltes Üben des Geistes; *pol* ideologische Beeinflussung, Indoktrinierung; *~ sous courant* ⚡ Einschaltung; *~ en culture* Urbarmachung; *~ en demeure* Inverzugsetzung; Mahnung; *~ à l'eau* Stapellauf; *(Fischernetz)* Ausbringen; *~ en état* Instandsetzung; *~ en exploitation* Inbetriebnahme; *~ en fabrication* Produktionsaufnahme; *~ à feu* Abfeuerung; *(Hochofen)* Anblasen; *~ de fonds* Kapitaleinlage; *~ en gage*

Verpfändung; ~ *en garde* Warnung; ~ *à jour* Ergänzung, Bringen auf den neuesten Stand; ~ *en marche* Ingangsetzen; ~ *en œuvre* Inangriffnahme; Verwertung; Ausführung; Anwendung; ~ *en pages* 📖 Umbruch; ~ *au pas (pol)* Gleichschaltung; ~ *à pied* Entlassung; ~ *sur pied* Aufstellung; Bildung; ~ *en place* Einsetzung; Einrichtung; ~ *en plis* Wasserwelle; ~ *au point* Berichtigung, *(Apparat)* Einstellung, 📖 Scharfeinstellung; ~ *en pratique* Anwendung; ~ *sous presse* 📖 Drucklegung; ~ *à prix (Versteigerung)* Taxpreis; ~ *à la retraite* Pensionierung; ~ *en route* Anlaufen; *(Motor)* Anlassen; ~ *en scène* Inszenierung, Regie; ~ *sous séquestre* Beschlagnahme; ~ *en service* Inbetriebnahme; ~ *à la terre* ⚡ ⚓ Erdung; ~ *au tombeau (Kunst)* Grablegung; ~ *en train* Ingangsetzen; ~ *en valeur* Auswertung; Verwertung; Hervorhebung; *(Baugelände)* Erschließung; ~ *en vente* 📖 Auslieferung; ~ *en vigueur* Inkraftsetzung; ~ *aux voix* Abstimmung; *n'être pas de* ~ unangebracht, fehl am Platze sein

miser [mize̥] *(Spiel)* einsetzen; *fig* setzen *(sur auf)*; rechnen mit

mis|érable [mizer̥abl] elend; erbärmlich; notleidend; *m* Hilfsbedürftiger; Schurke; **~ère** [-zɛːr] *f* Elend, Not; Kleinigkeit, Lappalie; *pl* Mühen, Plagen; *être au comble de la* ~ère tief im Elend stecken; *faire des* ~ères à qn *(umg)* j-n plagen; **~éreux** [-zerø] *111* armselig; *m* armer Teufel; **~éricorde** [-zerikɔrd] *f* Barmherzigkeit; **~éricordieux** [-zerikɔrdjø] *111* barmherzig *(envers gegen)*

misogyne [mizɔʒin] *m* Weiberfeind

miss|el [misɛl] *m* Meßbuch; **~ile** [-sil] *m* (Lenk-)Flugkörper; ~*ile sol-sol* ballistischer Boden-Boden Flugkörper; ~*ile téléguidé* Fernlenkflk.; **~ion** [-sjɔ̃] *f* Auftrag; Beauftragung; Berufung; *pol, rel* Mission; Sendung; Missionshaus; **~ionnaire** [-sjɔnɛːr] *m* Missionar; **~ive** [-siːv] *f (oft iron)* Sendschreiben

mistigri [mistigri] *m umg* Katze

mistoufle [mistufl] *f pop* Elend; Bosheit

mistral [mistral] *m* Mistral; Rhônetal-Wind

mitaine [mitɛn] *f* fingerloser Handschuh

mit|ard [-mitaːr] *m* Gefängnisstrafzelle; **~e** [mit] *f* Motte; **~é** [-te] von Motten zerfressen

mi-temps *f* 🕐 Halbzeit; *siehe* mi²

miteux [mitø] *111 umg* armselig, schäbig

mitig|ation [mitigasjɔ̃] *f* Milderung; ~**é** [-ʒe] ⚕ gemildert; *(Disziplin)* gelockert; mittelmäßig; **~er** [-ʒe] *14 (Strafe)* mildern; *(Behauptung)* abschwächen

miton [mitɔ̃] *m* Pulswärmer; **~ner** [-tɔne] bei schwacher Hitze kochen; *fig* sorgfältig vorbereiten; ~ *ner qn* j-n verwöhnen

mitoyen [mitwajɛ̃] *118* Mittel...; *mur* ~ Grenzmauer; **~neté** [-jɛnte] *f* ⚖ Grenzgemeinschaft

mitraill|ade [mitrajad] *m* Salve; ~**e** [-traj] *f* Kugelfüllung; Schrott, Altmetall; *fig* Kugelregen; **~er** [-je] beschießen; **~ette** [-jɛt] *f* Maschinenpistole; **~eur** [-jœːr] *m* Maschinen-

gewehrschütze; **~euse** [-jøːz] *f* Maschinengewehr

mitre [mitr] *f* Mitra, Bischofsmütze; ~ *(de cheminée)* Kaminaufsatz

mitron [mitrɔ̃] *m* Bäckerjunge

mi-voix *à* ~ halblaut

mix|age [miksaːʒ] *m* Mischen; Mischung; *(Film)* Tonmischung; *table de* ~ ⚓ Mischpult; **~er** [-kse] mischen; **~eur** [-kœːr] *m* Mixer

mixt|e [mikst] gemischt; *école* ~e Koedukationsschule; **~ure** [-tyːr] *f* ⚕ Mengkorn; 💊 Mixtur; *pej* Gebräu

mnémotechnie [mnemɔtɛkni] *f* Gedächtnistraining

mobil|e [mɔbil] **1.** beweglich; fahrbar; ⚙ verstell-, ausschwenkbar; lose; *fig* unbeständig, flatterhaft; *caractères* ~*es* 📖 bewegl. Lettern; *fêtes* ~*es* bewegl. Feste; *échelle* ~*e des salaires* gleitende Lohnskala; **2.** *m* in Bewegung befindlicher Körper; treibende Kraft; *fig* Beweggrund, Triebfeder; **~ier** [-lje] **1.** *116* Mobiliar...; *bien* ~*ier* ⚖ bewegl. Sache; **2.** *m* Mobiliar; **~isation** [-lizasjɔ̃] *f mil* Mobilmachung, Einziehung; *(Kapital)* Flüssigmachung; **~iser** [-lize̥] *mil* mobil machen, einziehen; *(Kapital)* flüssig machen; **~ité** [-lite] *f* Beweglichkeit; Unbeständigkeit; Veränderlichkeit; ~*ité tout terrain* Geländegängigkeit

mobylette [mɔbilɛt] *f* Ⓦ Moped *n*, Fahrrad mit Hilfsmotor; Kleinkraftrad

mocassin [mɔkasɛ̃] *m* Slipper, Schuh mit niederem Absatz u. ohne Verschnürung

moche [mɔʃ] *pop* häßlich, mies; kitschig

modalité [mɔdalite] *f* Art, Weise; ♪ Tonart; *pl* nähere Umstände; ~*s d'application* Ausführungsbestimmungen

mode¹ [mɔd] *m* Art *(zu sein od etw. zu tun)*, Art und Weise; Methode; Form; ♪ Tonart; *ling* Modus; ~ *d'action* Wirkungsweise; ~ *d'alimentation* Ernährungsweise; ~ *d'application* Anwendungsart; ~ *de construction* Bauweise; ~ *d'emploi* Gebrauchsanweisung, Bedienungsanleitung; ~ *d'existence* Lebensform; ~ *d'exploitation* Betriebsform; ~ *de fonctionnement* Arbeitsweise; ~ *opératoire* Verfahrensweise, Betriebsart; Arbeitsvorgang; ~ *de paiement* Zahlungsart; ~ *de* vie Lebensweise; ~ *de votation* Wahlmodus; ~ *majeur* ♪ Dur; ~ *mineur* ♪ Moll

mode² [mɔd] *f* Mode; Sitte, Brauch; Geschmack; *pl* Modewaren; *féminine* Damenmode; *à la* ~ modern; *devenir à la* ~ in Mode kommen; *mettre à la* ~ in Mode bringen; *à la* ~ *de nach* Art; *journal de* ~*s* Modezeitung; *magasin de* ~*s* Modehaus, -geschäft; *l'homme à la* ~ d. Mann d. Tages; *à la* ~ *de chez nous (fig)* wie bei uns zu Haus

mod|èle [mɔdɛl] mustergültig; vorbildlich; *m* 👤, ⚙, 🏛 Modell; Bauart; Ausführung; Bezugsstück; Vorlage; Vorbild; *(a. Kleid)* Muster; **~èle** *déposé* Gebrauchsmuster; **~èle** *de fabrique* Prototyp; **~èle** *nucléaire* Kernmodell; **~èle** *tricot* Strickmuster; **~èle** *réduit* Modell in verkleinertem Maßstab; *travailler sur un* **~èle**

nach Modell arbeiten; *prendre ~èle sur qn* j-n zum Vorbild nehmen; **~elé** [mɔdlẹ] *m* 🗲 Modellierung; **~eler** [mɔdlẹ] *8* modellieren; *se ~eler sur qn* s. j-n zum Vorbild nehmen; **~èlerie** [-dɛlri] *f* ✿ Modellschreinerei; **~eleur** [-dlœ:r] *m* Modellierer, Former; Modellbauer; -schreiner; **~èliste** [-delịst] *m* Modellzeichner, -schneider; ✝ Modellbauer

modér|ateur [mɔderatœ:r] **1.** *122* mäßigend; *effet ~ateur (Atomphysik)* Bremswirkung; **2.** *m* ✿ Regler; Dämpfer; *(Uranbrenner)* Moderator; Bremssubstanz; *~ateur de pression* Druckregler; **~ation** [-rasjɔ̃] *f* Mäßigung; *~ation de peine* 🖎 Strafmilderung; **~é** [-rẹ] *128 (a. Preis)* mäßig; *pol* gemäßigt; **~er** [-rẹ] *13* mäßigen; vermindern; bremsen; *(🖎, Strafe)* mildern; *(Leidenschaft)* zügeln

modern|e [mɔdɛrn] modern; **~isation** [-dɛrnizasjɔ̃] *f* Modernisierung; **~iser** [-dɛrnizẹ] modernisieren; *se ~iser* s. umstellen; s. anpassen; **~isme** [-dɛrnịsm] *m* moderne Art, Einstellung; *rel* Modernismus; **~ité** [-dɛrnitẹ] *f* zeitgemäßer Stil; aufgeschlossene Haltung

modest|e [mɔdɛst] bescheiden; anspruchslos; einfach; mittelmäßig; *ne fais pas le ~e! (umg)* tu nicht so bescheiden!; **~ie** [-dɛstị] *f* Bescheidenheit; Anspruchslogkeit

modi|cité [mɔdisitẹ] *f (Preis)* Mäßigkeit; *(Einkommen)* Bescheidenheit; 🖎 Geringfügigkeit; **~fication** [-difikasjɔ̃] *f* (Ab-, Ver-)Änderung; **~fier** [-difjẹ] ab-(ver-)ändern; modifizieren; **~que** [-dịk] *(Preis, Einkommen)* gering; unbedeutend

modiste [mɔdịst] *f* Modistin

modul|aire [mɔdylɛ:r] *adj* Modul…; *conception ~aire* Modulbauweise; **~ateur** [-latœ:r] *m* Modulations(steuer)teil, Modulator; **~ation** [mɔdylasjɔ̃] *f* ♪, 🖎 Modulation; Tastung; Aussteuerung; *~ation de fréquence* UKW; **~atrice** [-dylatrịs] *f* 🖎 Modulationsröhre; **~e** [-dyl] *m math* Modul; Zahl; 🏛 Bauelement, Baueinheit; Grundmaß, Rastermaß; **~er** [-dylẹ] ♪, 🖎 modulieren; in e-e andere Tonart übergehen

moell|e [mwal] *f (anat, bot)* Mark; *fig* Substanz, Kern; *~e épinière* Rückenm.; **~eux** [-lọ] *111* Mark…; markig; weich, mollig; *(Stimme)* voll, weich; **~on** [-lɔ̃] *m* Bruchstein

mœurs [mœrs] *fpl* Sitten; Gebräuche; Lebensweise; *sans ~* sittenlos; *attentat aux ~* Sittlichkeitsverbrechen; *étude des ~* Verhaltensforschung; *police des ~* Sittenpolizei; *certificat de bonne vie et ~* (polizeil.) Führungszeugnis

mofette [mɔfɛt] *f (Bergbau)* Schwaden; *siehe* moufette

moi [mwa] **1.** ich; *c'est ~!* ich bin's!; *c'est à ~* das gehört mir; ich bin an d. Reihe; *~? ich?*; *c'est comme ~!* mir geht es genauso!; *je n'ai rien sur ~* ich habe nichts bei mir; *fais cela pour ~!* tu es mir zuliebe!; *pour ~* m-r Meinung nach; *quant à ~* was mich anbetrifft; *~-même* ich selbst; **2.** *m phil* das Ich   [Stummel

moignon [mwaɲɔ̃] *m (Glied, Ast)* Stumpf,

---

moindre [mwɛ̃dr] geringer, kleiner; *de ~ valeur que* weniger wertvoll als; *le ~, la ~* der, die, das geringste

moin|e [mwan] *m* Mönch; *se faire ~e* M. werden ♦ *l'habit ne fait pas le ~e* Schein trügt; **~eau** [-no] *m 91* Sperling, Spatz; *têtes de ~eau* Nußkohle; *vilain ~eau* widerlicher Kerl; *un joli ~eau (iron)* e. sauberes Früchtchen

moins [mwɛ̃] **1.** weniger; geringer; *math* minus; *au ~, du ~, pour le ~, à tout le ~* wenigstens; *à ~ de (Preis)* für weniger als; *à ~ que* es sei denn, daß; wofern nicht; *à ~ d'être fou* wenn man nicht ganz verrückt ist; *de ~ en ~* immer weniger; *le ~ bon* d. schlechteste; *plus ou ~* mehr oder weniger; *d'autant ~ que* um so weniger als; *rien ~ que* nichts weniger als, alles andere als; *rien de ~ que* nichts geringeres als, tatsächlich, ganz u. gar; *en ~ de rien (umg)* im Nu; *pas le ~ du monde* überhaupt nicht, nicht im Traum; *il n'en fera pas ~ ce qu'il veut* er tut ja doch, was er will; **2.** *m* d. Geringste; *math* Minuszeichen; *les ~ de dix-huit ans* Jugendliche unter 18 Jahren; **~-perçu** [mwɛ̃pɛrsy] *m 99* Mindereinnahme; Ausfall; **~-value** [-valy] *f 99 com* Wertminderung

moir|e [mwa:r] *f (Stoff)* Moiré; **~é** [mwarẹ] *m* Wasserglanz; **~er** [mwarẹ] *(Stoff)* wässern, flammen

mois [mwa] *m* Monat; *~ civil* Kalendermonat; *louer au ~* monatlich (ver)mieten; *par ~* monatlich

moise [mwa:z] *f* 🏛 Zangenverbindung; Zugband

Moïse [mɔi:z] *m* Moses; ♣ *m* Säuglingskörbchen

mois|i [mwazị] schimmelig, verschimmelt; *m* Schimmel; *sentir le ~i* muffig riechen; **~ir** [-zị:r] *22* schimmeln; zum Schimmeln bringen; *fig* versauern; **~issure** [-zisy:r] *f bot* Schimmelpilz; Schimmel(überzug)

moisson [mwasɔ̃] *f* Getreideernte; Erntezeit; *fig* (Aus-)Beute; *faire la ~* ernten; **~ner** [-sɔnẹ] *a. fig* ernten; abernten; *lit* dahinraffen; **~neur** [-sɔnœ:r] *m* Erntearbeiter; Schnitter; **~neuse-lieuse** [-sɔnøzljø:z] *f 97* Mähbinder

moit|e [mwat] *(bes Haut)* feucht; **~eur** [-tœ:r] *f (bes Haut)* Feuchte

moitié [mwatjẹ] *f* Hälfte; *à ~* zur Hälfte; *à ~ prix* zum halben Preis; *être de ~* zur Hälfte beteiligt sein *(dans* an); *sa ~ (umg)* s-e bessere Hälfte ♦ *~ chair, ~ poisson* weder Fisch noch Fleisch

moka [mɔka] *m* Mokka; Mokkagebäck

mol [mɔl] *119* weich

molaire [mɔlɛ:r] *f* Backenzahn

mole [mɔl] *f chem* Mol *n*, Grammolekül

môle [mol] *m* Mole, Hafendamm

molécul|aire [mɔlekylɛ:r] molekular; *masse ~aire* Molekulargewicht; **~e** [-kyl] *f* Molekül, Molekel

molène [mɔlɛn] *f (bot)* Königskerze

moles|kine, ~quine [mɔlɛskịn] *f* Moleskin, Englischleder   [[-tẹ] belästigen

molest|ation [mɔlɛstasjɔ̃] *f* Belästigung; **~er**

molette [molɛt] *f* ✿ Rolle, Laufrädchen, Rändelrad; Seilscheibe; *clef à* ~ ✿ Rollgabelschlüssel
moll|asse [molas] *a. fig* weichlich, schlaff; **~esse** [-lɛs] *f* Weichheit, Schlaffheit; Willenlosigkeit; Verweichlichung; **~et** [-lɛ] *114* (sehr) weich *(Brot, Ei)*; *m* Wade; ~*ets de coq* Storchenbeine; **~etière** [moltjɛːr] *f* Wickelgamasche; **~eton** [moltɔ̃] *m* Molton; **~ir** [-ljːr] *22* weich werden; *(Wind)* nachlassen; *mil* zurückgehen; ⚓ *(Tau)* lockern; **~usque** [-lysk] *m* Weichtier; *fig* Waschlappen, Schwächling
molosse [molɔs] *m* Fleischerhund
molybdène [molibdɛn] *m* Molybdän
môme [mom] *m, f pop* Blag, Range, Gör; *f pop* Geliebte
moment [momɑ̃] *m* Augenblick; der Moment; *phys,* ✿ das Moment; ~ *psychologique* kritischer Augenblick; ~ *d'inertie (phys)* Trägheitsmoment; ~ *d'une force* Kraftmoment, Drehmoment; *au ~ voulu* zur gegebenen Zeit; *au ~ où* im A., als; *au ~ de partir* im A. der Abreise; *à tout ~* zu jeder Zeit, jeden A.; *d'un ~ à l'autre* jeden Moment; *du ~ que* von dem A. an, wo...; *da* (wenn) nun einmal; *dans un* ~ nach e-m A., gleich; *en un* ~ im Nu; *par* ~*s* zeitweilig, ab u. zu; *sur le* ~ im gleichen A.; **~ané** [-tane] *128* vorübergehend
momi|e [momi] *f* Mumie; **~fier** [-mifje] mumifizieren; *se* ~*fier (fig)* einrosten, veralten
mon [mɔ̃] *pron* mein
monacal [monakal] *124* Mönchs...; *église* ~*e* Klosterkirche
mon|archie [monarʃi] *f* Monarchie; **~archique-** [-narʃik] monarchisch; **~archiste** [narʃist] monarchistisch; *m* Monarchist; **~arque** [-nark] *m* Monarch
monast|ère [monastɛːr] *m* Kloster; **~ique** [-tik] klösterlich, Ordens...; *vie* ~*ique* Klosterleben
monceau [mɔ̃so] *m* 91 *(a. fig)* Haufen
mond|ain [mɔ̃dɛ̃] *109* mondän; lebenslustig; gesellschaftlich; *m* Weltmann; **~anité** [-danite] *f* Lebenslust; Weltgewandtheit
monde [mɔ̃d] *m* l. Welt; Weltall; Planet; Erde; *parties du* ~ Erdteile; *l'ancien et le nouveau* ~ d. Alte u. d. Neue Welt; *l'autre* ~ d. Jenseits; *au bout du* ~ sehr weit (entfernt); *le bout du* ~ Ende d. Welt *(örtl.); la fin du* ~ Ende d. Welt *(zeitl.); de par le* ~ irgendwo; *le* ~ *entier* d. ganze Welt; *c'est le* ~ *renversé* das ist d. verkehrte Welt; *c'est un* ~! *(umg)* das ist unerhört!; *courir le* ~ weit in d. Welt herumkommen; *mettre au* ~ z. Welt bringen; *venir au* ~ z. Welt kommen; *pour rien au* ~ um nichts in d. Welt; *pas le moins du* ~ absolut nicht, nicht im geringsten; 2. Menschheit; Menschen, Leute; Besuch; Umwelt; ~ *apache* (od *interlope*) Unterwelt; ~ *financier* Finanzkreise; ~ *de la politique* die Politiker; ~ *scientifique* d. Wissenschaftler; *grand* ~ tonangebende Gesellschaft; *homme du* ~ Mann von Welt; *Monsieur Tout-le-*⚊ Jedermann; *petit* ~ Kinder; *avoir du* ~ Besuch haben; *il y a du* ~ es ist j-d da, es sind viele

Leute da; *un* ~ *fou* e-e unübersehbare Menge; *quel* ~! welch ein Betrieb!; *dans le* ~ vor den Leuten, auf offener Straße; *se moquer du* ~ sich über d. Leute lustig machen ♦ *je connais mon* ~ ich kenne meine Pappenheimer
mond|er [mɔ̃de] schälen, enthülsen; *orge* ~*é* Graupen
mondial [mɔ̃djal] *124* Welt... ; *congrès* ~ W.kongreß; *politique* ~*e* W.politik
monétaire [monetɛːr] Münz... ; Währungs...
mongol [mɔ̃gɔl] mongolisch; ⚊ *m* Mongole; ⚊**ie** [-goli]: *la* ⚊**ie** Mongolei
moniteur [monitœːr] *m mil* Ausbilder; Sport-, Schwimm-, Schi-, Fahr-, Flug-, Fechtlehrer; Bademeister; ✿ Überwachungsgerät; *EDV* Automonitor; ⚊ *belge* Belgisches Amtsblatt; ~ *de rayonnements* Strahlenwarnanlage
monn|aie [monɛ] *f* (Klein-)Geld; *(a. Gebäude)* Münze; Münzamt; Währung; Zahlungsmittel; *fausse* ~*aie* Falschg.; *menue* ~*aie* Kleing.; ~*aie d'appoint* Wechselg.; ~*aie de compte* Verrechnungsgeld; ~*aie flottante* flexible Währung; ~*aie forte* harte Währung; ~*aie métallique* Hartg. ♦ *rendre à qn la* ~*aie de sa pièce (fig)* j-m mit gleicher Münze heimzahlen; **~ayer** [-nɛ je] münzen, prägen; *fig* Kapital schlagen aus
mono... [mono] *in Zssg* Allein...; allein...; Ein...; ein...; **~bloc** [mo no blɔ k] *inv* aus e-m Stück; Einbaublock; *m* ✿ Zylinderblock; **~acide** [-asid] einbasische Säure; **~chrome** [krom] 🎨 einfarbig; **~cle** [-nɔkl] *m* Monokel; 💲 Augenbinde; **~coque** [-kɔk]: *construction* ~*coque* (➕, *Rumpf)* Schalenbauweise; **~culaire** [-kylœːr] *(Instrument)* für e. Auge; einäugig; **~cylindrique** [silɛ̃drik] Einzylinder...; **~gamie** [-gami] *f* Einehe; *zool* paarweises Zus.leben; **~gramme** [-gram] *m* Monogramm; 🎨 Signum, Handzeichen; **~lithique** [-litik] *adj: parti* ~*lithique* Einheitspartei; **~logue** [-lɔg] *m* Monolog; **~loguer** [-lɔge] *6* Selbstgespräche führen; **~manie** [-mani] *f* 💲 Wahnvorstellung, fixe Idee; ~*manie de la persécution* Verfolgungswahn
monôme [mo nom] *m math* Monom; lärmender (Studenten-)Umzug
mono|moteur [monomotœː r] *122* einmotorig; *m* einmotor. Flugzeug; **~phasé** [-faze] ⚡ einphasig; **~place** [-plas] einsitzig; *m* ➕ Einsitzer; **~plan** [plɑ̃] *m* ➕ Eindecker; **~pole** [-pɔ l] *m* Monopol; ~*pole de vente* Alleinverkaufsrecht; **~poliser** [-polize] *a. fig* monopolisieren; *m* Monopol besitzen *(qch für etw.);* **~rail** [-rɔːj] 🎨 einschienig; *m* Einschienenbahn; **~syllabe** [-silab] *m* einsilbiges Wort; *il parle par* ~*syllabes* er ist einsilbig; **~tone** [-tɔn] monoton, eintönig, einförmig; **~tonie** [-tɔni] *f* Monotonie, Eintönigkeit, Einförmigkeit; **~valent** [-valɑ̃] *108* einwertig
mon|seigneur [mɔ̃sɛɲœːr] *m* 96: *Anrede für Fürsten u. hohe Geistliche;* **~sieur** [məsjø] *m* 96 *(Abk.* M.) Herr; ~*sieur bons offices pol* Unterhändler; ~*sieur Circulation* Verkehrsexperte; ~*sieur Energie* Energiefachmann; ~*sieur Sécurité* d. für d. Sicherheit Verantwortliche;

~*sieur Dujadrin va-t-il mieux? (im Gespräch mit Madame D.)* geht es Ihrem Gatten besser? ♦ *faire le ~sieur (umg)* großtun

monstr|e [mɔ̃str] *m (a. ♨)* Mißgeburt, -gestalt; Ungeheuer; Scheusal; ~ *sacré* berühmter u. bekannter Schauspieler; bekannte Persönlichkeit; *adj: succès ~e* Riesenerfolg; **~ueux** [-tryø] *111* ungeheuerlich; scheußlich; gräßlich; widernatürlich; **~uosité** [-tryozitẹ] *f* Ungeheuerlichkeit; Gräßlichkeit; ♨ Mißbildung

mont [mɔ̃] *m (bes lit u. fig)* Berg ♦ *promettre ~s et merveilles* goldene Berge versprechen; *être toujours par ~s et par vaux (fig)* immer auf Achse sein **~age** [-tạːʒ] *m* **1.** ✿, ♨ Montage; Zusammenbau, Einbau; Aufbau; Aufstellung; *(Film)* Bildschnitt; *(Werkstück)* Aufspannung; Spannvorrichtung; *atelier de ~age* M.halle; *chaîne de ~age* Fließband (zur Endmontage); *lot de ~age* Einbausatz; *~age d'essai* Versuchseinbau; *~age final* Endmontage; *~age photographique* Photom.; **2.** ♩ Schaltung; *~age en parallèle* Parallelschaltung; *~age en série* Reihenschaltung; **~agnard** [-tanạr] *108* bergbewohnend; Berg...; Gebirgs...; *m* Bergbewohner; **~agne** [-taɲ] *f* Berg; Gebirge; *~agnes russes* Berg- u. Talbahn ♦ *(se) faire une ~agne de qch* aus e-r Mücke en-n Elefanten machen; **~agneux** [-taɲø] *111* bergig; gebirgig; **~ant** [-tɑ̃] **1.** *108* ansteigend; strom-, flußaufwärts; *garde ~ante* aufziehende Wache; *marée ~ante* steigende Flut; *robe ~ante* hochgeschlossenes Kleid; **2.** *m* Pfosten; Stütze; *(Leiter)* Holm; Ständer; **3.** Betrag; Summe; *~ant compensatoire* Ausgleichsbetrag; *d'un ~ant de* in Höhe von; **~-de-piété** [mɔ̃dpjetẹ] *m 98* Leihhaus; *~é* [-tẹ] ausgerüstet; beritten; aufgebracht; *coup ~é* abgekartete Sache; **~e-charge** [mɔ̃tʃarʒ] *m 100* Lastenaufzug; **~ée** [-tẹ] *f* Steigung; Anstieg; *(Kran)* Heben *n*; ✝ Aufstieg, Steigflug; *(Fluß)* Anschwellen; *(Preis)* Anziehen; *(Fahrgäste)* Einsteigen; *en ~ée* ♨ bergauf; **~e-pente** [mɔ̃tpɑ̃t] *m 100* Schilift; **~e-plats** [mɔ̃tpla] *m 100* Speisenaufzug; **~er** [-tẹ] **1.** *vt* hinaufgehen, -fahren; *(Fahrrad)* besteigen; *(Pferd)* reiten, zureiten; hinaufbringen, -transportieren; *(Haus)* einrichten; *(Unternehmen)* aufziehen, organisieren; *(Edelstein)* fassen (*~é sur or* in Gold gefaßt); ✿ montieren, zus.setzen, aufstellen; ♨ einstudieren; *fig* aufhetzen (*contre* gegen); **2.** *vi* hinaufgehen, -fahren; (an)steigen; *(Fluß)* anschwellen; *(Preise)* anziehen; reiten (*~er en amazone* im Damensitz r.); hoch sein (*~er à 300 m); (Betrag)* s. belaufen (*à* auf); **3.** *(Wendungen:) ~er la garde* Wache halten; *~er en graine* in Samen schießen; *~er les vitesses* 🚗 heraufschalten; *~ à Paris* nach Paris gehen, fahren, fliegen; *fig* alt werden; *(junges Mädchen)* Gefahr laufen, sitzenzubleiben; *~er sur ses grands chevaux* s. aufs hohe Pferd setzen; *il est très collet ~é* er ist sehr distanziert, steif, zugeknöpft; *le ~er le coup à qn* j-n hinters Licht führen; *~er un bateau à qn* j-m e-n Bären aufbinden; *~er la tête à qn (umg)* j-n aufhetzen, aufreizen; **3.** *(refl) se ~er* sich versehen (*en* mit);

se ~er la tête s. selbst etw vormachen; **~eur** [-tœːr] *m* Monteur; *~eur à la chaîne* Fließbandarbeiter; **~icule** [-tikyl] *m* kleine Anhöhe

montr|e [mɔ̃tr] *f* **1.** (Armband-, Taschen-)Uhr; *course contre la ~e* Zeitfahren; *~e à quartz* Quarzuhr; **2.** Schaustellung; Auslage; *faire ~e de qch* prahlen, mit etw.; **~e-bracelet** [-trabralẹ] *f 97* Armbanduhr; **~er** [-trẹ] zeigen; an d. Tag legen; beweisen; *se ~er* s. sehen lassen, s. erweisen (*qch* als etw.); auftreten

mont|ueux [mɔ̃tyø] *111* bergig; hügelig; **~ure** [-tyːr] *f* Reittier; *(Edelstein, Linse, Brille)* Fassung

monument [mɔnymɑ̃] *m* Denkmal; *~ historique* unter Denkmalschutz stehendes Gebäude; **~al** [-mɑ̃tal] *124* großartig; gewaltig; erstaunlich; *bêtise ~ale* riesengroße Dummheit

moqu|er [mɔkẹ] *6: se ~er* s. lustig machen, spotten (*de* über); *je m'en ~e* das ist mir egal; **~erie** [-krẹ] *f* Spötterei

moquette [mɔkẹt] *f* **1.** Teppichboden; Auslegware; **2.** *(Jagd)* Lockvogel

môqueur [mɔkœːr] *121* spöttisch; *m* Spötter

moraine [mɔrẹn] *f* Moräne

moral [mɔral] **1.** *124* moralisch; sittlich; geistig; *loi ~e* Sittengesetz; *dommage ~* 🜚 immaterieller Schaden; *personne ~e* 🜚 juristische Person; *souffrir ~ement* seelisch leiden; **2.** *m* geistige Verfassung; Stimmung; *avoir bon ~* optimistisch sein; *remonter le ~* d. Stimmung heben; *~e* [-ral] *f* Moral, Sittenlehre ♦ *faire la ~e à qn* j-m d. Leviten lesen; **~isateur** [-ralizatœːr] *122* moralisierend; sittlichkeitsfördernd; **~iser** [-ralizẹ] sittlich heben; moralische Betrachtungen anstellen; **~iseur** [-ralizœːr] *m pej* Moralist; **~iste** [-ralist] *m lit* Moralist; **~ité** [-ralitẹ] *f* Sittlichkeit; *(Fabel)* Moral; *(Person)* Leumund; sittliche Haltung; *com* Vertragstreue

moratoire [mɔratwạːr] **1.** 🜚 aufschiebend; *accord ~* Stillhalteabkommen; *intérêts ~s* Verzugszinsen; **2.** *m (com, pol)* Moratorium; Zahlungsaufschub

morbid|e [mɔrbjd] krankhaft; kränklich; angekränkelt; ♨ zart, weich; **~ité** [-biditẹ] *f* krankhafter Zustand; Krankheitszahl

morbleu! [mɔrblø] *(Ungeduld, Zorn)* zum Donnerwetter; potztausend!

morc|eau [mɔrsø] *m 91 (a. ♪)* Stück; Teil; *(Essen)* Happen; *fig* Bruchstück; *~eau de roi* Leckerbissen; *aimer les bons ~eaux* gern gut essen; *couper en ~eaux* in Stücke schneiden; *manger un ~eau (umg)* en-n Happen essen; *manger le ~eau (umg)* gestehen ♦ *emporter le ~eau* ungestüm reden od handeln; *pour un ~eau de pain (fig)* für e. Butterbrot; **~eler** [-səlẹ] *4* zerstückeln; **~ellement** [-sɛlmɑ̃] *m* Zerstückelung

mord|acité [mɔrdasitẹ] *f* ätzende Wirkung; *fig* beißende Schärfe; **~ant** [-dɑ̃] *108 (a. fig)* beißend; *(Säure)* ätzend; beizend; *(Ton)* grell; *(Stimme)* durchdringend; *m* Ätzflüssigkeit; Beizmittel; *fig* Bissigkeit; *mil* Schneid; **~icus** [-dikys] *adv* hartnäckig; *soutenir ~icus* steif u. fest behaupten; **~iller** [-dijẹ] (an)knabbern

mordoré [mɔrdɔrɛ] goldbraun
mordre [mɔrdr] 76 beißen; *(Fisch)* anbeißen;
(Säure) angreifen, ätzen; ♥ Gefallen finden
(an), mögen; ✿ eingreifen; *(Anker)* Grund
fassen; *fig* hereinfallen *(à auf)*; begreifen *(à qch
etw)*; ~ *sur* (leicht) beeinträchtigen, verringern;
~ *à l'hamecon* an d. Angel gehen, anbeißen; *se
~ la langue (a. fig)* s. auf d. Zunge beißen; *se ~
les lèvres* s. d. Lachen verbeißen ♦ *s'en ~ les
doigts (fig)* etw. sehr bereuen; ~ *la poussière* ins
Gras beißen
morelle [mɔrɛl] *f* Nachtschattengewächs
morfil [mɔrfil] *m (geschliffenes Messer)* Grat
morfond|re [mɔrfɔ̃dr] *76: se ~re* vor Ungeduld
(od Erwartung) vergehen, vergeblich warten;
~u [-fɔ̃dy] *(Mensch)* durchgefroren
morgue [mɔrg] *f* **1.** Dünkel, Eingebildetheit; **2.**
Leichenschauhaus (für unbekannte Tote);
(Krankenhaus) Leichenaufbewahrungsraum
moribond [mɔribɔ̃] *108* im Sterben liegend;
todkrank; *m* Sterbender
moricaud [mɔrikọ] *108 umg* dunkelhäutig; *m
umg* Mohr
morigéner [mɔriʒenɛ] *13 umg* Mores lehren
morille [mɔrij] *f* Morchel
morne [mɔrn] trüb(sinnig); *a. fig* düster
moros|e [mɔrọz] griesgrämig, mürrisch; **~ité**
[rozitɛ] *f* mürrisches Wesen
morphin|e [mɔrfin] *f chem* Morphin; Mor-
phium; **~isme** [-niṣm] *m* Morphiumvergiftung;
~omane [nɔmạn] morphiumsüchtig
morphologie [mɔrfɔlɔʒi] *f* Gestaltlehre; *ling*
Formenlehre
morpion [mɔrpjɔ̃] *m* Filzlaus; *pop* Lausbub
mors [mɔːr] *m* Zaum; Gebiß; ✿ Backe, Klaue;
prendre le ~ aux dents (Pferd) durchgehen; *umg*
aufbrausen, in Harnisch geraten
morse¹ [mɔrs] *m* Morseapparat; Morsealpha-
bet; *en ~* in Morseschrift
morse² [mɔrs] *m* Walroß
morsure [mɔrsyːr] *f* Biß(wunde); Ätzwirkung;
fig verheerende Wirkung
mort [mɔːr] **1.** *108* tot; *m* Toter; Leiche; *bois ~*
dürres Holz; *eau ~e* stehendes Wasser; *nature
~e* Stilleben; *point ~* ✿ toter Punkt; *plus ~
que vif* mehr tot als lebendig; *tomber raide ~* tot
umfallen; ~ *à la guerre (Soldat)* gefallen; *jour
des ~s* Allerseelen; *faire le ~* sich tot stellen;
monument aux ~s Gefallenendenkmal; **2.** *f*
Tod; ~ *apparente* Scheintod; ~ *civile* Verlust
d. bürgerlichen Ehrenrechte; ~ *aux rats*
Rattengift; *arrêt de ~* Todesurteil; *peine de ~*
Todesstrafe; *combat à ~* Kampf auf Leben u.
Tod; *avoir la ~ dans l'âme* todtraurig sein;
blesser à ~ tödlich verletzen; *condamner à ~* z.
Tode verurteilen; *se donner la ~* s. d. Leben
nehmen; *être à la ~*, *être à deux doigts de la ~*,
être à l'article de la ~ im Sterben liegen; *être
entre la vie et la ~* in Lebensgefahr schweben;
haïr à la ~ tödlich hassen; *mettre à ~*
umbringen; *mourir de sa belle ~* e-s natürlichen
Todes sterben; *pâle comme la ~* leichenblaß;
silence de ~ Totenstille; *souffrir mille ~s*
Höllenqualen leiden

mortaise [mɔrtɛːz] *f* ✿ Zapfenloch; Schlitz,
Aussparung, Freimachung
mort|alité [mɔrtalitɛ] *f* Sterblichkeit; *table de
~alité* Sterbetafel; **~el** [-tɛl] *115* sterblich;
tödlich; Tod(es)...; *m* Sterblicher; *le commun
des ~els* d. gewöhnlich Sterblichen; *blessure
~elle* tödl. Verletzung; *dépouille ~elle* sterbliche Hülle; *porter un coup ~el* e-n Todesstoß
versetzen; *ennemi ~el* Todfeind; *ennui ~el*
tödl. Langeweile; *péché ~el* Todsünde; **~e-
saison** [mɔrtsezɔ̃] *f 97 com* Flaute, Sauregurkenzeit
mortier [mɔrtjɛ] *m (Gerät u. mil)* Mörser;
Mörtel, Bindemittel
mortifi|cation [mɔrtifikasjɔ̃] *f* ⑨ Brandigwer-
den; *rel* Abtötung, Kasteiung; Kränkung; **~er**
[-fjɛ] *(Fleisch)* mürbe machen; abtöten, kasteien;
kränken
mort|-né [mɔrnɛ] *107* totgeboren; **~s-terrains**
[mɔrtɛrɛ̃] *mpl geol* Abraumgebirge; **~uaire**
[-tɥɛːr] Leichen...; Toten...; Trauer...; *drap
~uaire* Leichentuch; *lettre ~uaire* Totenbrief;
extrait ~uaire Totenschein; *maison ~uaire*
Trauerhaus
morue [mɔry] *f* Kabeljau; ~ *sèche* Stockfisch;
huile de foie de ~ Lebertran
morv|e [mɔrv] *f (a. vet)* Rotz; **~eux** [-vø] *m*
rotzig; *m umg* grüner Junge, Rotznase
mosaï|que [mɔzaik] *f* Mosaik; Bildzusammen-
stellung; *bot* Mosaikkrankheit; **~ste** [-ist] *m*
Mosaikleger, -künstler
Mosc|ou [mɔskụ] *m* Moskau; **~ovite** [-kɔvit]
Moskauer
mosquée [mɔskɛ] *f* Moschee
mot [mo] *m* Wort; Ausspruch; *EDV* Zahlen-
wort; ~ *code* Kodewort; ~ *étranger* Fremdw.;
~ *du jour* Schlagw.; ~ *repère* Stichw.; *un ~
(umg)* ein paar Worte *(od* Zeilen); *bon ~*
geistreicher Ausspruch; *le fin ~ de l'histoire* des
Pudels Kern; *grands ~s* hochtrabende Worte;
gros ~s Schimpfwort; ~*s croisés* Kreuzworträtsel; ~ *d'ordre* Parole; ~ *de passe* Kennwort;
~ *à ~* Wort für Wort; *à ces ~s* bei diesen
Worten; *en un ~* mit e-m Wort; *sans ~* ohne
wortlos; *au bas ~* mindestens; *avoir le dernier
~* d. letzte Wort behalten; *avoir son ~ à dire*
ein Wörtchen mitzureden haben; *se donner le ~*
sich miteinander absprechen; *parler à ~s
couverts* durch d. Blume sprechen; *se payer de
~s* sich mit Worten abspeisen lassen; *prendre
qn au ~* j-n beim Wort nehmen; *ne pas souffler
~* kein Sterbenswörtchen sagen; *toucher un ~
à qn* j-m e-e Andeutung machen; *trancher le ~*
offen sprechen; *ce sont des ~s* d. sind leere
Redensarten; *on ne peut placer un ~* man
kommt nicht zu Worte; *j'ai un ~ à vous dire* ich
muß mit Ihnen sprechen; *le ~ de Cambronne*
= *merde*
mot|ard [mɔạːr] *m* Motorradfahrer; **~el** [-tɛl] *m*
Motel
motet [mɔtɛ] *m* ♪ Motette
mot|eur [mɔtœːr] **1.** *122* Bewegungs...; An-
triebs...; *anat* motorisch; *force ~rice* ✿
Antriebskraft; *roue ~rice* ⑨ Treibrad; **2.** *m*

treibende Kraft; *a. fig* Motor; Kraftmaschine; Triebwerk; Elektromotor; *~eur auxiliaire* Hilfsmotor; *~eur à combustion (interne)* Verbrennungsmotor; *~eur couple* Drehstromerzeuger; *~eur de démarrage* Anlaßmotor; *~eur fusée* Raketentriebwerk; *~eur en ligne* Reihenmotor; *~eur nucléaire* Kernenergietriebwerk; *~eur pneumatique* Druckluftmotor; *~eur thermique* Wärmekraftmasch.; *~eur hors-bord* Außenbordm.; *le ~eur ne part pas* d. Motor springt nicht an; *~eur de l'entreprise (fig)* Seele d. Unternehmens; **~if** [-tịf] *m* Beweggrund; *(Kunst)* Motiv; *sans aucun ~if* ohne Anlaß; *~ifs du jugement* 🔬 Urteilsbegründung; **~ion** [-sjõ] *f* Antrag *(in e-r Versammlung); déposer une ~ion* e-n A. stellen; *rejeter une ~ion* e-n A. zurückweisen; **~ivation** [mɔtivasjõ] *f* Beweggrund, Motivation **~iver** [-tive] begründen, motivieren; als Anlaß dienen; rechtfertigen

moto [mɔtọ] *f umg* Motorrad; **~batteuse** [mɔtɔbatọːz] *f* Motordrescher; **~caméra** [-kamerạ] *f* Filmaufnahmegerät; **~camionnette** [-kamjɔnɛt] *f* Dreiradliefewagen; **~cross** [-krɔs] *m* Moto-Cross; **~culteur** [-kyltœːr] *m* Gartenfräse; **~culture** [-kylty:r] *f* motorisierte Bodenbewirtschaftung; **~cycle** [-sịkl] *m* Kraftrad; Kleinkraftrad; **~cyclette** [-siklɛt] *f* Motorrad; **~cyclisme** [-siklịsm] *m* Motorradsport; **~cycliste** [-siklịst] *m* Motorradfahrer; **~pompe** [-põp] *f* Motorspritze; **~réacteur** [-reaktœːr] *m* Strahltriebwerk; **~risation** [-rizasjõ] *f* Motorisierung; **~riser** [-rize] motorisieren; **~riste** [-rịst] *m* Motorenhersteller; Kraftfahrzeugmechaniker; **~tracteur** [-traktœːr] *m* Zugmaschine **motrice** [mɔtrịs] *f* Motorwagen

motte [mɔt] *f* (Erd-)Scholle; Klumpen; *~ de beurre* Butterballen

motus! [mɔtys] *umg* still!

mou [mu] *119* weich; *(Wetter, Klima)* feuchtwarm; *(Seil)* schlaff; *fig* weichlich; lässig; nachgiebig; *m* (Kalbs-)Lunge

mouch|ard [muʃạr] *m umg* Spitzel; *(Schule)* Petzer; ✿ Kontrollgerät; **~arder** [-ʃardẹ] bespitzeln; petzen; **~e** [muʃ] *f* 1. Fliege; *~ domestique* Stubenfl.; *~e à viande* Schmeißfl.; *poids ~e* 🥊 Fliegengewicht; *pattes de ~e* Gekritzel; *fine ~e* schlauer Fuchs ♦ *prendre la ~e* aufbrausen; *quelle ~e te pique?* was ist dir in d. Krone gefahren?; *faire la ~e du coche* s. wichtig machen; **2.** Schönheitspflästerchen; **3.** *(Zielscheibe)* Schwarzes; *faire ~e (a. fig)* ins Schwarze treffen

moucher [muʃẹ] schneuzen; d. Nase putzen; *(Kerze)* putzen; *umg* j-n herunterputzen ♦ *ne pas se ~ du pied (pop)* d. Nase hoch tragen; sehr anspruchsvoll sein; **~on** [muʃrõ] *m* Mücke, Schnake; *umg* Knirps

mouchet|é [muʃte] gesprenkelt; scheckig; **~ure** [-ty:r] *f zool* Fleck; Tupfenmuster

mouchoir [muʃwạːr] *m* Taschentuch; *~ de tête* Kopf-, *~ de cou* (Hals-)Tuch; *arriver dans un ~* 🏇 sehr knapp gewinnen

moudre [mudr] *73* mahlen   [ziehen; maulen]

moue [mu] *f: faire la ~* e. schiefes Gesicht

mouette [mwɛt] *f* Möwe; *~ rieuse* Lachmöwe

moufflet [muflɛ] *m pop* Gör

moufl|e [mufl] *f* Fausthandschuh; ✿ Flaschenzug; *m chem* Schmelztiegel; ✿ Glühkammer; **~on** [-lõ] *m zool* Mufflon

mouill|age [mujạːʒ] *m* Anfeuchten; Einweichen; ⚓ Vor-Anker-Gehen; Ankerplatz; *~age du lait* Milchpanscherei; **~ant** [mujã] *m* Netzmittel; **~e** [muj] *f* ⚓ Wasserschaden; **~é** [-jẹ] naß; feucht; **~er** [-jẹ] naß machen; anfeuchten; benetzen; einweichen; durchnässen; panschen; *(Anker)* auswerfen; *(Minen)* legen; *se ~er (umg)* s-n Ruf aufs Spiel setzen; **~ette** [-jɛt] *f* Stück Brot z. Eintunken; **~eur** [-jœːr] *m* Briefmarkenanfeuchter; *~eur de mines* ⚓ Minenleger

mouise [mwịːz] *f* Armut; *être dans la ~ (pop)* in d. Klemme sitzen

moukère [mukɛːr] *f (arg pop)* Weibsstück, Frauenzimmer

moulage¹ [mulạːʒ] *m* Mahlen

moul|age² [mulạːʒ] *m* ✿ Formen, Gießen; (Ab-)Guß; Abdruck; *~age à froid* Kaltpressen; *~age en cire* Wachsabguß; **~e¹** [mul] *m* ✿ Gießform; ⚒ Schalung; *~e à gâteaux* Kuchenform; *~e à gaufres* Waffeleisen; *~e à sable* Sandförmchen ♦ *le ~e en est perdu (umg)* so e-n wie ihn gibt es nicht noch einmal

moule² [mul] *f* Muschel; *~ d'étang* Teichm.; *~ commune* Miesm. ♦ *c'est une ~ (umg)* er ist e. Schlappschwanz

moul|er [mulẹ] ✿ (ab)formen; *(Kunststoffe)* pressen; (ab-)gießen; *(Charakter)* bilden; *~er le corps (Kleid)* eng anliegen; *écriture ~ée* gestochene Schrift; *lettre ~ée* Preßmasse; **~eur** [-lœːr] *m* ✿ Formgießer

moulière [muljɛːr] *f* Muschelbank

moulin [mulɛ̃] *m* Mühle; *~ à vent* Windm.; *~ à café* Kaffeem.; *~ à eau* Wasserm.; *~ électrique* elektrische (Kaffee-)Mühle; *~ à paroles (umg)* Quasselstrippe; **~é** [-linẹ] wurmstichig; **~er** [-linẹ] *(Seide)* zwirnen; **~et** [-linɛ] *m (Tür)* Drehkreuz; *(Angelschnur)* Rolle; *(Spielzeug)* Windmühle

moulu [muly] gemahlen; *umg* wie gerädert

moulure [mulyːr] *f* ⚒ Fries, Gesims; Bilderleiste

mour|ant [murã] *108* sterbend; *(Stimme)* gebrochen; *(Blick)* schmachtend; *m* Sterbender; **~ir** [-rịːr] *27* sterben; absterben; erlöschen; vergehen; verhallen; *~ir brûlé* verbrennen; *~ir gelé* erfrieren; *~ir de faim* verhungern; *~ir de soif* verdursten; *~ir de honte* s. zu Tode schämen; *~ir d'envie de faire qch (umg)* sehr gern etw. tun wollen; *s'ennuyer à ~ir* s. zu Tode langweilen; *se ~ir* im Sterben liegen; schwinden; auslöschen; **~oir** [-rwạ:r] *m umg pej* Altenheim

mouron [murõ] *m: ~ des oiseaux (bot)* Vogelmiere

mousquet [muskɛ] *m* Muskete; **~aire** [-kɛtœːr] *m* Musketier; **~erie** [-kɛtri] *f* Gewehrfeuer; **~on** [-katõ] *m* Karabiner; ✿ Schnappring

mousse¹ [mus] *m* Schiffsjunge; *École des ⚓s* Schulschiff

mousse² [mus] *f* **1.** Moos; ~ *d'Islande* Isländisches M.; **2.** Schaum; *caoutchouc* ~ S.gummi; ~ *synthétique* S.kunststoff; **3.** Schlagsahne; ~ *au chocolat* Schokoladencreme; *faire de la* ~ *(fig)* Schaum schlagen

mousse³ [mus] *adj (Messer)* stumpf

mousseline [muslin] *f* Musselin; Baumwollgewebe; *papier* ~ Seidenpapier

mouss|er [muse] schäumen; *(Wein)* perlen, moussieren; vor Wut schäumen ♦ *(se) faire* ~*er* (sich) herausstreichen; **~eron** [musrɔ̃] *m (Pilz)* Ritterling; **~eux** [-sø] *111* schaumig; *m* Schaumwein, Sekt; **~oir** [-swa:r] *m (Küche)* Schneebesen

mousson [musɔ̃] *f* Monsun

moussu [musy] moosig; bemoost

moustach|e [mustaʃ] *f* Schnurrbart; Schnurrhaare; **~u** [-staʃy] mit Schnurrbart, schnauzbärtig

moustiqu|aire [mustikɛ:r] *f* Moskitonetz; **~e** [-tik] *m* (Stech-)Mücke, Moskito; Schnake

moût [mu] *m* Most; (Bier-)Würze

moutard [muta:r] *m* kleiner Bengel

moutard|e [mutard] *f* Senf ♦ *la* ~ *e lui monte au nez* er gerät in Rage, ihm schwillt d. Kamm; **~ier** [-tardje] *m* Senfglas; Senffabrikant ♦ *se prendre pour le premier* ~*ier du pape (umg)* s. e-n Stiefel einbilden

mouton [mutɔ̃] *m* **1.** Schaf; Hammelfleisch; *doux comme un* ~ lammfromm; ~*s de Panurge* Herdenmenschen ♦ *revenons à nos* ~*s! (im Gespräch)* kommen wir wieder z. Sache!; **2.** ✿ Ramme; Fallrammer; **3.** *pop* (Gefängnis-) Spitzel; **~nement** [-tɔnmɑ̃] *m* Wellengekräusel; **~ner** [-tɔne] *(Wasser)* s. kräuseln; *ciel* ~*né* Himmel mit Lämmerwolken; **~neux** [-tɔnø] *111 (Meer)* schäumend; **~nier** [-tɔnje] *116: esprit* ~*nier* Herdentrieb

mouture [muty:r] *f (Korn)* Ausmahlen *n*; Mahlgut; Mahlgeld; Mengkorn; *fig* Aufguß

mouv|ant [muvɑ̃] *108* s. bewegend; *(Kraft)*\treibend; *fig* unsicher; *sables* ~*ants* Treibsand; **~ement** [-mɑ̃] *m* Bewegung; Gang; Lauf; Weg; *com* Schwankungen; ✿ Getriebe; Triebwerk; Antriebsmechanismus; 🚩 Verkehr; *(Straße)* Belebtheit; Gemütsbewegung, Anwandlung; ♪ Tempo; Satz; *mil* Marsch; *imprimer un* ~*ement à qch* etw. in Bewegung setzen; *de son propre* ~*ement* aus eigenem Antrieb; ~*ement cinétique* Drehimpuls, Drall; ~*ement circulaire* Kreisbewegung; ~ *de capitaux* Kapitalverkehr; ~*ement diplomatique* Diplomatenschub; ~*ement de grève* Streikbewegung; ~*ement d'hologerie* Uhrwerk; ~*ement insurrectionnel* Aufstand; ~*ement de terrain* Unebenheit im Gelände; ~*ement ouvrier* Arbeiterbewegung; ~*ement de résistance* Widerstandsbewegung; ~*ement subversif* Umsturzversuch; **~ementé** [-mɑ̃te] bewegt; erregt; abwechslungsreich; *(Gelände)* uneben; *(Sitzung)* stürmisch; *(Straße)* belebt; **~ementer** [-mɑ̃te] Abwechslung bringen (*qch* in etw.); **~oir** [-vwa:r] *38* (fort)bewegen; *se* ~*oir* s. bewegen, in Bewegung sein

moyen [mwajɛ̃] **1.** *118* mittlere; mittelmäßig;

durchschnittlich; Mittel…; *Français* ~ Durchschnittsfranzose; *classes* ~*nes* Mittelstand; *prix* ~ Durchschnittspreis; ✝ *Age* Mittelalter; *d'(un) âge* ~ von mittlerem Alter; **2.** *m* Mittel; Möglichkeit; Hilfe; *pl* (Geld-)Mittel; Begabung; Fähigkeiten; ~ *d'action* Hilfsmittel; Kampfmittel; ~ *de coercition* Zwangsmaßnahme; ~ *de dissuasion* Abschreckungswaffe; ~ *de paiement* Zahlungsmittel, Geldmittel; ~ *de pression* Druckmittel; ~*s de production* Produktionsmittel; ~ *de travail* Arbeitsmittel; *les* ~*s de la défense* 🔒 Beweisgründe der Verteidigung; *au* ~ *de* mittels, anhand von; *trouver* ~ *s* ermöglichen; *il n'y a pas* ~ es ist ausgeschlossen; *je n'en ai pas les* ~*s* das kann ich mir nicht leisten; *au* ~ *de (präp)* mittels, dank **~âgeux** [-jɛnaʒø] *111 umg* vorsintflutlich; **~nant** [-jɛnɑ̃] mittels; ~*nant que* vorausgesetzt, daß; **~ne** [-jɛn] *f* Durchschnitt(sgeschwindigkeit); Mittelwert, Durchschnittswert; *en* ~*ne* durchschnittlich; ~*ne annuelle* Jahresdurchschnitt; ~*ne horaire* Stundenmittel; ~*ne pondérée* gewogenes Mittel, gewichteter Mittelwert; **~nement** [-jɛnmɑ̃] *adv* mäßig; **~-Orient** [-jɛnɔrjɑ̃]: *le* ✝*-Orient* der Mittlere Orient

moyeu [mwajø] *m* (Rad)Nabe; Luftschraubennabe; ~ *d'hélice* Propellernabe; ~ *de rotor* Rotorkopf

mû [my] *107* bewegt

muance [myɑ̃s] *f* Stimmwechsel, -bruch

muc|ilage [mysila:ʒ] *m* Pflanzenschleim; **~ine** [-sin] *f* Muzin *n*; **~osité** [mykozite] *f* 🎔 Schleim; **~us** [-kys] *m* 🎔 Schleim

mu|e [my] *f* Mauser; Haaren; *(Schlangen)* Häuten; Stimmbruch, Mutation; **~er** [mɥe] s. mausern, haaren, häuten; mutieren; *se* ~*er* s. verwandeln (*en* in)

muet [mɥɛ] *114 (a. ling)* stumm; verstummt; ~ *comme une carpe* stumm wie e. Fisch; *film* ~ Stummfilm; *carte* ~*te* Umrißkarte, Leerkarte

mufl|e [myfl] *m zool* Schnauze, Maul; *umg* Flegel, Grobian; **~erie** [-fləri] *f* Flegelei, Gemeinheit; **~ier** [-flje] *m bot* Löwenmäulchen

mug|ir [myʒi:r] *22 (Rind)* brüllen; *(Meer, Wind)* tosen; **~issement** [-ʒismɑ̃] *m* Brüllen, Tosen

muguet [mygɛ] *m* Maiglöckchen

muid [mɥi] *m* Faß (268 l.)

mulâtre [mylɑtr] *m* Mulatte

mule¹ [myl] *f* weibliches Maultier

mule² [myl] *f* Pantoffel

mulet [mylɛ] *m:* (grand) ~ Maultier; *têtu comme un* ~ dickköpfig; **~ier** [myltje] **1.** *116* Saum… ; *chemin* ~*ier* Saumpfad; **2.** *m* Maultiertreiber

mulot [mylo] *m* Waldmaus

multi… [mylti] *in Zssg:* Viel…; viel…; Mehr…; mehr…; **~colore** [-kɔlɔːr] bunt, vielfarbig; **~couche** [-kuʃ] mehrlagig; **~conducteur** [-kõdyktœ:r] *(Kabel)* mehrpolig; **~forme** [-fɔrm] vielgestaltig; **~millionnaire** [-miljɔnɛ:r] *m* Multimillionär; **~moteur** [-mɔtœ:r] *122* ✈ mehrmotorig; **~national** [-nasjɔnal] *État* ~ Vielvölkerstaat; **~pare** [-par] pluripara; **~place** [-plas] *m* ✈ Mehrsitzer; **~ple** [-tipl] vielfach;

mehrfach; *m* Vielfaches; **~plication** [-plikasjõ] *f*
Multiplikation; Vervielfachung; *biol* Vermehrung; ✿ Übersetzung; **~plicité** [-plisite] *f*
Vielheit; Vielfalt; **se ~plier** s. vermehren;
~polaire [-polɛːr] ⚡ mehrpolig; **~tude** [-tyd] *f*
(*bes* Menschen-)Menge

municipal [mynisipal] *124* städtisch; Gemein-
de...; *conseil ~* Stadtrat; *conseiller ~ (Person)*
Stadtrat; **~ité** [-palite] *f* Bürgermeister u.
Beigeordnete

munificence [mynifisõs] *f* große Freigebigkeit;
Großzügigkeit; Gebefreude

mun|ir [mynɪːr] *22* versehen (*de* mit); *se ~ir de
patience* s. mit Geduld wappnen; **~ition** [-nisjõ]
f Heeresbedarf; *fpl* Munition; *~itions à blanc*
Manövermunition; *~itions biologiques* biologi-
sche Kampfstoffe; *~itions de bouche* Proviant;
~itions de guerre Gefechtsmunition; *pain de
~ition* Kommißbrot; **~itionnaire** [-nisjonɛːr] *m*
Heereslieferant

muqu|eux [mykø] *111* ⚡ schleimig; **~euse** [-køːz]
f Schleimhaut

mur [myːr] *m* Wand; Mauer; *~ mitoyen*
Brandm.; *~ de clôture* Gartenm.; *~ du son* ✝
Schallm.; *~ thermique* Hitzem.; *~ de la vie
privée* Intimsphäre; *~s de la ville* Stadtgrenze;
dans nos ~s in unserer Stadt, hier; *coller au ~*
an die Wand stellen, erschießen; *enfermer entre
quatre ~s* hinter Schloß u. Riegel setzen; *mettre
au pied du ~* vor d. Entscheidung stellen, in d.
Enge treiben; *faire le ~ (arg mil)* über d. Mauer
gehen

mûr [myːr] reif; voll entwickelt; *pop* blau; *être
d'âge ~* im reiferen Alter sein; *~ement réfléchi*
reiflich überlegt; *l'affaire n'est pas ~e* d. Sache
ist nicht spruchreif; *la poire est ~e (umg)* d.
Gelegenheit ist günstig, d. Sache ist spruchreif

murage [myraːʒ] *m* Mauern; *n* Mauerwerk

mur|aille [myrɑːj] *f* (Stadt-)Mauer; (Berg-)
Wand; Mauerwerk; **~al** [-ral] *124* Wand...;
carte ~ale W.karte; *peinture ~ale* W.malerei

mûre [myːr] *f* Maulbeere; *~ (sauvage)*
Brombeere

murer [myre] ver-(zu-)mauern

mûrier [myrje] *m* Maulbeerbaum

mûrir [myriːr] *22 (a. fig)* reifen; zur Reife
bringen; *~ un projet* e-n Plan gut durchdenken

murmur|e [myrmyːr] *m* Murmeln, Gemurmel;
(*Wasser*) Geplätscher; (*Wind*) Säuseln; *mpl*
Murren; **~er** [-myre] murmeln; plätschern;
säuseln; murren

mûron [myrõ] *m bot* Brombeere

musaraigne [myzarɛɲ] *f* Spitzmaus

musard [myzaːr] *m* Müßiggänger, Flaneur; **~er**
[-zarde] umherschlendern

musc [mysk] *m* Moschus; **~ade** [-kad] *f* Muskat;
noix ~ade Muskatnuß; **~adelle** [-kadɛl] *f*
Muskatellerbirne; **~at** [-ka] *m* Muskateller-
traube, -wein

musc|le [myskl] *m* Muskel; **~le** *extenseur*
Streckm.; *avoir du ~le* Kraft haben; **~lé** [-kle]
muskulös; *fig pol* autoritär, brutal, gewalttätig;
lit lebendig; energisch; **~ulaire** [-kylɛːr] Muskel...; **~ulation** [-kylasjõ] Muskeltraining, Bo-

dybuilding; **~ulature** [-kylatyːr] *f* Muskulatur;
~uleux [-kylø] *111* muskulös

Muse [myːz] *f* Muse; ♣ *f* Eingebung; *a. pl*
Dichtkunst

museau [myzo] *m 91* Schnauze, Maul

musée [myze] *m* Museum; Kunstsammlung

musel|er [myzle] *4:* *~er un chien* e-m Hund d.
Maulkorb anlegen; *~er qn* j-m d. Mund
stopfen; *j-n mundtot machen*; **~ière** [myzəljɛːr]
f Maulkorb

mus|er [myze] bummeln, tändeln; **~ette** [-zɛt] *f*
mil (Brot-)Beutel; (*Pferd*) Futtersack; Dusel-
sack; *bal ~ette* Tanz(-lokal) (mit Akkordeon-
musik)

music|al [myzikal] *124* (*Dinge*) musikalisch;
Musik...; **~alité** [-kalite] *f* Tonqualität (*e-s
Wiedergabegerätes*), Klangfülle; lautliche Harmonie; **~assette** [-kasɛt] *f* Musikkassette;
~-hall [myziko:l, mjuzikho:l] *m 99* Varieté; **~ien**
[-zisjɛ̃] *118* musikalisch; *m* Musiker; **~ologie**
[-kɔlɔʒi] *f* Musikwissenschaft; **~ologue** [-kɔlɔg]
m Musikwissenschaftler

musique [myzik] *f* **1.** Musik; *~ de chambre*
Kammerm.; *~ d'église* Kirchenm.; *~ enregi-
strée* Schallplattenm.; Tonbandm.; *~ de jazz*
Jazzm.; *~ légère* Unterhaltungsm.; *~ vocale*
Vokalm.; *boîte à ~* Spieluhr; **2.** Noten; *papier à
~* Notenpapier; **3.** *mil* Musikkapelle; *chef de ~*
Kapellmeister ♦ *connaître la ~ (umg)* wissen,
wie d. Hase läuft; *il est réglé comme du papier à
~* bei ihm geht alles nach Plan

musqué [myske] moschusduftend; (*Worte,
Benehmen*) geziert; *rat ~* Bisamratte

musulman [myzylmã] *109* mohammedanisch;
♣ *m* Moslem, Mohammedaner

mutabilité [mytabilite] *f* Veränderlichkeit; *biol*
Mutabilität

mutant [mytã] *m com* Berufswechsler; *biol*
Mutant

mutage [mytaːʒ] *m* Schwefelung d. Mostes

mutation [mytasjõ] *f biol* Mutation; *com*
Versetzung; *pol* plötzliche u. dauerhafte Veränderung; *~ d'office* Strafversetzung; *~ de
propriété* 🏛 Eigentumsübertragung

muter [myte] *com* versetzen; d. Gärung
unterbrechen, schwefeln

mutil|ation [mytilasjõ] *f (a. fig)* Verstümmelung;
~é [-le] *m* Kriegsversehrter; *grand ~é de guerre*
Schwerkriegsversehrter; **~er** [-le] verstümmeln;
schwer beschädigen

mutin [mytɛ̃] *109* ausgelassen; schelmisch;
lebhaft; aufgeweckt; *m* Meuterer, Rebell;
(*Kind*) Trotzkopf; **~er** [-tine]: *se ~er* meutern;
(*Kind*) trotzen; **~erie** [-tinri] *f* Meuterei,
Aufstand

mutisme [mytism] *m* (♣ *u. fig*) Stummheit;
Schweigen

mutu|alité [mytɥalite] *f* Gegenseitigkeit; Versi-
cherung auf Gegenseitigkeit; **~el** [-tɥel] *115*
gegenseitig; **~elle** [-tɥel] *f* Versicherungsge-
sellschaft auf Gegenseitigkeit

myc|élium [miseljɔm] *m biol* Myzel, Pilzfäden;
~ologie [-kɔlɔʒi] *f* Pilzkunde; **~ose** [-koːz] *f* ⚡
Mykose

mygale [migal] ƒ Vogelspinne
myo|carde [mjɔkard] *m* Herzmuskel; **~cardite** [mijɔkardit] ƒ Herzmuskelentzündung; **~pe** [mjɔp] *a. fig* kurzsichtig; *m* Kurzsichtiger; **~pie** [-pi] ƒ *(a. fig)* Kurzsichtigkeit; **~sotis** [-zɔtis] *m* Vergißmeinnicht
myria|des [mirjad] *ƒpl* Unzahl, Unmengen; **~pode** [-rjapɔd] *m* Tausendfüßler, Myriopode
myrmidon [mirmidɔ̃] *m lit* Zwerg; *fig* unbedeutender Mensch
myrt|e [mirt] ƒ Myrte; **~ille** [-tij] ƒ Heidel-, Blaubeere
myst|ère [mistɛːr] *m* Mysterium; ♥ Mysterienspiel; Geheimnis; Rätsel; *faire ~ère de qch* aus etw. e. Geheimnis machen; **~érieux** [-terjø] *111* geheimnisvoll; rätselhaft, unerklärlich; **~icisme** [-tisism] *m* Mystik; Aberglaube; **~ificateur** [-tifikatœːr] *m* Fopper, Spaßvogel; **~ification** [-tifikasjɔ̃] ƒ Täuschung(smanöver); Fopperei; **~ifiant** [-ifiɑ̃] *adj* irreführend, betrügerisch; **~ifier** [-tifje] täuschen, hinters Licht führen; verulken; **~ique** [-tik] mystisch; *m* Mystiker; ƒ Mystik; Mystikerin
myth|e [mit] *m* Mythos; Götter-, Heldensage; *fig* Märchen, Legende; **~ologie** [-tɔlɔʒi] ƒ Mythologie

N

nabab [nabab] Nabob, steinreicher Mann
nabot [nabo] *m pej* Knirps
nacelle [nasɛl] ƒ Nachen; *(Ballon)* Gondel; *~ moteur* Triebwerkgondel
nacr|e [nakr] ƒ Perlmutter(glanz); **~é** [-kre] perlmutterglänzend
nævus [nevys] *m (pl nævi)* Muttermal
nag|e [naːʒ] ƒ Schwimmen; ⚓ Rudern; Pullen; *banc de ~e* Ruderbank; *~e à la brasse* Brustschw.; *~e libre* Freistilschw.; *~e sur le dos* Rückenschw.; *se mettre en ~e* in Schweiß geraten; **~eoire** [naʒwaːr] ƒ (Schwimm-)Flosse *(a. für Tauchsport)*; **~er** [naʒe] *14* schwimmen; *pop* nicht verstehen; nicht wissen, was man tun soll; *~er contre le courant (a. fig)* gegen d. Strom schwimmen; *~er dans la joie* überglücklich sein; *~er dans l'abondance* im Überfluß leben ♦ *~er entre deux eaux* zw. zwei Parteien lavieren; *il sait ~er (umg, etwa:)* er kennt alle Schliche; **~eur** [naʒœːr] *m* Schwimmer; *~eur sauveteur* Rettungsschw.
naguère [nagɛːr] neulich, unlängst
naïade [najad] ƒ Najade, Quellnymphe
naïf [naif] *112* naiv, einfältig; weltfremd; unbefangen, spontan; natürlich
nain [nɛ̃] *109* zwergenhaft; Zwerg...; *m* Zwerg; **~e** [nɛn] ƒ Zwergin
naiss|ance [nɛsɑ̃s] ƒ Geburt; Entstehung; *de ~ance* von Geburt an; *acte de ~ance* Geburtsurkunde; *donner ~ance à qch* etw. verursachen; *prendre ~ance (Fluß)* entspringen; *~ance du cou* Halsansatz; **~ant** [-sɑ̃] *108* im Entstehen begriffen; anfänglich; werdend; *au jour ~ant* bei Tagesanbruch
naître [nɛtr] *74* zur Welt kommen, geboren

werden; entstehen; *(Fluß)* entspringen; *faire ~* erzeugen, schaffen, verursachen
naïveté [naivte] ƒ Naivität, Einfalt; Weltfremdheit; Unbefangenheit
nana [nana] ƒ *umg* tolle Puppe, Käfer, Biene
nanan [nanɑ̃] *m (umg)* Leckerbissen; *c'est du ~* das ist was ganz Feines, das ist prima
nanisme [nanism] *m* ⚕ Zwergwuchs
nant|i [nɑ̃ti] gut bevorratet; (sehr) reich; *les ~ is mpl umg* die Reichen, die Ausbeuter; **~ir** [-tiːr] *22* versehen (*de* mit); 🐍 Bürgschaft leisten; *~ir de* s. eindecken mit; **~issement** [-tismɑ̃] *m* 🐍 Sicherheit; Pfand; Verpfändung; Bürgschaftsvertrag; *prêt sur ~issement* Lombardkredit; *donner en ~issement* verpfänden
naphte [naft] ƒ Naphta, (dünnflüssiges) Erdöl
Naples [napl] ƒ Neapel
napolitain [napolitɛ̃] *109* neapolitanisch; *su* Neapolitaner; *tranche ~e* Fürst-Pückler-Eis
napp|age [napaːʒ] *m* Tischwäsche; **~e** [nap] ƒ Tischtuch; *geol* Decke; weite Fläche; *~e d'eau* große Wasserfläche; *~e phréatique* = *~e souterraine* Grundwasser(spiegel); **~eron** [naprɔ̃] *m* kleiner Tischläufer, Deckchen
narciss|e [narsis] *m* Narzisse; *psych* Narziß; **~isme** [-sisism] *m* Narzißmus
narco|se [narkoːz] ƒ ⚕ Narkose, Betäubung; **~tique** [-kotik] *m* Betäubungsmittel; Rauschgift
narguer [narge] *6* verhöhnen
narguilé [nargile] *m* Wasserpfeife
narine [narin] ƒ Nasenloch; Nüster
narquois [narkwa] *108* schalkhaft, spöttisch, neckisch
narr|ateur [naratœːr] *m* Erzähler; **~atif** [-tif] *112* erzählend; **~ation** [-sjɔ̃] ƒ Erzählung; (Schul-)Aufsatz; 📱 Durchsage; **~er** [-re] erzählen
nas|al [nazal] *124 ling* nasal; Nasen...; *fosses ~ales* N.höhle; **~ale** [-zal] ƒ *ling* Nasallaut; **~arde** [-zard] ƒ Nasenstüber; *fig* Hohn, boshaftes Veralbern, Lächerlichmachen; **~eau** [-zo] *m 91* Nüster; **~illard** [-zijaːr] *108* näselnd; **~iller** [-zije] näseln
nasse [nas] ƒ Fischreuse; *(Vögel)* Fangnetz ♦ *être dans la ~* in d. Patsche sitzen
natal [natal] *124* Geburts...; *pays ~* Heimat; **~ité** [-talite] ƒ Geburtenziffer
natat|ion [natasjɔ̃] ƒ Schwimmen; Schwimmsport; **~oire** [-twaːr] *ceinture ~oire* Schwimmgürtel; *vessie ~oire* Schwimmblase
natif [natif] *112* gebürtig (*de* aus); *(geistig)* angeboren; *(Metall)* gediegen; *m* Eingeborener
nation [nasjɔ̃] ƒ Nation; **⁎**s *unies* Vereinte Nationen; **~al** [-sjɔnal] *124* national; (inner)staatlich; *Assemblée ~ale* Volksvertretung; Nationalversammlung; *fête ~ale* Nationalfeiertag; *hymne ~al* Nationalhymne; *pavillon ~al* Nationalflagge; **~alisation** [-sjɔnalizasjɔ̃] ƒ Vergesellschaftung; Verstaatlichung; **~aliser** [-sjɔnalize] verstaatlichen; **~alisme** [-sjɔnalism] *m* Nationalismus; **~aliste** [-sjɔnalist] nationalistisch; *m* Nationalist; **~alité** [-sjɔnalite] ƒ Staatsangehörigkeit; *acte de ~ alité* Schiffszertifikat; *emblème de ~alité* Hoheitszeichen; *sans ~alité* staatenlos

nativité [nativitę] f (bes 🎵) Geburt (Christi)

natt|e [nat] f Matte; Haarflechte; Zopf; **~er** [-tę] flechten

natur|alisation [natyralizasjɔ̃] f Naturalisierung, Einbürgerung; *zool* Ausstopfung; **~aliser** [-ralizę] naturalisieren, einbürgern; *zool* ausstopfen; präparieren; **~alisme** [-raljsm] m *lit* Naturalismus; **~aliste** [-raljst] naturalistisch; m Naturforscher; Tierpräparator; *lit* Naturalist; **~e** [-ty:r] **1.** *inv* natürl.; *(Speise)* unverfälscht; *bœuf ~e* gekochtes Rindfleisch; *(ohne Beilage); café ~e* schwarzer Kaffee; **2.** f Natur; Wesen; Art; Beschaffenheit; *~e morte* 🎵 Stilleben; *contre ~e* widernatürlich; *de ~e à* geeignet zu; *par sa ~e* s-m Wesen nach; *payer en ~e* in Naturalien bezahlen; *protection de la ~e* Naturschutz; *tenir de ~e* von Geburt an haben; **~el** [-ręl] **1.** *115* natürlich; *(Kind)* nichtehelich; *parties ~elles* Geschlechtsteile; *sciences ~elles* Naturwissenschaften; **2.** m Natürlichkeit; Naturell; Charakter; *manquer de ~el* s. zieren; **3.** m Eingeborener; **~ellement** [-rɛlmɑ̃] natürlich, selbstverständlich; **~isme** [-rjsm] m Naturheilmethode; Nacktkultur; **~iste** [-rjst] m Anhänger der Nacktkultur

naufrag|e [nɔfra:ʒ] m *(a. fig)* Schiffbruch; Untergang; *faire ~e* Schiffbruch erleiden; scheitern; **~é** [-fraʒę] schiffbrüchig; m Schiffbrüchiger; **~eur** [-fraʒœ:r] m Strandräuber; *fig* Totengräber

nausé|abond [nozeabɔ̃] *108* ekelerregend; **~e** [-zę] f Übelkeit; *cela donne la ~e* davon wird e-m übel

nautique [notjk] nautisch; Schiffahrts...; Wasser...; *mille ~* Seemeile; *sport ~* Wassersport

naval [naval] See...; *forces ~es* Seestreitkräfte; *combat ~* Seegefecht

navet [navę] m **1.** weiße Rübe; *~ fourrager* Runkelrübe; **2.**🎬 *umg* Kitsch, Mist; 🎵 Schinken; *(Buch)* Schmarren

nav|ette [navęt] f Räuchergefäß; *(Webstuhl, Nähmaschine)* Schiffchen; 🚂 Verbindungs-(Pendel-)Zug; Pendelverkehr; *~ette spatiale* Verbindungsrakete; *faire la ~ette* hin u. her laufen, fahren; *service de ~ette* Pendelverkehr; **~igable** [-vigabl] schiffbar; see-, flugtüchtig; **~igabilité** [-vigabilitę] f Schiffbarkeit; Seetüchtigkeit; Flugtüchtigkeit; **~igant** [-vigɑ̃] *108: personnel ~igant* ✈ fliegendes Personal; **~igateur** [-vigatœ:r] *122* seefahrend; m Seefahrer; ✈ Navigationsoffizier; **~igation** [-vigasjɔ̃] f ⚓ ✈ Navigation; Schiffahrt; Schiffsführung; *~igation aérienne* Luftverkehr; *~igation spatiale* Raumfahrt; **~iguer** [-vigę] *6 z.* See fahren; steuern; *~iguer entre les partis* s. zwischen d. Parteien durchlavieren; *(Schiff)* laufen; **~ire** [-vi:r] m Schiff; **~ire-citerne** [-virsitęrn] m *97* Tanker

navr|ant [navrɑ̃] *108* herzzerreißend; **~er** [-rę] großen Schmerz bereiten; *j'en suis ~é* es tut mir sehr leid;

naz|i [nazi] *adj* nationalsozialistisch; m Nationalsozialist; **~isme** [-zjsm] m Nationalsozialismus

ne [nə] **1.** *~ ... aucun(e)* kein; *~... guère* kaum; *~ ... jamais* nie(mals); *~... ni... ni* weder... noch; *~ ... nul(le)* gar kein; *~... nulle part* nirgends; *~ ... pas* nicht; *~ ... pas du tout* keineswegs; *~ ... pas non plus* auch nicht; *~ ... plus* nicht mehr; *~ ... plus que* nur noch; *~ ... point* gar nicht; *~ ... que* nur, erst; *~ ... rien* nichts; **2.** *aucun* (od *nul*) *~ ...* keiner; *pas un ~ ...* kein einziger; *~ personne ... niemand*; **3.** *n'importe!* was tut's!; *je crains qu'il ~ vienne* ich fürchte, er wird kommen; *il est plus riche que vous ~ pensez* er ist reicher, als Sie glauben

né [ne] geboren; *bien ~* aus gutem Haus, aus angesehener Familie

néan|moins [neɑ̃mwę] nichtsdestoweniger, gleichwohl, dennoch; **~t** [neɑ̃] **1.** *(Antwort auf Fragebogen)* entfällt; *état ~t* Fehlanzeige; **2.** m das Nichts; Nichtigkeit; *réduire à ~t* zunichte machen, vernichten; **~tiser** [-tizę] vernichten, zerstören; ausmerzen

nébul|euse [nebyløz] f *astr* Nebel(-fleck); **~eux** [-lø] *111* neblig; nebelhaft, verschwommen; *a. fig* unklar; **~isation** [-lizasjɔ̃] f (Ver-)Sprühen; **~osité** [-lozitę] f leichter Nebel, Bewölkung; Verschwommenheit, Unklarheit

néces|saire [nesɛsɛ:r] notwendig, nötig; m das Notwendige; 💲 Besteck; Necessaire; *~aire de toilette* Kulturbeutel; *manquer du ~aire* nicht d. Notwendige z. Leben haben; **~ité** [-sitę] f Notwendigkeit; Bedürftigkeit; *de première ~ité* lebenswichtig; *en cas de ~ité* nötigenfalls, im Notfall; *sans ~ité* unnötigerweise; *état de ~ité* ⚖ Notstand ♦ *~ité n'a point de loi* Not kennt kein Gebot; *~ité est mère d'industrie* Not macht erfinderisch; **~iter** [-sitę] notwendig machen, erfordern; **~iteux** [-sitø] *111* bedürftig, notleidend

nécro|loge [nekrɔlɔ:ʒ] m Totenliste; **~logie** [-lɔʒi] f Nachruf; *journ* Todesfälle; **~mancie** [-mɑ̃si] f Toten-, Geisterbeschwörung; **~mancien** [-mɑ̃sję] m Geisterbeschwörer; **~pole** [-pɔl] f *archäol* Totenstadt; (großer) Friedhof; **~se** [-krɔ:z] f 💲 Brand; Nekrose

nectar [nɛkta:r] m *(myth, biol)* Nektar

néerlandais [neɛrlɑ̃dę] *108* niederländisch; ♣ m Niederländer

nef [nɛf] f 🏛 Kirchen-(Lang-)Schiff

néfaste [nefast] unheilvoll; *jour ~* Unglückstag

nèfle [nɛfl] f Mispel; *des ~s! (pop)* nichts da!

néflier [neflję] m Mispelbaum

négat|eur [negatœ:r] *122* stets widersprechend; m Leugner; **~if** [-tjf] *112* negativ; verneinend; m 📷 Negativ; **~ion** [-sjɔ̃] f Verneinung; **~ive** [-tj:v] f Verneinung; Weigerung; *dans la ~ive* bei Ablehnung, wenn nicht; *se tenir sur la ~ive* s. beharrlich weigern; **~on** [-tɔ̃] m *phys* Elektron

néglig|é [negliʒe] m Hauskleid, Negligé; unbeachtet; **~eable** [-ʒabl] unwesentlich, belanglos, unbedeutend, zu vernachlässigen; *quantité ~eable (math. fig)* belanglose Größe; **~ence** [-ʒɑ̃s] f Nachlässigkeit; ⚖ Fahrlässigkeit; Vernachlässigung (e-r Pflicht), Unterlassung; **~ent** [-ʒɑ̃] *108, 127* nachlässig; *répondre ~emment* gleichgültig antworten; ~er [-ʒe] *14* vernachlässigen; *ne rien ~er* nichts unversucht lassen

négoc|e [negɔs] *m* (Groß-)Handel; Geschäft; *sens du ~e* Kaufmannsgeist; ~iable [-gɔsjabl] *com* begebbar; ~iant [-gɔsjɑ̃] *m* (Groß-)Händler; ~iateur [-gɔsjatœːr] *m* Unterhändler; ~iateurs Verhandlungspartner; ~iation [-gɔsjasjɔ̃] *f* Verhandlung; *com* Geschäft, Abschluß; *(Wechsel)* Begebung; ~ier [-gɔsje] ver-, unterhandeln; Effekten handeln; *(Wechsel)* begeben; ~ier un virage e-e Kurve nehmen; *fig* geschickt den Kurs ändern

nègre [nɛgr] *m (mst pej)* Neger(sklave); *tête de ~* Mohrenkopf ♦ *travailler comme un ~* schuften wie e. Pferd

négr|esse [negrɛs] *f (mst pej)* Negerin, -sklavin; ~ier [-grie] *m* Sklavenhändler; -schiff; ~illon [-grijɔ̃] *m* Negerkind; ~itude [-grityd] *f* Gesamtheit der kulturellen Besonderheiten d. schwarzen Völker; ~o [-grɔ] *m pej* Nigger; ~o-africain [-groafrikɛ̃] schwarzafrikanisch

neig|e [nɛːʒ] *f* 1. Schnee; ~es éternelles ewiger Schnee; ~e poudreuse Pulverschnee; *bataille de ~e* Schneeballschlacht; *bonhomme de ~e* Schneemann; *boule de ~e* Schneeball; *limite des ~es* Schneegrenze; *œufs à la ~e* Eierschnee; *battre en ~e* zu Schnee schlagen; *faire boule de ~e (fig)* lawinenartig anwachsen; 2. *pop* Kokain, Koks; ~er [-ʒe] schneien; ~eux [-ʒø] *111* verschneit, schneebedeckt

nenni [nenj] nein, sicher nicht

nénuphar [nenyfaːr] *m* Seerose

néologisme [neɔlɔʒism] *m ling* Neologismus, sprachl. Neubildung, Neubrauch

néon [neɔ̃] *m* Neon

néophyte [neɔfit] *m f* Neubekehrte(r); Neuling, Anfänger

néo-zélandais [neɔzelɑ̃dɛ] *108* neuseeländisch; ⚹ *m* Neuseeländer

néphr|étique [nefretik] Nieren...; ~ite [-frit] *f* Nierenentzündung; ~opathie [-frɔpati] *f* Nierenleiden

népotisme [nepɔtism] *m* Vetternwirtschaft

nerf [nɛːr] *m* Nerv; *umg* Sehne; *fig* Kraft, Stärke; Triebfeder; *pl* 🕮 Bünde; ~ *acoustique* Gehörnerv; ~ *gustatif* Geschmacksnerv; ~ *olfactif* Riechnerv; ~ *optique* Sehnerv; ~ *de bœuf* Ochsenziemer; *avoir du ~* . Energie haben; *donner* (od *taper*) *sur les ~s* auf d. Nerven fallen; *avoir ses ~s* (*umg*) Zustände haben; *avoir les ~s en boule* (*umg*) kribbelig sein; *être à bout de ~s* am Ende sein; *paquet de ~s* e. Nervenbündel; *guerre des ~s* Nervenkrieg

nerv|ation [nɛrvasjɔ̃] *f* (*bot, Insektenflügel*) Äderung; ~eux [-vø] *111* Nerven..., nervös; sehnig; muskulös; *fig* markig; *cellule ~euse* Nervenzelle; *maladie ~euse* Nervenkrankheit; ~i [-vi] *m* (*bes Südfrankreich*) Rowdy; ~in [-vɛ̃] *m* 💲 Nervenmittel; ~osité [-vozite] *f* Nervosität, 💲 Reizzustand; ~ure [-vyːr] *f* (*bot, Insektenflügel*) Ader; 🏛 Rippe, Gurt; 🕮 Bund; ⚹ Verstärkungsgruppe

net [nɛt] *114* sauber; reinlich; deutlich; klangrein; 🕮 scharf; netto; *poids ~* Nettoge-

wicht; *produit ~* Reinertrag; *avoir la conscience ~te* e. reines Gewissen haben; *mettre au ~* ins reine schreiben; *refuser ~* rundweg abschlagen; *tué ~* auf d. Stelle tot; ~teté [nɛtte] *f* Klarheit; Sauberkeit; Deutlichkeit; Verständlichkeit; Klangreinheit; 🕮 Schärfe; ~toiement [-twamɑ̃] *m* Säuberung; Reinigung; *service du ~toiement* Straßenreinigungsamt; ~toyage [-twajaːʒ] *m* Säuberungs(aktion); Reinigung; *gros ~toyages* grobe Hausarbeiten; ~toyage à sec chem. Reinigung; ~toyant [-twajɑ̃] *m* Reinigungs-, Putzmittel; ~toyer [-twaje] *5* säubern; reinigen; putzen; *fig* berauben; umbringen; ~toyer par le vide (Teppiche usw.) absaugen

neu|f¹ [nœf] *112* neu(gekauft); frisch; unbenützt; *faire peau ~ve (Schlange)* s. häuten; *fig* e. anderer Mensch werden; *remettre à ~f* aufarbeiten, instandsetzen; *s'habiller de ~f* s. neu einkleiden

neuf² [nœf] *132* neun; *m* Neun

neur|asthénie [nørasteni] *f* Neurasthenie, Nervenschwäche; ~ologie [-rɔlɔʒi] *f* Neurologie, Nervenheilkunde; ~ologiste [-rɔlɔʒist] *m* Neurologe, Nervenarzt; ~one [rɔn] *m* Neuron *n*

neutral|isation [nøtralizasjɔ̃] *f* (*chem, phys, pol*) Neutralisierung; ~iser [-ze] *chem, phys, pol* neutralisieren; *(Gegner)* unschädlich machen; ~isme [-ism] *m* Neutralitätspolitik; ~iste [-list] neutralistisch; ~ité [-te] *f* Neutralität

neutre [nøtr] *m* 1. neutral; *verbe ~* intransitives Verb; 2. *m* Neutralstaat; *ling* Neutrum

neutron [nøtrɔ̃] *m* Neutron *n*; ~ *de fission* Spaltneutron; ~ique [-nik] *adj*: *arme ~ique* Neutronenwaffe; *émission ~ique* Neutronenstrahlung

neuvième [nøvjɛm] neunte; *m* Neunter; Neuntel

névé [neve] *m* Firn, Gletscherschnee

neveu [nəvø] *m 91* Neffe

névralg|ie [nevralʒi] *f* Neuralgie, Nervenschmerz; ~ique [-ʒik] neuralgisch; *point ~ique* verwundbarer Punkt

névrite [nevrit] *f* Neuritis, Nervenentzündung

névropath|e [nevrɔpat] nervenleidend; *m* Neurotiker, Psychopath; ~ie [-pati] *f* Nervenleiden

névros|e [nevroːz] *f* Neurose; ~é [-vrozе] *m* Neurotiker

nez [ne] *m* Nase; ⚙ Düse; Mundstück; Kegel; ~ *aquilin* Adlern.; ~ *crochu* Hakenn.; ~ *épaté* (od *camard*) platte N.; ~ *retroussé* Stupsn.; *avoir le ~ fin* (od *creux*) e-e feine Nase (Spürsinn) haben; *faire un pied de ~ à* jm j-m e-e lange N. machen; *fourrer son ~ partout* überall herumschnüffeln; *mener qn par le bout du ~* mit j-m machen, was man will; *montrer le bout de son ~* mit der eigenen Absicht herausrücken; *parler du ~* durch d. Nase sprechen; *rire au ~ de qn* j-m ins Gesicht lachen; *se trouver ~ à ~ avec qn* (plötzlich) gegenüberstehen ♦ *ne pas voir plus loin que le bout de son ~* e-n beschränkten Horizont haben; *se casser le ~* vor d. verschlossenen Tür stehen; *se piquer le ~* (*umg*) einen heben; *cela te pend au ~!* das kann dir bald passieren!; *vous avez mis le ~ dessus* Sie haben das Richtige, d.

Nagel auf d. Kopf getroffen; *se manger le ~ (umg)* s. gehörig verprügeln

ni [ni] auch nicht; ~ … ~ weder … noch; ~ *l'un ~ l'autre* k-r von beiden; ~ *moi non plus* und ich auch nicht

niable [njabl] zu leugnen(d)

niais [njɛ] *108* simpel, unerfahren; albern; **~erie** [-zri] *f* Albernheit, Einfältigkeit

niche [niʃ] *f* 1. Nische; Hundehütte; *umg* Behausung; 2. Streich, Schabernack

nich|ée [niʃe] *f* Nest voll junger Vögel, Brut; *fig* Kinder(schar); **~er** [-ʃe] nisten; hausen; *se ~er (s. ein)nisten ♦ où peut-il bien s'être ~é?* wo mag er nur stecken?; **~et** [-ʃɛ] *m* Nestei; **~oir** [-ʃwaːr] *m* Nistkasten; **~on** [-ʃɔ̃] *m umg* (weibl.) Brust

nickel [nikɛl] *m* Nickel; **~age** [-laːʒ] *m* Vernickeln; **~é** [-niklɛ] vernickelt

nicotin|e [nikɔtin] *f* Nikotin; **~isme** [-tinism] *m* Nikotinvergiftung

nid [ni] *m* Nest; *rentrer au ~* heimkommen; ~ *de poule* Schlagloch

nièce [njɛs] *f* Nichte

nielle [njɛl] *f* Getreidebrand; *bot* Kornrade

nier [nje] leugnen; verneinen; in Abrede stellen

nigaud [nigo] *108* einfältig, tölpelhaft; *m* Einfaltspinsel, Tropf

nimb|e [nɛ̃b] *m* ✷ Heiligenschein; **~us** [-bys] *m meteo* Nimbostratus

nipp|é [nipe] *être bien ~é (pop)* gut ausstaffiert sein; **~es** [nip] *fpl umg* alte Kleider, Siebensachen, Klamotten

nippon [nipɔ̃] *118* japanisch; ⩲ *m* Japaner; *le* ⩲ Japan

nique [nik] *faire la ~ à qn* j-m e-e Nase drehen

nitouche [nituʃ] *f: sainte ~ (umg)* Rührmichnichtan

nitr|ate [nitrat] *m* Nitrat, salpetersaures Salz; *~ate d'argent* Silbernitrat; *~ate de sodium* Natronsalpeter; **~eux** *111* salpeterhaltig; **~ique** [-trik] stickstoffhaltig; *acide ~ique* Salpetersäure; *sel ~ique* salpetersaures Salz

niv|eau [nivo] *m 91 (a. fig)* Niveau; Höhe; Ebene; Rang; Stand; Stufe; Standard; ⌖ Pegel; *au ~eau de* im Bereich von, betreffend, in; *au*… Ebene; *~eau à bulle* Wasserwaage; Richtwaage; *~eau d'huile* ✿ Ölstand; *~eau intermédiaire* Zwischenstufe; *~eau de la mer* Meeresspiegel; *~eau des prix* Preisniveau; *~eau des salaires* Lohnhöhe; *~eau de vie* Lebensstandard; *être de ~eau avec* auf gleicher Höhe liegen mit; *courbe de ~eau (Landkarte)* Höhenlinie; *passage à ~eau* schienengleicher Bahnübergang; **~eler** [nivlɛ] *4 (a. fig)* nivellieren; einebnen; **~ellement** [-vɛlmɑ̃] *m (a. fig)* Nivellierung, Gleichmacherei; Angleichung

nobiliaire [nɔbiljɛːr] Adels…; *titre ~* Adelstitel

nobl|e [nɔbl] adelig; edel(mütig); ✿ hochwertig; *m* Adeliger; **~esse** [-blɛs] *f* Adel; Edelmut; Vornehmheit; *~esse de cœur* Herzensbildung

noc|e [nɔs] *f* Hochzeitsgesellschaft; *pl* Hochzeit ♦ *ne pas être à la ~e* in e-r mißlichen Lage sein; *faire la ~e* prassen, schwelgen, in Saus u. Braus leben; **~eur** [-sœːr] *m* Lebemann, Schwelger, Zechbruder

noc|if [nɔsif] *112* schädlich; **~ivité** [-sivite] *f* Schädlichkeit

noct|ambule [nɔktɑ̃byl] *m* Nachtwandler; Nachtschwärmer; **~urne** [-tyrn] nächtlich; Nacht…; *m* ♪ Notturno; Nachttier; *com* Warenverkauf in den Abendstunden

nod|al [nɔdal] *124 adj* Knoten…; *point ~al phys* Knotenpunkt; *tissu ~al biol* spezifische Herzmuskulatur; **~osité** [nɔdozite] *f* ✚ Knoten; ~ *goutteuse* Gichtk.; **~ule** [-dyl] *m geol* (Tiefseeerz-)Knolle

Noël [nɔɛl] *m* Weihnachten; ⩙ Weihnachtslied; *à ~* zu Weihnachten; *Père ~* Weihnachtsmann; *la veille de ~* Heiligabend

nœud [nø] *m (a ✿, ⚓)* Knoten; Haarschleife; Knorren; *fig* Band; Schwierigkeit; ~ *coulant* Schiebeknoten, Schlinge; ~ *ferroviaire* Eisenbahnknotenpunkt; ~ *papillon (Krawatte)* Fliege; ~ *vital* ✚ Lebensknoten; *bois sans ~s* astfreies Holz; ~ *du doigt* Fingerknöchel

noir [nwaːr] 1. schwarz; *~ foncé* tiefschw.; ~ *de pétrole* Erdölruß; *bêtes ~es* Schwarzwild; *beurre ~* braune Butter; *idées ~es* trübe Gedanken; *marché ~* Schwarzhandel; *travail (au) ~* Schwarzarbeit; illegale Tätigkeit; *point ~ (Straße)* sehr gefährliche Stelle; *nuit ~e* stockfinstere Nacht; *être ~ (pop)* blau sein ♦ *c'est ma bête ~e* er ist mir e. Dorn im Auge; 2. *m* der, die Schwarze; Schwarz; schwarze Kleidung; *broyer du ~* trübsinnig sein; *mettre dans le ~ (a. fig)* ins Schwarze treffen; **~âtre** [nwarɑtr] schwärzlich; **~aud** [nwaro] *m umg* dunkler Typ; **~ceur** [nwarsœːr] *f* Schwärze; schwarzer Fleck; *fig* Ruchlosigkeit, Bosheit; **~cir** [nwarsiːr] *22* schwärzen; *fig* anschwärzen; schwarz, dunkel werden; **~cissement** [nwarsismɑ̃] *m (a.* ✒*)* Schwärzen; **~cissure** [nwarsisyːr] *f* schwarzer Fleck; **~e** [nwaːr] *f* Viertelnote

noise [nwaːz] *f: chercher ~ à qn* mit j-m Streit suchen

nois|etier [nwaztje] *m* Haselstrauch; **~ette** [-zɛt] *f* Haselnuß

noix [nwa] *f* (Wal-)Nuß; ~ *de coco* Kokosnuß; ~ *de veau* Kalbsnuß; *à la ~ (pop)* wertlos; dumm, falsch

nom [nɔ̃] *m* Name; *ling* Nomen; ~ *d'amitié* Kosename; ~ *commercial* Handelsbezeichnung; ~ *d'emprunt* Deckname; ~ *de guerre* Künstlername, Pseudonym; ~ *de jeune fille* Mädchenname; ~ *propre* Eigenname; *petit ~ (umg)* Vorname; *en ~* nominell; *en son ~* in s-m Namen; *au ~ de* im Namen von; *se faire un ~* bekannt werden ♦ *cela n'a pas de ~* das ist unerhört; ~ *d'une pipe!, ~ d'un chien!, ~ de ~! (umg)* z. Kuckuck, verflixt!, Donnerwetter

nomade [nɔmad] nomadisch, herumziehend; *m* Nomade

nombr|e [nɔ̃br] *m* Zahl; Anzahl; *(Sprache)* Wohlklang; *~e de viele; ~e de fois* sehr oft; *au ~e de dix* 10 an d. Z.; *en grand ~e* zahlreich; *~e aléatoire* Zufallszahl; *~e approché* Näherungswert; ~ *arbitraire* beliebige Z.; *~e atomique* Ordnungsz.; *~e cardinal* Grundz.; *~e entier* ganze Z.; *~e fractionnaire* gebrochene Z.;

~e impair ungerade Z.; ~e opérateur Rechengröße; ~e premier Primz.; être du ~e darunter sein; ~eux [-brø] 111 zahlreich

nombril [nɔbri] m Nabel

nomenclature [nɔmãklaty:r] f (Wörter-, Namen-, Güter-, Preis-)Verzeichnis; Stückliste; ~inal [-minal] 124 namentlich; ling nominal; nominell; appel ~inal Namensaufruf; valeur ~inale (Münze) Nennwert; ~inatif [-minatif] 112 namentlich; Namens...; com auf d. Namen lautend; m ling Nominativ; ~ination [-minasjɔ̃] f Ernennung, Bestellung; ~mé [-me] à point ~mé z. rechten Zeit; m: un ~mé N. e. gewisser N.; ~mer [-me] (be-, er-)nennen (qch zu etw.); bezeichnen (qch als etw.); einsetzen (qch als etw.)

non [nɔ̃] 1. nein, nicht; je crois que ~ ich glaube nein; moi ~ plus ich auch nicht; ~ seulement, mais aussi nicht nur, sondern auch; nul et ~ avenu ⚑ null u. nichtig; 2. m Nein

nonagénaire [nɔnaʒenɛːr] neunzigjährig; m Neunzigjähriger

non-agression [nɔnagresjɔ̃] f: pacte de ~ Nichtangriffspakt; ~aligné [-aliɲe] adj blockfrei

nonante [nɔnãt] neunzig (in Belgien, Kanada u. d. Schweiz)

non-assistance [nɔnasistãs] f ⚑ unterlassene Hilfeleistung; ~belligérance [nɔbelliʒerãs] f Nichteinmischung im Kriegsfall, Neutralität

nonce [nɔ̃s] m Nuntius

nonchalance [nɔ̃ʃalãs] f Sichgehenlassen; Lässigkeit; ~chalant [-ʃalã] 108 gleichgültig; lässig; ~combattant [-kɔ̃batã] m 99 Nichtkämpfer; ~discrimination [nɔ̃diskriminasjɔ̃] Gleichberechtigung; ~disponibilité [-disponibilite] f Unabkömmlichkeit; ~dissémination [nɔ̃diseminasjɔ̃] Nichtweitergabe (von Waffen); ~engagé [nɔnãgaʒe] adj blockfrei, bündnisfrei; ~fumeur [-fymœːr] m 99 Nichtraucher; ~intervention [nɔ̃tɛrvãsjɔ̃] f pol Nichteinmischung; ~lieu [-ljø] m 99 ⚑ Einstellung d. Verfahrens

nonne [nɔn] f Nonne; ~ette [-nɛt] f junge Nonne; Pfeffernuß

non-obstant [nɔnɔpstã] trotz; trotzdem; ~officiel [-ɔfisjɛl] 115 nichtamtlich; ~ouvré [-uvre] ⚑ unbearbeitet; ~pareil [nɔ̃parɛj] unvergleichlich; ~pareille [nɔ̃parɛj] f ⚎ Nonpareille(schrift); ~pesanteur [nɔ̃pəsãtœːr] Schwerelosigkeit; ~prolifération [nɔ̃proliferasjɔ̃] (Atomwaffen-)Sperrvertrag, Nichtweitergabe; ~recevoir [nɔ̃rəsəvwaːr] f: fin de ~-recevoir ⚑ Abweisung; ~retour [nɔ̃rətuːr] m: point de ~ ~ 🛧 Umkehrgrenzpunkt; fig Grenzüberschreitung; ~salarié [nɔ̃salarje] m com Selbständiger; ~sens [nɔ̃sãs] m Unsinn, Widersinn; ~stop [nɔnstɔp] m Nonstop(flug); adj fortlaufend, ohne Unterbrechung; ~valeur [nɔ̃valœːr] f wertloses Grundstück od Haus; nicht beitreibbare Gelder; fig Versager; ~violence [nɔ̃vjolãs] f Gewaltlosigkeit, Gewaltverzicht

nord [nɔːr] m Norden; du ~ nördlich; Nord...; pôle ~ Nordpol ♦ perdre le ~ sich nicht zurechtfinden; fig d. Kopf verlieren; ~africain

[nɔrafrikɛ̃] 109 nordafrikanisch; ⚒-africain m 97 Nordafrikaner; ~est [nɔrɛst] m Nordosten; ~ique [nɔrdik] nordisch; ~ouest [nɔrwɛst, ⚓ nɔrwɛ] m Nordwesten

noria [nɔrja] f ⚙ Schöpfwerk; Paternosterwerk; fig rollender, endloser Einsatz; (Personen) ewiges, ruheloses Hin und Her; Fülle, unübersichtliche Menge

normal [nɔrmal] 124 normal; regelrecht; math senkrecht; Muster...; École ~e Lehrerbildungsanstalt; ~e [-mal] f math Senkrechte; ~ement [-malmã] normalerweise; ~ien [maljɛ̃] m Schüler e-r École normale (supérieure); ~isation [-malizasjɔ̃] f ✿ Normung; ~iser [-malize] ✿ normen; normalisieren

normand [nɔrmã] 108 normannisch; aus d. Normandie; ⚒ m Normanne; Bewohner d. Normandie ♦ répondre en ~ weder ja noch nein antworten

norme [nɔrm] f (a. ✿) Norm; Regel, Typ; ~ de fabrication Werksnorm; ~ de produit Gütenorm; ~ de sécurité Sicherheitsvorschrift; s'écarter de la ~ v. d. N. abweichen

Norvège [nɔrvɛːʒ]: la ~vège Norwegen; ~végien [-veʒjɛ̃] m Norweger; ⚒-végien 118 norwegisch

nos [no] pl von notre

nostalgie [nɔstalʒi] f Heimweh; Sehnsucht (de nach); ~ique [-ʒik] sehnsuchtsvoll; m pej Vergangenheitsanbeter

nota [nɔta] m 104 Anmerkung, Fußnote; ~abilité [-tabilite] f bemerkenswerter Charakter (e-r Sache); pl Honoratioren; ~able [-tabl] bemerkenswert; bedeutend; m angesehener Bürger; ~aire [-tɛːr] m Notar; par-devant ~aire notariell; ~amment [-tamã] insbesondere; namentlich; unter anderem; ~arial [-tarjal] 124 notariell; ~ariat [-tarja] m Notariat; ~arié [-tarje] notariell beglaubigt; ~ation [-tasjɔ̃] f Aufzeichnung; Darstellung; Schreibweise; ♪ Notierung, Tonschrift, Notenschrift; math, chem Formel; dienstliche Beurteilung; ~ation des données EDV Datenerfassung; ~e [nɔt] f Anmerkung, Vermerk; Notiz; com (kleine) Rechnung; päd, pol, ♪ Note; Beurteilung; ~ de débit Lastschrift(zettel); ~e intérieure Hausmitteilung; ~e au bas d'une page Fußnote; ~e tonique ♪ Grundton; être dans la ~e gut passen, übereinstimmen; forcer la ~e übertreiben; prendre ~e de Kenntnis nehmen von; ~er [-te] notieren; aufschreiben; ♪ in Noten setzen; employé bien ~é gut beurteilter Angestellter; ~ez bien cela! beachten Sie das! ~ice [-tis] f Notiz, Vermerk; Merkschrift; ~ice individuelle Personalbogen; ~ice de renseignements Merkblatt; ~ification [-tifikasjɔ̃] f ⚑ Bekanntgabe; Zustellung; Bescheid; ~ification de la commande Auftragserteilung; ~ifier [-tifje] ⚐ bekanntgeben; zustellen; ~ion [nosjɔ̃] f Begriff; Vorstellung; ~ion fondamentale Grundbegriff; premières ~ions Anfangsgründe; ne pas avoir la première ~ion de k-e blasse Ahnung haben von; ~oire [-twaːr] notorisch, offenkundig; ~oriété [-tɔrjete] f Offenkundigkeit; allgemeine Be-

kanntheit, Ruf; *il est de ~oriété publique que...*
es ist allgemein bekannt, daß...
notre [nɔtr] unser(e); *de ~ part* unsererseits;
von uns
nôtre [noːtr] *le (la) ~* der (die, das) Unsere; *les*
~s d. Unseren; *il est des ~s* er gehört zu uns
Notre-|Dame [nɔtrədam] *f rel* Mutter Gottes; *~*
Dame de... Liebfrauenkirche...; **~Seigneur**
[-sɛɲœːr] *m rel* unser Herr u. Heiland
nou|é [nwe] **⚕** rachitisch; **~er** [nwe] *vt* (ver-,
zus.-)knüpfen; *vi (Früchte)* ansetzen; **~eux** [nwø]
111 knotig; astig
nougat [nuga] *m* Nougat, Nuß- *od* Mandelge-
bäck; *pop* etwas Gutes, Leckeres; *pl umg* Beine,
Quanten
nouille [nuj] *f (mst pl)* Nudel; *umg* Waschlappen, Transuse
nourr|i [nuri] dick, stark; dicht; *fig* kraftvoll;
bien ~i wohlgenährt; *applaudissements ~is*
anhaltender Beifall; *feu ~i (mil)* dichtes Feuer;
~ice [-ris] *f* Amme; **🚗** Reservetank, -kanister;
enfant placé en ~ice Pflegekind; **~iciers** [risje]
116: *parents ~iciers* Pflegeeltern; **~ir** [-riːr] *22 a*
fig stillen, nähren; *(Tiere)* füttern; *mère qui ~ it*
stillende Mutter; **~issant** [-risã] *108* nahrhaft;
~isson [-risõ] *m* Säugling; **~iture** [-rityːr] *f (a. fig)*
Nahrung, Kost; Ernährung
nous [nu] wir; *à ~* unser; *chez ~* bei uns (zu
Haus), hierzulande; *~ autres Français* wir
Franzosen
nouure [nuːr] *f* Ansetzen der Früchte; **⚕**
Rachitis; Knotenbildung
nouv|eau [nuvo] *119, 125* neu; *m* das Neue; *de*
~eau von neuem; *à ~eau* in anderer Weise;
com auf neue Rechnung; *c'est du ~eau* das ist
mir neu; **~eau-né** [-vone] neugeboren; *m 99*
Neugeborenes; **☣** Neuentwicklung; **~eauté**
[-vote] *f* Neuheit; Neuerung; **📖** Neuerschei-
nung; *pl* Modeartikel; *haute ~eauté* letzte
Neuheut; **~elle** [-vɛl] *f* Nachricht; Neuigkeit; *lit*
Novelle; *fausse ~elle* Falschmeldung; *~elle de*
presse Pressenotiz; *~elles brèves* Kurznachrichten; *donner de ses ~elles* von s. hören lassen;
prendre des ~elles de qn s. über j-n erkundigen;
~ellement [-vɛlmã] kürzlich, jüngst; **⭐elle-Zé-**
lande [-vɛlzelãd]: *la ⭐elle-Zélande* Neuseeland
novateur [nɔvatœːr] *122* Neuerungs...; *m*
Neuerer
novembre [nɔvãbr] *m* November
novice [nɔvis] unerfahren; *m* Novize, Neuling ♦
il n'est pas ~ er ist nicht mehr novice
noyade [nwajad] *f* Ertränken; **⚕** Ertrinken
noyau [nwajo] *m 91 (a. fig)* Kern; **☣** Gußkern;
(Frucht) Stein; **⚕** Knötchen; *~ atomique*
Atomk.; **~tage** [-taʒ] *m pol* Unterwanderung;
~ter [-te] *pol* unterwandern
noyé [nwaje] *adj* **☣** versenkt, eingelassen,
eingebettet; *m* Ertrunkener
noyer[1] [nwaje] *5* ertränken; *(z. B. Wein)* zu stark
verdünnen; *fig* überschütten *(de mit)*; *se ~* s.
ertränken; ertrinken ♦ *se ~ dans des détails* s. in
Einzelheiten verlieren; *se ~ dans un verre d'eau*
sofort (bei d. kleinsten Schwierigkeit) d. Kopf

verlieren; *~ le poisson* (durch langes Darum-
herumreden) ablenken
noyer[2] [nwaje] *m* (Wal-)Nußbaum
nu [ny] **1.** nackt; *(Schwert, Draht)* blank; *(Gerät)*
unausgerüstet; *(Gelände)* kahl; schmucklos;
(Wahrheit) rein, ungeschminkt; *~ comme un ver*
(umg) splitternackt; *~-pieds od pieds ~s* barfuß;
à l'œil ~ mit bloßem Auge; **2.** *m* **🎨** Akt; *à ~*
nackt; unverhüllt; freiliegend; *mettre à ~*
bloßlegen, freilegen
nu|age [nɥaːʒ] *m* Wolke; *fig* Trübung; *pl*
Gewölk; *sans ~ages* wolkenlos; *sans ~age (fig)*
ungetrübt; *être dans les ~ages (umg)* in höheren
Regionen schweben; **~ageux** [naʒø] *111*
wolkig, bewölkt; nebelhaft; **~ance** [nɥãs] *f*
Nuance; Abtönung; Abstufung; Schattierung;
Färbung; *com* Güte, Sorte; *avec une ~ance*
d'ironie mit ironischem Unterton; **~ancer**
[nɥãse] *15* fein abstufen, nuancieren
nubile [nybil] **🔯** heiratsfähig
nucléaire [nykleɛːr] *phys, biol* Kern...; nuklear;
énergie ~ K.energie; *arme ~* K.waffe; *panoplie*
*~ * Atomwaffenarsenal; *secteur ~* Atomindu-
strie
nud|isme [nydism] *m* Freikörperkultur; **~iste**
[-dist] *m* Anhänger d. Freikörperkultur; **~ité**
[-dite] *f (a. fig)* Nacktheit; Blöße; Schmucklosigkeit; *(Berg)* Kahlheit; *pl* **🎨** nackte Figuren
nu|e [ny] *f (mst fig)* Wolke; *élever qn (jusqu')aux*
~es j-n in d. Himmel heben; *tomber des ~es* aus
allen Wolken fallen; **~ée** [nɥe] *f* Wetter-
wolke; *(Vogel-)Schwarm; ~ée de sauterelles*
Heuschreckenschwarm
nui|re [nɥiːr] *75* schaden; **~sance** [nɥizãs] *f*
Umweltverschmutzung; U.schädigung; U.bela-
stung; Schadwirkung; *~sance sonore* Lärmbelästigung; **~sant** [-zã] *adj* schädigend; ver-
schmutzend; **~sible** [nɥizibl] schädlich
nuit [nɥi] *f* Nacht; Finsternis; Dunkelheit; *~*
noire stockfinstere N.; *~ blanche* schlaflose
N.; *à la ~ tombante* bei Einbruch der
Dunkelheit; *de ~, la ~* nachts; *il va faire ~* es
wird N.; **~ées** [-te] *fpl* Anzahl d. Übernachtun-
gen; **~eux** [-tø] *m umg* Nachtschichtarbeiter
nul [nyl] *115* **1.** ungültig; null u. nichtig; *päd*
ungenügend; *faire match ~* unentschieden
spielen. **2.** kein; niemand, keiner; *~ (homme)*
ne... niemand; *~ le part* nirgends; *ne ~le part*
keinerseits; **~lement** [-mã]; *ne ... ~lement*
keineswegs; **~lité** [-lite] *f* Bedeutungslosigkeit;
Ungültigkeit; *action en ~lité* **🔯** Anfechtungskla-
ge; *c'est une ~lité* er ist e-e Null
nûment [nymã] *adv* unverblümt
numér|aire [nymerɛːr] *m com* Hartgeld; Bar-
geld; **~al** [-ral] *124* Zahl...; **~ateur** [-ratœːr] *m*
(Bruch) Zähler; **~ation** [-rasjõ] *f* Zählen; EDV
Zahlendarstellung, Schreibweise; **~ique** [-rik]
numerisch; zahlenmäßig; Zahl(en)...; *exemple*
~ique Zahlenbeispiel; *horloge ~ique* Digital-
uhr; **~o** [-ro] *m* Nummer; *~o atomique*
Ordnungszahl; *~o d'immatriculation* **🚗** amtl.
Kennzeichen; *~o d'ordre* Eintragsnummer; *~o*
de série Seriennummer; *le ~o un (com)*
Marktführer; *tirer un bon ~o* e. gutes Los

ziehen; *c'est un ~o!* das ist e-e Marke!; **~otage** [-rɔtaːʒ] *m* Bezifferung, Numerierung; **~oter** [-rɔtɛ] beziffern, numerieren; *se~oter (mil)* abzählen; **~oteur** [-rɔtœːr] *m* Nummernstempel
numismatique [nymismatik] *f* Münzkunde
nuptial [nypsjal] *124* hochzeitlich; Hochzeits...; *bénédiction ~e* kirchl. Trauung; *vol ~ (Bienenkönigin)* Hochzeitsflug
nuque [nyk] *f* Nacken, Genick
nurse [nœrs] *f* Kinderfräulein
nutrit|if [nytritif] *112* Nähr...; *valeur ~ive* Nährwert; **~ion** [-trisjɔ̃] *f* Ernährung(svorgang); **~ionnel** [-sjɔnɛl] *adj: plan ~ionnel* Ernährungsplan
nyctalope [nyktalɔp] nachtsichtig, tagblind
nylon [nilɔ̃] *m* Nylon
nymph|e [nɛ̃f] *f* Nymphe; *(Insekten)* Puppe; **~éa** [-fea] *m* Seerose; **~omane** [-fɔman] mannstoll

O

ô [o] *interj* o(h)!
oasis [ɔazis] *f (a. fig)* Oase
obé|dience [ɔbedjɑ̃s] *f rel* kanonischer u. klösterl. Gehorsam; klösterl. Amt; *pol* Richtung, Schattierung, Zugehörigkeit; *de stricte ~dience (pol)* linientreu; **~ir** [ɔbeːir] *22* gehorchen; *~ir au doigt et à l'œil* aufs Wort folgen; *se faire ~ir* s. Gehorsam verschaffen; **~issance** [ɔbeisɑ̃s] *f* Gehorsam; Botmäßigkeit; *~issance passive* Kadavergehorsam; **~issant** [ɔbeisɑ̃] *108* gehorsam; folgsam
obélisque [ɔbelisk] *m* Obelisk
obérer [ɔberɛ] *13 vt* mit Schulden überladen
ob|èse [ɔbɛz] fettleibig, beleibt; **~ésité** [ɔbezitɛ] *f* Fettleibigkeit, Beleibtheit
obit [ɔbit] *m* Jahresseelenamt
object|er [ɔbʒɛktɛ] einwenden; **~eur** [-tœːr] *m:* *~eur de conscience* Wehrdienstverweigerer *(aus Gewissensgründen)*; **~if** [-tif] *112* objektiv; sachlich; *m* 🄳 Objektiv; *a. mil* Ziel; Angriffsziel; *com* Zweck; Zielsetzung; *pol* Anliegen; *~if indicatif com* Planungsziel; *~if lointain* Fernziel; *~if majeur* Hauptzweck; *avoir pour ~if* zum Ziel haben; **~ion** [-ʒɛksjɔ̃] *f* Einwand; *~ion de conscience* Wehrdienstverweigerung *(aus Gewissensgründen)*; **~iver** [-tivɛ] vergegenständlichen; sachlich betrachten; **~ivité** [-tivitɛ] *f* Objektivität; Sachlichkeit
objet [ɔbʒɛ] *m (a. fig)* Gegenstand; Ziel; Zweck; Aufgaben; *sans ~* gegenstandslos; *~ essentiel* Hauptzweck; Hauptanlaß; *~ d'art* Kunstgegenstand; *~ de valeur* Wertg.; *~s trouvés* Fundsachen; *~ manufacturé* Fertigware; *avoir pour ~* bezwecken
objurgation [ɔbʒyrgasjɔ̃] *f (mst pl)* scharfer Verweis
obligat|aire [ɔgligatɛːr] *m* Inhaber e-r Schuldverschreibung; **~ion** [-sjɔ̃] *f* Verpflichtung; Verbindlichkeit; *com* Obligation, Schuldverschreibung; *~ion alimentaire* Unterhaltspflicht; *~ion fiscale* Steuerpflicht; *~ion scolaire* Schulpflicht; *faire honneur à ses ~ions (com)* s-n

Verpflichtungen nachkommen; **~oire** [-twaːr] obligatorisch; verbindlich, verpflichtend; *enseignement ~oire* Schulpflicht; *service militaire ~oire* allgemeine Wehrpflicht; *sens ~oire* vorgeschriebene Fahrtrichtung; Einbahnstraße
oblig|é [ɔbliʒɛ] **1.** zu Dank verpflichtet *(de* für); ♪ obligat; *je vous en suis très ~é* ich bin Ihnen dafür sehr verbunden; *c'est ~é* anders geht es nicht; **2.** *m: principal ~é* Hauptschuldner; **~eance** [-ʒɑ̃s] *f* Zuvorkommenheit; Gefälligkeit; Freundlichkeit; **~eant** [-ʒɑ̃] *108, 127* wohlwollend; gefällig *(envers qn* j-m); freundlich; verbindlich; zuvorkommend; **~er** [-ʒɛ] *14* verpflichten; zwingen, nötigen *(à* zu); gefällig sein *(qn* j-m); *com* verpfänden; *cela ne vous ~e à rien* das verpflichtet Sie zu nichts; *vous m'~eriez en venant* ich würde mich freuen, wenn Sie kämen; *s'~er* s. verpflichten, verbürgen *(pour* für); Bürgschaft leisten *(pour* für)
obliqu|e [ɔblik] **1.** schräg; *ligne ~e* Schrägstrich; *voies ~es (fig)* krumme Wege; **2.** *f* schräge Linie; **~er** [-likɛ] *6* schräg verlaufen; 🐾 abbiegen *(à* nach)
oblitér|ateur [ɔbliteratœːr] *m* 🅥 Entwertungsstempel; **~ation** [-rasjɔ̃] *f (Briefmarke)* Entwertung; 🄵 (Gefäß-)Verstopfung; **~er** [-rɛ] *13* verwischen; *(Briefmarke)* entwerten, stempeln; 🄵 *(Gefäß)* verstopfen
oblong [ɔblɔ̃] *120* länglich
obnubiler [ɔbnybilɛ] vernebeln, trüben *(fig)*
obole [ɔbɔl] *f* Obolus; (kleine) Spende
obsc|ène [ɔpsɛn] obszön, unanständig, schamlos, schlüpfrig; **~énité** [-senitɛ] *f* Obszönität, Schamlosigkeit; Zotenhaftigkeit
obscur [ɔpskyːr] *131 (a. fig)* dunkel, finster; unbekannt; *(Rede)* unverständlich; *vivre ~ément* im Verborgenen leben; **~cir** [-kyrsiːr] *22* s~er, abdunkeln; verfinstern; *(Geist)* trüben; **~cissement** [-kyrsismɑ̃] *m* Ver-, Abdunkelung; Verfinsterung; **~ité** [-ritɛ] *f (a. fig)* Dunkelheit; Finsternis; *lit* Unklarheit; Unbekanntheit
obsédé [ɔpsedɛ] *m* 🄵 an Zwangsvorstellungen Leidender; **~er** [-dɛ] *13: ~er qn* j-m nicht von d. Seite weichen, j-m lästig fallen; *(Gedanke)* j-m nicht aus d. Kopf gehen
obsèques [ɔpsɛk] *fpl* Bestattung, Beisetzung; *~ nationales* Staatsbegräbnis
obséqui|eux [ɔpsekjø] *111* übertrieben höflich, kriecherisch; **~osité** [-kjozitɛ] *f* Unterwürfigkeit
observ|ance [ɔpsɛrvɑ̃s] *f* Observanz; *de stricte ~ance (rel)* strenggläubig; **~ateur** [-vatœːr] *122* beobachtend; *m (a. pol)* Beobachter; *mil* Zielbeobachter; **~ation** [-vasjɔ̃] *f* **1.** *(a.* 🅥*)* Beobachtung; Betrachtung; *esprit d'~ation* Beobachtungsgabe; *poste d'~ation (mil)* Beobachtungsposten; *tour d'~ation* Aussichtsturm; **2.** Bemerkung; Vorhaltung; *faire des ~ations à qn* j-n tadeln; **3.** Einhaltung, Erfüllung *(d'un contrat* e-s Vertrages); **~atoire** [vatwaːr] *m* Observatorium, Sternwarte; Wetterwarte; *mil* Beobachtungsstand; **~er** [-vɛ] **1.** beobachten, bemerken; *on ~e fréquemment que* es kommt häufig vor, daß; *je me permets de vous faire ~er que...* ich möchte Sie darauf aufmerksam

machen, daß...; *s'~er* s. in acht nehmen; **2.** (ein)halten, befolgen; *~er la mesure* ♪ Takt halten

obsession [ɔpsɛsjɔ̃] *f* Zudringlichkeit; quälender Gedanke, fixe Idee; ⚕ Zwangsvorstellung; **~nel** [nɛl] zwanghaft

obsol|escence [ɔpsɔlɛsɑ̃s] *f* ⚙ Ungültigwerden; ⚙ Alterung; Altern; **~escent** [-lɛsɑ̃] *adj* alternd; **~ète** [-sɔlɛt] *adj* ungültig; nicht mehr üblich, ungebräuchlich

obstacle [ɔpstakl] *m* Hindernis; Hemmnis; Behinderung; Anstoß; *faire ~ à qn (a. fig)* j-m im Wege stehen

obstétrique [ɔpstetrik] *f* Geburtshilfe

obstin|ation [ɔpstinasjɔ̃] *f* Hartnäckigkeit; Starrsinn; **~é** [-ne] hartnäckig, starrsinnig; **~er** [-ne] *s'~er* s. versteifen (*à auf*)

obstruction [ɔpstryksjɔ̃] *f* Hindernis; Sperre; Schließung; Blockierung; *pol* Obstruktion; ⚕ Verstopfung; **~nisme** [-sjɔnism] *m* Obstruktions-, Verschleppungspolitik

obstruer [ɔpstrye] versperren; ⚕ verstopfen

obtempérer [ɔptɑ̃pere] *13 (mst* ⚙) gehorchen

obten|ir [ɔptəniːr] *30* erlangen, erreichen; erhalten; *~ir par ruse* erlisten; *~ir de force* erzwingen; **~tion** [-tɑ̃sjɔ̃] *f* Erlangung; ⚙ Erwirkung; *com* Gewinnung

obtur|ateur [ɔptyratœːr] *m* (▥, ⚙) Verschluß; Blende; Absperrvorrichtung; Klappe; *~ateur momentané* Schnappverschluß; *~ateur pour la pose* Zeitv.; *~ateur à rideau* Schlitzv.; **~ation** [-rasjɔ̃] *f* Verschließen; ⚕ Plombieren; **~er** [-re] verstopfen; dichten; ⚕ (*Zahn*) plombieren

obtus [ɔpty] *108 (Winkel; a. fig)* stumpf; *esprit ~* begriffsstutziger Mensch

obus [ɔby] *m* Granate; Geschoß; *~ à balles* Schrapnell; **~ier** [ɔbyzje] *m* Haubitze

obvier [ɔbje] begegnen, vorbeugen (*à qch* e-r Sache); *~ à des conséquences* Folgen abwenden

occasion [ɔkazjɔ̃] *f (pop* occase) **1.** Gelegenheit; Anlaß; *à l'~* bei G.; *par ~* zufälligerweise; *profiter de l'~ = saisir l'~ aux cheveux* d. G. beim Schopf ergreifen; **2.** Gelegenheitskauf; *livre d'~* antiquarisches Buch; *voiture d'~* Gebrauchtwagen; **~nel** [-zjɔnɛl] *115* gelegentlich; zufällig; **~ner** [-zjɔnɛ] verursachen; veranlassen

occident [ɔksidɑ̃] *m* Westen; ⚹ Abendland, Okzident; **~al** [-dadal] *124* westlich; abendländisch; **~aux** [-dato] *mpl* Westmächte

occip|ital [ɔksipital] *124* ⚕ Hinterkopf...; **~ut** [-pyt] *m* ⚕ Hinterkopf

occlus|if [ɔklysif] *112* Verschluß...; *consonne ~ive (ling)* Verschlußlaut; **~ion** [-zjɔ̃] *f* Verschluß; *~ion intestinale* ⚕ Darmverschluß

occult|e [ɔkylt] okkult; geheim, heimlich; **~isme** [ɔkyltism] *m* Geheimlehre

occup|ant [ɔkypɑ̃] *108* Besatzungs...; *m* Insasse; **~ation** [-pasjɔ̃] *f* Besetzung; Beschäftigung; *~ation accessoire* Nebenb.; *sans ~ation* stellenlos; **~er** [-pe] besetzen; (*Raum*) einnehmen; beschäftigen; (*Amt*) bekleiden; *vi (Rechtsanwalt)* vor Gericht auftreten; *s'~er* s. beschäftigen (*de* mit); s. kümmern (*de* um); *~ez-vous de*

---

vos affaires! kümmern Sie s. um Ihre Angelegenheiten!

occurren|ce [ɔkyrɑ̃s] *f* Zus.treffen *(v. Umständen); en l'~ce* in diesem Fall; **~t** [-rɑ̃] vorkommend; (*Feste*) zus.fallend

océan [ɔseɑ̃] *m* Ozean; *~ antarctique* südliches Eismeer; *~ glacial arctique* nördliches Eismeer; *~ Pacifique* Stiller (Pazifischer) Ozean, Pazifik; **⚹ie** [ani] *f: l'⚹ie* Ozeanien; **~ique** [-anik] Meeres...; **~ographie** [-anɔgrafi] *f* Ozeanographie, Meereskunde

ocre [ɔkr] *m* Ocker

oct|ane [ɔktan] *m* Oktan; *indice d'~e* O.zahl; **~ante** [-tɑ̃t] achtzig (*in Belgien, Kanada u. d. Schweiz); ~ave* [-taːv] *f (phys,* ♪) Oktave; **~obre** [-tɔbr] *m* Oktober; **~ogénaire** [-tɔʒenɛːr] achtzigjährig; **~ogonal** [-tɔgonal] *124* achteckig

octro|i [ɔkrwa] *m* Stadtzoll(amt); Bewilligung; Gewährung; Verleihung; (*Kredite*) Bereitstellung; **~yer** [-trwaje] *5* bewilligen; verleihen

ocul|aire [ɔkylɛːr] **1.** okular; Augen...; *globe ~aire* Augapfel; *témoin ~aire* A.zeuge; **2.** *m* Okular; **~iste** [-list] *m* Augenarzt

odeur [ɔdœːr] *f* Geruch, Duft ♦ *il n'est pas en ~ de sainteté* er ist schlecht angeschrieben (*auprès de* bei)

odieux [ɔdjø] *111* hassenswert; abstoßend

odomètre [ɔdɔmɛtr] *m* Schrittmesser

odont|algique [ɔdɔtalʒik] *m* Mittel gegen Zahnschmerzen; **~ologie** [-tɔlɔʒi] *f* Zahnheilkunde

odor|ant [ɔdɔrɑ̃] *108* duftend, wohlriechend; **~at** [-ra] *m* Geruchssinn; **~iférant** [-riferɑ̃] *108* wohlriechend

œcuménique [ekymenik] ökumenisch

œil [œj] *m 92* Auge (*a.* Fett-); *fig* Blick; Glanz; *yeux en amande* mandelförmige A.; *à l'~ (pop)* gratis; *à l'~* nu mit bloßem Auge; *à mes yeux* m-r Ansicht nach; *aux yeux de tout le monde* in aller Öffentlichkeit, vor aller Welt; *à vue d'~* zusehends; *coup d'~* Blick; *en un clin d'~* im Nu; *avoir l'~ à ce que* dafür sorgen, daß; *avoir un ~ poché (od. au beurre noir)* e. blaues A. haben; *n'avoir pas froid aux yeux* von Mut erfüllt sein; *coûter les yeux de la tête* sehr teuer sein; *faire de l'~ à qn* j-m verliebte A. machen; *fermer les yeux* sterben; *fermer les yeux sur qch* bei etw. e. A. zudrücken; *ne pas fermer l'~ (de la nuit)* nicht schlafen können; *se fourrer (od. se mettre) le doigt dans l'~ (umg)* s. gewaltig irren; *jeter un coup d'~ sur qch* e-n (kurzen) Blick auf etw. werfen; *ouvrir l'~* auf der Hut sein; *ouvrir les yeux à qn* j-m d. A. öffnen; *se rincer l'~ (pop)* ein A. riskieren; *cela saute aux yeux, crève les yeux* das ist (doch) offensichtlich, sonnenklar; *tenir qn à l'~ (umg)* j-n auf d. Kieker haben; *tourner de l'~ (pop)* ohnmächtig zus.klappen; abkratzen; *voir qch d'un mauvais ~* etw. ungern sehen; *entre quatre yeux* [ɑ̃trəkatzjø] unter vier A. ♦ *je m'en bats l'~ (pop)* das ist mir Wurst; *loin des yeux, loin du cœur* aus d. A., aus d. Sinn; *mon ~! (pop)* denkste!; *je n'ai pas les yeux en face des trous* ich bin noch nicht ganz da; **~-de-bœuf** [œjdəbœf] *m 92, 98* Rundfenster;

~-de-perdrix [-dəpɛrdri] *m* 92, 98 Hühnerauge;
~lade [œjad] *f (verständnisinniger od. zärtl.)*
Seitenblick; **~lère** [œjɛːr] *f (a. fig)* Scheuklappe;
Augenbadnäpfchen; **~let** [œjɛ] *m bot* Nelke;
Öse; **~leton** [œjtɔ̃] *m bot* Schößling, Sproß; *mil,*
☼ Visier; **~lette** [œjɛt] *f* Gartenmohn; Mohnöl
œnologie [enɔlɔʒi] *f* Weinbaukunde
œsophag|e [ezɔfaːʒ] *m* Speiseröhre; **~ien**
[-faʒjɛ] *118* Speiseröhren...
œstrogènes [østroʒɛn] *mpl* Östrogen, weibliches Sexualhormon
œuf [œf, *pl* ø] *m* Ei; ~ *à la coque, dur, sur le plat,*
brouillé weiches Ei, hartes Ei, Spiegelei, Rührei;
~ *à thé* Tee-Ei; *écraser dans l'~* im Keim
ersticken ♦ *être plein comme un ~* z. Platzen voll
sein; *mettre tous ses ~s dans un même panier*
alles auf e-e Karte setzen; **~rier** [œfriɛ] *m*
Eierkörbchen
œuvre [œːvr] *f* Werk; *m* Gesamtwerk *(e-s Malers*
od. Komponisten); m Bauwerk; *m* ♪ Opus; ~
sociale Wohlfartsamt, Fürsorgestelle; *~s com-*
plètes gesammelte Werke; *gros* ~ 🏛 Rohbau; *à*
pied d'~ mit der Arbeit beginnend; *escalier*
hors-d'~ Freitreppe; *mettre en* ~ ausführen,
anwenden; *se mettre à l'~* sich an die Arbeit
machen; *mise en* ~ Durchführung; Inbetriebnahme
offens|e [ɔfɑ̃s] *f* Beleidigung; *rel* Sünde; *~e au*
bon goût Geschmacklosigkeit; **~é** [ɔfɑ̃sɛ] *m*
Beleidigter; **~er** [-sɛ] beleidigen; *rel* sündigen;
s'~er beleidigt sein *(de qch* wegen etw.);
übelnehmen *(de qch* etw.); **~eur** [ɔfɑ̃sœːr] *m*
Beleidiger; **~if** [-sif] *112* Angriffs... ; *guerre*
~ive Angriffskrieg; **~ive** [-siːv] *f* Offensive,
Angriff; Vorstoß
offic|e [ɔfis] **1.** *m* Obliegenheit; *rel* Offizium;
öffentl. Dienst(stelle); Amt, Büro; *~e des*
brevets Patentamt; *d'~* von Amts wegen; *faire*
son ~e s-n Zweck erfüllen; *offrir ses bons ~es*
(pol) s-e Vermittlung anbieten; **2.** *f* Speisekammer; **~iant** [ɔfisjɑ̃] *m rel* Zelebrant; **~iel** [ɔfisjɛl]
115 offiziell, amtlich; dienstlich; *mpl* d.
offiziellen Persönlichkeiten; **~ier** [ɔfisjɛ] **1.** *vi* d.
Gottesdienst halten; d. Messe lesen; **2.** *m*
Offizier; Würdenträger; *~ier adjoint* Adjutant,
Ordonnanzoffizier; *~ier d'état-major* Stabsoffizier; *~ier de l'état civil* Standesbeamter; *~ier*
ministériel Notar, Gerichtsvollzieher; *~ier*
(an)bieten; rel darbringen, opfern; schenken,
spendieren; *s'~ir* s. erbieten *(à* zu); *s'~ir un peu*
de repos s. e-e kurze Pause gönnen
offset [ɔfsɛt] *m* Offsetdruck
off shore [ɔf ʃɔr] *adj* in einiger Entfernung von
der Küste; *commande* ~ ~ Off-shore-Auftrag
offusquer [ɔfyskɛ] *6* mißfallen; schockieren
ogiv|al [ɔʒival] *124* 🏛 gotisch; Spitzbogen... ;
~e [ɔʒiːv] *f* Spitzbogen; Geschoßkopf; *~e*
nucléaire Atomsprengkopf

ogr|e [ɔgr] *m (Märchen)* Menschenfresser; *fig*
Vielfraß; **~esse** [ɔgrɛs] *f pop* Rabenmutter;
berüchtigtes Frauenzimmer
oh! [o] oh!; ~ *là là!* oho!, auweh!
oie [wa] *f* Gans; *umg* dumme Gans; ~ *blanche*
Unschuld v. Lande; *pas de l'~* (deutscher)
Paradeschritt
oignon [ɔɲɔ̃] *m* **1.** Zwiebel *(a. fig: Uhr)*; ♦ *aux*
petits ~s (umg) ausgezeichnet, ganz prima; *ce ne*
sont pas tes ~s! das geht dich e-n Dreck an!; *en*
rang d'~s in e-r Reihe; **2.** Geschwulst *(Fuß)*
oindre [wɛ̃dr] *87 rel* salben
oiseau [wazo] *m 91* Vogel; ~ *chanteur* Singv.;
~ *de passage* Zugv.; ~ *de proie* Raubv.; *à vol*
d'~ in Luftlinie; *drôle d'~ (umg)* komischer
Typ; *vilain* ~ *(umg)* unangenehmer Mensch ♦
être comme l'~ sur la branche in e-r unsicheren
Stellung sein; *petit à petit l'~ fait son nid* wer
langsam fährt, kommt auch zum Ziel; **~-**
mouche [-muʃ] *m 97* Kolibri
oisel|et [wazlɛ] *m* Vögelchen; **~eur** [wazlœːr] *m*
Vogelsteller; **~ier** [wazəljɛ] *m* Vogelzüchter,
-händler
ois|eux [wazø] *111* nutzlos; *paroles ~euses* leere
Reden; **~if** [-zif] *112* müßig; *(Kapital)* tot; *m*
Müßiggänger; **~iveté** [-zivtɛ] *f* Müßiggang ♦
l'~iveté est la mère de tous les vices Müßiggang
ist aller Laster Anfang
oisillon [wazijɔ̃] *m* Vögelchen
oléagineux [ɔleaʒinø] *111 bot* ölhaltig
oléoduc [ɔleɔdyk] *m* Ölleitung
olfactif [ɔlfaktif] *112* Geruchs...
olibrius [ɔlibrijys] *m* Prahlhans
oligarchie [ɔligarʃi] *f* Kastenherrschaft
oligo|élément [ɔligoelemɑ̃] *m* Spurenelement;
~pole [-pɔl] *m* Oligopol *n*
oliv|acé, **~âtre** [ɔlivasɛ, -vɑtr] olivfarben; **~e**
[-liːv] *f* Olive; *adj inv* olivgrün; **~e(r)aie** [-v(r)ɛ] *f*
Olivenhain; **~ier** [-vjɛ] *m* Ölbaum; *(rameau*
d')~ier Ölzweig; *Mont des ⁂iers (rel)* Ölberg
olographe [ɔlɔgraf] 🜊 *(Testament)* eigenhändig
geschrieben
olymp|ien [ɔlɛ̃pjɛ] *118* majestätisch; **~ique** [-pik]
olympisch; *jeux ⁂iques* Olympische Spiele
ombell|e [ɔbɛl] *f bot* Dolde; **~ifères** [ɔbɛllifɛːr]
fpl Doldengewächse
ombilic [ɔbilik] *m* Nabel; **~al** [-likal] *124:*
cordon ~al Nabelschnur
ombr|age [ɔbraːʒ] *m* schattiges Laub; Schatten;
fig Argwohn; *porter ~age à qn* j-n argwöhnisch
machen; *prendre ~age* Verdacht schöpfen;
~agé [ɔbraʒɛ] schattig; **~ager** [ɔbraʒɛ] *14*
beschatten; **~ageux** [ɔbraʒø] *111 (Pferd)* scheu;
argwöhnisch; überempfindlich; **~e** [ɔbr] *f*
Schatten; *fig* Anschein; ~ *chinoises* Schattenbilder; *~e portée* Schlagschatten; *à l'~e* im
Schatten; *fig umg* hinter schwedischen Gardinen; *à l'~e de* in der Nähe von; *fig* unter d.
Schutz von; *pas l'~e d'un doute* nicht d.
geringste Zweifel; *mettre à l'~e (umg)* einsperren; *vivre dans l'~e* zurückgezogen, ärmlich
leben; **~elle** [ɔbrɛl] *f* (kleiner) Sonnenschirm;
~er [ɔbrɛ] *f* schattieren; **~eux** [ɔbrø] *111*
schattenspendend; schattig

omelette [ɔmlɛt] f Omelett(e), Eierkuchen ♦ *on ne fait pas d'~ sans casser des œufs* wo gehobelt wird, fallen Späne

omettre [ɔmɛtr] 72 auslassen; versäumen, unterlassen

omission [ɔmisjɔ̃] f Auslassung; Unterlassung, Versäumnis

omnibus [ɔmnibys] m Omnibus; *adj: train ~* Personenzug

omni|potence [ɔmnipɔtɑ̃s] f Allmacht; absolute Gewalt; Machtvollkommenheit; **~potent** [-pɔtɑ̃] 108 allmächtig; unumschränkt; absolut; **~praticien** [-pratisjɛ̃] m praktischer Arzt; **~présence** [-prezɑ̃s] f Allgegenwart; **~présent** [-prezɑ̃] 108 allgegenwärtig; **~science** [-sjɑ̃s] f Allwissenheit; **~scient** [-sjɑ̃] 108 allwissend; **~vore** [-vɔːr] m zool Allesfresser

omoplate [ɔmɔplat] f Schulterblatt

on [ɔ̃] (*a.* **l'on**) man; *~ dirait (que)* es scheint (daß); *~ vous demande* man fragt nach Ihnen; *~ frappe* es klopft; *~ ne sait jamais* man kann nicht wissen, ob...; *~ est tous frères* wir sind alle Brüder; *~ sonne* es klingelt, läutet

onagre [ɔnagr] m Wildesel

once [ɔs] f Unze *(Gewicht); fig* kleine Menge

oncle [ɔ̃kl] m Onkel; *~ d'Amérique (iron)* Erbonkel; *~ à la mode de Bretagne* Vetter des Vaters *od* der Mutter

onct|ion [ɔ̃ksjɔ̃] f *(rel, Redestil)* Salbung; **~ueux** [-tɥø] 111 ölig, fettig; *fig* salbungsvoll; **~uosité** [-tɥozitɛ] f Fettigkeit, Öligkeit; *(Öl)* Schmierfähigkeit

ond|e [ɔ̃d] f Welle; Schwingung; *grande ~e* Langwelle; *petite ~e* Mittelwelle; *longueur d'~e* ⧫ Wellenlänge; *~e de choc* Stoßwelle, Detonationsw.; *~e modulée* modulierte Schwingung; *~e porteuse* ⧫ Trägerwelle; **~é** [ɔ̃dɛ] well(enförm)ig, gewellt; **~ée** [ɔ̃dɛ] f Regenguß, Platzregen

on-dit [ɔ̃di] m 100 Gerücht; Klatsch, Geschwätz

ond|oiement [ɔ̃dwamɑ̃] m Wellenbewegung; *(Fahne)* Flattern; Nottaufe; **~oyer** [ɔ̃dwajɛ] 5 wogen; *(Fahne)* flattern; nottaufen; **~ulation** [ɔ̃dylasjɔ̃] f Wellenbewegung; Bodenwelle; *(Haare)* Ondulieren; **~ulatoire** [ɔ̃dylatwaːr] *(Haare)* wellenförmig; **~uler** [ɔ̃dylɛ] vt *(a. Haare)* wellen; vi wogen; **~uleux** [ɔ̃dylø] 111 wellig

onéreux [ɔnerø] 111 unangenehm; kostspielig; *à titre ~* entgeltlich

ongl|e [ɔ̃gl] m *anat* Nagel; *zool* Klaue, Kralle, Huf; **~et** [ɔ̃glɛ] m (kleiner) Fingerhut; Kerbe; ⚙ Gehrung; **~ier** [ɔ̃gliɛ] m Nagelpflegebesteck, -necessaire; *pl* Nagelschere

onguent [ɔ̃gɑ̃] m Salbe

onirique [ɔnirik] *adj: phase ~* Traumphase *(des Schlafs)*

onomatopée [ɔnɔmatɔpɛ] f Schallwort

onz|e [ɔ̃z] elf; *m: le ~e du mois* d. Elfte d. Monats; *le ~e* ♦ d. Elf; **~ième** [ɔ̃zjɛm] elfte; m Elfter; Elftel

opacité [ɔpasitɛ] f Undurchsichtigkeit; Lichtundurchlässigkeit

opal|e [ɔpal] f Opal; *verre ~e* Trübglas; **~in** [ɔpalɛ] 109 opalartig; milchig

opaque [ɔpak] undurchsichtig

opéra [ɔperą] m Oper; Opernhaus

opér|able [ɔperabl] ✠ operierbar; **~ateur** [-ratœːr] m Operator; Maschinist; ✠ Operateur; Filmvorführer; Kameramann; *(Elektronenrechner)* Rechenaggregat; **~ation** [-rasjɔ̃] f Wirken; Verfahren, Vorgehen; Arbeitsvorgang; ✠, *mil* Operation; *math* Rechnungsart; *com* Geschäft; *pol* Maßnahme; *mil* Unternehmen; *chem* Vorgang; *~ation aéroportée* Luftlandeoperation; *~ation d'usinage* Arbeitsgang; *~ions bancaires* Bankgeschäftstätigkeit; *en ~ations (mil)* im Einsatz ♦ *par l'~ation du Saint-Esprit* auf geheimnisvollem Wege; **~ationnel** [-asjɔnɛl] *adj* einsatzfähig; einsatzreif; **~er** [-rę] 13 (be)wirken; bewerkstelligen; verfahren, vorgehen; ✠, *mil* operieren; *s'~er* vor s. gehen, s. ereignen; **~ette** [-rɛt] f Operette

ophidiens [ɔfidjɛ̃] *mpl* Schlangen

ophtalm|ie [ɔftalmi] f Augenentzündung; **~ique** [-mik] ✠ Augen...; **~ologie** [-mɔlɔʒi] f ✠ Augenheilkunde

opia|cé [ɔpjasɛ] opiumhaltig; **~t** [ɔpja] m ✠ Latwerge

opin|er [ɔpinɛ] stimmen *(pour* für; *contre* gegen) ♦ *~er du bonnet* zu allem ja und amen sagen; **~iâtre** [-njɑtr] 128 hartnäckig; halsstarrig; beharrlich; **~iâtrer** [-njɑtrę]: *s'~iâtrer* beharren, bestehen *(à* auf); **~iâtreté** [-njɑtratę] f Hartnäckigkeit; Beharrlichkeit; **~ion** [-njɔ̃] f Meinung, Erachten, Anschauung; *pol* Gesinnung; *l'~ion (publique)* d. öffentliche Meinung

opi|omane [ɔpjɔman] opiumsüchtig; **~um** [ɔpjɔm] m Opium

opportun [ɔpɔrtœ̃] 109, 131 zweckmäßig; günstig, gelegen, angebracht; **~isme** [-tynism] m Opportunismus; Gesinnungslumperei; **~iste** [-tynist] m Opportunist; Gesinnungslump; **~ité** [-tynitę] f Opportunität, Zweckmäßigkeit *(e-r Maßnahme)*

oppos|ant [ɔpozą] 108 gegnerisch; m *pol* Mitglied d. Opposition; Gegner; **~é** [-zę] entgegengesetzt; m Gegenteil; *angles ~és (math)* Scheitelwinkel; *à l'~é de* genau entgegengesetzt zu; **~er** [-zę] gegenüberstellen, -setzen usw.; *s'~er* s. widersetzen, *fig (Gründe)* entgegenhalten; einwenden; entgegnen; **~ite** [-zit]: *à l'~ite de (präp)* gegenüber; **~ition** [-zisjɔ̃] f Widerspruch; Gegensatz; Hindernis; *pol* Opposition; *faire ~ition* Einspruch erheben *(à* gegen)

oppress|er [ɔprɛsę] bedrücken, beklemmen, auf d. Seele liegen; **~eur** [-sœːr] m Unterdrücker; **~if** [-sif] 112 unterdrückend; Zwangs...; *mesures ~ives* Zw.maßnahmen; **~ion** [-sjɔ̃] f ✠ Beklemmung; *pol* Zwang, Unterdrückung

opprimer [ɔprimɛ] unterdrücken

opprobre [ɔprɔbr] m Schmach; Schandfleck

opt|atif [ɔptatif] 112 Wunsch...; **~er** [-tę] wählen *(pour qch* etw.), s. entscheiden *(pour* für)

opticien [ɔptisjɛ̃] m Optiker

optim|al [ɔptimal] *adj* bestmöglich, optimal, sehr gut; *rendement ~al* Höchstleistung; **~isation** [-mizasjɔ̃] f Optimierung; *programme d'*

~ *isation* EDV Bestzeitprogramm; **~iser** [-mizę] optimieren; **~isme** [-mįsm] *m* Optimismus; **~iste** [-mįst] optimistisch; *m* Optimist

option [ɔpsjɔ̃] *f* Wahl; *(Schule)* Wahlfach; Auswahlmöglichkeit; *com* Option, Vorkaufsrecht; *en* ~ wahlweise

optique [ɔptįk] optisch; Gesichts... , Seh...; *f* Optik; *fig* Blickwinkel; Standpunkt; Gesichtspunkt; Perspektive; ~ *additionelle* Objektivvorsatz; ~ *d'entrée* Aufnahmeobjektiv; ~ *de pointage* Richtoptik

opul|ence [ɔpylɑ̃s] *f* Überfluß; **~ent** [-lɑ̃] *108, 127* wohlhabend; üppig; stattlich

opuscule [ɔpyskyl] *m* (kleine) Druckschrift

or[1] [ɔːr] *m* Gold; ~ *noir* Erdöl; ~ *vert* landwirtschaftliche Ressourcen; *poids d'*~ *fin* Feingoldgehalt; *en* ~ golden; *affaire d'*~ glänzendes Geschäft; *soif de l'*~ Goldgier; *avoir un cœur d'*~ e. gütiges Herz haben; *être cousu d'*~, *rouler sur l'*~ im Geld schwimmen

or[2] [ɔːr] nun (aber); folglich, also

oracle [ɔrɑkl] *m* Orakel(spruch)

orag|e [ɔrɑːʒ] *m* Gewitter; *fig* Sturm; **~eux** [ɔrɑʒø] *111* gewittrig; *a. fig* stürmisch

oraison [ɔrɛzɔ̃] *f* Gebet; ~ *dominicale* Vaterunser; ~ *funèbre (lit)* Leichenrede; *faire* ~ beten

oral [ɔrɑl] *124* mündlich; *par voie* ~ *e* 5 oral verabreichen; *m* mündl. Prüfung

orang|e [ɔrɑ̃ʒ] *f* Orange, Apfelsine; *adj inv* orangefarben; **~eade** [ɔrɑ̃ʒad] *f* Orangenlimonade; **~er** [ɔrɑ̃ʒę] *m* Orangen-, Apfelsinenbaum; *couronne de fleurs d'*~*er* Brautkranz

orang-outan(g) [ɔrɑ̃utɑ̃] *m 97* Orang-Utan

orat|eur [ɔratœːr] *m* Redner; **~oire** [-twaːr] rednerisch; *m* Betraum; Wegkapelle; Bildstock; **~orio** [-tɔrjo] *m♪* Oratorium

orb|e [ɔrb] *m* Planetenbahn; *fig* Umkreis; **~iculaire** [-bikylɛːr] kreisförmig; **~ital** [ɔrbitạl] *adj* orbital; *plan* ~*ital (Satellit)* Bahnebene; *vol* ~*ital* Erdumrundung, Umlauf; **~ite** [-bįt] *f astr* (Umlauf-)Bahn; *anat* Augenhöhle

orchestr|ation [ɔrkɛstrasjɔ̃] *f* Instrumentierung; *com* Werbefeldzug, Kampagne; politische Aktion; **~e** [-kɛstr] *m* Orchester; 🅥 Parkett; **~e** *d'instruments à cordes* Streicho.; *chef d'*~*e* Dirigent, Kapellmeister; **~er** [-kɛstrę] für Orchester einrichten, instrumentieren; *fig* (heimlich) organisieren

orch|idée [ɔrkidę] *f* Orchidee; **~is** [ɔrkįs] *m* Knabenkraut

ordalie [ɔrdalį] *f* Gottesurteil

ordin|aire [ɔrdinɛːr] **1.** gewöhnlich, alltäglich; *pej* mittelmäßig; *comme à l'*~*aire* wie gewöhnlich; *d'*~*aire* gewöhnlich; *vin* ~*aire* Tischwein; **2.** *m* Hausmannskost; *mil* Mannschaftskost; **~al** [-nạl] *124*; *adjectif* ~*al* Ordnungszahl; **~ateur** [-natœːr] *m* Datenverarbeitungsanlage; **~ation** [-nasjɔ̃] *f rel* Ordination, Priesterweihe; **~ogramme** [-nɔgrạm] *m* Ablaufdiagramm

ordonn|ance [ɔrdɔnɑ̃s] *f* Anordnung; ♋, *pol* gesetzesvertretende Rechtsverordnung; 5 Verordnung; 🏛 Säulenordnung; Zahlungsanweisung; *mil* Bursche; *officier d'*~*ance* Adjutant; **~ance** *d'application* ♋ Durchführungsverord-

nung; **~ancement** [-nɑ̃smɑ̃] *m* Terminplanung; *com* Auszahlungsanordnung; **~ancer** [-nɑ̃sę] *15 com* zur Zahlung anweisen; **~ateur** [-natœːr] *m* Ordner, Organisator; Anweisungsbefugter; **~é** [-nę] ordentlich; **~ée** [-nę] *f math* Ordinate; **~er** [-nę] (an)ordnen; befehlen; 5 verordnen, verschreiben; *rel* ordinieren; *(zur Zahlung)* anweisen

ordre [ɔrdr] *m (a. zool)* Ordnung; Reihenfolge; Zusammenhang; Art, Stufe, Rang, Klasse; *(a. rel usw.)* Orden; Befehl, Auftrag; *com* Order; *billet à* ~ *(com)* Orderpapier; ~ *de grève* Streikaufruf; ~ *hiérarchique* Rangordnung; *en* ~ geordnet, ordentlich; *un hôtel de premier* ~ e. erstrangiges Hotel; *dans cet* ~ *d'idées* in diesem Zus.hang; *être à l'*~ *du jour* an d. Tagesordnung sein; *jusqu'à nouvel* ~ bis auf weiteres; *en* ~ *de marche* ☼ betriebsfertig; *mot d'*~ Parole; *à vos* ~*s* zu Befehl

ordur|e [ɔrdyːr] *f* Schmutz; Unrat; *pl* Kehricht, Müll; *fig* Zote; ~*es ménagères* Haushaltsmüll; *benne à* ~*es* Müllwagen; **~ier** [-dyrję] *116* zotenhaft

orée [ɔrę] *f lit* Waldessaum, -rand

oreill|e [ɔrɛj] *f* Ohr; 🧭 Ankerhand; Spaten; *(Topf)* Henkel; *avoir l'*~*e dure* schwerhörig sein; *avoir l'*~*e de qn* bei j-m gut angeschrieben sein; *avoir l'*~ *basse* zutiefst gekränkt sein; *dormir sur les deux* ~*es* ganz ohne Sorge sein; *dresser* (od. *tendre*) *l'*~*e* d. Ohren spitzen; *échauffer les* ~*es de qn* j-n in Harnisch bringen; *être tout* ~*es* ganz Ohr sein; *faire la sourde* ~*e* s. taub stellen; *fendre l'*~*e à qn* j-n kaltstellen; *montrer le bout de l'*~*e* s. verraten; *ouvrir* (od. *prêter*) *l'*~*e à qn* j-m Gehör schenken; *s'en aller l'*~*e basse* mit hängenden Ohren abziehen; *se faire tirer l'*~*e* sich lange bitten lassen; *j'en ai les* ~*es rebattues* ich habe d. O. voll davon; **~er** [ɔreję] *m* Kopfkissen; **~ette** [ɔrɛjɛt] *f* Herzvorhof; **~ons** [ɔrɛjɔ̃] *mpl* 5 Mumps, Ziegenpeter

ores [ɔr] *d'*~ *et déjà* von jetzt an

orfèvre [ɔrfɛːvr] *m* Goldschmied; **~rie** [-fɛvrərį] *f* Goldschmiedekunst; Goldwaren

orfraie [ɔrfrɛ] *f* Seeadler; *cris d'*~ lautes Geschrei

organ|e [ɔrgạn] *m (a. journ)* Organ; Glied; ☼ Maschinenteil; Bauelement; *fig* Werkzeug; Vertreter; ♪ Stimme; ~*e de commande* Steuerorgan, Bedienteil; ~*e de réglage* Stellglied; **~igramme** [-ganigrạm] *m* Stellenplan *(e-s Unternehmens);* graphische Darstellung; Diagramm; Gliederungsbild; **~ique** [-ik] *f* organisch; *loi* ~*ique* Grundgesetz; **~isateur** [-nizatœːr] *122* Organisations... ; *m* Organisator; Veranstalter; Gestalter; **~isation** [-nizasjɔ̃] *f* Organisation; (Auf-)Bau; Körperbau; 5 Konstitution; **~isé** [-nizę] *biol* organisch, belebt; **~iser** [-nizę] organisieren; veranstalten; aufbauen; einrichten; **~isme** [-nįsm] *m* Organismus; Lebewesen; *pol* Organisation; Abteilung; Dienststelle; Träger; ~ *isme administratif* Verwaltungsbehörde; ~*isme de liaison* Verbindungsstelle; ~*isme supérieur* Spitzengremium; **~iste** [-nįst] *m* Organist

orge [ɔrʒ] f Gerste; *sucre d'~* Lutscher; ~ *(m!) mondé* Gerstengraupen; ~**let** [-ʒəlɛ] m $ Gerstenkorn

orgie [ɔrʒi] f Orgie; Gelage

orgue [ɔrg] m, ~**s** fpl Orgel; ~ *de Barbarie* Dreho.; *facteur d'~s* O.bauer

orgueil [ɔrgœj] m Stolz; Hochmut; ~**leux** [-gœjø] *111* stolz; hochmütig

orient [ɔrjɑ̃] m Osten; ⌃ Orient, Morgenland; ~**able** [-t̪abl] ✿ (z. B. *Antenne*) drehbar, schwenkbar; verstellbar; ~**al** [-t̪al] *124* orientalisch; östlich; mpl Orientalen; ~**ation** [-tasjɔ̃] f Orientierung; Beratung; *pol* Kurs, Richtung; ~*ation professionnelle* Berufsberatung(sstelle); ~**er** [-t̪e] orientieren; richten (auf); *(beruflich)* beraten; hinführen (*vers* auf); *s'~er (a. fig)* s. orientieren; ~**eur** [-tœr] m Berufsberater

orifice [ɔrifis] m Öffnung, Mündung

oriflamme [ɔriflɑm] f Wimpel

origin|aire [ɔriʒinɛːr] ursprünglich; herstammend, gebürtig (*de* von, aus); ~*aire de* Haus aus; ~**al** [-nal] **1.** *124* Original... ; originell; **2.** m Original; Sonderling; *en ~ al* urschriftlich; ~**alité** [-nalite] f Originalität; Ursprünglichkeit; Eigentümlichkeit; ~**e** [-ʒin] f *(a. math)* Ursprung; Anfang(spunkt); *d'~e* von Geburt; *à l'~e* anfangs; *dès l'~e* gleich im Anfang; *certificat d'~e (com)* Ursprungszeugnis; ~**el** [-nɛl] *115* ursprünglich; angeboren; *péché ~el (rel)* Erbsünde; ~**ellement** [-nɛlmɑ̃] von Grund auf

oripeau [ɔripo] m *91* Flitter(gold); pl Tand, Firlefanz

orme [ɔrm] f Ulme ♦ *attendre qn sous l'~* vergeblich auf j-n warten

orne|maniste [ɔrnəmaniʃt] m 🏛 Stukkateur; ~**ment** [-mɑ̃] m Ornament; Verzierung; *a. fig* Zierde; ~**mental** [-mɑ̃tal] *124* dekorativ; Zier...; *plantes ~mentales* Zierpflanzen; ~**mentation** [-mɑ̃tasjɔ̃] f Ornamentik; Ausschmückung; Verzierung; ~**r** [ɔrnɛ] (aus-)schmücken; (ver)zieren

ornière [ɔrnjɛːr] f Wagenspur; *fig* Routine, Schlendrian

ornitholog|ie [ɔrnitɔlɔʒi] f Vogelkunde; ~**iste** [-ʒist] m Ornithologe

oronge [ɔrɔ̃ʒ] f: *fausse ~* Fliegenpilz

orphelin [ɔrfəlɛ̃] *109* verwaist; ~**(e)** [-lɛ(-lin)] m, f Waise(nkind); ~**at** [-lina] m Waisenhaus

orphéon [ɔrfeɔ̃] m Gesang-(Musik-)Verein

orteil [ɔrtɛj] m *anat* Zehe

ortho|doxe [ɔrtɔdɔks] orthodox, rechtgläubig; am Alten festhaltend; ~**gonal** [-gɔnal] *124* rechtwinklig; ~**graphe** [-graf] f Orthographie, Rechtschreibung; ~**graphique** [-grafik] orthographisch; ~**pédie** [-pedi] f Orthopädie; ~**pédiste** [-djst] m Orthopäde

ortie [ɔrti] f Brennessel

ortolan [ɔrtɔlɑ̃] m Fettammer

orvet [ɔrvɛ] m Blindschleiche

os [ɔs, *pl o*] m *105* Knochen; ~ *à moelle* Markk.; *en chair et en ~* in Person; *trempé jusqu'aux ~* bis auf die Haut durchnäßt ♦ *tomber sur un ~* auf e-e unerwartete Schwierigk. stoßen

---

oscill|ateur [ɔsilatœːr] m *phys* Oszillator; Schwingungserzeuger; ~**ation** [-lasjɔ̃] f *(phys,* ✿*)* Schwingung; *fig* Schwankung; ~**atoire** [-latwaːr] Schwingungs...; ~**er** [-le] *(phys,* ✿*)* schwingen; pendeln; vibrieren; *a. fig* schwanken

oseille [ozɛj] f Sauerampfer; *pop* Kies, Moos, Piepen; *avoir de l'~* im Geld schwimmen

ose|r [oze] wagen, s. getrauen, s. erlauben (*faire qch* etw. zu tun); *je n'~* ich wage nicht recht; *si j'~ dire* wenn ich so sagen darf

osier [ozje] m Korbweide; *en ~* aus Weide geflochten

oss|ature [ɔsatyːr] f Knochengerüst; *a. fig* Gerüst, Bau; ~**elet** [ɔslɛ] m Knöchelchen; ~**ements** [ɔsmɑ̃] mpl Gebeine; ~**eux** [ɔsø] *111* knochig; Knochen...; ~**ifier** [ɔsifje] *zool* verknöchern; ~**uaire** [ɔsɥɛːr] m Beinhaus

osten|sible [ɔstɑ̃sibl] offenkundig; ostentativ; ~**soir** [-swaːr] m *rel* Monstranz; ~**tation** [-tasjɔ̃] f Großtuerei; Zurschaustellung; ~**tatoire** [-tatwaːr] *(Geste)* großtuerisch, herausfordernd

ostracisme [ɔstrasism] m Verfemung, Ausschluß; Kaltstellung; Rufmord

ostréiculture [ɔstreikyltyːr] f Austernzucht

otage [ɔtaːʒ] m Geisel; *prise d'~* Geiselnahme

ôter [ote] wegbringen, -stellen usw.; *(Kleider)* ausziehen, ablegen; *(Hut)* abnehmen; *ôte-toi de là!* geh zur Seite!; *s'~ le pain de la bouche* s. d. Bissen vom Munde absparen

otite [ɔtit] f Ohrenentzündung

ou [u] oder; ~ *(bien)...* ~ *(bien)* entweder... oder; ~ *bien encore* oder auch

où [u] wo, wohin; *d'~* woher, wovon, woraus; *par ~* wodurch

ouaille [waːj] f *(mst pl)* Schäfchen, Pfarrkind

ouais! [wɛ] ei!, ach was!, sieh da!

ouat|e [wat] f Watte; *doublé d'~e* wattegefüttert; ~**er** [-te] wattieren

oubli [ubli] m Vergessen(heit); ~**er** [ublje] vergessen *(de* zu); vernachlässigen; übersehen; *s'~er* s. vergessen; ~**ettes** [ublict] fpl Burgverlies; *jeter aux ~ettes* einfach beiseite schieben; ~**eux** [ubljø] *111* vergeßlich

oued [wɛd] m *103* Wadi

ouest [wɛst] m Westen; *d'~* westlich; ~ *allemand* westdeutsch

ouf! [uf] *(Erleichterung)* ha!, Gott sei Dank!; *sans dire* ~ in e-m Atemzug

oui [wi] **1.** ja; *mais* ~! aber gewiß!; **2.** m Ja(wort)

ouï-dire [widjːr] m *100* Hörensagen (*par* vom)

ouïe [wi] f Gehör(sinn); pl Kiemenöffnungen; ♪ Schallöcher

ouïr [wiːr] *(nur inf u. pp)* hören

ouistiti [wistiti] m Seidenäffchen

ouragan [uragɑ̃] m Orkan, Hurrikan, Wirbelsturm

ourdir [urdiːr] *22* flechten; ~ *un complot* e. Komplott schmieden

ourlet [urlɛ] m Saum; ~ *à jour* Hohls.

ours [urs] m Bär; ~ *blanc* Eisbär; *c'est un* ~ er ist e. Einsiedler; *un mal léché* e. ungehobelter Kerl; ~**e** [urs] f Bärin; ~**in** [-sɛ] m **1.** Bärenfell; **2.** Seeigel; ~**on** [-sɔ̃] m junger Bär

ouste! [ust] raus!
outarde [utḁrd] f orn Trappe
outil [utí] m (a. fig) Werkzeug; Hilfsmittel;
~**lage** [utijaːʒ] m technische Ausrüstung; Geräte; ~lage à main Handwerkzeug; ~lage de bord
Bordwerkzeug; ~**ler** [utijé] (mit Werkzeugen, a.
fig) ausrüsten, ausstatten; ~**leur** [utijœːr] m
Werkzeugmacher
outrag|e [utraːʒ] m grobe Beleidigung;
Schimpf; ~e à magistrat Beamtenbeleidigung;
~e aux bonnes mœurs Sittlichkeitsvergehen; ~e
public à la pudeur exhibitionistische Handlun-
gen; ~**er** [utraʒe] 14 beleidigen, beschimpfen;
~**eusement** [utraʒøzmɑ̃] schmählich; umg
furchtbar, übertrieben; ~**eux** [utraʒø] 111
beleidigend
outranc|e [utrɑ̃s] f Übertreibung; Maßlosig-
keit; Überspitzung; à ~e bis zum letzten, aufs
äußerste; ~**ier** [utrɑ̃sje] 116 maßlos, übertrieben
outre[1] [utr] außer; ~ cela, en ~ außerdem,
überdies, darüber hinaus; d'~ en ~ durch und
durch; ~ mesure über alle Maßen; passer ~ à
qch sich über etw. hinwegsetzen; etw. übergeben
outre[2] [utr] f (Wein-)Schlauch
outré [utre] außer sich (de vor); übertrieben
outre|cuidance [utrəkɥidɑ̃] f Vermessenheit;
~**-mer** [-mɛːr]: pays d'~-mer Übersee; ~**mer**
[-mɛːr] m Ultramarinblau; ~**passer** [-pɑse] a. fig
hinausgehen über; (Vorschriften) nicht einhalten; ~**r** [utrə] übertreiben; überspitzen; aufbrin-
gen; ~**-Rhin** [-rɛ̃] jenseits des Rheins
ouvert [uvɛːr] 108 offen, geöffnet; à cœur ~
freimütig; à livre ~ ♪ vom Blatt; compte ~
(com) laufende Rechnung; ~**ure** [uvɛrtyːr] f
Öffnung; Eröffnung; ♪ Ouvertüre; Vorver-
handlung; 🎞 Blende(nöffnung); faire des ~ures
Vorschläge unterbreiten; ~ure d'esprit Aufge-
schlossenheit
ouvr|able [uvrabl]: jour ~able Werktag; ~**age**
[uvraːʒ] m Arbeit; (wissenschaftl., lit) Werk;
(Nähen) Handarbeit; ~ages d'art Ingenieurbau-
ten; ~**ager** [uvraʒe] 14 sorgfältig ausarbeiten;
~**ant** [uvrɑ̃] 108 aufklappbar; ~**é** [uvre]
(Wäsche) gemustert; fig durchbrochen; ~**e-boî-
tes** [uvrəbwat] f 100 Dosenöffner; ~**er** [uvre] vi
arbeiten; vt be-, verarbeiten; ~**euse** [uvrøːz] f
Logenschließerin; Platzanweiserin; ~**ier** [uvrje]
1. 116 Arbeits...; Arbeiter...; cité ~ière
Arbeitersiedlung; être la cheville ~ière d.
treibende Kraft sein; 2. m Arbeiter; Arbeitnehmer; ~ier qualifié Facharbeiter; ~ier spécialisé
angelernter Arbeiter; ~ier professionnel Facharbeiter; ~**ière** [uvrjɛːr] f Arbeiterin; orn Arbeitsbiene
ouvrir [uvriːr] 28 vt öffnen; aufmachen, -drehen,
-schlagen, -schneiden, -spannen usw.; beginnen; (Appetit) anregen; (Märkte) erschließen;
(Untersuchung) einleiten; vi (Geschäft usw.)
öffnen, aufmachen, geöffnet sein; (Tür, Fenster)
hinausgehen (sur auf); ~ à l'exploitation (Land)
erschließen; ~ le feu d. Anfang machen; ~ la
marche (a. fig) vorangehen; ~ la voie d. Weg
ebnen für; s'~ sich anvertrauen (à qn j-m)

ov|aire [ɔvɛːr] m bot Fruchtknoten; ⚕ Eierstock;
~**ale** [ɔval] oval; m Oval
ovation [ɔvasjɔ̃] f Ovation; ~**ner** [-sjɔne] qn j-m
zujubeln
ov|e [ɔːv] m 🏛 Eierstab; ~**é** [ɔve] eiförmig
ovin [ɔvɛ̃] 109 Schaf...; mpl Schafe u. Lämmer;
cheptel ~ Schafbestand
ovni [ɔvni] m 🛸 Ufo n, unbekanntes Flugobjekt
ovule [ɔvyl] m Eizelle
oxhydrique [ɔksidrik]: gaz ~ Knallgas
oxyd|able [ɔksidabl] oxydierbar; ~**ant** [-dɑ̃] m
Oxydator, Oxydierungsmittel; ~**ation** [-dasjɔ̃] f
Oxydation; ~**e** [ɔksid] m Oxid; ~**er** [-de]
oxydieren
oxyg|ène [ɔksiʒɛn] m Sauerstoff; ~**éné** [-ʒene]
sauerstoffhaltig; eau ~énée Wasserstoffsuperoxyd; ~**éner** [-ʒene] 13 mit Sauerstoff anreichern; (Haare) blond färben
ozon|e [ɔzɔn] m Ozon; ~**iseur** [-nizœːr] m
Ozonerzeuger

P

pacage [pakaːʒ] m Viehweide
pacemaker [pɛsmekœːr] m Herzschrittmacher
pacha [paʃa] m Pascha
pachyderme [pakidɛrm] m zool Dickhäuter;
Elefant
paci|ficateur [pasifikatœːr] 122 friedenstiftend;
m Friedensstifter; ~**fication** [-fikasjɔ̃] f Befrie-
dung; ~**fier** [-fje] befrieden; (Konflikt) beilegen;
die Ruhe wiederherstellen; ~**fique** [-fik] friedliebend; friedfertig; ~**fiquement** [-fikmɑ̃] auf
friedlichem Wege; ~**fisme** [-fism] m Pazifismus;
~**fiste** [-fist] pazifistisch; m Pazifist
pacotille [pakɔtij] f com Beilast; Schund,
Ausschuß(ware)
pact|e [pakt] m Pakt; Abkommen; Vertrag; ~e
d'assistance Beistandspakt; ~e de non-agression
Nichtangriffspakt; ~**iser** [-tize] paktieren
pagaie [pagɛ] f Paddel
pagaille, pagaye [pagaj] f umg Durcheinander,
Unordnung
paganisme [paganism] m Heidentum
pagayer [pagɛje] 12 paddeln
page[1] [paːʒ] m Page, Edelknabe
page[2] [paːʒ] f (Buch-)Seite; Blatt; ~ de garde
Vorsatzbl.; illustration pleine ~ ganzseitige
Abbildung; mettre en ~ 🖴 umbrechen; les plus
belles ~s de l'histoire (d'un pays) d. ruhmvollsten
Zeiten d. Geschichte (e-s Landes); être à la ~
im Bilde, auf d. laufenden sein; pop gerissen
sein
pageot [paʒo] m pop (Bett) Falle, Klappe
pagne [paɲ] m Lendenschurz
pagnoter [paɲɔte]: se ~ (pop) s. in d. Falle
hauen
paie [pɛ] f Lohn, Löhnung; Sold; Heuer; jour
de ~ Zahltag; ~**ment** [pɛmɑ̃] m (Be-)Zahlung;
~ment par acomptes (od. à tempérament od.
échelonné) Ratenzahlung; Teilz.; mandat de
~ment Zahlungsanweisung; cesser (od. suspendre) les ~ments d. Zahlungen einstellen; ~**rie**
[pɛri] f Finanzkasse

païen [pajɛ̃] *118* heidnisch; *m* der Heide; *jurer comme un ~* wie e. Landsknecht fluchen

paill|ard [paja:r] *m* Lüstling; **~ardise** [-jardi:z] *f* Ausschweifung; Zote; **~asse** [-jas] *f* Strohsack; *m* Hanswurst; **~asson** [-jasɔ̃] *m* (Stroh-)Matte; Fußabstreifer; **~e** [pɑ:j] *f* Stroh; ✿ Fehler, brüchige Stelle, Sprung *(in Metallstück);* *fig* Splitter *(im Auge d. Nächsten);* ~*e de fer* Stahlspäne; *être sur la* ~*e* im Elend stecken; *pl* Zunder; **~é** [-je] strohgelb; **~er** [-je] **1.** mit Stroh bedecken; *(Stuhl)* beflechten; **2.** *m* Strohhaufen; -schuppen; **~ette** [-jɛt] *f* Flitter; Goldkörnchen; **~is** [-ji] *m* Streu; **~on** [-jɔ̃] *m* Strohhülse *(für Flaschen);* **~otte** [-jɔt] *f* Strohhütte

pain [pɛ̃] *m* Brot; *petit* ~ Brötchen, Semmel; ~ *azyme* Matze *f;* ~ *bis* Graubr.; ~ *à cacheter* Siegellack; ~ *complet* Vollkornbr.; ~ *d'épice* Honig-, Lebkuchen; ~ *de munition* Kommißbr.; ~ *rassis* altbackenes Br.; ~ *de savon* Seifenriegel; ~ *de sucre* Zuckerhut ♦ *pour un morceau de* ~ für e. Butterbrot; *avoir du* ~ *sur la planche* Vorräte haben; *fig* viel Arbeit zu erledigen haben; *long comme un jour sans* ~ endlos lange; *c'est* ~ *bénit* d. ist d. gerechte Strafe *bzw.* d. gerechte Lohn

pair [pɛ:r] gleichartig; *(Zahl)* gerade; paarig; *m* Gleichgestellter; *au* ~ z. Nennwert; *hors* ~ unvergleichlich; *traiter de* ~ *à compagnon* wie seinesgleichen behandeln; ~ *de change (com)* Kursparität; **~e** [pɛ:r] *f* Paar; *les deux font la* ~*e (mst pej)* die beiden passen zueinander; *se faire la* ~*e (umg)* das Weite suchen

paisible [pezibl] friedlich; ruhig; *(Tier)* fromm

paître [pɛtr] *61* weiden; *se* ~ s. ernähren (von) ♦ *envoyer qn* ~ j-n zum Teufel jagen

paix [pɛ] *f* Friede; Stille; *faire la* ~ F. schließen; *traité de* ~ Friedensvertrag; *fiche moi la* ~*! (umg)* laß mich in Ruhe!

pal [pal] *m* Pfahl

palabre [palabr] *f* Palaver; endloses, unnützes Reden

palace [palas] *m* Luxushotel

palais[1] [palɛ] *m* Palast; ~ *de justice* Gericht(s-gebäude)

palais[2] [palɛ] *m* Gaumen

palan [palɑ̃] *m* Flaschenzug; Hebezug; Winde; **~quin** [-kɛ̃] *m* Tragsessel, Sänfte

palatin [palatɛ̃] *109* pfälzisch; **~at** [-tina]: *le* ~*at* die Pfalz

pale [pal] *f* Ruderblatt; ⚓ Schaufel; ✈ Propellerflügel; ~ *d'hélice* Propellerblatt

pâle [pɑl] bleich, blaß; fahl

palefrenier [palfrənje] *m* Stallknecht

paletot [palto] *m* Überzieher

palet|te [palɛt] *f* ✿ *com* ✿ Palette; *(Wasserrad)* Schaufel; *(Schwein, Hammel)* Schulterstück; **~tisation** [-tizasjɔ̃] *f* Palettierung

pâleur [palœ:r] *f* Blässe

palier [palje] *m* Treppenabsatz; Stufe; Abschnitt; ✿ Lager; *en* ~ 🚂 auf ebener Strecke; *par* ~*s* stufenweise; ~ *à billes* ✿ Kugellager

palinodie [palinɔdi] *f* Widerruf; *chanter la* ~ d. Gesagte zurücknehmen

pâlir [pali:r] *22* erbleichen, blaß werden; verblassen; ausbleichen

palissade [palisad] *f* (Bau-)Zaun

palli|atif [paljatif] *m* ⚕ Linderungsmittel; *fig* Notbehelf; **~er** [-je] vorübergehend lindern; bemänteln; verschleiern; vertuschen

palm|arès [palmarɛs] *m* Preisträgerverzeichnis; 🏊 Siegerliste; **~e** [palm] *f* Palmzweig; Siegespalme; 🏊 Schwimmflosse; **~é** [-me] mit Schwimmhäuten versehen; **~er** [-mɛ:r] Schraublehre, Mikrometerschraube; **~eraie** [-marɛ] *f* Palmenhain; **~ier** [-mje] *m* Palme; **~ipèdes** [-mipɛd] *mpl* Schwimmvögel

palombe [palɔ̃b] *f* Ringel-, Wildtaube

palonnier [palɔnje] *m* Hebel, Schwengel; ✈ (Fuß-)Steuerhebel

pâlot [palo] *114* bläßlich

palp|able [palpabl] greifbar; ⚕ tastbar; **~er** [-pe] (ab-, be-)tasten; befühlen; ⚕ abtasten; *umg (Geld)* einstreichen, kassieren; **~eur** [-pœ:r] *m* Fühler; Taster; Fühlstift; Prüfkopf; **~itant** [-pitɑ̃] *108 (Herz)* zuckend; *fig* fesselnd, aufregend, spannend; *m pop* Herz; **~itation** [-pitasjɔ̃] *f* Zuckung; **~itations (de cœur)** ⚕ Herzklopfen; **~iter** [-pite] zucken; *(Herz)* klopfen; *(vor Angst)* zittern

palplanche [palplɑ̃ʃ] *f* Spundbohle; Spundwand

palud|éen [palydeɛ̃] *118* Sumpf...; **~isme** [-dism] *m* Sumpffieber, Malaria

pâm|er [pame]: *se* ~*er* in Ohnmacht fallen; *fig* außer sich geraten; **~oison** [-mwazɔ̃] *f* Ohnmacht

pamphlet [pɑ̃flɛ] *m* Schmähschrift

pamplemousse [pɑ̃pləmus] *m* Pampelmuse

pampre [pɑ̃pr] *m lit* Weinrebe

pan [pɑ̃] *m* (Rock-)Schoß; Fläche; 🏛 Fach, Feld; *math* Seite; *écrou à six* ~*s* ✿ Sechskantmutter

pan! [pɑ̃] bum!; *(Schuß)* paff!

panacée [panase] *f* Allheilmittel

panach|e [panaʃ] *m* Federbusch; *fig* äußerer Glanz; ~*e de fumée* Rauchfahne; *faire* ~*e* 🚗 s. überschlagen; **~é** [-ʃe] bunt(gefleckt); *(Speise)* gemischt

panade [panad] *f* Brotsuppe; *pop* Elend; *être dans la* ~ s. in e-r verzwickten Lage befinden

panard [pana:r] *m pop* Fuß

panaris [panari] *m* ⚕ Nagelgeschwür

pancarte [pɑ̃kart] *f* Anschlag(zettel)

pancréas [pɑ̃kreas] *m* Bauchspeicheldrüse

pandore [pɑ̃dɔ:r] *m umg* Gendarm

panégyrique [panezirik] *m* Lobrede

pan|er [pane] *(Fleisch)* panieren; **~etière** [pantjɛ:r] *f* Brotsack; Brotschrank; **~eton** [pantɔ̃] *m* Teigkorb; **~ier** [panje] *m* Korb; Reifrock ♦ ~*ier percé* Verschwender; ~*ier à provisions* Einkaufskorb; ~*ier à salade (pop)* grüne Minna; *le dessus du* ~*ier (umg)* d. Beste; *mettre tous les œufs dans le même* ~*ier* alles auf e-e Karte setzen; **~ifiable** [-nifjabl]: *céréales* ~*ifiables* Brotgetreide; **~ification** [-nifikasjɔ̃] *f* Brotherstellung

panique [panik] panisch; *f* Panik; Massen-

angst; **~r** [-kε] e-e schreckliche Angst bekommen, in Panik geraten
panne[1] [pan] f Panne; ~ *de moteur* Motorschaden; ~ *sèche* 🚗 Benzinpanne; *être en ~* kaputt *od.* gestört sein; *rester en ~ (a. fig)* nicht weiterkommen; *tomber en ~ (Gerät)* ausfallen; eine Panne haben; *véhicule en ~* Schadfahrzeug
panne[2] [pan] f Schweinefett
panne[3] [pan] f *(Hammer)* Pinne
panneau [panọ] m 91 Tafel; Platte; Fläche; *(Schiff)* Luke; *(Tür)* Füllung ♦ *donner dans le ~* hereinfallen; **~-réclame** [-noreklam] m 98 Reklameschild, -wand
panneton [pantɔ̃] m Schlüsselbart
panonceau [panɔ̃sọ] m 91 kleines Schild
panoplie [panɔpli] f Waffensammlung; Werkzeugtafel; Sortiment; *fig* Zusammenstellung, Komplex
panoramique [panɔramik]: *vue ~* Rundblick; *antenne ~* Rundsichtantenne; *format ~* Breitformat; m *(Film)* Kameraschwenkung
pans|age [pãsạːʒ] m *(Pferd)* Striegeln; **~ement** [-mɔ̃] m 🎗 Verband; *~ement adhésif* Schnellverband; *~ement provisoire* Notv.; **~er** [-sε] 🎗 verbinden; *(Pferd)* striegeln
pans|e [pãs] f zool Pansen; *umg* Wanst; **~u** [pãsy] dickwanstig, -bäuchig
pantalon [pãtalɔ̃] m (lange) Hose; **~nade** [-lɔnad] f (🎭 *u. fig)* Posse(nspiel)
pantelant [pãtlɑ̃] 108 keuchend; zuckend
panthère [pãtεːr] f Panther
pantin [pãtɛ̃] m *(a. fig)* Hampelmann
pantographe [pãtɔgraf] m *(Zeichengerät)* Storchschnabel; ⚡ Stromabnehmerbügel
pantois [pãtwa] 108 verdutzt, baff
pantomime [pãtɔmim] f Pantomime, Gebärdensprache, -spiel
pantoufl|ard [pãtuflạːr] m *umg* Stubenhocker; **~e** [-tufl] f Pantoffel, Hausschuh; *en ~es (umg)* ungezwungen; **~er** [-fle] *umg* d. Staatsdienst verlassen, um in d. Privatwirtschaft zu arbeiten
panure [panyːr] f Paniermehl
paon [pã] m Pfau
papa [papa] m Papa; *à la ~ (umg)* gemütlich; *de ~* von gestern, hinter dem Mond; *fils à ~* verwöhnter und verzogener Bengel
pap|al [papal] päpstlich; **~auté** [-potε] f Papstwürde; -tum; **~e** [pap] m Papst; Leader; Führer
papegai [papgε] m Papagei; hölz. Vogel *(zum Abschießen)*
papelard [paplạːr] 108 scheinheilig; m Scheinheiliger; *pop* Papier, Zeitung
paperass|e [paprεas] f Wisch; **~er** [-sε] *umg* in Papieren wühlen; **~erie** [-rasri] f Papierkram, Papierkrieg
papet|erie [papetri] f Papierfabrik; Schreibwarenhandlung; **~ier** [paptje] m Papierhersteller; Schreibwarenhändler
papier [papje] m Papier; Schriftstück; *pl* Akten, Urkunden; ~ *buvard* Löschblatt; ~ *carbone* Kohlep.; ~ *couché* Kunstdruckp.; **~**-*émeri* Schmirgelpapier; ~ *filtre* Filtrierpapier; ~ *hygiénique* Toilettenpapier; **~s** *d'identité* Perso-

nalausweis; ~ *mâché* Papiermaché; ~ *ministre* Kanzleip.; ~ *à musique* Notenp.; ~ *parcheminé* Pergamentp.; ~ *peint* Tapete ♦*être dans les petits* **~***s de qn* bei j-m gut angeschrieben sein; **~-calque** [-kalk] m 97 Pauspapier; **~-monnaie** [-mɔnε] m Papiergeld
papillon [papijɔ̃] m Schmetterling, Falter; Anschlag-, Handzettel; *(umg)* Verwarnung; 🐟 Schmetterlingsstil; ⚙ Drosselklappe; Flachbrenner; flatterhafter Mensch; *nœud* ~ (Krawatte) Fliege; **~ner** [-jɔnε] *a. fig* umherflattern
papillot|e [papijɔt] f Lockenwickel; **~er** [-jɔtε] *(Haare)* wickeln; flimmern
papot|age [papotạːʒ] m Geschwätz, Gerede; **~er** [-tε] schwatzen
pâque [pɑk] f Passah(fest)
paquebot [pakbọ] m Passagierschiff; Fahrgastschiff; ~ *rapide* Schnelldampfer
pâquerette [pakrεt] f Gänseblümchen
Pâques [pɑk] *mpl* Ostern; ~ *fleuries (fpl)* Palmsonntag
paquet [pakε] m Paket, Bündel; ~ *de mer* Sturzwelle; *faire son* ~ sein Bündel schnüren; *par petits* **~***s* schubweise ♦ *donner son* ~ *à qn* j-m heimleuchten; *mettre le* ~ zu den großen Mitteln greifen; *recevoir son* ~ e-n Rüffel bekommen; *risquer le* ~ alles aufs Spiel setzen; **~age** [paktạːʒ] m Einpacken; *mil* Gepäck
par [par] durch, bei, mit, von; auf; an, aus; auf Grund von; pro; ~ *avion* ✈ mit Luftpost; ~ *conséquent* folglich; ~ *contre* dagegen; ~ *douzaines* dutzendweise; ~ *ici!* hierher!; ~ *la main* an d. Hand; ~ *personne* pro Person; ~ *trop froid* gar zu kalt; *comme* ~ *le passé* wie früher; *de* ~ *la loi* im Namen d. Gesetzes
para [para] m *(arg mil)* Fallschirmjäger
parabol|e [parabɔl] f *math* Parabel; *rel* Gleichnis; **~ique** [-bɔlik]: *miroir* ~ *ique* Parabolspiegel
parachever [paraʃve] 8 vollenden
parachut|age [paraʃytạːʒ] m Fallschirmabwurf; **~e** [-ʃyt] m Fallschirm; **~er** [-tε] mit d. Fallschirm abwerfen (abspringen); *umg pol* einschleusen; **~iste** [-tist] m Fallschirmspringer
parad|e [parad] f *(a. fig)* Parieren *(e-s Hiebes)*; *(Nahkampf)* Abwehrgriff; Schau, Prunk; *(Wacht-)*Parade; *faire* **~***e de qch* mit etw. prunken; *de* **~***e* Prunk... , Parade...; **~er** [-rade] prunken; großtun; einherstolzieren
paradis [paradi] m Paradies; *arg* 🎭 Olymp; ~ *fiscal* Steueroase; **~iaque** [-dizjak] paradiesisch; **~ier** [-dizje] m Paradiesvogel
parados [parado] m *mil* hinterer Deckungswall
paradox|al [paradɔksal] 124 paradox; **~e** [-dɔks] m Paradox(on)
para|fe, ~phe [paraf] m Handzeichen; Schnörkel; **~fer, ~pher** [-rafe] abzeichnen
parafiscal [parafiskal] 124 steuerähnlich; *taxe* ~ Gebühr; Abgabe
parafoudre [parafudr] m ⚡, ⚓ Blitzschutz; Überspannungsableiter
parages [paraːʒ] *mpl* Gewässer; Gegend
paragraphe [paragraf] m Paragraph; Abschnitt, -satz; Ziffer
paragrêle [-paragrεl] Hagelschutz...

paraître [parɛtr] *61* scheinen; erscheinen; 🕮 herauskommen ♦ *il paraît que* man erzählt, daß...; *il me paraît que*... mir scheint, daß...

parallèle [paralɛl] parallel; *f math* Parallele; *m geog* Breitenkreis; Vergleich, Gegenüberstellung; *activité ~* Hobby, Nebentätigkeit; *journal ~* alternative Zeitung; *police ~* Geheimpolizei

paralogisme [paralɔʒism] *m* Fehlschluß; Trugschluß; Denkfehler

paraly|ser [paralize] *a. fig* lähmen; hintertreiben; **~sie** [-zi] *f (a. fig)* Lähmung; Lahmlegung; **~tique** [-tik] gelähmt

paramètre [paramɛtr] *m* veränderliche Größe, Parameter, Kenngröße; *fig pl* Daten

paramilitaire [paramilitɛ:r] para-, halbmilitärisch, militärähnlich

parangon [parãgɔ̃] *m* reiner Diamant, Perle; Muster, Vorbild

parapet [parapɛ] *m* Brüstung; (Brücken-)Geländer; *mil* vorderer Deckungswall

paraphrase [parafrɑːz] *f* freie Übertragung; verdeutlichende Umschreibung

parapluie [paraplɥi] *m* Regenschirm

parasit|aire [parazitɛ:r] schmarotzend; **~e** [-zit] *m (a. fig)* Parasit; Schmarotzer, Nassauer; 🕮 Störung; *champ ~e* Störungsfeld

para|sol [parasɔl] *m* Sonnenschirm; **~tonnerre** [-tɔnɛ:r] *m* Blitzableiter; **~vent** [-vã] *m* Wandschirm, spanische Wand

parbleu! [parblø] das will ich meinen!, weiß Gott!

parc [park] *m* Park; Grünanlage; *com* (Gesamt-)Bestand, Gesamtzahl, *(Schafe)* Pferch; *(Autos)* LKW-Bestand; Fuhrpark; Parkplatz; *~ à huîtres* Austernpark; *~ de jeux* Kinderspielplatz; *~ de stationnement souterrain* Tiefgarage; *~ régional, ~ national* Naturschutzpark; *~ zoologique* zoologischer Garten; **~age** [-ka:ʒ] *m* ↓ (Ein-)Pferchen; 🚗 Parken

parcel|le [parsɛl] *f* Parzelle; **~lisation** [parsɛlizasjɔ̃] *f (Land)* Aufteilung; *fig* Zersplitterung; *com* übermäßige Arbeitsteilung

parce que [parskə] weil

parchemin [parʃəmɛ̃] *m* Pergament; *umg* Diplom

par-ci [parsi]: *~, par-là* da u. dort; hin u. wieder

parcimoni|e [parsimɔni] *f* Knauserei; **~eux** [-njø] *111* knauserig

parc(o)mètre [park(ɔ)mɛtr] *m* Parkuhr

parcour|ir [parkuri:r] *19* durchlaufen, -fahren usw.; durchlesen; *(Strecke)* zurücklegen; **~s** [-ku:r] *m* (Reise-, Renn-, Flug-)Strecke; Bahn; Weg; Route; 🚂 Linie

par|-delà [pardəla]: *~-delà les montagnes* jenseits d. Berge; **~-dessous** [-dəsu] unter; (von) unten; *~-dessous la jambe* oberflächlich

par|dessus [pardəsy] *m* Überzieher, Herrenmantel; **~-dessus** [pardəsy] über, darüber; *~-dessus le marché* obendrein

par|-devant [pardəvã]: *~-devant notaire* notariell; **~-devers** [-dəvɛ:r]: *retenir ~-devers soi* 🕮 in Händen behalten

pardi! [pardi] aber gewiß!

pardon [pardɔ̃] *m* **1.** Verzeihung; Vergebung; *demander ~ à qn* j-n um Verz. bitten; *~!* Verzeihung!; **2.** bretonische Wallfahrt; **~nable** [-dɔnabl] verzeihlich; *(Person)* entschuldbar; **~ner** [-dɔne] verzeihen, vergeben

pare|-boue [parbu] *m 100* Schmutzfänger; **~brise** [-bri:z] *m 100* Windschutzscheibe; **~chocs** [-ʃɔk] *m 100* 🚗 Stoßstange; -fänger; **~feu** [parfø] *m 100* Brandschutz

pareil [parɛj] **1.** *115* ähnlich; gleich; solch (ein); *c'est ~ (umg)* das ist dasselbe; *sans ~* ohnegleichen; **2.** *m* der Gleiche; *ne pas avoir son ~* nicht seinesgleichen haben; **~le** [-rɛj] *f: rendre la ~le* Gleiches mit Gleichem vergelten; **~lement** [-rɛjmã] ebenfalls; ebenso

parement [parmã] *m* Garnitur; *(Ärmel)* Aufschlag; 🏛 Sichtfläche; Verblendmauerwerk

parent [parã] *108* verwandt; *mpl* Eltern; Verwandte; **~al** [-tal] *adj* elterlich; *autorité ~ale* elterliche Gewalt; **~é** [-te] *f* Verwandtschaft

parenthèse [parãtɛ:z] *f* Klammer; *entre ~s* in Klammern; *soit dit par ~* nebenbei gesagt

parer [pare] **1.** schmücken, zieren (*de* mit); *(Speise)* zurichten ♦ *se ~ des plumes du paon* s. mit fremden Federn schmücken; **2.** *(Stoß)* parieren; schützen (*de* vor); s. schützen (*à* gegen); vorbeugen (*à qch* e-r Sache), abwenden (*à qch* etw.)

pare-soleil [parsɔlɛj] *m 100* 🚗 🕮 Sonnenblende

paress|e [parɛs] *f* Faulheit; Trägheit; **~er** [-se] faulenzen; **~eux** [-sø] *111* faul, träge; *m zool* Faultier; *fig* Faulenzer

parfai|re [parfɛ:r] *70* vollenden; vervollständigen; **~t** [-fɛ] *108* vollkommen; vollendet; einwandfrei; fehlerfrei; **~tement!** [-fɛtmã] jawohl!

parfois [parfwa] zuweilen; manchmal

parfum [parfœ̃] *m* Duft; Parfüm, Duftstoff; *être, mettre qn au ~ (umg)* eingeweiht sein, j-n einweihen; **~er** [-fyme] parfümieren; durchduften; **~erie** [-fymri] *f* Parfümerie; **~eur** [-fymœ:r] *m* Parfümeur

pari [pari] *m* Wette; *~ mutuel urbain (P.M.U.) (Pferderennen)* frz. amtliche Wettstelle; Totalisator

paria [parja] *m* Paria; Ausgestoßener; *pl pol* Randgruppe

pariade [parjad] *f orn* Paarung(szeit)

pari|er [parje] wetten; **~eur** [-jœ:r] *m* Wetter *m*

Parigot [parigo] *m pop* Pariser

parisien [parizjɛ̃] *118* aus Paris; ⌐ *m* Pariser

parit|aire [paritɛ:r] paritätisch; **~é** [-te] *f* Gleichheit; *com EDV* Parität; Gleichstellung

parjur|e [parʒy:r] eidbrüchig; *m* Meineid(iger); *commettre un ~e* e-n M. schwören; **~er** [-ʒyre]: *se ~er* eidbrüchig werden

parka [parka] *m* Anorak

parking [parkiŋ] *m* Parken; Parkplatz; ✈ Abstellfläche; *~ souterrain* Tiefgarage

parl|ant [parlã] *108 (a. fig)* sprechend; *film ~ant* Tonfilm; **~ement** [-ləmã] *m* Parlament, Volksvertretung; **~ementaire** [-ləmɛtr] *r* parlamentarisch; *m* Parlamentsmitglied, Parlamentarier; Unterhändler; **~ementer** [-ləmãte] parlamentieren; ver-, unterhandeln

parl|er [parlẹ] **1.** sprechen; reden; ~*er à qn* mit j-m sprechen; ~*er en l'air, à tort et à travers* viel u. töricht reden, *umg* quatschen; ~*er de la pluie et du beau temps* von gleichgültigen Dingen spr.; *n'en ~ons plus!* lassen wir das!; *sans ~er de* abgesehen davon; *tu ~es! (pop)* was du nicht sagst!; **2.** *m* Mundart; **~eur** [-lœːr] *m* geübter Redner; *haut ~eur* Lautsprecher; **~oir** [-lwaːr] *m* Sprech-, Besuchszimmer; **~ote** [-lɔt] *f* Geschwätz

parmi [parmi] (mitten) unter

parodie [parɔdi] *f* Parodie; satirische Nachahmung

parodontose [parɔdõtọz] *f* Zahnfleischschwund, Parodontose

paroi [parwa] *f* (Scheide-, Zwischen-)Wand; ~ *en charpente* Fachwerkwand; Holzw.

paroiss|e [parwas] *f* Pfarrei; **~ial** [-sjal] *124* Pfarr…; Gemeinde…; **~ien** [-sjẽ] *m* Pfarrkind; Gebetbuch ♦ *un drôle de ~ien* e. komischer Kauz

parole [parɔl] *f* (gesprochenes) Wort; Rede; Versprechen; Denk-, Sinnspruch; *temps de ~* Redezeit; ~ *d'honneur* Ehrenwort; *adresser la ~ à* d. Wort richten an; *couper la ~ à* qn j-m ins Wort fallen; *manquer à sa ~* sein Wort brechen; *tenir sa ~* sein Wort halten

paroti|de [parɔtid] *f* Ohrspeicheldrüse; **~dite** [-tidit] *f* Ziegenpeter, Mumps

paroxysme [parɔksism] *m* ($ *u.* *fig*) Höhepunkt

parqu|er [parkẹ] *6 (a. fig)* einpferchen; 🚗 parken; **~et** [-kẹ] *m* **1.** *(a. Börse)* Parkett; Fußboden; **2.** Staatsanwaltschaft; **~etage** [-kɔtaːʒ] *m* Parkettierung; **~eter** [-katẹ] *4* parkettieren

parrain [parẽ] *m* Pate; **~age** [-rɛnaːʒ] *m* Patenschaft; **~er** [-rɛnẹ] *a. fig* aus d. Taufe heben; Pate stehen bei; fördern, unterstützen

parricide [parisid] *m* Vater-, Muttermord; Vater-, Muttermörder

parsemer [parsɔmẹ] *8* bestreuen, besäen (*de* mit)

part [paːr] *f* Anteil; Teil; Beteiligung; Seite; Ort, Stelle; *à ~* eigenartig; getrennt, einzeln; außer; *à ~ cela* davon abgesehen; *à ~ moi* außer mir; was mich betrifft; *à ~ entière* gleichberechtigt; gleichwertig; völlig, ganz; *de la ~ de* im Auftrag von; *de ~ en ~* durch u. durch; *de ~ et d'autre* beiderseits; *d'une ~ … d'autre ~* einerseits… andererseits; *pour ma ~* was mich betrifft; *quelque ~* irgendwo; *de toutes ~s* an allen Ecken u. Enden; ~ *à deux!* halbpart! ~ *sociale (com)* Gesellschaftseinlage; *aller quelque ~ umg* irgendwo hin müssen, d. Toilette aufsuchen; *donner un coup de pied quelque ~ umg* in den Hintern treten; *faire ~ de* mitteilen; *faire bande à ~* sich absondern; *faire la ~ du feu* viel opfern, um etw. zu behalten; *prendre ~ à qch* an etw. teilnehmen; *prendre qch en mauvaise ~* etw. übelnehmen; **~age** [partaːʒ] *m* Teilung; Ver-, Aufteilung; Erbteil; Anteil; Stimmengleichheit; *sans ~age (fig)* ungeteilt; *faire le ~age de qch* etw. aufteilen; *ligne de ~age des eaux* Wasserscheide; **~ager** [-taʒẹ] *14*

teilen; verteilen; ausstatten; teilnehmen (*qch* an etw.); **~ance** [-tɑ̃s] *f:* *en ~ance* ⚓, ✈ abfahrtbereit; **~ant¹** [-tɑ̃] *m* Abreisende(r); ✈ Teilnehmer; **~ant²** [-tɑ̃] *conj* folglich

partenaire [partɔnɛːr] *m* Partner; ~*s sociaux* Sozialpartner

parterre [partɛːr] *m* Blumenbeet; ✿ Parkett

parti [parti] *m (a. pol)* Partei; Entschluß; Nutzen, Vorteil; *(Ehe)* Partie; *mil* Streifkorps; *esprit de ~* Parteilichkeit; ~ *unique* Einheitspartei; *un beau ~* e-e gute Partie; ~ *pris* Voreingenommenheit; *être bien (mal) parti* auf dem richtigen (falschen) Weg sein; e-n guten (schlechten) Anfang haben; *prendre le ~ de qn* j-s P. ergreifen; *prendre un ~* e-n Entschluß fassen; *prendre son ~ de qch* s. abfinden (mit); *tirer ~ de qch* aus etw. Nutzen ziehen; **~al** [-sjal] *124* parteiisch; **~alité** [-sjalitẹ] *f* Parteilichkeit; **~cipant** [-tisipɑ̃] *m* Teilnehmer; **~cipation** [-tisipasjõ] *f* Teilnahme; Beteiligung; Mitwirkung; ~*cipation aux bénéfices* Gewinnb.; ~*cipation financière* Kapitalanteil; Kapitalbeteiligung; **~ciper** [-tisipẹ] teilnehmen, teilhaben (*à* an); beitragen (*à* zu); **~culariser** [-tikylarizẹ] genau angeben, spezifizieren; *se ~culariser* s. absondern; **~cularisme** [-tikylarism] *m* Kleinstaaterei; **~cularité** [-tikylaritẹ] *f* Besonderheit; Eigentümlichkeit; Einzelheit; **~cule** [-tikyl] *f (phys, ling)* Partikel; Teilchen; Adelsprädikat; ~*cule élémentaire* Elementarteilchen; ~*cule nucléaire* Kernteilchen; **~culier** [-tikyljẹ] **1.** *116* sonder…, eigentümlich; *secrétaire ~ culier* Privatsekretär; *en ~culier* insbesondere; **2.** *m* Privatperson; *umg* Individuum; **~e** [-ti] *f* Teil, Bestandteil; Erdteil; Fach; Unternehmen, Ausflug; *(Spiel)* Partie; 🎵 Partei; ♪ Stimme, Partie; *pl* Geschlechtsteile; *en ~e* teilweise; *en majeure ~e* größtenteils; *à quatre ~es* vierstimmig; ~*e de campagne* Wanderung; ~*e civile* 🎵 Privatkläger; Nebenkl.; ~*e constituante* Komponente; *les ~es contractantes* 🎵 die vertragschließenden Parteien; ~*e prenante com* Abnehmer; *(Zahlung)* Empfänger; *donner ~e gagnée à qn* j-m gewonnenes Spiel lassen; *être de la ~e* dabeisein, mitmachen; *faire ~e de* gehören zu; *prendre à ~e* angreifen; **~el** [-sjɛl] *115* Teil…; einzeln, besonders, anteilig; **~ellement** [-sjɛlmẹ] teilweise, z. Teil

partir [partiːr] *29* weg-, fortgehen; abreisen, -fahren, -fliegen (*pour* nach); *(Schuß)* losgehen; *mil* ins Feld kommen; ~ *d'un éclat de rire* laut auflachen; *à ~ d'un peu parti (fig)* angeheitert, beschwipst sein; *à ~ d'aujourd'hui* ab heute

part|isan [partizã] *m* Anhänger; Partisan; **~ition** [-tisjõ] *f* Partitur; *(Staat)* Teilung; *math* Zerlegung; ~*ition de piano* Klavierauszug

partout [partu] überall

partouze [partuz] *f umg* Sexparty

paru [pary] *61* erschienen

parure [paryːr] *f* Schmuck, Geschmeide; (Damen-, Mädchen-) Wäschegarnitur

parution [parysjõ] *f* 📖 Erscheinen

parven|ir [parvɔniːr] *30* gelangen (*à* zu); erreichen (*à qch* etw.); emporkommen; *faire ~ir* parvenu

patate

(zu)senden; **~u** [-nɥ] *m* Parvenü, Emporkömmling; Neureicher
parvis [parvi] *m* Kirchplatz
pas [pɑ] *m* **1.** Schritt; Spur; Engpaß; Meerenge; Schwelle; Abstand; **~** *à* **~** schrittweise; *au* **~***! langsam fahren!*; **~** *cadencé* Gleichschritt; **~** *de Calais* Straße von Dover; **~** *gymanstique* Laufschritt; *à* **~** *de loup* mit leisen Schritten, lautlos; *salle des* **~** *perdus* Wandelhalle; **~** *de porte* Türschwelle; *fig com* Drauf-, Handgeld; *avoir le* **~** *sur qn* d. Vorrang vor j-m haben; *faire un faux* **~** stolpern; *fig* e-n Bock schießen; *faire les premiers* **~** erste Schritte unternehmen; anbändeln; *marquer le* **~** *(a. fig)* auf d. Stelle treten; *mettre au* **~** *(fig)* z. Vernunft bringen; *presser le* **~** schneller gehen; *j'y vais de ce* **~** ich gehe sofort (dorthin); *se tirer d'un mauvais* **~** sich aus d. Affäre ziehen; **2.** ✿ Gewinde; **3.** *ne* **~** nicht; **~** *du tout* durchaus nicht; *n'est-ce* **~***?* nicht wahr?; **~** *mal de* ziemlich viel(e)
pascal [paskal] *124* österlich
pass|able [pɑsabl] erträglich; leidlich; *(Note)* ausreichend; **~ade** [-sad] *f* Laune; Neigung; Liebelei; **~age** [-saːʒ] *m* Durch-(Über-)Gang; Durchreise, -fahrt; -zug; Vorbeifahrt, -kommen; *astr* Durchgang; *(Straße,♪)* Passage; *(Buch)* Stelle; *(Teppich)* Läufer; **~***age à niveau* Bahnübergang; **~***age clouté* Zebrastreifen, Fußgängerüberweg; **~***age à vide* kurzfristiger starker Leistungsabfall; **~***age des vitesses* 🚗 Schalten *n; de* **~***age* auf d. Durchreise; *oiseau de* **~***age* Zugvogel; **~ager** [pasaʒe] *116* durchreisend; vorübergehend; unstet, flüchtig; *m* ⚓, ✈ Fahr-, Fluggast; Passagier; **~***ager clandestin* blinder Passagier; **~ant** [-sɑ̃] **1.** *108:* *rue* **~***ante* belebte Straße; *en* **~***ant* im Vorübergehen; nebenbei, gelegentlich; **2.** *m* Vorübergehender; **~ation** [pasasjɔ̃] *f* Ausfertigung; *(Auftrag)* Erteilung; **~***ation d'écriture (com)* Buchung; **~avant** [pasavɑ̃] *m* ⚓, Laufplanken; Zollfreischein; **~e** [pɑs] *f* ⚓ Fahrrinne, Fahrwasser; Vogelzug; Passierschein; Freifahrtschein; *(Ball)* Abgabe; Ab-, Zuspiel; *maison de* **~***e* Stundenhotel, Absteigequartier; *mot de* **~***e* Parole, Kennwort; *être en* **~***e de* in d. Lage sein zu ♦ *être dans une mauvaise* **~***e* in d. Klemme sitzen; **~é** [pɑse] **1.** vorbei; vergangen; verflossen; *l'an* **~***é* voriges Jahr; *fleur* **~***ée* welke Blume; *tenture* **~***ée* verschossene Tapete; *il est quatre heures* **~***ées* es ist nach vier; **2.** *m* Vergangenheit; **~e-droit** [pɑs-drwa] *m 99* (gesetzwidrige) Bevorzugung od. Zurückstellung; **~ée** [-se] *f* Fährte; *(Schnepfen)* Streichen; **~e-lacet** [pɑslase] *m 99* Schnürnadel; **~ement** [pɑsmɑ̃] *m* Borte, Besatz; **~ementerie** [pɑsmɑ̃tri] *f* Posamentierarbeit; **~e-montagne** [pɑsmɔ̃taɲ] *m 99* Pelzmütze; Kopfschlauch; Auto-, Fliegerkappe; **~e-partout** [pɑspartɥ] *m 100* Hauptschlüssel; 🔳 Passepartout, Wechselrahmen; Schrotsäge; *fig adj* standardisiert; **~e-plats** [-plɑ] *m 100* Durchreiche; **~e-** **~e** [pɑs] *m 100: tour de* **~e-** **~e** Taschenspielertrick; **~epoil** [pɑspwal] *m* Paspel, Litze; **~eport** [-pɔːr]

m (Reise-)Paß; **~e-purée** [paspyre] *m* Gemüsedurchschlag; **~e-vues** [pɑsvy] *m (Dias)* Bildschieber
passer [pɑse] **1.** *vt (Fluß, Grenze usw.)* überschreiten; *(Gegenstand)* (an)reichen; *(Kleidung)* anziehen; *(Gemüse)* passieren; *(Zeit)* verbringen; *(verzeihen)* hingehen lassen; auslassen, überschlagen; *(Vertrag)* abschließen; *(Auftrag)* erteilen, vergeben; *(Prüfung)* ablegen; **~** *au crible (a. fig)* sieben; **~** *qch sous silence* etw. mit Stillschweigen übergehen; **~** *qch au crédit de qn* j-m etw. gutschreiben; *cela passe la plaisanterie* hier hört d. Spaß auf; **~** *à tabac (pop)* verhauen, vertobaken; **2.** *vi* (vorbei-, vorüber-)gehen, -fahren, -kommen, -ziehen; *(Theaterstück, Film)* gezeigt werden, laufen; *umg* sterben; *(Farben)* verschießen; *je ne fais que* **~** ich will mich nicht aufhalten; **~** *pour* gelten als; *cela passe* das geht vorüber; *en* **~** *par* s. bereitfinden zu; *passe encore* das mag noch hingehen; *il y* **~***a* d. Reihe wird auch an ihn kommen; **3.** *se* **~** sich ereignen, geschehen; *qu'est-ce qui se passe?* was ist los?; *se* **~** *de qch* etw. entbehren; *je ne peux me* **~** *de vous* ich kann nicht ohne Sie fertig werden
passereau [pɑsro] *m* Sperling
pass|erelle [pɑsrɛl] *f* Steg; ✿ Laufsteg; ⚓ Kommandobrücke; *fig (Beruf)* Umsteigemöglichkeit; **~e-temps** [-tɑ̃] *m 100* Zeitvertreib; **~e-thé** [-te] *m 100* Teesieb; **~eur** [pɑsœːr] *m* Fährmann; Schmuggler; Fluchthelfer
pass|ible [pasibl]: *être* **~***ible d'une peine* ♊ e-e Strafe verwirkt haben; **~***ible de droits d'entrée* zollpflichtig; **~if** [-sif] **1.** *112* passiv, untätig; *obéissance* **~***ive* blinder Gehorsam; **2.** *m com* Passiva, Schulden; *ling* Leideform; **~ion** [-sjɔ̃] *f* Leidenschaft; Glut; Erregung; *rel* Passion, Leidensgeschichte; **~ionnant** [-sjɔnɑ̃] *108 fig* erregend, spannend; **~ionné** [-sjɔne] *128* leidenschaftlich; *m* **~***ionné de musique* Musikfan; **~ionnel** [-sjɔnɛl] *115* der Leidenschaft unterworfen; *crime* **~***ionnel* in leidenschaftl. Erregung begangenes Verbrechen; **~ionner** [-sjɔne] entflammen, hinreißen; fesseln, interessieren; erregen; *se* **~***ionner pour* s. begeistern für; **~ivité** [-sivite] *f* Passivität, Untätigkeit
passoire [pɑswaːr] *f* Sieb, Durchschlag
pastel [pɑstɛl] *m* Pastell(bild)
pastèque [pɑstɛk] *f* Wassermelone
pasteur [pɑstœːr] *m (lit u. fig)* Hirte; *prot* Pfarrer, Pastor; **~iser** [-tœrize] pasteurisieren, keimfrei machen
pastiche [pɑstiʃ] *m (bes lit)* täuschende Nachahmung
pastille [pastij] *f* Schokoladen-, Zuckerplätzchen; 💊 Pastille; *chem* Tablette; **~** *d'écouteur* Hörmuschel
pastoral [pɑstɔral] *124 lit* ländlich; *rel* Hirten...
patach|e [pataʃ] *f* Zollboot; 🚗 Klapperkiste; **~on** [-taʃɔ̃] *m: vie de* **~***on* Luderleben
patapouf [patapuf] *m umg* Dickwanst
pataquès [patakɛs] *m ling* fehlerhafte Bindung; grober Sprachschnitzer
patate [patat] *f umg* Kartoffel; *pop* Dummkopf

patati, patata! [patatịpatatạ] papperlapapp!
patatras! [patatrɑ] bums!
pataud [patọ] *108* täppisch; *m* Tölpel, Tolpatsch
patauge|r [patoʒe] *14 (im Schlamm)* patschen; *umg (Rede)* s. verhaspeln; **~oire** [-zwạːr] *f* Planschbecken
pât|e [pɑt] *f* Teig; **ß** Paste; *~es (alimentaires, d'Italie)* Teigwaren; *~e dentifrice* Zahnpasta; *~e à papier* Papierfaserstoff; *~e chimique* Zellstoff ♦ *mettre la main à la ~e* selbst Hand anlegen; *une bonne ~e d'homme* e. gutmütiger Kerl, e-e gute Haut; **~é** [-tẹ] *m* 1. Pastete; *~é de foie gras* Gänseleberp.; **2.** Tintenklecks; **3.** (Häuser-)Block; **~ée** [-tẹ] *f* (Mast-)Futter; *~ée pour chien* Hundefutter
patelin [patlẽ] *109* einschmeichelnd; *m pop* Kaff, Nest; *c'est mon ~ (pop)* da bin ich zu Hause; **~er** [-linẹ] *vi* schmeicheln; *vt* umschmeicheln
patène [patɛn] *f* Hostienteller
patenôtre [patnọtr] *m* ✿ Paternosterwerk; *pl* Gebete, Gemurmel; *diseur de ~s* Heuchler
patent [patạ̃] *108* offenkundig; **~e** [-tạ̃t] *f* Gewerbesteuer; -schein; *~e de santé* Gesundheitspaß; **~er** [-tạ̃tẹ] d. Gewerbesteuer unterwerfen; e. Patent erteilen
Pater [patẹːr] *m 104* Vaterunser
patère [patɛːr] *f* Kleiderhaken; Gardinenhalter
patern|aliste [patɛrnaḷịst] patriarchalisch; **~e** [-tɛrn] *iron* väterlich, wohlwollend; **~el** [-nɛl] *115* väterlich; *m pop* Vater, Alter; **~ité** [-nitẹ] *f* Vaterschaft; *lit* Urheberschaft
pâteux [patọ] *111* teigig; dick(flüssig); matschig; *(Zunge)* belegt; *(Stil)* schwerfällig
path|étique [patetịk] ergreifend; erhaben; **~ogène** [-tɔʒɛn] krankheitserregend; **~ologique** [-tɔlɔʒịk] krankhaft; **~os** [-tọs] *m* Schwulst
patibulaire [patibylɛːr]: *mine ~ (umg)* Galgengesicht
pati|ence [pasjạ̃s] *f* Geduld, Langmut; *prendre ~ence* s. gedulden; *prendre en ~ence* geduldig ertragen; **~ent** [-sjạ̃] *108, 127* geduldig; *m* Patient *(bei Operation)*; **~enter** [-sjạ̃tẹ] s. gedulden; *faire ~enter* warten lassen, vertrösten
patin [patẽ] *m* Schlittschuh; *~ à roulettes* Rollschuh; *~ de frein* Bremsklotz; Hemmschuh; Bremsbelagträger; **~age** [-tinạːʒ] *m* Schlittschuhlaufen, Eislauf; **~e** [-tịn] *f* Patina; **~er** [-tinẹ] Schlittschuh laufen; *(Räder auf Schienen)* gleiten; *fig* nicht vorankommen; wirkungslos sein; **~ette** [-tinɛt] *f (Spielzeug)* Roller; **~eur** [-tinœːr] *m* Schlittschuhläufer; **~oire** [-tinwạːr] *f* Eis(lauf)bahn
pâtir [patịːr] *22* leiden *(de* unter); *~ d'un dommage* e-n Schaden erleiden
pâtis [patị] *m* Weideland
pâtiss|erie [patisrị] *f* feines Backwerk, Gebäck; Konditorei; **~ier** [-sjẹ] *m* Konditor
patoche [patɔʃ] *f umg* Pranke
patois [patwạ] *m* Mundart; Kauderwelsch
patouill|e [patuj] *f* Matsch; **~er** [-tujẹ] im Schlamm waten
patraque [patrạk] *f umg (Uhr)* Zwiebel; 🚗

Klapperkiste, Mühle; *adj: je me sens tout ~ (umg)* ich fühle mich nicht wohl
pâtre [pɑtr] *m lit* Hirte
patri|arcal [patriarkạl] *124* patriarchalisch; **~arche** [-ạrʃ] *m* Patriarch; **~cien** [-sjẽ] *m* Patrizier; **~e** [patri] *f* Vaterland, Heimatland; *(a. bot, zool)* Heimat; *mère ~e* Mutterland; **~moine** [-mwạn] *m* 🜚 (Aktiv- u. Passiv-)Vermögen; Erbgut, Erbe *(von Vater od Mutter); le ~moine artistique de la France* d. Kunstschätze Frankreichs; *~moine héréditaire (biol)* Erbmasse; *~moine social (com)* Gesellschaftsvermögen; **~otard** [-ɔtạːr] *m* Hurrapatriot; **~ote** [-ɔt] patriotisch; *m* Patriot; **~otique** [-ɔtịk] patriotisch, vaterländisch; **~otisme** [-ɔtịsm] *m* Patriotismus, Vaterlandsliebe; *~otisme de clocher* Lokalpatriotismus
patron [patrɔ̃] *m* 1. Arbeitgeber; Chef, Vorgesetzter; Wirt; Gönner; *rel* Schutzpatron; **2.** Schablone; Schnittmuster; **~age** [-trɔnạːʒ] *m* Schirm-, Schutzherrschaft; *~age paroissial* Gemeindehaus; **~al** [-trɔnạl] *124: intérêts ~aux* Interessen d. Arbeitgeberschaft; *fête ~ale* Kirchweih(fest); **~at** [-trɔnạ] *m* Arbeitgeberschaft, Unternehmertum; **~ne** [-trɔn] *f* Chefin; Wirtin; Schutzheilige; **~ner** [-trɔnẹ] protegieren; unterstützen; eintreten *(qn* für j-n); **~nesse** [-trɔnɛs]: *dame ~nesse* Vorstandsdame *(e-s wohltät. Vereins)*, Gönnerin; **~ymique** [-tronimịk]: *nom ~ymique* Familienname
patrouill|e [patruj] *f* Patrouille; Streife; *~e mobile* Verkehrsstreife; **~er** [truje] patrouillieren, Streife gehen; *umg* herumpatschen; befingern; **~eur** [-trujœːr] *m* Späher; Wachboot
patte [pat] *f* 1. Pfote; Tatze, Branke; *(Tier)* Fuß, Bein; *marcher à quatre ~s* auf allen vieren kriechen; *retomber sur ses ~s (a. fig)* wieder auf d. Füße fallen; *à bas les ~s! (umg)* Pfoten weg! ♦ *~s de lapin* Koteletten, Backenbart; *~s de mouche* kritzelige Schrift; *faire ~s de velours* Samtpfötchen machen, katzenfreundl. sein; *graisser la ~ à qn (umg)* j-n schmieren; *montrer ~ blanche (umg)* s. ausweisen; **2.** *(Schneiderei)* Patte; *~ d'épaule* Achselklappe; **3.** ✿ Lasche; Krampe, Mauerhaken; **~s-d'oie** [-dwạ] *fpl* Krähenfüße
pâtur|age [patyrạːʒ] *m* Viehweide; Weiderecht; **~e** [-tyːr] *f* Futter; Viehweide; das Weiden; *fig* gefundenes Fressen; **~er** [-rẹ] weiden
paturon [patyrɔ̃] *m (Pferd)* Fessel
paum|e [pom] *f* Handfläche; tennisähnliches Ballspiel; **~é** [pomẹ] *adj umg* ärmlich, erbärmlich; verloren; *m* Ausgestoßener, Mitglied e-r verarmten Randgruppe; **~er** [pomẹ] mit d. flachen Hand schlagen; *pop* verlieren; *se ~er* s. verlaufen
paupéris|ation [pọperizasjɔ̃] *f* Massenverelendung, -verarmung; **~er** [-zẹ] verarmen
paupière [popjɛːr] *f* Augenlid
paupiette [popjɛt] *f* Roulade
paus|e [poːz] *f* Pause; ♪ ganze Pause; *~e-café* Kaffeepause; *sans ~e* durchgehend; **~er** [poze] pausieren
pauvr|e [poːvr] 1. arm; armselig, dürftig; elend;

enfant ~e armes (bedürftiges) Kind; *~e enfant!* armes *(bemitleidenswertes)* Kind!; **2.** *m* Armer, Bettler; **~esse** [povrɛs] *f* Bettlerin; **~et** [povrɛ] *m* armer Kerl; **~eté** [povrətẹ] *f* Armut

pavage [pava:ʒ] *m* Pflasterung

pavaner [pavanẹ]: *se ~* umherstolzieren, s. aufplustern

pav|é [pavẹ] *m* Pflasterstein; *(Straße)* Pflaster; *umg* dickes, langweiliges u. schwieriges Buch; *battre le ~é* herumbummeln; *être sur le ~é (fig)* auf d. Straße liegen; *tenir le haut du ~é* d. Vorrang haben; **~ement** [pavmã̱] *m* Pflaster; Pflastern; **~er** [-vẹ] pflastern; **~eur** [-vœ:r] *m* Pflasterer

pavillon [pavijõ̱] *m* **1.** Pavillon; Bungalow; Einfamilienhaus; **2.** ⚓ Flagge; *aborer son ~* s-e Flagge setzen; *baisser ~* klein beigeben; **3.** ♪ Schalltrichter; *~ de l'oreille* Ohrmuschel

pavois [pavwa̱] ⚓ Flaggenschmuck; *élever sur le ~ (fig)* auf d. Schild heben; **~er** [-vwazẹ] beflaggen

pavot [pavọ] *m* Mohn

pay|able [pɛjạbl] zahlbar, fällig; **~ant** [-jã̱] *108* zahlend; rentabel, einträglich; *fig* nützlich, wirksam; **~e** [pej] *f: siehe* paie; **~ement** [pɛjmã̱] *m: siehe* paiement; **~er** [-jẹ] *12* (be-)zahlen; entgelten; *s.* bezahlt machen; *~er à tempéra-ment* ratenweise bez.; *~er comptant* bar bez.; *~er en nature* e-e Sachleistung erbringen; *~er de sa personne* dafür einstehen, d. Kopf hinhalten; *~er de retour* Gleiches m. Gleichem vergelten; *~er d'audace* dreist auftreten; *il me le ~era* er wird mir dafür büßen; *je suis ~é pour le savoir (umg)* ich muß es ja wissen; *se ~er qch* s. etw. leisten; *se ~er la tête de qn* j-n zum Narren halten; *se ~er de mots* sich mit leeren Worten abspeisen lassen; *cela ne ~e pas de mine* d. sieht nach nichts aus; **~eur** [-jœ:r] *m* Zahler; *officier ~eur (mil)* Zahlmeister

pays [peị] *m* *105* **1.** Land; Heimat; *~ montagneux* Bergland; *mal du ~* Heimweh; *au ~* daheim; *voir du ~* viel herumkommen; *de quel ~ sortez-vous?* Sie sịnd wohl vom Mond?; *faire voir du ~ à qn* j-m viel zu schaffen machen; **2.** *umg* Landsmann; **~age** [peizạ:ʒ] *m* Landschaft; *fig* Lage, Situation; *cela fait bien dans le ~age (umg)* d. nimmt s. gut aus; **~agiste** [-zaʒịst] *m* Landschaftsmaler; Landschafts- u. Gartengestalter; **~an** [-zã̱] *118* bäuerlich; *m* Bauer; **~anne** [-zạn] *f* Bäuerin; **~annerie** [-zanrị] *f* Bauernstand; -schaft, -tum; **⚓-Bas** [-bọ] *mpl: les ⚓-Bas* die Niederlande; **~e** [peị:z] *f umg* Landsmännin

péage [pea:ʒ] *m* Autobahngebühr; (Wege-, Brücken-, Hafen-)Zoll

peau [po] *m* *91* Haut, Fell; *bot* Schale, Hülse; Leder; *en ~* ledern; *~ d'âne (umg)* Diplom; *~ de balle! (pop)* gar nichts *(kriegst du)!*; *~ de chamois* Fensterleder; *~ de daim* Wildleder; *~ de vache pop* Aas, Luder, Biest ♦ *avoir qn dans la ~ (umg)* in j-n vernarrt sein; *j'aurai sa ~* je lui ferai la ~ umg* den mach' ich kalt; *entrer dans la ~ de qn = se mettre dans la ~ de qn* s. in j-s Lage versetzen; *pour la ~ '(umg)* für nichts

u. wieder nichts, für d. Katz; *changer de ~ (Schlange u. fig)* s. häuten; *faire ~ neuve* ein anderer Mensch werden; *s.* grundlegend ändern; **~finer** [-finẹ] d. letzten Schliff geben, (noch) verbessern; **~-rouge** [-ru̱:ʒ] *91, 97* rothäutig; **~x-Rouges** *mpl* Indianer; **~sserie** [posrị] *f* Lederhandel; Lederwaren

peccadille [pɛkadịj] *f* kleine Sünde, kleiner Fehler

pêche[1] [pɛ̱ʃ] *f* Fischerei; (Auf-)Fischen; *lieu de ~* Fangplatz; *~ à la ligne* Angeln; *grande ~* Hochseefischerei

pêche[2] [pɛ̱ʃ] *f* Pfirsich; *pop* Faustschlag, Schwinger; *se fendre la ~ pop* s. kaputtlachen

péch|é [peʃẹ] *m* Sünde; **~é mignon** kleine Schwäche, schwache Seite; **~é mortel** Tods.; **~é d'omission** Unterlassungss.; **~é originel** Erbs.; **~é véniel** läßliche S.; **~er** [-ʃẹ] *13* sündigen, s. versündigen *(contre* an); **~eresse** [pɛʃrɛs] *f* Sünderin; **~eur** [peʃœ:r] *123* sündig; *m* Sünder

pêcher[1] [pɛʃẹ] fischen; *fig umg* aufgabeln; *~ à la ligne* angeln ♦ *~ en eau trouble* im trüben fischen

pêcher[2] [pɛʃẹ] *m* Pfirsichbaum

pêcherie [pɛʃrị] *f* Fischereibezirk

pêcheur [pɛʃœ:r] *121* Fischer...; *m* Fischer; *bateau ~* Fischerboot

pécore [pekɔ̱r] *f umg* dumme Pute

pectoral [pɛktɔrạl] *124* ⚑ Brust...

pécule [pekyl] *m* Spargroschen

pécuniaire [pekynjɛ̱:r] geldlich; *difficultés ~s* finanzielle Schwierigkeiten; *peine ~* Geldstrafe

pédagog|ie [pedagɔʒị] *f* Pädagogik, Erziehungslehre; **~ique** [-ʒịk] pädagogisch, erzieherisch; **~ue** [-gɔg] schulmeisterlich; *m* Pädagoge, Erzieher, Lehrer; *pej* Schulmeister

pédal|e [pedal] *f* ⚙, ♪ Pedal; Fußhebel; **~e d'accélérateur** Gaspedal, Gashebel; **~e de frein** Bremspedal; *perdre les ~es (umg)* aus d. Konzept kommen; **~er** [-dalẹ] radeln; **~ier** [-dalje] *m (Fahrrad)* Tretlager; **~o** [-dalọ] *m* Tretboot

pédant [pedã̱] *108* pedantisch, kleinlich; *m* Pedant; Schulmeister *(fig)*; **~erie** [-dɑtəri] *f* Kleinlichkeit, Haarspalterei; **~esque** [-dɑtɛsk] pedantisch, steif; **~isme** [-dɑtịsm] *m* pedantisches Wesen

pédéraste [pederạst] *m* Päderast; **~ie** [-rastị] *f* Päderastie, Knabenliebe

pédestre [pedɛ̱str] Fuß...

pédiatrie [pedjatrị] *f* Kinderheilkunde

pédicule [pedikyl] *m bot* Stiel

pédicure [pediky:r] *m, f* Fußpflege

pédolog|ie [pedolɔʒị] *f* Bodenforschung; **~ique** [-ʒịk] *adj* bodenkundlich

pédoncule [pedõkyl] *m bot* Stiel

pègre [pɛ̱gr] *f* Unterwelt

peign|e [pɛɲ] *m* Kamm; ⚙ Hechel; Leitungs-, Kabelhalterung; **~e de câbles** Kabelbaum; *se donner un coup de ~e* s. schnell übers Haar kämmen; *être sale comme un ~e* vor Schmutz starren; *passer au ~ fin* streng kontrollieren, überprüfen; **~é** [pɛɲẹ] *m* Kammgarn; Kammzug; *mal ~é* Struwwelpeter; **~ée** [pɛɲẹ] *f pop*

Tracht Prügel; **~er** [pɛɲe] *(a. Wolle)* kämmen; *(Drähte)* aufdrillen; *(Stil)* feilen; **~oir** [-ɲwaːr] *m* Frisier-, Bade-, Morgenmantel

peinard [pɛnaːr]: *il est ~ (pop)* er hat d. Ruhe weg

peindre [pɛ̃dr] *87* malen; (an)streichen; *lit* darstellen, beschreiben; *à ~* bildschön

pein|e [pɛn] *f* **1.** Strafe; *sous ~e de* bei Strafe von; *subir* (od. *purger*) *sa ~e* s-e Strafe abbüßen; **2.** Mühe; Schwierigkeit; *homme de ~e* Handlanger; *à ~e* kaum; *ne pas ménager sa ~* keinerlei Mühe scheuen; *valoir la ~e* der Mühe wert sein; *prendre la ~e* s. bemühen (*de* zu); *en être pour sa ~e* s. umsonst bemühen; **3.** Schmerz, Leid, Sorge; Not; *être en ~e de* Kummer um etw. haben; *cela me fait ~e* das tut mir leid; *j'ai ~e à...* es widerstrebt mir, zu...; **~é** [pɛne] betrübt; **~er** [-ne] s. abmühen; Kummer machen

peint|re [pɛ̃tr] *m* Maler; *lit* Schilderer; *~re en bâtiments* Anstreicher; **~ure** [-tyːr] *f* Malerei; Gemälde; *lit* Schilderung; (Anstrich-)Farbe; Anstrich; *~ure antirouille* Rostschutzanstrich; *~ure au pistolet* Spritzlackieren; *~ure au rouleau* Anwalzen; *~ure sur verre* Glasmalerei; **~urlurer** [-tyrlyre] grell beschmieren

péjor|atif [peʒɔratif] *112* pejorativ, abwertend, herabsetzend; **~er** [-re] verschlimmern, verschlechtern; verringern

pékin [pekɛ̃] *m (arg pop)* Zivilist

pel|ade [pɔlad] *f* $ Haarausfall; **~age** [-laːʒ] *m* Fell *(bes. wilder Tiere)*; *(Fell)* Enthaaren; **~é** [-le] kahl; enthäutet, geschält; *(Landschaft)* öde; *m umg* Kahlkopf; armer Schlucker

pêle-mêle [pɛlmɛl] durcheinander; kunterbunt; *m* Wirrwarr

peler [pɔle] *8 (Obst)* (ab)schälen; *vi* s. schälen; *(Haut)* abpellen

pèlerin [pɛlrɛ̃] *m* Pilger, Wallfahrer; **~age** [-rinaːʒ] *m* Wallfahrt(sort); **~e** [-rin] *f* Pelerine, Umhang

pélican [pelikã] *m* Pelikan; Destillierkolben

pelisse [pɔlis] *f* Pelzjacke, -mantel

pelle [pɛl] *f* Schaufel; *~ à tarte* Tortenheber; *~ mécanique* Löffelbagger ♦ *ramasser une ~ (umg)* hinfallen; *remuer l'argent à la ~* im Geld schwimmen; **~bêche** [-bɛʃ] *f 97* Stechschaufel, kurzer Spaten; **~chargeuse** [-ʃarʒøs] *f* Frontlader, Schaufellader; **~tée** [-te] *f* Schaufelvoll; **~ter** [-te] *10* schaufeln

pellet|erie [pɛltəri] *f* Kürschnerei; Pelzgeschäft; Pelzwaren, Rauchwaren; **~ier** [-tje] *m* Kürschner

pellicule [pɛllikyl] *f* Häutchen; Kopfschuppe; *(unbelichteter)* Film; Schicht; Folie; *~ protectrice* Überzugsschicht; *~ en bobine* Rollfilm

pelot|e [pɔlɔt] *f* Knäuel; *~e basque* baskisches Ballspiel; *~e à épingles* Nadelkissen ♦ *faire sa ~e* reich werden; **~er** [-lɔte] *(Garn)* aufwickeln; *umg* knutschen, umschmeicheln; **~eur** [-lɔtœːr] *m* Schmeichler, Kriecher; **~on** [-lɔtɔ̃] *m* Knäuel; *mil* Zug; ✝ Staffel; ♣ Feld, Gruppe; *~on d'exécution* Hinrichtungskommando; *~on de fil* Zwirnknäuel; *~on de tête* ♣ Spitzengruppe;

~onner [-lɔtɔne] *(Garn)* aufwickeln; *se ~onner* s. zus.drängen, s. zus.kauern

pel|ouse [pɔlyːz] *f* Rasen(platz)

peluch|e [pɔlyʃ] *f* Plüsch; **~é** [-lyʃe] plüschartig; **~er** [-lyʃe] fusseln, fransen; **~eux** [-lyʃø] *111* fusselig; samtartig

pelure [pɔlyːr] *f (Frucht)* Schale; *pop (Kleidung)* Kluft; *papier ~* dünnes Schreibpapier

pénal [penal] *124* strafrechtlich; *Straf...; code ~* Strafgesetzbuch; **~isation** [-izasjɔ̃] *f* Benachteiligung; *point de ~isation* Strafpunkt; **~iser** [-nalize] *a.* ⚽ mit e-r Strafe belegen; **~ité** [-nalite] *f* Strafe (*bes. in Steuersachen*)

penaud [pɔno] *108 umg* verdutzt

pench|ant [pɑ̃ʃɑ̃] *108 (a. fig)* geneigt; schief; wankend; *m* Abhang; *a. fig* Neigung; *fig* Niedergang; **~er** [-ʃe] *vt* neigen, senken; *vi* geneigt (schief) stehen; *fig* hinneigen (*à* zu); *se ~er* s. beugen; *se ~er en dehors* s. hinauslehnen; *se ~er sur un problème* s. mit e-m Problem befassen

pend|able [pɑ̃dabl]: *cas ~able* Kapitalverbrechen; *tour ~able* häßlicher Streich; **~aison** [dezɔ̃] *f* ⚙ Hängen; **~ant** [-dã] **1.** *108* (herab)hängend; *fig* in d. Schwebe; ⚙ anhängig; **2.** *präp* während; *~ant que (conj, zeitl.)* während; **3.** *m* Pendant; Entsprechung, Gegenstück; *~ants d'oreilles* Ohrgehänge; *faire ~ant à* d. Gegenstück bilden zu; **~ard** [-daːr] *m* Galgenstrick; **~eloque** [-dlɔk] *f*, **~entif** [-dɑ̃tif] *m (Schmuck)* Anhänger; **~erie** [pɑ̃dri] *f (im Privathaus)* Kleiderablage, Garderobe; **~iller** [-dije] baumeln; **~re** [pɑ̃dr] *76* (auf-)hängen; aufknüpfen; (herab)hängen; *fig* schweben, in d. Schwebe sein; ⚙ anhängig sein; *cela vous ~ au nez* das steht Ihnen bevor; *dire pis que ~re de qn* kein gutes Haar an j-m lassen; *avoir la langue bien ~ue* e. loses Mundwerk haben; *se ~re* s. erhängen (*à* an); **~u** [-dy] *m* Gehenkter; **~ule** [-dyl] **1.** *m phys* Pendel; **2.** *f* Wand-, Pendeluhr; **~ulette** [-dylɛt] *f* Wecker

pêne [pɛn] *m (Türschloß)* Riegel; Drücker

pénétr|able [penetrabl] durchlässig, zu durchdringen; *fig* zugänglich, erforschlich; **~ant** [-trã] *108* durchdringend; *(Geschoß)* durchschlagend; *esprit ~ant* Scharfsinn; **~ante** [-trãt] *f* Axialstraße; **~ation** [-trasjɔ̃] *f* Durchdringung; *(Wasser)* Eindringen; Scharfsinn; **~er** [-tre] *13 (a. fig)* durchdringen; dringen (*qch* durch etw.); vordringen; *se ~er de* s. etw. ganz zu eigen machen; *~é de joie* voller Freude

pénib|ilité [penibilite] *f* Beschwerlichkeit; Mühsal; **~le** [penibl] mühsam, mühselig; *(Stil)* gewollt, gequält; peinlich; **~lement** [-niblamɔ̃] mit Mühe

péniche [peniʃ] *f* Lastkahn, Schleppkahn; *~ de débarquement* Landungsboot

péninsule [penɛ̃syl] *f (große)* Halbinsel

pénit|ence [penitɑ̃s] *f* Buße; Reue; *mettre en ~ence* strafen; **~encier** [-tãsje] *m* Strafanstalt; **~ent** [-tã] *108* bußfertig; *m* Beichtkind; **~entiaire** [-tãsjɛːr] *f* Strafvollzugs...

penn|e [pɛn] *f* Schwungfeder; **~é** [-ne] *bot* gefiedert

pénombre [penɔ̃br] *f* Halbschatten; *fig* Verborgenheit

pens|ant [pãsɑ̃] *108: bien ~ant (pol, weltanschaul.)* linientreu; **~ée** [-se] *f* **1.** Denken; Gedanke; *libre ~ée* Freidenkertum; **2.** *bot* Stiefmütterchen; **~er** [-se] denken (*à* an); entwickeln, planen (*qch* etw.); meinen, glauben; gedenken, beabsichtigen; *un ~e-bête* e-e Gedächtnisstütze; *~é* durchdacht; *je ne ~e pas* ich glaube nicht; *façon de ~er* Auffassung ♦ *tu ~es! (umg)* und ob!; *~es-tu! (umg)* natürlich nicht!; **~eur** [-sœ̃r] *m* Denker; *libre ~eur* Freidenker; **~if** [-sif] *112* nachdenklich; gedankenvoll; **~ivement** [-sivmã] in Gedanken versunken

pension [pãsjɔ̃] *f* **1.** Ruhegehalt; *servir une ~* e-e Rente zahlen; *~ alimentaire* Unterhaltszahlung; *~ d'invalidité* Invalidenrente; *~ de retraite* Altersr.; *~ de survivant* Hinterbliebenenr.; **2.** Pension; Pensionat; **~naire** [-sjɔnɛ̃r] *m* Pensionsgast; Pensionär; Internatsschüler; **~nat** [-sjɔna] *m* Internat; **~ner** [-sjɔne] pensionieren

pensum [pɛ̃sɔm] Strafarbeit

pent|agone [pɛ̃tagon] *m* Fünfeck; **~athlon** [-tatlɔ̃] *m* ⚏ Fünfkampf

pente [pãt] *f* Abhang; ☼ Neigung; Gefälle ♦ *être sur une mauvaise ~* auf d. schiefe Bahn geraten sein

Pentecôte [pãtkot] *la ~* Pfingsten

pénurie [penyri] *f (bes com)* Mangel (*de, en* an); *~ de logements* Wohnungsnot

pep [pep] *m* Dynamik, Vitalität, Schwung, Elan, Temperament, Pep

pépé [pepe] *m umg* Opi, Großpapa

pépée [pepe] *f (Kindersprache)* Puppe; *arg pop* Nutte, Strichmädchen

pépère [pepɛ:r] *umg* angnehm, dufte; geruhsam; *m umg* Opa; Väterchen

pépettes [pepɛt] *fpl (arg pop)* Pinkepinke, Mäuse, Kohlen, Kies

pépi|e [pepi] *f orn* Pips ♦ *avoir la ~e* e-n Mordsdurst haben; **~er** [-pje] piepen

pépin[1] [pepɛ̃] *m* **1.** *bot* Kern; *fruits à ~s* Kernobst; **2.** *umg* Schwierigkeit; *tomber sur (od. avoir) des ~s* auf Schwierigkeiten stoßen

pépin[2] [pepɛ̃] *m pop (Schirm)* Mußspritze

pépin|ière [pepinjɛ:r] *f* Baumschule; *fig* Pflanzstätte; **~iériste** [-njerist] *m* Baumschulgärtner

pépite [pepit] *f* (Gold-)Klumpen

perçant [pɛrsã] *108* durchdringend; *(Stimme)* gellend; *(Kälte)* schneidend; *(Augen)* stechend

perc|e [pɛrs] *f: mettre en ~e (Faß)* anstechen; **~ée** [-se] *f (Wald)* Durchhieb, Schneise; *fig* Durchbruch; **~ement** [-səmã] *m* Durchbohren; *(Mauer)* Durchbrechen; *(Tunnel)* Bohrung; **~e-neige** [pɛrsənɛ:ʒ] *m 100* Schneeglöckchen; **~e-oreille** [pɛrsɔrɛj] *m 99 zool* Ohrenkneifer

percept|eur [pɛrsɛptœ̃r] *122: organe ~eur* Sinnesorgan; *m* Steuereinnehmer; **~ible** [-tibl] wahrnehmbar; **~ion** [-sjɔ̃] *f* Steuererhebung, -kasse; Wahrnehmung, *(geistige)* Vorstellung

percer [pɛrse] *15 (Loch)* bohren; durchbohren, -löchern, -stechen, -dringen; *(Geschwür)* aufstechen; *(Faß)* anstechen; *mil* durchbrechen; *fig* s. Bahn brechen; *~ à jour (Geheimnis)* durchschauen, enthüllen; *laisser ~* durchblicken lassen; *lutter pour ~* um e-n Platz an d. Sonne ringen

perceuse [pɛrsø:z] *f* (Hand-)Bohrmaschine

percevoir [pɛrsəvwa:r] *44* wahrnehmen; *(Steuern, Beiträge)* einnehmen, erheben

perche[1] [pɛrʃ] *f* Barsch

perch|e[2] [pɛrʃ] *f* Stange; Mikrofongalgen; Angelrute; *saut à la ~e* Stabhochsprung; *une longue ~e (fig umg)* e-e Bohnenstange ♦ *tendre la ~e à qn* j-m e-e Eselsbrücke bauen; **~er** [-ʃe] *(Vogel)* s. aufsetzen; *umg* hausen; **~oir** [-ʃwa:r] *m* Hühnerstange; *iron* Sitz d. Präsidenten d. frz. Nationalversammlung

perclus [pɛrkly] *108* gelähmt; *fig* gehemmt

perçoir [pɛrswa:r] *m* Bohrer; Pfriem, Dorn

percolateur [pɛrkɔlatœ̃:r] *m* Filterbeutel, *(Gaststätte)* Kaffeemaschine

percu|ssion [pɛrkysjɔ̃] *f phys* Stoß; ♬ Abklopfen; *instruments de ~ssion* ♪ Schlaginstrumente; **~tant** [-kytã] *108 (a. fig)* durchschlagend; sensationell, aufsehenerregend; überraschend; lebendig, energisch; *obus ~tant* Aufschlaggranate; **~ter** [-kyte] *vt* (an)schlagen; ♬ abklopfen; *vi* stoßen, fahren (*contre* gegen); **~teur** [-kytœ̃:r] *m (Feuerwaffen)* Schlagbolzen

perd|ant [pɛrdã] **1.** verlierend; *numéro ~ant (Lotterie)* Niete; **2.** *m (Spiel)* Verlierer; **~ition** [-disjɔ̃] *f (bes rel)* Verderben; *~ition éternelle* ewige Verdammnis; *navire en ~ition* Schiff in Seenot; **~re** [pɛrdr] *76* **1.** *vt* verlieren, verlegen; verderben; ruinieren, zugrunde richten; *(Gelegenheit)* verpassen, s. entgehen lassen; *(Gewohnheit)* ablegen; *~re son chemin* vom Weg abkommen; *~re haleine* außer Atem geraten; *~re le nord* s. nicht mehr auskennen; *~re pied (a. fig)* d. Boden unter d. Füßen verlieren; *~re la tête* d. Kopf verlieren; *~re de vue (a. fig)* aus d. Augen verlieren, vergessen; *emballage ~u* Einwegverpackung ♦ *à corps ~u* Hals über Kopf; **2.** *vi (an Wert)* verlieren; *(Gefäß)* rinnen, lecken; *~re sur qch (com)* bei etw. zusetzen, draufzahlen; **3.** *se ~re* s. verlieren, s. verirren; *fig* verderben, auf Abwege geraten; ⚓ untergehen, Schiffbruch erleiden; *(Mode)* außer Gebrauch kommen; *je m'y ~s* da komme ich nicht mehr mit

perdr|eau [pɛrdro] *m* junges Rebhuhn; **~ix** [-dri] *f* Rebhuhn

père [pɛ:r] *m* Vater; Pater; Erfinder; Begründer; Initiator; Urheber ♦ *tel ~, tel fils* d. Apfel fällt nicht weit vom Stamm

pérégrination [peregrinasjɔ̃] *f* (weite) Reise; *(Vögel)* Flug, Zug

pérempt|ion [perãpsjɔ̃] *f* ⚖ Verwirkung; *date de ~ion* Haltbarkeitsdauer, Frischhaltedatum; Verfalltag; **~oire** [-rãptwa:r] kategorisch; *(Ton)* herrisch; *argument ~oire* schlagendes Argument

pérenn|ant [perenã] *108 bot* ausdauernd; **~ité** [-nite] *f* Dauer, Fortbestand [gleich

péréquation [perekwasjɔ̃] *f (math, com)* Aus-

perfect|ible [pɛrfɛktibl] vervollkommnungsfähig; (noch) verbesserungsfähig; ~ion [-fɛksjɔ̃] f Vollkommenheit; Vollendung; à la ~ion vollkommen, tadellos; ~ionnement [-fɛksjɔnmɑ̃] m Vervollkommnung; Fortbildung; ~ionner [-fɛksjɔnɛ] vervollkommnen; weiterentwickeln
perfid|e [pɛrfid] (Gesinnung) falsch; treulos; hinterlistig; ~ie [-fidi] f Falschheit; Treulosigkeit, Hinterlist
perfor|ateur [pɛrfɔratœːr] m (Büro) Locher (a. Person, EDV); ~ateur à bandes Streifenlocher; ~ateur pneumatique Preßluftbohrer; ~ation [-sjɔ̃] f Lochen; Perforation;capacité de ~ation Durchschlagskraft; ~ation numérique Zahlenlochung; ~atrice [-trịs] f Bohrmaschine; Locher; ~er [-rẹ] lochen; ⚙, 💲 durchbohren
performan|ce [pɛrfɔrmɑ̃s] f 🐎, ⚙, com Leistung; ~t [-mɑ̃] adj ⚙, com leistungsfähig
péricarpe [perikarp] m bot Fruchthülle, Samengehäuse
péricliter [periklitẹ] (Geschäft) herunterkommen, verkommen
péril [peril] m Gefahr; ~ de mort Lebensg.; à vos risques et ~s (com) auf eigene G.; il n'y a pas ~ en la demeure das hat noch Zeit, man kann noch warten; ~leux [-rijø] 111 gefährlich; saut ~leux Salto mortale
périmé [perimẹ] (Fahrkarte usw.) verfallen, abgelaufen
périmètre [perimɛtr] m math Umfang
périnatal [perinatạl] adj um den Zeitpunkt der Geburt herum; médecine ~e Perinatologie
périnée [perinẹ] m anat Damm
périod|e [perjɔd] f Periode; Zeitabschnitt; Schwingungsdauer; Sollzeit; (Satellit) Umlaufdauer; biol Halbwertzeit; ~e de carence (com) Karenzzeit; ~e considérée Berichtszeitraum; ~e d'instruction (berufl.) Ausbildungszeit; ~e de révolution (astr) Umlaufzeit; ~icité [-rjɔdisitẹ] f regelmäßige Wiederkehr; ~ique [-rjɔdịk] periodisch; m Zeitschrift
péripatéticienne [peripatetisjɛn] f Straßendirne
péripétie [peripesị] f (Drama) Lösung d. Knotens, Umschwung; pl wechselvolles Schicksal
péri|phérie [periferị] f Peripherie; math Umfang; ~phérique [-ferịk] adj peripher; Rand...; radio ~phérique frz.sprachiger Privatsender (an d. Grenzen Frankreichs); équipements ~phériques Zusatzgeräte; m EDV Peripheriegerät; 🖥 Ring(straße); ~phrase [-frɑːz] f Umschreibung
périple [peripl] m ⚓ Umschiffung; Rundreise
périr [periːr] 22 umkommen, zugrunde gehen; untergehen; zerstört werden; fig ver-, zerfallen
périscope [periskɔp] m ⚓ Periskop, Sehrohr
périss|able [perisabl] vergänglich; leichtverderblich
péristyle [peristil] m Säulengang, -halle
péri|toine [peritwạn] m anat Bauchfell; ~tonite [-tɔnịt] f Bauchfellentzündung
perl|e [pɛrl] f (a. fig) Perle; monter une ~e e-e P. (ein)fassen; ~é [-lẹ] mit Perlen besetzt; perlartig; grève ~ée Bummelstreik; ~er [-lẹ] perlen; sorgfältig bearbeiten; ♪ glänzend spielen; ~ier [-ljẹ] 116 Perl...

perlimpinpin [pɛrlɛ̃pɛ̃pɛ̃] m: poudre de ~ wertlose Arznei, Wunderpulver
perlot [pɛrlo] m pop Tabak, Knaster
perman|ence [pɛrmanɑ̃s] f (Fort-)Dauer; Beständigkeit; Kongreßbüro; ~ence de travail Arbeitsbereitschaft; en ~ence durchgehend (geöffnet); ~ent [-nɑ̃] 1. 108 fortdauernd; (be-)ständig; echt; armée ~ente stehendes Heer; 2. m Partei-, Gewerkschaftssekretär; ~ente [-nɑ̃] f: ondulation ~ente Dauerwelle
perme [pɛrm] f (arg mil) Urlaub
permé|abilité [pɛrmeabilitẹ] f Durchlässigkeit, Permeabilität; ~able [-ạbl] durchlässig; ~able à l'air atmungsaktiv
permettre [pɛrmɛtr] 72 erlauben, gestatten (de zu); zulassen; se ~ qch s. etw. herausnehmen; il n'est pas permis de es geht nicht an, zu...; permettez! (Widerspruch) hören Sie mal!; si vous permettez wenn ich bitten darf; ich bin so frei
permis [pɛrmi] m Erlaubnisschein; ~ de chasse Jagdschein; ~ de circulation 🚆 Freikarte; ~ de conduire 🚗 Führerschein; ~ de construire Baugenehmigung; ~ de séjour Aufenthaltserlaubnis; ~sif [-sif] adj antiautoritär, permissiv; ~sion [-sjɔ̃] f Erlaubnis; Genehmigung; Urlaub; ~sion de convalescence Genesungsurl.; en ~sion auf U.; ~sionnaire [-sjɔnɛːr] m mil Urlauber
permut|ation [pɛrmytasjɔ̃] f (bes. Beamte, Offiz.) Stellentausch; Versetzung; Vertauschung; Umstellung; math Permutation; ~er [-tẹ] Stellen tauschen
pernicieux [pɛrnisjø] 111 schädlich; verderbenbringend; 💲 bösartig
péroné [peronẹ] m anat Wadenbein
péronnelle [peronɛl] f umg Schnatterliese
péror|aison [perɔrezɔ̃] f Schluß e-r (Anwalts-) Rede; ~er [-rẹ] herumparlamentieren; schwafeln, quasseln
Pérou [peru] le ~ Peru ♦ce n'est pas le ~ d. ist nicht d. Welt
perpendiculaire [pɛrpãdikylɛːr] senkrecht, rechtwinklig (à zu); f math Senkrechte; Lot; abaisser une ~ d. Lot fällen
perpétr|ation [pɛrpetrasjɔ̃] f (Verbrechen) Begehung; ~er [-trẹ] verüben; begehen
perpette [pɛrpɛt]: à ~ (pop) für immer; lebenslänglich
perpétu|ation [pɛrpetчasjɔ̃] f Fortpflanzung; Fortdauer; ~el [-tчɛl] 115 immerwährend; ständig; lebenslänglich; ~er [-tчẹ] fortdauern lassen; ~ité [-tчitẹ] f Fortdauer; à ~ité auf immer; 🏛 lebenslänglich
perplex|e [pɛrplɛks] ratlos, bestürzt; ~ité [-sitẹ] f Ratlosigkeit, Verwirrung
perquisition [pɛrkizisjɔ̃] f 🏛 Haussuchung; ~ner [sjɔnẹ] 🏛 durchsuchen
perron [perɔ̃] m Vortreppe
perr|oquet [perɔkɛ] m 1. Papagei; parler comme un ~oquet alles nachplappern; 2. ⚓ Bramsegel; ~uche [pɛryʃ] f Sittich; Papageienweibchen
perruqu|e [peryk] f Perücke; ~ier [-rykjẹ] m pej Friseur
pers [pɛːr] 108 blaugrün
pers|an [pɛrsɑ̃] 109 persisch; ~an m Perser;

tapis ~*an* Perserteppich; ~*e* [pɛrs] altpersisch; *la* ᵏ*e* Persien

persécut|er [pɛrsekytɛ̃] *(feindl.)* verfolgen; ~**eur** [-tœːr] *m* Verfolger; ~**ion** [-sjɔ̃] *f* Verfolgung; Christenverfolgung; *délire de* ~*ion* ⚤ Verfolgungswahn

persévér|ance [pɛrseverɑ̃s] *f* Ausdauer, Beharrlichkeit; ~**ant** [-rɑ̃] *108* ausdauernd, beharrlich; ~**er** [-rɛ] *13* ausharren, verharren (*dans* in); beharren (*dans* auf)

persienne [pɛrsjɛn] *f* Rolladen, Jalousie, Fensterladen

persifl|age [pɛrsiflaːʒ] *m* Spöttelei; ~**er** [-flɛ] (be)spötteln

persil [pɛrsi] *m* Petersilie; ~**lade** [-sijad] *f* kaltes Rindfleisch mit Petersilie in Essig und Öl; ~**lé** [-sijɛ] *(Käse)* grünfleckig; *(Fleisch)* durchwachsen

persique [pɛrsik] (alt)persisch

persist|ance [pɛrsistɑ̃s] *f* Ausdauer; *(Krankheit)* Hartnäckigkeit; (Aus-, Fort-)Dauer; *(Bildschirm)* Nachleuchten; ~**ant** [-tɑ̃] *108* andauernd; nachhaltig; anhaltend; ~**er** [-tɛ] fortdauern; beharren (*dans* auf); dabei bleiben; fest bleiben

personn|age [pɛrsɔnaːʒ] *m (a. iron)* wichtige Persönlichkeit; *lit,* ♥ Person; ~**alisé** [-nalizɛ] *adj* individualisiert; publikumsfreundlich; zugeschnitten (auf); ~**alité** [-nalitɛ] *f* Persönlichkeit; das Persönliche; *alité juridique* Rechtspersönlichkeit, Rechtsfähigkeit; ~**e** [-sɔn] **1.** *f (a.* ☊) Person; Figur; *les grandes* ~*es* d. Erwachsenen; *jeune* ~*e* junges Mädchen; *en* ~*e* persönlich; ~*e morale* ☊ juristische Person; ~*e physique* ☊ natürl. Person; ~*e à charge* (unterhaltsberechtigter) Angehöriger; *sans acception de* ~*es* ohne Ansehen d. Person; *à la première* ~*e* in d. Ichform; **2.** niemand (~*e n'est venu* niemand ist gekommen); jemand (*sans insulter* ~*e* ohne j-n zu beleidigen); ~**el** [-nɛl] *115* persönlich; *m* Personal; Belegschaft; Bedienstete; ~*el médical auxiliaire* ärztliches Hilfspersonal; ~*el intérimaire* Zeit(arbeits)kräfte; Aushilfskräfte; ~**ification** [-nifikasjɔ̃] *f* Personifizierung, Verkörperung; ~**ifier** [-nifjɛ] personifizieren, verkörpern

perspective [pɛrspɛktiːv] *f* Perspektive; *fig* Aussicht; *pl fig* Ausblicke; ~ *réjouissante* Lichtblick; *avoir qch en* ~ *(fig)* etw. in Aussicht haben

perspicac|e [pɛrspikas] scharfsinnig; scharfblickend; ~**ité** [-kasitɛ] *f* Scharfsinn; Scharfblick

persua|der [pɛrsɥadɛ] überzeugen (*de* von); überreden; ~**sif** [-zif] *112* überzeugend; ~**sion** [-zjɔ̃] *f* Überzeugung; Überredung

perte [pɛrt] *f* Verlust; Verderben; *(Zeit)* Versäumnis; Einbuße; Schaden; Ausfall; ~ *de sang* Blutverlust; ~ *sèche com* Ausfall, reiner Verlust; ~ *de substance* Kapitalschwund; ~ *au sol* ⚡ Erdschluß; *vendre à* ~ mit Verlust verkaufen; *en* ~ *de vitesse* in seinen Fähigkeiten, Leistungen nachlassen; in e-r schlechteren Lage; *umg* auf d. absteigenden Ast (sein); *à* ~ *de vue* so weit d. Auge reicht; *fig* uferlos; *en pure* ~ völlig umsonst, nutzlos

pertin|emment [pɛrtinamɑ̃]: *savoir* ~*emment* ganz genau wissen; ~**ent** [-nɑ̃] *108* gültig; maßgeblich; fachmännisch; triftig

pertuis [pɛrtɥi] *m* Strom-, Meerenge; Engpaß; Durchfahrt

perturb|ateur [pɛrtyrbatœːr] *122* störend; *m* Unruhestifter; Störenfried; ~**ation** [-sjɔ̃] *f (a.* ♻) Störung; ~**er** [-bɛ] *bes meteo* stören

péruvien [peryvjɛ̃] *108* peruanisch; ᵏ *m* Peruaner

pervenche [pɛrvɑ̃ːʃ] *f bot* Immergrün

pervers [pɛrvɛːr] *108* entartet; verderbt; ~**ion** [-vɛrsjɔ̃] *f* Entartung; ~**ité** [-sitɛ] *f* Verderbtheit; ~**tir** [pɛrvɛrtiːr] *22* verderben; verdrehen

pes|age [pəzaːʒ] *m* Wiegen; *(Pferderennen)* Wiegeplatz; ~**ant** [-zɑ̃] schwer; plump; schwerfällig; *m* Gewicht ♦ *valoir son* ~*ant d'or* Goldes wert sein; ~**anteur** [-zɑ̃tœːr] *f (a. fig)* Schwere; Schwerkraft; Schwerfälligkeit

pèse-bébé [pɛzbebɛ] *m 99* Säuglingswaage

pesée [pəzɛ] *f* Wiegen

pèse-lettre [pɛzlɛtr] *m 99* Briefwaage

pes|er [pəzɛ] *8* wägen; wiegen; drücken (*sur* auf); erwägen; *fig* belasten, bedrücken; Bedeutung, Gewicht, Einfluß haben; Geltung, Macht besitzen; *tout bien* ~*é* nach reiflicher Überlegung

peson [pəzɔ̃] *m* Schnellwaage; ~ *à ressort* Federwaage

pessim|isme [pɛsimism] *m* Pessimismus; ~**iste** [-mist] pessimistisch; *m* Pessimist, Schwarzseher

pest|e [pɛst] *f* Pest, Seuche; ~*e!* verflucht!; *petite* ~*e (umg)* Racker; ~**er** [-tɛ] schimpfen (*contre* auf); ~**icide** [-tisid] *m* Schädlingsbekämpfungsmittel, Pflanzenschutzmittel; ~**iféré** [-tiferɛ] *m* verpestet; pestkrank; *m* Pestkranker; ~**ilentiel** [-tilɑ̃sjɛ] *115* stinkend

pet [pɛ] *m (pop!)* Furz ♦ *filer comme un* ~ *(pop)* d. Kurve kratzen

pétale [petal] *m* Blumenblatt

pétanque [petɑ̃k] *f* Kugelspiel *(in Südfrankreich)*

pét|arade [petarad] *f* Geknall; Geknatter; ~**ard** [-taːr] *m* Knallfrosch; *umg* Lärm, Krach; Skandal; *pop* Schießeisen; *pop!* Hintern; ~**ard** *d'explosif* Sprengkörper; ~**audière** [-todjɛːr] *f fig* Durcheinander, Unordnung; ~**er** [-tɛ] *13 (pop!)* furzen; *fig* (los)knallen

pète-sec [pɛtsɛk] *m umg* kurz angebundener, herrischer Mensch

pétil|lant [petijɑ̃] *108 (Augen, Geist)* feurig; ~**er** [-jɛ] *(Feuer)* knistern; ⚤ knattern; *(Sekt)* perlen; *(Augen)* funkeln; *(Geist)* sprühen; darauf brennen (*de* zu)

petiot [pətjo] *m umg* Bürschchen

petit [pəti] **1.** *108* klein; gering; schwach, zart; unbedeutend; gemein; kleinlich; *(Koseword)* lieb; ~ *fond* ♃ Untiefe; ~*e brise* schwache Brise; ~*e échelle* kleiner Maßstab; ~*e phrase pol* kurze Andeutung (e-s Politikers), d. in der Öffentlichkeit viel Aufsehen erregt; *écrire un* ~ *mot* e. paar Zeilen schreiben; *à* ~ *feu* langsam; *au* ~ *jour* im Morgengrauen; ~ *à* ~ nach u. nach; *un* ~ *peu* e. klein wenig; **2.** *m* der Kleine;

das Kleine; *les tout ~s* Kleinstkinder; *faire des ~s* Junge werfen; **~-beurre** [-bœːr] *m 98* Butterkeks; **~-bourgeois** [-burʒwa] *m 98* Spießbürger; **~e-fille** [pətitfij] *f 97* Enkelin; **~ement** [pətitmᾶ] *adv* eng; ärmlich; kleinlich; gemein; **~e-nièce** [pətitnjɛs] *f 97* Großnichte; **~esse** [-tɛs] *f* Kleinheit; *fig* Niedrigkeit; **~-fils** [-fis] *m 98* Enkel; **~-gris** [-gri] *m 98* Feh
pétition [petisjᾶ] *f* Gesuch, Antrag; Bittschrift, *pol* Petition; **~naire** [-sjɔnɛːr] *m* Antragsteller
petit/-lait [pətilɛ] *m* Molke; **~-maître** [-mɛtr] *m 97* Stutzer, Zieraffe; **~-nègre** [-nɛgr] *m 104* Kauderwelsch; **~-neveu** [-nvø] *m 97, 91* Großneffe; **~s-enfants** [-zᾶfᾶ] *mpl* Enkelkinder; **~-suisse** [-sɥis] *m 97* Quark
pétoche [petɔʃ] *f pop* Schiß, Angst
peton [pətᾶ] *m umg* Füßchen
pétrifi/cation [petrifikasjᾶ] *f* Versteinerung; **~er** [-fje] *a. fig* versteinern
pétr/in [petrᾶ] *m* Backtrog; *~in mécanique* (Teig-)Knetmaschine ♦ *être dans le ~in (umg)* in d. Patsche sitzen; **~ir** [-triːr] *22* kneten; **~isseuse** [-trisøːz] *f* Knetmaschine
pétro/chimie [petroʃimi] *f* Petrochemie; **~dollar** [-dɔlaːr] *m* Petrodollar
pétrol/e [petrɔl] *m* Erdöl; *gisement de ~e* Erdölvorkommen, Öllagerstätte; *~e brut* Rohöl; *~e combustible* Heizöl; *~e lampant* Petroleum; **~erie** [-trɔli] *f* Raffinerie; **~ette** [-lɛt] *f umg* Moped; **~ier** [-lje] *116 Öl... ; crise ~ière* Ölkrise; *(bateau) ~ier* Tanker; *compagnie ~ière* Erdölgesellschaft; **~ifère** [-lifɛːr] erdölhaltig; *roche ~ifère* ölführendes Gestein; *champs ~ifères* Ölfelder
pétul/ance [petylᾶs] *f* Ungestüm; Unbändigkeit; **~ant** [-lᾶ] *108* ungestüm; unbändig
peu [pø] **1.** wenig; *manger ~* wenig essen; *~ de monde* wenig Leute; *~ soluble* schwerlöslich; *~ à ~* nach u. nach, allmählich; *~ ou prou* wenig oder viel; *à ~ près, à ~ de chose près* beinahe, fast; *dans ~ de temps* bald; *depuis ~* seit kurzem; *sous ~* binnen kurzem; *en ~ de mots* kurzgefaßt; *pour ~ que* sofern nur; *quelque ~* einigermaßen; *(un) tant soit ~* wenn auch nur ein wenig; *attends un ~!* warte nur!; *~ s'en est fallu que...* beinahe wäre...; **2.** *m* d. Wenige; das bißchen *(de); un peu petit ~* e. ganz klein wenig
peuh! [pø] *(Gleichgültigkeit, Zweifel)* bah!, ach wo!
peupl/ade [pœplad] *f* Volksstamm; **~e** [pœpl] *m* Volk; Menge, Leute; *le petit ~e* d. kleinen Leute; *adj* gewöhnlich; vulgär; **~ement** [-plᾶmᾶ] *m* Bevölkern; Bestand; *(Biotop)* Tier- u. Pflanzenarten; **~er** [-plę] bevölkern *(de* mit)
peuplier [pøplię] *m* Pappel
peur [pœːr] *f* Furcht, Angst; Schrecken; *avoir ~ que... fürchten, daß...; avoir ~ de* Angst haben vor; *à faire ~* abscheulich, fürchterlich; *de ~ que... ne* (+ *subj)* damit... nicht; **~eux** [pœrø] *111* furchtsam, ängstlich
peut-être [pøtɛtr] vielleicht; etwa
pèze [pɛːz] *m pop* Zaster, Kies
phalange [falᾶʒ] *f* Phalanx; Finger-, Zehenglied

phalène [falɛn] *f* Nachtfalter, Spanner
phallocrat/e [falɔkrat] *m pej* selbstherrlicher Mann; *umg* Pascha; **~ie** [-si] *f* Vorherrschaft des Mannes (über d. Frau)
phantasme [fᾶtasm] *m* Trugbild
pharamineux [faraminø] *111 umg* wundervoll, erstaunlich
phare [faːr] *m* ⚓ Leuchtturm; Leuchtfeuer; 🚗 Scheinwerfer; *~ à (feu) tournant* Drehfeuer, Blinkfeuer; *~ anti-brouillard* Nebellampe; *mettre les ~s en code* 🚗 abblenden
pharisaï/que [farizaik] pharisäisch; **~sme** [-ism] *m* Pharisäertum, Heuchelei
pharisien [farizjᾶ] *m* Pharisäer, Heuchler, selbstgerechter Mensch
pharmac/eutique [farmasøtik] pharmazeutisch; *f* Pharmazeutik; *produits ~eutiques* Pharmaka *pl;* **~ie** [-si] *f* Arzneikunde, Pharmazie; Apotheke; Arzneischrank; Apothekerberuf; **~ien** [-sjᾶ] *m* Apotheker; **~opée** [-kɔpe] *f* Arzneibuch
pharyn/gite [farɛ̃ʒit] *f* Rachenentzündung; **~x** [-rɛ̃ks] *m* Rachen; Schlund
phase [faːz] *f (a. phys, ⚡, astr)* Phase; Stadium; Arbeitsgang; *(Gespräche)* Runde; *~ initiale* Anfangsstadium; *~ de travail* Arbeitstakt
phénique [fenik] *acide ~* Karbolsäure
phénom/énal [fenɔmenal] *124* phänomenal; enorm; **~ène** [-mɛn] *m* Phänomen; Erscheinung; Naturereignis, -wunder
phil/anthropique [filᾶtrɔpik] menschenfreundlich; **~anthrope** [-trɔp] *m* Philanthrop, Menschenfreund; **~atélie** [-lateli] *f* Briefmarkenkunde; **~atéliste** [-latelist] *m* Briefmarkensammler; **~harmonie** [-larmɔni] *f* Philharmonie; Musikverein; **~harmonique** [-larmɔnik] philharmonisch
philistin [filistᾶ] *m* Philister, Spießbürger, kleinbürgerlicher Mensch
philo/logie [filɔlɔʒi] *f* Sprach- u. Literaturwissenschaft, Philologie; **~logique** [-lɔʒik] philologisch; **~logue** [-lɔg] *m* Philologe, Sprachforscher; **~sophale** [-zɔfal]: *pierre ~sophale* Stein d. Weisen; **~sophe** [-zɔf] *m* Philosoph; *fig* abgeklärter Mensch; *prendre la vie en ~sophe* d. Leben mit Gleichmut gegenüberstehen; **~sopher** [-zɔfe] philosophieren; Betrachtungen anstellen; **~sophie** [-zɔfi] *f* Philosophie, Weltanschauung; Grundgedanke, Leitlinie; *päd* Oberprima e-s Gymnasiums; *fig* Gleichmut
philtre [filtr] *m* Zauber-, Liebestrank
phlébite [flebit] *f* Venenentzündung
phobie [fɔbi] *f* ⚕ krankhafte Angst *(de* vor), Phobie
phon/e [fɔn] *m phys* Phon; **~étique** [-netik] *f* Phonetik, Lautlehre; Phonetik, Sprachlautlehre; **~ique** [-nik] Schall...; *isolation ~ique* Schalldämpfung; *nuisance ~ique* Lärmbelästigung; Lärmschädigung; **~ographe** [-nɔgraf] *m* Grammophon
phoque [fɔk] *m* Seehund, Robbe
phos/phate [fɔsfat] *m* Phosphat; **~phaté** [-fate] phosphathaltig; **~phore** [-fɔːr] *m* Phosphor; **~phoré** [-fɔre] phosphorhaltig; **~phorescence** [-fɔresᾶs] *f* Nachleuchten im Dunkeln; **~pho-**

rescent [-fɔrɛsɑ̃] *adj* selbstleuchtend; **~phoreux** [-fɔrø] *111* phosphorig; **~phorique** [-fɔrik] Phosphor...

photo [fɔto] *f umg* Foto, Bildaufnahme; ~ *en couleurs* Farbaufnahme; ~ *d'identité* Paßbild; **~calque** [-tɔkalk] *m* Lichtpause; **~copie** [-tɔkɔpi] *f* Fotokopie; **~copier** [-tɔkɔpje] fotokopieren; **~copieur, ~copieuse** [-kɔpjœːr, -kɔpjøːz] *m/f* Fotokopiermaschine; **~électrique** [-tɔelɛktrik] *phys* lichtelektrisch; *cellule ~électrique* Fotozelle; **~-flash** [-flaʃ] *m* Blitzlicht(gerät); **~génique** [-tɔʒenik] fotogen; **~graphe** [-tɔgraf] *m* Fotograf; ~ *graphe de presse* Bildberichterstatter; **~graphie** [-tɔgrafi] *f* Fotografie; ~ *graphie aérienne* Luftbild; **~graphier** [-tɔgrafje] fotografieren; **~graphique** [-tɔgrafik] fotografisch; *appareil ~graphique* Fotoapparat; **~sensible** [-tɔsɑ̃sibl] lichtempfindlich; **~synthèse** [-sɛtɛːz] *f* Photosynthese; **~thèque** [-tɔtɛk] *f* Lichtbildersammlung, Fotothek, Bildarchiv; **~thérapie** [-tɔterapi] *f* Lichtheilverfahren

phras|e [frɑːz] *f* Satz; Phrase; **~éologie** [-zeɔlɔʒi] *f* Phraseologie; *leurs von Redewendungen;* **~eur** [frazœːr] *m* Phrasendrescher

phtis|ie [ftizi] *f* Schwindsucht; **~ique** [-zik] schwindsüchtig

phylloxéra [filɔksera] *m* Reblaus

phys|icien [fizisjɛ̃] *m* Physiker; **~iologie** [-zjɔlɔʒi] *f* Physiologie; **~iologiste** [-zjɔʒist] *m* Physiologe; **~ionomie** [-zjɔnɔmi] *f* Gesichtsausdruck; *fig* Gesicht, Charakter, Bild, Gepräge; **~ique** [-zik] physikalisch; körperlich; *m* das Körperliche; *f* Physik; **~ique atomique** Atomphysik; **~ique nucléaire** Kernphysik

phyto|biologie [fitɔbjɔlɔʒi] *f* Pflanzenbiologie, Pflanzenkunde; **~sanitaire** [-sanitɛr] *adj: produit* ~ Pflanzenschutzmittel

piaffer [pjafe] *(Pferd)* stampfen; *fig* ungeduldig hin u. her gehen

piaill|er [pjaje] piepen; *umg* kreischen; **~erie** [jri] *f umg* Geschrei, Gekreisch; **~eur** [-jœːr] *m* Schreihals

pian|iste [pjanist] *m* Pianist; **~o** [-no] *m 102* Klavier; ~ *o à queue* ♪ Flügel; **~oter** [-nɔte] klimpern

piaule [pjoːl] *f (arg pop)* Bude, Wohnung

piaul|ement [pjolmɑ̃] *m* Piepen; Gewimmer, Geplärr; **~er** [-le] piepen; plärren

pic¹ [pik] *m* Spitzhacke; Bergspitze; *à* ~ steil; *couler à* ~ ⚓ senkrecht untergehen ♦ *arriver* (od. *tomber*) *à* ~ *(umg)* wie gerufen kommen

pic² [pik] *m* Specht

picaillons [pikajɔ̃] *mpl pop* Moneten

picaresque [pikarɛsk]: *roman* ~ Schelmenroman

pichenette [piʃnɛt] *f* Schnippchen, Fingerschneller

pichet [piʃɛ] *m* Krug, Kanne

pick|pocket [pikpɔkɛt] *m* Taschendieb; **~-up** [-œp] *m 100* Plattenspieler; Tonabnehmer; Meßfühler

picoler [pikɔle] *umg* bechern, zechen

picorer [pikɔre] *(Nektar)* sammeln; (auf)picken

picot [piko] *m (an Spitzen)* Zäckchen; Splitter;

Spitzhammer; **~é** [-kɔte] zerstochen; gesprenkelt; **~ement** [-kɔtmɑ̃] *m* ⚓ Stechen, Prickeln; **~er** [-kɔte] beißen; stechen; anpicken; prickeln, kribbeln; *fig* sticheln; **~in** [-kɔtɛ̃] *m* (Hafer-)Metze; *umg* Futtern, Essen

picrate [pikrat] *m umg* herber Wein

pictogramme [piktɔgram] *m* Bildsymbol, Piktogramm

pie¹ [pi] 1. schwarz u. weiß, scheckig; *cheval* ~ Schecke; 2. *f (a. fig)* Elster ♦ *bavarder, jaser comme une* ~ wie e-e Gans schnattern, quasseln, daherschwätzen; *trouver la* ~ *au nid* e-n glückl. Fund machen; **~-grièche** [-grijɛʃ] *f orn* Würger; *umg* zänkisches Weib

pie² [pi]: *œuvre* ~ frommes Werk

pièce [pjɛs] *f* Stück *(a.* ⚥*,* ♪*)*; Einzelteil; Urkunde; Beleg(stück); Geschütz; ~ *d'habitation* (Wohn-)Raum, Zimmer; ~ *de bétail* Stück Vieh; ~ *d'eau* Wasserfläche, kleiner Teich *(in e-m Park)*; ~ *façonnée* Formstück; ~ *finie* Fertigteil; fertiges Stück; ~*s d'identité* Ausweispapiere; ~*s jointes (Brief)* Anlagen; ~ *(de monnaie)* Geldstück; ~ *radiophonique* Hörspiel; ~ *de rechange* Ersatzteil; ~ *usinée* bearbeitetes Teil; *mettre en* ~*s* in Stücke reißen, zerschlagen; *tout d'une* ~ aus e-m Stück; *fig* schwerfällig; *cent francs (la)* ~ 100 fr. d. Stück; *travail aux* ~*s* Stückarbeit, Akkord(arbeit); *donner la* ~ *e.* Trinkgeld geben ♦ *faire* ~ *à qn* j-m e-n Streich spielen

pied [pje] *m* Fuß *(a. Maß; 32,5 cm)*; ⚙ Gestell; Blumenstock; ⓜ Stativ; ~ *à coulisse* Schublehre; ~ *du lit (Bett)* Fußende; ~ *plat* Plattfuß; *coup de* ~ Fußtritt; *à* ~ zu Fuß; *des* ~*s à la tête, de* ~ *en cap* von Kopf bis Fuß; *aller* ~*s nus* barfuß gehen; *avoir* ~ *(im Wasser)* Grund haben; *en avoir* ~ *(umg)* d. Nase voll haben; *être sur un* ~ *d'amitié avec qn* mit j-m auf freundschaftl. Fuß stehen; *c'est le* ~ *(umg)* d. ist angenehm, d. ist ein Erfolg; *faire le* ~ *de grue* endlos warten; *fouler aux* ~*s* zu Boden trampeln; *fig* mit Füßen treten; *lâcher* ~ nachgeben; *lever le* ~ *(umg)* mit d. Kasse durchbrennen; *mettre à* ~ *(Beamte)* entlassen, kaltstellen; *mettre sur* ~ *(Truppen)* aufstellen; *fig* zustande bringen ♦ *mettre qn au* ~ *du mur* j-n in d. Enge treiben; *prendre le* ~ *(umg)* Lust empfinden; *pop!* e-n Orgasmus haben; *prendre qch au* ~ *de la lettre* etw. buchstäblich auffassen; *prendre qn au* ~ *levé* j-n überrumpeln; *se tirer des* ~ *(pop)* s. aus d. Staube machen; *s'en aller les* ~*s devant* begraben werden, sterben; *ne pas se donner des coups de* ~, *ne pas se moucher du* ~ *(umg)* e-e Schau abziehen, sich aufspielen; *faire un* ~ *de nez à qn* j-m e-e lange Nase drehen; **~-à-terre** [pjetatɛr] *m 100* Absteigequartier; **~-bot** [-bo] *m 97* Klumpfuß; **~-d'alouette** [-dalwɛt] *m 98 bot* Rittersporn; **~-de-biche** [-dbiʃ] *m 98* ⚙ Geißfuß, Nagelzieher; **~-de-poule** [-dpul] *m* Hahnentritt *(Stoff);* **~-de-veau** [-dvo] *m bot* Aronstab

piédestal [pjedɛstal] *m 90* Sockel ♦ *mettre qn sur un* ~ *(fig)* j-n aufs Podest heben

pied|-noir [pjenwạːr] *m* (ehemaliger) Algerienfranzose; **~-plat** [pjepla] *m* 97 Grobian
piège [pjɛːʒ] *m* Falle, Schlinge; ~ *à cons (pop)* fauler Zauber, Beschiß; Täuschung; *tendre un* ~ e-e Falle stellen; **~r** *(Gegenstand)* e-e Ladung (Dynamit usw.) anbringen; verminen; (e-e Mine) mit e-m Zünder versehen; *(Personen) fig* reinlegen; in e-e schwierige u. heikle Lage bringen; Schwierigkeiten bereiten; *lettre ~ée* Briefbombe
pierr|aille [pjɛrọːj] *f* Geröll; Schotter; **~e** [pjɛːr] *f (a.* §) Stein; ~*e d'achoppement* Stein des Anstoßes; ~*e à aiguiser* Wetzstein; ~*e à bâtir* Baustein; ~*e à chaux* Kalkst.; ~*e fine* Edelstein; ~*e infernale* § Höllenstein; ~*e ponce* Bimsstein; ~*e précieuse* Edelstein, Juwel; ~*e réfractaire* feuerfester St.; ~*e de taille* Bruch-, Quaderstein; ~*e de touche* Probier-, Prüfstein; *poser la première* ~ e d. Grundstein legen ♦ *c'est une* ~*e dans mon jardin* das gilt mir; *faire d'une* ~*e deux coups* zwei Fliegen mit e-r Klappe schlagen; **~eries** [pjɛrri] *fpl* Juwelen, Edelsteine; **~eux** [pjɛrọ] *111* steinig; **~ot** [pjɛrọ] *m* Spatz; Pierrot, Hanswurst
piétaille [pjetọːj] *f umg* Fußvolk, Infanterie
piété [pjete] *f* Frömmigkeit; Pietät; ~ *filiale* Kindesliebe
piét|inement [pjetinmɑ̃] *m* Stampfen; **~iner** [-ne] mit d. Füßen stampfen; zu Boden treten; *fig a* uf d. Stelle treten; ~*iner d'impatience* vor Ungeduld von e-m Fuß auf d. andern treten; **~on** [pjetɔ̃] *m* Fußgänger; *adj* d. Fußgängern vorbehalten; **~onnier** [-tɔnje] *adj 116: passage* ~*onnier, rue* ~*onnière* Fußgängerstraße; *-zone* ~*onnière* Fußgängerzone
piètre [pjɛtr] armselig, schofel; *avoir une* ~ *idée de qch* etw. geringschätzen
pieu [pjọ] *m 91* Pfahl; *pop (Bett)* Falle, Klappe; **~ter** [-te] *se* ~*ter (pop)* s. in d. Falle hauen
pieuvre [pjœːvr] *f zool* Krake, Polyp
pieux [pjọ] *111* fromm, ehrfurchtsvoll; ~ *mensonge* fromme Lüge
pif [pif] *m (arg pop) (Nase)* Gurke; **~omètre** [-fomɛtr] *m* Flair, Spürsinn, feiner Instinkt, gute Nase; *juger au* ~*omètre* über den Daumen peilen
pige [piːʒ] *f* Normal-, Eichmaß; *être payé à la* ~ *(Journalist usw.)* pro Beitrag bezahlt werden ♦ *faire la* ~ *à qn (umg)* schneller, besser arbeiten als j-d
pigeon [piʒɔ̃] *m* Taube; *umg* Gimpel; ~ *voyageur* Brieftaube; **~nier** [-ʒɔnje] *m* Taubenschlag
piger [piʒe] *14 (arg pop)* anschauen, bewundern; *(Krankheit)* abbekommen, erwischen; kapieren
pigiste [piʒist] *m* (pro Beitrag bezahlter) Journalist; freier Mitarbeiter (e-r Zeitschrift); Nachrichtenhändler; Herausgeber e-s Pressedienstes
pigment [pigmɑ̃] *m* Pigment, Farbstoff
pignon [piɲɔ̃] *m 1.* Giebel, Spitzgiebel ♦ *avoir* ~ *sur rue* e. eigenes Haus haben; e-n Laden besitzen; in guten Verhältnissen leben; *2.* Zahnrad, Ritzel *n;* ~ *de commande* Antriebsrad
pignouf [piɲuf] *m pop* Lümmel

pile [pil] *f 1.* Haufen; Stapel; Stoß; ⚡ Batterie; *mettre en* ~ *(auf)* schichten; ~ *sèche* Trockenbatterie; *sur* ~*s* ⚡ mit Batterieanschluß; ~ *atomique* Atommeiler; ~ *de recherche* Forschungsreaktor; ~ *de pont* Brückenpfeiler; *2.* Reaktor; Meiler; ~ *atomique* Kernreaktor; ~ *chaude* Hochtemperaturr.; ~ *enrichie* Reaktor mit angereichertem Brennstoff; ~ *à combustible* Brennstoffelement; *3.* Pfeiler, Säule; *4. (Münze)* Schriftseite; *à* ~ *ou face* aufs Geratewohl; *s'arrêter* ~ plötzlich, rechtzeitig anhalten; *flanquer une* ~ *à qn (umg)* j-n völlig zus.schlagen, erledigen; **~-torche** [-tɔrʃ] *f 97* Stabbatterie
piler [pile] zerstoßen; zermahlen, pulverisieren; mörsern; *umg fig* fertigmachen
pileux [pilọ] *111* behaart; *système* ~ Behaarung
pilier [pilje] *m* Pfeiler; Pfosten; Ständer; *fig* Stütze, Säule; ~ *de cabaret (umg)* Stammgast (*e-r Kneipe)*
pill|age [pijaːʒ] *m* Plünderung; **~ard** [-jạːr] *108* plündernd; *m* Plünderer; **~er** [-je] (aus)plündern; *fig* (fremde Gedanken) stehlen
pilon [pilɔ̃] *m* Mörser(keule), Stößel; Ramme; Stampfer; *umg* Holzbein; *mettre au* ~ 🕮 einstampfen lassen; **~nage** [-lɔnaːʒ] *m* Feststampfen (*z. B. d. Erde); mil* pausenloses Feuer; **~ner** [-lɔne] feststampfen; einrammen; *mil* unter pausenlosen Beschuß nehmen
pilori [pilɔri] *m* Pranger, Schandpfahl; *clouer au* ~ anprangern
pilot|age [pilọtaːʒ] *m* Führen *n* (e-s Fahrzeugs); ⚓, ✈ Navigation; Lotsendienst; ~*age sans visibilité (Abk. P.S.V.)* Blindflug; **~e** [-lọt] *m* Steuermann; Pilot; Lotsenfischchen; *fig* Schrittmacher; richtungsweisend; *atelier* ~*e* Musterwerkstätte; *installation* ~*e* Mustereinrichtung; *modèle* ~*e* Richtmodell; *organisme* ~*e* federführende Stelle; *prix* ~*e* Richtpreis; *projet* ~*e* Modellvorhaben; ~ *automatique* Flugregler; ~*e côtier* ⚓ Lotse; ~*e d'essai* Test-, Versuchspilot; **~er** [-lọte] *(ein Fahrzeug)* führen; ⚓ lotsen; ⚓, 🚗 steuern; **~in** [-lɔ̃] *m* Offiziersanwärter der Handelsmarine
pilot [pilọ] *m* Pfahl; **~is** [-lọti] *m* Pfahlrost; *construction sur* ~*is* Pfahlbau
pilou [pilu] *m* Frottee
pilule [pilyl] *f* Pille; ~ *contraceptive* (Antibaby-)Pille; ♦ *avaler la* ~ e-e Lüge glauben; in d. sauren Apfel beißen; *dorer la* ~ *à qn* j-m e-e bittere Pille versüßen; j-m e-e Sache schmackhaft machen
pimbêche [pɛ̃bɛʃ] *f* hochnäsiges, schnippisches Frauenzimmer
piment [pimɑ̃] *m* Piment, spanischer Pfeffer; *a. fig* Würze; **~er** [-mạte] pfeffern; *a. fig* würzen
pimpant [pɛ̃pɑ̃] *108* todschick, elegant, flott
pin [pɛ̃] *m* Kiefer; ~ *parasol* Pinie; ~ *sylvestre* Föhre
pinacle [pinạkl] *m* Zinne; First ♦ *porter qn au* ~ j-n über d. grünen Klee loben
pinaill|er [pinạje] *umg* Haare spalten; **~eur** [-jœːr] *m* Kleinigkeitskrämer [Weinhändler]
pinard [pinạːr] *m pop* Wein; **~ier** [-dje] *m umg*

pinc|e [pɛ̃s] f Zange; Brecheisen; (Krebs-) Schere; (Schlauch-)Klemme; (Hosen-, Wäsche-)Klammer; *pop* Flosse, Pranke; *à ~es umg* zu Fuß; *~e plate* Flachzange; **~eau** [-sọ] m 91 Pinsel; *~eau lumineux* Lichtbündel; **~ée** [-sɛ] f Prise; **~e-monseigneur** [-mɔ̃sɛ̩ɲœːr] f 98 Brechstange-, -eisen; **~e-nez** [-nɛ] m 100 Kneifer; **~er** [-sɛ] 15 kneifen; zwicken; klemmen; *(Gitarre, Harfe)* zupfen; *être ~é (umg)* verschossen, verknallt, verliebt; *se faire ~er (umg)* s. ertappen lassen; *en ~er pour qn (pop)* in j-n verschossen sein; *des airs ~és* geziertes Wesen; **~e-sans-rire** [pɛ̃ssɑ̃rjːr] m 100 Schalk; **~ette** [-sɛt] f Pinzette; Klammer; *pl* Feuerzange ♦ *il n'est pas à prendre avec des ~ettes* er ist mit d. Zange nicht anzufassen

pinçon [pɛ̃sɔ̃] m blauer Fleck, Kniff

pinède [pinɛd] f Kiefernwald

pingouin [pɛ̃gwɛ̃] m Pinguin

ping-pong [piŋpɔ̃] m Tischtennis

pingre [pɛ̃gr] knauserig; geizig; m Knauser; **~rie** [pɛ̃grəri] f Knauserei

pinson [pɛ̃sɔ̃] m Fink ♦ *gai comme un ~* kreuzfidel, quietschvergnügt

pintade [pɛ̃tad] f Perlhuhn

pint|e [pɛ̃t] f Schoppen ♦ *se payer une ~e de bon sang* s. köstl. amüsieren; **~er** [-tɛ] *umg* saufen, gern e-n heben

pin-up [pinœp] f Pin-up-Girl *n*; hübsches Mädchen

pioch|e [pjɔʃ] f Kreuzhacke; **~er** [-ʃɛ] hacken; *arg scol* pauken, büffeln; **~eur** [-ʃœːr] m Hacker; *arg scol* Büffler; **~euse** [-ʃọ|5:z] f ✿ Aufreißer

piolet [pjɔlɛ] m Eispickel

pion [pjɔ̃] m *(Spiel)* Stein; *(Schach)* Bauer; *arg scol* Studienaufseher; **~cer** [-sɛ] 15 *pop* pennen; **~ier** [pjɔnjɛ] m Pionier, Bahnbrecher

pipe [pip] f (Tabaks-)Pfeife; *~ en terre* Tonpfeife; *~ en écume de mer* Meerschaumpfeife ♦ *casser sa ~ (pop)* abkratzen

pipelet [piplɛ] m *pop* Hausmeister; **~te** [-plɛt] f *pop* Hausmeisterin

pipe-line [piplin] m 99 Erdölleitung

pip|er [pipɛ] bemogeln; *(Würfel, Karten)* zinken; *ne pas ~er* s. nicht mucksen; **~ette** [-pɛt] f Pipette, Saugröhre; **~eur** [-pœːr] m Mogler

piqu|ant [pikɑ̃] 1. 108 stachelig; stechend; *(Kälte)* schneidend; *fig* prickelnd, reizvoll; 2. m Stachel; *fig* Reiz; Bissigkeit; **~e** [pik] f Pike, Spieß; *umg* Zankerei; *(Kartenspiel)* Pik; **~é** [-kɛ] 1. wurmstichig; stockfleckig; *(Wein)* stichig, säuerlich; pikiert, beleidigt; *umg* übergeschnappt, nicht bei Troste; 2. m Pikee; Steppstich; ✈ Sturzflug; **~e-assiette** [-kasjɛt] m Schmarotzer, Nassauer; **~e-feu** [-fø] m 100 Schüreisen; **~e-nique** [-nik] m 99 Picknick; **~er** [-kɛ] 6 stechen; *umg* impfen; durchnähen; (ab-)steppen; anpicken; an-, zerfressen; *(Neugier)* anstacheln; ärgern; *(Getränke)* prickeln; *~er une colère* wütend werden, e-n Wutanfall bekommen; *~er le portefeuille de qn (umg)* d. Brieftasche klauen; *~er un soleil (umg)* e-n roten

Kopf bekommen; *~er une tête* e-n Kopfsprung *(ins Wasser)* machen; *se ~er* wurmstichig, stockfleckig werden; *fig* einschnappen; *le vin commence à se ~er* d. Wein bekommt e-n Stich; *il se ~e d'être expert* er will Fachmann sein ♦ *se ~er au jeu (im Spiel)* nicht aufgeben wollen; *fig* s. nicht beirren lassen; *se ~er le nez* s. e-n hinter d. Binde gießen; **~et** [-kɛ] m Pfahl; (Zelt-)Hering; *(Polizei, Feuerwehr)* Bereitschaft; *~et d'incendie* Brandwache; *~et de grève* Streikposten; **~eter** [-ktɛ] 10 sprenkeln, tüpfeln; (mit Pflöcken) abstecken; **~ette** [-kɛt] f schlechter Wein; *pop* Dresche, Wichse, Abreibung; Schlappe, Abfuhr; **~eur** [-kœːr] m Vorreiter; Bauaufseher; *~eur de vin* Weinprüfer

piqûre [pikyːr] f *(Nadel, Insekt)* Stich; Steppnaht; ✿ Spritze

pirat|e [pirat] m Pirat, Seeräuber; *~e de l'air* Flugzeugentführer; *édition ~e* Raubdruck; *radio ~e* illegaler Sender; **~erie** [-ratri] f Seeräuberei; *~erie aérienne* Luftpiraterie; Flugzeugentführung

pire [piːr] schlechter, ärger, schlimmer *(que* als); *le (la) ~* der (die, das) Schlechteste; *le ~* das Schlimmste

pirouette [pirwɛt] f Pirouette; plötzliche Meinungsänderung

pis¹ [pi] m Euter

pis² [pi] 1. schlimmer; *qui ~ est* was noch schlimmer ist; *tant ~!* dann eben nicht!; *mettons les choses au ~* nehmen wir den schlimmsten Fall an; *au ~ aller* schlimmstenfalls; *de mal en ~* immer schlimmer; 2. m das Schlimmste; **~-aller** [-zalɛ] m 100 Notlösung

pisci|culture [pisikyltyːr] f Fischzucht; **~ne** [-sịn] f Schwimmbecken, -bad; *~ne couverte* Hallenbad; *~ne municipale* Stadtbad

piss|at m, **~é** f [pisa, pis] Harn; **~e-froid** [pisfrwa] m 100 kurz angebundener Mensch; **~enlit** [-sɑ̃li] m bot Löwenzahn ♦ *manger les ~enlits par la racine* s. d. Radieschen von unten ansehen; **~er** [-sɛ] *umg* pinkeln, schiffen, pissen; **~ette** [-sɛt] f *chem* Spritzflasche; **~e-vinaigre** [-vinɛgr] m 100 Griesgram; **~oter** [-sɔtɛ] *umg* unregelmäßig fließen; **~otière** [-sɔtjɛːr] f *umg* Bedürfnisanstalt

pistache [pistaʃ] f *bot* Pistazie

pist|e [pist] f *(a. Tonband)* Spur; Fährte; 🐾 Kampf-, Rennbahn; *~e cyclable* Rad(fahr)weg; *~e cendrée* Aschenbahn; *~e d'atterrissage* ✈ Landebahn; *~e d'envol* ✈ Startbahn; *~e sonore (Film)* Tonspur; *être à la ~e de qn* j-s auf d. Spur sein; **~er** [-tɛ]; *~er qn* j-s Spur verfolgen; **~eur** [-tœːr] m *umg (Hotel)* Schlepper

pistil [pistil] m *bot* Griffel, Stempel

pistol|et [pistɔlɛ] m Pistole; *~et à air* Druckluftpistole; *~et pulvérisateur* Spritzpistole; *au ~et automatique (Farbauftrag)* im Spritzverfahren ♦ *drôle de ~et* sonderbarer Kauz; **~eur** [-lœːr] m Spritzlackierer

piston [pistɔ̃] m ✿ Kolben; *umg* Empfehlung, Protektion; *course du ~* Kolbenhub; **~ner** [-tɔnɛ] *umg* empfehlen, fördern

pitance [pitɑ̃s] f *umg* Tagesration; *maigre ~* schmale Kost

pit|eux [pitǿ] *111* jämmerlich; **~ité** [-tjé] *f* Mitleid, Erbarmen; *avoir ~ié de qn* j-n bemitleiden, bedauern; *tu me fais ~ié* du tust mir leid; *à faire ~ié* zum Erbarmen

piton [pitɔ̃] *m* Ringschraube; (Mauer-)Haken; Bergspitze

pitoyable [pitwajạbl] bemitleidenswert; erbarmungswürdig; kläglich

pitre [pitr] *m* Hanswurst

pittoresque [pitɔrẹsk] malerisch

pivert [pivẹːr] *m* Grünspecht

pivoine [pivwạn] *f* Pfingstrose

pivot [pivo] *m* ✿ (Dreh-)Zapfen; Bolzen; Dorn; (Tür-)Angel; *fig* Dreh-, Angelpunkt; *bot* Pfahlwurzel; **~ant** [-vɔtɑ̃] *108* drehbar (gelagert); schwenkbar; *racine ~ante* Pfahlwurzel; **~er** [-vɔtẹ] ✿, *fig* sich drehen (*sur* um)

plac|age [plakạːʒ] *m* ✿ Furnier(ung); Aufwalzen; mechanische Herstellung e-r dünnen Metallschicht; **~ard** [-kạːr] *m* Wandschrank; Plakat, Anschlag; ⌑ Fahne(nabzug); **~arder** [-kardẹ] *(Bekanntmachung)* anschlagen

place [plas] *f* Platz, Raum; Stelle, Ort; Anstellung; Rang; *com* Geschäftsleute; *à la ~ de* an Stelle von; *à votre ~* an Ihrer Stelle; *en bonne ~* an günstiger Stelle; *faire ~ à* Platz machen für; *mettez-vous à ma ~* versetzen Sie s. in m-e Lage; **~ment** [-mɑ̃] *m com* Investierung, (Geld-)Anlage; Stellenvermittlung; Verkauf (durch Vertreter); *bureau de ~ment* Stellenvermittlung

plac|er [plasẹ] *15* (hin)legen, -setzen, -stellen; d. Platz anweisen; in e-e Stellung bringen; *(Kapital)* investieren; *(Ware)* absetzen; *~er de l'argent* Geld anlegen; *~ un emprunt* e-e Anleihe unterbringen; *~er sous contrôle* unter Kontrolle stellen; *magasin bien ~ é* Geschäft in guter Lage; *se ~er parmi les premiers* unter d. ersten sein; **~eur** [-sœːr] *m* Platzanweiser; Stellenvermittler; **~ier** [-sjẹ] *m* Platzvertreter; Marktmeister

placid|e [plasịd] ruhig, sanft; **~ité** [-sidịtẹ] *f* (Seelen-)Ruhe; Sanftmütigkeit

plafon|d [plafɔ̃] *m* 🏛 Decke; Deckengemälde; ✈ Gipfelhöhe; Steighöhe; Höchstgeschwindigkeit; *(Motor)* maximale Drehzahl; *(Preise)* Höchstgrenze, Limit *n;* Höchstbetrag; *meteo* Wolkendecke; *crever le ~* d. Höchstgrenze überschreiten ♦ *avoir une araignée au ~d* e-n Sparren zuviel haben; **~nement** [-fɔnmɑ̃] *m* Festsetzung e-r Höchstgrenze, Höchstbegrenzung; **~ner** [-fɔnẹ] *vt* 🏛 Decke einziehen; *vi* auf derselben Höhe bleiben, stagnieren; 🚗 mit Höchstgeschwindigkeit fahren; ✈ in Gipfelhöhe fliegen; *com* e-e Höchstgrenze festsetzen, begrenzen, limitieren; **~nier** [-fɔnjẹ] *m* Deckenbeleuchtung

plage [plaːʒ] *f* Strand(bad); *fig (räumlich)* Bereich; Region; Landstrich; *fig (zeitlich)* Zeitraum, Zeitspanne; *~ arrière* Achterdeck; *~ avant* Bug; *~ corticale* (Großhirn-)Rindenbereich; *~ de fréquence* Frequenzbereich

plagi|aire [plaʒjẹːr] *m* Plagiator; **~at** [-ʒjạ] *m* Plagiat; **~er** [-ʒjẹ] plagiieren

plaid [plɛ(d)] *m* Reisẹdecke

plaid|er [plɛdẹ] 🕮 *(vor Gericht)* Anträge stellen; klagen; *(e-n Angeklagten)* verteidigen; *fig* eintreten (für); *~er l'un contre l'autre* 🕮 miteinander prozessieren; *~er une cause* 🕮 e-e Sache *(vor Gericht)* vertreten; *cela ~e en sa faveur* das spricht für ihn; *~er le faux pour savoir le vrai* etw. Falsches behaupten, um d. Wahrheit zu erfahren; **~eur** [-dœːr] *m* Prozeßpartei; Prozeßhansel; **~oirie** [-dwarị] *f* 🕮 Plädoyer, Verteidigungsrede; **~oyer** [-dwajẹ] *m* Plädoyer; (leidenschaftl.) Verteidigungsrede

plaie [plɛ] *f* Wunde; Verletzung; schwerer Schaden, Plage; *~ contuse* Quetschw.; *~ par incision* Schnittw.; *~ par arme à feu* Schußwunde; *retourner le couteau dans la ~* Öl ins Feuer gießen; *mettre le doigt sur la ~ (fig)* d. wunden Punkt aufdecken

plaignant [plɛɲɑ̃] *m* 🕮 Kläger

plain-chant [plɛ̃ʃɑ̃] *m* 97 Gregorianischer Gesang

plaindre [plɛ̃dr] *87* beklagen; bedauern; ungern missen, *~ qch à qn* j-m etw. nicht gönnen; *ne pas ~ sa peine* k-e Mühe scheuen; *se ~* sich beklagen; 🕮 klagen

plaine [plɛn] *f* Ebene

plain-pied [plɛ̃pjẹ] *de ~* auf gleicher Höhe; ohne Hindernis

plaint|e [plɛ̃t] *f* Klage; 🕮 Anzeige (durch das Opfer e-r Straftat); Beschwerde; *porter ~e* 🕮 Strafanzeige erstatten; **~if** [-tịf] *112* klagend, jammernd; wehleidig

plai|re [plɛːr] *77* gefallen; *s'il vous plaît* bitte; *se ~re à faire qch* daran Gefallen finden, etw. zu tun; *je me plais bien ici* es gefällt mir hier gut; **~sance** [plezɑ̃s] *f: maison de ~sance* Wochenend-, Landhaus; *navigation de ~sance* Wassersport; **~sancier** [-zɑsjẹ] *m* Wassersportler; **~sant** [plɛzɑ̃] *108* angenehm; lustig, spaßig, unterhaltend; *m* Spaßmacher; komische Seite; **~santer** [plɛzɑ̃tẹ] scherzen, Spaß machen; *~santer qn* s. über j-n lustig machen; *ne pas ~santer avec* unnachgiebig sein; (in e-r Sache) keinen Spaß verstehen; **~santerie** [plezɑ̃trị] *f* Scherz, Spaß; Kleinigkeit; *~santerie à part!* Spaß beiseite!; *tourner en ~santerie* ins Lächerliche ziehen; *entendre la ~santerie* Spaß verstehen; **~santin** [plezɑ̃tɛ̃] *m* Witzbold; **~sir** [plezịr] *m* Freude; Vergnügen; *(sexuell)* Lust; *pl* Vergnügung; *bon ~sir* Belieben; *à ~sir* nach Belieben, grundlos; *pour le ~sir* zum Vergnügen, aus Spaß; *par ~sir* spaßeshalber; *au ~sir!* auf Wiedersehen!; *prendre ~sir à qch* Vergnügen an etw. finden

plan [plɑ̃] **1.** *109* eben; **2.** *m* Ebene; Fläche; *~ incliné* schiefe Ebene; *~ de figure* Bildebene; *~ focal* Brennebene, Bildebene; *~ de sustentation* ✈ Tragfläche; *au premier ~* im Vordergrund; **3.** Plan, Entwurf; *~ de construction* Bauplan; *~ d'emploi* Stellen-, Einsatzplan; *~ d'ensemble* Rahmenplan; *~ d'étude* Gliederung; *~ quinquennal* Fünfjahresplan; *~ de travail* Arbeitsfolgenplan; *~ d'une ville* Stadtplan ♦ *laisser en ~ (fig)* im Stich lassen; *rester en ~* in

der Schwebe bleiben; **4.** *(Film)* Aufnahme; *gros*
~ Großaufn.; ~ *rapproché* Nahaufn.

planch|e [plãʃ] *f* **1.** Brett; Diele, Planke; *pl* ♀
Bretter, Bühne; ~*e à dessin* Zeichenbrett; ~*e à*
repasser Bügelbrett; ~*e à roulettes* Skateboard,
Rollerbrett; ~*e à voile* Surfbrett; ~*e de salut*
(fig) Rettungsanker; *faire la* ~*e* auf d. Rücken
treiben; *monter sur les* ~*es* Schauspieler werden
♦ *brûler les* ~*es* ♀ hinreißend spielen; *avoir du*
pain sur la ~ Vorräte haben; *fig* viel Arbeit zu
erledigen haben; **2.** Beet; **3.** ▢ (Bild-)Tafel; ~*e*
en couleurs Farbtafel; **4.** ⚓, Liegezeit; *jour de* ~*e*
Liegetag; ~*e de débarquement* = ~*e* auf d.
Gangway; ~**er** [-ʃe] *m* **1.** Fußboden, Diele; **2.**🏛
Zwischenboden; Decke; ~*er en béton* Beton-
decke; ~*er préfabriqué* Fertigdecke; ~*er de*
travail Arbeitsbühne; **3.** *com* Mindestgrenze;
prix ~*er* Mindestpreis ♦ *débarrassez le* ~*er!*
'raus mit euch!; *le* ~*er des vaches (umg)* die Erde
(im Gegensatz z. Meer); **4.** *vi (umg)* arbeiten,
lernen; büffeln; ~**ette** [-ʃɛt] *f* Brettchen

plançon [plãsɔ̃] *m* ⚓ Steckling; Ableger

plan|é [plane]: *vol* ~*é* ✛ Gleitflug; ~**er** [-ne] **1.**
schweben; ~*er sur qch (fig)* über etw. stehen; **2.**
planieren

planétaire [planetɛːr] **1.** planetarisch; weltweit;
orbite ~ Planetenbahn; **2.** *m* Planetarium

planète [planɛt] *f* Planet

planeur [planœːr] *m* Segelflugzeug, Gleiter

plan|ification [planifikasjɔ̃] *f* (Wirtschafts-)Pla-
nung; ~**ifier** [-nifje] planen, lenken; *économie*
~*ifiée* = ~**isme** [-nism] *m* Planwirtschaft;
~**isphère** [-nisfɛːr] *f* Erdkarte; ~**iste** [-nist] *m*
Wirtschaftsplaner; ~**ning** [-niŋ] *m* Betriebspla-
nung; ~**ning** *familial* Familienplanung

planqu|e [plãk] *f umg* Versteck; Schlupfwinkel;
pop Druckposten; ~**er** [-ke] 6 *(pop)* beiseite
schaffen; *se* ~ *(pop)* s. drücken; s. verstecken

plant [plã] *m* ⚓ Setz-, Steckling; (Setz-)Pflanze

plantain [plãtɛ̃] *m* Wegerich

plant|ation [plãtasjɔ̃] *f* (An-)pflanzung; Planta-
ge; ~**e** [plãt] *f* **1.** Pflanze; ~*e fourragère*
Futterpfl.; ~*e médicinale* Heilpfl.; ~*e ornemen-*
tale Zierpfl.; ~*e vénéneuse* Giftpfl.; ~*e verte*
Blattpfl.; *Jardin des* ~*es* botanischer Garten; **2.**
~*e du pied* Fußsohle; ~**er** [-te] (an)pflanzen;
(Erbsen usw.) stecken; bepflanzen *(de* mit);
(Pflock, Nagel) einschlagen; *(Fahne, Zelt)*
aufpflanzen; *fig umg* verlassen, stehenlassen;
être bien ~*é* kräftig gebaut sein; *être bien* ~*é sur*
ses pieds e-e gute Haltung haben; ~*er là un*
travail e-e Arbeit hinwerfen; *se* ~ s.
aufpflanzen; ~**eur** [-tœːr] *m* Pflanzer; Planta-
genbesitzer; ~**on** [-tɔ̃] *m mil* Melder, Posten
(ohne Gewehr); *être de* ~*on* Ordonnanz (od
Wachdienst) haben; ~**ureux** [-tyrø] *111*
üppig, reichlich; fruchtbar

plaqu|e [plak] *f (a.*▥) Platte; Schild; *(Kunst-*
stoff) Folie, Platte; ~*e commémorative* Gedenk-
tafel; ~*e d'identité (mil)* Erkennungsmarke; ~*e*
d'immatriculation 🚗 Nummernschild; ~*e de*
neige Schneebrett; ~*e tournante* ♀ *a. fig*
Drehscheibe; Zentrum; ~**é** [-ke] *m* Plattierung;
Edelmetallauflage; ~*é or* mit Goldauflage; ~**er**

[-ke] 6 ⚙ *(Edelmetall)* aufwalzen; plattieren;
furnieren; ♪ *(Akkorde)* anschlagen; ~*er un ami*
(pop) e-m Freund d. Laufpaß geben; ~**ette** [-kɛt]
f Plakette; Broschüre; ⚡ Leiterplatte; Plättchen;
Scheibe

plasti|c [plastik] *m* Sprengmasse; ~**cage** [-kaːʒ]
m Sprengung (mittels formbarer Sprengmasse);
~**cité** [-tisite] *f* Formbarkeit; Anschaulichkeit,
Bildhaftigkeit; ~**que** [-tik] **1.** plastisch; (ver)
formbar; *arts* ~*ques* bildende Künste; *matière*
~*que* Kunststoff; **2.** *m* Kunststoff; **3.** *f*
Bildhauerkunst; *a.* ⚡ Plastik; ~**quer** [-ke]
sprengen, e-e Sprengladung zum Explodieren
bringen

plastron [plastrɔ̃] *m* Vorhemd; *(Kleidung)*
Einsatz; *mil* dargestellter Feind; ~**ner** [-trɔne] s.
brüsten

plat [pla] **1.** *108* flach, eben; *fig* platt, fade,
geistlos; *calme* ~ Windstille; *eau* ~*e* Trinkwasser ohne Kohlensäure(zusatz); *à* ~ erschöpft;
todmüde; *à* ~ *ventre* auf d. Bauch liegend; *fig*
kriechend; **2.** *m* flacher Teil; ⚙ Flacheisen;
Buchdeckel; *le* ~ *de la main* d. flache Hand ♦
faire du ~ *(umg)* d. Hof machen; **3.** *m* Schüssel,
Platte; *(Speise)* Gericht, Gang; *œuf sur le* ~
Spiegelei ♦ *mettre les pieds dans le* ~ ins
Fettnäpfchen treten; *faire un* ~ *de qch* e-r
Sache zuviel Bedeutung beimessen; *mettre les*
petits ~*s dans les grands* alles aufbieten, um j-n
gut zu bewirten; ~**ane** [-tan] *m* Platane; ~**eau**
[-to] *m* *91* Tablett; Platte; Waagschale; Hoch-
ebene; Plattform; ♀ Bühne; ♪ Plattenteller ♦
faire pencher le ~*eau de la balance* d. Ausschlag
geben; ~**e-bande** [platbãd] *f* *97* Rabatte ♦
marcher sur les ~*es-bandes de qn* j-m ins
Gehege kommen; ~**e-forme** [platfɔrm] *f* *97*
Plattform; flaches Dach; *(Lokomotive)* Führerstand; ♀ Brückenwagen; ~ großer Flughafen; ⚙ Arbeitsbühne; *pol* Grundsatzprogramm;
~*e-forme électorale (pol)* Wahlprogramm

platine[1] [platin] *f* Apparatetisch; *(Mikroskop)*
Objektträger; *(Plattenspieler)* Laufwerk; Platte,
Scheibe; Schloßblech; (Gewehr-)Schloß

platine[2] [platin] *m* Platin

platitude [platityd] *f fig* Plattheit, Seichtheit;
(Geschmack) Schalheit

plâtr|age [platraːʒ] *m* (Ver-)Gipsen *n;* ~**as** [-tra]
m (Gips-)Schutt; ~**e** [platr] *m* Gips; Gipsab-
guß; ~*e de construction* Putzgips; ~*e gâché*
Gipsbrei; ~*e de Paris* Stuckgips; *mettre dans le*
~*e* ⚡ in Gips legen ♦ *battre qn comme* ~*e* j-n
windelweich schlagen; *essuyer les* ~*es* e-e
Wohnung trocken wohnen; *fig* die Kinder-
krankheiten e-r Sache mitmachen; ~**er** [-tre]
(ver)gipsen; übertünchen; ~**erie** [-trəri] *f* Gips-
arbeit; ~**ier** [-trje] *m* Gipser; ~**ière** [-triɛːr] *f*
Gipsbruch; Gipsbrennerei

plausible [plozibl] einleuchtend; glaubhaft;
sans raison ~ ohne triftigen Grund

plèbe [plɛb] *f* Pöbel, Mob

plébiscit|e [plebisit] *m* Volksentscheid; ~**er**
[-site] durch Volksabstimmung entscheiden; mit
überwältigender Mehrheit billigen *od* zustimmen

plein [plɛ̃] **1.** *109* voll; trächtig; *pop* blau *(betrunken); en ~ air* im Freien; *en ~e mer* auf offener See; *en ~ hiver* mitten im Winter; *emploi à ~ temps* Ganztagsbeschäftigung; *~e lune* Vollmond; *~e mer (Gezeiten)* Hochwasser; *de son ~ gré* aus eigenem Antrieb; *avoir de l'argent ~ les poches* d. Taschen voller Geld haben; **2.** *m* Fülle; ⚓ hohe Flut; *(Schrift)* Grundstrich; *fig* Höhepunkt; *faire le ~ d'essence* 🚗 volltanken; *battre son ~* in vollem Gang sein; **~-cintre** [-sɛ̃tr] *m 97* 🏛 Rundbogen; **~ement** [plɛnmɑ̃] völlig, ganz, vollkommen; **~-emploi** [-ãplwɔ] *m* Vollbeschäftigung

plén|ier [plenje] *116* völlig, vollkommen; *assemblée ~ière* Vollversammlung; *indulgence ~ière (rel)* vollkommener Ablaß; **~ipotentiaire** [plenipɔtãsje:r] *m: ministre ~ipotentiaire (pol)* Bevollmächtigter, Geschäftsträger; Gesandter; **~itude** [-nityd] *f fig* Fülle; **~um** [-nɔm] *m* Vollversammlung, Plenum *n*

plé|onasme [pleɔnɑsm] *m ling* Pleonasmus; **~thore** [-tɔr] *f* Überfülle; Überfluß; Überproduktion

pleur [plœ:r] *m (mst pl)* Tränen; *tout en ~s* in Tränen aufgelöst; *~s convulsifs* Weinkrampf; **~ard** [plœra:r] *108* weinerlich; **~er** [plœrɛ] weinen *(de* vor); heulen; schluchzen; s. beklagen; *~er pour* fordern; *~er qn* j-n beweinen, trauern (um j-n) ♦ *~er dans le gilet de qn* j-m sein Leid klagen; *~er comme un veau* wie ein Schloßhund heulen; **~eur** [plœrœːr] *121* weinerlich; *saule ~eur* Trauerweide

pleurésie [plørezi] *f* Brustfellentzündung

pleurnich|er [plørniʃe] flennen; Krokodilstränen weinen; **~erie** [-niʃri] *f* Gewinsel; **~eur** [-ʃœːr] *m* Flenner, Heulsuse

pleutre [pløtr] *m* Feigling; Schwächling; **~rie** [pløtrəri] *f* Feigheit

pleuv|asser, ~iner, ~oter [pløvasɛ, -vinɛ, -vɔtɛ] *umg* nieseln; **~oir** [-vwa:r] *39 (a. fig)* regnen ♦ *il pleut à verse* es gießt in Strömen; *comme s'il en ~ait* in gewaltiger Menge

plèvre [plɛːvr] *f anat* Brustfell

plexiglas [plɛksiglas] *m* (Wz) Plexiglas *n*

pli [pli] *m* Falte; Kniff; Runzel; Brief *(umschlag); (Kartenspiel)* Stich; *fig* Gewohnheit; *~ chargé* Wertbrief; *~ de pantalon* Bügelfalte; *faire des ~s* Falten werfen; *sous ce ~* als Anlage, beiliegend; *ne pas faire un ~ (Kleidung)* wie angegossen sitzen; *fig* so gut wie sicher sein; *prendre un ~* e-e Gewohnheit annehmen; **~age** [-plja:ʒ] *m* Biegen; Abkanten; 📖 Falzung; **~ant** [pliã] **1.** *108* biegsam; zs.klappbar; *table ~ante* Klapptisch; **2.** *m* Klappstuhl

plie [pli] *f zool* Scholle

plier [plije] falten; zus.legen; biegen; ✿ abkanten; 📖 falzen; *fig* unterwerfen; *mil* zurückweichen; *~ bagage* sein Bündel schnüren; *se ~* sich beugen, nachgeben; *~ les genoux* d. Knie beugen

plinthe [plɛ̃t] *f* Säulenplatte; Fußleiste

plisser [plisɛ] fälteln, plissieren; Falten werfen; *~ le front* d. Stirn runzeln

plomb [plɔ̃] *m* Blei; Senkblei; Flintenkugel; Schrot; Plombe; *pl* ⚡ Sicherung; *à ~* senkrecht; *sommeil de ~* bleierner Schlaf; *il a du ~ dans l'aile* es geht mit ihm bergab; **~age** [-ba:ʒ] *m* Plombieren; (Zahn-)Füllung; **~agine** [-baʒin] *f* Graphit; **~é** [-be] bleifarben; **~er** [-be] plombieren; **~erie** [-bri] *f* Klempnerei; Installationsgeschäft; **~ier** [-bje] *m* Klempner, Spengler; Installateur; *(Polizei)* Abhörfachmann; **~ifère** [-bifɛːr] bleihaltig

plong|e [plɔ̃ʒ] *f* Spülbecken; Abwäsche; Tellerwaschen *(im Restaurant);* **~eant** [-ʒã] *108* von oben nach unten gerichtet; **~ée** [-ʒe] *f* Tauchen; Tauchfahrt; 📖 Aufnahme steil nach unten; **~eoir** [-ʒwa:r] *m (Schwimmbad)* Sprungturm; **~eon** [-ʒɔ̃] *m* Kopfsprung; *orn* Taucher; *faire le ~eon* untertauchen; *fig* ins Elend geraten; **~er** [-ʒe] *14* (ein)tauchen; *(Schwimmen)* springen; versenken; hineinstoßen; stürzen; *se ~er (fig)* s. versenken; *~é dans le sommeil* tief im Schlaf; **~eur** [-ʒœːr] *m* Taucher; Tellerwäscher; *pl* Tauchvögel

plot [plo] *m* ⚡ Kontakt, Klemme, Buchse; *(Radar)* Radarbildpunkt

plouc [pluk] *m umg pej* Bauerntölpel

ploy|able [plwajabl] biegsam; **~er** [-je] *5* biegen, beugen

pluie [plɥi] *f* Regen; *~ battante* Platzregen ♦ *faire la ~ et le beau temps* großen Einfluß haben; *parler de la ~ et du beau temps* von gleichgültigen Dingen reden

plum|age [plyma:ʒ] *m* Gefieder; **~ard** [-ma:r] *m pop* Falle; **~e** [plym] *f (Vogel, Bett)* Feder; Schreibfeder; *homme de ~e* Schriftsteller; *lit de ~e* Federbett; *trait de ~e* Federstrich; *se mettre dans les ~es (umg)* in d. Federn kriechen; **~eau** [-mo] *m* Staubwedel; Deckbett; **~er** [-me] *a. fig* rupfen; **~et** [-mɛ] *m* Federbusch; *umg* Schwips; **~ier** [mje] *m* Federkasten; **~itif** [-mitif] *m* Kanzleiregister; Schreiber; *umg* Federfuchser

plupart [plypa:r] *f: la ~* die meisten; *pour la ~* zumeist, großenteils, größtenteils, vorwiegend; *la ~ du temps* in d. meisten Fällen

plur|al [plyral] *voto ~al* Mehrstimmenwahlrecht; **~alité** [-ralite] *f* Mehrheit; Vielzahl; **~iannuel** [-ianɥɛl] *adj* mehrjährig; Mehrjahres...; **~idisciplinaire** [-idisiplinɛ:r] *adj* fachübergreifend; **~iel** [-rjɛl] *m ling* Plural, Mehrzahl; **~ipartisme** [-ipartism] *m* Mehrparteiensystem

plus [ply, plys] **1.** mehr; außerdem, ferner; *math* plus; *en ~* [plys] außerdem; *il n'y a ~* [ply] *de pain* es ist kein Brot mehr da; *que voulez-vous de ~* [plys]? was wollen Sie mehr?; **2.** mehr als; *il travaille ~* [ply] *que son frère* er arbeitet mehr als sein Bruder; *~* [ply] *de 100 francs* mehr als 100 Fr.; *~* [ply] *que tu ne penses* mehr als du denkst; *il est ~* [ply] *grand que son frère* er ist größer als sein Bruder; *~* [ply] *tôt* früher, zeitiger; **3.** *(le ~)* am meisten; *ce qui me fait le ~* [ply] *de peine* was mich am meisten kränkt; *au ~* [ply] *tard* spätestens; **4.** *moi non ~* [ply] ich auch nicht; *tout au ~* [ply] höchstens; *de ~* [plyz] *en ~* [ply] mehr u. mehr; *d'autant ~* [ply

od. plys] um so mehr; *tant et ~* [plys] viel,
reichlich; *sans ~* [ply] ohne weiteres; *ni ~* [ply]
ni moins nicht mehr u. nicht weniger, ganz
genau; *~* [ply]... *~* [ply] je mehr... , desto
mehr ♦ *~* [plyz] *on est de fous, ~* [plyz] *on rit* je
mehr Narren es sind, desto lustiger ist d.
Gesellschaft; **5.** [plys] *m* Pluszeichen; *le ~*
Maximum, Höchstwert; *le ~ que je puisse faire*
mehr kann ich nicht (für Sie) tun; **~ieurs**
[plyzjœːr] mehrere; einige; verschiedene; *à
~ieurs reprises* zu wiederholten Malen; **~value**
[plyvaly] *f* Wertzuwachs; Mehrwert
plutonium [plytɔnjɔm] *m* Plutonium *n; réacteur
rapide à ~* Plutoniumschmelzenreaktor
plutôt [plyto] vielmehr; lieber, eher; *umg*
ziemlich
pluvi|er [plyvjɛ] *m orn* Regenpfeifer; **~eux** [-vjø]
111 regnerisch; **~omètre** [-vjɔmɛtr] *m* Nieder-
schlagsmesser; **~osité** [-vjozitɛ] *f* Nieder-
schlagsmenge
pneu|(matique) [pnø(matjk)] *m (Fahrrad,* 🚗*)*
Reifen; *pl* Bereifung; 📞 Rohrpostbrief; *~ à
clous =* ~ *clouté* Spikereifen; *~ sans chambre*
schlauchloser Reifen; *~ de rechange* Ersatzrei-
fen; *~ antidérapant* rutschfester Reifen; *~ à
haute pression* Hochdruckreifen; **~matique**
[-matjk] pneumatisch; (Preß-)Luft...; *marteau
~matique* Preßlufthammer; **~monie** [-mɔnj] *f*
Lungenentzündung
poch|ade [pɔʃad] *f* flüchtige Skizze; **~ard** [-ʃaːr]
m umg Trunkenbold; **~arder** [-ʃardɛ]*: se ~arder
(pop)* s. besaufen; **~e** [pɔʃ] *f* Tasche; Sack;
Ansammlung; Hohlraum; *pol* Bereich; Gebiet;
💲 Eitersack; *zool* Beutel; *orn* Kropf; *~e de
coulée* 🔧 Gießpfanne; *dictionnaire de ~e*
Taschenwörterbuch; *livre de ~* Taschenbuch;
argent de ~e Taschengeld; *connaître qch comme
sa ~e* etw. wie s-e Westentasche kennen; *faire
les ~s* filzen; *mettre qn dans sa ~e* j-n in d.
Tasche stecken; *mettre son drapeau dans sa ~e*
mit s-r Meinung hinterm Berg halten; *~é* [-ʃe]:
œufs ~és verlorene Eier; **~ette** [-ʃɛt] *f* kleine
Tasche; Einstecktuch; **~oir** [-ʃwaːr] *m* Schablone; **~on** [-ʃɔ̃] *m* Kochlöffel
poêle[1] [pwal] *m* Ofen
poêle[2] [pwal] *m* Leichentuch
poêl|e[3] [pwal] *f* Pfanne; *~e à frire* Bratpfanne ♦
tenir la queue de la ~e d. Heft in d. Hand haben;
~on [-lɔ̃] *m* kleine (irdene) Pfanne, Kasserolle
po|ème [pɔɛm] *m* Gedicht; **~ésie** [pɔezi] *f*
Dichtung; Dichtkunst, Poesie; kleines Gedicht;
~ète [pɔɛt] *m* Dichter; **~étesse** [pɔetɛs] *f*
Dichterin; **~étique** [pɔetjk] dichterisch, poe-
tisch; *f* Poetik
pognon [pɔɲɔ̃] *m (arg pop)* Moos, Zaster
poids [pwa] *m* Gewicht; Masse; *fig* Wichtigkeit,
Bedeutung, Einfluß; Last; 🏋 Kugel; *~ brut*
Bruttogewicht, Rohg.; *~ utile* Nutzlast; *~ vif*
Lebendgewicht; *~ lourd* Last(kraft)wagen
(LKW); *~ total autorisé* 🚗 zulässiges Ge-
samtg.; *~ à vide* Eigeng.; Leerg.; Betriebsg.;
vif Lebendgewicht; *~ mouche* Fliegeng.; *~ coq*
Bantamg.; *~ plume* Federg.; *~ léger* Leichtg.;
~ mi-moyen Welterg.; *~ moyen* Mittelg.; *~*

(mi-)lourd (Halb-)Schwerg.; *vendre au ~* nach
Gewicht verkaufen; *au ~ de l'or* sehr teuer;
homme de ~ wichtige Person; *de tout son ~* mit
voller Wucht; *faire le ~* der Sache gewachsen
sein; ein Gegengewicht darstellen ♦ *avoir deux
~ et deux mesures* mit zweierlei Maß messen;
peser d'un ~ très lourd schwer ins Gewicht
fallen
poign|ant [pwaɲɑ̃] *(Schmerz)* stechend; ergrei-
fend, erschütternd; **~ard** [-ɲaːr] *m* Dolch;
~arder [-ɲardɛ] erdolchen; **~e** [pwaɲ] *f umg*
Mumm, Kraft; **~ée** [-ɲe] *f* Handvoll; *(Werkzeug)* Griff, Heft; *~ée de main* Händedruck;
~et [-ɲɛ] *m* Handgelenk; Manschette
poil [pwal] *m* (Körper-)Haar; *pl* Behaarung;
(Stoffgewebe) Flor, Pol; *~ follet* Flaum; *à long
~* langhaarig; *de mauvais ~ (umg)* brummig,
verdreht; *à ~ (umg)* splitternackt; *au ~ (pop)*
prima ♦ *avoir un ~ dans la main* e. Faulpelz
sein; *reprendre du ~ de la bête* wieder auf d.
Beine kommen; **~u** [-ly] haarig; *m umg* Soldat,
Landser
poinçon [pwɛsɔ̃] *m* Pfriem; Grabstichel; Prägestempel; 🏛 Bundpfosten, Ständer; Giebelspit-
ze; ⚙ Punze; Treibhammer; *~ officiel* Garantiestempel; **~ner** [-sɔnɛ] *(Fahrkarte)* lochen;
(Edelmetall) abstempeln; stanzen; **~neuse**
[-sɔnøːz] *f* Locher; Stanzmaschine
poindre [pwɛdr] *87 (Tag)* anbrechen; *bot*
sprießen
poing [pwɛ] *m* Faust; *serrer le ~* d. Faust
machen
point [pwɛ] *m* **1.** Punkt; *mil,* ⚓ Ort, Standort,
Position; Grad; Lage; Zeitpunkt, Augenblick;
(Spiel) Auge; *(Schule)* Note, Zensur; *(Rede)*
Abschnitt, Frage; *(Näherei)* Stich; 💲 Stechen; *~
d'arrêt* Haltepunkt; Stoppstelle; *~ d'arrivée*
Ankunftsort; *~ central* Mittelpunkt; *~ chaud
pol* Krisenherd; *~ de congélation* Gefrierpunkt;
~ de contact Berührungspunkt; *~ de côté*
Seitenstechen; *~ critique* Gefahrenpunkt; kriti-
scher Punkt; *~ de destination* Bestimmungsort;
deux ~s Doppelpunkt; *~ de droit* 🔱
Rechtsfrage; *~ d'eau* Wasserstelle; *~ de fait* 🔱
Sachfrage; *~ final* Schlußpunkt; *~ fort*
Trumpf, starke Seite; *~ de fusion* Schmelz-
punkt; *~ d'honneur* Ehrensache; *~ initial*
Ausgangspunkt; *~ d'intersection* Schnittpunkt;
au ~ du jour frühmorgens; *mauvais ~*
Minuspunkt; Tadel; *mise au ~* Einstellung;
Ausarbeitung; Richtigstellung; *~ mort* toter
Punkt; *~ noir* kritischer Punkt; gefährliche
Stelle; gefährdete Zone; *~ de référence = ~ de
repère* Bezugspunkt; *~ sensible* empfindlicher
Punkt; Schlüsselpunkt; *~s de suspension*
Auslassungspunkte; *~ de vue* Standpunkt;
Gesichtspunkt; *~ zéro* Nullpunkt; *battre qn
aux ~s* 💲 j-n nach Punkten schlagen; *être sur le
~ de faire qch* gerade dabei sein, etw. zu tun;
faire le ~ ⚓ d. Position bestimmen; *fig* Bilanz
ziehen; *mettre au ~* einstellen; ausarbeiten;
richtigstellen; *rendre des ~s* e-n Vorsprung
geben; **2.** *Wendungen: à ~* gelegen, wie
gerufen; *(Speisen)* gar; *à ~ nommé* zur

festgesetzten Zeit; *fig* gerade richtig, goldrichtig; *de ~ en ~* in allen Einzelheiten, Punkt für Punkt; *de* (od. *en*) *tout ~* in j-r Hinsicht; *jusqu'à un certain ~* bis zu e-m gewissen Grade; *à ce ~* in d. Maße; *à tel ~ que* so sehr, daß; *au dernier ~* äußerst; **3.** *ne... ~* gar nicht, überhaupt nicht, auf keinen Fall; **~age** [-ta:ʒ] *m mil* Richten; *(Liste)* Abhaken; *(Arbeiter)* Stechen; Arbeitszeitkontrolle; *pol* Stimmenzählung; 🎯 Wertung; *axe de ~age* Peilrichtung; *optique de ~age* Richtoptik; **~e** [pwɛ̃t] *f* Spitze; Nagel, Stift; Stachel; Zwickel, Keil; Landzunge; Würze; *fig* Stichelei; Witz, Pointe; Anflug; *(Verkehr)* Verkehrsspitze, Stoßzeit; *(Arbeit)* Zeitraum d. Arbeitshäufung; *~e sèche* Radiernadel; *~e du jour* Tagesanbruch; *heure de ~e* Stoßzeit; *technique de ~e* Spitzentechnik; *matériel de ~e* Spitzengerät; *vitesse de ~e* Höchstgeschwindigkeit; *en ~e* spitz (zulaufend); *pousser une ~e* e-n Abstecher machen; **~er** [-te] 🎯 werten; sprießen; *(Pferd)* s. bäumen; *(Turm)* in d. Himmel ragen; *~er sur (mil)* vorstoßen gegen; *~er le doigt vers* mit d. Finger auf... zeigen; **~eur** [-tœ:r] *m* Kontrolleur; *mil* Richtschütze; **~iller** [-tije] punktieren; *~illé* gestrichelte Linie; **~illeux** [-tijø] *III* nörgelnd; spitzfindig; empfindlich; **~u** [-ty] spitz; **~ure** [-ty:r] *f* (Hand-)Schuhnummer; **~virgule** [-virgyl] *m* 97 Strichpunkt
poire [pwa:r] *f* Birne ♦ *entre la ~ et le fromage* beim Nachtisch; *garder une ~ pour la soif* etw. auf d. hohe Kante legen; *c'est une ~* er läßt s. ausnützen; *couper la ~ en deux* e-n Kompromiß schließen
poireau [pwarọ] *m 91* Lauch, Porree ♦ *faire le ~* = **~ter** [-rɔte] *pop* warten
poirier [pwarje] *m* Birnbaum; *faire le ~* e-n Kopfstand machen
pois [pwa] *m* Erbse; *petits ~* grüne Erbsen; *~ chiche* Kichererbse; *~ de senteur* Wicke; *à ~ (Stoff)* getupft
poison [pwazɔ̃] *m* (Magen-)Gift; *pop* Giftnudel, -schlange, Scheusal; langweilige u. ärgerliche Tätigkeit; *~ foudroyant* auf d. Stelle tötendes Gift
poiss|ard [pwasa:r] *108* pöbelhaft; **~arde** [-sard] *f* Fischweib; **~e** [pwas] *f pop* Pech; *porter la ~* Unglück bringen; **~er** [-se] **1.** auspichen; verschmutzen; *fil ~é* Pechdraht; **2.** *pop* klauen; *se faire ~er* geschnappt werden
poisson [pwasɔ̃] *m* Fisch; *~ comestible* Speisef.; *~ congelé* Tiefkühlf.; *~ de mer* Seef.; *~ rouge* Goldf.; *~ d'avril* Aprilscherz; *être comme un ~ dans l'eau* s. wohl fühlen, s. zurechtfinden; *finir en queue de ~* kein (richtiges) Ende nehmen; *prendre un ~* e-n Fisch fangen ♦ *~ sans boisson est poison* Fisch will schwimmen; *ni chair ni ~* weder Fisch noch Fleisch; **~nerie** [-sɔnri] *f* Fischgeschäft; **~neux** [-sɔnø] *III* fischreich
poitrail [pwatraj] *m (Pferd)* Bug; *fig* breiter Brustkasten
poitrin|aire [pwatrinɛ:r] lungenkrank, schwindsüchtig; **~e** [-trin] *f* Brust

poivr|e [pwa:vr] *m* Pfeffer; *~e et sel* schwarz u. weiß gesprenkelt, *(Stoffmuster)* Pfeffer u. Salz; **~é** [pwavre] *a. fig* gepfeffert; **~er** [pwavre] *a. fig* pfeffern; **~ier** [pwavrje] *m* Pfefferstrauch; **~ière** [-vriɛːr] *f* Pfefferstreuer; **~on** [-vrɔ̃] *m* Paprikaschote; **~ot** [pwavrọ] *m umg* Pech
poix [pwa] *f konkr* Pech
pol|aire [polɛːr] **1.** polar; *cercle ~aire* Polarkreis; *glaces ~aires* Polareis; **2.** *f math* Polare; **~ar** [-lạr] *m umg* Krimi; **~arisateur** [-larizatœːr] *122 phys* polarisierend
pôle [pol] *m (a. phys)* Pol; *fig* Tätigkeitsbereich, Interessengebiet; *~ nord* Nordpol; *~ sud* Südpol
polém|ique [polemjk] polemisch; *f* Auseinandersetzung, Meinungsstreit, Polemik; **~ologie** [-mɔlɔʒi] *f* Soziologie des Krieges, Konfliktsforschung, Polemologie
poli [poli] höflich; glatt; *m* Politur
police[1] [polis] *f* Polizei; *du bâtiment* Baup.; *~ de la circulation* Verkehrsp.; *~ frontalière* Grenzschutz; *~ d'intervention* Bereitschaftsp.; *~ judiciaire* Kriminalp.; *~ militaire* Feldjäger; *~ parallèle* geheime Staatsp.; *~ de (la) séance* Ordnungsgewalt od. Ordnungsdienst (bei Veranstaltungen); *~ de sûreté* Sicherheitsp.; *ordonnance de ~* Polizeiverordnung; *agent de ~* Schutzmann; **~secours** [-sɔkụːr] *f 98* Überfallkommando
police[2] [polis] *f* Police; *~ d'assurance* Versicherungspolice; *~ à fondre* 🔲 Gießzettel
policer [polise] *15* (Sitten) verfeinern, bilden, zivilisieren
polichinelle [poliʃinɛl] *m (a. fig)* Pulcinella m, Hanswurst, Marionette; *avoir un ~ dans le tiroir pop!* ein Kind kriegen, ein Baby bekommen; *secret de ≛* öffentliches Geheimnis; *vie de ~* ausschweifendes Leben
policier [polisje] **1.** *116* Polizei...; *film ~* Kriminalfilm; *roman ~* Kriminalroman; **2.** *m* Polizeibeamter
policlinique [poliklinjk] *f* Poliklinik
poliomyélite [poljomjelit] *f* spinale Kinderlähmung
pol|ir [poliːr] *22* polieren; glätten; glanzschleifen; *fig* feilen, verfeinern; **~issage** [-lisaʒ] *m* Glätten; **~issoir** [-liswaːr] *m* Polierwerkzeug
polisson [polisɔ̃] *118* liederlich; *m* Lausbube, Strolch; **~ner** [-sɔne] herumlungern; **~nerie** [-sɔnri] *f* lockere Rede; lockeres Benehmen
politesse [polites] *f* Höflichkeit; *échange de ~s* Höflichkeitsbezeigungen ♦ *brûler la ~* sich französisch empfehlen
polit|icien [politisjɛ̃] *m* Politiker; *pej* Biertischpolitiker; **~ique** [-tjk] **1.** politisch; *homme ~ique* Politiker; *économie ~ique* Volkswirtschaft; **2.** *f* Politik; *~ique d'alliance* Bündnisp.; *~ique d'austérité* Maßhaltep., Sparp.; *~ique de l'emploi* (Voll-)Beschäftigungsp.; *~ique énergétique* Energiep.; *~ique extérieure* Außenpolitik; *~ique intérieure* Innenp.; *~ique libre échangiste* Freihandelsp.; *~ique des prix* Preisgestaltung; *~ique protectionniste* Schutzzollp.; *parler ~ique* politisieren

pollen [pɔllɛn] *m* Blütenstaub

pollu|ant [pɔlyɑ̃] *adj (Umwelt)* verschmutzend, schädigend; *m* Umweltgift, umwelt- u. gesundheitsschädlicher Stoff; Schadstoff; **~er** [-lчɛ] verschmutzen, verunreinigen; verseuchen; **~eur** [-lчœːr] *adj* verschmutzend; *m* Verursacher (e-r Umweltbelastung); **~tion** [-lysjɔ̃] *f* Umweltverschmutzung; U.-belastung; U.-schädigung; Verunreinigung; *lutte contre la* **~tion** Umweltschutz; **~tion** *atmosphérique* Luftverunreinigung; **~tion** *des eaux* Wasserv.; **~tion** *radioactive* radioaktive Verseuchung; **~tion** *des sols* Bodenverunreinigung; **~tion** *thermique* thermische Belastung

polochon [pɔlɔʃɔ̃] *m umg* Kopfkissen

Polo|gne [pɔlɔɲ]: *la* **~gne** Polen; **~nais** [-lɔnɛ] *108* polnisch; **~nais** [-lɔnɛ] *m* Pole

poltron [pɔltrɔ̃] *m* Hasenfuß; **~nerie** [-trɔnri] *f* Verzagtheit, Feigheit

poly|andrie [pɔliɑ̃dri] *f* Vielmännerei; **~chrome** [-krɔm] mehrfarbig; **~copie** [-kɔpi] *f* Vervielfältigung(sverfahren); **~copier** [-kɔpje] vervielfältigen; **~culture** [-kyltyːr] *f* ↓ Mehrfruchtanbau; **~èdre** [pɔljɛdr] *m* Vielflächner, Polyeder *n*; **~ester** [-ɛstɛːr] *m* Polyester; **~éthylène** [-etilɛn] *m* Polyäthylen; **~gamie** [-gami] *f* Mehrehe, Vielweiberei; **~glotte** [-glɔt] mehrsprachig; **~gone** [-gɔn] *m* Vieleck, Polygon; **~mère** [-mɛːr] *m* Polymer *n*; **~morphe** [-mɔrf] *adj* viel-, verschiedengestaltig; **~pe** [-lip] *m zool*.↓ Polyp; **~phasé** [-faze] ↓ mehrphasig; **~technicien** [-tɛknisjɛ̃] *m* Schüler d. École polytechnique; **~valence** [-valɑ̃s] *f (bes chem)* Mehrwertigkeit; *fig* vielseitige Verwendbarkeit, Vielseitigkeit; **~valent** [-valɑ̃] *108 (bes chem)* mehrwertig; *fig* vielseitig; Mehrzweck...; *m* Steuerfahnder, Betriebsüberprüfer; **~vinyle** [-vinjl] *m: chlorure de* **~** *vinyle* Polyvinylchlorid, PVC

pomm|ade [pɔmad] *f* Pomade; Salbe ♦ *passer de la* **~ade** *à qn (umg)* j-m Honig um d. Mund schmieren; **~e** [pɔm] *f* Apfel; **~e** *cuite* Bratapfel; **~e** *d'Adam* Adamsapfel; **~e** *d'amour* Tomate; **~e** *d'arrosoir* Gießkannenbrause; **~e** *de discorde* Zankapfel; **~e** *de terre* Kartoffel; *aux* **~es** *(umg)* tipptopp ♦ *tomber dans les* **~es** *(pop)* in Ohnmacht fallen; **~elé** [pɔmlɛ] *cheval* **~elé** Apfelschimmel; **~er** [-mɛ] ↓ Köpfe ansetzen; *laitue* **~ée** Kopfsalat; **~ette** [-mɛt] *f* Backenknochen; **~ier** [-mje] *m* Apfelbaum

pomp|age [pɔ̃paːʒ] *m: station de* **~age** Pumpwerk; **~e¹** [pɔ̃p] *f* Pumpe; **~e** *de chaleur* Wärmep.; **~e** *à essence* Zapfsäule; **~e** *à incendie* Feuerspritze; **~e** *à main* Handp.; **~e** *noyée* Steckp.; **~** *à vide* Vakuump.; *coup de* **~e** *(arg* 🐟*)* Erschöpfung; *à toute* **~e** *(pop)* in aller Eile; *les* **~es** *umg* Latschen, Kähne, Quanten; *faire des* **~es** Liegestütze machen

pompe² [pɔ̃p] *f* Pomp; feierlicher Aufzug, Gepränge; *pej* Bombast, Schwulst; *entreprise de* **~s** *funèbres* Bestattungsinstitut

pompe|r [pɔ̃pe] (aus-, leer-, auf-)pumpen; *fig* aufsaugen, anziehen; *pop* saufen; **~tte** [-pɛt] *umg* angesäuselt, beschwipst

pompeux [pɔ̃pø] *111* pompös; schwülstig

pomp|ier [pɔ̃pje] *(ohne f)* spießig; kitschig; *m* Feuerwehrmann; **~iste** [-pist] *m* Tankwart

pompon [pɔ̃pɔ̃] *m* Quaste ♦ *avoir son* **~** *(umg)* e-n sitzen haben; *avoir le* **~** d. Vogel abschießen; **~ner** [-pɔne]: *se* **~ner** s. aufdonnern

ponce [pɔ̃s] *f: pierre* **~** Bimsstein

ponceau [pɔ̃so] *inv* hochrot; *m* Klatschmohn

poncho [pɔ̃ʃo] *m* Poncho, Umhang

poncif [pɔ̃sif] *m* Schablone; *fig* abgedroschene Redensart

ponct|ion [pɔ̃ksjɔ̃] *f* ↓ Punktion; *com* Abschöpfung; **~ionner** [-sjɔne] ↓ punktieren; **~ualité** [-tyalite] *f* Pünktlichkeit; **~uation** [-tyasjɔ̃] *f* Interpunktion; **~uel** [-tyɛl] *115* punktartig; pünktlich; gewissenhaft; begrenzt; beschränkt; **~uer** [-tyɛ] interpunktieren; unterstreichen, hervorheben

pondaison [pɔ̃dɛzɔ̃] *f* Legezeit

pondér|able [pɔ̃derabl] *phys* wägbar; **~ateur** [-ratœːr] *122* ausgleichend; mäßigend; **~ation** [-derasjɔ̃] *f* Ausgleichung; *(Statistik)* Gewichtung; *fig* Ausgewogenheit, Gelassenheit; **~é** [-dere] ausgeglichen; gewogen; *moyenne* **~ée** gewogenes Mittel; **~er** [-derɛ] *13* abwägen; ausgleichen; mäßigen

pond|euse [pɔ̃døːz]: *poule* **~euse** Legehenne; **~re** [pɔ̃dr] *76* (Eier) legen; *fig* verfassen

poney [pɔnɛ] *m* Pony

pongiste [pɔ̃ʒist] *m* Tischtennisspieler

pont [pɔ̃] *m* Brücke; ⚓ Deck; **~** *aérien* Luftbrücke; **~arrière** 🚗 Hinterachse; ⚓ Achterdeck; **~** *à bascule* Brückenwaage; **~** *élévateur* Hebebühne; **~** *de mesure* Meßbrücke; **~** *promenade* Promenadendeck; **~** *roulant* Laufkran; **~** *suspendu* Hängebrücke; **~** *tournant* Drehbrücke; **~** *et Chaussées* Straßenbauamt; *tête de* **~** Brückenkopf; *couper les* **~s** *(fig)* alle Brücken abbrechen ♦ *faire le* **~** an e-m Werktag zwischen Feiertagen nicht arbeiten

ponte¹ [pɔ̃t] *f* Gelege; Eiablage

ponte² [pɔ̃t] *m iron* Bonze, maßgebende Person

pontée [pɔ̃te] *f* ⚓ Deckoladung

pontif|e [pɔ̃tif] *m* kirchl. Würdenträger; *souverain* **~** Heiliger Vater; **~ical** [-tifikal] *124* Pontifikal...; **~icat** [-tifika] *m* Pontifikat; **~ier** [-tifje] s. feierlich benehmen

pont-levis [pɔ̃lvi] *m* 97 Zugbrücke

ponton [pɔ̃tɔ̃] *m* Ponton; Brückenkahn, -schiff, Prahm; **~nier** [-tɔnje] *m mil* Pionier

pool [pul] *m com* Pool, Gewinnverteilungsvertrag

pop [pɔp] *su:* **~art** *m* Pop-art; **~corn** *m* Röstmais, Popcorn; **~music** *f* Popmusik; **~isant** [-pisɑ̃] *adj* poppig

popeline [pɔplin] *f* Popelin(e)

popote [pɔpɔt] hausbacken; *f (arg mil)* (Offiziers-)Kasino; *umg* Essen

popul|ace [pɔpylas] *f* Pöbel; **~acier** [-lasje] *116* pöbelhaft; **~aire** [-lɛːr] volkstümlich; populär; volksmäßig; **~ariser** [-larize] populär machen; **~arité** [-larite] *f* allgemeine Beliebtheit; Popularität; **~ation** [-lasjɔ̃] *f* Bevölkerung; *(Statistik)*

Gesamtheit (von Personen); ~eux [-lø] *111* volkreich; ~o [-lo] *m umg* d. gewöhnl. Leute

porc [pɔːr] *m* Schwein; Schweine-; ~épic [pɔrkepĭk] *m 97* Stachelschwein

porcelaine [pɔrsəlɛ̃n] *f* Porzellan

porc|elet [pɔrsəlɛ] *m* Ferkel

porche [pɔrʃ] *m* Vorhalle, -hof

por|cher [pɔrʃɛ] *m* Schweinehirt; ~cherie [-ʃəri] *f* Schweinestall; ~cin [-sɛ̃] *109* Schweine...

por|e [pɔːr] *m* Pore; ~eux [pɔrø] *111* porös; ~osité [pɔrozite] *f* Durchlässigkeit

porion [pɔrjɔ̃] *m (Bergbau)* Steiger

porno [pɔrno] *adj* pornographisch, obszön; ~graphie [-grafi] *f* obszöne Darstellung; Schmutz- und Schundliteratur

port[1] [pɔːr] *m (a. fig)* Hafen; Hafenstadt; ~ *de mer* (od. *maritime*) Seeh.; ~ *de commerce* Handelsh.; ~ *franc* Freih.; ~ *d'attache* Heimath.; ~ *terminal* Endhafen; *arriver à bon* ~ wohlbehalten ankommen

port[2] [pɔːr] *m* 1. Porto; *franc de* ~ portofrei; ~ *en sus* zuzügl. P.; ~ *dû* unfrei, unfrankiert; ~ *payé* frei; 2. das Tragen; Körperhaltung; ~able [pɔrtạbl] tragbar; *m* Kofferradio; tragbares Fernsehgerät; *dette* ~able 𝕊 Bringschuld

portail [pɔrtạj] *m* Portal

port|ant [pɔrtɑ̃] 1. *108* ✿ tragend; *bien* ~ant wohl, gesund; *à bout* ~ant aus nächster Nähe; 2. *m* Griff; ☿ Kulissenstütze; ~atif [-tatĭf] *112* tragbar; mitzuführend(es) (Gerät)

porte [pɔrt] *f* Tür, Tor, Pforte; ~ *d'accès* Einstieg; ~ *de chargement* Ladetor; ⚓ Ladeluke; ~ *cochère* Toreinfahrt; ~ *coulissante*, ~ *à glissière* Schiebet.; ~ *pare-flammes* Brandtür; ~ *tournante* Drehtür; ~ *vitrée* Glast.; ~ *à deux battants* Flügelt.; ~ *à* ~ *com* Haustürverkauf; *livraison* ~ *à* ~ Lieferung von Haus zu Haus ♦ *frapper à toutes les* ~s *(fig)* überall anklopfen; *prendre la* ~ sich aus d. Staube machen; *enfoncer des* ~s *ouvertes* offene Türen einrennen; *à la* ~! *(umg)* raus!

porte|-à-faux [pɔrtafo] *m 100*✿, 🏛 überkragender, freischwebender Teil; *en* ~ *à faux* freitragend; *être en* ~ *à faux* in e-r gefährlichen Lage sein; ~affiches [-tafĭʃ] *m 100* Anschlagbrett, Schwarzes Brett; ~aiguilles [-tegữj] *m 100* Nadeldöschen; ~avions [-tavjɔ̃] *m 100* Flugzeugträger; ~bagages [pɔrtəbagaːʒ] *m 100* Gepäckträger *(am Fahrzeug);* ~billets [pɔrtəbijɛ] *m 100* (kleine) Brieftasche; ~bonheur [pɔrtəbɔnœːr] *m 100* Talisman; ~cigarettes [pɔrtəsigarɛt] *m 100* Zigarettenetui; ~clefs [pɔrtəklɛ] *m 100* Schlüsselbund; Gefängniswärter; ~conteneurs [-kɔ̃tənœːr] *m 100* Containerschiff; ~couteau [-kuto] *m 100* Messerbänkchen; ~crayon [-krɛjɔ̃] *m 100* Bleistifthalter; ~documents [-dɔkymɑ̃] *m 100* Aktenkoffer; ~drapeau [pɔrtədrapo] *m 100* Fähnrich, Fahnenträger; *fig* Bannerträger

portée [pɔrte] *f (Jungtiere)* Wurf; Tragzeit; ✿ Lager(fläche); *a. fig* Tragweite, Reichweite; ♩ Notenlinien; *hors de* ~ *de la voix* außer Hör-, Rufweite

porte|faix [pɔrtəfɛ] *m* Lastträger

porte-fenêtre [pɔrtəfnɛtr] *f 97* Fenstertür

porte|feuille [pɔrtəfœj] *m* Brieftasche; Kundenliste *(e-s Vertreters);* Geschäftsbereich *(e-s Ministers);* Wertpapierbestand; *société* ~-*feuille* Effektenhaltegesellschaft, Dachgesellschaft; ~malheur [pɔrtəmalœːr] *m 100* Unglücksbote, -vogel; ~manteau [pɔrtəmɑ̃to] *m 91* Kleiderhaken; (Dielen-)Garderobe; ~mine [pɔrtəmĩn] *m 100* Drehbleistift; ~monnaie [pɔrtəmɔnɛ] *m 100* Portemonnaie, Geldbörse; ~objet [-ɔbʒɛ] *m 100* Präparathalter; ~parapluies [pɔrtəparaplữj] *m 100* Schirmständer; ~parole [pɔrtəparɔl] *m 100* Sprecher, Wortführer; ~plume [pɔrtəplym] *m 100* Federhalter

porter [pɔrtɛ] 1. *vt* tragen; fort-, hinschaffen; bringen; führen; *(Blicke)* richten; *(Schritte)* lenken; *fig* eintragen; *com* buchen; mit s. bringen; hervorbringen; erhöhen, ausdehnen, erwärmen *(à auf)*; schätzen *(à auf)*; *(Schriftstück)* aussagen; *(Toast)* ausbringen; ~ *atteinte à* schaden; ~ *bien son âge* rüstig sein; ~ *bien son vin (beim Trinken)* viel vertragen können; ~ *le deuil de qn* um j-n trauern; ~ *intérêts* Zinsen bringen; ~ *la main sur qn* d. Hand gegen j-n erheben; ~ *qn aux nues* j-n in d. Himmel heben; ~ *la parole* d. Wort führen; ~ *secours à* Hilfe leisten, zu Hilfe eilen, beistehen; ~ *témoignage* bezeugen 2. *vi* ruhen *(sur auf);* reichen *(à bis);* *(Kritik)* s. beziehen, zielen *(sur auf);* trächtig sein; ~ *contre* s. stoßen an, prallen auf; ~ *à faux* 🏛 vorspringen; *fig* von falschen Voraussetzungen ausgehen, auf dem falschen Wege sein; ~ *à supposer* darauf hindeuten, zu d. Annahme führen; ~ *à la tête* zu Kopf steigen; ~ *sur les nerfs* auf d. Nerven gehen; 3. *se* ~ sich begeben *(à nach); fig* s. auffführen, s. betragen; *se* ~ *bien (mal)* bei guter (schlechter) Gesundheit sein; *se* ~ *contre qn* gegen j-n gerichtlich vorgehen; *se* ~ *candidat (bei e-r Wahl)* kandidieren; *se* ~ *fort pour qn* s. für j-n verbürgen

porteur [pɔrtœːr] *m* (Gepäck-, Last-)Träger, Dienstmann; Überbringer; *(Aktie)* Inhaber; ~ *de germes* Bazillenträger; *gros* ~ 🚙 Laster; ✈ Großraumflugzeug

porte|-veine [pɔrtəvɛn] *f 100 pop* Maskottchen; ~voix [-təvwa] *m 100* Sprachrohr, Megaphon

port|ier [pɔrtje] *m* Pförtner; ~ière [-tjɛːr] 🚙, 🚗 Wagentür; (Tür-)Vorhang; *roman de chez la* ~ière Hintertreppenroman; ~illon [-tijɔ̃] *m* kleine Tür; (Bahnsteig-)Sperre *(bes. der Metro)* ♦ *ses mots se bousculent au* ~illon *(umg)* er stottert

portion [pɔrsjɔ̃] *f* (An-)Teil, Portion; *être réduit à la* ~ *congrue* e. dürftiges Einkommen haben

portique [pɔrtĭk] *m* Säulenhalle; *(Flughafen)* Kontrollkabine *(Waffen usw.);* ✿ Krangerüst

portoir [pɔrtwạr] *m* Trage, Tragbahre

portrait [pɔrtrɛ] *m* Porträt, Bildnis; *fig* Ebenbild; ~iste [-trɛtĭst] *m* Porträtmaler; ~robot [rɔbo] *m (Kriminalistik)* Phantombild; typische Eigenschaften, bes. Merkmale

portuaire [pɔrtữɛːr] *f* Hafen...; *installations* ~s Hafenanlagen

portug|ais [pɔrtygɛ] *108* portugiesisch; *⌐ais* m
Portugiese; *⌐al* [-gal]: *le ⌐al* Portugal
pos|e [poːz] *f* Setzen, Stellen, Legen; *(Motor)*
Einbau; *(Leitung)* Verlegen; Körperhaltung; 🐏
Sitzung; 🎞 Belichtung(szeit); Zeitaufnahme;
Geziertheit; *~e de la première pierre* Grund-
steinlegung; *~e des verres* Einglasen; *sans ~e*
ungezwungen; *~ément* [pozemɑ̃] gelassen; in
aller Ruhe; *~emètre* [pozmɛtr] *m* 🎞 Belich-
tungsmesser; *~er* [poze] **1.** *vt* (hin)setzen,
-stellen; anbringen; *a. fig* aufstellen; berühmt
machen; *~ons que…* nehmen wir einmal an,
daß…; *~er les armes* die Waffen niederlegen;
~er sa candidature kandidieren; *~er pour
principe* als Grundsatz aufstellen; *~er une
question* e-e Frage stellen ♦ *~er un lapin à qn
(umg)* j-n versetzen; **2.** *vi* ruhen *(sur auf)*;
Modell stehen, sitzen; 🎞 belichten; *fig* s. geziert
benehmen; **3.** *se ~er* ✈ landen; *s.* aufwerfen
(en zu); auftreten, *s.* ausgeben *(en als); ~eur*
[-zœːr] *m* Schienen-, Platten-, Bodenleger;
Effekthascher, Geck, Stutzer; *~itif* [-zitif] *112*
positiv; bestimmt, ausdrücklich; nüchtern,
realistisch; *~ition* [-zisjɔ̃] *f* Lage; Stellung; *EDV*
Stelle, Platz; *fig* Auffassung; Einstellung;
~ition-clé Schlüsselstellung; *~ition debout*
(aufrechter) Stand; *~ition sociale* gesellschaftli-
che Stellung; *défendre une ~ition* e-n Standpunkt vertreten; *prendre ~ition* Stellung nehmen
posséd|ants [pɔsedɑ̃] *mpl* d. Besitzenden; *~é*
[-de] *m* Besessener; *~er* [-de] *13* besitzen,
innehaben; beherrschen; *umg* reinlegen; *~er les
bonnes grâces de qn* bei j-m in Gunst stehen; *se
~er s.* beherrschen
possess|eur [pɔsɛsœːr] *m* Besitzer; Inhaber;
~ion [-sjɔ̃] *f* Besitz; *(Kolonie)* Besitzung
possib|ilité [pɔsibilite] *f* Möglichkeit; Fähig-
keit; *~le* [-sibl] **1.** möglich; *au ~le* äußerst; *le
plus tôt ~le* so bald wie möglich; **2.** *m* das
Mögliche; *dans la mesure du ~le* im Rahmen d.
Möglichen; *faire son ~le* sein möglichstes tun
postal [pɔstal] *124* Post…; *carte ~e* Postkarte;
colis ~ Postpaket; *abonnement ~* Postbezug
postdater [pɔstdate] nachdatieren
poste¹ [pɔst] *m* Posten; Stellung; Amt; *(Fabrik)*
Schicht; Radiogerät; *(Telefon)* Nebenstelle; *~
d'aiguillage* Stellwerk; *~ d'attente* Wartestel-
lung; *~ budgétaire* Planstelle; *~ de commande*
☼ Bedienungsstand, Bediengerät; *pol, com*
leitende Stellung; *~ de commandement* Ge-
fechtsstand; *~ d'écoute* Abhörstelle; *~ émetteur* 📻 Funkstation, Radiosender; *~ d'essence*
Tankstelle; *~ d'incendie* Löschanlage; *~ de
police* Polizeiwache; *~ portatif* Kofferradio; *~
radar* Radargerät, Funkpeilstation; *~ radio*
Rundfunkgerät; Funkraum; *~ radio de bord*
Bordfunkgerät; *~ radiotélégraphique* 📻 Funkraum; *(Küste)* Küstenfunkstelle; *~ récepteur* 📻
Empfänger; *~ de secours* Unfallstelle; *~
téléphonique* Fernsprechstelle; *~ téléphonique
principal* Hauptanschluß; *~ téléphonique public*
öffentlicher Fernsprecher; *~ de télévision*
Fernsehempfänger

poste² [pɔst] *f* Post; *bureau de ~* Postamt; *~
aérienne* Luftpost; *~ restante* postlagernd ♦
passer comme une lettre à la ~ glatt verlaufen
posté [pɔste] *adj: travail ~* Schichtarbeit; *m*
Schichtarbeiter
poster¹ [pɔste] *vt* aufstellen; *~ des espions*
Spione einsetzen
poster² [pɔste] *vt* zur Post geben; *~ une lettre*
e-n Brief aufgeben, einwerfen
poster³ [pɔstɛr] *m* Poster *n/m*
post|érieur [pɔsterjœːr] hintere; spätere; später
(à als); m umg Hintern; *~érité* [-terite] *f*
Nachkommenschaft; Nachwelt; *~face* [pɔstfas]
f Nachwort; *~hume* [pɔstym] posthum, nach-
gelassen; hinterlassen
postiche [pɔstiʃ] *(bes. Haare)* falsch
post|ier *m,* *~ière* *f* [pɔstje, -tjɛːr] Postbeamter,
-beamtin; *~illon* [-tijɔ̃] *m* Postillon; *umg*
Spucke; *~illonner* [-tijɔne] *umg* e-e feuchte
Aussprache haben
post|scolaire [pɔstskɔlɛːr]: *cours ~scolaire*
Fortbildungskurs; *~scriptum* [-skriptɔm] *m 100*
Postskript(um), PS; Nachschrift
postul|ant [pɔstylɑ̃] *m* Bewerber; *~er* [-le] *s.*
bewerben *(qch um etw.)*
posture [pɔstyːr] *f* Körperhaltung, -lage; Lage,
Situation
pot [po] *m* Topf; Krug, Kanne; *~ de chambre*
Nachtgeschirr, -topf; *~ à eau* Wasserkrug; *~
d'échappement* 🚗 Auspufftopf; *~ de fleurs*
Blumentopf; *avoir du ~ (umg)* Glück, Schwein
haben; *manger un ~ de confiture* e-n Topf
Marmelade (leer)essen; ♦ *tourner autour du ~*
wie d. Katze um d. heißen Brei gehen; *découvrir
le ~ aux roses* e-r Sache auf d. Spur kommen;
payer les ~s cassés für d. Schaden aufkommen;
on va prendre un ~? umg kommste e-n heben?
potable [pɔtabl] trinkbar; *fig* erträglich, leidlich,
passabel; *eau ~* Trinkwasser
potache [pɔtaʃ] *m umg* Pennäler
potag|e [pɔtaːʒ] *m* Suppe (mit Gemüse u.
Fleisch); *pour tout ~* alles in allem; *~er* [-taʒe]
1. *116* Gemüse…; *herbes ~ères* Suppengrün; **2.**
m Nutz-, Gemüsegarten
potasse [pɔtas] *f* Pottasche; Kali; *~ caustique*
Kaliumhydroxyd; *lessive de ~* Ätzkalilauge
potasser [pɔtase] *arg scol* büffeln
potass|ique [pɔtasik] Kali…; *engrais ~ique*
Kalidünger; *~ium* [-sjɔm] *m* Kalium
pot|-au-feu [pɔtofø] *umg* hausbacken; *m 100*
Eintopf (mit Rindfleisch); *~-bouille* [pobuj] *f
umg* Hausmannskost; *~-de-vin* [podvɛ̃] *m 98*
Schmiergelder
pote [pɔt] *m pop* Spezi, Kumpel
poteau [pɔto] *m 91* Pfahl; 🪧 Pfosten, Torlatte;
~ indicateur Wegweiser; *~ frontière* Grenz-
pfahl
potée [pɔte] *f* Gemüseeintopf mit Speck
potelé [pɔtle] fleischig, mollig
potence [pɔtɑ̃s] *f* Galgen; *gibier de ~*
Galgenvogel, -strick
potenti|aliser [pɔtɑ̃sjalize] *vt* verstärken; *(Wir-
kung)* erhöhen; *~alité* [-sjalite] *f* Möglichkeit;
(Entwicklungs-)Fähigkeit; *~el* [-sjɛl] *115* poten-

tiell; *m (a. phys)* Potential, Stärke, Macht; ~*el de défense* Verteidigungskraft; ~*el économique* Wirtschaftspotential; ~**omètre** [-sjomɛtr] *m* Potentiometer *n*, Spannungsteiler

pot|erie [pɔtri] *f* Töpferei(waren); ~**iche** [-tiʃ] *m* (chines. *od.* japan.) Porzellanvase; ~**ier** [-tje] *m* Töpfer

potin [pɔtɛ̃] *m umg* Lärm; Klatsch; ~**er** [-tinɛ] klatschen; ~**ière** [-tinjɛːr] *f* Klatschbase, -weib

potion [posjɔ̃] *f* Arznei(trank); ~ *magique* Zaubertrank; *fig* Wundermittel

potiron [pɔtirɔ̃] *m* Riesenkürbis

pot-pourri [popuri] *m 97* Potpurri; Ragout *(aus verschiedenen Fleischsorten)*

potron-minet [pɔtrɔ̃minɛ]: *dès* ~ in aller Frühe

pou [pu] *m 91* Laus ♦ *chercher des* ~*x à* qn Streit mit j-m suchen

poubelle [pubɛl] *f* Mülltonne

pouce [pus] *f* Daumen; *(Maß)* Zoll; *fig* Zollbreit; *coup de* ~ Anstoß, leichte Hilfe, Unterstützung ♦ *manger sur le* ~ im Stehen essen; *mettre les* ~*s* d. Waffen strecken

poudr|age [pudraːʒ] *m* Stäuben; *produit pour* ~*age* Streumittel; ~**e** [pudr] *f* Puder; Pulver; ~*e à canon* Schießpulver; ~*e de perlimpinpin* Wunderpulver; ~*e de riz* Gesichtspuder; ~*e à saupoudrer* Streupulver; *propulseur à* ~*e* Feststofftriebwerk ♦ *jeter de la* ~*e aux yeux de* qn j-m blauen Dunst vormachen; *il n'a pas inventé la* ~*e* er hat d. Pulver nicht erfunden; *mettre le feu aux* ~*es* Aufruhr stiften; ~**er** [pudre] pudern; ~**erie** [pudrəri] *f* Pulverfabrik; ~**eur** [-drœːr] *m* Puderdose; ~**euse** [-drøːz] *f* Pulverschnee; ~**eux** [pudrø] *111* staubbedeckt; ~**ier** [pudrje] *m* Puderdose; ~**ière** [pudrjɛːr] *f* Pulvermagazin; ~**oyer** [pudrwaje] *5* Staub aufwirbeln; stäuben

pouf [puf] *m* Puff, Polsterhocker

pouffer [pufe]: ~ *de rire (umg)* herausplatzen

pouilleux [pujø] *111 (Land)* unfruchtbar; verlaust; lumpig; *fig* minderwertig; *m* Lumpenkerl

poulailler [pulaje] *m* Hühnerstall; ♛ Olymp

poulain [pulɛ̃] *m* Füllen, Fohlen

poul|arde [pulard] *f* junges Masthuhn; ~**e** [pul] *f* Huhn, Henne; *pop* Runde, Spiel; *(Spiel)* Einsatz; *pop* Straßenmädchen; *chair de* ~*e* Gänsehaut; ~*e mouillée* Memme; ~**et** [-lɛ] *m* Hühnchen; Hähnchen; *fig* Liebesbrief; *pop* Polyp, Bulle; *mon* ~*et* mein Schatz

pouliche [puliʃ] *f* Stutenfüllen

poulie [puli] *f* ♛ Riemenscheibe, Seilrolle; ~ *folle* Leerscheibe

poulinière [pulinjɛːr] *f* Zuchtstute

poulpe [pulp] *m zool* Krake, Polyp

pouls [pu] *m* Puls(schlag); *tâter le* ~ d. Puls fühlen; *fig* auf d. Zahn fühlen

poumon [pumɔ̃] *m* Lunge(nflügel); ~*d'acier* ♥ eiserne Lunge ♦ *crier à pleins* ~*s* aus vollem Halse schreien

poupard [pupaːr] *108 adj* rundlich, pausbackig; *m* Baby

poupe [pup] *f* ♛ Heck, Stern; *en* ~ achtern; ♦ *avoir le vent en* ~ e-e Glückssträhne haben

poup|ée [pupe] *f* Puppe; ~**in** [-pɛ̃] *109* puppenhaft; ~**on** [-pɔ̃] *m* Säugling; pausbackiges kleines Kind; ~**onnière** [-pɔnjɛːr] *f* Säuglingsheim

poupoule [pupul] *f umg* Liebling, Schätzchen

pour [pur] **1.** für; um; wegen; zugunsten; hinsichtlich; *dix* ~ *cent* zehn Prozent; ~ *que* damit; ~ *peu que* wenn nur im geringsten; ~ *ainsi dire* sozusagen; ~ *de bon* ganz im Ernst; ~ *de bonnes raisons* aus gutem Grund; *et* ~ *cause!* er wird wissen, warum!; *jour* ~ *jour* Tag um Tag; ~ *moi* was mich angeht; *je n'en ai que* ~ *un moment* ich bin gleich fertig; *mourir* ~ *mourir* wenn man doch einmal sterben muß; *signer* ~ qn stellvertretend zeichnen, in Vertretung (i. V.) unterschreiben; *je n'y suis* ~ *rien* ich kann nichts dafür; *il se donne* ~ *savant* er spielt sich als Wissenschaftler auf; **2.** *m: le* ~ *et le contre* d. Für u. Wider

pourboire [purbwaːr] *m* Trinkgeld

pourceau [purso] *m 91* Schwein ♦ *jeter des perles aux* ~*x* Perlen vor d. Säue werfen

pour|-cent [pursɑ̃] *m 100* Zinssatz; ~**centage** [-sɑ̃taːʒ] *m* Prozentsatz; ~*centage des pertes* Verlustrate; ~**chasser** [-ʃase] verfolgen; hetzen, jagen; ~**fendeur** [-fɑ̃dœːr] *m* Maulheld, Bramarbas; ~**fendre** [-fɑ̃dr] *79* (mit e-m Hieb) spalten; *fig* heftig angreifen; ~**lécher** [-leʃe] *13: se* ~*lécher (fig)* s. d. Finger lecken; ~**parlers** [-parle] *mpl* Besprechung; Verhandlungen; ~**point** [-pwɛ̃] *m* Wams

pourpre [purpr] **1.** *f (Farbstoff)* Purpur; **2.** *m (Farbton)* Purpur

pourquoi [purkwa] warum; ~ *pas?* warum nicht?; *(od. voilà)* ~, deshalb, daher

pourr|i [puri] faul, verwest; *a. fig* verdorben; ~**ir** [-riːr] *22 vt* (ver)faulen; zersetzen; *vi fig* s. verschlechtern; ~*ir dans la misère* im Elend verkommen; ~**issement** [-rismɑ̃] *m a. fig* Verfall; Absterben; ~**iture** [rityːr] *f* Fäulnis; faule Stelle; Verwesung; Verdorbenheit

poursui|te [pursɥit] *f (a. ♛)* (Straf-)Verfolgung; Fortsetzung; Weiterführung; Belangung; Nachstellung; ~**vant** [-sɥivɑ̃] *m* Verfolger; ♛ Antragsteller *(z. B. bei Pfändung)*; ~**vre** [-sɥiːvr] *85 (a. ♛)* verfolgen, belangen; *se* ~*vre* weitergehen

pourtant [purtɑ̃] dennoch, doch

pourtour [purtuːr] *m* Umkreis; Randgebiet; *(z. B. Säule)* Umfang; ♛ Umgang

pour|voi [purvwa] *m* ♛ Rechtsmitteleinlegung; Berufung, Rekurs; ~*voi en cassation* ♛ Revisionsantrag; ~**voir** [-vwaːr] *40* sorgen, Sorge tragen *(à* für); versehen *(de* mit); ~*voir un poste vacant* e-e freie Stelle besetzen; *se* ~*voir comme de droit* den ordentlichen Rechtsweg einschlagen

pourvu| *que* [purvykə] vorausgesetzt, daß…; sofern; ~ *qu'il guérisse!* wenn er nur gesund wird!; ~ *qu'il ne vienne pas!* wenn er bloß nicht kommt!

pouss|e [pus] *f* Trieb, Sproß; Wachsen, Sprießen; *premières* ~*es* erstes Grün; ~**e-café** [-kafe] *m* kleines Glas Alkohol *(nach d. Kaffee)*;

~ée [-sę] ƒ Stoß; ✿ Schub(kraft); *phys* Auftrieb; *(Rakete)* Schub; 🏛 Seitendruck; *fig* Druck, Drang; *~ée démographique* Bevölkerungsexplosion; *~ée de fièvre* Fieberanfall; **~e-pousse** [-pųs] *m 100* Rikscha; **~er** [-sę] **1.** *vt* stoßen; schieben; drängen; (an-)treiben; fördern; fortsetzen, weiterführen, vorwärtsbringen; sorgfältig ausarbeiten; *bot* treiben; *~er des cris* Schreie ausstoßen; *~er qch trop loin* etw. zu weit treiben; *~er qn à bout* j-n z. Verzweiflung bringen; **2.** *vi* wachsen, sprießen; vorstoßen; *~er à la roue (fig)* in d. Speichen greifen; **3.** *se ~er* s. (vor)drängen; **~ette** [-sęt] ƒ (Kinder-)Sportwagen

pouss|eur [pusœ:r] *m* ⚓ Schubboot; **~ier** [pusję] *m* (Kohlen-)Staub; **~ière** [pusję:r] ƒ Staub ♦ *et des ~ières* u. ein klein wenig mehr; *mordre la ~ière* ins Gras beißen; **~iéreux** [-sjerø] *111* staubig

poussif [pusįf] *112* engbrüstig, kurzatmig

poussin [pusę̃] *m* Küken

poussoir [puswa:r] *m* Drücker; ✿ Druckknopf

poutr|e [putr] ƒ Balken; Träger; **~elle** [-tręl] ƒ kleiner Balken, kl. Träger

pouvoir [puvwa:r] **1.** *41* können, vermögen; dürfen; *n'en ~ plus* nicht mehr können; *il se peut* es ist möglich; **2.** *m* Können, Vermögen; Macht; Gewalt; Einfluß; Kraft; ♐ Befugnis; *fondé de ~* Bevollmächtigter, Prokurist; *plein ~* Vollmacht; *pleins ~s* (unumschränkte) Vollmacht; *(pol)* Ermächtigung; *~ d'achat* Kaufkraft; *~ central* Zentralgewalt; *~ de décision* Entscheidungsvollmacht; *~ exécutif* Exekutive; *~ judiciaire* Judikative; *~ de police* Polizeigewalt; *~s publics* Staatsgewalt; Staatsapparat

prairie [prerį] ƒ Wiese

praline [pralįn] ƒ Praline; gebrannte Mandel

prat|icable [pratikąbl] *(Plan)* durch-, ausführbar; anwendbar; *(Weg)* begehbar, fahrbar; *m* 🎭 betretbarer Bühnenaufbau; ✿ Halterung, Versatzstück; **~icien** [-tisję̃] *m (a.* 💲) Praktiker; **~iquant** [-tikã] *108 rel* strenggläubig, praktizierend; **~ique** [-tįk] **1.** praktisch, zweckmäßig; brauchbar; ausführbar; **2.** ƒ Praxis; Erfahrung, Kenntnis; Übung; Anwendung; Brauch, Sitte; *mettre en ~ique* in d. Tat umsetzen; **~iquement** [-tikmã] *adv* tatsächlich, in Wirklichkeit; fast; **~iquer** [-tikę] *6* durch-, ausführen; ausüben; anwenden; viel verkehren *(qn* mit j-m); *se ~iquer* üblich sein

pré [pre] *m* Wiese

préalable [prealąbl] vorhergehend; *question ~* Vorfrage; *m pol* Vorbedingung, unabdingbare Voraussetzung *(à* für); *au ~, ~ment* zuvor

préambule [preãbyl] *m* Präambel, Vorrede; *sans ~* ohne Umschweife

préau [preǫ] *m 91 (Schule, Gefängnis, Kloster)* Hof

préavis [preavį] *m* Voranzeige; Kündigung; ⌀ Voranmeldung; *~ de grève* Streikankündigung; *sans ~* fristlos

prébende [prebãd] ƒ *(a. fig)* Pfründe, einträglicher Posten

précaire [prekę:r] prekär; unsicher; fraglich; bedenklich; fragwürdig

précaution [prekosjǫ̃] ƒ Vorsicht; Behutsamkeit; *user de ~s* sich vorsichtig verhalten; **~neux** [-sjonø] *111* vorsichtig; behutsam; bedächtig

précéd|ent [presedã] *108, 127* vorherig; vorig; vorhergehend; *m* Präzedenzfall; *sans ~ent* beispiellos, noch nicht dagewesen, ohnegleichen; **~er** [-dę] *13* vorhergehen; *~er qn* vor j-m hergehen, -fahren

précept|e [presępt] *m* Vorschrift; *rel* Gebot; **~eur** [-sęptœ:r] *m* Hauslehrer

prêch|e [prɛ.ʃ] *m prot* Predigt, Gottesdienst; *umg* Moralpredigt, Standpauke; **~er** [-ʃę] *a. fig* predigen; *~er d'exemple* mit gutem Beispiel vorangehen; *~er dans le désert* auf taube Ohren stoßen; **~eur** [-ʃœ:r] *m (a. iron)* Prediger

préci|eux [presjø] *111* **1.** kostbar, wertvoll; *métal ~eux* Edelmetall; *pierre ~euse* Edelstein; **2.** geziert

précipi|ce [presipįs] *m (a. fig)* Abgrund; Schlucht; *courir au ~ce* s. ins Unglück stürzen; **~tamment** [-pitamã] Hals über Kopf; **~tation** [-pitasjǫ̃] ƒ Überstürzung, Übereilung; *pl meteo* Niederschläge; **~té** [-pitę] *m chem* Niederschlag; **~ter** [-pitę] (hinab)stürzen; beschleunigen; übereilen; *chem* fällen, s. niederschlagen; *se ~ter* s. stürzen *(sur* auf); *(Ereignisse)* s. überstürzen

précis [presį] *108, 131* genau; präzis; deutlich; knapp; *m (Buch)* Abriß; **~er** [-sizę] genau angeben, bestimmen; **~ion** [-sizjǫ̃] ƒ Genauigkeit; Präzision; Deutlichkeit; *pl* genaue Angaben; Erläuterungen; *mécanique de ~ion* Feinmechanik

précité [presitę] oben angeführt

précoc|e [prekǫs] frühreif, -zeitig; **~ité** [-kositę] ƒ Frühreife; Vorzeitigkeit

préconçu [prekǫ̃sy]: *opinion ~e* vorgefaßte Meinung

préconiser [prekonizę] befürworten, empfehlen, (eindringlich) vorschlagen; propagieren; eintreten *(qch* für etw.)

précontraint [prekǫ̃trę̃] *108* vorgespannt; *béton ~* Spannbeton

précurseur [prekyrsœ:r] (nur bei *m:*) *signe ~* Vorzeichen; *m* Vorläufer

prédateur [predatœ:r] *m zool* Raubtier; *bot* Parasit, Schmarotzer; *(Anthropologie)* Sammler u. Jäger

prédécesseur [predesɛsœ:r] *m* Vorgänger; *pl* Vorgänger, Ahnen

prédestin|ation [predɛstinasjǫ̃] ƒ Vorherbestimmung; **~er** [-nę] vorherbestimmen *(à* für, zu)

prédica|teur [predikatœ:r] *m* Prediger; Kanzelredner; **~tion** [-kasjǫ̃] ƒ Predigt

prédiction [prediksjǫ̃] ƒ Vorhersage; Voraussage

prédilection [predilɛksjǫ̃] ƒ Vorliebe *(pour* für); *plat de ~* Lieblings-, Leibgericht

prédire [predį:r] *78* vorhersagen

prédispos|er [predispozę] 💲 empfänglich machen *(à* für); **~ition** [-zisjǫ̃] ƒ Anlage; 💲 Empfänglichkeit; Neigung

prédomin|ance [predɔminãs] f Vorherrschen, Vorherrschaft; Übergewicht; ~er [-nɛ] vorherrschen; überwiegen

prééminen|ce [preeminãs] f Vorrang; ~t [-nã] 108 hervorragend

préemption [preãpsjɔ̃] f: droit de ~ Vorkaufsrecht

préfabriqué [prefabrikɛ] Fertig...; vorgefertigt; fig abgesprochen, vorgetäuscht; umg frisiert, gemauschelt; m Fertigbauteil; maison ~e Fertighaus

préface [prefɑs] f Vorwort, Geleitwort; Einleitung

préfecture [prefɛkty:r] f Präfektur(-gebäude, -stadt); Amtsdauer e-s Präfekten

préfér|able [preferabl] vorzuziehen; ~ence [-rãs] f Vorzug; Vorliebe; de ~ence vorzugsweise; ~entiel [-rãsjɛl] 115 bevorzugt; com Vorzugs...; ~er [-rɛ] 13 vorziehen, bevorzugen; je préfère m'en aller lieber gehe ich weg

préfet [prefɛ] m Präfekt; ~ de police Polizeipräfekt; ~ de région Regionalpräfekt

préfixe [prefiks] m Vorsilbe; ⚙ Ortsnetzkennzahl, Vorwählnummer

préhens|ile [preãsil] f organe ~ (zool) Greiforgan; ~ion [-ãsjõ] f Greifen n; ⚙ Beschlagnahme

préhistoire [preistwa:r] f Vorgeschichte

préjudic|e [preʒydis] m Nachteil; Schaden; porter ~e à qn j-n schädigen; au ~e de qn beeinträchtigend; sans ~e de... unbeschadet...; ~iable [-disjabl] nachteilig (à für); ~iel [-disjɛl] 115: question ~ielle Vorfrage

préjug|é [preʒyʒe] m Vorurteil; sans ~és vorurteilslos; ~er [-ʒe] 14 im voraus entscheiden; vermuten

prélart [prela:r] m (Wagen-)Plane; ⚓ Persenning

prél|asser [prelase]: se ~asser es s. bequem machen; ~at [-la] m Prälat

prèle [prɛl] f Schachtelhalm

prél|èvement [prelɛvmã] m Entnahme; (Geld) Abhebung; Umlage; (Gehalt) Abzug (sur von); § Abstrich; ~ever [prelve] 8 wegnehmen, entnehmen; abheben

préliminaire [preliminɛ:r] 1. einleitend; discours~ Vorrede; clauses ~s Eingangsbestimmungen; 2. mpl Vorverhandlungen

prélud|e [prelyd] m ♪ Vorspiel; fig Vorbote; ~er [-lydɛ] präludieren; fig anfangen; ein Vorspiel sein (à zu)

prématuré [prematyre] früh(reif); frühzeitig; voreilig; naissance ~e Frühgeburt

prémédit|ation [premeditasjɔ̃] f Vorbedacht; Vorsatz; Absicht; ~é [-te] wohlüberlegt; a. ⚙ vorsätzlich

prémices [premis] fpl (bes lit) Erstlingsfrüchte; Beginn, Anfänge

prem|ier [prəmje] 1. 116 erster; vornehmster, höchster, wichtigster; en ~ier lieu an erster Stelle, vor allem; matière ~ière Rohstoff; nombre ~ier Primzahl; ~ier ministre Premierminister; ~ier plan Vordergrund; ~iers secours, = ~iers soins Erste Hilfe; le ~ier venu d. erste

beste; 2. m d. Erste (a. Monatstag); erster Stock; jeune ~ier ⚥ erster Liebhaber; ~ière [-mjɛ:r] f ⚥ erste Klasse; päd Prima; ⚥ Premiere, Uraufführung; Direktrice; ~ièrement [-mjɛrmã] erstens; ~ier-né [-mjene] erstgeboren; m 97 Erstgeborener

prémisse [premis] f Prämisse, Vordersatz; Voraussetzung (e-r Beweisführung)

prémonition [premɔnisjɔ̃] f Vorahnung

prémunir [premyni:r] 22 sichern, wappnen (contre gegen)

prenant [prənã] 108 haftend; packend; queue ~e (zool) Greifschwanz

prendre [prãdr] 79 1. vt nehmen; ergreifen; wegnehmen, stehlen; abholen; (Speise, Getränk) zu sich nehmen; (Kleidung) anlegen; (Weg) einschlagen; (Erkundigungen) einziehen; umg kriegen; ~ pour halten für; ~ sur soi auf s. nehmen; à le bien ~ bei genauem Hinsehen; ~ acte zur Kenntnis nehmen; ~ de l'âge altern; ~ l'air Luft schnappen; ✈ aufsteigen; ~ qch en mal s. über etw. ärgern; ~ en charge übernehmen; ~ conscience de s. bewußt werden; ~ en considération in Betracht ziehen; ~ corps feste Gestalt annehmen, sich abzeichnen; ~ les devants zuvorkommen; ~ à droite nach rechts abbiegen; ~ sa droite s. rechts halten; ~ l'eau undicht sein; ~ qn sur le fait j-n auf frischer Tat ertappen; ~ feu Feuer fangen; ~ fin zu Ende gehen; ~ l'initiative den ersten Schritt tun; ~ qch en main etw. in d. Hand nehmen; ~ la mer s. einschiffen; ~ des mesures Maßnahmen ergreifen; ~ part teilnehmen (à an); ~ pied Fuß fassen; ~ qn en pitié j-n bemitleiden; ~ du plaisir Vergnügen finden (à an); ~ position Stellung nehmen; ~ le pouvoir die Macht ergreifen; ~ la relève an die Stelle treten, ablösen; ~ du repos s. ausruhen ♦ c'est à ~ ou à laisser entweder oder; est bien pris qui croyait ~ wer andern e-e Grube gräbt, fällt selbst hinein; 2. vi Wurzeln schlagen; (Feuer) angehen; zufrieren; (Milch) dick werden; fig (Buch usw.) Erfolg haben; 3. se ~ hängenbleiben (à qch an etw.); zufrieren; (Himmel) s. beziehen; se ~ à faire qch anfangen, beginnen, etw. zu tun; s'en ~ à qn de qch j-n für etw. verantwortlich machen; s'y ~ mal s. ungeschickt anstellen; se ~ aux cheveux s. in d. Haare geraten

preneur [prənœ:r] m (Wohnung) Mieter; Pächter; Abnehmer, Käufer; Wechselnehmer; ~ d'assurance Versicherungsnehmer; ~ de licence Lizenzerwerber

prénom [prenɔ̃] m Vorname; ~ usuel Rufname; ~mé [-nɔme] vorbenannt, besagt

prénuptial [prenypsjal] 124 vorehelich

préoccup|ant [preɔkypã] 108 beunruhigend; ~ation [-pasjõ] f Besorgnis; Sorge; Bedenken; ~er [-pe] d. Gedanken beanspruchen; beunruhigen; se ~er de s. sorgen um

prépar|ateur [preparatœ:r] m Laborant; ~atifs [-ratif] mpl Vorbereitungen, Vorkehrungen; ~ation [-rasjõ] f Vorbereitung; ⚙ Aufbereitung; (Küche) Zubereitung; biol, § Präparat; chem

Darstellung; ~ation militaire vormilit. Ausbildung; ~atoire [-ratwaːr] vorbereitend; ~er [-rę] vorbereiten (à auf); (Küche) Zubereiten; biol. ⚶ präparieren; chem her-, darstellen; ~er les voies (fig) d. Weg ebnen; se ~er s. vorbereiten (àauf); (Ereignisse) im Anzug sein

prépondér|ance [prepɔ̃derɑ̃s] f fig Übergewicht, Vormachtstellung; ~ant [-rɑ̃] 108 vorherrschend, überwiegend; ausschlaggebend

prépos|é [prepozę] m Aufseher; Vorsteher; Verwalter; Leiter; Hilfsperson; ⚶ Erfüllungsgehilfe; ~er [-zę] betrauen (à mit); ~ition [-zisjɔ̃] f Verhältniswort, Präposition

préretraite [preɾətrɛt] f Frührente; mettre en ~ vorzeitig pensionieren

prérogative [preɾɔgativ] f Vorrecht, Recht, Befugnis; Zuständigkeit

près [prɛ] 1. adv nahe, in d. Nähe; de ~ aus d. Nähe, genau, scharf; à peu ~ beinahe, fast, ungefähr; à beaucoup ~ bei weitem nicht; à cela ~ davon abgesehen; ne pas y regarder de si ~ es nicht so genau nehmen; serrer qn de ~ j-m hart zusetzen; toucher de ~ am Herzen liegen; 2. präp: ~ de an, bei, in d. Nähe von; beinahe; être ~ de im Begriff sein, zu…

présag|e [prezaːʒ] m Vorzeichen; Omen; Ahnung; ~er [-zaʒe] 14 ahnen; verkünden, deuten auf

presbyt|e [prɛsbjt] weitsichtig; ~ère [-bitɛːr] m Pfarrhaus; ~ie [-bisi] f Weitsichtigkeit

prescience [presjɑ̃s] f Vorherwissen

prescri|ption [prɛskripsjɔ̃] f Vorschrift; ⚶ Rezept; ⚶ Verjährung; ~ption acquisitive ⚶ Ersitzung; ~re [-kɾiːr] 67 vorschreiben; ⚶ verschreiben; ⚶ verjähren lassen; se ~re par verjähren nach

préséance [preseɑ̃s] f Vorrang; Vortritt

présen|ce [prezɑ̃s] f Gegenwart, Anwesenheit; avoir de la ~ce ♥ gut ankommen; gute Aufnahme finden; en ~ce de in Gegenwart…; angesichts…; ~ce d'esprit Geistesgegenwart; feuille de ~ce Anwesenheitsliste; jetons de ~ce Tagegeld; ~t [-zɑ̃] 1. 108 anwesend, gegenwärtig; vorliegend; ~t! hier!; à ~t jetzt; 2. m Gegenwart, Präsens; pl Anwesende. 3. m Geschenk; ~tateur [-zɑ̃tatœːr] m Conférencier; ~tation [-zɑ̃tasjɔ̃] f Überreichung; Einreichung; Darbietung; Vorstellung; Vorführung; Aufmachung, Ausstattung; (Personen) äußere Erscheinung u. Auftreten; (Wechsel) Vorlage, Zahlbarstellung; ~tation de modèles Modenschau; ~tement [-zɑ̃tmɑ̃] jetzt; ~ter [-zɑ̃tę] überreichen, anbieten; vorstellen, bekanntmachen; vorzeigen; darlegen, darstellen, darbieten; (Wechsel) präsentieren; se ~ter s. zeigen, erscheinen; auftreten; vorkommen; s. melden, s. bewerben; ~toir [-twaːr] m Verkaufsständer; ~toir frigorifique (Schau-)Kühltheke

présérie [preseɾi] f Nullserie, Vorserie

préserv|atif [prezervatif] m Schutz(-mittel); ~er [-vę] schützen, behüten, bewahren (de vor)

présid|ence [prezidɑ̃s] f Vorsitz; Präsidentschaft; Präsidium; assurer la ~ence d. Vorsitz führen; ~ent [-dɑ̃] m Vorsitzender, Präsident;

Verhandlungsleiter; ~ent directeur général (P.D.G.) (Aktiengesellschaft) Vorsitzender des Vorstandes, Generaldirektor; ~entiel [-dɑ̃sjɛl] 115 Präsidenten…; ~entielles [-dɑ̃sjɛl] fpl Präsidentschaftswahlen; ~er [-dę] d. Vorsitz führen (à über, bei), präsidieren; leiten (à qch etw.)

présompt|if [prezɔ̃ptif] 112 mutmaßlich; voraussichtlich; ~ion [-sjɔ̃] f Mutmaßung, Vermutung; Dünkel; ~ion de fait Tatsachenvermutung; ~ueux [-tuø] 111 anmaßend, dünkelhaft

presque [prɛsk] fast, beinahe

presqu'île [prɛskiːl] f Halbinsel

press|ant [presɑ̃] 108 dringend, eilig; eindringlich, heftig; ~e [prɛs] f Presse; fig Menge, Gedränge; sous ~e im Druck; ~e écrite Zeitungen u. Zeitschriften; ~e parlée Rundfunk- u. Fernsehnachrichten; ~e à imprimer Druckerpresse; ~e quotidienne Tagespr.; avoir bonne ~e e-e gute Pr. haben; ~é [-sę] ausgepreßt; eilig, dringend; bedrängt; ~e-bouton [prɛsbutɔ̃] adj 100 vollautomatisiert; ~e-citron [-sitrɔ̃] m 100 Zitronenpresse; ~e-étoupe [-setup] m 100 ✿ Stopfbuchse

pressent|iment [presɑ̃timɑ̃] m Vorahnung; ~ir [-tiːr] 29 (voraus)ahnen; vorfühlen (qn bei j-m); ausforschen, -horchen

presse|-papiers [prɛspapję] m 100 Briefbeschwerer; ~-purée [-pyrę] m 100 Passiermaschine

press|er [presę] (aus)pressen; (Zeit) drängen; bedrängen, bestürmen; antreiben; ~er le pas schneller gehen; se ~er s. beeilen; s. drängen; ~ing [presiŋ] m Heißmangel; ~ion [-sjɔ̃] f (a. ✿) Druck; Einflußnahme; Zwang; (Kleidung) Druckknopf; groupe de ~ion Interessengruppe; ~ion artérielle Blutdr.; ~ion atmosphérique Luftdr.; faire ~ion sur qn j-n unter Dr. setzen; ~oir [-swaːr] m Kelter; Ölpresse; Obst-, Zitronenpresse; ~uration [-syrasjɔ̃] f Luftdruckregelung; ~urer [-syrę] auspressen; keltern; fig aussaugen; ~urisé [-syrizę] cabine ~urisée ✈ Druckkabine

prest|ance [prɛstɑ̃s] f Stattlichkeit; ~ataire [-tatɛːr] m Leistender; Leistungspflichtiger, Dienstleistungserbringer; ~ation [-tasjɔ̃] f com Leistung; Lieferung; ~ation alimentaire Unterhaltsleistung; ~ation en espèces Geldl.; ~ation en nature Naturallieferung, Sachleistung; ~ation de service Dienstleistung; ~ations sociales Sozialleistungen

prest|e [prɛst] behend; flink; ~esse [-tɛs] f Behendigkeit, Gewandtheit; ~idigitateur [-tidiʒitatœːr] m Zauberkünstler; Taschenspieler

prestig|e [prɛstiːʒ] m Prestige, Ansehen; Zauber, Reiz; Einfluß; ~ieux [-tiʒjø] 111 zauberhaft, wundervoll; berühmt, bekannt

présumer [prezymę] vermuten, mutmaßen; ~ de qch etw. überschätzen

présure [prezyːr] f Kälberlab

prêt [prɛ] m Darlehen, Kredit; Leihe, Leihgabe; mil Wehrsold; à titre de ~ leihweise; ~ gratuit unverzinsliches D.; maison de ~ Pfandhaus; service de ~ (Bibliothek) Leihstelle;

~ *à la consommation* Konsumkredit; ~ *à la construction* Baudarlehen; ~ *sur nantissement* Lombardgeschäft

prêt[2] [prɛ] *108* bereit (*à* zu); fertig; ~ *à fonctionner* betriebsfertig; ~ *à porter m* Konfektionsware; ~ *à l'usage* gebrauchsfertig

prétend|ant [pretɑ̃dɑ̃] *m* Bewerber; Freier; *pol* Prätendent; ~re [-tɑ̃dr] *76* behaupten; fordern; Anspruch erheben (*à* auf); s. bewerben (*à* um); ~u [-dy] angeblich; sogenannt; *m umg (Bräutigam)* Zukünftiger

prête-nom [prɛtnɔ̃] *m 99* Strohmann

prétentaine [pretɑ̃tɛn] *f: courir la* ~ herumvagabundieren

prétent|ieux [pretɑ̃sjø] *111* anmaßend; eingebildet; eitel; ~ion [-sjɔ̃] *f* Anspruch; Behauptung; Eingebildetheit; Anmaßung; ~ions *territoriales* Gebietsforderungen

prêt|er [prete] 1. *vt* (aus-, ver-)leihen; zuschreiben; *(Namen)* hergeben; ~*er son aide*, ~*er son concours* helfen, Hilfe leisten; ~*er le flanc* s. e-e Blöße geben; ~*er la main* behilflich sein; ~*er l'oreille à qn* j-n anhören; ~*er serment* Eid leisten; 2. *vi (Stoff)* s. dehnen, s. verziehen; Anlaß geben (*à* zu); 3. *se* ~*er à (Dinge)* s. eignen für; *(Person)* s. hergeben zu ♦ *c'est un* ~*é pour un rendu* Wurst wider Wurst; ~eur [-tœːr] *m* Darlehensgeber; Verleiher; ~*eur sur gages* Pfandleiher

prétext|e [pretɛkst] *m* Vorwand; ~er [-tɛkste] vorschützen, z. Vorwand nehmen

prétoire [pretwaːr] *m* Gerichtssaal

prêtr|e [prɛtr] *m* Priester, Geistlicher; ~esse [prɛtrɛs] *f* Priesterin; ~e-ouvrier [pretruvrie] *m 97* Arbeiterpriester; ~ise [prɛtriːz] *f* Priesterstand, -weihe

preuve [prœːv] *f* Beweis(stück); Nachweis; Beleg; Unterlage; *math* Probe; *administrer la* ~ den Beweis führen; *faire* ~ *de qch* etw. beweisen, bezeigen; *faire ses* ~s sich bewähren; *acquittement faute de* ~s Freispruch aus Mangel an Beweisen

preux [prø] *m* Held, Recke

prévaloir [prevalwaːr] *48* vorwiegen; überwiegen, die Oberhand behalten; s. durchsetzen; *se* ~ *de qch* s. etw. zunutze machen; s. auf etw. berufen

prévaricat|eur [prevarikatœːr] *122* pflichtvergessen; *m* unredlicher Beamter; ~ion [-sjɔ̃] *f* Pflichtverletzung, Untreue im Amt

préven|ance [prevnɑ̃s] *f* Zuvorkommenheit; ~ant [-nɑ̃] *108* zuvorkommend; einnehmend; ~ir [-niːr] *30:* ~*ir qn* j-m zuvorkommen; j-n warnen (*de* vor); ~*ir qch* e-r Sache vorbeugen; ~*ir les désirs de qn* j-s Wunsch v. d. Augen ablesen; ~tif [-vɑ̃tif] *112* vorbeugend; *détention~tive* ☠ Sicherungsverwahrung, Vorbeugehaft; ~tion [-vɑ̃sjɔ̃] *f* Voreingenommenheit; Befangenheit; ☠ Untersuchungshaft; Verhütung(smaßnahmen); *sans* ~*tion* vorurteilsfrei; ~*tion routière* Verkehrsunfallverhütung; ~u [-ny] voreingenommen (*en faveur de* für); *m* ☠ Beschuldigter

prévis|ible [previzibl] voraussehbar; vorherzu-

sehen; ~ion [-zjɔ̃] *f* Voraussicht; Vermutung; Perspektive; Ziel, Vorhaben, Vorausberechn.; ~*ions météorologiques* Wettervorhersage; ~ionnel [-zjɔnɛl] *adj* vorplanend; *budget* ~*ionnel* Haushaltsvoranschl., Haushaltsansatz

prévoir [prevwaːr] *43* vorher-, voraussehen; Vorbereitungen treffen; vorhaben, ins Auge fassen; *tout a été prévu* man hat an alles gedacht

prévôté [prevote] *f* Feldgendarmerie

prévoyan|ce [prevwajɑ̃s] *f* Vorsorge, Fürsorge; ~*ce sociale* soziale Fürsorge; Wohlfahrt; *fonds de* ~*ce* Versorgungskasse; ~t [-jɑ̃] *108* vorsorglich

prie-Dieu [pridjø] *m 100* Betstuhl, -schemel

pri|er [prie] bitten, ersuchen; beten; *se faire* ~ s. bitten lassen; ~*er à* einladen zu; *je vous en* ~*e* bitte; ~ère [-ɛːr] *f* Bitte; Gebet; ~*e vespérale* Abendgebet; *livre de* ~*ères* Gebetbuch; *faire ses* ~*ères* beten; ~*ère de ne pas fumer* Rauchen verboten!; ~eur [-œːr] *m* Prior

prim|aire [primɛːr] Anfangs..., Primär...; Ur...; *circuit* ~*aire* ⚡ Primärstrom; *délinquant*~*aire* ☠ nicht vorbestrafter Delinquent; *école* ~*aire* Volksschule; *instituteur* ~*aire* Volksschullehrer; *secteur* ~*aire com* Urproduktion, Landwirtschaft u. Bergbau; ~ates [-mat] *mpl zool* Primaten, Herrentiere; ~auté [-mote] *f* Vorrang

prime[1] [prim]: *A* ~ *(A')* A Strich (A'); *de* ~ *abord* zuallererst

prime[2] [prim] *f* Prämie; Gratifikation; Aufgeld; ~ *d'ancienneté* Dienstalterszulage; ~ *d'assurance* Versicherungspr.; ~ *à la construction* Baupr.; ~ *au rendement* Leistungspr.; ~ *de vie chère* Teuerungszulage

primé [prime] preisgekrönt

primer[1] [prime] an d. Spitze stehen; übertreffen

primer[2] [prime] prämieren

primerose [primroːz] *f* Gartenmalve

primesautier [primsotje] *116* impulsiv, d. ersten Eingebung folgend

prim|eur [primœːr] *f* erste Blüte, erste Reife; *pl* Frühobst, -gemüse; Treibhausgemüse; *avoir la* ~*eur de qch* zuerst von etw. Kenntnis erhalten; ~evère [-vɛːr] *m* Schlüsselblume, Primel; ~itif [-mitif] *112* 1. primitiv; ursprünglich; anfänglich; *couleurs* ~*itives* Spektralfarben; *état* ~*itif* Urzustand; *monde* ~*itif* Urwelt; 2. *mpl (Völker)* Primitive; ~o [-mo] *adv* erstens; ~ordial [-mɔrdjal] *124* uranfänglich, urtümlich; wesentlich

princ|e [prɛ̃s] *m* Prinz; Fürst; ~*e consort* Prinzgemahl; ~*e de l'Église* Kirchenfürst ♦ *être bon* ~ gutmütig sein; ~esse [prɛ̃sɛs] *f* Fürstin; Prinzessin ♦ *aux frais de la* ~*esse* auf Staatskosten; auf Kosten d. Firma; ~ier [prɛ̃sje] *116* fürstlich; ~ipal [prɛ̃sipal] *124* hauptsächlich; Haupt...; *m* Hauptsache; Direktor e-r Oberschule; ~ipauté [prɛ̃sipote] *f* Fürstentum; ~ipe [prɛ̃sip] *m* Prinzip, Grundsatz; Ursprung; Anfang; Naturgesetz; *pl* Anfangsgründe; Grundsätze, Lebensregeln; *de* ~*ipe* grundsätzlich; *en* ~*ipe* prinzipiell; *dès le* ~*ipe* von Anfang an

prin|tanier [prɛ̃tanjẹ] *116* Frühlings..., Frühjahrs...; **~temps** [-tɑ̃] *m* Frühjahr, Frühling; Lenz; *au* ~*temps* im F.

priorit|aire [priɔritɛːr] bevorrechtigt; vorrangig; *voie* ~*aire* Vorfahrtstraße; **~é** [-tẹ] *f* Priorität; Vorrang; Dringlichkeit; Vorzug; Vorfahrt(srecht); *route à* ~*é* Vorfahrtstraße; *par* ~*é* vorzugsweise

prise [priːz] *f* Nehmen; Einnahme; Greifen; Gefangennahme; *(Tabak)* Prise; Fang; Griff, Halt; *fig* Eindruck; Gewalt; ~ *en charge* (Kosten-)Übernahme; ~ *de conscience* Bewußtwerdung; ~ *en considération* Berücksichtigung; ~ *de corps* Verhaftung; ~ *de courant* ⚡ Steckdose, -kontakt; ~ *directe* 🚗 direkter Gang; ~ *d'eau* Hydrant, Zapfstelle; ~ *de position* Stellungnahme; ~ *de possession* Besitzergreifung; ~ *du pouvoir* Machtergreifung; ~ *de sang* 💲 Blutprobe; ~ *de son, de vues* Ton-, Filmaufnahme; ~ *de terre* ⚡ Erdung; *avoir* ~ *sur qn* j-n in d. Hand haben; *donner* ~ *à* Anlaß geben zu; *être en* ~ *directe avec qch* in unmittelbarem Kontakt stehen zu; *être aux* ~*s avec* kämpfen, ringen mit; *lâcher* ~ loslassen; *fig* nachgeben

priser[1] [prizẹ] *(Tabak)* schnupfen

priser[2] [prizẹ] Wert beimessen *(qch e-r Sache)*

prisme [prism] *m* Prisma; Prismenglas

prison [prizɔ̃] *f* Gefängnis; Haft ♦ *aimable comme une porte de* ~ mürrisch, verdrießlich; **~nier** [-zɔnjẹ] *m* Gefangener; Häftling; ~*nier de guerre* Kriegsgefangener

privation [privasjɔ̃] *f* Entziehung, Entzug; Verlust; Entbehrung, Mangel; ~ *des droits civils* Verlust d. bürgerl. Ehrenrechte; ~ *de liberté* Freiheitsentzug; Freiheitsberaubung

priv|atisation [privatizasjɔ̃] *f* Überführung in Privatvermögen; **~auté** [privotẹ] *f* plumpe Vertraulichkeit; *se permettre des* ~*autés* s. Freiheiten herausnehmen; **~é** [-vẹ] privat; Privat...; *m* Privatleben

priver [privẹ] berauben *(de qch e-r Sache)*; entziehen *(qn de qch* j-m etw.); *se* ~ *de qch* s. etw. versagen

privil|ège [privilɛːʒ] *m* Privileg; Vorrecht; Vergünstigung; Befugnis; **~ilégié** [-leʒjẹ] bevorzugt; bevorrechtigt; begünstigt; *action* ~*égiée* Vorzugsaktie; *créancier* ~*égié* Erstgläubiger; **~égier** [-leʒjẹ] bevorzugen; ein Vorrecht einräumen

prix [pri] *m 105* Preis; Auszeichnung; Wert; Kosten; Lohn; *au* ~ *de* gegen, im Vergleich zu; *auf Kosten von; de* ~ von großem Wert; *à aucun* ~ um k-n Pr.; *à tout* ~ um jeden Pr.; *hors de* ~ unerschwinglich; ~ *d'achat* Beschaffungspreis, Kaufpr.; ~ *à la consommation* (End-)Verbraucherpr.; ~ *au comptant* Barpr.; ~ *courant* Pr.liste; Marktpr.; ~ *fixe* Festpr.; ~ *forfaitaire* Pauschalpreis; ~ *fort* Bruttopr.; ~ *garanti* Mindestpr.; ~ *de gros* Großhandelspr.; ~ *imposé* vorgeschriebener Pr.; ~ *indicatif* empfohlener Richtpr.; ~ *de lancement* Einführungspr.; ~ *pilote* Richtpr.; ~ *rendu* Einstandspr.; ~ *de revient* Selbstko-

stenpr.; ~ *taxé* (staatl.) festgesetzter Pr.; ~ *de transport* Fracht; ~ *unique* Einheitspr.; ~ *unitaire* Stückpr.; *(Transport)* Grundpreis, Frachtsatz; *attacher grand* ~ *à qch* auf etw. großen Wert legen; *ce n'est pas dans mes* ~ d. kann ich mir nicht leisten

prob|abilité [prɔbabilitẹ] *f (a. math)* Wahrscheinlichkeit; **~able** [-babl] wahrscheinlich, vermutlich; **~ant** [-bɑ̃] *108* beweiskräftig, überzeugend; *raison* ~*ante* Beweisgrund

prob|e [prɔb] redlich, rechtschaffen; **~ité** [prɔbitẹ] *f* Redlichkeit; Rechtschaffenheit

probl|ématique [prɔblematik] problematisch, fragwürdig, zweifelhaft; verdächtig; *f* Problematik, Schwierigkeit; **~ème** [-blɛm] *m* Problem; Frage; Rätsel; *psych* Schwierigkeiten; *math* Aufgabe

procéd|é [prɔsedẹ] *m* Vorgehen; (Herstellungs-, Fertigungs-)Verfahren; Methode; *pl* Benehmen, Verhaltensweise; **~er** [-dẹ] *13* vorgehen, verfahren; schreiten *(à zu)*; s. entwickeln; herrühren, kommen *(de von)*; **~ure** [-dyːr] *f* (Gerichts-)Verfahren, Rechtsgang; Prozeßakten; ⚙ Prozedur, Verfahrensweise, Vorgang; **~urier** [-dyrjẹ] *116* prozeßkundig; prozeßsüchtig

procès [prɔsɛ] *m* 🔧 Prozeß; *intenter un* ~ e-n P. anstrengen, anhängig machen *(contre gegen)*; *sans autre forme de* ~ kurzerhand

process|ion [prɔsesjɔ̃] *f rel* Prozession; Aufzug *(v. Menschen)*; **~us** [-sesys] *m (chem,* ⚙, 💲*)* Vorgang, Prozeß; ~*us d'écriture EDV* Schreibvorgang; ~*us nucléaire* Kernprozeß; ~*us de production* Produktionsablauf; ~*us d'usinage* Bearbeitungsvorgang

procès-verbal [prɔsɛvɛrbal] *m 90* Protokoll; Strafmandat; (gebührenpflichtige) Verwarnung

proch|ain [prɔʃɛ̃] 1. *109* nächste, kommende; *l'année* ~*aine* im nächsten Jahr; 2. *m* Nächste; **~e** [prɔʃ] 1. nahe bei; *dans la* ~ *banlieue (Stadt)* in d. unmittelbaren Umgebung; ~*e parent* naher Verwandter; 2. *mpl* Angehörige; **∟e-Orient** [prɔʃɔrjã] *le* **∟e-Orient** Nahost

proclam|ation [prɔklamasjɔ̃] *f* Verkündigung, Bekanntmachung; Aufruf; **~er** [-mẹ] verkünden; bekanntgeben

procré|ation [prɔkreasjɔ̃] *f* Zeugung; **~er** [-kreẹ] zeugen

procur|ation [prɔkyrasjɔ̃] *f* (notarielle) Vollmacht; **~er** [-rẹ] besorgen; be-, verschaffen; verhelfen *(qch zu etw.); fig* schaffen, bereiten; **~eur** [-rœːr] *m* Bevollmächtigter; ~*eur général* Generalstaatsanwalt; ~*eur de la République* (Ober-)Staatsanwalt

prodigalité [prɔdigalitẹ] *f* Verschwendung (ssucht); übermäßige Ausgaben

prodig|e [prɔdiːʒ] *enfant* ~*e* Wunderkind; *m* Wunder; Ausbund; **~ieux** [-diʒø] *111* außerordentlich, erstaunlich; gewaltig

prodigu|e [prɔdig] 1. verschwenderisch; *enfant* ~*e* verlorener Sohn; 2. *m* Verschwender; **~er** [-gẹ] 6 freigebig austeilen; verschwenden; *se* ~*er* s. nicht schonen

product|eur [prɔdyktœːr] *m* Erzeuger; Produzent, Hersteller; **~if** [-tif] *112* gewinnbringend;

ertragreich; einträglich; leistungsfähig; fruchtbar; ~*if d'intérêts* zinstragend; ~**ion** [-sjɔ̃] *f*
Erzeugung; Produktion; Herstellung; Gewinnung; Ertrag; ~*ion en série* Serienherstellung;
~*ion de pièces* ⚒ Beibringung von Beweisstük-
ken; ~**ivité** [-tivitę] *f* Ertrag-, Leistungsfähigkeit,
Produktivität
produ|ire [prɔdɥiːr] *80* erzeugen; produzieren,
herstellen; hervorbringen; ⬇ tragen; ⚒ *(Beweise)*
beibringen; *(Ausweis)* vorzeigen; ~*ire des
témoins* Zeugen stellen; *se* ~*ire (Ereignis)*
vorkommen; *se* ~*ire en public* öffentl. auftreten;
~**it** [-dɥi] *m* Erzeugnis; *(a. math)* Produkt;
Fabrikat; Ertrag; ~*it agricole* landwirtsch.
Erzeugnis; ~*it brut* Rohprodukt; ~*it fini*
Fertigfabrikat, Endprodukt; ~*it des impôts*
Steueraufkommen; ~*it national* Sozialprodukt;
~*it net* Reingewinn; ~*it semi-fini* Halbfertigfa-
brikat, Halberzeugnis; ~*it surgelé* Tiefkühlkost,
~*it vectoriel* Vektorprodukt
proéminen|ce [prɔeminɑ̃s] *f* Vorsprung; An-
höhe; ~**t** [-nɑ̃] *108* vorspringend
profan|ation [prɔfanasjɔ̃] *f* Entweihung; Schän-
dung; ~**e** [-fɑ̃n] weltlich; *m* Nichtfachmann,
Laie; ~**er** [-nę] entweihen; schänden
proférer [prɔferę] *13* aussprechen; ~ *des injures*
Beleidigungen ausstoßen
profess|er [prɔfɛsę] bekennen *(qch s. zu etw.)*;
lehren; ausüben; ~**eur** [-sœːr] *m* Professor;
Lehrer; Lehrmeister; ~*eur de faculté* Univ.-
Prof.; ~*eur titulaire* Ordinarius, Lehrstuhlinha-
ber; ~**ion** [-sjɔ̃] *f* Beruf; ~*ion de foi*
Glaubensbekenntnis; ~*ions libérales* freie Berufe; *de* ~*ion* gewerbsmäßig; *faire* ~*ion de qch s.*
e-n Sport aus etw. machen; ~**ionnel** [-sjɔnęl] **1.**
115 beruflich; gewerbsmäßig; *activités* ~*ionnel-
les* Gewerbe, selbständige Tätigkeit; *école*
~*ionnelle* Berufsschule; **2.** *m* Berufssportler,
Profi; ~**orat** [-sɔrą] *m* Professur, Lehramt
profil [prɔfil] *m* Profil; persönliche Eigenschaften, Charakter; besondere Merkmale; ~
médical Rahmenbestimmungen für Arztkosten;
de ~ von d. Seite; ~**é** [-lę] *m* Profil *n*,
Profileisen; ~**er** [-filę] profilieren; *se* ~*er* sich
abheben
profit [prɔfi] *m* Nutzen; Profit; *petits* ~*s*
Nebenverdienste; *compte de* ~*s et pertes*
Gewinn- u. Verlustrechnung; *au* ~ *de* zugunsten von; *tirer* ~ *de* Nutzen ziehen aus; *mettre à*
~ sich zunutze machen; ~**able** [-fitąbl]
einträglich; ~**ant** [-fitą] *108 umg* günstig;
ausgiebig; ~**er** [-fitę] nützlich sein, nutzen *(à qn*
j-m); *fig* gedeihen; Vorteil ziehen, profitieren
(de aus, von); ~**eur** [-fitœːr] *m* Profitmacher;
~*eur de guerre* Kriegsgewinnler
profond [prɔfɔ̃] *108, 131* tief; tiefgründig;
gründlich; tiefliegend; ~**e** [-fɔ̃d] *f pop* Hosenta-
sche; ~**eur** [-fɔ̃dœːr] *f* Tiefe; Unergründlich-
keit; ⬆ Höhe; ~*eur de champ* ▭ Tiefenschärfe;
poissons des grandes ~*eurs* Tiefseefische
profusion [prɔfyzjɔ̃] *f* Überfluß; Verschwendung; *à* ~ im Überfluß
progéniture [prɔʒenityːr] *f* Nachkommenschaft;
umg Filius; Töchterlein

program|mateur [prɔgramatœːr] *m (Person)*
Programmierer; Programmgeber; ~**mation**
[-masjɔ̃] *f* Programmierung, Programmsteue-
rung; Optimierung; ~**me** [-grąm] *m* Programm;
♟ Spielplan; ~*me d'aide* Förderungsprogr.;
~*me d'essai EDV* Prüfprogr.; ~*me d'études*
Studienplan, Lehrplan; ~*me principal EDV*
Leit-, Hauptprogr.; ~*me uniformisé* vereinheit-
lichter Lehrplan; ~**mé** [-mę] *adj* programmge-
steuert; ~**mer** [-mę] *vt* auf das Programm setzen;
programmieren; ~**meur** [-mœːr] *m* Programmierer
progr|ès [prɔgrɛ] *m* Fortschritt, Entwicklung;
~**esser** [-gresę] fortschreiten, Fortschritte machen, vorwärtskommen; ~**essif** [-gresif] *112*
fortschreitend; zunehmend; ~**ession** [-gresjɔ̃] *f*
Fortschreiten; Fortgang; *mil* Vorrücken; *zool*
Fortbewegung; ~*ession arithmétique (géométri-
que)* arithmetische (geometrische) Reihe; ~**es-
siste** [-gresist] fortschrittlich; fortschrittsgläubig
prohib|er [prɔibę] verbieten; *commerce* ~*é*
Schleichhandel; *temps* ~*é (Jagd)* Schonzeit;
~**itif** [-bitif] *112* verbietend; *droits* ~*itifs*
Prohibitivzoll; *prix* ~*itifs* Wucherpreise; ~**ition**
[-bisjɔ̃] *f* Verbot; Einfuhrsperre; Alkoholverbot
proie [prwa] *f* Beute; *fig* Opfer; *oiseau de* ~
Raubvogel; *être en* ~ *à* gepeinigt werden von
project|eur [prɔʒɛktœːr] *m* Scheinwerfer; Pro-
jektor, Projektionsapparat; 🚗 (Zusatz-)Schein-
werfer; ~**ile** [-til] *m* Geschoß; ~*ile atomique*
Atomsprengkörper; ~*ile éclairant* Leuchtge-
schoß; ~*ile explosif* Explosivg.; ~*ile autopropul-
sé* Flugg.; ~**ion** [-ʒɛksjɔ̃] *f* Schleudern, Werfen;
(Zeichnung) Projektion; Lichtbild; *(Film)* Vorführung; *(Lava)* Auswurf; *(Strahltriebwerk)*
Ausstoß; *conférence avec* ~*ions (lumineuses)*
Lichtbildervortrag
projet [prɔʒɛ] *m* Plan, Projekt; Entwurf; *en* ~
geplant; ~ *de construction* Bauvorhaben; ~ *de
loi* Gesetzesvorlage, Regierungsvorlage; ~
pilote Modellvorhaben; *former un* ~ e-n Plan
fassen; *abandonner un* ~ e-n P. fallenlassen;
~**er** [prɔʒtę] *10 (Schatten)* werfen; projizieren;
planen, projektieren
prolét|aire [prɔletɛːr] proletarisch; *m* Proleta-
rier; ~**ariat** [-tarją] *m* Proletariat; ~**arien** [-tarjɛ̃]
118 proletarisch
proli|férer [prɔliferę] *13 s.* vermehren; ⚡
wuchern; ~**fique** [-fik] fruchtbar; zeugungskräf-
tig; *écrivain* ~*fique (pej)* Vielschreiber
prolix|e [prɔliks] weitschweifig; ~**ité** [-liksitę] *f*
Weitschweifigkeit
prolo [prɔlɔ] *m umg* Prolet
prologue [prɔlɔg] *m* Prolog, Vorspiel
prolong|ation [prɔlɔ̃gasjɔ̃] *f (zeitl.)* Verlänge-
rung; ~*ation du délai* Fristv.; ~**ement** [-lɔ̃gmą]
m (räuml.) Verlängerung; *(Handlung)* Fortsetzung; ~**er** [-ʒę] *14 (zeitl. u. räuml.)* verlängern; ♪
(Ton) aushalten; *se* ~*er s.* hinziehen
promen|ade [prɔmnąd] *f* Spaziergang; Prome-
nade; ~*ade à cheval* Ausritt; ~*ade à bicyclette*
kleine Radtour; ~**er** [-nę] *8* spazierenführen;
umherführen; *(Blick)* (hin)gleiten lassen *(sur*
über); *se* ~*er* spazierengehen; *se* ~*er en voiture*

ausfahren; *envoyer ~er qn* j-n z. Teufel schicken; **~eur** [-nœːr] *m* Spaziergänger; **~oir** [-nwạːr] *m* Wandelgang; **ᵞ** Wandelhalle
promesse [promɛs] *f* Versprechen; *~ formelles festes* V.; *faire une ~* e. V. geben; *tenir sa ~* sein V. halten; *revenir sur ses ~s* s-e Versprechungen nicht einhalten; *manquer à sa ~* sein V. brechen
promett|eur [promɛtœːr] *121* vielversprechend; **~re** [-mₑtr] *72* versprechen, zusichern; Hoffnungen erwecken; *fig* ankündigen; *la Terre promise* d. Gelobte Land; *se ~re de* s. fest vornehmen, zu ♦ *~re monts et merveilles* goldene Berge versprechen
promiscuité [promiskụité] *f* Promiskuität; *fig* beengte Wohnverhältnisse; Zus.leben auf engem Raum
promontoire [promõtwạːr] *m* Felsvorsprung, Kap
promot|eur [promotœːr] *m* Urheber, Initiator; Förderer; Triebkraft; Vorkämpfer; *(Wohnungen)* Bauherr; **~ion** [-mosjõ] *f* Beförderung *(im Rang);* Aufstieg, Förderung; Jahrgang *(e-r Schule);* ~ *immobilière* Wohnungsverkauf über Treuhänder (nach dem Bauherrenmodell); ~ *sociale* soziale Aufstiegsförderung; *~ion des ventes* Verkaufsförderung
promouvoir [promuvwạːr] *38 (im Rang)* befördern; *fig* durchführen; fördern
prompt [prõ] *108* schnell, rasch; lebhaft; *fig* aufbrausend, hitzig; *avoir l'esprit ~* von schneller Auffassungsgabe sein; *homme à l'humeur ~e* aufbrausender Charakter; *avoir la main ~e* e. lockeres Handgelenk haben; **~itude** [-tityd] *f* Schnelligkeit; Lebhaftigkeit; aufbrausendes Wesen
promulg|ation [promylgasjõ] *f* Verkündung; Erlaß; Veröffentlichung; **~uer** [-gе] *6 (Gesetz)* verkündigen
prôn|e [proːn] *m* Sonntagspredigt; *umg* Strafpredigt; **~er** [prone] anpreisen, übermäßig loben
pronom [pronõ] *m ling* Pronomen, Fürwort
prononc|é [pronõse] ausgeprägt; *m:* ~é *du jugement* Urteilsspruch, -verkündung; **~er** [-se] *15* aussprechen; *(Rede)* halten; *(Urteil)* fällen, verkünden; *se ~er sur* s. äußern über; **~iation** [-sjasjõ] *f* Aussprache; *défaut (od. vice) de ~iation* Sprachfehler
pronost|ic [pronostịk] *m* Vorhersage; **§** Prognose; *émettre un ~ic* **§** e-e Prognose stellen; **~iquer** [-tikе] *6* voraus-, vorhersagen
propagand|e [propagãd] *f* Propaganda, Werbetätigkeit, Reklame; **~iste** [-gãdịst] *m* Propagandist, Agitator
propag|ation [propagasjõ] *f* Fortpflanzung; Ausbreitung; *fig* Verbreitung; **~er** [-ʒе] *14* fortpflanzen; *fig* verbreiten; *se ~er (phys, biol)* s. fortpfl., s. vermehren
propension [propãsjõ] *f* Neigung, Hang *(à zu);* Streben; ~ *aux accidents* Unfallneigung
pro|phète [profɛt] *m* Prophet ♦ *nul n'est ~phète en son pays* d. Prophet gilt nichts in s-m Vaterlande; **~phétie** [-fesị] *f* Prophezeiung; Weissagung; *don de ~phétie* Sehergabe; **~phé-**

tique [-fetịk] prophetisch; **~phétiser** [-fetizе] prophezeien, vorhersagen
prophy|lactique [profilaktịk] **§** vorbeugend; **~laxie** [-laksị] *f* **§** Vorbeugung
propice [propịs] günstig
proportion [proporsjõ] *1. f* Verhältnis; Anteil; *a. math* Proportion; *à ~* verhältnismäßig; *en ~ de* im Verhältnis zu, nach; *2. pl (a. fig)* Ausmaße, Dimensionen; *prendre des ~s considérables* beträchtliche Ausmaße annehmen; **~nalité** [-nalité] *f* Verhältnismäßigkeit; *com* Angemessenheit, gerechte Verteilung; **~né** [-sjonе] proportioniert; angemessen; **~nel** [-sjonₑl] *115* entsprechend; *math* proportional; *représentation ~nelle* Verhältniswahlsystem; **~ner** [-sjonе] anpassen; in d. richtige Verhältnis setzen *(à zu)*
propos [propо] *m (mst pl)* Rede, Gespräch; Gesprächsthema; Absicht, erklärtes Ziel; *ferme ~* fester Vorsatz; *à ~* zur rechten Zeit, im richtigen Augenblick, gelegen, günstig; *à ~!* übrigens!; *à ~ de...* anläßlich, bei Gelegenheit von...; *à tout ~* bei j-r Gelegenheit; *dans le ~ de* zu, für, zwecks; *hors de ~, mal à ~* zur Unzeit; grundlos; *de ~ délibéré* vorsätzlich, absichtlich; *à ~ de bottes* ohne Ursache, ohne Veranlassung, für nichts u. wieder nichts; **~er** [-pozе] *1. vt* vorschlagen, vorbringen, vorlegen; *(Geld)* anbieten; *~er un sujet* e. Thema stellen; *~er un prix* e-n Preis aussetzen; *~er qn pour exemple* j-n als Vorbild hinstellen ♦ *l'homme ~e et Dieu dispose* d. Mensch denkt, Gott lenkt; *2. se ~er* s. anbieten; *se ~er un but* s. ein Ziel setzen; *se ~er de faire qch* s. vornehmen, etw. zu tun; **~ition** [-pozisjõ] *f* Vorschlag; Antrag; Angebot; *ling* Satz, Aussage; *math* Lehrsatz
propre [proprₑ] *1.* eigen; eigentlich; eigentümlich; passend, treffend, richtig; *sens ~* eigentl., wörtl. Bedeutung; *nom ~* Eigenname; ~ *à* tauglich zu, geeignet für; *un ~ à rien* ein Taugenichts; *remettre une lettre en main(s) ~(s)* e-n Brief d. Empfänger persönlich aushändigen; *écrire une lettre de sa ~ main* e-n Brief eigenhändig schreiben; *~ment dit* streng-, genaugenommen; *2.* sauber; rein; *(Fabriken, Maschinen)* umweltfreundlich, unschädlich; *fig* anständig ♦ *nous voilà ~s!* da haben wir d. Bescherung! *3. m* Eigentümlichkeit; *en ~* als Eigentum, zu eigen; *4. mpl* persönl. Vermögen; Sondergut; **~t** [-prₑ] *114* adrett; **~té** [proprₑté] *f* Sauberkeit; Reinlichkeit; Umweltverträglichkeit
propr|iétaire [proprietₑːr] *m* Eigentümer; Hausbesitzer; *~iétaire foncier* Grundbesitzer; **~iété** [-tе] *f* Eigentum; *(Ding)* Eigenschaft; *(Ausdruck)* Richtigkeit, Genauigkeit; *~iété artistique et littéraire* Urheberrecht; *~iété foncière* Grundbesitz; *~iété industrielle* gewerbl. Eigentum; **~io** [-priо] *m umg* Hausbesitzer
propuls|er [propylsе] *(Fahrzeug)* (an-)treiben; **~eur** [-sœːr] *m* Treibwerk; *(Schiff)* Schraube; *~eur auxiliaire* Zusatztr.; *~eur à réaction* Strahltr.; **~if** [-sịf] *112* Antriebs...; *agent ~if* Treibstoff; *hélice ~ive* **♄** Schraube; **✛** Propeller; **~ion** [-sjõ] *f* Antrieb; *~ion par*

réaction Strahlantrieb; ~*ion par fusées* Raketenantrieb

prorata [prɔratạ] *m* Anteil; *au* ~ *(de)* im Verhältnis (zu)

proro|gation [prɔrɔgasjɔ̃] *f* 𝕆 Aufschub, Stundung; Verlängerung; ~**ger** [-rɔʒẹ] *14* aufschieben; verlängern; vertagen

prosa|ïque [prozaïk] prosaisch; ~**teur** [-zatœ:r] *m* Prosaschrifsteller

proscri|ption [prɔskripsjɔ̃] *f* Ächtung, Verpönung; Landesverweisung; Abschaffung; ~**re** [-rki:r] *67* ächten, verpönen, verwerfen; abschaffen

prose [pro:z] *f* Prosa

prosélyte [prozelịt] *m, f* Neubekehrte(r); Neuangeworbene(r)

prospect|ion [prɔspɛksjɔ̃] *f (Bergbau)* Schürfung; *com* Suche nach neuen Absatzmärkten; *fig* Kundenwerbung; Kreditbemühungen; ~**ive** [-ktịv] *f* Zukunftsforschung; ~**us** [-tys] *m 105* Prospekt, Werbe-, Druckschrift

prosp|ère [prɔspɛ:r] blühend, erfolgreich, vom Glück begünstigt; ~**érer** [-perẹ] *13* gedeihen; blühen; sich gut entwickeln; ~**érité** [perité] *f;* Wohlstand, Blüte; Gedeihen; *période de* ~*érité* Hochkonjunktur

prostate [prɔstạt] *f anat* Vorsteherdrüse

prosterner [prɔstɛrnẹ]: *se* ~ sich zu Boden werfen

prostitu|ée [prɔstituẹ] *f* Prostituierte, Dirne; ~**er** [-tuẹ] der Unzucht preisgeben; ~*er son talent* sein Talent zu Markte tragen, s. verkaufen; ~**tion** [-tysjɔ̃] *f* gewerbsmäßige Ausübung des Geschlechtsverkehrs; *fig* Entwürdigung

prostration [prɔstrasjɔ̃] *f* Entkräftung, Kräfteverfall; *fig* Erschöpfung

protagoniste [prɔtagɔnịst] *m* Urheber, Hauptvertreter, Befürworter; Vorkämpfer, Bahnbrecher; ♥ Hauptdarsteller

protect|eur [prɔtɛktœ:r] 1. *122* beschützend; gönnerhaft; *air* ~*eur* gönnerhafte Miene; *droits* ~*eurs* Schutzzoll; 2. *m* Beschützer, Gönner; Schirmherr; ~**ion** [-sjɔ̃] *f* Schutz; Gönnerschaft, Protektion; ~*ion civile* Katastrophenschutz; Luftschutz; Zivilschutz; ~*ion contre l'incendie* Brandsch.; ~*ion de la nature* Natursch.; ~ *des sites* Landschaftssch.; ~ *sanitaire* Gesundheitssch.; ~**ionnisme** [-sjɔnịsm] *m* Schutzzollsystem; ~**orat** [-tɔrạ] *m* Schutzherrschaft; Schutzgebiet

protée [prɔtẹ] *m* unbeständiger, unsteter Mensch; *zool* Olm

protég|é [prɔteʒẹ] *m* Schützling; ~**er** [-ʒẹ] *2* schützen, beschirmen (*contre, de* vor); *(d. Künste)* fördern

proté|ide [prɔteịd] *f* Proteid *n,* zusammengesetzter Eiweißkörper; ~**forme** [-fɔrm] *adj* schillernd, vielschichtig; ~**ne** [-teịn] *f* Protein, einfacher Eiweißkörper

protest|ant [prɔtɛstɑ̃] *108* protestantisch; *m* Protestant; ~**antisme** [-tɑ̃tịsm] *m* Protestantismus; ~**ation** [-tasjɔ̃] *f* 1. Protest, Einspruch; Verwahrung; *élever* (od. *formuler) une* ~*ation*

Einspruch (*od.* Protest) erheben, Verwahrung einlegen; 2. Bezeigung, Beteuerung; ~*ation d'amitié* Freundschaftsbezeigung; ~**er** [-tẹ] 1. protestieren, Einspruch erheben, Verwahrung einlegen (*contre qch* gegen etw.); *(Wechsel)* zu Protest gehen lassen; 2. bezeigen, beteuern (*de qch* etw.)

protêt [prɔtɛ] *m* Wechselprotest

prothèse [prɔtɛ:z] *f* 💲 Prothese; Ersatzglied; ~ *dentaire* Zahnersatz

protocol|aire [prɔtɔkɔlɛ:r] protokollarisch; ~**e** [-kɔl] *m* Protokoll; Sitzungsbericht; Etikette

proton [prɔtɔ̃] *m* Proton *n,* positives Elementarteilchen

proto|plasme [prɔtɔplạsm] *m* Protoplasma; ~**type** [-tịp] *m* Urform; Grundmodell; Prototyp, Versuchsmuster; ~**zoaire** [-tozɔɛ:r] *m* Urtierchen, Einzeller

protubérance [prɔtyberɑ̃s] *f* Vorsprung, Wölbung, Höcker; *astr* Protuberanz

prou [pru]: *peu ou* ~ mehr od. weniger; *ni peu ni* ~ gar nicht, überhaupt nicht

proue [pru] *f* Bug, Vorschiff

prouesse [pruɛs] *f* Heldentat, Großtat; Kunststück; *pej umg* tolle Leistung, absoluter Rekord

prouver [pruvẹ] beweisen, zeigen; zeugen (*qch* von etw.); ~ *ses qualités* s. bewähren

provenance [prɔvnɑ̃s] *f* Herkunft, Ursprung

provençal [prɔvɑ̃sạl] provenzalisch

provende [prɔvɑ̃d] *f* Mischfutter; Proviant

provenir [prʃprɔvni:r] *30:* ~ *de* stammen von, entstehen aus, kommen aus, von; beruhen auf

proverb|e [prɔvɛrb] *m* Sprichwort, Spruch; *passer en* ~*e* sprichwörtl. werden; ~**ial** [-vɛrbjạl] *124* sprichwörtlich

providen|ce [prɔvidɑ̃s] *f* Vorsehung; *État* ~ Wohlfahrtsstaat; ~**tiel** [-dɑ̃sjẹl] *115* von d. Vorsehung geschickt

provinc|e [prɔvɛ̃s] *f* Provinz; ~**ial** [-vɛ̃sjạl] *124* provinziell; kleinstädtisch; *m* Provinzler, Kleinstädter

proviseur [prɔvizœ:r] *m* Direktor e-r Knabenoberschule

provision [prɔvizjɔ̃] *f* 1. Vorrat; *(Wechsel)* Deckung, Provision; *chèque sans* ~ ungedeckter Scheck; *aller aux* ~*s (umg)* einkaufen; *faire ses* ~*s* s. eindecken *(de* mit); 2. Vorauszahlung; *par* ~ = ~**nel** [-zjɔnẹl] *115* vorläufig, einstweilig

provisoire [prɔvizwa:r] provisorisch, behelfsmäßig; vorläufig; *m* Provisorium; 𝕆 vorläufige Entscheidung

provo [prɔvɔ] *m* Provo, Mitglied der (antibürgerlichen) Protestbewegung; ~**cant** [-kɑ̃] *108* provozierend, herausfordernd; ~**cateur** [-katœ:r] *122* aufreizend; hetzerisch; *agent* ~*cateur* agent provocateur; ~**cation** [-kasjɔ̃] *f* Provokation, Herausforderung *(à* zu); ~**quer** [-kẹ] *6* herausfordern, provozieren *(à* zu); (z. Duell) fordern; hervorrufen; verursachen; veranlassen

proxé|nète [prɔksenɛt] *m* Zuhälter; ~**nétisme** [-netịsm] *m* Kuppelei, Förderung der Prostitution, Zuhälterei

proximité [prɔksimitę] f Nähe; à ~ de in d.
Nähe von, nahe bei
prude [pryd] prüde, spröde, schamhaft, *pej*
zimperlich
pruden|ce [prydɑ̃s] f Vorsicht; Klugheit;
recommander la ~ce z. V. mahnen; **~t** [-dɑ̃] *108*
vorsichtig; klug
pruderie [prydri] Sprödigkeit; Schamhaftigkeit
prud'hom|al [prydɔmal] *124* arbeitsgerichtlich;
procédure ~ale Arbeitsgerichtsverfahren; **~me**
[-dɔm] m ehrenamtlicher frz. Arbeitsrichter;
conseil de ~mes Arbeitsgericht; **~mesque**
[-męsk] spießbürgerlich
prun|e [pryn] f Pflaume, Zwetsch(g)e; *eau-de-vie
de ~es* Zwetschgenwasser ♦ *pour des ~es (umg)*
für nichts u. wieder nichts; **~eau** [-no] m
Dörrpflaume; **~elle** [-nęl] f Schlehe; *fig* Pupille;
~ier [-nję] m Pflaumenbaum
pruri|gineux [pryriʒinø] *111* juckend; **~go** [-go]
m Flechte; **~t** [-rit] m Juckreiz
Pruss|e [prys]: *la ~e* Preußen ♦ *travailler pour le
roi de ~e* für d. Katz arbeiten; **≠ien** [-sjɛ̃] *118*
preußisch; **~ien** m Preuße; **≠ique** [-sik]:
acide ≠ique Blausäure
psalmodier [psalmɔdję] Psalmen vortragen; *fig*
herleiern
psau|me [psoːm] m Psalm; **~tier** [psotję] m
Psalter; großer Rosenkranz
pseudonyme [psødɔnim] m Deck-, Künstlername; Pseudonym
psittacisme [psitasism] m papageienhaftes
Nachsprechen; Geschwätzigkeit
psych|analyse [psikanaliːz] f Psychoanalyse;
~analyser [-lizę] psychoanalytisch behandeln;
~analyste [-list] m Psychoanalytiker; **~é** [-ʃe] f
1. Psyche, Seelenleben; Wesen, Eigenart; 2.
drehbarer Standspiegel; **~iatre** [-kjatr] m
Psychiater; **~iatrie** [-kjatri] f Psychiatrie,
Seelenheilkunde; **~ique** [-ʃik] psychisch, seelisch; **~isme** [-ʃism] m Seelenleben; seelische
Struktur; geistige Verfassung; **~odrame** [-ko-
dram] m Psychodrama; **~ologie** [-kɔlɔʒi] f
Psychologie; **~ologique** [-kɔlɔʒik] psycholo-
gisch; *moment ~ologique* entscheidender Augenblick; **~ologue** [-kɔlɔg] m Psychologe; **~ose**
[-koːz] f Psychose; Gemütskrankheit; *~ose
collective* Massenpsychose
puant [pɥɑ̃] *108* stinkend, übelriechend; *umg*
unerträglich; *mensonge ~ (fig)* gemeine Lüge;
~eur [pɥɑ̃tœːr] f Gestank
pub|ère [pybɛːr] geschlechtsreif; heiratsfähig;
~erté [-bɛrtę] f Pubertät; **~is** [-bis] m
Schamgegend
publi|c [pyblik] 1. *120* öffentlich, staatlich;
allgemein bekannt, offenkundig; *bien ~c*
Staatswohl; *danger ~c* Gefahr für d. Öffentlichkeit; *ennemi ~c* Staatsfeind; *fille ~que* Dirne;
service ~c (Tätigkeit der) öffentlichen Hand;
öffentliche Einrichtung; *trésor ~c* Staatskasse;
d'utilité ~que gemeinnützig; *devenir ~c* ruch-
bar werden; 2. m Öffentlichkeit, Publikum;
Allgemeinheit; *en ~c* öffentlich; **~cation**
[-bliskasjɔ̃] f Druckschrift; *(Buch)* Herausgabe;
Veröffentlichung; Verkündigung, Bekanntma-

chung; *~cation (des bans) de mariage* Aufgebot;
~ciste [-blisist] m Publizist; **~citaire** [-blisitęːr]
Werbe…; m Werbefachmann; **~cité** [-blisitę] f
Öffentlichkeit; Reklame, Werbung; *frais de
~cité* Werbekosten; *partie ~cité* Anzeigenteil;
~cité clandestine Schleichwerbung; *~cité lumineuse* Lichtreklame; *~cité de marque* Marken-
werbung; *~cité mensongère* irreführende Werbung; *~cité télévisée* Fernsehwerbung; **~er**
[-blię] veröffentlichen, bekanntgeben; *(Buch)*
herausgeben, verlegen
puce [pys] f Floh; *marché aux ~s* Trödelmarkt
♦ *mettre à qn la ~ à l'oreille* j-m e-n Floh ins
Ohr setzen; *secouer les ~s à qn (umg)* j-m d.
Kopf waschen; *avoir la ~ à l'oreille* mißtrauisch sein
puc|eau [pyso] m *umg* unschuldiger Jüngling;
~elle [pysęl] f *umg* Jungfrau; *la ≠elle* d.
Jungfrau von Orleans
puceron [pysrɔ̃] m Blattlaus
pucier [pysję] m *pop (Bett)* Flohkiste
pud|eur [pydœːr] f Schamhaftigkeit; Zurückhal-
tung; *offenser la ~eur* d. Schamgefühl verletzen; *attentat à la ~eur* Sexualstraftat; unzüchtige Handlung; sexueller Mißbrauch; **~ibond**
[-dibɔ̃] *108* übermäßig schamhaft; **~icité** [-disitę]
f Schamhaftigkeit; **~ique** [-dik] sittsam, anständig, züchtig, keusch
puer [pɥę] stinken (*qch* nach etw.)
puér|iculture [pɥerikyltyːr] f Säuglingspflege;
~il [-ril] kindisch
puerpéral [pɥɛrperal] *124: fièvre ~e* Kindbett-
fieber
pugil|at [pyʒila] m Faustkampf; Schlägerei,
Rauferei; **~iste** [-list] m Boxer
puîné [pɥinę] nachgeboren; *frère ~* jüngerer
Bruder
puis [pɥi] dann; darauf; danach; *et ~ après?
(umg)* was weiter?; *et ~, à quoi cela servirait-il?*
und zudem (außerdem), was würde es nützen?
puis|ard [pɥizaːr] m Senkgrube; Gully; *(Brun-
nen)* Sumpf; *~ard de reprise* Sammelschacht;
~atier [-zatję] m Brunnengräber; Schachtabteu-
fer; **~er** [-zę] schöpfen *(de, à aus)*; *~er aux
sources (fig)* auf d. Quellen zurückgehen
puisque [pɥiskə] da (ja), weil; ~ *c'est ainsi* da
es nun einmal so ist
puissance [pɥisɑ̃s] f *(a. pol)* Macht, Gewalt;
Stärke, Leistung; *geol* Mächtigkeit; *math*
Potenz (~ *quatre* vierte P.); *à grande ~*
Hochleistungs…; *transmission de ~* ☼ Kraft-
übertragung; ~ *absorbée* Energiebedarf; Lei-
stungsverlust; ~ *active* Nutzleistung; ~ *calorifique* Heizwert; ~ *au frein* Bremsleistung; ~ *de
l'habitude* Macht d. Gewohnheit; ~ *maximale*
Höchstleistung; *~s mondiales* Weltmächte; *~s
occidentales* Westmächte; ~ *de pointe* ☼
Spitzenleistung; ~ *de sélection* ⬦ Trennschär-
fe; ~ *de travail* Schaffenskraft; ~ *utile*
Nutzleistung
puissant [pɥisɑ̃] *108* mächtig; stark
puits [pɥi] m (Zieh-)Brunnen; *(Bergbau)*
Schacht, Grube; *(Erdöl)* Bohrung; ~ *profond*
Tiefbrunnen

pull|over [pylɔvɛ̃ːr, -vœːr] *m 99* Pullover

pulluler [pylylḛ] s. rasch vermehren, wuchern; wimmeln

pulmonaire [pylmɔnɛ̃ːr] Lungen...

pulpe [pylp] *f* Fruchtfleisch, Pulp *m*; Papiermasse, ~ *digitale* Fingerkuppe; ~ *dentaire* Zahnmark

puls|ation [pylsasjɔ̃] *f* Pulsschlag; ✿ Schwingung; Pulsation; Vibrieren; **~er** [-sḛ] pulsieren; **~ion** [-sjɔ̃] *f* Trieb

pulvér|isateur [pylverizatœːr] *m* Zerstäuber; Spritzpistole; Sprüher; **~iser** [-rizḛ] pulverisieren; zerstäuben; **~ulent** [-rylɑ̃] *108* pulverförmig; staubig

punaise [pynɛ̃ːz] Wanze; Reißzwecke

punch[1] [pɔ̃ʃ] *m* Punsch

punch[2] [pœnʃ] *m* Faustschlag, Boxhieb; *fig* Vitalität, Schwung; Kraft, Leistungsfähigkeit

puni|r [pyniːr] *22* (be)strafen (*de* für, mit); **~ssable** [-nisabl] strafbar; **~tif** [-nitif] *112:* expédition ~tive Strafexpedition; **~tion** [-nisjɔ̃] *f* Strafe; Bestrafung

pupille [pypij] 1. *m, f* Pflegekind; Fürsorgezögling; Mündel; ~ *de la Nation* Kriegswaise; 2. *f* Pupille

pupitre [pypitr] *m* Pult; *EDV* Bedienp.; ~ *de commande* ✦ Schaltp.; *être au* ~ ♪ *d.* Stab führen; **~ur** *EDV* Bedienungsperson, Operator

pur [pyːr] rein, unvermischt, ungetrübt; *fig* rein, klar; sauber; unberührt; ~ *de* frei von; ~ *et simple* einzig u. allein

purée [pyre] *f* Püree; ~ *de pois* Erbsenbrei; *umg* (*Nebel*) Waschküche ♦ *être dans la* ~ (*pop*) in d. Klemme sitzen

pur|eté [pyrtḛ] *f* Reinheit; Lauterkeit; Unverdorbenheit; Keuschheit; **~gatif** [-gatif] *m* Abführmittel; **~gatoire** [-gatwaːr] *m* Fegefeuer; **~ge** [pyrʒ] *f* Reinigung; ✦ Abführung; ✿ Abflußkanal; (*Atomphysik*) Ausbrand; ♋ (*Hypothek*) Ablösung; *fig pol* Säuberung(saktion); ~ *d'air* Entlüftung; **~ger** [-ʒḛ] *14* reinigen; säubern (*de* von); ✦ abführen; ~*ger une peine* e-e Gefängnisstrafe verbüßen; ~*ger une hypothèque* e-e Hypothek ablösen; **~geur** [-ʒœːr] *m* ✿ (Dampf-)Ablaßhahn; **~ification** [-rifikasjɔ̃] *f* Reinigung; Läuterung; **~ifier** [-rifjḛ] reinigen; läutern

purin [pyrɛ̃] *m* Jauche; *fosse à* ~ Jauchegrube

pur|isme [pyrism] *m* Purismus, Sprachreinigung; **~ste** [-rist] *m* Purist; *fig* anspruchsvolle Person; **~tain** [-ritḛ] *109* sittenstreng, puritanisch; *m* Puritaner

pur-sang [pyrsɑ̃] *100 m* Vollblutpferd

purulent [pyrylɑ̃] *108* ✦ eiterig, eiternd

pus [py] *m* Eiter

pusillanime [pyzillanim] kleinmütig, zaghaft

pustule [pystyl] *f* ✦ Pustel; ~ *de la peste* Pestblatter

putain [pytɛ̃] *f pop* Hure

putatif [pytatif] *112* ♋ vermeintlich

putois [pytwa] *m* Iltis

putr|éfaction [pytrefaksjɔ̃] *f* Verwesung, Fäulnis; **~éfier** [-trefjḛ] se ~*éfier* verfaulen, verwesen; **~ide** [-trid] faulig

putsch [putʃ] *m* Staatsstreich, Putsch; **~iste** [-ist] *m* Putschist

pygmée [pigmḛ] *m* (*a. fig*) Zwergmensch; *pl* Zwergvölker

pyjama [piʒamɑ] *m* Schlafanzug

pyl|ône [pilɔːn] *m* ⚡ Leitungsmast; (*Brücke*) Standpfeiler; **~ône** *de lancement* Startturm; ~*ône de T.S.F.* Sendemast; **~ore** [-lɔːr] *m anat* Pförtner

pyramid|al [piramidal] *124* pyramidenförmig; *umg* enorm, gewaltig; **~e** [-mid] *f* Pyramide

pyro|mètre [pirɔmɛtr] *m* Hitzemesser; **~technie** [-tɛkni] *f* Feuerwerkerei

python [pitɔ̃] *m m* Pythonschlange; **~isse** [-tɔnis] *f* Wahrsagerin

Q

quadr|agénaire [kwadraʒenɛːr] vierzigjährig; *m* Vierziger; **~angulaire** [kwadrɑ̃gylɛːr] viereckig; **~ature** [kwadratyːr] *f* Quadratur; ~*ature du cercle* (*fig*) unlösbares Problem; **~iennal** [kwadriennal] *124* vierjährig; **~ige** [kwadriʒ] *m* Viergespann; **~ilatère** [kwadrilatɛːr] *m* Viereck; **~illage** [kadrijaʒ] *m* Gitter; Einteilung in Planquadrate; (*Polizei*) Abriegelung u. Durchsuchung; (*Stoff*) Karierung; Quadrierung; **~illé** [kadrije] kariert; gewürfelt; **~iréacteur** [kwadrireaktœːr] *m* vierstrahliges Flugzeug; **~upède** [kwadrypɛd] *m* Vierfüßler; **~uple** [kwadrypl] vierfach; **~upler** [kwadryplḛ] vervierfachen; **~uplés** [kwadryplḛ] *mpl* Vierlinge

quai [ke] *m* ⚓ Kai; Uferanlage; Bahnsteig; *droit de* ~ Hafengeld, -gebühr; ~ *de chargement* Verladerampe, V.-platz; ⚓ *d'Orsay* franz. Außenministerium

quali|fiable [kalifjabl] benennbar; bestimmbar; **~fication** [-fikasjɔ̃] *f* Eignung; Bezeichnung; ❦ Zulassung; **~fier** [-fjḛ] qualifizieren; bezeichnen (*de* als); *ling* näher bestimmen; **~fié** *pour* berechtigt zu; *ouvrier* ~*fié* Facharbeiter; **~tatif** [-tatif] *112* qualitativ; **~té** [-tḛ] *f* Eigenschaft; Qualität, Güte; Vorzug; Fähigkeit; Befähigung, Befugnis; Titel; *pl* Anlagen; ~ *commerciale* Handelsgüte; ~ *des épreuves* 📺 Bildqualität; ~ *requise* Anforderung; ~ *de la vie* Lebensqualität; *de* ~*té* hochwertig; *en* ~*té de* als; *avoir* ~*té de* berechtigt sein zu; *décliner ses* ~*tés* s-e Personalien angeben

quand [kɑ̃] als; wenn; wann; ~ *il arriva* als er ankam; ~ *viendrez-vous?* wann werden Sie kommen?; ~ *même* dennoch, trotzdem; ~ (*bien*) *même* wenn auch, selbst wenn; ~ *même!* immerhin!

quant [kɑ̃]: ~ *à* betreffs, was anbetrifft; ~ *à moi* was mich betrifft; **~-à-soi** [kɑ̃taswa] *m umg* (vornehme) Zurückhaltung

quantième [kɑ̃tjɛm] *m* Monatstag; Datum

quant|ifiable [kɑ̃tifjabl] *adj* bezifferbar, quantitatif erfaßbar; **~ification** [-tifikasjɔ̃] *f phys* Quantelung; *EDV* Quantisierung; **~itatif** [kɑ̃titatif] *112* mengenmäßig; **~ité** [-titḛ] *f* Quantität, Menge; *math* Größe, Information; ~*ité de* viele; *en* ~*ité* haufenweise; *en grande* ~*ité* in

Hülle u. Fülle; **~um** [kwãtɔm] *m* Quantum, (An-)Teil; Betrag; *phys* Quant

quarant|aine [karãtɛn] *f* etwa vierzig; Quarantäne; *fig* Isolierung; **~e** [-rãt] vierzig; *un ~e-cinq tours* M-45 Schallplatte; *les ~e* d. Mitglieder der Académie française; **~ième** [-rãtjɛm] vierzigste; *m* Vierzigster; Vierzigstel

quart [kaːr] *m* Viertel; *mil* Trinkbecher; *officier de ~* ⚓ Wachhabender; **~** *de finale* 🎾 Viertelfinale; **~** *d'heure* Viertelstunde; **~** *monde* Vierte Welt, die Armen d. Armen d.; *au ~ de tour (fig)* sofort, ohne Schwierigkeit, schnell; *six heures un (od. et) ~* (ein) Viertel nach sechs; *sept heures moins le ~* (ein) Viertel vor sieben ♦ *le ~ d'heure de Rabelais* Augenblick d. Zahlens; *fig* unangenehmer Augenblick; **~e** [kart] *f* (♪, *Fechten*) Quarte; **~é** [-te] *m* Viererwette; **~eron** [-tərɔ̃] *m* 25; *fig* ein paar, wenige

quartier [kartje] *m* Viertel; Teil, Stück, Stadtteil; *mil* Quartier, Kaserne; **~** *général* Hauptquartier; *~ Latin* Studentenviertel (in Paris); *~s de noblesse* adelige Ahnen; **~** *résidentiel* Wohnviertel; **~** *de sécurité renforcée (Q.S.R.) (Gefängnis)* Hochsicherheitstrakt ♦ *demander ~* um Gnade bitten; *faire ~ à qn* j-m d. Leben schenken; **~-maître** [-tjemɛtr] *m* 97 Maat

quarto [kwartɔ] viertens

quartz [kwarts] *m* Quarz; *montre à ~* Quarzuhr

quasar [kwazaːr] *m* Quasistern

quasi [kasi] fast, beinahe; gleichsam

quaternaire [kwatɛrnɛːr] *adj* quaternär; vierfach; *m geol* Quartär, Eiszeitalter; *com* Führungskräfte

quatorz|e [katɔrz] vierzehn; **~ième** [-tɔrzjɛm] vierzehnte; *m* Vierzehnter; Vierzehntel

quatr|ain [katrɛ̃] *m (Strophe)* Vierzeiler; **~e** [katr] **1.** vier; *à ~e* zu viert; *à ~e mains* ♪ vierhändig; *à ~e pas* ganz in d. Nähe; *à ~e pattes* auf allen vieren; *un de ces ~e matins* eines schönen Morgens; *descendre l'escalier ~e à ~e* d. Treppe hinunterrennen; *entre ~e yeux* [katzjø] unter vier Augen ♦ *ne pas y aller par ~e chemins* geradewegs aufs Ziel zugehen; *faire ses ~e volontés* schalten u. walten; *manger comme ~* für drei essen; *se mettre en ~e pour* qch s. für etw. umbringen; *se tenir à ~e* s. mit Mühe beherrschen; **2.** *m* Vier; d. Vierte *(e-s Monats)*; *~ barré* 🎾 Vierer mit Steuermann; **~e-saisons** [katrəsɛzɔ̃] *fpl: marchand des ~e-saisons* Straßenhändler *(Gemüse u. Obst)*; **~e-vingt(s)** [katrəvɛ̃] achtzig; **~e-vingt-dix** [katrvɛ̃di] neunzig; *m umg* Anfänger (im Straßenverkehr); **~ième** [katriɛm] vierte; *m* Vierter; vierter Stock; *f* Quarta, 8. Schuljahr

quatuor [kwatɥɔːr] *m (Orchester u. Musikstück)* Quartett; **~** *à cordes* Streichquartett

que [kə] **1.** *pron* den, die, das; welchen, welche, welches; was; *qu'est-ce ~ c'est? (umg)* was ist los?; *~ faire?* was tun?; *je ne savais ~ répondre* ich wußte k-e Antwort; **2.** *adv* wie (sehr), wieviel(e); so, soviel; *~ c'est bon!* wie gut das ist (tut, schmeckt)!; *~ je sache* meines Wissens; *ne... que* nur; **3.** *conj* daß; *(nach Komparativ)*

als; wie; *(wiederholend für quand, lorsque u. a.)* wenn, als, bevor, nachdem, seit, bis, da, obgleich; *tant bien ~ mal* so einigermaßen; *il y a longtemps ~ cela dure* es dauert schon lange; *~ si!* ja doch!; *~ non!* aber nein!; *peut-être ~ si* vielleicht aber doch

quel [kɛl] 115 welcher (?); was für ein (?); **~** *que soit...* was auch immer...; **~conque** [-kɔ̃k] irgendein, beliebig; mittelmäßig; **~que** [-kɛlk(ə)] irgendein, ein gewisser, etwas; *pl* einige; *~que chose* etwas; *~que part* irgendwo(hin); *~que peu* ein wenig; *elle a ~que quarante ans* sie ist etwa vierzig; *il y a ~que temps* vor einiger Zeit; *~que injuste qu'il soit* wie ungerecht er auch sein mag; **~quefois** [-kəfwa] manchmal, zuweilen, mitunter, bisweilen; **~qu'un** [-kœ] 109 jemand; irgendeiner; *m* ein gewisser Jemand; *e-e hochgestellte Persönlichkeit; *~ques-uns, ~ques-unes* [-kəzœ, -kəzyn] einige, manche

quémander [kemãde] betteln, nachsuchen *(qch um etw.)*

qu'en-dira-t-on [kãdiratɔ̃] *m umg* Gerede d. Leute

quenelle [kənɛl] *f* (Fleisch-, Fisch-)Klößchen

quenotte [kənɔt] *f umg* Zähnchen

quenouille [kənuj] *f (Garn)* Knäuel; Spinnrocken

quéquette [kekɛt] *f pop!* Piephahn, Penis

quérable [kerabl] *adj: créance ~* Holschuld

querell|e [kərɛl] *f* Streit, Zank, Auseinandersetzung ♦ *chercher une ~ d'Allemand à* e-n Streit vom Zaun brechen; **~er** [-rɛle] streiten, zanken *(qn mit j-m); *se ~er* s. streiten; **~eur** [-rɛlœːr] 121 streitsüchtig, zänkisch

quérir [keriːr]: *aller ~ (envoyer ~)* abholen (lassen)

question [kɛstjɔ̃] *f* Frage; *l'affaire en ~* d. bewußte Angelegenheit; **~** *de confiance pol* Vertrauensfrage; **~** *controversée ~* litigieuse Streitfr.; **~** *préalable* Vorfrage; **~** *de principe* Grundsatz.; **~** *en suspens* ungelöstes Problem; **~** *d'urgence pol* Dringlichkeitsanfrage; **~** *vitale* Lebensf.; *être hors de ~* nicht in Frage kommen; *faire ~* in Fr. stellen; *mettre en ~* in Fr. stellen; *il est ~ de...* es handelt sich um...; *mettre qn à la ~* j-n auf d. Folter spannen; **~naire** [-tjɔnɛːr] *m* Fragebogen; **~ner** [-tjɔnɛ] ausfragen

quêt|e [kɛt] *f* Kollekte, Sammlung; Suche; *être en ~e de qch* auf d. Suche nach etw. sein; **~er** [kɛte] e-e Sammlung veranstalten, sammeln

queue [kø] *f* Schwanz, Schweif; Schleppe; *(Pfanne)* Stiel; ✿ Endstück; **~** *de cheval (Frisur)* Pferdeschwanz; **~** *de combustion (Strahltriebwerk)* Feuerschweif; **~** *d'outil* Werkzeugschaft; *les wagons de ~* d. hinteren Wagen; *à la ~* hinten; *faire la ~* Schlange stehen; *cela n'a ni ~ ni tête* d. hat weder Hand noch Fuß ♦ *finir en ~ de poisson* im Sande verlaufen; *à la ~ leu leu* im Gänsemarsch; *à la ~ le venin* das dicke Ende kommt nach; **~-de-morue** [kødmɔry] *f umg* Schwalbenschwanz, Frack

queux [kø] *m: maître ~* Koch

qui [ki] welcher; der; ~ *?* wer?; wen?; ~ *plus est* was noch mehr ist; ~ *que ce soit* wer es auch sei
quia [kuija]: *être à* ~ nichts mehr zu antworten wissen; *mettre qn à* ~ j-m d. Mund stopfen
quiconque [kikɔ̃k] jeder (beliebige); wer auch immer
quidam [kidam] *m pej* gewisser Jemand
quiétude [kjetyd] *f* (Seelen-)Ruhe
quignon [kiɲɔ̃] *m* (großer) Brotkanten
quille[1] [kij] *f* Kegel; *pop* (Bein) Stempel ♦ *recevoir qn comme un chien dans un jeu de* ~*s* j-n sehr ungnädig empfangen; *jouer des* ~*s* (*pop*) d. Beine unter d. Arm nehmen
quille[2] [kij] *f ⚓* Kiel; ~ *plate* Flachkiel; ~ *de roulis* Schlingerk.
quille[3] [kij] *f mil* (*umg*) Ende d. Wehrdienstzeit
quincaill|erie [kɛ̃kajri] *f* Eisenwarenhandlung; *EDV* Hardware, apparative Bestandteile; ~**er** [-kajɛ] *m* Eisenwarenhändler
quinine [kinin] *f* Chinin
quin|quagénaire [kɛ̃kwaʒenɛːr] fünfzigjährig; *m* Fünfziger; ~**quennal** [-kɛnnal] *124* alle fünf Jahre wiederkehrend; *plan* ~*quennal* Fünfjahresplan
quinquet [kɛ̃kɛ] *m* Öllampe; *pl pop* Augen
quinquina [kɛ̃kina] *m* Chinarinde; *vin de* ~ Aperitif
quint|al [kɛ̃tal] *m 90* Doppelzentner; ~**e** [kɛ̃t] *f ♪* Quinte; Hustenanfall; Schrulle; ~**essence** [kɛ̃tɛsɑ̃s] *f* Kern; Hauptsache; d. Wesentliche; d. Beste; ~**eux** [kɛ̃tø] *111* **§** anfallartig; *fig* launisch, launenhaft; ~**uple** [-typl] fünffach
quinz|aine [kɛ̃zɛn] *f* etwa fünfzehn; vierzehn Tage, Doppelwoche; ~**e** [kɛ̃z] fünfzehn; ~**ième** [-zjɛm] fünfzehnte; *m* Fünfzehnter; Fünfzehntel
quiproquo [kiprɔkɔ] *m* Mißgriff; Verwechslung
quitt|ance [kitɑ̃s] *f* Quittung; *donner* ~*ance* quittieren; ~**e** [kit] quitt; frei, los; ~*e à* auf die Gefahr hin, zu; *en être* ~*e pour* davonkommen mit; *tenir* ~*e* befreien, entbinden; *jouer* ~*e ou double* alles auf e-e Karte setzen; ~**er** [-te] verlassen; s. trennen von; aufgeben; *(Kleidungsstücke)* ablegen; ~*er le droit chemin* vom rechten Weg abkommen; *ne pas* ~*er des yeux* nicht aus d. Augen lassen; *ne* ~*ez pas!* bleiben Sie am Apparat!
quitus [kitys] *m: donner* ~ 🜄 Entlastung erteilen
qui-vive [kiviːv] wer da? ♦ *être sur le* ~ auf d. Hut sein
quoi [kwa] was?; *interj* was!, wie!; *à* ~ woran, wozu; *après* ~ worauf; *à* ~ *bon?* wozu?; *de* ~ wovon, worüber; *(il n'y a) pas de* ~! k-e Ursache!; *sans* ~ sonst; *avoir de* ~ *vivre* d. Nötige z. Leben haben; *ne pas avoir de* ~ *vivre* nichts zu beißen haben; *un je ne sais* ~ ein gewisses Etwas; ~ *que vous disiez* was Sie auch sagen mögen; ~**que** [kwak] obwohl, obgleich; wenn auch
quolibet [kɔlibɛ] *m* Neckerei; Frotzelei
quorum [kɔrɔm] *m pol* Beschlußfähigkeit; *(Wahl)* für die Gültigkeit der Wahl erforderliche Mindestbeteiligung; *atteindre le* ~ beschlußfähig sein

quote-part [kɔtpaːr] *f 97* Anteil, Rate, Quote; Beitrag
quot|idien [kɔtidjɛ̃] *118* täglich; *m* Alltag; Tageblatt; ~**idienneté** [-tidjɛnte] *f* Alltäglichkeit; ~**ient** [kɔsjɑ̃] *m* Quotient; ~*ient intellectuel* Intelligenzquotient; ~**ité** [-tite] *f* Anteil, Betrag

R

ra… , **ré…**, **re…** (*vor* a, e, en *und* em *auch oft nur* r) [ra, re, rə] wieder…, zurück…, rück… , nach..; Wieder.., Zurück.., Rück.., Nach..
rabâch|er [rabɑʃe] endlos wiederholen; immer d. gleiche schwätzen; ~**eur** [-ʃœːr] *m* Schwätzer, Quatschkopf
rabais [rabɛ] *m* Rabatt, Preisnachlaß; ~ *spécial* Sonderrabatt; *vendre au* ~ mit R. verkaufen; ~**ser** [-bɛse] *a. fig* herabsetzen; demütigen
rabat [raba] *m* Beffchen; Taschenklappe; ~~**joie** [-ʒwa] *m 100* Spielverderber; ~**tage** [-bataːʒ] *m* Treibjagd; ~**teur** [-batœːr] *m* Treiber; ~**tre** [-batr] *53 (Dinge)* niederschlagen, -drükken; umklappen; *(Falten)* glätten; *(Kragen)* umschlagen; *(Preis)* herabsetzen; *fig* demütigen; *col* ~*tu* Umlegekragen; *il en* ~*tra* er wird einiges zurückstecken müssen
rabbin [rabɛ̃] *m* Rabbiner
rabibocher [rabibɔʃe] *umg* zus.flicken; *fig se* ~ s. ver-, aussöhnen
rab(iot) [rab(jo)] *m (arg pop)* (Über-)Rest; Nachschlag; *arg mil* Nachtdienst; *umg* Überstunden
rabique [rabik]: *virus* ~ Tollwutvirus
râbl|e [rɑbl] *m* Hasenziemer; ~**é** [rɑble]: *(bien)* ~*é* (*umg*) kräftig gebaut, vierschrötig
rabot [rabo] *m* Hobel; ~**age** [-botaːʒ] *m* Hobeln; *(Parkett)* Abziehen, Spänen; ~**er** [-botе] (ab-, be-)hobeln; ~**euse** [-botøːz] *f* Hobelmaschine; ~**eux** [-botø] *111 (a. fig)* holperig; rauh
rabougr|i [rabugri] verkrüppelt, verkümmert; kümmerlich; ~**ir** [-griːr] *22* verkümmern lassen; *(se)* ~*ir* verkümmern, verkrüppeln
rabrouer [rabrue] anschnauzen
racaille [rakɑːj] *f* Lumpenpack
raccommod|age [rakɔmɔdaːʒ] *m* Ausbesserung, Flickarbeit; *umg* Aussöhnung; ~**ement** [-mɔdmɑ̃] *m umg* Aussöhnung; ~**er** [-de] ausbessern, flicken; aussöhnen
raccord [rakɔːr] *m* ⚙ Anschluß-, Verbindungsstück, Rohrstutzen; ~**ement** [-kɔrdəmɑ̃] *m* ⚡, ☞ Anschluß; Verbindung; *voie de* ~ Anschlußgleis; ~**er** [-de] anschließen; verbinden
raccourc|i [rakursi] *m* 🏃 Verkürzung, *(Weg)* Abkürzung; *fig* Abriß; *en* ~*i* kurz zus.gefaßt, im Auszug; *à bras* ~*is* mit aller Kraft, aus Leibeskräften; ~**ir** [-siːr] *22* **1.** *vt* (ver-, ab-)kürzen; *umg* um e-n Kopf kürzer machen; **2.** *vi* kürzer werden; *(Stoff)* eingehen, einlaufen; ~**issement** [-sismɑ̃] *m* Verkürzung
raccro|c [rakro] *m (Billard)* Fuchs; *coup de* ~*c* Glückswurf; *par* ~*c* mit mehr Glück als Verstand; ~**cher** [-krɔʃe] wieder aufhängen; ☞ auflegen; *se* ~*cher (a. fig)* s. (an)klammern (*à* an)

rac|e [ras] f Rasse; Stamm; Geschlecht; ~é [-se]
rassig; vornehm
rach|at [raʃa] m Rückkauf; Loskauf; faculté de
~at ⚙ Rückkaufsrecht; ~eter [raʃte] 1
zurückkaufen (de od. à von); loskaufen;
erlösen; wiedergutmachen
rachitique [raʃitik] $ rachitisch
racial [rasjal] 124 rassisch, Rassen...
racine [rasin] f (a. math) Wurzel; ~ carrée
(math) Quadratw.; couper le mal dans sa ~ d.
Übel mit Stumpf u. Stiel ausrotten; prendre ~
(a. fig) Wurzeln schlagen
racket [raket] m Erpresserbande; Erpressung;
~teur [-tœːr] m Erpresser
racl|ée [rakle] f umg Tracht Prügel; ~er [-kle]
(ab-, aus-)kratzen; abschaben; ce vin vous ~e le
gosier (umg) d. Wein kratzt e-m in d. Kehle; ~er
du violon (umg) auf d. Geige kratzen; ~oir
[-klwaːr] m Schabeisen; ~ure [-klyːr] f Ab-
schabsel
racol|age [rakolaːʒ] m Werbung, Kundenfang;
~er [-le] zudringlich ansprechen; umg werben,
keilen
racont|ar [rakõtaːr] m umg Klatsch, Gewäsch;
~er [-te] erzählen; en ~er viel erzählen,
übertreiben
racornir [rakɔrniːr] 22 hart machen, verhärten;
se ~ hart u. zäh werden; zus.schrumpfen; fig
verknöchern
rad [rad] m phys Rad n; (Winkel) Radiant m;
~dar [radaːr] m Radar(gerät); Radaranlage;
Funkmeßgerät, -meßanlage, -meßtechnik;
~dariste [-darist] m Radarmann
rade [rad] f Reede; être mouillé en ~ auf R.
liegen; laisser en ~ (umg) fallenlassen; rester en
~ (umg) sitzenbleiben
radeau [rado] m 91 Floß; ~ pneumatique
Rettungsinsel
radi|ale [radjal] f Zubringerautobahn; ~amètre
[-djamɛtr] m Strahlenmeßgerät; ~ateur [ra-
djatœːr] m Heizkörper; 🚗 Kühler; ~ateur
parabolique Heizsonne; ~ateur thermique Wär-
mestrahler; ~ation [-djasjõ] f 1. Strahlung;
(Schmerz) Ausstrahlung; 2. Streichung, Löschung
radical [radikal] 124 radikal; Grund...; völlig;
m Wurzelzeichen; ling Stamm; ~ement [-kalmã]
von Grund aus, gründlich; ~iser [-lize] vt
radikalisieren
radier [radje] ausstreichen, auslöschen
radiesthésiste [radjestezjst] m (Wünschel-)
Rutengänger
radi|eux [radjø] 111 (a. fig) strahlend; glänzend;
~fère [-difɛːr] m radiumhaltig
radin [radɛ̃] m pop Geizkragen
radio [radjo] f umg Radio; m (Bord-)Funker;
~-actif [radjoaktif] 112 radioaktiv; source
~active Strahlenquelle; ~activité [-aktivite] f
Radioaktivität, Strahlung; ~balise [-baliːz] f
Funkfeuer; ~-combiné [-kõbine] m 99 Rundfunkgerät mit Plattenspieler; ~concert [-kõsɛːr]
m Rundfunkkonzert; ~détection [-detɛksjõ] f
Funkpeilung; ~diffuser [-difyze] über d. Rundfunk verbreiten; ~diffusion [-difyzjõ] f Rund-

funk(übertragung); Rundfunk(dienst); ~
drame [-drɑm] m 📻 Hörspiel; ~-électrique
[-elɛktrik] Funk...; signal ~-électrique Funksi-
gnal; ~goniométrie [-gɔnjɔmetri] f Funkmeß-
technik, Funkpeilung; ~gramme [-grɑm] m
Funktelegramm; Röntgenaufnahme; ~graphie
[-grafi] f Röntgentechnik; Röntgenaufnahme;
~guidage [-gidaːʒ] m Fernlenkung; ~laires [-lɛːr]
mpl zool Strahlentierchen; ~lésion [-lezjõ] f
Strahlungsschaden; ~logie [-lɔʒi] f $ Röntgen-
ologie; ~logique [-lɔʒik] Röntgen...; ~logue
[-lɔg] m Röntgenologe; ~métrie [-metri] f
Strahlungsmessung; ~navigation [-navigasjõ] f
Funknavigation; ~phare [-faːr] m Funkfeuer;
~-pirate [-pirat] f illegaler Rundfunksender;
~phonique [-fɔnik] adj Rundfunk...; Funk-
sprech...; ~phono [-fɔno] m Rundfunkgerät mit
Plattenspieler; meuble ~phono Musiktruhe;
~publicité [-pyblisite] f Funkwerbung; ~repor-
tage [-rəpɔrtaːʒ] m Hörbericht; ~reporter
[-rəpɔrtɛːr] m (Rundfunk-)Reporter; ~scopie
[-skɔpi] f $ Durchleuchtung; ~taxi [-taksi] m
Funktaxi; ~technicien [-tɛknisjɛ̃] m Funktechni-
ker; ~technique [-tɛknik] funktechnisch; f
Funktechnik; ~télégramme [-telegrɑm] m Funktelegramm; ~télévisé [-televize] adj: émission ~
~ Radio- u. Fernsehübertragung; ~thérapie
[-terapi] f $ Strahlenbehandlung
radis [radi] m Rettich; pop Heller; petit ~
Radieschen; je n'ai plus un ~ ich bin total blank
radi|um [radjɔm] m Radium; ~us [-djys] m anat
Speiche
radot|age [radotaːʒ] m unsinniges Geschwätz,
Faselei; ~er [-te] faseln, albernes Zeug reden;
~eur [-tœːr] m Schwätzer, Faselhans
radouber [radube] bes ⚓ ausbessern
radouc|ir [radusiːr] 22 lindern, besänftigen;
se~ir (Wetter) milder werden; ~issement
[-sismã] m Linderung, Besänftigung
rafale [rafal] f Windstoß; ~ continue (Waffe)
Dauerfeuer; ~ de mitrailleuse Maschinen-
gewehrgarbe
raffermir [rafɛrmiːr] 22 festigen; kräftigen;
(Mut) neu beleben
raffin|age [rafinaːʒ] m ⚙ Raffinieren; (Papier)
Mahlen; ~é [-ne] gereinigt; verfeinert; raffi-
niert, durchtrieben; sucre ~é Raffinade;
~ement [-finmã] m (a. fig) Verfeinerung; ~er
[-ne] (a. fig) verfeinern; ⚙ raffinieren; ~erie
[-finri] f ⚙ Raffinerie
raffoler [rafole] umg vernarrt sein (de in),
schwärmen (de für)
raffut [rafy] m umg Krach, Radau
rafiot [rafjo] m umg kleines Boot
rafistoler [rafistole] umg zus.flicken
rafl|e [rɑfl] f Polizeiaktion, Razzia; faire ~e sur
tout alles wegraffen; ~er [rɑfle] wegraffen,
mitnehmen
rafraîch|ir [rafreʃiːr] 22 (er-, auf-)frischen; ~ir la
mémoire à qn j.s Gedächtnis auffrischen; le
temps se ~it es wird kühler; ~issant [-frɛʃisã]
108 erfrischend; ~issement [-frɛʃismã] m
Abkühlung; Erfrischung(sgetränk); fig Auffri-
schung, Erneuerung

ragaillardir [ragajardiːr] 22 aufheitern; *fig* ermuntern, stärken

rag|e [raːʒ] *f* Wut; Tollwut; *fig* Leidenschaft; *être dans une ~e folle* toben; *la tempête fait ~e* d. Sturm tobt; *aimer à la ~e* leidenschaftl. lieben; **~er** [raʒe] *14 umg* wütend sein, toben; **~eur** [raʒœːr] *121* hitzköpfig, hitzig; wütend

raglan [raglɑ̃] *m* Raglanmantel; *manches ~* Raglanärmel

ragot [rago] *m umg* Klatschen, Tratschen; Gerede; Geschwätz; *faire des ~s* klatschen, tratschen

ragoût [ragu] *m* Ragout, Würzfleisch; **~ant** [-gutɑ̃] *108* appetitlich; lecker

raid [rɛd] *m* Streifzug; Vorstoß; ✈ Langstreckenflug

raid|e [rɛd] starr, steif; straff, gespannt; steil; *fig* unnachgiebig; *umg* blank; *pente ~e* Steilhang; *tomber ~e mort* tot umfallen; *elle est ~e! (umg)* das ist ein starkes Stück!; **~eur** [-dœːr] *f* Starrheit, Steifheit; Steilheit; Schroffheit; **~illon** [-dijɔ̃] *m* kurze (Straßen-)Steigung; **~ir** [-rediːr] *22* versteifen, steif machen; *(Lage)* verhärten; *se ~ir* steif werden; *fig* s. stemmen *(contre gegen)*; **~isseur** [-disœːr] *m* ✿ Spannschloß

raie[1] [rɛ] *f* Rochen

raie[2] [rɛ] *f* Streifen, Strich; Linie; *~ des cheveux* Scheitel; *~ spectrale* Spektrallinie

raifort [rɛfɔːr] *m* Meerrettich

rail [raːj] *m* Schiene; Schienenweg; Eisenbahnverkehrswesen; ⚒ Fahrrinne; *fig* Weg, Bahn, Trott; Gewohnheit; *~ de sécurité* Leitplanke; *sur ~s* ✿ gleisgebunden; *remettre sur les ~s fig* wieder in Gang, in Ordnung bringen

rail|er [raje] (ver)spotten; auslachen; *je ne ~e pas* ganz im Ernst; **~erie** [rɑjri] *f* Spaß; Spott; **~eur** [-jœːr] *121* spöttisch; *m* Spötter

rainette [rɛnɛt] *f* Laubfrosch

rainure [renyːr] *f* ✿ Nut, Rinne, Rille, Falz; *~ et languette* ✿ Feder u. Nut

rai(s) [rɛ] Lichtstrahl; (Fahrrad-)Speiche

raisin [rɛzɛ̃] *m* Traube; *~s secs* Rosinen; *~s de Corinthe* Korinthen

raison [rɛzɔ̃] *f* Vernunft; Verstand; Grund; Begründung; *math* Verhältnis; *~ sociale* Firma; *âge de ~* d. reifere Alter; *à plus forte ~* erst recht; *pour quelle ~?* aus welchem Grund?; *sans ~ plausible* ohne triftigen Grund; *à ~ de dix NF le mètre* 10 NF das Meter; *en ~ de* wegen, auf Grund; *en ~ directe (inverse) de (math)* direkt (umgekehrt) proportional zu; *se faire une ~* zurückstecken, sich fügen; *avoir ~* recht haben; *donner ~* recht geben; *perdre la ~* verrückt werden; *se rendre à la ~* Vernunft annehmen; **~nable** [-zɔnabl] vernunftbegabt; vernünftig; angemessen; **~nement** [-zɔnmɑ̃] *m* Überlegung; Gedankengang; *pas de ~nements!* keine Widerrede!; **~ner** [-zɔne] Überlegungen anstellen; zur Vernunft zu bringen versuchen; diskutieren *(de über)*; *~ner juste* richtig urteilen ♦ *~ner comme une pantoufle* Unsinn verzapfen; **~neur** [-zɔnœːr] *121* rechthaberisch; *m* Raisonnierer; Nörgler

rajeun|ir [raʒœniːr] *22* verjüngen; (wieder) jung werden; **~issement** [-nismɑ̃] *m* Verjüngung

rajouter [raʒute] hinzufügen

rajust|ement [raʒystmɑ̃] *m* Angleichung; Anpassung; **~er** [-te] angleichen; *(Kleidung)* in Ordnung bringen

râle [rɑːl] *m* Röcheln

ralent|i [ralɑ̃ti] *m* ⛟ Leerlauf; ⚐ Zeitlupenaufnahme; **~ir** [-tiːr] *22* verlangsamen; langsamer werden, fahren; *(Eifer)* nachlassen; **~issement** [-tismɑ̃] *m* Verlangsamung; *(Konjunktur)* Dämpfung; **~isseur** [-tisœːr] *m* Zeitlupe; *(Kernphysik)* Bremssubstanz

râler [rɑle] röcheln; *pop* sauer sein; schimpfen, meckern; *c'est râlant (umg)* das ist ärgerlich

ralli|ement [ralimɑ̃] *m (bes mil)* Vereinigung; *point de ~ement* Sammelpunkt; *signe de ~ement* Erkennungszeichen; **~er** [-lje] *(bes. Truppen)* vereinigen; *fig* einigen; *~er un port e-n Hafen anlaufen; ~er son poste* auf seinen Posten zurückkehren; *se ~er* s. anschließen

rallong|e [ralɔ̃ʒ] *f* Verlängerung; *com* Zusatzkredit; *table à ~es* Ausziehtisch; **~er** [-lɔ̃ʒe] *14 (z. B. Kleid)* verlängern

rallumer [ralyme] wieder anzünden; *(Streit)* wieder aufflackern lassen

rallye [rali] *m* ⛟ Sternfahrt, Rallye *f*. Automobilwettbewerb

ramage [ramaːʒ] *m* Pflanzenmuster *(auf Stoff)*; Vogelgezwitscher

ramas [ramɑ] *m* Plunder, Haufen *(wertloser Dinge)*; Gesindel; **~sage** [-masaːʒ] *m* Auflesen, Sammeln; *(Verwundete)* Bergung; *~sage scolaire* Schulbusverkehr; **~sé** [-mase] untersetzt; gedrungen; **~se-poussière** [-maspusjɛːr] *m 100* Staubfänger; **~ser** [-mase] aufheben; auflesen; (ein)sammeln; *~ser ses forces* Kräfte sammeln; *~ser une pelle (umg)* hinschlagen; *il s'est fait ~ser (umg)* sie haben ihn mitgenommen (verhaftet); **~sis** [-masi] *m* Haufen; Gesindel

rame[1] [ram] *f (Papiermaß)* Ries *(500 Bogen); (Textilindustrie)* Spannrahmen; ⚑ Zuggarnitur, Wagenzug; *~ de métro* U-Bahn-Zug, Wagengruppe

rame[2] [ram] *f* Ruder, Riemen; Rudersport; *faire force de ~s* mit aller Macht rudern

rame[3] [ram] *f* Bohnenstange; *pl* Erbsenreiser; *ne pas en ficher une ~ (umg)* d. Daumen drehen, keinen Handgriff tun

‹ameau [ramo] *m 91 (a. fig)* Zweig; *Dimanche des ✠x* Palmsonntag

ramener [ramne] *8* zurückführen, -bringen; *~ l'ordre* d. Ordnung wiederherstellen; *~ sa science, la ~* große Töne reden

ramer[1] [rame] rudern

ramer[2] [rame] *(Bohnen usw.)* mit Stangen versehen

rameur [ramœːr] *m* Ruderer

rami [rami] *m* Rommé

ramier [ramje] *m* Ringel-, Holztaube

ramifi|cation [ramifikasjɔ̃] *f (a. fig)* Verzweigung; Verästelung; Unterteilung, Gliederung; **~er** [-fje]: *se ~er (a. fig)* s. verzweigen; *chaîne ~ée chem* verzweigtkettig

ramilles [ramij] *fpl* Reisig
ramoll|i [ramɔli] schwachsinnig; *m umg*
Schlappschwanz; ~**ir** [-liːr] *22* weich machen,
erweichen; *se ~ir (umg)* verblöden; ~**issement**
[-lismɑ̃] *m* Aufweichung; ~**issement du cerveau**
ṩ Gehirnerweichung
ramon|age [ramɔnaːʒ] *m* Schornsteinfegen; ~**er**
[-ne] d. Schornstein fegen; *umg* abkanzeln; *umg*
ṩ durchputzen; ~**eur** [-nœːr] *m* Schornsteinfe-
ger, Kaminkehrer
ramp|ant [rɑ̃pɑ̃] *108* kriechend; *fig* krieche-
risch; *mpl* Kriechtiere; *arg* ✝ Bodenpersonal;
~**e** [rɑ̃p] *f* Geländer; *a.* ⚡ Rampe; ⚙
Laderampe; ~*e d'accès (Autobahn)* Auffahrt;
~ *de graissage* Abschmierbühne; ~*e de*
lancement Startrampe; Abschußgestell; *fig*
(guter) Start; ~**er** [-pe] *a. fig* kriechen; *mil*
gleiten
ramure [ramyːr] *f* Zweig-, Astwerk; Geäst;
Geweih
rancart [rɑ̃kaːr] *m (arg pop)* Stelldichein; *mettre*
au ~ (umg) zum alten Eisen werfen
ranc|e [rɑ̃s] ranzig; *m: sentir le ~e* ranzig
riechen; ~**ir** [rɑ̃siːr] *22* ranzig werden
rancœur [rɑ̃kœːr] *f* Groll
rançon [rɑ̃sɔ̃] *f* Lösegeld; ~**ner** [-sɔne] erpressen; überfordern
rancun|e [rɑ̃kyn] *f* Groll; *sans ~e! (umg)*
Schwamm drüber!, nichts für ungut!; *il lui en*
garde ~e er trägt es ihm nach; ~**ier** [-kynje] *116*
nachtragend
randon|née [rɑ̃dɔne] *f* weiter Weg; Fernfahrt,
-flug; ~**neur** [-nœːr] *m* Wanderer
rang [rɑ̃] *m* Reihe; Rang; Stelle; ~ *hiérarchique*
Dienststellung; Rangstufe; *hommes du ~*
Mannschaften; *par ~ de taille* der Größe nach;
par ~ d'ancienneté nach d. Dienstalter; *rompre*
les ~s (mil) wegtreten; *tenir le premier ~* an d.
Spitze stehen; *être sorti du ~* von d. Pike auf
gedient haben; ~**ée** [-ʒe] *f* Reihe; *à deux ~ées*
zweireihig; ~**er** [-ʒe] *14* anordnen; aufräumen;
in Ordnung bringen; *EDV* speichern; *se ~er*
zur Seite treten; *fig* e. solides Leben beginnen;
se ~er à un avis e-r Meinung beipflichten
ranim|ation [ranimasjɔ̃] *f* Wiederbelebung; ~**er**
[-me] wiederbeleben; *(Feuer)* anfachen; *(Farben)*
auffrischen; *(Gespräch)* wieder in Gang bringen; *se ~er* wieder zu s. kommen, aufleben
rapac|e [rapas] raubgierig; habsüchtig; *mpl*
Raubvögel; ~**ité** [-site] *f* Raubgier; Habsucht
rapatri|ement [rapatrimɑ̃] *m pol* Rückführung,
Repatriierung; ~**er** [-trie] *pol com* rückführen,
repatriieren; *se ~* zurückkehren
râp|e [rɑːp] *f (Küche)* Reibe; Raspel; ~**é** [-pe] *m*
Nachwein; ~**er** [-pe] reiben; raspeln; *fromage*
~*é* geriebener Käse
rapetasser [raptase] *umg (a. fig)* zurechtflicken
rapetisser [raptise] verkleinern; *fig* herabsetzen; abnehmen, kürzer werden
raphia [rafja] *m* (Raphia-)Bast
rapiat [rapja] *108 umg* (geld-, hab-)gierig
rapid|e [rapid] schnell; steil; *m* Schnellzug; *pl*
Stromschnellen; ~**ité** [-pidite] *f* Schnelligkeit,
Geschwindigkeit; Steilheit

rapiécer [rapjese] *13, 15* flicken, ausbessern
rapin [rapɛ̃] *m umg* Malschüler; *iron* Farben-
kleckser
rapine [rapin] *f* Raub; Beute
rappel [rapɛl] *m* Zurückrufung; *(Botschafter)*
Abberufung; Mahnung, Aufforderung; Nach-
zahlung; ⚐ Beifall, Vorhang; *(Tonband)* Rück-
lauf, Rückstellung; ~ *de cotisation* Nachzah-
lung von Beiträgen; ~ *à l'ordre (pol)* Ordnungs-
ruf; *lettre de ~ (com)* Mahnschreiben; ~**er**
[-ple] *4* zurückrufen; *(Botschafter)* abberufen; ⚐
heraufrufen; erinnern *(qch à qn* j-n an etw.); *se*
~**er** s. erinnern *(qch* an etw.)
rappliquer [raplike] *6 pop* (zurück-)kommen
rapport [rapɔːr] *m* Beziehung, Verkehr; *a. math*
Verhältnis; Bericht; Gutachten; Ertrag; ~
d'activité Tätigkeitsbericht; ~*s d'affaires* Ge-
schäftsverbindung; ~*s de commerce* Handels-
beziehungen; ~*s de dépendance* Abhängigkeits-
verhältnis; ~ *des forces* Kräften.; ~ *secret*
Geheimbericht; *maison, immeuble de ~* Mietshaus; *mettre en ~ avec* in Verbindung setzen
mit; *par ~ à* im Verhältnis zu; *sous le ~ de*
hinsichtlich; ~**er** [-pɔrte] zurücktragen, -brin-
gen; anfügen; eintragen, abwerfen; berichten;
weitersagen; *se ~er à* s. beziehen auf; *s'en ~er à*
qn s. auf j-n verlassen; ~**eur** [-tœːr] *m* Angeber;
Zuträger; *pol* Referent, Berichterstatter; *math*
Winkelmesser; ~**eur d'échelle** Bildschablone
rapproch|ement [raprɔʃmɑ̃] *m* Annäherung;
Verständigung; Versöhnung; Gedankenverbin-
dung; Gegenüberstellung; ~**er** [-ʃe] näherbrin-
gen; annähern; *a. opt* heranziehen; vergleichen
rapt [rapt] *m* Menschenraub; Entführung
raquer [rake] *6 pop* blechen
raquette [rakɛt] *f* Rakett, Tennisschläger;
Schneeschuh
rar|e [raːr] selten; knapp; spärlich; dünn; *se*
faire ~ s. nicht oft sehen lassen; *gaz ~es*
Edelgase; ~**éfaction** [rarefaksjɔ̃] *f phys* Verdünnung; *com* Verknappung; ~*s d'affaires* phys
verdünnen; *se ~éfier* seltener werden; knapp
werden; ~**eté** [rarte] *f* Seltenheit; Knappheit;
Merkwürdigkeit; Rarität; ~**issime** [rarisim] sehr
selten
ras [rɑ] *108* kahl (geschoren); *(Maß)* gestrichen;
à poils ~ (Tier) kurzhaarig; ~*e campagne* d.
flache Land; *en avoir ~ le bol (umg)* d. Nase
voll haben, es satt haben, zum Halse heraushän-
gen; *faire table ~e* reinen Tisch machen; *au*
(od. *à*) ~ *de* auf gleicher Höhe mit; *à ~ bord*
bis z. Rand; ~**ade** [razad] *f* volles Glas; ~**ant**
[-zɑ̃] *108: tir ~ant (mil)* rasantes (Horizontal-)-
Feuer; *pop* sterbenslangweilig; ~**e-mottes**
[razmɔt]: *vol en ~e-mottes* ✚ Tiefflug; *faire du*
~*e-mottes fig* nicht d. Überblick haben; ~**er**
[-ze] rasieren; streifen, fast berühren; vorbei-
streichen an; *(Haus)* abtragen; *(Festung)* schleifen; *pop* anöden; ~*é de près* glatt rasiert; ~**eur**
[-zœːr] *m umg* Nervensäge; ~**oir** [-zwaːr] *m*
Rasiermesser; ~*oir électrique* Trockenrasierer;
~*oir mécanique* Rasierapparat; *adj* langweilig,
lahm; *au ~oir fig* sehr gut, perfekt; *sur le fil du*
~*oir* ungewiß; ganz knapp

rassasi|er [rasazje] sättigen; *fig* stillen, befriedigen; *être ~é de qch* e-r Sache überdrüssig sein
rassembl|ement [rasãbləmã] *m* Vereinigung; Treffen; *(Truppen)* Sammeln; *(Konvoi)* Zusammenstellung; (Straßen-)Auflauf; *pol* Partei, Bewegung; ~er [-blε] vereinigen; *(Truppen)* sammeln
rasseoir [raswa:r] *46: se* ~ sich wieder setzen
rasséréner [raserene] *13* aufheitern; *se* ~ sich wieder aufheitern; s. beruhigen
rassis [rasi] *108 (Brot)* altbacken; *fig* ruhig, gesetzt, gelassen
rassortir [rasɔrti:r] *22* mit neuen Waren versehen; *(Bestand)* auffüllen
rassur|ant [rasyrã] *108* beruhigend; ~er [-rε] festigen; beruhigen
rasta(quouère) [rasta(kwε:r)] *m* Schwindler; angebl. reicher Ausländer
rat [ra] *m* Ratte; junge Ballettschülerin; Geizkragen; ~ *de bibliothèque* Bücherwurm; ~ *de cave* Kerze; ~ *d'église* Frömmler; ~ *d'hôtel* Hoteldieb; *être fait comme un* ~ in d. Klemme sein, weder aus noch ein wissen
rata [rata] *m*, ~touille [ratatuj] *f pop* Fraß
ratage [rata:ʒ] *m umg* Versagen
ratatiné [ratatine] zus.geschrumpft; schrumpelig
rate [rat] *f anat* Milz ♦ *se dilater la* ~ s. totlachen; *ne pas se fouler la* ~ *(umg)* s. kein Bein ausreißen
raté [rate] *m* Ladehemmung; 🚗 Fehlzündung; *(a. Person)* Versager, Niete; *fig* Schwierigkeit, Krise; *projectile* ~ Blindgänger
rât|eau [ratō] *m 91 (a. Spielbank)* Rechen, Harke; ~elier [-təljε] *m* Futterraufe; künstl. Gebiß; Patronenhalter; ~elier *d'armes (mil)* Gewehrständer ♦ *manger à deux* ~eliers auf zwei Hochzeiten zugleich tanzen
rater [rate] versagen; mißlingen; danebengehen; verfehlen; *ça n'a pas raté* das mußte ja so kommen; *à la prochaine occasion, je ne te raterai pas (umg)* dich krieg' ich noch; ~ *un examen* im Examen durchfallen; ~ *un train* d. Zug verpassen
ratiboiser [ratibwaze] *umg* klauen; runieren, erledigen
ratichon [ratiʃõ] *m pop* Pfaffe
rat|ier [ratje] *m (Hund)* Rattenfänger; ~ière [-tjε:r] *f* Rattenfalle
ratifi|cation [ratifikasjõ] *f* Ratifizierung; Bestätigung; ~er [-tifje] ratifizieren; bestätigen
ratio [rasjo] *m com* Anteil, Verhältnis
ration [rasjõ] *f* Ration, zugeteilte Menge; *fig* Teil, Anteil; ~alisation [-sjonalizasjõ] *f* Rationalisierung; ~aliser [-sjonalize] rationalisieren; ~aliste [-sjonalist] rationalistisch; *m* Rationalist; ~naire [-nε:r] *m* Verpflegungsempfänger; ~nel [-sjonεl] *115* rational; rationell; vernünftig; ~nement [-sjonmã] *m* Rationierung, Bewirtschaftung; Verbrauchsregelung; *carte* (od. *titre) de* ~nement Lebensmittelkarte; ~ner [-sjonε] rationieren; bewirtschaften
ratisser [ratise] rechen, harken; *(Polizei)* durchkämmen

raton [ratõ] *m* kleine Ratte; *pej* Araber, Nordafrikaner; ~ *laveur* Waschbär; ~nade [ratonaːd] *f* rassistische Ausschreitung (gegen Araber); Gewalttat
rattach|ement [rataʃmã] *m pol* Rückgliederung; *com* Eingliederung; Unterstellung; ~er [-ʃe] wieder anbinden; verbinden (*à* mit); einbeziehen (*à* in); *pol* rückgliedern; *se* ~er s. anschließen (*à* an)
rattrap|age [ratrapaːʒ] *m* Nachholen; *com* Anpassung; ~er [ratrape] wieder erwischen; einholen; *se* ~ sich im Sturz festhalten; sich entschädigen
rature [raty:r] *f* ausgestrichene Stelle, Streichung
rauque [ro:k] heiser, rauh
ravag|e [ravaːʒ] *m* Verwüstung, Verheerung; ~er [-vaʒe] *14* verwüsten, verheeren
ravaler [ravale] hinunterschlucken; herabwürdigen, -zerren; 🏛 verputzen; *(Bergbau)* abteufen; ~ *sa façade (pop)* s. anmalen, schminken
ravauder [ravode] ausbessern, flicken; (Strümpfe) stopfen
rave [ra:v] *f* (Futter-)Rübe
ravi [ravi] hingerissen, entzückt ·
ravier [ravje] *m* Salatschüssel
ravigoter [ravigote] *umg* aufpäppeln; wieder auf d. Beine stellen
ravin [ravε] *m* Schlucht; ~er [-vinε] auswaschen
ravir [ravi:r] *22* rauben; entzücken
raviser [ravize]: *se* ~ sich e-s Besseren besinnen
raviss|ant [ravisã] *108* reizend, entzückend; ~ement [-vismã] *m* Raub, Entführung; Entzücken; ~eur [-sœ:r] *121* räuberisch; *m* Entführer
ravitaill|ement [ravitajmã] *m* Verproviantierung; (Lebensmittel) Versorgung; Nachschub; ~ement *en essence* Tanken; ~ement *en vol* Luftbetankung; ~er [-je] mit Proviant, Munition versorgen; *se* ~er s. eindecken; ~eur [-jœ:r] *m* Transporter; Versorgungs...
raviv|age [ravivaːʒ] *m (Farben)* Auffrischung; ~er [-ve] neu belegen; *(Feuer)* anfachen; *(Farben)* auffrischen
ravoir [ravwa:r] *(nur inf)* wiederbekommen
ray|er [rεje] *12* ritzen, linieren; durchstreichen; *(Schallpl., Film)* verkratzen; ~é *(Stoff)* gestreift
rayon[1] [rεjõ] *m* Strahl; *math* Radius; (Rad-)Speiche; *à vingt kilomètres de* ~ 20 km im Umkreis; ~ *d'action* Aktionsradius, Wirkungsbereich; Reichweite; ~ *focal* Brennstrahl; ~ *de virage* 🚗 Wendekreis; ~s *X* Röntgenstrahlen; ~ *d'espérance* Hoffnungsschimmer; ~ *de lumière* Lichtstrahl; ~ *lumineux (phys)* Lichtstrahl; ~ *réfléchi* reflektierter Strahl; ~ *réfracté* gebrochener S.; ~s *cosmiques* Höhenstrahlung
rayon[2] [rεjõ] *m (Regal)* Fach; *com* Abteilung; *chef de* ~ Abteilungsleiter; ~ *de miel* Honigwabe; *cela n'est pas de son* ~ das ist nicht s-e Sache
rayon|nant [rεjonã] *108* strahlend; *chaleur* ~nante *(phys)* Strahlungswärme; ~ne [-jon] *f* Kunstseide; ~nement [-jonmã] *m* Strahlung; *fig* das Strahlen, Ausstrahlung; ~ner [-jone] (ab-, aus)strahlen; ~ner *de joie* vor Freude strahlen

rayure [rɛjyːr] f (Schallplatte, Film) Kratzer, Schramme; Streifenmuster; Streichung

raz [rɑ] m: ~ de marée Springflut; fig Erdrutsch

razzia [razjɑ] f (a. fig) Beutezug

ré [re] ♪ d; ~ bémol des; ~ dièse dis; ~ majeur D-Dur

réabonn|ement [reabɔnmɑ̃] m Abonnementserneuerung; ~er [-ne]: se ~er sein Abonnement erneuern

réact|ance [reaktɑ̃s] f ⚡ Reaktanz, Blindwiderstand; ~eur [-tœːr] m Strahltriebwerk; Atommeiler; Reaktor; ~eur à eau bouillante Siedewasserreaktor; ~eur à eau lourde Schwerwasserr.; ~eur expérimental Versuchsr.; ~eur à fission Spaltr.; ~eur à haute température Hochtemperaturr.; ~eur de puissance Leistungsr.; ~eur surgénérateur Brutr.; ~if [-tif] 112 reaktionsfähig, reagierend; m chem Reagens; ~ion [-sjɔ̃] f (a. chem, pol) Reaktion; Gegenwirkung, Rückwirkung; Rückkopplung; ~ion en chaîne Kettenreaktion; ~ionnaire [-sjɔnɛːr] reaktionär; m Reaktionär

réadaptation [readaptasjɔ̃] f Wiederanpassung; Umschulung

réaffirmer [reafirme] bekräftigen

réagir [reaʒiːr] 22 reagieren (contre auf); zurückwirken (sur auf)

réajuster [reaʒyste] anpassen, angleichen

réal|isable [realizabl] aus-, durchführbar; (Wertpapier) einlösbar; ~isateur [-lizatœːr] m Gestalter; Erbauer; Urheber; Schöpfer; Filmregisseur; ~isation [-lizasjɔ̃] f Verwirklichung; Erstellung; Schaffung; com Liquidation; Filmregie; ⚓ Einstudierung; ~iser [-lize] verwirklichen; (Maschine) bauen; (Versprechen) erfüllen; (Plan) ausführen, in d. Tat umsetzen; com liquidieren; (Gewinn) erzielen; umg kapieren, sich vorstellen; se ~iser in Erfüllung gehen; ~isme [-lism] m Realismus; ~iste [-list] realistisch; m Realist; ~ité [-lite] f Realität, Wirklichkeit; en ~ité in Wirklichkeit, tatsächlich

réaménager [reamenaʒe] 14 neu ordnen, umordnen

réanima|teur [reanimatœːr] m Notarzt; ~tion [-sjɔ̃] f Wiederbelebung, Reanimation

réappar|aitre [reaparɛtr] 61 wieder erscheinen; ~ition [-risjɔ̃] f Wiedererscheinung

réarmement [rearmɑ̃mɑ̃] m Wiederbewaffnung, Aufrüstung

réassur|ance [reasyrɑ̃s] f Rückversicherung; ~er [-syre]: se ~er s. rückversichern

réassortir [reasɔrtiːr] siehe rassortir

rébarbatif [rebarbatif] 112 schroff, barsch; fig langweilig, schwerverständlich

rebatt|re [rabatr] 53: ~re un sujet e-e Sache ständig wiederholen; avoir les oreilles ~ues de qch etw. zum Überdruß gehört haben

rebell|e [rəbɛl] aufrührerisch; widerspenstig (à gegen); maladie ~e hartnäckige Krankheit; m Aufrührer, Aufständischer, Rebell; ~er [-bɛle]: se ~er s. auflehnen, s. empören (contre gegen)

rébellion [rebɛljɔ̃] f Aufruhr, Empörung; Aufstand; Widerstand

rebiffer [rabife]: se ~ (umg) s. sträuben

rebois|ement [rabwazmɑ̃] m Aufforstung; ~er [-ze] aufforsten

rebondi [rebɔ̃di] dick, rund, prall; ~ir [-diːr] 22 zurück-, abprallen; fig wieder aktuell werden

rebord [rabɔːr] m Einfassung; Randleiste; Krempe; (Fenster-)Sims

rebours [rabuːr] m: à ~ gegen d. Strich; compte à ~ Nullzählen; au ~ de im Gegensatz zu

rebout|eur, ~eux [rabutœːr, -tø] m pej Kurpfuscher; Gliedereinrenker

rebrouss|e-poil [rabruspwal]: à ~e-poil (a. fig) gegen d. Strich; ~er [-se] gegen d. Strich bürsten; ~er chemin umkehren

rebuffade [rabyfad] f Abweisung, Abfuhr

rébus [rebys] m Bilderrätsel

rebut [raby] m Ausschuß; Abschaum; mettre au ~ ausrangieren; lettre tombée au ~ unzustellbarer Brief; ~ant [-bytɑ̃] 108 abstoßend; ~er [-byte] fig abstoßen

récalcitr|ance [rekalsitrɑ̃s] f Widerspenstigkeit; ~ant [-trɑ̃] 108 widerspenstig

reca|lage [rakalaːʒ] m ☼ Neueinstellung; (Kreisel) Aufrichtung; ~ler [rəkale] arg scol durchfallen lassen

récapitul|ation [rekapitylasjɔ̃] f kurze Zus.fassung; Wiederholung; ~er [-le] kurz zus.fassen, zus.fassend wiederholen

recel [rəsɛl] m 🔓 Hehlerei; ~er [-slé] 8 verbergen; verhehlen; in s. bergen; ~eur [-slœːr] m Hehler

récemment [resamɑ̃] kürzlich, neulich; tout ~ in allerletzter Zeit

recens|ement [resɑ̃smɑ̃] m Volkszählung; statistische Erhebung; ~er [-se] statistisch erfassen; ~ion [-sjɔ̃] f Textvergleichung

récent [resɑ̃] 108 kürzlich vorgekommen; neueren Datums; jusqu'à une date ~e bis vor kurzem

récépissé [resepise] m Empfangsbescheinigung; Annahmeschein; ⚓ Einlieferungsschein

récept|acle [reseptakl] m Behälter; Schlupfwinkel; ~eur [-tœːr] m ⚓ Hörer; ⚓ Empfänger; ~if [-tif] 112 (a. fig) empfänglich; ~ion [-sjɔ̃] f (a. ⚓) Empfang; ☼ 🏛 Abnahme; accuser ~ion d. E. bestätigen; ~ionnaire [-sjɔnɛːr] m Empfänger; ☼ Abnahmeingenieur; ~ionné [-sjɔne] zugelassen; ~ionnement [-sjɔnmɑ̃] m ☼ Abnahme, Zulassung; ~ionner [-sjɔne] ☼ abnehmen; ~ionniste [-sjɔnist] m (Hotel) Portier, Empfangschef; (Betrieb) Pförtner; (Verwaltung) Auskunft(sperson); ~ivité [-tivite] f ⚡ Anfälligkeit, Empfänglichkeit; fig Aufnahmebereitschaft

récession [resesjɔ̃] f com Rückgang

recette [rəsɛt] f (Geld) Eingang, Einnahme; Finanzkasse; (Koch-)Rezept; garçon de ~ Kassenbote; cette pièce ne fait pas ~ ⚑ das Stück zieht nicht

recev|able [rəsvabl] annehmbar; 🔓 zulässig; ~eur [-vœːr] m Schaffner; Steuereinnehmer; med Empfänger; (Dusche) (Auffang-)Becken; ~oir [-vwaːr] 44 empfangen; in Empfang nehmen; erhalten; bekommen; ☼ abnehmen; (in e-e Gesellschaft) aufnehmen; opinion reçue allgemeine Auffassung; *être reçu à un examen* e-e Prüfung bestehen

rechange [rəʃɑ̃ʒ] *m: de* ~ Ersatz…; *pièce de* ~ Ersatzteil; ~ *interchangeable* austauschbares Ersatzteil

rechaper [rəʃape] *(Reifen)* runderneuern

réchapper [reʃape] *(Gefahr, Krankheit)* durchkommen, überstehen

recharg|e [rəʃarʒ] *f* Nachfüllung; ~**er** [-ʒe] *14* wieder beladen; ~d wieder aufladen; *(Straße)* neu beschottern; *(Ofen)* nachheizen

réchau|d [reʃo] *m* Rechaud, Tellerwärmer; Kocher; ~*d à gaz* Gaskocher; ~*d à alcool* Spirituskocher; ~*d électrique* Heizplatte; ~**ffé** [-ʃofe] *m* Aufgewärmtes; *fig* alte Kamellen; ~**ffer** [-ʃofe] wieder erwärmen; aufwärmen; (an-, vor-)wärmen; *fig* anfachen; ~**ffeur** [-fœːr] *m* Vorwärmer, Erhitzer

rêche [rɛʃ] *a. fig* rauh, herb

recherch|e [rəʃɛrʃ] *f* Suche; Trachten; (Er-) Forschung; *a.* 🜨 Nachforschung, Ermittlung; Untersuchung; *(Benehmen, Stil)* Gesuchtheit; ~*e fondamentale* Grundlagenforschung; ~*e opérationnelle* Planungsf.; ~*e policière* polizeiliche Fahndung; ~**er** [-ʃɛrʃe] suchen (*qch* nach etw.); forschen (*qch* nach etw.); streben, trachten (*qch* nach etw.); s. bemühen (*qch* um etw.); *il est très* ~é er ist sehr gefragt (*od.* begehrt); *tournures* ~*ées* gewählte Redensarten

rechign|é [rəʃiɲe] griesgrämig, verdrießlich, sauertöpfisch; ~**er** [-ɲe] e. mürrisches Gesicht machen; ~*er à qch* über etw. die Nase rümpfen; ~*er au travail* widerwillig an d. Arbeit gehen

rechute [rəʃyt] *f* 🜨 Rückfall

récidiv|e [residiːv] *f* 🜨 Rückfall; *en cas de* ~*e* 🜨 im Wiederholungsfall; ~**er** [-dive] 🜨 rückfällig werden; ~**iste** [-vist] *m, f* Rückfalltäter

récif [resif] *m* Riff

récip|iendaire [resipjɑ̃dɛːr] *m* aufzunehmendes Mitglied (*e-r Körperschaft);* ~**ient** [-pjɑ̃] *m* Gefäß, Behälter

récipro|cité [resiprɔsite] *f* Gegenseitigkeit; Wechselbeziehung; ~**que** [-prɔk] gegenseitig; *math* reziprok; *f* Umkehrung *(e-r Aussage); rendre la* ~*que à qn (umg)* j-m mit gleicher Münze heimzahlen

récit [resi] *m* Bericht; *a. lit* Erzählung; ~**al** [-sital] *m* Solokonzert; ~*al de piano* Klavierabend; ~**atif** [-tatif] *m* ♪ Rezitativ; ~**ation** [-tasjɔ̃] *f pad* Aufsagen; ~**er** [-te] *pad* aufsagen

réclam|ation [reklamasjɔ̃] *f* Reklamation, Beschwerde; Beanstandung; ~**e** [-klam] *f* Reklame; ~*e lumineuse* Lichtreklame; ~**er** [-me] nachdrücklich bitten (*qch* um etw.); fordern; Einspruch erheben; *se* ~*er* s. berufen (*de auf);* s. bekennen zu

reclass|ement [rəklɑsmɑ̃] *m* Neuordnung, -reglung, -einstufung; Umschichtung; ~**er** [-se] neu regeln; umschichten; *com* anpassen

reclus [rəkly] *108: être* ~ *dans sa maison* wie e. Einsiedler leben

réclusion [reklyzjɔ̃] *f* Einsiedelei; ~ *criminelle* Zuchthausstrafe

recoin [rəkwɛ̃] *m* (Schlupf-)Winkel; *les* ~*s du cœur* d. geheimsten Winkel d. Herzens

récollection [rekɔlɛksjɔ̃] *f* Andacht, Sammlung

récolt|e [rekɔlt] *f (a. fig)* Ernte; ~*e déficitaire* Mißernte; ~**er** [-kɔlte] *a. fig* ernten; *(Bienenschwarm)* einfangen

recommand|able [rəkɔmɑ̃dabl] empfehlenswert; ~**ation** [-dasjɔ̃] *f* Empfehlung; Ermahnung; *droit de* ~*ation* 🖉 Einschreibgebühr; ~**er** [-de] empfehlen; anempfehlen, (dringend) anraten; 🖉 einschreiben lassen; *lettre* ~*ée, envoi* ~é Einschreiben; *se* ~*er de qn* s. auf j-n berufen

recommenc|ement [rəkɔmɑ̃smɑ̃] *m* Wiederbeginn; ~**er** [-se] *15* von neuem anfangen, wieder beginnen

récompens|e [rekɔ̃pɑ̃s] *f* Belohnung *(de* für); ~**er** [-pɑ̃se] belohnen *(de* für); entschädigen

recompter [rəkɔ̃te] nachzählen

réconcili|ation [rekɔ̃siljasjɔ̃] *f* Versöhnung; ~**er** [-lje] versöhnen; in Einklang bringen

recondu|ction [rəkɔ̃dyksjɔ̃] *f* 🜨 Verlängerung *(e-s Vertrages);* ~*ction tacite* stillschweigende V.; ~**ire** [-dɥiːr] *80* zurück-, hinausbegleiten; *(Besuch)* wegbringen; *(Vertrag)* verlängern

réconfort [rekɔ̃fɔːr] *m* Trost, Stärkung; ~**ant** [-fɔrtɑ̃] *108 (a. fig)* stärkend; tröstlich; *m* 🝆 Stärkungsmittel; ~**er** [-fɔrte] *a. fig* stärken, trösten

reconn|aissance [rəkɔnɛsɑ̃s] *f* Wiedererkennen; Erkundung; *mil* Aufklärung; Dankbarkeit; Erkenntlichkeit; Eingeständnis; 🜨 Anerkennung; ~*aissance de dette* Schuldschein; ~**aissant** [-nɛsɑ̃] *108* dankbar, erkenntlich *(de* für); ~**aître** [-nɛtr] *61* wiedererkennen *(à an);* *mil* aufklären; anerkennen; eingestehen; einräumen; bescheinigen; *se* ~*aître* s. zurechtfinden; *se* ~*aître coupable* gestehen, s. schuldig bekennen

reconquérir [rəkɔ̃kerjːr] *18* wiedererobern, wiedergewinnen

reconstitu|ant [rəkɔ̃stitɥɑ̃] *m* Stärkungsmittel; ~**er** [-tɥe] rekonstruieren; ~**tion** [-tysjɔ̃] *f* Rekonstruktion; 🜨 Neuanlegung *(verlorener Akten)*

reconstru|ction [rəkɔ̃stryksjɔ̃] *f* Wiederaufbau; ~**ire** [-trɥiːr] *80* wiederaufbauen

reconver|sion [rəkɔ̃vɛrsjɔ̃] *f* Umwandlung; *(Beruf)* Umschulung, Wiedereingliederung; ~**tir** [-tjr] umwandeln; *se* ~ *ir* s. umschulen lassen

recopier [rəkɔpje] abschreiben

record [rəkɔːr] *m (a. fig)* Rekord; Spitzen-, Bestleistung; ~ *du monde* Weltrekord; *détenir un* ~ e-n Rekord innehaben; *titulaire d'un* ~ Rekordinhaber; *chiffre* ~ Rekordzahl; ~**man** [-kɔrdman] *m 103* Rekordinhaber, Rekordler; 🏃 Meister, Titelinhaber; ~**woman** [-kɔrdwɔman] *f 103* Rekordinhaberin, Rekordlerin; 🏃 Titelinhaberin

recoucher [rəkuʃe]: *se* ~ sich wieder ins Bett legen

recoup|ement [rəkupmɑ̃] *m* Prüfung, Gegenüberstellung; 🏛 Absetzen; ~**er** [-pe]: *se* ~*er*

(Beobachtungen, Zeugenaussagen) sich decken, übereinstimmen

recourb|é [rəkurbẹ] gekrümmt; **~ure** [-byːr] *f* Krümmung

recour|ir [rəkurjːr] *19* s-e Zuflucht nehmen *(à* zu); *~ir à la justice* d. Rechtsweg beschreiten; *~ir en cassation* Revision einlegen; **~s** [-kuːr] *m* Zuflucht; Hilfsquelle; Rechtsmittel; Rückgriff, Regreß; Einspruch *(z. B. gegen Steuerbescheid); avoir ~s au médecin* d. Arzt zu Rate ziehen; *~s en grâce* 🔾 Gnadengesuch; *voie de ~s* 🔾 Rechtsmittel

recouvrement[1] [rəkuvrəmɑ̃] *m (Besitz, Gesundheit)* Wiedererlangung; *(Steuern)* Bei-, Eintreibung; *mandat de ~* Einziehungsauftrag

recouvrement[2] [rəkuvrəmɑ̃] *m* 🔾 Be-(Über-)-Deckung; Überlappung; Bezug; Überzug; Belag; *geol* Verwerfung, Überfaltung

recouvrer [rəkuvrẹ] *(Besitz, Gesundheit)* wiedererlangen; *(Steuern)* Bei-, eintreiben

recouvrir [rəkuvriːr] *28* (wieder) zu-(be-, ver-)-decken; *fig* bemänteln

récré|atif [rekreatịf] *112* erholsam; **~ation** [-asjɔ̃] *f* (Erholungs-)Pause; **~er** [-kreẹ] erfreuen, ermuntern; *se ~er* s. vergnügen, s. erholen

recréer [rəkreẹ] von neuem schaffen

recrépir [rəkrepiːr] 🏛 neu verputzen

récrier [rekriẹ]: *se ~* laut protestieren

récrimin|ation [rekriminasjɔ̃] *f* Protest, Klage; scharfe Kritik; **~er** [-nẹ] s. beklagen, protestieren; scharfe Kritik üben

recroqueviller [rəkrɔkvijẹ]: *se ~* zus.schrumpfen; s. nach vorne beugen, s. krümmen

recrudescence [rəkrydesɑ̃s] *f* 🎇 Verschlimmerung; *(Frost, Hitze)* neuerliche Zunahme

recru|e [rəkry] *f* Rekrut; neues Mitglied; **~tement** [-krytmɑ̃] *m* Rekrutierung; Anwerbung; Ergänzung *(von Mitgliedern); bureau de ~tement (mil)* Wehrersatzamt; **~ter** [-krytẹ] *(Mitglieder)* ergänzen; werben; *se ~ter parmi* kommen aus, herrühren von; **~teur** [krytœːr] *m mil* Werber

rect|a [rɛktạ] *umg* pünktlich; genau ♦ *payer ~a* auf Heller u. Pfennig bezahlen; **~angle** [-tɑ̃gl] rechtwinklig; *m* Rechteck; **~angulaire** [-tɑ̃gylɛːr] rechteckig; **~eur** [-tœːr] *m* Rektor *(Leiter d. Schulbehörde einschl. Univ.);* **~ificatif** [-tifikatịf] *m* 🔾 Berichtigung; **~ification** [-tifikasjɔ̃] *f (Straße)* Begradigung; Berichtigung; *math, chem* Rektifikation; **~ifier** [-tifjẹ] *(Straße)* begradigen; berichtigen; richtigstellen; **~iligne** [-tiliɲ] geradlinig; **~itude** [-titydɛ] *f* Geradheit; Richtigkeit; **~o** [-tọ] *m (Papier)* Vorderseite; **~oral** [-tɔrạl] *124* Rektorats...; **~orat** [-tɔrạ] *m* Rektorat; **~um** [-tɔm] *m* Mastdarm

reçu [rəsy] *m* Quittung, Empfangsbescheinigung

recueil [rəkœj] *m* Sammlung *(von Schriftstücken);* **~lement** [-kœjmɑ̃] *m* Andacht, Sammlung; **~li** [-kœji] andächtig, gesammelt; **~lir** [-kœjiːr] *20* (auf)sammeln; *fig* ernten; *(Meinungen)* erkunden; *se ~lir (fig)* s. sammeln

recuire [rəkjiːr] *80* nochmals kochen; 🔾 ausglühen, tempern

recul [rəkyl] *m* Rückwärtsbewegung; 🚗 Zurücksetzen; *(Waffe)* Rückstoß; *a. fig* Abstand; Rückschritt; Rückgang; *touche de ~ (Schreibmasch.)* Rücktaste; **~ade** [-kylạd] *f* Rückzug; Rückzieher; **~é** [-kylẹ] entfernt, entlegen; *(Zeit)* weit zurückliegend; *fig* zurückgeblieben; **~er** [-kylẹ] zurückweichen, -fahren, -setzen; zurückschrecken *(devant* vor); Rückschritte machen; **~ons** [-kylɔ̃]: *marcher à ~ons* rückwärts gehen

récupér|able [rekyperạbl] *adj* wiederverwendbar; **~ateur** [-tœːr] *m* 🔾 Wärme(aus)tauscher; **~ation** [-erasjɔ̃] *f* 🔾 Wiederverwertung, Rückgewinnung; **~er** [-rẹ] *13* wiedererlangen; 🔾 zurückgewinnen; *(Altmaterial)* verwerten; *(Stunden)* nacharbeiten; *pol (Personen)* in das bestehende System eingliedern

récurer [rekyrẹ] scheuern

récuser [rekyzẹ] *bes* 🔾 zurückweisen, ablehnen; *se ~* sich als nicht zuständig erklären; 🔾 s. als befangen erklären

recycl|age [rəsiklạːʒ] *m* Recycling *n*, Wiederverwendung; *(Ausbildung)* Weiterbildung, Anpassungsfortbildung, Nachschulung; **~er** wiederverwenden; *se ~er* s. weiterbilden, d. Kenntnisse auffrischen

rédact|eur [redaktœːr] *m* Redakteur, Schriftleiter; *~eur en chef* Chefredakteur, Hauptschriftleiter; **~ion** [-daksjɔ̃] *f* Redaktion; *(Schriftstück)* Abfassung; *päd* Aufsatz

reddition [rɛddisjɔ̃] *f (Festung)* Übergabe; *~ de comptes* Rechnungslegung

redemander [rədəmɑ̃dẹ] zurückfordern

Rédempt|eur [redɑ̃ptœːr] *m rel* Erlöser; **~ion** [-dɑ̃psjɔ̃] *f rel* Erlösung

redéploiement [rədeplwamɑ̃] *m mil* Auflockerung; *fig* Umverteilung, neue Schwerpunktsetzung

redev|able [rədəvạbl] zu Dank verpflichtet *(de* für); *être ~able* verdanken, noch schuldig sein *(à qn de qch* j-m etw.); **~ance** [rədvɑ̃s] *f* Lasten; *(zu leistende)* Abgabe; Pachtzins

rediffusion [redifyzjɔ̃] *f (Sendung)* Wiederholung

rédiger [rediʒẹ] *14 (Schriftstück)* abfassen; niederschreiben; *journ* redigieren

redingote [rədɛ̃gɔt] *f* Gehrock

redi|re [rədiːr] *65* wiederholen; *trouver à ~re* etw. auszusetzen haben *(à* an); **~te** [-dịt] *f* (überflüssige) Wiederholung

redondance [redɔ̃dɑ̃s] *f* Wortschwall; Langatmigkeit; Weitschweifigkeit; Redundanz

redoubl|ant [rədublɑ̃] *m (Schule)* Sitzenbleiber, Wiederholer; **~blé** [-blẹ] *adj* wiederholt, erneut; **~ement** [-bləmɑ̃] *m* Verdoppelung; **~er** [-blẹ] verdoppeln; vermehren; zunehmen; *~er une classe (päd)* sitzenbleiben

redout|able [rədutạbl] gefürchtet; furchtbar; gefährlich; **~er** [-tẹ] befürchten; sehr fürchten

redoux [rədy] *m meteo* Erwärmung

redress|ement [rədrɛsmɑ̃] *m* Geraderichten; Berichtigung; *(Unrecht)* Wiedergutmachung; 🎇 Gleichrichtung; *pol* Normalisierung; *com* Wiederaufstieg; *~ement financier* Sanierung;

~*ement fiscal* Berichtigungsveranlagung; **~er** [-sẹ] geraderichten; aufrichten; berichtigen; wiedergutmachen; sanieren; *(Wirtschaft)* ankurbeln; *se ~er* s. wieder aufrichten; *fig* s. in d. Brust werfen; **~eur** [-sœːr] *m ⚡* Gleichrichter; ~*eur d'images* Umkehrlinse; ~*eur de torts* Weltverbesserer

réduct|eur [redyktœːr] *m chem* Reduktionsmittel; **~ible** [-tịbl] reduzierbar; **~ion** [-sjɔ̃] *f* Ermäßigung, Senkung; Kürzung, (Ver-)Minderung; Verkleinerung; *(Ausgaben)* Einschränkung, Kürzung; *(Personal)* Abbau; ⚡ Einrenkung; ⚙ Untersetzung; *chem* Reduktion; *math* Vereinfachung; *com* Umrechnung

rédui|re [redɥiːr] *80* vermindern, verringern; herabsetzen, senken; ermäßigen; verkürzen; unterwerfen; *(Rebellion)* niederschlagen; *(Widerstand)* brechen; *(Ausgaben)* kürzen, drosseln; *(Personal)* abbauen; ⚡ einrenken; *chem* reduzieren; *math* vereinfachen; ~*re au silence* z. Schweigen bringen; ~*re à néant* zunichte machen; *se ~re* s. verringern, s. auflösen; einkochen *(vi);* s. beschränken *(à auf);* s. zurückführen lassen *(à auf);* **~t** [-dɥi] *m* Rückzugsort; Verschlag; elende Behausung; Klause

réédition [reedisjɔ̃] *f* Neuauflage

réédu|cation [reedykasjɔ̃] *f* Umschulung; ⚡ Heilgymnastik; **~quer** [-kẹ] *6* umschulen

réel [reẹl] *115* wirklich; echt; faktisch; ⚖ dinglich; *densité réelle* Istdichte; *droit ~* Sachenrecht; *m* Wirklichkeit; **~lement** [reɛlmɑ̃] in der Tat, wirklich

réél|ection [reelɛksjɔ̃] *f* Wiederwahl; **~igibilité** [-liʒibilitẹ] *f* Wiederwählbarkeit; **~igible** [-liʒibl] wiederwählbar

réemploi [reɑ̃plwa] *m* Wiederbeschäftigung, Wiederverwendung, anderweitige Unterbringung

rééquilibrage [reekilibraːʒ] *m* Anpassung, Ausgleich

réescompte [reɛskɔ̃t] *m com* Rediskont

réexpédition [reɛkspedisjɔ̃] *f* ✂ Nachsendung; Umadressierung

refaire [rəfɛːr] *70* noch einmal machen; *umg* anschmieren, aufs Kreuz legen, beschuppen; *se ~* sich *(nach e-r Krankheit)* erholen; *(Gewohnheiten)* ändern

réfect|ion [refɛksjɔ̃] *f* Instandsetzung; Überholung; Nachbesserung; **~oire** [-tewaːr] *m* Speisesaal

refend [rəfɑ̃] *m: bois de ~* in Längsrichtung zersägtes Holz; *mur de ~* Scheidewand

référ|é [referẹ] *m ⚖* beschleunigtes Verfahren; **~ence** [-rɑ̃s] *f (im Buch)* Hinweis; Stellenangabe, Verweisung; Kurzbezeichnung; Nummer; *pl* Referenzen, Empfehlungen; *ouvrage de ~ence* Nachschlagewerk; *votre ~ence (com) Ihr* Zeichen; **~endum** [-rɛ̃dɔm] *m 102* Volksabstimmung, -entscheid; Urabstimmung; **~entiel** [-rɑ̃sjɛl] *m* Bezugssystem; **~er** [-rẹ] *13* beziehen *(à auf); en ~er* berichten; *se ~er à* s. berufen auf

refiler [rəfilẹ] *umg* in d. Hand drücken

réfléchir [refleʃiːr] *22 (a. phys)* reflektieren, zurückwerfen, zurückstrahlen; überlegen; nachdenken *(à über); se ~ (a. fig)* s. spiegeln

réflecteur [reflɛktœːr] *m (phys, ⚙)* Reflektor, Rückstrahler; Beleuchtungsschirm

re|flet [rəflɛ] *m* Widerschein, Rückstrahlung, Reflex; Glanzlicht, Abglanz; **~fléter** [-fletẹ] *13* (wider-)spiegeln; *(Licht)* zurückwerfen, -strahlen; *se ~fléter* s. spiegeln; *fig* s-n Glanz werfen *(sur auf)*

reflex [rkflɛks] *m* Spiegelreflexkamera

réflex|e [reflɛks] *phys* Reflexions...; ⚡ reflektorisch; *m* ⚡ Reflex; *par ~* instinktiv; **~ion** [-flɛksjɔ̃] *f* Reflexion; Rückstrahlung; Überlegung, Betrachtung, Nachdenken; Bemerkung; *toute ~ion faite* nach reiflicher Überlegung

reflu|er [rəflɥẹ] zurückfluten, -fließen; **~x** [-fly] *m* Zurückströmen; eintretende Ebbe

refon|dre [rəfɔ̃dr] *76 ⚙* umgießen; *(z. B. Buch)* umarbeiten; **~te** [-fɔ̃t] *f* Umarbeitung; Umgestaltung; *en ~te* im Umbau begriffen; in Überarbeitung

réform|ateur [reformatœːr] *m* Reformator; Umgestalter; Erneuerer, Reformer; **~ation** [-sjɔ̃] *f* Erneuerung; Umgestaltung; **~e** [-fɔrm] *f* Erneuerung, Umgestaltung, Neuordnung, Reform; *mil* Ausmusterung; Ausscheiden aus dem aktiven Dienst; vorzeitige Pensionierung, *(Material)* Aussonderung; Beseitigung, Behebung *(von Mißständen); ~e monétaire* Währungsreform; *~e temporaire (mil)* Zurückstellung; **~e** *rel* Reformation; **~er** [-mẹ] erneuern; *mil* ausmustern; *(Material)* ausrangieren; *rel* reformieren; *se ~er (Mensch)* s. bessern

refoul|ement [rəfulmɑ̃] *m* Zurückdrängen, -halten; ⚙ Stauchen; *(Zug)* Schieben; *psych* Verdrängung; Rückstau; *soupape de ~ement* Druckventil; **~er** [-lẹ] *a.* fig zurückdrängen; *(Angriff)* abweisen; *(Tränen)* unterdrücken; *(Wasser)* aufstauen; ⚙ stauchen; *(Zug)* zurücksetzen

réfract|aire [refraktɛːr] schwer schmelzbar; feuerfest; hitzebeständig; *m* Gehorsamsverweigerer; *~aire au service armé* Wehrdienstverweigerer; Dienstunwilliger; **~er** [-tẹ] *(Licht)* brechen; **~eur** [-tœːr] *m (Fernrohr)* Refraktor; **~ion** [-sjɔ̃] *f (Licht)* Brechung

refrain [rəfrɛ̃] *m* Kehrreim, Refrain

refréner [rəfrenẹ] *13* zügeln; bezähmen, im Zaum halten

réfrigér|ant [refriʒerɑ̃] *108* kühlend; *m* Kühlgerät; **~ateur** [-ratœːr] *m* Kühlschrank; *cargo ~ateur* Kühlschiff; *mettre qch au ~ateur* fig auf die lange Bank schieben, hinauszögern, verschleppen; **~ation** [-rasjɔ̃] *f* (Ab-, Tief-)Kühlung; **~er** [-rẹ] *13* ⚙ kühlen

réfringent [refrɛ̃ʒɑ̃] *108 phys* Brechungs...

refroid|ir [rəfrwadịːr] *22* (ab)kühlen; *fig* dämpfen; *pop* kaltmachen; *se ~ir* s. abkühlen; **~issement** [-dismɑ̃] *m (a. fig)* Abkühlung; ⚙ Kühlung; Erkältung; **~isseur** [-disœːr] *m* Kühlanlage

refuge [rəfyːʒ] *m* Zuflucht; Berghütte; Verkehrsinsel

réfugi|é [refyʒjẹ] Flüchtling; **~er** [-ʒjẹ]: *se ~ier* flüchten; Schutz suchen (*auprès de* bei)

refus [rǝfy] *m* (Ver-)Weigerung; Absage, Ablehnung; abschlägiger Bescheid; **~** *de priorité* Nichtbeachtung der Vorfahrt; *s'attirer un ~* e-e Absage erhalten; **~er** [-fyzẹ] verweigern; s. weigern (*de* zu); ablehnen; verwerfen; ausschlagen; *~er de donner son accord* seine Zustimmung versagen; *se ~er* s. weigern (*à* zu); *être ~é à l'examen* im Examen durchfallen

réfut|ation [refytasjɔ̃] *f* Widerlegung; **~er** [-tẹ] widerlegen

regagner [rǝgaɲẹ] wiedergewinnen; *(Zeit)* wieder einholen; **~** *un lieu* an e-n Ort zurückkehren

regain [rǝgẽ] *m* ↓ Grummet; **~** *d'activité* (z. B. com) Wiederaufleben; **~** *' de jeunesse* zweite Jugend

régal [regal] *m* Festessen; (Hoch-)Genuß; **~** *pour l'œil* Augenweide; **~ade** [-galad] *f: boire à la ~ade* aus d. Flasche trinken, ohne sie anzusetzen; **~er¹** [-galẹ] bewirten; erfreuen (*de* mit); *se ~er* gut essen; *fig* genießen (*de qch* etw.)

régaler² [regalẹ] einebnen, planieren

regard [rǝgaːr] *m* Blick; ⚙ Einsteigschacht; Schauloch; *arrêter ses ~s sur* s-e Blicke heften auf; *jeter un ~ sur* anschauen, betrachten; *promener ses ~s* s-e Blicke in d. Runde schweifen lassen; *droit de ~* Kontrollrecht; *en ~ (Text)* gegenüberstehend; *au ~ de* im Verhältnis zu; **~ant** [-gardɑ̃] *108 umg* knauserig; **~er** [-gardẹ] (an-)blicken; *a. fig* betrachten, ansehen (*comme* als); sehen (*qch* nach etw.); achten (*à* auf); *~er d'un bon œil* mit Wohlwollen betrachten; *~er qn de travers* scheel ansehen, mit Geringschätzung anblikken; *y ~er à deux fois* sich etw. gut überlegen; *y~er de près* genau überprüfen; *cela ne te ~e pas* d. geht dich nichts an

régate [regat] *f* Regatta; **~** *de huit* Achterrennen

régence [reʒɑ̃s] *f* Regentschaft

régénér|ateur [reʒeneratœːr] *122* belebend; stärkend; erholsam; *m* ♥ Kräftigungsmittel; **~ation** -rasjɔ̃] *f* Wiederherstellung; Erneuerung; *rel* Wiedergeburt; *biol,* ♥ Regeneration, Ersatz; *chem* Rückgewinnung; **~er** [-rẹ] *13* wiederherstellen; erneuern; *biol,* ♥ regenerieren, wiedergewinnen

régent [reʒɑ̃] *m* Regent, Staatsoberhaupt; **~er** [-ʒɑ̃tẹ] schulmeistern

régicide [reʒisid] *m* Königsmord; Königsmörder

régie [reʒi] *f com* Regie(betrieb); Leitung, Verwaltung; *en ~* auf Selbstkostenbasis; **~** *d'avances* Zahlstelle; **~** *des transports* Verkehrsbetrieb; *mis en ~* staatl. verwaltet

regimber [rǝʒẽbẹ] aufbegehren (*contre* gegen)

régime [reʒim] *m* Regierung(sform); Verwaltung; Ordnung, System; Lebensweise; ♥ Diät; ⚙ Drehzahl(bereich); 🐝 Beförderungsart; *ling* Objekt; **~** *accéléré* Eilfracht; **~** *de bananes* Bananenstaude; *tension de ~* ⚙ Betriebsspannung; **~** *continu* Dauerbetrieb; **~** *de la*

communauté 🐌 (eheliche) Gütergemeinschaft; **~** *des crédits* Kreditwirtschaft; **~** *cru* Rohkost; **~** *dictatorial* Diktatur; **~** *policier* Polizeistaat; **~** *présidentiel* Präsidialsystem; **~** *sanitaire* Gesundheitswesen; **~** *social* Sozialordnung

régiment [reʒimɑ̃] *m mil* Regiment; **~** *blindé* Panzerbataillon; **~** *d'infanterie mécanisée* Panzergrenadierb.; **~aire** [-mɑ̃tẹːr] Regiments…

région [reʒjɔ̃] *f* Gegend; Gebiet; Landstrich; Luftschicht; 🐌 Region als frz. Gebietskörperschaft; ⚙ Zone; *fig* Bereich; **~** *militaire* Wehrbezirk; **~alisme** [ʒjɔnalism] *m* System d. Stärkung d. Autonomie d. Gebietskörperschaften; Heimatdichtung, -kunst

rég|ir [reʒiːr] *22 (Gesetz)* regeln; bestimmen, festlegen; *(a. ling)* regieren; leiten, verwalten; **~isseur** [-ʒisœːr] *m* Gutsverwalter; 🐝 Inspizient; *(Film)* Aufnahmeleiter, Regisseur

registre [rǝʒistr] *m (a. Orgel)* Register; Namen-, Sachverzeichnis; ⚙ Schieber, Klappe; Stimmlage; **~** *des brevets* Patentrolle; **~** *du commerce* Handelsregister; **~** *hypothécaire* Grundbuch

régl|able [reglabl] ⚙ einstellbar; abstimmbar; regulierbar; **~age** [glaʒ] *m* Regulierung; Einstellung; 🐝 Abstimmung; *(Papier)* Linierung; *(Messung)* Abgleichung; *champ de ~age (Optik)* Verstellbereich; *organe de ~age* Einstellvorrichtung; *tir de ~age (mil)* Einschießen

règle [regl] *f* Lineal; Regel; Vorschrift; *pl* ♥ Regel, Monatsblutung; *en ~ générale* grundsätzlich; **~** *de droit* Rechtsnorm, Gesetzesvorschrift; **~** *empirique* Faustregel; **~** *de trois (math)* Dreisatz; *les quatre ~s* d. vier Rechenarten; *selon les ~s* ordnungsgemäß; **~** *à calcul* Rechenschieber; **~** *graduée* Lineal mit Zentimetereinteilung

réglé [reglẹ] geordnet; regelmäßig; *(Papier)* liniert; *fig* vernünftig; *c'est une affaire ~e* d. Sache ist entschieden

règlement [reglǝmɑ̃] *m* Vorschrift(en); Statuten, Satzung; Geschäftsordnung; *(Rechnung)* Erledigung, Begleichung; Zahlungsweise; **~** *administratif* Verwaltungsverordnung; **~** *de la circulation* Verkehrsordnung; **~** *de compte* Abrechnung; **~** *intérieur* Dienstordnung; **~** *judiciaire* gerichtlicher Vergleich

règlement|aire [reglǝmɑ̃tẹːr] vorschriftsmäßig; **~ation** [-tasjɔ̃] *f* gesetzl. Regelung; *com* Bewirtschaftung; **~ation** *des changes* Devisenbewirtsch.; **~ation** *de la circulation* Verkehrsregelung; **~ation** *des marchés* Verdingungsordnung; Marktregulierung; **~ation** *des travaux* Arbeitsweise; **~er** [-tẹ] gesetzl. regeln; bewirtschaften; *com* lenken

régler [reglẹ] *13* linieren; regeln; in Ordnung bringen; ⚙ regulieren, einstellen; *(Rechnung)* erledigen, begleichen; abwickeln; *(Streit)* schlichten; *se ~er sur* s. richten nach; **~eur** [-glœːr] *m: ~eur de puissance* 🐝 Lautstärkeregler

réglisse [reglis] *f* Süßholz; Lakritze

réglure [reglyːr] *f* Linierung, Lineatur

régnant [reɲɑ̃] *108* regierend; vorherrschend

règne [rɛɲ] *m* Regierung(szeit); ~ *animal*
Tierreich; ~ *minéral* Mineralien; ~ *végétal*
Pflanzen(welt)
régner [reɲe] *13* regieren, herrschen; *faire* ~
l'ordre d. Ordnung wiederherstellen
regonfler [rəgɔ̃fle] wieder aufblasen; *(Fluß)*
ansteigen; *pop* aufmöbeln
regorger [rəgɔrʒe] *14* überlaufen; *fig* strotzen
(*de* von); Überfluß haben (*de* an)
regratter [rəgrate] abkratzen; *umg* knausern;
abzwacken (*sur qch* von etw)
régress|if [regresif] *112* rückläufig; ~**ion** [grɛsjɔ̃]
f Rückgang, Regression
regret [rəgrɛ] *m* Bedauern; Reue; *à* ~ ungern;
avoir le ~ *du pays natal* Heimweh haben; *être
au* ~ bedauern; ~**table** [grɛtabl] bedauerlich;
ärgerlich; ~**ter** [-grɛte] bedauern; bereuen
regroup|ement [rəgrupmɑ̃] *m* Umgruppierung,
-stellung, -schichtung; ~**er** [pe] umgruppieren,
-stellen, -schichten
régul|ariser [regylarize] regulieren; berichtigen,
in Ordnung bringen; ~**arité** [-te] *f* Regelmäßig-
keit; Pünktlichkeit; ~**ateur** [-latœːr] *m* ✿ Regler;
(Penduluhr) Regulator; ~*ateur de débit* Mengen-
regler; ~*ateur de pression* Druckregelventil;
~**ation** [sjɔ̃] *f* Regelung, Regulierung; ~**ier** [-lje]
116 regelmäßig; regulär; *clergé* ~*ier* Ordens-
geistlichkeit
réhabilit|ation [reabilitasjɔ̃] *f* ✿ Rehabilitie-
rung; ~*ation des immeubles anciens* Woh-
nungs-, Bausanierung; ~**er** [-te] rehabilitieren
rehauss|ement [rəosmɑ̃] *m* Erhöhung; Aufstok-
kung; ~**er** [-se] steigern; hervorheben; *(Mauer)*
höherziehen; *(Farben)* hervortreten lassen
réifier [reifje] vergegenständlichen
réimpression [reɛ̃presjɔ̃] *f* Neudruck, Neuauflage
rein [rɛ̃] *m* Niere; *pl* Hüftgegend, *umg* Kreuz;
mal aux ~*s* Kreuzschmerzen ♦ *avoir les* ~*s
souples* aalglatt sein; *avoir les* ~*s solides*
finanziell gut gestellt sein
reine [rɛn] *f (a.* Biene) Königin; *(Schach)* Dame;
~**marguerite** [rɛnmargərit] *f 97* Gartenaster
réinsérer [reɛ̃sere] (beruflich) wiedereingliedern
réintégr|ation [reɛ̃tegrasjɔ̃] *f* Wiedereinsetzung
(ins Amt); pol Rückgliederung *(dans* in); ~**er**
[-gre] *13* wiedereinsetzen; *pol* rückgliedern;
zurückkehren (*qch* in etw.)
réitérer [reitere] *13* wiederholen
rejaillir [rəʒajiːr] *22* ab-, zurückprallen (*sur* von);
(Wasser) aufspritzen; *fig* zurückfallen (*sur* auf)
rejet [rəʒɛ] *m* Zurückweisung, Verwerfung; ↓
Schößling; ✿ Abwehrreaktion; *fig* (heftige)
Ablehnung; ~**er** [rəʒte] *10* zurückwerfen;
zurückweisen; *(Meer)* auswerfen; ✿ abwehren;
nicht (im Körper) behalten; *(Angebot)* ablehnen; *(Schuld)* zuschieben, abwälzen (*sur* auf);
~**on** [-rəʒtɔ̃] *m* Schößling; Sprößling
rejoindre [rəʒwɛ̃dr] *87* wieder vereinigen,
wieder zus.fügen; wieder treffen (*qn* j-n)
réjou|ir [reʒwi] fröhlich, heiter; ~**ir** [-ʒwiːr] *22*
erfreuen; erheitern; *se* ~*ir de* s. freuen über;
~**issance** [-ʒwisɑ̃s] *f* Freude; Belustigung;
~**issant** [-ʒwisɑ̃] *108* erfreulich; erheiternd

relâch|e [rəlɑʃ] **1.** *m* Unterbrechung; ✌ Ausfall
der Vorstellung; *sans* ~*e* ohne Unterlaß; **2.** *f* ⚓
Zwischenlandung; *port de* ~*e* Durchgangsha-
fen; ~**ement** [-laʃmɑ̃] *m* Lockerung; Nachlassen; *fig* Erlahmen; ✿ Erschlaffung; ~**er** [-lɑʃe]
schlaff machen; lockern; freilassen; *fig.* Abstri-
che machen (*de* von); *se* ~*er* erschlaffen;
nachlassen; *(Strenge)* s. mildern
relais [rəlɛ] *m* ⚡ Relais; *a. fig* Schaltstelle;
Kontaktperson; ✉ Stafete; *chaîne de* ~
Sendernetz; *prendre le* ~ *fig (Tätigkeit)*
fortsetzen, fortführen, übernehmen
relan|ce [rəlɑ̃s] *f com* (Wieder-)Ankurbelung;
~**cer** [rəlɑ̃se] *15* zurückschleudern; *(Spiel)*
Einsatz erhöhen; *(Wirtschaft)* ankurbeln; ~ *qn
(umg)* j-n (be)drängen, verfolgen; j-m auf die
Bude rücken
relat|er [rəlate] (ausführlich) berichten, erzäh-
len; ~**if** [-tif] *112* relativ; bedingt; bezügl. (*à*
auf); ~**ion** [-sjɔ̃] *f* Beziehung, Verbindung;
Verhältnis; Bericht; ~*ion de commerce* Ge-
schäftsverbindung; ~*ions publiques* Öffentlich-
keitsarbeit, Kontaktpflege, Public Relations;
entrer en ~*ion avec* in V. treten mit; ~**ivement**
[-tivmɑ̃] verhältnismäßig; vergleichsweise; ~**ivité** [-tivite] *f* Realtivität; Bedingtheit; Fragwür-
digkeit; *théorie de la* ~*ivité* Relativitätstheorie
relax|ation [rəlaksasjɔ̃] *f* ✿ Entspannung; ✿
Freilassung; ~**e** [-lɑks] *f* ✿ Freilassung; *adj*
entspannt; ~**er** [-lakse] *bes* ✿ entspannen; ✿ auf
freien Fuß setzen
relayer [rəlɛje] *12 (bei der Arbeit)* ablösen; ~ *un
programme* ⚡ e. Programm übernehmen
relég|ation [rəlegasjɔ̃] *f* Verbannung; ~**uer** [-ge]
6 verbannen; ins Exil schicken; *fig* ausrangieren; ~*uer à l'arrière-plan (fig)* an d. Wand
drücken, verdrängen
relent [rəlɑ̃] *m* muffiger Geruch; *a. fig*
unangenehmer Nachgeschmack
rel|evailles [rələvɑːj] *fpl rel* Aussegnung (e-r
Wöchnerin); ~**evé** [rəlve] gehoben; erhaben;
(Speise) pikant; *m* Aufstellung; Verzeichnis;
(Zähler) Ablesung; ~*evé de compte* Kontoaus-
zug; ~**ève** [-lɛːv] *f* Ablösung(smannschaft); ~*ève
de la garde* Wachablösung; ~**èvement** [-lɛvmɑ̃]
m Wiederaufrichtung; *(Land)* Wiederaufbau;
(Handel) Wiederbelebung; Hebung; Erhöhung;
Besserung; ✿, Peilung; ~*èvement radio* Funkpeilung; ~**ever** [rəlve] *8* **1.** *vt* wieder aufrichten;
erhöhen; heraufsetzen; *fig* heben, hervorheben;
zur Geltung bringen; *(Ärmel)* aufkrempeln;
(Zähler) ablesen; aufschreiben; *(topographisch)*
aufnehmen; ablösen; *(Speisen)* würzen; ~*ever
qn* j-n z. Rede stellen; ~*ever qn de ses fonctions*
j-n s-s Amtes entheben; ~*ever le courage*
ermutigen; ~*ever une injure* e-e Beleidigung
erwidern; ~*ever d'un serment* von e-m Eid
entbinden; **2.** *vi* abhängen *(de* von;) seine
Ursache haben in; herrühren von; unterstehen
(de qch e-r Sache); beruhen *(de* auf); *(Zuständigkeit)* fallen unter; ~*ever d'une administration*
e-r Behörde angehören; ~*ever de l'autorité de*
j-m unterstellt sein; ~*ever de maladie* s. von e-r
Krankheit wieder erholen; **3.** *se* ~*ever* wieder

aufstehen; s. ablösen; *fig (nach Schicksalsschlag)* s. erholen
relief [rəljɛf] *m* Relief; Bodengestalt, Gelände-
form, *pl* Überbleibsel, Speisereste; *en ~*
erhaben; *donner du ~ (a. fig)* hervortreten
lassen, hervorheben (*à qch* etw.); *mettre en ~*
herausstreichen
reli|er [rəljɛ] verbinden (*à* mit); *(Buch)* binden;
EDV verketten; **~eur** [-jœːr] *m* Buchbinder
relig|ieux [rəliȝjø] **1.** *111* religiös; Ordens...;
articles ~ieux Devotionalien; *se marier ~ieuse-
ment* s. kirchl. trauen lassen; **2.** *m* Ordensbru-
der; **~ieuse** [-ȝjøːz] *f* Ordensschwester; **~ion**
[-ȝjõ] *f* Religion; *embrasser une ~ion* e-e
Religion annehmen; *entrer en ~ion* ins Kloster
eintreten; **~iosité** [-ȝjozitɛ] *f* Religiosität
reliqu|aire [rəlikɛːr] *m* Reliquienschrein; **~at**
[-ka] *m* Saldo; Restschuld; Rest; Überbleibsel;
ç Nachwirkungen; **~e** [-lik] *f* Reliquie
reliure [rəljyːr] *f* Buchbinderei; *(Buch)* Einband; *~ peau pleine* Leder(ein)band; *~ pleine
toile* Leinenband
relui|re [rəlɥiːr] *80* glänzen, schimmern; **~sant**
[-lɥizã] *108* leuchtend; glänzend; *peu ~sant*
mittelmäßig
reluquer [rəlykɛ] *6 pop* begehrlich anschauen; es
abgesehen haben (*qch* auf etw.)
remâcher [rəmaʃɛ] *a. fig* wiederkäuen; *~ sa
colère* s-e Wut in s. hineinfressen
rem(m)aill|age [rəmajaːȝ, rãmajaːȝ] *m* Laufma-
schenreparatur; **~er** [-jɛ]: *~er un bas* Laufma-
schen wieder aufnehmen
remani|ement [rəmanimã] *m* Umarbeitung;
Umordnung; *(Kabinett)* Umbildung; **Ⅲ** Umsetzen; **~er** [-njɛ] umarbeiten; umordnen; *(Kabinett)* umbilden; **Ⅲ** umsetzen, neu umbrechen
remarier [rəmarjɛ]: *se ~* sich wiederverheiraten
remarqu|able [rəmarkabl] bemerkenswert; be-
achtlich; **~e** [-mark] *f* Beobachtung; Bemerkung; Anmerkung; **~er** [-kɛ] *6* bemerken; *faire
~er à qn que* j-n darauf aufmerksam machen,
daß; *se faire ~er* s. hervortun
rembarrer [rãbarɛ] derb abweisen, e-e Abfuhr
erteilen
rembl|ai [rãblɛ] *m* Aufschüttung; Böschung;
~ayer [-blɛjɛ] *12* aufschütten, auffüllen
rembourr|age [rãburaːȝ] *m* Polsterung; Polster-
material; **~er** [-rɛ] polstern
rembours|ement [rãbursəmã] *m* Rückzahlung;
Erstattung, Rückvergütung; Ablösung; **~ement
des frais** Kostenerstattung; *contre ~ement* **ợ**
gegen Nachnahme; **~er** [-sɛ] zurückzahlen,
erstatten (*qn de qch* j-m etw.)
rembrunir [rãbrüniːr] *22* bräunen, dunkler
machen; *se ~ (Gesicht, Himmel)* s. verfinstern
re|mède [rəmɛd] *m* Heilmittel; Arznei; **~mède
de bonne femme** Hausmittel; **~mède de cheval**
Radikalmittel; *fig* Roßkur; *un ~mède contre
l'amour* e-e richtige Vogelscheuche; *sans
~mède (bes fig)* unheilbar; *porter ~mède à qch*
e-r Sache abhelfen; **~médier** [-medjɛ] heilen;
abhelfen (*à qch* e-r Sache)
remembrement [rəmãbrəmã] *m* Reorganisati-
on; Umgruppierung; *~ (rural)* Flurbereinigung

remémorer [rəmemɔrɛ] wieder in Erinnerung
bringen; *se ~ qch* s. etw. ins Gedächtnis
zurückrufen
remerci|ement [rəmɛrsimã] *m* Dank; *avec mes
~ements* mit bestem Dank; **~er** [-sjɛ] danken
(*qn de qch* j-m für etw.); *(Angestellten)* entlassen;
(Einladung) abschlagen
réméré [remerɛ] *m* **ữ** Rückkaufsrecht
remettre [rəmɛtr] *72* **1.** *vt* wieder hinstellen,
-setzen, -legen, -bringen; wieder anziehen,
aufsetzen; aushändigen; abgeben; anvertrauen;
wiedererkennen; aufschieben; versöhnen;
(Kranken) wiederherstellen; *(Glied)* einrenken;
(Brauch) wieder einführen; *(Sünde)* vergeben;
(Strafe) erlassen; *en ~ (umg)* übertreiben; *~ en
cause* erneut in Frage stellen; *~ à neuf*
überholen; *~ qn à sa place* j-m d. Kopf
zurechtsetzen; *~ qn au pas* j-m Beine machen;
~ en route wieder in Gang bringen; *~ ça (umg)*
e-e neue Runde stiften; **2.** *se ~* sich erholen; s.
beruhigen; s. erinnern (*qch* an etw.); *se ~ à neu*
beginnen; *s'en ~ à qn* s. auf j-n verlassen; *se ~
entre les mains de qn* s. j-m anvertrauen, z.
Verfügung stellen
réminiscence [reminisãs] *f* Erinnerung; Nach-
klang
remis|e [rəmiːz] *f* **1.** Überreichung; Übergabe;
com Nachlaß, Rabatt; **ợ** Zustellung; Aufschub; *~e en état* Instandsetzung; *~e en ordre*
Neuordnung, Umordnung; *~e de peine* Strafer-
laß; *~e à neuf* Überholung; *~e à zéro EDV*
löschen; **2.** Schuppen; Einstellraum; **~er**
[-mizɛ] *(Wagen)* unterstellen; *umg* zurechtweisen
rémission [remisjõ] *f* Vergebung; *(Sünde)*
Nachlaß; *(Strafe)* Erlaß; **ç** Nachlassen, Erleichterung; *période de ~* Latenzzeit; *sans ~*
ununterbrochen; unerbittlich
remodeler [rəmɔdlɛ] um-, neugestalten; grundlegend ändern
remon|tant [rəmõtã] *m* stärkendes Getränk;
~tée mécanique = ~te-pente [-mõtpãt] *m 100*
Schilift
remonter [rəmõtɛ] **1.** *vi* wieder hinaufgehen,
-steigen, -fahren; stromaufwärts fahren,
schwimmen; zurückgehen (*à* auf); *(Gelände)*
ansteigen; im Wert steigen; **2.** *vt* wieder
hinaufbringen, -tragen; *(Maschine)* wieder zus.-
setzen; *(Uhr)* aufziehen; *~ le moral à qn* j-n
ermutigen; *se ~* wieder zu Kräften kommen
remontoir [rəmõtwaːr] *m (Uhr)* Krone
remontr|ance [rəmõtrãs] *f* Vorhaltung; **~er**
[-trɛ] Vorstellungen machen; *en ~er à* klüger
sein wollen als ♦ *c'est Gros-Jean qui en ~e à son
curé* das Ei will klüger sein als die Henne
remords [rəmɔr] *mpl* Gewissensbisse
remorqu|age [rəmɔrkaːȝ] *m* Abschleppen; **⚓**
Schleppdienst; **~e** [-mɔrk] *f* **⚭** Anhänger;
(Schiff) Leine; *(câble de) ~e* Schlepptau; *~e à
un essieu* Einachsanhänger; *être à la ~e de qn* s.
von j-m herumkommandieren lassen; *prendre en
~e* abschleppen; **~er** [-kɛ] *6* (ab)schleppen;
(Zug) ziehen; **~eur** [-kœːr] *m* **⚓** Schlepper; **⚭**
Zugmaschine

rémouleur [remulœːr] *m* Scherenschleifer
remous [rǝmu] *m (Wasser)* Strudel, Gegen-strömung; *a. fig* Aufruhr, Unruhe
rempaill|age [rāpajaːʒ] *m* Stuhlflechten; **~er** [-je] beflechten; **~eur** [-jœːr] *m* Stuhlflechter
rempart [rāpaːr] *m mil* Wall, Stadtmauer; *fig* Bollwerk, Schutzwehr
rempiler [rāpile] *arg mil* länger dienen
rempla|çant [rāplasā] *m* Stellvertreter; Nach-folger; 🐎 Ersatzmann, -spieler; **~cement** [-plasmā] *m* Ersatz; Ersetzung; Stellvertretung; 🐎 Spielerwechsel; Auswechslung; *en ~ement de* zum E. für; **~cer** [-plase] *15* ersetzen; vertreten; *(im Amt)* ablösen
rempli [rāpli] *m (Stoff)* Umschlag; Aufnäher; **~er** [-plie] *(Stoff, Papier)* umschlagen
rempli|r [rāpliːr] *22* (an)füllen *(de* mit); vollschenken; *(Verpflichtung)* nachkommen; *(Bedingung)* erfüllen; *(Graben)* zuwerfen; *(For-mular)* ausfüllen; *(Amt)* ausüben, versehen; **~r** *ses engagements* s-e Verpflichtungen einhalten; **~ssage** [-plisaːʒ] *m* Füllen; *fig* Füllwerk; *coefficient de ~ssage* Auslastung
remplumer [rāplyme]: *se ~ (umg)* sich *(gesundheitl., geschäftl.)* wieder herausmachen
remporter [rāporte] wegbringen; mitnehmen; *fig* erringen, gewinnen; *~ un avantage* e-n Vorteil erlangen; *~ la victoire* d. Sieg davontragen
remu|ant [rǝmɥā] *108* unruhig; *(Geist)* unstet; *(Kind)* zappelig; **~e-ménage** [-mymenaːʒ] *m 100* Umstellung v. Möbeln; Durcheinander, Unord-nung; **~er** [-mɥe] rücken; bewegen; rühren; *(Speise)* umrühren; s. rühren; *~er la queue* mit d. Schwanz wedeln ♦ *~er ciel et terre* alle Hebel in Bewegung setzen; *se ~er (fig)* s. viel Mühe geben
rémunér|ateur [remyneratœːr] *122 com* loh-nend, einträglich, gewinnbringend; **~ation** [-rasjō] *f* Entlohnung; Bezahlung, Vergütung, Entgelt; **~er** [-re] *13* entlohnen; vergüten
renâcler [rǝnɑkle] schnauben; *umg* s. sträuben *(à* gegen)
Renaissance [rǝnɛsās] *f* Renaissance; ⚺ *rel* Wiedergeburt; Wiederaufkommen; *com* Wie-deraufschwung; *bahut ~* Renaissancetruhe
renaître [rǝnɛtr] *74 rel* wiedergeboren werden; wieder aufleben; *(Natur)* wieder erwachen; *faire ~* wiedererwecken
rénal [renal] *124 anat* Nieren...
renard [rǝnaːr] *m* Fuchs; *fig* Schlaumeier; **~er** [-narde] *pop* reihern, kotzen; **~ière** [-nardjɛːr] *f* Fuchsbau
renchér|i [rāʃeri] spröde; *faire le (la) ~i(e) (umg)* s. zieren; **~ir** [rāʃeriːr] *22* teurer werden; *fig* überbieten *(sur qn* j-n); **~issement** [-rismā] *m* Verteuerung
rencogner [rākɔɲe] in e-e Ecke drängen; *se ~* sich in e-e Ecke ducken
recontr|e [rākɔ̃tr] *f* Begegnung; Zusammen-treffen; *a. mil* Treffen; *aller à la ~e de qn* j-m entgegengehen; *~e finale* 🐎 Endspiel; *~e au sommet* Gipfeltreffen; *objets de ~e* Gelegen-heitskäufe; **~er** [-kɔ̃tre] *qn* j-n treffen, j-m

begegnen; *se ~er* s. treffen, zus.treffen; vorkommen; *fig* s. finden
rendement [rādmā] *m (Maschine)* Leistung(sfä-higkeit), Wirkungsgrad; (⚒, *Kapital)* Ertrag; *à grand ~* ⚙ Hochleistungs... ; *à plein ~* mit voller Kraft; *~ économique* Wirtschaftlichkeit, Rentabilität; *~ maximum* Höchstleistung; *~ théorique* Soll *n*
rendez-vous [rādevu] *m* Verabredung, Treffen; Treffpunkt; *sur ~* nach Vereinbarung
rend|re [rādr] *76 1. vt* zurückgeben, erstatten; übergeben; zustellen; *(Geld)* herausgeben; *a.* ⚒ von sich geben; einbringen, abwerfen; *(Ent-scheidung)* treffen; *(Text)* wiedergeben; *~re l'âme* sterben; *~re les armes* d. Waffen strecken; *~re compte* Bericht erstatten; *~re l'espoir* neue Hoffnung erwecken, Zuversicht geben; *~re justice* Recht sprechen; *~re service* e-n Dienst erweisen; *~re témoignage* Zeugnis ablegen; *~re visite à qn* j-n besuchen; *Dieu vous le ~e!* vergelt's Gott!; **2.** *vor adj* machen; *~re heureux* glücklich m.; *~re malade* krank m.; *se ~re malade* s. *(durch eigenes Verschulden)* e-e Krankheit zuziehen; **3.** *se ~re* s. ergeben; *se ~re chez qn* gehen, s. begeben zu; *se ~re à une invitation* e-r Einladung Folge leisten; *se ~re ridicule* s. lächerlich machen; **~u** [rādy] erschöpft, übermüdet; *m (Kunst,* 📖) Wiederga-be; *un prêté pour un ~u* wie du mir, so ich dir
rêne [rɛn] *f (a. fig)* Zügel; *tenir les ~s* d. Zügel fest in d. Hand halten
renégat [rǝnega] *m* Abtrünniger
renferm|é [rāferme] *(Mensch)* verschlossen; *m: cela sent le ~é* hier riecht es muffig; **~er** [-me] (wieder) einschließen, verschließen; in s. schließen; enthalten; bergen
renfl|ement [rāflǝmā] *m* Ausbuchtung, Wulst, Ausbauchung; **~er** [-fle] (auf)quellen
renflou|ement [rāflumā] *m (Wrack)* Heben; **~er** [-flue] *(Wrack)* heben; *a. fig* wieder flottmachen
renfonc|ement [rāfɔ̃smā] *m* 🏛 Vertiefung; zurücktretender Teil *(e-s Gebäudes);* **~er** [-se] *15* vertiefen; tiefer drücken; *~er une ligne* 📖 e-e Zeile einziehen
renfor|cement [rāforsǝmā] *m* Festigung; Stär-kung; *(a.* 📖*)* Verstärkung; 🏛 Versteifung; **~cer** [-se] *15* stärken; festigen; *(a.* 📖*)* verstärken; **~t** [-fɔːr] *m (bes mil)* Verstärkung; *à grand ~t de* mit großem Aufgebot an
renfrogné [rāfrɔɲe] mürrisch, sauertöpfisch
rengager [rāgaʒe] *refl* s. weiter verpflichten (als Soldat)
rengaine [rāgɛn] *f* altbekanntes Geschwätz; Schlager, Gassenhauer
rengainer [rāgɛne] *(Waffe)* in die Scheide stecken; *fig* nicht aussprechen, für sich behalten
rengorg|ement [rāgɔrʒǝmā] *m* Aufgeblasen-heit, Dünkel; **~er** [-ʒe] *14: se ~er* s. brüsten
reni|ement [rǝnimā] *m* Verleugnung; **~er** [-nje] verleugnen; *se ~er* s. selbst untreu werden
renifler [rǝnifle] schnüffeln; schnupfen; *~ un d.* Nase rümpfen über
renne [rɛn] *m* Ren

renom [rənɔ̃] *m* (guter) Ruf; *de* ~ von Namen, berühmt; **~mé** [-nɔmẹ] berühmt; **~mée** [-nɔmẹ] *f* Berühmtheit; Ruf

renonc|ement [rənɔ̃smã] *m* Verzicht; Verzichtleistung; Entsagung; **~er** [-sẹ] *15* verzichten (*à* auf); entsagen (*à qch* e-r Sache); *j'y ~e* ich gebe es auf; **~iation** [-sjasjɔ̃] *f* (*bes* ♉) Verzicht(leistung); **~iation à la force** Gewaltverzicht

renoncule [rənɔ̃kyl] *f bot* Hahnenfuß

renou|ement [rənumã] *m* (*a. fig*) Wiederanknüpfung; **~er** [-nwẹ] *a. fig* wieder anknüpfen; (*Verhandlungen*) wiederaufnehmen; (*Vertrag*) erneuern; **~er amitié avec** d. Freundschaft erneuern mit

renouv|eau [rənuvọ] *m 91* Lenz; *fig* Erneuerung, Aufschwung, Wiederaufleben, **~eler** [-nuvlẹ] *4* erneuern; neugestalten; **~ellement** [-vɛlmã] *m* Erneuerung, Aufschwung, Wiederaufleben, (*Vertrag*) Verlängerung; Wiederholung; (*Material*) Ersatzbeschaffung

rénov|ateur [renɔvatœːr] Erneuerer; **~ation** [-vasjɔ̃] *f* Erneuerung; **~er** [-vẹ] erneuern; auffrischen

renseign|ement [rãsɛɲəmã] *m* Auskunft; Hinweis; Nachricht, Mitteilung; **~ements complémentaires** sonstige Angaben; *agence de ~ements* Auskunftei; *service de ~ements* (*Abk.: S.R.*) mil Nachrichtendienst; *prendre des ~ements* Erkundigungen einziehen (*sur* über); *fournir des ~ements* Auskunft geben (*sur* über); **~er** [-ɲẹ] unterrichten (*sur* über); informieren, Mitteilung machen; *se ~er* s. erkundigen

rent|abilité [rãtabilitẹ] *f* Rentabilität; Wirtschaftlichkeit; **~able** [-tabl] einträglich, lohnend, gewinnbringend; wirtschaftlich; **~e** [rãt] *f* Rente; Pension, Ruhegehalt; Pachtzins; Staatsanleihe; *pl* Einkünfte; *~e de situation* wohlerworbener Besitzstand; *~e viagère* Leibrente; (*bei Unfall*) Hinterbliebenenrente; *~ de vieillesse* Altersruhegeld, Altersrente; *acheter de la ~e* Staatspapiere kaufen; *se ~te* e-e Rente aussetzen (*qn* j-m); **~ier** [-tjẹ] *m* Rentner, Rentenempfänger; *petit ~ier* Kleinrentner ♦ *faire le ~ier* d. Hände in den Schoß legen

rentr|ant [rãtrã] *108* (*Winkel*) ein-(zurück-)springend; *appareil à objectif ~ant* ⓜ Klappkamera; **~ée** [-trẹ] *f* Heimkehr; Schulwiederbeginn; ♌ Wiederauftreten; (*Ernte*) Einfahren, -bringen; (*Geld*) Eingang; *~ée universitaire* Semesterbeginn; *~ée sociale* tarifpolitische Verhandlungen zwischen Arbeitgeber- u. Arbeitnehmerverbände (beginnend in Frankreich nach den Augustferien); **~er** [-trẹ] wieder hereinkommen, wieder eintreten; heimkommen, -gehen; (*Geld*) eingehen; (*Ernte*) einfahren, -bringen; *~er dans le devoir* zur Pflicht zurückkehren; *~er dans ses frais* s-e Auslagen erstattet bekommen; *~er en faveur auprès de qn* j-s Gunst zurückgewinnen; *cela ne ~e pas dans mes attributions* dafür bin ich nicht zuständig; das schlägt nicht in mein Fach; *~er dans l'ordre* (*Lage*) s. normalisieren ♦ *faire ~er qn à cent pieds sous terre* j-n zutiefst beschämen

renvers|ant [rãvɛrsã] *108* verblüffend; **~e**

[-vɛrs] *f: à la ~e* rücklings, auf d. Rücken; **~ement** [-vɛrsəmã] *m* (*a. math,* ♪) Umkehrung; (*Regierung*) Sturz; ⚡ Umpolung; **~er** [-sẹ] umstürzen, -schütten, -werfen, -fahren usw.; *a. math,* ♪ umkehren; (*Regierung*) stürzen; *~er le courant* ⚡ umpolen; *cela me ~e* (*umg*) da bin ich platt

ren|voi [rãvwa] *m* Rücksendung; ⚗ Aufstoßen; Vertagung; Verschiebung; Kündigung; Entlassung; (*im Buch*) Verweis(ungszeichen), Anmerkung; **~voyer** [-vwajẹ] *7* zurückschicken; zurücksenden, -werfen, -strahlen; entlassen; verweisen (*à* auf, *an*); *a. fig* wegschicken; *~voyer un accusé* e-n Angeklagten entlasten, freisprechen; *~voyer une affaire (à telle commission)* (an d. Ausschuß) zurückverweisen; *se ~voyer la balle* (*fig*) s. gegenseitig d. schwarzen Peter zuschieben

réorganis|ation [reɔrganizasjɔ̃] *f* Neugestaltung; Neuregelung; **~er** [-zẹ] neu einrichten; um-, neugestalten

réorienter [reɔrjãtẹ] neuorientieren

réouverture [reuvɛrtyːr] *f* Wiedereröffnung

repaire [rəpɛr] *m* (*Tiere, Verbrecher*) Schlupfwinkel

repaître [rəpɛtr] *61: se ~ de* s. weiden an; *se ~ de chimères* s. falschen Hoffnungen hingeben

répandre [repãdr] *76* aus-(ver-)breiten; aus-(ver-)gießen; verteilen; *se ~ en longs discours* s. in langen Reden ergehen ♦ *~ l'or à pleines mains* mit Geld um sich werfen

répar|ateur [reparatœːr] *122* Wiedergutmachungs...; *fig* erholsam, stärkend; **~ation** [-rasjɔ̃] *f* Wiedergutmachung; Reparatur, Instandsetzung; Wiederherstellung; *~ation civile* Schadenersatz aus unerlaubter Handlung; *~ation d'honneur* Ehrenerklärung; *surface de ~ation* ⚽ Strafraum; **~er** [-rẹ] wiedergutmachen; reparieren, instandsetzen; *~er un dommage* Schadenersatz leisten; *~er ses forces* wieder zu Kräften kommen

repart|ie [rəparti] *f* schlagfertige Erwiderung; *ne pas manquer de ~ie* schlagfertig sein; **~ir** [-tiːr] *29* schnell antworten; versetzen; wieder abreisen; *~ir de zéro* wieder von vorn anfangen, nochmals ganz unten beginnen

répart|ir [reparti:r] *22* verteilen; **~ition** [-tisjɔ̃] *f* Verteilung; Aufteilung; Gliederung; *~ition géographique* geographische Streuung

repas [rəpɑ] *m* Mahlzeit; *ticket ~* Essenmarke

repass|age [rəpasaːʒ] *m* (Auf-)Bügeln; (*Klinge*) Abziehen; **~er** [-sẹ] wieder vorbeikommen, -fahren; bügeln, plätten; (*Klinge*) abziehen; (*Gelerntes*) nochmals durchgehen; **~euse** [-søːz] *f* Büglerin; Bügelmaschine

repêcher [rəpeʃẹ] auffischen; aus d. Wasser ziehen; bergen; *~ qn* (*umg*) j-m beim Examen e-e letzte Chance geben

repenser [rəpãsẹ] überprüfen, erneut durchdenken

repent|ant [rəpãtã] *108* reumütig; **~i** [-ti] *m* reuiger Sünder; **~ir** [-tiːr] **1.** *29: se ~ir de qch* etw. bereuen; **2.** *m* Reue; *témoigner du ~ir* s. reuig zeigen

repérage [rəperaːʒ] *m (Ziel)* Ausmachen; ⚓ Peilung, Ortung; ~ *au radar* Funkmeßortung

répercu|ssion [reperkysjɔ̃] *f* Rückwirkung; Auswirkung; Niederschlag; ~ssion du son Widerhall; ~ter [-tɛ] *phys* zurückwerfen; *(Steuer)* abwälzen *(à auf)*; se ~ter rückwirken *(sur auf)*; Auswirkungen haben

re|père [rəpɛːr] *m* Zielpunkt; Merkzeichen; Höhenmarke; ⚙ Einstellmarke; *point de ~père* Anhaltspunkt; ~pérer [-perɛ] *13 (Ziel, Feind)* ausmachen, erkennen; anpeilen; orten; markieren

répertoire [repɛrtwaːr] *m* Register, Verzeichnis; Übersicht; Textsammlung; 🎭 Repertoire ♦ *un ~ vivant* ein wandelndes Lexikon

répét|er [repetɛ] *13* wiederholen; 🎭 proben; se ~er immer wiederkehren; ~iteur [-titœːr] *m* Privatlehrer; *(Internat)* Studienaufseher, Präfekt; ~itif [-titʃf] *adj* s. wiederholend, repetitiv; ~ition [-tisjɔ̃] *f* Wiederholung; 🎭 Probe; Nachhilfestunde; ~ition générale 🎭 Generalprobe; ~ition de l'indû Rückforderung zuviel gezahlter Beträge

repeupl|ement [rəpœpləmɑ̃] *m* Wiederbevölkerung; Aufforstung; ~er [-ple] wiederbevölkern; aufforsten; *(Fluß)* wieder mit Fischen besetzen

repiquer [rəpikɛ] *6 (Pflanzen)* versetzen; ~ *au truc (pop)* nochmals tun

répit [repi] *m* Rast; Pause; Frist; *sans ~* unaufhörlich, ohne Unterlaß

replâtr|age [rəplɑtraːʒ] *m* Übergipsen; *fig umg* oberflächliche Versöhnung; ~er [-tre] übergipsen; *fig* zurechtflicken

replet [rəplɛ] *116* beleibt, dickleibig, feist, drall

repli [rəpli] *m* Doppelfalte; Windung; (Boden-)Senkung; *mil* Rückzug, Absetzbewegung, Ausweichen; ~s du cœur verborgene Winkel d. Herzens; ~able [-pliabl]; *aile* ~able ✝ einklappbarer Flügel; ~ement [-plimɑ̃] *m mil (geordneter)* Rückzug, Zurücknahme; ~er [-plie] zus.falten; se ~er *(mil)* s. zurückziehen, s. absetzen; verlagern; se ~er sur soi-même s. sammeln

répliqu|e [replik] *f* Erwiderung; *mil* Gegenschlag; 🎭 Stichwort; Kopie *(e-s Kunstwerks);* ~er [-plikɛ] *6* erwidern, entgegnen

répond|ant [repɔ̃dɑ̃] *m* Bürge; *avoir du ~ant (umg)* finanziellen Rückhalt haben; ~eur [-dœːr] *m:* ~ téléphonique Anrufbeantworter; ~re [-pɔ̃dr] *76* antworten *(à auf)*; ansprechen auf, reagieren; ⚕ s. melden; erwidern, vergelten *(à qch* etw.); entsprechen *(à qch* e-r Sache); ~re de für... verantwortlich sein, einstehen

réponse [repɔ̃s] *f* Antwort; Erwiderung; *com* Rückantwort, Antwortschreiben, Beantwortung; *avoir ~ à tout* um k-e A. verlegen sein; *donner une ~* e-e Antwort geben; *droit de ~* Gegendarstellungsrecht; *temps de ~* ⚙ Ansprechzeit

report [rəpɔːr] *m com* Übertrag; ~age [-pɔrtaːʒ] *m* Reportage, Berichterstattung; ~age radiophonique Hörbericht; ~er[1] [-tɛ] verschieben *(à auf)*; *com* übertragen; se ~er au temps de... s. in die Zeit... zurückversetzen; ~er[2] [-tɛːr] *m 102*

Reporter, Berichterstatter; ~er photographe Bildberichterstatter

repos [rəpo] *m* Ruhe; Erholung; Pause; ~ dominical Sonntagsruhe; ~ éternel (rel) ewige Ruhe; ~! *(mil)* Rührt euch!; ~ de nuit Nachtruhe; maison de ~ Erholungsheim; temps de ~ Arbeitspause; valeur de tout ~ *(com)* völlig sicheres Papier; ~é [-poze] ruhig; ausgeruht; à tête ~ée in Ruhe, nach reiflicher Überlegung; ~e-pied [-pozpje] *m 100* Fußstütze, -raste; ~e-tête [-poztɛt] *m* Kopfstütze; ~er [-poze] wieder hinlegen, -stellen; zurücklegen, -stellen; niederlegen, -stellen; ruhen; beruhen *(sur auf); (Flüssigkeit)* s. setzen; se ~er s. ausruhen; se ~er sur qn s. auf j-n verlassen; se ~er sur ses lauriers s. auf s-n Lorbeeren ausruhen; ~oir [-pozwaːr] *m* Stationsaltar

repouss|ant [rəpusɑ̃] *108* abschreckend, -stoßend; ekelhaft; ~er [-se] zurück-(weg-)stoßen; zur Seite stoßen; *(Angriff)* abschlagen; *(Gesetz)* ablehnen; *(Kunsthandwerk)* treiben; ⚙ stauchen, fließdrücken; *fig* abstoßen; ab-, zurückweisen; *bot* ausschlagen; *(Bart)* nachwachsen; ~oir [-swaːr] *m: servir de ~oir à qn (fig, umg)* als abschreckendes Beispiel dienen

répréhensible [repreɑ̃sibl] tadelnswert; sträflich; verwerflich

reprend|re [rəprɑ̃dr] *79 1. vt* wieder nehmen; wieder aufnehmen; in Zahlg. nehmen; tadeln; ~re connaissance wieder zu s. kommen; ~re courage wieder Mut fassen; ~re un fugitif e-n Flüchtigen ergreifen; ~re haleine Atem schöpfen, verschnaufen, ausruhen; ~re son récit d. Faden wieder aufnehmen; le froid reprend es wird wieder kalt; on ne m'y ~ra plus! einmal u. nie wieder!; véhicule repris in Zahlung genommenes Fahrzeug; 2. vi wieder anwachsen; wieder zuheilen; s. wieder erholen; wieder anfangen; erwidern, versetzen; 3. se ~re s-e Worte korrigieren; s. zus.nehmen; wieder zu s. kommen

représailles [rəprezɑːj] *fpl* Vergeltung(smaßnahme)

représent|ant [rəprezɑ̃tɑ̃] *m* (Stell-)Vertreter; ~ant de commerce Handelsvertreter; ~ant du peuple Volksvertreter; ~atif [-tatif] *112* repräsentativ; parlamentarisch; typisch; ~ation [-tasjɔ̃] *f (a.* 🎭) Vorstellung, Aufführung; *(Film)* Vorführung; Darstellung; Vorhaltung; *a.* com Vertretung; ~ation exclusive Alleinvertretung; *frais de ~ation* Repräsentationskosten; ~ativité [-tativitɛ] *f* Repräsentanz, Repräsentativsystem; ~er [-tɛ] darstellen; 🎭 aufführen; *a. com* vertreten; se ~er qch s. etw. vorstellen

répress|if [represif] *112* einschränkend; unterdrückend; autoritär; Straf...; Zwangs...; ~ion [-sjɔ̃] *f* Unterdrückung; Niederwerfung; 🛡 Strafverfolgung; ~ion des crimes Verbrechensbekämpfung

réprim|ande [reprimɑ̃d] *f (Tadel)* Verweis; ~ander [-mɑ̃dɛ] tadeln; ~er [-mɛ] unterdrücken; bekämpfen; *(Leidenschaft)* im Zaum halten; *(Tränen)* zurückhalten

repris [rəpri] *m:* ~ de justice Vorbestrafter; ~e

[-priːz] *f (z. B. Feindseligkeiten, Arbeit)* Wiederaufnahme, -holung, -beginn; ♥ Wiederaufführung; Ausbesserung, Stopfen; ~*e (des affaires) (com)* Wiederaufschwung; ~*e en compte* Inzahlungnahme; *à plusiers* ~*es* mehrmals nacheinander; verschiedentlich; ~**er** [-prizę] *(Wäsche usw.)* stopfen

réprob|ateur [reprɔbatœːr] *122* mißbilligend; ~**ation** [-basjɔ̃] *f* Mißbilligung

reproch|e [rəprɔʃ] *m* Vorwurf; *sans* ~*e* tadellos; ~**er** [-prɔʃę] vorwerfen; z. Vorwurf machen ♦ *on leur* ~*e le pain qu'ils mangent* man gönnt ihnen d. Brot im Munde nicht

reprodu|cteur [rəprɔdyktœːr] *122* Zucht...; *m* männl. Zuchttier; ♪ Tonkopf; ~**ction** [-dyksjɔ̃] *f* Fortpflanzung; ▥ Reproduktion; ▤ Ab-, Nachdruck; ♣ Kopie; ✿ Nachbau; *élément de* ~*ction* Druckfolie; *rapport de* ~*ction (opt)* Abbildungsmaßstab; *pouvoir de* ~*ction* Fortpflanzungsfähigkeit; ~*ction sonore* Tonwiedergabe; *droit de* ~*ction* ▢ Vervielfältigungsrecht; ~**ire** [-dɥiːr] *80* reproduzieren; ab-, nachdrukken; vervielfältigen; *se* ~*ire* s. fortpflanzen; s. wiederholen; *machine à* ~*ire* Vervielfältigungsmaschine

reprogra|phie [reprɔgrafi] *f* Reprographie; Kopierverfahren; ~**phier** [-fię] fotokopieren; pausen

réprouv|é [repruvę] *m rel* Verdammter; *(v. d. Gesellschaft)* Ausgestoßener; ~**er** [-vę] mißbilligen, tadeln; *rel* verwerfen

reps [rɛps] *m* Rips

reptile [rɛptil] *m* Reptil, Kriechtier

repu [rəpy] *a. fig* gesättigt *(de* mit)

répu|blicain [repyblikɛ̃] *109* republikanisch; *m* Republikaner; ~**blique** [-blik] *f* Republik; ~*blique populaire* Volksrepublik; ⚹*blique fédérale* Bundesrepublik

répudier [repydję] verstoßen; verschmähen, ausschlagen; ~ *une succession* 🕮 auf e-e Erbschaft verzichten

répugn|ance [repynɑ̃s] *f* Widerwille *(pour* gegen); ~**ant** [-nɑ̃] *108* ekelhaft, abscheulich, widerlich, gräßlich; abstoßend; ~**er** [-nę] e-n Widerwillen haben *(à* gegen); anekeln *(à qn* j-n), zuwider sein

répulsion [repylsjɔ̃] *f phys* Abstoßung; heftige Abneigung, Widerwille *(pour* gegen)

réput|ation [repytasjɔ̃] *f* Ruf; Ansehen; *fig* Name; ~**é** [-tę] erachtet als; von Ruf; berühmt, anerkannt

requér|ant [rəkerɑ̃] *m* 🕮 Antragsteller; Kläger; *autorité* ~*ante* Anforderungsbehörde; ~**ir** [-riːr] *18* 🕮 ersuchen *(qch* um etw.; *qn* j-n); e-n Strafantrag stellen; auffordern; anfordern, beantragen

requête [rəkɛt] *f* 🕮 Anfrage; Eingabe; *à la* ~ *de* auf Ansuchen...; ~ *introductive d'instance* Klageschrift

requiem [rekɥięm] *m* Requiem; *messe de* ~ Totenmesse

requin [rəkɛ̃] *m* Hai(fisch); *umg* Halsabschneider, Schieber

requinquer [rəkɛ̃kę] *6: se* ~ *(umg)* s. ausstaffie-

ren, auftakeln; *(nach Krankheit)* s. wieder hochrappeln

requis [rəki] **1.** *108* erforderlich; vorschriftsmäßig; *âge* ~ Mindestalter; **2.** *m:* ~ *(civil)* Dienstverpflichteter; *(von e-r Besatzungsmacht ausgehobener)* Zwangsarbeiter

réquisi|tion [rekizisjɔ̃] *f* 🕮 Ersuchen, Antrag; *mil* Requisition; Leistungsanforderung; Beschlagnahme; *à présenter à toute* ~*tion* auf Verlangen vorzuzeigen; ~**tionner** [-zisjɔnę] *mil* requirieren, anfordern, beschlagnahmen, beitreiben; ~**toire** [-zitwaːr] *m* Anklagerede *(d. Staatsanwalts)*

rescapé [rɛskapę] *m* Überlebender; *(aus e-r Katastrophe)* Geretteter

rescousse [rɛskus] *f: venir à la* ~ *de qn (umg)* j-m unter d. Arme greifen

réseau [rezo] *m 91 (a. fig)* Netz; ▢ Raster; ~ *express régional (= R.E.R.)* Pariser-S-Bahn-Verbund; ~ *de fils de fer barbelé (mil)* Stacheldrahtverhau; ~ *routier* Straßennetz; ~ *ferré* Eisenbahnnetz; ~ *de renseignements* Nachrichtennetz; ~ *téléphonique local* Ortsnetz

réserv|ation [rezɛrvasjɔ̃] *f* Reservierung; ✈ Buchung; ~**e** [-zɛrv] *f (a. mil)* Reserve; Vorrat; Vorbehalt; Zurückhaltung; Behutsamkeit; ~*e actuarielle* Deckungsrücklage; ~*e sinistres* Schadensrückstellung; ~*e zoologique* Tierschutzgebiet; *à la* ~*e de* mit Ausnahme...; *avec* ~*e* behutsam; *sans* ~*e* ausnahmslos, rückhaltlos; *sous* ~*e que* unter d. Voraussetzung, daß; *sous* ~*e de* unbeschadet; *sous toutes* ~*es* ohne Gewähr; ~**é** [-vę] zurückhaltend, kühl, abweisend; reserviert, vorbestellt; *chasse* ~*ée* Privatjagdrevier; ~**er** [-vę] reservieren; vorbehalten; *(Plätze)* belegen, vorbestellen; *(Geld)* zurücklegen; ~*er un accueil* e-n Empfang bereiten; *se* ~*er de faire qch* s. vorbehalten, etw. zu tun; ~**iste** [-vist] *m mil* Reservist; ~**oir** [-vwaːr] *m* Reservoir, Behälter; ~*oir d'eau* Wasserbehälter; ~*oir d'essence* Benzintank, Kraftstoffbehälter; ~*oir à huile* Ölbehälter; ~*oir supplémentaire* Zusatztank

résid|ence [rezidɑ̃s] *f* Aufenthaltsort; Wohnsitz; Residenz; vornehmes Wohnviertel; ~*ence secondaire* Zweitwohnsitz; *établir sa* ~*ence à* s. niederlassen in; *charge astreignant à la* ~*ence* Amt mit Residenzpflicht; ~**ent** [-dɑ̃] *m* Resident; Gouverneur, Statthalter; ~**entiel** [-dɑ̃sjɛl] *115: quartier* ~*entiel* Wohnviertel; ~**er** [-dę] wohnhaft sein; bestehen *(en* in); ~**u** [-dy] *m chem* Rückstand, Bodensatz; ~**uel** [-dɥɛl] *115 chem* zurückbleibend

résign|ation [rezinasjɔ̃] *f* Ergebung, Mutlosigkeit; 🕮 Abtretung, Verzicht; ~**er** [-nę] 🕮 abtreten; *se* ~*er* s. in sein Schicksal ergeben

résilier [rezilję] 🕮 *(Vertrag)* kündigen, für nichtig erklären, ungültig machen; ~ *ses fonctions (vom Amt)* zurücktreten

résille [rezij] *f* Haarnetz; *(Fenster)* Bleistege

résin|e [rezin] *f* Harz; ~*e synthétique* Kunstharz; ~**eux** [-zinø] *111* harzig

résipiscence [resipisɑ̃s] *f: venir à* ~ s-e Fehler einsehen

résist|ance [rezistɑ̃s] *f (a. ⚡)* Widerstand; Strapazierfähigkeit; *a.* ⚡ Widerstandskraft; ✿ Festigkeit, Tragfähigkeit; Dauerhaftigkeit; *pol* Widerstandsbewegung, Résistance; ~*ance de l'air* Luftwiderstand; ~*ance à la chaleur* Hitzebeständigkeit; ~*ance critique* Grenzwiderstand; ~**ant** [-tɑ̃] **1.** *108* widerstandsfähig; *(Material)* haltbar, beständig, fest; ~*ant aux acides* säurefest; ~*ant à la rouille* rostbeständig; **2.** *m* Widerstandskämpfer; ~**er** [-te] widerstreben; Widerstand leisten; standhalten; durchhalten; ~*er à qch* etw. aushalten

résolu [rezɔly] *128* entschlossen; ~**ble** [-lybl] *math, fig* lösbar; ~**tion** [-lysjɔ̃] *f (math, chem)* Auflösung; *(Vertrag)* Aufhebung; *(Problem)* Lösung; Entschluß; Beschluß; Entschlossenheit; Entschließung; Vorsatz; ~**toire** [-twạːr] *adj* 𝄢 aufhebend, auflösend

réson|ance [rezɔnɑ̃s] *f (a. fig)* Resonanz, Mitklingen; Widerhall; ~**ateur** [-natœːr] *m* Resonanzkörper, Resonator; ⚡, 🕭 Schwingungskreis; ~**ner** [-ne] widerhallen; (er)tönen, erschallen

résor|ber [rezɔrbe] aufsaugen; ⚡ resorbieren; ~**ption** [-zɔrpsjɔ̃] *f* Aufsaugung; ⚡ Resorption

résoudre [rezudr] *81 (phys, ♪)* auflösen; *(Vertrag)* aufheben; ⚡ *(Geschwulst)* verteilen; *(Aufgabe, math)* lösen; beschließen *(de* zu); bestimmen, veranlassen *(à* zu); *se* ~ *à* s. entschließen zu; *se* ~ *en* s. auflösen in

respect [rɛspɛ] *m* Ehrfurcht, Respekt, Ehrerbietung, Achtung; ~ *du délai* Einhaltung d. Frist; ~ *des traditions* Traditionsgebundenheit; *manquer de* ~ *à qn* sich j-n gegenüber unehrerbietig verhalten; *sauf votre* ~ mit Verlaub zu sagen; ~ *humain* [rɛspeymɛ̃] Furcht vor d. Meinung anderer; *tenir qn en* ~ j-n in Schach halten; *présenter ses* ~*s à qn* s. j-m empfehlen; ~**able** [-pɛktabl] achtenswert; ehrfurchtgebietend; beachtlich; ~**er** [-pɛkte] achten; (ver)schonen; *(Datum, Termin)* einhalten; ~*er le sommeil de qn* j-s Schlaf nicht stören; *se faire* ~ *er* s. Achtung verschaffen; *se* ~*er (umg)* etw. auf s. halten; ~**if** [-pɛktif] *112* jeweilig; wechselseitig; ~**ivment** [-pɛktivmɑ̃] jeweils; beziehungsweise; ~**ueuse** [-pɛktuɑ̃z] *f iron* Dirne; ~**ueux** [-spɛktɥø] *111* achtungsvoll; ehrerbietig; *à distance* ~*ueuse* in respektvollem Abstand

respir|able [rɛspirabl] atembar; ~**ation** [-rasjɔ̃] *f* Atmung; Ausatmung; ~*ation artificielle* künstl. Beatmung; ~**atoire** [-ratwạːr] Atem…; *appareil* ~*atoire* Atmungsorgane; *appareil* ~*atoire de plongeur* Atem-, Tauchgerät; ~**er** [-re] atmen; ausatmen; *a. fig* aufatmen; *fig* ausströmen; ~*er difficilement* nach Atem ringen

resplend|ir [rɛsplɑ̃diːr] *22* strahlen; glänzen; ~*ir de santé* vor Gesundheit strotzen; ~**issant** [-disɑ̃] *108* glänzend; ~**issement** [-dismɑ̃] *m* Glanz; Leuchten

respons|abilité [rɛspɔ̃sabilite] *f* Verantwortlichkeit; Verantwortung; Zurechnungsfähigkeit; ~*abilité civile* Haftpflicht; *assumer une* ~*abilité* e-e Verant. auf s. nehmen; *déclaration de non-*~*abilité* Haftungsfreistellung; *engager la* ~*abilité de qn* j-n verantwortlich machen für; *prendre qch sous sa* ~*abilité* d. Verantw. für etw. übernehmen; *société à* ~*abilité limitée* Gesellschaft mit beschränkter Haftung; ~**able** [-sabl] *adj* verantwortlich *(de für);* vernünftig, ernst(zunehmen); *autorité* ~*able* zuständige Behörde; *rendre* ~*able de* verantwortlich machen für; *m* Verantwortlicher, Leiter, Führungskraft

resquill|er [rɛskije] *umg (unrechtmäßig)* ergattern; nassauern; 🕭 schwarzhören; schwarzfahren; ~**eur** [-jœːr] *m* Zaungast; Schwarzhörer, -fahrer

ressac [rəsak] *m* Brandung

ressaisir [rəseziːr] *22* wiederergreifen; *se* ~ sich fassen, wieder zu s. kommen

ressasser [rəsase] *fig* zum Überdruß wiederholen, wiederkäuen

ressaut [rəso] *m* Vorsprung, Absatz; *(Gelände)* Unebenheit; *(Ufer)* Stufe

ressembl|ance [rəsɑ̃blɑ̃s] *f* Ähnlichkeit; ~**ant** [-blɑ̃] *108* ähnlich; 📷 naturgetreu; ~**er** [-ble] ähneln; gleichen; *cela lui* ~*e* d. sieht ihm ähnlich ♦ *ils se* ~*ent comme deux gouttes d'eau* sie gleichen einander wie e. Ei dem andern

ressemel|age [rəsəmlaːʒ] *m* Besohlung; ~**er** [-le] *4* besohlen

ressent|iment [rəsɑ̃timɑ̃] *m* Groll; Rachegefühl; ~**ir** [-tiːr] *29* empfinden, fühlen; *se* ~*ir* Nachwirkungen spüren *(de qch* von etw.)

resserr|e [rəsɛːr] *f* Verschlag; ~**é** [-sɛre] eng; ~**ement** [-sɛrmɑ̃] *m* Verengung; Einschnürung; Knappheit; ~**er** [-sɛre] enger zus.ziehen; verengen; *fig* enger knüpfen; ⚡ stopfen; *se* ~*er* s. einschränken

ressort [rəsɔːr] *m* **1.** Feder; *a. fig* Spannkraft; Triebfeder; *à* ~ gefedert; ~ *à boudin* Schraubenf.; ~ *de compression* Druckf.; ~ *à lames* Blattf.; ~ *en spirale* Spiralf.; ~ *de vitesse* Verstellf.; *faire* ~ federn, zurückschnellen ♦ *faire jouer tous les* ~*s* alle Hebel in Bewegung setzen; **2.** 𝄢 Zuständigkeit; Geschäftsbereich; Fach; (Gerichts-)Sprengel; *en dernier* ~ in letzter Instanz

ressort|ir [rəsɔrtiːr] **1.** *29* wieder (hin-)ausgehen; sich hervorheben; *il en* ~ *que* daraus geht hervor, daß; **2.** *22 (zuständigkeitshalber)* gehören *(à* zu); ~**issant** [-tisɑ̃] *m* Staatsangehöriger

ressource [rəsurs] *f* (Hilfs-, Einnahme-)Quelle; Mittel; Hilfe; Zuflucht; ✛ Abfangen; *pl* Geldmittel, Reichtümer; Potential; Hilfsmittel; ~*s de l'impôt* Steueraufkommen; ~*s en main d'œuvre* vorhandene Arbeitskräfte; ~*s et charges de l'État* Haushaltsmittel; *perdu sans* ~ unrettbar verloren; ~*s minérales* Bodenschätze; *c'est un homme de* ~ er weiß sich zu helfen

ressusciter [resysite] auferwecken; auferstehen

restant [rɛstɑ̃] **1.** *108* übrigbleibend; *poste* ~*e* postlagernd; **2.** *m* Rest; *com* Restbetrag, Rückstand

restaur|ant [rɛstorɑ̃] *m* Gasthaus, -stätte; ~**ant** *universitaire* Mensa; ~**ateur** [-ratœːr] *m* Wiederhersteller; 📷, Restaurator; Gastwirt; ~**ation** [-rasjɔ̃] *f* Wiederherstellung; *fig* Erneuerung, 📷, 🏛 Restaurierung; *hist* Restauration; *style de la*

⌐*ation* Biedermeierstil; **~er** [-rę] wiederherstellen; stärken; **☘**, **血** restaurieren; *pol* wieder einsetzen; **~er** *ses forces, se* **~er** s. stärken

rest|e [rɛst] *m (a. math)* Rest; Überrest; Restsumme; *pl* sterbliche Überreste; *le* **~e** d. übrigen, d. andern; *au* **~e**, *du* **~e** übrigens; *de~e* übrig, mehr als nötig; *être en ~e* a. *fig* j-m etwas schuldig sein ♦ *jouir de son ~e (umg)* etw. bis zur Neige auskosten; *ne pas demander son ~e (umg)* sich ganz still aus d. Staube machen; **~er** [-tę] übrig-, zurückbleiben; *y ~er (umg)* auf d. Platze bleiben; *en ~er là (fig)* dabei bleiben; *~er chez soi* zu Hause bleiben; *~er court (fig)* steckenbleiben; *~er sur sa faim* noch hungrig sein; *fig* unzufrieden sein; *~er en route (fig)* nicht zu Ende kommen

restitu|er [rɛstitɥę] zurückerstatten; zurückgeben; **血** rekonstruieren; **~tion** [-tysjɔ̃] *f* Zurückerstattung; Rück-, Herausgabe; **血** Rekonstruktion

restoroute [rɛstoruʈ] *m* Autobahngaststätte

restr|eindre [rɛstrɛ̃dr] 87 beschränken (*à* auf); *se ~eindre* s. einschränken; **~ictif** [-triktif] *112* einschränkend; **~iction** [-triksjɔ̃] *f* Ein-, Beschränkung; *~iction mentale* stiller Vorbehalt; *sans ~iction* unbeschränkt

restructur|ation [rəstryktyrasjɔ̃] *f* Umstrukturierung; **~er** [-rę] umstrukturieren, umwandeln

résult|ante [rezyltɑ̃t] *f phys* Resultante; **~at** [-ta] *m* Ergebnis; Folge; Resultat; *sans ~at* ergebnislos; **~er** [-tę] s. ergeben, hervorgehen (*de* aus); *il en ~e que* daraus folgt, daß

résum|é [rezymę] *m* Zus.fassung; Überblick; Inhaltsangabe; *en ~é* alles in allem, im großen u. ganzen; **~er** [-mę] kurz zus.fassen

résurrection [rezyrɛksjɔ̃] *f* Auferstehung

retable [rətabl] *m* Altarwand

rétabl|ir [retabliːr] *22 (a. ☘)* wiederherstellen; *(Brauch)* wiedereinführen; wieder einsetzen; *se ~ir* genesen; **~issement** [-blismɑ̃] *m (a. ☘)* Wiederherstellung; Genesung; **🐾** Klimmzug; **⚓** Kehre, Aufschwung; *~issement financier* Sanierung

rétam|er [retamę] neu verzinnen; *umg (beim Spiel)* *se faire ~er* verlieren; **~eur** [-mœːr] *m* Kesselflicker

retap|e [rətap] *f: faire la ~e (pop)* Kunden fangen; **~er** [-tapę] auffrischen; notdürftig reparieren; erneuern; flüchtig zurechtmachen; *se ~er (umg)* wieder auf d. Beine kommen

retard [rətaːr] *m* Verspätung; Rückstand; Verzögerung; *être en ~* sich verspäten, zu spät kommen; im Rückstand sein; *(Uhr)* nachgehen; *sans ~* unverzüglich; **~ataire** [-tardatɛːr] rückständig; *m* Nachzügler; **~ateur** [-tardatœːr] *122 phys* verzögernd; *mil* hinhaltend; *m* Verzögerungsvorrichtung; **~ation** [-tardasjɔ̃] *f phys* Verzögerung; **~ement** [-tardəmɑ̃] *m* Verzögerung; Aufschub; *avec ~ement* **血** mit Selbstauslöser; *bombe à ~ement* (Bombe mit) Zeitzünder; **~er** [-tardę] verzögern; aufschieben; *(Uhr)* nachgehen; *umg* hinterm Mond sein

retenir [rətniːr] *30* zurück(be)halten; behalten; einbehalten; *(Angebot)* berücksichtigen; *(Ankla-*

ge) aufrechterhalten; *(Atem)* anhalten; *(Platz)* belegen; vorbestellen; *fig* unterdrücken; *se ~* sich beherrschen; *être à ~* Beachtung verdienen

rétention [retɑ̃sjɔ̃] *f com* Einbehaltung, Abzug; *droit de ~* Zurückbehaltungsrecht

retent|ir [rətɑ̃tiːr] *22* widerhallen; erklingen; **~issant** [-tisɑ̃] *108* klangvoll; *fig* aufsehenerregend; **~issement** [-tismɑ̃] *m* Widerhall; *fig* Aufsehen

retenue [rətny] *f* Zurückhaltung; (Gehalts-) Abzug; *päd* Nachsitzen; *bassin de ~* Schleusenkammer; *câble de ~* Ankertau; *clapet de ~* Rückschlagventil; *ressort de ~* Haltefeder; *d'eau* Stausee; *~ à la source (Steuer)* Quellenabzug

rétic|ence [retisɑ̃s] *f* Auslassung; Zögern; Verschweigen; *parler sans ~ence* frei heraus sprechen; **~ent** [-sɑ̃] *108* zurückhaltend

réticule [retikyl] *m* Handtäschchen; *opt* Fadenkreuz

rétif [retif] *112* widerspenstig

rétine [retin] *f anat* Retina, Netzhaut

retir|é [rətirę] abgelegen, einsam; zurückgezogen; **~er** [-rę] aus-, ent-, hervor-, zurückziehen; *(Geld)* abheben; *(Ware)* abholen; *(Wort)* zurücknehmen; *(Pfand)* einlösen; *~er de la circulation* aus d. Verkehr ziehen, außer Kurs setzen; **~er** *du profit de* Gewinn ziehen aus; *se ~er* s. verabschieden; s. zurückziehen; s. zur Ruhe setzen

retomb|ée [rətɔ̃bę] *f* (Staub-)Ausbreitung, Emissionseinwirkung, (Schadstoff-)Niederschlag; *fig* Auswirkung, Folge; *~ées radioactives* radioaktiver Niederschlag; **~er** [-bę] *a. fig* zurückfallen, -sinken; unterhängen; *faire ~er la faute sur qn* d. Schuld auf j-n abwälzen

retordre [rətɔrdr] *76 (Faden)* zwirnen; *(Wäsche)* nochmals auswinden ♦ *donner du fil à ~ (viel)* zu schaffen machen

rétorquer [retorkę] *6* erwidern; *~ les arguments de qn* j-n mit s-n eigenen Waffen schlagen

retors [rətɔːr] *108* gedreht; *fig* gerissen, schlau

rétorsion [retorsjɔ̃] *f: mesure de ~* Vergeltungsmaßnahme, Repressalie

retouch|e [rətuʃ] *f* Änderung; Überarbeitung; Verbesserung; **📷** Retusche, Nacharbeit; *apporter les dernières ~es à* d. letzte Hand legen an; **~er** [-tuʃę] abändern; überarbeiten; verbessern; **📷** retuschieren

retour [rətuːr] *m* Rückkehr, -fahrt; Wiederkehr, -holung; **🐴** Heimfall; *com* Rücksendung; **✉** Remittende; **⚙** Rückprall, -lauf; *fig* Umschlag, Umschwung; Erwiderung; Gegendienst; Windung; *de ~* zurück(gekehrt); *en ~* dagegen, dafür; als Gegenleistung; *sans ~* unwiederbringlich; *~ d'âge* Wechseljahre; *~ de conscience* Gewissensregung; *~ de flamme* Flammenrückschlag ♦ *être sur le ~* altern; **~ner** [-turnę] umkehren, -wenden; zurückschicken, -kehren, reisen; *(Kleid)* wenden; *(Boden)* umgraben; *(Speise)* umrühren; *fig* aufwühlen; *umg* herumkriegen; *se ~ner* s. umdrehen; *s'en ~ner* (wieder) umkehren; *de quoi ~ne-t-il?* was dreht es sich?

retracer [rətrasɛ̯] *15* schildern; vor Augen führen

rétract|ation [retraktasjɔ̃] *f* Widerruf; **~er** [-tɛ̯] einziehen; *fig* zurücknehmen, widerrufen; *se ~er* s. zus.ziehen; *fig* d. Gesagte widerrufen; **~ile** [-ti̯l] *zool* einziehbar

retrait [rətrɛ̯] *m* Schrumpfen; Einlaufen; Zurückziehung; Entzug; *(Geld)* Abhebung; *~ du permis de conduire* Führerscheinentzug; *en ~* 🏛 einspringend; **~e** [-trɛt] *f* **1.** Rückzug; Zapfenstreich; *battre en ~e (mil)* zurückgehen; *fig* nachgeben; *battre (od. sonner) la ~e d.* Zapfenstreich blasen; *~e aux flambeaux* Fackelzug; **2.** Zurückgezogenheit; Ruhestand; Ruhegehalt, Pension; *prendre sa ~e* in den Ruhestand treten; *mise à la ~e* Pensionierung; **3.** *com* Rückwechsel; **~é** [-tretɛ̯] im Ruhestand, pensioniert; *m* Pensionär; Beamter im Ruhestand; **~ement** [-tmɑ̃] *m* ✿ Wiederaufbereitung

retranch|ement [rətrɑ̃ʃmɑ̃] *m* Streichung; *com* Einbehaltung, Abzug; *mil* Verschanzung ♦ *forcer qn dans ses derniers ~ements* j-n in d. Enge treiben; **~er** [-ʃɛ̯] abschneiden; abschaffen; *(Geldsumme)* abziehen, streichen, einbehalten; *se ~er (mil, fig)* sich verschanzen

rétréc|ir [retresi̯ːr] *22* verengern; *(Stricken)* abnehmen; *se ~ir* schrumpfen, enger werden; *(Stoff)* einlaufen; *chaussée ~ie* verengte Fahrbahn; **~issement** [-sismɑ̃] *m* Verengung; *(Stoff)* Einlaufen; *~issement de l'esprit* geistige Beschränktheit

rétribu|er [retribɥɛ̯] besolden; entlohnen; **~tion** [-bysjɔ̃] *f* Besoldung; Honorierung

rétro|actif [retrɔaktif] *112* rückwirkend; **~céder** [-sedɛ̯] *13* 🐍 wieder abtreten; **~fusée** [fyzɛ̯] *f* Bremsrakete; **~grade** [-grad] rückläufig; *fig* reaktionär; **~grader** 🚗 zurück-, herunterschalten; *(Person)* rückstufen; **~spectif** [-spɛktif] *112* rückblickend; *coup d'œil ~spectif* Rückblick

retrouss|er [rətrusɛ̯] aufstülpen, -krempeln; schürzen; *(Haar)* hochkämmen; *(Schnurrbart)* aufzwirbeln; *nez ~é* Stupsnase

retrouver [rətruvɛ̯] wiederfinden; *fig* wiedererkennen; *se ~* sich zurechtfinden; *s'y ~* auf s-e Kosten kommen

rétroviseur [retrɔvizœ̯ːr] *m* Rückspiegel

rets [rɛ] *m (a. fig)* Netz; *fig* Garn

réun|ification [reynifikasjɔ̃] *f pol* Wiedervereinigung; **~ion** [-njɔ̃] *f* Vereinigung (*à* mit) Zus.kunft, Treffen; Sitzung; Veranstaltung; Gesellschaft; *~ion du bureau* Vorstandssitzung; *~ion plénière* Vollversammlung; **~ir** [-ni̯ːr] *22* vereinigen (*à* mit); versammeln; verbinden (*à* mit); zus.rufen; *~ des preuves* Beweise zusammentragen; *se ~ir* zus.kommen, s. versammeln; s. treffen

réuss|i [reysi] gelungen; **~ir** [-si̯ːr] *22* Erfolg haben; erfolgreich sein; gelingen, glücken; ⇣ gedeihen; *j'ai ~i à* es ist mir gelungen, zu; **~ite** [-si̯t] *f* günstiger Ausgang; Erfolg; Gelingen; *(Kartenspiel)* Patience

reval|oir [rəvalwaːr] *48 umg* vergelten; **~orisation** [-lɔrizasjɔ̃] *f* Aufwertung; **~oriser** [-lɔrizɛ̯] aufwerten

revanch|ard [rəvɑ̃ʃaːr] *108* revanchelüstern; **~e** [-vɑ̃ʃ] *f* Vergeltung, Rache; *prendre sa ~e* Rache nehmen; *à charge de ~e* auf Gegenseitigkeit; *en ~e* dagegen, dafür

rêv|asser [rɛvasɛ̯] wirr träumen; dösen; **~asserie** [-vasri] *f* Hirngespinst; **~e** [rɛːv] *m* Traum; *caresser un ~e* d. Wunsch haben; *faire un ~e* träumen; *en ~e* im Traum

rêvêche [rəvɛʃ] herb; *a. fig* spröde; unfreundlich, mürrisch

réveil [revɛj] *m* Erwachen; *a. fig* Wiedererwachen; *mil* Wecken; Wecker; **~ler** [-vɛjɛ̯] (auf)wecken; *fig* wachrufen; aufrütteln; *se ~ler* auf-, erwachen; **~lon** [-vejɔ̃] *m* Mitternachtsschmaus (*zu Weihnachten od.* Silvester)

révél|ateur [revelatœ̯ːr] *122* aufschlußreich; *m* 📷 Entwickler; **~ation** [-lasjɔ̃] *f* Enthüllung, Aufdeckung; *a. rel* Offenbarung; **~er** [-lɛ̯] *13* enthüllen; *a. rel* offenbaren; 📷 entwickeln; *se ~er* an d. Tag kommen, sich kundtun

revenant [rəvnɑ̃] *m* Gespenst, Geist

revendeur [rəvɑ̃dœ̯ːr] *m* Wiederverkäufer

revendi|cation [rəvɑ̃dikasjɔ̃] *f* (Zurück-)Forderung; Anspruch; *~cations salariales* Lohnforderungen; *~cation territoriale* Gebietsanspruch; **~quer** [-dikɛ̯] *6* (zurück)fordern; beanspruchen, Anspruch erheben auf; *~quer la responsabilité de qch* d. Verantwortung für etw. übernehmen

revendre [rəvɑ̃dr] *76* wiederverkaufen; *avoir à ~ (d'une chose)* (etw.) im Überfluß haben

revenir [rəvni̯ːr] *30* wieder-, zurückkommen (*à* nach, *fig* auf); wieder-, zurückkehren (*à* nach, zu); wieder erscheinen, auftreten, bemerkbar werden; *fig* wieder tun (*à qch* etw.); zurückgreifen (*à qch* etw.); kosten (*à qch* etw.); zukommen, gehören (*à qn* j-m); *(Name)* (wieder)einfallen (*à qn j-m*); *(Speise)* aufstoßen (*à qn* j-m); *umg* gefallen, passen; *~ sur ce qu'on a promis* sein Versprechen nicht einhalten; *~ sur son opinion* s-e Meinung ändern; *~ d'une erreur* von e-m Irrtum abkommen; *~ de loin* e-r Gefahr entrinnen; von e-r schweren Krankheit genesen; *~ d'une maladie* genesen; *~ à soi* wieder zu s. kommen; *~ sur ses pas* umkehren; *fig* s. besinnen; *faire ~* (kurz) anbraten, schmoren; ✿ *(Stahl)* vergüten ♦ *revenons à nos moutons* kommen wir wieder z. Sache; *cela revient au même* d. kommt aufs gleiche heraus; *je n'en reviens pas* d. überrascht mich sehr; *cela revient à dire...* d. heißt mit anderen Worten..., das will besagen; *il m'est revenu que...* ich habe erfahren, daß...

revente [rəvɑ̃t] *f* Wiederverkauf

revenu [rəvny] *m* Einkommen, Einkünfte; Ertrag; *(Stahl)* Anlassen, Vergüten; *à ~ fixe* festverzinslich; *~s de l'État*, *~s publics* Staatseinkünfte; *~ national* Volkseinkommen

rêver [rɛvɛ̯] träumen (*de* von); phantasieren, faseln; *~ à qch* über etw. nachsinnen, grübeln; *~ qch* etw. träumen, *fig* erträumen, ersehnen

réverb|ération [revɛrberasjɔ̃] *f* Widerschein; Rückstrahlung; Nachhall; **~ère** [-bɛːr] *m* Reflektor; Straßenlaterne; **~érer** [-berɛ̯] *13* zurückstrahlen, reflektieren

reverdir [rəvɛr] *22* wieder grün werden; *fig* wieder jung werden

révér|ence [reverɑ̃s] *f* Ehrerbietung; Verbeugung; *~ence parler (umg)* mit Verlaub zu sagen; **~enciel** [-rɑ̃sjɛl] *115* ehrerbietig; **~encieux** [-rɑ̃sjø] *111* übertrieben höflich; **~end** [-rɑ̃] *108 rel* hochwürdig; *~end Père* Hochwürden; **~er** [-re] *13 (bes rel)* verehren

rêverie [rɛvri] *f* Träumerei; Phantasie

revers [rəvɛr] *m (Münze, fig)* Kehrseite; *(Kleidung)* Revers; *(Hand)* Rücken; *(Tennis)* Rückhand; *fig* Schicksalsschlag; *~ de fortune* Mißerfolg, Rückschlag; *prendre à ~* seitlich, hinten umfassen ♦ *toute médaille a son ~* alles hat s-e guten u. schlechten Seiten

réver|sible [revɛrsibl] umkehrbar; ⟳ übertragbar *(sur auf); manteau ~sible* Wendemantel; **~sion** [-sjɔ̃] *f* Rückgabe; *pension de ~sion* Hinterbliebenenrente

revêt|ement [rəvɛtmɑ̃] *m* ✿, 🏛 Ver-, Auskleidung; *~ement de la route* Straßendecke; **~ir** [-vetiːr] *31* anziehen, anlegen; *(Amt)* bekleiden; ✿ verkleiden, auslegen *(de* mit); *~ir un acte de sa signature* ⟳ e-n Akt unterschriftlich vollziehen

rêveur [rɛvœːr] *121* träumerisch; *m* Träumer

revient [rəvjɛ̃] *m: prix de ~* Selbstkostenpreis

revirement [rəvirmɑ̃] *m* Umschwung; Schwenkung

révis|er [revize] revidieren, durchsehen; ✿ überholen; **~eur** [-zœːr] *m* 📖 Korrektor; **~ion** [-zjɔ̃] *f* Revision; Nachprüfung; ✿ Inspektion, Instandsetzung, Überholung; 📖 Nachkorrektur; ⟳ Wiederaufnahme (-verfahren); *conseil de ~ion (mil)* Musterungsbehörde; **~ionniste** [-zjɔnist] *m* Revisionist

revitali|sant [rəvitalizɑ̃] *adj* stärkend, kräftigend; erneuernd; **~ser** [-ze] stärken, kräftigen; erneuern, wiederbeleben

revivre [rəviːvr] *89* wieder aufleben; noch einmal durchleben; *faire ~* wieder aufleben lassen, *(Vergangenes)* lebendig vor Augen stellen

révoca|ble [revɔkabl] widerruflich; **~tion** [-kasjɔ̃] *f* Widerrufung; *(Beamter)* Absetzung, Abberufung, Entfernung aus dem Dienst

revoici, revoilà [rəvwasi, -la]: *me ~!* da bin ich wieder!

revoir [rəvwaːr] *49* wiedersehen; revidieren; durchsehen; *(Text)* überarbeiten, prüfen; *m* Wiedersehen; *au ~!* auf Wiedersehen!

révolt|ant [revɔltɑ̃] *108* empörend; **~e** [-vɔlt] *f* Aufruhr, Revolte, Aufstand; Auflehnung, Empörung; *esprit de ~e* Aufsässigkeit; **~é** [-te] empört *(de* über); *m* Aufständischer; **~er** [-te] aufwiegeln; z. Aufstand reizen; *se ~er* s. erheben *(contre* gegen); *a. fig* s. empören *(contre* gegen)

révolu [revɔly] vollendet; *(Zeit)* abgelaufen; **~tion** [-lysjɔ̃] *f* Revolution, Umsturz, Umwälzung; *astr* Umlauf *(autour de* um); *math* Rotation; *~tion culturelle* Kulturrevolution; **~tionnaire** [-lysjɔnɛːr] revolutionär, umstürzlerisch; völlig neuartig; *m* Revolutionär; **~tionner**

[-lysjɔne] *a. fig* revolutionieren, umwälzen, -wandeln; von Grund auf umgestalten

revolver [revɔlvɛːr] *m* Revolver; *tour ~* ✿ Revolverdrehbank

révoquer [revɔke] *6* widerrufen; *(Beamte)* absetzen, abberufen; *~ en doute* in Zweifel ziehen

revue [rəvy] *f* Durchsicht, Nachprüfung; *mil* Parade; Zeitschrift; *~ de presse* Presserundschau; *passer qch en ~* etw. durchsehen, prüfen; *mil* e-e Parade abnehmen ♦ *être de la ~ (umg)* in d. Röhre gucken

rez-de-chaussée [redʃose] *m 100* Erdgeschoß, Parterre

rhabill|age [rabijaːʒ] *m* Ausbesserung, Reparatur; **~er** [-je] wieder ankleiden; ausbessern, reparieren; *(Ideen)* in e-e neue Form kleiden; *se ~er* s. wieder ankleiden; *il peut aller se ~er (umg)* er ist nicht auf der Höhe, der taugt nichts

rhénan [renɑ̃] *109* rheinisch; **≏** *m* Rheinländer; **≏ie** [-nani]: *la ≏ie* Rheinland

rhéostat [reɔsta] *m* ⚡ Rheostat, Regelwiderstand

rhésus [rezys] *m* Rhesusaffe; *facteur ~* Rhesusfaktor

rhétorique [retɔrik] *f* Rhetorik, Redekunst; leeres Gerede

Rhin [rɛ̃] *m* Rhein

rhinocéros [rinɔserɔs] *m* Nashorn

rhizome [rizɔm] *m bot* Wurzelstock, Erdsproß (mit Speicherfunktion)

rhomb|e [rɔb] *m* Rhombus, Raute; **~ique** [-bik] rautenförmig

rhubarbe [rybarb] *f* Rhabarber

rhum [rɔm] *m* Rum

rhumati|sant [rymatizɑ̃] *m* Rheumakranker; **~smal** [-tismal] *124* rheumatisch; **~sme** [-tism] *m* Rheumatismus

rhume [rym] *m* Schnupfen, Erkältung; *~ des foins* Heuschnupfen

riant [rjɑ̃] *103* lachend; fröhlich, heiter; lieblich

ribambelle [ribɑ̃bɛl] *f umg* Schar, Menge

riblons [riblɔ̃] *mpl* Eisenspäne

rib|ote [ribɔt] *f pop* Sauferei; **~ouldingue** [-buldɛ̃g] *f pop* Gelage, Orgie

rican|ement [rikanmɑ̃] *m* Grinsen; Gekicher; **~er** [-ne] grinsen; kichern

ric-rac [rikrak]: *payer ~ (umg)* auf Heller u. Pfennig bezahlen

rich|ard [riʃaːr] *umg* nach Geld stinken, Späne haben, steinreich sein; **~e** [riʃ] reich *(en* an); vermögend, begütert, wohlhabend; fruchtbar; *(Nahrung)* gehaltvoll; kostbar; prächtig; *umg* großartig; *cela fait ~e (umg)* d. sieht nach was aus; **~esse** [riʃɛs] *f* Reichtum, Wohlstand; Überfluß; Fülle; Kostbarkeit; *~esses minières* Bodenschätze; **~issime** [-ʃisim] *umg* steinreich

ricin [risɛ̃] *m* Rizinus

ricoch|er [rikɔʃe] abprallen; **~et** [-ʃɛ] *m* Abprall; *mil* Querschläger; *par ~et* indirekt, auf Umwegen

rictus [riktys] *m (krankhaftes)* Grinsen

rid|e [rid] *f* Falte, Runzel; *(Wasserfläche)* Kräuselung; **~é** [-de] runzlig, faltig; **~eau** [-do]

m 91 (a. ♥) Vorhang; Gardine; Ladenjalousie;
~*eau d'air (Lüftung)* Luftschleier; ~*eau de fer*
(♥, *pol)* eiserner Vorhang; ~*eau de nuages*
Wolkenbank; ~*eau d'arbres* Baumreihe ♦ *tirer
le* ~*eau sur qch* etw. auf s. beruhen lassen
ridelle [ridɛl] *f* Wagenleiter
rider [ride] runzlig, faltig machen; *(Wasser)*
kräuseln
ridicul|e [ridikyl] lächerlich; *m* Lächerlichkeit;
somme ~*e* geringfügiger Betrag; *tourner qch en*
~*e* etw. lächerlich machen; ~*iser* [-kylize]
lächerlich machen
rien [rjɛ̃] **1.** etwas, ein wenig; *m* Kleinigkeit;
pleurer pour des ~*s* wegen j-r Kleinigkeit
weinen; **2.** *ne* ~ nichts; ~ *du tout* gar nichts;
~ *d'autre* weiter nichts; *de* ~! keine Ursache,
bitte!; *pour* ~ umsonst, für wenig Geld; *sans* ~
dire ohne e. Wort zu sagen; *cela ne me dit* ~ d.
reizt mich nicht; *il n'en est* ~ dem ist nicht so;
comme si de ~ *n'était* als ob nichts gewesen
wäre; *je n'y suis pour* ~ ich bin daran
unbeteiligt; *ce n'est pas* ~ *(umg)* das ist
immerhin etwas; *en moins de* ~, *en un* ~ *de
temps* im Nu; *homme de* ~ Taugenichts; **3.** ~
que bloß, nur; ~ *que d'y penser* beim bloßen
Gedanken; ~ *de* ~ absolut nichts; ~ *moins
que* alles andere als; ~ *de moins que* nichts
geringeres als, ganz und gar
rieur [rjœ:r] *121* lachlustig; *m* Lacher; *avoir les*
~*s de son côté* d. Lacher auf s-r Seite haben
rif [rif] *m (arg pop)* Feuer; Krieg, Front
rififi [rififi] *m pop* Stunk, Streiterei; Prügelei
riflard [rifla:r] *m* Schrupphobel; Raspel; Spatel;
umg Familienschirm
rigid|e [riʒid] *a. fig* starr, steif; unbeugsam; hart;
fest; ~**ifier** [-difʒe] versteifen; ~**ité** [-ʒidite] *f*
Starrheit; *(Sitten-)*Strenge; Unbeugsamkeit;
~*ité cadavérique* Leichenstarre
rigolade [rigolad] *f pop* Scherz, Spaß
rigole [rigɔl] *f* Rinne; Abzugsgraben; *(Orgelpfei-
fe)* Kehle
rigol|er [rigole] *pop* Spaß machen, s. amüsieren;
~**o** [-lo] *117 umg* lustig, komisch; *m* lustiger
Kerl; *arg pop* Schießeisen
rig|orisme [rigɔrism] *m* Sittenstrenge; ~**oureux**
[-gurø] *111* streng; unerbittlich; hart; *(Beweis)*
unumstößlich; ~**ueur** [-gœ:r] *f* Strenge; ~*ueur
mathématique* Genauigkeitsgrad; *de* ~*ueur*
unumgänglich, unerläßlich, unbedingt notwendig; *à la* ~*ueur* z. Not, allenfalls
rikiki [rikiki] *(riquiqui)* [rikiki] *m:* *un petit verre de* ~
(umg) e. Schnäpschen
rill|ettes [rijɛt] *fpl* gekochtes, mit Schmalz
durchsetztes Schweinehackfleisch; ~**ons** [-jɔ̃]
mpl Grieben
rim|ailleur [rimajœ:r] *m* Dichterling, Verse-
schmied; ~**e** [rim] *f* Reim; *sans* ~*e ni raison*
ohne Sinn u. Verstand; ~**er** [-me] reimen; *cela
ne* ~*e à rien* das ergibt keinen Sinn
rin|çage [rɛ̃sa:ʒ] *m* Ausspülen; *(Wäsche)* Spü-
len; *huile de* ~*çage* Spülöl; ~**ce-doigts** [-dwa] *m
100* Fingerschälchen; ~**cée** [-se] *f umg* Tracht
Prügel; ~**cer** [-se] *15* (aus)spülen; *se faire* ~*cer
(umg)* naß werden; *se* ~*cer l'œil* unzüchtige

Bilder usw. anschauen; *se* ~*cer le gosier* e-n
heben; ~**cette** [-sɛt] *f pop* (noch e.) Gläschen z.
Abgewöhnen; ~**ceuse** [-sø:z] *f* Spülmaschine
ringard [rɛ̃ga:r] *m* Schüreisen, Feuerhaken;
Schmierenkomödiant; *umg* mieser Typ
ripaille [ripɑ:j] *f* Schlemmerei; *faire* ~ schwel-
gen, schlemmen, prassen
rip|e [rip] *f* Schabeisen; ~**er** [-pe] schaben;
gleiten lassen; *(Schiene)* heben; 🚗 rutschen,
schleudern; *(Ladung)* verrutschen
ripost|e [ripɔst] *f* schlagfertige Antwort; *a. mil*
Gegenschlag; *être prompt à la* ~*e* k-e Antwort
schuldig bleiben; ~**er** [-pɔste] schlagfertig
antworten; e-n Gegenstoß führen
rire [ri:r] *82* **1.** lachen; spotten, scherzen; *fig*
glänzen, strahlen; gefallen; s. vergnügen; ~ *de
qn* j-n auslachen, verlachen; verspotten; ~ *de
qch* etw. in d. Wind schlagen; *éclater de* ~
auflachen; ~ *sous cape* s. ins Fäustchen l.; ~
jaune gezwungen l.; ~ *aux larmes* Tränen l.; ~
au nez de qn j-m ins Gesicht l.; *se* ~ *de (bes lit)*
spotten über; **2.** *m* Lachen, Gelächter; *avoir le
fou* ~ e-n Lachkrampf haben
ris[1] [ri] *m (bes lit)* Lachen
ris[2] [ri] *m* 🛟 Reff; *prendre des* ~ (Segel) reffen
ris[3] [ri] *m:* ~ *de veau* Kalbsbries
ris|ée [rize] *f* Gelächter; Gespött; *être la* ~*ée de
tout le monde* Gegenstand d. allgemeinen
Gespötts sein; ~**ette** [-zɛt] *f* kindliches Lächeln;
~**ible** [-zibl] spaßig, lächerlich
risqu|e [risk] *m* Risiko; Gefahr; ~*e de casse
(com)* Bruchrisiko; *au* ~*e d.* Gefahr hin (de
zu); *à ses* ~*es et périls* auf eigene Gefahr; *à tout
~e* auf gut Glück; *courir le* ~*e* Gefahr laufen
(de zu); faire courir un ~*e à qn/qch* j-n/etw.
gefährden; *e d'insécurité* Sicherheitsrisiko; ~
de verglas Glatteisgefahr; ~**er** [-ke] *6* riskieren,
wagen; aufs Spiel setzen; Gefahr laufen *(de zu);
~er sa peau* sein Leben aufs Spiel setzen;
~**e-tout** [riskətu] *m 100* Wag(e)hals
rissoler [risɔle] braun backen, bräunen
ristourne [risturn] *f com* Rückvergütung (e-r
Kommission); Ristorno; ~ *sur marchandise*
Warenrabatt
rit|e [rit] *m* Ritus; Brauch; Ritual; ~**ualiser**
[-tyalize] ritualisieren; ~**uel** [-tɥɛl] *115* rituell
ritournelle [riturnɛl] *f* ♪ Ritornell; *fig* alte Leier
rivage [riva:ʒ] *m* Ufer, Gestade; Küste
rival [rival] *124* rivalisierend; *m 90* Rivale,
Nebenbuhler; Konkurrent, Mitbewerber; ~**iser**
[-valize] wetteifern *(avec qn de qch* mit j-m um
od. in etw.) um den Vorrang kämpfen; ~**ité**
[-valite] *f* Rivalität; Wettstreit
rive [ri:v] *f* Ufer; ✿ *(Metall, Holz)* Kante; ~
basse Flachufer; ~ *haute* Steilufer; *pain de* ~
gut durchgebackenes Brot
river [rive] nieten; *(Nagel)* umschlagen; *écrou à*
~ Nietmutter ♦ ~ *son clou à qn* j-m d. Maul
stopfen
riverain [rivrɛ̃] *109* Ufer...; an e-m Fluß, Wald,
e-r Straße wohnend; *m* Anlieger; Angrenzer
riv|et [rivɛ] *m* Niet *m;* ~**eter** [rivte] *4* nieten;
~**euse** [-tø:z] *f* Nietmaschine, Nietpresse
rivière [rivjɛ:r] *f* Fluß; *descendre (remonter) la*

~ flußab(-auf)wärts fahren; *passer la* ~ d. F. überschreiten; *sur la* ~ am F. gelegen; ~ *de diamants* Diamantenkollier

rixe [riks] *f* Schlägerei, Rauferei

riz [ri] *m* Reis; *poudre de* ~ Gesichtspuder; **~iculteur** [-zikyltœːr] *m* Reisbauer; **~iculture** [-zikylty:r] *f* Reisbau; **~ière** [-zjɛːr] *f* Reisfeld

rob|e [rɔb] *f* Kleid; Talar, Amtstracht; *(Pferd)* (Färbung d.) Fell(s); *(Zwiebel)* Schale; ~e *de chambre* Morgenrock; ~e *du soir* Abendkleid; ~e *de ville* Straßenkleid; *gens de* ~e Richter u. Anwälte; *pommes de terre en* ~e *des champs* (od. *de chambre*) Pellkartoffeln; **~in** [rɔbɛ̃] *m pej* Rechtsverdreher

robinet [rɔbinɛ] *m* (Wasser-)Hahn; ~ *d'essence* Benzinhahn; ~ *d'incendie armé* Löschanlage mit Schlauch; ~ *à soupape* Absperrventil; ~ *de vidange* Ablaßhahn; **~terie** [-netri] *f* ✿ Armaturen

robot [rɔbo] *m* Roboter; Automat, automatisches Gerät; **~isation** [-tizasjɔ̃] *f* Automatisierung

robust|e [rɔbyst] robust, stämmig; derb; *fig* unerschütterlich; **~esse** [-bystɛs] *f* Stämmigkeit

roc [rɔk] *m* Fels; **~ade** [rɔkaːd] *f* Umgehungsstraße; Stadtumgehungsautobahn; Lateralstraße, Entlastungsstr.; **~ailleux** [-kɑjø] *111* steinig; *(Stil)* holperig

rocambolesque [rɔkābɔlɛsk] *umg* phantastisch, unglaublich

roch|e [rɔʃ] *f* Fels(gestein); ~e *éruptive* Eruptivgestein; ~e *mère* Muttergestein; ~e *meuble* leichter Fels; ~e *sédimentaire* Sedimentgestein; *cristal de* ~e Bergkristall; *clair comme de l'eau de* ~e sonnenklar; **~er** [-ʃe] *m* Fels(masse); *anat* Felsenbein; *parler aux* ~ers tauben Ohren predigen

rochet [rɔʃɛ] *m: roue à* ~ ✿ Sperrad

rocheux [rɔʃø] *111* felsig

rock [rɔk] *m:* ~ *and roll* Rock'n'Roll; **~er** [rɔkœːr] *m* Rocksänger

rococo [rɔkɔko] **1.** *inv* rokoko; *fig* altmodisch, lächerlich; *style* ~ Rokokostil; **2.** *m* Rokoko

rod|age [rɔdaːʒ] *m* ✿ Einschleifen; 🚗 Einfahren; *fig* Anpassung; Eingewöhnung; ~e *fig* gut eingespielt, kenntnisreich, erfahren; **~er** [-de] ✿ einschleifen, einpassen; 🚗, *fig* einfahren

rôd|er [rode] umherstreifen, -schleichen; streunen; **~eur** [-dœːr] *m* Vagabund; ~*eur de barrière* Strolch, Rowdy; ~*eur de nuit* Nachtschwärmer

rogatoire [rɔgatwaːr] ersuchend; *commission* ~ ☍ (Ersuchen um) Amtshilfe

rogatons [rɔgatɔ̃] *mpl* (Speise-)Reste

rogne [rɔɲ] *f* Unzufriedenheit, Mißstimmung, Mißmut

rogner [rɔɲe] beschneiden; *umg* wütend sein; ~ *les ailes à qn (fig)* j-m d. Hände binden; *se* ~ *les ongles* s. d. Nägel schneiden

rognon [rɔɲɔ̃] *m* Niere

rognure [rɔɲyːr] *f* (Papier, Leder) Schnitzel

rogomme [rɔgɔm] *umg* starker Schnaps; *voix de* ~ Säuferstimme

rogue[1] [rɔg] anmaßend; *(Benehmen)* schroff

rogue[2] [rɔg] *f* (Angel-)Köder

roi [rwa] *m (a. Kartenspiel)* König; *le jour des* ⚸*s* Dreikönigstag; *un morceau de* ~ ein wahrer Leckerbissen ♦ *travailler pour le* ~ *de Prusse* für d. Katz arbeiten; **~telet** [rwatlɛ] *m* Zaunkönig

rôle [roːl] *m* **1.** 🎭, *fig* Rolle; Einfluß; Tätigkeit; *créer un* ~ 🎭 e-e Rolle bei d. Uraufführung spielen; *jouer un* ~ *(a. fig)* e-e Rolle spielen; **2.** Liste, Verzeichnis; ~ *des contribuables* Steuerrolle; *à tour de* ~ nacheinander, d. Reihe nach

rom|ain [rɔmɛ̃] *109* römisch; ⚸*ain* *m* Römer; **~aine** [-mɛn] *f* 🏛 Antiqua; Schnellwaage; röm. Salat; **~an** [-mɑ̃] **1.** *m* romanische Sprache; *adj* *109* romanisch; *philologie* ~*ane* Romanistik; **2.** *m* Roman; *pej* Phantasiegebilde, Lüge(ngespinst), Fabelei; ~*an photo* Bildgeschichte; ~*an policier* Kriminalr.; **~ance** [-mɑ̃s] *f* Romanze; **~ancé** [-mɑ̃se]: *vie* ~*ancée* Romanbiographie; ~*ancé* [-mɑ̃ʃ] rätoromanisch; **~ancier** [-mɑ̃sje] *m* Romanschriftsteller; **~and** [-mɑ̃] *108: Suisse* ~*e* Französ. Schweiz; **~anesque** [-manɛsk] romanhaft; **~an-feuilleton** [-mɑ̃fœjtɔ̃] *m 97* Fortsetzungsroman; **~an-fleuve** [-mɑ̃flœːv] *m 97* Romanzyklus

romanichel [rɔmaniʃɛl] *m* Zigeuner

roman|iste [rɔmanist] *m* (🕮, *ling*) Romanist; **~tique** [-matik] romantisch; *m* Romantiker; **~tisme** [-matism] *m (Kunst)* Romantik

romarin [rɔmarɛ̃] *m* Rosmarin

rombière [rɔbjɛːr]: *vieille* ~ *(fig)* alte Schachtel

rompre [rɔ̃pr] *76* (zer-, entzwei-)brechen; *mil* durchbrechen; *fig* auflösen; abbrechen; gewöhnen *(à an)*; ~ *qn à* abhärten, trainieren; *à tout* ~ lärmend, stürmisch; *(Beifall)* rasend; ~ *ses fers (aus d. Gefängnis)* ausbrechen; *fig* e-e Leidenschaft überwinden, e-e Verbindung lösen; ~ *le fil d'un discours* plötzlich d. Thema wechseln; ~ *la glace (fig)* d. Eis brechen; ~ *une lance avec qn* s. mit j-m in e-e scharfe Diskussion einlassen; ~ *une lance pour qn (fig)* für j-n e-e Lanze brechen

rompu [rɔ̃py] vertraut *(à* mit); erfahren, bewandert *(à* in); *elle a* ~ *avec son ami* sie hat das Verhältnis (mit ihrem Freund) beendet; *ils ont* ~ sie sind auseinander gegangen; *parler à bâtons* ~*s* von e-m Thema auf das andere kommen, ohne Zusammenhang reden; ~ *de fatigue* völlig zerschlagen, wie gerädert

ronce [rɔ̃s] *f* Brombeerstrauch; ~ *artificielle* Stacheldraht; *un chemin semé de* ~*s (fig)* e. dornenreicher Weg

ronchonner [rɔ̃ʃɔne] *umg* nörgeln, knurren

rond [rɔ̃] **1.** *108 (a. Zahlen)* rund; *pop* betrunken; *tourner* ~ *(Motor)* regelmäßig laufen; *fig* glatt ablaufen; *ne pas tourner* ~ *fig* s. nicht wohl fühlen; *tourner en* ~ *(fig)* s. im Kreise drehen; *mener* ~*ement une affaire* e-e Sache mit Nachdruck betreiben; ~*ement!* dalli!; **2.** *m* Rundung; Ring; ✿ Rundstahl; *pl umg* Moneten; **~de-cuir** [dɔkɥiːr] *m 98 umg* Bürohocker; **~e** [-rɔd] *f (a. mil)* Runde; Reigen; ♪ ganze Note; Umkreis; ~e *de six jours* Sechstagerennen; **~elet** [-dəlɛ] *114* rundlich; *(Summe)* beträchtlich; **~elle** [-dɛl] *f✿* Unterlegscheibe; Dichtungsring; Hohlmeißel; **~eur**

[-dœːr] f Rundung; fig Offenheit, Ungezwungenheit; ~in [-dɛ̃] m Knüppel; ~-point [-pwɛ̃] m 97 sternförmiger Platz

ronéo [rɔneo] f Spirit-Carbon Umdruckmaschine; ~ter [-tɛ] umdrucken, abziehen

ronfl|ant [rɔ̃flɑ̃] 108 lärmend; schnarrend; fig hochtrabend; hohl, leer; ~ement [-flɑmɑ̃] m Schnarchen; ⚙ Brummen; ~ement du secteur ⚙ Netzbrummen; ~er [-flɛ] schnarchen; (Ofen) bullern; ⚙ rauschen; com umg florieren

rong|er [rɔ̃ʒɛ] 14 (zer-, ab-)nagen; ~er ses ongles an d. Nägeln kauen; ~é par la rouille durchgerostet, verrostet; ~é de remords von Gewissensbissen gequält ♦ se ~er les poings s-e Wut, Ungeduld mit Mühe bezwingen; ~eur [-ʒœːr] m Nagetier

ronron [rɔ̃rɔ̃] m (Katze) Schnurren; (Motor) Brummen; ~ner [-rɔnɛ] (Katze) schnurren

roquefort [rɔkfɔːr] m (Käse) Roquefort

roquer [rɔkɛ] (Schach) rochieren

roquet [rɔkɛ] m Köter; fig umg Kläffer; ~te [rɔkɛt] f ungelenkter Flugkörper

ros|ace [rozas] f 🏛 Rosette; ~aire [-zɛːr] m rel Rosenkranz; réciter son ~aire d. R. beten

rosbif [rɔsbif] m Roastbeef, Rostbraten

ros|e [roz] 1. rosa; rosig; m Rosenrot; voir tout en ~e alles durch e-e rosarote Brille sehen; 2. f Rose; ~e trémière Stockrose; ~e des vents Windrose; eau de ~e Rosenwasser; ~é [rozɛ] rosa; blaßrot; vin ~é heller Rotwein

roseau [rozo] m 91 Schilf(rohr)

rosée [rozɛ] f Tau m; être tendre comme la ~ auf d. Zunge zergehen

ros|eraie [rozrɛ] f Rosenpflanzung; ~ette [-zɛt] f rosenartige Verzierung; Rosette d. Ehrenlegion; ~ier [-zjɛ] m Rosenstock; ~ier thé Teerose; ~iériste [-zjerist] m Rosenzüchter; ~ir [-zjːr] 22 zart erröten

ross|ard [rɔsaːr] m hartherziger Mensch, neidische Person; ~e [rɔs] sarkastisch; gemein; f Mähre; gemeiner Mensch; Leuteschinder; ~ée [-sɛ] f umg Tracht Prügel; ~er [-sɛ] umg (durch)prügeln, verbleuen; ~erie [-ri] f umg Bosheit, Gehässigkeit, Gemeinheit

rossignol [rɔsiɲɔl] m Nachtigall; umg Ladenhüter; umg Dietrich

rot [ro] m pop Rülpser

rôt [ro] m Spießbraten

rotat|if [rɔtatif] 112 Dreh...; presse ~ive Rotationspresse; ~ion [-sjɔ̃] f Drehung; Rotation; (Personen) turnusmäßiger Wechsel; (Lagerbestand) Umwälzung; (Ballistik) Drall; (Transport) Verkehrsdichte; Umlauf(häufigkeit); vitesse de ~ion Drehzahl; Umlaufgeschwindigkeit; ~ion sur soi-même Eigendrehung; ~ive [-tjːv] f Rotationsmaschine; ~oire [-twaːr] Dreh...

roter [rɔtɛ] pop rülpsen

rôti [rɔti] m Braten; adj gebraten

rotin [rɔtɛ̃] m Rohrstock; Rattan n, Peddigrohr; n'avoir pas un ~ (pop) k-n Pfennig Geld haben

rôt|ir [rɔtiːr] 22 braten; rösten; se ~ir au soleil s. in d. Sonne bräunen; ~isserie [-tisri] f Grillrestaurant, Garküche; ~issoire [-tiswaːr] f Bratenröster

rotond|e [rɔtɔ̃d] f Rundbau; (Lokomotiv-)Rundschuppen; ~ité [-tɔ̃ditɛ] f Rundheit; umg Beleibtheit

rot|or [rɔtɔːr] m ⚡, ✈ Rotor; Laufrad; Läufer (e-r Turbine); ~ule [-tyl] f Kniescheibe; ⚙ Kugelgelenk; boîte à ~ule Kugelpfanne; tête à ~ Drehknopf

roturier [rɔtyrjɛ] 116 nichtadelig, bürgerlich; fig gewöhnlich, grob

rouage [rwaːʒ] m (a. fig) Räderwerk; ⚙ Getriebe; Zahnrad

roublard [rublaːr] 108 umg durchtrieben; m schlaues Luder; ~ise [-blardiːz] f umg Gerissenheit

rouble [rubl] m Rubel

roucoul|ement [rukulmɑ̃] m (Taube) Gurren; ~er [-lɛ] gurren; fig girren

rou|e [ru] f Rad; ~e avant (arrière) Vorder-(Hinter-)Rad; ~e à chaîne Kettenrad; ~e dentée Zahnr.; ~e de gouvernail Ruder; ~e libre (Fahrrad) Freilauf; ~e motrice Treibr.; ~e à rayons Speichenr.; ~e de secours Ersatzr.; ~e à vent Windr.; pousser à la ~e (a. fig) in d. Speichen greifen; mettre des bâtons dans les ~es Knüppel zw. d. Beine werfen; cinquième ~e d'un carosse d. fünfte Rad am Wagen; faire la ~e (Pfau, 🦚) e. Rad schlagen; ~é [rwe] gerädert; fig durchtrieben; m frivoler Mensch; ~er [rwe] ~er de coups verprügeln; ~erie [ruri] f Gaunerei; ~et [rwe] m Spinnrad

roug|e [ruːʒ] 1. rot; rotglühend; voir ~e vor Wut schäumen, rot sehen; 2. m Rot; ⚙ Rotglut; ~e blanc Weißglut; ~e à lèvres Lippenstift; mettre du ~e Rot auflegen; porter au ~e zur Glut bringen; tirant sur le ~e rötlich; ~eâtre [ruʒatr] rötlich; ~eaud [ruʒo] 108 mit rotem Gesicht; ~e-gorge [ruʒgɔrʒ] m 97 Rotkehlchen; ~eole [ruʒɔl] f 💊 Masern; ~e-queue [ruʒkø] m 97 Rotschwänzchen; ~et [ruʒɛ] m (Fisch) Rotbarsch; vet Rotlauf; ~eur [ruʒœːr] f Röte; ~ir [ruʒiːr] 22 (a. Früchte) rot werden; erröten (de vor); s. schämen (de über)

rouill|e [ruj] f (a. 🌶) Rost; ~é [-jɛ] rostig; ~er [-jɛ]: se ~er (ver)rosten; fig einrosten; ~ure [-jyːr] f Verrostung

rou|ir [rwiːr] 22 (Flachs, Hanf) rösten, rotten; ~isage [rwisaʒ] m (Flachs, Hanf) Rösten

roul|ade [rulad] f ♪ Koloratur; (Küche) Roulade; ~age [-laʒ] m Spedition; Rollfuhr; ⚙ (Glatt-)Walzen, Ebnen; 📖 Förderung; maison de ~age Speditionsfirma, Rollfuhrunternehmen; ~ant [-lɑ̃] 108 Roll...; (Fahrzeug) leicht rollend; (Straße) glatt; umg z. Schießen; cuisine ~ante Feldküche; escalier ~ant Rolltreppe; feu ~ant Trommelfeuer; matériel ~ant rollendes Material; personnel ~ant (Zug-)Begleitpersonal; trottoir ~ant Rollbahn; ~é [-lɛ]: bien (mal) ~é (umg) gut (schlecht) gebaut; ~eau [-lo] m 91 (Papier-)Rolle; ⚙ Walze; Trommel; Zylinder; Kuchenrolle; ~eau compresseur Straßenwalze; ~eau de massage 💲 Punktroller ♦ être au bout de son ~eau mit s-m Latein am Ende sein; ~ement [-mɑ̃] m Rollen; Wechsel, Turnus; ⚙ Lager; (Trommel-)Wirbel; ~ement à billes

Kugellager; ~ement à vide Leerlauf; *fonds de~ement* Betriebskapital; *longueur de ~ement* ✝ Start-, Landelaufstrecke; *stocks de ~ement com* Arbeitsvorrat; ~er [-le̞] **1.** *vt* (auf)rollen; *(Zigarette)* drehen; *(Acker)* walzen; *fig* überlegen, hin- u. herwälzen; *umg* anschmieren; ~er *sa bosse (pop)* auf d. Walze sein; **2.** *vi (a. ↻)* rollen; fahren; ✝ trudeln; ⚓ schlingern; *(Gespräch)* s. drehen *(sur* um); herumkommen, unterwegs sein; *(im Kopf)* herumgehen; ~er *sur l'or* im Geld schwimmen; **3.** *se ~er* s. wälzen; *umg* s. biegen vor Lachen; ~ette [-le̞t] *f* Rädchen; Roulette ♦ *cela va comme sur des ~ettes* es geht wie am Schnürchen; ~ier [-lje̞] *m* (Roll-)Fuhrmann; ~is [-li̞] *m* ⚓ Rollen, Schlingern; ~otte [-lo̞t] *f* Wohnwagen; ~ure [-ly:r] *f pop* Dirne

roum|ain [rumẽ̞] *109* rumänisch; ⁴ain *m* Rumäne; ⁴anie [-mani]: *la ⁴anie* Rumänien

round [rawnd] *m* (Verhandlungs-)Runde

roupill|er [rupije̞] *pop* pennen; ~on [-jõ̞] *m pop* Nickerchen

rouquin [rukẽ̞] *109 umg* rothaarig

rouspét|ance [ruspetɑ̃s] *f umg* Meckerei; ~er [-te̞] *13 umg* meckern, nörgeln

rouss|e [rus] *f pop* Polente; ~eur [-sœ:r] *f* Röte; *taches de ~eur* Sommersprossen; ~i [-si̞] versengt; *m* Brandgeruch; *sentir le ~i* angebrannt riechen; *fig* verdächtig sein; ~in [-sẽ̞] *m pop* Kriminalbeamter; ~ir [-si̞:r] *22* versengen

rout|age [ruta:ʒ] *m (Drucksachen)* Sammelversand; ⚙ Meldeweg, Leitweg; ~ard [ruta:r] *m* Tramper *m*; ~e [rut] *f* (Land-)Straße; Route, Reiseweg; Bahn; ⚓ Kurs; ✝ Zielweg; *en ~e* unterwegs; *en ~e!* auf! auf!, los!; *bonne ~e!* gute Fahrt!; *~e corrigée* wahrer Kurs; *~e d'accès* Zugangsstraße; *~e déformée* schlechte Wegstrecke; *~e nationale* Staatsstraße; *code de la ~e* Straßenverkehrsordnung; *feu de ~e* 🚗 Fernlicht; *faire de la ~e* Kilometer fressen; *faire fausse ~e* s. verfahren; *fig* auf d. Holzweg sein; *faire ~e ensemble* miteinander reisen; *garder ~e sur* Kurs nehmen auf; *mettre en ~e* in Gang setzen; *se mettre en ~e* sich auf d. Weg machen; ~ier [-tje̞] *116* **1.** Straßen..., Verkehrs...; *carte ~ière* Straßenkarte; *signal ~ier* Verkehrszeichen; *tunnel ~ier* Straßentunnel; **2.** *m* Fernfahrer; 🛑 Straßenfahrer; *vieux ~ier (umg)* alter Hase; ~ine [-ti̞n] *f* Routine; *de ~ine* nichts besonderes (mehr), ganz alltäglich; *par ~ine* routinemäßig; ~ine *administrative* Amtsschimmel; ~inier [-tinje̞] *116* schablonenhaft; altgewohnt

rouvrir [ruvri̞:r] *28* wieder (er)öffnen

roux [ru] **1.** *113* rothaarig; fuchsrot; *lune rousse* kaltes Aprilwetter; **2.** *m* Mehlschwitze

roy|al [rwajal] *124* königlich; *tigre ~al* Königstiger; ~aume [-jo̞m] *m* Königreich; ~aume *des cieux* Himmelreich; ~auté [-jo̞te̞] *f* Königtum

ruade [rɥad] *f (Pferd)* Ausschlagen

ruban [rybɑ̃] *m* Band; Streifen; Schleife; ~ *bleu* Qualitätssymbol, Markenzeichen; ~ *rouge* Ordensband d. Ehrenlegion; ~ *d'acier* Meßband; ~ *de machine à écrire*, ~ *encreur*

Farbband; ~ *magnétique* Magnet(ton)band; ~ *perforé EDV* Lochstreifen; *mètre ~* Bandmaß; *scie à ~* Bandsäge; ~é [-bane̞] bebändert; ~erie [-banri̞] *f* Bandwirkerei

rubéole [rybeo̞l] *f* 🏥 Röteln

rubicond [rybikõ̞] *108* hochrot

rubis [rybi̞] *m* Rubin ♦ *faire ~ sur l'ongle* d. Nagelprobe machen; *payer ~ sur l'ongle* pünktl. bis auf d. letzten Heller bezahlen

rubrique [rybri̞k] *f* Rubrik; Titel; Abschnitt; ~ *sportive (journ)* Sportteil

ruch|e [ryʃ] *f* Bienenstock, -volk; Rüsche; ~er [-ʃe̞] *m* Bienenstand

rud|e [ryd] rauh, hart; herb; *(Weg)* uneben; *(Winter)* streng; *(Person)* abweisend, rücksichtslos; *fig* schwer, mühsam; *umg* sehr, groß, stark; *une ~e chance* tolles Glück, Schwein (haben); ~ement [rydmɑ̃] *umg* sehr, stark, ordentlich; ~esse [-de̞s] *f* Rauheit; Herbheit; *(Winter)* Strenge; Rücksichtslosigkeit; ~iments [-dimɑ̃] *mpl* Anfangsgründe; ~imentaire [-dimɑ̃tɛ̞:r] anfänglich; *biol* ansatzweise; ~oyer [-dwaje̞] *5* anfahren, abkanzeln

rue [ry] *f* Straße *(in d. Stadt)*; *pol* Mob, Pöbel; ~ *piétonne* Fußgängerzone; -straße; *homme dans la ~* Mann auf d. Straße ♦ *cette nouvelle court les ~s* d. Spatzen pfeifen es von d. Dächern; *les ~s en sont pavées* das ist leicht zu haben

ruée [rɥe̞] *f* Vorwärtsstürzen; Ansturm; ~ *vers l'or* Goldrausch

ruelle [rɥe̞l] *f* Gasse

ruer [rɥe̞] *(Pferd)* ausschlagen; *se ~* sich stürzen *(sur* auf)

ruf|ian [ryfjɑ̃] *m* Zuhälter

rugby [rygbi̞] *m* Rugby *n*; ~man [-man] *m* Rugbyspieler

rug|ir [ryʒi̞:r] *22 (Löwe)* brüllen; heulen; ~ir *de fureur* (jour) vor Wut schnauben; ~issement [-ʒismɑ̃] *m (Löwe)* Gebrüll; Geschrei

rug|osité [rygozite̞] *f* Unebenheit; Rauhigkeit; ~ueux [-gø] *111* uneben; rauh

ruin|e [rɥi̞n] *f* Verfall; Niedergang; Ruine; *pl* Trümmer; *menacer ~e (a. fig)* baufällig sein, einzustürzen drohen; *tomber en ~e* verfallen; ~er [rɥi̞ne̞] zerstören; zugrunde richten; *a. fig* ruinieren; ~eux [rɥi̞nø] *111* kostspielig, ruinierend

ruiss|eau [rɥi̞so̞] *m 91* Bach; Rinnstein; Gosse; *ramasser dans le ~eau (fig)* von d. Straße auflesen; ~eler [-sle̞] *4* rinnen; rieseln; triefen *(de vor)*; ~ellement [-sɛ̞lmɑ̃] *m* Geriesel

rumeur [rymœ:r] *f* dumpfer Lärm; Stimmengewirr; *pl* Gerücht; ~ *publique* Volksmeinung

rumin|ant [rymi̞nɑ̃] *m* Wiederkäuer; ~ation [-nasjõ̞] *f* Wiederkäuen *n*; ~er [-ne̞] wiederkäuen; *fig* überdenken, hin und her überlegen

rupestre [rype̞str] Fels(en)...; *peintures ~s* Felsmalereien

rupin [rypẽ̞] *109 pop* pikfein

rupt|eur [ryptœ:r] *m* ⚡ Unterbrecher; ~ure [-ty:r] *f (a. fig)* Bruch; Riß; Unterbrechung; *(Beziehungen)* Abbruch; Aufhebung, Auflösung; *en ~ure (Person)* Aussteiger; *résistance à la ~ure*

Zerreißfestigkeit; ~ure des fiançailles Entlobung; ~ure de stock Ausgehen e-s Artikels (im Lager)

rur|al [ryral] *124* ländlich; Land…; ~aux [-ro] *mpl* Landbevölkerung

rus|e [ryːz] *f* List; user de ~es mit List vorgehen; ~é [ryzε] listig; schlau; *m* Schlaukopf; ~er [ryzε] List gebrauchen

russ|e [rys] russisch; ~e *m* Russe; ~ie [-si]: *la* ~ie Rußland

rush [rœʃ] *m* ⚑ plötzlicher Vorstoß; *fig* Stoßzeit; Rush

rustaud [rysto] *108* ungeschliffen; *m* Bauernlümmel

rustique [rystik] ländlich, bäuerlich; derb, plump; einfach, schlicht

rustre [rystr] *m* Grobian, Flegel

rut [ryt] *m zool* Brunst, Brunft, Läufigkeit; *être en* ~ *(zool)* läufig sein

rutabaga [rytabaga] *m* Steckrübe

rutil|ant [rytilã] *108* gelbrötlich; *fig* glänzend; ~er [-lε] wie Gold glänzen, gleißen, blinken

rythm|e [ritm] *m* Rhythmus, Gleichmaß; Tempo; Zeitfolge; periodischer Wechsel; regelmäßiger Ablauf; ~e cardiaque Herzschlagfolge; ~e de travail Arbeitstakt; ~e d'utilisation Einsatzfolge; ~er [-mε] rhythmisieren; ~ique [-mik] rhythmisch, gleichmäßig

S

sa [sa] seine, ihre

sabbat [saba] *m* Sabbat; Höllenlärm; lautes Gezänk

sabir [sabiːr] *m* Kauderwelsch

sabl|e[1] [sabl] *m* Sand; ⚘ Harngrieß; ~e mouvant Treibsand; banc de ~e Sandbank; fondé sur le ~e (fig) auf Sand gebaut; ~é [-ble] *m* Sandkuchen

sable[2] [sabl] *m* Zobel(pelz)

sabl|er [sable] mit Sand bestreuen; ✿ sandstrahlen; ~er le champagne Champagner trinken (zur Feier des Tages); ~euse [-bløːz] *f* Sandstrahlgebläse; ~ier [sablje] *m* Sanduhr; ~ière [sablieːr] *f* Sandgrube, Kiesgr.; ✿ Schwelle, Sohle; ~onneux [sablonø] *111* sandig; sandreich

sabord [saboːr] *m* ⚓ Ladepforte; ~er [-borde] ⚓ anbohren; se ~er sich selbst versenken; *fig (Betrieb)* auflösen, aufgeben

sabot [sabo] *m* Holzschuh; Bremsklotz; Huf; Kinderkreisel; 🚗 Radblockierung; ~ de Vénus *(bot)* Frauenschuh ♦ dormir comme un ~ schlafen wie e. Murmeltier; je vous vois venir avec vos gros ~s ich weiß schon, was Sie von mir wollen; ~age [-bota:ʒ] *m* Sabotage; ~age du moral de la troupe Wehrkraftzersetzung; ~er [-botε] sabotieren; unbrauchbar machen; ~er un travail (umg) e-e Arbeit hinhauen; ~erie [-botri] *f* Holzschuhfabrik; ~eur [-botœːr] *m* Saboteur; ~ier [-botje] *m* Holzschuhmacher

sabouler [sabule] *pop* anschnauzen

sabr|e [sabr] *m* Säbel; traîneur de ~e Säbelraßler; ~er [-brε] niedersäbeln; ausstrei-

chen; *umg* pfuschen; ~eur [-brœːr] *m* Grobian; *umg* Pfuscher

sac[1] [sak] *m* Sack; Beutel; Verpackung, Packhülle; Tragetasche; *pop* zehn frz. Franken; ~ à main (Damen-)Handtasche; ~ de couchage Schlafsack; ~ à dos Rucksack; ~ à ouvrage Nähkorb; ~ à vin (umg) Säufer ♦ avoir le ~ Geld wie Heu haben; avoir plus d'un tour dans son ~ nicht auf den Kopf gefallen, nicht von gestern; findig, pfiffig, clever sein; l'affaire est dans le ~ d. Erfolg ist sicher; prendre qn la main dans le ~ j-n auf frischer Tat ertappen; vider son ~ sein Herz ausschütten

sac[2] [sak] *m* Plünderung; mettre à ~ plündern, verheeren

saccad|e [sakkad] *f* Ruck; par ~es ruckweise; ~é [-de] ruckartig; abgehackt

saccager [sakaʒe] *14* (aus)plündern, verheeren

sacchar|ine [sakarin] *f* Saccharin; Süßstoff; ~ose [-roz] *m* Rohrzucker, Saccharose *f*

sacer|doce [saserdɔs] *m* Priesteramt, -schaft; Geistlichkeit; ~dotal [-dɔtal] *124* priesterlich; Priester…

sa|chet [saʃε] *m* Säckchen; Beutel; ~et de thé (Aufguß-)Beutel; ~coche [-kɔʃ] *f* (Sattel-, Bücher-, Geld-, Pack-)Tasche

sacquer [sake] *pop* auf d. Straße setzen, entlassen; *umg (Schule)* e-e schlechte Note verpassen; hart bestrafen; professeur qui sacque strenger Lehrer

sacra|lisation [sakralizasjõ] *f a. fig* Heiligsprechung; Institutionalisierung; ~liser [-lize] heiligsprechen, besonders hervorheben; ~mentel [-mãtεl] *115* sakramental

sacr|e [sakr] *m rel* (Königs-, Kaiser-)Salbung; ~é [-kre] **1.** geheiligt; heilig; art ~é religiöse Kunst; feu ~é Feuereifer; le ~é collège d. Kardinalskollegium; **2.** umg (vor su) verflixt, verdammt; ~ebleu; ~edié! [sakrəblø, -djε] umg Donnerwetter!; **3.** anat Kreuzbein…, sakral

sacr|ement [sakrəmã] *m* Srakament; administrer les ~ements die S.e spenden; recevoir les derniers ~ements d. Letzte Ölung empfangen; ~er [-kre] *(König)* salben; *(Bischof)* weihen; umg fluchen; ~ifice [-krifis] *m* Opfer(ung); Zugeständnis; esprit de ~ifice Opferbereitschaft; ~ifier [-krifje] *a. fig* opfern; se ~ifier pour s. aufopfern für; prix ~ifiés herabgesetzte Preise; ~ilège [-krilεʒ] frevelhaft; *m* Frevler; Frevel; ~ipant [-kripã] *m* Spitzbube; ~istain [-kristε] *m* Küster, Mesner; ~istie [-kristi] *f* Sakristei; ~o-saint [-krosε] *108, 99* hochheilig; ~um [-krɔm] *m* Kreuzbein

sad|ique [sadik] sadistisch; *m* Sadist; ~isme [-dism] *m* Sadismus

safari [safari] *m* Safari *f*, Jagd in Afrika; ~-photo Fotosafari, Tierbeobachtungsreise (in Afrika)

safran [safrã] *m* Safran

sagac|e [sagas] scharfsinnig; ~ité [-gasite] *f* Scharfsinn, -blick

sag|e [saːʒ] **1.** weise; gesittet; vorsichtig; *(Kind)* artig, brav ♦ ~e comme une image kreuzbrav; **2.** *m* Weiser; *com* Sachverständiger, Experte;

comité des ~s Sachverständigenausschuß; ~e-
femme [saʒfãm] f 97 Hebamme; **~esse** [-ʒɛs] f
Weisheit; Besonnenheit; Vorsicht; (Kind) Artigkeit
Sagittaire [saʒitɛːr] m astr Schütze
sagouin [sagwɛ̃] m Schmierfink
sa|harien [saarjɛ̃] adj 118 Sahara...; **~hel** [saɛl]
m Sahelzone, Gebiet südlich der Sahara
saign|ant [sɛɲɑ̃] 108 blutend; umg sensationell;
(Fleisch) nicht durchgebraten; **~ée** [-ɲɛ] f (a. fig)
Aderlaß; Armbeuge; Abzugsgraben; **~ement**
[sɛɲmɑ̃] m Bluten; **~er** [-ɲe] bluten; a. fig zur
Ader lassen; se ~er à blanc s. völlig aufopfern
(pour für); se ~er aux quatre veines sein Letztes
hergeben
saill|ant [sajɑ̃] 108 🏛 vorspringend; fig
hervorragend; **~ie** [-ji] f 🏛 Vorbau; Erker;
Vorsprung; zool Beschälen; witziger Einfall;
faire ~ie 🏛 vorspringen; **~ir** [-jiːr] 20 🏛
vorspringen
sain [sɛ̃] 109 (a. fig) gesund; ~ et sauf
unversehrt, wohlbehalten
saindoux [sɛ̃du] m Schweineschmalz
saint [sɛ̃] 1. 108 heilig; la ⚓-Martin Martini; Les
⚓es Ecritures heilige Schrift; semaine ~e
Karwoche; la Terre ~e d. Heilige Land; toute la
~e journée umg d. ganzen Tag; 2. m Heiliger;
petit ~ Frömmler, Heuchler; ~s de glace das
Eisheiligen ♦ ne savoir à quel ~ se vouer weder
aus noch ein wissen; ⚓-Esprit [sɛ̃tɛspri] m
Heiliger Geist; **~eté** [sɛ̃te] f Heiligkeit;
~-frusquin [sɛ̃fryskɛ̃] m umg Siebensachen,
Krimskrams; **~-glinglin** [sɛ̃glɛ̃glɛ̃] f (umg)
Sankt-Nimmerleins-Tag; **~-honoré** [sɛ̃tɔnɔre] m
Blätterteig mit Schlagsahne; **~-nitouche** [sɛ̃ni-
tuʃ] f Rührmichnichtan; ⚓-Père [-pɛːr] m
Heiliger Vater, Papst; ⚓-Siège [-sjɛːʒ] m Heiliger
Stuhl
sais|i [sezi] m gerichtl. Gepfändeter; **~ie** [-zi] f
🏛 Beschlagnahme; Pfändung; **~ine** [-zin] f 🏛
Anrufung e-s Gerichts, Klageerhebung; ⚓
Zurrung; **~ir** [-ziːr] 22 (a. fig) ergreifen, packen,
fassen; begreifen; 🏛 beschlagnahmen, pfän-
den; ~ir un tribunal d'une affaire e. Gericht mit
e-r Sache befassen; se ~ir habhaft werden (de
qch e-r Sache); **~issable** [-zisabl] pfändbar;
~issant [-zisɑ̃] 108 ergreifend; **~issement**
[-zismɑ̃] m Ergriffenheit; (Kälte-)Schauer
saison [sɛzɔ̃] f Jahreszeit; com Saison; günstige
Gelegenheit; pleine ~ Hochsaison; faire une ~
à Vichy e-e Kur in V. machen; hors de ~
unzeitig; **~nier** [-zɔnje] 116 jahreszeitlich
bedingt; m Saisonarbeiter; Tourist
salace [salas] geil
salad|e [salad] f Salat; umg Mischmasch; pop
Keilerei; pl Gerede; panier à ~e (pop) grüne
Minna; **~ier** [-dje] m Salatschüssel, -korb
salage [salaːʒ] m (Fleisch) Salzen n; (Straße)
Streuen (mit Salz)
salaire [salɛːr] m (a. fig) Lohn; Arbeitsentgelt;
Verdienst; ~ d'appoint Nebeneinkommen; ~
de base Grundlohn; ~ brut Bruttol.; ~
conventionnel Tarifl.; ~ d'équipe Gruppenl.; ~
de famine Hungerl.; ~ imposable steuerpflichti-

ger L.; ~ minimum de croissance (S.M.I.C.) an
d. Verbraucherpreisindex gekoppelter allg.
Mindestl.; ~ aux pièces Stückl., Akkordl.; ~
plancher Mindestl.; bulletin de ~ Lohnzettel,
Gehaltsabrechnung; échelle des ~s Lohnskala;
rajustement des ~s Lohnangleichung; toucher
un ~ Lohn beziehen
salaison [salɛzɔ̃] f Einpökeln; Pökelfleisch;
Salzfische
salamandre [salamɑ̃dr] f Salamander; Dauer-
brandofen
salant [salɑ̃]: marais ~ Salzgarten
salar|iat [salarja] m Arbeitnehmerschaft; **~é**
[-rje] m Gehalts-, Lohnempfänger, Arbeitnehmer; ~é intérimaire Zeitarbeitnehmer; ~é à
plein temps Vollzeitkraft; ~é à temps partiel
Teilzeitbeschäftigter; **~er** [-rje] besolden, ent-
lohnen
sal|aud [salo] m pop gemeiner Kerl; Schuft; **~e**
[sal] schmutzig; gemein; widerlich; unanständig; ~e histoire faule Sache; ~e tour (umg)
schlechter Streich; ~e type (umg) Schuft
sal|é [sale] salzig; a. fig gesalzen; fig gewagt,
schlüpfrig; m Pökelfleisch; **~ement** [-mɑ̃] adv
dreckig; umg sehr; **~er** [-le] (ein)salzen; pökeln
saleté [salte] f Schmutz(igkeit); Zote
salicylique [salisilik]: acide ~ Salizylsäure
salière [saljɛːr] f Salzfaß, -streuer
saligaud [saligo] m pop Schmutzfink; Schweine-
hund; gemeiner Kerl
salin [salɛ̃] 109 salzartig, -haltig; **~e** [salin] f
Salzbergwerk
sal|ir [saliːr] beschmutzen; fig beflecken; **~ssant**
[-lisɑ̃] 108 leicht schmutzend; **~ssure** [-lisyːr] f
Schmutz(fleck)
saliv|aire [salivɛːr] Speichel...; **~e** [-liːv] f
Speichel; perdre sa ~e (umg) umsonst reden;
~er [-live] Speichel absondern
salle [sal] f Saal; Zimmer; Halle; ~ à manger
Speisezimmer; ~ d'armes Fechtboden; ~
d'attente Wartesaal; ~ d'audience 🏛 Sitzungs-
saal; ~ de bains Badezimmer; ~ des coffres
Tresorraum; ~ de cours Lehrsaal; ~ d'eau
Waschraum; ~ des guichets Schalterraum; ~
de gymnastique Turnhalle; ~ mortuaire Lei-
chenhalle; ~ de police (mil) Einzelarrest; ~ de
séjour Wohnzimmer; ~ de spectacle Theater-
saal, Zuschauerraum; ~ des ventes Auktionslokal; faire ~ comble ♦ e. volles Haus bringen
salmi|gondis [salmigɔ̃di] m Ragout (von aufge-
wärmtem Fleisch); fig Sammelsurium; **~s** [-mi]
m Wild-, Geflügelragout
saloir [salwaːr] m Pökelfaß
salon [salɔ̃] m Salon, Empfangszimmer; ⚓
Ausstellung; ~ aéronautique Luftfahrtschau;
~ de beauté Schönheitsinstitut, Kosmetiksalon;
~ de thé Teestube; Café; ⚓ de l'auto
Automobilausstellung
salop|ard [salopaːr] m pop Dreckskerl; **~e** [-lɔp]
f pop Schlampe; **~er** [-pe] hinschludern,
pfuschen; **~erie** [-pri] f pop Schweinerei; fig
Schund; **~ette** [-pɛt] f Monteuranzug, Overall
salpêtre [salpɛtr] m Salpeter
salsifis [salsifi] m: ~ noir Schwarzwurzel

saltimbanque [saltɛ̃bɑ̃k] *m* Seiltänzer; *fig* Gaukler, Possenreißer

salubr|e [salybr] gesund; gesundheitsfördernd; **~ité** [-lybritɛ̯] *f* Heilsamkeit; Gesundheitspflege, Hygiene

salu|er [salyɛ̯] (be)grüßen; *mil* salutieren; **~t** [-ly] *m* Gruß; *mil* Salut; Wohl; *rel* Heil; *Armée du* **~t** Heilsarmee; *planche de* **~t** *(fig)* Rettungsanker; **~!** Servus!; **~taire** [-lytɛːr] heilsam; **~ation** [-lytasjɔ̃] *f* formelle Begrüßung; Empfehlung, Gruß; **~tiste** [-lytist] *m, f* Mitglied der Heilsarmee

salve [salv] *f* Salve; ~ *d'applaudissements* Beifallssturm

samedi [samdi] *m* Samstag, Sonnabend

sanatorium [sanatɔrjɔm] *m 102* Sanatorium, (Lungen-)Heilstätte

sanctifi|cation [sãktifikasjɔ̃] *f* Heiligung; **~er** [-fjɛ̯] heiligen; *(Feiertag)* heilighalten

sanct|ion [sãksjɔ̃] *f* Sanktion, Strafmaßnahme; Billigung, Bestätigung, Genehmigung; natürliche Folge; *(Beamte)* Dienststrafe; **~ion** *disciplinaire* Disziplinarstrafe; **~ionner** [-sjɔnɛ̯] gutheißen, billigen; bestätigen; bestrafen; **~uaire** [-tɥɛːr] *m* Heiligtum; *pol* unantastbares Gebiet

sandale [sãdal̯] *f* Sandale

sandwich [sãdwitʃ] *m* Sandwich, belegte Brotschnitte; ⚙ Beschichtung; *matériau* ~ Schichtmaterial; *en* ~ eingequetscht; *homme* ~ Plakatträger

sang [sã] *m (a. fig)* Blut; ~ *conservé* Blutkonserve; *ciruclation du* ~ B.kreislauf; *animal à* ~ *froid (chaud)* Kalt-(Warm-)Blüter; *coup de* ~ Schlaganfall, Gehirnschlag; *fig* Wutanfall; *pur* ~ Vollblut ♦ *avoir du* ~ *dans les veines* energisch sein; *se faire du bon* ~ vergnügt sein; *se faire du mauvais* ~ sich Sorgen machen; *suer* ~ *et eau* s. abmühen, Blut schwitzen; **~froid** [sãfrwa̯] *m* Kaltblütigkeit, Gelassenheit; **~lant** [sãglã] *108* blutig; blutrot; *affront* **~lant** tödliche Beleidigung

sangl|e [sãgl̯] *f* Gurt; Tragriemen; ~*e à ouverture automatique* Fallschirmaufziehleine; ~*e abdominale* Anschnall-, Bauchgurt; **~er** [-glɛ̯] anschnallen; gürten, schnüren

sanglier [sãglie̯] *m* Wildschwein; Keiler

sanglot [sãglo] *m* Seufzer; *pl* Schluchzen; **~er** [-glɔtɛ̯] schluchzen

sang-mêlé [sãmɛlɛ̯] *m 100* Mischling

sang|sue [sãsy̯] *f* Blutegel; **~uin** [-gɛ̃] *109* Blut...; vollblütig, sanguinisch; *m* Sanguiniker; **~uinaire** [-ginɛːr] blutdürstig; *fig* grausam; **~uine** [-gin] *f* Rötel(zeichnung); *fig* **~uinolent** [-ginɔlɛ̃] *108* mit Blut gemischt, gefärbt

sanie [sani] *f* ☥ Eiterflüssigkeit

sanitaire [sanitɛːr] Gesundheits...; *installations* ~*s* sanitäre Anlagen; *train* ~ Lazarettzug; *mpl* öffentliches WC, öffentliche Toilette

sans [sã] ohne; ~ *cérémonie* ohne Umstände; ~ *cesse* unaufhörlich; ~ *doute* wahrscheinlich, gewiß; ~ *aucun doute* zweifellos; ~ *engagement (com)* freibleibend; ~ *exception* ausnahmslos; ~ *faute* unweigerlich; ~ *le vouloir* unwillkürlich; ~ *mot dire* ohne e. Wort

(zu sagen); ~ *quoi* sonst; ~ *ressources* mittellos; ~ *que* (' *subj*) ohne daß; **~abri** [-zabri] *m 100* Obdachloser; **~cœur** [-kœːr] *m 100* herzloser Mensch; **~culotte** [-kylɔt] *99* proletarischer Revolutionär (l. frz. Republik); **~façon** [-fasɔ̃] *m* Ungeniertheit, Ungezwungenheit; *pej* frech, ungeniert; **~fil** [-fil] *m* 📻 Funkspruch; **~filiste** [-filist] *m 100* Funkamateur; **~gêne** [-ʒɛn] *m* Ungeniertheit; Zudringlichkeit; *adj* ungezwungen; **~le-sou** [sãlsu̯] *m 100* Habenichts; **~logis** [-lɔʒi] *m 100* Obdachloser

sansonnet [sãsɔnɛ̯] *m orn* Star

sans|-patrie [sãpatri̯] *m 100* Staaten-, Heimatloser; **~souci** [-susi̯] *100* sorgloser Mensch; Sorglosigkeit; **~travail** [-travaj̯] *m 100* Arbeitsloser

santal [sãtal̯] *m* Sandelholz

santé [sãtɛ̯] *f* Gesundheit; ~ *publique* Gesundheitswesen; *maison de* ~ psychiatrische Klinik; *service de* ~ *(mil)* Sanitätsdienst; *à votre* ~*!* auf Ihr Wohl!; *avoir une petite* ~ krankheitsanfällig sein; *en bonne* ~ gesund

saoul [su] betrunken

sap|e [sap] *f (a. fig)* Untergrabung; Unterspülung; *travail de* ~*e* Wühlarbeit; **~er** [-pɛ̯] *a. fig* untergraben; *(Straße usw.)* unterspülen; *refl se* ~*er umg* s. in Schale werfen; **~eur** [-pœːr] *m mil* Pionier; **~eur-pompier** [pœrpɔ̃pjɛ̯] *m 97* Feuerwehrmann

sapé [sapɛ̯]: *être bien* ~ *(pop)* piekfein gekleidet sein

sapi|de [sapid] schmackhaft; **~dité** [-piditɛ̯] *f* Schmackhaftigkeit

sapin [sapɛ̃] *m* (Weiß-)Tanne; *pop* Sarg ♦ *sentir le* ~ *(pop)* mit e-m Fuß im Grab stehen; **~e** [-pin] *f* Baukran; Baugerüst; **~ière** [-pinjɛːr] *f* Tannenwald

sapristi! [sapristi] *umg* Donnerwetter!

sarbacane [sarbakan̯] *f* Glasbläserrohr; Puster.

sarcas|me [sarkasm] *m* beißender Spott; **~tique** [-kastik] sarkastisch; höhnisch, spöttisch

sarcl|er [sarklɛ̯] (aus)jäten; **~oir** [-klwa̯ːr] *m* Jäthacke

sarcophage [sarkɔfaːʒ] *m* Sarkophag

Sard|aigne [sardɛ̃ɲ]: *la* ~*aigne* Sardinien; **~e** [sard] *m* Sardinier; **~e** sardinisch

sardin|e [sardin] *f* Sardine; **~ier** [-dinjɛ̯] *m* Sardinenfischer, -fangboot

sardonique [sardɔnik] spöttisch, hämisch; ☥ *(Gesichtsmuskeln)* verzerrt

sarment [sarmã] *m* Weinrebe

sarrasin [sarazɛ̃] *109* sarazenisch; *m* Buchweizen; **~** *m* Sarazene

sarrau [saro] *m* Arbeitskittel; Kittelschürze

Sarre [saːr]: *la* ~ Saarland

sas [sɑ] *m (Kanal)* Schleusenkammer; Schleuse; (Haar-)Sieb; Luftheizungskanal; ⚓ Dockkammer; **~ser** [sasɛ̯] (durch)sieben; durchschleusen; ~*ser et ressasser (fig)* genau prüfen

Satan [satã] *m* Satan; **~é** [-tanɛ̯] verdammt, teuflisch; **~ique** [-tanik] satanisch

satelli|ser [satɛllizɛ̯] auf e-e Umlaufbahn bringen; *fig* Einfluß gewinnen über, abhängig machen, in den eigenen Einflußbereich eingliedern; ~**te** [satɛljt] Begleit...; m Satellit, Trabant; ~**te** artificiel künstlicher Erdsatellit; ~**te-espion** Aufklärungss.; État ~te Satellitenstaat; ~**te-relais** [-rəlɛ] m 98 Raumstation; Fernmeldesatellit

satiété [sasjete] f Sättigung; Übersättigung; à~ zum Überdruß

satin [satɛ̃] m Atlas(seide); ~**é** [-tinẹ] seidig; seidenglänzend; ~**ette** [-tinɛt] f Satin

satir|e [satj:r] f Satire; ~**ique** [-tirịk] satirisch, beißend

satis|faction [satisfaksjɔ̃] f Befriedigung; Zufriedenstellung; Genugtuung; Freude, Lust; donner ~faction zufriedenstellen, befriedigen; Satisfaktion geben; ~**faire** [-fɛ:r] 70 befriedigen; zufriedenstellen; ~faire un besoin e. (natürliches) Bedürfnis befriedigen; ~faire aux besoins d. Nachfrage befriedigen; ~faire à ses obligations s-n Verpflichtungen nachkommen; ~**faisant** [-fəzɑ̃] 108 zufriedenstellend; ausreichend; ~**fait** [-fɛ] 108 zufrieden; ~fait de sa personne selbstzufrieden; ~**fecit** [-fesịt] m 100 Belobigung

satur|ateur [satyratœ:r] m Verdampfer; ~**ation** [-rasjɔ̃] f (a. phys) Sättigung; (Hotel usw.) Überbelegung; ~ation de couleur Farbsättigung; ~ation des mémoires EDV Überschreitung d. Speichervermögens; ~**er** [-rẹ] phys sättigen; fig übersättigen, bis aufs äußerste belasten

saturn|ales [satyrnal] fpl Ausschweifungen; ~**isme** [-nịsm] m Bleivergiftung

satyre [satj:r] m Satyr, Faun; fig Lüstling

sauc|e [sos] f Soße; Brühe; Tunke; Platzregen, Wolkenbruch; ~e du tabac Tabakbeize ♦ la ~e fait passer le poisson auf d. Art u. Weise kommt es mehr an als auf den Inhalt; mettre qn à toutes ~es j-n für jede Arbeit verwenden; mettre toute la ~e (umg) Vollgas geben; ~**er** [-sẹ] 15: ~er son assiette (umg) s-n Teller mit e-m Stück Brot austunken; se faire ~ (umg) pudelnaß werden; ~**ière** [-sjẹ:r] f Soßenschüssel; ~**isse** [-sịs] f Würstchen; arg mil Fesselballon; ~**isson** [-sisɔ̃] m (Dauer-)Wurst; ~**issonner** [-sisɔnẹ] picknicken

sauf [sof] 1. 112 heil; ohne Schaden; avoir la vie sauve mit dem Leben davonkommen; sain et ~ unversehrt; 2. präp außer, ausgenommen; ~ erreur ou omission keine Haftung für Irrtümer u. Auslassungen; ~ vente (com) Zwischenverkauf vorbehalten; ~ avis contraire wenn nichts weiteres erfolgt; ~**-conduit** [sofkɔ̃dɥị] m 99 Passierschein

sauge [so:ʒ] f Salbei

saugrenu [sogrəny] abgeschmackt, lächerlich

saule [sol] m bot Weide; ~ des vanniers Korbweide; ~ pleureur Trauerweide

saumâtre [somɑtr] brackig; fig eklig, widerlich

saumon [somɔ̃] inv lachsfarben; m Lachs; ✿ End-, Randkappe

sau|mure [somy:r] f Sole, Salzlake; ~**mure** concentrée Dicklauge; ~**poudrage** [-pudra:ʒ] m Geldmittel nach dem Gießkannenprinzip verteilen; ~**poudrer**

[sopudrẹ] bestreuen (de mit); com Geldmittel zukommen lassen; ~poudrer de citations mit Zitaten spicken

saur [so:r]: hareng ~ Bück(l)ing

sauriens [sorjɛ̃] mpl zool Saurier, Echsen

saut [so] m Sprung; Satz; Sturz, Fall; ~ à la perche Stabhochsprung; ~ en hauteur Hochsprung; ~ en longueur Weitsprung; ~ périlleux (a. fig) Salto mortale; ~ en parachute Fallschirmsprung; ~ de vent Winddrehung; au ~ du lit beim Aufstehen; de plein ~ sofort; faire le grand ~ (umg) sterben; ~**-de-lit** [sodlị] m 100 Morgenrock; ~**e** [sot] f (Wind) Umspringen; ~e d'humeur plötzlicher Stimmungsumschwung; ~**e-mouton** [sotmutɔ̃] m Bockspringen; ~**er** [sotẹ] (über)springen; hüpfen; in die Luft fliegen; (Film) flimmern; ~er aux yeux ins Auge fallen; une maille a ~é der Strumpf hat e-e Laufmasche; (faire) ~er in Butter schmoren, schwenken; faire ~er qn (umg) j-n hochgehen lassen; faire ~er un pont e-e Brücke in d. Luft sprengen; se faire ~er la cervelle (umg) s. e-e Kugel durch d. Kopf jagen; pommes (de terre) ~ées Bratkartoffeln; ~**erelle** [sotrɛl] f Heuschrecke; ✿ Spring-, Schnappverschluß; ~**erie** [sotrị] f Tanzabend (im kleinen Kreis); ~**e-ruisseau** [sotrɥisọ] m 100 Laufbursche; ~**eur** [sotœ:r] m Springer; umg Konjunkturritter; ~**iller** [sotijẹ] (umher)hüpfen; tänzeln; (im Gespräch) von e-m Gegenstand zum andern springen; ~**oir** [sotwa:r] m (Schi) Sprungschanze; en ~oir (Band) gekreuzt

sauvag|e [sova:ʒ] wild; scheu; rauh, unbewohnt; fig menschenscheu; fig unkontrolliert, planlos; indiszipliniert; ungesetzlich; camping ~e campen in freier Natur; crèche ~e Kinderladen; dépôt ~e d'ordures wilde Deponie; immigration ~e illegale Einwanderung; grève ~e wilder Streik; urbanisation ~e anarchischer Städtebau; m Wilder; ~**eon** [-vaʒɔ̃] m ↓ Wildling; menschenscheuer Junge; ~**erie** [-vaʒrị] f Wildheit; ~**esse** [-vaʒɛs] f Wilde; fig ungebildete Frau

sauvegard|e [sovgard] f Schutz; Wahrung; Gewährleistung; Erhaltung (durch Denkmalschutz); ~**er** [sovgardẹ] schützen; wahren; gewährleisten

sauve-qui-peut [sovkipǿ] m 100 Panik

sauv|er [sovẹ] (er)retten (de vor); bewahren; ~er les apparences d. Schein wahren; se ~er (umg) davonlaufen, s. in Sicherheit bringen; abhauen; (Milch) überkochen; ~e qui peut! rette sich wer kann!; ~**etage** [sovta:ʒ] m Rettung; bateau de ~etage Bergungsschiff; bouée de ~etage Rettungsring; ~**eteur** [sovtœ:r] m Retter; Rettungsschwimmer; ~**ette** [-vɛt]: à la ~ heimlich, hastig; unüberlegt; vente à la ~ette (umg) Verkauf auf der Straße (ohne Genehmigung); ~**eur** [-vœ:r] m Erlöser; le ~eur d. Heiland

savane [savan] f Savanne

savant [savɑ̃] 1. 108 gelehrt; chien ~ dressierter Hund; 2. m Gelehrter; Wissenschaftler

savarin [savarɛ̃] m Napfkuchen

sav|ate [savat] f alter Pantoffel, Latschen; *umg* ungeschickte Person ♦ *traîner la* ~*ate* e. armer Schlucker sein; ~etier [savtje] m Schuster

saveur [savœːr] f Geschmack

savoir [savwaːr] 45 1. wissen, kennen; können, vermögen; Kenntnis haben; erfahren; ~ *une langue* e-e Sprache beherrschen; ~ *faire qch* fähig sein, etw zu tun; *faire*~ mitteilen; *à* ~ nämlich; *reste à* ~ *si* bleibt noch die Frage, ob; *sans le* ~ unbewußt; *je sais bien* ich weiß schon; *j'en sais quelque chose* ich weiß e. Lied davon zu singen; *un je ne sais quoi* ein gewisses Etwas; *le livre que vous savez* d. bewußte Buch; *pas que je sache* nicht daß ich wüßte; *en* ~ *long* genau über etw. Bescheid wissen; *tout finit par se* ~ alles kommt schließlich heraus; *il ne veut rien* ~ *(umg)* er will nichts davon wissen, er weigert sich; 2. m Wissen, Kenntnisse *pl*, Gelehrsamkeit; ~-faire [-fɛːr] m 100 Gewandtheit; *com* Know-How *n*; ~-faire *artisanal* handwerkliches können; ~-vivre [-viːvr] m 100 Lebensart; *homme qui a du* ~-vivre Mann von Welt

savon [savɔ̃] m Seife; ~ *à barbe* Rasiers.; ~ *de Marseille* Kerns.; ~ *mou* Schmiers.; ~ *en paillettes* Seifenflocken; *bulle de* ~ Seifenblase; *pain de* ~ Riegel S. ♦ *passer un* ~ *à qn* j-m d. Kopf waschen; ~ner [-vɔne] einseifen; ~nerie [-vɔnri] f Seifenfabrik; ~nette [-vɔnɛt] f Toilettenseife; ~neux [-vɔnø] 111 seifig; *eau* ~*neuse* Seifenlauge

savour|er [savure] (aus-)kosten; genießen; ~eux [-rø] 111 schmackhaft; *a.* fig köstlich

Saxe [saks]: *la*~ Sachsen; ⚢ m, *porcelaine de* ~ Meißner Porzellan

saxophone [saksɔfɔn] m Saxophon

sbire [zbiːr] m Scherge

scabreux [skabrø] 111 anstößig; heikel

scalène [skalɛn] *math* ungleichseitig

scalp [skalp] m Skalp; ~el [-pɛl] m ⚕ Skalpell

scandal|e [skɑ̃dal] m Skandal; Ärgernis; Anstoß; Aufsehen; ~eux [-dalø] 111 skandalös; Anstoß erregend; empörend; ~iser [-dalize] vor den Kopf stoßen; Anstoß erregen (*qn* bei j-m); *se* ~*iser* s. aufregen, s. empören (*de* über)

scandinav|e [skɑ̃dinaːv] skandinavisch; ⚢ *e* m Skandinavier; ⚢*ie* [-navi]: *la*⚢*ie* Skandinavien

scann|er [skanɛr] m ✿ Abtaster; ⚕ Szintigraph; ~ing [-niŋ] m Abtastgerät; Szintigraphie

scaphandr|e [skafɔ̃dr] m Tauchgerät; Taucheranzug; ~*e autonome* schlauchloses Tauchgerät; ~*e spatial* Raumfahreranzug; ~ier [-fɔ̃drje] m Taucher

scapulaire [skapylɛːr] m Skapulier

scarabée [skarabe] m (Mist-)Käfer

scarifier [skarifje] ⚕ schröpfen

scarlatine [skarlatin] f ⚕ Scharlach

sceau [so] m 91 (*a.* fig) Siegel; *apposer le* ~ d. S. aufdrücken; *sous le* ~ *du secret* unter dem S. der Verschwiegenheit; *Garde des* ~*x* Justizminister

scélérat [selera] 108 ruchlos; m Schurke; ~esse [-ratɛs] f Schurkerei

scell|é [sele] m gerichtl. Siegel; *mettre les* ~*és* 🔓 versiegeln; *lever les* ~*és* 🔓 d. Siegel abnehmen;

~er [sɛle] versiegeln; besiegeln; 🏛 *(mit Mörtel)* vergießen

scénario [senarjo] m 102 Drehbuch; fig Plan, gedachter Verlauf

scène [sɛn] f Szene, Auftritt; Schauplatz, Bühne; Vorgang; heftiger Wortwechsel; Anblick; ~ *à plateau tournant* Drehbühne; *mise en* ~ Inszenierung; *la* ~ *se passe à Naples* d. Stück spielt in Neapel; *faire une* ~ *(fig)* e-e Szene machen

scénique [senik] szenisch, bühnenmäßig

scept|icisme [sɛptisism] m Skepsis; zweiflerische Haltung; ~ique [-tik] skeptisch, zweifelnd; m Skeptiker, Zweifler

sceptre [sɛptr] m Zepter

schéma [ʃema] m 102 Schema; ~ *de montage* ⚡ Schaltskizze; ~tique [-matik] schematisch

schisme [ʃism] m Kirchenspaltung; fig Bruch (*in e-r Partei*)

schiste [ʃist] m Schiefer; ~ *ardoisier* Dachschiefer; ~ *lustré* Glimmerschiefer

sciage [sjaːʒ] m Sägen; *bois de* ~ Schnittholz

sciatique [sjatik] Ischias…; f Ischias

scie [si] f 1. Säge; ~ *circulaire* Kreissäge; ~ *à ruban* Bandsäge; ~ *à chantourner* Laubsäge; ~ *mucicale* ♪ singende S.; 2. Sägefisch; 3. (*umg*) Schnulze, Schlager; langweilige Sache *od* Person

sciemment [sjamɑ̃] wissentlich

scien|ce [sjɑ̃s] f Wissen; Können; Wissenschaft; ~*ce à faire* Forschungsziele; ~*ce faite* Kenntnisstand; ~*ce-fiction* Science-fiction; *arbre de* ~*ce (rel)* Baum d. Erkenntnis; *Faculté des* ⚢*ces* naturwissenschaftl. Fakultät; ~*ces (naturelles)* Naturwissenschaften; ~*ces humaines* Geistesw.; *savoir de* ~*ce certaine* sicher wissen ♦ *avoir la* ~*ce infuse (iron)* d. Weisheit mit Löffeln gegessen haben; ~ifique [sjɑ̃tifik] wissenschaftlich; m Wissenschaftler; ~tisme [sjɑ̃tism] m wissenschaftlicher Fortschrittsglaube

scier [sje] (ab-, zer-)sägen; ~ie [siri] f Sägewerk

scinder [sɛ̃de] fig spalten, trennen

scintiller [sɛ̃tije] (*z. B.* Sterne) funkeln; *phys* aufleuchten

scission [sisjɔ̃] f (*a.* fig) Spaltung

sciure [sjyːr] f Sägemehl

scléro|se [skleroːz] f ⚕ Verkalkung; ~*sé* [-roze] ⚕ verkalkt; fig nicht anpassungsfähig, verkrustet; überholt; ~tique [-rotik] f *anat* Lederhaut (*d. Auges*)

scol|aire [skɔlɛːr] schulisch; Schul…; *année* ~*aire* Schuljahr; ~arisation [-larizasjɔ̃] f Einschulung; ~arité [-larite] f Schulbesuch, -zeit; ~arité obligatoire Schulpflicht

scolopendre [skɔlɔpɑ̃dr] m Zungenfarn; Tausendfüßler

sconse [skɔ̃s] m Skunk(spelz)

scoop [skup] m Exklusivmeldung, Knüller

scoot|er [skuːr] m Motorroller; ~ériste [-terist] m Rollerfahrer

scorbut [skɔrby] m Skorbut

score [skɔːr] m 🎾 Punktzahl, Ergebnis; ~ *final* Endergebnis

scorie [skɔri] f ✿ Schlacke

scorpion [skɔrpjɔ̃] *m* Skorpion
scorsonère [skɔrsɔnɛːr] *f* Schwarzwurzel
scotch [skɔtʃ] *m* Ⓦ durchsichtiges Klebband, Klebstreifen
scout [skut] *m* Pfadfinder; **~isme** [skutism] *m* Pfadfinderbewegung
scrib|e [skrib] *m (mst pej)* Schreiber; **~ouillard** [skribujaːr] *m* Schreiberling; Federfuchser
script [skript] *m* (Film-)Drehbuch, Skript *n*
scrupul|e [skrypyl] *m* Skrupel, Bedenken; Gewissenbisse; Genauigkeit; *se faire un* ~*e de qch* wegen etw Bedenken haben; **~eux** [-pylø] *111* skrupulös; ängstlich; peinlich genau
scrut|ateur [skrytatœːr] *122 (Blick)* forschend; *m* Wahlleiter; **~er** [-tɛ] durchforschen; **~in** [-tɛ̃] *m pol* Wahl; *tour de* ~*in* Wahlgang
sculpt|er [skyltɛ] schnitzen; *(in Stein, Holz)* hauen; **~eur** [-tœːr] *m* Bildhauer; **~ural** [-tyral] *124 fig* bildschön; **~ure** [-tyːr] *f* Bildhauerei; Plastik; *~ure sur bois* Holzschneidekunst
se [sə] sich
sé|ance [seɑ̃s] *f* Sitzung; *(Kino)* Vorstellung; *~ance de clôture* Schluß.; *~ance d'ouverture* Eröffnungss.; *~ance plénière* Volls.; *~ance tenante* stehenden Fußes; *ouvrir, tenir, lever une ~ance* e-e Sitzung eröffnen, abhalten, beenden; **~ant** [seɑ̃] *108* schicklich, anständig; *m* Gesäß; *se mettre sur son ~ant* sich *(z. B. im Bett)* aufrecht hinsetzen
seau [so] *m 91* Eimer; ~ *à ordures* Mülleimer; ~ *à traire* Melkeimer; *il pleut à ~x* es gießt in Strömen
sébacé [sebase] talgig; *glandes ~es* Talgdrüsen
sébile [sebil] *f* Holzbüchse *(der Bettler)*
sec [sɛk] *110 (a. fig)* trocken; ausgetrocknet; mager, hager; *fig* hart, schroff; sehr schnell, plötzlich, ohne Überlegung; gefühllos; *(Stil)* hölzern; *(Schlag, Antwort)* kurz; *(Wein)* herb, trocken; *(Verlust)* vollständig; *à pied* ~ trockenen Fußes; *en cinq* ~ *(pop)* im Handumdrehen; *tout* ~ *(adv, umg)* gerade, nur, bloß; *cale sèche* Trockendock; *raisins ~s* Rosinen; *nettoyage à* ~ chem. Reinigung; *être à* ~ *(umg)* pleite sein; *rester* ~ *(umg)* keine Antwort wissen
sècateur [sekatœːr] *m* Baumschere
séchage [seʃaːʒ] *m* Trocknen; *à* ~ *rapide* schnell trocknend
sèche [sɛʃ] *f pop* Zigarette, Glimmstengel
sèche-cheveux [sɛʃʃəvø] *m 98* Haartrockner, Ⓦ Fön
séch|er [seʃe] *13* (ab-, aus-, ver-)trocknen; *(Schule)* schwänzen; k-e Antwort wissen; **~er sur pied** vor Langeweile *od* Kummer vergehen; **~eresse** [sɛʃrɛs] *f (a. fig)* Trockenheit, Dürre; *~eresse du cœur* Gefühlskälte; **~erie** [-ʃri] *f* Trockenplatz; **~oir** [-ʃwaːr] *m* Trockenständer; Handtuchtrockner; Fön; *~oir rotatif (Wäsche)* Trockenschleuder
second [səgɔ̃] *1. 108* zweiter; *en* ~ stellvertretend; *en* ~ *lieu* in zweiter Linie; *en ~es noces* in zweiter Ehe; *enseignement du* ~ *degré* höheres Schulwesen; ~ *choix* Ausschuß, zweite Wahl; *de ~e main* gebraucht, aus zweiter Hand; *2. m*

zweiter Stock *(au* ~ im 2. Stock); *(Handelsmarine)* erster Offizier; Helfer, Beistand; **~aire** [-gɔdɛːr] *1.* sekundär, untergordnet; zweitrangig; *enseignement ~aire* höheres Schulwesen; *2. m* ♭ Sekundärspule; **~e** [səgɔ̃d] *f (a. math, ♪)* Sekunde; *päd* Sekunda; ♔ zweite Klasse; *~e mineure (majeure)* ♪ kleine (große) Sekunde; *~e de surprise* Schrecksekunde; **~er** [-gɔ̃dɛ] unterstützen, beistehen; begünstigen
secouer [səkwe] *a. fig* (ab)schütteln; rütteln; *se* ~ sich zus.reißen
secour|able [səkurabl] hilfsbereit; hilfreich; **~ir** [-tjːr] *19* Hilfe bringen, beistehen *(qn* j-m); **~isme** [-rism] *m* Erste Hilfe; **~iste** [-rist] *m* Helfer
secours [səkuːr] *m* Hilfe, Beistand, Beihilfe; Fürsorge; Hilfeleistung; Rettungsdienst; *au* ~ ! Hilfe!; ~ *d'argent* geldliche Unterstützung; ~ *en montagne* Bergwacht; *armée de* ~ Entsatzarmee; *circuit de* ~ ♭ Notstromkreis; *frein de* ~ Notbremse; *poste de* ~ Unfallstation; *premier* ~ Überbrückungshilfe; *premiers* ~ § Erste Hilfe; *roue de* ~ Ersatzrad; *sortie de* ~ Notausgang; *prêter* ~ Beistand leisten
secousse [səkus] *f* Erschütterung; *a. fig* Stoß; *fig* Schlag; ~ *nerveuse* Nervenschock; ~ *tellurique* Erdstoß; *par ~s* ruckweise, -artig
secr|et [səkrɛ] *116 1.* geheim; heimlich; *police ~ète* Geheimpolizei; *fonds ~ets* Geheimfonds; *2. m* Geheimnis; **~et** *confidentiel* vertraulich; **~et** *d'entreprise* Betriebsgeheimnis; **~et** *d'État* Staatsg.; **~et** *professionnel* Berufsg.; *serrure à ~et* Vexierschloß; *en* ~ insgeheim; *ne pas être dans le ~et* nicht eingeweiht sein ♦ *c'est un* ~ *et de Polichinelle* d. Spatzen pfeifen es von d. Dächern; **~étaire** [-kretɛːr] *m (a. Möbel)* Sekretär; Schriftführer *~étaire d'État* Staatssekretär; **~étairerie** [-kretɛrri] *f* Kanzlei; **~étariat** [-kretarja] *m* Sekretariat; Sekretärsposten; *~étariat d'État* Amt e-s Staatssekretärs
sécrét|er [sekrete] *13* § absondern; **~ion** [-sjɔ̃] *f* § Absonderung
sect|aire [sɛkːr] sektiererisch; fanatisch; *m* Sektierer; **~arisme** [-tarism] *m* Fanatismus; **~ateur** [-tatœːr] *m* Sektierer; fanatischer Anhänger; **~e** [sɛkt] *f* Sekte
sect|eur [sɛktœːr] *m* Sektor; Bereich; Kreisausschnitt; Segment; *mil* Abschnitt; ♭ Netz; ~*eur primaire (com)* Urproduktion, Landwirtschaft u. Bergbau; ~*eur secondaire* Industrie u. produzierendes Gewerbe; ~*eur tertiaire* Dienstleistungsgewerbe; *sur* ~*eur* ♭ mit Netzanschluß; **~ion** [-sjɔ̃] *f* Durchschneiden; ✿ (Quer-)Schnitt; Teil; Unterabteilung; *mil* Abteilung; *(Eisenb.)* Blockstrecke; *(Straßenb.; Bus)* Teilstrecke; *~ion de vote* Stimmbezirk; **~ionner** [-sjɔne] schneiden, zerteilen; **~ionneur** [-sjɔnœːr] *m* ♭ Trennschalter; **~oriel** [-tɔrjɛl] *adj (com)* einzelne Bereiche betreffend
sécul|aire [sekylɛːr] (mehr)hundertjährig, uralt; *fête ~aire* Hundertjahrfeier; **~arisation** [-larizasjɔ̃] *f* Säkularisation, Verweltlichung; **~ier** [-lje] *116 rel* weltlich; *le bras ~ier* d. weltliche Macht; *clergé ~ier* Weltgeistlichkeit

secundo [səgõdọ] zweitens

sécuriser [sekyrizẹ] beruhigen, besänftigen; versöhnen; abwiegeln

sécurité [sekyritẹ] f Sicherheit; Sicherung(svorrichtung); Ruhe; Geborgenheit; *dospositif de ~* Sicherungsvorrichtung; *forces de ~* Sicherungsstreitkräfte; ~ *électrique* Sicherheitsschalter; ~ *de fonctionnement* Betriebssicherheit; ~ *militaire* militärische Abschirmung; ~ *sociale* Sozialversicherung(swesen)

séd|atif [sedatịf] *112* ⚡ beruhigend; *m* ⚡ Beruhigungsmittel; ~**entaire** [-dãtẹːr] häuslich; seßhaft; *emploi ~entaire* sitzende Beschäftigung; ~**iment** [-dimã] *m geol* Sediment, Ablagerung; ~**imentation** [-dimãtasjõ] f Absetzen, Sedimentation; Fällung; ~*imentation du sang* ⚡ Blutsenkung

séd|itieux [sedisj ọ] *111* aufrührerisch; *m* Aufrührer; ~**ion** [-sjõ] f Aufruhr, -stand

séduct|eur [sedyktœːr] *122* verführerisch; *m* Verführer; ~**ion** [-sjõ] f Verführung; Verlockung

sédu|ire [seduịːr] *80* verführen; verlocken; bezaubern; ~**isant** [-duịzã] *108* verführerisch; verlockend; bezaubernd

segment [sɛgmã] *m math* Segment; Kugel-, Kreisabschnitt; *(Wurm)* Glied; ~ *de droite (math)* Strecke; ~ *de piston* ⚙ Kolbenring; ~**ation** [-mãtasjõ] f *biol* Eifurchung; ~**er** [-mãtẹ] in Abschnitte teilen

ségrégation [segregasjõ] f Absonderung; ~ *raciale* Rassendiskriminierung

seiche [sɛʃ] f Tintenfisch

séide [sejd] *m* fanatischer Anhänger

seigle [sɛgl] *m* Roggen

seigneur [sɛɲœːr] *m (oft iron)* hoher Herr; *le ♰ (rel)* d. Herr; ~**ial** [-ɲœrjal] *124* Herren... ; herrschaftlich; ~**ie** [-ɲœrị] f (Lehns-)Herrschaft

sein [sɛ̃] *m* Brust, Busen; *fig* Schoß; *donner le ~* stillen; *au ~ de la famille* im Kreis der Familie

seing [sɛ̃] *m* Unterschrift; *acte sous ~ privé* privatschriftliche Urkunde; *blanc ~* Blankovollmacht

séisme [sejsm] *m* Erdbeben

seiz|e [sɛːz] sechzehn; ~**ième** [sɛzjɛm] sechzehnte; *m* Sechzehntel

séjour [seʒuːr] *m* Aufenthalt; ~ *de convalescence* Erholungsa.; *faire un~* sich aufhalten; *interdiction (permis) de ~* Aufenthaltsverbot (-erlaubnis); ~**ner** [-ʒurnẹ] sich aufhalten, weilen (*à* in)

sel [sɛl] *m* Salz; *fig* Witz, Geist; ~ *commun* Kochsalz; ~ *ammoniaque* Salmiak; ~ *gemme* Steinsalz; ~ *de potasse* Kalisalz

select [selɛkt] *inv umg* Hochfein; vornehm; *monde* ~ Prominenz

sélect|er [selɛktẹ] (aus-)wählen; ~**eur** [-tœːr] *m* 📻 Trennschärferegler; Wähler; Wahlschalter; ~**if** [-tịf] *112* auswählend; 📻 trennscharf; ~**ion** [-sjõ] f Zerteilung; Auslese; ~*ion naturelle (biol)* natürliche Zuchtwahl; ~**ionner** [-sjonẹ] auswählen; aussteuern; ~**ivité** [-tivitẹ] f 📻 Auswahl-, Trennschärfe

séléni|que [selenịk] Mond...; ~**um** [-njọm] *m* Selen

self [sɛlf] *m* ⚡ Selbstinduktivität

sell|e [sɛl] f Sattel; Stuhlgang; *cheval de ~e* Reitpferd; ~ *de mouton* Hammelrücken; *aller à la ~* aufs Klo gehen; *être bien en ~e (fig)* fest im Sattel sitzen; *se remettre en ~e* wieder auf d. Beine kommen; ~**er** [-lẹ] satteln; ~**erie** [-rị] f Sattlerei; Geschirrkammer; ~**ette** [-lɛt] f Schemel ♦ *mettre* (od *tenir*) *qn sur la ~ette* j-n ausfragen, ins Gebet nehmen; ~**ier** [seljẹ] *m* Sattler

selon [səlõ] gemäß; zufolge; nach; ~ *moi* nach m-r Meinung; *c'est ~ (umg)* je nachdem, das kommt darauf an; ~ *que... je nachdem...*

semailles [səmɑːj] *fpl* (Aus-)Saat

semaine [səmɛn] f Woche; Wochenlohn; ~ *sainte* Karwoche; *sergent de ~* Unteroff. v. Dienst; *en~* wochentags ♦ *faire la ~ anglaise* am Samstagnachmittag nicht arbeiten; *s'organiser à la petite ~* improvisieren, s. durchschlagen

sémantique [semãtik] f Semantik, Lehre von d. Wortbedeutung

sémaphore [semafọːr] *m* (Eisenbahn-) Signal; ⚓ Semaphor *n*

sembl|able [sãblabl] *a. math* ähnlich; gleichartig; *(elektr., magn. Pole)* gleichnamig; ~ *Mitmensch; son ~able* seinesgleichen; ~**ant** [-blã] *m* Schein; *faire ~ant de* so tun, als ob; *un ~ant de... (umg)* so was wie...; ~**er** [blẹ] scheinen; *que vous en ~e?* was halten Sie davon?; *si bon vous ~e* wenn Sie es für angebracht halten, wenn Sie es wollen

semelle [səmɛl] f (Schuh-)Sohle; ⚙ Schwelle; Grund-, Unterlegplatte; ~ *de ressort* Federunterlage; *battre la ~* sich d. Füße vertreten; *ne pas avancer (reculer) d'une ~ (fig)* k-n Schritt vorankommen (zurückweichen)

sem|ence [səmãs] f 1. Samen; Saat; Sperma; *fig* Keim; *blé de ~ence* Saatgut; 2. Polsternagel, Dachpappenstift; ~**er** [-mẹ] 8. säen; besäen; verbreiten; ausstreuen; verschwenden ♦ *qui sème le vent récolte la tempête* wer Wind sät, wird Sturm ernten; ~*er ses concurrents* s-e Gegner abhängen

semestr|e [səmɛstr] *m* Halbjahr, Semester; ~**iel** [-mɛstriẹ] *115* halbjährig; halbjährlich

sem|eur [səmœːr] *m* Sämann; ~*eur de discorde* Friedensstörer, Störenfried; ~**euse** [-møːz] f Sämaschine

semi [səmi] halb...; fast; teilweise; ~~**circulaire** [-sirkylẹːr] *99* halbkreisförmig; ~~**conducteur** [-kõdyktœːr] *m 99* ⚡ Halbleiter; ~~**finale** [-finạl] f *99* 🏆 Vorschlußrunde, Halbfinale *n*

sémillant [semijã] *108* mutwillig; *esprit ~* sprühender Geist

sémin|aire [seminẹːr] *m* (Priester-)Seminar; Fachkongreß, Symposion; ~**al** [-nạl] *124* Samen...

semi~produit [səmiprɔduị] *m 99* Halbfabrikat, Halbfertigware; ~~**remorque** [-rəmɔrk] *m* Sattelanhänger

semis [səmi] *m* ⬇ Aussaat; Aufzucht aus Samen; aus Samen gezogene Pflanze

sémit|e [semịt] semitisch; *m* Semit; ~**ique** [-mitịk] semitisch

semoir [səmwạːr] *m* Sämaschine
semonce [səmɔ̃s] *f* Verweis; Strafpredigt; *coup de ~ a. fig* Warnschuß
semoule [səmụl] *f* Grieß
sempiternel [sɛ̃pitɛrnɛl] *115* unaufhörlich, immerwährend
Sénat [senạ] *m* Senat; **⁂eur** [-natœːr] *m* Senator; *train de ⁂eur (umg)* gewichtiger, langsamer Gang
séné [senẹ] *m* Sennesstrauch, -blätter ♦ *passe-moi la casse, je te passerai le ~* e-e Hand wäscht die andere
sén|escence [senesạ̃s] *f* Altern; Alterungsprozeß; **~ile** [-nịl] greisenhaft; senil; **~ilité** [-nilitẹ] *f* Greisenhaftigkeit
sens [sɑ̃s] *m* Sinn; Gefühl (*de* für); Bedeutung; Richtung; *bon ~, ~ commun* gesunder Menschenverstand; *~ de l'orientation* Orientierungsvermögen; *à mon ~* meines Erachtens; *à double ~* doppelsinnig, zweideutig; *~ propre (figuré)* eigentl. (übertragene) Bedeutung; *en tous ~* nach allen Richtungen; *(circulation à) ~ giratoire* Kreisverkehr; *~ obligatoire* vorgeschriebene Fahrtrichtung; *(rue à) ~ unique* Einbahnstraße; *~ horaire* Uhrzeigersinn; *~ direct (Elektronik)* Schalt-, Vorwärtsrichtung; *~* [sɑ̃] *dessus dessous* drunter u. drüber, durcheinander; *~* [sɑ̃] *devant derrière* verkehrt; **~ation** [-sasjɔ̃] *f* Empfindung; Sensation; Sinneseindruck; *faire ~ation* Aufsehen erregen; **~ationnel** [-sasjɔnɛl] *115* aufsehenerregend; sensationell; **~é** [-sẹ] *128* verständig, vernünftig; **~ibilisation** [-sibilizasjɔ̃] *f* Sensibilisierung; **~ibiliser** [-sibilizẹ] sensibilisieren; ▥ lichtempfindlich machen; **~ibilité** [-sibilitẹ] *f* (a. *phys*) Empfindlichkeit; Empfindsamkeit; Feinfühligkeit; *~ibilité différentielle* Kontrastempfindlichkeit; *~iblité lumineuse* Lichte..; **~ible** [-sịbl] *a. phys* empfindlich; ansprechbar; verwundbar; merklich, fühlbar; **~iblerie** [-sibləri] *f* Überempfindlichkeit; Sentimentalität; **~itif** [-sitịf] 1.*112* Gefühls...; Sinnes...; *nerf ~itif* Sinnesnerv; 2. *m* feinnerviger Mensch; **~itive** [-sitịːv] *f* Mimose; **~itivité** [-sitivitẹ] *f* ✚ Überempfindlichkeit; **~oriel** [-sɔrjɛl] *115* Sinnes...; sensoriell; **~ualité** [-sụalitẹ] *f* Sinnlichkeit; **~uel** [-sụɛl] *115* sinnlich
sent|ence [sɑ̃tɑ̃s] *f* Ausspruch, Sentenz; ঙ Urteil; *~ence arbitrale* Schiedsspruch; *prononcer (exécuter) une ~ence* ঙ e. U. sprechen (vollstrecken); **~encieux** [-tɑ̃sjø] *111* sentenzartig; schulmeisterlich
senteur [sɑ̃tœːr] *f* Duft; *pois de ~* Wicke
sentier [sɑ̃tjẹ] *m* Pfad; *~ battu (fig)* ausgetretener Weg
sentiment [sɑ̃timɑ̃] *m* Gefühl, Empfindungsvermögen; *~ du devoir* Pflichtbewußtsein; *par ~* nach Gefühl; *faire du ~ (umg)* gefühlvoll tun; *quel est ton ~ sur cela?* was hältst du davon?; **~al** [-mạl] *124* Gefühls...; sentimental; gefühlvoll; **~alité** [-mãtalitẹ] *f* Gefühlsduselei; Sentimentalität
sentine [sɑ̃tịn] *f* ⚓ Kielraum; *fig* Lasterhöhle
sentinelle [sɑ̃tinɛl] *f mil* Wachposten, Wache,

Posten; *être en ~* Posten stehen, auf der Lauer liegen
sentir [sɑ̃tịːr] *29* fühlen, wahrnehmen; empfinden, riechen (*qch an*, nach *etw*); *fig* verraten, zeigen; *~ bon (mauvais)* gut (schlecht) riechen; *ça sent le brûlé* es riecht nach Angebranntem; *fig es wird brenzlig; ne pouvoir ~ qn* j-n nicht mögen; *se ~* sich fühlen; empfinden; *ne pas se ~ de joie* vor Freude außer sich sein; *ils ne peuvent pas se ~ (umg)* sie können s. nicht riechen
seoir [swạːr] *46 (Kleidung)* stehen; *il ne vous sied pas de... es steht Ihnen nicht an, zu...*
sépale [sepạl] *m* Kelchblatt
sépar|ateur [separatœːr] *122* Trenn...; *m (chem)* (Ab-)Scheider; **~ation** [-rasjɔ̃] *f* Trennung; *chem* Scheidung, Zerlegung, Entmischung; Trennwand; *~ation de corps* ঙ Trennung von Tisch u. Bett; *~ation de biens* ঙ Gütertrennung; *~ation des Pouvoirs...; **~atisme** [-ratịsm] *m pol* Separatismus; **~atiste** [-ratịst] 1. separatistisch; *ligue ~atiste* Sonderbund; 2. *m* Separatist; **~é** [-rẹ] getrennt; verschieden; Sonder...; *~é de fait (dauernd)* getrennt lebd; **~ément** [-remẹ] einzeln, für sich; **~er** [-rẹ] (ab)trennen; absondern; (los-)lösen; *chem* scheiden, zerlegen; *(Fernsehen)* auflösen; *se ~er* auseinandergehen
sept [sɛt] sieben; **~ante** [sɛptɑ̃t] siebzig *(in Belgien, d. Schweiz u. Kanada)*; **~embre** [sɛptɑ̃br] *m* September; **~ennal** [sɛptɛnnạl] *124* siebenjährig; **~ennat** [sɛptɛnnạ] *m* Amtsperiode d. Präsidenten d. franz. Republik *(7 Jahre)*; **~entrional** [sɛptɑ̃triɔnạl] *124* nördlich
septicémie [sɛptisemị] *f* ✚ Blutvergiftung, Sepsis
septième [sɛtjɛm] siebte; *m* Siebter; Siebtel; ♪ Septime
septique [sɛptịk] ✚ septisch; *fosse ~* Abortgrube, Faulgrube
sept|uagénaire [sɛptụaʒenɛːr] siebzigjährig; *m* Siebziger
sépulcr|al [sepylkrạl] *124* Grab(es)...; **~e** [sepylkr] *m* Grabstätte
sépulture [sepylty:r] *f* Begräbnis; Grabstätte; *~ de famille* Familiengruft
séque|lle [sekɛl] *f* Sippschaft; ✚ Nachkrankheit; *~lles de guerre* Kriegsfolgen; **~nce** [-kɑ̃s] *f* Sequenz; ♣ Bildfolge; *(Elektronik)* Schaltfolge; **~ntiel** [-kasjɛl] *adj EDV* sequentiell, fortlaufend; nacheinander zu bearbeiten
séquestr|ation [sekɛstrasjɔ̃] *f* ঙ Zwangsverwaltung; Freiheitsberaubung; **~e** [-kɛstr] *m* ঙ Beschlagnahme, Verwahrung; **~er** [-trẹ] ঙ beschlagnahmen; der Freiheit berauben
sérac [serạk] *m* Gletscherbruch
sérail [serạj] *m* Serail; *(fälschlich a. für)* Harem
serein¹ [sərɛ̃] *109 (a. fig)* heiter, hell; glücklich
serein² [sərɛ̃] *m* Abendtau
sérénade [serenạd] *f* Serenade, Ständchen
sérénité [serenitẹ] *f* Heiterkeit; Gelassenheit
séreux [serø] *111* ✚ serös, wässerig
serf [sɛrf] *112* leibeigen; *m* Leibeigener
serge [sɛrʒ] *f (Stoff)* Sersche, Serge

sergent [sɛrʒɑ̃] *m* (Infanterie-)Unteroffizier; ~ *de ville* Schupo; **~-chef** [-ʒɑ̃ʃɛf] *m 97* Stabsunteroffizier; **~-***chef d'appel* Unteroffizier vom Dienst; **~-major** [-ʒɑ̃maʒɔːr] *97 m* Unteroffizier *(im Schreibstubendienst)*

sériciculture [serisikyltyːr] *f* Seidenraupenzucht

sér|ie [seri] *f (a. math)* Reihe; Serie; Folge; *fig* Kette; ~*ie noire* Häufung von Unglücksfällen; Pechsträhne; *en* ~*ie* serienweise; -mäßig; *couplage en* ~*ie ⚡* Reihenschaltung; *vente de fins de* ~*ie* Resteverkauf; **~ier** [-rje] in Reihen anordnen; systematisch nacheinander behandeln

sérieux [serjø] *111* ernst(haft), schwerwiegend, ernstlich; *m* Ernst(haftigkeit); *tenir son* ~ ernst bleiben; *prendre au* ~ ernst nehmen

serin [sarɛ̃] *m* Kanarienvogel; *fig* Schafskopf; **~er** [-rine] eintrichtern; vorleiern

seringue [sarɛ̃g] *f ⚕* Injektionsspritze

serment [sɛrmɑ̃] *m* Eid; ~ *d'amour*, ~ *de fidélité* Liebes-, Treueschwur; ~ *d'ivrogne* nicht ernstzunehmende Beteuerung; *faux* ~ Meineid; ~ *professionnel* Diensteid; *délier qn d'un* ~ j-n von e-m Eid entbinden; *prêter* ~ e-n Eid leisten

sermon [sɛrmɔ̃] *m* Predigt; *umg* Sermon; langweilige Rede; *faire* (od *prononcer*) *un* ~ e-e Pr. halten; **~ner** [-mɔne] Vorhaltungen machen *(qn* j-m); **~neur** [-mɔnœːr] *m* Nörgler

serpe [sɛrp] *f ↓* Hippe

serpent [sɛrpɑ̃] *m* Schlange; ~ *monétaire* Währungsschl.; ~ *à lunettes* Brillenschl.; ~ *à sonnettes* Klapperschl.; ~ *venimeux* Giftschl.; *langue de* ~ *(fig)* böse Zunge; **~eau** [-pɑ̃to] *m* kleine Schlange; *(Feuerwerk)* Schwärmer; **~er** [-pɑ̃te] *s.* schlängeln; **~in** [-pɑ̃tɛ̃] *m ✿* (Rohr-)Schlange, Spirale; Luftschlange

serpette [sɛrpɛt] *f* Garten-, Rebmesser

serpillière [sɛrpijɛːr] *f* Packleinwand, Zeltleinen; Scheuertuch

serpolet [sɛrpɔlɛ] *m* Feldthymian

serr|e [sɛr] *f* 1. Gewächshaus; ~*e chaude* Treibhaus; 2. *zool* Klaue, Kralle; ~*é* [-re] eng, gedrängt; *(Gewebe)* dicht; *(Reihe)* geschlossen; *(Stil)* präzis; knauserig; *avoir le cœur* ~ é angst-, kummervollen Herzens sein; *jouer* ~*é* d. Gegner k-e Chance lassen; **~e-file** [sɛrfil] *m* d. Letzte in e-r Kolonne; **~e-fils** [-fil] *m 100 ⚡* Klemme; **~e-frein** [-frɛ̃] *m 99 ⏚* Bremser; **~e-joint** [sɛrʒwɛ̃] *m 100* Schraubenzwinge; **~e-livres** [-liːvr] *m 100* Bücherstütze; **~ement** [sɛrmɑ̃] *m* Zus.drücken; ~*ement de cœur* Beklemmung; ~*ement de mains* Händedruck; **~er** [sɛre] zus.drücken; klemmen; (zus.)drängen; *(Segel)* reffen; *(Bremse, Schraube)* anziehen; *(Werkstück)* (auf-)spannen; ~*er les dents* d. Zähne zus.beißen; ~*er la main* d. Hand drücken; ~*er la queue entre les jambes (umg)* d. Schwanz einziehen; ~*er qn de près* j-m auf d. Fersen sein; *fig* j-n in d. Enge treiben; ~*er à droite ⛟ s.* rechts einordnen, äußerste rechte Seite d. Fahrbahn benutzen; ~*er la vis à qn (umg)* j-n kürzer halten; *cela* ~ *e le cœur* es ist z.

Herzerweichen; ~*e-toi un peu! (umg)* rück ein wenig zur Seite!; **~e-tête** [sɛrtɛt] *m 100* Kopfband; *🛠* Sturzhelm; **~ure** [sɛryːr] *f* Schloß; ~*ure de sécurité* Sicherheitsschl.; **~urerie** [sɛryrri] *f* Schlosserei; **~urier** [sɛryrje] *m* Schlosser

sertir [sɛrtiːr] *22 (Edelstein)* fassen; *✿* falzen, bördeln

sérum [serɛm] *m ⚕* Serum

serv|age [sɛrvaːʒ] *m* Leibeigenschaft; Hörigkeit; **~ant** [-vɑ̃] *m* Geschützbedienung; **~ante** [-vɑ̃t] *f* Dienstmädchen; **~eur** [-vœːr] *m* Kellner, Servierer; **~euse** [-vøːz] *f* Kellnerin; **~iable** [-vjabl] dienisteifrig; gefällig; **~ice** [-vis] *m* 1.Dienst; Dienstleistung; *pl* Dienstleistungsbereich; Bedienung(sgeld); ~*ice après vente (com)* Kundendienst; ~*ice divin* Gottesdienst; ~*ice funèbre (rel)* Totenamt; ~*ice militaire* Wehrdienst; ~*ice médical* Sanitätswesen; ~*ice national* Wehrdienst; ~*ice régulier* Linienverkehr; *escalier de* ~*ice* Dienstbotentreppe; *gens de* ~*ice* Dienerschaft; *faire son* ~*ice* s-n Wehrdienst ableisten; *rendre un* ~*ice* e-n Dienst erweisen *(à qn* j-m); *aimer rendre* ~*ice* gefällig sein; *être en* ~*ice (od Gerät)* in Gebrauch sein; in Betrieb; *hors* ~*ice* außer Betrieb; *être de* ~*ice* Dienst haben; *(je suis) à votre* ~*ice* (ich stehe) zu Diensten; *qu'y a-t-il pour votre* ~*ice?* womit kann ich (Ihnen) dienen?; **2.** Dienststelle, Behörde; Amt, Büro; Abteilung; *com* (Vertrags-)Werkstatt; ~*ice public* Hoheits-, Leistungsverwaltung; Verwaltungsstelle; öffentlicher Betrieb; ~*ice de renseignement* Nachrichtendienst, Spionageabwehr; ~*ice de santé* Gesundheitsamt; *le* ~*ice compétent* d. zuständige Dienststelle; *chef de* ~*ice* Abteilungsleiter; **3.** *(Speisen)* Gang; **4.** *(Geschirr)* Service; **5.** *(Tennis)* Aufschlag; **~iette** [-vjɛt] *f* 1. Serviette; ~*iette hygiénique* Damenbinde; ~*iette de toilette* Handtuch; **2.** Aktenmappe; **~iette-éponge** [-vjetepɔ̃ʒ] *f 97* Frottierhandtuch; **~ile** [-vil] untertänig; -würfig; **~ilité** [-vilite] *f* Untertänigkeit; **~ir** [-viːr] *29* 1. dienen; ~*ir qn* j-n bedienen, j-m dienen; ~*ir à qch* zu etw. nütze sein; ~*ir une pension* e-e Rente zahlen; ~*ir de prétexte à qn* j-m als Vorwand dienen; *se* ~*ir* benutzen *(de qch* etw.); *je me suis toujours servi chez vous* ich habe immer bei Ihnen gekauft; **2.** servieren, auftragen; *Madame est* ~*ie* es ist serviert; **~iteur** [-vitœːr] *m* Diener; **~itude** [-vityd] *f* Knechtschaft; Zwang; *𝄢* Dienstbarkeit, Auflage

servo|commande [sɛvokɔmɑ̃d] *f* Kraftsteuerung; **~frein** [-frɛ̃] *m* Servobremse; **~moteur** [-mɔtœːr] *m* Stellmotor

ses [se] *pl pron* seine; ihre

session [sesjɔ̃] *f* Sitzung(speriode)

séton [setɔ̃] *m*: *plaie en* ~ leichte Schnittwunde

seuil [sœj] *m* Schwelle; Schwellenwert; *fig* Beginn, Ausgangsstellung; ~ *d'action* Wirkungsschwelle; ~ *de l'excitation (biol)* Reizschwelle; ~ *limite* Ansprechwert; ~ *maximum* oberer Grenzwert; ~ *de rentabilité* Rentabilitätsgrenze

seul [sœl] allein; einzig; *une ~e fois* e. einziges Mal; *elle ~e* sie allein, nur sie; *~ à ~* unter vier Augen; **~ement** [-mã] nur, erst; bloß, aber; *non ~ement, mais encore* nicht nur, sondern auch; *pas ~ement* nicht einmal; **~et** [sœlɛ] *114 umg* ganz allein

sève [sɛ:v] *f bot* Saft; *fig* Schwung; *~ de la jeunesse* Jugendkraft

sév|ère [sevɛːr] streng; scharf; **~érité** [veritɛ] *f* Strenge; *(Strafe)* Schärfe

sév|ices [sevis] *mpl* 🔊 Mißhandlung; **~ir** [-viːr] *22* wüten; streng verfahren; durchgreifen; vorgehen gegen

sevrer [səvrɛ] l *(Kind)* entwöhnen; *fig* berauben

sexagénaire [sɛksaʒenɛːr] sechzigjährig; *m* Sechziger

sexe [sɛks] *m* Geschlecht(sorgan)

sexennal [sɛksɛnnal] *124* sechsjährig; sechsjährlich

sex|isme [sɛksism] *m* Sexismus, männliche Überheblichkeit; Frauendiskriminierung; **~iste** [-ksist] *adj* sexistisch; **~ologie** [-ksɔlɔʒi] *f* Sexualforschung

sextant [sɛkstã] *m* Sextant

sexu|alité [sɛksɥalitɛ] *f* Geschlechtlichkeit; Geschlechtstrieb; **~é** [-sɥe] *biol* mit Geschlechtsmerkmalen versehen; **~el** [-sɥɛl] *115* geschlechtlich, Geschlechts...; *instinct ~el* G.trieb; *organe ~el* G.organ

sexy [sɛksi] *adj inv* geschlechtsbetont, erotisch attraktiv, sexy

seyant [sɛjã] *108* (gut) sitzend

shampooing [ʃãpwɛ] *m* Kopfwäsche; Haarwaschmittel, Shampoo

shoot [ʃut] *m* Schuß; **~er** [ʃutɛ] schießen, d. Ball treten; *se ~er umg (e-e Droge spritzen)* e-n Schuß setzen, drücken

shopping [ʃɔpiŋ] *m* Einkaufsbummel; **~center** [-sɛntœr] *m* Einkaufszentrum

short [ʃɔrt] *m* kurze Hose, Shorts *pl*

show [ʃo] *m* Schau, Darbietung, Vorführung; **~biz** [ʃobiz] *m umg* Showgeschäft

shunt [ʃœt] *m* Nebenwiderstand, Shunt; *relais à ~* Nebenschluß

si¹ [si] **1.** *adv* so; *~ habile qu'il soit* so geschickt er auch sein mag; **2.** *(beteuernd)* doch

si² [si] *conj (Bedingung)* wenn, ob; *~ seulement* wenn nur; *s'il me déçoit* wenn er mich enttäuscht; *s'il me décevait* sollte er mich enttäuschen; *je ne sais ~ je viendrai* ich weiß nicht, ob ich komme; *~ je m'en souviens!* und ob ich mich daran erinnere!; *il ne le fera jamais ~ ce n'est par mégarde* er wird d. nie tun, es sei denn aus Versehen

si³ [si] *m* ♪ b; *~ bémol* b; *~ mineur* h-Moll

Sibér|ie [siberi] *la ~ie* Sibirien; **⁂ien** [-rjɛ] *118* sibirisch; **~ien** *m* Sibirier

sibyllin [sibillɛ] *118* unverständlich, unklar

sic [sik] *adv* so, ebenso; wirklich so!, sic!

siccatif [sikatif] *m* Trockenmittel, -stoff

Sicil|e [sisil] *la ~e* Sizilien; **⁂ien** [-siljɛ] *118* sizilianisch; **~ien** *m* Sizilianer

side-car [sajdkaːr] *m 99 (Motorrad)* Beiwagen

sidéral [sideral] *124* Stern...; Astro...

sidéré [siderɛ] *umg* starr vor Staunen; wie vom Blitz getroffen

sidérurgie [sideryrʒi] *f* Eisenhüttenindustrie; Hüttenwesen

siècle [sjɛkl] *m* Jahrhundert; *le Grand ⁂* d. Zeit Ludwigs XIV.; *les plaisirs du ~ (rel)* d. Freuden dieser Welt

siège [sjɛːʒ] *m* Sessel; Stuhl; *(Regierung, Krankheit)* Sitz; Mandat; Belagerung; *bain de ~* Sitzbad; *état de ~* Ausnahmezustand; *~ de clapet* Ventilsitzring; *~ éjectable* Schleudersitz; *~ d'extraction* Grubenanlage; *~ en osier* Korbsessel; *~ social* Gesellschaftssitz; *mon ~ est fait* mein Entschluß ist gefaßt

siéger [sjeʒɛ] *2* tagen; an e-r Sitzung teilnehmen; *a.* 🔊 s-n Sitz haben

sien [sjɛ] *118* sein; ihr; *m* der (die, das) Seine, Ihre; *pl* Angehörige; *y mettre du ~* sein Teil dazu beitragen

sieste [sjɛst] *f* Mittagsschlaf

sieur [sjœːr] *m* 🔊 *(a. pej)* Herr

siffl|ement [siflǝmã] *m* Pfeifen; *(z. B. Schlange)* Zischen; *(Wind)* Sausen; **~er** [-flɛ] pfeifen *(son chien* s-m Hund); *(z. B. Schlange)* zischen; *(Wind)* sausen; 🐦 auspfeifen; *~er un verre (pop)* e. Glas hinunterkippen; **~et** [-flɛ] *m* Pfeife; *~et à roulette* Trillerpf.; *en ~et* schräg ♦ *couper le ~et à qn (pop)* j-m d. Maul stopfen; **~oter** [-flɔtɛ] vor s. hin pfeifen

sigisbée [siʒisbe] *m* Hausfreund

sigle [sigl] *m* Abkürzung(sbuchstabe); Kürzel, Sigel

sign|al [sinal] *m 90* Signal; Zeichen; *~al d'alarme* Notbremse; Notzeichen; *~al d'alerte* Alarmsignal; *~al de circulation* Verkehrszeichen; *~al de détresse* SOS-Ruf; *~al horaire* ⏱ Zeitzeichen; *~al d'interdiction* 🚫 Verbotszeichen; *~al à intermittence* Blinkzeichen; *~al optique* Leuchtzeichen; *~al de réaction* Rückkopplungssignal; *~ sonore* Tons.; *~ vision* Bilds.; **~alement** [-nalmã] *m* Personenbeschreibung; Steckbrief; **~aler** [-nale] mitteilen, angeben, bezeichnen; aufmerksam machen *(qch à qn* j-n auf etw.); **~alisation** [-nalizasjɔ] *f* Anzeige, Kennzeichnung, Signaltechnik; Zugmeldedienst; Verkehrsregelung; *feu de ~alisation* Signalleuchte, Signallicht; *~alisation de danger* Gefahrenschild; *~alisation maritime* Seezeichenwesen; **~ataire** [-natɛːr] *m* Unterzeichner; *~ataire de ces lignes* Unterzeichneter; *pays ~ataire (pol)* Signatarstaat; **~ature** [-natyːr] *f* Unterschrift, -zeichnung; *apposer sa ~ature* unterschreiben; **~e** [sin] *m (a. math)* Zeichen; *~e de l'addition* Plusz.; *~e avant-coureur* Vorz.; *~e de la croix* Kreuzzeichen; *c'est mauvais ~e* das ist e. schlechtes Zeichen; *ne pas donner ~e de vie* kein Lebenszeichen von s. geben; *fig* nichts von s. hören lassen; *en ~e de zum* Z...; *sous le ~ de fig* unter Einfluß von, gekennzeichnet durch; **~er** [-ne] unterschreiben, -zeichnen; *(Edelmetall)* stempeln; *se ~er* s. bekreuzigen; **~et** [-nɛ] *m* Lesezeichen; **~ificatif** [-nifikatif] *112* bedeutsam, wichtig, signifikant; vielsagend; bezeichnend; **~ification** [-nifikasjɔ] *f* Bedeutung, Sinn; 🕮 Zustellung; **~ifier** [-ŋifije] bedeuten; zu verstehen geben; 🕮 zustellen

silenc|e [silɑ̃s] *m* Stille; (Still-)Schweigen; *garder le ~e* schweigen; *passer sous ~e* stillschweigend übergehen; **~ieux** [-sjø] *III* still; schweigend, schweigsam; leise, lautlos; geräuscharm; *majorité ~ieuse* schweigende Mehrheit; *m* 🚗 Schalldämpfer

silex [silɛks] *m* Kiesel(stein); Feuerstein

silhouette [silwɛt] *f* Silhouette, Schattenbild; Scherenschnitt; *~ pour tir* Schießscheibe

silic|ate [silikat] *m* Silikat; *~ate de sodium* Natriumsilikat, Wasserglas; **~eux** [-lisø] *III* kieselhaltig; **~ique** [-lisik]: *acide ~ique* Kieselsäure

silique [silik] *f bot* Schote

sill|age [sija:ʒ] *m* ⚓ Fahrt, Fahrtgeschwindigkeit, *(Kielwasser)* Wirbelschleppe; *marcher dans le ~age de qn* in j-s Fußstapfen treten; **~on** [-jɔ̃] *m* Furche; Rille; *~on d'enregistrement* ♪ Tonrille; *creuser son ~on* mit Geduld sein Ziel verfolgen; **~onner** [-jɔne] (durch)furchen, -ziehen

silo [silo] *m 102* Silo, Getreidespeicher; *mil* Raketenabschußstelle

sim|agrées [simagre] *fpl umg* Ziererei, Verstellung; **~iesque** [-mjɛsk] affenartig

simil|aire [similɛːr] gleichartig; **~i** [-li] *m* falscher Schmuck; *fig* Imitation; **~i-cuir** [-likɥiːr] *m* Kunstleder; **~itude** [-lityd] *f* Gleichartigkeit; *a. math* Ähnlichkeit

simoun [simun] *m* Sandsturm, Samum

simpl|e [sɛ̃pl] **1.** einfach; schlicht; einfältig; *corps ~e (phys)* Element ♦ *~e comme bonjour* höchst einfach; **2.** *m* einfältiger Mensch; Einfaltspinsel; *(Tennis)* Einzel; **3.** *mpl* Heilkräuter; **~et** [-plɛ] *114* einfältig; **~icité** [-plisite] *f* Einfachheit; Einfalt; **~ification** [-plifikasjɔ̃] *f (a. math)* Vereinfachung; *(Bruch)* Kürzung; **~ifier** [-plifje] *a. math* vereinfachen; *(Bruch)* kürzen; **~iste** [-plist] einseitig; oberflächlich

simul|acre [simylakr] *m* Schein(handlung); **~ateur** [-latœːr] *m* Simulant; ⚙ Simulator; *~ateur spatial* Raumsimulator; **~ation** [-lasjɔ̃] *f* Vortäuschung; Verschleierung; *math* Nachbildung, Simulierung; **~er** [-le] vortäuschen; darstellen; **~tané** [simyltane] *128* gleichzeitig; *traduction ~tanée* Simultandolmetschen; **~tanéité** [simyltaneite] *f* Gleichzeitigkeit

sinapisme [sinapism] *m* 🕀 Senfpflaster

sinc|ère [sɛ̃sɛːr] aufrichtig; *(Urkunde)* echt; **~érité** [-serite] *f* Aufrichtigkeit; Echtheit

sinécure [sinekyr] *f* Pfründe

sing|e [sɛ̃ʒ] *m* Affe; Äffer; *pop* d. Chef, d. Alte; *arg mil* Büchsenfleisch ♦ *payer en monnaie de ~e* mit leeren Worten abspeisen (anstatt zu zahlen); **~er** [-ʒe] *14* nachäffen; **~erie** [sɛ̃ʒri] *f* Grimasse; *pl fig* Affentanz

singul|ariser [sɛ̃gylarize] *se ~ariser* s. auffällig benehmen; d. Sonderling spielen., **~arité** [-larite] *f* Sonderbarkeit; Besonderheit, Eigenart; Merkwürdigkeit; **~ier** [-lje] *116* merkwürdig, eigenartig; *m* Singular

sinistr|e [sinistr] **1.** unheimlich; drohend; *~e individu* unh. Geselle; **2.** *m* 🕮 Schadensfall; Katastrophe; *~e maritime* Schiffsunglück; **~é** [-e] zu Schaden gekommen; *mpl* Opfer e-r Katastrophe, Geschädigte

sinon [sinɔ̃] sonst; andernfalls; wenn nicht; *~ que* außer daß

sinu|eux [sinɥø] *III* gewunden; **~osité** [-nɥozite] *f* Windung; **~s** [-nys] *m math* Sinus; *anat* Höhle; **~site** [-nyzit] *f* Stirnhöhlenentzündung

siphon [sifɔ̃] *m* Siphon; *~ inodore* Geruchverschluß; **~né** [-fɔne] *pop* verrückt

sire [siːr] *m* Herr; ⚜ Majestät; *triste ~* erbärmlicher Kerl

sirène [sirɛn] *f (a. fig)* Sirene; *~ de brume* Nebelhorn

sirocco [sirɔko] *m* Schirokko

sir|op [siro] *m* dickflüssiger Fruchtsaft, Sirup; **~oter** [-rɔte] *(mit Genuß)* schlürfen; **~upeux** [-rypø] *III* sirupartig; *fig* süßlich

sis [si] *108* 🕮 *(Grundstück)* gelegen, liegend; *maison ~e à Paris* in P. ansässige Firma

sism|ique [sismik] Erdbeben...; **~ographe** [-mɔgraf] *m* Seismograph

site [sit] *m* Lage; landschaftl. Umgebung; Anlage; Stadtgebiet; *~ propre* für öffentliche Verkehrsmittel reservierter Fahrweg

sitôt [sito] sobald; *~ dit, ~ fait* gesagt, getan; *pas de ~* nicht so bald

situ|ation [situasjɔ̃] *f* Lage, Situation; Zustand; Verhältnisse, Umstände; (Berufs-)Stellung; *en ~ation* d. Wirklichkeit treu nachgebildet; *~ation commerciale* Geschäftslage; *~ation de famille* Familienstand; *~ation des recettes* Einnahmenübersicht; *~ation stable (permanente)* Dauer-(Lebens-)Stellung; *le mot de la ~ation* d. treffende Wort; *l'homme de la ~ation* d. rechte Mann am Platze; **~é** [-tɥe] gelegen, liegend; *maison bien ~ée* Haus in guter Lage; **~er** [-tɥe] hinstellen, -setzen; *(Handlung)* verlegen

six [sis, si] sechs; *à la ~-quatre-deux (Arbeit)* sehr schnell, flüchtig, ohne Sorgfalt; **~ième** [sizjɛm] sechster; *f* sechstes Schuljahr; *m* Sechste; Sechstel; **~te** [sikst] *f ♪* Sexte

skate-board [sketbord] *m* Rollbrett

ski [ski] *m* Schi; *~ de fond* Langlauf(schi); *~ nautique* Wasserschi; *bâton de ~* Schistock; *faire du ~, aller à ~ =* **~er** [skje] Schi laufen; **~eur** [skiœːr] *m* Schiläufer, -sportler

slave [slaːv] slawisch; ⚜ Slawe

slogan [slɔgɑ̃] *m* (Werbe-)Schlagwort; *pol* Parole

sobr|e [sɔbr] *a. fig* nüchtern; enthaltsam, mäßig; **~iété** [-briete] *f* Nüchternheit; Schlichtheit; Mäßigkeit

sobriquet [sɔbrikɛ] *m* Spitzname

soc [sɔk] *m* Pflugschar

soci|abilité [sɔsjabilite] *f* Geselligkeit, Umgänglichkeit; **~able** [-sjabl] gesellig, umgänglich

social [sɔsjal] *124* gesellschaftlich; sozial; Gesellschafts...; *zool* staatenbildend; *m* Sozialfaktor; soziales Denken; *assistante ~e* Fürsorgerin; *capital* ~ Gesellschaftskapital; *raison* ~*e* Firmenname; *sciences* ~*es* Gesellschaftswissenschaft; *siège* ~ Firmensitz; **~isation** [-sjalizasjõ] *f* Sozialisierung; **~isme** [-sjaljsm] *m* Sozialismus; **~iste** [-sjaljst] sozialistisch; *m* Sozialist

sociét|aire [sɔsjetɛːr] *m* Gesellschafter; Genossenschafter; **~é** [-sjete] *f* Gesellschaft; *~é d'abondance* Wohlstandsg., Überflußg.; *~é de consommation* Konsumg.; *~é anonyme* Aktieng.; *~é en commandite* Kommanditg.; *~é en nom collectif* offene Handelsgesellsch.; *~é à responsabilité limitée* G. mit beschränkter Haftung; *~é sportive* Sportverein; *~é d'utilité publique* gemeinnützige G.; *contrat de ~é* Gesellschaftsvertrag; *objet de la ~é* G.zweck

sociolog|ie [sɔsjɔʒi] *f* Soziologie, Gesellschaftslehre; **~ique** [-ʒik] soziologisch; **~ue** [-lɔg] *m* Soziologe

socio-|politique [sɔsjopɔlitjk] *adj* gesellschaftspolitisch; **~professionell** [-prɔfɛsjɔnɛl] *adj* berufsständisch

socle [sɔkl] *m* Sockel, Boden, Fundament; Bett; Grundplatte; Untersatz

socqu|e [sɔk] *m* Holz(über)schuh; **~ette** [-kɛt] *f* Söckchen

soda [sɔda] *m* Sodawasser

sodium [sɔdjɔm] *m* Natrium; *bicarbonate de ~* Natriumbikarbonat

sœur [sœːr] *f (a. rel)* Schwester; *bonne ~* barmherzige S.; *et ta ~? (pop)* noch was?

soi [swa] *pron* sich; *à part* ~ für sich; *en* ~ an sich; *chez* ~ zu Hause; **~-disant** [-dizã] *inv* sogenannt, angeblich

soie [swa] *f* 1. (Natur-)Seide; ~ *grège* Rohs.; ~ *artificielle* Kunsts.; 2. Borste; **~rie** [-rj] *f* Seidengewebe, Seidenstoff; Seidenfabrik; *pl* Seidenwaren

soif [swaf] *f (a. fig)* Durst; Gier; ~ *des honneurs* Ehrsucht; *étancher sa* ~ s-n Durst löschen; *laisser sur sa* ~ unbefriedigt lassen; **~fard** [-faːr] *m* Säufer

soign|é [swarɲe] *(Arbeit)* sorgfältig; *(Person)* gepflegt; **~er** [-ɲe] pflegen; sorgen für; **§** behandeln; *se* ~ *er* auf s-e Gesundheit achten; *personnel ~ant* Pflegepersonal; **~eur** [-ɲœːr] *m* 🏇 Betreuer; **~eux** [-ɲø] *111 (Person)* sorgfältig; besorgt *(de* um); *être ~eux de* pfleglich umgehen mit

soin [swẽ] *m* Sorgfalt; Pflege; *pl* Krankenbehandlung; ~*s corporels* Körperpflege; ~*s médicaux* ärztliche Versorgung; ~*s d'urgence* = *premiers* ~*s* Erste Hilfe; *aux bons* ~*s de... (Brief)* zur gefälligen Übermittlung durch...; *prendre* ~ s. kümmern *(de* um); *(Interessen)* wahrnehmen; *apporter les meilleurs* ~*s* die größte Sorgfalt aufwenden; *donner des* ~*s à qn* **§** j-n behandeln ♦ *être aux petits* ~*s auprès de qn* j-m jeden Wunsch von d. Augen ablesen

soir [swaːr] *m* Abend; *ce* ~ heute abend; *à ce* ~ bis heute abend; **~ée** [sware] *f* Abend(stunden); Abendveranstaltung; Gesellschaftsabend; ~*ée dansante* Tanzabend; *tenue de ~ée* Abendkleid, dunkler Anzug

soit [swa] 1. *siehe* être; 2. sei es; *math*

angenommen, gegeben; ~ *l'un* ~ *l'autre* entweder d. eine oder d. andere; ~ *que vous partiez,* ~ *que vous restiez (subj)* ob Sie nun gehen oder bleiben; *tant* ~ *peu* wie wenig es auch sei; 3. ~! [swat] meinetwegen!, gut!

soixant|aine [swasãtɛn] *f* etwa sechzig; **~e** [-sãt] sechzig; **~e-dix** [-sãtdjs] siebzig

sol¹ [sɔl] *m* ♪ g; ~ *dièse* gis; ~ *mineur* g-Moll

sol² [sɔl] *m* Boden; Erdboden; Fußboden; 🏛 Baugrund; *chem* Sol *n*

sol|aire [sɔlɛr] Sonnen...; *m* Sonnenenergiewirtschaft; Solarenergie; *cadran ~aire* S.uhr; *capteur ~aire* Solarkollektor, Strahlensammler; *énergie ~aire* Sonnenenergie; *panneau de cellules ~aires* Solarzelle; **~arium** [-larjɔm] *m* Sonnenheilstätte; Sonnenterrasse

soldat [sɔlda] *m* Soldat; ~ *de carrière* Berufssoldat

solde¹ [sɔld] *f mil* Sold; Besoldung; *être à la ~* im Sold stehen; *être à la ~ de qn* in j-s Diensten stehen

sold|e² [sɔld] *m* Saldo; Restbetrag; Restkaufsumme; Ausverkauf; *reçu pour ~e de tout compte* Abgangserklärung; Ausgleichsquittung; ~*e créditeur* Kreditsaldo; ~*e débiteur* Debetsaldo; ~*e(s) d'été (d'hiver)* Sommer- (Winter-) Schlußverkauf; **~er** [-dɛ] saldieren; *(Rechnung)* abschließen; ausverkaufen

sole¹ [sɔl] *f* Seezunge

sole² [sɔl] *f* Herd(platte); Grundplatte; Schwelle; Schiffsboden

solécisme [sɔlesjsm] *m* (Grammatik-)Fehler

soleil [sɔlɛj] *m* Sonne; Sonnenblume; ~ *levant* aufgehende Sonne; *il fait du* ~ d. Sonne scheint; *il fait grand* ~ es ist heller Tag; *coup de* ~ Sonnenbrand; ~ *artificiel* **§** Höhensonne; *piquer un* ~ *(umg)* erröten, rot werden

solenn|el [sɔlanɛl] *115* feierlich, festlich; 🎵 förmlich; **~iser** [-nize] feiern, festlich begehen; **~ité** [-nite] *f* Feier(-lichkeit); *avec ~ité* salbungsvoll

solfège [sɔlfɛːʒ] *m* Gesangsübung(sbuch)

solid|aire [sɔlidɛr] solidarisch *(de* mit); ⚙ fest verbunden *(de* mit); zus.gehörig *(de* mit); 🎵 gesamtschuldnerisch; **~arité** [-darite] *f* Solidarität; Verbundenheit; *pol* nationale Zusammengehörigkeit; *fonds de ~arité* Solidaritätsfonds; *caisse de ~e* [-ljd] *a. phys* fest; stichhaltig; zuverlässig; *m phys* Festkörper; **~ification** [-difikasjõ] *f phys* Erstarrung; **~ifier** [-difje] festmachen; verfestigen; *se ~ifier* erstarren; **~ité** [-dite] *f* Festigkeit; Haltbarkeit; Echtheit; Beständigkeit; *fig* Zuverlässigkeit

sol|iloque [sɔlilɔk] *m* Selbstgespräch; **~iste** [-ljst] *m* Solist; **~itaire** [-itɛːr] 1. einsam; abgelegen; *ver ~itaire* Bandwurm; 2. *m* Einsiedler; *zool* alter Keiler; *(Diamant)* Solitär; **~itude** [-lityd] *f* Einsamkeit

soliv|e [sɔljːv] *f* Trag-, Deckenbalken; **~eau** [-livo] *m* kleiner Balken; *fig* Null

sollicit|ation [sɔlisitasjõ] *f* dringende Bitte; Gesuch; ⚙ Beanspruchung; Kraftaufwand; **~er** [-tɛ] dringend erbitten; anstiften *(à* zu); *a.* **§** anregen; um Gunst bitten; s. bewerben *(qch um* etw.); *(Aufmerksamkeit)* erregen; **~eur** [-tœːr] *m* Bittsteller; **~ude** [-tyd] *f* Sorgfalt; fürsorgende Liebe, Besorgnis

solo [sɔlɔ] *m 102* Solo

solistice [sɔlstis] *m* Sonnenwende

solu|ble [sɔlybl] löslich; lösbar; **~ble dans l'eau** wasserlöslich; **~tion** [-lysjɔ̃] *f (Flüssigkeit, Problem)* (Auf-)Lösung; *(Konflikt)* Beilegung; **~tion d'ensemble** Gesamtlösung; **~de rechange** Ersatzlösung; **~tionner** [-sjɔne] lösen

solv|abilité [sɔlvabilite] *f* Zahlungsfähigkeit; **~able** [-vabl] zahlungsfähig; **~ant** [-vɑ̃] *m* Lösungsmittel

sombre [sɔ̃br] *a. fig* düster; trübe; dunkel, finster

sombrer [sɔ̃bre] kentern; *a. fig* scheitern, untergehen; **~** *dans le désespoir* in Verzweiflung geraten

somm|aire [sɔmɛːr] summarisch; kurz gefaßt; *exposé* **~aire** Kurzreferat; *toilette* **~aire** Katzenwäsche; *procédere* **~aire** 🜂 beschleunigtes Verfahren; *m (Buch)* Inhaltsangabe; **~airement** [mɛrmɑ̃] In Bausch u. Bogen

sommation [sɔmasjɔ̃] *f* Aufforderung, Mahnung; 🜂 Vorladung; **~** *de paiement* Zahlungsaufforderung

somme¹ [sɔm] *f (a. fig)* Summe; *math* Integralzeichen; **~** *forfaitaire* Pauschalsumme; **~** *de travail* Arbeitsaufwand; **~** *toute, en* **~** alles in allem, kurz und gut

somme² [sɔm] *f: bête de* **~** Last-, Tragtier

somme³ [sɔm] *m umg* Schläfchen

sommeil [sɔmɛj] *m* Schlaf; *fig* Untätigkeit, vorübergehendes Ruhen; *avoir* **~** schläfrig, müde sein; *mettre en* **~** *(a. fig)* einschläfern, auf Eis legen; *tomber de* **~** *(fig)* vor Müdigkeit umfallen; **~ler** [-mɛje] schlummern

sommelier [sɔmǝlje] *m* Kellermeister; Weinkellner

sommer [sɔme] auffordern *(de* zu); mahnen; *math* zusammenrechnen, -ziehen

sommet [sɔme] *m (a. fig)* Gipfel, Spitze; Höhepunkt; Höchststand; *(Kopf)* Scheitel; *math* Scheitelpunkt; **~** *du poumon* Lungenspitze; *conférence au* **~** Gipfelkonferenz; *être au* **~** an der Spitze stehen

sommier [sɔmje] *m* 1. (Glocken-)Balken; **~** *(élastique)* Sprung(feder)rahmen; 2. Zentralstrafregister

sommité [sɔmite] *f* höchste Spitze; *fig* Kapazität

somn|ambule [sɔmnɑ̃byl] nachtwandlerisch; *m* Nachtwandler; **~ifère** [-nifɛːr] einschläfernd; *m* Schlafmittel; **~olence** [-nɔlɑ̃s] *f (a. fig)* Schläfrigkeit; **~olent** [-nɔlɑ̃] *108 (a. fig)* schläfrig; **~oler** [-nɔle] *umg* (vor s. hin) dösen

somptu|aire [sɔ̃ptɥɛːr] d. Aufwand betreffend; **~eux** [-tɥø] *111* prunkvoll; Pracht...; **~osité** [-tɥozite] *f* Prunk, Pracht, Aufwand

son¹ [sɔ̃] *pron* sein(e), ihr(e)

son² [sɔ̃] *m* Schall; Klang; Ton; Laut; *mur du* **~** Schallmauer; **~** *du canon* Kanonendonner; **~** *modulé (Sirene)* Heulton; **~** *vocal* Sprachlaut; *au* **~** *des cloches* unter Glockengeläut

son³ [sɔ̃] *m* Kleie; *taches de* **~** *(umg)* Sommersprossen

sonate [sɔnat] *f* Sonate

sond|age [sɔ̃daːʒ] *m* Sondierung; Lotung; Bohrung; *(Meinung)* Erkundung, Umfrage; Stichprobe; **~age** *acoustique* 🜂 Echolotung; **~age** *d'opinion* Meinungsbefragung, -forschung; **~e** [sɔ̃d] *f* 🜂 Lot; *bes* 🜂 Sonde; ⚙ Fühler, Messer; **~er** [-de] (aus-)loten; sondieren; Stichproben machen; 🜂 e-e Sonde einführen; aushorchen *(qn* j-n); **~er** *le terrain* auf d. Busch klopfen; **~eur** [-dœːr] *m* 🜂 Lot; Meiungsforscher; **~eur** *acoustique* Echolot

song|e [sɔ̃ʒ] *m (a. fig)* Traum ♦ *tous* **~es** *sont mensonges* Träume sind Schäume; **~e-creux** [-krø] *m 100* Träumer; Grillenfänger; **~er** [-ʒe] *14* träumen; (be-)denken; nachsinnen *(à* über); sinnen (auf); beabsichtigen *(à* zu); *sans* **~er** *à mal* ohne schlechte Absicht; **~erie** [-ri] *f* Träumerei; **~eur** [-ʒœːr] *121* träumerisch; *m* Träumer

sonique [sɔnik] Schall...

sonn|aille [sɔnɑːj] *f* Kuhglocke; **~ant** [-nɑ̃]: *à huit heures* **~antes** *antes* Schlag 8 Uhr; *espèces* **~antes** *et trébuchantes* klingende Münze; **~é** [-ne] *pop* verrückt; betäubt; **~er** [-ne] klingeln; tönen; läuten; klingen; *(Uhr)* schlagen; blasen *(de la trompette* Trompete); **~er** *qn* nach j-m läuten; *pop* j-m eine runterhauen; **~er** *les cloches à qn (pop)* j-m s-e Meinung geigen; *midi est* **~é** es hat 12 geschlagen; *midi a* **~é** es hat 12 geschlagen; **~erie** [sɔnri] *f* Klingel(anlage); Läutewerk, Wecker; *mil* (Trompeten-)Signal; **~et** [-nɛ] *m* Sonett; **~ette** [-nɛt] *f* Glöckchen; (Wohnungs-)Klingel; **~eur** [-nœːr] *m* Glöckner; (Horn-)Bläser

sonor|e [sɔnɔːr] klangvoll, wohlklingend; *ling* stimmhaft; *fond* **~e** 🎙 Geräuschkulisse; *ondes* **~es** Schallwellen; **~isation** [-nɔrizasjɔ̃] *f* Beschallung; *(Film)* Vertonung; Tonuntermalung; **~ité** [-nɔ rite] *f* Wohlklang; Klangfülle; (gute) Akustik

sophis|me [sɔfism] *m* Trugschluß; **~tication** [-fistikasjɔ̃] *f* Verfälschung; *(Maschinen)* (übertriebene) Vervollkommnung, **~tiqué** [-fistike] geziert; *(Gerät)* hochentwickelt; *pej* überzüchtet; sehr komplex; perfektioniert; **~tiquer** [-fistike] 6 verfälschen; panschen; *refl* immer komplexer werden

soporifique [sɔpɔrifik] *a. fig* einschläfernd; *m* Schlafmittel

soprano [sɔpranɔ] *m 102* Sopran(istin)

sorbe [sɔrb] *f* Vogelbeere

sorbet [sɔrbɛ] *m* Sorbet(t), Halbgefrorenes; **~ière** [-bɔtjɛːr] *f* Eismaschine

sorbier [sɔrbje] *m* Eberesche, Vogelbeerbaum

sorc|ellerie [sɔrsɛlri] *f* Hexerei, Zauberei; **~ier** [-sje] *m* Zauberer; *ce n'est pas très* **~ier** *(umg)* das ist kein Kunststück; **~ière** [-sjɛːr] *f* Hexe, Zauberin

sordi|de [sɔrdid] *a. fig* schmutzig, schmierig; schäbig

sornettes [sɔrnɛt] *fpl* alberne Rederei, Geschwätz, Quatsch

sort [sɔːr] *m* Schicksal, Los, Geschick; *tirer au* ~ *losen* ◆ *le* ~ *en est jeté* d. Würfel sind gefallen

sortable [sɔrtạbl] *umg* angemessen, standesgemäß; *il n'est pas* ~ man kann s. mit ihm nicht sehen lassen

sortant [sɔrtɑ̃] *adj* (aus dem Amt) scheidend

sorte [sɔrt] *f* Art; Sorte; Weise; *de la* ~ so; *homme de sa* ~ Mann s-s Schlages; *toutes* ~*s de* allerlei; *une* ~ *de* so etw. wie; *en quelque* ~ gewissermaßen; *de* ~ *que* so daß

sortie [sɔrti] *f* Ausgang, -fahrt, -stieg; ⚡ Nutz-, Ausgangsleistung; ⚓, 💲 Abgang; *com* Ausfuhr; *mil, fig* Ausfall; Ausfallstraße; ~ *d'air* Luftaustritt; ~ *de bain* Bademantel; ~ *imprimante* EDV Schreibsteuerungsausgang; *se ménager une (porte de)* ~ sich e-e Hintertür offenhalten

sortilège [sɔrtilɛːʒ] *m* Zauber(ei)

sortir [sɔrtiːr] *29* heraus-(hinaus-)gehen, -bringen, -führen *usw.;* spazieren gehen, ausgehen; *(Buch)* veröffentlichen; aus d. Tasche ziehen; abstammen *(de* von); herausragen *(de* aus); *(vom Tisch)* aufstehen; *(Schule)* besucht haben; *com* auf d. Markt bringen; *au* ~ *de* beim Verlassen…; *am Ende von*…; *il en sort de bonnes (umg)* d. erzählt vielleicht Sachen; ~ *de son rôle* aus d. Rolle fallen, *cela ne me sort pas de la tête* das will mir nicht aus d. Kopf; *ne pas* ~ *de là* auf s-r Meinung bestehen; *se* ~ *d'un mauvais pas (umg)* s. aus d. Klemme ziehen

sosie [sozi] *m* Doppelgänger

sot [so] *114* dumm; *m* Dummkopf; ~ *en trois lettres* Erzdummkopf; **~l'y-laisse** [sɔlilɛs] *m* *100* Bürzel; **~tise** [sɔtiːz] *f* Dummheit; *dire des* ~*tises à qn* j-n beschimpfen

sou [su] *m* Sou; *cent* ~*s* 5 Franken ◆ *affaire de gros* ~*s* da geht es um viel Geld; *des* ~*s (umg)* Geld her!; *n'avoir pas le* ~ *(umg)* nicht bei Kasse sein; *homme près de ses* ~*s* Pfennigfuchser; *machine à* ~*s* Spielautomat; *propre comme un* ~ *neuf* wie aus d. Ei gepellt; *payer* ~ *à* ~ Pfennig für Pfennig bezahlen

soubassement [subạsmɑ̃] *m* 🏛 Unterbau; Grundmauer, Sockel; 🚗 Fahrzeugboden

soubresaut [subrəso] *m (Pferd)* Sprung; Ruck; Zuckung; Schock

soubrette [subrɛt] *f* (🎭 *a. allg*) Zofe

souche [suʃ] *f* Baumstumpf; *(Eintrittskarte)* Kontrolabschnitt; Ahn, Stammvater; Ursprung; *faire* ~ Nachkommen haben

souci[1] [susi] *m* Ringelblume; ~ *d'eau* Sumpfdotterblume

souci[2] [susi] *m* Sorge; Besorgnis, Kummer; *vivre sans* ~ s. keine Sorgen machen, unbekümmert sein; *en* ~ in Sorge *(de* um); *c'est là le cadet (le moindre) de mes* ~*s (umg)* das ist m-e geringste Sorge; **~er** [-sje]: *se* ~*er* s. kümmern, s. sorgen *(de* um); *je ne me* ~*e guère de*… ich lege wenig Wert auf…; **~eux** [-sjø] *111* sorgenvoll, bekümmert

soucoupe [sukụp] *f* Untertasse, -satz; ~ *volante* fliegende Untertasse

soudage [sudạʒ] *m* 🔧 Schweißen; Löten; ~ *électrique* Elektroschw.; ~ *par joints* Nahtschw.

soudain [sudɛ̃] *109 (a. adv)* plötzlich, schnell, unvermittelt; **~ement** [-dɛnmɑ̃] schlagartig, augenblicklich, sofort

Soudan [sudɑ̃]: *le* ~ d. Sudan; **~ais** [-danɛ] *108,* **~ien** [-danjɛ̃] *118* sudanesisch; **~ais** *m* Sudanese

soudard [sudạːr] *m pej* Haudegen

soude [sud] *f* Soda, Natriumkarbonat; ~ *caustique* Natriumhydroxid, Ätznatron; *cristaux de* ~ Kristallsoda

soud|er [sude] löten; schweißen; *fer à* ~*er* Lötkolben; *lampe à* ~*er* Lötlampe; *se* ~*er (biol, geol)* zus.wachsen; **~oyer** [-dwaje] *5* dingen; **~ure** [-dyːr] *f* Löten; Schweißen; Löt-, Schweißstelle, Schweißnaht; *fig* Übergang, Überbrückung; Übergangslösung, vorläufige Regelung

souffl|age [suflạʒ] *m* (Glas-)Blasen; **~ante** [-flɑ̃t] *f* ⚙ Gebläse; **~e** [sufl] *m* Hauch; Atem(zug); *(Wind)* Wehen; *(Explosion)* Luftdruck; *fig* Eingebung; *second* ~*e* Überwindung der Krise, Wiederaufschwung; *onde de* ~ Druckwelle; *retenir son* ~*e* d. Atem anhalten; *être à bout de* ~*e (a. fig)* außer Atem sein; *couper le* ~*e à qn* j-m d. Atem verschlagen; **~é** [-fle] *m* Soufflé, Eierauflauf; **~er** [-fle] (weg-, aus-)blasen; wehen; ⚓ soufflieren; verschnaufen; pusten, keuchen; *(Feuer, Streit)* anfachen, schüren; *fig* inspirieren, eingeben; ~*er à qn* j-m vorsagen; ~*er qch à qn* j-m etw. wegschnappen; ~*er qch à l'oreille de qn* j-m etw. zuflüstern; ~*er à l'orgue (Orgel)* d. Blasebalg treten ◆ ~*er le chaud et le froid* zweierlei Reden führen; *ne* ~ *mot* kein Sterbenswörtchen sagen; *ils n'osent* ~*er* sie mucksen s. nicht; *il m'a soufflé (umg)* da blieb mir die Spucke weg; **~erie** [-flərị] *f (Orgel)* Blasewerk; Gebläse; ~*erie aérodynamique* Windkanal; **~et** [-flɛ] *m* Blasebalg; *a. fig* Ohrfeige; **~eter** [-flə̣te] *10* ohrfeigen; **~eur** [-flœːr] *m* Glasbläser; ⚓ Souffleur; **~euse** [-fløːz] *f* ⚓ Souffleuse; ⚙ Gebläse; Ventilator; **~ure** [-flyːr] *f* ⚙ Gaseinschuß; Gasblase

souffr|ance [sufrɑ̃s] *f* Leiden, Schmerz; *en* ~*ance* unerledigt; überfällig; *(Gepäck)* nicht abgeholt; *(Wechsel)* notleidend; **~ant** [-frɑ̃] *108* leidend; unpäßlich; kränklich; **~e-douleur** [-frədulœːr] *m 100* Prügelknabe; **~eteux** [-frətø̣] *111* (not)leidend; kränklich

souffrir [sufriːr] *28* leiden *(de an, unter)*; erdulden, ertragen; hinnehmen, einstecken; gestatten; beschädigt werden; ~ *de la tête* Kopfschmerzen haben; *ne pouvoir* ~ *qn* j-n nicht ausstehen können; *ne* ~ *aucun retard* k-n Aufschub dulden

soufr|e [sufr] *m* Schwefel; **~er** [-frẹ] (ein)schwefeln

souhait [swɛ] *m* Wunsch; *à* ~ nach Wunsch; *à vos* ~*s!* Gesundheit!; **~able** [swɛtạbl] wünschenswert; **~er** [swɛtẹ] wünschen; ~*er la bienvenue à qn* j-n willkommen heißen

souill|er [suje] *a. fig* beschmutzen *(de* mit); verunreinigen; besudeln; **~on** [-jɔ̃] *f umg* Schmutzfink; **~ure** [-jyːr] *f (a. fig)* Flecken; Verunreinigung; (Ver-)Anschmutzung; Beflekkung; Schandfleck

souk [suk] *m* arabischer Markt; *umg* Durcheinander, Unordnung

soûl (*a.* **saoul**) [su] *108* betrunken (sein); ~ *comme une bourrique (umg)* stockbesoffen; *dormir tout son* ~ s. richtig ausschlafen

soulag|ement [sulaʒmᾶ] *m* Erleichterung; Linderung; ~**er** [-ʒe] *14 (a. fig)* erleichtern; lindern; entlasten; ~*er qn de qch (pop)* j-m etw. abknöpfen; *se* ~*er (umg)* s-e Notdurft verrichten

soûl|ard, ~**aud** [sulạːr, -lọ] *m pop* Säufer, Trunkenbold, Schnapsbruder, durstige Seele, Pichler; ~**er** [-le] (*umg, a. fig*) übersättigen; berauschen; *se* ~*er (pop)* s. besaufen, tanken; e-n zischen; s. vollaufen lassen

soul|èvement [sulɛvmᾶ] *m* Auf-(Hoch-)heben; Aufstand, Erhebung; ~**ever** [sulve] *8* auf-(hoch-)heben, -nehmen; aufwiegeln, in Aufruhr versetzen; *umg* klauen, stibitzen, abstauben; ~*ever le cœur (umg)* Ekel erregen; ~*ever une question* e-e Frage aufwerfen, anschneiden; *se* ~*ever* s. erheben, s. empören

soulier [sulje] *m* Schuh; *gros* ~*s de marche* Wanderstiefel; *-schuhe* ♦ *être dans ses petits* ~*s* in Verlegenheit sein

souligner [suliɲe] *a. fig* unterstreichen; hervorheben; betonen

soulographie [sulɔgrafi] *f umg* Besäufnis

soulte [sult] *f* Zuzahlung, Ausgleichszahlung

sou|mettre [sumɛtr] *72* unterwerfen; unterbreiten; *(z. Prüfung)* vorlegen; *se* ~*mettre* nachgeben, s. geschlagen geben; ~**mis** [-mi] *108* unterwürfig, fügsam; ~*mis à une autorisation* genehmigungspflichtig; ~**mission** [-misjɔ̃] *f* Unterwerfung; Unterwürfigkeit, Fügsamkeit; *com (bei Ausschreibung)* schriftl. Angebot, Submission; ~**missionnaire** [-misjɔnɛːr] *m* Bieter, Bewerber, Submittent; ~**missionner** [-misjɔne] e. Angebot machen *(bei e-r Ausschreibung)*

soupape [supạp] *f (a. fig)* Ventil

soupçon [supsɔ̃] *m* Verdacht, Argwohn; *un* ~ *de (umg)* ein bißchen, ganz wenig; ~**ner** [-sɔne] verdächtigen *(de qch e-r Sache)*; *être* ~*né de* in Verdacht stehen, zu; ~**neux** [-sɔnø] *111* argwöhnisch, mißtrauisch

soupe [sup] *f* Suppe; *pop* Essen; *à la* ~*!* zu Tisch!; ~ *populaire* Volksküche; *corvée de* ~ *(mil)* Essenholen; *monter comme une* ~ *au lait* leicht aufbrausen

soupente [supᾶt] *f* Verschlag; Hängeboden

soup|er [supe] *1.* zu Abend essen ♦ *avoir* ~*é d'une chose (umg)* d. Nase voll haben von etw.; *2. m* Nachtessen *(z. B. nach d. Theater)*; *(Belgien u. Schweiz)* Abendessen

soupeser [supəze] *8* in d. Hand wiegen; *fig* erwägen

soupière [supjɛːr] *f* Suppenschüssel, Terrine

soupir [supiːr] *m 1.* Seufzer; *pousser des* ~*s* seufzen; *rendre le dernier* ~ sein Leben aushauchen; *2.* ♪ Viertelpause; ~**ail** [-piraj] *m 90* Kellerfenster; ~**ant** [-pjᾶ] *m umg* Verehrer; ~**er** [-pje] seufzen; schmachten, s. sehnen *(pour qn, après qch* nach j-m, etw.)

soupl|e [supl] geschmeidig; gelenkig; biegsam;

fig anpassungsfähig; fügsam; ~**esse** [-plɛs] *f* Geschmeidigkeit; Gelenkigkeit; Biegsamkeit; Anpassungsfähigkeit; Fügsamkeit; Unterwürfigkeit

souquer [suke] *6* ⚓ anholen; *a. fig* s. in d. Riemen legen

sourc|e [surs] *f (a. fig)* Quelle; Quell; ~ *d'énergie* Energiequelle; ~ *d'information* Informationsq.; ~ *e minérale,* ~ *e thermale* Heilquelle; *de bonne* ~ *e* von gut unterrichteter Seite; *de* ~*e autorisée* aus amtlicher Quelle; *être la* ~ *e de* Ursache sein für; *prendre sa* ~ *e* entspringen ♦ *cela coule de* ~ *e* das geht wie geschmiert; ~**ier** [-sje] *m* Quellensucher, Wünschelrutengänger

sourcil [sursi] *m* Augenbraue; ~**ler** [-sije]: *sans* ~*ler* ohne mit d. Wimper zu zucken, ohne e-e Miene zu verziehen; ~**leux** [-sijø] *111* hochmütig, streng; *(Stirn)* sorgenvoll

sourd [suːr] *1. 108* taub *(de* gegen); *(Lärm, Stimme, Schmerz)* dumpf; *ling* stimmlos; *fig* unempfindlich; ~ *comme un pot* stocktaub; *lanterne* ~*e* Blendlaterne; *faire la* ~*e oreille* s. taub stellen; *2. m* Tauber; *crier comme un* ~ wie ein Besessener schreien; *frapper comme un* ~ blind drauflosschlagen; ~**ine** [surdin] *f* ♪ Dämpfer; *en* ~*ine* leise, heimlich; *mettre en* ~*ine* ⚓ auf Zimmerlautstärke stellen; ~-**muet** [surmɥɛ] *108, 114* taubstumm; *m 97* Taubstummer

sourdre [surdr] *a. fig* hervorquellen, entspringen

souric|eau [surisjo] *m* Mäuschen; ~**ière** [-sjɛːr] *f* Mausefalle; ♪ Falle

sour|ire [suriːr] *1. 82* lächeln; *(de* über); anlächeln *(à qn* j-n); zulächeln *(à qn* j-m); ~*ire de qn* s. über j-n lustig machen; *cette idée ne lui sourit guère* dieser Gedanke mißfällt ihm; *la fortune lui* ~*it* d. Glück ist ihm hold; *2. m* Lächeln; *avec le* ~*ire* freudig, bereitwillig

souris [suri] *f* Maus; *umg* junges weibliches Wesen; *il se cacherait dans un trou de* ~ er hat e-e Heidenangst; *on entendrait trotter une* ~ man könnte e-e Stecknadel fallen hören

sournois [surnwạ] *108* heimtückisch, hinterhältig, verschlagen, versteckt, hintertückisch; falsch; ~**ement** [-nwazmᾶ] heimlich; ~**erie** [-nwazri] *f* heimtückisches Wesen; heimtückischer Streich

sous [su] unter(halb); während; binnen; ~ *clef* eingeschlossen; ~ *le coup de la colère* vor Zorn; *agir* ~ *main* heimlich handeln; ~ *la main* bei d. Hand, in Reichweite; ~ *peu* demnächst; ~ *presse* 🕮 im Druck; ~ *quinzaine* binnen 14 Tagen; ~ *ce rapport* in dieser Hinsicht; ~ *la quatrième République* zur Zeit d. 4. Republik; *(déclarer, déposer)* ~ *serment* unter Eid (erklären, aussagen); *passer* ~ *silence* verschweigen; *mettre qch* ~ *les yeux de qn* j-m etw. vorlegen; ~-**alimenté** [suzalimᾶte] unterernährt; ~-**bois** [-bwa] *m 100* Unterholz; ~-**commission** [-kɔmisjɔ̃] *f 99 (pol)* Unterausschuß; ~**cripteur** [-skriptœːr] *m com* Zeichner; *(Wechsel)* Aussteller; 🕮 Subskribent; ~**cription** [-skripsjɔ̃] *f com*

Zeichnung; ⟦ Subskription; ~crire [-skrịːr] 67 unterzeichnen; ⟦ subskribieren (pour auf); ~crire à un emprunt e-e Anleihe zeichnen; ~cutané [-kytanẹ] ⚕ unter d. Haut; ~développé [-devlɔpẹ] 99 unterentwickelt; ~emploi [suzãplwa] m Unterbeschäftigung; ~ensemble [-zãsãbl] m math Teilmenge; (Unter-)Gruppe; ~entendre [suzãtãdr] 76 mit darunter verstehen; ~entendu [suzãtãdy] nicht ausgedrückt; m 99 Anspielung, Hintergedanke; parler par ~entendus sich in Anspielungen ergehen; ~estimation [suzɛstimasjɔ̃] f 99 Unterschätzung; com Unterbewertung; ~estimer [suzɛstimẹ] unterschätzen; ~exposer [suzɛkspozẹ] ⬙ unterbelichten; ~fifre [-fịfr] m 99 umg Hilfsschreiber; ~jacent [-ʒasã] 108 darunterliegend; ~jupe [-ʒyp] f 99 Unterkleid; ~lieutenant [-ljøtnã] m 99 Leutnant; ~locataire [-lɔkatẹːr] m 99 Untermieter; ~location [-lɔkasjɔ̃] f 99 Untervermietung; ~louer [-lwẹ] untervermieten; ~main [-mɛ̃] m 100 Schreibunterlage; en ~main heimlich; ~marin [-marẽ] 109 unterseeisch; m 99 Unterseeboot; ~multiple [-myltipl] m Bruchteil; ~œuvre [suzœːvr] m 99 Unterbau; Fundament; ~officier [suzɔfisjẹ] m 99 Unteroffizier; ~ordre [suzɔrdr] m 99 Untergebener; ~pied [-pjẹ] m 99 (Hose) Steg; ~préfet [-prefẹ] m 99 oberster Verwaltungsbeamter e-s Arrondissements; ~produit [-prɔdɥi] m 99 ✿ Neben-(Abfall-)Erzeunis; ~programme [-prɔgram] m EDV Teilprogramm; Befehlssequenz; ~secrétaire [-sɔkretẹːr] m 99: ~secrétaire d'État Unterstaatssekretär; ~seing [-sẽ] m 99: acte ~seing privé 🗟 Privaturkunde; ~signé [-siɲẹ] m Unterzeichner; ~sol [-sɔl] m 99 ⚒ Untergrund; Untergeschoß; richesses du ~ ~ Bodenschätze; ~station [-stasjɔ̃] f 99 ⚡ Umspannwerk; ~titre [-tịtr] m 99 Untertitel; ~traction [sustraksjɔ̃] f Subtraktion; Unterschlagung; ~traire [sustrẹːr] 66 subtrahieren; unterschlagen; entziehen; ~traitance [-trɛtãs] f Zulieferung; Lohnveredelung; ~traitant [-trɛtã] m 99 Unterlieferant, Zulieferer, Subunternehmer; ~ventrière [-vãtriẹːr] f 99 (Pferd) Bauchgurt; ~verre [-vɛːr] m 99 Untersetzer; ~vêtement [-vɛtmã] m 99 Unterkleidung, -wäsche

soutache [sutaʃ] f Tresse, Litze

soutane [sutan] f Sutane

soute [sut] f Bunker; Tank; Vorratslager; Laderaum; ⚓ Kammer; ~(à charbon) ⚓ Kohlenbunker; ~ à fret ✈ Frachtraum

souten|able [sutnabl] erträglich; (Meinung) haltbar; ~ance [-nãs] f: ~ance de thèse öffentl. Diskussion e-r Habilitationsschrift; ~eur [-nœːr] m Zuhälter; ~ir [-nịːr] 30 stützen; ertragen, aushalten; (aufrecht)halten; verteidigen, schützen; unterstützen; behaupten; se ~ir s. (aufrecht) halten; s. gegenseitig beistehen

sou|terrain [sutɛrẽ] 1. 109 unterirdisch; voies ~terraines Schleichwege; 2. m unterird. Gang; ~tien [-tjẽ] m (a. fig) Stütze; Rückhalt; Unterstützung; Versorgung; ~tien de famille Ernährer (d. Familie); Sohn, Mutter od Vater,

die od der für d. Unterhalt d. Familie aufkommt; ~tien logistique mil Versorgung (e-s Verbandes); ~tien-gorge [-tjẽgɔrʒ] m 98 Büstenhalter, B. H.

soutier [sutjẹ] m ⚓ Trimmer; Ladungsmeister

soutirer [sutirẹ] (Flüssigkeit) umfüllen, abziehen; ~ de l'argent à qn (umg) j-m Geld abknöpfen

souvenir [suvnịːr] 1. 30: se ~ sich erinnern (de an); s. besinnen (de auf); 2. m Erinnerung; (a. Gegenstand) Andenken

souvent [suvã] oft; assez ~ nicht selten; le plus ~ meistens; plus ~! (umg) niemals!

souverain [suvrẽ] 1. 109 höchst; überlegen; unanfechtbar; pol souverän; maître ~ unumschränkter Herr; ~ mépris tiefste Verachtung; remède ~ unfehlbares Mittel; le ~ pontife d. Papst; 2. m Herrscher, Gebieter; Fürst; ~eté [-rɛntẹ] f (a. fig) höchste Gewalt; Souveränität; Hoheit(sgebiet); ~eté territoriale Gebietshoheit

sovi|et [sɔvjɛt] m Sowjet; ~étique [-vjetịk] sowjetisch

soya [sɔja] m Soja(bohne)

soyeux [swajø] 111 seidig; m Seiden-(waren)fabrikant, -händler

spacieux [spasjø] 111 geräumig

spadassin [spadasẽ] gedungener Mörder

sparadrap [sparadra] m Heftpflaster

spasm|e [spasm] m ⚕ Krampf; Verkrampfung; ~odique [-mɔdịk] ⚕ krampfartig

spath [spat] m (Feld-)Spat

spatial [spasjal] 124 räumlich; Raum...

spatule [spatyl] f Spa(ch)tel, Rührholz; orn Löffelreiher

speaker [spikœːr] m 🖭 Ansager; ~ine [-krịn] f 🖭 Ansagerin

spécial [spesjal] 124 besonder, speziell; Sonder...; armes ~es ABC-Waffen; édition ~ Extrablatt; train ~ Sonderzug; ~ement [-sjalmã] besonders; ~isation [-lizasjɔ̃] f Spezialisierung; ~iser [-lizẹ] spezialisieren; genau angeben; ouvrier ~isé angelernter Arbeiter; ~iste [-lịst] Fach...; m (a. ⚕) Spezialist; ~ité [-litẹ] f Besonderheit, Eigentümlichkeit; Spezialität; Fachrichtung; ~ités pharmaceutiques Arzneimittel, Pharmaka

spéci|eux [spesjø] 111 Schein...; argument ~eux Scheingrund; ~fication [-fikasjɔ̃] f (nähere) Angabe, Einzelaufzählung; com Art-, Mengen- u. Preisbestimmung (bei Waren); 🗟 Eigentumserwerb durch Verarbeitung; ~ficité [-fisitẹ] f Besonderheit; ~fier [-sifjẹ] einzeln in Betracht ziehen, aufführen; ~fique [-sifịk] spezifisch; biol arteigen; m ⚕ spez. Mittel; ~men [-simẹn] m 102 Muster; Warenprobe; adj: numéro ~men (journ) Probenummer

spect|acle [spɛtakl] m Anblick; a. fig Schauspiel; ▼ Vorstellung; salle de ~acle Theatersaal; pièce à (grand) ~acle Ausstattungsstück; se donner en ~acle s. zur Schau stellen; ~aculaire [-takylɛːr] wirkungsvoll; aufsehenerregend; ~ateur [-tatœːr] m Zuschauer; ~ral [-tral] 124 gespenstisch; phys Spektral...; ~re [spɛktr] m Gespenst; phys Spektrum; Feldlinienbild

spécul|ateur [spekylatœːr] *m* Spekulant; **~atif** [-latịf] *112* theoretisch; spekulativ; **~ation** [-lasjɔ̃] *f (phil, com)* Spekulation; Theorie; **~er** [-le] *phil, com* spekulieren (*sur* auf); *~er sur la crédulité d'autrui* mit d. Leichtgläubigkeit anderer Leute rechnen

spéléologie [speleɔlɔʒi] *f* Höhlenforschung

sperm|e [spɛrm] *m biol* Samen(flüssigkeit), Sperma; **~icide** [-misịd] *adj* samenabtötend, empfängnisverhütend

sphère [sfɛːr] *f math* Kugel; Sphäre; (Einfluß-, Wirkungs-)Bereich

sphér|icité [sferisite] *f* Kugelgestalt; **~ique** [-rịk] kugelförmig; *m* Ballon

sphinx [sfɛ̃ks] *m* Sphinx; *zool* Nachtfalter, Schwärmer

spider [spidɛːr] *m* 🚗 Notsitz

spin [spin] *m* Drehimpuls

spinal [spinạl] *124 anat* Rückgrat...

spiral [spirạl] *124* spiralförmig; *m (Uhr)* Spiralfeder; **~e** [-rạl] *f* Spirale; *~e des prix et des salaires* Preis-Lohn-Spirale

spire [spiːr] *f* ⚡ Wickelung; Windung

spirit|e [spirịt] spiritistisch; *m* Spiritist; **~uel** [-ritɥɛl] *115* geistig; geistlich; geistreich; **~ueux** [-ritɥø] *111* alkoholisch; *mpl* geistige Getränke, Spirituosen

spleen [spliːn] *m* Schwermut; Lebensüberdruß

splend|eur [splɑ̃dœːr] *f (a. fig)* Glanz, Herrlichkeit, Pracht; **~ide** [-dịd] *a. fig* glänzend, prachtvoll

spoli|ation [spɔljasjɔ̃] *f* Beraubung; **~er** [-je] berauben

spongieux [spɔ̃ʒjø] *111* schwammig

sponsor [spɔnsɔr] *m* Gönner, Förderer, Geldgeber

spontané [spɔ̃tane] spontan, unkontrolliert, wild; freiwillig; unwillkürlich; *génération ~e (biol)* Urzeugung; **~ité** [-neite] *f* Spontaneität; **~ment** [-nemɑ̃] aus freiem Antrieb

spor|adique [spɔradịk] vereinzelt (vorkommend); sporadisch; **~e** [spɔːr] *f bot* Spore

sport [spɔːr] *m* Sport; *pl* Sportarten; *~ collectif* Mannschaftssport; *~ de compétition* Leistungssp.; *faire du ~* Sport treiben ♦ *il y aura du ~ (umg)* es wird noch etwas setzen; **~if** [spɔrtịf] **1.** *112* sportlich; *manifestation ~ive* Sportveranstaltung; **2.** *m* Sportler

spot [spɔt] *m phys* Leuchtfleck; Punktlicht; *com* (Werbe-)Spot, Werbekurzfilm; eingeblendeter Werbetext

spray [sprɛ] *m* Spray *n*; Zerstäuber; Sprühflüssigkeit

sprint [sprint] *m* Endspurt; **~er** [-tœːr] *m* Kurzstreckenläufer; **~er** [-te] spurten

squale [skwal] *m* Hai(fisch)

squam|e [skwam] *f* Schuppe; **~eux** [skwamø] *111 (a. 🐟)* schuppig

square [skwaːr] *m* Platz mit Grünflächen

squatter [skwatœːr] *m* Hausbesetzer; **~isation** [-siasjɔ̃] *f* Hausbesetzung

squelett|e [skəlɛt] *m* Skelett, Gerippe; Knochengerüst; ✿ inneres Gerüst; **~ique** [-letịk] abgemagert

sta|bilisateur [stabilizatœːr] *m* ✝ Dämpfungsfläche, Stabilisator; **~bilisation** [-bilizasjɔ̃] *f* Stabilisierung, Festigung; **~biliser** [-bilize] stabilisieren, festigen; **~bilité** [-bilite] *f* Stabilität, Haltbarkeit; Standfestigkeit; Dauerhaftigkeit; *a. chem* Beständigkeit; **~ble** [stabl] fest, stabil; standfest; dauerhaft; *a. chem* beständig

stade [stad] *m* Stadium, Entwicklungsstufe, Abschnitt; 🏃 Stadion, Sportplatz, Kampfbahn; *~ d'alerte* Alarmstufe; *à un ~ avancé* in fortgeschrittenem Stadium

stag|e [staːʒ] *m* Studienaufenthalt; Lehrgang; Volontärzeit; Vorbereitungsdienst; Praktikum; **~iaire** [staʒjɛːr] *m* Lehrgangsteilnehmer; Berufsanwärter; Praktikant, Volontär; 🏛 Referendar

stagflation [stagflasjɔ̃] *f* Stagflation, von wirtschaftlicher Flaute begleitete Inflation

stagn|ant [stagnɑ̃] *108* (still)stehend; *com* flau, stagnierend, **~ation** [-nasjɔ̃] *f* Stillstand; Stagnieren; Stockung; *com* Flaute

stal|actite [stalaktịt] *m* Stalaktit, (hängender) Tropfstein; **~agmite** [-agmịt] *m* Stalagmit, (stehender) Tropfstein

stalle [stal] *f* Chorstuhl; ♟ Sperrsitz; Pferdebox

stand [stɑ̃d] *m* (Ausstellungs-)Stand; Schießstand; **~ard** [-daːr] *m* Standard(typ); Telefon-(Haus-)Zentrale; **~ardisation** [-dardizasjɔ̃] ✿ Normung; **~ardiser** [-dardize] ✿ normen; **~ardiste** [-dardịst] *f* Telefonistin; **~ing** [stɑ̃diŋ] *m umg* Komfort, hoher Lebensstandard; großzügiger Stil; (gesellschafl.) Stellung; Rang, Ansehen, Name, Prestige

star [staːr] *f* Star *m*, gefeierte Filmgröße

starie [starị] *f* ⚓ Liegetage

starter [startẹ] **1.** 🏃 starten; **2.** [startœːr] *m* 🏃 Starter; 🚗 Kaltstarter, Luftklappe

stat|ion [stasjɔ̃] *f* aufrechter Stand; *a. bot* Stand(ort); Aufenthalt; Station; Bahnhof; *~ion balnéaire* Seebad; *~ion climatique* Luftkurort; *~ion (hydro-)électrique* (Wasser-)Kraftwerk; *~ion d'émission* 📻 Sendestelle; *~ion météorologique* Wetterwarte; *~ion-service* Tankstelle (mit Einkaufsmöglichkeit); *~ion thermale* Badeort; **~ionnaire** [-sjɔnɛːr] gleichbleibend; **~ionnement** [-sjɔnmã] *m* Stehenbleiben; 🚗 Parken; *~ionnement interdit* Parkverbot; *feu de ~ionnement* 🚗 Parkleuchte; **~ionner** [-sjɔne] stehenbleiben; 🚗 parken; **~ique** [statịk] statisch; *f* Statik; **~isticien** [statistisjẽ] *m* Statistiker; **~istique** [statistịk] statistisch; *f* Statistik; *~istique des accidents* Unfallst.; *~istique démographique* Bevölkerungsst.; **~or** [statɔr] *m* ⚡ Stator, Ständer

statu|aire [statɥɛːr] *m* Bildhauer; *f* Bildhauerkunst; **~ue** [-tɥ] *f* Statue, Standbild; **~uer** [-tɥe] bestimmen, entscheiden; *surseoir à ~uer* e-e Entscheidung aussetzen; **~ufier** [-tyfje] e. Standbild errichten (*qn* j-m)

stat|ure [statyːr] *f (Mensch, Tier)* Größe; Gestalt; **~ut** [-tɥ] *m* (🏛, *pol*) Rechtsstellung; (Rechts-)Status; *mpl* (Gesellschafts-)Satzung; **~utaire** [-tytɛːr] satzungsgemäß

steamer [stimœːr] *m* Dampfer...

stéar|ine [stearịn] *f* Stearin

stellaire [stɛllɛːr] Stern(en)...

stencil [stɛnsil] m *(Büro)* Matrize

sténo|dactylo(graphe) [stenɔdaktilɔgraf] f Stenotypistin; **~graphie** [-grafi] f Kurzschrift; **~typie** [-tipi] f Maschinenstenographie

steppe [stɛp] f Steppe

stère [stɛːr] m Ster, Raummeter

stéréo [stereo] f Stereophonie, Stereo; **~phonie** [stereofɔni] f Raumton; **~scope** [-skɔp] m Stereoskop; **~typé** [-tipe] stereotyp; *formule ~typée* feststehende Wendung

stéril|e [steril] steril; *a.* 🜊 unfruchtbar; *(geistig)* unproduktiv, unergiebig; **~et** [-lɛ] m Intrauterinschleife; **~isation** [-rilizasjɔ̃] f Sterilisierung; **~isé** [-rilize] keimfrei; **~iser** [-rilize] sterilisieren, keimfrei machen; *fig* verkümmern lassen; **~ité** [-rilite] f Sterilität; Unfruchtbarkeit; *fig* Unergiebigkeit

sternum [stɛrnɔm] m *anat* Brustbein

stéthoscope [stetɔskɔp] m 🜊 Hörrohr

stigmat|e [stigmat] m *rel* Wundmal; 🜊, *bot* Narbe; *fig* Schandmal; **~iser** [-matize] *a.* *fig* brandmarken

stimul|ant [stimylɑ̃] *108 (a. fig)* anregend; m *(a. fig)* Anregungs-(Reiz-)Mittel; **~ation** [-lasjɔ̃] f *(a. fig)* Anregung; **~er** [-le] *(a. fig)* anregen; anstacheln

stipendié [stipɑ̃dje] bestochen

stipul|ation [stipylasjɔ̃] f 💰 (vertragsmäßige) Abmachung, (Vertrags-)Klausel, Vereinbarung; **~er** [-le] *(a.* vertraglich) abmachen, festlegen, vereinbaren, (im Vertrag) vorsehen

stock [stɔk] m Warenlager; (Material-)Bestand; **~age** [stɔkaːʒ] m Lagerung; **~er** [stɔke] (ein)lagern; speichern; **~iste** [-kist] Lagerhalter; Kaufmann mit Warenlager

stoï|cien [stɔisjɛ̃] *118* stoisch; m Stoiker; **~que** [stɔik] stoisch; unerschütterlich

stolon [stɔlɔ̃] m *bot* Ausläufer, Ranke

stomacal [stɔmakal] *124* Magen...

stomatite [stɔmatit] f Mundfäule

stop! [stɔp] stop!, halt!; m Stopp m, Halt; Stockung; ⛕ Sperrung; 🚗 Bremslicht; Autostopp; Halteschild

stoppage [stɔpaːʒ] m Kunststopfen

stopper¹ [stɔpe] stoppen; anhalten; aufhalten; zum Stehen bringen, Einhalt gebieten

stopp|er² [stɔpe] kunststopfen; **~euse** [-pøːz] f Kunststopferin

store [stɔːr] m (Fenster-)Rollvorhang, Store

strabisme [strabism] m 🜊 Schielen

strangulation [strɑ̃gylasjɔ̃] f Erdrosselung; *mort par ~* Tod durch d. Strang

strapontin [strapɔ̃tɛ̃] m Klappsitz

strass [stras] m Straß; *fig* falscher Glanz

strat|agème [strataʒɛm] m List; **~ege** [-tɛʒ] m Stratege; **~ège du Café du Commerce** Stammtischpolitiker; **~égie** [-teʒi] f *(a. fig)* Strategie; **~égique** [-teʒik] strategisch; kriegswichtig

strati|fication [stratifikasjɔ̃] f *(bes geol)* Schichtenbildung; Schichtung; **~fier** [-fje] schichten

stratosphère [stratɔsfɛːr] f Stratosphäre

stress [strɛs] m Streß, Belastung; **~sant** [-sɑ̃] *adj* streßerzeugend

strict [strikt] peinlich genau; streng; *le ~ nécessaire* das Allernotwendigste

strid|ent [stridɑ̃] *108* gellend, schrill; **~ulant** [-dylɑ̃] *108* zirpend

stri|e [stri] f Streifen; Rille; Schramme; **~é** [strie] gestreift; geädert

strophe [strɔf] f Strophe

structu|ration [stryktyrasjɔ̃] Strukturierung; Gliederung, Aufteilung; Aufbau; **~re** [strykty:r] f Struktur; (Auf-)Bau, Gliederung; **~re administrative** Verwaltungsorganisation, Behördenaufbau; **~re d'âge** Altersgliederung; **~re sociale** Sozialgefüge

strychnine [striknin] f Strychnin

stuc [styk] m Stuck; **~ateur** [stykatœːr] m Stukkateur, Stuckarbeiter

studi|eux [stydjø] *111* (lern)eifrig, fleißig; **~o** [-djo] m *102* Studio; Atelier; Senderaum; Arbeitszimmer; *(kombiniertes)* Wohn-, Schlaf- u. Eßzimmer; (Einzimmer-)Appartement

stupé|faction [stypefaksjɔ̃] f Verblüffung; **~fait** [-fɛ] *108* verblüfft; **~fiant** [-fjɑ̃] *108* verblüffend; m Rauschgift; **~fier** [-fje] verblüffen

stup|eur [stypœːr] f Verblüffung; Erstarrung; *frapper de ~eur* verblüffen; **~ide** [-pid] dumm; stumpfsinnig; **~idité** [-pidite] f Dummheit; Stumpfsinn; **~re** [stypr] m Ausschweifung

stups [styp] *mpl umg* Rauschgifte, Drogen

styl|e [stil] m Stil; *bot* Griffel; *vieux ~e* altmodisch; **~er** [stile] abrichten, dressieren; anleiten; **~et** [-lɛ] m Stilett, kl. Dolch; Schreiber, Schreibstift; Metallstift; **~iser** [-lize] e-e dekorative Form geben; **~iste** [-list] m Formgestalter, Stylist; *~iste industriel* Designer, industrieller Formgeber; **~istique** [-listik] stilistisch; f Stilistik; **~o** [-lo] m *umg* Füller; *~o à bille* Kugelschreiber; *~o-feutre* Filzstift; **~ographe** [-lɔgraf] m Füllfederhalter; **~ographique** [-lɔgrafik]: *encre ~ographique* Füllhaltertinte

su [sy] m Wissen; *au vu et au ~ de tout le monde* offenkundig, vor aller Augen

suaire [sɥɛːr] m Leichentuch, -hemd

suav|e [sɥaːv] süß, lieblich; **~ité** [sɥavite] f Süße, Lieblichkeit

sub|alterne [sybaltɛrn] untergeordnet; zweitrangig; m Untergebener; kleiner Angestellter; **~conscient** [sybkɔ̃sjɑ̃] unterbewußt; m Unterbewußtsein; **~diviser** [sybdivize] unterteilen; **~division** [sybdivizjɔ̃] f Unterteilung; Unterabteilung; *~division de la chaussée* Fahrtstreifen

sub|ir [sybiːr] 22 ertragen; durchmachen; *~ir un examen* e-e Prüfung ablegen; *~ir un interrogatoire* verhört werden; *~ir une opération* operiert werden; *~ir une peine* e-e Strafe verbüßen; **~it** [-bi] *108* plötzlich, jäh; **~ito** [-bito] *umg* mit e-m Schlag; *~ito presto* s∴hr schnell, ganz plötzlich; **~jectif** [-ʒɛktif] *112* subjektiv; unsachlich; **~jectivité** [-ʒɛktivite] f Subjektivität; Unsachlichkeit; **~jonctif** [-ʒɔ̃ktif] m *ling* Konjunktiv; **~juguer** [-ʒyge] *6* unterjochen, unter s-e Gewalt bringen; in s-n Bann ziehen, für sich einnehmen; **~limation** [-blimasjɔ̃] f *chem* Sublimation; *fig* Sublimierung; **~lime** [-blim] erhaben, verfeinert, fein; **~limer** [-blime] *chem* subliminieren; **~limité** [-blimitę] *f* Erhabenheit; **~merger** [-mɛrʒę] *14 (a. fig)* überschwemmen; unter Wasser setzen; *fig* überrennen; **~mersible** [-mɛrsibl] tauchfähig; *m* Tauchboot; U-Boot; **~mersion** [-mɛrsjɔ̃] *f* Überschwemmung; Untertauchen; **~odorer** [-bdɔre] voraussahnen; vermuten; **~ordination** [-bɔrdinasjɔ̃] *f* Unterordnung, Unterstellung; Dienstgehorsam; **~ordonné** [-bɔrdɔnę] abhängig *(à* von); untergeordnet; *proposition ~ordonnée (ling)* Nebensatz; **~ordonner** [-bɔrdɔnę] unterordnen; richten *(à* nach); **~orner** [-bɔrnę] verführen; *~orner un témoin* e-n Zeugen bestechen; **~orneur** [-bɔrnœːr] *121* verführerisch; **~reptice** [-rɛptis] 🐿 heimlich; verstohlen

subro|gation [sybrɔgasjɔ̃] *f* Eintreten (e-r Person) an die Stelle e-r anderen; **~ger** [-ʒę] Rechte übertragen; **~gé-tuteur** Nebenvormund **sub|séquemment** [sypsekamɑ̃] hernach, darauf; **~side** [-sid] *m* geldl. Unterstützung; **~sidiaire** [-sidjɛːr] Neben...; Hilfs...; **~sistance** [sybzistɑ̃s] *f* Lebensunterhalt; **~sister** [sybzistę] fortbestehen; bestehenbleiben; auskommen *(avec* mit); **~sonique** [-sɔnik] Unterschall...; **~stance** [-stɑ̃s] *f* Substanz, Materie, Material, Stoff; Verpflegung; *fig* Gehalt, eigentlicher Inhalt, das Wichtige; *en ~stance* mit wenigen Worten; im wesentlichen; **~stantiel** [-stɑ̃sjɛl] *115* stofflich; nahrhaft; inhaltsreich; wesentlich; **~stantif** [-stɑ̃tif] *m ling* Substantiv, Hauptwort; **~stituer** [-stitɥę] etw. an d. Stelle setzen *(à* von); ersetzen; **~stitut** [-stity] *m* Stellvertreter; *chem* Ersatzstoff; 🐿 Staatsanwaltsvertreter; **~stitution** [-stitysjɔ̃] *f* Unterschiebung; Austausch; *math* Vertauschung **subterfuge** [sybtɛrfyːʒ] *m* Kunstgriff, Trick; Ausflucht, List **sub|til** [syptil] fein, zart; feingeistig; scharfsinnig, spitzfindig; **~tiliser** [-tilizę] stibitzen; hinters Licht führen; grübeln, tüfteln; *se ~tiliser (umg)* verschwinden; **~tilité** [-tilitę] *f* Feinheit; *(Sinne)* Schärfe; Feingeistigkeit; Schläue, Scharfsinn, Spitzfindigkeit; **~urbain** [-byrbɛ̃] *109* vorstädtisch; Vororts...; **~venir** [-vəniːr] *30* aufkommen, sorgen *(à* für); **~vention** [-vɑ̃sjɔ̃] *f* Subvention, Unterstützung; staatl. Zuschuß; **~ventionner** [-vɑ̃sjɔnę] subventionieren; **~versif** [-vɛrsif] *112* umstürzlerisch; **~version** [-vɛrsjɔ̃] *f* Zersetzung; Umsturz **suc** [syk] *m (Fleisch, Frucht)* Saft; *fig* Kern, Quintessenz **succéd|ané** [syksedanę] *m* Ersatz(mittel); **~er** [-dę] *13* (nach)folgen; (be)erben **succès** [syksɛ] *m* Erfolg, Gelingen; *pièce à ~* 🌑 Zugstück, Reißer; *~ fou (umg)* Bombenerfolg **success|eur** [syksɛsœːr] *m* Nachfolger; Erbe; **~if** [-sif] *112* aufeinanderfolgend; **~ion** [-sjɔ̃] *f* (Ab-, Nach-, Aufeinander-)Folge; Erbfolge; das Erbe; *impôt sur les ~ions* Erbschaftssteuer; **~ivement** [-sivmɑ̃] nacheinander, d. Reihe nach; **~oral** [-sɔral] *124* Erbfolge-. **succinct** [syksɛ̃] *108 (Rede)* kurz und bündig **succomber** [sykɔ̃bę] er-(unter-)liegen; sterben; umkommen

succul|ence [syklɑ̃s] *f* Saftigkeit; Schmackhaftigkeit; **~ent** [sykylɑ̃] *108 (Speise)* saftig; schmackhaft, lecker **succursale** [sykyrsal] *f com* Filiale, Zweiggeschäft, -stelle; *magasin à ~s multiples* Handelskette **suc|er** [sysę] *15 (a. fig)* (an-, aus-, ein-)saugen; lutschen; *se ~er la pomme (pop)* s. abknutschen; **~ette** [-sɛt] *f* Schnuller; Dauerlutscher **suç|oir** [syswaːr] *m (bot, zool)* Saugnapf, -rüssel; **~oter** [-sɔtę] *umg* lutschen **sucr|e** [sykr] *m* Zucker; *~e d'amidon* Stärkez.; *~e de betteraves* Rübenz.; *~e candi* Kandisz.; *~e de canne* Rohrz.; *~en morceaux* Würfelz.; *~e d'orge* Malzz.; Lutscher; *~e en poudre* Puderz.; *~e raffiné* Raffinade; *pain de ~e* Zuckerhut ♦ *casser du ~e sur le dos de qn* über j-n herziehen; **~é** [-krę] süß; *fig* zuckersüß, süßlich; **~er** [-krę] (über-)zuckern; *fig* versüßen; *se ~er (umg)* sein Schäfchen ins trockene bringen; **~erie** [-krəri] *f* Zuckerfabrik; *fpl* Süßwaren, Süßigkeiten; **~ier** [-krię] *m* Zuckerdose **sud** [syd] *m* Süden; *au ~ de* südlich von; **~-est** [sydɛst] *m* Südosten; **~-ouest** [sydwɛst] *m* Südwesten **sud|ation** [sydasjɔ̃] *f* 💲 Schwitzen; **~orifique** [-dɔrifik] 💲 schweißtreibend; **~oripare** [-dɔripaːr]: *glandes ~oripares* Schweißdrüsen **Suède** [sɥɛd]: *la ~* Schweden **suédois** [sɥedwa] *108* schwedisch; **∼m** Schwede **su|ée** [sɥe] *f umg* Wasser; *pop* Angstschweiß; **~er** [sɥe] (aus)schwitzen; *~er à grosses gouttes* in Schweiß geraten; *~er sang et eau* s. abmühen; *se faire ~er* s. langweilen; *tu me fais ~er! (Pop)* du fällst mir auf d. Wecker; **~eur** [sɥœːr] *f* Schweiß; *~eur de l'agonie* Todesschweiß; *à la ~eur de son front* im Schweiße s-s Angesichts **suff|ire** [syfiːr] *84* genügen, ausreichen, gewachsen sein *(à qch* e-r Sache); *il ~it de...* man braucht nur zu...; *se ~ire* auskommen; *niemand brauchen ~à chaque jour ~it sa peine* jeder Tag hat s-e Plage; **~isamment** [-fizamɑ̃] genügend; hinlänglich; sattsam; **~isance** [-fizɑ̃s] *f* ausreichende Menge; Eingebildetheit, Selbstgefälligkeit; *à (od en) ~isance* genug, zur Genüge; **~isant** [-fizɑ̃] *108, 127* genügend, hinlänglich; ausreichend; eingebildet, selbstgefällig; *faire le ~isant* wichtig tun, s. aufspielen; **~ixe** [-fiks] *m* Nachsilbe **suffo|cation** [syfɔkasjɔ̃] *f* Erstickung; Atemnot; **~quer** [-kę] *6 (a. fig)* ersticken; *~ de colère* vor Wut platzen **suffrag|e** [syfraːʒ] *m (Wahl)* Stimme; *~e féminin* Frauenstimmrecht; *~e universel* allgemeines Stimmrecht; *emporter tous les ~es* allgemeine Anerkennung finden; **~ette** [-fraʒɛt] *f* Frauenrechtlerin **sug|gérer** [sygʒerę] *13* nahelegen; anregen, suggerieren; **~gestif** [-ʒɛstif] *112* anregend; anschaulich; *(sinnlich)* aufreizend; **~gestion** [-ʒɛstjɔ̃] *f* Suggestion; Beeinflussung; *(Vor-*

schlag) Anregung; **~gestionner** [-ʒɛstjɔnę] eingeben, einflüstern

suicid|aire [sɥisidɛːr] *adj* Suizid…; suizidal, zum Selbstmord neigend; *conduite ~aire* selbstmörderisches Verhalten, lebensgefährdende Verhaltensweise; *malade mental ~aire* suizidaler Geisteskranker; **~e** [sɥisid] *m* Freitod; Selbstmord; *~e par le feu* Selbstverbrennung; **~é** [-sidę] *m* Selbstmörder; **~er** [-dę] *se ~er* s. d. Leben nehmen; *a. fig* Selbstmord verüben

suie [sɥi] *f* Ruß

suif [sɥif] *m* (Tier-)Fett, Talg

suin|t [sɥɛ̃] *m* ✿ Schweiß; **~tement** [sɥɛ̃tmɑ̃] *m* (Durch-)Sickern; (Aus-)Schwitzen; **~ter** [sɥɛ̃tę] (durch)sickern; *(Faß)* rinnen; *(Wunde)* nässen

Suisse [sɥis] **1.** *m* Schweizer; ≗ schweizerisch; *f: la ~* Schweiz; **2.** ≗ *m* (Kirchen-)Schweizer ♦ *faire* ≗ für sich allein trinken; **~sse** [-sɛs] *f* Schweizerin

suite [sɥit] *f* Folge; Reihe(nfolge); Gefolge; Folgerichtigkeit; *(a. Roman)* Fortsetzung; weiterer Verlauf; ♪ Suite; ♧ Nachkommen; *pl* Nachwirkungen; *de ~* nacheinander; *tout de ~* sofort, gleich; *par ~* infolgedessen; *par ~ de* infolge, entsprechend; *par la ~* in d. Folgezeit; *esprit de ~* Beharrlichkeit; *sans ~* ohne Zus.hang; *pour ~ à donner* z. weiteren Veranlassung; *marcher à la ~ de qn* hinter j-m hergehen

suiv|ant [sɥivɑ̃] **1.** *präp* gemäß, nach, zufolge; entsprechend; entlang; *~ant que* je nachdem; **2.** *108* (nach)folgend; nachstehend; nächst; *au ~ant!* d. Nächste bitte!; *mpl* Gefolge; **~eur** [-vœːr] *m pol* Gefolgsmann; **~i** [sɥivi] *adj* folgerichtig; fortlaufend; zus.hängend; folgerichtig; gut besucht; *com (Ware)* vorrätig; *m* Überwachung, Kontrolle; *com (Kunde)* Betreuung; *~i technique* Auswertung technischer Informationen; **~re** [sɥiːvr] *85 (qch, qn* etw., j-m) folgen *(a. fig);* nachgehen; begleiten; *fig* verfolgen; *(Weg)* gehen; *(Richtung)* einschlagen; *(Kursus)* teilnehmen; *(Mode)* mitmachen; *(Partei)* angehören; *~re une émission* ⊕ regelmäßig hören; *~re le mouvement (umg)* mit d. Strom schwimmen; *~re les traces de qn* in j-s Fußstapfen treten; *~re un traitement* ⚕ s. behandeln lassen; *à ~re* Fortsetzung folgt; *faire ~re!* ✆ (bitte) nachsenden!; *comme (il) suit* wie folgt; *il suit de là que…* daraus folgt, daß…; *se ~re* aufeinanderfolgen

sujet [syʒɛ] **1.** *114* unterworfen; verpflichtet *(à* zu); verbunden *(à* mit); anfällig *(à* für); geneigt *(à* zu); *être ~ à boire z.* Trinken neigen; *~ à caution (Person u. Sachen)* mit Vorsicht zu behandeln; *~ à la déclaration* meldepflichtig; *~ à plusieurs interprétations* mehrdeutig, vieldeutig; **2.** *m* Grund; *(Abhandlung usw.)* Gegenstand; Thema, Motiv; ⚕ Patient; Versuchsperson; Anlaß, Ursache; *ling* Satzgegenstand, Subjekt; *à ce ~* diesbezügl.; in dieser Beziehung; *à quel ~?* aus welchem Grunde?; *au ~ de* betreffend, wegen, über, was… betrifft; *donner ~* Anlaß geben *(à* zu); **3.** *m*

Untertan; *pej* Kerl, Subjekt; *mauvais ~* Taugenichts

sujétion [syʒesjɔ̃] *f (a. pol)* Untertänigkeit; Abhängigkeit; Zwang

sulf|amide [sylfamid] *m* ⚕ Sulfonamid; **~atage** [-fataːʒ] *m* Spritzen *(d. Reben);* **~ate** [-fat] *m* Sulfat; *~ate de cuivre* Kupfervitriol; **~ater** [-fatę] ⚕ spritzen *(mit Kupfervitriol);* **~ure** [-fyːr] *m chem* Schwefelverbindung; **~urique** [-fyrik]: *acide ~urique* Schwefelsäure

super[1] [sypɛːr] *adj inv umg* ganz toll, super, Spitze, Klasse

super[2] [sypɛːr] *m Abk* Super(benzin)

superbe [sypɛrb] prächtig, vorzüglich; hochmütig; *f* Hochmut

super|bénéfice [sypɛrbenefis] *m* Mehrgewinn; **~carburant** [-karbyrɑ̃] *m* Superkraftstoff; **~cherie** [-ʃəri] *f* Betrügerei, Schwindel; **~ette** [-rɛt] *f* (kleinerer) Supermarkt (120 bis 400 m²); **~fétation** [-fetasjɔ̃] *f* ⚕ Überschwängerung; *fig* überflüssige Wiederholung; **~fétatoire** [-fetatwaːr] überflüssig; **~ficie** [-fisi] *f (a. fig)* Oberfläche; Flächeninhalt; äußerer Schein; **~ficiel** [-fisjɛl] *115 (a. fig)* oberflächlich; **~fin** [-fɛ̃] *109* extrafein; **~flu** [-fly] überflüssig; **~fluité** [-flɥitę] *f* Überflüssigkeit

supér|ieur [syperjœːr] *a. fig* höher; höher gelegen *(à als);* überlegen; hervorragend; übergeordnet; *m* Vorgesetzter; **~ieure** [-rjœːr] *f rel* (Schwester) Oberin; **~iorité** [-rjoritę] *f* Überlegenheit

super|marché [sypɛrmarʃę] *m* größerer Supermarkt (400 bis 2500 m²), Selbstbedienungsgeschäft; **~poser** [-pozę] übereinanderlegen; ⊕ überlagern; *se ~poser à* hinzukommen; **~position** [-pozisjɔ̃] *f* ⊕ Überlagerung; **~puissance** [pɥisɑ̃s] *f* Groß-, Weltmacht; **~sonique** [-sɔnik]: *vitesse ~sonique* Überschallgeschwindigkeit; **~stitieux** [-stisjø] *111* abergläubisch; **~stition** [-stisjɔ̃] *f* Aberglaube; **~structure** [-stryktyːr] *f* Überbau; *(Eisenbahn)* Oberbau; ⚓ Aufbauten; **~tanker** [-tɑ̃kœːr] *m* Großtanker; **~viser** [-vizę] überwachen

supplanter [syplɑ̃tę] ersetzen; *(aus e-r Stellung)* verdrängen

supplé|ance [sypleɑ̃s] *f* Stellvertretung; **~ant** [-pleɑ̃] *m* Ersatzmann; Nachfolgekandidat; Stellvertreter; **~er** [-pleę] hinzufügen, ergänzen; ersetzen, vertreten *(à qch* etw.); **~ment** [-mɑ̃] *m* Ergänzung; Zugabe; *journ* Beilage; Aufpreis; ⚐ Zuschlag; **~mentaire** [-mɑ̃tɛr] *f* Ergänzungs…; zusätzlich; *train ~mentaire* Vor-(Nach-)Zug; *heures ~mentaires* Überstunden; **~tif** [-tif] *112* ergänzend, zusätzlich

suppli|ant [syplijɑ̃] *108* bittend, flehend; **~cation** [-kasjɔ̃] *f* inständige Bitte; Flehen; **~ce** [-plis] *m* körperl. Strafe; *(bes seelisch)* Qual, Marter; *dernier ~ce* Todesstrafe; *mettre au ~ce (fig umg)* foltern; **~cié** [-sję] *m* Hingerichteter; **~cier** [-sję] (hin)richten; *fig* martern, quälen; **~er** [-plię] inständig bitten, anflehen *(de* um); **~que** [-plik] *f* Bittschrift

support [sypɔːr] *m (a. fig)* Stütze; *(Motorrad)* Ständer; ✿ Träger, Haltevorrichtung; Bock;

Auflage; Stativ; Sockel; *chem* Trägersubstanz, Schichtträger; ⚓ Tonträger, Medium; *(Bergbau)* Ausbau; *fig* Beistand; Halt; ~ *de commande* Schaltbock; ~ *de film* Filmunterlage; ~ *de frein* Bremsträger; ~ *de lampe* Lampenfuß; ~ *de moteur* Motorlager; ~ *de ressort* Federstütze; ~ *de table* Tischstativ; ~ *de vues* Bildbühne; **~able** [-portạbl] erträglich; **~~chaussettes** [-pɔrʃosẹt] *m* 98 Sockenhalter; **~er** [-portẹ] tragen; ertragen; aushalten; vertragen; helfen, unterstützen

suppos|é [sypozẹ] 1. angeblich, falsch; 2. *präp:~é une telle situation* wenn man e-e solche Situation annimmt; *~é que* angenommen, vorausgesetzt, daß; **~er** [-zẹ] voraussetzen; vermuten; annehmen; ⚙ unterschieben; **~ition** [-zisjɔ̃] *f* Voraussetzung; Annahme; ⚙ Unterschiebung; **~itoire** [-zitwạːr] *m* ⚡ Zäpfchen

suppôt [sypo] *m* Helfershelfer; ~ *de Satan* Werkzeug d. Teufels

sup|pression [sypresjɔ̃] *f (Amt)* Aufhebung; Abschaffung; *(Text)* Streichung; *(Zeitung)* Verbot; Verheimlichung; **~primer** [-primẹ] aufheben; abschaffen, *(Text)* streichen; *(Zeitung)* verbieten; verschwinden lassen; verschweigen

suppur|ation [sypyrasjɔ̃] *f* Eiterung(sprozeß); **~er** [-rẹ] eitern

supput|ation [sypytasjɔ̃] *f com* Berechnung, Überschlag; **~er** [-tẹ] berechnen, überschlagen; schätzen; abwägen

supra|conductivité [syprakɔ̃dyktivitẹ] *f* Supraleitfähigkeit; **~national** [-nasjɔnạl] *adj* supranational, übernational; **~sensible** [-sãsịbl] *adj* durch d. menschlichen Sinne nicht wahrnehmbar; **~terrestre** [-tɛrɛstr] *adj* überirdisch; außerirdisch

suprématie [sypremasị] *f* Vormachtstellung; Überlegenheit; ~ *aérienne* Luftherrschaft

suprême [syprɛm] oberste; höchste; letzte; *heure* ~ Todesstunde; *châtiment* ~ Todesstrafe; *volontés* ~*s* letzter Wille; *au* ~ *degré* in höchsten Grade

sur¹ [syr] *präp* über; *(a. bei Zahlen u. Richtung)* auf, bei, an, in; *(Richtung u. Beziehung)* nach; *(a. Zeit)* gegen; auf Grund von; *(bei Zahlen)* von, unter; ~ *ce* darauf; **~-le-champ** auf d. Stelle; ~ *l'heure* unverzüglich; ~ *les lieux* an Ort und Stelle; *je n'ai pas d'argent* ~ *moi* ich habe kein Geld bei mir; ~ *le ring* ⚑ im Ring; *costume* ~ *mesure* Anzug nach Maß; *être* ~ *son départ* vor d. Abreise stehen; *la clef est* ~ *la porte* d. Schlüssel steckt

sur² [syːr] säuerlich, herb

sûr [syːr] sicher, gewiß; zuverlässig; *bien* ~*!* selbstverständlich!, gewiß!; *à coup* ~ sicherlich; *pour* ~ ohne Zweifel; ~ *de soi* selbstsicher; *mettre en lieu* ~ in Gewahrsam bringen

sur|abondance [syrabɔ̃dɑ̃s] *f* Überfülle; **~aigu** [-regy] *107* kreischend; ⚡ äußerst heftig; **~alimentation** [-alimɑ̃tasjɔ̃] *f* Überfütterung; ⚙ Überladung, Aufladung; **~alimenté** [-ralimɑ̃tẹ] überfüttert; **~anné** [-ranẹ] veraltet; *com* verfallen; **~baissé** [-besẹ] ⛪ *(Bogen)* flach; *véhicule* ~*baissé* Tieflader; **~boom** [-buːm] *f* Party,

zwangsloses Hausfest; **~capacité** [-kapasitẹ] *f* un(aus)genützte Kapazitäten; **~charge** [-ʃarʒ] *f* Über(be)lastung; *(Briefmarke)* Überdruck; **~charger** [-ʃarʒẹ] *14* über(be)lasten; **~chauffe** [-ʃof] *f a. com* Überhitzung; **~chauffer** [-ʃofẹ] überheizen; ⚙ überhitzen; **~choix** [-ʃwạ] *m com* erste Wahl; **~classer** [-klasẹ] in d. Schatten stellen; *bes* ⚑ weit übertreffen; **~consommation** [-kõsɔmasjɔ̃] übermäßiger Verbrauch; **~croît** [-krwạ] *m* Zuwachs *(de* an); *par~croît* obendrein, überdies

surdité [syrditẹ] *f* Taubheit, Schwerhörigkeit

surdoué [syrdwẹ] *adj (Kind)* überdurchschnittlich begabt

sureau [syro] *m* Holunder

sur|élévation [syrelevɑsjɔ̃] *f* Aufbau, Aufstockung; Überhöhung; **~élever** [syrelevẹ] *8* ⚡ erhöhen; **~enchère** [-rãʃɛːr] *f (Versteigerung, fig)* Überbietung; **~enchère électorale** Wahlversprechungen; **~enchérir** [-rãʃeriːr] mehr bieten, mehr versprechen; *fig* übertreiben; **~estimer** [-rɛstimẹ] überschätzen, -bewerten

suret [syrɛ] *11* säuerlich

sûreté [syrtẹ] *f* Gewißheit; *(a.* ⚙, *com)* Sicherheit; Garantie; ⚕ Sicherheitspolizei; *du coup d'œil* sicherer Blick; *mettre en* ~ in Sicherheit bringen

sur|excitation [syrɛksitasjɔ̃] *f* Überreiztheit; **~exciter** [-rɛksitẹ] überreizen; **~exposer** [-rɛkspozẹ] ⚑ überbelichten

surf [sœrf] *m* Surfing *n* **~eur** [-fœːr] *m* Surfbrettfahrer

sur|face [syrfạs] *f (a. fig)* Oberfläche; *math* Fläche(ninhalt); *com* Kredit; *à la* ~*face* auf d. O.; *grande* ~*ace* Supermarkt, Einkaufszentrum; ~*face cultivée* Anbaufl.; ~*face de réparation* ⚑ Strafraum; ~*face sensible (Film)* Schichtseite; ~*ace utile* Nutzfläche; *faire* ~*face (U-Boot)* auftauchen; **~faire** [-fɛːr] *70 com* überteuern; *(Person)* überschätzen; **~fil** [-fịl] *m* Überkantstich; **~fin** [-fɛ̃] *109* extrafein

surgé|lation [syrʒelasjɔ̃] *f* Tiefkühlung; Tiefgefrierbehandlung; **~ler** [-lẹ] tiefkühlen; **~nérateur** [-ʒeratœːr] *m* Brutreaktor, schneller Brüter

surgeon [syrʒɔ̃] *m* Wurzeltrieb

surgir [syrʒiːr] *22* auftauchen; entstehen; in Erscheinung treten

sur|hausser [syrosẹ] *(Geleise)* überhöhen; **~homme** [syrɔm] *m* Übermensch; **~humain** [-rymɛ̃] *109* übermenschlich; **~imposer** [-rɛpozẹ] zu hoch besteuern; **~impression** [-rɛpresjɔ̃] *f* ⚑ Doppelbelichtung

surin [syrɛ̃] *m (arg pop)* Dolch; Messer

surir [syriːr] *22* sauer werden

sur|jet [syrʒɛ] *m* überwendliche Naht; **~-le-champ** [-laʃɑ̃] auf der Stelle; **~lendemain** [-lɑ̃dmɛ̃] *m* übernächster Tag; **~menage** [-mənạʒ] *m* Überanstrengung, -arbeitung; **~mener** [-mənẹ] *8* überanstrengen, -arbeiten; **~monter** [-mõtẹ] überragen; überwinden; **~mortalité** [-mortalitẹ] *f* überdurchschnittliche Sterblichkeitsziffer; **~nager** [-naʒẹ] *14* obenauf schwimmen; **~naturel** [-natyrɛl] *115* übernatürlich;

~nom [-nɔ̃] m Beiname; Spitzname; ~nombre [-nɔ̃br] m Überzahl; en ~nombre überzählig; ~numéraire [-nymerɛ:r] überzählig; m außerplanmäßiger Angestellter, Anwärter

suroît [syrwą] m ⚓ (Wind) Richtung Süd-West; (Hut) Südwester

sur|passer [syrpasę] a. fig über etw. hinausragen (de um); übertreffen (en an); se ~passer s. selbst übertreffen; ~paye [-pɛj] f Gratifikation, Sonderzuwendung; ~payer [-pɛję] über(be)zahlen; ~peuplé [-pœplę] übervölkert; ~peuplement [-pœpləmą] m Übervölkerung; ~plis [-pli] m Chorhemd; ~plomb [-plɔ̃] m Überhang, Ausladung; en ~plomb 🏛 überhängend; ~plomber [-plɔ̃bę] überhängen; ~plus [-ply] m Überschuß; Rest; au ~plus übrigens; ~prenant [-praną] 108 überraschend, erstaunlich; ~prendre [-prãdr] 79 überraschen, fig überfallen, überrumpeln; ertappen; ablocken, ablisten; abfangen, erwischen; ~prendre la bonne foi d. Gutgläubigkeit ausnützen; ~pression [-prɛsjɔ̃] f ☼ Überdruck; ~prime [-prim] f Zuschlagsprämie; ~prise [-pri:z] f Überraschung; Überrumpelung; Bestürzung; Erstaunen; ~prix [-pri] m Mondpreis; ~production [-prɔdyksjɔ̃] f Überproduktion; Mehrerzeugung; ~puissance [-pɥisãs] f ☼ Energieüberschuß; pol erdrückende Übermacht; ~régénérateur [-reʒeneratœ:r] m schneller Brüter; ~rénal [-renal] adj Nebennierenrinde...; ~saturé [-satyrę] (Lösung) übersättigt; ~saut [-so] m Auffahren; se réveiller en ~saut aus d. Schlaf hochfahren; ~sauter [-sotę] auffahren; ~seoir [-swą:r] 47: ~seoir à un jugement 🕮 e. Urteil aussetzen; ~seoir à l'exécution d. Vollstreckung aufschieben; ~sis [-si] m Aufschub; 🕮 Strafaufschub mit Bewährungsfrist; ~sitaire [-sitɛ:r] m mil Zurückgestellter; ~taxe [-taks] f (bes ✈) Auf-, Nachgebühr; Strafporto; Zuschlag; ~tension [-tãsjɔ̃] f ⚡ Überspannung; ~tout [-tu] 1. adv besonders; zumal; 2. m Kittel; Tafelaufsatz; ~veillance [-vejãs] f Überwachung; Aufsicht; (Spion) Beschattung; conseil de ~veillance (com) Aufsichtsrat; ~veillant [-vejã] m (bes Internat) Aufseher; 🕮 Gefangenenwärter; ~veiller [-veję] überwachen; beaufsichtigen (qn j-n); beschatten; im Auge behalten; se ~veiller auf s. aufpassen; ~venir [-vəni:r] 30 unerwartet kommen, erfolgen, eintreten; ~vente [-vãt] f com Verkauf zu überhöhten Preisen; ~vêtement [-vɛtmą] m Oberbekleidung; ~vêtement de protection Schutzbekleidung; ~vêtement de sport Trainingsanzug; ~vie [-vi] f Überleben; Fortleben nach d. Tod; ~vivance [-vivãs] f Überleben; Fortbestand; ~vivant [-vivã] m Überlebender; ~vivre [-vi:vr] 89 mit d. Leben davonkommen; überleben (à qn j-n); ~vol [-vɔl] m (✈, a. fig) Überfliegen; ~volté [-vɔltę] ⚡ mit erhöhter Spannung; umg übernervös, durchgedreht

sus [sy] adv: en ~ [sys] obendrein; dazu; en ~ de außer; ~! [sys] interj los!; courir ~ à qn über j-n herfallen; ~ceptibilité [-sɛptibilitę] f (Über-) Empfindlichkeit; ~ceptible [-sɛptibl] (über) empfindlich; empfänglich (de für); fähig (de

zu); geeignet (de für); ~citer [-sitę] erstehen lassen; heraufbeschwören; ~citer une querelle e-n Streit vom Zaune brechen; ~cription [syskripsjɔ̃] f (Brief) Aufschrift, Beanschriftung; ~dit [sysdi] 108, ~nommé [sysnɔmę] obengenannt; obig; ~pect [syspɛ] 108 verdächtig; ~pecter [syspɛktę] verdächtigen; ~pendre [syspądr] 76 aufhängen; aufheben; unterbrechen; einstellen; (Urteil) aufschieben; (Zahlung) aussetzen; zeitweilig s-s Amtes entheben; suspendieren; ~pendu [syspądy] Hänge...; hängend, schwebend; fig aufgehoben; suspendiert; (Fahrzeug) gefedert; ~pens [syspã]: en ~pens noch nicht entschieden, schwebend; unschlüssig; ~pense [syspãs] m Spannung, Ungewißheit; ~penseur [-pãsœ:r] adj zum Aufhängen dienend, stützend; ~pensif [syspãsif] 112 🕮 aufschiebend; ~pension [syspãsjɔ̃] f ⚙ Aufhängung; chem Aufschlämmung, Aufschwemmung; Hängelampe; (Sitzung usw.) Unterbrechung; Einstellung; vorläufige Dienstenthebung; Suspendierung; (Frist) Hemmung; (Fahrzeug) Federung; ~pension arrière 🚃 Hinterradaufhängung; ~picion [syspisjɔ̃] f Verdächtigung; ~tentation [systãtasjɔ̃] f Ernährung, Unterhalt; ✝ Auftrieb; ~tenter [systãtę] ernähren

susurrer [sysyrę] raunen; flüstern

suture [syty:r] f ⚕ Naht

suzerain [syzrɛ̃] 109 lehnsherrlich; m Lehnsherr; ~eté [-rentę] f Lehnsherrschaft, -hoheit

svelte [svɛlt] schlank; ~esse [-tɛs] f Schlankheit

sybarite [sibarit] m Genußmensch

syllab|aire [sillabɛ:r] m Fibel, Abc-Buch; ~e [-lab] f Silbe

sylv|estre [silvɛstr] Wald...; ~iculture [-vikylty:r] f Forstwirtschaft

symbiose [sɛ̃bjoz] f Symbiose, Zusammenleben; fig enge Verbindung, Verschmelzung

symbol|e [sɛ̃bɔl] m Sinnbild, Symbol; Zeichen; ~e binaire EDV Dualziffer; ~ique [-bɔlik] symbolisch, sinnbildlich; f Symbolik, Sinnbildgehalt; Bildersprache

symétr|ie [simetri] f Symmetrie, Eben-, Gleichmaß; ~ique [-trik] symmetrisch, eben-, gleichmäßig

sym|pathie [sɛ̃pati] f Sympathie; Teilnahme; (Zu-)Neigung; ~pathique [-patik] mitfühlend; sympathisch; angenehm; ~pathisant [-patizą] m (Partei) Anhänger; ~pathiser [-patizę] Sympathie empfinden; mitfühlen; harmonieren; ~phonie [-fɔni] f Symphonie; Instrumentalbegleitung (des Gesangs); ~phonique [-fɔnik] symphonisch

sympt|omatique [sɛ̃ptomatik] a. ⚕ symptomatisch; bezeichnend; ~ôme [-tom] m (a. ⚕) Symptom, Anzeichen

syn|agogue [sinagɔg] f Synagoge; ~chronique [sɛ̃krɔnik] synchron, gleichzeitig; ~chronisation [sɛ̃krɔnizasjɔ̃] f Synchronisierung; ~chroniser [sɛ̃krɔnizę] a. 🎬 synchronisieren; ~cope [sɛ̃kɔp] f ♪ Synkope; ⚕ Ohnmacht; ~derme [sɛ̃dɛrm] m Kunstleder; ~dic [sɛ̃dik] m Syndikus; Konkursverwalter; (Schweiz) Bürgermeister; ~dical [sɛ̃dikal] 124 Gewerkschafts...; ~dicalisme

[sēdikalĭsm] *m* Gewerkschaftsbewegung; **~dica-liste** [sēdikalĭst] *m* Gewerkschaftler; **~dicat** [sēdikạ] *m com* Interessengemeinschaft; Berufs-verband; Gewerkschaft; Konsortium; *~dicat financier* Finanzkonsortium; *~dicat d'initiative* (Fremden-)Verkehrsverein; *~dicat ouvrier* (Ar-beiter-)Gewerkschaft; *~dicat patronal* Arbeitge-berverband; *~dicat professionnel* Berufsvereini-gung; *~dicat unique,* = *~dicat unitaire* Einheitsgewerkschaft; **~diqué** [sēdikɛ] *m* Ge-werkschaftsmitglied; **~ode** [sinɔd] *m* Synode; **~onyme** [sinɔnĭm] *ling* sinnverwandt; **~taxe** [sɛtaks] *f ling* Syntax, Satzlehre; **~thèse** [sɛtɛːz] *f (a. chem)* Synthese; Überblick; **~thétique** [sɛtetĭk] *a. chem* synthetisch; zus.fassend
syphilis [sifilĭs] *f* Syphilis
Syrie [sirĭ] *la* ~ Syrien; **~en** [sirjɛ̃] *118* syrisch; **~en** *m* Syrer
systématique [sistematĭk] systematisch, ordent-lich gegliedert; planmäßig, gezielt; *pej* engstir-nig; *f* Systematik, planmäßige Darstellung; Teilgebiet d. Zoologie u. Botanik
système [sistɛm] *m* System, Ordnung; Aufbau, Gliederung, Plan; Verfahren, Bauart, Anlage; *geol* Formation; ~ *d'alarme* Alarmanlage; ~ *canonique* Normalsystem; ~ *commandé* Regel-strecke; Steuerungssystem; ~ *D (umg)* die Kunst, sich aus der Affäre zu ziehen; ~ *économique* Wirtschaftsordnung; ~ *éducatif* Bildungssystem; ~ *monétaire* Währungsord-nung; ~ *de référence* Bezugssystem; ~ *de réglage* Regel(ungs)system; ~ *social* Gesell-schaftsordnung; ~ *d'unités* Einheitensystem

T

ta [ta] dein(e)
tabac [taba] *m* 1. Tabak; *~c à priser* Schnupft.; *bureau de ~c* Tabakladen; 2. Prügel, Schläge; Hiebe ♦ *faire un ~c* e-n Riesenerfolg haben; *passer à ~c (pop)* verprügeln; *pot à ~c (umg)* kleiner Dickwanst; **~gie** [-baʒĭ] *f* verräuchertes Zimmer; **~tière** [-batjɛːr] *f* (Schnupf-)Tabaks-dose; *(fenêtre à) ~tière* Dachluke
tabellion [tabɛljɔ̃] *m iron* Notar
tabernacle [tabɛrnakl] *m* Tabernakel
tablature [tablatyːr] *f ♪* Tabulator ♦ *donner de la ~ature* Schwierigkeiten bereiten; **~e** [tabl] *f* 1. Tisch, Tafel; Pult; *~e de chevet* Nacht.; *~e à dessin* Reißbrett; *~e d'écoute* Abhöranlage; *~e d'essais* Prüftisch; ~ *de montage* (Film-) Schneidet.; *~e à rallonges* Auszieht.; *~e ronde pol* internationale Konferenz; ~ *roulante* Teewagen; *aimer la ~e* gern gut essen; *faire ~e rase* reinen Tisch machen; *mettre la ~e* d. Tisch decken; *se mettre à ~e* sich an d. Tisch setzen; *pop* auspacken; *sortir de ~e* vom Essen aufstehen; 2. Liste, Tabelle; Verzeichnis; *~e des matières* Inhaltsverzeichnis; *~es de multipli-cation* Einmaleins; **~eau** [-blo] *m 91* Gemälde; Bild, Tafel, Brett; Plan; Liste; Tabelle, Aufstellung, Zusammenstellung; Index; *fig* Schilderung; *vieux ~eau (umg)* alte Schachtel; *~eau de bord* ⚙ Armaturenbrett; ⚓ Instrumen-

tenbrett; *com* volkswirtschaftliche Eckwerte; *~eau de chasse* Abschußliste; *~eau de commande* Schalttafel; *~eau noir* Wandtafel; schwarzes Brett; *~eau synoptique* Übersichtsta-belle; **~ée** [-blɛ] *f* Tischgesellschaft; **~er** [-blɛ] rechnen *(sur* mit), setzen *(sur* auf); **~ette** [-blɛt] *f* Ablagebrett; Platte; Fach; (Ge-)Sims; *(Schoko-lade)* Tafel ♦ *rayer qn de ses ~ettes* mit j-m nichts mehr zu tun haben wollen; **~ier** [-blĭe] *m* 1. Schürze ♦ *rendre son ~ier (umg)* (s-e Stelle) kündigen; 2. Brückenbelag
tabou [tabu] *adj* unverletzlich, unantastbar, tabu; *m* Tabu, sittliche Schranke
tabouret [taburɛ] *m* Hocker, Schemel
tabulateur [tabylatœːr] *m* Tabulator; **~trice** [-trĭs] *f* Tabelliermaschine
tac [tak] *m: répondre du ~ au ~* schlagfertig antworten
tache [taʃ] *f* Flecken; Makel, Schandfleck; ~ *d'encre* Tintenklecks; ~ *originelle* Erbsünde; *~s de rousseur* Sommersprossen; *faire ~ (*unange-nehm*) auffallen; *faire ~ d'huile (fig)* um sich greifen
tâche [taʃ] *f* Aufgabe; Arbeit(sverrichtung), Tätigkeit; Obliegenheit; *dévouement à la ~* Einsatzbereitschaft; *paie à la ~* Akkordlohn; *prendre à ~ de faire qch* es s. angelegen sein lassen, etw. zu tun; *travailler à la ~* im Akkord (im Stücklohn) arbeiten
tacher [taʃe] *a. fig* beflecken; Flecken hinter-lassen
tâcher [taʃɛ] *s.* bemühen *(de* zu); trachten, streben; *(de + inf* nach); **~eron** [-ʃərɔ̃] *m* Akkordarbeiter
tacheter [taʃte] *10* sprenkeln
tachymètre [takimɛtr] *m* Tachometer
tacite [tasĭt] stillschweigend; **~urne** [-tyrn] schweigsam
tacot [tako] *m umg* 🚗 Karre, Kiste
tact [takt] *m* Tastsinn; Takt(gefühl); Anstand; *homme de ~* taktvoller Mensch; *manque de ~* Taktlosigkeit; **~icien** [-tisjɛ̃] *m* Taktiker; **~ile** [-tĭl] (be)fühlbar; Tast…; **~ique** [-tĭk] taktisch; *f* Taktik
taffetas [tafta] *m* Taft
taie [tɛ] *f* Kopfkissenbezug; *(Auge)* Hornhaut-fleck
taillade [tajad] *f* Schmarre, Schmiß; Schnitt; **~ader** [tajadɛ]: *se ~ader s.* schneiden; **~anderie** [tajɑ̃drĭ] *f* Werkzeugschmiede; Grobschmiede-handwerk; **~e** [taj] 1. *(Baum)* Beschneiden; *(Edelstein)* Schleifen, Schliff; *(a.* Holz-)Schnitt; Zuschneiden; Behauen; 📖 Stich; *pierre de ~e* Quaderstein; *voie de ~e (Bergbau)* Abbaustrec-ke; 2. [taːj] Größe; Abmessung; Form; Figur; Wuchs, Taille; *être de la même ~e* gleich groß sein; *adversaire de ~e* Gegner von Format; *vous êtes de ~e à ...* Sie sind Manns genug, zu …; **~é** [-jɛ] *fig* wie geschaffen *(pour* für); *~é à coups de serpe* grobschlächtig; **~e-crayon** [-krɛjɔ̃] *m 99* Bleistiftspitzer; **~e-douce** [-dus] *f 97* Kupfer-stich; **~er** [-jɛ] (be-, ein-, zu-)schneiden; spanend bearbeiten; behauen; *(Stufen)* aus-hauen; *(Bleistift mit d. Messer)* spitzen ♦ *~er une*

bavette (umg) e-n Schwatz halten; *~er des croupières à qn* j-m Schwierigkeiten machen; **~erie** [-tɔjri] *f* (Edel-)Steinschleiferei; **~eur** [-jœːr] *m (bes* Herren-)Schneider; Damenkostüm; **~is** [-ji] *m* Unterholz

tain [tɛ̃] *m (Spiegel)* Auflage; Stanniol

taire [tɛːr] *86* verschweigen; *se ~* schweigen; *taisez-vous!* still!; *faire ~* zum Schweigen bringen

talc [talk] *m* Talk; *poudre de ~* Talkum

talent [talɑ̃] *m* Talent; Begabung, Gabe; *de ~* talentiert, talentvoll; **~ueux** [-lɑ̃tɥø] *111* begabt

tal|er [tale] (zer)quetschen; *fruits ~és* angestoßenes Obst

talion [taljɔ̃] *m: loi du ~* Vergeltungsrecht

taloche [talɔʃ] *f umg* Kopfnuß, Backpfeife; *(Maurerwerkzeug)* Reibebrett

talon [talɔ̃] *m* Ferse; *(Schuh)* Absatz; (Kontroll-)Abschnitt; Rest; ☼ *(Reifen)* Wulst; *~ d'Achille (fig)* Achillesferse; *tourner (od montrer) les ~s* Fersengeld geben, fliehen; *avoir l'estomac dans les ~s (umg)* e-n Bärenhunger haben; **~ner** [-lɔne] anspornen; bedrängen; **~nette** [-lɔnɛt] *f* Fersenkissen; *(Strumpf)* verstärkte Ferse

talus [taly] *m* Böschung; Schräge

tamanoir [tamanwaːr] *m* Ameisenbär

tambouille [tɑ̃buj] *f pop* Fraß

tambour [tɑ̃buːr] *m* **1.** ♪ Trommel *(a.*☼); Walze, Zylinder; Trommler; *mener qn ~ battant* rücksichtslos mit j-m umspringen; *battre le ~* trommeln; *gros ~* Pauke ♦ *sans ~ ni trompette* sang- u. klanglos; **2.** Stickrahmen; **3.** Windfang; **~in** [-burɛ̃] *m* Tamburin; **~iner** [-rine] (mit d. Fingern) trommeln; *umg* ausposaunen

tamis [tami] *m* Sieb; *~ rotatif* ☼ Trommelsieb ♦ *passer au ~ (fig)* streng prüfen; durchhecheln; **~er** [-mize] (durch-)sieben; *lumière ~ée* gedämpftes Licht

tampon [tɑ̃pɔ̃] *m* Pfropfen; Kanaldeckel; 🖉 Tampon, Tupfer, Bausch; 🐾 Puffer; *État ~* Pufferstaat; **~nement** [-pɔnmɑ̃] *m* 🐾 Zus.stoß; **~ner** [-pɔne] zustöpseln, verstopfen; 🖉 tamponnieren; *~ner un véhicule* mit e-m Fahrzeug kollidieren

tam-tam [tamtam] *m 99* Urwaldtrommel; *fig* Reklamerummel

tan [tɑ̃] *m* Gerberlohe, Beize

tancer [tɑ̃se] *15* ausschimpfen, schelten, heruntermachen

tanche [tɑ̃ʃ] *f zool* Schleie

tandem [tɑ̃dɛm] *m* Tandem *n,* Zweirad; *fig* zwei s. gut verstehende Partner; *en ~* zu zweit

tandis que [tɑ̃di(s)kə] *(Gegensatz)* während, wohingegen

tangage [tɑ̃gaːʒ] *m* ⚓ Stampfen

tang|ente [tɑ̃ʒɑ̃t] *f* Tangente ♦ *prendre la ~ente (umg)* s. aus dem Staube machen; **~ible** [-ʒibl] *a. fig* greifbar

tanguer [tɑ̃ge] *6* ⚓ stampfen; 🚃 schaukeln

tanière [tanjɛːr] *f (wilde Tiere)* Höhle; armselige Behausung; (Elends-)Loch; Schlupfwinkel; *ne pas sortir de sa ~* in d. Stube hocken

tank [tɑ̃k] *m* Panzer; (Vorrats-)Tank, Bunker; **~er** [tɑ̃kœːr] *m* ⚓ Tanker

tann|er [tane] gerben; *umg* belästigen, auf die Nerven fallen; *~é (par le soleil)* sonnverbrannt; **~erie** [tanri] *f* Gerberei; **~eur** [-nœːr] *m* Gerber; **~in** [-nɛ̃] *m* Gerbstoff

tansad [tɑ̃sad] *m 99* Soziussitz

tant [tɑ̃] so(viel); solange; soundsoviel; so sehr; *~ bien que mal* schlecht u. recht; *~ mieux!* um so besser!; *~ pis!* schade!, dann eben nicht!; *~ et plus* mehr als nötig; *~ que* soweit, solange (wie); *~ qu'à faire (umg)* da man dabei ist; *wenn es so ist; ~ s'en faut que...* weit davon entfernt, daß...; *à ~ le kilo* zu soundsoviel das Kilo; *(un) ~ soit peu* ein klein wenig; *en ~ que* in der Eigenschaft als; *si ~ est que* wenn überhaupt; angenommen, daß

tante [tɑ̃t] *f* Tante; *pop* Schwuler, warmer Bruder, Tunte ♦ *chez ma ~ (pop)* im Leihhaus

tantième [tɑ̃tjɛm] *m* Tantieme, Gewinnanteil

tant|inet [tɑ̃tinɛ] *m umg* klein(es) bißchen; **~ôt** [-to] **1.** gleich, bald; soeben; *~ôt..., ~ôt... bald..., bald...; à ~ôt!* bis gleich!; **2.** *m pop* Nachmittag

taon [tɑ̃] *m zool* Bremse

tap|age [tapaːʒ] *m* Lärm; Aufsehen; *~age nocturne* nächtl. Ruhestörung; **~ageur** [-paʒœːr] *121* lärmend; *fig* aufgedonnert; *m* Ruhestörer; Radaubruder; **~e** [tap] *f* Klaps; *~é* [-pe] *(Obst)* gedörrt; *umg* schlagfertig; *pop* verrückt; **~e-à-l'œil** [tapalœj] *m 100* Kitsch; **~ecul** [tapky] *m* Wippe; **~ée** [-pe] *f umg* ganzer Haufen; *~ée d'enfants (umg)* Schar Kinder; **~er** [-pe] *vi* stampfen *(du pied* mit d. Fuß); *vt* schlagen; klopfen; *umg* anpumpen; *(auf d. Schreibmasch.)* tippen; 🚃 *(Geschwindigkeit)* fahren ♦ *~er dans l'œil (pop)* gefallen, ins Auge stechen; *~er dans le tas (umg)* blind draufloschlagen; *~er sur les nerfs (umg)* auf d. Nerven fallen; *~er sur le ventre à qn* mit j-m zu familiär tun; *se ~er (pop)* leer ausgehen *(de qch* bei etw.); **~ette** [-pɛt] *f* Mausefalle; Zunge; *fig* Wortemacher, Plapperhans; **~eur** [-pœːr] *m umg* Pumpgenie; **~in** [-pɛ̃] *m* junger Trommler ♦ *faire le ~in (pop)* auf d. Strich gehen, anschaffen; **~inois** [-pinwa]: *en ~inois* heimlich, heimtückisch

tapir [tapiːr] *22: se ~* sich ducken, niederkauern

tapis [tapi] *m* Teppich; Tischdecke; 🧹 Matte; *~ de bombes* Bombenteppich; *~ de gazon* Rasenfläche; *~ roulant* ☼ Fließ-, Förderband; *~ végétal* (Boden-)Bewachsung; *~ vert (fig)* grüner Tisch; *aller au ~* verletzt, getötet werden; *fig* ausgeschaltet werden, aus dem Rennen sein; *être sur le ~* d. Gesprächsthema sein; *mettre sur le ~* aufs Tapet bringen; *fig* bedecken, verkleiden; schmücken *(de* mit); **~serie** [-pisri] *f* Wandteppich; Gobelin; *~serie de siège* Möbelbezugsstoff ♦ *faire ~serie* Mauerblümchen sein; **~sier** [-pisje] *m* Tapezierer; Dekorateur

tapoter [tapɔte] *vt* tätscheln; *vi: ~ du piano* auf d. Klavier klimpern

taquet [takɛ] *m* ☼ Zapfen, Pflock; Klampe; Marke; Anschlag; Reiter

taquin [takɛ̃] *m* Quälgeist; **~er** [-kinɛ] necken, ärgern; **~erie** [-kinri] *f* Neckerei

tarab|iscoté [tarabiskɔtɛ] *umg* schnörkelhaft; geschraubt; **~uster** [-bystɛ] *umg* antreiben; belästigen, schikanieren, drangsalieren, piesakken

taraud [tarɔ] *m* Gewindebohrer; **~er** [-rodɛ] gewindebohren

tard [taːr] *adv* spät; *au plus ~* spätestens; *sur le ~* spät am Abend, erst spät; *tôt ou ~* über kurz od lang ♦ *mieux vaut ~ que jamais* besser spät als nie; **~er** [tardɛ] zögern, zaudern (*à* zu); *sans ~er* unverzüglich; *il me ~e de* (+ *inf*) ich möchte, ich sehne mich nach; **~if** [tardif] *112* spät (kommend, reifend); langsam (wachsend); *fruits ~ifs* Spätobst

tar|e [taːr] 1. *f com* Verpackungsgewicht, Tara; 🚗 Eigengewicht; 2. Makel, Fehler, Mangel; **~e héréditaire** erbliche Belastung; **~é** [tarɛ] schadhaft; *a. fig* verdorben; *umg pej* idiotisch, hirnrissig, geistig minderbemittelt

targ|ette [tarʒɛt] *f* Tür-, Fensterriegel; **~uer** [-gɛ] 6: *se ~uer s.* brüsten (*de* mit)

tarière [tarjɛːr] *f* ✿ Handbohrer, Stangen-, Erdbohrer

tarif [tarif] *m* Tarif; Gebühr; Preis(-liste); *~ douanier* Zollt.; *~ général* Regelt.; *~ échelonné* Staffelt.; *~ des honoraires* Gebührenordnung; **~aire** [-rifɛːr] Zoll...; *contingent ~aire* Zollkontingent; **~ication** [-fikasjɔ̃] *f* Tarifierstellung

tarin [tarɛ̃] *m* Zeisig; *arg pop* Zinken

tarir [tariːr] *22 (Brunnen)* trockenlegen; *vt/i* (aus)trocknen, versiegen; *fig* aufhören; *(Unterhaltung)* stocken; *ne pas ~ sur qch* unaufhörlich über etw. reden

tarot [tarɔ] *m* Tarock(karten)spiel

tarse [tars] *m* Fußwurzel

tartarin [tartarɛ̃] *f umg* Angeber, Wortheld

tart|e [tart] *f* Obstkuchen, -torte; Ohrfeige; *(Person)* dümmlich, lächerlich; *~e à la crème fig* (Thema als) Steckenpferd; *c'est pas de la ~e* d. ist nicht leicht; **~ine** [-tin] *f* bestrichene Brotschnitte; *umg* lange Erklärung, langer (Zeitungs-)Artikel; *~ine de beurre* Butterbrot; **~iner** [-tinɛ] *(Brot)* streichen

tartr|e [tartr] *m* Weinstein; 🦷 Zahnstein; ✿ Kesselstein; **~ique** [-trik]: *acide ~ique* Weinsteinsäure

tartuffe [tartyf] *m* Scheinheiliger, Heuchler

tas [tɑ] *m* Haufen, Stapel; Menge, Masse; *un ~ de gens (umg)* viele Leute; *grève sur le ~* Sitzstreik

tasse [tɑs] *f* Tasse (*de* voll, *à* für); *boire une ~ (umg)* Wasser schlucken

tassement [tɑsmɔ̃] *m* Senkung, Nachsacken; *com* Abflauen, Nachlassen

tasser [tɑsɛ] (an-, auf-)häufen; zus.pferchen; *se ~ (Erde, Gebäude)* s. senken, s. setzen; *(Personen)* s. zus.drängen ♦ *ça se ~a (umg)* es wird schon besser gehen, schlimmer kann's nicht kommen

tât|er [tatɛ] (be)fühlen, (be)tasten; *fig* sondieren; aushorchen; *~er le pouls* d. Puls fühlen; *~er le terrain* auf d. Busch klopfen; *~er de qch*

etw. versuchen; *se ~er* s-e Gefühle prüfen; zögern; **~e-vin** [tatvɛ̃] *m 100* Stechheber

tatill|on [tatijɔ̃] *m* Kleinigkeitskrämer

tâton|nement [tatɔnmɑ̃] *m* Tasten; *pl* tastende Versuche; **~ner** [-nɛ] *a. fig* tastend suchen; **~s** [-tɔ̃]: *à ~s* tastend; blindlings

tatou|age [tatwaːʒ] *m* Tätowierung; **~er** [-twɛ] tätowieren

taudis [todi] *m* armselige Behausung, Elendsquartier

taul|ard [tolaːr] *m (arg pop)* Sträfling; **~e** [tol] *f (arg pop)* Kittchen; **~ier** [-ljɛ] *m pop* Gastwirt

taup|e [toːp] *f* Maulwurf; **~ière** [-pjɛːr] *f* Maulwurfsfalle; **~inière** [topinjɛːr] *f* Maulwurfshügel

taur|eau [torɔ] *m 91* Stier; *course de ~eaux* Stierkampf; **~omachie** [-romaʃi] *f* (Technik des) Stierkampf(s)

taux [to] *m* (Prozent-)Satz; Zinsfuß; Quote, Rate, Kurs; Preis; Gehalt; Grad; Verhältnis; *au ~ de 3 pour cent* zu 3 Prozent Zinsen; *~ d'alcool (Blutprobe)* Alkoholgehalt; *~ d'amortissement* Abschreibungssatz; *~ d'erreurs* Fehlerquote; *~ d'escompte* Diskontsatz; *~ de fret* Frachtrate; *~ de mortalité* Sterblichkeitsziffer; *~ de perte et d'usure* Ausfallquote

taverne [tavɛrn] *f* Kneipe, Schenke

tax|ation [taksasjɔ̃] *f* Preisfestsetzung; Kostenberechnung; Einschätzung, Taxierung; Besteuerung; **~e** [taks] *f* Gebühr; Abgabe, Steuer; Festpreis; *~e de séjour* Kurtaxe; *~e à/sur la valeur ajoutée* Mehrwertsteuer; *~e téléphonique* Telefongebühr; *soumis à la ~e* gebührenpflichtig; *toutes ~es comprises* Steuern u. Abgaben einschließlich; **~er** [-sɛ] *(Preis)* festsetzen; mit e-r Gebühr belegen; besteuern; beschuldigen (*de qch* e-r Sache); *avertissement ~é* gebührenpflichtige Mahnung

taxi [taksi] *m* Taxi; Mietauto; Taxichauffeur; **~girl** [-gœrl] *f* Taxigirl *n*; **~mètre** [-ksimɛtr] *m* Taxameter, Fahrpreisanzeiger; **~phone** [-ksifɔn] *m* Münzfernsprecher

tchécoslovaqu|e [tʃekɔslɔvak] tschechoslowakisch; **⚤e** *m* Tschechoslowake; **⚤ie** [-vaki]: *⚤ie* Tschechoslowakei

tchèque [tʃɛk] tschechisch; **⚤** *m* Tscheche

te [tə] *pron* dir; dich

té [te] *m: fer en ~* ✿ T-Stück; *~ (de dessinateur)* Reißschiene

techn|icien [tɛknisjɛ̃] *adj* technisiert, technisch gestaltet; *m* Techniker; Fachmann; *~ icien d'études* Entwicklungstechniker; **~icisation** [-izisasjɔ̃] *f* Technisierung; **~iciser** [-izisɛ] technisieren; **~icité** [-nisitɛ] *f* Technisierung, technischer Standard; *de ~icité poussée* hochtechnisiert; **~ique** [-nik] 1. technisch; Fach...; *enseignement ~ique* Gewerbeschulwesen; *mot ~ique* Fachwort; -ausdruck; 2. *f* Technik, Fertigkeit; Arbeitsweise; Verfahren; *~ique des communications* Nachrichtentechnik; *~ique de fabrication* Herstellungsverfahren; *~ique de programmation* Programmierv.; **~ologie** [-nɔlɔʒi] *f* Technologie; *~ologie des matières* Werkstoffkunde

teck [tɛk] *m* Teak(holz)

tégument [tegymã] *m (zool, bot)* Haut, Hülle

teign|e [tɛɲ] *f* Motte; **§** Grind; Räude; *umg* Giftkröte; **~eux** [-ɲø] *111 (Tier)* räudig

tein|dre [tɛ̃dr] *87* färben; **~dre en vert** grün f.; **~t** [tɛ̃] *108* gefärbt; *m* Farbe; Gesichtsfarbe; *bon* **~t** farbecht; **~te** [tɛ̃t] *f* Färbung; Farbnuance, -ton, -wert; **~te de** Anflug von; **~ter** [tɛ̃te] leicht färben; **~ture** [tɛ̃ty:r] *f* Färbemittel; Farbe; Färben; **§** Tinktur; *avoir une ~ture de…* oberfläch. Kenntnisse haben von…; **~turerie** [tɛ̃tyrri] *f* Färberei; **~turier** [tɛ̃tyrje] *m* Färber

tel [tɛl] *adj* solch; derartig; *un ~ livre* so ein Buch; *~ que* so wie *(od* daß*); ~ quel* so wie er ist, unverändert; *de ~le sorte que* so, daß…; *en ~le ou ~le circonstance* unter diesen od jenen Umständen ♦ *~ maître, ~ valet* wie d. Herr, so's Gescherr; **2.** *pron* mancher; jener; *Madame Une Telle* Frau Soundso

télé [tele] *f* Fernsehen; Fernsehapparat; **~affichage** [-afiʃaːʒ] *m* Fernanzeige; **~benne** [-bɛn] *f* = **~cabine** [-kabin] *f* Gondelbahn; **~commande** [-kɔmãd] *f* ✿ Fernbedienung, Fernschaltung, Fernsteuerung; **~commander** [-kɔmãde] ✿ fernbedienen, fernschalten, fernsteuern; **~communications** [-kɔmynikasjɔ̃] *fpl* Fernmeldetechnik, -wesen; **~diffusion** [-difyzjɔ̃] *f* Drahtfunk; **~gramme** [-gram] *m* Telegramm; **~graphie** [-grafi] *f* Telegrafie; *~graphie sans fil (TSF)* drahtlose T.; **~graphier** [-grafje] telegrafieren; **~graphique** [-grafik] telegrafisch; **~graphiste** [-grafist] *m* Telegrafenbeamter, Telegrammbote; **~guidage** [-gidaːʒ] *m* Fernlenkung, -steuerung; **~guider** [-gide] fernlenken, -steuern; *fig* (heimlich) beeinflussen; **~imprimeur** [-ɛ̃primœːr] *m* Fernschreiber; **~informatique** [-ɛ̃formatik] *f* Datenfernverarbeitung; **~mesure** [-məzyːr] *f* Fernmessung; **~mètre** [-mɛtr] *m* Entfernungsmesser; **~objectif** [-ɔbʒɛktif] *m* ◫ Teleobjektiv; **~pathie** [-pati] *f* Gedankenübertragung; **~phérique** [-ferik] *m* Seilschwebebahn; **~phone** [-fɔn] *m* Telefon, Fernsprecher; *~phone de bord* Interfonanalage; *coup de ~phone* (Telefon-)Anruf; *par ~phone* telefonisch, fernmündlich; **~phoner** [-fɔne] telefonieren, anrufen; **~phonique** [-fɔnik] telefonisch; *cabine ~phonique* Telefonzelle; **~phoniste** [-fɔnist] *m, f* Telefonist(in); **~photographie** [-fɔtografi] *f* Bildtelegrafie; **~reportage** [-rəpɔrtaʒ] *m* Fernsehreportage

télescop|age [teleskɔpaːʒ] *m* 🐞, 🚘 Zus.stoß; **~e** [-kɔp] *m* Teleskop, Fernrohr; **~er** [-pe] se ~**er** 🐞, 🚘 zus.stoßen, aufprallen; **~ique** [-pik] ✿ ineinanderschiebbar, ausziehbar

télé|scripteur [teleskriptœːr] *m* Fernschreiber; **~siège** [-sjɛːʒ] *m* Sesselbahn; **~ski** [-ski] *m* Schilift; **~spectateur** [-spɛktatœːr] *m* Fernsehzuschauer; **~viser** [-vize] durch Fernsehfunk übertragen; im Fernsehen bringen; **~viseur** [-vizœːr] *m* Fernsehgerät; *~ viseur couleur* Farbfernsehempfänger; **~vision** [-vizjɔ̃] *f* Fernsehen; *~vision par câble* Kabelfernsehen

télex [telɛks] *m* Fernschreiber; Fernschreiben

tellement [tɛlmã] so (sehr), dermaßen

tellurique [tɛllyrik] Erd…; *secousse ~* Erdstoß

témér|aire [temerɛːr] waghalsig, verwegen, kühn; *jugement ~aire* vorschnelles Urteil; **~ité** [-rite] *f* Waghalsigkeit, Verwegenheit

témoi|gnage [temwaɲaːʒ] *m* Zeugenaussage; Zeugnis; Bezeugung; *en ~gnage de* als Zeichen…; *als Beweis…; appeler en ~gnage* 💬 als Zeugen vorladen; *rendre ~gnage* als Zeuge aussagen; Zeugnis ablegen; **~gner** [-ɲe] (als Zeuge) aussagen; bezeugen *(de qch* etw.); an d. Tag legen; *~gner de la joie* s-r Freude Ausdruck geben; **~n** [-mwɛ̃] *m* Zeuge; *(Duell)* Sekundant; ✿ Kontrollrichtung; *appartement ~n* Musterwohnung; *essai ~n* Kontrollversuch; *solution ~n chem* Probe-, Standardlösung; *~n de mariage* Trauz.; *~n oculaire* Augenz.; *~n à charge* Belastungsz.; *~n à décharge* Entlastungsz.; *produire des ~ns* 💬 Z.n stellen; *prendre à ~n* als Z.n anrufen

tempe [tãp] *f* Schläfe

tempér|ament [tãperamã] *m* Temperament; Veranlagung, Gemütsart; **§** Konstitution; *acheter à ~ament* auf Raten kaufen; *vente à ~ament* Ratenkauf, Abzahlungsgeschäft; **~ance** [-rãs] *f* Mäßigkeit; Enthaltsamkeit; *société de ~ance* antialkoholischer Verein; **~ature** [-ratyːr] *f (a.* **§**) Temperatur; *avoir, faire de la ~ature* Fieber haben; *à ~ature variable (zool)* wechselblütig; *feuille de ~ature* **§** Fieberkurve; *prendre la ~ature* Fieber messen; **~é** [-re] *(a. fig)* gemäßigt, gemildert; **~er** [-re] *13 (a. fig)* mäßigen, mildern

temp|ête [tãpɛt] *f (a. fig)* Sturm; Unwetter; **~êter** [-pete] stürmen; *fig* wettern; **~étueux** [-petɥø] *111* stürmisch

temple [tãpl] *m* Tempel; prot. Kirche

tempor|aire [tãpɔrɛːr] zeitweilig, vorübergehend; **~al** [-ral] *124 124 anat* Schläfen…; **~el** [-rɛl] *115* zeitlich; weltlich; **~isation** [-rizasjɔ̃] *f* Zögern; Verzögerung; **~iser** [-rize] zaudern, abwarten

temps [tã] *m* **1.** Zeit; Zeiten; Zeitabschnitt; Zeitpunkt; Termin; *~ d'antenne* 📺 Sendezeit; *~ partagé EDV* Teilnehmerbetrieb; *~ réel EDV* Echtzeit; *~ universel* Greenwich-Zeit; *à ~* rechtzeitig; zeitweilig; *à ~ partiel* Teilzeit(arbeit); *avant le ~* vorzeitig; *avec le ~* allmählich; *dans le ~* ehemals; *de tout ~* zu allen Zeiten; *de ~ à autre* von Zeit zu Zeit; *en même ~* gleichzeitig; *en ~ de guerre* in Kriegsz.n; *en ~ utile* zur rechten Z.; *en ~ et lieu* bei passender Gelegenheit; *en son ~* zu s-r Z.; *la plupart du ~* meistens; *il y a beau ~ que…* es ist lange her, daß…; *il y a ~ pour tout* alles zu seiner Z.; *faire son ~ (mil)* s-e Z. abdienen; *avoir fait son ~* ausgedient haben; *il se donne du bon ~* er läßt es s. wohl sein; *prends ton ~!* laß dir Z.!; **2.** Tempo; *~ fort (faible)* **♩** starker (schwacher) Taktteil; *moteur à deux ~* **§** Zweitaktmotor; **3.** Wetter, Witterung; Wetterlage; *changement de ~* Witterungsumschlag; *gros ~* stürmisches Wetter; *par tous les ~* bei jedem Wetter; *le ~ se remet au beau* es wird wieder schön

ten|able [tənąbl] *mil, fig* zu halten; *ce lieu n'est pas ~able (fig)* hier ist es nicht auszuhalten; **~ace** [-nąs] zäh(lebig); *(Gedächtnis)* zuverlässig; *(Fehler, Vorurteil)* eingewurzelt

ténacité [tenąsitę] *f (a. fig)* Zähigkeit; Festigkeit

ten|ailles [tənǫ:j] *fpl* Zange; *~ailles de menuisier* Kneifz.; *~ailles à vis* Feilkloben; **~ailler** [-nąję] *fig* quälen, peinigen; **~ancier** [-nãsję] *m* Pächter; Wirt; **~ant** [-nã]: *séance ~ante* stehenden Fußes; *m* Verfechter; Verteidiger; *d'un seul ~ant (Ländereien)* zus.hängend ♦ *connaître les ~ants et les aboutissants d'une affaire* über etw. genau orientiert sein

tendan|ce [tãdãs] *f* Tendenz; Streben; Neigung; *(Börse)* Stimmung; *avoir ~ce à* neigen zu; **~cieux** [-sjø] *111* tendenziös; zweckgebunden; *jugement ~cieux* befangenes Urteil; **~t** [-fã] *108* hin-(ab-)zielend *(à auf)*

tender [tãdę:r] *m (Eisenbahn)* Tender

tend|eur [tãdœ:r] *m* ☿ Spannvorrichtung, Spanner; *~eur à vis* ☿ Spannschloß; *~eur de pièges* Fallensteller; **~ineux** [-dinø] *111* sehnig; **~on** [-dɔ̃] *m anat* Sehne; *~on d'Achille* Achillessehne; **~re¹** [tãdr] *76 vt* (be)spannen; *(Hand)* hinstrecken, reichen; *vi* neigen *(à* zu); streben *(ànach)*; *~re de blanc* weiß bespannen; *~re l'oreille* d. Ohren spitzen; *~re un piège à qn* j-m e-e Eselsbrücke bauen; *~re un piège* e-e Falle stellen

tend|re² [tãdr] *adj* zart, weich; *(z. B. Gebäck)-*mürbe; zärtlich, sanft; **~resse** [-drɛs] *f* Zärtlichkeit; *pl* Liebkosungen; **~ron** [-drɔ̃] *m umg* Backfisch

ténèbres [tenɛbr] *fpl* (tiefe) Finsternis; *l'ange des ~* Satan

ténébreux [tenebrø] *111 (a. Charakter)* finster; undurchsichtig

teneur [tənœ:r] **1.** *f* Gehalt *(en* an); Wortlaut; **2.** *m: ~ de livres* Buchführer

téni|a [tenją] *m* Bandwurm; **~fuge** [-ify:ʒ] *m* Bandwurmmittel

tenir [təni:r] *30* **1.** *vt* halten, festhalten; zurückhalten; aufbewahren, behalten; erhalten, haben *(de* von), verdanken; innehaben, besitzen; enthalten, fassen; *(Sitzung)* abhalten; führen, bewirtschaften; *~ pour* halten, ansehen für; *~ compagnie* Gesellschaft leisten; *~ compte de* berücksichtigen; *~ la corde* d. Vorteil auf s-r Seite haben; *~ le coup (umg)* s. nicht unterkriegen lassen; *~ la droite* 🚗 s. rechts halten; *~ en échec* im Schach halten; *~ l'échelle à qn* j-m behilflich sein; *~ ses engagements* s-n Verpflichtungen nachkommen; *~ sa langue (au chaud)* s-e Zunge im Zaum halten; *~ lieu de qch* etw. ersetzen, an d. Stelle von etw. treten; *~ la mer* seetüchtig sein; *~ sa parole* Wort halten; *~ son rang* standesgemäß leben; *~ rigueur à qn* j-m etw. nachtragen; *~ la route* 🚗 e-e gute Straßenlage haben; *~ tête* Widerstand leisten; *tenez-vous cela pour dit!* lassen Sie sich das gesagt sein! **2.** *vi* festhalten, -sitzen; bestehen, dauern; widerstehen, aushalten; bestehen, Wert legen *(à qch* auf etw.); anstoßen, -grenzen *(à* an); Platz finden *(dans* in); herrühren, -kommen *(à* von); nacharten, ähnlich sehen *(de qn* j-m); teilhaben *(de* an); eintreten *(pour* für); *~ bon* s. behaupten, standhalten; *~ ferme* festbleiben; *n'y plus ~* es nicht mehr aushalten können; *en ~ pour qn (umg)* in j-n verknallt sein; *cela ne tient pas debout* d. ist Unsinn; *cela tient à* d. liegt an; *qu'à cela ne tienne* darauf soll es nicht ankommen; *être tenu de* gebunden, gehalten sein zu; **3.** *se ~* sich (fest-)halten; s. aufhalten; stehen; *(Veranstaltung)* stattfinden; s. verhalten; s. zurückhalten; zus.hängen, verbunden sein; *se ~ debout* stehenbleiben; *se ~ à quatre* sich d. größte Gewalt antun; *s'en ~ à qch* bei etw. bleiben; *je sais à quoi m'en ~* ich weiß, woran ich bin ♦ *tiens!* da!, da hast du's!; *tiens, tiens!* sieh mal an!, nanu!; *un tiens vaut mieux que deux tu l'auras* s. Spatz in d. Hand ist besser als e-e Taube auf d. Dach

tennis [tenįs] *m* Tennis; Tennisschuhe; *~ de table* Tischtennis

tenon [tənɔ̃] *m* ☿ Zapfen

ténor [tenɔ:r] *m* Tenor(stimme); *fig* Wortführer, Leiter

tensio-actif [tãsjoaktʃf] *m* oberflächenaktiver Stoff

tension [tãsjɔ̃] *f (a.* ⚡ *u. fig)* Spannung; Straffung; *fig* Anspannung; *~ artérielle* 💊 Blutdruck; *~ de secteur* ⚡ Netzspannung; *~ superficielle (phys)* Oberflächenspannung; *basse ~* Niedersp.; *haute ~* Hochsp.

tentacule [tãtakyl] *m zool* Fühlhorn; Fangarm

tent|ant [tãtã] *108* verlockend; **~ateur** [-tatœ:r] *m* Verführer; **~ation** [-tasjɔ̃] *f* Versuchung; *résister (céder, succomber) à la ~ation* d. V. widerstehen (nachgeben, erliegen); **~ative** [-tati:v] *f (a.* 🐍*)* Versuch

tent|e [tãt] *f* Zelt; *~e familiale* Wohnz.; *dresser (lever) une ~e* d. Zelt aufschlagen (abbrechen) ♦ *se retirer sous sa ~e* sich (verärgert) zurückziehen; **~e-auto** [-totǫ] *f 98* Faltgarage

tenter [tãtę] versuchen; s. bemühen *(de* zu); verlocken; *~ une expérience* e-n Versuch anstellen; *~ le coup (fig)* e-n Versuch wagen

tenture [tãty:r] *f* Wandbehang; Tapete

tenu [təny] gehalten; verpflichtet *(à* zu); *(Wertpapier)* fest; *bien ~* gepflegt, ordentlich

ténu [teny] dünn; verdünnt; äußerst fein; winzig; *fig* fadenscheinig

tenue [təny] *f* Dauer; Instandhaltung; Benehmen; Haltung; Kleidung; ♪ Halten *(e-s Tones)*; ☿ Festigkeit, Haltbarkeit; Verhalten; *en ~ (mil)* in Uniform; *grande ~ (mil)* Galauniform; *de soirée* Gesellschaftsanzug, -kleid; *~ de livres* Buchführung; *~ de route* 🚗 Straßenlage; *Bodenhaftung; ~ en service* Betriebsverhalten

ténuité [tenɥitę] *f* Dünnheit; Feinheit; Winzigkeit

térébenthine [terebãtin] *f* Terpentin

térébrant [terebrã] *108 (Schmerz, Insekten)* bohrend

tergivers|ation [tɛrʒivɛrsasjɔ̃] *f* Ausflucht; **~er** [-sę] Ausflüchte suchen; Winkelzüge machen; zaudern

terme [tɛrm] *m* **1.** Ende; Grenze; Abschluß;

Zeitpunkt; *math* Term *m*; *com* Termin; Frist; Rat; *umg* der vierteljährl. Mietzins, Mietzahltag; *naissance avant* ~ Frühgeburt; *opération à* ~ Termingeschäft; ~ *de rigueur* äußerster Termin; *à* ~ auf Zeit, auf Kredit; *à court (long)* ~ kurz-(lang-)fristig; *mener à* ~ zum Abschluß bringen; *payer par* ~*s* in Raten bezahlen; **2.** Wort, Ausdruck, Terminus; *pl* Wortlaut; ~ *technique* Fachausdruck; F.wort; *dans toute l'acception du* ~ im vollen Sinne d. Wortes; *en d'autres* ~*s* anders gesagt; **3.** *pl* Verhältnis; Zustand; Bedingungen; ~ *de comparaison* Vergleichspunkt; *moyen* ~ Mittelweg, -ding; *être en bons (mauvais)* ~*s avec qn* mit j-m auf gutem (schlechtem) Fuß stehen

termin|aison [tɛrminɛzɔ̃] *f* Ende; Abschluß; (Wort-)Endung; ~**al** [-nạl] *adj* End...; *classes* ~*ales päd* Oberstufe, letzte Klasse im frz. Gymnasium; *m* ⚓ Anker- u. Verladeplatz; Containerverladestelle; Erdöl- u. Erdgasumschlaganlage; ✈ Abfertigungshalle; *EDV* Ein- u. Ausgabeeinheit, Terminal *n*; ~**er** [-nẹ] beenden, abschließen; *se* ~*er* enden (*par* in, auf), endigen (*par* mit); *se* ~*er en pointe* spitz zulaufen; ~**ologie** [-nɔlɔʒi] *f* Terminologie; ~**us** [-nys] *m* Endstation, Zielbahnhof

termit|e [tɛrmịt] *m* Termite; *travail de* ~*e* (*fig*) Wühlarbeit; ~**ière** [-mitjɛːr] *f* Termitenhügel

tern|e [tɛrn] trübe, glanzlos; (*Geist, Stil*) matt; ~**ir** [-niːr] *22* trüben; mattieren; *fig* abschwächen; *se* ~*ir* (*Spiegel*) beschlagen; ~**issure** [-nisyːr] *f* Mattheit; Trübung; (*Spiegel*) Beschlagen, Anlaufen

terrain [tɛrɛ̃] *m* Erdboden; Gelände; Grundstück, Grund; Erde, Erdgut; *geol* Gestein; Gebirgsart; Gebiet; ⚽ Spielfeld, Platz; *fig* (Grund-)Lage; ~ *d'aviation* Flugplatz; ~ *à bâtir* Bauplatz; ~ *d'entente* Verständigungsgrundlage; ~ *vague* ungenutztes Gelände, Baulücke; *sur le* ~ an Ort u. Stelle; *véhicule tout* ~ Geländewagen; *aller sur le* ~ sich duellieren; *bien connaître le* ~ (*fig*) wissen, woran man ist; *disputer le* ~ s-n Standpunkt behaupten; *être sur son* ~ in s-m Element sein; *gagner (perdre) du* ~ (*fig*) an Boden gewinnen (verlieren); *ménager le* ~ vorsichtig zu Werke gehen; *préparer le* ~ (*fig*) d. Wege ebnen; *rester maître du* ~ d. Feld behaupten; *sonder le* ~ (*fig*) vorfühlen

terrass|e [tɛrạs] *f* Terrasse; Dachgarten; Aufschüttung, Erdwall; ~**ement** [-rasmɔ̃] *m* Erdarbeiten, Erdbewegung; Planierung; Aufschüttung; ⚽ Unterbau; ~**er** [-rasẹ] Erde aufschütten; *a. fig* niederstrecken, -schmettern; ~**ier** [-rasjẹ] *m* Erdarbeiter

terre [tɛːr] *f* Erde, Erdboden; Grund; Land; Länderei; *astr* Erde; ~ *arable* Ackerland; ~ *argileuse* Lehm; ~ *cultivée* Anbaufläche; ~ *cuite* Terrakotta; ~ *ferme* Festland; ~ *en friche* Brachland; ~ *glaise* Lehm; ~ *grasse* fette Erde; ~ *promise* d. Gelobte Land; ~ *réfractaire* feuerfester Ton, Schamotte; ~ *de remblai* Füllerde; ~ *sainte* d. Heilige Land; ~ *siliceuse* Kieselerde; ~ *végétale* Mutterboden; *à* ~ auf

d. Boden; *descendre à* ~ ⚓ an Land gehen; *mettre à la* ~ erden; *porter en* ~ beerdigen; *remuer ciel et* ~ Himmel u. Hölle in Bewegung setzen; *tomber par* ~ hinfallen; ~ *à* ~ spießig, gewöhnlich; ~**au** [-rọ] *m 91* Gartenerde, Kompost; ~**neuve** [-nœːv] *m 100 zool* Neufundländer; ~**neuvien** [-nœvjɛ̃] *m 99* Neufundlandfischer; ~**plein** [-plɛ̃] *m 99* Hinterfüllung; Erdwall, Erddamm; ▉ Bahnkörper, Bahndamm; ~*plein central (Autobahn)* Mittelstreifen; ~**r** [tɛrẹ]: *se* ~*r* s. verstecken; *mil, zool* s. eingraben; ~**stre** [tɛrɛstr] Erd... (*globe* ~*stre* Globus); Land... (*animal* ~*stre* Landtier); irdisch

terreur [tɛrœːr] *f* Schrecken, Entsetzen; *inspirer la* ~ Sch. einjagen

terreux [tɛrø] *111* erdig; erdfarben; *visage* ~ aschgraues Gesicht

terrible [tɛribl] schrecklich, entsetzlich, furchtbar; *umg* toll, super, spitze

terr|ien [tɛrjɛ̃] *118* landbesitzend; *m* Landbewohner; ~**ier** [-rjẹ] *m* **1.** (*Kaninchen, Dachs*) Bau; **2.** Terrier

terrifier [tɛrifjẹ] in Schrecken versetzen

terr|il [tɛrịl] *m* (*Bergbau*) Abraumhalde; ~**ine** [-rịn] *f* (irdene) Schüssel; Art Pastete (*in Schüsseln eingemacht*); ~**itoire** [-ritwạːr] *m* (Hoheits-)Gebiet; Bezirk; ~*itoire aérien* Luftraum; ~*itoire douanier* Zollgebiet; ~**itorial** [-riɔrjạl] *124* territorial; Land(es)...; ~**oir** [-rwạːr] *m* Boden, Land; Gegend, Landstrich; *poète du* ~*oir* Heimatdichter

terroris|er [tɛrɔrizẹ] terrorisieren, in Schrecken halten; *j-n* bedrohen, einschüchtern; ~**me** [-rịsm] *m pol* Terror(system), Schreckensherrschaft; Verbreiten von Terror; Bedrohung; Einschüchterung; ~**te** [-rịst] *m* Gewalttäter, Terrorist

tert|iaire [tɛrsjɛːr] an dritter Stelle stehend; *m com* Dienstleistungsbereich; Dienstleistungen *pl*; *geol* Tertiär; ~**io** [-sjo] drittens

tertre [tɛrtr] *m* Erd-, Grabhügel

tes [te] *pron pl* deine

tesson [tesɔ̃] *m* Scherben

test [tɛst] *m* Test, Probe, Prüfung

test|ament [tɛstamɔ̃] *m* Testament; *léguer par* ~*arment* testamentarisch vermachen; ~**amentaire** [-mãtɛːr] testamentarisch; *dispositions* ~*amentaires* ⚖ letztwillige Verfügungen; *exécuteur* ~*amentaire* Testamentsvollstrecker; ~**ateur** [-tœːr] *m* ⚖ Erblasser; ~**er** [tɛstẹ] *vt* prüfen, überprüfen, testen; *vi* e. Testament errichten; ~**eur** [-tœːr] *m* Prüfgerät

testicule [tɛstikyl] *m anat* Hode

testimonial [tɛstimɔnjal] *124* ⚖ Zeugen...; *preuve* ~*e* Zeugenbeweis

tétanos [tetanɔs] *m* ⚕ (Wund-)Starrkrampf, Tetanus

têtard [tɛtạːr] *m* **1.** Kaulquappe; **2.** Kopfweide

tête [tɛt] *f (a. fig)* Kopf; *a. fig* Haupt; Spitze, Führung; (*Vieh*) Stück; *fig* Geist, Verstand; Charakter; Kaltblütigkeit, Entschlossenheit; *umg* Miene, Visage; ~ *nue* mit bloßem Kopf; ~ *baissée* blindlings; *à la* ~, *en* ~ an d. Spitze;

de ~ *(adv)* im, aus d. Kopf; *la ~ la première* kopfüber; *forte ~* Aufrührer; *mauvaise ~* Querkopf; *coup de ~* unüberlegter Streich; *femme de ~* energische Frau; *homme de ~* klardenkender, aufrechter Mann; ~ *carrée* Dickschädel; ~ *chercheuse mil* Suchkopf; *fig* Vorläufer; ~ *à gifles* Ohrfeigengesicht; ~ *de lecture* Abtaster, Lesekopf; Tonkopf; ~ *de ligne* Ausgangsstation, -bahnhof; ~ *de mort* Totenkopf; ~ *de pont* Brückenkopf; ⌁ Luftlandekopf; ~ *de série* erstes Seriengerät; ~ *de Turc* Prügelknabe; *avoir la ~ dure* schwer von Begriff sein; *avoir la ~ fêlée* verrückt sein; *être en (tenir la) ~* in Führung liegen; *faire la ~ (umg)* schmollen, e. Gesicht ziehen; *n'en faire qu'à sa ~* nur nach s-m Kopf handeln; *se jeter à la ~ de qn* sich jemandem an den Hals werfen; *marcher en ~* vorausmarschieren; *monter à la ~* zu Kopfe steigen; *payer de sa ~* mit d. Leben bezahlen; *se payer la ~ de qn* sich über j-n lustig machen; *risquer sa ~* sein Leben aufs Spiel setzen; *rompre la ~ à qn* j-m d. Ohren vollschreien; *se trouver à la ~ de* im Besitz sein von ♦ *avoir la ~ près du bonnet* aufbrausend sein; *ne savoir où donner de la ~* nicht wissen, wo e-m d. Kopf steht; *avoir des dettes par-dessus la ~* bis über d. Ohren in Schulden stecken; **~-à-queue** [tɛtakǫ] *m 100: faire un ~-à-queue* 🚗 s. um s-e eigene Achse drehen; **~-à-~** [tɛtatɛt] *m 100* (vertrauliches) Zwiegespräch; (Kaffee- *od* Tee-) Service für zwei Personen; **~-bêche** [-bɛʃ] *adv* umgekehrt; **~-de-loup** [-dəlu] *f 99* Staubwedel; **~-s-de-moineau** [-dəmwanǫ] *fpl* Nußkohlen; **~-de-nègre** [-dənɛgr] *inv* dunkel-(kastanien-)braun

tét|ée [tetɛ] *f* Säuglingsmahlzeit; **~er** [-tɛ] *13* (an d. Brust) trinken, saugen; **~erelle** [-tetrɛl] *f* 💲 Brusthütchen; **~in** [-tɛ̃] *m* Brustwarze; **~ine** [-tin] *f* Zitze; (Gummi-)Sauger; **~on** [-tɔ̃] *m;* ⚙ Stift, Zapfen; *umg (weibl.)* Brust

tétravalent [tetravalɑ̃] *108 chem* vierwertig

têtu [tety] starrköpfig, eigensinnig

teuton [tøtɔ̃] *118* teutonisch; ⬥ *m* Teutone; *umg pej* Deutscher

text|e [tɛkst] *m* Text; Wortlaut; 🏛 Bestimmung; Gesetz; *~e d'application* Ausführungsbestimmung; **~ile** [-til] **1.** spinnbar; *industrie ~ile* Textilindustrie; **2.** *m* Faserstoff; Gespinstfaser; **3.** *mpl* Textilien; *fpl; ~iles artificiels = ~iles snythétiques* Chemiefaserstoffe; **~uel** [-tɥɛl] *115* (wort)wörtlich; **~ure** [-tyːr] *f* Gewebe, Gefüge; *fig* Struktur

thalassothérapie [talasoterapi] *f* Seeluft- u. Seebäderheilkunde

thanatologie [tanalɔlɔʒi] *f* Sterbehilfe; Lehre von den Todesursachen u. den Problemen des Sterbens

thaumaturge [tomatyrʒ] *m* Wundertäter, -doktor; Zauberer

thé [te] *m* Tee(staude); ~ *dansant* Tanztee

théâtr|al [teatral] *124* Theater... ; *a. fig* theatralisch; **~e** [teɑtr] *m* Theater; Bühne; *fig* Schauplatz; *~e amateur* Liebhaberbühne; *~e des opérations* Kriegsschauplatz; *coup de ~e* Knalleffekt; *faire du ~e* als Schauspieler arbeiten

théière [tejɛːr] *f* Teekanne

thématique [tematik] *f* Thematik; Themenkreis, Themenauswahl; Leitgedanke

thème [tɛm] *m* Thema; Stoff, Gegenstand; *päd* Übersetzung in d. Fremdsprache

théolog|ie [teɔlɔʒi] *f* Theologie; **~ien** [-ʒjɛ̃] *m* Theologe; **~ique** [-ʒik] theologisch

théor|ème [teɔrɛm] *m math* Lehrsatz; **~icien** [-risjɛ̃] *m* Theoretiker; **~ie** [-ri] *f* Theorie; Lehre; *mil* Unterricht; Prozession, lange Reihe; **~ique** [-rik] theoretisch

thérap|eutique [terapøtik] 💲 therapeutisch, Heil...; *f* Heilkunde, -behandlung; **~ie** [-pi] *f* 💲 Heilkunde, -behandlung; Therapie

therm|al [tɛrmal] *124: eaux ~ales* warme (Heil-)Quellen; *station ~ale* Badeort; **~ique** [-mik] *adj* Wärme...; *f* Wärmelehre, Thermik, *isolation ~ique* W.isolierung; **~omètre** [-mɔmɛtr] *m* Thermometer; **~ométrie** [-mɔmetri] *f* Wärmemessung; **~oplastique** [-mɔplastik] *(Kunststoffe)* unter Wärmeeinwirkung erweichend; **~oplongeur** [-mɔplɔ̃ʒœːr] *m* Tauchsieder; **~opompe** [-opɔ̃p] *f* Wärmepumpe; **~os** [-mɔs] *f* Thermosflasche; **~ostat** [-ostɑ] *m* Thermostat, Temperaturregler

thésauriser [tezorize] horten

thèse [tɛːz] *f* These; Lehrsatz; Aufstellung; Dissertation

thon [tɔ̃] *m* Thunfisch

thora|cique [tɔrasik] *cage ~cique (anat)* Brustkorb; **~x** [-raks] *anat* Brustkorb

thune [tyn] *f pop* Fünffrankenstück

thuriféraire [tyriferɛːr] *m rel* Rauchfaßträger; *fig* Beweihräucherer

thym [tɛ̃] *m* Thymian

thyroïde [tirɔid] *f* Schilddrüse

tiare [tjaːr] *f* Tiara, Papstkrone

tibia [tibja] *m* Schienbein

tic [tik] *m* Zuckung; *fig* Tick

ticket [tikɛ] *m* Eintritts-, Fahrkarte; ~ *modérateur* Selbstbeteiligung (d. Versicherten); ~ *de quai* Bahnsteigkarte; ~ *restaurant* Essensmarke; *avoir le ~ (umg)* e-e Eroberung machen; j-m gefallen

ticta|c [tiktak] *m* Ticktack *n;* **~quer** [-ke] ticken

tiède [tjɛd] *a. fig* lau

tléd|eur [tjedœːr] *f (a. fig)* Lauheit; **~ir** [-djːr] *22 (a. fig)* lau werden, s. abkühlen

tien [tjɛ̃] *118* dein(e, es); *le ~* das Deine, Deinige

tiens! [tjɛ̃] (sieh) da!, da hast du's!

tier|ce [tjɛrs] *f* ♪ Terz; **~cé** [-se] *m* Dreierwette; **~s** [jɛːr] *133* dritter; *m* Dritter; Drittel; *~s Monde* Dritte Welt ♦ *se moquer du ~s comme du quart* s. über jeden lustig machen; **~s-point** [tjɛrpwɛ̃] *m 99* Dreikantfeile

tifs [tif] *mpl pop* Haare, Borsten

tige [tiːʒ] *f* Stengel; Stiel; ⚙ Stange, Stab, Bolzen, Schaft; *fig* Stammvater; *haute ~* ↓ Hochstamm; ~ *de bas* Strumpflänge; ~ *de botte* Stiefelschaft; ~ *de butée* Anschlagbolzen; ~ *de colonne* Säulenschaft; ~ *de piston* Kolbenstange; ~ *en verre* Glasstab

tignasse [tiɲas] *f pop (Haare)* Mähne

tigr|e [tigr] *m* Tiger; *fig* grausamer Mensch; *~e royal* Königstiger; *jaloux comme un ~e* rasend eifersüchtig; *~é* [-grɛ] getigert; *~esse* [-grɛs] *f* Tigerin; *fig* Megäre; eifersüchtige Frau

tillac [tijak] *m* ♪ Oberdeck

tilleul [tijœl] *m* Linde; Lindenblüte(ntee)

tilt [tilt] *m* Stoß, Signal; *faire ~ fig umg* e-n Einfall haben; ins Schwarze treffen; danebengehen

timbal|e [tɛ̃bal] *f* Trinkbecher; ♪ Kesselpauke; *décrocher la ~e (fig)* d. Vogel abschießen; *~ier* [-balje] *m* Paukenschläger

timbr|age [tɛ̃braːʒ] *m* Stempeln; *dispensé du ~age* ♂ Gebühr bezahlt; *~e* [tɛ̃br] *m* (Fahrrrad-)Glocke; Klang(farbe); *com* Geschäftszeichen; ♂ (Brief-)Marke; Stempel; Stempelmarke; *~e dateur* Datumsstempel; *~s sec* Stahlstempel, humide Gummistempel; *~s sec* Stahlstempel, Prägestempel; *apposer un ~e* e-n Stempel aufdrücken; *soumis au ~e* stempelpflichtig; *~e-poste* [-brɔpɔst] *m 98* Briefmarke; *~er* [-brɛ] stempeln; e-e Briefmarke aufkleben; *papier ~é* (Steuer-)Stempelpapier; *être ~é (umg)* spinnen, übergeschnappt sein

timid|e [timjd] schüchtern; *~ité* [-ditɛ] *f* Schüchternheit, Ängstlichkeit, Scheu

timon [timɔ̃] *m* Deichsel; ♪ Ruder; *~erie* [-mɔnri] *f* ♪ Ruderhaus; ♪ Bremsgestänge; *~ier* [-mɔnje] *m* ♪ Steuermann

timoré [timɔrɛ] ängstlich, zaghaft; übermäßig gewissenhaft

tinette [tinɛt] *f* Aborteimer

tint|amarre [tɛ̃tamaːr] *m umg* Getöse, Spektakel; *~ement* [tɛ̃tmɔ̃] *m* Anschlagen *(e-r Glocke)*; Nachklingen; *~ement du glas* Totengeläut; *~ement d'oreille(s)* Ohrenklingen; *~er* [-te] *vt/i (Glocke)* läuten; *~innabuler* [-tinabylɛ] klingeln; *~touin* [-twɛ̃] *m umg* Mühe; Kopfzerbrechen, Schererei

tiqu|e [tik] *f zool* Zecke; *~er* [-kɛ] zus.zucken; *umg* stutzen

tir [tiːr] *m* Schießen; Schuß; Beschuß; Schießstand; *mil* Feuer; *(Flugkörper)* Abschuß; *~ de barrage* Sperrf.; *~ continu* Dauerf.; *~ en rafales* Abgabe von Feuerstößen; *~ sportif* Schießsport; *champ de ~* Schießplatz; *~ade* [tiṛad] *f* Wortschwall; *~age* [tiraːʒ] *m (Kamin)* Zug; *(Lotterie)* Ziehung; ✿ Ziehen; ▢ Auflage(ziffer); (Ab-)Druck; ▯ Abzug; *~aillement* [tirajmɔ̃] *m* Zerren; $ Reißen, Krampf; *pl umg* Reibereien; *après bien des ~aillements* nach vielem Hin u. Her; *~ailler* [tiraje] *vt fig* (hin u. her) zerren; bedrängen; *vi* mal plänkeln; *~ailleur* [tirajœːr] *m* Schütze; *en ~ailleurs* in Schützenlinie; *~ant* [tirɑ̃] *m* ✿ Zugbolzen; Klammer; 🏛 Dachträger, Binder; *~ant d'eau* ♪ Tiefgang; *~ant d'air (unter Brückenbogen)* lichte Höhe; *~é* [tirɛ] *m (Wechsel)* Bezogener; *~é à part* Sonderdruck; *mpl* Schießjagd; *~e-au-flanc* [tiroflɑ̃] *m 100 pop* Drückeberger; *~e-bouchon* [tirbuʃɔ̃] *m 99* Korkenzieher; *~e-d'aile* [tirdɛːl]: *à ~e-d'aile* so schnell wie möglich; *~e-jus* [tirʒy] *m pop (Taschentuch)* Rotzfahne; *~e-larigot* [tirlarigɔ]: *à ~e-larigot*

reichlich; *~e-ligne* [tirliɲ] *m 99* Reißfeder; *~elire* [tirliːr] *f* Sparbüchse

tirer [tirɛ] **1.** *vt* ziehen, reißen, zerren; ab-, ent-, heran-, heraus-, hinter sich herziehen; strecken, in d. Länge ziehen; abschießen; ▯ Photoabzüge machen; ▢ drucken; *~ un an (pop)* ein Jahr absitzen, abreißen; *~ de l'argent de qn* j-m Geld aus d. Tasche ziehen; *~ les cartes* Karten legen; *~ au clair* klären; *~ une conséquence de e-e* Folgerung ziehen aus; *~ qn d'embarras* j-m aus d. Verlegenheit helfen; *~ la langue* d. Zunge herausstrecken; *~ les larmes des yeux* z. Weinen bringen; *~ parti de qch* sich etw. zunutze machen; *~ un plan* e-n Plan zeichen; *fig* planen; *~ le portrait à qn* j-n fotografieren; *~ qch de qn* ablisten, abschwindeln; abluchsen; *~ sa révérence* sich verabschieden; *~ satisfaction de* Genugtuung erhalten für; *~ qch au sort* etw. auslosen; *~ vanité d'une chose* sich etw. einbilden auf; *~ du vin* Wein (auf Flaschen) abziehen; *tiré par les cheveux* an d. Haaren herbeigezogen; *avoir les traits tirés* angegriffen aussehen ♦ *tiré à quatre épingles* wie aus d. Ei gepellt; **2.** *vi* schießen *(de mit)*; ziehen *(sur* an); *(Kamin)* Zug haben; *~ à conséquence* Folgen haben; *~ à sa fin* z. Neige gehen; *~ au flanc (pop)* sich drücken; *~ en longueur* sich hin(aus)ziehen; *~ au sort* durch das Los bestimmen; *~ sur le bleu* ins Blaue übergehen; **3.** *se ~ (umg)* abhauen, abschwirren, Leine ziehen; *se ~ d'affaire* sich aus d. Affäre ziehen; *s'en ~* gut davonkommen; *s'en ~ à bon compte* mit e-m blauen Auge davonkommen

tir|et [tirɛ] *m* Gedankenstrich; *~ette -rɛt] f* Zugschnur; Ausziehbrett; *~eur* [-rœːr] *m* Schütze; Jäger; *com* Aussteller, Trassant; *~euse* [-rœːz] *f* Kopiergerät; Kopiermaschine; *~euse de cartes* Kartenlegerin; *~oir* [-rwaːr] *m* Schublade; ✿ Schieber

tisan|e [tizan] *f* Kräutertee; *~erie* [-zanri] *f* Teeküche *(im Krankenhaus)*

tison [tizɔ̃] *m* brennendes *od* angekohltes Stück Holz; *~ de discorde* Unruhestifter; Zankapfel; *~ner* [-zɔnɛ] (Feuer) schüren; *~nier* [-zɔnje] *m* Schürhaken; *arg pop* Staatsanwalt

tiss|age [tisaːʒ] *m* Weben; Webarbeit; Weberei; *~er* [-sɛ] weben; *~erand* [tisrɑ̃] *m* Weber; *~u* [-sy] gewebt, durchwirkt *(de mit)*; *m (a. $ u. fig)* Gewebe; *com* Struktur; *fig* Kette, Reihe; *~u conjonctif (anat)* Bindegewebe; *~u de mensonges* Lügengespinst; *~u social* Gesellschaftsstruktur; soziales Gefüge; *~urbain* städtische Infrastruktur; *~u de verre* Glasfasergewebe

titan|e [titan] *m chem* Titan; *~ique* [-tanik] titanisch, gigantisch

titi [titi] *m umg* Pariser Straßenjunge

titiller [titile] *vt* kitzeln; *vi* prickeln

titr|age [titraːʒ] *m* Feingehaltsbestimmung, Maßanalyse, Titration; *~e* [titr] *m* Titel, Abschnitt; Überschrift; Eigenschaft; (Fein-)Gehalt; ♙ Rechtstitel; Wertpapier; Urkunde; Befähigungsnachweis; Anspruch *(à auf)*; *~e de paiement* Zahlungsanordnung; *~e de transport* Beförderungsausweis; *à ~e de (präp)* als, in d.

Eigenschaft...; *à ~e de prêt* leihweise; *à ~e gratuit* kostenlos; *à juste ~e* mit vollem Recht; *à plus d'un ~e* in mehr als e-r Hinsicht; *à quel ~e?* in welcher Eigenschaft?; *en ~e* fest; *(Professor usw.)* planmäßig; **~er** [-trę] **1.** betiteln; e-n Titel verleihen; **2.** titrieren, d. Feingehalt bestimmen

tituber [titybę] *(z.B. Betrunkener)* schwanken, taumeln

titul|aire [titylę:r] **1.** beamtet; *fonctionnaire ~aire* Beamter auf Lebenszeit; *membre ~aire* ordentl. Mitglied; *professeur ~aire* ordentl. Professor; **2.** *m* Titelinhaber; ⚔ Titelverteidiger; *~aire d'un prix* Preisträger; **~ariser** [-larizę] ins Beamtenverhältnis berufen

toast [tost] *m* **1.** Trinkspruch; *porter un ~* e-n T. ausbringen; **2.** Toast, geröstete Brotschnitte

toboggan [tɔbɔgɑ̃] *m* Rodel(schlitten); Rutschbahn; 🚑 Behelfsbrücke; ✝ Notrutsche

toc [tɔk] *m umg* Kitsch, Imitation; *~ ~!* plemplem!; **~ante** *umg* Zwiebel, Wecker, Uhr; **~ard** [-ka:r] *pop* mies; *m pop* schlechtes Rennpferd

tocsin [tɔksɛ̃] *m* Sturmgeläute

toge [tɔ:ʒ] *f hist* Toga

tohu-bohu [tɔybɔy] *m* Tohuwabohu

toi [twa] du; *vgl.* moi

toil|e [twal] *f* Leinen, Leinwand; Gemälde; *~e d'araignée* Spinngewebe; *~e à baches* Planenstoff; *~e cirée* Wachstuch; *~e d'emballage* Sack-, Packl.; *~e (d')émeri* Schmirgelleinwand; *~e de fond* 🏴 Prospekt; 📖 Bildwand; *fig* Hauptthema; *en ~e de fond* im Hintergrund; *~e métallique* Fliegendraht; *~ de protection* Schutzplane; *~ de saut* Sprungtuch; **~ette** [-lɛt] *f* Frisiertisch; *(Kleidung)* Toilette; *pl* Abort; *cabinet de ~ette* Wasch- u. Ankleideraum; *gant de ~ette* Waschlappen; *en grande ~ette* im Abendkleid; *faire ~ette* s. festlich kleiden; *faire sa ~ette* s. waschen u. kämmen; **~ier** [-lję] *m* Leinenhändler; Leineweber

tois|e [twa:z] *f* Klafter; Gerät zur Messung d. Körpergröße; **~er** [twazę] abmessen; *~er qn* j-n *(verächtlich)* mit d. Augen messen

toison [twazɔ̃] *f* Schaffell; *umg* Mähne; Haarwuchs auf d. Brust; *la ~ d'or* das Goldene Vlies

toit [twa] *m* Dach; Haus; Behausung; *~ ouvrant* 🚑 Schiebedach; *crier qch sur les ~* s etw. überall ausposaunen; **~ure** [-ty:r] *f* Bedachung; Überdachung; *~ure à deux versants* Giebeldach, Satteldach

tôle¹ [tol] *f* (Eisen-)Blech; *~ galvanisée* Weißblech; *~ ondulée* Wellblech

tôle² [tol] *f* Knast, Kittchen

tolér|able [tɔlerabl] erträglich; **~ance** [-rɑ̃s] *f (a.* ⚛) Toleranz, zulässige Abweichung; Duldsamkeit; *~ance humaine* zumutbare Belastbarkeit; ⚕ Verträglichkeit; *~ance de jeu* ⚙ zulässiges Spiel; **~ant** [-rɑ̃] 108 tolerant; duldsam; **~er** [-rę] 13 dulden; ertragen; tolerieren; *contrainte ~ée* Grenzbeanspruchung; *bien ~er* ⚕ gut vertragen

tôl|erie [tolri] *f* (Eisen-)Blechwaren(-industrie); **~ier** [-lję] *m* Blechschmied

tollé [tɔllę] *m* Zetergeschrei

tomate [tɔmąt] *f* Tomate

tomb|al [tɔbąl] *(Haare, Pflanzenteile)* herabhängend; *à la nuit ~ante* bei einbrechender Nacht; *~e* [tɔ̃b] *f* Grab; *avoir un pied dans la ~e (Kranker)* mit e-m Fuß im Grab stehen; **~eau** [-bo] *m* 91 Grabmal, -stätte; *fig* Tod, Ende; *mettre qn au ~eau (fig)* j-n ins Grab bringen; *il roule à ~eau ouvert* 🚑 er rast wie e. Wahnsinniger; **~ée** [-bę] *f: à la ~ée du jour* (od *de la nuit)* bei Einbruch d. Nacht

tomber [tɔ̃bę] **1.** *vi (a. fig)* fallen *(a. im Krieg);* (ab)stürzen; *(Haare)* ausfallen; *fig* unter d. Tisch fallen; ⚑ durchfallen; umfallen *(de* vor); *(Fluß, Straße)* münden *(dans* in); *~ par terre* hinfallen; *~ aux pieds de qn* j-m zu Füßen fallen; *~ raide mort* tot umfallen; *~ des mains* aus d. Händen fallen; *les cheveux lui tombent sur les épaules* d. Haare fallen ihr auf d. Schultern herab; *la nuit tombe* es wird Nacht; *la fête tombe un lundi* d. Fest fällt auf e-n Montag; *~ sur les bras de qn* j-m z. Last fallen; *~ de son haut* aus allen Wolken fallen; *les bras m'en tombent (umg)* da komme ich nicht mehr mit; *laisser ~ qn, qch (umg)* j-n, etw. fallenlassen, aufgeben; *~ sous le sens* offensichtlich sein, einleuchten; **2.** schwächer werden, versiegen; *(Wind)* abflauen; *la conversation tomba* d. Gespräch geriet ins Stocken; *le jour tombe* d. Tag neigt sich; *le vent tombe* d. Wind legt sich; **3.** ver-, zerfallen; *fig* herunterkommen; *~ en lambeaux* in Stücke zerfallen; *~ en poussière* zu Staub zerfallen; *~ en ruine (Haus)* verfallen; *~ d'accord* einig werden; *~ amoureux* sich verlieben, vernarren *(de qn* in j-n); *~ dans le besoin* in Not geraten; *bien ~* zur rechten Zeit kommen; es gut treffen; *~ en désuétude* außer Gebrauch kommen; *~ en disgrâce* in Ungnade fallen; *~ dans l'erreur* e-m Irrtum verfallen; *~ entre les mains de qn* j-m zufällig in d. Hände geraten; *~ malade* krank werden; **5.** *~ sur* herfallen über; stoßen auf; zufällig treffen (auf); kommen auf; **6.** *vt umg pol* besiegen, schlagen; *~ un adversaire* e-n Gegner in die Knie zwingen; *~ la veste* d. Jacke ausziehen; **~eau** [-brọ] *m* 91 Müllwagen; Kippkarren; *wagon ~eau* offener Güterwagen

tombeur [tɔ̃bœ:r] *m umg* Frauenheld, Casanova, Verführer

tome [tɔm] *m* 📖 Band

ton¹ [tɔ̃] *m* (♪ , *Stimme)* Ton; Färbung, Stil, Art; *~ majeur* Durtonart; *~ mineur* Molltonart; *de bon ~* geschmackvoll; gut erzogen; *changer de ~* e-n anderen Ton anschlagen; *donner le ~ (Mode usw.)* d. Ton angeben; *hausser le ~* anmaßend reden; **~alité** [tonalitę] ♪ Tonalität, Tonart; ⚑ Farbton, Nuance *régulateur de ~alité* ⚙ Klangregler

ton² [tɔ̃] *pron* dein(e)

tond|euse [tɔ̃dǿ:z] *f* Schermaschine; **~euse à cheveux** Haarschneidemaschine; **~euse à gazon** Rasenmäher; **~re** [tɔ̃dr] 76 *(Tuch, Schafe)* scheren; abgrasen; *~re un client* e-n Kunden ausnehmen, schröpfen; ♦ *se laisser ~re la laine* *sur le dos* s. d. Butter vom Brot nehmen lassen, s. alles gefallen lassen; ~u [-dy] geschoren (*de près kurz*); *m* Kahlgeschorener ♦ *trois pelés et un ~u* keine Seele; fast niemand

ton|icité [tɔnisite] *f* ♩ Spannkraft (*d. Muskeln*); ~ifiant [-nifjɑ̃] *108* ♩ kräftigend; ~ique [-nik] stärkend, kräftigend; *m* ♩ Tonikum; *f* ♪ Tonika, Grundton; *ling* Tonsilbe; ~itruant [-nitryɑ̃] *108* dröhnend, donnernd; ~itruer [-nitrye] donnern, brüllen

tonn|age [tɔnaːʒ] *m* ♨ Tonnage, Schiffsraum, Raumgehalt; ~age limite Gesamtzuladung; ~e [tɔn] *f (Gewicht)* Tonne; ~eau [-no] *m 91* Faß; ~eau de jauge ♨ Registertonne; *être du même ~eau* aus e-m Holz geschnitzt sein; *faire plusieurs ~eaux* s. mehrmals überschlagen; ~elier [-nəlje] *m* Küfer, Böttcher; ~elle [-nɛl] *f* Gartenlaube; 🏛 Tonnengewölbe; ~ellerie [-nɛlri] *f* Böttcherei; ~er [-ne] donnern; ~erre [-nɛːr] Donner; ~erre d'applaudissements tosender Beifall ♦ *c'est du ~erre!(pop)* das ist prima!, das ist toll!

ton|sure [tɔ̃syːr] *f* Tonsur; ~surer [-syre] d. Tonsur machen; ~te [tɔ̃t] *f* Schafschur; Schurwolle

tonton [tɔ̃tɔ̃] *m umg* Onkel

tonus [tɔnys] *m* ♩ Tonus, Spannungszustand; *umg* Dynamik, Energie, Vitalität

top [tɔp] *m* ⚓ Zeitzeichen; *fig* Startzeichen; *EDV* Bit *n*

topaze [tɔpaːz] *f* Topas; ♂ *m umg* bestechlicher Politiker

top|er [tɔpe] einschlagen; ~e là! einverstanden!, topp!; ~ette [-pɛt] *f* Fläschchen

top|ique [tɔpik] *m* ♩ Heilmittel für örtl. Gebrauch; ~o [-po] *m umg* Entwurf; Kurzreferat; ~ographie [-pografi] *f* Lagebeschreibung, Topographie; ~ométrie [-pometri] *f* Vermessung; ~onymie [-ponimi] *f* Ortsnamenkunde

toqu|ade [tɔkad] *f umg* Strohfeuer, Schwarm; Marotte, Faible; ~nte [-kɑ̃t] *f pop* (Taschen-)Uhr, Zwiebel

toque [tɔk] *f* Kochmütze; Barett; Kappe

toqu|é [tɔke] *umg* verrückt; verschossen (*de* in); ~er [-ke] ~er *de* sich vernarren in

torch|e [tɔrʃ] *f* Fackel; Taschenlampe; ~er [-ʃe] (ab-, aus-)wischen; *pop* pfuschen; ~ère [-ʃɛːr] *f* Leuchter, Stehlampe; ~is [-ʃi] *m* Kleiberlehm; ~on [-ʃɔ̃] *m* Scheuer-, Wischlappen, Küchentuch; *umg* Wisch, Schrieb ♦ *le ~on brûle* es ist dicke Luft; ~onner [-ʃɔne] abwischen; *umg* pfuschen, schludern

tord|ant [tɔrdɑ̃] *108 umg* ulkig, zum Totlachen; ~boyaux [-bwajo] *m 100 pop* Fusel; ~re [tɔrdr] *76* (zus.)drehen; verbiegen; auswringen; *(Sinn)* verdrehen, falsch deuten; ~re le cou d. Hals umdrehen, umbringen; *se ~re* s. krümmen; *se ~re de rire* s. biegen vor Lachen; *se ~re le pied* s. d. Fuß verstauchen; ~u [-dy] *adj* gedreht; *umg* komisch, leicht verrückt

tor|éador [tɔreadɔːr] *m* Torero, Stierkämpfer; ~il [-ril] *m* Stall für Kampfstiere

torgnole [tɔrɲɔl] *f pop* Ohrfeige; Faustschlag

tornade [tɔrnad] *f* Wirbelsturm, Tornado

toron [tɔrɔ̃] *m* Litze; *(Kabel)* Adernbündel

torp|eur [tɔrpœːr] *f* Erstarrung; Betäubung; *fig* Teilnahmslosigkeit; ~ide [-pid] erstarrt; *fig* apathisch; ~illage [-pijaːʒ] *m* Torpedierung; ~ille [-pij] *f zool* Zitterrochen; ⚓ Torpedo; ~iller [-pije] *a. fig* torpedieren; ~illeur [-pijœːr] *m* Torpedoboot

torré|faction [tɔrefaksjɔ̃] *f (z.B. Kaffee)* Rösten; ~fier [-fje] *(z.B. Kaffee)* rösten

torr|ent [tɔrɑ̃] *m* Gebirgs-(Sturz-)Bach; Flut, Strom (*de* von); *il pleut à ~ents* es gießt in Strömen; ~entiel [-rɑ̃sjɛl] *115: pluie ~entielle* Wolkenbruch; ~entueux [-rɑ̃tɥø] *111 (Fluß)* wild; ~ide [-rid] glühend heiß; *(Klima)* heiß

tors [tɔːr] *108* gedreht, gewunden; krumm; gezwirnt; *fil ~* Zwirn; *m* ❋ Drall

torse [tɔrs] *m anat* Rumpf; *(Kunst)* Torso; *bomber le ~* sich in d. Brust werfen; *se mettre ~ nu* den Oberkörper entblößen

torsion [tɔrsjɔ̃] *f* Verdrehung, -windung, -zerrung; Drall

tort [tɔːr] *m* Unrecht; Schaden; ~s exclusifs Alleinschuld; *avoir ~* unrecht haben; *faire ~ à qn* j-n benachteiligen, j-n schädigen; *à ~* zu Unrecht; *à ~ et à travers* ohne Überlegung, ins Blaue hinein; ~icolis [-tikɔli] *m* steifer Hals; ~illard [-tijaːr] *m umg* Bimmelbahn, Bummelzug; ~iller [-tije] (zus.)wickeln; Ausflüchte suchen; ~iller des hanches mit d. Hüften wackeln; *se ~iller* sich ringeln ♦ *il n'y a pas à ~iller (umg)* da hilft alles nichts (*k-e Ausrede*); ~ionnaire [tɔrsjɔnɛːr] *m* Folter-, Henkersknecht; ~ue [tɔrty] *f* Schildkröte; *à pas de ~ue* im Schneckentempo; ~ueux [tɔrtɥø] *111 (Pfad. a. fig)* gewunden, krumm; *voies ~ueuses (fig)* Schleichweg; ~ure [tɔrtyːr] *f* Folter; Qual; *mettre à la ~ure (fig)* auf d. Folter spannen; ~urer [tɔrtyre] foltern; quälen

torve [tɔrv] *(Blick)* scheel

tôt [to] früh; bald; *au plus ~* frühestens; *le plus ~ possible* so bald wie möglich; *~ ou tard* früher oder später

total [tɔtal] *124* ganz, völlig, total; *m* Gesamtbetrag; *au ~* alles in allem; ~ement [-talmɑ̃] gänzlich; restlos; ~isateur [-talizatœːr] *m* Addiermaschine; Zähler; *EDV* Addierwerk, Akkumulator; ~isation [-izasjɔ̃] *f* Summenbildung; ~iser [talize] addieren, zus.zählen; ~iser mille kilomètres insgesamt 1000 km zurücklegen; ~itaire [-talitɛːr] *pol* totalitär; ~itarisme [-talitarism] *m pol* totalitäres System; ~ité [-talite] *f* Gesamtheit; *en ~ité ou en partie* ganz od. teilweise

toto [tɔto] *m pop* Laus

toton [tɔtɔ̃] *m* Drehwürfel; Kreisel

toubib [tubib] *m umg* Arzt

touch|ant [tuʃɑ̃] *108* rührend; *präp* hinsichtlich, betreffend; ~e [tuʃ] *f (Klavier, Schreibmasch.)* Taste; Anschlag; *(Fisch)* Anbeißen; *(Geige)* Griffbrett; 🎨 Pinselstrich; *(Schriftsteller)* Schreibweise; ⚓ Drucktaste; *jeu de ~es* Tastatur; *ligne de ~* Seitenlinie; *pierre de ~* Prüfstein ♦ *faire une ~e (umg)* e-e Eroberung machen; *avoir la ~e avec qn* j-m gefallen; *mettre* *la dernière ~e à qch* etw. ausfeilen; *être sur la ~e* in Mißkredit geraten sein; nicht mehr dazugehören; nicht mehr zeitgemäß sein; **~e-à-tout** [tuʃatu] *m 100* Alleskönner; Naseweis; **~er** [-ʃe̜] **1.** *vt* berühren, anfassen (*de* mit); grenzen an; *(a. Fechten)* treffen; *(Geld)* abheben, einnehmen; *(Gehalt usw.)* beziehen; *(Orgel)* spielen; *fig* rühren, ergreifen; angehen, betreffen; verwandt sein mit; *~er qch du doigt* etw. mit d. Finger berühren; *ma maison ~e la vôtre* mein Haus grenzt an Ihres; *cela ne me ~e en rien* d. läßt mich kalt; *son sort me ~e* sein Schicksal rührt mich; *il me ~e de près* er steht mir nahe; *je lui en ~erai deux mots* ich werde ihm dazu ein paar Worte sagen; *je ~e du bois (umg)* unberufen!: toi, toi, toi!; **2.** *vi* rühren (*à qch* an etw.); berühren (*à qch* etw.); (an)grenzen (*à* an]; *~er au port* d. Hafen anlaufen; *~er à sa fin* d. Ende entgegengehen; *~er à un règlement* e-e Vorschrift ändern; *~er au vif (fig)* empfindlich treffen; *sans avoir l'air d'y ~er* ohne daß es danach aussieht, so ganz nebenbei; **3.** *m* Tastsinn, -gefühl; *(Stoff)* Griff; *~er craquant* Knirschgriff; *~er soyeux* seidiger Gr.; *vérifier au ~er* abtasten; **~eur** [-ʃœːr] *m (de bœufs)* Ochsentreiber

tou|er [twe] 🛳 schleppen, bugsieren; **~eur** [twœːr] *m* Schleppschiff

touff|e [tuf] *f* Büschel; **~u** [-fy] dicht; buschig; dicht belaubt; *fig* verworren

touiller [tuje] *umg* umrühren

toujours [tuʒuːr] immer, stets; immer noch; *depuis ~* seit eh und je; *pour ~* auf immer; *c'est ~ ça (de pris) (umg)* besser als garnichts; *~ est-il que* jedenfalls…, immerhin…, soviel steht fest, daß…

toupet [tupɛ] *m* Haarschopf; *umg* Dreistigkeit; *avoir le ~ de (umg)* s. erdreisten zu, s. unterstehen, s. d. Freiheit nehmen

toupie [tupi] *f* Kreisel; 🔧 Zentrifuge, Schleuder, Kreisel; Holzfräsmaschine; *~ d'Allemagne* Brummkreisel; *vieille ~ (umg)* alte Schachtel

tour¹ [tuːr] *m* (Um-, Ver-)Drehung, Umlauf; Spazier-, Rundgang, Rundfahrt; Reise; Umfang; Umrahmung; 🔩 Runde; ⚡ Windung; 🔧 Drehbank, Drehmaschine; *(fig, a. ling)* Wendung; Ausdrucksweise; Reihenfolge, Streich; *~ à ~* abwechselnd; *chacun son ~* heute mir, morgen dir; *à qui le ~?* wer ist dran?; *à ~ de bras* mit aller Gewalt; *en un ~ de main* im Handumdrehen; *à ~ de rôle* d. Reihe nach; *premier ~ de manivelle* 🎬 Drehbeginn; *~ d'adresse* Kunststück; *~ de bâton* Profitchen; *~ de cou* Pelzkragen; *~ éliminatoire* 🎬 Ausscheidungsrunde; *~ d'esprit* Geistesshaltung; *~ de faveur* Begünstigung, Bevorzugung; *~ de force* Kraftakt; *~ à fraiser (Zahnmedizin)* Bohrmaschine; 🔧 Fräsmaschine; *~ d'horizon (fig)* Gesamtüberblick; *~ de passepasse* Zauberkunststück; Taschenspielertrick; *~ de reins (umg)* Hexenschuß; *~ de scrutin* Wahlgang; *~ de taille* Taille(nweite); *~ de ville* Stadtrundfahrt; *faire un ~* an d. Luft gehen; *faire le ~ du cadran (umg)* einmal um d. Uhr

schlafen; *faire le ~ du monde* e-e Weltreise machen; *faire le ~ du propriétaire* d. Haus besichtigen lassen; *faire le ~ de la ville* um d. Stadt herumgehen, -fahren; *jouer un mauvais ~ à qn* j-m e-n üblen Streich spielen; *prendre un mauvais ~* e-e schlechte Wendung nehmen

tour² [tuːr] *f (a. Schach)* Turm; 🏛 Hochhaus, Wolkenkratzer; *~ de contrôle* ✈ Kontrollturm; *~ de sondage* Bohrturm; *~ de refroidissement* Kühlturm

tourb|e¹ [turb] *f* Torf; **~eux** [-bø] *111* torfhaltig; Torf…; **~ière** [-bjɛːr] *f* Torfmoor; Torfstich

tourbe² [turb] *f* Pöbel; Meute

tourbillon [turbijɔ̃] *m* Wirbel(wind); 🔧 Abreißen der Strömung; *a. fig* Strudel; *phys* Rotation e-s Vektorfeldes; **~ner** [-jɔne] wirbeln; strudeln

tour|elle [turɛl] *f* Türmchen; Panzer-(Geschütz-)Turm; **~et** [-rɛ] *m* 🔧 Rolle, Rillenscheibe; Haspel

tour|ière [turjɛːr] *f: sœur* **~ière** Schwester Pförtnerin; **~illon** [-rijɔ̃] *m* 🔧 Lauf-, Drehzapfen

tour|isme [turism] *m* Fremdenverkehr, Touristik; *office de ~isme* Verkehrsverein; **~iste** [-rist] Touristen…; *m* Tourist, Reisender; **~istique** [-ristik] Reise…, Wander…

tourment [turmɑ̃] *m (a. seel.)* Qual; Angst; Unannehmlichkeit, Ärger, Verdruß; **~é** [-mɑ̃te] *f* Unwetter; *fig* Sturm; *pol* Unruhe; **~é** [-mɑ̃te] *(Gelände)* zerrissen; *(Gesicht)* gramzerfurcht; *(Stil)* geschraubt; **~er** [-mɑ̃te] *(a. seel.)* quälen; peinigen; *(Schiff)* heftig hin u. her schleudern; *se ~er* s. beunruhigen, s. Sorgen machen

tourn|age [turnaːʒ] *m* 🔧 , 🎥 Drehen; **~ailler** [-naje] herumschleichen; **~ant** [-nɑ̃] *1. 108* s. drehend, rotierend; drehbar; *mouvement ~ant (mil)* Umgehungsbewegung; *plaque ~ante* 🚂 Drehscheibe; *2. m (Weg, Fluß)* Biegung; Straßenecke; *fig* Wende, Wendepunkt; *~ant d'eau* Strudel; *~ant en épingle à cheveux* Haarnadelkurve; **~é** [-ne] gedrechselt; gelegen *(vers nach)*; *bien ~é* gut gewachsen; *(Rede)* wohlgesetzt; *fig* gut gelaunt; *enfant qui a mal ~é* mißratenes Kind; **~ebouler** [turnəbule] d. Kopf verdrehen *(qn* j-m); **~ebroche** [turnəbrɔʃ] *m* Bratenwender; **~e-disque** *99* [-nədisk] *m* Plattenspieler; **~edos** [-nədo] *m* Lendenschnitte; **~ée** [-ne] *f* Rundreise, -gang; Tournee; Ausflug; *(Polizei)* Streifengang; *umg (Trinken)* Runde; *umg* Tracht Prügel; *~ée des Grands-Ducs (umg)* Bummel durch die Nachtlokale *(für Fremde in Paris)*; **~er** [-ne] **1.** *vt* (um)drehen, (um-)wenden; umkehren; *(Feind, Schwierigkeit)* umgehen; *(Maschine)* laufen; *(Hebel)* umlegen; *(Hahn)* auf-, zudrehen; 🔧 drehen, drechseln; *(Film)* drehen; *(Schritt, Blick)* richten *(vers* nach); *~er qn* j-n ausfragen; *~er le dos à qn* j-m d. Rücken zuwenden; *fig* den Rücken kehren, ablehnen; *~er une page* umblättern; *fig* ein neues Kapitel beginnen; *~er la page sur qch* etw. zu d. Akten legen; *~er qn en ridicule* j-n lächerlich machen; *~er le sang* d. Blut erstarren lassen; *~er les talons* sich aus d. Staube machen; *~er la tête (Wein, Erfolg)* zu Kopfe steigen; ~*er la tête à qn* j-m d. Kopf verdrehen; *faire* ~*er qn en bourrique (umg)* j-n auf d. Palme bringen; **2.** *vi* s. drehen, herumgehen (*autour de* um); abbiegen; kreisen, umlaufen; *(Wind)* umschlagen; *(Milch, Wein)* sauer werden; s. verwandeln, übergehen (*en* in); ausarten (*en* in); ~*er mal/bien* e-e un/günstige Wendung nehmen; ~*er court* kurz abbrechen; ~*er rond* klappen; gut funktionieren; *ne pas* ~*er rond* s. nicht wohl fühlen; Schwierigkeiten haben; nicht bei Verstand sein; ~*er à vide* leerlaufen; ~*er autour de qn* um j-n herumschleichen; ~*er autour du pot* wie d. Katze um d. heißen Brei gehen; ~*er comme une girouette* flatterhaft, unstet, wechselhaft sein; *la tête me* ~*e* mir ist schwindelig; **~erie** [-nəʀi] *f* ✿ Dreherei; Drechslerei; **~esol** [-nəsɔl] *m* Sonnenblume; *chem* Lackmus; **~eur** [-nœːʀ] *m* ✿ Dreher; **~evis** [-nəvis] *m* Schraubenzieher; **~iquet** [-nikɛ] *m* Drehkreuz; ⚕ *(Erste Hilfe)* Knebel; **~is** [-ni] *m* Drehkrankheit; *avoir le* ~*is (fig umg)* e-n Drehwurm haben; **~oi** [-nwa] *m* 🐦 Turnier; **~oyer** [-nwaje] *5* s. im Kreise drehen; wirbeln; **~ure** [-nyːʀ] *f* Haltung, Figur; *a. ling* Wendung; ✿ Drehspäne; *l'affaire prend une bonne* ~*ure* d. Sache läßt s. gut an

tourte [turt] *f* Pastete(nart); Torte(nart); *umg* Dummkopf; **~au** [-to] *m 91* Trester; Taschenkrebs; ↓ Ölkuchen

tourter|eau [turtəʀo] *91 m* Turteltäubchen; *pl fig* Liebespärchen; **~elle** [-ʀɛl] *f* Turteltaube

tourtière [turtjɛːʀ] *f* Torten-, Kuchenform

Toussaint [tusɛ̃]: *la* ~ Allerheiligen

touss|er [tuse] husten; *(Motor)* stottern; **~oter** [-sɔte] hüsteln

tous-terrains [tutɛʀɛ̃] *inv* geländegängig

tout [tu] *108 (pl: tous, toutes)* **1.** *adj od pron* jeder, jeglicher; ganz, einzig; alles; alle; ~*e la ville* d. ganze Stadt; *es les villes* alle Städte; ~ *le monde* jedermann; ~*e une année* e. volles Jahr; ~ *compris* alles inbegriffen; ~ *compte fait* alles wohlerwogen; *à* ~ *hasard* aufs Geratewohl; *à* ~ *moment* jederzeit; *en* ~ *cas* auf jeden Fall; *en tous lieux* überall; *de* ~ *mon cœur* von ganzem Herzen; *de* ~*es ses forces* aus allen Kräften; *à* ~ *moment* jederzeit; *à* ~*e vitesse* sehr schnell, mit größter Geschwindigkeit; *sous tous le rapports* in jeder Hinsicht; *après* ~ , *somme* ~*e* schließlich, im Grunde genommen; *comme* ~ überaus; *en* ~ alles in allem; *une fois pour* ~*es* ein für allemal; *ce n'est pas* ~ d. ist noch nicht alles; *c'est* ~? weiter nichts?; *c'est* ~ *dire* damit ist alles gesagt; *à* ~ *prendre* alles in allem; **2.** *adv* ganz; völlig, vollständig; ~ *de bon* allen Ernstes; ~ *à coup* plötzlich; ~ *d'un coup* mit e-m Schlag; ~ *à fait* durchaus, völlig; ~ *fait* Fertig… *(z.B.* -kleidung); ~ *à l'heure* gleich; ~ *juste* gerade eben; ~ *de même* trotzdem; ~ *au moins* wenigstens; ~ *plein (umg)* sehr viel, e-e große Menge; ~ *au plus* höchstens; ~ *de suite* sofort; *pas du* ~, *point du* ~ überhaupt nicht, ganz u. gar nicht; ~ *en parlant* während er sprach; obwohl er weitersprach; ~ *riche qu'il est* wie reich er auch ist; *à*

~ *va (umg)* einfach drauf los, ohne Überlegung; **3.** *m (pl: touts)* d. Ganze, Gesamtheit; *ce n'est pas le* ~ *de* …es genügt nicht, zu… ; *jouer le* ~ *pour le* ~ alles aufs Spiel setzen; **~à-l'égout** [tutalegu] *m 100* Abwässeranlage, Abwässerbeseitigung; Schwemmkanalisation; **~efois** [tutfwa] jedoch; immerhin; *si* ~*efois* wenn überhaupt; **~puissant** [tupɥisɑ̃] *108* allmächtig; *m: le* ⚡-*Puissant* d. Allmächtige; **~venant** [tuvnɑ̃] *m 100* Förderkohle; nicht aussortierte Ware

toux [tu] *f* Husten; *quinte de* ~ Hustenanfall

tox|icité [tɔksisite] *f* Giftigkeit; **~icomane** [-sikɔman] *m* ⚕ Süchtiger; **~icomanie** [-ikɔmani] *f* Rauschgiftsucht; Medikamentensucht; **~ine** [-sin] *f* ⚕ Toxin *n*, organischer Giftstoff; **~ique** [-sik] ⚕ giftig; *m* ⚕ Gift(stoff); ~*ique de guerre* Kampfstoff

trac [trak] *m* Lampenfieber; *umg* Bammel; *tout à* ~ blindlings

traçant [trasɑ̃] *108: balle* ~*e* Leuchtkugel

tracas [traka] *m umg* Sorge, Mühe; Unannehmlichkeiten, Ärger; **~ser** [-kase] plagen; Scherereien machen (*qn* j-m); **~serie** [-kasʀi] *f* Schikane; *pl* Scherereien; **~sier** [-kasje] *116* schikanös; **~sin** [-kasɛ̃] *m umg* innere Unruhe

trac|e [tras] *f (a. chem u. math)* Spur; Fährte; *sans* ~ spurlos; *marcher sur les* ~*es de* in j-s Fußstapfen treten; **~é** [-se] *m* Vorzeichnung; Umriß; *(Grenze usw.)* Verlauf; *(Straße)* Trasse, Trassierung; Absteckung; Linienführung; **~er** [-se] *15 (Linie, Furche)* ziehen; (auf)zeichnen; *a. fig* vorzeichnen, entwerfen, gestalten; *fig* schildern; **~eur** [-sœːʀ] *m* Schreiber, Zeichner; Indikator; Spuranzeiger; ~*eur de route* Fahrtenschreiber

trachée [traʃe] *f* Trachee; **~-artère** [-ʃeaʀtɛːʀ] *f 97* Luftröhre; **~otomie** [-keɔtɔmi] *f* ⚕ Luftröhrenschnitt

tract [trakt] *m* Flugblatt; **~ation** [-tasjɔ̃] *f pej* zwielichtige Verhandlung; **~eur** [-tœːʀ] *m* Traktor, Zugmaschine, Schlepper; ~*eur à chenilles* Raupenschl.; **~ion** [traksjɔ̃] *f* Ziehen; Zugwirkung, -kraft; Betrieb; ~*ion avant* 🚗 Vorderradantrieb; *résistance à la* ~*ion* ✿ Zugfestigkeit

tradition [tradisjɔ̃] *f* Tradition, Überlieferung; Brauch; **~nel** [-sjɔnɛl] *115* traditionell, überliefert, althergebracht, herkömmlich

trad|ucteur [tradyktœːʀ] *m* Übersetzer; **~uction** [-dyksjɔ̃] *f* Übersetzung, Wiedergabe; ~*uction automatique* maschinelle Ü.; ~*uction libre* freie Ü.; ~*uction littérale* wörtliche Ü.; **~uire** [-dɥiːʀ] *80* übersetzen (*en* in); wiedergeben; kundtun; zum Ausdruck bringen; ~*uire en justice* gerichtlich belangen; **~uisible** [-dɥizibl] übersetzbar

trafi|c [trafik] *m* **1.** *pej* illegaler Handel; ~*c d'armes* Waffenh.; ~*c de drogues* Rauschgifth.; ~*c illicite* Schleichhandel; ~*c d'influence* 💰 passive Beamtenbestechung; **2.** 🚗 🚂 Verkehr; 🚂 Betrieb; *(Güter)* Umschlag; ~*c de pointe* Verkehrsspitze; ~*c radio* Funkverkehr; ~*c urbain* Ortsv.; ~*c-voyageurs* Personenv.;

~**quant** [-fikã] *m* Schieber, Geschäftemacher;
~**quer** [-fikę] *6* Handel treiben (*de* mit);
schieben; Gewinn schlagen (*de* aus)
tragéd|ie [traʒedi] *f* Tragödie, Trauerspiel; ~**ien**
[-dję̃] *m* Tragöde
tragi-com|édie [traʒikɔmedi] *f* 99 Tragikomö-
die; ~**ique** [-mįk] tragikomisch
tragique [traʒik] tragisch; *m* Tragödiendichter,
Tragiker; das Tragische; *tourner au* ~ e-e trag.
Wendung nehmen; *prendre au* ~ tragisch
nehmen
trah|ir [traiːr] *22* verraten; verleugnen; untreu
werden (*qn* j-m); im Stiche lassen; *(Sinn)*
verfälschen; ~*ir les espérances de qn* j-s
Hoffnungen zerstören; ~**ison** [traizɔ̃] *f* Verrat;
haute ~*ison* Hochverrat
traille [traːj] *f* (Grundseil-)Fähre
train [trɛ̃] *m* 1. Gang, *a. fig* Lauf; Gangart;
Tempo; *umg* Lärm; ~ *de vie* Lebensweise; *être
en* ~ *de* im Begriff sein zu; *être en* ~ (*umg*)
guter Laune sein; *mettre en* ~ in Gang setzen; *à
fond de* ~ mit Höchstgeschwindigkeit; 2. Zug;
mil Troß; ✚ Fahrwerk; ✿ Getriebe, Mechanismus; *hist* Gefolge, Hofstaat; *prendre le* ~ *onze*
(*umg*) zu Fuß gehen; ~ *express* Schnellz.; ~ *de
marchandises* Güterz.; ~ *omnibus* Personenz.;
~ *d'atterrissage* ✚ Fahrgestell; ~ *avant* 🚗
Fahrschemel; ~ *de bois* Floß; ~ *d'engrenages*
✿ Getriebe, Vorgelege; ~ *des équipages* (*mil*)
Fuhrpark; ~ *de laminoir* Walzstraße; ~ *de
mesures* Maßnahmenpaket; ~ *d'ondes* 📻
Wellenzug; ~ *de pneus* Reifensatz; ~ *de
roulement* 🚗 Fahrwerk ♦ *prendre le* ~ *en marche*
mitmachen
train|ant [trɛnã] *108 (a. fig)* schleppend; ~**ard**
[-naːr] *m* Nachzügler; *umg* Bummler; ~**asser**
[-nasę] *umg* herumbummeln, trödeln; ~**e** [trɛn] *f*
Schleppe; Schlepptau; *être à la* ~*e* (*pop*)
zurückbleiben; ~**eau** [-no] *m* 91 Schlitten;
Schleppnetz; ~**ée** [-nę] *f* Spur, Streifen; ✚
Luftwiderstand; *umg* Nutte; ~*ée de poudre*
Lauffeuer; ~**er** [-nę] ziehen; schleppen, schleifen; *umg* herumliegen; trödeln; s. hinziehen;
~*er la jambe* e. Bein nachziehen; ~ *er ses
paroles* (od *la voix)* schleppend sprechen; ~*er
les pieds* latschen; ~*er dans la boue* durch d.
Schmutz ziehen; ~*er en longueur* (sich) in d.
Länge ziehen; ~**eur** [-nœːr] *m* Nachzügler; ~*eur
de sabre* Säbelraßler
train-train [trɛtrɛ̃] *m umg* d. graue Alltag, d.
alltägliche Einerlei
traire [trɛːr] *66* melken
trait [trɛ] *m* Ziehen, Zug; Strich, Linie; Pfeil,
Wurfgeschoß; Gesichtszug; *fig* Charakterzug;
Einfall; scharfe Bemerkung; *comme un* ~
pfeilschnell; *d'un seul* ~ in e-m Zuge; *cheval de*
~ Zugpferd; ~ *de génie* Geistesblitz; ~ *de
lumière* Lichtstrahl; *fig* Hoffnungsstrahl; ~ *de
plume* Federstich; ~ *de repère* Strichmarke; ~
d'union Bindestrich; *avoir* ~ *à* sich beziehen
auf; ~**able** [-tabl] umgänglich, fügsam
traite[1] [trɛt] *f* Melken; gemolkene Milch; ~
mécanique Maschinenmelken
trait|e[2] [trɛt] *f* 1. (*Weg*) Strecke; 2. *com* Handel;

Wechsel; ~*e des blanches* Mädchenhandel; ~*e
des noirs* Sklavenhandel; *tout d'une* ~*e (fig)* in
e-m Zug; ~**é** [-tę] *m* Abhandlung; Lehrbuch; *bes
pol* Vertrag; ~**ement** [trɛtmã̃] *m (a.* 💰)
Behandlung; Aufnahme; das Gehalt; ✿ Aufbereitung; (*Werkstück*) Vergütung; ~*ement chimique* Aufbereitung; ~*ement des informations*
Datenverarbeitung; ~**er** [-tę] *a.* 💰 behandeln (*en*
als); nennen, schelten (*de qch*); bewirten; ✿ be-,
verarbeiten; aufbereiten; ~*er qn de haut (en
bas)* j-n von oben herab behandeln; ~**eur** [-tœːr]
m Traiteur
traître|e [trɛtr] 1. *123* verräterisch; treulos; *ne pas
dire un* ~*e mot* kein Sterbenswörtchen sagen; 2.
m Verräter; ~**eusement** [-trɔzmã̃] verräterisch;
~**ise** [-triːz] *f* Verrat; verräterische Gesinnung
traj|ectoire [traʒɛktwaːr] *f* (Flug-)Bahn; ~**et**
[-ʒɛ] *m* Strecke; Reise; (Über-)Fahrt
tralala [tralala] *m umg* Tamtam; *en grand* ~
aufgedonnert
tram|(way) [tram(wɛ)] *m* Tram-, Straßenbahn;
~**inot** [-minɔ] *m* Straßenbahner
tram|e [tram] *f* (*Bildröhre*) Raster *m*, Teilbild;
(*Weberei*) Schuß, Einschlag; *fig* Verwicklung;
Verschwörung; ~**er** [-mę] (*Weberei*) an-, einschlagen, durchschießen; *fig* aushecken; (*Verschwörung*) anzetteln; *il se* ~*e qch* es braut sich
etw. zusammen
tramontane [tramɔ̃tan] *f* Nordwind (im Mittelmeerraum); *perdre la* ~ d. Kopf verlieren
tranch|ant [trãʃã] 1. *108 (a. Ton)* schneidend,
scharf; (*Farben*) grell; *fig* entscheidend; 2. *m*
Schneide; *à deux* ~*ants (fig)* zweischneidig; ~**e**
[trãʃ] *f* Schnitte; (*Brot*) Scheibe; Platte; (*Brett*)
Kante; (*Münze*) Rand; *com* Teil; Abschnitt; 📖
Schnitt; *doré sur* ~*es* mit Goldschnitt ♦ *s'en
payer une* ~*e (pop)* s. tüchtig austoben; ~**ée** [-ʃę]
f Graben; Durchstich; Schützengraben; Schneise; ~**e-montagne** [-mɔ̃taɲ] *m* 99 Prahlhans; ~**er**
[-ʃę] durch-(ab-)schneiden; (*Farben*) abstechen;
~*er court* (od. *net)* kurzen Prozeß machen; ~*er
une question* e-e Frage entscheiden; ~*er sur tout*
alles besser wissen wollen; ~*er dans le vif*
energische Maßnahmen ergreifen; ~**oir** [-ʃwaːr]
m Hackbrett
tranquill|e [trãkįl] ruhig, in Ruhe; friedlich;
unbesorgt; *avoir la conscience* ~*e* s. nichts
vorzuwerfen haben; ~**isant** [-lizã̃] *m* Beruhigungsmittel; ~**iser** [-kilizę] beruhigen; ~**ité**
[-kilitę] *f* Ruhe; Stille; *en toute* ~*ité* getrost
trans|action [trãzaksjɔ̃] *f* 💰 Vergleich; Überein-
kommen; *com* Geschäft, Abschluß; Verkehr;
~**actionnel** [-zaksjɔnɛl] Kompromiß...; ~**atlantique** [-zatlãtik] Übersee...; *m* Überseedampfer;
Liegestuhl; ~**border** [trãsbɔrdę] 🚗 📖
umladen; ~**cendance** [trãsãdãs] *f* Überlegenheit; *phil* Transzendenz; ~**cendant** [-sãdã̃] *108*
überragend; *math, phil* transzendent; ~**codeur**
[-kɔdœːr] *m* Code-Umsetzer, Umcodierer;
~**cription** [trãskripsjɔ̃] *f* Über-(Ein-)Tragung;
Abschrift; *ling* Umschrift; ~**crire** [trãskriːr] *67*
📖 über-(ein-)tragen; ab-(um-)schreiben; ~**duc-
teur** [-dyktœːr] *m* 🎵 Wandler; ~**e** [trãs] *f*
(*Medium*) Trancezustand; Angst; ~**ept** [-sɛpt] *m*

🏛 Querschiff; ~férer [trãsferę] 13 überführen; versetzen, -legen; ♋ übertragen; *com* umbuchen; ~fert [trãsfɛːr] *m* Überführung; Versetzung, -legung; ♋ Übertragung; *com* Transfer, Verlagerung; ⚡ Umschaltung; *(Pipeline)* Beförderung; ~fert de données Datentransport; ~fert de populations Umsiedlung; ~figuration [trãsfigyrasjɔ̃] *f rel* Verklärung; ~figurer [trãsfigyrę] verklären; ~fo [-fɔ] *m umg* Trafo; ~formateur [trãsformatœːr] 122 umbildend, -formend; *m* ⚡ Transformator, Stromwandler; ~formation [trãsformasjɔ̃] *f* Umwandlung, -bildung; 🏛 Umbau; Verwandlung; ⚡ Transformierung; ~former [trãsformę] umwandeln, -bilden; umformen, umgestalten; verwandeln *(en zu)*; ⚡ transformieren; ~formisme [trãsformism] *m biol* Entwicklungslehre; ~fuge [trãsfyːʒ] *m* Überläufer; ~fuser [trãsfyzę] übergießen; *(Blut)* übertragen; ~fusion [trãsfyzjɔ̃] *f* Blutübertragung; ~gresser [trãsgrɛsę] *(Gesetz)* übertreten, verstoßen (gegen); ~gression [trãsgrɛsjɔ̃] *f* Übertretung

trans|humance [trãzymãs] *f (Vieh)* Almauftrieb; ~humer [-zymę] *(Vieh)* auftreiben; *(zur Alm)* ~i [-zi] starr *(de vor)*; ~iger [-ziʒę] 14 ♋ s. vergleichen; ~iger avec sa conscience sein Gewissen beschwichtigen; ~istor [-zistɔr] *m* Transistor, Halbleiterbauelement; Kofferradio; ~istoriser [-zistorizę] transistorisieren; ~it [-zit] *m com* Durchfuhr; Durchgangshandel, -verkehr; ~it douanier Zollgutversand; ~itaire [-zitɛːr] *com* Transit...; Durchgangs...; ~it *m* Grenzspediteur, Zollagent; ~iter [-zitę] *(im Transitverkehr)* durchgehen; faire ~iter durchleiten; ✈, *mil* überfliegen; ~itif [-zitif] 112 *ling* transitiv; ~ition [-zisjɔ̃] *f* Übergang; ~itoire [-zitwaːr] Übergangs...; vorübergehend

trans|lation [trãslasjɔ̃] *f* Verlegung; Verlagerung; Überführung; ♋ Übertragung; *math* Parallelverschiebung; ~lucide [-lysid] durchscheinend; lichtdurchlässig; ~mettre [-mɛtr] 72 *(a.* ⚙*)* übertragen; ⚙ senden; übermitteln; übereignen; weitergeben; vererben; *se ~mettre (phys)* sich fortpflanzen; ~migration [-migrasjɔ̃] *f* (Völker-)Wanderung; ~missible [-misibl] übertragbar; erblich; ~mission [-misjɔ̃] *f (bes* ♋, ⚡) Übertragung; Übereignung; ⚙ Transmission; *phys* Fortpflanzung; ⚙ Sendung; *biol* Vererbung; *(Strahlung)* Durchlassung; 🚗 Getriebe; ~mission d'énergie ⚙ Kraftübertragung; *mécanisme de ~mission* ⚙ Triebwerk; *organe de ~mission* ⚙ Antriebselement; *service des ~missions (mil)* Nachrichtentruppe; ~mutation [-mytasjɔ̃] *f chem* Umwandlung; ~paraître [-parɛtr] 61 durchscheinen; *fig* sichtbar werden; ~parence [-parãs] *f* Durchsichtigkeit; ~parent [-parã] 108 *(a. fig)* durchsichtig; *m* Transparent; Linienblatt; ~percer [-pɛrsę] durchstechen, -dringen; ~piration [-pirasjɔ̃] *f* Schwitzen; Ausdünstung; ~pirer [-pirę] schwitzen; ausdünsten; ~plantation [-plãtasjɔ̃] *f (a. fig)* Verpflanzung; ⚡ Transplantation; ~planter [-plãtę] *a. fig* verpflanzen; ⚡ transplantieren; ~port [-pɔr] *m* Transport, Beförderung; Versand; ⚙ Förde-

rung; ⚡ Fortleitung; ⚡ Anfall; *com* Umbuchung, Übertragung; *pl* Transportwesen, Verkehrswesen; ~port aérien Lufttransport; ~port de colère Zornausbruch; ~port en commun Sammeltransport; *pl* öffentliche Verkehrsmittel; ~ports routiers Straßenverkehr; *entreprise de ~ports* Verkehrsunternehmen; *moyens de ~port* Verkehrsmittel; *courroie de ~port* Förderband; ~porté [-pɔrtę] *fig* verzückt, hingerissen; ~porté de fureur rasend; ~porter [-pɔrtę] transportieren, befördern; ♋ *(Recht usw.)* übertragen; *com* überweisen; *fig* begeistern; *se ~porter* sich versetzen; *se ~porter sur les lieux (bes* ♋) s. an Ort u. Stelle begeben; ~porteur [-pɔrtœːr] *m* Transportunternehmer; ⚓ Transportschiff; ✈ Transportflugzeug; ⚙ Fördermittel; ~porteur à courroie ⚙ Bandförderer; ~poser [-pozę] versetzen, umsetzen; ♪ transponieren; ~position [-pozisjɔ̃] *f* ♪ Transponierung; *(Sprache)* Übertragung; ⚙ Platzwechsel; ~position en fréquence Frequenzumsetzung; *touche de ~position (Schreibmasch.)* Umschalttaste; ~sonique [-sɔnik] schallnah, in der Nähe d. Schallgeschwindigkeit liegend; ~vaser [trãzvazę] umgießen, -füllen; ~versal [-vɛrsal] 124 quer durchgehend; Quer...; *section ~versale* Querschnitt

trap|èze [trapɛːz] *m (a.* ♅) Trapez; ~éziste [-pezist] *m* Trapezkünstler; ~ézoïdal [-pezoidal] 124 trapezförmig; *courroie ~ézoïdale* Keilriemen

trapp|e [trap] *f* Falltür; Fanggrube; Klappe; ♟ Versenkung; ~eur [-pœːr] *m* Trapper

trapu [trapy] *(Gestalt)* gedrungen

traqu|enard [traknaːr] *m (a. fig)* Falle; *tomber dans un ~enard* in e-e Falle gehen; ~er [-kę] 6 *(Wild u. fig)* hetzen; *(in d. Enge)* treiben

traumati|que [tromatik] ⚡ traumatisch; Wund...; ~sme [-tism] *m* Trauma, Verletzung, Wunde; seelischer Schock

travail [travaj] *m* 90 Arbeit; ⚙ Bearbeitung; Verarbeitung; Arbeitsvorgang; ⚡ Geburtswehen; ~ à domicile Heima.; ~ à temps partiel Teilzeita.; ~ intérimaire Zeita.; ~ manuel Handa.; *accident du ~* A.sunfall; *contrat de ~* A.svertrag; *convention collective de ~* Tarifvertrag; *division du ~* A.steilung; *groupe de ~* A.skreis; *incapacité de ~* Erwerbsunfähigkeit; *marché du ~* A.smarkt; *permis de ~* A.serlaubnis; *puissance de ~* Leistungsfähigkeit; *travaux forcés* Zwangsa.; *travaux publics* öffentliche A.n; *sans ~* arbeitslos; *supplément pour ~ pénible* Schwerarbeiterzulage; *se mettre au ~* an d. A. gehen; ~ler [-vaję] *a. fig* (aus-, be-)arbeiten; berufstätig sein; *(Holz)* s. werfen; *(Wein)* gären; *fig* plagen, quälen ♦ ~ler comme un nègre schuften wie e. Pferd; ~ler du chapeau *(pop)* spinnen; ~leur [-vajœːr] 121 arbeitsam; *m* Arbeitnehmer; Arbeitskraft; Arbeiter; Werktätiger; ~leur étranger Gastarbeiter; ~leur intérimaire Zeitarbeitskraft; ~leur à plein temps Ganztagskraft; ~leur salarié Lohnempfänger; ~leur à temps partiel Teilzeitbeschäftigter; ~leuse [-vajœːz] *f* Nähkasten; ~liste [-vajist] *m* Mitglied d. Labour Party

travée [trave] f 𝍔 Joch, Bogen

travers [travε:r] **1.** m Quere, Breite; fig Verschrobenheit; Fehler; deux ~ de doigt zwei Finger breit; donner dans le ~ liederlich werden; **2.** in Zssg: à ~, au ~ de quer, mitten durch; de ~ schief, schräg, verkehrt (a. fig); entendre de ~ falsch verstehen; regarder qn de ~ j-n scheel ansehen; en ~ quer; se mettre en ~ de qch etw. verhindern; e-r Sache e-n Riegel vorschieben; à tort et à ~ blindlings, kreuz u. quer; ~e [-vεrs] f Querbalken, -träger; (Eisenbahn) Schwelle; fig Schwierigkeit, Hindernis; chemin de ~e Seitenweg, Abkürzung; ~ée [-vεrse] f ⚓, ✈ Überfahrt, Reise; Durch-(Über-)Querung; (Eisenbahn) Kreuzung; ~ée du désert fig Durststrecke; Zeit der Untätigkeit; com Krisensituation; ~er [-vεrse] durch-(über-)queren; durchfließen; (Strahlen) durchdringen; (Bombe) durchschlagen; (Straße) kreuzen; fig (Plan) vereiteln; (Schlimmes) durchmachen; ~er l'esprit durch d. Kopf gehen; ~ier [-vεrsje] 116 Quer..., Fahrt...; flûte ~ière Querflöte; ~in [-vεrsε̃] m Schlummerrolle

travest|i [travεsti] m Verkleidung, Kostüm; ♀ Hosenrolle; ~ir [-ti:r] 22 verkleiden (en als); lit travestieren, scherzhaft umdichten; (Gedankengang) fälschen, entstellen; se ~ir s. verkleiden; bal ~i Maskenball; ~issement [-tismã] m Verkleidung

traviole [travjɔl]: de ~ (pop) schräg, verkehrt

tray|eur [trεjœ:r] m Melker; ~euse [-jø:z] f Melkmaschine

trébuch|ant [trebyʃã] 108 (Münze) vollwichtig; ~er [-ʃe] stolpern; straucheln (a. fig); (Waage) ausschlagen; fig e-n Fehltritt tun; ~et [-ʃε] m 1. Goldwaage; 2. Vogelfalle

tréfiler [trefile] drahtziehen; ~ie [-filri] f Drahtzieherei

trèfle [trεfl] m Klee; 𝍔 Dreipaß, Kleeblattverzierung; (Kartenspiel) Treff, Kreuz; pop Moos

tréfonds [trefɔ̃] m Untergrund; au ~ de mon cœur im tiefsten Grund m-s Herzens; savoir le fond et le ~ d'une affaire d. Hintergründe e-r Angelegenheit kennen

treill|age [trεja:ʒ] m Gitterwerk; Drahtgeflecht; ~ager [-jaʒe] 14 um-, vergittern; ~e [trεj] f Weinlaube, -spalier

treillis [trεji] m 1. Gitter(werk); 2. Drillich

treiz|e [trε:z] dreizehn; ~ième [trεzjεm] dreizehnte; m Dreizehntel; Dreizehntel

tréma [trema] m Trema

trembl|e [trãbl] m Espe; ~ement [-blə mã] m Zittern; Beben; ~ement de terre Erdb.; tout le ~ement (umg) d. ganze Drum u. Dran; ~er [-ble] zittern, beben (de vor); ~eur [-blœ:r] m Angsthase; ⚡ Unterbrecher; ~ote [-blɔt] f umg Tatterich; avoir la ~ote (umg) Angst haben; ~oter [-blɔte] zittern; (Licht) flackern

trémie [tremi] f ⚙ Trichter (mit Sieb); Vorratsbehälter, Silo, Bunker

trémolo [tremolɔ] m 102 ♪ Tremolo

trémousser [tremuse]: se ~ sich (unruhig) hin u. her bewegen; umg s. d Hacken ablaufen

tremp|age [trãpa:ʒ] m ⚙ Eintauchen; Härten;

~e [trãp] f ⚙ Abschreckhärten, Härte; fig Schlag, Art; Widerstandsfähigkeit; pop Tracht Prügel; ~er [-pe] eintauchen, -tunken, -weichen; durchnässen; (Wein) verdünnen; (Stahl) härten; ~er dans un crime bei e-m Verbrechen d. Hand mit im Spiel haben; ~é comme une soupe pudelnaß; ~é de sueur schweißtriefend; ~ette [-pεt] f (umg): faire ~ette e. kurzes Bad nehmen; faire la ~ette Brot eintunken

tremplin [trãplε̃] m (a. fig) Sprungbrett; Sprungschanze

trent|aine [trãtεn] f ungefähr dreißig; ~e [trãt] dreißig ♦ se mettre sur son ~e-et-un (umg) s. in Schale werfen; ~ième [-tjεm] dreißigste; m Dreißigstel; Dreißigstel

trépan [trepã] m Tiefbohrgerät; Schachtbohrer; ~ation [-panasjɔ̃] f 💊 Trepanation, Schädelöffnung

trépas [trepɑ] m lit Hinscheiden, Ableben; ~sé [-pase] m lit Verstorbener; Fête des ~sés Allerseelen; ~ser [-pase] lit hin-, verscheiden

trépid|ant [trepidã] fig lebhaft, unruhig; ~ation [-dasjɔ̃] f (Fahrzeug) Erschütterung; 💊 nervöses Zittern; ~er [-de] zittern, zucken

trépied [trepje] m Dreifuß; 📷 Stativ

trépigner [trepiɲe] mit d. Füßen stampfen; ~ d'impatience vor Ungeduld von e-m Fuß auf d. andern treten

très [trε] sehr; stark; höchst, äußerst; avoir ~ peur in tausend Ängsten schweben; il fait ~ chaud es ist sehr heiß; es ist sehr heißer Tag

trésor [trezɔ:r] m (a. fig) Schatz(kammer); fig Fundgrube (de an); ~ public, ♦ Staatskasse; ~erie [-zɔrri] f Schatzamt; com Geldmittel, flüssige Mittel; difficultés de ~erie Zahlungsschwierigkeiten; ~ier [-zɔrje] m Schatzmeister; Rechnungsführer

tressaill|ement [tresajmã] m Zusammenfahren, Zucken; ~ir [-ji:r] 20 zus.fahren, zucken; beben, erschauern

tressauter [tresote] auffahren

tress|e [trεs] f Zopf, Flechte; ~er [-se] flechten

tréteau [treto] m 91 Gestell, Bock; pl Jahrmarktsbühne

treuil [trœj] m ⚙ Winde; Haspel

trêve [trε:v] f (bes fig) Waffenstillstand; pol Burgfrieden; ~ de cérémonies! keine Umstände!; ~ de plaisanteries! Spaß beiseite!; mettre ~ à qch etw. aufhören lassen

Trèves [trε:v] f Trier

tri [tri] **1.** in Zssg: drei...; Drei...; chem dreiwertig; **2.** m Sortieren; Auswahl; ~age [tria:ʒ] m Sortieren; Auslesen, Sichten; Sieben; ~age à la main Handscheidung; gare de ~age Verschiebe-(Rangier-)Bahnhof; voie de ~age Rangiergleis

triang|le [triɑ̃gl] m Dreieck; Triangel; ~le de panne Warndreieck; ~ulaire [triɑ̃gylε:r] dreieckig; ~ulation [triɑ̃gylasjɔ̃] f (Landvermessung) Triangulation, Dreieckvermessung

tribord [tribɔ:r] m ⚓ Steuerbord

tribu [triby] f (Volks-)Stamm; bot, zool Gattung; iron Sippe

tribulation [tribylasj̃ɔ] *f* Drangsal; *pl* Widerwärtigkeiten

tribun [tribœ̃] *m* Tribun; Volksredner; **~al** [-bynal] *m 90* Gericht(shof); **~al** *administratif* Verwaltungsg.; **~al** *arbitral* Schiedsg.; **~al** *civil* Zivilg.; **~al** *de commerce* Handelsg.; **~al** *correctionnel* Strafg. (Vergehen); **~al** *pour enfants* Jugendg.; **~al** *d'instance* frz. Kleininstanzg., entspricht d. Amtsg.; **~al** *de grande instance* frz Großinstanzg., entspricht d. Landg.; **~al** *de police* Strafg. (Übertretungen); **~e** [-byn] *f* Tribüne; **~e** *d'orgues* Orgelempore

tribut [triby] *m fig* Tribut, Abgabe; **~aire** [-bytɛːr] tributpflichtig; abhängig (*de* von)

trich|er [triʃe] *umg* mogeln; **~erie** [triʃri] *f* Betrügerei; Mogelei, Schummelei; **~eur** [-ʃœːr] *m umg* Mogler

tri|colore [trikolɔːr] dreifarbig; *drapeau* **~colore** Trikolore; **~corne** [-kɔrn] *m* Dreispitz

tricot [triko] *m* Trikot; Wirk-, Strickware; **~age** [-kotaːʒ] *m* Strickerei; Strick-, Wirkware; **~er** [-kote] stricken; *pop* d. Beine unter d. Arme nehmen; **~euse** [-kotøːz] *f* Strickerin; Strickmaschine

trictrac [triktrak] *m (Spiel)* Tricktrack, Puffspiel

tri|cycle [trisikl] *m* Dreirad; **~dent** [-dɑ̃] *m* Dreizack; **~dimensionnel** [-dimɑ̃sjɔnɛl] *adj 115* dreidimensional; **~èdre** [-ɛdr] *m* Dreikant; **~ennal** [triɛnnal] *124* dreijährig

tri|er [trie] *a.* ♥ sortieren; auslesen; **~er** *sur le volet* sorgfältig aussieben; **~euse** [-øːz] *f* ⚙ Sortiermaschine; Sieb

trifouiller [trifujе] *umg* durchwühlen

tri|latéral [trilateral] *124* dreiseitig; **~lingue** [-lɛ̃g] dreisprachig

trille [trij] *m* ♪ Triller

trillion [triljɔ̃] *f* Trillion

trilobé [trilobe] *bot* dreilappig

trimard [trimaːr] *m (arg pop)* Landstraße; *être sur le* **~** auf d. Walze sein; **~eur** [-mardœːr] *m pop* Tippelbruder, Penner, Landstreicher

trimbaler [trɛ̃bale] *umg* herumschleppen

trimer [trime] *pop* schuften, rackern, s. abstrampeln

tri|mestre [trimɛstr] *m* Vierteljahr; Quartal; **~mestriel** [-mɛstriel] *115* vierteljährlich; **~moteur** [-motœːr] *m* dreimotoriges Flugzeug

tringl|e [trɛ̃gl] *f* (Gardinen-, Läufer-)Stange; Leiste; *se mettre la* **~e** *(pop)* in die Röhre gucken

trinité [trinite] *f rel* Dreifaltigkeit

trinquer [trɛ̃ke] *6* miteinander anstoßen; *umg* trinken; *pop* d. Dumme sein

triolet [triolɛ] *m* ♪ Triole

triomph|al [triɔ̃fal] *124* triumphal; Triumph...; Sieges...; **~alisme** [-faĺism] *m pej* Selbstgefälligkeit; **~ateur** [-fatœːr] *m* Sieger; **~e** [triɔ̃f] *m* Triumph, Siegeszug; *arc de* **~e** Triumphbogen, Siegestor; **~er** [-fe] triumphieren, siegen (*de* über); frohlocken

tripart|i, -ite [triparti, -tit] dreigeteilt; Dreier...

tripatouiller [tripatuje] *umg (Schriftstück)* verfälschen; durch unlautere Machenschaften Geld verdienen; *(mit Sachen)* unsorgfältig hantieren

trip|e [trip] *f (mst pl) (Tiere)* Eingeweide, Gedärm(e), Kaldaunen ♦ *avoir la* **~e** *républicaine* ein Erzrepublikaner sein; *rendre* **~es** *et boyaux (pop)* wie ein Reiher kotzen; **~ette** [-pɛt] *f: ne pas valoir* **~ette** *(pop)* k-n Pfifferling wert sein

triphasé [trifazе] *f* dreiphasig; Drehstrom...

tripl|ace [triplas] *m* Dreisitzer; **~e** [tripl] dreifach; **~er** [-ple] verdreifachen; **~és** [-ple] *mpl* Drillinge

triporteur [triportœːr] *m* Liefer-, Geschäftsdreirad

tripot [tripo] *m* Spelunke; Spielhölle; **~age** [-potaːʒ] *m* Manscherei; Schiebung; Börsenschwindel; **~ée** [-pote] *f pop* Tracht Prügel; *une* **~ée** *d'enfants (pop)* e. Haufen Kinder; **~er** [-pote] betätscheln; herumfingern (*qch* an etw.); fälschen; schwindeln

triptyque [triptik] *m* ⚙ Triptychon; ⚙ Triptik

trique [trik] *f umg* Knüppel; *arg pop* Aufenthaltsverbot ♦ *sec comme un coup de* **~** klapperdürr

tris|aïeul [trizajœl] *m 92* Ururgroßvater; **~annuel** [-zanɥɛl] *115* alle drei Jahre stattfindend

trisser [trise] *(Schwalben)* zwitschern; *se* **~** *(pop)* abhauen

trist|e [trist] traurig, betrübt (*de* über); freudlos; finster; jämmerlich; *(Wetter)* düster; **~e** *sire* erbärmlicher Kerl; *avoir* **~e** *mine* schlecht aussehen; *c'est pas* **~e** *(umg)* da gibts was zum lachen; *faire* **~e** *mine à qn* j-n unfreundlich empfangen; **~esse** [-tɛs] *f* Traurigkeit; Betrübnis; Freudlosigkeit

triturer [trityre] (zer)mahlen, zerstoßen

trivial [trivjal] *124* grob, derb; *(z.B. Ausdruck)* vulgär, gemein; **~ité** [-vjalitе] *f* Grobheit, Derbheit; Gemeinheit

troc [trɔk] *m* Tausch(handel)

troène [trɔɛn] *m bot* Liguster

troglodyte [trɔglodit] *m* Höhlenbewohner; *orn* Zaunkönig

trogn|e [trɔɲ] *f umg* Mondgesicht; **~on** [-ɲɔ̃] *m* (Kohl-)Strunk; (Apfel-)Griebs, Kerngehäuse

trois [trwa] drei; **~ième** [-zjɛm] dritte; **~ième** *âge* Rentenalter; Personen im Ruhestand; *m* Dritter; Drittel; dritter Stock; *f* päd 9. Schuljahr; **~quatre** [-katr] *m* Dreivierteltakt

trolley [trɔlɛ] *m* ⚡ Stromabnehmer; **~bus** [-lebys] *m* Obus

tromb|e [trɔ̃b] *f* Wind-(Wasser-)Hose; *en* **~e** wie e. Wirbelwind; **~ine** [-bin] *f pop* Fratze; **~one** [-bɔn] *m* Posaune(nbläser); Büroklammer

trompe [trɔ̃p] *f* Waldhorn; *anat* Ohrtrompete; *(a. Insekten)* Rüssel; Dampfpfeife; 🏛 Einguß; **~** *à vide* Vakuumpumpe

trompe-la-mort [trɔ̃plamɔːr] *m 100* von e-r schweren Krankheit Genesener; zählebiger Mensch; **~l'œil** [-lœj] *m 100* Scheinbild; Augentäuschung

tromper [trɔ̃pe] täuschen; betrügen, hintergehen; überlisten; **~** *les espérances* d. Hoffnungen zuschanden machen; **~** *sa faim* d. Hunger betäuben; *se* **~** sich irren; **~ie** [-pri] *f* Betrug; **~ie** *sur la marchandise* Warenfälschung

tromp|eter [trɔ̃pete] *10* austrompeten; **~ette**

[-pɛt] f Trompete; *sonner de la ~ette* T. blasen; *nez en ~ette (umg)* Himmelfahrtsnase
trompeur [trɔ̃pœːr] *121* trügerisch, täuschend; *m* Betrüger
tron|c [trɔ̃] *m bot* Stamm; *anat, phys* Rumpf; *math* Stumpf; Oberstock; ~c *commun päd* Gesamtunterricht; **~che** [trɔ̃ʃ] f *pop (Kopf)* Rübe; **~çon** [-sɔ̃] *m* Stummel, Stumpf; Teilstrecke; *(Kabel)* Länge; *~çon de carte* Kartenausschnitt; **~çonner** [-sɔnɛ] zerschneiden, -stückeln
trôn|e [troːn] *m* Thron; **~er** [tronɛ] thronen; *fig* s. hervortun
tronquer [trɔ̃kɛ] *6* abstumpfen; kappen; kürzen; schräg abschneiden; *fig* verstümmeln
trop [tro] zuviel, zu sehr, (all)zu; *~ peu* zuwenig; *de ~, en ~* zuviel, überflüssig; *par ~* allzusehr; *pas ~ mal* einigermaßen; *c'en est ~* das geht zu weit; *tu n'es pas de ~* du störst nicht
trope [trɔp] *m ling* (Rede-)Figur
trophée [trɔfɛ] *m* Trophäe, Siegeszeichen
trop|ical [trɔpikal] *124* tropisch; **~icalisé** [-pikalizɛ] tropenfest; **~ique** [-pik] *m geog* Wendekreis; *pl* Tropen; **~isme** [-pism] *m biol* Tropismus
trop|-perçu [trɔpɛrsy] *m 99* zu viel erhobener Betrag; **~-plein** [-plɛ̃] *m 99* Überfülle; *(Bassin)* Überlauf
troquer [trɔkɛ] *6* eintauschen *(contre gegen)* ♦ ~ *son cheval borgne contre un aveugle* e-e schlechte Sache gegen e-e schlechtere tauschen, vom Regen in die Traufe kommen
trot [tro] *m* Trab; *aller au ~* Trab reiten, traben; *au ~! (umg)* voran!; **~te** [trɔt] f *umg* Wegstrecke; *tout d'une ~te* in e-m Zug; **~te-menu** [trɔtməny] *inv* trippelnd; **~ter** [trɔtɛ] traben; *umg* umherlaufen; *se ~ter (pop)* abhauen; **~teuse** [trɔtøːz] f Sekundenzeiger; **~tin** [trɔtɛ̃] *m* Laufmädchen; **~tiner** [trɔtinɛ] (einher)trippeln; **~tinette** [trɔtinɛt] f (Kinder-)-Roller; **~toir** [tr ɔtwaːr] *m* Bürgersteig; *faire le ~toir (pop)* auf den Strich gehen
trou [tru] *m* Loch; Öffnung; Bohrung; *umg* Nest, Kaff; *fig* Lücke; ~ *d'air* ✈ Luftloch; ~ *d'homme* ✿ Mannloch, Einstiegsöffnung; ~ *de serrure* Schlüsselloch; ~ *du souffleur* Souffleurkasten ♦ *boucher un ~* e-e Schuld bezahlen; e-e Lücke füllen; *faire le ~* ✿ *a. fig* d. Abstand vergrößern, an Vorsprung gewinnen; *faire son ~ (pop)* Karriere machen; *faire un ~ à la lune* verschwinden, ohne s-e Schulden zu bezahlen
troubadour [trubaduːr] *m* provenzalischer Minnesänger
troubl|ant [trublɑ̃] *108* beunruhigend; aufregend; **~e** [trubl] 1. trübe; unklar; *pêcher en eau ~e* im trüben fischen; *avoir la vue ~e (a. fig)* nicht richtig sehen; 2. *m* Unruhe; Verwirrung; Mißhelligkeit; ✿ , ✿ Störung; *phys, meteo* Trübung; *pl pol* Unruhen; **~e-fête** [-bləfɛt] *m 100* Spielverderber, Störenfried; **~er** [-blɛ] trüben; *a.* ✿ stören; verwirren; *~er le sommeil* den Schlaf stören; *se ~er* trübe werden; *fig* unsicher werden; *mes yeux se ~ent* ich sehe nicht mehr richtig
trou|ée [truɛ] f ⚓ Schneise; (gewaltsam angelegte) Öffnung; *mil* Durchbruch; **~er** [truɛ] durchlöchern, -bohren
troufion [trufjɔ̃] *m pop* Landser
trouill|ard [trujaːr] *m pop* Angsthase; **~e** [truj] f *pop* Angst, Schiß
troup|e [trup] f *(a.* ✪*)* Truppe; Schar; Schwarm; Bande; *~e combattante (mil)* Kampftruppe; *hommes de ~e (mil)* Mannschaften; **~eau** [-po] *m 91 (a. fig)* Herde; Horde; **~ier** [-pjɛ] *m umg* Landser
trouss|e [trus] f Bündel; ✿ Besteck; Werkzeugtasche; *~e médicale* Sanitätspack; *~e de premiers secours* Verbandskasten; *~e de toilette* Toilettenbeutel, Necessaire; *aux ~es de qn* hinter j-m her, j-m auf d. Fersen; **~eau** [-so] *m 91* Aussteuer; *~eau de clefs* Schlüsselbund; **~e-queue** [-kø] *m 100* Schwanzriemen; **~equin** [-kɛ̃] *m* Sattelsteg; **~er** [-sɛ] schürzen; hochraffen; *fig* schnell erledigen; **~is** [-si] *m* Schürzfalte
trouv|aille [truvaːj] f (glücklicher) Fund; Fundsache; *fig* Einfall; **~é** [-vɛ]: *bien ~é* gut ausgedacht; *enfant ~é* Findelkind; *(bureau des) objets ~és* Fundbüro; *tout ~é* wie gefunden; **~er** [-vɛ] 1. *(a. fig)* finden; (an)treffen; aufsuchen; überraschen; *fig* erfinden, s. ausdenken; empfinden; feststellen; bemerken; d. Ansicht sein, daß...; *je vous ~erai cela* d. kann ich Ihnen besorgen *(od* verschaffen); *~er mari à sa fille* s-e Tochter unter d. Haube bringen; *où avez-vous ~é cela? (umg)* wie kommen Sie denn darauf?; *où ~e-t-on cet article?* wo erhält man diese Ware?; *aller ~er qn* j-n besuchen; *~er bon qch* etw. billigen; *je lui ~e bonne mine* ich finde, er sieht gut aus; *y ~er son compte* dabei auf s-e Rechnung kommen; *~er qn en faute* j-n bei e-m Fehler ertappen; *je la ~e mauvaise (umg)* d. geht mir gegen d. Strich; *~er à qui parler* e-n ebenbürtigen Gegner finden; *~er plaisir à qch* Vergnügen an etw. finden; *~er porte close* vor verschlossener Tür stehen, nicht eingelassen werden; *~er à redire* etw. einzuwenden haben *(à gegen)*; *~er le temps long* sich langweilen; 2. *se ~er* s. befinden, s. einfinden; *se ~er mieux* sich besser fühlen; *se ~er mal* in Ohnmacht fallen; *il se ~e que...* es kommt vor, daß..., es stellt s. heraus, daß...; *si ça se ~e (umg)* wenn es so kommen sollt
trouvère [truvɛːr] *m* Minnesänger *(in Nordfrankreich)*
trouveur [truvœːr] *m* Finder; Erfinder
truand [tryɑ̃] *m* Strolch; Gauner; Betrüger; Schieber; **~er** [-dɛ] prellen, betrügen, übervorteilen
truble [trybl] f Kescher
truc [tryk] *m* Trick, Kunstgriff; *umg* Dingsda, Dingsbums, Sache; *connaître le ~* d. Dreh heraushaben
truchement [tryʃmɑ̃] *m fig* Dolmetsch(er); *par le ~ de...* durch Vermittlung von...
truculent [trykylɑ̃] *108* drastisch; heftig; grell; ungestüm; *(Gesicht)* hochrot; *fig* saftig
truelle [tryɛl] f Kelle
truff|e [tryf] f Trüffel; *pop* Nase, Gurke; **~er** [-fɛ] mit Trüffeln füllen; *fig* spicken *(de mit)*

truie [trɥi] *f* Mutterschwein, Sau
truisme [trɥism] *m* Binsenwahrheit
truite [trɥit] *f* Forelle
trumeau [trymo] *m* 91 Fensterpfeiler; Wand-(Kamin-)Spiegel; Haxe *(v. Rind)*
truqu|age [tryka:ʒ] *m* Fälschung; *com* Verschleierung; ✪ Trick; **~er** [-ke] *6* fälschen; *com* verschleiern; **~eur** [-kœ:r] *m* Fälscher
trusquin [tryskɛ̃] *m* ✿ Streichmaß; Anreißnadel
trust [trœst] *m* Trust, Verschmelzung, Fusion, Zusammenschluß; *législation anti~* Kartellgesetzgebung; **~er** [-te] fusionieren, verschmelzen; *fig umg* monopolisieren
tsar [tsa:r] *m* Zar
tu [ty] du; *être à ~ et à toi avec qn* mit j-m auf du u. du stehen
tuant [tyã] 108 *umg* mühsam, ermüdend; langweilig
tub [tœb] *m* Zuber; Wannenbad
tub|e [tyb] *m* Röhre; Tube; *(Mikroskop)* Tubus; *umg* Hit, Schlager; **~e amplificateur** ✪ Verstärkerröhre; **~e cathodique** Kathodenstrahlröhre; **~e digestif** Verdauungskanal; **~e à essai** Reagenzglas; **~e de lancement** Abschußrohr; **~e à mémoire** Speicherröhre; **~e à rayons X** Röntgenröhre; **~e redresseur** ⚡ Gleichrichterröhre; **~er** [-be] mit Röhren versehen
tubercul|e [tybɛrkyl] *m bot* Knolle; *anat* Verdickung, Knötchen; **~eux** [-kylø] 111 *bot* Knollen…; *m* tuberkulös; *m* TbKranker; **~ose** [-kylo:z] *f* Tuberkulose
tubul|aire [tybylɛ:r] röhrenförmig; **~ure** [-ly:r] *f* Rohrstutzen, Rohransatz; **~ure de sortie** Anschlußrohrleitung; Abflußrohr
tue-mouche [tymyʃ]: *papier ~e-mouches* Fliegenfänger; *m 100* Fliegenpilz; **~er** [tɥe] töten; umbringen; schlachten; **~er le temps** d. Zeit totschlagen; *être ~é (im Kriege)* fallen; *se ~er (durch Unfall)* ums Leben kommen; s. d. Leben nehmen; *se ~er au travail* s. totarbeiten; **~erie** [tyri] *f* Blutbad, Gemetzel; **~e-tête** [tytɛt]: *crier à ~e-tête* aus vollem Hals, aus Leibeskräften schreien; **~eur** [tɥœ:r] *m* Schlächter; **~eur à gages** gedungener Mörder
tuf [tyf] *m* Tuffstein
tuil|e [tɥil] *f* Dachziegel; *umg* unangenehme Überraschung; **~erie** [tɥilri] *f* Ziegelei
tulipe [tylip] *f* Tulpe
tulle [tyl] *m* Tüll
tum|éfaction [tymefaksjɔ̃] *f* ✚ (An-)Schwellung; **~éfier** [-fje] ✚ anschwellen lassen; *joue ~éfiée* geschwollene Backe; **~escent** [-mesã] 108 ✚ anschwellend; **~eur** [-mœ:r] *f* ✚ Geschwulst, Tumor
tumulaire [tymylɛ:r] Grab…; *pierre ~* Grabstein
tumult|e [tymylt] *m* Tumult, Lärm; Aufruhr; **~ueux** [-myltɥø] 111 lärmend; stürmisch
tumulus [tymylys] *m* Grabhügel
tuner [tynɛr] *m* Verstärker; Kanalwähler, Tuner
tungstène [tɶgstɛn] *m chem* Wolfram
tunique [tynik] *f* Waffenrock; Tunika
Tunis|ie [tynizi]: *la ~ie* Tunesien; **~ien** [-nizjɛ̃] 118 tunesisch; **~ien** *m* Tunesier

tunnel [tynɛl] *m* Tunnel; Unterführung; Durchbruch, Durchstich; **~ aérodynamique** ✈ Windkanal; **~ hydrodynamique** Wasserkanal
turban [tyrbã] *m* Turban
turbin [tyrbɛ̃] *m pop* Schufterei
turb|ine [tyrbin] *f* ✿ Turbine; **~ine aérienne** Windmotor; **~ine hydraulique** Wasserturbine; **~iner** [-bine] *umg* schuften; **~ocompresseur** [-bokɔ̃prɛsœ:r] *m* Turboverdichter; **~omachine** [-omaʃin] *f* Gasturbinentriebwerk; Strömungsmaschine; **~opropulseur** [-bɔprɔpylsœ:r] *m* Turboproptriebwerk; Propellerturbine; **~oréacteur** [-bɔreaktœ:r] *m* Turbostrahltriebwerk; **~ot** [-bo] *m* Steinbutt; **~ulence** [-bylãs] *f* Ungestüm, Ausgelassenheit; *phys* Turbulenz, Wirbelbildung; **~ulent** [-bylã] 108 ungestüm; ausgelassen; lärmend
tur|c [tyrk] 120 türkisch; **~c** *m* Türke; *fort comme un ~c* bärenstark ◆ *tête de ~c* Prügelknabe
turf [tœrf] *m* Pferderennsport; Pferderennbahn
turlu|taine [tyrlytɛn] *f* Schrulle; **~tutu!** [-tyty] *umg* papperlapapp!
turne [tyrn] *f (arg scol)* Bude, Loch
turpitude [tyrpityd] *f* Schändlichkeit, Verworfenheit
Turqu|ie [tyrki]: *la ~ie* Türkei; **~in** [-kɛ̃]: *bleu ~in* türkischblau; **~oise** [-kwa:z] *f* Türkis
tut|élaire [tytelɛ:r] schützend; vormundschaftlich; *ange ~élaire* Schutzengel; **~elle** [-tɛl] *f* Vormundschaft; Bevormundung; *(Kolonie)* Schutzherrschaft; *Conseil de ~elle (pol)* Treuhänderrat; *tenir en ~elle* am Gängelband führen; **~eur** [-tœ:r] *m* Vormund; ⚓ Stütze, Baumpfahl
tutoyer [tytwaje] 5 duzen
tutu [tyty] *m* Ballettröckchen
tuy|au [tɥijo] *m 91* Rohr; Röhre; Leitung; Schlauch; Federkiel; Halm; *umg* Tip, (vertraulicher) Wink; *arg scol* Spickzettel; **~au d'arrosage** Gartenschlauch; **~au d'échappement** Auspuffrohr; **~au d'égout** Kanalisationsrohr; **~au de prise d'essence** Benzinzuführung; **~au d'orgue** Orgelpfeife; **~au de pompe à incendie** Feuerwehrschlauch; *dire qch dans le ~au de l'oreille (umg)* etw. ins Ohr sagen; **~auter** [-jote] *umg* (vertrauliche) Mitteilungen machen; **~auterie** [-jotri] *f* Rohrleitungssystem; **~ère** [-jɛ:r] *f* Düse
tympan [tɛ̃pã] *m anat* Trommelfell; 🏛 Tympanon; *à rompre le ~* ohrenbetäubend; **~on** [-pɑ̃ɔ̃] *m* ♪ Hackbrett
typ|e [tip] *m* Typus, Typ *m*, Bauart, Muster; *biol* Grundform, Urbild, Gattung; (Menschen-)Schlag; ⌨ Type, (Buchdruck-)Letter, Buchstabe; *umg (Mensch)* Typ, Kerl; *chic ~e (umg)* feiner Kerl; *sale ~e (umg)* Schuft
typhoïde [tifɔid] Typhus…; *(fièvre) ~ (f)* Typhus
typhon [tifɔ̃] *m* Taifun, Wirbelsturm
typ|ique [tipik] typisch, charakteristisch; **~ographe** [-pɔgraf] *m* Schriftsetzer; **~ographie** [-pɔgrafi] *f* Buchdruck; **~ologie** [-pɔlɔʒi] *f* Gliederung, Einteilung, Typologie

tyran [tirɑ̃] *m* Tyrann, Gewaltherrscher, Unterdrücker; **~nie** [-rani] *f* Tyrannei, Willkürherrschaft; **~nique** [-ranik] tyrannisch, gewaltsam, willkürlich; rücksichtslos, grausam; **~niser** [-ranize] *a. fig* tyrannisieren; j-n hart u. willkürlich behandeln; j-m s-n Willen aufzwingen

Tyrol [tirɔl] *le* ~ Tirol

tzigane [tsigan] *m* Zigeuner

U

ubiquité [ybikɥite] *f* Allgegenwart; *il a le don d'*~ *(umg)* er ist e. Hansdampf in allen Gassen, er ist überall dabei

Ukrain|e [ykrɛn] *f: l'*~*e* Ukraine; **~ien** [ykrɛnjɛ̃] *m* Ukrainer; **~ien** *118* ukrainisch

ul|cération [ylserasjɔ̃] *f* Geschwür(bildung); **~cère** [-sɛːr] *m* Geschwür; *~cère gastrique* Mageng.; **~cérer** [-sere] *13* ulzerieren, s. geschwürig verändern; *fig* tief verletzen; zutiefst enttäuschen; *être ~céré de qch* e-n heimlichen Groll hegen; *conscience ~cérée* gequältes Gewissen; **~céreux** [-serø] *111* schwärig, eitrig; mit Geschwüren bedeckt

ult|érieur [ylterjœːr] später; ferner; **~imatum** [-timatɔm] *m* Ultimatum, letzte Aufforderung; **~ime** [-tim] letzte; äußerste

ultra [yltra] **1.** *adv* extrem; ultra...; ~ *chic* todschick; **2.** *m pol* (rechtsradikaler) Extremist; ultra...; *~gauche* linksradikaler Extremist; **~court** [-trakuːr] *108: ondes ~courtes* Ultrakurzwellen; **~son** [-trasɔ̃] *m 99* Ultraschall

ululer [ylyle] *(Eule)* schreien

un [œ̃] **1.** *132* eins; *le* ~ die Eins *(a. Autobuslinie);* **2.** *109* ein; ~ à ~ nacheinander; *l'*~ *et l'autre* beide; *l'*~ *ou l'autre* e-r v. beiden; *ni l'*~ *ni l'autre* k-r v. beiden; *l'*~ *dans l'autre* durchschnittl.; *pas* ~ keiner; *se secourir l'*~ *l'autre* einander zu Hilfe kommen; *c'est tout* ~ das ist ganz gleich, einerlei; *ne faire qu'*~ ein Herz und e-e Seele sein; *ne faire ni* ~*e ni deux* nicht zögern; **~anime** [ynanim] einstimmig; **~animité** [ynanimite] *f* Einstimmigkeit; *faire l'*~*animité* E. erreichen; *à l'*~*animité* einstimmig

une [yn] *f: la* ~ *(Zeitung)* Erste Seite; *titres à la* ~ Schlagzeilen

uni [yni] eben, glatt; einfarbig; *ménage* ~ harmonische Ehe; **~cellulaire** [-selylɛːr] einzellig; *m* Einzeller; **~cité** [-site] *f* Einmaligkeit; **~fication** [-fikasjɔ̃] *f* Vereinigung; Integrierung; **~fier** [-fje] (ver)einigen; vereinheitlichen; einen; **~forme** [-fɔrm] *128* gleichmäßig, stetig; einförmig, eintönig; Einheits...; *m* Uniform; **~formisation** [-fɔrmizasjɔ̃] *f* Vereinheitlichung; **~formiser** [-fɔrmize] vereinheitlichen; **~formité** [-fɔrmite] *f* Gleichmäßigkeit, Stetigkeit; Einförmigkeit, Eintönigkeit; **~latéral** [-lateral] *124 (a. ♋)* einseitig

union [ynjɔ̃] *f* Union; Zusammenschluß; Verbindung; Bund; Verband; Verein; Vereinigung; Eintracht; ~ *conjugale* eheliche Gemeinschaft; ~ *libre* eheähnliches Verhältnis, außereheliche Geschlechtsgemeinschaft, freie Lebensgemeinschaft; *pej* wilde Ehe; ~ *douanière* Zollunion; ~ *postale universelle* Weltpostverein

uni|polaire [ynipɔlɛːr] *phys* einpolig; **~que** [-ik] einzig(artig); einmalig; allein; *~que en son genre* einzig in s-r Art; *magasin à prix ~ques* Einheitspreisgeschäft; *sens ~que* Einbahnstraße; **~quement** [ynikmɔ̃] lediglich; **~r** [yniːr] *22* vereinigen *(à* mit); zus.bringen, -stecken usw.; ebnen; **~sexué** [-sɛksɥe] *bot* eingeschlechtig; **~sson** [-sɔ̃] *m ♪* Einstimmigkeit; *chanter à l'*~*sson* einstimmig singen; *se mettre à l'*~*sson* s. anpassen *(de* an); **~taire** [-tɛːr] einheitlich; *m* Unitarier; **~té** [-te] *f (a. math, phys, mil)* Einheit; Maßeinheit; Ganzheit; *math* Einer; *~té centrale EDV* Leitwerk, Zentraleinheit; *~té de compte* Rechnungseinheit; *~té de contrôle EDV* Steuerwerk, Leitwerk; *~té logistique mil* Versorgungseinheit; *~té de valeur päd* Leistungseinheit; *Semesterprüfung; umg* Schein; **~vers** [-vɛːr] *m* Welt; Weltall, Universum; **~versaliser** [-vɛrsalize] (allgemein) verbreiten; **~versalité** [-vɛrsalite] *f* Universalität, Vielseitigkeit; Gesamtheit; **~versel** [-vɛrsɛl] *115* universell; weltweit; Universal...; Welt...; *histoire ~verselle* Weltgeschichte; *~versellement connu* allbekannt; **~versitaire** [-vɛrsitɛːr] Universitäts...; *m* Akademiker; Hochschullehrer; **~versité** [-vɛrsite] *f* Universität; *camarade d'~versité* Studienfreund; *~versité populaire* Volkshochschule; **~voque** [-vɔk] *adj* eindeutig

uppercut [ypɛrkyt] *m 🥊* Kinnhaken, Aufwärtshaken

urani|fère [yranifɛːr] uranhaltig; *gisement ~fère* Uranvorkommen; **~um** [-njɔm] *m* Uran; *minerai d'~um* Uranerz

urb|ain [yrbɛ̃] *109* Stadt...; städtisch; *réseau ~ain ☎* Ortsnetz; *conversation ~aine* Ortsgespräch; *chauffage ~ain* Fernheizung; **~anisation** [-anizasjɔ̃] *f* Verstädterung; **~anisme** [-banism] *m* Städteplanung, -bau; **~aniste** [-banist] *m* Städteplaner; **~anité** [-banite] *f* Höflichkeit; Bildung; Weltgewandtheit; gewandte Umgangsformen

ur|ée [yre] *f* Harnstoff; **~émie** [yremi] *f* Harnvergiftung; **~etère** [yrtɛːr] *m anat* Harnleiter; **~ètre** [yrɛtr] *m anat* Harnröhre

urg|ence [yrʒɑ̃s] *f* Dringlichkeit, Unaufschiebbarkeit; Notstand; *d'~ence* dringend; *état d'~ence (pol)* Notstand, Ausnahmezustand; *mesure d'~ence* Sofortmaßnahme; *plan d'~ence* Notstandsplan; **~ent** [-ʒɑ̃] *108, 127* dringend; dringlich; *~ent! ♂* eilt!

urin|aire [yrinɛːr] Harn...; *voies ~aires* Harnwege; **~e** [yrin] *f* Urin, Harn; **~er** [-ne] Wasser lassen, harnen; **~oir** [-nwaːr] *m* Bedürfnisanstalt

urique [yrik] *acide* ~ Harnsäure

urne [yrn] *f* Urne; Grabgefäß; ~ *électorale* Wahlurne

urticaire [yrtikɛːr] *f 🟥* Nesselfieber

us [ys] *mpl: les* ~ *et coutumes* d. Sitten u. Gebräuche; **~age** [yzaːʒ] *m* Brauch; Benutzung; Anwendung; Gebrauch; ♋ Nutznießung; *ling* Sprachgebrauch; *pl* der gute Ton, das richtige

Benehmen; ~ages *commerciaux* Handelsbrauch; ~age externe ⚡ äußerliche Anwendung; à l'~age de für, zum Gebrauch von; *il est d'~age de*... es ist üblich, normal, gang und gäbe, alltäglich; *comme d'~age* wie üblich; *faire ~age de qch* etw. gebrauchen, anwenden; *faire de l'~age* (od. *un bon ~age*) dauerhaft (strapazierfähig) sein; *tous ~ages* allzweck...; ~agé [yzaʒe] abgenutzt, gebraucht; ~ager [yzaʒe] 116 Gebrauchs...; *m* Benutzer; 🐍 Nutznießer; ~ager de la route Verkehrsteilnehmer; ~ance [yzɑ̃s] *f (Wechsel)* Laufzeit; ~sant [-zɑ̃] *adj* ermüdend, gesundheitsschädlich; aufreibend; ~é [yzε] abgenutzt; verschlissen; *(Mensch)* verbraucht; *eaux ~ées* Abwässer; *sujet ~é* abgedroschenes Thema; ~er [yzε] *vi* gebrauchen, verwenden *(de qch* etw.); *vt* verbrauchen, abnutzen; ~er *sa santé* s-e Gesundheit schwächen; *en ~er avec qn* mit j-m verfahren; *s'~er* s. abnutzen, verschleißen
usin|age [yzinaːʒ] *m* Fertigung, Herstellung; Bearbeitung, Verarbeitung; ~e [yzin] *f* Fabrik; ⚙ Betrieb; Werk; Anlage; Hütte; ~e à chaux Kalkwerk; ~e électrique Kraft-(Elektrizitäts-)-Werk; ~e hydro-électrique Wasserkraftwerk; ~e pilote Versuchsanlage; ~e sidérurgique Hütte-(nwerk); ~er [-ne] fabrikmäßig herstellen; be-, verarbeiten; ~ier [-nje] *adj* Fabrik...
usité [yzite] *bes ling* gebräuchlich, üblich
ustensile [ystɑ̃sil] *m (Küche, Haus, Handwerk)* Gerät; ~s de ménage Haushaltsgerät
usu|el [yzɥεl] 115 gebräuchlich; herkömmlich; üblich; *terme ~el* umgangssprachlicher Ausdruck; *m* Standardwerk, maßgebendes Nachschlagewerk; ~fruit [yzyfrɥi] *m* 🐍 Nießbrauch; Nutznießung, ~fruitier [yzyfrɥitje] *m* 🐍 Nießbraucher
usur|aire [yzyrεːr] Wucher...; ~e [yzyːr] *f* 1. Abnützung; Verschleiß; Abrieb; 2. Wucher; ~ier [yzyrje] *m* Wucherer
usurp|ation [yzyrpasjɔ̃] *f* widerrechtliche Besitzergreifung; ~er [-pe] s. widerrechtlich aneignen
ut [yt] *m* ♪ c; ~ *majeur* C-Dur
utér|in [yterε̃] 109 Gebärmutter...; *frère ~in* 🐍 Stiefbruder mütterlicherseits; ~us [-rys] *m* Gebärmutter
util|e [ytil] nützlich, zuträglich; dienlich; *charge ~e* Nutzlast; *énergie ~e* ⚡ nutzbare Energie; *en temps ~e* rechtzeitig; *juger ~e* für ratsam halten; *causer ~ement* in e-m Gespräch zum Ziel kommen; ~isable [ytilizabl] nutz-, brauch-, verwendbar; ~isation [ytilizasjɔ̃] *f* Benutzung, Gebrauch, Verwendung; ~isation des loisirs Freizeitgestaltung; ~iser [ytilize] verwenden; benützen; anwenden; verwerten, nutzbar machen; ~itaire [ytilitεːr] utilitaristisch; *véhicule ~itaire* Nutzfahrzeug; ~itarisme [ytilitarism] *m* Utilitarismus; ~ité [ytilite] *f* Nützlichkeit; *pl* 🎭 Nebenrollen; *d'~ité publique* gemeinnützig
utop|ie [ytɔpi] *f* Utopie; ~ique [-pik] utopisch, wirklichkeitsfremd; unwirklich; ~iste [-pist] *m* Utopist, Weltverbesserer, Schwärmer
uval [yval] 124 Trauben...
uvule [yvyl] *m anat* Zäpfchen

V

va [va] *siehe* aller; ~ *pour mille francs!* (für) 1000 Francs, meinetwegen (*od* einverstanden)! *interj je te comprends, va!* ich verstehe dich ja; *va donc, eh, chauffard!* (im Straßenverkehr) du Anfänger!; *va pour cette fois* diesmal mag es noch angehen
vac|ance [vakɑ̃s] *f* Vakanz, freie Stelle; *(Halbleiter)* Gitterlücke; *pl* Ferien; *en ~ances* in Urlaub; ~ancier [-kɑ̃sje] *m* Urlauber, Feriengast, Tourist; ~ant [-kɑ̃] 108 *(Stelle)* vakant, unbesetzt, offen; *(Wohnung)* frei, leerstehend
vacarme [vakarm] *m* Lärm, Getöse
vacation [vakasjɔ̃] *f* Zeitaufwand *(e-s Beamten);* *pl* 🐍 Gebühren; Gerichtsferien
vaccin [vaksε̃] *m* Impfstoff; ~ation [-sinasjɔ̃] *f* Impfung; ~er [-sine] impfen *(contre* gegen); *fig* immun
vach|e [vaʃ] 1. *f* Kuh; Rindsleder; *pop* Polizist ♦ *manger de la ~e enragée* kümmerlich leben; *parler français comme une ~e espagnole* Französisch radebrechen; *coup de pied de ~e (a. fig)* heimtückischer Schlag; 2. *adj* umg gemein, schofel; streng; ~er [vaʃe] *m* Kuhhirt, Senn; ~erie [vaʃri] *f* Kuhstall; *umg* Gemeinheit, Schweinerei, Sauerei
vacill|ant [vasijɑ̃] 108 schwankend; flackernd; *fig* unbeständig; ~ement [-sijmɑ̃] *m* Flackern; ~er [-je] *a. fig* schwanken; *(Licht)* flackern
vacuité [vakɥite] *f* Leere
vadrouiller [vadruje] *pop* bummeln, s. herumtreiben
va-et-vient [vaevjε̃] *m* 100 Kommen u. Gehen, Hin u. Her; 💡 Wechselschalter
vagabond [vagabɔ̃] 108 umherstreifend; unstet; *m* Landstreicher; Herumtreiber, Taugenichts; ~age [-baʒ] *m* Landstreicherei; ~age spécial 🐍 Zuhälterei; ~er [-bɔ̃de] umherstreifen, vagabundieren
vagin [vaʒε̃] *m anat* Scheide
vag|ir [vaʒiːr] 22 (neugeb. Kind) schreien; ~issement [-ʒismɑ̃] *m* Geschrei
vague¹ [vag] *f* Woge, Welle; ~ *de chaleur* Hitzewelle; ~ *de froid* Kältew.; *faire des ~s fig* entrüsten, schockieren; großes Aufsehen erregen; *ne pas faire de ~s* s. ruhig verhalten
vague² [vag] 1. unbestimmt, undeutlich; vage; *terrain ~* unbebautes, ödes Gelände *(in d. Nähe e-r Stadt);* *j'en ai une ~ idée* ich habe so e-e Ahnung davon; 2. *m d.* Unbestimmte; *regarder dans le ~* ins Leere schauen; ~ *à l'âme* Wehmut
vaguemestre [vagmεstr] *m mil* Postordonnanz, Postbeauftragter
vaill|ance [vajɑ̃s] *f* Tapferkeit; ~ant [-jɑ̃] 108, 127 tapfer, beherzt ♦ *n'avoir pas un sou ~ant* keinen roten Heller haben
vain [vε̃] 109 vergeblich; nichtig; eitel; *en ~*, ~ement umsonst, vergebens
vain|cre [vε̃kr] 88 (be)siegen, überwinden; meistern; ~cu [vε̃ky] *m* Besiegter; ~queur [vε̃kœːr] *(ohne f)* siegreich; *m* Sieger

vair [vɛːr] *m* Feh(pelz); **~on** [vɛrɔ̃] *(ohne f)* *(Augen)* verschiedenfarbig

vaiss|eau [vɛso] *m 91* **1.** *(bot, anat)* Gefäß; ~*eau sanguin* Blutgefäß; **2.** *(a.* 🏛 *)* Schiff; ~*eau de guerre* Kriegsssch.; ~*eau marchand* Handelssch.; *lieutenant de* ~*eau* Kapitänleutnant; **~elle** [-sɛl] *f* (Eß-, Küchen-)Geschirr; *eau de* ~*elle* Spülwasser; *faire la* ~*elle* spülen, abwaschen

val [val] *m (pl:* ~*s, 90)* Tal; *par monts et par vaux* über Berg und Tal

val|able [valabl] gültig; 🗲🗲 rechtskräftig; *umg* gut, ernstzunehmend, brauchbar, wertvoll; würdig; *être* ~*able* wirksam werden, gelten; den Anforderungen entsprechen; Sinn haben; **~ence** [-lɑ̃s] *f* 🖊 Pegel, Wert; *chem* Wertigkeit, Valenz; **~ériane** [-lerjan] *f* Baldrian

val|et [valɛ] *m* Bedienter; ⬇ Knecht; *(Kartenspiel)* Bube; ~*et d'établi (Hobelbank)* Bankeisen; ~*et de ferme* Knecht; ~*et de pied* Kammerdiener; **~etaille** [valtɑːj] *f pej* Bedientenpack, Gesinde; **~eur** [-lœːr] *f (a. com, math)* Wert; Preis; Wertpapier; Bedeutung; Geltung; Tüchtigkeit; Tapferkeit; ~*eur ajoutée* Mehrwert; ~*eur approchée* Näherungsw.; ~*eur à atteindre* Sollw.; ~*eur comptable* Buchw.; ~*eur en compte (com)* zur Verrechnung; ~*eur matérielle* Sachwert; ~*eur moyenne* Mittelw.; ~*eur nominale* Nennw.; ~*eur réelle* Istw.; ~*eur standard* Einheitsw.; *colis en* ~*eur déclarée* 🗲 Wertpaket; ~*eurs de père de famille* mündelsichere Wertpapiere; ~*eurs immobilisées* Anlagewerte; *de* ~*eur* hochwertig; *de la* ~*eur de* im Werte von; *la* ~*eur de* ungefähr soviel wie; *sans* ~*eur* wertlos; *attacher de la* ~*eur à qch* Wert auf etw. legen; *mettre en* ~*eur* betonen, hervortreten lassen; *(Land)* bewirtschaften; *(Baugelände)* erschließen; **~eureux** [-lœrø] *111* tapfer; **~ide** [-lid] kräftig, fähig, gesund; 🗲🗲 rechtsgültig, -wirksam; **~ider** [-lide] für gültig erklären, abstempeln; **~idité** [-lidite] *f* Gültigkeit

valise [valiːz] *f* Handkoffer; ~ *diplomatique* diplomatisches Kuriergepäck; *faire ses* ~*s* s-e Koffer packen

val|ée [vale] *f* Tal; ~*ée de larmes* Jammertal; **~on** [-lɔ̃] *m* kleines Tal; **~onné** [-lɔne] hügelig

valoir [valwaːr] *48* **1.** *vi* gelten; wert sein; taugen; kosten; *à* ~ *sur (com)* in Anrechnung auf; *faire* ~ *qch* etw. geltend machen, etw. hervorheben, etw. nutzbar machen; *il vaut mieux* es ist besser; *ça vaut le coup (umg)* das ist d. Sache wert; *das ist ein Versuch wert*; ♦ *vaille que vaille!* koste es, was es wolle!; **2.** *vt:* ~ *qch à qn* j-m etw. eintragen; *cette affaire ne me vaut que des ennuis* diese Sache bringt mir nur Ärger ein; *ne pas* ~ *la peine* nicht d. Mühe wert sein

valoris|ation [valɔrizasjɔ̃] *f com* Aufwertung; **~er** [ze] aufwerten

vals|e [vals] *f* Walzer; *umg fig* häufiger Wechsel; ~*e-hésitation* Unentschlossenheit; Zaudern; **~er** [-se] Walzer tanzen; *faire* ~*er l'argent* d. Geld z. Fenster hinauswerfen

valv|e [valv] *f* ⚙ Klappenventil; Fahrradventil; 🗲 Gleichrichterröhre; **~ulaire** [-vylɛːr]: *affection*

~*ulaire* Herzklappenfehler; **~ule** [-vyl] *f anat* Klappe; ~*ule du cœur* Herzklappe

vamp [vãp] *f* verführerische Frau, Femme fatale; **~er** [-pe] verführen, bezaubern; verführerisch wirken

vampire [vãpiːr] *m (a. fig)* Vampir, Blutsauger

van¹ [vã] *m* (Getreide-)Schwinge

van² [vã] *m* Pferdetransportwagen

vandalisme [vãdalism] *m* Wandalismus, (blinde) Zerstörungswut

vanille [vanij] *f* Vanille

vanit|é [vanite] *f* Nichtigkeit; Eitelkeit, Selbstgefälligkeit; *tirer* ~*é de qch* s. etw. auf etw. einbilden; **~eux** [-tø] *111* eitel, selbstgefällig

vanne [van] *f (Wasserbau)* Schütze, Staubrett; ~ *de commande* Steuerventil; ~ *de réglage* Regelventil

vanné [vane] *umg* hundemüde

vanneau [vano] *m 91 orn* Kiebitz

vann|er [vane] *(Getreide)* worfeln; *umg* fertigmachen; **~erie** [vanri] *f* Korbmacherei, -waren; **~ier** [-nje] *m* Korbmacher

vantail [vãtaj] *m 90* Tür-, Fenster-, Altarflügel

vant|ard [vãtaːr] *m* Großsprecher, Prahler; **~ardise** [-tardiːz] *f* Großsprecherei, Prahlerei; **~er** [-te] rühmen; *se* ~*er* prahlen *(de* mit), s. rühmen

va-nu-pieds [vanypje] *m 100 (umg)* armer Schlucker, Habenichts

vape [vap] *f pop: être dans les* ~*s* bewußtlos sein; *tomber dans les* ~*s* umklappen, wegsacken, umkippen

vap|eur [vapœːr] **1.** *f* Dampf; Dunst; ~*eur d'eau* Wasserdampf; ~*eur saturée* Sattd.; ~*eur usée* ⚙ Abdampf; *machine à* ~*eur* Dampfmaschine; *à toute* ~*eur (a. fig)* mit Volldampf; *avoir des* ~*eurs* Kreislaufstörungen haben; *renverser la* ~*eur* Gegendampf geben; *fig* d. Steuer herumreißen; **2.** *m* Dampfer; **~oreux** [-pɔrø] *111 (Himmel)* dunstig; *(Gewebe)* zart, duftig; *fig* nebelhaft; **~orisateur** [-pɔrizatœːr] *m* ⚙ Verdampfer; (Parfüm-)Zerstäuber; **~orisation** [-pɔrizasjɔ̃] *f* Verdampfung, Verdunstung; Zerstäubung; **~oriser** [-pɔrize] verdampfen, verdunsten; zerstäuben

vaquer [vake] *6 (Stelle, Wohnung)* frei sein; 🗲🗲 *(Dienststelle)* vorübergehend schließen; ~ *à ses affaires* s-n Geschäften nachgehen

varappe [varap] *f alp* Klettern (in e-r Steilwand)

varech [varɛk] *m* Tang

vareuse [varøːz] *f* Arbeitsjacke; Matrosenbluse; Soldatenjacke

vari|abilité [varjabilite] *f* Veränderlichkeit; **~able** [-rjabl] *(a. ling u. math)* veränderlich; wandelbar, abwandlungsfähig; schwankend; ⚙ verstellbar; *f math* Variable; *au* ~*able (Barometer)* auf veränderlich; **~ante** [-rjãt] *f (Text)* Variante; Abwandlung; Abart; **~ation** [-rjasjɔ̃] *f* Veränderung; Wandlung; Schwankung; *biol* Abweichung; ♪ Variation

varice [varis] *f* 🗲 Krampfader, Venenknoten

varicelle [varisɛl] *f* 🗲 Windpocken

vari|é [varje] mannigfaltig; verschieden(artig); **~er** [-rje] (s.) ändern; (s.) wandeln; schwanken,

variieren; wechseln; ~été [-rjete] ƒ Mannifaltigkeit; Verschiedenartigkeit; *bot* Spielart; *(Obst)* Sorte; *pl* Variete; *journ* Vermischtes
variol|e [varjɔl] ƒ ✷ Pocken, Blattern; ~é [varjɔle] pockennarbig
variqueux [varike] *111* Krampfader...
varlope [varlɔp] ƒ Rauhbank, großer Hobel
Varsovie [varsɔvi] ƒ Warschau
vasculaire [vaskylɛːr] *biol.* ✷ vaskulär; Gefäß...
vase¹ [vɑːz] *m* Gefäß; Topf, Vase; ~ *de nuit* Nachttopf; *en* ~ *clos* unter Luftabschluß; *fig* ohne Kontakt zur Außenwelt, wirklichkeitsfremd
vas|e² [vɑːz] ƒ Schlamm; ~eux [vazø] *111* schlammig; verschlammt; *umg* verschwommen, undurchsichtig; verkatert; ~ouiller [vazuje] *umg* faseln, dummes Zeug reden
vasistas [vazistɑs] *m* kleines Klappfenster, Dachluke
vasque [vask] ƒ Brunnenbecken; große Schale
vassal [vasal] *m 90* Lehnsmann, Gefolgsmann; Abhängiger; ~isation [-lizazjɔ̃] ƒ Unterwerfung; Aneignung; Einverleibung; verkatert; ~ité [-salite] ƒ Lehnsverhältnis; *fig* Abhängigkeit
vaste [vast] weit; ausgedehnt; *(Geist)* vielseitig, umfassend; *(Begriff)* dehnbar
vaticiner [vatisne] *pej* unken, schwarzsehen
va-tout [vatu] *m 100* ganzer Einsatz *(beim Spiel); jouer son* ~ *(fig)* alles auf e-e Karte setzen
vaudeville [vodvil] *m* ✿ Schwank
vau-l'eau [volo]: *aller à* ~ *(fig)* bergab gehen; scheitern
vaurien [vorjɛ̃] *m* Schlingel; Spitzbube; Taugenichts
vautour [votuːr] *m* Geier; *umg* Blutsauger, Halsabschneider, Wucherer; *pol* Falke; Kriegstreiber
vautrer [votre]: *se* ~ s. wälzen; s. hinlümmeln
vauvert [vovɛːr] *m: au diable* ~ am anderen Ende d. Welt
va-vite [vavit]: *à la* ~ übereilt, oberflächlich
veau [vo] *m 91* Kalb(fleisch); Kalbsleder; *(Person) pej* Waschlappen, Weichling; *(Auto)* lahm, mit geringem Beschleunigungsvermögen; ~ *marin* Seehund ♦ *adorer le* ~ *d'or* d. Mammon nachjagen; *pleurer comme un* ~ *(pop)* heulen wie e. Schloßhund; *tuer le* ~ *gras* schlemmen, ausgiebig u. gut essen
vecteur [vɛktœr] *m* Vektor; *mil* Träger; ✷ (Krankheits-)Überträger; *fig (Person)* Mittelsmann, Bindeglied
vedette [vədɛt] ƒ 1. Hafenbarkasse; Polizeiboot; ~ *rapide* Schnellboot; 2. ✿ (Film-)Star, Hauptdarsteller; *en* ~ im Vordergrund; *journ* in Schlagzeilen; *mettre en* ~ hervorheben, die Aufmerksamkeit auf etw. lenken; *se mettre en* ~ in d. Vordergrund treten, s. vordrängen
végét|al [veʒetal] *124* pflanzlich, Pflanzen...; *m 90* Pflanze; ~arien [-tarjɛ̃] *118* vegetarisch; *m* Vegetarier; ~atif [-tatif] *112 (bot,* ✷) vegetativ; *mener une vie* ~*ative (fig)* e. anspruchsloses Leben führen; ~ation [-tasjɔ̃] ƒ Vegetation, Pflanzenwelt; *bot* Wachstum; ~er [-te] *13* vegetieren, dürftig dahinleben

véhémen|ce [veemɑ̃s] ƒ Heftigkeit; ~t [-mɑ̃] *108* heftig; leidenschaftlich feurig
véhicule [veikyl] *m* Fahrzeug, Fuhrwerk; *chem* Trägersubstanz; Bindemittel; *(für Gedankengut)* Träger; ~ *automobile* Kraftfahrzeug; ~ *à deux roues* Zweirad; ~ *spatial* Raumfahrzeug
veill|e [vɛj] ƒ das Wachen; Vorabend, -tag; *pl* Nachtarbeit, schlaflose Nächte; *la* ~*e au soir* am Abend vorher; *être à la* ~*e de qch* vor etw. stehen; ~ée [-je] ƒ Nachtwache; abendl. Beisammensein; ~er [-je] wachen; aufbleiben; ~*er un mort* bei e-m Toten wachen; ~*er à* achten auf; zusehen, daß; ~*er au grain* auf d. Hut sein; ~*er aux intérêts de qn* j-s Interessen wahrnehmen; ~*er sur qn* auf j-n achtgeben; ~eur [-jœːr] *m* (Nacht-)Wächter; ~euse [-jøːz] ƒ Nachtlicht; Zündflamme; *mettre en* ~*euse* klein stellen; *a. fig* dämpfen
vein|ard [vɛnaːr] *m* Glückspilz; ~e [vɛn] ƒ Blutader, Vene; *geol* Ader, Flöz ♦ *avoir de la* ~*e (umg)* Dusel haben; *être en* ~*e de* zu... aufgelegt sein; ~é [-ne] aderig; marmoriert; ~eux [-nø] *111* geädert; ✷ venös; ~ule [-nyl] ƒ Äderchen; ~ure [-nyː] ƒ Maserung
vêler [vɛle] kalben
vélin [velɛ̃] *m* 📖 Velinpapier
velléit|aire [vɛlleitɛːr] *m fig* Windbeutel; ~é [-te] ƒ Anwandlung
vélo|cipède [velɔsipɛd] *m (umg* vélo) Fahrrad; ~cité [-site] ƒ Schnelligkeit; ~drome [-drɔm] *m* Radrennbahn; ~moteur [-mɔtœr] *m* Moped; ~motoriste [-mɔtɔrist] *m* Mopedfahrer
velou|rs [voluːr] *m* Samt; ~*rs côtelé* Kordsamt; *à pas de* ~*rs* sacht; *faire des* ~*rs (ling)* falsch binden; *faire patte de* ~*rs (fig)* Samtpfötchen machen; *sur le* ~*rs (umg)* ohne Anstrengung, ohne Risiko; ~té [-lute] samtartig, -weich; *m* Samtglanz; das Samtweiche
velu [voly] haarig; behaart
venaison [vɔnɛzɔ̃] ƒ Wildbret
vénal [venal] *124* käuflich, feil; bestechlich; *amour* ~ Prostitution; *valeur* ~*e (com)* Verkaufswert; ~ité [venalite] ƒ Käuflichkeit; Bestechlichkeit
venant [vɔnɑ̃] *108* kommend; *à tout* ~ dem ersten besten
vendable [vɑ̃dabl] verkäuflich
vendang|e [vɑ̃dɑ̃ʒ] ƒ Weinlese; ~oir [-dɑ̃ʒwaːr] *m* Traubenbütte; ~er [-dɑ̃ʒe] *14* Trauben lesen; ~eur [-dɑ̃ʒœːr] *m* Winzer
vendetta [vɛ̃detɑ] ƒ Blutrache
vend|eur [vɑ̃dœːr] *m* Verkäufer; ~euse [-døːz] ƒ Verkäuferin; ~re [vɑ̃dr] *76* verkaufen; *umg* anbieten; verraten; ~*re aux enchères* versteigern; *se* ~*re* s. verraten; s. bestechen lassen; *com* Absatz finden ♦ ~*re la mèche (umg)* d. Geheimnis verraten
vendredi [vɑ̃drədi] *m* Freitag; ☥ *saint* Karfreitag
vénéra|ble [venerabl] ehr-(verehrungs-)würdig; *d'un âge* ~*ble* uralt; ~ation [-rasjɔ̃] ƒ Verehrung; Ehrfurcht; *rel* Anbetung; ~er [-re] *13* verehren; anbeten

vénerie [vɛnrj] f Weidwerk, Jagd

vénérien [venerjɛ̃] *118* Geschlechts...; *acte* ~ Beischlaf, geschlechtliche Vereinigung; *maladies* ~*nes* Geschlechtskrankheiten; *m* Geschlechtskranker

veng|eance [vɑ̃ʒɑ̃s] f Rache; *crier* ~*eance* nach Rache schreien; *par* ~*eance* aus Rache; *tirer* ~*eance de qch* s. für etw. rächen; ~**er** [-ʒe] *14* rächen (*qch* etw., *qn* j-n); *se* ~*er* s. rächen; (*de qch* für etw., *de qn* an j-m); ~**eur** [-ʒœ:r] *123* rächend; Rache...; *m* Rächer

véniel [venjɛl] *115* (*Sünde*) läßlich; *umg* (*Verschulden*) geringfügig

veni|meux [vənimø] *111* (*Tiere*) giftig; *fig* boshaft, gehässig, übelgesinnt; *langue* ~*meuse* Lästermaul, Giftnudel; ~**n** [-nɛ̃] *m* (*a. fig*) Gift; Boshaftigkeit; *glande à* ~**n** Giftdrüse

venir [vəni:r] *30* 1. kommen; mitgehen; abstammen (*de* von); folgen (*après* auf); (*Wasser*) steigen (*à* bis); (*Kleider*) reichen (*à* bis); wachsen, gedeihen; s. zeigen; stattfinden; *à* ~ zukünftig; *en* ~ (*là*) so weit gehen (*od* kommen); s. abfinden mit; *en* ~ *aux mains* handgreiflich werden; ~ *bien* passen; ~ *à bout de qch* mit etw. fertig werden; ~ *au monde* z. Welt kommen; ~ *à propos* wie gerufen kommen; ~ *voir qn* j-n besuchen; *faire* ~ kommen lassen, senden nach, bestellen; *laisser* ~ abwarten; *voir* ~ (*les choses*) d. Dinge auf s. zukommen lassen; *je vous vois* ~ ich weiß, worauf Sie hinauswollen; **2.** ~ *de faire qch* soeben etw. getan haben; *vient de paraître* soeben erschienen; *il vient de* ~ (*umg*) er ist gerade gekommen; **3.** ~ *à faire qch* zufällig etw. tun; *s'il venait à réussir* sollte er Erfolg haben; *s'il vient à pleuvoir* sollte es regnen; **4.** ~ *faire qch* etw. tun wollen; *je viens vous demander* ich möchte Sie bitten; **5.** *s'en* ~ *umg* daherkommen, anzittern; zurückkommen

vent [vɑ̃] *m* Wind; Luft; *a. fig* Witterung; **♀** Blähung; *umg* leeres Gerede; ~ *arrière* Rückenw.; ~ *contraire* (*od debout*) Gegenw.; ~ *coulis* Zugluft; ~ *nul* Windstille; ~ *de travers* Seitenw.; *coup de* ~ Windstoß; *en coup de* ~ blitzschnell; (*être*) *dans le* ~ modisch; modern, in, zeitgemäß (sein); *en plein* ~ im Freien; *instrument à* ~ **♪** Blasinstrument; *être logé aux quatre* ~*s* sehr luftig wohnen; *être sous le* ~ **⚓** vor d. Wind segeln; *il fait du* ~ es ist windig; *aller contre* ~*s et marées* s. durch nichts abhalten lassen; *avoir* ~ *de qch* etw. ahnen, von etw. unterrichtet werden; *prendre* (*od flairer*) *le* ~ sich orientieren; *tourner à tout* ~ wetterwendisch, unbeständig sein

vente [vɑ̃t] f Verkauf; ~ *au comptant* Barv.; ~ *aux enchères* (*od à l'encan, à la criée*) Versteigerung; ~ *à crédit* Kauf auf Kredit, Zielkauf; ~ *à l'emporter* Verkauf über d. Straße; ~ *à tempérament* Abzahlungskauf; ~ *à terme* Terminkauf, Kreditkauf; ~ *au numéro* (*journ*) Einzelv.; ~ *exclusive* Alleinvertrieb; *de bonne* ~ leicht verkäuflich; *en* ~ *partout* überall erhältlich; *contrat de* ~ Kaufvertrag; *hôtel des* ~*s* Auktionslokal; *maison de* ~ *par*

correspondance Versandhaus; *mettre en* ~ veräußern; *sauf* ~ Zwischenverkauf vorbehalten

vent|er [vɑ̃te]: *il* ~*e* es ist windig; ~**eux** [-tø] *111* windig; **♀** blähend; ~**ilateur** [-tilatœ:r] *m* Ventilator; (*Motor*) Lüfter, Gebläse; ~**ilation** [-tilasjɔ̃] f Lüftung, Ventilation; (*Bergwerk*) Bewetterung; *clé de* ~*ilation* com Verteilerschlüssel; ~**iler** [-tile] belüften; *com* aufgliedern; verhältnismäßig verteilen; ~**ouse** [-tu:z] f **☆** Luftloch; **♀** Schröpfkopf; *zool* Saugnapf; *voiture* ~*ouse* Dauerparker

ventr|al [vɑ̃tral] *124* Bauch...; ~**e** [vɑ̃tr] *m* (*a. Flasche, phys*) Bauch; Leib; Unterleib; Mutterleib; ~*e à terre* in rasendem Galopp; *à* ~*e déboutonné* mit aller Kraft, im Übermaß; *à plat* ~*e* flach auf d. Bauch; *être à plat* ~*e devant qn* auf dem Bauch vor j-m rutschen, radfahren, leisetreten; *avoir qch dans le* ~ Rückgrat haben, charakterstark sein; *avoir mal au* ~ Bauchweh haben; *avoir le* ~ *creux* großen Hunger haben; *passer sur le* ~*e à qn* j-n fertigmachen, j-n zugrunde richten; *prendre du* ~*e* n Bauch bekommen; *remettre le cœur au* ~*e* wieder Mut geben; *savoir ce que qn a dans le* ~*e* wissen, wozu j-d fähig ist, was er denkt ♦ ~*e affamé n'a point d'oreilles* e-m hungrigen Magen ist schlecht predigen; ~**ée** [-tre] f *zool* Wurf; ~**icule** [-trikyl] *m anat* Herzkammer; ~**iloque** [-trilɔk] *m* Bauchredner; ~**ipotent** [-tripɔtɑ̃] *108* *umg* dickbäuchig; ~**u** [-try] bauchig

venu [vəny] gekommen; *le premier* ~ der erste beste; *mal* ~ mißraten, mißglückt; *nouveau* ~ Neuankömmling; *fig* Neuling; ~**e** [vəny] f Kommen *n*; ~*e d'eau* Wasserzufluß; Wassereinbruch; *allées et* ~*es* Hinundherlaufen; *tout d'une* ~*e* vierschrötig; wie e. Klotz; (*z.B. Roman*) in groben Zügen ausgearbeitet

vêpres [vɛpr] *fpl rel* Vesper

ver [vɛ:r] *m* Wurm; Larve, Made; ~ *blanc* Engerling; ~ *luisant* Glühwürmchen, Leuchtkäferchen; ~ *à soie* Seidenraupe; ~ *solitaire* Bandwurm; ~ *de terre* Regenwurm; *nu comme un* ~ splitternackt ♦ *tirer les* ~*s du nez à qn* j-n die Würmer aus der Nase ziehen; *tuer le* ~ s. Morgenschnäpschen trinken; *ce n'est pas piqué des* ~*s* (*umg*) das ist nicht von schlechten Eltern

véracité [verasite] f Wahrhaftigkeit, Wahrheitsgehalt; Wahrheitsliebe

véraison [verezɔ̃] f **♀** Reifung

verb|al [vɛrbal] *124* mündlich; ~**alisation** [-balizasjɔ̃] f Protokollaufnahme; ~**aliser** [-balize] e. Protokoll aufnehmen; **◌** ein Verwarnungsgeld erheben; *ling* formulieren; ~**alisme** [-balism] *m pej* Wortschwall, Redefluß; ~**e** [vɛrb] *m ling* Zeitwort, Verbum; *le* ~*e* (*rel*) das Wort; *avoir le* ~*e haut* laut sprechen; *fig* d. große Wort führen; ~**eux** [-bø] *111* redselig; geschwätzig; ~**iage** [-bjaːʒ] *m pej* Gefasel, hohle Phrase, Blabla, Geplapper; ~**osité** [-bozite] f Geschwätzigkeit, Schwatzhaftigkeit

verd|âtre [vɛrdɑtr] grünlich; ~**eur** [-dœ:r] f (*Obst*) Unreife; (*Wein*) Säure, Herbheit; (*Worte*) Schärfe, Derbheit; *fig* Jugendkraft

verdict [vɛrdı̣kt] *m* Entscheid; ⚖ Urteil-(sspruch); ~ *positif* Schuldspruch; ~ *négatif* Freispruch; *rendre le* ~ d. Urteil fällen

verd|ier [vɛrdjḛ] *m* Grünfink; **~ir** [-djːr] 22, **~oyer** [-dwajḛ] 5 grünen; **~ure** [-dyːr] *f (Pflanzen)* Grün; (grünes) Gemüse; *théâtre de* ~*ure* Gartentheater

véreux [verø̨] *III (Früchte)* wurmstichig; *fig* betrügerisch, unehrlich

verge [vɛrʒ] *f (a. anat)* Rute, Penis; Gerte; ⚙ Stange; Meßlatte; *(Anker)* Schaft

verger [vɛrʒḛ] *m* Obstgarten

ver|glacé [vɛrglasḛ] *(Straße)* vereist; **~glas** [-glạ] *m* Glatteis

vergogne [vɛrgɔ̨ɲ] *f: sans* ~ schamlos, unverfroren, unverschämt

vergue [vɛrg] *f* ⚓, Rahe

véri|dique [veridı̣k] wahrheitsliebend, -getreu; wahrhaftig, richtig; **~fiable** [-fjạbl] nachprüf-bar, überprüfbar; **~ficateur** [-fikatœːr] *m* Eich-beamter; Cheker; *~ficateur des comptes* Rech-nungsprüfer; **~fication** [-fikasjɔ̨̃] *f* (Über-, Nach-)Prüfung, Kontrolle; *procédure de ~fica-tion* Bestätigungsverfahren; **~fier** [-fjḛ] (nach-)prüfen; bestätigen; kontrollieren; *se ~fier* s. bestätigen, s. bewahrheiten

vérin [verɛ̨̃] *m* ⚙ Schraubenwinde; Wagenheber

véri|table [veritạbl] wahr(heitsgetreu); echt; **~té** [-tḛ] *f* Wahrheit; *~té banale (od de La Palice)* Binsenwahrheit; *à la* ~*té* allerdings, zwar; *en* ~*té* tatsächlich; wahrhaftig; *dire à qn ses quatre ~tés* j-m d. Meinung sagen

verjus [vɛrʒy̨] *m* Saft unreifer Trauben; *(Wein)* Krätzer

verm|eil [vɛrmḛj] *III* hochrot; *m* vergoldetes Silber; **~icelle** [-misɛ̨l] *m* Fadennudel; Nudel-suppe; **~iculaire** [-mikylɛ̨ːr] *appendice ~iculaire* ⚕ Wurmfortsatz; **~ifuge** [-mify̨ʒ] *m* ⚕ Wurmmit-tel; **~illon** [-mijɔ̨̃] *m* Zinnober(rot); **~ine** [-mı̣n] *f* Ungeziefer; Mob; Gesindel; **~isseau** [-misọ] *m 91 (a. fig)* Würmchen; **~oulu** [-muly̨] *(Holz, fig)* wurmstichig

vermouth [vɛrmy̨t] *m* Wermut(wein)

vernier [vɛrnjḛ] *m* ⚙ Nonius

verni *adj* mit Firnis bestrichen; lackiert; glasiert; *fig pop* Glückspilz

vern|ir [vɛrnı̣r] 22 firnissen; lackieren; glasie-ren; *souliers ~is* Lackschuhe ◆ *être ~i (umg)* Schwein haben; **~is** [-nı̣] *m (a. fig)* Firnis; Lack; *fig* Anstrich; *~is à ongles* Nagellack; **~issage** [-nisạʒ] *m* Lackieren; Firnissen; Glasieren; *(Kunstausstellung)* Vernissage, Vorbesichtigung; **~isser** [-nisḛ] *(Tonwaren usw.)* glasieren

vérol|e [verɔ̨l] *f pop* Syphilis; *petite ~e* ⚕ Pocken, Blattern; **~é** [-rɔlḛ] pockennarbig; *pop* syphili-tisch

verrat [vɛrạ] *m* Eber

verr|e [vɛːr] *m* Glas; Glasscheibe; ~*e à boire* Trinkglas; ~*e à vin* Weinglas; ~*e de vin* Glas Wein; ~*e de contact (opt)* Kontaktlinse; ~*e dépoli* Milchglas; ~*e feuilleté* Verbundgl.; ~*e fumé* Rauchgl.; ~*e laiteux* Milchgl.; ~*e neutre* ungeschliffenes Glas; ~*e plombeux* Bleigl.; ~*e triplex* Dreischichtengl.; ~*e à vitres* Fensterglas;

laine de ~e Glaswolle; *boire dans un ~e* aus e-m Glas trinken; *choquer les ~es* anstoßen; *prendre un ~e* e. Glas trinken; **~erie** [vɛrrı̨] *f* Glashütte; Glasfabrikation; Glaswaren; **~ière** [vɛrjɛ̨ːr] *f* Schutzscheibe · *(vor Gemälden);* 🏛 (großes) Kirchenfenster; ⬇ Glasglocke *(für Pflanzen);* ✝ (Glas-)Kanzel; **~oterie** [vɛrɔtrı̨] *f* kleine Glas-waren, Glasperlen

verrou [vɛrų] *m* Riegel; *mil* Riegelstellung; *mettre le* ~ d. Riegel vorschieben; *sous les ~s* hinter Schloß u. Riegel; **~iller** [-rujḛ] ver-(ab-)-riegeln; sperren; verschließen

verrue [vɛry̨] *f* Warze

vers¹ [vɛr] gegen; nach; zu; *se tourner* ~ *qn* sich j-m zuwenden; ~ *quatre heures* gegen 4 Uhr

vers² [vɛːr] *m* Vers

vers|ant [vɛrsɑ̨̃] *m* Abhang; 🏛 Abdachung; Schräge; **~atile** [-satı̣l] wetterwendisch; wankel-mütig; **~atilité** [-satilitḛ] *f* Wankelmut, Unbe-ständigkeit; **~e** [vɛrs]: *il pleut à ~e* es gießt in Strömen; **~é** [-sḛ] erfahren, geübt, versiert *(dans in)*; **~eau** [-sọ] *m 91 astr* Wassermann; **~ement** [-səmɑ̨̃] *m* Einzahlung; *~ement d'acompte* Abschlagszahlung; **~er** [-sḛ] **1.** *vt* (aus-, ver-)gießen, schütten; einschenken; umwerfen; *(Getreide)* niederschlagen; *com* einzahlen; *~er le sang* Blut vergießen; *~er son sang* sein Leben geben; **2.** *vi* umkippen; *(Getreide)* s. legen; *~er dans l'ivrognerie* d. Trunk verfallen; *~er dans le ridicule* s. lächerlich machen; **~et** [-sḛ] *m* Bibelvers; **~icolore** [-sikɔlɔ̨ːr] schillernd; bunt; **~ificateur** [-sifikatœːr] *m* Verseschmied; **~ifica-tion** [-sifikasjɔ̨̃] *f* Verstechnik; **~ifier** [-sifjḛ] *vt* in Verse bringen; *vi* Verse machen; **~ion** [-sjɔ̨̃] *f* Übersetzung *(in die Muttersprache); (Bericht)* Version, Lesart, Fassung; ⚙ Ausführung; *~ion originale* Originalfassung; **~o** [-sọ] *m (Papier)* Rückseite; **~oir** [-swạr] *m (Pflug)* Streichblech

vert [vɛːr] **1.** *III* grün; *(Obst)* unreif; *(Gemüse)* frisch; *fig* rüstig; *Europe ~e* europäische Agrargemeinschaft; *espace* ~ Grünanlage; *langue ~e* Argot, Gaunersprache; *propos* ~s lose Reden; *volée de bois* ~ Tracht Prügel; *réponse ~e* heftige Antwort ◆ *les raisins sont trop ~s (fig)* d. Trauben sind zu sauer; **2.** *m* Grün; *pl* die Grünen; Umweltschützer; *candidat* ~ Kandidat der Grünen; *prendre qn sans* ~ j-n überraschen; *se mettre au* ~ ins Grüne, aufs Land hinausziehen; **~-de-gris** [vɛrdəgrı̨] *m* Grünspan; **~-de-grisé** [-dəgrizḛ] grünspanüber-zogen; **~e** [vɛrt] *f pop* Absinth; *en voir de* ~*es et de pas mûres (umg)* allerhand mitmachen

vert|ébral [vertebrạl] *124: colonne ~ébrale* Wirbelsäule; **~èbre** [-tḛbr] *f anat* Wirbel; **~èbre cervicale** Halsw.; **~èbre dorsale** Rückenw.; **~èbre lombaire** Lendenw.; **~ébrés** [-tebrḛ] *mpl* Wirbeltiere

vertement [vɛrtəmɑ̨̃] *adv* derb, rauh, heftig

vertical [vɛrtikạl] *124* senkrecht, vertikal; *pol* hierarchisch strukturiert, straff von oben nach unten organisiert; **~e** [-kạl] *f* Senkrechte, Lot

verti|ge [vɛrtı̣ʒ] *m (a. ⚕)* Schwindel, Taumel; *j'ai le ~ge* mir ist schwindelig; **~gineux** [-tiʒinø̨] *III* schwindelerregend; schwindelig

vertu [vɛrty] f Tugend; Kraft; Eigenschaft; Wirksamkeit; *en ~ de* auf Grund von, kraft; **~eux** [-tɥø] *111* tugendhaft

verv|e [vɛrv] f innerer Schwung; Feuer; Begeisterung; **~eine** [-vɛn] f Eisenkraut

vésic|al [vezikal] *124 anat* Blasen...; **~ant** [-kã] *108* 💲 blasenziehend; **~atoire** [-katwaːr] m Zugpflaster; **~ule** [-kyl] f *anat* Bläschen; *~ule biliaire* Gallenblase

vespasienne [vɛspazjɛn] f Pissoir, WC (für Männer)

vespéral [vɛsperal] *124* abendlich

vessie [vesi] f *anat* (Harn-)Blase; *~ à glace* Eisbeutel; *~ natatoire* Schwimmblase ♦ *faire prendre des ~s pour les lanternes* e. X für e. U vormachen

vest|e [vɛst] f Joppe, Jacke; *pop* Schlappe, Niederlage; *ramasser* (od *remporter*) *une ~e* (*bes pol*) e-e Schlappe erleiden ♦ *retourner sa ~e* (*fig*) umschwenken; **~iaire** [-tjɛːr] m Garderobe, Kleiderablage; Umkleideraum

vestibule [vɛstibyl] m Diele; (Eingangs-)Halle; Flur; *anat* Eingang e-s Organs, Vorhof

vestige [vɛstiːʒ] m Spur; Rest; *pl* Überreste

vest|imentaire [vɛstimãtɛːr] Kleidungs...; **~on** [-tõ] m Sakko, Jacke

vêtement [vɛtmã] m Kleidung; Anzug; Gewand; *pl* Kleidungsstücke; Bekleidung; Kleider; *sous ~s* Unterwäsche

vétéran [veterã] m Veteran, altgedienter Soldat; im Dienst altgewordener bewährter Mann

vétérinaire [veterinɛːr] tierärztlich; m Tierarzt

vétille [vetij] f Lappalie

vêtir [vetiːr] *31* (be)kleiden; *~ un manteau* e-n Mantel anziehen; *se ~* sich anziehen

veto [veto] m Veto, Einspruch(srecht); *mettre son ~* sein Veto einlegen; *fig* widersprechen, e-e gegensätzliche Meinung vertreten

vétuste [vetyst] alt u. verfallen; baufällig; abgenutzt

veuf [vœf] *112* verwitwet; m Witwer

veule [vøːl] schlaff, energielos; weichlich; **~rie** [vølri] f Schlappheit; Feigheit

veuv|age [vœvaːʒ] m Witwen-, Witwerstand; **~e** [vœːv] f Witwe

vex|ant [vɛksã] *108* ärgerlich; **~ation** [-sasjõ] f Schikane, Ärger; Plackerei; **~er** [-se] ärgern, schikanieren; *se ~er* s. ärgern, beleidigt sein

via [vja] (auf dem Wege) über

via|biliser [vjabilize] (*Baugelände*) erschließen; **~bilisation** [-bilisasjõ] f Erschließung; **~bilité** [vjabilite] f (Be-)Fahrbarkeit, Lebensfähigkeit; **~ble** [vjabl] durchführbar; erschlossen; lebensfähig

viaduc [vjadyk] m Viadukt, Talbrücke

viag|er [vjaʒe] *116* auf Lebenszeit; *rente ~ère* 🔄 Leibrente

viande [vjãd] f (eßbares) Fleisch; *~ froide pop* Leiche; *~ hachée* Gehacktes; *~ sur pied* Schlachtvieh; **~r** [-de] (*Wild*) äsen, weiden; *se ~r* (*pop*) e-n schweren Unfall erleiden (mit Körperverletzung)

viatique [vjatik] m (*a. rel*) Wegzehrung; *fig* Unterstützung, Hilfe

vibr|ant [vibrã] *108* schwingend; (*Stimme*) klangvoll; (*Rede*) ergreifend, mitreißend; (*Seele*) empfänglich; **~ateur** [-bratœːr] m (Maschine) Vibrator, Rüttelvorrichtung; **~ateur à béton** Betonrüttler; **~ation** [-brasjõ] f (*a. phys*) Schwingung; Erschütterung; Vibrieren; Rütteln; (*Film*) Flimmern; **~atoire** [-bratwaːr] *phys* Schwingungs...; **~er** [-bre] *a. phys* 🔄 schwingen, vibrieren; rütteln, erschüttern; (*Film*) flimmern ♦ *faire ~er la corde sensible* j-s Mitleid erregen, an j-s Gefühl appellieren; **~isses** [-bris] *fpl zool* Schnurrhaare; Flaum

vicaire [vikɛːr] m Pfarrvikar; *le ~ de Jésus-Christ* d. Papst, d. Heilige Vater; *le ~ aux armées* d. Militärbischof

vice [vis] m **1.** Fehler; Mangel; *~ de conformation* 💲 Mißbildung; *~ caché* verborgener Sachmangel; *~ de construction* Konstruktionsf.; Fehler in d. tatsächlichen Beschaffenheit; *~ de fabrication* Fabrikationsf.; *~ de forme* 🔄 Formf.; **2.** Laster; Unsitte; Schwäche; Verderbtheit ♦ *pauvreté n'est pas ~* Armut schändet nicht

vice|-chancelier [visʃãsəlje] m *99* Vizekanzler; **~-président** [-prezidã] m *99* Vizepräsident; **~-roi** [-rwa] m *99* Vizekönig; Statthalter

vice versa [visevɛrsa]: *et ~* und umgekehrt

vici|er [visje] *bes fig* verderben; 🔄 ungültig machen; *air ~é* verbrauchte Luft; **~eux** [-sjø] **1.** *111* fehlerhaft; lasterhaft; boshaft; (*Sache*) tückisch; (*Tier*) störrisch; *cercle ~eux* Zirkelschluß; **2.** m lasterhafter Mensch

vicinal [visinal] *124* Gemeinde...; *chemin ~* Gemeindestraße

vicissitude [visisityd] f (vollständiger) Wechsel; *pl* Wechselfälle (*des Lebens*)

victime [viktim] f Opfer; Opfertier; *~ expiatoire* (*a. fig*) Sühneopfer

vict|oire [viktwaːr] f Sieg; *~oire aux points* Punkts.; *crier ~oire* sich s-r Siege rühmen; **~orieux** [-tɔrjø] *111* siegreich

victuailles [viktɥaːj] *fpl* Lebensmittel; Proviant

vid|ange [vidãʒ] f (Gruben-)Entleerung; Entleerungshahn; *pl* Fäkalien; *faire la ~ange* 🔄 Öl wechseln; **~anger** [-dãʒe] *14* (*Grube*) entleeren; **~e** [vid] **1.** leer; bedeutungslos; *~e de sens* sinnlos; *frapper à ~e* danebenschlagen; *tourner à ~e* 🔄 leerlaufen; **2.** m Leere; Lücke; Nichtigkeit; *phys*, 🔄 Vakuum; *combler un ~e* (*fig*) e-e Lücke schließen; *faire le ~e autour de qn* j-n (gesellschaftlich) ächten; **~e-bouteille** [-butej] m *99* Saugheber; **~e-citron** [-sitrõ] m *99* Zitronenpresse

vidéo [video] f Videorecorder; Videozeichen; **~cassette** [-kasɛt] f Videokassette; **~disque** [-disk] m Videoplatte; **~phone** [-fɔn] m Fernsehtelefon; **~thèque** [-tɛk] f Videothek

vide-ordures [vidɔrdyːr] m *100* Müllschlucker; **~e-poches** [-pɔʃ] m *100* Kästchen (*für Schmuck usw.*); **~er** [-de] (ent-, aus-)leeren; (*Geflügel*) ausnehmen; *~er les lieux* abziehen, weichen; *~er une querelle* e-n Streit beilegen; *~er qn* (*pop*) j-n an die Luft setzen, rausschmeißen; **~eur** [-dœr] m Rausschmeißer

viduité [vidyite] f Witwenstand; Einsamkeit
vie [vi] f Leben; Dasein; Lebensdauer, -lauf,
-führung; ~ future (rel) Leben nach d. Tode; ~
de garçon Junggesellenleben; à ~ auf Lebens-
zeit, für immer; à ~ courte kurzlebig; en ~
lebend; jamais de la ~ nie u. nimmer; la ~
durant lebenslang; pour la ~, à la ~ et à la mort
für immer u. ewig; coût de la ~ Lebenshaltungskosten; niveau de ~ Lebensstandard;
train de ~ Lebensweise; avoir la ~ dure e.
zähes L. haben; rendre la ~ dure à qn j-m d. L.
sauer machen; devoir la ~ à qn j-m sein L.
verdanken; donner la ~ à un enfant e-m Kind d.
L. schenken; donner sa ~ sein L. hingeben;
faire la ~ e. liederliches L. führen; faire une
belle ~ à qn (umg) j-n ordentlich ausschimpfen;
gagner sa ~ s-n Lebensunterhalt verdienen;
mener joyeuse ~ e. flottes L. führen, flott leben;
mener une ~ de bâtons de chaise (od. de
patachon) schlampampen; perdre la ~ sterben,
sein Leben verlieren; vivre sa ~ s. voll ausleben;
ce n'est pas une ~! so möchte kein Hund
weiterleben!
vieil [vjɛj] siehe vieux; ~lard [vjɛjaːr] m Greis; pl
alte Leute; ~le [vjɛj] f pop Alte; ~lerie [vjɛjri] f
Plunder; ~lesse [vjɛjɛs] f (Greisen-)Alter; ~lir
[vjɛjiːr] 22 altern; ältermachen; fig veralten;
~lissant [vjɛjisɑ̃] 108 alternd; ~lissement
[vjɛjismɑ̃] m Altern; ✿ Alterung; 🏛 Verwittern
n; Altmachen; Überalterung; ~lot [vjɛjo] 114
ältlich
vielle [vjɛl] f ♪ (Dreh-)Leier
Vienn|e [vjɛn] f Wien; ~ois [-nwa] m Wiener;
⌁ois 108 wienerisch
vierge [vjɛrʒ] **1.** jungfräulich, unberührt;
ungebraucht; (Film) unbelichtet; casier judiciaire ~ nicht vorbestraft; colonne ~ Leerspal-
te; forêt ~ Urwald; vigne ~ wilder Wein; **2.** f
Jungfrau; la (Sainte) ⚹ d. Jungfrau Maria ♦ être
amoureux des onze mille ~s alle Frauen lieben
vieux [vjø] **1.** 119 alt; vieille fille alte Jungfer; ~
garçon alter Junggeselle; être ~ jeu von gestern
sein; se faire ~ älter werden; prendre un coup de
~ plötzlich altern; **2.** m pop (Mann) Alter; mon
~ (umg) mein lieber
vif [vif] **1.** 112 lebendig; lebend; lebhaft; heftig;
(Kälte) streng; (Bewegung) schnell; (Licht) hell;
(Kante) scharf; aufgeweckt; à ~ roh, wund;
chaux vive gebrannter Kalk; roc ~ nackter Fels;
poids ~ Lebendgewicht; de vive voix mündlich;
de vive force durch Gewalt; plus mort que
~ mehr tot als lebendig; **2.** m lebendes Fleisch;
🐟 Lebender; fig Kern, Hauptsache ♦ piquer au
~ (j-n) zutiefst treffen, beleidigen; prendre sur le
~ nach d. Leben darstellen; ~-argent [-arʒɑ̃] m
(umg, fig) Quecksilber
vigie [viʒi] f Schiffswache; ⚓ Ausguck; Boje;
~ vitrée Zugführersitz
vigil|ance [viʒilɑ̃s] f Wachsamkeit; Aufmerk-
samkeit; ~ant [-lɑ̃] 108 wachsam; ~e [-ʒil] m
Wächter; Person im Wachdienst; (Fabrik)
Werkschutzangehöriger
vign|e [viɲ] f Weinstock, -berg ♦ être dans les
~es du Seigneur beschwipst sein; ~eron [viɲərɔ̃]

m Winzer; ~ette [-ɲɛt] f🚗 Vignette; ~ette auto
Kraftfahrzeugsteuermarke; ~ette bordure Zier-
leiste; ~oble [-ɲɔbl] m Weingarten, -berg
vig|oureux [vigurø] 111 kräftig; stark; heftig;
energisch; ~ueur [-gœːr] f Kraft; Frische; entrer
en ~ 🕮 in Kraft treten
vil [vil] niedrig; gemein; wohlfeil; à ~ prix zu
e-m Spottpreis; ~ain [vilɛ̃] 109 (a. fig) häßlich;
schlecht; schändlich; übel; böse; m gemeiner
Kerl; du ~ain (pop) Krach
vilebrequin [vilbrəkɛ̃] m ⚙ Brustleier, Bohrwin-
de; 🚗 Kurbelwelle
vil|enie [vilni] f Gemeinheit, Schlechtigkeit;
Schändlichkeit; Unflätigkeit; ~ipender [-lipɑ̃de]
verunglimpfen
vill|a [villa] f Landhaus, Villa; ~age [vilaːʒ] m
Dorf; ~ageois [-laʒwa] 108 Dorf…, ländlich; m
Dorfbewohner; ~e [vil] f Stadt; ~e lumière
geistiges Zentrum, kulturelle Metropole; ~e
nouvelle = ~e satellite Trabantenstadt, Entla-
stungsst., Satellitenst.; aller en ~e in d. Stadt
gehen (von d. Wohnung aus); aller à la ~e in d.
Stadt gehen (vom Land); costume de ~e
Straßenanzug; dîner en ~e auswärts essen; hôtel
de ~e Rathaus; sergent de ~e Schupo;
~égiateur [-leʒjatœːr] m Sommerfrischler;
~égiature [-leʒjatyːr] f Sommerfrische
vin [vɛ̃] m Wein; fig Rausch, Weinlaune; ~ du
cru Landw.; ~ doux süßer W.; ~ grand ~
Auslese; ~ d'honneur Ehrentrunk; ~ léger
leichter W.; ~ de liqueur Süßw.; ~ mousseux
Schaumw.; ~ d'origine naturreiner W.; ~ de
quinquina tonischer W.; ~ sec herber W.;
marchand de ~ Wirt e-r Weinstube; négociant
en ~s Weingroßhändler; sac à ~ (umg) Säufer;
tache de ~ Muttermal; avoir le ~ gai (mauvais)
im Rausch fröhlich (rauflustig) sein; cuver son
~ s-n Rausch ausschlafen; être entre deux ~s
(od. pris de ~) e-n kleinen Schwips haben;
mettre de l'eau dans son ~ klein beigeben ♦
quand le ~ est tiré, il faut le boire wer A sagt,
muß auch B sagen; âge [vinaːʒ] m Alkoholver-
schnitt; ~aigre [vinɛgr] m Essig; faire ~aigre
(pop) s. beeilen ♦ on ne prend pas les mouches
avec du ~aigre nur mit Geduld kommt man ans
Ziel; ~aigrer [vinegre] mit Essig anmachen;
~aigrette [vinɛgrɛt] f Essigsoße; à la ~aigrette
in Essig u. Öl; ~aigrier [vinegrie] m Essigfla-
sche; ~asse [vinas] f umg schlechter Wein
vindic|atif [vɛ̃dikatif] 112 rachsüchtig; ~te
[-dikt] f: ~te publique gerichtliche Verfolgung
vin|ée [vine] f Weinlese; ~eux [-nø] 111 (Wein)
alkoholreich; (Gegend) weinreich; rouge ~eux
weinrot
vingt [vɛ̃] 132 zwanzig; ~ sous ein Franc; ~aine
[-tɛn] f etwa zwanzig; ~ième [-tjɛm] zwanzigste;
m Zwanzigster; Zwanzigstel
vini|cole [vinikɔl] Weinbau…; ~culture [-kyl-
tyːr] f Weinbau; ~fication [-fikasjɔ̃] f Wein-
zubereitung
viol [vjɔl] m Vergewaltigung; 🐟 Notzucht;
sexuelle Nötigung
viola|cé [vjɔlase] ins Violette spielend; ~cées fpl
Veilchengewächse

violat|eur [vjɔlatœːr] m ♠♠ Übertreter; ~*eur (des lois)* Rechtsbrecher; ~**ion** [-lasjɔ̃] f ♠♠ Übertretung, Verletzung; ~*ion de domicile* Hausfriedensbruch; ~*ion de frontière* Grenzverletzung; ~*ion de sépulture* Grabschändung

violâtre [vjolɑtr] blaßlila, -violett

viole [vjɔl] f Viola, Gambe

viol|ence [vjɔlɑ̃s] f Heftigkeit; Gewalt; *faire* ~*ence* Gewalt antun *(à qn* j-m); *se faire* ~*ence* s. beherrschen; ~**ent** [-lɑ̃] *108* heftig; gewaltig, gewalttätig; *(Tod)* gewaltsam; *non* ~*ent* gewaltlos; ~**enter** [-lɑ̃te] zwingen; vergewaltigen; ~*enter une loi* e. Gesetz brechen; ~**er** [-le] vergewaltigen; *(Gesetz)* übertreten; *(Eid)* brechen; *(Grab)* schänden; ~*er le domicile de qn* bei j-m Hausfriedensbruch begehen; ~*er un engagement* e-e Verpflichtung nicht einhalten

violet [vjɔlɛ] *114* violett, veilchenblau; ~**te** [-lɛt] f Veilchen

violon [vjɔlɔ̃] m 1. Geige, Violine; ~ *d'Ingres* Liebhaberei, Steckenpferd; *accorder un* ~ e-e Geige stimmen ♦ *accorder ses* ~s sich bereden, einigen; 2. Geiger; 3. Arrestlokal; *mettre au* ~ *(pop)* einbuchten; ~**celle** [-sɛl] m Cello; ~**celliste** [-selist] m Cellist; ~**eux** [-lønø] m Fiedler; ~**iste** [-lɔnist] m Geiger

viorne [vjɔrn] f *bot* Schneeball; Waldrebe, Hahnenfußgewächs

vipère [vipɛːr] f Viper, Otter; *fig* Giftschlange; *langue de* ~ Schandmaul

virage [viraːʒ] m ♛ Kurve, Straßenbiegung; *chem* Farbumschlag; *pol* Richtungswechsel; ~ *à droite* Abbiegen nach rechts; ~ *relevé* überhöhte Kurve; ~ *en épingle à cheveux* Haarnadelkurve; *amorcer un* ~ *fig* s-e Haltung ändern, die Richtung wechseln; *s'engager dans le* ~ in d. Kurve gehen; *prendre un* ~ *à la corde* e-e Kurve schneiden

virago [virago] f *102* Mannweib

virée [vire] f *umg* Bummel, Spritztour

vir|ement [virmɑ̃] m *com* Überweisung, Giro; Übertragung; ~*ement bancaire* Banküberweisung; *par* ~*ement* im Giroverkehr; *opérer un* ~*ement (com)* girieren; ~**er** [-re] *(Geldsumme)* überweisen *(à* auf); s. drehen; ~*er de bord* ♫ wenden; *fig* ins andere Lager übergehen; ~*ez à gauche!* links abbiegen!; ~**evolte** [-vɔlt] f schnelle Wendung; ~**evolter** [-vɔlte] herumwirbeln

virgin|al [virʒinal] *124* jungfräulich; ~**ité** [-nite] f Jungfräulichkeit

virgule [virgyl] f Komma; ~ *ajustable* einstellbares K.; ~ *flottante* Gleitk.

viril [viril] männlich; mannhaft; ~**ité** [-lite] f Männlichkeit; Mannhaftigkeit

virole [virɔl] f ♛ Zwinge, Ring

virtu|el [virtyɛl] *115* virtuell, unwirklich, scheinbar, nur gedacht; d. Möglichkeit nach vorhanden; ~**ose** [-tyoːz] m Virtuose; ~**osité** [-tyozite] f Virtuosität, überragendes Können

vir|ulence [virylɑ̃s] f ♟ pathologische Wirksamkeit *(von Erregern)*, Virulenz; *fig* Heftigkeit; Bissigkeit; ~**ulent** [-rylɑ̃] *108* ♟ ansteckungsfähig, krankheitserregend, virulent; *fig* giftig;

heftig; erbittert; ~**us** [-rys] m Virus, Krankheitserreger

vis [vis] f Schraube; Spindel; Schnecke; ~ *de conduite* Leitspindel; ~ *à deux filets* zweigängige Schnecke; ~ *sans fin* ♛ Schneckengang; *escalier à* ~ Wendeltreppe; ~ *à tête* Kopfschraube; Linsenschr.; *pas de* ~ *(Schraube)* Ganghöhe; *serrer la* ~ *à qn (umg)* j-n streng behandeln, j-n kurz halten

visa [viza] m Visum, Sichtvermerk; ~ *d' entrée/de sortie* Einreise-, Ausreisegenehmigung

visage [vizaːʒ] m Gesicht, Antlitz; *à* ~ *découvert* ohne Maske, offensichtlich; *changer de* ~ d. Farbe wechseln, bleich *(od* rot) werden; *faire bon* ~ *à qn* j-n freundlich empfangen; *trouver* ~ *de bois* niemand (zu Hause) antreffen

vis-à-vis [vizavi] gegenüber *(de* von)

visc|ère [visɛːr] m inneres Organ; *pl* Eingeweide; ~**ose** [viskoːz] f Viskose; ~**osité** [-kozite] f Klebrigkeit, Zähigkeit, Dickflüssigkeit; ♛ Viskosität

vis|ée [vize] f Zielen; ♛ Zielgerät; *fig* Absicht, Plan, Ziel; ~*ées territoriales* Gebietsforderungen; *avoir des* ~*ées sur qch (umg)* es auf etw. abgesehen haben; ~**er** [-ze] 1. *a. fig* (ab)zielen *(àqch* auf etw.); 2. mit Sichtvermerk versehen *(qch* etw.); ~**eur** [-zœːr] m Visier, Zielvorrichtung; ◙ Sucher; ~**eur-télémètre** [-zœrtelemɛtr] m ◙ Meßsucher; ~**ibilité** [-zibilite] f Sichtbarkeit; *(Wetter)* Sicht; *atterrissage sans* ~*ibilité* ♦ Blindlandung; ~**ible** [-zibl] sichtbar; sichtlich; *être* ~*ible* zu sprechen sein; ~**ière** [-zjɛːr] f Mützenschirm; *rompre en* ~*ière à qn (fig)* j-n vor d. Kopf stoßen; ~**ion** [-zjɔ̃] f 1. Sehen; *troubles de la* ~*ion* Sehstörungen; 2. Vision, Erscheinung; ~**ionnaire** [-zjɔnɛːr] visionär; geistersehend; m Träumer; Geisterseher

Visit|ation [vizitasjɔ̃] f *rel* (Mariä) Heimsuchung; ~**e** [-zit] f Besuch, Besichtigung; Revision; ♛ Inspektion; ~*e des bagages* Gepäckkontrolle; ~*e de condoléances* Beileidsbesuch; ~*e de courtoisie* Höflichkeitsbesuch; ~*e à domicile* Hausbesuch d. Arztes; ~*e domiciliaire* Haus(durch)suchung; ~*e douanière* Zollabfertigung; ~*e guidée* Führung; *rendre* ~*e à qn* j-n besuchen; ~**er** [-te] besichtigen; *(Wunde)* untersuchen; *(Kranke)* besuchen; ~**eur** [-tœːr] 1. *121:* infirmière ~*euse* Fürsorgerin; 2. m Besucher; Aufseher, Inspektor

vison [vizɔ̃] m Nerz

visqueux [viskø] *111* dickflüssig, zäh, klebrig; schleimig; schmierig

viss|age [visaːʒ] m Verschraubung; ~**er** [-se] (an-, fest-, zu-)schrauben; *fig* an d. Kandare nehmen

Vistule [vistyl] f Weichsel

visu|alisation [vizɥalizasjɔ̃] f Sichtbarmachung; *EDV* Darstellung; ~**el** [vizɥɛl] *115* Seh...; Gesichts...; visuell; *champ* ~ Gesichtsfeld

vit|al [vital] *124* lebenswichtig; Lebens...; *espace* ~*al* Lebensraum; *minimum* ~*al* Existenzminimum; *question* ~*ale* Existenzfrage;

~alité [-talitę] f Lebenskraft, Vitalität; **~amine** [-tamịn] f Vitamin; **~aminé** [-taminę] vitaminhaltig

vite [vit] adv schnell; au plus ~ schnellstens

vitellus [vitęllys] m Eidotter

vitesse [vitęs] f Schnelligkeit; Geschwindigkeit; 🚗 Gang; ~ initiale (phys. ⚙) Anfangsgeschwindigkeit; ~ limite = ~ maximum Höchstgeschw.; ~ de rotation Drehzahl; en ~ (umg) mit Tempo; grande (petite) ~ Eil-(Fracht-)Gut; être en perte de ~ (fig) an Einfluß (od Bedeutung) verlieren; rester maître de sa ~ s-n Wagen in d. Hand behalten

viti|cole [vitikɔl] Weinbau...; **~culteur** [-kyltœːr] m Winzer; **~culture** [-kyltyːr] f Weinbau

vitr|age [vitrạːʒ] m Verglasung; Glaswand; kleine Scheibengardine; **~ail** [-trạːj] m 90 (buntes) Kirchenfenster; **~e** [vitr] f Fensterscheibe; ~e à manivelle Kurbelfenster ♦ casser les ~es (umg) Krach schlagen; **~é** [-trę] verglast; **~er** [-trę] (Fenster) einglasen; **~erie** [-trərị] f Glaserei; **~eux** [-trø] 111 glasartig; (a. Auge) glasig; **~ier** [-trię] m Glaser; **~ine** [-trịn] f Schaukasten; Schaufenster; Glasschrank

vitriol [vitriɔl] m Vitriol; Schwefelsäure; au ~ fig ätzend, bissig; ~ bleu Kupfervitriol; **~é** [-triolę] vitriolhaltig; **~er** [-triolę] (Weinstöcke) mit Kupfervitriol spritzen

vitupérer [vitypere] 13 streng tadeln, abkanzeln

viv|able [vivạbl] adj umg zum Aushalten, angenehm; **~ace** [vivạs] a. fig zählebig; bot ausdauernd; (Vorurteile) eingewurzelt; **~acité** [-vasitę] f Lebhaftigkeit; **~andière** [-vãdjęːr] f Marketenderin; **~ant** [-vã] 1. 108 lebend; lebendig; lebenswahr; belebt; un être ~ant e. Lebewesen; 2. m Lebender; bon ~ant Lebenskünstler; du ~ant de mon père zu Lebzeiten m-s Vaters; **~eur** [-vœːr] m Lebemann; **~ier** [-vję] m Fischteich; **~ifier** [-vifję] beleben; com ankurbeln; **~ipare** [-vipạːr] biol lebendgebärend; **~isection** [-visɛksjɔ̃] f Vivisektion; **~oter** [-vɔtę] kümmerlich leben, vegetieren

vivre [viːvr] 1. 89 leben (de von); erleben; verleben; ~ chichement e. kümmerliches Dasein fristen; ~ au jour le jour von d. Hand in d. Mund leben, in d. Tag hinein leben; ~ avec qn in e-r eheähnlichen Gemeinschaft leben; ~ sa vie s. voll ausleben; difficile à ~ (Mensch) schwer zugänglich; las de ~ lebensmüde; ne plus ~ (vor Unruhe, Sorge) vergehen; savoir ~ zu leben verstehen; il n'a pas de quoi ~ er hat nicht genug z. Leben; se laisser ~ sorglos dahinleben ♦ je t'apprendrai à ~! (Drohung) ich werde dir helfen!; qui vive? wer da?; qui vivra verra wir werden ja sehen; 2. m Verpflegung; pl Mundvorrat, Proviant; avoir le ~ et le couvert freie Station haben; couper les ~s à qn j-m d. Zuschüsse streichen

vlan! [vlã] schwupp!

voc|able [vɔkạbl] m Wort; **~abulaire** [-kabylęːr] m Wortschatz; Wörterverzeichnis; **~al** [-kạl] 124: cordes ~ales Stimmbänder; **~alise** [-kalịz] f ♪ Stimmübung; Koloratur; **~aliser** [-kalizę] Stimmübungen machen; **~ation** [-kasjɔ̃] f

Berufung; Neigung; Anlage; Aufgabe, Pflicht; **~iférer** [-siferę] 13 anschreien (contre qn j-n)

vœu [vø] m 91 Wunsch; Gelübde; faire ~ de qch etw. geloben; former des ~x pour qn j-m etw. wünschen

vogu|e [vɔg] f Beliebtheit, Ansehen; en ~e in Mode, im Schwange; **~er** [-gę] 6 (mit Schiff, Boot) dahinfahren; ~e la galère! (umg) komme, was da will!

voici [vwasị] hier ist, hier sind; me ~ da bin ich; ~ ce que je vais faire ich werde folgendes tun; ce tableau que ~ dieses Bild hier

voie [vwa] f 1. a. fig Weg; Straße; Fahrstreifen, Fahrbahn; anat Gang, Kanal; (Wild) Spur, Fährte; ~ d'accès Auffahrt; ~ carrossable Fahrweg; ~s de communication Verkehrswege; ~s digestives Verdauungskanal; ~s de droit Rechtsmittel; ~ express Schnellstraße; ~ ferrée Bahn; ~ navigable Wasserstraße; ~s respiratoires Atemwege; ~s de fait 🔫 Tätlichkeiten; ~e lactée Milchstraße; ~ prioritaire Vorfahrtstraße; ~ à sens unique Einbahnstraße; par la ~ de l'appel 🔫 auf d. Berufungswege; en ~ de développement aufstrebend, in der Entwicklung begriffen; Entwicklungs...; en ~ de formation im Entstehen, im Werden; par ~ de conséquence folgerichtig; par la ~ hiérarchique auf d. Dienstweg; être en bonne ~ auf d. richtigen Weg sein; mettre qn sur la ~ j-m d. rechten Weg zeigen, auf d. Sprünge helfen; trouver ~s et moyens Mittel u. Wege finden; 2. Gleis; 🚩 Spurweite; ~ de garage (a. fig.) Abstellgleis; à ~ unique eingleisig; à double ~ zweigleisig

voilà [vwala] dort ist, dort sind; le ~ dort kommt er; me ~ da bin ich; nous y ~ da haben wir's; la maison que ~ d. Haus dort; ~ ce que je leur ai dit das also habe ich zu ihnen gesagt; ~ pourquoi deshalb; ~ tout! das ist alles!; ~ qui est fort! das ist ein starkes Stück!

voile¹ [vwal] f Segel; grande ~ Großsegel; ~ carrée Rahsegel; ~ de misaine Focksegel; ~ de perroquet Bramsegel; navire à ~s Segelschiff; faire ~ segeln; mettre à la ~ ⛵ d. Segel setzen; toutes ~s dehors (fig) mit vollen Segeln ♦ avoir du vent dans les ~s (pop) Schlagseite haben; mettre les ~s (pop) abhauen

voile² [vwal] m (a. fig u.🔳) Schleier; Vorhang; (Stoff) Vlies; fig Deckmantel; ~ du palais (anat) Gaumensegel; prendre le ~ ins Kloster eintreten

voiler¹ [vwal] ⚙ verbiegen; se ~ (Holz) s. werfen, s. verziehen

voil|er² [vwal] a. fig verschleiern, verhüllen; bemänteln (de mit); 🔳 versehentlich belichten; regard ~é umflorter Blick; voix ~ée belegte Stimme; **~ette** [-lęt] f (Hut) (Gesichts-)Schleier

voil|ier [vwalję] m Segelschiff; **~ure** [-lyːr] f Segelwerk; ✈ Tragfläche; ~ure (tournante) (Hubschrauber) Drehflügel

voir [vwaːr] 49 sehen; erleben; bemerken; ~ clair in Bilde sein, Bescheid wissen; ~ grand für die Zukunft planen; ~ le jour d. Licht d. Welt erblicken; ~ la mort de près nahe am Tode vorbeigehen; ~ qn j-n aufsuchen, mit j-m verkehren; ~ *venir qch auf* s. zukommen lassen; ~ *venir qn* j-n durchschauen; ~ *à* s. kümmern um; *avoir qch à* ~ *avec* etw. mit e-r Sache zu tun haben; ~ *de bon œil* günstig beurteilen; ~ *de loin qch* etw. voraussehen, ahnen; *faire* ~ zeigen; *venir* ~ *qn* j-n besuchen; *voyons* ~ wir werden nachsehen; ~ *la vie en rose* alles durch e-e rosarote Brille sehen; *en* ~ *de toutes les couleurs* Schlimmes durchmachen; *j'en ai vu d'autres* ich habe schon ganz was anderes mitgemacht; *ne pas* ~ *plus loin que son nez* nicht weitersehen, als die Nase lang ist; *être bien vu* gern gesehen sein; *se* ~ Sichtverbindung haben; sich häufig treffen; *cela se voit tous les jours* das kommt häufig vor; *il s'est vu... er mußte erleben...; on aura tout vu!* das ist d. Höhe!; *voyons!* na, also!, hör mal!, hören Sie mal!

voire [vwar]: ~ *(même)* ja sogar

voirie [vwarị] *f* Müllabfuhr; Straßenreinigung; Wegebauverwaltung; Straßen- u. Wasserbauamt; Schuttabladeplatz, Mülldeponie

voisin [vwazệ] **1.** *109* benachbart; Nachbar...; *fig* nah verwandt; ~ *de* nahe bei, nahezu; **2.** *m* Nachbar; **~age** [-zinạːʒ] *m* Nachbarschaft; Nähe; **~er** [-zinẹ] in der Nähe von, nahe dem; mit d. Nachbarn verkehren

voiture [vwatyːr] *f (a. 🚗)* Wagen, Fahrzeug, Personenkraftwagen (= PKW); Ladung, Fuhre; ~*e à bras* Handwagen; ~*e directe* Kurswagen; ~*e d'enfant* Kinderwagen; ~*e tout terrain* Geländefahrzeug; *lettre de* ~*e* Frachtbrief; *monter en* ~*e* einsteigen; *en* ~*e!* einsteigen bitte!; **~ée** [-tyrẹ] *f* Wagenladung; **~-panier** [-tyrpanjẹ] *m* 97 Korbwagen; **~ette** [-tyrẹt] *f* 🚗 Kleinwagen; **~ier** [-tyrjẹ] *m* Fuhrmann; Fuhrunternehmer

voix [vwa] *f (a. pol, ♪)* Stimme; Stimmrecht; *fig* Rat, Mahnung; ~ *active (passive)* ling Tätigkeits-(Leide-)Form; *à haute* ~ laut; *à* ~ *basse* leise; *à quatre* ~ vierstimmig; *de vive* ~ mündlich; *donner de la* ~ *(Hund)* anschlagen, bellen; *(Mensch)* laut sprechen; *mettre qch aux* ~ über etw. abstimmen lassen ♦ *avoir* ~ *au chapitre* e. Wort mitzureden haben

vol [vɔl] *m* **1.** Flug; ~ *aveugle* Blindfl.; ~ *plané* Gleitfl.; ~ *spatial* Weltraumfl.; ~ *à voile* Segelfl.; *à* ~ *d'oiseau* in d. Luftlinie; aus d. Vogelschau; *escroc de haut* ~ Hochstapler; **2.** Diebstahl; ~ *à main armée* 🎲 Raub; ~ *avec effraction* Einbruch(sdiebstahl); ~ *à la tire* Taschendiebstahl; **~age** [-lạːʒ] flatterhaft; treulos; **~aille** [-lɑːj] *f* Geflügel; **~ant** [-lɑ̃] *m (Textil)* Volant, Faltenbesatz; Federball; ⚙ Schwungrad; 🚗 Lenkrad, Steuer; *fig* Spielraum, Spanne, Reserve; *tenir le* ~*ant* 🚗 am Steuer sitzen; **~atil** [-latịl] *chem* flüchtig; **~atile** [-latịl] *m* Stück Geflügel; fliegendes Tier; **~atiliser** [-latilzẹ] *chem* verflüchtigen; *umg* klauen; *se* ~*atiliser* verdunsten; *fig* verschwinden, s. verdünnisieren; **~-au-vent** [-lovɑ̃] *m* 100 Blätterteigpastete

volcan [vɔlkɑ̃] *m* Vulkan; **~ique** [-kanịk] vulkanisch

volé [vɔlẹ] *m* Bestohlener; **~ée** [-lẹ] *f* Flug;

(Vögel) Schwarm; *(Tennis)* Flugball; *mil* Salve; *(Glocke)* Schwung; Treppe(nabsatz); ~*ée de coups (de bâton)* Tracht Prügel; *de haute* ~*ée* vornehm; *à la* ~*ée (a. fig)* im Flug; **~er** [-lẹ] **1.** fliegen; *le temps* ~*e* d. Zeit verfliegt; **2.** stehlen; bestehlen *(qn* j-n); *je suis* ~*é* ich bin bestohlen *(umg* enttäuscht) ♦ *il ne l'a pas* ~*é (iron)* er hat es verdient; **~et** [-lẹ] *m* Fensterladen; ⚙ Klappe, Schieber; *fig* Teil, Aspekt, Gesichtspunkt, Betrachtungsweise; ~*et d'air* 🚀 Starterklappe; ~*et d'aération* Luftklappe; ~*et d'air* 🚀 Starterklappe; ~*et d'atterrissage* 🛬 Landeklappe; ~*et roulant* Rolladen ♦ *trier sur le* ~*et* sorgfältig auswählen; **~eter** [vɔltẹ] **1.** flattern; **~eur** [-lœːr] *m* Dieb; **~ière** [-ljɛːr] *f (Zoo)* Flugkäfig, Vogelhaus; **~ige** [-liːʒ] *f* 🏗 Schalbrett, Spließ

volition [vɔlisjɔ̃] *f* Wollen; Willensakt

vol|ontaire [vɔlɔ̃tẹːr] freiwillig; *a.* 🎲 beabsichtigt; eigensinnig, eigenwillig; *air* ~*ontaire* Ausdruck d. Entschlossenheit; *m (bes mil)* Freiwilliger; **~ontariat** [-tarjạ] *m* freiw. (Militär-)Dienst; **~onté** [-lɔ̃tẹ] *f* Wille(nskraft); *pl* Launen; ~*onté de paix* Friedensbereitschaft; ~*onté de puissance* Machthunger; ~*onté bien arrêtée* Entschlossenheit; ~*onté fervente d'aboutir* Zielstrebigkeit; *dernières* ~*ontés* letztwillige Verfügung, Testament; *bonne* ~*onté* Gutwilligkeit; *à* ~*onté* nach Belieben ♦ *faire ses quatre* ~*ontés* nach s-m Kopf handeln; **~ontiers** [-lɔ̃tjẹ] gern; *fig* leicht

volt [vɔlt] *m ⚡* Volt; **~age** [-tạːʒ] *m ⚡* Spannung; **~aïque** [-tạik] galvanisch

voltairien [vɔltɛrjẹ] *118* aufklärerisch; ungläubig; *m* Voltairianer

volt|e-face [vɔltfạs] *f 100 (a. fig)* Kehrtwendung; Meinungsänderung; *bes pol* Schwenkung; **~ige** [-tịːʒ] *f (Reitkunst)* Voltigieren; Seiltänzerei; Seil z. Seiltanzen; Kunstfliegerei; **~iger** [-tiʒẹ] *14 (z. Reitkunst)* voltigieren; auf d. Seil tanzen; *a. fig* hin u. her fliegen, flattern; **~igeur** [-tiʒœːr] *m* Voltigereiter; Seiltänzer

volubil|e [vɔlybịl] *bot* s. windend; gesprächig; zungenfertig; **~is** [-biljs] *m bot* Winde; ~ *ité* [-bilitẹ] *f* Gesprächigkeit; Zungenfertigkeit

volum|e [vɔlym] *m* 📖 Band; *phys* Volumen, Rauminhalt; Größe, Umfang; ~*e de carène* ⚓ Verdrängung; ~*e construit* umbauter Raum; **~étrie** [-metrị] *f* Maßanalyse, Volumetrie; **~ineux** [-vɔlyminœ] *111* umfangreich

volupt|é [vɔlyptẹ] *f* Wollust; Sinnenfreude; Lüsternheit; Hochgenuß; **~ueux** [-tɥọ] *111* wollüstig, lüstern; *m* Lüstling

vol|ute [vɔlyt] *f* 🏛 Volute, Schneckenverzierung; Spirale; **~vulus** [-vylys] *m ✚* Darmverschlingung

vom|ique [vɔmịk] *adj noix* ~*ique* Brechnuß; *f* das Erbrechen; **~ir** [-miːr] *22* (s.) erbrechen, s. übergeben; *a. fig* ausspeien; ~*ir des injures* Beleidigungen ausstoßen; **~issement** [-mismạ̃] *m ✚* Erbrechen ♦ *retourner à son* ~*issement* in s-e alten Fehler zurückfallen; **~itif** [-mitịf] *m ✚* Brechmittel

vorac|e [vɔrạs] gefräßig; gierig; *m* Vielfraß; **~ité** [-rasitẹ] *f* Gefräßigkeit; Gier

vos [vo] *pron pl* eure; Ihre
Vosges [voːʒ] *fpl* Vogesen
vot|ation [vɔtasjɔ̃] *f* Abstimmung; **~e** [vɔt] *m* Abstimmung; *pol* Wahlstimme; **~e par acclamation** Wahl durch Zuruf; **~e de confiance** Vertrauensvotum; **~e à mains levées** Abstimmung durch Handzeichen; **~ au scrutin secret** geheime Abst.; **~er** [-tɛ] abstimmen; *pol* wählen; *(Gesetz)* verabschieden, beschließen, annehmen; *(Antrag)* genehmigen; **~if** [-tif] *112* Votiv..., Gedenk...
votre [vɔtr] euer, eure; Ihre
vôtre [voːtr]: **le (la) ~** der (die, das) eurige (Ihrige); **les ~s** Ihre Angehörigen; **je suis des ~s** ich mache mit; **à la ~!** auf Ihre Gesundheit
vouer [vwe] weihen; widmen; **se ~ à qch** s. e-r Sache widmen; **voué à l'échec** zum Scheitern verurteilt, aussichtslos ♦ **ne savoir à quel saint se ~** weder ein noch aus wissen
vouloir [vulwaːr] **1.** *50* wollen, beabsichtigen; fordern; **~ du bien à qn** es gut mit j-m meinen; **~ dire** sagen wollen, bedeuten; **je voudrais bien** ich möchte (hätte) gern; **je veux bien** ich bin einverstanden; **je ne veux pas de toi** ich kann dich nicht brauchen; **sans le ~** unabsichtlich; **en temps voulu** zu gegebener Zeit; **en ~ à qn** j-m böse sein ♦ **~ c'est pouvoir** wo ein Wille ist, ist auch ein Weg; **en veux-tu, en voilà** da hast du, soviel du willst; **2.** *m* Wille; Absicht
vous [vu] *pron sie*, euch; Sie, Ihnen
voût|e [vut] *f* 🏛 Gewölbe; Wölbung; **~e en berceau** Tonneng.; **~e ogivale** Spitzbogeng.; **~e de feuillage** Blätterdach; **~er** [vutɛ] wölben; *dos ~é* gebeugter Rücken
vouvoyer [vuvwajɛ], **voussoyer** [vuswajɛ] *5 umg* siezen
voyag|e [vwajaːʒ] *m* Reise; Fahrt; Gang; Wanderung; *(Drogen)* Trip *m*; **~e aller-retour** Hin- u. Rückfahrt; **~e d'affaires** Geschäftsreise; **~e d'agrément** Privatr.; **en ~** verreist; **faire plusieurs ~es** mehrmals hin und her gehen; **~er** [-jaʒɛ] *14* reisen; *(Vögel)* ziehen; **~eur** [-jaʒœːr] **1.** *121* wandernd; *pigeon ~ eur* Brieftaube; **2.** *m* Reisender; *service (des) ~eurs* Personenbeförderung, Reiseverkehr
voy|ant [vwajɑ̃] *108 (bes. Farben)* auffällig; *m* Kontrollampe; Sichtmelder; Leuchtmarke; **~ant d'alarme** Warnleuchte; **~ant clignoteur** Blinkl.; **~ant lumineux** Lichtsignal, Anzeigeleuchte; 🚩 Leuchtzeichen; **~ante** [-jɑ̃t] *f* Hellseherin
voyelle [vwajɛl] *f* Vokal, Selbstlaut
voyeur [vwajœːr] *m* (heimlicher) Zuschauer, Voyeur
voyou [vwaju] *m* Strolch; Range
vrac [vrak]: *marchandise en ~* Schüttgut; *en ~ (Ware)* nicht abgefüllt; *fig* durcheinander, ungeordnet
vrai [vrɛ] *128* wahr; wahrhaft; lebenswahr; echt; wahrheitsgetreu, -gemäß; wirklich; zukommend, angemessen; *il est ~ que* zwar, allerdings; *à ~ dire* offen gesagt, eigentlich; *pas ~? (umg)* nicht wahr?; *pour de ~ (umg)* ernst gemeint; *un ~ de ~ (pop)* ein Erz...;

~semblable [-sɑ̃blabl] wahrscheinlich; **~semblance** [-sɑ̃blɑ̃s] *f* Wahrscheinlichkeit
vrille [vrij] *f* Ranke; ⚙ Nagelbohrer; *descendre en ~* ✈ abtrudeln
vromb|ir [vrɔ̃biːr] *22 (Insekt, Flugzeug)* brummen; **~issement** [-bismɑ̃] *m* Brummen, Gebrumm
vu [vy] **1.** *(pp von voir)* gesehen; *être bien ~* gut angeschrieben sein *(de qn bei j-m)*; *ni ~ ni connu* heimlich, geheimgehalten; **2.** *präp:* **~ les difficultés** in Anbetracht der (*od* mit Rücksicht auf die) Schwierigkeiten; **~ que...** (+ *subj*) in Anbetracht dessen (der Tatsache), daß...; **3.** *m:* **sur le ~ des pièces** nach Überprüfung der Akten; auf Grund der Unterlagen; **au ~ et au su de tout le monde** vor aller Augen, in aller Öffentlichkeit
vue [vy] *f* **1.** Gesichtssinn; Sehkraft, -vermögen; Augen(licht); Aussicht, Blick (*de* auf); Ansicht (*de* von); Anblick; *avoir bonne ~* gute Augen haben; *avoir la ~ courte* (*a. fig*) kurzsichtig sein; *connaître qn de ~* j-n vom Sehen kennen; *garder qn à ~* j-n im Auge behalten; j-n in polizeilichen Gewahrsam nehmen; *prendre des ~s* 🎬 Aufnahmen machen; *à la ~ de* beim Anblick von; *à première ~* auf d. ersten Blick; *à perte de ~* so weit d. Auge reicht; *hors de ~* außer Sichtweite; *à ~ de nez* über d. Daumen gepeilt; *à ~ d'œil* nach Augenmaß; zusehends; *point de ~* Aussichtspunkt; *fig* Meinung, Ansicht; **2.** Einsicht; Voraussicht; Scharfblick; *pl* Ansicht(en), Meinung(en), Auffassung; *d'ensemble* Gesamtübersicht; *~ de l'esprit* rein theoretische Annahme; *~ rétrospective* Rückblick; *échange de ~s* Meinungsaustausch; *à larges ~s* großzügig; *à ce point de ~* in dieser Hinsicht; **3.** Absicht, Plan; *en ~ de... in d.* Absicht, zu...; *travailler en ~ de qch* auf etw. hinarbeiten; *avoir des ~s sur qn (qch)* es auf j-n (etw.) abgesehen haben; *avoir qch en ~* s. etwas zum Ziel gesetzt haben; *avoir qn en ~* an j-n (mit e-r Bitte) herantreten wollen; **4.** *com* Sicht; *payable à ~* zahlbar bei Sicht
vulcaniser [vylkanizɛ] ⚙ vulkanisieren
vulg|aire [vylgɛːr] gemein; niedrig; gewöhnlich; grob; vulgär; *m* gemeines Volk; **~ariser** [-garizɛ] verbreiten; allgemeinverständlich machen (*od.* darstellen); **~arisme** [-garism] *m* gemeine, vulgäre Ausdrucksweise; **~arité** [-garitɛ] *f* Gemeinheit; Grobheit
vulnér|abilité [vylnerabilitɛ] *f (a. fig)* Verwundbarkeit, Verletzlichkeit; **~able** [-rabl] *a. fig* verwundbar, verletzlich; **~aire** [-rɛːr] *m* Wundheilmittel
vulve [vylv] *f anat* weibl. Scham, Scheidenvorhof

W

wagon [vagɔ̃] *m* Eisenbahnwagen, Waggon; **~ à couloir** Durchgangsw.; **~ basculant** (*od culbuteur*) Kippw.; **~-citerne** [-sitɛrn] *m 97* Kesselwagen; **~-couchettes** [-kuʃɛt] *m 98* Liegewagen; **~-foudre** [-fudr] *m 97* Faßwagen;

~-**grue** [-gry] *m* 97 Kranwagen; ~-**lit** [-li] *m* 97 Schlafwagen; ~**net** [-gɔnɛ] *m* Lore; ~-**poste** [-pɔst] *m* 97 Postwagen; ~-**restaurant** [-rɛstɔrɑ̃] *m* 97 Speisewagen

warrant [warɑ̃] *m com* Lagerschein; ~**age** [-rɑ̃ta:ʒ] *m* Bürgschaft durch Lagerschein; ~**er** [-rɑ̃te] durch L. sichern

water|-closet [watœrklozɛt] *m* 99, ~**s** [vatɛ:r] *mpl umg* Toilette; ~-**polo** [-pɔlo] *m* Wasserball

watt [wat] *m* ↯ Watt; ~**age** [-ta:ʒ] *m* ↯ Anschlußwert; Stromabnahme, -verbrauch; Belastbarkeit

week-end [wikɛnd] *m* 100 Wochenende

X

X [iks]: *m (arg scol)* Student d. École Polytechnique; *fort en* ~ guter Mathematiker; *rayons* ~ Röntgenstrahlen

xéno|phile [ksenofil] fremdenfreundlich; ~**phobe** [-fɔb] fremdenfeindlich, -hassend

xérès [kerɛs] *m* Jerez-, Sherry(wein)

xéro|graphie [kserɔgrafi] *f* Xerografie; ~**phile** [-fil] *adj bot* die Trockenheit liebend; ~**phyte** [-fit] *f bot* Xerophyt *m*

xylophone [ksilɔfɔn] *m* ♪ Xylophon

Y

y [i] da; dort; hin; daran; ~ *compris* inbegriffen; *il* ~ *a* es gibt; *(zeitl.)* vor; *il s'*~ *connaît* er versteht's; *il faut que j'*~ *aille* ich muß hin(gehen); *vas-y* los!, geh' dort hin; *il* ~ *va de beaucoup* es ist viel im Spiel; *j'*~ *étais* ich war da (dabei); *j'*~ *suis* ich hab's; *je n'*~ *suis pour rien* ich kann nichts dafür

yacht [jɔk] *m* Jacht; ~**ing** [jɔkiŋ] *m* Segelsport

yaourt [jau:r] *siehe* yogourt

yeuse [jøz] *f* immergrüne Eiche

yeux [jø] *mpl* Augen; *siehe* œil

yole [jɔl] *f* ⚓ Jolle

yogourt [jɔgu:r(t)] *m* Joghurt

Yougoslav|e [jugoslav] *m* Jugoslawe; ~**e** jugoslawisch; ~**ie** [-slavi]: *la* ~**ie** Jugoslawien

youpin [jupɛ̃] *m (pop, pej)* Jude

youyou [juju] *m* kleines breites Boot, Dingi

ypérite [iperit] *f* Yperit, Senfgas, Lost

Z

z [zɛd]: *fait comme un* ~ *(Figur)* mißgestaltet, krumm u. schief

zazou [zazu] *m* Bezeichnung für d. müßige u. exzentrische Jugend (in Paris) während des 2. Weltkriegs

zanzi(bar) [zãzi(ba:r)] *m* Würfelspiel

zèbre [zɛbr] *m* Zebra; *pop* (komischer) Kerl; *filer comme un* ~ sehr schnell laufen

zébré [zebre] (zebraartig) gestreift

zélateur [zelatœ:r] *m* Eiferer

zèle [zɛl] *m* Eifer; Emsigkeit; *faire du* ~ übereifrig sein

zélé [zele] eifrig, aktiv, rührig, emsig

zénith [zenit] *m* Zenit; *fig* Gipfel, Höhepunkt

zéro [zero] *m* 132 *(a. fig)* Null, Nullstelle; ~ *absolu* absoluter Nullpunkt; *repartir à* ~ wieder von vorn anfangen

zeste [zɛst] *m* (Orangen-, Zitronen-)Schale ♦ *ne pas valoir un* ~ k-n Pfifferling wert sein

zé|zaiement [zezɛmɑ̃] *m* Lispeln; ~**zayer** [-zɛje] 12 lispeln

zibeline [ziblin] *f* Zobel(pelz)

zieuter [zjøte] *pop* Stielaugen machen, stieren, anstarren, anglotzen

zig|(ue) [zig] *m pop* Typ *m (mst im negativen Sinne)*, Kerl *(mst im positiven Sinn); un brave* ~ e. guter Kerl, Kumpel; ~**oto** [-gɔto] *m pej* Typ; ~**ouiller** [-guje] *pop* erdolchen, abmurksen

zigzag [zigzag] *m* Zickzack; ⚙ Schere; ~**uer** [-zage] 6 im Zickzack gehen (verlaufen)

zinc [zɛ̃g] *m* Zink; *umg* Theke; *arg* ✈ Kiste

zingu|er [zɛ̃ge] 6 verzinken; ~**erie** [-gri] *f* Klempnerarbeiten; ~**eur** [-gœ:r] *m* Bauklempner

zist [zist]: *entre le* ~ *et le zest* so, so; unentschlossen

zizanie [zizani] *f* Zwietracht; *semer la* ~ Z. säen

zodiaque [zɔdjak] *m astr* Tierkreis; *signes du* ~ Tierkreiszeichen

zonage [zona:ʒ] *m* Gebietsaufteilung

zone [zo:n] *f* Zone; Bezirk; Bereich; Gebiet, Abschnitt, Fläche, Platz; Streifen; ~ *d'action* Wirkungsbereich; ~ *côtière* Uferbereich; ~ *désertique* Wüstengürtel; ~ *franche (com)* Freiz.; ~ *frontière* Grenzgebiet; ~ *glaciale* Polarz.; ~ *d'influence* Einflußbereich; ~ *de libre-échange* Freihandelsz.; ~ *monétaire* Währungsgebiet; ~ *d'occupation* Besatzungsz.; ~ *portuaire* Hafenbereich; ~*s de salaire* Lohnstufen; ~ *de silence* ⚓ tote Z.; ~ *tempérée* gemäßigte Z.; ~ *torride* heiße Z.; ~ *de verdure* Grünstreifen *(e-r Stadt)*

zoo [zoo] *m umg* Zoo; ~**logie** [zoɔlɔʒi] *f* Zoologie, Tierkunde; ~**logique** [zoɔlɔʒik] zoologisch; *jardin* ~*logique* zoologischer Garten

zouave [zwa:v] *m mil* Zuave ♦ *faire le* ~ *(pop)* s. aufspielen

zozo [zozo] *m pop* Einfaltspinsel

zozoter [zɔzɔte] lispeln

zut! [zyt] *umg* Quatsch!, Unsinn!; *je lui dis* ~ ich will nichts mehr von ihm wissen; *avoir un œil qui dit* ~ *à l'autre (pop)* schielen

Die Departements und ihre Autonummern

Eine französische Autonummer hat drei Bestandteile: eine Ordnungszahl, einen oder zwei Buchstaben und die Nummer des Departements, die sich in der Regel aus der alphabetischen Reihenfolge ergibt.

Ain	[ɛ̃]	01
Aisne	[ɛn]	02
Allier	[aljẹ]	03
Alpes-de-Haute-Provence	[alpadɔɔtprɔvɑ̃s]	04
Alpes: Hautes-~	[otzạlp]	05
Alpes-Maritimes	[alpmaritịm]	06
Ardèche	[ardɛʃ]	07
Ardennes	[ardɛn]	08
Ariège	[arjɛːʒ]	09
Aube	[oːb]	10
Aude	[oːd]	11
Aveyron	[avɛrɔ̧]	12
Bouches-du-Rhône	[buʃdyrọːn]	13
Calvados	[kalvadọs]	14
Cantal	[kɑ̃tạl]	15
Charente	[ʃarɑ̃t]	16
Charente-Maritime	[ʃarɑ̃tmaritịm]	17
Cher	[ʃɛːr]	18
Corrèze	[kɔrɛːz]	19
Corse-du-Sud	[kɔrsdysyd]	2A
Corse: Haute-~	[otəkɔrs]	2B
Côte-d'Or	[kotdɔːr]	21
Côtes-du-Nord	[kotdynɔːr]	22
Creuse	[krøːz]	23
Dordogne	[dɔrdɔɲ]	24
Doubs	[du]	25
Drôme	[droːm]	26
Eure	[œːr]	27
Eure-et-Loir	[œrelwạːr]	28
Finistère	[finistɛːr]	29
Gard	[gaːr]	30
Garonne: Haute-~	[otgarɔn]	31
Gers	[ʒɛːr]	32
Gironde	[ʒirɔ̃d]	33
Hérault	[erọ]	34
Ille-et-Vilaine	[ilevilɛn]	35
Indre	[ɛ̃dr]	36
Indre-et-Loire	[ɛ̃drelwạːr]	37
Isère	[izɛːr]	38
Jura	[ʒyrạ]	39
Landes	[lɑ̃d]	40
Loir-et-Cher	[lwareʃɛːr]	41
Loire	[lwaːr]	42
Loire: Haute-~	[otlwạːr]	43
Loire-Atlantique	[lwaratlɑ̃tịk]	44
Loiret	[lwarɛ]	45
Lot	[lo]	46
Lot-et-Garonne	[lotegarɔn]	47
Lozère	[lɔzɛːr]	48
Maine-et-Loire	[mɛnelwạːr]	49
Manche	[mɑ̃ʃ]	50
Marne	[marn]	51
Marne: Haute-~	[otmạrn]	52
Mayenne	[majɛn]	53
Meurthe-et-Moselle	[mœrtemozɛl]	54
Meuse	[møːz]	55
Morbihan	[mɔrbiɑ̃]	56
Moselle	[mozɛl]	57
Nièvre	[njɛːvr]	58
Nord	[nɔːr]	59
Oise	[waːz]	60
Orne	[ɔrn]	61
Pas-de-Calais	[pɑdkalɛ]	62
Puy-de-Dôme	[pɥidədọːm]	63
Pyrénées-Atlantiques	[pirenẹatlɑ̃tịk]	64
Pyrénées: Hautes-~	[otpirenẹ]	65
Pyrénées-Orientales	[pirenezɔrjɑ̃tạl]	66
Rhin: Bas-~	[barɛ̃]	67
Rhin: Haut-~	[orɛ̃]	68
Rhône	[roːn]	69
Saône: Haute-~	[otsọːn]	70
Saône-et-Loire	[sonelwạːr]	71
Sarthe	[sart]	72
Savoie	[savwạ]	73
Savoie: Haute-~	[otsavwạ]	74
Ville-de-Paris	[vildəparị]	75
Seine-Maritime	[sɛnmaritịm]	76
Seine-et-Marne	[sɛnemạrn]	77
Yvelines	[ivlịn]	78
Sèvres: Deux-~	[døsɛːvr]	79
Somme	[sɔm]	80
Tarn	[tarn]	81
Tarn-et-Garonne	[tarnegarɔn]	82
Var	[vaːr]	83
Vaucluse	[voklyːz]	84
Vendée	[vɑ̃dẹ]	85
Vienne	[vjɛn]	86
Vienne: Haute-~	[otvjɛn]	87
Vosges	[voːʒ]	88
Yonne	[jɔn]	89
Territoire de Belfort	[tɛritwardəbɛlfɔːr]	90
Essonne	[ɛsɔn]	91
Hauts-de-Seine	[ɔdəsẹn]	92
Seine-Saint-Denis	[sensɛ̃dənị]	93
Val-de-Marne	[valdəmạrn]	94
Val-d'Oise	[valdwạs]	95

Die fünf Überseedepartements (Départements d'Outre-Mer = D.O.M) sind:

– Guadeloupe [guadəlụp]	971
– Guyane [gyjạn]	973
– Martinique [martinịk]	972
– Réunion [reynjɔ̃]	974

und

– Saint-Pierre-et-Miquelon [sɛ̃pjeremikəlɔ̃]	975

Französische Abkürzungen

A.C.	Anciens combattants *(Kriegsveteranen)*
A.C.F.	Automobile-Club de France *(Automobilclub von Frankreich)*
A.F.	Allocations familiales *(Familienbeihilfe)*
AFNOR	Association française de Normalisation *(Französischer Verband für Industrienormung, entspricht: DIN)*
A.F.P.	Agence France Presse *(Französisches Nachrichtenbüro)*
A.I.T.A.	Association Internationale des Transports Aériens *(Internationaler Luftverkehrsverband, IATA)*
A.J.	Auberge de jeunesse *(Jugendherberge)*
A.N.P.E.	Agence nationale pour l'emploi *(Zentrales Arbeitsbeschaffungsamt)*
A.O.C.	Appellation d'origine contrôlée *(Qualitätswein mit Prädikat)*
A.P.	Assistance publique *(Wohlfahrt)*
A.P.E.	Assemblée parlementaire européenne *(Europäisches Parlament)*
arr^t	arrondissement
A.S.	Association sportive *(Sportverein)*
A.S.	Assurances sociales *(Sozialversicherung)*
Av, av.	Avenue
Bd, bd, blvd	Boulevard
B.D.	Bande dessinée *(Comics)*
B.F.	Banque de France *(Bank von Frankreich, entspricht: Deutsche Bundesbank)*
B.I.R.D.	Banque Internationale pour la Reconstruction et le Développement *(Internationale Bank für Wiederaufbau und Wirtschaftsförderung)*
B.I.T.	Bureau International du Travail *(Internationales Arbeitsamt, ILO)*
B.N.	Bibliothèque Nationale *(Französische Staatsbibliothek)*
B.O.	Bulletin officiel *(Amtsblatt)*
B.P.F.	bon pour francs *(Scheckvermerk)*
B.R.I.	Banque des Règlements Internationaux *(Bank für internationalen Zahlungsausgleich, BIZ)*
c.-à-d.	c'est-à-dire *(das heißt, d.h.)*
C.A.P.	Certificat d'aptitude pédagogique *(od* professionnelle)
C C	Corps consulaire *(Konsularkorps)*
cc	compte courant *(Kontokorrent)*
C.C.I.	Chambre de commerce et d'industrie *(Industrie- und Handelskammer)*
C.civ.	Code civil *(frz. Bürgerliches Gesetzbuch)*
C.Com.	Code de Commerce *(frz. Handelsgesetzbuch)*
C.C.P.	compte *(od* centre de) chèques postaux *(Postscheckkonto od. Postscheckamt)*
CD	Corps Diplomatique *(Diplomatisches Korps)*
C.E.	Conseil de l'Europe *(Europarat)*
C.E.	Comité d'entreprise *(frz. Betriebsausschuß)*
C.E.C.A.	Communauté Européenne du Charbon et de l'Acier *(Europäische Gemeinschaft für Kohle und Stahl, EGKS)*
CEDEX	Courrier d'entreprise à distribution exceptionnelle *(Sonderform der Postzustellung)*
C.E.E.	Communauté Économique Européenne *(Europäische Wirtschaftsgemeinschaft, EWG)*
C.E.E.A.	Communauté Européene de l'Énergie Atomique *(Europäische Gemeinschaft für Atomenergie, Euratom)*
C.F.T.C.	Confédération française des travailleurs chrétiens *(Christliche Gewerkschaft)*
cf.	confer *(siehe)*
C.F.D.T.	Confédération française et démocratique du Travail *(linksgerichtete Gewerkschaft)*
C.G.C.	Confédération générale des Cadres *(Angestelltengewerkschaft)*
C.G.S.	*phys* système centimètre-gramme-seconde
C.G.T.	Confédération Générale du Travail *(Kommunistische Gewerkschaft)*
ch	*phys* cheval-vapeur
C.H.U.	Centre hospitalier universitaire *(Universitätsklinik)*
C.N.P.F.	Conseil national du Patronat Français *(Französische Unternehmervereinigung)*
C.N.R.S.	Centre national de recherche scientifique *(Institut für wissenschaftliche Forschung)*
c/o	care of «aux bons soins de» *(zu Händen von)*
C.Q.F.D.	ce qu'il fallait démontrer *(was zu beweisen war)*
C.R.S.	Compagnies républicaines de sécurité *(frz. kasernierte Polizei)*
ct	courant *(laufender Monat)*
CV	cheval-vapeur *(Steuer-PS)*
D.B.	Division blindée *(Panzerdivision)*
D.C.A.	Défense contre avions *(Fliegerabwehr, Flak)*
dép.	Département

d°	dito «ce qui a été dit» *(dasselbe, ebenso)*
D.O.M.	Département d'outre-mer *(frz. Überseegebiet)*
D.P.	Délégué du personnel *(Personalvertreter)*
Dr.	Docteur *(Doktor, Arzt)*
D.T.	Vaccin associé contre la diphtérie et le tétanos *(Diphterie-Tetanus-Impfung)*
ECU	European currency unit *(Europäische Währungseinheit)*
É.d.F.	Électricité de France
É.N.S.	École normale supérieure
É.P.S.	École primaire supérieure
E.V.	en ville (✆ *hier)*
F^{co}	Franco *(frei)*
F.I.A.	Fédération internationale de l'automobile *(Internationaler Automobilsport-Verband)*
FM	Modulation de fréquence *(UKW)*
F.N.S.E.A.	Fédération nationale des syndicats d'exploitants agricoles *(größter frz. Bauernverband)*
fr., frs	franc, francs
G.M.T.	Greenwich mean-time
G.Q.G.	Grand Quartier général
G.V.	grande vitesse *(Expreßgut)*
H.F.	haute fréquence *(Hochfrequenz)*
H.L.M.	Habitations à Loyer Modéré *(entspricht: Sozialer Wohnungsbau)*
H.S.	Hors service *(außer Dienst)*
H.T.	Haute tension *(Hochspannung)*
ibid.	ibidem « au même endroit» *(ebenda)*
I.L.N.	Immeuble à loyer normal *(entspricht der Wohnung auf dem freien Wohnungsmarkt)*
I.N.S.E.E.	Institut National de la Statistique et des Études économiques *(entspricht: Statistisches Bundesamt)*
J.O.	Journal officiel *(Französischer Staatsanzeiger)*
loc.cit.	loco citato «à l'endroit cité» *(an der angeführten Stelle)*
M.	Monsieur *(Herr)*
M^e	maître *(Titel d. Rechtsanwälte u. Notare)*
M.F.	modulation de fréquence *(UKW)*
Mgr	Monseigneur *(Monsignore)*
Mlle	Mademoiselle *(Fräulein, Frl.)*
MM.	Messieurs *(Herren)*
Mme	Madame *(Frau)*
M.R.G.	Mouvement des radicaux de gauche *(frz. Linksradikale Partei)*
N.B.	nota bene «notez bien» *(übrigens, NB.)*
N.-D.	Notre-Dame *(Paris)*
NF	Nouveau(x) Franc(s)
N.T.	Nouveau Testament *(Neues Testament)*
O.A.C.I.	Organisation de l'Aviation Civile Internationale *(Internationale Zivilluftfahrt-Organisation, ICAO)*
O.C.	ondes courtes *(Kurzwelle, KW)*
O.E.C.E.	Organisation Européenne de Coopération Économique *(Europäischer Wirtschaftsrat, OEEC)*
O.I.R.	Organisation Internationale pour les Réfugiés *(Internationale Flüchtlingsorganisation, IRO)*
O.I.T.	Organisation Internationale du Travail *(Internationale Arbeitsorganisation, ILO)*
O.M.S.	Organisation Mondiale de la Santé *(Weltgesundheitsorganisation, WHO)*
O.N.U.	Organisation des Nations Unies *(Organisation der Vereinten Nationen, UNO)*
O.T.A.N.	Organisation du Traité de l'Atlantique Nord *(Nordatlantik-Pakt-Organisation, Nato)*
P.C.	Poste de commandement *(Kommandantur)*
P.C.	Parti Communiste *(Kommunistische Partei, KP)*
P.C.C.	Pour copie conforme *(für die Richtigkeit d. Abschrift)*
P.C.V.	à PerCeVoir *(R-Gespräch)*
P.D.	Port dû (✆ *unfrei)*
P.D.G.	président Directeur Général *(Generaldirektor)*
p.ex.	par exemple *(zum Beispiel, z.B.)*
p.ext.	par extension *(im weiteren Sinne)*
P.F.N.	Parti des forces nouvelles *(frz. rechtsextreme Partei)*
P.J.	Police judiciaire *(Kriminalpolizei)*
P.M.	Police militaire *(Militärpolizei)*
P.M.E.	Petites et moyennes entreprises *(Mittelständische Betriebe)*
P.N.B.	Produit national brut *(Bruttoinlandsprodukt)*
p.o.	par ordre *(im Auftrag)*
P.P.C.	pour prendre congé *(um Abschied zu nehmen)*

p.p^{on}	par procuration *(per procura, ppa)*
P.R.	Parti républicain *(Republikanische Partei)*
P.S.	Parti Socialiste *(Sozialistische Partei)*
P.-S.	post-scriptum *(Postskriptum)*
P.S.U.	Parti socialiste unifié *(sozialistische Splittergruppe)*
P.&T.	Postes et Télécommunications *(Post- u. Fernmeldewesen)*
P.T.T.	Postes, Télégraphes et Téléphones
P.V.	petite vitesse *(Frachtgut)*
P.-V.	Procès-verbal (contravention) *(Verwarnung)*
q, qx	quintal, quintaux *(Doppelzentner)*
Q.G.	Quartier général *(Hauptquartier)*
Q.I.	Quotient intellectuel *(Intelligenzquotient)*
R.A.T.P.	Régie autonome des Transports parisiens *(Pariser Verkehrsbetriebe)*
R.C.	Registre du commerce *(Handelsregister)*
R.D.A.	République Démocratique Allemande *(Deutsche Demokratische Republik, DDR)*
Réf.	référence *(Betreff, Zeichen)*
R.F.	République Française
R.F.A.	République Fédérale d'Allemagne *(Bundesrepublik Deutschland)*
R.G.	Renseignements généraux *(frz. Staatsschutz)*
R.N.	Route nationale *(frz. Landstraße)*
R^o	recto *(Vorderseite)*
R.P.	réponse payée *(Bezahlte Rückantwort)*
R.P.R.	Rassemblement pour la République *(gaullistische Partei)*
R.S.V.P.	répondez, s'il vous plaît *(um Antwort wird gebeten, u.A.w.g.)*
R.T.F.	Radiodiffusion-télévision Française
S.A.	Société anonyme *(frz. Aktiengesellschaft)*
S.A.C.E.M.	Société des Auteurs, Compositeurs et Éditeurs de Musique *(Gesellschaft der Textdichter, Komponisten und Musikverleger, entspricht: Gema)*
S.A.M.U.	Service d'aide médicale d'urgence *(Notarzt)*
S.A.R.L.	Société à responsabilité limitée *(frz. Gesellschaft mit beschränkter Haftung)*
S.D.N.	Société des Nations *(Völkerbund)*
S.E.	Son Excellence *(Seine Exzellenz)*
S.Ém.	Son Éminence *(Seine Eminenz)*
S.G.D.G.	sans garantie du Gouvernement *(ohne gesetzl. Gewähr)*
S.I.	Syndicat d'initiative *(Verkehrsverein)*
S.I.	Système international (d'unités)
S.J.	Compagnie ou Société de Jésus *(Jesuiten)*
S.M.E.	Système monétaire européen *(Europäisches Währungssystem)*
S.M.I.C.	Salaire minimum interprofessionnel de croissance *(indexierter Mindestlohn)*
S.N.C.F.	Sociéte nationale des Chemins de Fer Français *(Französische Staatsbahnen)*
S.P.	Secteur postal *(Postbereich)*
S.P.A.	Société protectrice des animaux *(Tierschutzverein)*
ss	suivants *(und folgende, ff)*
S.S.	Sa Sainteté *(Seine Heiligkeit)*
S^t, S^{te}	Saint, Sainte *(Heiliger… Heilige…)*
S^{té}	Société *(Handelsgesellschaft)*
Succ.	successeur *(Nachfolger, Nachf.)*
S.V.P.	s'il vous plaît
T.C.F.	Touring-Club de France
T.G.V.	Train à grande vitesse *(Fernschnellzug)*
T.L.C.	Taxe locale comprise *(Gemeindesteuer inbegriffen)*
T.S.F.	Télégraphie sans fil *(Drahtlose Telegraphie)*
T.S.V.P.	tournez, s'il vous plaît *(bitte wenden, b.w.)*
T.V.A.	Taxe à la valeur ajoutée *(Mehrwertsteuer)*
U.D.F.	Union pour la démocratie française *(frz. konservative Partei)*
U.I.T.	Union Internationale des télécommunications
U.P.U.	Union Postale Universelle *(Weltpostverein)*
U.N.E.S.C.O.	United Nations Educational, Scientific and Cultural Organization
U.R.S.S.	Union des Républiques Socialistes Soviétiques *(Union der sozialistischen Sowjetrepubliken, UdSSR)*
V.C.C.	Vin de consommation courante *(Tafelwein)*
V.D.Q.S.	Vin délimité de qualité supérieure *(Qualitätswein)*
V^o	verso *(Rückseite)*
Vve	Veuve *(Witwe, Wwe)*

Wörterbuch

Deutsch-Französisch

A

a ♪ la *m;* ♪-*Dur* la majeur; ~-*Moll* la mineur
A: *wer A sagt, muß auch B sagen* quand le vin est tiré, il faut le boire; *das A u.* O l'alpha et l'oméga; *das ist von A bis Z erlogen* ce ne sont que des mensonges depuis A jusqu'à Z
Aachen Aix-la-Chapelle
Aal anguille *f;* ♪en: *sich* ♪en lézarder; ♪glatt *a. fig* souple comme une anguille; *er ist* ♪glatt il a les reins souples
Aas *a. fig* charogne *f;* ♪en *(mit etw.)* gaspiller qch; gâcher qch; abuser de qch
ab *(zeitl.)* à partir de; *von da* ~ *(zeitl.)* dès lors; ~ *u. zu* de temps à autre, de temps en temps; *(örtl.)* de; ~ *Werk* départ usine; ~ *sofort* immédiatement, à l'instant, tout de suite ♦ *ich bin ganz* ~ *(umg)* je suis éreinté
abänder|n *a.* ۞ modifier; *(völlig)* changer; *(umändern)* remanier, retoucher; (۞ = *mildern)* commuer; *(Gesetzentwurf)* amender; *(verbessern)* rectifier; réformer; ♪ung modification *f; (völlige)* changement *m;* remaniement *m;* amendement *m*
abarbeiten *(Schuld)* s'acquitter d'une dette en travaillant; *refl* s'épuiser au travail; s'éreinter *(umg)*
Abart variété *f;* variante *f*
Abbau *(Bergbau)* extraction *f; (chem: von Verbindungen)* dégradation *f; (e-s Elementes)* désintégration *f; (Stoffwechsel)* catabolisme *m; (Personal)* compression du personnel, licenciement *m; (Steuern, Preise)* diminution *f,* réduction *f; (Maschinen)* démontage; ♪en *(Bergbau)* extraire; *(phys, Element)* désintégrer; *(chem: Verbindung)* décomposer; *(Arbeiter)* licencier; *(Steuern)* diminuer, réduire; *(Preise)* réduire; ~**hammer** haveuse *f;* ~**strecke** voie *f* de taille
ab|beißen *(Brot)* mordre dans; ~**beizen** décaper, dérocher; ~**bekommen** avoir sa part de; réussir à détacher; *(fig = einstecken)* recevoir
abberuf|en révoquer; relever qn de ses fonctions; *(Diplomat)* rappeler; ♪ung révocation; destitution; rappel *m*
abbestell|en *(Waren)* décommander; annuler (une commande); *(Zeitung)* se désabonner; ♪ung annulation *f;* contrordre *m*
ab|bezahlen payer à crédit; *(gleichbleibende Raten)* acheter à tempérament; ~**biegen** plier; ✈ obliquer; *nach rechts* ~*biegen* tourner à droite
Abbild *(Person)* portrait *m; (Wiedergabe)* reproduction *f,* copie *f;* image *f (a. fig); (genaues)* décalque *m;* ♪en copier; représenter; ♪ung illustration *f; (ganzseitige)* (illustration *f)* hors-texte *m*
abbinden ⚕ ligaturer; *(Zement)* faire prise; *(los-)* délier, détacher
Abbitte excuse *f;* ~ *tun* demander pardon *(bei j-m für etw.* à qn de qch)
abblasen *(Gas)* émettre; *(Angriff)* remettre; *(Veranstaltung)* annuler
abblend|en ✈ se mettre en code; ▦ diaphrag-
mer; ♪**licht** feux *mpl* de croisement, phares *mpl* en code
ab|blitzen essuyer un refus; être éconduit; *sie hat ihn* ~ *lassen (umg)* elle l'a envoyé promener; ~**blühen** se faner; *(bei Frost)* défleurir
ab|brechen 1. *vt* détacher; rompre; *(Gebäude)* démolir; *(Brücke)* couper, détruire; *(Zelt)* plier; *(Belagerung)* lever; *(Verhandlungen)* rompre; *(Gespräch)* couper court, rompre; *(z.B. Reise)* interrompre; **2.** *vi* se briser; se casser; *(fig, aufhören)* cesser, s'arrêter, discontinuer; *(beim Sprechen)* s'interrompre ♦ *alle Brücken hinter sich* ~*brechen* couper tous les ponts derrière soi; ~**bremsen** ralentir; décélérer; ~**brennen** brûler; *(Feuerwerk)* tirer un feu d'artifice; *vi* être incendié, brûler; ~**bringen** *(vom Weg)* désorienter, détourner du chemin; *(von der Fährte)* dérouter; *(vom Vorhaben)* dissuader de, faire abandonner; *er läßt s. davon nicht* ~*bringen* il ne veut pas en démordre; ~**bröckeln** *vt* émietter; *vi* s'émietter; *(Mauer)* s'écailler; *die Kurse bröckeln ab* les cours s'effritent
Abbruch *(Gebäude* démolition *f; (Kampf)* arrêt *m;* ~ *d. Verhandlungen* rupture *f* des pourparlers; ~ *tun* porter atteinte, nuire
ab|brühen ébouillanter; échauder; ~**buchen** porter au débit; ~**bürsten** brosser; ~**büßen** expier; *s-e Strafe* ~*büßen* ۞ subir *(od* purger) sa peine
Abc ABC *m,* abc *m (a. fig);* alphabet *m; fig* rudiments *mpl;* ~-**Buch** abécédaire *m;* syllabaire *m;* ~-**Schütze** débutant *m,* élève apprenant les rudiments de la lecture
abchecken vérifier, contrôler; cocher des noms sur une liste
abdach|en construire en pente *(od* en talus), taluter; ♪ung pente *f,* talus *m,* déclivité *f*
abdämmen endiguer
Abdampf ۞ vapeur d'échappement; ♪en *chem* évaporer; *fig pop* mettre les voiles; ~**schale** *chem* bassine *f*
abdank|en abdiquer; démissionner, donner sa démission; se démettre; ♪ung abdication *f;* démission *f*
abdeck|en *a.* ♨ découvrir; *(Tisch)* desservir; *(Tier)* écorcher, équarrir; *(Risiko)* couvrir; *(Kredit)* rembourser; ♪er équarrisseur; écorcheur; ♪erei équarrissage *m;* équarrissoir *m;* ♪folie pellicule *f* de protection; ♪ung ✿ recouvrement *m*
abdicht|en *(Spalt)* boucher; *(gegen Luft)* calfeutrer; *(Wasser)* étancher; *bes* ⚓ calfater; ♪ung étanchement *m; (gegen Luft)* calfeutrage *m;* ⚓ calfatage *m;* ✿ joint (d'étanchéité)
ab|dienen *(mil)* faire son service (militaire); ~**drehen** enlever *(od* arracher) en tordant; *(Film)* tourner; *(Gas-, Wasserhahn)* fermer; ⚓, ✈ changer de route; ~**drosseln** étrangler; juguler; ✈ mettre au ralenti; ~**drosselung** ✈ ralenti *m*
Abdruck *(durch Formen)* moulage *m; (Finger, Stempel, Siegel)* empreinte *f;* ▭ impression *f;* reproduction *f;* copie *f;* ♪en reproduire; imprimer

abdrücken *(abformen)* mouler; *(Gewehr)* appuyer sur la gâchette, tirer
ab|dunkeln obscurcir; **~ebben** *(Wind)* tomber
Abend soir *m; (Abendstunden)* soirée *f (werden Sie an d. ~ teilnehmen?* serez vous de la s.?); *am ~* le soir; *heute* ⌂ ce soir; *gestern* ⌂ hier soir; *bis heute* ⌂ à ce soir; *am ~ vorher* la veille au soir; *gegen ~* vers le soir; *zu ~ essen* dîner; souper *(Provinz, Belgien u. Schweiz);* **~anzug** tenue *f* de soirée; *(großer)* grande tenue de cérémonie *(od de gala);* **~blatt** journal *m* du soir; **~brot (~essen)** *(Land)* souper *m; (Stadt)* dîner *m,* repas du soir; **~dämmerung** tombée *f* de la nuit; crépuscule *m;* ⌂**füllend,** ⌂*füllender Film* grand film, film *m* de long métrage; **~gottesdienst** *kath* vêpres *fpl; prot* culte *m* du soir; **~himmel** couchant *m;* **~kleid** robe *f* du soir; *im ~kleid* en grand toilette; **~kurs** cours *m* du soir; **~land** Occident *m;* ⌂**ländisch** occidental; ⌂**lich** du soir; **~mahl** *rel* Cène *f; prot* cène *f;* **~rot** coucher *m* de soleil; ⌂**s** le soir; **~schule** école *f* du soir; **~sonne** soleil couchant; **~stunden** soirée *f;* **~veranstaltung** soirée *f*
Abenteu|er aventure *; auf ~er ausgehen* courir l'aventure, rechercher les aventures; ⌂**erlich** aventureux; **~rer** aventurier
aber mais; cependant; *~ nein!* que non!; *~ natürlich!* forcément!, naturellement!, bien sûr!; *vielleicht ~ doch!* peut-être que si!; *tausend und ~ tausend Dinge* mille et mille choses; *~ u. ~mals* à maintes reprises; ⌂**glaube** superstition *f;* ⌂**gläubisch** superstitieux; **~malig** autre, nouveau; *~mals* de nouveau, derechef; ⌂**witz** déraison *f,* sottise *f,* folie *f;* ⌂**witzig** absurde, déraisonnable, fou
aberkenn|en *(z.B. Erbanspruch)* contester, refuser; priver de; ⌂**ung** déchéance; dépossession; ⌂*ung der bürgerl. Ehrenrechte* ♋ privation *f* des droits civiques, dégradation *f* civique
abernten moissonner
abfahr|en 1. *vt (Strecke)* parcourir; *(Lasten)* transporter, charrier, voiturer, *(mit Lkw)* camionner; *(Reifen)* user; *(Glied)* écraser; **2.** *vi* partir *(nach* pour); 🚗, 🚂 démarrer; ⚓ appareiller; *(Schi)* descendre ♦ *j-n ~en lassen (umg)* envoyer promener qn, éconduire qn; ⌂**t** départ *m; (Schi)* descente *f;* ⌂**tsbereit** prêt à partir; ⚓, 🚂 en partance; ⌂**tslauf** *(Schi)* descente *f;* ⌂**tsort** point *m* de départ; ⌂**tssignal** signal *m* du *(od* de) départ
Abfall 1. déchets *mpl,* restes *mpl,* immondices *fpl; (Haushalt)* ordures *fpl; (z.B. Gemüse)* épluchures *fpl; (z.B. Stoff)* chutes *fpl;* ⚙ résidus *mpl;* rebut *m;* **2.** *(Leistung)* baisse *f,* chute *f,* diminution *f,* décroissance *f;* **3.** *(Loslösung)* pol défection *f; rel* apostasie *f;* **~beseitigung** évacuation, élimination des déchets; **~eimer** poubelle *f;* ⌂**en** tomber, se détacher; aller en pente, descendre *(zu* vers); *(Kurse, Preise)* fléchir, baisser; *(fig, von e-r Partei)* déserter, abandonner, faire défection; *rel* apostasier; ⌂*en gegen(über)* contraster désagréablement avec ♦ *es fällt etw. für uns ab* nous aurons notre part; ⌂**end** *(Gelände)* en pente; *(jäh* ⌂*end)* escarpé;

abfällig défavorable; *~ beurteilen* dénigrer, discréditer; **~produkt** sous-produit *m;* rebuts *mpl,* déchets *mpl;* **~stoffe** déchets *mpl,* résidus *mpl;* produits *mpl* de récupération
ab|fälschen *(Ball)* dévier; **~fangen** *(Brief, Telefongespr.)* intercepter; 🚂 redresser; *(abstürzen)* étayer, étançonner; **~fangjäger** chasseur *m* intercepteur; **~färben** déteindre, perdre sa couleur; *~färben auf* déteindre sur *(a. fig); fig* influencer
abfass|en *(Schriftstück)* rédiger; ♋ libeller; *(erwischen)* surprendre; ⌂**ung** rédaction *f;* ♋ libellé *m*
ab|federn *(Geflügel)* plumer; *(Stöße)* amortir (les chocs); **~fegen** balayer
abfertig|en ♂ , ✈ expédier; *Gepäck ~en* enregistrer des bagages; *(Kunden)* servir, satisfaire; *(fig; kurz ~en)* éconduire, envoyer promener; ⌂**ung** expédition *f; (Gepäck)* enregistrement *m (de* bagages); *(Kunden)* service *m;* ⌂**ungsschalter** guichet *m* départs
abfeuern *(Gewehr)* décharger; lâcher *(od* tirer) un coup de canon
abfind|en payer, satisfaire; *(entschädigen)* dédommager, indemniser *(für etw.* de qch); *com* désintéresser; *sich ~en (= vergleichen, einigen)* composer *(mit j-m* avec qn); *s. mit etw. ~en* s'accommoder *(od* s'arranger) de qch; ⌂**ung** accommodement *m,* arrangement *m;* transaction *f; (Entschädigung)* indemnisation *f,* dédommagement *m;* ⌂**ungssumme** indemnité *f*
ab|flachen aplatir; **~flauen** *(Wind)* mollir; *(Preise, Kurse)* fléchir; *fig* faiblir, diminuer; **~fliegen** ✈ s'envoler, partir *(nach* pour); prendre l'air, décoller; **~fließen** s'écouler, se déverser; ⌂**flug** *a.* ✈ départ *m,* envol *m;* ✈ décollage *m*
Abfluß écoulement *m;* décharge *f,* égout *m;* **~hahn** robinet *m* d'écoulement; **~rinne** caniveau *m;* **~röhre** tuyau *m* de décharge
Ab|folge suite *f;* chaîne *f;* série *f;* ⌂**fordern** demander qch à qn; exiger qch de qn; ⌂**formen** (⚙ , *Plastik)* mouler; ⌂**fragen** interroger; *päd* faire réciter qch à qn; ⌂**fragen** *n EDV* interrogation *f,* consultation *f;* ⌂**frieren** dégivrer; ⌂**fühlen** palper, tâter; *EDV* balayer, lire
Abfuhr charroi *m;* charriage *m;* camionnage *m; fig* échec *m,* refus *m, (scharfe)* rebuffade *f; j-m e-e ~ erteilen* éconduire qn; *e-e ~ erhalten* essuyer un refus *(od* une rebuffade)
abführ|en emmener; *(Verbrecher)* conduire en prison; *(Geld)* payer, verser; ☕ purger; **~end** ☕ laxatif, purgatif; ⌂**mittel** ☕ purge *f,* purgatif *m;* laxatif *m; (schnell wirkendes)* drastique *m*
abfüll|en *(in Säcke od. Tüten)* ensacher; *(Flüssigkeit)* soutirer; *(in Flaschen)* mettre en bouteilles; ⌂**ung** ensachage *m;* soutirage *m;* mise *f* en bouteilles; *(Wein in Fässer)* décuvage *m*
abfüttern nourrir, donner à manger (à); *(Kleidung)* doubler *(mit* de); fourrer
Abgabe remise *f;* contribution *f;* droit *m,* impôt *m;* taxe *f; soziale ~n* charges sociales; ⌂**nfrei** exempt d'impôts *(od* de taxes); ⌂**npflichtig** imposable; **~preis** prix *m* de (re)vente

Abgang départ *m*; 🔁, 🗡 sortie *f*; *com* débit *m*, vente *f*; *(Verlust)* perte *f*; *(Abfälle)* déchets *mpl*; (⚡, *von Flüssigkeiten)* flux *m*; **~szeugnis** certificat *m* (de fin) d'études

Abgas ⚙ gaz *m* d'échappement, résiduaire, de combustion; **~entgiftung** décontamination *f*

abgeben délivrer; remettre; donner; *(Gepäck)* consigner, faire enregistrer; *(abtreten, übergeben)* céder; *(Stimme)* voter, donner sa voix; *s-e Meinung ~* donner son avis; *sich ~ mit* s'occuper de

abge|brannt *fig* à sec; *ich bin ~brannt* je suis fauché, je suis à la côte; **~brüht** insensible; *(Verbrecher)* endurci; **~droschen** rebattu, banal; **~droschenheit** banalité *f*; **~feimt** rusé, madré, roué; **~feimte Lügnerin** fieffée menteuse; **~griffen** usé; râpé; **~hackt** *(Stil, Sprechweise)* saccadé; **~härtet** endurci, insensible

abgehen s'en aller, partir; *(Schule)* sortir de, quitter; *(Straße)* bifurquer; 🗡 sortir; ⚡ être évacué; *com* se vendre, se débiter, s'écouler; *(s. lösen)* se détacher; *(fehlen)* manquer; *von d. Wahrheit ~* s'écarter de la vérité ♦ *er läßt s. nichts ~* il ne se prive de rien; *hoffentlich geht es gut ab* espérons que tout se passera bien; *hiervon geht ab… à* déduire…

abge|hetzt (être) à bout, exténué, harassé; **~kämpft** épuisé, fourbu, éreinté; **~kartet**: **~kartete Sache** coup monté; **~klärt** calme, serein; sage; **~klärter Mensch** philosophe *m*; **~lagert** *(Wein)* reposé; **~laufen** *(Paß usw.)* périmé; *(Schuld)* échu; *(Wechsel)* payable; **~lebt** décrépit, vieux; usé; **~legen** solitaire, écarté, isolé, reculé, perdu

Abgeld agio *m*

abgeleiert *umg* rabâché, ressassé

abge|ten indemniser; *(abarbeiten)* payer par prestations; **~tung** *(Schaden)* règlement *m*

abge|macht décidé, convenu, entendu; **~macht!** d'accord!, entendu! **~machte Sache** combine *f*; **~magert** amaigri; **~neigt** peu enclin *(od* disposé) à; *e-r Sache nicht ~neigt sein* ne pas voir une chose d'un mauvais œil; **~nutzt** usé, défraîchi, râpé jusqu'à la corde

Abgeordnet|enkammer chambre *f* des députés; **~er** député; délégué

abge|rissen *(Kleidung)* en haillons, dépenaillé, déchiré et en désordre; *(Reden)* décousu; **~rundet** *(Betrag)* arrondi; *(Kante)* adouci; *(Spitze)* émoussé; **~sandter** envoyé, émissaire; délégué; député; **~schabt** râpé, usé, élimé

abgeschieden isolé; retiré; reculé; *(tot,* 🔁*)* défunt, décédé; **~heit** isolement *m*, solitude *f*, retraite *f*

abge|schlafft fatigué, épuisé; **~schlagen** battu; à la traîne; **~schlossen** *(fig, Arbeit)* fini, achevé; *(vollständig)* complet; **~schmackt** fastidieux, fade; insipide; **~schmacktheit** fadeur *f*; insipidité *f*

abgesehen: *~ von* abstraction faite de; *davon ~ à* part cela, à cela près; *es ~ haben auf* viser à qch; *es auf j-n ~ haben* jeter son dévolu sur qn; être malintentionné à l'égard de qn

abge|spannt épuisé, fatigué, abattu; **~standen**

fade *(a. fig)*; *(Wein)* éventé; *fig* insipide; **~storben** mort; **~stufte Abschreckung** dissuasion *f* graduée; **~stumpft** *(stumpf)* émoussé; *(Kegel)* tronqué; *fig* indifférent, insensible *(gegen* à); hébété; abruti; **~tan** *(Sache)* réglée; **~tragen** *(Kleidung)* défraîchi, usé

abge|winnen gagner *(j-m etw.* qch sur qn); *e-r Sache Geschmack ~winnen* trouver *(od* prendre) goût à qch; **~wogen** *adj fig* pondéré, mesuré, réfléchi, raisonnable; **~wogenheit** pondération; **~wöhnen** déshabituer, désaccoutumer *(j-m etw.* qn de qch); *s. etw. ~wöhnen* se désaccoutumer *(od* déshabituer) de qch, *(Fehler)* se corriger de; **~zehrt** ⚡ émacié, étique; décharné; *(Gesicht)* hâve

ab|gießen verser; *(z.B. Wein, über d. Bodensatz)* décanter; ⚙ mouler, couler; **~glanz** *a. fig* reflet *m*; **~gleichen** aplanir, niveler, égaliser; rendre égal; **~gleiten** *(a. Kurse)* glisser

Abgott idole *f*; **~götterei** idolâtrie *f*; amour exagéré, adoration; **~göttisch** idolâtre

ab|graben enlever à la bêche; *(trockenlegen)* drainer; *j-m das Wasser ~* faire tort à qn, léser qn; **~grasen** brouter, tondre

abgrenz|en fixer les limites; borner; délimiter *(a. fig)*; *fig* définir; **~ung** délimitation *f*; démarcation *f*

Abgrund précipice *m*; abîme *m (a. fig)*; gouffre *m*; **abgründig** *fig* impénétrable; *(Wissen)* profond; **~tief** abyssal

abgucken *umg* imiter; *(Schule)* copier *(von* sur); *fig* apprendre en imitant qn

Abguß ⚙ *(Vorg. u. konkr)* moulage *m*; fonte *f*

ab|hacken couper à coups de hache; **~haken** décrocher; dégrafer; **~halftern** *fig umg* limoger

abhalt|en écarter; *~en von* détourner de, empêcher de; *(a. Strahlen)* retenir; *(von d. Arbeit)* déranger; *(Gottesdienst)* célébrer; *(Sitzung)* tenir; *(mil, Inspektion)* passer (une revue); *(Kind)* faire faire ses besoins (à un bébé); **~ung** empêchement *m*; *(Gottesdienst)* célébration *f*

abhand|eln *(kaufen)* acheter; *(Preis)* marchander; *(Thema)* traiter; discuter; **~en**: *~en kommen* se perdre, s'égarer; 🔁 être volé; **~lung** traité *m*; dissertation *f*; *(wissenschaftl.)* mémoire *m*

Ab|hang pente *f*; coteau *m*; côte *f*; déclivité *f*; penchant *m*; versant *m* **~hängen** dépendre *(a. fig)*; *(Wagen)* détacher; *(Bild)* décrocher; *(Wild)* faisander; 🔁 laisser derrière soi; **~hängig** dépendant, tributaire *(von* de); *a. ling* subordonné *(von* à); **~hängigkeit** dépendance *f*; *a. pol* sujétion *f*

abhärmen *refl* se ronger de chagrin

abhärt|en endurcir *(gegen* contre); *fig* aguerrir à *(od* contre); **~ung** endurcissement *m (gegen* à)

ab|haspeln dévider; *fig (Gedicht, Rede)* débiter; **~hauen** couper, trancher, abattre; *fig umg* détaler, s'enfuir, s'échapper; **~häuten** dépouiller, écorcher

abheb|en ôter, enlever; *(Geld)* retirer; *(Karten)* couper; *refl* se détacher de *(od* sur); ✈ décoller; **~ung** *(Geld)* retrait *m*

ab|heften classer, ranger; **~heilen** se cicatriser;

~**helfen** remédier à, porter remède à; *dem ist nicht* ~*zuhelfen* c'est irrémédiable; ~**hetzen** éreinter, harasser, exténuer; *refl* s'éreinter; s'esquinter *(pop);* ⊿**hilfe** remède *m,* antidote *m;* ~**hobeln** raboter, dégrossir; ~**hold** défavorable à; *j-m, e-r Sache* ~ *sein* être hostile, opposé à **abhol|en** prendre; aller chercher; ~ *lassen* envoyer chercher; ⊿**er** personne qui retire *ou* enlève qch; ⊿**ung** enlèvement, retrait *m* **ab|holzen** déboiser; ⊿**holzung** déboisement *m;* ~**horchen** apprendre en écoutant; ♀ ausculter **abhör|en** ⊛ écouter; *(Telefongespr.)* capter, intercepter; *(Gedicht)* faire réciter; ⊿**gerät** écoute *f;* micro(phone) *m;* ⊿**station** ⊛ station *f (od* centre *m)* d'écoute; ⊿**wanze** écoute clandestine, *umg* puce

Abi *umg* bachot *m;* bac *m (arg scol)* **abirr|en** dévier; *a. fig* s'égarer, aberrer; ⊿**ung** aberration *f* **Abitur** baccalauréat *m;* ~**ient** bachelier; ~**ientin** bachelière

ab|jagen *(Pferd)* éreinter; *(wegnehmen)* faire lâcher prise; *refl* s'éreinter, s'exténuer; ~**kanten** *(Holz)* chanfreiner; ~**kanzeln** *umg* sermonner, chapitrer; ~**kappen** étêter; ~**kapseln** capsuler; *refl* s'isoler; éviter la société; ~**karten** tramer, comploter; ~*gekartete Sache* coup monté; ~**kassieren** recevoir, percevoir, encaisser; ~**kaufen** acheter *(j-m etw. qch à qn)*

Abkehr désaffection *f;* renoncement *m,* désintéressement *m;* ⊿**en** balayer; *refl* se détourner de, renoncer à, abandonner

ab|ketten déchaîner; *(Hund)* détacher; ~**klappern** *(Geschäfte)* courir les magasins; *(fragend ablaufen)* chercher partout; ~**klären** clarifier; *(Wein)* coller; *chem* décanter; ⊿**klatsch** décalque *m;* ~**klingen** diminuer, baisser; *(Ton)* s'évanouir, faiblir; *(Schmerz)* s'évanouir, disparaître, se calmer, régresser; ⊿**klingen** *n* évanescence *f,* extinction; ⊿**klingzeit** *phys* durée de décroissance; ~**klopfen** abattre; *(Staub)* épousseter; ♀ percuter; ~**knabbern** grignoter, rogner; ~**knallen** abattre, fusiller; ~**kneifen** couper (avec des pinces); ~**knicken** rompre; se casser; ~**knöpfen** déboutonner; *fig umg* délester, soulager (qn de qch); ~**kochen** faire bouillir; ♀ faire une décoction de; faire la cuisine (en plein air); ~**kommandieren** détacher

Abkomme descendant *m;* ⊿**n** *(vom Weg)* s'égarer, se fourvoyer, perdre le chemin; *vom geraden (rechten) Wege* ⊿**n** quitter le droit chemin; *(vom Thema)* dévier; *(v. Plan)* se raviser, revenir sur; *(Mode)* passer de mode, tomber en désuétude; ~**n** convention *f,* pacte *m,* accord *m*

abkömm|lich disponible, libre; ⊿**ling** descendant

ab|koppeln déclencher; ~**kratzen** gratter, racler; *(Mauer)* décrépir; *(Schuhe)* décrotter; *fig pop* crever, claquer; ~**kriegen** *umg* avoir sa part; *(Schlimmes)* encaisser

abkühl|en (se) rafraîchir; *a. fig* refroidir, tiédir; ♀ réfrigérer; ⊿**ung** rafraîchissement *m;* refroidissement *m;* réfrigération *f*

Ab|kunft descendance *f,* famille *f,* origine *f; lit* extraction *f;* ⊿**kupfern** *umg* copier; ⊿**kuppeln** ❦ décrocher

abkürz|en *(Weg)* raccourcir; *(Wort)* abréger; *(Besuch)* écourter; *(Rede)* resserrer; ⊿**ung** abréviation *f; (Weg)* raccourci *m,* chemin *m* de traverse

ab|küssen couvrir de baisers; ⊿**laden** décharger, débarder

Ablade|platz lieu *m* de déchargement; ⚓ aire de débarquement; ~**er** déchargeur *m;* docker *m;* ~**ung** déchargement; ⚓ débarquement *m*

Ablage dépôt *m; (Kleider-)* vestiaire *m; com* archives *fpl;* ⊿**rn** déposer; *(Wein)* vieillir, prendre de la bouteille; ~**rung** dépôt *m;* incrustation *f; geol* sédiment *m,* gisement *m;* ~**tisch** tablette *f*

Ablaß écoulement *m;* ✿ décharge *f; (Preis)* réduction *f; rel* indulgence *f; ohne ~* sans cesse; ~**hahn** robinet *m* de vidange *(od* purge)

ablassen 1. *vt* vider, évacuer; *(Dampf)* laisser échapper; *(Flüssigkeit)* faire écouler; *(Ware)* céder, vendre; *(v. Preis)* rabattre; *(Zug)* faire partir; 2. *vi* se désister; démordre *(von etw.* de qch); renoncer à qch; lâcher qn; *(von etw. nicht)* ~ persister, revenir à la charge

Ablation ♀ ablation *f; (Glied)* amputation; *(Geschwür)* exérèse *f;* tomie *f*

Ablauf écoulement *m; (Bewegung)* mécanisme, mouvement; *(Entwicklung)* évolution; *(Wasser)* déversoir, évier *m; (Veranstaltung)* déroulement *m; (Frist, Geltung)* expiration *f; (Geldschuld)* échéance *f; nach ~ e-s Monats* au bout d'un mois; *vor ~ von 8 Tagen* dans un délai de huit jours; ~**berg** ❦ butte *f;* ⊿**en** *(Schuhsohlen)* user; s'écouler; *(Uhr)* s'arrêter; *(Frist, Vertrag)* expirer, venir à expiration; *(Geldschuld)* échoir; *(Film)* se dérouler; ❦ prendre le départ; *(Angelegenheit)* se passer, se terminer; ⊿**en lassen** *(Schiff)* lancer ♦ *j-n* ⊿**en lassen** envoyer promener qn

ab|lauschen apprendre en écoutant; ⊿**leben** décès *m,* mort *f;* ~**lecken** lécher

ableg|en déposer; *(Kleider)* enlever; ôter, quitter; *(Akten)* classer; *(Karten)* écarter; ▭ *(Schriftsatz)* distribuer; *(Eid)* prêter; *(Zeugnis)* rendre; *(Gelübde)* faire; *(Prüfung)* passer; *(Gewohnheit)* se défaire de; *(Fehler)* se corriger de; *Rechenschaft* ~*en* rendre compte (de); ⊿**er** ⬇ bouture *f,* marcotte *f; (Wein)* provin *m; (iron Abkömmling)* progéniture *f,* marmaille *f;* ⊿**ung** *(Bekenntnis)* profession *f* (de foi)

ablehn|en *(Vorschlag)* rejeter, refuser; *(verwerfen)* repousser; *(Ehre, Einladung)* décliner; (⚖, *Zeugen)* récuser; *(Ansinnen)* repousser; ~**end** défavorable, négatif; ⊿**ung** refus *m;* ⚖ récusation *f (Vorschlag);* ⊿**ungsgrund** fin *f* de non-recevoir

ab|leisten accomplir; *s-n Militärdienst* ~*leisten* faire son service militaire; ~**leiten** *(Bach)* détourner; canaliser; déverser; *(Wort)* dériver; *(Begriff)* déduire; ⊿**leitung** déversement *m; ling* dérivation *f*

ablenk|en dévier, détourner; écarter; *fig* distraire, divertir; **~ung** détournement *m;* déviation *f;* *mil* diversion *f;* *fig* distraction *f;* **~ungsmanöver** diversion *f*

ab|lesen lire (*an* sur); *(Früchte)* cueillir; *(Raupen)* écheniller; *er liest mir jeden Wunsch von den Augen ab* il prévient (*od* il va au devant de) mes désirs; **~leugnen** dénier; désavouer; **~leugnung** désaveu *m;* 🐍 dénégation *f*

ablich|ten photographier; photocopier; **~tung** *f* photo(graphie) *f;* (photo)copie *f*

ab|liefern livrer; délivrer; remettre; **~ung** livraison *f;* remise *f*

ablisten soutirer, escamoter

ablös|en détacher; *(Schuld)* amortir; **~ung** *(von Geleimten)* décollage *m,* séparation *f; (Schuld)* amortissement *m; mil* relève *f;* **~ungsmannschaft** relève *f;* **~ungssumme** montant *m* pour solde de tout compte

abluchsen *umg* chiper, chaparder

Abluft air *m* vicié, a. évacué

abmach|en défaire, détacher; *(Geschäfte)* conclure, régler; *(vereinbaren)* convenir de; 🐍 stipuler; *rasch* ~en expédier (une affaire); *abgemacht!* entendu!; **~ung** convention *f;* arrangement *m;* 🐍 stipulation *f*

abmager|n maigrir, (s')amaigrir; **~ung** amaigrissement *m;* **~ungskur** cure *f* d'amaigrissement

ab|mähen faucher, couper; *(Rasen)* tondre; **~malen** peindre; copier

Abmarsch départ *m;* **~ieren** se mettre en marche, partir *(nach* pour)

abmeld|en *refl* annoncer son départ (à la police); *(Wagen)* retirer (sa voiture) de la circulation; **~eschein** bulletin *m* de départ; **~ung** déclaration de changement de domicile; déclaration *f* de départ

ab|messen mesurer, prendre les mesures; 🏛 métrer; *(Land)* arpenter; *(Worte)* peser; **~messung** mesurage *m; pl* dimensions *fpl;* **~montieren** démonter; **~mühen** *refl* peiner à, se fatiguer à, se donner du mal; **~murksen** *umg* massacrer, occire, bousiller; **~mustern** ⚓ débarquer; **~nabeln** couper le cordon ombilical; **~nagen** ronger

Abnahme enlèvement *m; (Siegel)* levée *f;* ⚙ réception *f;* 💲 amputation *f,* ablation *f; (Kauf)* achat *m; fig* diminution *f,* décroissance *f,* décroissement *m;* déclin *m; (Kräfte)* affaiblissement *m; (Gewicht)* perte *f; (Mond)* décours *m;* **~ingenieur** ⚙ réceptionnaire

abnehm|bar amovible, démontable, détachable; **~en 1.** *vt* enlever, ôter; *(Früchte)* cueillir; *(Ware)* acheter; *(Hut)* se découvrir; 💲 amputer; *(Siegel)* lever; (⚔ , *Hörer)* décrocher; *(Ausweis)* retirer; *(Bau)* recevoir, réceptionner; *(Maschen)* diminuer; *(Arbeit)* décharger qn de qch; *e. Versprechen* ~en faire promettre; *e-n Eid* ~en faire prêter serment; **2.** *vi* diminuer; *(Kräfte)* décliner, s'affaiblir; maigrir; *(Mond)* décroître; *(Tage)* raccourcir; **~end** diminuant; *(Mond)* décroissant; **~er** preneur, acheteur

Abneigung antipathie *f;* répugnance *f,* aversion *f,* répulsion *f (gegen* pour)

abnorm anormal; **~ität** anomalie *f;* monstruosité *f*

ab|nötigen extorquer, arracher; *(Achtung)* imposer; **~nutzen =** **~nützen** user; **~nützung** usure *f; (Schädigung)* détérioration *f*

Abonn|ement abonnement *m;* **~ent** abonné; **~ieren** s'abonner à

abordn|en déléguer, députer; **~ung** délégation *f,* députation *f*

Abort cabinets *mpl,* water-closet *m,* toilettes *fpl;* 💲 avortement *m;* **~grube** fosse *f* septique

ab|packen décharger; *(Ware)* conditionner, empaqueter; emballer; **~passen** guetter; épier; **~pausen** copier; **~pellen** peler; **~pfeifen** *(Spiel)* siffler la fin du jeu; **~pflücken** cueillir; **~plagen** *refl* s'éreinter; s'esquinter *(pop);* **~platten** aplatir

Abprall (re)bond *m,* rebondissement *m;* ricochet *m;* **~en** (re)bondir *(von* sur); rejaillir; ricocher

ab|pressen presser, séparer en pressant; *fig* extorquer, arracher; **~protzen** *mil* ôter l'avant-train; **~putzen** nettoyer; *(Schuhe)* décrotter; *(Wand)* crépir; **~quälen** *refl* peiner, se tuer à la peine; se donner du mal; s'échiner; **~qualifizieren** disqualifier; **~quetschen** écraser; **~rackern** *refl umg* bûcher, peiner; travailler avec acharnement; **~rahmen** écrémer; **~rasieren** raser; **~raten** déconseiller qch à qn; dissuader qn de qch; **~raum** déblai *m; (Abfall)* détritus *mpl,* déchets *mpl;* **~räumen** enlever; déblayer; *(weg-)* débarrasser (qch de qch); *d. Tisch* ~räumen desservir; **~raumhalde** 🗻 terril *m;* **~reagieren** *refl umg* se défouler, se détendre

abrechn|en déduire, décompter; faire *(od* régler) les comptes, compter; *mit j-m* ~en *(fig)* régler son compte à qn; **~ung** décompte *m;* règlement m de compte, liquidation *f; (gegenseitige)* compensation *f;* **~ungsstelle** chambre *f* de compensation; **~ungsverkehr** clearing *m,* opérations *fpl* de compensation

Abrede convention *f,* accord *m; (Bestreitung)* contestation *f; in* ~ *stellen* nier, démentir, contester; **~n** se concerter; convenir de qch; *(abraten)* dissuader qn de qch

abregen *refl umg* se calmer

abreib|en frotter; polir; 💲 frictionner; *(Kleider)* user; **~ung** frottement *m;* 💲 friction *f; fig umg* trempe *f,* raclée *f*

Abreise départ *m;* **~n** partir (pour), prendre le départ, s'éloigner

abreiß|en *vt* arracher, enlever; *(Gebäude)* démolir, démanteler, raser; *(Strömung)* décoller, décrocher; *(Plakate)* lacérer; *vi* (se) rompre; *(Faden)* (se) casser; **~kalender** calendrier *m* à éphémérides

ab|reiten *vt (Strecke)* parcourir à cheval; *(Front)* passer en revue; **~richten** ⚙ ajuster; aplanir, dégauchir; *(Tiere)* dresser, dompter; **~richter** dompteur *m,* dresseur *m;* **~richtung** dressage *f;* **~rieb** ⚙ abrasion *f;* **~riegeln** verrouiller; *mil* barrer; **~ringen** arracher, obtenir à force d'insistance; **~riß** plan *m; (Skizze)* esquisse *f; (Auszug)* abrégé *m,* résumé *m,* précis *m,* raccourci *m;* aide-mémoire *m;* **~rollen** dérouler; *(Waren)* camionner; *(Ereignisse)* se dérouler; *(Zeit)* s'écouler; **~rücken** *vt* retirer, reculer; *vi* partir *(nach pour)*; *fig* se retirer; s'écarter de; **Abruf** rappel *m*; *auf ~ (com)* à votre convenance; **ᴸen** rappeler; *(Zug)* annoncer le départ

abrun|den arrondir; **ᴸung** arrondissement *m*; *(Rundung)* rondeur *f*

ab|rupfen arracher; **~rupt** abrupt, inattendu, soudain, inopiné, imprévu

abrüst|en désarmer; démobiliser; **ᴸung** désarmement *m*; démobilisation *f*; **ᴸungskonferenz** conférence *f* de désarmement

ab|rutschen glisser; 🚗 déraper; ✈ glisser sur l'aile; **~sacken** ⚓ couler, sombrer; ✈ choir dans un trou d'air

Absage réponse *f* négative, rejet *m*, fin *f* de non-recevoir, refus *m*; **ᴸn** *(Veranstaltung)* décommander; *(Einladung)* s'excuser, décliner; *(Glauben)* abjurer

ab|sägen scier; *fig umg* débarquer; faire sauter; **~sahnen** écrémer; *fig umg pej* se sucrer, rafler le gros morceau; **~satteln** *(Pferd)* desseller; *(Esel)* débâter; *fig* changer de métier, se recycler

Absatz *(Schuh)* talon *m*; 📖 ⚙ alinéa *m*; paragraphe *m*; ~! *(Diktat)* à la ligne!; *(Treppe)* palier *m*; *com* débit *m*, écoulement *m*; *(Sprechpause)* pause *f*, interruption *f*; **ᴸfähig** vendable; **~gebiet** débouché *m*, territoire *ou* rayon de vente; **~möglichkeit** possibilité *f* de vente; **~politik** marchandisage *m*; **~schwierigkeiten** mévente *f*

ab|saufen *umg* couler à pic, sombrer; **~saugen** *(Teppiche usw.)* nettoyer; ⚙ aspirer; *(Luft)* faire le vide; **~schaben** racler, gratter; **ᴸschabsel** raclure *f*

abschaff|en se défaire de; abolir, supprimer; ⚙ abroger; **ᴸung** abolition *f*, suppression *f*; abrogation *f*

ab|schälen *(Frucht)* peler; *(Baum)* décortiquer, écorcer; **~schalten** ⚡ couper le courant, mettre hors circuit, déconnecter; *(Maschine)* arrêter; *fig umg* écarter toute préoccupation; refuser toute attention; **~schattieren** nuancer, dégrader, estomper; **~schätzen** apprécier, évaluer, taxer; mesurer des yeux; **ᴸschaum** *fig* excrément *m*, écume *f*, rebut *m*; **ᴸschaum d. Menschheit** *pej* ordure *f*; **~schäumen** écumer

abscheid|en *chem* séparer; 🧪 sécréter; *vi* décéder; **ᴸung** *chem* séparation *f*; 🧪 sécrétion *f*

abscheren *(Haar)* couper; *(Bart)* raser; *(Wolle)* tondre; ⚙ cisailler

Abscheu horreur *f*, répulsion *f*, aversion *f*; dégoût *m*; exécration *f*, abomination *f*; ~ *vor etw haben* avoir qch en horreur; **ᴸlich** détestable, exécrable, abominable, atroce, horrible; **~lichkeit** atrocité *f*; abomination *f*

ab|scheuern récurer; *(abnutzen)* user; **~schikken** envoyer, expédier; **~schieben** écarter, éloigner; *(ins Ausland)* expulser; *vi umg* déguerpir, déloger

Abschied départ *m*, adieu *mpl*; *(Entlassung)* congé *m*, démission *f*; ~ *nehmen* prendre congé; faire ses adieux *(von j-m* à qn); *s-n ~ nehmen* quitter le service, démissionner; **~sbe-**

such visite *f* d'adieux; **~sbrief** lettre *f* d'adieux; **~sfeier** cérémonies *fpl* d'adieux; **~sgesuch** lettre *f* de démission

ab|schießen *(Waffe)* décharger; *(abfeuern)* tirer; *(Pfeil)* décocher; *(Rakete)* lancer; ✈ abattre, descendre ♦ *d. Vogel* **~schießen** décrocher la timbale; **~schinden** écorcher; *refl umg* s'échiner, se tuer à, s'exténuer à; **~schirmen** ⚙ protéger; ⚡ blinder; *(Licht)* voiler; *mil (Stellung)* couvrir; **~schlachten** tuer, égorger; massacrer; **~schlaffen** s'épuiser; être crevé *(umg)*

Abschlag déduction *f*, rabais *m*; *auf ~ kaufen* acheter à tempérament; **ᴸen** couper, trancher; *(Baum)* abattre; *(Gerüst)* démonter; *(Angriff)* repousser; *(Bitte)* refuser; **~szahlung** acompte *m*

ab|schlägig négatif; *~schlägige Antwort* refus *m*; **~schlämmen** ⚙ laver; décanter; débourber; **~schleifen** dégrossir; polir, abraser; *refl* s'user

abschlepp|en remorquer; *refl* coltiner; **ᴸdienst** service *m* de dépannage; **ᴸseil** câble de dépannage; **ᴸwagen** dépanneuse *f*

abschließ|en *(Tür)* fermer à clef; *(abtrennen)* isoler; *(beenden)* achever, terminer, finir; *(Verhandlungen)* clore; *(Vertrag)* conclure *(un contrat)*; *(Versicherung)* contracter; *(Konto)* arrêter; *e-n Handel ~en* faire *(od* arrêter) un marché; *vi* se terminer; *refl* s'isoler, s'enfermer; **~end** *adv* en conclusion; *adj* définitif; **ᴸung** isolement *m*; solitude *f*

Abschluß achèvement *m*; *com* marché *m*; *(Vertrag)* conclusion *f*; *(Rechnung)* clôture *f*; *(Jahres-)* bilan *m*; *z. ~ bringen* achever; **~prüfung**, **~zeugnis** examen *m* *(bzw.* certificat *m)* de fin d'études

ab|schmecken goûter; **~schmelzen** *vt* séparer par fusion; *(Schnee)* *vi* fondre; ⚙ se dessouder; **~schmettern** refuser tout net, éliminer, écarter; **~schmieren** 🚗 graisser; **~schminken** démaquiller; **~schnallen** déboucler

abschneiden couper; trancher; retrancher; *j-m d. Wort ~* couper la parole à qn; *d. Ehre ~* offenser, outrager, blesser dans sa dignité; *er hat gut abgeschnitten* il s'en est bien tiré, il s'est bien tiré d'affaire

Ab|schnitt *(Teil)* section *f*, division *f*; *(Stoff)* coupon *m*; *(Buch)* paragraphe *m*; chapitre *m*; passage *m*; *(Vertrag)* article *m*; *(Zeit-)* période *f*; *mil* secteur *m*; *math* segment *m*; *(Anleihe)* tranche *f*; *(Eintrittskarte)* talon *m*; **ᴸschnittweise** paragraphe après paragraphe; **ᴸschnüren** étrangler, serrer fortement; 🧪 ligaturer; **ᴸschöpfen** *(Schaum)* écumer; *(Fett)* dégraisser; *(Rahm)* écrémer *qch (a. fig)*; **~schöpfung** *com* le fait d'éponger *(le pouvoir d'achat)*; **ᴸschotten** fermer hermétiquement

abschräg|en chanfreiner; biseauter; *(Böschung)* taluter; **ᴸung** biseau *m*; chanfrein *m*

ab|schrauben dévisser, desserrer, déboulonner; **~schrecken** effaroucher; *fig* dissuader; décourager de faire qch; *(Speisen)* rafraîchir; ⚙ tremper; **~schreckend** repoussant; *~schreckendes Beispiel* exemple rebutant

Abschreckung dissuasion *f;* ~**skrieg** guerre de d.; ~**strafe** peine *f* dissuasive; ~**swaffen** armes *fpl* de d., force de frappe

abschreib|en copier; transcrire; *(von e-r Rechnung)* déduire; décompter; *(tilgen)* amortir; *(Einladung)* décliner (une invitation); *etw.* ~*en (fig)* faire une croix sur qch; ↙**er** copiste; plagiaire; ↙**ung** amortissement *m;* ~*ung für Abnutzung (= AfA)* a. fiscal pour reconstitution du capital

abschreiten mesurer à pas comptés; *(Front)* passer en revue

Abschrift copie *f,* transcription *f;* duplicata *m;* double *m; d. Richtigkeit d.* ~ *beglaubigt ...* pour copie conforme ...; ↙**lich** en double, en copie

ab|schuften *refl* s'éreinter; ~**schuppen** écailler; *vi* s'écailler; ⚕ se desquamer

abschürf|en érafler; ↙**ung** éraflure *f*

Abschuß départ *m;* décharge *f;* ✈ avion abattu; *(Rakete)* lancement *m;* ~**basis** rampe *f (od* base *f)* de lancement

abschüssig déclive; en déclivité, en pente; escarpé; ↙**keit** déclivité *f*

ab|schütteln *a. fig* secouer; *(Obst)* faire tomber; *(j-n)* semer *(pop);* ~**schwächen** affaiblir; modérer; *(Lärm, Stoß)* amortir *(Behauptung)* mitiger, atténuer; *refl* faiblir; ↙**schwächung** affaiblissement *m;* amortissement *m;* mitigation *f;* ~**schwatzen** soutirer par de belles paroles; ~**schweifen** s'écarter de son sujet; divaguer; ↙**schweifung** digression *f;* ~**schwellen** se dégonfler; ⚕ désenfler; *fig (Lärm)* faiblir, se calmer; ~**schwenken** dévier; *a. fig* obliquer; *mil* opérer une conversion; ~**schwindeln** escroquer; ~**schwören** abjurer, renier; ↙**schwung** *com* fléchissement *m,* baisse *f*

abseh|bar *(Folgen)* prévisible; *in* ~*barer Zeit* à brève échéance, dans un avenir prochain; ~**en** apprendre en regardant; copier *(von* sur); *vi* faire abstraction *(von* de); renoncer *(von* à); viser *(auf* à); avoir des visées *(od* vues) *(auf* sur)

ab|seifen savonner; ~**seihen** filtrer, passer; ~**seilen** descendre à la corde; ~**seite** *(Stoff)* revers *m;* étoffe *f* réversible; ~**seits** à l'écart, loin (de); ⚽ hors-jeu; ↙**seitsstellung** position *f* hors-jeu

absend|en expédier; envoyer; ↙**er** expéditeur, envoyeur; *an* ↙*er zurück* retour à l'envoyeur; ↙**ung** expédition *f;* envoi *m*

ab|senken abaisser; ↓ reproduire par boutonnage; ↙**senz** absence *f;* ~**servieren** desservir; *fig umg* envoyer promener

absetz|bar amovible; *com* vendable; *(Beamter)* révocable; *(von d. Steuer)* pouvant être défalqué; *leicht* ~*bare Waren* articles *mpl* faciles à écouler; ~**en** déposer; *(Hut)* ôter; *(Herrscher)* détrôner; *(Beamten)* révoquer, destituer; *(von d. Tagesordnung)* rayer; *(von d. Rechnung)* déduire, décompter; défalquer; 📖 composer; *com* écouler, placer; *(Rede)* s'arrête, s'interrompre; *refl* se déposer; *mil* décrocher, se replier; *(s. abheben)* ressortir, trancher; *ohne abzusetzen* d'un trait; ↙**ung** déposition *f;* destitution *f,* révocation *f*

absichern assurer, protéger (contre)

Absicht intention *f;* dessein *m;* idée *f,* projet *m,* but *m; mit* ~ exprès, à dessein, intentionnellement; *mit voller* ~ délibérément; *ohne böse* ~ sans penser à mal; ↙**lich** volontairement, exprès, de propos délibéré, à dessein, intentionnellement; ↙**slos** involontairement

ab|singen chanter (à vue); ~**sinken** baisser *(a. fig),* tomber; ↙**sinth** absinthe *f;* ~**sitzen** descendre (de cheval); *s-e Zeit* ~*sitzen* faire acte de présence; *e-e Strafe* ~*sitzen* purger une peine

absolut absolu; ~ *nicht* pas le moins du monde; ~ *nichts* rien du tout; ↙**ion** absolution *f,* pardon *m;* ↙**ismus** absolutisme *m,* despotisme, tyrannie *f*

Absol|vent ancien élève, gradué *m* (de l'enseignement supérieur); ↙**vieren** *(Studium)* achever, terminer

absonder|lich étrange; singulier; ~**n** séparer, isoler; ⚕ sécréter; *refl* se mettre à part, faire bande à part; ↙**ung** séparation *f;* ségrégation *f;* ⚕ excrétion *f,* sécrétion *f*

ab|sorbieren absorber; ~**spalten** détacher, séparer; fendre; dédoubler; *chem* dissocier; *phys* libérer, expulser

abspann|en *(Pferd)* dételer; ⚙ haubaner; détendre; ↙**ung** ⚙ ancrage *m; fig* fatigue *f,* abattement *m*

ab|sparen *sich d. Brot vom Munde* ~*sparen* s'ôter le pain de la bouche; ~**speisen** payer *(mit Worten* de mots)

abspenstig: ~ *machen (Arbeiter)* débaucher; *(Mädchen)* charmer, circonvenir, séduire

absperr|en fermer (à clef); *(Straße)* barrer; ⚙ arrêter, couper; *(absondern)* isoler; *(Ort)* interdire; ↙**hahn** robinet *m* d'arrêt; ↙**kette** chaîne *f* de clôture; ↙**ung** fermeture *f;* barrage *m;* blocage *m;* arrêt *m*

ab|spiegeln refléter; ↙**spiel** ⚽ passe *f;* ~**spielen** faire une passe; *refl* se dérouler, se passer, avoir lieu; ~**splittern** éclater, se détacher par éclats; ~**sprache** convention *f,* accord *m;* ~**sprechen** dénier, contester, disputer; refuser; *(verabreden)* convenir de qch; se concerter sur qch; ~**springen** sauter; *(Ball)* rebondir; *(Knopf)* se détacher; ⚡ prendre son élan; *(mit Fallschirm)* sauter en parachute; *fig* lâcher, déserter; ↙**sprung** saut *m;* ⚽ élan *m;* ~**spulen** dévider; *(Tonband)* débobiner; ~**spülen** rincer; *umg* faire la vaisselle

abstamm|en descendre; venir; *ling* dériver; ↙**ung** descendance *f,* origine *f;* filiation *f;* ↙**ungslehre** *biol* évolutionnisme *m*

Abstand *(örtl., zeitl.)* distance *f,* intervalle *m;* *(örtl.)* espacement *m;* (⚙ , *z.B. zw. Schienen)* écartement *m; a. fig* recul *m; (Abfindung)* indemnité *f;* ~ *halten* 🚗 garder la distance, respecter un (certain) intervalle; ~ *nehmen* renoncer à, se désister de, *(bes* 🐍) se départir de; *mit* ~ de loin; ↙**ssumme** indemnité *f;* dédit *m*

ab|statten *(Besuch)* rendre, faire (une visite); *(Dank)* présenter, exprimer (des remerciements); ~**stauben** épousseter; *fig* filouter, escroquer, *umg* piquer

abstech|en couper; *(Schwein)* abattre, saigner; *(Hochofen)* percer; ✿ tronçonner; *vi fig* contraster; trancher sur; jurer avec; **⌐er:** *e-n* **⌐er machen** emprunter un itinéraire indirect, passer par, pousser une pointe jusqu'à…

absteck|en jalonner, piqueter; *(Bahn)* tracer; *(Kleid)* épingler; **⌐pfahl** jalon *m*

abstehen être distant de; faire saillie; *fig* renoncer à, se désister de; *(Wein)* s'éventer

absteige|n descendre; **⌐quartier** pied-à-terre *m*

abstell|en déposer; *(Maschine)* arrêter; *(Fahrzeug)* garer; *(Strom)* couper; *(beseitigen)* supprimer; remédier à; *(Mißbrauch)* réformer; **⌐gleis** voie *f* de garage; **⌐raum** débarras *m*

ab|stempeln timbrer, estampiller; ✇ oblitérer; *(Edelmetall)* poinçonner; *fig* marquer; **~steppen** piquer; **~sterben** mourir, dépérir; *bot* se faner, se flétrir; *(Glied)* s'engourdir; s'atrophier; **⌐stich** *(Hochofen)* coulée *f*; **⌐stieg** descente *f*; *fig* déclin *m*

abstimm|en voter *(mit Nein ~en* voter contre); *(aufeinander)* harmoniser, mettre en harmonie; ♪, ♣, *fig* accorder; mettre d'accord *(auf* avec); ♣ régler; *(Farben)* marier (des couleurs); *über etw. ~en lassen* mettre qch aux voix; **⌐kreis** ♣ circuit *m* d'accord; **⌐ung** vote *m*; votation; délibération; mise *f* aux voix; *(durch Zettel)* scrutin *m*; *(aufeinander)* harmonisation *f*; ♣ accord *m*, réglage *m*; **⌐ungsergebnis** résultat (du scrutin)

abstinen|t sobre, tempérant, abstinent; **⌐z** sobriété *f*, tempérance *f*, abstinence *f*; **⌐zler** personne sobre, abstinente, tempérante

abstoßen repousser *(a. fig)*; *(Waren)* écouler, vendre, liquider; ♣ démarrer; *(Schulden)* payer, s'acquitter de; *(Ecken)* écorner *(von etw.* qch); *(fig: j-m mißfallen)* rebuter, dégoûter qn; **~d** rebutant, répugnant, rébarbatif, odieux, repoussant; **~d wirken** soulever la répugnance

abstottern *umg* payer à tempérament, par mensualités; acheter à crédit

abstra|hieren abstraire; **~kt** abstrait

ab|streichen essuyer; **~streifen** ôter; *(Schuhe)* décrotter, essuyer; *(Kleider)* enlever, ôter, se dépouiller de (ses vêtements); *fig* se débarrasser de; **~streiten** dénier, contester; **⌐strich** déduction *f*, réduction *f*, diminution *f*; $ prélèvement *m*; *e-n* **⌐strich machen** $ prélever; *fig* en rabattre

abstuf|en graduer; nuancer; **⌐ung** gradation *f*; nuance *f*; ✿ dégradé *m*

abstumpf|en tronquer; émousser; *fig* dessécher, engourdir; **⌐ung** *fig* abrutissement *m*, hébétude *f*

Ab|sturz chute *f*; **⌐stürzen** tomber, faire une chute; ✈ s'abattre, s'écraser; **⌐stützen** soutenir, appuyer; *a. fig* servir de base; 🏛 étayer, étançonner; **⌐suchen** chercher (dans qch); fouiller; explorer; **⌐sud** décoction *f*

absurd absurde; *ad* **~um führen** démontrer par l'absurde; **⌐ität** absurdité *f*

Abszeß abcès *m*

Abt abbé *m*; **~ei** abbaye *f*

ab|takeln ♣ désarmer; dégréer; **~tasten** palper

abtauen *(Eisschrank)* dégivrer

Abteil compartiment *m*; **⌐en** diviser, séparer; cloisonner; sectionner; **⌐ung** division *f*; section *f*; département *m*, service *m*; *mil* détachement *m*; *com* rayon *m*; **~ungsleiter** chef de service; *(Geschäft)* chef de rayon

ab|teufen *(Bergbau)* creuser, foncer; **~tippen** taper (à la machine)

Äbtissin abbesse

abtönen ✿ dégrader; nuancer

abtöt|en tuer; *fig* étouffer; *rel* mortifier; **⌐ung** mortification *f*

abtragen enlever, emporter; *(Erde)* déblayer; *(Terrain)* aplanir, niveler; *(Mauer)* abaisser; *(Gebäude)* raser, démolir; *(Speisen)* desservir; *(Schuld)* acquitter; *(Kleider)* user

ab|träglich nuisible; préjudiciable; désavantageux; **⌐transport** transport *m*; évacuation *f*

abtreib|en chasser; ♣, ✛ drosser; *(Pferd)* harasser; $ faire avorter; *vi* ♣, ✛ dériver; **~end** $ abortif; **⌐ung** $, ⚕ avortement provoqué

abtrenn|en détacher; séparer; isoler; découdre; **⌐ung** séparation *f*

abtret|en *(Sache)* céder; se dessaisir de; *(Amt)* résigner, délaisser, abandonner; *(Füße)* essuyer; *vi* sortir; ✇ quitter la scène; **⌐ung** cession *f*; résignation *f*, désistement *m*, abandon *m*

Ab|trieb ♣ coupe *f*; descente *f* des troupeaux; **~trift** ♣, ✛ dérive *f*; **~tritt** ✇ sortie *f*; cabinets *mpl*; **⌐trocknen** essuyer, éponger; *vi* sécher; **⌐tropfen** dégoutter; s'égoutter; **⌐trotzen** extorquer; $ faire avorter; **⌐trudeln** ✛ descendre en vrille; **~trumpfen** *umg* chapitrer, réprimander, tancer; *(abweisen) umg* envoyer promener

abtrünnig infidèle; renégat; apostat; relaps, défroqué

ab|tun *(Kleid)* ôter, enlever; *(Fehler)* se défaire de; *(als Scherz)* considérer comme une blague; **~tupfen** essuyer (avec un coton hydrophile); **~urteilen** juger; **~verkauf** soldes *fpl*; **~verlangen** demander, exiger; *(Papiere)* retirer; **~wägen** *fig* peser soupeser, examiner; **⌐wahl** de fait de ne pas être réélu; **~wählen** ne pas réélire; **~wälzen** rejeter *(auf* sur); se décharger; *(etw. auf j-n* de qch sur qn); faire retomber (sur qn d'autre); *d.* **Schuld** **~wälzen** se disculper; **~wandeln** modifier; *ling* décliner, conjuguer

Abwärme déperdition *f* de chaleur; chaleur d'échappement

abwarten attendre; **~d:** *~de Haltung* expectative *f*, *pol* attentisme *m*

abwärts vers le bas; en aval; en descendant; de haut en bas

Abwasch (le fait de) faire la vaisselle *f*; **⌐en** laver, lessiver; faire la vaisselle; **~ung** lotion *f*

Abwässer eaux *fpl* usées *ou* résiduaires, eaux-vannes, eaux d'égouts; **~aufbereitung** traitement *m* des eaux usées; **~kanal** égout *m*

abwechs|eln changer, varier; *(regelmäßig)* alterner; *refl* se relayer; **~elnd** alternant; changeant, alternatif; *adv* tour à tour, à tour de rôle; **⌐lung** changement *m*, variation *f*; alternance; *f; zur* **⌐lung** pour changer; **~lungsreich** varié; mouvementé

Abweg|e fausse route; détour *m; fig* égarement *m; auf ~e geraten (a. fig)* faire fausse route; **⌐ig** erroné

Abwehr défense *f;* résistance *f;* **~dienst** (service *m* de) contre-espionnage *m;* **⌐en** se défendre de; *(Feind)* repousser; *(Stoß)* parer; **~griff** ⚔ parade *f;* **~kampf** combat *m* défensif; **~reaktion ⚕** réaction d'immunité; **~stoff ⚕** anticorps *m*

abweich|en s'écarter; diverger; différer; dévier; ✝ , ⚓ dériver; **~end** divergent; différent; anormal; *~end von* par dérogation à; **⌐ler** déviationniste *m;* **⌐ung** écart *m;* divergence *f;* variation *f;* déviation *f;* anomalie *f;* différence *f;* ✝ , ⚓ dérive *f*

abweiden brouter, paître, tondre

abweis|en refuser; rejeter; renvoyer; *(Angriff)* refouler, repousser; *(Besuch)* éconduire; ⚖ débouter; **⌐ung** refus *m;* renvoi *m;* rejet *m;* déboutement *m;* **⌐ungsbescheid** ⚖ fin *f* de non-recevoir

abwend|bar évitable; **~en** détourner; *(Unglück)* prévenir, éviter; *refl* se détourner de qn, abandonner qn; **⌐ung** détournement *m;* évitement *m;* abandon *m*

abwerb|en débaucher; **⌐ung** débauchage (par manœuvres frauduleuses)

abwerfen jeter; *(Reiter)* démonter, désarçonner; *(Fesseln)* briser; *(d. Blätter)* perdre ses feuilles, s'effeuiller; ✝ larguer; *(Bombe)* lancer; *(Gewinn)* rapporter, rendre

abwert|en déprécier; avilir; *(Währung)* dévaluer; **⌐ung** dévaluation *f*

abwesen|d *a. fig* absent; **⌐heit** absence *f; in* **⌐heit verurteilen** ⚖ condamner par contumace

abwichsen *(pop!)* se masturber

abwick|eln *(Garn)* dévider, dérouler; *fig* liquider, mener à bonne fin; *math* développer; **⌐lung** déroulement *m; fig com* liquidation *f; math* développement *m*

ab|wiegen peser; **~wimmeln** *umg* envoyer promener *(od* se débarrasser) de qn; **~winkeln** couder; **~winken** faire signe que non; *(Zug)* donner le signal de départ; **~wirtschaften:** *er hat abgewirtschaftet* il est au bout de son rouleau; **~wischen** essuyer, torcher; **~wracken** ⚓ démonter, démolir; **⌐wurf** lancement *m;* ✝ largage *m;* **~würgen** étrangler; *(Motor)* caler

abzahl|en payer par fractions *ou* mensualités; **⌐ung** paiement *m* par tranches; *auf* **⌐ung** *kaufen* acheter à tempérament; **⌐ungsgeschäft** contrat *m* de vente à crédit

abzählen compter; *mil* se numéroter

ab|zapfen *a. fig* soutirer; *(Blut)* saigner *(j-m* qn); **~zäumen** débrider; **~zäunen** enclore; **~zehren** amaigrir

Abzeich|en macaron *m*, badge *m*, insigne *m;* marque *f;* **⌐nen** dessiner, copier; *(Aktenstück)* parapher; *refl* se dessiner, se profiler

Abzieh|bild décalcomanie *f;* **⌐en** retirer, ôter; *(Fell)* dépouiller; *(Flüssigkeit)* décanter; *(Wein)* soutirer; *(auf Flaschen)* mettre en bouteilles, embouteiller; *(Bohnen)* effiler; *(Klinge)* repasser, aiguiser, affiler; *(Bett)* dégarnir; *(Bild)* décalquer; ⌷ tirer; *(Brett)* raboter, dresser;

math soustraire; *com* déduire, retrancher, défalquer, distraire; *(vom Preis)* rabattre; *vi (Rauch)* sortir; *mil* lever le camp; *umg* déloger, se défiler, débarrasser le plancher

ab|zielen viser *(auf etw.* qch *od* à qch); **~zirkeln** compasser

abzischen *pop* décamper, détaler, foutre le camp

Abzug départ *m; mil* retraite *f; (Rauch)* cheminée *f; (Kamin)* tirage *m; (Wasser)* écoulement *m*, décharge *f; (Waffe)* gâchette *f,* détente *f;* ⌷, ⌷ épreuve *f; (Labor)* hotte *f; com* décompte *m*, déduction *f,* défalcation *f; (Gehalt)* prélèvement *m,* retenue *f,* rétention *f (von* sur); *(Truppen)* retrait *m; in ~ bringen* décompter, défalquer; **~sgraben** rigole *f* (de vidange); décharge *f*

abzüglich déduction faite de

ab|zupfen arracher; *(Fäden von)* effiler; **~zwakken** regratter, ronger *(von* sur)

Abzweig|dose ⌁ boîte *f* de connexion *(od* dérivation); **⌐en** (se) brancher sur; bifurquer; **~ung** ⚙ embranchement *m*, bifurcation *f;* ⌁ dérivation *f,* branchement *m*

Acet|at acétate *m;* **~atseide** rayonne *f;* **~on** acétone *f;* **~ylen** acétylène *m*

ach! ah!, oh!; ouiche!; hélas!; *~ja!* ah, bien oui!; *~ was!* allons donc!; *~ so!* ah, c'est ça! ♦ *mit* **⌐** *und Krach* tant bien que mal

Achat agate *f*

Achilles|ferse *fig* talon *m* d'Achille, défaut *m* de la cuirasse, point vulnérable; **~sehne** *anat* tendon *m* d'Achille

Achse axe *m;* ⚙ essieu *m*, arbre *m;* **~ndruck** charge *f* sur l'essieu

Achsel épaule *f;* **⌐** *j-n über d. ~ ansehen* regarder qn du haut de sa grandeur; **~höhle** aisselle *f;* **~klappe** patte *f* d'épaule; **~stück** épaulette *f;* **~zucken** haussement *m* d'épaules

achs|ig axial; **~lager** coussinet *m;* boîte *f* d'essieu; **~last** charge *f* par essieu; **⌐motor** moteur à entraînement direct

acht huit; *heute in ~ Tagen* aujourd'hui en huit; *etwa ~ Tage* une huitaine de jours; **~e** huitième; **⌐eck** octogone *m;* **~eckig** octogonal; **⌐el** huitième *m;* **⌐elnote** ♪ croche *f;* **⌐elpause** ♪ demi-soupir *m;* **⌐er** ⚓ huit *m;* **⌐erbahn** montagnes *fpl* russes; **~fach** octuple; **~hundert** huit cent(s); **~jährig** qui dure huit ans, âgé de huit ans; **~mal** huit fois; **~seitig** octogonal; **⌐stundentag** journée *f* de huit heures; **~zehn** dix-huit; **~zehnte** dix-huitième; **~zig** quatre-vingt(s); **~zigjährig** octogénaire

Acht[1] attention *f,* soin *m; sich in* **⌐** *nehmen* prendre garde; *etw. außer* **⌐** *lassen* négliger qch; **⌐bar** estimable; honorable; **~barkeit** honorabilité *f,* respectabilité *f;* **⌐en** respecter, estimer, considérer; *~en auf* regarder à, faire attention à; **⌐geben** faire attention *(auf* à); **⌐sam** attentif; prudent, circonspect; **~samkeit** attention *f;* prudence *f;* **~ung** estime *f;* respect *m;* égards *mpl;* considération *f;* *~ung!* attention!; *s.* **~ung** *verschaffen* se faire respecter; **⌐unggebietend** imposant; **⌐ungsvoll** respectueux

Acht² ban *m;* **ächten** proscrire, mettre au ban; **Ächtung** proscription *f,* mise *f* au ban

achter ⚓ arrière; **⌐deck** gaillard *m* d'arrière

ächzen gémir, geindre

Acker champ *m;* labours *mpl,* terre *f; (Maß)* acre *f;* **⌐bau** agriculture *f;* **⌐boden** terre *f* arable; **⌐fläche** champ labourable; **⌐gaul** cheval *m* de labour; **⌐geräte** instruments *mpl* aratoires; **⌐n** labourer

a. D. *(außer Dienst)* en retraite; *Minister ⌐* ancien ministre

Adamsapfel pomme *f* d'Adam

Adaptat|ion adaptation *f;* **⌐er** adaptateur *m;* bague *f* de raccordement

adäquat *adj* adéquat, exact, fidèle; approprié

add|ieren additionner; faire le total; **⌐iermaschine** totalisateur *m,* additionneuse *f;* **⌐ition** addition *f*

Adel *a. fig* noblesse *f;* nobles *mpl;* **⌐n** anoblir; *fig* ennoblir

Ader *a. fig* veine *f; (Insektenflügel)* nervure *f; (Gestein)* filon *m; (Kabel)* fil *m; zur ⌐ lassen (a. fig)* saigner; **⌐laß** *a. fig* saignée *f*

Äderchen vénule *f*

ader|n veiner; **⌐ung** *bot* nervation *f*

Adhäsion adhésion *f,* adhésivité *f;* **⌐sverschluß** *(Drucksachen)* fermeture autocollante

Adjutant officier d'ordonnance, aide de camp

Adler aigle *m; junger ⌐* aiglon *m;* **⌐nase** nez aquilin

adlig noble; nobiliaire; **⌐er** noble; gentilhomme

Admiral amiral; **⌐ität** amirauté *f;* **⌐sschiff** vaisseau *m* amiral

adop|tieren adopter; **⌐tion** adoption *f;* **⌐tiv...** adoptif

Adress|at destinataire; **⌐buch** bottin *m,* annuaire *m;* **⌐e** adresse *f; du kommst an die falsche ⌐e!* tu te trompes d'adresse!; **⌐ieren** adresser

adrett pimpant, propret

Adria la Mer adriatique, l'Adriatique *f*

Advent avent *m*

Advokat avocat

aero|b *adj* aérobe; **⌐dynamik** aérodynamique *f;* **⌐lith** météorite pierreuse, aérolithe *m;* **⌐nautik** aéronautique *f;* **⌐sol** aérosol

Affäre querelle *f,* difficulté *f,* procès *m; (Liebes-)* amourette *f,* passade *f*

Aff|e singe *m* ♦ *e-n ⌐en haben (umg)* être pompette; **⌐enartig** simiesque; **⌐enschande** scandale *m;* **⌐entheater** *fig* cirque *m;* **⌐enweibchen** guenon *f;* **⌐ig** ridicule; précieux

Affekt émotion *f,* passion *f;* état affectif; *im ⌐ handeln* agir sous le coup de l'émotion; *im ⌐ begangenes Verbrechen* crime passionnel; **⌐a-tion** *(Getue)* manque de naturel, affectation *f;* **⌐handlung** acte sous l'emprise d'un état passionnel; **⌐ion** affection, maladie *f;* **⌐iert** affecté, maniéré, précieux

äff|en singer, imiter; se moquer de, railler; **⌐erei** moquerie *f*

Afrika l'Afrique *f;* **⌐ner** Africain; **⌐nisch** africain; **⌐nder** Boer

After anus *m; ⌐...* ⚕ anal

Agave agave *m*

Agens principe *m* actif

Agent agent; représentant; espion; **⌐enring** réseau *m* d'espions; **⌐entätigkeit** espionnage; **⌐ur** agence *f*

Aggregat ⚙ groupe *m;* agrégat *m;* ⚡ série *f;* **⌐zustand** état *m* de la matière

Aggres|sion agression *f,* attentat *m,* attaque *f* brusque et violente; **⌐sionstrieb** pulsion *f* agressive; **⌐sivität** agressivité *f;* **⌐sor** agresseur *m,* auteur d'une agression

Agio *com* agio *m,* prime *f*

Agita|tion remous *m,* agitation *f;* **⌐tator** agitateur *m,* meneur, factieux *m,* émeutier *m*

Agraffe agrafe *f*

agrar|isch agraire; **⌐staat** pays *m* agricole

Ägypt|en l'Égypte *f;* **⌐er** Égyptien; **⌐isch** égyptien

Ahle alène *f,* poinçon *m;* alésoir *m*

Ahne aïeul, ancêtre; **⌐enreihe** lignée *f* d'aïeux; **⌐entafel** arbre *m* généalogique; **⌐frau** aïeule

ahnd|en poursuivre; réprimer, punir; venger; **⌐ung** poursuite *f,* répression *f,* punition *f;* vengeance *f*

ähn|eln ressembler; *refl* s'apparenter; **⌐lich** pareil, semblable; ressemblant; analogue; *das sieht ihm ⌐lich!* cela lui ressemble!, c'est bien lui!; **⌐lichkeit** ressemblance *f;* analogie *f;* similitude *f*

ahn|en pressentir; se douter de; *⌐en lassen* laisser présager; **⌐ung** intuition *f;* pressentiment *m; davon habe ich k-e blasse ⌐ ung* je n'en ai pas la moindre idée; **⌐ungslos** *(sein)* être inconscient, ne se rendre compte de rien

Ahorn érable *m*

Ähre épi *m;* **⌐nlesen** glaner; *n* glanage *m;* **⌐nleserin** glaneuse

Akadem|ie académie *f;* **⌐iker** titulaire d'un diplôme universitaire; **⌐isch** académique; universitaire

Akazie acacia *m; falsche ⌐* robinier *m*

akklimatisier|en acclimater; **⌐ung** acclimatation *f;* acclimatement *m*

Akkord ♪ accord *m; com* arrangement *m; im ⌐ arbeiten* travailler aux pièces *(od* à la tâche); **⌐arbeit** travail *m aux pièces (od* à la tâche); **⌐eon** accordéon *m;* **⌐lohn** salaire *m* à la pièce *(od* à la tâche)

akkredit|ieren accréditer; **⌐iv** *pol* lettres *fpl* de créance; *com* lettre *f* de crédit, accréditif *m*

Akku(mulator) accu(mulateur) *m;* batterie *f*

Akkusativ accusatif *m;* **⌐objekt** *ling* complément direct

Akrobat acrobate; **⌐ik** acrobatie *f;* **⌐isch** acrobatique

Akt acte *m;* action *f;* 🎭 acte *m;* 🎨 nu *m,* académie *f;* **⌐e** dossier *m;* 📁 pièce *f;* document *m; zu d. ⌐en legen (a. fig)* classer, tourner la page sur; **⌐enbock** chevalet *m* à dossier; **⌐endeckel** chemise *f;* **⌐enkundig** pourvu d'un dossier, inscrit au dossier; **⌐enschrank** meuble-classeur *m;* **⌐enstück** acte *m,* pièce *f;* **⌐entasche** serviette *f;* **⌐enzeichen** cote *f,* référence *f,* numéro *m* du dossier

Aktie action *f* ♦ *wie stehen die* ~*n?* comment vont les affaires?; ~**ngesellschaft** société *f* anonyme; ~**ninhaber** actionnaire; ~**nkapital** capital social; ~**nmakler** courtier, agent de change; ~**nmarkt** marché *m* des actions
Aktion 1. *(Tätigkeit)* fait *m,* agissement *m,* action *f,* œuvre *f;* **2.** *com* action *f;* ~**är** actionnaire; ~**sradius** rayon *m* d'action
aktiv actif; *(Bilanz)* excédentaire; *mil* en activité; ⌐**a** *com* actifs *mpl;* ⌐**forderung** créance *f* à faire valoir; ~**ieren** activer; stimuler; *com* passer à l'actif; ⌐**ität** activité *f;* ⌐**saldo** solde actif; ⌐**vermögen** actif *m;* capital effectif; ~**zinsen** intérêts *mpl* créditeurs
Aktu|alität actualité *f;* ~**ar** 𝕾 secrétaire-greffier; ⌐**ell** actuel, d'actualité; du jour
Akusti|k acoustique *f;* ⌐**isch** acoustique
akut 𝕊 aigu; *pol* de grande actualité; ⌐ *su ling* accent aigu
Akzent accent *m;* ⌐**uieren** accentuer
Akzept *com* acceptation *f;* ⌐**abel** acceptable, admissible; ~**ant** *com* accepteur, tiré; ⌐**ieren** accepter; ~**kredit** *com* crédit *m* par acceptation
Akzidenzen 📖 travaux *mpl* de ville
Alabaster albâtre *m*
Alarm alarme *f;* alerte *f; blinder* ~ fausse alerte; ~**anlage** installation *f* d'alarme; ~**bereitschaft** état *m* d'alerte; ~**gerät** système *m* d'alarme; ⌐**ieren** alerter; alarmer *(a. fig);* ⌐**ierend** *fig* alarmant, inquiétant, angoissant; ~**signal** alerte *f;* ~**sirene** sirène *f* d'alerte; ~**stufe** stade *m* d'alerte; ~**zeichen** signal *m* d'alerte *(od* d'alarme); ~**zustand** état *m* d'alerte
Alaun alun *m;* ~**erde** alumine *f*
albern niais; inepte; bébête; ~ *tun (umg)* faire le pitre *(od* le jocrisse); dire des niaiseries; ~**es Zeug** non-sens *m,* ~**heit** fadaise *f,* niaiserie *f,* baliverne *f,* ineptie *f,* absurdité *f;* sottise *f*
Albino albinos
Album album *m*
Albumin *n* albumine *f,* blanc *m* d'œuf
Alchim|ie alchimie *f;* ~**ist** alchimiste
Alge algue *f*
Algebra algèbre *f;* ⌐**isch** algébrique
Alibi alibi *m*
Alimente pension *f* alimentaire, aliments *mpl,* subsides *mpl*
Alkal|i alcali *m;* ⌐**isch** alcalin; ~**oid** alcaloïde *m*
Alkohol alcool *m;* ⌐**frei** sans alcool; ~**gehalt** teneur *f* en alcool; ~**iker** alcoolique; ⌐**isch** alcoolique, spiritueux; ⌐**ische Getränke** spiritueux *mpl;* ~**ismus** alcoolisme *m;* ~**messer** alcoomètre *m* pèse-alcool *m;* ~**schmuggler** bootlegger; ~**spiegel** taux *m* d'alcool; ~**sünder** personne *f* ayant commis un délit sous l'empire de la boisson; ~**verbot** prohibition *f* (de l'alcool); ~**vergiftung** intoxication *f* par l'alcool, éthylisme *m*
All univers *m;* ⌐ *adj* tout; ⌐**e beide** tous (les) deux; ⌐**e Tage** tous les jours; ⌐**e Welt** tout le monde; *trotz* ⌐**em** malgré tout; *vor* ⌐**em** surtout; *zu* ⌐**em Unglück** pour comble de malheur; *damit ist* ⌐**es gesagt** c'est tout dire; *wir sind* ⌐**e da** nous sommes au complet, tout le monde est là; *nicht um* ⌐**es in d. Welt** pas pour tout l'or du monde, pour rien au monde; ⌐**bekannt** universellement connu; ⌐**e** *umg (Geld)* dépensé; *(Vorräte)* épuisé; *(Essen)* mangé; *(Getränk)* bu
Allee avenue *f,* allée *f*
allein seul; isolé; *(einsam)* solitaire; *ganz* ~ tout seul; *von* ~ automatiquement; *(freiwillig)* de son propre mouvement; *für sich* ~ par-devers soi; *er* ~ *kann…* lui seul peut…; *adv* seulement, ne… que, uniquement; *conj* (= *jedoch)* mais, seulement, cependant; ⌐**auslieferung** exclusivité *f;* ⌐**berechtigung** droit exclusif; ⌐**betrieb** monopole *m;* ⌐**flug** vol *m* solitaire; ⌐**gang** acte isolé, action unilatérale; ⌐**herrschaft** pouvoir absolu; monarchie *f;* ~**ig** seul; unique; exclusif; ⌐**schuld** torts *mpl* exclusifs; ~**stehend** isolé; vivant seul; célibataire; ⌐**verkaufsrecht** monopole *m* (de vente); ⌐**vertreter** représentant exclusif; ⌐**vertretung** représentation exclusive; ⌐**vertrieb** monopole *m* de distribution, représentation exclusive
alle|mal toujours, toutes les fois; *ein für* ~*mal* une fois pour toutes, une bonne fois; ~**nfalls** à la rigueur; *(höchstens)* tout au plus; ~**nthalben** dans tous les cas
aller|art de toute(s) sorte(s); ~**best** le meilleur de tous; ~**dings** certainement, sans doute, en effet; *(einschränkend)* il est vrai que, à la vérité, encore; ~**erst** le premier de tous; *zu* ~**erst** de prime abord; ~**hand** toutes sortes de; pas mal de; *er hat* ~**hand Freunde** il a force amis; *ich habe* ~**hand mitgemacht** *(umg)* j'en ai vu de vertes et de pas mûres *(od* de toutes les couleurs); *das ist* ~**hand!** c'est un peu fort!; ⌐**heiligen** la Toussaint; ⌐**heiligste** *rel* le Saint Sacrement; ~**höchst** suprême; ~**höchstens** au maximum; ~**lei** toutes sortes de, divers; ~**letzt** suprême; ultime; ~**liebst** adorable, ravissant, à croquer; ~**meist:** *die* ~*meisten* la plupart des; *am* ~*meisten* le plus…; ~**nächst** le plus proche; ~**neuest** tout dernier; ⌐**neueste** *su* dernier cri; ⌐**notwendigste** *su* le strict nécessaire; ~**orten,** ~**orts** partout; ⌐**seelen** le jour des trépassés; ~**seits** de tous côtés; à (vous) tous!; ~**spätestens** au plus tard; ⌐**welts…** banal; ⌐**weltskerl** *umg* as *m;* ~**wenigst:** *am* ~*wenigsten* le moins, moins que tout autre; ⌐**wertester** *umg* postérieur *m*
alles tout; ~ *in allem* tout compte fait, somme toute, en somme, à tout prendre
alle|samt tous (ensemble); ⌐**eskleber** colle *f* universelle; ~**ezeit** toujours; de tout temps; ⌐**gegenwart** omniprésence *f;* ubiquité *f;* ~**gegenwärtig** omniprésent
allgemein général, universel; *im* ~**en** en général, d'une façon générale; ~*e Auffassung* opinion reçue; ⌐**befinden** 𝕊 état général; ⌐**bildung** culture générale, enseignement général; ~**gültig** généralement admis; ⌐**gut:** ⌐*gut werden se* vulgariser; ~**heit** généralité *f;* public *m;* ⌐**medizin** médecine générale; ⌐**platz** lieu *m* commun; ~**verständlich** à la portée de tous, intelligible pour chacun; ⌐**wohl** bien public
Allgewalt pouvoir *m* absolu, omnipotence *f*

Allheilmittel remède universel, panacée f
All|anz alliance f; **⊿iert** allié; **~ierte** alliés mpl
all|jährlich annuel; adv tous les ans, annuellement; **⊿macht** toute-puissance f; omnipotence f; **~mächtig** tout-puissant; omnipotent; der **⊿mächtige** le Tout Puissant, l'Éternel, le Très Haut; **~mählich** graduel; adv peu à peu, petit à petit; **~monatlich** mensuel; adv mensuellement, chaque mois, tous les mois; **⊿mutter** nature f
Allotria piterie f, facétie f
All|parteienregierung gouvernement regroupant tous les partis d'une assemblée parlementaire; **~radantrieb** (véhicule à) toutes roues motrices
all|seitig (d'un esprit) large, universel; **⊿stromempfänger; ⊿stromgerät** récepteur m (od poste m) tous-courants; **⊿tag** jour ouvrable; fig vie quotidienne; **~täglich** de tous les jours, quotidien, journalier; fig courant, ordinaire; commun, banal; **⊿täglichkeit** quotidienneté, vie quotidienne, train-train quotidien; **~tags** (jour) ouvrable; **⊿tagsbeschäftigung** activité quotidienne; **⊿tagsdreh** umg le train-train de la vie quotidienne; **⊿tagskost** ordinaire m; **~tagssprache** langue parlée; **~umfassend** universel; **~weil** toujours; **~wetterjäger** chasseur m tous temps; **~wissend** omniscient; **⊿wissenheit** omniscience f; **~zu** par trop; **~zusehr** trop; **~zuviel** trop (de); **⊿zweck...** à toute fin, tous usages
Alm alpage m, pacage m, pâturage m alpestre
Almosen aumône f, charité f; j-m ~ geben faire la charité à qn; **~empfänger** indigent
Alp (drücken) cauchemar m
Alp|(e) alpage m; **~en** les Alpes fpl; **~enländer** pays alpestres; **~enstraße** route f alpestre (od des Alpes); **~enveilchen** cyclamen m
Alpaka (zool, a. Wollstoff) alpaca, alpaga m; (Silber) maillechort m
Alphabet alphabet m; **⊿isch** alphabétique; adv par ordre alphabétique
Alphastrahlen rayons mpl alpha
alp|in alpin; **⊿inistik** alpinisme m, sports de haute montagne; **⊿inist** alpiniste m; **⊿traum** cauchemar m
als (zeitl.) lorsque, quand; (nach Komparativ) que; en (~ Freund en ami); comme; en qualité de, en tant que, sous forme de; (anstatt, für) en guise de; ~ ob, ~ wenn comme si; mehr ~ 5 Personen plus de 5 personnes; nichts ~ (rien d'autre) que; er ist zu alt, ~ daß er... il est trop vieux pour...; **~bald** aussitôt; **~dann** alors, puis
also ainsi, de cette manière; conj donc, par conséquent; soit (3 fois 10 mètres, soit 30 mètres); ~? alors?
Alt ♪ (contr)alto m
alt vieux; âgé; (ehemalig) ancien; (altertümlich) antique; (verbraucht) usé, râpé; (verfallen) vétuste; ~ gekauft acheté d'occasion; wie ~ ist er? quel âge a-t-il?; er wird älter il se fait vieux; er ist 5 Jahre älter als ich il est mon aîné de cinq ans; d. ~e Lied la même antienne; ~er Herr (umg) paternel ♦ er ist immer d.~e il est toujours le même; alles beim ~en lassen laisser les choses

en l'état, ne rien changer; **~backen** rassis; fig rabâché; **⊿bau** immeuble ancien; **⊿bausanierung** réhabilitation des immeubles anciens; **~bekannt** bien connu; **~bewährt** éprouvé; **⊿eisen** ferraille f; **⊿eisenhändler** ferrailleur; **~gewohnt** routinier; **~gläubig** orthodoxe; **~hergebracht** traditionnel; **~jüngferlich** maniéré; chichiteux; **~klug** précoce; blanc-bec; **⊿material** matériel usagé, déchets mpl; **⊿materialhändler** chiffonnier; **~modisch** démodé; archaïque; vieux jeu; désuet; suranné; **⊿papier** vieux papiers; **⊿stadt** cité f, vieille ville; **⊿warenhändler** brocanteur, fripier; **⊿wasser** bras mort (d'un fleuve); **⊿weibersommer** été m de la Saint-Martin
Altar autel m; **~bild** retable m; **~decke** parement m, nappe f (d'autel); **~diener** enfant m de chœur; **~flügel** vantail m
Alte m/f père et mère; le vieux, la vieille; umg patron, chef; **~nheim** maison f de retraite
Alter âge m; vieillesse f; ⚕ sénescence f, sénilité f; (Dienst-) ancienneté f; (Sachen) vétusté f; hohes ~ âge avancé; in m-m ~ à mon âge; im ~ von âgé de, à l'âge de; **~n** vieillir; se faire vieux
Alter|nanz alternance f; **~ative** alternative f
alters: von ~ her de toute antiquité; **⊿erscheinung** phénomène m de vieillissement; **⊿grenze** limite f d'âge; **⊿heim** hospice m (od asile m) de vieillards; **⊿präsident** doyen m d'âge; **⊿pyramide** structure f des âges; **⊿rente** = **⊿ruhegeld** pension f de vieillesse; **~schwach** décrépit; **⊿schwäche** décrépitude f; débilité f, sénilité f; **⊿stufe** échelon m d'âge; **~versicherung** assurance-vieillesse; **⊿versorgung** garanties d'existence aux vieux
Alter|tum antiquité f; **⊿tümlich** antique; archaïque; **~tumskunde** archéologie f
Alterung vieillissement m; mûrissement m
ältlich vieillot
Aluminium aluminium m; **~fabrik** aluminerie f
am (Datum) le...; (Ort) près de...; ~ angeführten Ort op.cit.
Amalgam amalgame m; **⊿ieren** amalgamer
Amateur amateur m; **~funker** radioamateur m; **~status** règlement d'amateurisme
Amboß enclume f
ambulan|t com ambulant; forain; ⚕ ambulatoire; **⊿z** ambulance f
Ameise fourmi f; **~nbär** fourmilier m, tamanoir m; **~nhaufen** fourmilière f; **~nsäure** acide m formique
Amen amen m; ⚕ ainsi soit-il ♦ zu allem ja u. ⚕ sagen dire amen à tout; so sicher wie d.~ in d. Kirche sûr comme notre mort à tous
Amerika l'Amérique f; **~ner** Américain; **⊿nisch** américain
Amethyst améthyste f
Ami umg ricain, amerloque; **~nosäure** acide(s) aminé(s)
Amme nourrice f; **~nmärchen** conte bleu
Ammoniak (gaz m) ammoniac m; **⊿haltig** ammoniacal
Amnestie amnistie f; **⊿ren** amnistier
Amöbe zool amibe f

Amok folie furieuse (*od* meurtrière); ~ *laufen*
fig umg se conduire en forcené; travailler du
chapeau; avoir un accès de folie subite
Amortis|ation amortissement *m;* ⌁**ieren** amortir
Ampel (lampe *f* à) suspension *f;* 🚦 feu *m* de
circulation; feux *mpl*
Amphi|bie amphibie *m;* ~**bienfahrzeug** véhicule
m amphibie; ~**theater** amphithéâtre *m*
Ampulle ampoule *f*
Amput|ation amputation *f;* ⌁**ieren** amputer
Amsel merle *m*
Amt 1. (*Stellung*) charge *f;* emploi *m;* poste *m,*
place *f;* fonction *f;* (*Dienstaufgaben*) fonctions
fpl; (*Amtsgewalt*) compétence *f,* pouvoir *m; d.*
höchste ~ la magistrature suprême; *von* ~*s*
wegen d'office; *ein* ~ *antreten* entrer en
fonctions; *ein* ~ *bekleiden* occuper une charge
(*od* un poste), exercer une fonction; **2.** (*Behörde*)
administration *f,* office *m,* bureau *m;* **3.** (*Bezirk*)
arrondissement, district *m;* **4.** *rel* messe *f;* office
m; service *m;* ⌁**ieren** être en fonctions; ⌁**lich**
officiel
Ämter|häufung cumul *m* de fonctions (publi-
ques); ~**schiebung** favoritisme *m*
amtierend en fonctions
Amts|antritt entrée *f* en fonctions; ~**ausübung**
exercice *m* des fonctions; ~**befugnis** compétence *f;* ~**bezeichnung** grade, titre des fonctions;
~**blatt** bulletin officiel; ~**deutsch** langue *f*
administrative allemande; ~**diener** huissier;
~**eid** serment *m* de fonctionnaire; ~**enthebung**
destitution *f;* (*zeitweilig*) suspension *f;* ~**führung**
gestion *f;* ~**geheimnis** secret professionnel;
~**gehilfe** adjoint; *EG* agent *m* non-qualifié;
~**genosse** collègue; confrère; ~**gericht** tribunal
m cantonal allemand; ~**geschäfte** fonctions
publiques; ~**gewalt** autorité *f;* ⌁**halber** par voie
d'autorité; ~**handlung** acte administratif; ~**hilfe** assistance administrative; ~**inhaber** titulaire;
~**miene** air officiel; ~**mißbrauch** abus *m* de
pouvoir; ~**niederlegung** démission *f;* ~**periode**
magistrature *f;* ~**person** agent de service;
~**raum** bureau administratif; ~**richter** juge
auprès du tribunal cantonal; ~**schimmel** bureaucratie *f,* routine administrative; ~**schreiber**
greffier; ~**sprache** langue officielle; ~**tracht**
robe *f;* toge *f;* ~**vorsteher** chef de bureau; ~**zeit**
durée du mandat
Amulett amulette *f*
amüs|ant drôle, amusant; ~**ieren** amuser
an *präp* **1.** (*örtl.*) *am Fenster* à la fenêtre; *am*
Kamin au coin du feu; ~ *e-m Ort* dans un
endroit; ~ *d. Straße* au bord de la route; ~ *d.*
Seine sur la Seine; ~ *d. Mauer stellen* mettre
contre le mur; ~ *d. Wand stellen* fusiller, tuer,
passer par les armes; *am Arm fassen* saisir par le
bras; ~ *allen Gliedern zittern* trembler de tous
ses membres; **2.** (*zeitl.*) *am 14. Juli* le quatorze
juillet; *am Abend* le soir; ~ *e-m schönen Morgen*
par un beau matin; ~ *d. Arbeit sein* être en train
de travailler; *es ist* ~ *d. Zeit* il est temps (*zu* de);
3. (*mittels*) ~ *d. Fingern abzählen* compter sur
les doigts; ~ *d. Leine führen* tenir en laisse; ~
Krücken gehen marcher avec des béquilles; ~

s-n Wunden sterben mourir de ses blessures; **4.**
es ist ~ *dir* c'est à toi, c'est ton tour; *es liegt* ~
ihm c'est sa faute, cela dépend de lui; *es ist*
nichts ~ *der Sache* il n'en est rien; ~ *sich* au
fond; *d. Sache* ~ *u. für sich* la chose en
elle-même; *reich* ~ riche en; **5.** (*etwa*) ~ *die 10*
Mark environ (*od* à peu près) 10 marks, une
dizaine de marks; **6.** (*adv*) *von*... ~ dès; *von d.*
Zeit ~ dès lors; *von nun* ~ dorénavant, à partir
de ce moment; désormais; *ab u.* ~ parfois
analog analogique; semblable, correspondant;
ressemblant; ~**ie** analogie *f;* rapport, similitude;
in ⌁*ie zu* par analogie à
Analphabet illettré, analphabète; ~**entum** anal-
phabétisme *m*
Analy|se analyse *f,* étude *f;* examen *m;* §
psychanalyse; ⌁**sieren** analyser; examiner;
~**tik** examen analytique; ~**tiker** analyste
fonctionnel; ⌁**tisch** analytique
Ananas ananas *m*
Anarch|ie anarchie *f,* désordre *m,* chaos *m,*
confusion *f* anarchique; ⌁**isch** anarchique; ~**ist**
anarchiste *m,* libertaire *m*
Anästhesie anesthésie *f*
Anatom anatomiste; ~**ie** anatomie *f;* salle *f* de
dissection; ⌁**isch** anatomique
an|backen coller; s'attacher; ~**bahnen** prépa-
rer, ouvrir la voie; *refl* commencer; ~**bändeln**
flirter (*mit* avec), conter fleurette (*mit* à);
(*feindlich*) chercher noise (*mit* à)
Anbau 🌱 culture *f;* 🏛 annexe *m;* appentis; ⌁**en**
cultiver; planter; 🏛 ajouter, adosser; *refl*
s'établir; ~**fläche** terre (*od* surface) cultivée;
(*Weizen*) emblavure *f;* ~**gerät** accessoire *m;*
~**küche** bloc *m* cuisine; ~**möbel** éléments *mpl*
bloc, mobilier *m* d'assemblage
An|beginn commencement *m,* début *m;* origine
f; ⌁**behalten** garder (sur soi); ⌁**bei** ci-joint,
ci-inclus, sous ce pli
anbeißen (*Fisch, fig*) mordre (à l'hameçon);
zum ⌁ *sein umg* mignon tout plein
an|belangen concerner, regarder; *was mich*
~*belangt* en ce qui me concerne; ~**bellen**
aboyer; *fig* aboyer contre qn; ~**beraumen** fixer;
🗓 préfixer
anbet|en adorer; ⌁**er** adorateur, fervent; ⌁**ung**
adoration *f*
Anbetracht: *in* ~ étant donné; eu égard à, en
considération de; *in* ~ *der Tatsache, daß*...
attendu (*od* vu) que...
anbetreffen concerner; *was*... *anbetrifft* quant
à..., en ce qui concerne...
an|betteln mendier auprès de qn; ~**biedern** *refl*
se montrer familier avec qn; taper sur le ventre à
qn (*umg*); ~**bieten** offrir; (*z. Kauf*) proposer;
(*Markt*) crier; ~**binden** attacher, lier; *fig*
chercher querelle à qn; ~**blasen** (*Feuer*) souffler,
attiser; (*Hochofen*) mettre à feu; *fig* attraper qn
Anblick aspect *m;* spectacle *m;* beim ~ *von* à la
vue de; ⌁**en** regarder; envisager; (*scharf*)
dévisager
an|blinzeln cligner de l'œil à qn; ~**bohren**
percer; forer; (*Bäume*) entailler; (*Faß*) mettre en
perce; *fig* demander un service (d'argent) à qn;

~brechen entamer; *(Tag)* se lever, poindre; *(Nacht)* tomber; **~brennen** allumer, mettre le feu à; *vi* prendre feu; *(Essen)* brûler; **~bringen** apposer; mettre en place; déposer; pratiquer, placer, poser; installer, aménager; *(Wort)* placer; *(Waren)* écouler, débiter; *(her-)* apporter

Anbruch commencement *m; bei ~ d. Nacht* à la tombée de la nuit

anbrüllen *pop* engueuler

Anchovis anchois *m*

An|dacht recueillement *m;* dévotion *f;* prière *f,* méditation *f;* **~dächtig** recueilli; *adv* dévotement

andauen prédigérer

andauern durer, persister; continuer; **~d** continuel; persistant

Andenken mémoire *f; a. konr.* souvenir *m*

ander autre; *alles ~e* tout le reste; *kein ~er* nul autre; *am ~en Tage* le lendemain; *nichts ~es* rien d'autre; *unter ~em* entre autres; *das ist etw. ~es* c'est différent, c'est autre chose; *das ist etw. völlig ~es* c'est une tout autre affaire; *er ist ganz ~er Meinung* il est d'un tout autre avis; *er macht e-e Dummheit nach der ~en* il fait sottises sur sottises; *~e Leute* autrui; **~(er)seits** d'autre part, d'un autre côté

ändern changer; modifier; *refl* changer, varier; *s-e Meinung ~* changer d'avis, se déjuger, revenir sur son opinion; *sein Leben ~* faire peau neuve

ander(e)nfalls sinon, autrement; **~nteils** d'autre part; **~s** autrement; différemment; d'une autre manière; *ich kann nicht ~s* je n'y puis rien; **~sartig** différent, de nature différente; **~sdenkend** d'avis différent, dissident; **~sgläubig** hétérodoxe; dissident; **~ssein** altérité; **~swo** ailleurs, autre part; **~swoher** (provenant) d'ailleurs, d'un autre lieu; **~swohin** ailleurs, autre part

anderthalb un et demi; *~ Stunden* une heure et demie

Änderung changement *m,* modification *f*

ander|wärts ailleurs, **~weitig** autre; *adv* autrement

andeut|en indiquer, insinuer, ébaucher, suggérer; **~ung** indication *f;* allusion *f;* suggestion *f; (versteckte)* insinuation *f;* **~ungsweise** par allusion

an|dichten attribuer *(od* imputer) faussement; **~drang** afflux *m; (Menschenmenge)* affluence *f,* foule *f;* § congestion *f;* **~drängen** affluer (vers); **~drehen** tourner; ⚡ mettre en circuit; 🔩 tourner (le bouton); *umg* vendre de la camelote, refiler (qch à qn)

androh|en menacer (qn de qch); **~ung** menace *f; unter ~ung von...* sous la menace de..., 🔾 sous peine de

anecken se heurter à; *fig* scandaliser, susciter de l'irritation, provoquer l'indignation de qn

aneign|en *refl* s'approprier *(od* s'adjuger) qch; *(bemächtigen)* s'emparer de; *s. Kenntnisse ~en* s'assimiler des connaissances; **~ung** appropriation *f; (geistige)* assimilation *f*

aneinander l'un près de l'autre; l'un contre l'autre; **~fügen** joindre; **~geraten** avoir une prise de bec avec qn, se prendre de querelle avec qn; **~grenzen** avoisiner; **~legen** poser côte à côte; **~reihen** aligner; enchaîner; **~rücken** *vt* rapprocher; **~stoßen** *vt* entrechoquer

Anekdot|e anecdote *f;* **~isch** anecdotique

an|ekeln écœurer; dégoûter; **~empfehlen** recommander; **~erbieten** offre *f,* proposition *f; sich ~erbieten** proposer de faire qch, offrir de...; s'offrir; **~erkannt** (généralement) admis; reconnu

anerkenn|en reconnaître *(als* pour); *(loben)* apprécier; *(billigen)* approuver; *(gesetzl.)* autoriser; 🔾, ⚙ homologuer; *(🔾, Kind)* légitimer; **~enswert** louable; **~tnis** reconnaissance; **~ung** reconnaissance *f;* approbation *f;* appréciation *f;* homologation *f;* légitimation *f*

anfachen *(Feuer)* ranimer, (r)aviver, souffler; *a. fig* attiser; *fig* exciter

anfahr|en *vt* charrier; heurter contre; *fig* rudoyer, brusquer, rabrouer (qn); *vi* se mettre en mouvement; 🚗, 🚂 démarrer, s'ébranler; **~t** arrivée *f;* voie *f* d'accès *m,* approche *f;* 🏛 rampe *f;* transport *m;* **~tstraße** voie *f* d'accès

Anfall § accès *m,* crise *f;* attaque *f;* assaut *m; (von Waren)* arrivage *m; (Ertrag)* rendement *m,* **~en** attaquer, assaillir; *(fällig werden)* échoir

anfällig § fragile; sujet *(gegen* à), *fig* susceptible *(für* de), sensible *(für* à); **~keit** § prédisposition *f,* fragilité *f; a. fig* vulnérabilité

Anfang commencement *m;* origine *f;* début *m; am ~* dans un premier temps; *von ~ an* dès le début ♦ *aller ~ ist schwer*-il n'y a que le premier pas qui coûte; **~en** commencer; débuter; mettre à; entamer, attaquer; amorcer; *(z.B. Verhandlungen)* engager, ouvrir; *(Streit)* chercher (querelle); *(von neuem)* recommencer; *(tun)* faire, entreprendre; **Anfänger** commençant; débutant; **anfänglich** primitif; initial; naissant; rudimentaire; **~s** au commencement, au début; à l'origine, primitivement; **~s...** élémentaire; primaire; initial, rudimentaire; **~sbuchstabe** initiale *f;* **~sdosis** dose *f* initiale; **~sgehalt** traitement initial *(od* de début); **~sgründe** principes *mpl;* premières notions; rudiments *mpl;* prémices *fpl;* éléments *mpl;* **~spunkt** origine *f;* **~sstadium** phase initiale

anfassen toucher, tâter; *(fest)* agripper; *mit ~* donner un coup de main

anfecht|bar discutable; contestable; 🔾 annulable, susceptible d'un recours (en justice); **~en** *a.* 🔾 contester; attaquer; *(beunruhigen)* inquiéter; *das fticht mich nicht an* cela ne me fait ni chaud ni froid; **~ung** contestation *f;* 🔾 demande en annulation; *fig* tentation *f*

an|feinden être hostile à qn; vouloir du mal à qn; **~feindung** hostilité *f,* antagonisme *m,* attaque malintentionnée; **~fertigen** fabriquer, confectionner, manufacturer; faire; **~fertigung** fabrication *f,* confection *f;* façon *f;* **~feuchten** mouiller; *(Wäsche)* humecter; bassiner; **~feuchter** humidificateur *m;* **~feuern** allumer; *fig* exciter, encourager, animer; **~flehen** supplier *(um* de); implorer *(um* de); **~flehung**

supplication f, adjuration, imploration; **~fliegen** ✈ faire escale à; **⊾flug** ✈ approche f; fig teinte f, trace f, ombre f, pointe f

anforder|n demander; exiger; réclamer; **⊾ung** exigence f, prétention f, demande f; hohe **⊾ungen stellen** être très exigeant; **⊾ung an** (Material) qualité requise; **⊾ungsbehörde** autorité requérante

Anfrage requête f; demande f; question f; pol interpellation f; **⊾n** demander; s'informer auprès de; pol interpeller

an|fressen ronger, grignoter; (Würmer) piquer; (Säure) mordre, attaquer, corroder; **~freunden** refl se lier d'amitié; **~frieren** se geler (sur); **~fügen** ajouter, joindre; **~fühlen** toucher (à) qch; s. weich **~fühlen** être doux au toucher; **⊾fuhr** transport m, camionnage m, charriage m; factage m

anführ|en conduire; mil commander; (Tanz, a. fig) mener; (Stelle) citer; (Gründe) alléguer; (Beispiel) donner; fig duper; **⊾er** chef; meneur; mil commandant; **⊾ung** citation f; allégation f; **⊾ungszeichen** guillemets mpl

anfüllen remplir (mit de)

anfunken 📡 appeler par radio

Angabe 1. indication f; déclaration f; (Anführung) allégation f; (Auskunft) information f; dénonciation f; math données fpl; ♞ service m; sonstige **~n** renseignements complémentaires; nach s-n **~n** selon ses dires; nähere **~n** détails mpl, spécifications; précisions fpl; **2.** umg vantardise f, prétention; aus **~** pour se vanter

an|gaffen badauder; **~gängig** permis; possible

angeb|en indiquer; déclarer; nommer; (Namen) décliner; (Grund) donner, alléguer; (anzeigen) dénoncer, signaler, moucharder; vi umg poser, crâner, se donner des airs; **⊾er** dénonciateur, délateur, rapporteur; (Prahler) vaniteux m, crâneur, m'as-tu-vu; **⊾erei** vantardise f, hâblerie f, forfanterie f; **~erisch** hâbleur, vantard, fanfaron, prétentieux; **~lich** prétendu; soi-disant

Angebinde présent m, cadeau m

angeboren héréditaire; originel; inné; congénital; (geistig) natif; das ist ihm **~** il tient cela de naissance

Angebot offre f; 📋 soumission

ange|bracht convenable; opportun; indiqué; es für a. halten juger bon (de); nicht a. déplacé, inconvenant; **~brannt** brûlé; roussi; **~brochen** (Flasche) ouvert; (Tag) naissant; **~bunden:** kurz **~** grognon, bougon; **~deihen:** **~deihen lassen** accorder, donner; **~gossen:** wie **~gossen sitzen** aller comme un gant; **~graut** grisonnant; **~griffen** fig fatigué; souffrant; **~haucht sein** avoir une teinte de...; **~heiratet** parent par alliance; (Gut) acquis par le mariage; **~heitert** éméché, pompette, gris, entre deux vins

angehen vt s'adresser à; solliciter (j-m um etw. qch de qn); (betreffen) concerner, regarder; (Arbeit) aborder, entreprendre; vi (anfangen) commencer; (Feuer) prendre; (schlecht werden) se gâter; (möglich sein) être possible (od permis), être passable, ne pas aller trop mal; **~** gegen s'attaquer, s'opposer (à); das geht nicht an cela n'est pas possible; j-n um etw. **~** prier qn de faire qch; d. geht dich nichts an cela ne te regarde pas; was geht ihn d. an? de quoi se mêle-t-il?; was uns angeht... quant à nous...; **~d** commençant, débutant; futur, prochain; **~der Gelehrter** savant en herbe; **~der Vierziger** qui entame la quarantaine

angehör|en appartenir à; faire partie de; **⊾iger** (e-r Partei) membre m; s-e **⊾igen** les siens, sa famille, ses proches, sa parenté; **⊾igkeit** appartenance f (zu à)

Angeklagter 🕵 accusé, inculpé m

Angel ligne f (de pêche); (Tür) gond m ♦ zw. Tür u. **~** en tout hâte; d. Welt aus d. **~n heben** révolutionner le monde; **~haken** hameçon m; **⊾n** pêcher à la ligne; **~punkt** pivot m; **~rute** gaule f, canne f à pêche; **~schnur** ligne f; **~sport** pêche f à la ligne

angelegen: s. etw. **~** sein lassen prendre qch à cœur, s'appliquer à qch; **⊾heit** affaire f; **~tlich** empressé; adv avec empressement; **~tlich bitten** prier instamment

angelernt: **~er Arbeiter** ouvrier spécialisé (= O.S.)

angeknackst a. fig pej fêlé

Angel|sachse Anglo-Saxon

angemessen approprié, convenable; raisonnable; à propos (etw. zu tun de faire qch); adéquat; proportionné

angenähert (valeur) approchée, égal environ à

angenehm agréable; plaisant; sympathique; (sehr) **~!** (bei Vorstellung) enchanté! ♦ d. **⊾e mit** d. Nützlichen verbinden joindre l'utile à l'agréable

angenommen (Kind) adoptif; conj supposé, admettons (que + subj)

Anger pré m, prairie f

angeregt animé; s. **~** unterhalten s'entretenir avec animation; **⊾heit** animation f

ange|säuselt gris, pompette; **~schlagen** (Boxen) secoué; **~schmutzt** sali, taché; **~schrieben:** bei j-m gut **~schrieben sein** avoir qn dans sa manche, être dans les (petits) papiers de qn; **~schwemmt** alluvial; **~sehen** considéré, estimé; **~sessen** établi; domicilié

Angesicht face f; figure f; physionomie f; von **~** zu **~** les yeux dans les yeux, face à face; **⊾s** face à; vu..., étant donné...

anges|pannt (Lage) tendu; **~tammt** héréditaire

Angestellter employé m; (kaufmännischer) commis; (leitender) cadre; (Behörde) agent m contractuel

ange|tan vêtu (mit de); (geeignet) de nature à ♦ er hat es ihm **~tan** il l'a conquis; **~trunken** pris de boisson, entre deux vins; **~wandt** phys appliqué; **~wiesen:** **~wiesen sein** dépendre (auf de); en être réduit (auf à); **~wöhnen** accoutumer à, habituer à; refl prendre l'habitude de; **⊾wohnheit** habitude f; **⊾wöhnung** accoutumance; **~wurzelt:** wie **~wurzelt stehen** être cloué sur place

Angina angine f, inflammation de la gorge; **~** pectoris angine de poitrine

angleich|en égaliser, mettre sur le même pied; assimiler; ajuster; *EDV* justifier, cadrer; **⬩ung** égalisation *f;* assimilation *f;* ajustement *m;* actualisation *f*

Angler pêcheur à la ligne

anglieder|n annexer; joindre; *com* affilier; **⬩ung** annexion *f;* affiliation *f*

Angli|kaner, **⬩kanisch** anglican; **~st** angliciste; **~stik** philologie anglaise

anglotzen regarder fixement

angreif|bar attaquable; **~en** saisir, prendre; *a.* ✿ attaquer; assaillir; prendre à partie; *(Feile)* mordre; *(Geldsumme, Vorräte)* entamer; *(Vermögen)* écorner; $ affecter; *(d. Nerven)* porter sur; *(ermüden)* fatiguer, épuiser; *(anfangen)* se mettre à, entreprendre; *(z.B. Grundsatz) heftig* **~en** battre en brèche; **~end** fatigant, épuisant; **⬩er** assaillant; agresseur

angrenz|en confiner, toucher *(an* à); être contigu *(à);* **~end** voisin; *(Land)* limitrophe *(an* de); *(Grundstück)* adjacent, contigu *(an* à); **⬩er** voisin; ☙ riverain

Angriff attaque *f,* combat *m* offensif; charge *f;* assaut *m;* agression *f; in ~ nehmen* attaquer; *(Arbeit)* entreprendre, se mettre à; *(Thema, Frage)* aborder; **~skrieg** guerre offensive; **~slust** agressivité *f;* **~slustig** agressif; **~sspitze** ⚑ (joueur) attaquant; **~swaffe** arme *f* d'agression; **~sziel** objectif *m*

angrinsen regarder qn en ricanant

Angst peur *f (vor* de); angoisse *f;* anxiété *f;* détresse *f; (krankhaft)* phobie *f (vor* de); *es mit d. ~ bekommen* prendre peur; *j-m* **⬩** *machen* faire peur à qn; *aus ~, er könnte s. weigern* de peur qu'il ne refuse; **~hase** poltron *m,* froussard *m;* **ängstigen** angoisser, effrayer; inquiéter; *refl* s'alarmer, s'effrayer *(vor* de); s'inquiéter *(um* de); **ängstlich** craintif, peureux, anxieux; timide; *(gewissenhaft)* méticuleux, vétilleux, minutieux; **Ängstlichkeit** anxiété *f;* timidité *f;* scrupule *m;* **~schweiß** sueur froide; **~traum** cauchemar *m;* **~zustand** état *m* anxieux

anhaben *(Kleider)* porter; *man kann ihm nichts ~* il ne donne pas prise; *er kann mir nichts ~* il ne peut rien me reprocher

anhaften adhérer *(e-r Sache* à qch); **~d** adhérent; *fig* inhérent

anhaken accrocher; agrafer

Anhalt *fig* appui *m,* soutien *m;* indice *m;* **⬩en** *vt* arrêter, stopper; *d. Atem* **⬩en** retenir son souffle; exhorter *(zu etw.* à qch); *vi* s'arrêter; *fig* continuer, durer, persister; **⬩en** *um* demander, solliciter qch; *um e. Mädchen* **⬩en** demander une jeune fille en mariage; **⬩end** continuel; *(z.B. Regen)* persistant; *adv* continuellement, sans arrêt; **~er** autostoppeur *m; per ~er fahren* faire de l'auto-stop, **~spunkt** point *m* de repère

anhand von au moyen de, par, grâce à, en se servant de; *~ von Unterlagen* en se référant au dossier

Anhang 📖 appendice *m;* annexe *f;* addendum *m;* supplément *m; fig* adhérents *mpl,* partisans *mpl;* **⬩en** *vi* adhérer, être accroché *(od* attaché) à; pendre à

anhäng|en suspendre; accrocher *(a. Hörer);* attacher, fixer; *(Wagen)* atteler; ajouter; *(z.B. e-r Partei)* adhérer à; *j-m etw. ~en* calomnier qn; **⬩er** partisan; *(Mitglied)* adhérent; *(e-r Lehre)* adepte; ☙ remorque *f;* baladeuse *f; (Schmuck)* pendentif *m,* pendeloque *f,* breloque *f;* **~ig:** *die Sache ist beim Gericht ~ig* le tribunal en est saisi; **~lich** attaché; fidèle; **~lichkeit** attachement *m;* dévouement *m,* fidélité *f;* adhérence *f;* **⬩sel** ajout *m; (Person)* copain *m,* pote *m*

anhauchen souffler (sur); *fig umg* rudoyer qn

anhäuf|eln ⇟ butter (une plante); **~en** accumuler, amasser, entasser, amonceler; **⬩ung** accumulation *f;* amas *m;* entassement *m;* amoncellement *m;* agglomération *f*

an|heben *vt* soulever; *(Preise)* relever; *vi* commencer; **~heften** attacher, fixer *(an* à); agrafer; **~heilen** $ s'agglutiner; **~heimeln:** *das heimelt mich an* je me sens comme chez moi

anheim|fallen échoir (en partage) à, être dévolu à; devenir la proie de; **~stellen** s'en remettre, s'en rapporter (à qn)

anheischig: *sich ~ machen* s'engager à, se faire fort de

an|heizen chauffer; allumer; *fig* exciter; **~heuern** ⚓ embarquer

Anhieb: *auf ~hieb* d'emblée, du premier coup; **⬩himmeln** adorer, aduler; **~höhe** hauteur *f;* élévation *f,* éminence *f;* colline *f,* coteau *m;* **⬩hören** écouter; prêter l'oreille à; *refl* sonner comme; **~hörung** ⚖ audition *f*

Anilin aniline *f*

anim|alisch animal; **~ieren** stimuler, encourager; aguicher; **⬩iermädchen** entraîneuse

Ani|mosität animisme *m;* **~mosität** Feindseligkeit; Abneigung; **~on** ion *m* négatif

Anis anis *m*

ankämpfen lutter *(gegen* contre)

Ankauf achat *m;* acquisition *f;* **⬩en** acheter; *refl* s'acheter une propriété

Anker (⚓, ✿ *Uhr)* ancre *m;* ⚡ induit *m; EDV* première adresse; *d. ~ lichten* lever l'ancre; *vor ~ gehen* mouiller; *vor ~ liegen* être à l'ancre; **⬩n** ancrer, jeter l'ancre, mouiller; **~boje** bouée *f;* **~platz** poste d'amarrage; **~tau** cordage *m* d'ancre; **~welle** ⚡ arbre *m* d'induit; **~winde** cabestan *m*

anketten enchaîner, mettre à la chaîne

Anklage accusation *f;* ⚖ inculpation *f;* incrimination *f;* **~bank** banc *m* des accusés; **⬩en** accuser, inculper *(wegen* de); incriminer; **~punkt** ⚖ chef *m* d'accusation; **~rede** réquisitoire *m;* **~schrift** acte *m* d'accusation

Ankläger accusateur *f; (Staatsanwalt)* procureur de la République; avocat général; substitut *m*

anklammern *refl* se cramponner, s'accrocher, s'agripper *(an* à)

Anklang résonance *f;* réminiscence *f; ~ finden* être accueilli avec faveur, avoir du succès

an|kleben *vt* coller; attacher; *(Plakat)* afficher; *vi* se coller; adhérer; **~kleiden** habiller; vêtir; **~klingen** *(Gläser)* trinquer; **~klingen lassen** évoquer; *vi* rappeler *(an etw.* qch); **~klopfen**

frapper (*an* à); ~**knipsen** ⚡ tourner le bouton; allumer; ~**knüpfen** nouer, attacher; *(Gespräch)* lier, engager; *Beziehungen* ~**knüpfen** entrer en relations; *vi* partir (*an etw.* de qch)

ankohlen *umg* raconter des bobards

ankommen arriver; *(gelangen, a. fig)* parvenir (à); *(Ware)* se vendre; ♥ avoir du succès; *gut (schlecht)* ~ être bien (mal) reçu; *gegen j-n* ~ *können* venir à bout de qn; *d. kommt darauf an* cela dépend, c'est selon; *es kommt darauf an, daß...* il importe de...; *es darauf* ~ *lassen* risquer le coup, courir la chance; *darauf soll es nicht* ~! qu'à cela ne tienne!

An|kömmling nouveau venu; ⚓**können** savoir faire prévaloir son point de vue; ⚓**koppeln** atteler, coupler (à); ⚓**kotzen** *pop!* être, trouver dégueulasse; ⚓**kratzen** griffer, rayer; *fig* faire le câlin; ⚓**kreiden** marquer à la craie; *fig* garder rancune (*j-m etw.* à qn de qch); ⚓**kreuzen** marquer d'une croix; cocher

ankündig|en annoncer, faire savoir; déclarer; proclamer; *(veröffentlichen)* publier; *(mitteilen)* notifier; *(warnen)* avertir; *refl* se faire sentir; ⚓**ung** annonce *f*, avis *m*; avertissement *m*; déclaration *f*; proclamation *f*; notification *f*

Ankunft arrivée *f*; venue *f*; *gleich bei d.* ~ au débarquer (*od* débotté)

an|kuppeln accrocher, accoupler; ~**kurbeln** 🚗 faire démarrer, mettre en marche (à la manivelle); *com* relancer, stimuler; ~**lächeln** sourire à qn; ~**lachen** regarder qn en riant

Anlage plan *m*; disposition *f*; ✿ installation *f*, équipement technique; dispositif *m*; *(Bau)* établissement *m*, construction *f*; *(Park)* jardin public, promenade *f*; *(Geld)* placement *m*, immobilisation *f*, investissement *m*; *(Brief)* annexe *f*, pièce jointe; *(Charakter)* disposition caractérielle; ⚙ système; *als* ~ en annexe, ci-joint, sous ce pli; *fig* disposition *f*, talent *m*; ~**berater** conseil en placements; ~**kapital** capital *m* fixe; ~**papier** titre de placement; ~**rn** *refl* se déposer, s'accumuler; ~**rung** fixation, attachement; juxtaposition

anlangen *vt* concerner; *vi* arriver, parvenir

Anlaß occasion *f*; *(Grund)* motif *m*; *ohne jeden* ~ sans aucun motif; ~ *geben* donner lieu (*od* sujet) à; *z. Kritik* ~ *geben* donner prise à la critique; *z. Lachen* ~ *geben* prêter à rire

anlass|en *(Kleider)* garder; *(Motor)* mettre en marche, faire démarrer, lancer; *(Stahl)* adoucir, faire revenir; *refl* s'annoncer, se présenter, promettre; ⚓**en** *(Motor)* démarrage *m*; *(Stahl)* revenu *m*; ⚓**er** 🚗 démarreur *m*

anläßlich à l'occasion de, lors de

anlasten reprocher qch à qn, faire reproche de qch

Anlauf élan *m*; *(Motor)* démarrage; ~ *nehmen* prendre son élan; *mil* assaut *m*; ⚓**en** *(Hafen)* toucher, faire escale; *vi (Motor)* démarrer; *(Maschine)* se mettre en marche; *(Spiegel)* se ternir; 💲 s'enfler; *(Schulden)* augmenter, s'accumuler; ~**en** *n* ternissement *m*, voilage *m*; ~**zeit** *(com, a. fig)* période *f* de démarrage (*od* de lancement)

anläuten donner un coup de fil (à qn)

anlege|n 1. *vt* mettre, placer (contre); *(gründen)* établir, fonder; *(Weg)* tracer; *(einrichten)* aménager; ✿ installer; *(planen)* disposer; *(Gewehr)* épauler; *(Verband)* appliquer; *(Kleid)* revêtir; *(Geld)* placer; *soviel möchte ich nicht* ~**n** ce n'est pas dans mes prix; *mit Hand* ~**n** donner un coup de main; *es* ~**n** *auf* viser à, s'employer à; **2.** *vi* ♒ aborder, accoster; ⚓**stelle** ♒ embarcadère *m*

Anleger personne *f* réalisant des placements, investisseur *m*

anlehn|en appuyer, adosser (à, contre); *(Tür)* entr'ouvrir, entrebâiller; *refl* s'appuyer (sur, contre); *fig* imiter, prendre pour modèle; ⚓**ung** appui *m; in* ⚓**ung** *an* suivant l'exemple de, sur le modèle de

anleiern faire démarrer, mettre en marche

An|leihe emprunt *m*, prêt *m;* ⚓**leimen** coller; ~**leinen** *(Hund)* attacher (à la laisse)

anleit|en diriger, guider; instruire, donner des instructions; ⚓**ung** directives *fpl;* direction *f;* instructions *fpl*

Anlern|beruf métier *m* acquis sur le tas; ⚓**en** instruire, initier; ~**zeit** période *f* d'apprentissage accéléré

an|lesen s'approprier par le lecture (des connaissances etc.); ~**liefern** livrer, remettre au lieu de destination

anliege|n être situé près de, être contigu à, avoisiner, confiner; *(eng am Körper)* collant, étroit, soulignant la ligne du corps; ⚓**n** sollicitation *f*, demande *f;* désir *m;* ~**nd** contigu, adjacent; attenant; voisin; limitrophe; *(Kleidung)* juste, collant; *(im Brief)* ci-joint, ci-inclus; ⚓**r** riverain; ⚓**rstaat** pays riverain

an|locken appâter; allécher, amorcer; affriander; séduire; ~**löten** souder (à); ~**lügen** mentir à qn; ~**machen** fixer, attacher; *(Feuer)* allumer; *(Salat)* assaisonner, accommoder; *(Person)* aguicher, provoquer, attirer (par des manières provocantes); ~**mahnen** envoyer une lettre de rappel, réclamer qch; ~**malen** peindre, peinturer; *refl (schminken)* se farder; ⚓**marsch** marche *f* d'approche; *im* ⚓**marsch sein** approcher

anmaß|en *refl* s'arroger; se permettre; avoir l'audace (*od* la prétention) de; ~**end** arrogant; prétentieux, présomptueux; ⚓**ung** arrogance *f;* présomption *f*, prétention *f*

Anmeld|eformular formulaire de déclaration de domicile; ~**efrist** délai *m* de déclaration; ⚓**en** annoncer; notifier; déclarer; *(Schule)* faire inscrire; *refl* s'annoncer; *(polizeilich)* faire une déclaration de séjour; ~**epflicht** déclaration *f* obligatoire; obligation de déclarer son domicile; ⚓**epflichtig** *(Sachen)* sujet à déclaration; *(Personen)* astreint à déclaration; ~**eschein** bulletin *m (od.* fiche *f)* d'arrivée; formule *m* d'inscription; ~**eschluß** délai *m* d'inscription; ~**ung** annonce *f;* inscription *f;* déclaration *f (polizeiliche* de séjour)

anmerk|en noter, annoter; marquer; *(bemerken)* voir, remarquer, observer; *s. nichts* ~**en lassen** ne pas laisser paraître ses sentiments; ⚓**ung** note *f*, annotation *f;* remarque *f*

an|messen prendre mesure (*etw.* de qch); **~mieten** louer; **~montieren** monter; **~mustern** ⚓ enrôler

Anmut grâce *f,* charme *m;* **⌐en:** *es mutet mich komisch an* cela me semble étrange, ridicule; **⌐ig** gracieux, charmant; *(Landschaft)* riant

an|nageln clouer; **~nähen** coudre (à)

annäher|n (r)approcher; **~nd** approximatif; à peu près; **⌐ung** approche *f,* abord *m; a. fig* rapprochement *m; (durch Schätzung)* approximation *f;* **⌐ungsversuch** avances *fpl*

Annahme acceptation *f;* réception *f; (Kind, Gesetz)* adoption *f; (Zulassung)* admission *f; (Vermutung)* supposition *f,* hypothèse *f; in d. ~, daß* supposant que

Annalen annales *fpl*

annehm|bar acceptable; admissible; *(Preis)* abordable; *(Grund)* plausible; *ganz ~bar (umg)* honnête, potable; **~en** accepter; recevoir; *(Kind, Gesetz)* adopter; *(Geschmack, Farbe)* prendre; *(Rat)* suivre; *(Gewohnheit)* contracter; *(Religion)* embrasser; *Vernunft ~en* entendre raison; *Gestalt ~en* prendre forme, se dessiner; *Wasser ~en* mouiller; *fig (vermuten)* supposer, admettre, présumer; *sich j-s ~en* s'occuper de qn, prendre soin de qn; **⌐lichkeit** agrément *m,* avantage *m;* commodités *fpl,* aises *fpl*

annektier|en annexer; **⌐ung** annexion *f*

Anno l'An…; *~ Tobak* par le passé, il y a bien longtemps

Annonc|e annonce *f;* **⌐ieren** publier (*od* faire insérer) une annonce

annullier|en annuler; **⌐ung** annulation *f*

Anode anode *f,* électrode positive; **~nbatterie** batterie *f* anodique; **~nspannung** tension *f* d'anode

anöden faire bâiller, endormir (d'ennui)

anomal anomal, irrégulier, anormal; **⌐ie** anomalie *f*

anonym anonyme; **⌐ität** anonymat *m*

anordn|en ranger, arranger; disposer; grouper; agencer; *(befehlen)* arrêter, décider; décréter; **⌐ung** arrangement *m;* disposition *f;* agencement *m;* coordination *f,* distribution *f; (Befehl)* ordre *m,* ordonnance *f;* arrêt *m*

anorganisch inorganique; *~e Chemie* chimie *f* minérale; *~e Natur* le monde minéral, les minéraux *mpl*

anpacken prendre, saisir; empoigner; *fig* attaquer; *mit ~* donner un coup de main à qn; *etw. richtig ~* trouver le joint de qch

anpass|en adapter; ajuster; proportionner; conformer; approprier *(an* à); *(Kleid)* essayer; *refl* s'adapter à, s'accommoder de; **⌐ung** adaptation *f;* ajustement *m;* accommodation *f; (klimatische)* acclimatement *m,* acclimatation *f;* **~ungsfähig** souple; s'adaptant facilement; adaptable; **⌐ungsfähigkeit** faculté *f* d'adaptation

an|pellen repérer, localiser; relever; **~pfeifen** 🎵 siffler le départ; *umg* savonner, enguirlander

anpflanz|en planter, cultiver; **⌐ung** plantation *f*

an|pflaumen *umg* taquiner, ridiculiser, railler; **~pinkeln** *umg* pisser sur qn/qch; **~pinseln**

peindre, peinturer; **~pöbeln** importuner, tracasser; tarabuster; **~pochen** frapper (à la porte)

Anprall choc *m;* impact *m;* **⌐en** heurter, donner (*an* contre)

anprangern clouer au pilori; *fig* reprocher avec vigueur, blâmer

anpreis|en vanter, prôner; préconiser; *(ausschreien)* crier qch; *s-e Ware ~en* faire l'article; **⌐ung** éloge *m;* réclame *f, umg* battage *m,* boniment *m*

Anprob|e essayage *m;* **⌐ieren** essayer

an|pumpen taper (*j-n um etw.* qn de qch); emprunter de l'argent à qn; **~quatschen** *umg* baratiner; **⌐rainer** riverain *m;* **~ranzen** enguirlander; **~raten** conseiller; **⌐raten** *su* conseil *m; auf ⌐raten* sur recommandation de, après consultation de

anrech|nen compter; mettre (*od* porter) au compte de qn; *com* imputer (sur); *(zuschreiben)* attribuer; *hoch ~nen* faire grand cas de; *es s. z. Ehre ~nen* s'honorer de; *anzurechnen auf (com)* à valoir sur, imputable sur; **⌐ung** imputation *f (auf* sur)

Anrecht droit *m;* titre *m*

Anrede titre *m;* apostrophe *f;* **⌐n** aborder; adresser la parole à; *mit du ~n* tutoyer; *mit Sie ~n* vouvoyer, voussoyer

anreg|en inciter; exciter; animer; *a.* 🜨 stimuler; *(Appetit)* aiguiser; *(vorschlagen)* suggérer; **~end** excitant; *a.* 🜨 stimulant; *d. Phantasie ~end* évocateur, suggestif; **⌐ung** stimulation *f; a.* 🜨 excitation *f; (Vorschlag)* suggestion *f;* incitation *f; auf ⌐ung von* à l'instigation de; **⌐ungsmittel** *a.* 🜨 stimulant *m;* excitant *m*

anreichern ⚙ enrichir; concentrer

Anreis|e voyage *m,* déplacement *m* (jusqu'au lieu de destination); **⌐en** voyager, se déplacer

anreiß|en déchirer; *fig* entamer; 🔆 tracer; **~risch** *(Titel)* accrocheur

Anreiz incitation *f;* impulsion *f;*🜨 stimulation *f;* **⌐en** inciter; attirer; 🜨 stimuler

an|rempeln bousculer; **⌐rempelung** heurt *m* brutal; **~rennen** courir (*od* donner) contre; fondre sur; *fig* s'opposer à, attaquer qch

Anrichte dressoir *m,* crédence *f;* **⌐n** servir; *es ist angerichtet* vous êtes servis; *fig* causer, faire

Anriß 🔆 esquisse *f,* ébauche *f*

an|rollen *vt* camionner; **~rüchig** mal famé; **~rücken** s'approcher; avancer

Anruf appel *m;* coup *m* de téléphone (*od* de fil); **~beantworter** 📞 répondeur *m* automatique; **⌐en** appeler; faire appel à; 🚕 saisir; *(Taxi)* héler; *mil* sommer; *rel* invoquer; *vi* téléphoner, donner un coup de téléphone (*od* de fil); **~ung** *rel* invocation *f; (Gericht)* recours *m,* action *f* (devant)

anrühren toucher (à); *(Speise, Farbe)* délayer; *(Mörtel)* gâcher

Ansage *a.📞* annonce *f;* communiqué *m;* **⌐n** *a.📞* annoncer; communiquer, notifier; *(Spiel)* parler; **~r** 📺 speaker, conférencier, annonceur; 📺 présentateur; meneur de jeu; **~rin** 📺 speakerine

ansamm|eln accumuler; amasser; *(Menschen)*

rassembler; **⌐lung** amas *m;* rassemblement *m,*
attroupement *m,* foule *f; mil* concentration *f*
ansässig domicilié, résident, demeurant
Ansatz rudiments *mpl,* ébauche *f;* commencement *m;* ✿ pièce ajoutée, rallonge *f; (Ablagerung)* dépôt *m;* évaluation *f; (wissenschaftl.)*
énoncé *m; (e-r Gleichung)* mise *f* en équation; *in
~ bringen* mettre en ligne de compte; **⌐punkt**
point *m* de départ; **⌐rohr** rallonge *f,* ajoutage
m; **⌐vorschrift** *chem* formule *f*
ansaugen aspirer; sucer; *(Pumpe)* amorcer
anschaff|en acquérir, acheter; procurer; **⌐ung**
acquisition *f,* achat *m;* **⌐ungskosten** prix *m*
coûtant, prix de revient; **⌐ungspreis** prix *m*
d'achat
anschalten ⚡ connecter; mettre sous courant;
umg allumer
anschau|en regarder; contempler; **⌐lich** clair,
évident; expressif; **⌐lichkeit** clarté *f,* évidence *f;*
⌐ung vue *f;* contemplation *f; fig* idée (sur) *f,*
opinion *f;* manière *f* de voir; **⌐ungsmaterial**
matériel *m* documentaire; **⌐ungsunterricht**
leçon *f* de choses, enseignement *m* par l'aspect;
⌐ungsweise manière *f* de voir (les choses);
conception *f*
Anschein apparence *f;* semblant *m; allem
~ nach* selon les apparences; *s. d. ~ geben* faire
semblant (de), prétendre, affecter; *es hat d. ~* il
paraît, il semble; **⌐end** apparent; *adv* apparem-
ment
anscheißen *pop!* envoyer promener, rabrouer,
tancer vertement, chapitrer
an|schicken *refl* se mettre à; se disposer à;
⌐schirren harnacher, atteler
Anschlag choc *m,* coup *m;* ♪ touche *f;
(Schreibmaschine)* frappe *f;* ✿ arrêt *m,* butée *f;
(Plakat)* affiche *f,* placard *m,* pancarte *f;
(Schätzung)* estimation *f,* taxation *f,* évaluation
f; (Kosten-) devis *m; (Verschwörung)* complot *m,*
machination *f; (Mord-)* attentat *m; e-n ~
vorbereiten* comploter; *in ~ bringen* tenir
compte de, mettre en ligne de compte; *im ~
halten (Gewehr)* coucher en joue; **⌐brett** tableau
m d'affichage; **⌐en** 1. frapper; *(Glocke)* tinter,
sonner; ♪ toucher; *(befestigen)* fixer; clouer;
(Plakat) apposer; *(Notiz)* afficher; *(Gewehr)*
mettre en joue; *e-n anderen Ton* **⌐en** changer de
ton; **2.** *vi* donner (an contre); *(Hund)* aboyer;
(Vogel) se mettre à chanter; *(Essen)* profiter;
⌐säule colonne *f* de publicité; **⌐zettel** affiche *f,*
écriteau *m,* papillon *m*
an|schleichen *refl* se rapprocher sur la pointe
des pieds; **⌐schleifen** aiguiser; affûter; **⌐schlep-
pen** amener, apporter
anschließen attacher; enchaîner; joindre, ajouter; ✿, ⚡ brancher *(an* sur), raccorder, relier *(an*
à); ⚡ relayer; *com* affilier; *refl* se rattacher,
s'associer; *(e-r Partei)* s'affilier à, s'inscrire
dans; *s. j-s Meinung ~* se rallier *(od* ranger) à
l'avis de qn; **⌐d** suivant; *adv* ensuite, par la suite
Anschluß ✿ raccord *m,* raccordement *m;* ⚡
branchement *m,* connexion *f; pol* rattachement
m; ☎ communication *f; (Gas, Wasser)* branchement *m;* 🐘 correspondance *f; d. ~ erreichen*

avoir la correspondance; *d. ~ verpassen*
manquer la correspondance; *fig* manquer le
coche, rester en carafe; **⌐kabel** câble *m* de
connexion; **⌐leitung** ☎ ligne d'abonné; **⌐netz**
réseau *m* d'alimentation
an|schmieden forger sur, rapporter par forgea-
ge; **⌐schmiegen** *refl* se blottir, se serrer *(an*
contre); *(e-r Form)* épouser; **⌐schmieren** barbouiller; *umg* rouler, avoir, mettre dedans;
⌐schmusen: *s. bei j-m* **⌐schmusen** passer la main
dans le dos de qn; **⌐schnallen** sangler, boucler,
attacher; *(Sicherheitsgurt)* boucler; **⌐schnauzen**
engueuler, enguirlander, savonner, réprimander; **⌐schneiden** *(Speise)* attaquer; *a. fig*
entamer; *(Frage)* aborder (une question);
⌐schnitt entame *f;* **⌐schrauben** visser; **⌐schrei-
ben** écrire (à qn); *(aufschreiben)* marquer, noter;
(Schulden) porter qch au compte de qn;
⌐schreien engueuler qn; invectiver (contre) qn;
⌐schrift adresse *f*
anschuldig|en accuser, incriminer; **⌐ung** accu-
sation *f,* incrimination
an|schüren *a. fig* attiser; **⌐schwärmen** idolâtrer;
⌐schwärzen noircir *(a. fig); fig* dénigrer;
⌐schweißen souder
anschwell|en gonfler; grossir; bouffir; *(Fluß)*
monter, croître; 🍎 se tuméfier; *(a.* ⚥ *, Fluß)*
enfler; **⌐en** *(Fluß)* montée *f,* crue *f;* gonflement
m; 🍎 tuméfaction *f,* enflure *f*
anschwemm|en charrier; alluvionner; **⌐ung**
(Land) atterrissement *m;* alluvion *f;* alluvionne-
ment *m*
anschwindeln *umg* raconter des blagues à qn,
mentir (on en faire accroire) à qn
anseh|en regarder; voir; considérer *(als* com-
me), prendre *(als* pour); *(aufmerksam)* examiner; *(scharf)* dévisager; *angesehen werden als*
passer pour; *sieh mal an!* tiens!; *man sieht es
ihm an* il en a l'air; *man sieht ihm sein Alter nicht
an* il ne paraît pas son âge; *mit anderen Augen*
⌐en voir d'un autre œil; **⌐en** aspect *m,* vue *f;
(Aussehen)* apparence *f,* air *m,* extérieur *m; fig*
réputation *f,* prestige *m,* crédit *m,* considération
f; vom **⌐en** kennen connaître de vue; *ohne* **⌐en**
der Person sans acception de personne, sans
égard à la personne; **⌐nlich** imposant; *fig*
considérable, important; honorable; **⌐nlichkeit**
prestance *f;* importance *f*
an|seilen *alp* encorder; **⌐sein** *(Licht)* être
allumé; **⌐sengen** brûler légèrement
ansetzen 1. *vt* mettre *(an* contre, à); *(anfügen)*
ajouter, joindre, attacher, apposer; *(Leiter)*
poser; *(Blasinstrument)* emboucher; *(Termin)*
fixer; *(Bowle)* préparer; *math* énoncer; *Fett ~*
engraisser; *Früchte ~* affruiter; **2.** *vi* commencer, se mettre à, amorcer; *(z. Sprung)* prendre
son élan; *bot* se nouer; **3.** *refl* se déposer
Ansicht vue *f;* aspect *m;* avis *m,* opinion *f;* idée
f; optique *f; Waren z. ~* marchandises au
choix; *Bücher z. ~* livres en communication;
m-r ~ nach à mon avis, selon moi; **⌐ig:** **⌐ig**
werden apercevoir; **⌐skarte** carte postale
illustrée; **⌐ssache** affaire *f* d'opinion; question *f*
de goût; **⌐ssendung** *com* envoi *m* à l'essai

ansied|eln *refl* s'établir; **⌐ler** colon; **⌐lung** *(Industrie)* implantation, établissement *m* *(Stadt)* agglomération *f*

ansinnen exiger; **⌐** *su* exigence *f*, pretention *f*; *ein* **⌐** *an j-n stellen* exprimer le désir, prier qn (de)

ansonsten en outre; dans le cas contraire

anspann|en *(Pferd)* atteler; *(Kräfte)* tendre; **⌐ung** tension *f*; *(Muskeln)* contraction *f*; *(geistige)* contention *f*; application *f*

an|sparen réaliser une épargne; **~speien** cracher sur; **⌐spiel** 🏑 le fait de passer le ballon à un coéquipier

anspiel|en 🏑 faire une passe; *(Karten)* avoir la main; faire allusion *(auf à)*; **⌐ung** allusion *f*; sous-entendu *m*

anspinnen engager; *(Unterhaltung)* lier; *refl* commencer, s'engager

anspitz|en aiguiser; appointer; *(Stift)* tailler; **⌐er** taille-crayon *m*

Ansporn aiguillon *m*; stimulant *m*; **⌐en** talonner, éperonner, aiguillonner; stimuler, exciter; encourager

Ansprache discours *m*, allocution *f*; harangue *f*

ansprechbar 👥 sensible, accessible; *(Person)* d'un abord facile

ansprechen aborder, accoster *(j-n* qn); adresser la parole *(j-n* à qn); *fig* plaire; **~** *auf* réagir à; *er spricht nicht darauf an* cela ne l'intéresse pas; **~d** plaisant, tentant, agréable, élégant

an|springen bondir (vers), sauter (sur); 🚗 démarrer; **~spritzen** asperger; éclabousser

Anspruch *(Forderung)* exigence *f*, prétention *f*; *(Lohn)* revendication *f*; droit *m*; **~** *erheben* réclamer qch, prétendre à qch; **~** *haben auf* avoir droit à; *in* **~** *nehmen* occuper (qn); mettre qn à contribution; *(Aufmerksamkeit)* absorber; **⌐slos** modeste; sans prétentions; **⌐slosigkeit** modestie *f*; simplicité *f*; **⌐svoll** exigeant; difficile

an|spucken cracher (sur); **~spülen** rejeter *(od* déposer) sur le rivage; **~stacheln** piquer; stimuler; aiguillonner

Anstalt établissement *m*; institution *f*; maison *f*; *(Schule)* école *f*; asile *m*; **~en** *machen* se disposer, se préparer *(zu* à); **~en** *treffen* prendre des dispositions; **~serziehung** éducation *f* dans une maison de correction; **~sleitung** direction *f* d'un service public

Anstand *(Jagd)* affût *m*; décence *f*; savoir-vivre *m*, bienséance *f*, convenances *fpl*; *(Zögern)* hésitation *f*

anständig convenable, bienséant; décent; propre, comme il faut; honnête; correct; **⌐keit** décence *f*; honnêteté *f*, probité *f*, loyauté *f*

Anstands|besuch visite *f* de politesse *(od* de convenance); **~dame** chaperon *m*; **~gefühl** sentiment *m* des convenances, tact *m*; **~halber** pour la forme, par convenance; **⌐los** sans difficulté; sans hésitation; **~regeln** règles *fpl* de (la) bienséance *(od* de [la] civilité); **⌐widrig** malséant; indécent

an|starren fixer du regard; dévisager; **~statt** au lieu de, à la place de; **~staunen** admirer;

regarder; bouche bée; **~stechen** *(Faß)* débonder, mettre en perce

ansteck|en attacher (avec une épingle); *(Ring)* mettre; *(Zigarette)* allumer; *(Haus)* mettre le feu à; 🩺 contaminer; *a. fig* être contagieux; *refl* s'infecter; **~end** 🩺 infectieux; contagieux; *(Verhalten)* communicatif; **⌐nadel** broche *f*; **⌐ung** contamination *f*, contagion *f*; infection *f*

anstehen *(Schlange stehen)* faire la queue; *(Schuld)* être (encore) dû; *(Jagd)* être à l'affût; *(Gestein)* venir à fleur de terre; *fig* convenir, être convenable; *(zögern)* hésiter; **~** *lassen* ajourner, remettre, différer

ansteigen monter; s'accroître; *(Fluß)* être en crue

anstelle von au lieu de

anstell|en mettre, placer *(an* contre); employer; embaucher; 🔓 ouvrir; ⚙ mettre en marche; *(Vergleich)* faire; *refl* faire la queue; *fig* s'y prendre, se conduire; **~** *s. ~en als ob* faire semblant de; **⌐erei** simulation *f*; **~ig** adroit, habile; **⌐ung** emploi *m*; place *f*; poste *m*; **⌐ungsvertrag** contrat *m* de travail (d'un employé)

an|steuern se diriger vers; **⌐stich** *(Faß)* mise *f* en perce; **⌐stieg** montée *f*, ascension *f*; *fig* accroissement *m*, augmentation *f*; **~stieren** regarder fixement *(od* d'un air hagard)

anstift|en inciter, exciter, pousser *(zu* à); *(anzetteln)* fomenter, ourdir, tramer, machiner; *(Unheil)* causer; **⌐er** fauteur, instigateur; **⌐ung** instigation *f*, incitation *f*

anstimmen *(Lied)* entonner

Anstoß choc *m*, heurt *m*; impulsion *f*; 🏑 coup *m* d'envoi; *d.* **~** *geben zu* déclencher qch, prendre l'initiative de qch, mettre qch en branle; **~** *erregen* scandaliser *(bei j-m* qn); **~** *nehmen an* se scandaliser de, se froisser de; *Stein des* **~es** pierre *f* d'achoppement; **⌐en** *vt* heurter, choquer; cogner; *vi* donner contre; *(stolpern)* buter, broncher; *(mit d. Zunge)* zézayer; *(mit Gläsern)* trinquer; *(Ärgernis erregen)* scandaliser, offenser, choquer; *(angrenzen)* toucher, confiner à; **⌐end** contigu, adjacent

anstößig choquant, indécent, malsonnant; scabreux; malséant, incongru; **⌐keit** inconvenance *f*; incongruité *f*

an|strahlen *(Gebäude)* illuminer; *fig* regarder d'un air rayonnant; **⌐strahlung** illumination *f*, éclairage *m* par projection; **~streben** aspirer à; ambitionner

anstreich|en peindre, peinturer; badigeonner; *(Stelle)* marquer, cocher; **⌐er** peintre en bâtiment

anstreng|en fatiguer, harasser, lasser; éreinter; *(e-n Prozeß* **~en)** déposer une demande en justice; intenter un procès *(gegen* à); *refl* s'efforcer de, faire effort pour; s'escrimer à; **~end** fatigant, lassant, harassant, épuisant; **⌐ung** effort *m*; fatigue *f*

Anstrich peinturage *m*; enduit *m*; peinture *f*; couche *f*; vernis *m (a. fig)*; *fig* semblant *m*, teinte *f*, apparence *f*

an|stricken enter; **~strömen** affluer, arriver en

masse; ~stücke(l)n ajouter; rapiécer; rallonger; rapporter; ⚓sturm assaut *m;* ruée *f;* ~stürmen fondre sur; se ruer; s'élancer, se précipiter vers
ansuchen demander, solliciter *(um etw.* qch); ⚓ *su* demande *f,* requête *f;* sollicitation *f*
Antagonis|mus antagonisme *m,* rivalité *f,* opposition *f;* ~t *m* antagoniste *m,* rival *m;* contradicteur *m;* ⚓tisch antagonique, contraire
antanzen *umg* s'amener, arriver, venir
Antarkt|is continent *m* antarctique, Antarctide *f;* ⚓isch antarctique
antasten toucher; tâter; palper; *fig* porter atteinte à
Anteil part *f;* portion *f,* tranche *f,* fraction *f;* morceau *m;* lot *m;* contingent *m; (zu zahlender)* quote-part *f; (an e-r Zeche)* écot *m; fig* sympathie *m,* intérêt *m;* ~ *nehmen* prendre part *(an* à); ⚓ig par tranche; ~nahme intérêt *m;* compassion *f,* commisération *f*
Antenne antenne *f*
Anthrazit anthracite *m*
Antrho|poïden *(Menschenaffen)* anthropoïdes *mpl;* ~pologe anthropologiste, anthropologue; ~pologie anthropologie *f;* éthnologie *f*
Anti|alkoholiker antialcoolique; ⚓autoritär contestataire; ~babypille contraceptif *m; umg* la pillule; ~biotikum $ antibiotique *m;* ~christ antéchrist; ⚓demokratisch antidémocratique; ~diabetikum antidiabétique *m;* ~dot *n* antidote *m;* ~faschismus antifascisme *m;* ~gen antigène *m*
antik antique; ⚓e antiquité *f; (Kunstwerk)* antique *m*
Antilope antilope *f*
Antimon antimoine *m*
Anti|pathie antipathie *f;* ~poden antipodes *mpl*
antippen taper doucement, toucher légèrement; *fig* effleurer
Antiqu|a ⌨ caractères romains; romain *m;* ~ar antiquaire, marchand d'antiquités; bouquiniste; ~ariat librairie *f* de livres d'occasion; ⚓arisch d'occasion; ~itäten objets anciens, curiosités *fpl;* ~itätenhändler antiquaire
Antisemit, ⚓isch antisémite
Anti|septikum antiseptique; ~these antithèse *f,* opposition
Antlitz face *f;* visage *m*
Antrag proposition *f,* offre *f;* ⚓ demande *f (laufender ~* d. en instance); réquisition *f; (im Plädoyer)* conclusions *fpl;* pétition *f;* requête *f; (in Versammlung)* motion *f; e-n ~ stellen* faire une proposition, présenter une demande; ⚓en proposer, offrir; ~sformular formulaire *m,* formule *f;* ⚓sgemäß conformément à (votre) demande; ⚓steller pétitionnaire; ⚓ demandeur; requérant; auteur (d'une motion); ~stellerin ⚓ demanderesse
an|treffen trouver; ~treiben ✿ entraîner, actionner; pousser; *bes* ⚓, ✝ propulser; *umg* talonner, tarabuster; ~treten *(Erbe)* recueillir; *(Beweis)* fournir; *mil* se mettre en rang(s); *e-e Reise* ~treten aller en voyage; *e. Amt* ~treten entrer en fonction; *d. Regierung* ~treten prendre le pouvoir

Antrieb ✿ entraînement *m,* actionnement *m; bes* ⚓, ✝ propulsion *f; fig* initiative *f,* impulsion *f; aus eigenem ~* de son propre mouvement, de son plein gré; ~s... moteur; propulsif; ~shebel levier *m* de commande; ~skraft force motrice; ~swelle arbre *m* de transmission, arbre *m* menant
Antritt début *m,* commencement *m; ~ e-s Amtes* entrée *f* en fonction; *~ d. Regierung* avènement *m;* arrivée *f (od* accession *f)* au pouvoir; ~sbesuch visite *f* d'introduction; ~srede discours *m* d'ouverture *(od* de réception)
antun: *Gewalt ~* faire violence à qn; *j-m Ehre ~* faire honneur à qn; *s. etw. ~* attenter à ses jours; se mettre en colère (sans aucune raison), s'exaspérer, s'énerver; *s. Zwang ~* se faire violence
anturnen[1] *umg* s'abouler
anturnen[2] [antœrnən] s'enivrer; exciter; troubler
Antwort réponse *f;* réplique *f; (schnelle, schlagfertige)* riposte *f,* repartie *f; Rede u. ~ stehen* rendre raison de; ⚓en répondre *(auf* à); *(schlagfertig)* riposter; ~schein ♡ coupon-réponse *m;* ~schreiben lettre *f* de réponse
an|vertrauen confier (qch à qn); *s. j-m (im Gespräch)* ~vertrauen se confier *(od* s'ouvrir) à qn; ~verwandte parents *mpl;* ~visieren viser (qch); ~wachsen prendre racine, s'enraciner; *fig* s'accroître, augmenter; ~wählen ⚓ composer un numéro (téléphonique)
Anwalt avocat *f; (nur Schriftsätze)* avoué *; a. fig* défenseur; **Anwältin** femme *f* avocat, avocate *f;* ~sbüro étude *f (od* cabinet *m)* d'avocat; ~schaft *(Anwälte)* barreau *m;* ~skammer ordre *m* des avocats
anwand|eln prendre, saisir; *was wandelt ihn an?* qu'est-ce qui lui prend?; ⚓lung impulsion *f;* accès *m*
Anwärter aspirant; candidat
Anwartschaft candidature *f (auf* à); ⚓ germe *m* de droit, droit en formation; *~ haben auf* avoir l'expectative de
anweis|en *(a. Zahlung)* ordonner, assigner; *(belehren)* instruire; ~ung *(Zahlung)* assignation *f;* instruction *f;* directive *f;* consigne *f*
anwend|bar applicable *(auf* sur), praticable; ⚓barkeit applicabilité *f;* ~en employer; *(z.B. Heilmittel)* appliquer; faire usage de; ⚓ung emploi *m;* pratique *f;* mise *f* en pratique; usage *m;* application *f;* ⚓ung finden auf s'appliquer à; ~ungsbereich domaine *m* d'application
anwerb|en *(Arbeiter)* embaucher, engager; *(Soldaten)* enrôler; *(Beamte)* recruter; ⚓ung enrôlement *m;* recrutement *m;* engagement *m,* embauche *f,* embauchage *m*
anwerfen *(Motor)* faire démarrer, lancer, mettre en marche
Anwesen propriété *f;* domaine *m;* bien-fonds *m*
anwesen|d présent; *~d sein (bei)* assister (à), être présent (à); ⚓de les personnes présentes, les assistants *mpl;* ⚓heit présence *f; in* ⚓heit von en présence de, par-devers; ⚓heitsliste feuille *f* de présence
anwidern répugner *(j-n* à qn), dégoûter *(j-n* qn)

Anwohner voisin; riverain

Anwurf crépi *m; fig* injure *f*, invective *f*

anwurzeln prendre racine, s'enraciner

Anzahl nombre *m;* quantité *f; e-e ganze Briefe* bon nombre de lettres; ⊥en donner (*od* verser) un acompte (de); ⊥ung acompte *m*

anzapfen *(Faß)* mettre en perce; *fig umg* taper (qn)

Anzeichen indice *m*, signe *m*, symptôme *m;* présage *m*, augure *m*

Anzeige notice *f*, avis *m;* annonce *f; (Polizei)* indication *f;* ☍ dénonciation *f;* ⊥n indiquer; dénoter; *(ankündigen)* annoncer; *(amtlich)* notifier; ☍ dénoncer, porter plainte contre qn; *(Seuchenfall)* déclarer; *(Meßinstrument)* marquer; ⊥nblatt bulletin *m* d'annonces; ⊥nbüro office *m* de publicité; ⊥nteil *journ* partie *f (od* rubrique *f)* de la publicité (*od* des annonces); ⊥pflicht obligation *f* de déclarer; ⊥r *(Gerät)* indicateur *m; (Zeitung)* journal *m*

anzetteln machiner, tramer; fomenter; ourdir; *e-e Verschwörung ⊥* comploter

anzieh|en attirer (*a. fig*); *(Kleidung)* mettre, passer, endosser, se couvrir de; *(ankleiden)* habiller; ☼ *(Schraube, Bremse usw.)* serrer; *fig* intéresser; *(ansaugen)* absorber, s'imprégner de; *vi* s'approcher; *(Preise)* monter; ⊥en *(Preis)* montée *f*, hausse *f;* ⊥end attrayant, attractif; attachant; séduisant, captivant; ⊥ung attraction *f; fig* attrait *m;* ⊥ungskraft *phys* force *f* d'attraction; *fig* attirance *f*, charme *m*, séduction *f*

anzischen *umg* s'amener, s'abouler

Anzucht *f↓* jeunes pousses *fpl*

Anzug costume *m*, complet *m;* habit *m; (Herannahen)* approche *f; im ⊥ sein* s'approcher; *Gefahr im ⊥* danger *m* imminent

anzüglich à double entente; piquant; sarcastique; ⊥keit allusion(s) piquante(s); sous-entendu *m*

an|zünden allumer; enflammer; mettre le feu à, incendier; ⊥zünder ☼ dispositif *m* d'allumage; ⊥zweifeln mettre en doute; ⊥zwitschern: *sich e-n ⊥ umg* s'enivrer, se cuiter, se pinter

Äon *m* éternité *f;* ère *f;* époque *f;* période *f* géologique

Aorta aorte *f*

apart attractif, charmant; singulier, original; ⊥heid apartheid *m*, ségrégation *f* raciale

Apath|ie apathie *f;* indolence *f;* ⊥isch apathique; indolent

Apfel pomme *f* ♦ *in den sauren ⊥ beißen* avaler la pilule, s'exécuter à contre-cœur; *d. ⊥ fällt nicht weit vom Stamm* tel père tel fils; ⊥baum pommier *m;* ⊥griebs trognon *m;* ⊥kuchen tarte *f (od* gâteau *m)* aux pommes; ⊥most cidre *m* (doux); ⊥mus compote *f* de pommes; ⊥saft jus *m* de pommes; ⊥schimmel cheval pommelé; ⊥sine orange *f;* ⊥wein cidre *m*

Aphorismus aphorisme *m*, adage *m*, sentence *f*, dicton *m*

Apostel apôtre *m;* ⊥geschichte les Actes *mpl* des Apôtres

Apostroph apostrophe *f*

Apotheke pharmacie *f;* ⊥r pharmacien

Apparat appareil *m;* ☏ téléphone *m; fig* organisme *m; bleiben Sie am ⊥* ne quittez pas!; ⊥ur ☼ appareillage *m;* mécanisme *m*

Appartement studio *m; (Hotel)* suite *f*

Appeal *(Anziehungskraft)* charme *m*, séduction *f*, attirance *f*

Appell appel *m;* inspection *f;* ⊥ation appel *m;* ⊥ationsgericht cour *f* d'appel; ⊥ieren en appeler, faire appel à; ☍ interjeter appel

Appetit appétit *m; ⊥ machen* donner de l'appétit ♦ *d. ⊥ kommt beim Essen* l'appétit vient en mangeant; ⊥anregend apéritif; ⊥lich appétissant; ⊥losigkeit manque *m* d'appétit, inappétence *f*

applau|dieren applaudir (qn); ⊥s applaudissement(s) *m(pl)*

apportieren (r)apporter

appret|ieren apprêter; ⊥ur apprêt *m*

Approb|ation approbation *f; rel* imprimatur *m;* ⊥ieren *(Arzt)* autoriser à exercer

Aprikose abricot *m;* ⊥nbaum abricotier *m*

April avril *m* ♦ *j-n in d. ⊥ schicken* faire un poisson d'avril à qn; ⊥scherz poisson *m* d'avril; ⊥wetter temps changeant; lune rousse

apropos d'ailleurs; à propos de

Aquädukt aqueduc *m*

Aquamarin aigue-marine *f*

Aquarell aquarelle *f;* ⊥farbe couleur *f* à l'eau; ⊥ieren peindre à l'aquarelle; ⊥maler aquarelliste

Aquarium aquarium *m*

Äquator équateur *m;* ⊥taufe baptême *m* de la ligne

Ar are *m*

Ära ère *f*

Arab|er Arabe; ⊥ien l'Arabie *f;* ⊥isch arabe

Arbeit travail *m; (Aufgabe)* besogne *f*, tâche *f; (Stelle)* emploi *m; (Erzeugnis)* ouvrage *m*, œuvre *f; (an e-m Werkstück)* main-d'œuvre *f; (schwere)* labeur *m*, corvée *f; (Mühe)* peine *f; (wissenschaftl.)* étude *f; päd* composition écrite; *an die ⊥ gehen* se mettre au travail; *etw. in ⊥ haben* avoir qch sur le métier (*od* en chantier); ⊥en travailler; faire; façonner; œuvrer; ouvrer; *(Maschine)* marcher; fonctionner ♦ *für die Katz ⊥en* travailler pour le roi de Prusse; ⊥er travailleur; ouvrier; *(bes ungelernter)* manœuvre; *gelernter ⊥er* ouvrier qualifié; ⊥erbewegung mouvement ouvrier; ouvriérisme *m;* ⊥erin ouvrière; ⊥erklasse classe ouvrière; ⊥erpriester prêtre-ouvrier; ⊥erschaft ouvriers *mpl;* ⊥ersiedlung cité ouvrière; ⊥geber employeur, patron; ⊥geberschaft patronat *m;* ⊥nehmer employé; salarié, ouvrier; ⊥nehmerschaft salariat *m;* ⊥nehmerverband syndicat ouvrier; ⊥sam travailleur, laborieux, assidu

Arbeits... ouvrier; ⊥amt agence *f* pour l'emploi; ⊥anzug combinaison *f;* salopette *f;* bleu *m;* ⊥aufwand somme *f* de travail; travail fourni; ⊥beschaffung création *f* d'emplois; placement *m;* ⊥biene ouvrière *f;* ⊥direktor représentant ouvrier dans le directoire (d'une entreprise); ⊥einstellung cessation *f* du travail;

grève f; ~entgelt rémunération f; ⌂fähig apte au travail; ~fähigkeit capacité f de travail; ~feld champ d'action; ~gang phase f de travail; ~gebiet champ m (od domaine m) d'activité; ~gemeinschaft communauté f de travail; cercle m d'étude; ~gericht conseil m de prud'hommes; ~haus pénitencier m; ~invalide accidenté m du travail; ~kampf conflit m social, grève f revendicative; ⌂kittel sarrau m; bourgeron m; cotte f; ~kraft salarié m, travailleur m; ~kräfte main-d'œuvre f; ~lager camp m de travail; ~leben vie f professionnelle; ~leistung rendement m; ~lohn salaire m; ⌂los sans travail, en chômage; ~losenfürsorge assistance-chômage f; ~losenunterstützung allocation f de chômage; ~losenversicherung assurance-chômage f; ~loser chômeur; sans-travail m; ~losigkeit chômage m; ~markt marché m du travail; ~moral ardeur f au travail; ~nachweis bureau m de placement; ~pferd cheval m de fatigue; fig bourreau m de travail; ~platz poste m de travail; emploi m; ~recht droit m du travail; ⌂reich laborieux; ⌂scheu paresseux; ~stelle chantier m; ~stunde heure f de travail; ~suchender demander m d'emploi; ~tag journée f de travail; ~tagung congrès m; ~takt temps moteur; ~teilung division f du travail; ⌂unfähig invalide; ~unfähigkeit incapacité f de travail; invalidité f; ~unfall accident m du travail; ~verhältnis lien juridique résultant du contrat m de travail, engagement m, emploi m; ~vermittlung bureau m de placement; ~vertrag contrat de travail; ~weise mode m opératoire; ~zeit heures fpl de travail; ~szeug outils mpl; ~zimmer cabinet m de travail; studio m

Arbitrage arbitrage m; sentence f arbitrale
Archäolog|e archéologue; ~ie archéologie f
Arche arche f
Architekt architecte; ⌂onisch architectonique; architectural; ~ur architecture f
Archiv archives fpl; ~ar archiviste; ~ieren archiver
Ären pl épis mpl
Arena arène f
arg mauvais, méchant; grave; fâcheux; umg (sehr) bien, fort; im ~en liegen être en mauvais état; ohne etw. ⌂es zu denken sans penser à mal; ohne ⌂ sans malice; kein ⌂ an der Sache finden n'y trouver rien à redire; der Arge le malin, le diable
Argentini|en l'Argentine f; ~er Argentin
Ärger contrariété f, ennui m, désagrément m; vexation f, agacement m; dépit m; irritation f, colère f; ⌂lich ennuyeux; vexant, fâcheux, agaçant; (Person) fâché, vexé; contrarié; ⌂n mettre en colère; vexer; contrarier, fâcher, ennuyer; faire enrager; ~nis scandale m; contrariété f; ~nis nehmen se scandaliser (an de); ~nis erregen faire du scandale (od de l'esclandre)
Arg|list astuce f; perfidie f; duperie f, fraude f; ♋ dol m; ⌂listig astucieux; perfide; ♋ dolosif; ⌂los confiant; ingénu; candide; ~losigkeit

candeur f; ingénuité f; ~wohn soupçon m; ⌂wöhnen soupçonner; ⌂wöhnisch soupçonneux; ombrageux; méfiant, défiant
Argument argument m; raison f; preuve f; thèse f; ⌂ieren argumenter; raisonner
Arie air m, aria f
Ar|ier Aryen; ⌂isch aryen; de type nordique
Aristokrat aristocrate; ~ie aristocratie, noblesse f; ⌂isch aristocrate
Arithmet|ik arithmétique f; ⌂isch arithmétique
Arkade arcade f
Arkt|is terres fpl arctiques; ⌂isch arctique
arm pauvre; indigent; besogneux, nécessiteux; fig malheureux, misérable, infortuné; ~es Kind pauvre enfant; ~ machen appauvrir; ⌂enhaus asile m (od hospice m) des pauvres; ⌂enpflege assistance publique; ⌂enrecht aide f judiciaire; ~selig misérable; pitoyable; médiocre; piètre, chétif; miteux; ⌂seligkeit pauvreté f; médiocrité f
Arm (a. Fluß) bras m; ~ in ~ bras dessus, bras dessous; mit offenen ~en à bras ouverts ♦ e-n langen ~ haben (fig) avoir le bras long; unter d. ~e greifen soutenir qn, donner un coup d'épaule à qn; in d. ~e nehmen étreindre; in d. ~ fallen empêcher qn; j-n auf d. ~ nehmen (umg) se moquer de qn, faire marcher qn; ~band bracelet m; ~banduhr montre-bracelet f; ~binde brassard m; écharpe f; ~lehne accoudoir m; ~leuchter candélabre m; ~reifen bracelet m; ~sessel fauteuil m; ~voll brassée f
Armatur|(en) robinetterie f; ~enbrett 🚗 , ✝ tableau m de bord
Armee armée f
Ärmel manche f ♦ etw. aus d. ~ schütteln improviser qch.; ~kanal la Manche; ~loch emmanchure f
ärmlich pauvre, misérable; fig chétif, maigre, mesquin
Armut pauvreté f; indigence f ♦ ~ schändet nicht pauvreté n'est pas vice; ~szeugnis: s. ein ~szeugnis ausstellen faire preuve de son incapacité
Aroma arome m; ⌂tisch aromatique
Arrak arac(k) m
Arrest mil arrêts mpl; (Polizei) garde f à vue; päd retenue f; ~ant prisonnier, détenu
arretieren arrêter; bloquer
Arri|val hall m des arrivées; ⌂viert arrivé; ~vierter arriviste m
arro|gant arrogant, hautain, fier, suffisant; ⌂ganz arrogance f; hauteur m, suffisance f, insolence f
Arsch pop! cul m, fesses fpl; fondement m, derrière m; (Frau) croupe f; ~backe fesse f; ~kriecher = ~lecker lèche-cul m; ~loch trou du cul; ~pauker prof m
Arsen(ik) arsenic m
Art sorte f; (Gattung) espèce f, genre m; (Eigenart) manière f, mode m, façon f; (Natur) nature f, naturel m; (Schlag) trempe f; ~ u. Weise façon f, modalité f; nach ~ von à la manière (od mode) de; aus d. ~ schlagen dégénérer; ⌂en tenir (nach de)

Arterie artère f; ~**nverkalkung** artériosclérose f
artig (Kind) sage, docile, obéissant; (höflich)
poli, obligeant; (anmutig) gentil, mignon; ↳**keit**
(Kind) docilité f, obéissance f; politesse f, civilité
f; pl compliments mpl
Artik|el article m; ~**ulation** articulation; ↳**ulie-
ren** articuler
Artiller|ie artillerie f; ~**ist** artilleur
Artischocke artichaut m
Artist artiste de cirque (od de variétés); ↳**isch**
artistique
Arznei remède m, médicament m, potion f;
~**kunde** pharmacologie f; ↳**lich** pharmaceutique adj; ~**mittel** médicament m, spécialité f
pharmaceutique
Arzt médecin; docteur; praktischer ~ praticien;
~**beruf** profession médicale
Ärzt|ekammer ordre m des médecins; ~**eschaft**
corps médical; ~**in** femme docteur (od
médecin), doctoresse; ↳**lich** médical
Arzt|helferin aide f médicale; ~**rechnung**
honoraires mpl médicaux
as ♪ la m bémol
As as m, a. fig umg crack m, virtuose m
Asbest amiante m
asch|bleich blafard, blême; ~**blond** blond fade,
pej blondasse
Asch|e cendre f; in Schutt und ~e verwandeln
réduire en cendres; ~**enbahn** (piste f) cendrée f;
~**enbecher** cendrier m; ~**enbrödel** Cendrillon f;
~**ermittwoch** mercredi m des cendres; ↳**grau**
gris cendré; ~**er** cendrier m
äsen brouter
Asi|at Asiatique; ↳**atisch** asiatique; ~**en** l'Asie f
Aske|se ascétisme m; ~**t** ascète; ↳**tisch**
ascétique
asozial antisocial
Asphalt asphalte m, bitume m; ↳**ieren** bitumer,
asphalter
Aspirant aspirant, candidat
Assessor päd membre du corps enseignant; 𝒮𝒮
titulaire du second examen d'Etat
Assist|ent assistant; aide; ~**enz** assistance f;
~**enzarzt** médecin assistant; (Krankenhaus)
interne m; ↳**ieren** assister (j-m qn)
Ast branche f ♦ s. e-n ~ lachen se désopiler, rire
comme un bossu; **Ästchen** branchette f, brindille
f, rameau m; ~**werk** ramure f
Aster aster m
Ästhet|ik esthétique f; ↳**isch** esthétique
Asthma asthme m; ↳**tisch** asthmatique
ast|ral astral, sidéral; ↳**ronaut** astronaute,
cosmonaute m; ↳**ronautik** astronautique f;
↳**rophysik** astrophysique f
Astro|loge astrologue; ~**logie** astrologie f;
~**nom** astronome; ~**nomie** astronomie f
Asyl asile m; refuge m; ~**ant** refugié (politique)
Atelier studio m; atelier m
Atem haleine f; souffle m; außer ~ à bout de
souffle, hors d'haleine; ~ holen respirer; ~
schöpfen reprendre haleine; in ~ halten tenir en
haleine; j-m d. ~ verschlagen couper le souffle à
qn; ~**beklemmung** étouffement m; gêne f de la
respiration; 𝕊 suffocation f; ↳**beraubend** qui

coupe le souffle; palpitant; ~**beschwerden**
dyspnée f, troubles mpl de la respiration,
difficultés fpl respiratoires; ~**gerät** inhalateur
m; ~**holen** inspiration; aspiration; ↳**los** hors
d'haleine; essoufflé; ~**luft** air m respirable;
~**not** dyspnée f; ~**pause** temps m de repos;
~**wege** voies fpl respiratoires; ~**zug** souffle m; in
e-m ~zug fig d'un seul coup
Atheis|mus athéisme m; ~**t(in)** athée m, f;
↳**tisch** athée
Äther éther m; ↳**isch** a. fig éthéré; ↳**ische Öle**
huiles fpl volatiles
Athlet athlète; ~**ik** athlétisme m; ↳**isch**
athlétique
Atlantik l'Atlantique f; ~**pakt** pacte m de
l'Atlantique nord
Atlas atlas m; (Stoff) satin m
atmen respirer; souffler
Atmosphär|e atmosphère f; fig ambiance f;
↳**isch** atmosphérique
Atmung respiration f; ↳**saktiv** (Kleidung)
perméable à l'air; ~**sgerät** (Taucher) appareil m
respiratoire; ~**sorgane** appareil m respiratoire
Atom atome m; ~**antrieb** propulsion f atomique
(od nucléaire); ↳**ar** atomique, nucléaire;
~**bombe** bombe f atomique; ~**energie** énergie f
atomique (od nucléaire); ~**gewicht** masse f (od
poids m) atomique; ~**kern** noyau m atomique;
~**kraftwerk** centrale f nucléaire; ~**meiler** pile f
atomique; réacteur m; ~**müll** déchets mpl
radioactifs; ~**physik** physique f nucléaire;
~**sperrvertrag** traité de non-prolifération (des
armes nucléaires); ~**sprengkörper** projectile m
atomique; ~**strahlung** radiation ionisante;
~**streitmacht** force f de frappe; ~**zeitalter** ère f
atomique; ~**zerfall** désintégration f de l'atome
Atten|tat attentat m; ~**täter** auteur d'un attentat
Attest certificat m; attestation f; ↳**ieren**
certifier; attester
Attrappe article m factice; postiche m (umg)
ätz|en corroder; ⚙ décaper; 🖌 cautériser; 🔋
graver à l'eau forte; ~**end** corrosif m; (Säure)
mordant; 𝕊 caustique; ↳**kalk** chaux vive (od
caustique); ↳**mittel** corrosif m, mordant m,
décapant m; 𝕊 caustique m, cautère m; ~**ung**
corrosion f; 𝕊 cautérisation f
auch aussi; de plus; encore; même; ~ nicht
non plus, (mit Verb) ne… pas non plus; ~ wenn
même si, quand (bien) même, alors même que;
ohne ~ nur sans même; was ~ immer quoi que;
wie denn ~ sei quoi qu'il en soit
Audi|enz audience f; ~**torium** auditoire m
Aue pré m, prairie f; ~**rhahn** coq m de bruyère
auf 1. präp sur; dans (~ d. Straße dans la rue);
à (~ d. Land à la campagne, ~ Wiedersehen au
revoir); de (~ dieser Seite de ce côté, ~s neue de
nouveau); en (~ Besuch en visite, ~ deutsch en
allemand); par (~ die Erde par terre); (zeitl.)
pour; ~ einmal tout d'un coup; es hat nichts ~
sich c'est sans importance; **2.** adv debout, levé;
(Geschäft) ouvert; ~ u. ab de long en large; ~
u. davon gehen prendre le large, lever le pied; **3.**
~ daß afin que, pour que; afin de; **4.** interj
debout!, allons!; en route!

auf|arbeiten remettre à neuf; recycler; mettre à jour; achever; **~atmen** *a. fig* respirer; **~bahren** mettre en bière

Aufbau construction *f;* structure *f;* constitution; organisation *f;* 🚗 carrosserie *f;* ⚒**en** construire, bâtir, édifier; *fig* organiser, créer; **~ten** ⚓ superstructure *f*

auf|bäumen *refl* se cabrer *(a. fig);* **~bauschen** enfler *(a. fig);* **~begehren** se révolter, regimber *(gegen* contre); **~behalten** *(Hut)* rester couvert; **~bekommen** réussir à ouvrir

aufbereit|en *(Erze)* traiter; *(Luft)* conditionner; ⚒**ung** ⚙ préparation *f;* traitement; *(Luft)* conditionnement *m*

aufbessern *(Gehalt)* augmenter, relever

aufbewahr|en garder, conserver; réserver; ⚒**ung** conservation *f;* garde *f; (Gepäck)* consigne *f; (Waren)* emmagasinage *m,* stockage *m;* ⚒**ungsort** dépôt *m*

aufbiet|en *(Mittel)* employer, user de; *mil* lever; *(Einfluß)* faire jouer, mettre en jeu; *(Brautpaar)* publier les bans; ⚒**ung:** *unter* ⚒*ung aller Kräfte* en y mettant toutes ses forces

auf|binden dénouer, délier; *fig* en faire accroire; **~blähen** enfler, gonfler; bouffir; ballonner; **~blasen** gonfler, souffler; **~bleiben** rester debout; veiller; rester ouvert; **~blenden** 🚗 mettre les feux de route; **~blicken** lever les yeux *(zu* vers); **~blitzen** flamboyer; *(Gedanke)* jaillir; **~blühen** éclore, s'épanouir; *fig* prendre de l'essor; **~brauchen** épuiser, consommer entièrement

aufbrausen bouillonner, faire effervescence; *fig* s'emporter, éclater; **~d** emporté; impétueux; violent; irascible

auf|brechen rompre; *(Schloß)* forcer; *(Tür)* enfoncer; *vi* s'ouvrir; éclater; ⚕ *(Geschwür)* crever; *(weggehen)* partir; **~bringen** réussir à ouvrir; *(Neues)* introduire, lancer; *(Geld)* se procurer, réunir (des fonds); *(Kosten)* faire face à; *(Gerücht)* faire courir; *(Truppen)* lever, mettre sur pied; ⚓ capturer; *fig* irriter, fâcher; ⚒**bruch** départ *m;* **~brühen** faire bouillir; *(Tee)* infuser; **~bügeln** repasser, donner un coup de fer à; **~bürden** charger qn de qch; mettre qch sur le dos de qn *(a. fig);* **~bürsten** brosser; **~decken** découvrir; détecter; *fig* déceler, dévoiler; **~donnern** *refl* se pomponner; **~drängen** faire accepter; *refl* s'imposer; **~drehen** *(Seil)* détordre; *(Hahn)* ouvrir

aufdringlich importun; *umg* embêtant; ⚒**keit** importunité *f*

Aufdruck impression *f; (auf Briefmarken)* surcharge *f;* ⚒**en** imprimer

aufdrücken ouvrir en poussant; presser sur; pousser; *(Siegel)* apposer, appliquer

aufeinander l'un sur l'autre; l'un contre l'autre; **~folgen** se suivre; se succéder; **~folgend** successif; consécutif; **~prallen** s'entrechoquer

Aufenthalt séjour *m; (kurzer)* arrêt *m (a.* 🚂*);* 🚗 résidence *f;* **~serlaubnis** = **~sgenehmigung** permis *m* de séjour; **~sort** résidence *f;* **~sverbot** interdiction *f* de séjour

aufer|legen imposer; infliger; dicter, enjoindre;

~stehen ressusciter; ⚒**stehung** résurrection *f;* **~wecken** ressusciter

aufessen (tout) manger, vider (un plat)

auffahr|en *vt (Geschütz)* établir; *(Schacht)* creuser; *vi (Schreck)* sursauter; *(aus d. Schlaf)* se réveiller en sursaut; *(Zorn)* s'emporter; ⚓ échouer; *(Fahrzeug)* heurter, tamponner, emboutir *(auf etw.* qch); ⚒**t** ascension *f,* montée *f;* rampe *f; (Autobahn)* accès *m*

auffallen tomber *(auf* sur); *fig* frapper, étonner, marquer, se distinguer; se faire remarquer; *(unliebsam)* s'afficher; **~d, auffällig** frappant; étonnant; *(bes Farbe)* voyant

auffang|en saisir au vol, attraper; *(Brief, Strahlen)* intercepter; *(Strahlen, phys)* recevoir; 📡 capter; *(Hieb)* parer; *(Stoß)* amortir; *(Tropfen)* recueillir; *com* résorber; supporter; amortir; ⚒**lager** centre *m* d'accueil

auffärben reteindre; rafraîchir (des couleurs)

auffass|en comprendre; saisir; concevoir; interpréter; ⚒**ung** conception *f,* vue *f,* interprétation *f;* opinion *f,* avis *m;* façon *f* de penser; ⚒**ungsgabe** intelligence *f;* compréhension *f; schnelle* ⚒*ungsgabe* esprit prompt

auf|finden trouver, découvrir; repérer; **~fischen** (re)pêcher; **~flackern** flamber, flamboyer; **~fliegen** s'envoler; s'ouvrir brusquement; *fig* échouer, rater; *(Verein)* être dissous

aufforder|n inviter, engager, exhorter *(zu* à); 🚗 sommer *(zu* de), mettre en demeure; demander de; requérir *(zu* de); ⚒**ung** invitation *f,* appel *m;* mise *f* en demeure; 🚗 sommation *f; letzte* ⚒*ung* ultimatum *m;* ⚒*ung zur Angebotsabgabe* appel *m* d'offres

aufforst|en reboiser; ⚒**ung** reboisement *m*

auf|fressen dévorer; **~frischen** *(a. Kenntnisse)* rafraîchir; renouveler; *(Farben)* raviver; *vi (Wind)* fraîchir

aufführ|en *(Gebäude)* construire, élever, ériger; *(aufzählen)* énumérer; *com* spécifier; 🎭 représenter, donner; 🎵 exécuter; *refl* se conduire, se comporter; ⚒**ung** *(Bau)* construction *f;* énumération *f;* 🎭 représentation *f;* 🎵 exécution *f;* conduite *f,* comportement *m*

auffüllen remplir *(mit* de); combler; compléter

Aufgabe tâche *f;* mission *f; pol* mandat, fonction *f; (Zweck)* but *m; päd* devoir *m; math* problème *m;* ⚓ remise *f,* expédition *f; (Gepäck)* enregistrement *m; (Verzicht)* abandon *m; (Geschäft)* cessation *f;* ⚙ alimentation *f;* **~ort** 📮 bureau *m* d'expédition

auf|gabeln enfourcher; *fig* ramasser, dénicher, pêcher; ⚒**gabenbereich** attributions *fpl;* ressort *m;* domaine *m* d'action; compétence; champ *m* d'activité; ⚒**gabenverteilung** répartition *f* des tâches; ⚒**gang** montée *f;* escalier *m; astr* lever *m*

aufgeben 1. *vt* remettre; *(Brief)* poster, mettre à la poste; *(Telegr.)* déposer, expédier; *(Inserat)* insérer (une annonce); *(Gepäck)* consigner, faire enregistrer; *(Rätsel)* proposer; *(Schulaufgabe)* donner; *(verzichten auf)* renoncer à; *(Besitz)* se dessaisir de; *(Plan)* abandonner; *(zu schwere Arbeit)* renoncer à; *(Kranken)* condamner; *d. Hoffnung* ~ désespérer; *s-e Grundsätze* ~

répudier ses principes; **2.** *vi* 🐟 abandonner; *(beim Erraten)* donner sa langue au chat; *(im Spiel)* renoncer

aufgeblasen présomptueux, suffisant, qui est plein de lui-même; **⁀heit** présomption *f,* suffisance *f;* rengorgement *m*

Aufgebot ban *m* de mariage; *mil* levée *f; mit großem ~ an* à grand renfort de

aufge|bracht furieux, monté; **~dreht** *umg* guilleret; **~dunsen** boursouflé, bouffi

aufgehen s'ouvrir; *(astr, Vorhang)* se lever; *(Blüte)* s'épanouir; *(Saat, Teig)* lever; *(Geschwür)* percer; *(s. lösen)* se défaire, se déboucler; *(Naht)* se découdre; *math* être divisible exactement *(od sans reste); in Flammen ~* être la proie des flammes; *in Rauch ~* s'en aller en fumée; *fig* être absorbé *(in par); jetzt geht mir erst d. Sinn s-r Worte auf* je comprends enfin ce qu'il voulait dire

aufge|hoben: *gut ~hoben sein* être en bonnes mains; **~klärt** éclairé; sans préjugés

Aufgeld agio *m;* arrhes *fpl;* supplément

aufge|legt disposé *(zu* à); *gut ~legt* de bonne humeur; *zu etw. (Geschäft) ~legt sein* être d'humeur à *(od* en veine de) faire qch; **~räumt** *fig* dispos *(ohne f),* enjoué, de bonne humeur; **~regt** excité, agité; ému; **⁀regtheit** agitation *f;* excitation *f;* **~schlossen** intelligent; (d'un esprit) ouvert; **~weckt** intelligent; éveillé

auf|gießen verser sur; *(Tee)* faire infuser; **~gliedern** diviser *(in* en), classifier; analyser; *com* ventiler; **⁀gliederung** division *f,* classification *f;* analyse *f; com* ventilation *f;* **~graben** creuser; **~greifen** (se) saisir de (de); *(e-n Punkt des Gesprächs)* soulever; *(Gedanken)* reprendre; **⁀guß** infusion *f; fig* mouture *f;* **~haben** *(Hut)* avoir sur la tête; *(Geschäft)* être ouvert; *päd* avoir à faire; **~haken** décrocher *(Kleider)* dégrafer; **~halten** tenir ouvert; arrêter, rentrer, stopper; *(verzögern)* retarder, freiner; *(hemmen)* entraver; *refl* faire un séjour, séjourner; s'attarder *(mit* à); *(bei e-m Thema)* s'appesantir *(od* s'attarder) sur; *s.* **~halten über** trouver à redire à, critiquer, gloser sur

aufhäng|en suspendre, accrocher; *(Wäsche)* étendre; *(er-)* pendre; **⁀er** bride *f;* **⁀ung** suspension *f*

aufhäuf|en empiler, amasser, accumuler; entasser; amonceler; **⁀ung** accumulation *f;* entassement *m;* amoncellement *m*

aufheb|en lever *(a. Sitzung, Belagerung);* soulever; élever; *(vom Boden)* ramasser; *(aufbewahren)* garder, mettre de côté; *(aufsparen)* mettre en réserve; *(abschaffen)* annuler, supprimer; *(zeitweilig)* suspendre; *(Urteil in letzter Instanz)* infirmer, casser; *(Gesetz)* abroger, abolir; *(Vertrag)* résilier, annuler; *d. Tafel ~en* se lever de table; *s. (gegenseitig) ~en* s'annuler, se compenser; **⁀en:** *viel ⁀ens machen von* faire beaucoup de bruit autour de qch; *wenig ⁀ens machen* être réservé; **⁀ung** levée *f;* abolition *f;* annulation *f;* suspension *f; (Amt)* suppression *f;* 🐟 cassation *f;* abrogation *f;* résiliation *f; (gerichtl. Beschlagnahme)* mainlevée *f*

aufheiter|n rasséréner; égayer; *refl* s'éclairer, s'épanouir; *(Wetter)* se lever; s'éclaircir; **⁀ung** égaiement *m; (Wetter)* éclaircie *f,* embellie *f*

auf|helfen aider qn à se (re)lever; **~hellen;** *a. fig* éclaircir; *(Gesicht) fig* éclairer; *(Farben)* aviver; *(Papier)* blanchir; **~hetzen** exciter, inciter *(zu* à); acharner, ameuter *(gegen* contre); **~holen** (re)gagner du terrain; *(Zeitverlust)* rattraper; ⚓ hisser; **~horchen** dresser l'oreille; **~hören** cesser; s'arrêter; discontinuer *(zu* de); *(Weg)* se perdre; *mit d. Arbeit ~hören* cesser de travailler; *da hört doch alles auf!* en voilà assez!, c'est le comble!; **~jauchzen** exulter; pousser des cris d'allégresse

Aufkauf achat *m* en grande quantité; *pej* accaparement *m;* **⁀en** accaparer, acheter en masse

Aufkäufer acheteur en gros; accapareur *m*

auf|keimen germer, pousser; **~klappbar** repliable, relevable; *(Verdeck)* décapotable; **~klappen** relever; rabattre; ouvrir; **~klaren** *(Wetter)* s'éclaircir

aufklär|en éclaircir; élucider (un problème); *mil* reconnaître le terrain; *(fig, a. mil)* éclairer; *j-n ~en* ouvrir les yeux à qn; **⁀er** *mil* éclaireur; **⁀ung** *(e-r Angelegenheit)* éclaircissement *m; mil* reconnaissance *f;* **⁀ungsflugzeug** avion *m* de reconnaissance; **⁀ungssatellit** satellite-espion

auf|kleben coller (sur); **⁀klebezettel** étiquette *f,* vignette *f;* **~klinken** déclencher, presser sur la clenche; **~knöpfen** déboutonner; **~knüpfen** dénouer, défaire; pendre; **~kochen** (faire) bouillir

aufkommen se (re)lever; subvenir *(für* à); *(genesen)* se remettre; *(Brauch)* s'établir, s'introduire; *fig* prospérer, réussir; *(Sturm)* se lever; *~ für* répondre de; *(ersetzen)* dédommager (qn de qch); **⁀** *su (Steuer)* produit *m;* encaissement *m,* rapport *m;* rendement *m;* **⁀** *am Boden* arrivée *f* au sol

auf|kratzen gratter; *(mit Nägeln)* égratigner; **~kündigen** donner congé à qn; *(Vertrag)* dénoncer, résilier; *(Kapital)* retirer; **⁀kündigung** congé *m;* dénonciation *f,* résiliation *f;* **~lachen** éclater de rire; **~laden** charger; *(Akku)* recharger

Auflage 📖 édition *f; (Auflageziffer)* tirage *m; (Steuer)* impôt *m,* charge *f,* taxe *f;* obligation *f; (für Gegenstände)* support *m,* appui *m; ~n machen* imposer des conditions à; **~ziffer** 📖 tirage *m*

auf|lassen laisser ouvert; *(Hut)* garder; *(Grube)* abandonner; 🐟 céder; **~lauern** guetter *(j-m* qn)

Auflauf rassemblement *m,* attroupement *m; (Speise)* soufflé *m;* **⁀en** s'enfler; *com* s'accumuler; s'accroître; ⚓ échouer; *j-n ⁀en lassen* faire buter sur

auf|leben revivre, revenir à la vie; se ranimer; **~lecken** laper; **~legen** placer, poser (sur); *(Hände, Steuer)* imposer; *(Anleihe)* émettre; 📖 tirer, éditer; **⚔** *(Hörer)* reposer; **~lehnen** *refl* se soulever, se révolter, s'insurger *(gegen* contre); **⁀lehnung** révolte *f,* insurrection *f;* soulèvement *m;* **~lesen** ramasser, recueillir; **~leuchten**

(Lampe) s'allumer; *(Feuer)* flamboyer; se mettre
à briller; **~liegen** être couché *(od* posé *od*
appuyé) sur; *(Ware)* être étalé; être en vente;
⌐listung établissement d'une liste; *EDV* listage
m; **~lockern** *(Boden)* ameublir; *fig* égayer
auflös|bar (dis)soluble; **~en** défaire, délier,
détacher, dénouer; *(Frisur)* défriser qn; *(in
Wasser)* diluer; délayer; *chem* dissoudre,
analyser; *chem, a. fig* dissocier; *(phys, Vertrag,
Aufgabe)* résoudre; *(zersetzen)* décomposer;
(Versammlung) dissoudre; *mil* disperser; *refl* se
débander, se dissiper; *s. in nichts ~en* se réduire
à rien; *in Tränen aufgelöst* tout en pleurs, tout
éploré; **⌐ung** dénouement *m; chem* résolution *f;
phys, fig* dissolution *f; (Linsen)* pouvoir *m*
séparateur; *(Ehe)* dissolution *f* (d'un mariage);
♐ *(Vertrag)* résolution *f; a. fig* décomposition *f;
fig* solution *f; (Verwirrung)* débandade *f,* déroute
f, désordre *m,* désorganisation *f;* **⌐ungszeichen** ♪
bécarre *m*
aufmach|en ouvrir; défaire; déballer; *(schmin-
ken)* maquiller; *refl* se mettre en route, partir;
⌐ung présentation *f,* habillage *m;* maquillage
m; in großer **⌐ung** *(journ)* en gros caractères
Aufmarsch *(Truppen-)* concentration *f;* déploiement *m; (Parade)* défilé *m;* **⌐ieren** se
concentrer; se déployer, défiler
aufmerk|en écouter; dresser l'oreille; faire
attention *(auf* à); **~sam** attentif *(auf* à); *fig*
prévenant; *j-n auf etw.* **~sam machen** signaler
(od faire remarquer) qch à qn, avertir qn de qch;
⌐samkeit attention *f;* vigilance *f; fig* prévenance
f; pl prévenances *fpl,* égards *mpl*
aufmuntern ranimer; *fig* encourager
Aufnahme accueil *m;* réception *f; (Energie)* absorption *f; (durch Atmung)* inhalation *f; (durch
Mund)* ingestion *f; (Schule, Krankenhaus)* admission *f;* ▣ photographie *f;* vue *f; (e-s Films)* prise *f*
de vues; *(Geld)* emprunt *m; (Inventur)* inventaire
m; (Schallplatte, Tonband) enregistrement *m,*
gravure *f;* **~apparat** ☸ appareil *m* de prise de
vues; **~fähig** réceptif; **~fähigkeit** réceptivité *f,*
capacité; **~gerät** appareil *m* d'enregistrement;
~leiter *(Film)* directeur de la photographie;
~prüfung examen *m* d'admission *(od* d'entrée)
aufnehm|en ramasser; relever, soulever; *fig*
accueillir; *(in Gesellschaft)* recevoir; *(als Mitglied)* admettre; *(in Mitarbeiterstab, Einheit)*
enrôler; *(Geld)* emprunter; *(Anleihe)* contracter;
(Hypothek) prendre; *(Beziehung)* nouer (des
relations), établir; *(Masche)* reprendre; *(Protokoll)* dresser (un procès-verbal), rédiger; *(ver-
zeichnen)* inscrire; *(Grundriß)* lever (un plan);
chem, phys absorber; ▣ photographier; *(auf
Schallplatte, Tonband)* enregistrer, graver;
(Kampf, Verhandlungen) entamer, engager; *in e.
Krankenhaus ~en* hospitaliser; *e-n Freund bei s.
~en* donner l'hospitalité à un ami; *Verbindung
~en* entrer en relation *(mit* avec); *d. Bestand
~en* inventorier; *d. Faden wieder ~en* reprendre
son récit; *etw. gut (übel) ~en* prendre qch en
bonne (en mauvaise) part; *es mit j-m ~en* se
mesurer avec qn, tenir tête à qn; *in s. ~en*
absorber, s'assimiler; **⌐er** serpillière *f*

auf|nötigen imposer (qch à qn); **~opfern**
sacrifier, immoler; *refl* se sacrifier *(für* pour); se
dévouer, se saigner; **⌐opferung** sacrifice *m;*
dévouement *m;* **~packen** charger (sur)
aufpass|en faire attention à, prendre garde à;
j-m ~en épier, guetter qn; **⌐er** surveillant;
guetteur
auf|peitschen exciter (brusquement); **~pflan-
zen** *(Fahne)* planter, arborer; *(Bajonett)* mettre
au canon; *refl* se planter (devant qn); **~pfropfen**
greffer; **~picken** picorer; **~platzen** éclater;
crever; **~plustern** *refl* s'ébouriffer; *fig* faire
l'important, se donner des airs; **~prägen** *fig*
imprimer, empreindre (sur); donner son empreinte à; **⌐prall** choc *m,* heurt *m,* ricochet *m;
(Einschlag)* impact *m;* **~prallen** rebondir;
heurter *(auf etw.* qch); être projeté contre;
⌐preis supplément *m* (de prix), surprix *m;*
~pulvern *refl* prendre des stimulants; **~pumpen**
gonfler; **~putschen** exciter; **~putz** apprêt *m;
(lächerlicher)* accoutrement *m;* **~putzen** parer;
attifer; **~quellen** (r)enfler; **~raffen** ramasser
rapidement; *refl* se ressaisir, se relever;
rassembler ses forces; prendre son courage à
deux mains; **~rauhen** ✿ égratigner; *(Verputz)*
gratter
aufräum|en ranger, mettre en ordre; *(Schutt)*
déblayer; enlever; *~en mit* faire table rase de;
⌐ung nettoyage *m;* déblaiement *m*
aufrech|nen additionner; compenser; **⌐nung**
compensation *f;* imputation *f*
aufrecht droit; debout; **~erhalten** maintenir,
soutenir; **⌐erhaltung** maintien *m*
aufreg|en émouvoir; agiter; exciter; *refl* s'irri-
ter, s'énerver, se fâcher *(über* de); *s. sehr ~en*
s'exaspérer; **~end** excitant; troublant; échauf-
fant; *(Problem)* palpitant; **⌐ung** excitation *f;*
émotion *f;* agitation *f;* émoi *m,* énervement *m;*
échauffement *m*
auf|reiben écorcher; *fig* épuiser, ruiner, user; ✿
aléser; *mil* anéantir; *refl* s'exténuer (à faire qch);
~reibend épuisant, exténuant; **~reihen** ranger;
(Perlen) enfiler; **~reißen 1.** *vt* déchirer; *(Tür)*
ouvrir brusquement; *(d. Augen)* écarquiller (les
yeux); *(Haut)* gercer, crevasser; *(Pflaster)*
arracher; *(zeichnen)* tracer, marquer; *(Panze-
rung)* disloquer; **2.** *vi (Haut)* se gercer, se
crevasser; **~reizen** exciter; provoquer; irriter;
~reizend provocateur; crispant; *(sinnlich)* provocant
aufricht|en dresser; *(Körper)* redresser; élever;
fig consoler; *refl* se mettre debout, se (re)dres-
ser; **~ig** sincère, franc; **⌐igkeit** sincérité *f;*
franchise *f,* droiture *f;* **⌐ung** érection *f; a. fig*
relèvement *m*
auf|riegeln déverrouiller; **⌐riß** *math* élévation *f;*
dessin *m,* plan *m;* épure *f;* projection *f (od* coupe
f) verticale; **~ritzen** érafler, égratigner; **~rollen**
(auseinander, a. fig) dérouler; *(zus.-)* enrouler;
fig entamer; **~rücken** *mil* serrer les rangs;
progresser; monter en grade
Aufruf appel *m;* proclamation *f;* **⌐en** appeler *(zu*
à); *(namentlich)* faire l'appel; *(Banknoten)*
retirer; *(z.B. Losnummern)* appeler

Aufruhr rébellion *f,* sédition *f,* révolte *f,* émeute *f,* mutinerie *f,* insurrection *f;* tumulte *m; fig* effervescence *f; in ~ versetzen* soulever; provoquer des troubles; ~ créer de la sensation

aufrühr|en remuer; agiter; *fig* réveiller; **⊾er** fauteur *m* de troubles, factieux *m;* mutin, insurgé, émeutier, rebelle; **~erisch** rebelle, mutiné; séditieux, insurrectionnel; *(Rede)* incendiaire

aufrunden *(Geldsumme)* arrondir (au chiffre supérieur); *e-e Dezimale* ~ forcer une décimale

aufrüst|en réarmer; équiper; **⊾ung** réarmement *m;* course *f* aux armements

auf|rütteln *a. fig* secouer; réveiller; **~sagen** réciter; **~sammeln** ramasser, recueillir; **~sässig** rebelle; récalcitrant; **⊾sässigkeit** insubordination *f;* **~satteln** seller; **⊾satz** 🏛 corniche *f,* chapiteau *m; (Möbel, Kamin)* dessus *m; (Schornstein)* mitre *m; päd* composition *f,* dissertation *f;* article *m; (Abhandlung)* essai *m;* **~saugen** absorber; *(Überschuß)* résorber; *(Waren)* éponger; ⚙ aspirer; ⚗ , *fig* résorber; **⊾schaltung** ⚡ branchement *m,* commutation *f;* **~schauen** lever les yeux (avec admiration) *(zu* vers); **~scheuchen** effaroucher; faire lever; *(Jagd)* débusquer; **~scheuern** *(Haut)* écorcher; **~schichten** empiler, entasser

aufschieb|en ouvrir; *fig* différer, remettre *(auf* à); *(Hinrichtung)* surseoir (à l'exécution); **~ende Wirkung** effet *m* suspensif ♦ *aufgeschoben ist nicht aufgehoben* partie remise n'est pas perdue; **⊾ung** remise *f;* ajournement *m*

aufschießen sursauter; ↓ pousser; *fig* pousser comme une asperge

Aufschlag choc *m;* chute *f;* impact *m; (Ärmel)* parement *m; (Rock)* revers *m; com* supplément *m,* majoration *f; (Tennis)* service *m;* **⊾en 1.** *vt (Nuß)* casser; *(Bett, Lager, Zelt)* dresser; *(Augen, Buch, Haut)* ouvrir; *(Ärmel)* retrousser; *(Wohnsitz)* établir, fixer; *(Preis)* augmenter; **2.** *vi* tomber sur, heurter qch, donner contre; *(Preis)* monter; **~punkt** impact *m*

auf|schließen ouvrir; *mil* serrer les rangs; **~schlitzen** fendre, taillader

Aufschluß renseignement *m;* information *f;* explication *f;* éclaircissements *mpl; j-m* ~ *geben* renseigner qn (sur qch), informer qn (de qch), donner une indication sur; **⊾reich** instructif; significatif; révélateur

auf|schlüsseln ventiler; décoder; déchiffrer; **⊾schlüsselung** ventilation *f,* classification, découpage; décryptage; **~schnallen** boucler; *(lösen)* déboucler; **~schnappen** happer; *fig* attraper, pêcher; *(Worte)* surprendre; *vi* s'ouvrir (soudainement)

aufschneid|en *(a. Buch)* couper; fendre; *(Fleisch)* découper, trancher; *umg* hâbler, se vanter, fanfaronner; **⊾er** blagueur, hâbleur, vantard, fanfaron; **⊾erei** vantardise *f;* fanfaronnade *f,* hâblerie *f*

Aufschnitt (tranches *fpl* de) charcuterie *f;* assiette anglaise

auf|schnüren déficeler, délacer, dénouer; **~schrauben** visser, boulonner *(aif* sur); *(lösen)*

dévisser, déboulonner; **~schrecken** *vt* effrayer, effaroucher; *vi* sursauter; **⊾schrei** grand cri, cri perçant; **~schreiben** noter, prendre note de; **~schreien** pousser un cri, s'exclamer; **⊾schrift** inscription *f;* ✍ adresse *f;* étiquette *f;* **⊾schub** délai *m;* remise *f;* ajournement *m; (Frist)* répit *m;* ⚖ *(Strafe)* sursis *m;* ⚖ prorogation *f; um e-n* **⊾schub nachsuchen** solliciter un délai; **~schürzen** retrousser; **~schütteln** secouer; **~schütten** remblayer; mettre en tas; **~schwatzen** *umg* en faire accroire à qn; embobiner qn; *(Waren)* se faire refiler qch par qn; **~schwellen** enfler; **~schwingen** *refl* s'élancer, s'élever; **⊾schwung** essor *m,* élan *m; com* boom *m;* relance *f*

aufseh|en lever les yeux (vers); **⊾en** *su (Ereignis)* retentissement *m;* tapage *m;* **⊾en erregen** faire sensation, faire du bruit, faire scandale; **~enerregend** retentissant, sensationnel; **⊾er** garde; gardien; *(Internat)* maître d'études, surveillant; contrôleur *m;* vigile *m*

auf|sein être debout *(od* levé); être ouvert; **~setzen** mettre; poser; *d. Hut* **~setzen** se couvrir; *(Wasser)* faire chauffer; *(Brille)* chausser; *(Flicken)* appliquer; *(Brief usw.)* rédiger; *(Vertrag)* établir; *(Miene)* prendre; *vi* ✈ toucher terre; *(auf d. Meer)* amerrir; *refl* se dresser sur son séant; *(Vogel)* (se) percher

Aufsicht surveillance *f;* contrôle *m;* inspection *f; die* ~ *führen* surveiller; **~sbeamter** surveillant; **~sbehörde** autorité *f* de tutelle; **~srat** conseil *m* de surveillance; **~srecht** droit *m* de regard, de contrôle

aufsitzen monter (à cheval); veiller; *j-n ~ lassen* laisser qn en plan

auf|spalten fendre; désintégrer; **~spannen** étendre; ⚓ déployer; *(Schirm)* ouvrir; ⚙ fixer; **~sparen** économiser; mettre de côté; faire des réserves; **~speichern** emmagasiner; stocker; *a.* ⚡ accumuler; *EDV* mémoriser; **⊾speicherung** stockage *m;* emmagasinage; mémorisation; **~sperren** ouvrir (avec une clef); *(Augen)* écarquiller; *Mund u. Nase* **~sperren** rester bouche bée; **~spielen** jouer; *refl* faire l'important; se donner *(als* pour); **~spießen** embrocher, enferrer; **~sprengen** forcer; faire sauter; **~springen** bondir; se lever d'un bond; *(Ball)* rebondir; *(während d. Fahrt)* monter en marche; s'ouvrir (d'un coup); *(platzen)* crever, se fendre; *(Haut)* (se) crevasser, (se) gercer; **~spritzen** rejaillir; **~spulen** (em)bobiner; **~spüren** dépister; découvrir; **~stacheln** aiguillonner, exciter *(zu* à)

Auf|stand rébellion *f,* émeute *f;* soulèvement *m,* sédition *f,* insurrection *f;* **⊾ständisch** insurrectionnel; **~ständischer** rebelle; émeutier; insurgé

auf|stapeln empiler, entasser; **~stauen** *(Wasser)* refouler; accumuler; **~stechen** percer; **~stecken** fixer; *(Fahne)* arborer; *umg* abandonner; **~stehen** se lever; se soulever, s'insurger; être ouvert; **~steigen** monter; s'élever; ✈ décoller; prendre l'air; *(berufl.)* réussir; **⊾steiger** carriériste *m,* jeune loup

aufstell|en mettre debout, élever; placer, poser; ranger; ⚙ monter; *(Heer)* mettre sur pied;

(Posten) poster; *(Falle)* tendre; *(Kandidat)* désigner; présenter; *(Rekord)* établir, réaliser; *(Behauptung)* avancer; *(Bilanz)* dresser, établir; *(Beweis)* fournir; *(Rechnung usw.)* établir, facturer; *(Prinzip)* énoncer; *refl* se poster, se placer; **⌐ung** placement *m*, disposition *f;* établissement *m;* montage *m;* relevé *m*
auf|stemmen ouvrir au levier; *refl* s'appuyer; **⌐stieg** montée *f;* ascension *f; a. fig* élévation *f; (im Beruf)* avancement *m*, promotion *f* (sociale); **⌐stöbern** faire lever; dénicher; **⌐stocken** surélever d'un étage; exhausser; *(Kapital)* augmenter; **⌐stockung** augmentation (du capital); **⌐stoßen** ouvrir en poussant *(od* d'un coup de pied); *vi ⚓* toucher le fond; *(Magen)* éructer; **⌐streben** s'élever; viser au progrès; aspirer au développement; **⌐streichen** étendre; **⌐streifen** retrousser; **⌐strich** denrée *f* à tartiner; *(Schrift)* délié *m;* **⌐stülpen** retrousser; *(Hut)* enfoncer négligemment; **⌐stützen** appuyer (sur); **⌐suchen** chercher; aller trouver; rendre visite à; **⌐takeln** ⚓ gréer; *refl umg* s'attifer, s'accoutrer
Auftakt ♩ anacr(o)use *f; fig* ouverture *f*, prélude *m; d. ⌐ zu etw. bilden* être le départ de qch
auf|tauchen *a. fig* émerger; *(U-Boot)* faire surface; *fig* surgir, apparaître; faire irruption; **⌐tauen** *a. fig* dégeler
auftei|len répartir; classer; ventiler; partager; faire le partage de; *(Land)* démembrer; *(Baugelände)* lotir; **⌐ung** répartition *f*, classement, ventilation; partage *m;* démembrement *m;* lotissement *m*
auftischen servir; *fig* débiter des histoires
Auftrag *com* commande *f*, ordre *m*, marché *m; pol* mission *f*, mandat *m; (Handelsmittler)* commission *f;* charge *f; (Farbe)* couche *f; im ⌐ von* de la part de, au nom de; *fester ⌐* commande ferme; *freibleibender ⌐* ordre sans engagement; *laufender ⌐* ordre permanent; *e-n ⌐ erteilen* passer une commande; **⌐en** appliquer, étendre; *(Kleider)* user jusqu'à la corde; *(Speisen)* servir; *(befehlen)* charger *(j-m etw.* qn de qch); *dick ⌐en (fig)* exagérer; **⌐geber** client *m*, donneur m d'ordre; commettant; ☁ mandant; **⌐nehmer** client *m;* fournisseur *m;* **⌐sbestand** commandes *fpl* en carnet; **⌐sbestätigung** confirmation de la commande; **⌐serteilung** passation *f* d'une commande; **⌐svergabe** passation d'un marché; commande par adjudication; **⌐szettel** bulletin *m* de commande
auf|treiben chasser, faire lever; gonfler; *fig* dénicher, pêcher; *(Geld)* trouver; se procurer; **⌐trennen** découdre; **⌐treten** *(Tür)* enfoncer; *vi* poser le pied; *fig* paraître, se produire; se trouver; ☻ entrer (en scène); ♪ apparaître; *gegen j-n (etw.) ⌐treten* s'élever contre qn (qch); **⌐treten** *su* apparition *f;* conduite *f;* manières *fpl;* ☻ entrée *f* en scène; *(erstes)* début *m;* **⌐trieb** *phys* poussée *f*, force ascensionnelle; **⌐** sustentation *f*, portance *f; (Alm-)* montée *f* à l'alpage; *fig* élan *m;* impulsion *f;* **⌐tritt** ☻ apparition *f;* ♥ *, fig* scène *f*, éclat *m;* **⌐trumpfen** jouer atout; *fig* dire son fait; river son clou à qn; **⌐tun** ouvrir; *refl* s'établir; *(Möglichkeit)* se

présenter; **⌐türmen** amonceler, entasser; *refl* s'accumuler; **⌐wachen** se réveiller; **⌐wachsen** grandir; **⌐wallen** bouillonner; *fig* être en effervescence; **⌐wallung** bouillonnement *m; fig* effervescence *f;* emballement *m*, emportement *m;* **⌐walzen** *(Edelmetall)* plaquer; ⚙ mandriner
Aufwand dépense *f;* frais *mpl;* charge *f; (Arbeit)* somme *f* de travail; *(großer)* somptuosité *f*, luxe *m; pej* étalage *m; (standesgemäßer)* représentation *f;* **⌐sentschädigung** indemnité *f* pour frais professionels; **⌐skosten** frais de représentation
aufwärmen *a. fig* réchauffer; *fig* réveiller, ressortir
Aufwart|efrau femme de ménage; **⌐en** servir (qn); *j-m mit etw. ⌐en* offrir qch à qn; **Aufwärter** domestique; **⌐ung** service *m;* visite *f* (de politesse)
aufwärts en montant; vers le haut; **⌐bewegung** *(Preise, Kurse)* tendance à la hausse *f;* **⌐trend** conjoncture *f* ascendante
auf|waschen laver *(od* faire) la vaisselle; **⌐wecken** (r)éveiller; **⌐weichen** (r)amollir, tremper; *(Weg)* détremper; *vi* s'amollir; se détremper; **⌐weisen** montrer, faire voir; *(z.B. Zunahme)* accuser; présenter, produire; **⌐wenden** *(Geld)* dépenser, débourser; affecter (des crédits à); employer; **⌐wendig** coûteux, dispendieux; **⌐wendung** dépense *f; (beruflich)* frais *mpl* professionnels; **⌐werfen** *(Erde)* amonceler; *(Wall)* élever; *(Karten)* étaler; *(Frage)* soulever, poser; *s. z. Kritiker ⌐werfen* s'ériger en critique
aufwert|en revaloriser; *(Währung)* réévaluer; **⌐ung** revalorisation *f; (Währung)* réévaluation *f;* **⌐ungsausgleich** *EG* montant *m* compensatoire
aufwickeln enrouler; *(lösen)* dérouler; *(Garn)* dévider; *(Haar)* mettre en papillotes
aufwiege|ln ameuter, soulever, inciter à la révolte, révolter; **⌐lung** incitation *f (od* instigation *f)* (à la révolte); **⌐en** compenser; *fig* contrebalancer; valoir autant *(etw.* que qch); *mit Gold ⌐en* payer au poids de l'or
Aufwiegler agitateur *m*, fomentateur; **⌐isch** séditieux, factieux; incendiaire
Aufwind ✈ vent ascendant; *im ⌐ sein fig* avoir le vent en poupe; être dans une conjoncture favorable
auf|winden soulever; guinder; hausser; *(Anker)* lever; **⌐wirbeln** soulever (des tourbillons de); *vi* poudroyer; **⌐wischen** essuyer; **⌐zählen** énumérer; dénombrer; *(Geld)* compter; **⌐zahlung** *(Preis)* supplément *m;* **⌐zählung** énumération *f;* dénombrement *m;* **⌐zäumen** brider; **⌐zehren** consommer, absorber; *fig* consumer; **⌐zeichnen** tracer, dessiner; enregistrer; *(vermerken)* noter, marquer; **⌐zeichnung** dessin *m;* note *f; (Bild, Ton)* enregistrement *m;* **⌐ziehen** 1. *vt* tirer en haut; ⚓ hisser; *(Vorhang)* lever; *(aufspannen)* monter; *(auf Leinwand)* entoiler; *(Uhr)* remonter; *(Kind)* élever; *(Unternehmen)* monter, organiser; *(Gestricktes)* démailler; *fig* railler, faire marcher qn; 2. *vi* défiler (en cortège); *(Wache)* monter; *(Gewitter)* s'élever; **⌐zucht** élevage *m; (Pflanzen)* culture *f;* **⌐zug** ⚙ ascenseur *m;* monte-charge *m;* ♥ acte *m;*

cortège *m*, procession *f;* 🏛 armement de l'obturateur; *pej* cavalcade *f; (lächerlicher)* affublement *m; (feierl.)* pompe *f;* **~zwingen** imposer qch à qn

Augapfel globe *m* de l'œil ♦ *etw. wie s-n ~ hüten* tenir à qch comme à la prunelle de ses yeux

Auge œil *m; bot* gemme *f*, bourgeon *m; (Würfel)* point *m; (auf Federn)* miroir *m;* ✿ bossage *m; mit bloßem ~* à l'œil nu; *unter 4 ~n* entre quatre yeux; *vor aller ~n* au vu et au su de tout le monde; *so weit d. ~ reicht* à perte de vue; *im ~ behalten* garder à vue, surveiller; *im ~ haben* viser à; *ins ~ fallen* sauter aux yeux; *ins ~ fassen* envisager; *vor ~n führen* démontrer; *s. vor ~n halten* se rappeler; *kein ~ von j-m lassen* couver qn des yeux; *große ~n machen* ouvrir de grands yeux; *j-m schöne ~n machen* faire les yeux doux à qn; *j-m die ~n öffnen* faire tomber les œillères; *ins ~ sehen (a. fig)* regarder en face; *ins ~ stechen* taper dans l'œil à qn *(umg); j-m unter d. ~n treten* paraître devant qn; *aus d. ~n verlieren* perdre de vue; *ein ~ werfen auf* avoir des visées sur; *ein ~ zudrücken* fermer l'œil sur qch; *kein ~ zutun* passer une nuit blanche ♦ *aus d. ~n, aus d. Sinn* loin des yeux, loin du cœur; *mit e-m blauen ~ davonkommen* l'échapper belle, s'en tirer à bon compte; *j-m Sand in d. ~n streuen* donner le change à qn; *j-m ein Dorn im ~ sein* être insupportable à qn

äugeln faire les yeux doux; ⚓ écussonner

Augen|arzt oculiste *m;* **~blick** clin *m* d'œil; moment *m*, instant *m; jeden ~blick* à tout moment, d'un moment à l'autre; *im ~blick als* au moment où; **~blicklich** momentané, instantané; actuel; *adv* à l'instant (même), tout de suite; **~braue** sourcil *m;* **⁀fällig** apparent; évident; **~fehler** défaut visuel; **~flimmern** éblouissements *mpl;* **~glas** lunettes *fpl;* monocle *m;* **~heilkunde** 🔬 ophtalmologie *f;* **~höhle** orbite *f* oculaire; **~licht** vue *f;* **~lid** paupière *f;* **~maß** (justesse *f* du) coup *m* d'œil; *nach ~maß* à vue d'œil; *ein gutes ~maß haben* avoir le compas dans l'œil; **~merk:** *sein ~merk auf etw. richten* avoir qch en vue, viser à qch; **~salbe** onguent *m* ophtalmique; **~schein** évidence *f; in ~schein nehmen* examiner; **⁀scheinlich** évident, apparent; **~spiegel** 🔬 ophtalmoscope *m;* **~weide** régal *m* pour les yeux; **~zahn** canine *f;* **~zeuge** témoin *m* oculaire; **~zwinkern** clignement *m* d'œil

August août *m*

Auktion vente *f* aux enchères (*od* publique), (vente *f* à la) criée *f; gerichtliche ~* vente judiciaire; **~ator** commissaire-priseur; **~shalle** hôtel *m* des ventes

Aula salle *f* des fêtes; (grande) salle de classe

aus 1. *präp* de (*~ Paris* de Paris); par (*~ d. Fenster zur* à la fenêtre, *~ Liebe* par amour); dans (*~ e-m Glas trinken* boire dans un verre); hors de (*~ d. Verlegenheit helfen* tirer hors d'embarras); en (*~ Gold* en or); pour (*~ diesem Grund* pour cette raison); à (*~ vollem Halse* à gorge déployée); **2.** *adv* fini, passé; *(Licht)* éteint; *es ist ~ mit ihm* c'en est fait de lui,

il est fichu; *bei j-m ~ u. ein gehen* fréquenter qn, être constamment chez qn; *weder ein noch ~ wissen* ne savoir où donner de la tête; *auf etw. ~ sein* chercher à faire qch, aspirer à qch; **3.** *n (Schalterstellung)* arrêt *m*, position *f* neutre; *(Ballspiel)* (balle) hors du terrain de jeu; *fig* fin *f*, échec *m*

ausarbei|ten élaborer; mettre au point; achever; ✿ façonner; **~ung** élaboration *f; (schriftliche)* rédaction *f*, composition *f*

ausart|en dégénérer (*zu* en); **~ung** dégénération *f*; dégénérescence *f*

ausatm|en expirer; exhaler; **~ung** expiration *f*

aus|baden payer les pots cassés; **~baggern** draguer

Ausbau aménagement *m;* agrandissement *m*, élargissement *m; (Bergbau)* soutènement *m;* 🏛 parachèvement *m; fig* développement *m;* **⁀en** agrandir, élargir; achever; ✿ démonter; développer

aus|bauchen évaser, renfler; **~baufähig** améliorable; **~bedingen** 🔊 stipuler; *s. etw. ~bedingen* se réserver qch; **~beißen:** *s. an etw. d. Zähne ~beißen (fig)* se casser les dents sur qch, ne pas venir à bout de qch

ausbesser|n réparer; refaire; raccommoder, rapiécer; *(Wäsche)* repriser, ravauder; ⚓ radouber; **~ung** réparation *f;* raccommodage *m; (Wäsche)* reprise *f; (Straße)* réfection *f;* ⚓ radoub *m*

ausbeulen débosseler, planer

Ausbeut|e rendement *m;* produit *m;* profit *m*, bénéfice *m;* récolte *f;* **⁀en** exploiter; tirer profit de; **~er** exploiteur; **~ung** exploitation *f*

aus|bezahlen payer intégralement; rétribuer; désintéresser qn; solder un compte; *auf Heller u. Pfennig ~bezahlen* payer rubis sur l'ongle; **~biegen** courber; *vi* céder le pas, s'effacer; **~bieten** offrir

ausbild|en former; développer; cultiver; entraîner; instruire, éduquer (*a. mil*); **⁀er** moniteur; *mil* instructeur; **~ung** formation *f;* développement *m;* instruction *f;* entraînement *m;* apprentissage *m;* perfectionnement *m;* **~ungsbeihilfe** allocation *f* de formation professionnelle; **⁀ungsförderung** promotion *f* de la formation professionnelle; **~ungsstand** niveau de formation; **~ungsstätte** centre *m* de formation; **~ungszeit** période *f* de formation

aus|bitten *refl* demander; exiger; **~blasen** souffler; éteindre; **~bleiben** ne pas venir, rester absent; *d. kann nicht ~bleiben* c'est inévitable; **⁀bleiben** *su* absence *f;* **⁀blick** vue *f;* échappée *f;* perspective *f (a. fig);* **~bohren** creuser; évider; ✿ aléser; **~booten** *a. fig* débarquer; *umg* virer, limoger; **~borgen** prêter; *refl* emprunter; **~braten** *(Fett)* faire fondre

ausbrechen *vt* arracher, détacher; *(Speisen)* vomir, rendre; *vi (Gefangener)* s'évader; *(Pferd)* s'emballer; *(Krieg)* éclater; *(Krankheit)* se déclarer; *(Vulkan)* entrer en éruption; *(Leidenschaft)* se déchaîner; *in Tränen ~* fondre en larmes

ausbreit|en répandre; étendre, étaler; déployer; *(Tischtuch)* déplier; *(Arme)* écarter; *refl* se répandre, se propager; *(Nachricht)* circuler; **⌐ung** déploiement *m;* propagation *f,* extension *f;* diffusion *f*

aus|brennen flamber; **$** cautériser; *vi* s'éteindre; se consumer; **⌐bruch** *(Vulkan)* éruption *f; (Heiterkeit)* explosion *f; (Krieg)* déclenchement *m; (Krankheit)* apparition *f; (Leidenschaft)* déchaînement *m; (Gefühls-)* éclat *m,* transport *m;* **⌐brüten** couver; *fig* machiner, ourdir; **⌐buchen** *(Geld)* sortir d'un compte; *(Touristik)* être complet, entièrement vendu; **⌐buchtung** renflement *m;* baie *f,* anse *f,* indentation *f;* **⌐bügeln** *fig* arranger, réparer; **⌐bund** prodige *m; pej* maître *m,* monstre *m;* **⌐bürgern** déchoir qn de la nationalité; **⌐bürsten** brosser

Ausdauer persévérance *f;* constance *f;* patience *f;* endurance *f;* persistance *f;* **⌐nd** persévérant; endurant; persistant

ausdehn|bar extensible; expansible; *(Metall)* ductile; **⌐en** étendre; élargir; agrandir; allonger; prolonger; *phys* dilater; **⌐ung** étendue *f,* dimension *f;* extension *f;* dilatation *f; phys, pol* expansion *f*

aus|denken *vt u. refl* inventer, imaginer, concevoir; **⌐dienen** être usé; **⌐drehen** *(Lampe)* éteindre; *(Werkstück)* aléser

Ausdruck expression *f; (Wort)* terme *m; ⌐ geben* témoigner qch; *z. ⌐ bringen* traduire, rendre sensible; **⌐slos** inexpressif, sans expression; **⌐svoll** expressif; **⌐sweise** manière *f* de s'exprimer; langage *m;* façon *f* de parler

ausdrück|en presser; *a. fig* exprimer; *(Zigarette)* écraser; **⌐lich;** *adj* exprès; formel; positif; explicite; *adv* expressément, formellement

ausdünst|en transpirer; exhaler, émaner; **⌐ung** transpiration *f;* émanation *f,* exhalaison *f; (Körper)* effluve *m,* exhalation *f; (ungesunde)* miasme *m*

auseinander séparé; **⌐brechen** *vt* casser, rompre; *vi* (se) casser; **⌐breiten** déployer; **⌐bringen** séparer; **⌐fallen** tomber en morceaux, se défaire; **⌐falten** déplier; **⌐gehen** se séparer; *(Volksmenge)* se disperser; *(Meinungen)* diverger; **⌐halten** distinguer; **⌐laufen** se disperser; s'égailler; *(Linien)* diverger; **⌐nehmen** démonter; défaire; **⌐rücken** espacer; mettre à distance; ✿ **⌐setzen** exposer, expliquer; *refl* s'expliquer *(mit* avec); *(Problem)* réfléchir à; *com* s'arranger; **⌐setzung** explication *f;* discussion *f;* dispute *f; (Streit)* querelle *f; com* arrangement *m; (Konkurs)* liquidation *f;* dissolution *f* (d'une société); **⌐treiben** disperser

auser|koren élu; **⌐lesen** choisi, de choix; exquis; d'élite; **⌐sehen** choisir; destiner à; **⌐wählen** élire, choisir; prédestiner

ausfahr|en promener en voiture *(vi* se p.); *(Weg)* défoncer; ✝ *(Fahrgestell)* baisser (le train d'atterrissage); **⌐t** sortie *f,* promenade *f* en voiture; *(Tor)* porte cochère; sortie *f* d'immeuble; *(Bergbau)* remontée *f*

Ausfall manque *m;* défaillance *f;* suppression *f; (Haare)* chute *f; (Einnahme)* perte *f,* déficit *m;* moins-value *f; mil* sortie *f; (Fechten)* botte *f; fig* at-

taque *f; (Ergebnis)* résultat *m;* **⌐bürgschaft** garantie de bonne fin; **⌐en** tomber (en panne); se détacher; *(Same)* s'égrener; *mil* faire une sortie; *(unterbleiben)* être supprimé, n'avoir pas lieu; *gut* **⌐en** réussir, avoir bon résultat; **⌐end** agressif; insultant; **ausfällig** insultant; grossier; **⌐quote** taux *m* de pertes et d'usure; **⌐straße** sortie *f* (d'une ville); **⌐zeit** temps *m* d'interruption, période *f* d'indisponibilité

aus|fasern s'effiler, s'effilocher; **⌐fechten** *(Streit)* vider; disputer; **⌐fegen** balayer; nettoyer; **⌐feilen** limer; *fig* polir; perfectionner

ausfertig|en expédier; *(Urkunde)* délivrer; *(Vertrag)* dresser; **⌐ung** expédition *f,* ampliation; délivrance *f; in dreifacher ⌐ung* en triple exemplaire

aus|findig: **⌐findig machen** découvrir, trouver; dépister; **⌐fliegen** s'envoler; partir en excursion; **⌐fließen** s'écouler; **⌐flucht** subterfuge *m;* tergiversation *f;* faux-fuyant *m;* échappatoire *f;* **⌐flüchte machen** tergiverser, répondre par des pirouettes; **⌐flug** excursion *f;* tour *m; (weit)* randonnée *f;* **⌐flügler** excursionniste; **⌐fluß** écoulement *m;* **$** flux *m;* **$** émanation *f; (Öffnung)* issue *f,* décharge *f;* **⌐forschen** explorer; sonder qn; **⌐fragen** questionner, interroger; **⌐fransen** s'effilocher; **⌐fressen** vider; *(fig umg: etw.)* faire une bêtise

Ausfuhr exportation *f;* sortie *f;* **⌐beschränkung** restriction *f* à l'exportation; **⌐bewilligung** permis *m* d'exporter; licence d'exportation; **⌐handel** commerce *m* extérieur; **⌐land** pays *m* exportateur; **⌐sperre** embargo *m* (sur les exportations); **⌐überschuß** excédent *m* d'exportation; **⌐verbot** embargo *m,* défense d'exporter; **⌐zoll** taxe *f* à l'exportation

ausführ|bar faisable, réalisable; possible; *(Plan)* praticable; **⌐en** exécuter, accomplir; *(Plan)* réaliser; *com* exporter, effectuer; **⌐ende** ♪ interprètes *mpl,* exécutants *mpl;* **⌐lich** détaillé; *adv* en détail, tout au long; **⌐lichkeit** prolixité *f,* abondance *f* de détails; **⌐ung** exécution *f,* confection *f,* facture *f;* **⌐ungsbestimmungen** dispositions *fpl (od* modalités *fpl)* d'application

ausfüllen combler, remblayer; *(Formular)* remplir; *Lücken ⌐* combler des lacunes

ausfüttern *(Kleidung)* doubler

Ausgabe distribution *f;* délivrance *f; (Geld)* dépense *f; (Wertpapier)* émission *f;* □ édition *f; EDV* sortie *f* (de données); **⌐n** *fpl* charges *fpl; laufende ⌐n* dépenses courantes; **⌐bewilligung** autorisation *f* budgétaire; **⌐daten** *EDV* données *fpl* de sortie; **⌐nkürzung** compressions *fpl* budgétaires; **⌐nseite** colonne-dépenses; **⌐stelle** *(Fahrkarten)* bureau *m* d'émission, de délivrance; guichet *m*

Ausgang sortie *f; a. fig* issue *f; fig* dénouement *m,* résultat *m; ⌐ haben* avoir son jour de sortie; **⌐spunkt** point *m* de départ; **⌐sstellung** ✟ position *f* de départ

ausgeben distribuer, délivrer; *(Wertpapiere)* émettre; *(Geld)* dépenser; *(Banknoten)* mettre en circulation; *sich ⌐ für* se faire passer pour

ausgebombt sinistré (par les bombardements)
Ausgeburt produit *m*
ausge|dehnt vaste; **~dient** hors de service, usé; **~dörrt** aride; **~fallen** inusité; extraordinaire; bizarre; *(Gerät)* accidenté, défaillant; **~glichen** *(Haushalt)* en équilibre; *(Charakter)* pondéré; *(Person)* bien équilibré; **⌐glichenheit** harmonie *f*; équilibre *m*; pondération *f*
ausgeh|en sortir, aller dehors; *(Licht, Feuer)* s'éteindre; tarir, s'épuiser, (commencer à) manquer; *(Haare)* tomber; *fig* émaner, procéder de; *davon ~en* admettre; *leer ~en* faire chou blanc; *~en auf* aspirer *(od* viser) à qch; **⌐verbot** défense *f* de sortir; *mil* consigne *f*
ausge|hungert affamé; famélique; **~kocht** *umg* roublard; **~lassen** plein d'entrain; turbulent; espiègle, mutin; gaillard, grivois, égrillard, licencieux; **⌐lassenheit** exubérance *f*; espièglerie *f*; turbulence *f*; gaillardise *f*, licence *f*; **~geleuchtet** illuminé; **~macht:** *~machter Lügner* fieffé menteur; **~nommen** hors, hormis, excepté, à l'exception de; **~prägt** prononcé; marqué
ausgerechnet précisément, justement, comme par un fait exprès
ausge|schlossen exclu; *d. ist ~schlossen* c'est impossible; **~schnitten** *(Kleid)* décolleté; **~sprochen** prononcé, déclaré, caractérisé; *adv* nettement, carrément; **~stattet** équipé; **⌐stoßener** paria; réprouvé; bouc *m* émissaire; **~sucht** choisi, sélectionné, recherché; exquis; *~suchte Bosheit* raffinement *m* de méchanceté; **~wachsen** adulte; **~zeichnet** remarquable, excellent
aus|giebig abondant, copieux; **~gießen** répandre, verser
Ausgleich compensation *f*, péréquation *f*; *(Etat)* balance *f*, équilibre *m*; *(Zahlung)* régularisation, règlement *m*; compromis *m*; *zum ~ Ihrer Rechnung* en règlement de votre facture, pour solde de tout compte; **⌐en** compenser, équilibrer, *a.* 🖛 égaliser; *(Streit)* aplanir, arranger; **~s...** compensateur; **~sabgabe** taxe *f* compensatoire; **~sfonds** fonds *m* de solidarité; **~sforderung** créance *f* de péréquation; **~ssteuer** taxe *f* compensatoire; **~sverfahren** procédure *f* de concordat; **~szahlung** paiement *m* pour solde, soulte *f*; **~szoll** droits *mpl* compensatoires; **~ung** compensation *f*; balance *f*
aus|gleiten glisser; **~gliedern** éliminer; **~glühen** ☼ calciner, recuire; **~graben** *a. fig* déterrer, exhumer; **~grabung** fouilles *fpl*; excavation *f*; **⌐guck** poste *m* d'observation; ♃ vigie *f*, hune *f*; **⌐guß** *(Küche)* évier *m*; *(Kanne)* bec *m*
aus|halten *vt* supporter, endurer; *(Ton)* soutenir (une note); *(Person)* entretenir; *vi* tenir bon, durer, persévérer; *es ist nicht zum ⌐halten* c'est à n'y pas tenir; **~handeln** négocier; **~händigen** remettre; délivrer; **⌐hang** affichage *m*; **~hängen** afficher; décrocher; *vi* être affiché; être à l'étalage; **⌐hängeschild** enseigne *f*; **~harren** persévérer *(in* dans); **~hauchen** expirer
ausheb|en enlever; *(Tür)* ôter des gonds; *(Graben)* creuser; *mil* lever; *(Nest)* dénicher (une couvée); **⌐ung** *mil* levée *f*, conscription *f*

aus|hecken tramer, machiner; **~heilen** guérir complètement; **~helfen** aider, assister qn *(mit de qch)*; tirer qn d'embarras; **⌐hilfe** aide *f*, assistance *f*; expédient *m*; **~hilfskraft** aide *m*, auxiliaire *m*; **~hilfsweise** à titre provisoire, provisoirement
aushöhl|en creuser, excaver; ☼ évider; **⌐ung** excavation *f*
aus|holen *vt* sonder; *vi: zum Schlag ~holen* lever la main; *weit ~holen (fig)* remonter au déluge; **~horchen** confesser, sonder, tâter qn; **~hungern** affamer; *mil* réduire par la famine; **~jäten** sarcler, désherber; **~kämmen** démêler; **~kehren** balayer; **~kennen** *refl* s'y connaître; **~kernen** égrener; ôter les noyaux de; **~klammern** *fig* exclure, mettre entre parenthèses; **⌐klang** *a. fig* note finale; **~kleiden** déshabiller, dévêtir; ☼ revêtir, garnir *(mit* de); **~klingen** *(Ton)* expirer; s'achever *(mit* par); **~klinken** déclencher; **~klopfen** *(Teppich)* battre; *(Pfeife)* débourrer; **⌐klopfer** *(Teppich)* battoir *m* à tapis; **~klügeln** imaginer; **~kneifen** se défiler, se tirer des pieds, tailler le mur; **~knipsen** *(Licht)* éteindre; **~kochen** extraire (par ébullition); § stériliser
auskommen: *mit j-m ~* s'entendre *(od* s'accorder) avec qn; *mit ihm läßt sich ~* il est d'un commerce facile; *mit etw. ~* avoir suffisamment de; *mit s-m Geld ~* joindre les deux bouts; **⌐** *su* nécessaire *m*, subsistance *f*
aus|kosten savourer, déguster; **~kramen** vider; *a. fig* fouiller; **~kratzen** gratter, racler; *(Augen)* arracher; *umg* se débiner; **~kriechen** éclore; **~kugeln** désarticuler, démettre; **~kundschaften** explorer; aller en reconnaissance; *mil* reconnaître (le terrain)
Auskunft renseignement *m;* information *f;* **~ei** agence *f* de renseignements; **~sperson** informateur *m;* **~spflicht** obligation *f* de fournir des renseigments
auskuppeln débrayer
auslachen railler qn; rire aux dépens de qn, tourner qn en ridicule
ausladen décharger; ♃ débarquer, débarder; 🏛 faire saillie; **⌐** *su* déchargement *m;* **~d** saillant, proéminent
Auslage *(Laden)* étalage *m*, devanture *f*, vitrine *f;* **~n** *fpl (Geld)* débours *m*, frais *mpl*, dépenses avancées; *j-m die ~n erstatten* rembourser à qn les frais engagés
Ausland étranger *m;* *im ~* à l'étranger
Ausländ|er étranger *m*; **⌐isch** étranger; *com* de provenance étrangère
Auslands|beziehungen relations *fpl* avec l'étranger; **~forderungen** créances sur l'étranger; **~geschäft** opérations avec l'étranger; **~handel** commerce *m* extérieur; **~korrespondent** correspondant *m* à l'étranger; **~markt** marché extérieur; **~reise** voyage *m* à l'étranger; **~niederlassung** succursale *f* à l'étranger; **~schulden** dettes *fpl* extérieures; **~vermögen** avoirs *mpl* à l'étranger; **~zulage** indemnité *f* d'expatriation
auslass|en omettre, oublier; *(Fett)* faire fondre;

(Kleid) élargir; *s-e Wut an j-m* ~**en** passer (*od* épancher) sa colère sur qn; ⌐**ung** omission *f;* lacune *f;* ⌐**ungszeichen** apostrophe *f*
Auslauf écoulement *m,* sortie *f;* ⚓ départ *m;*⌐**en** couler, s'écouler; ⚓ partir; ⌐**en in** se terminer en; **Ausläufer** *(Gebirge)* contrefort *m; bot* rejeton *m; (Gewitter)* queue *f*
aus|laugen lessiver; ~**lauten** se terminer *(auf par);* ~**leben** *refl* se donner du bon temps; vivre sa vie; ~**leeren** vider; *(Gruben)* vidanger
ausleg|en étendre; étaler; ⸱ *(Geld)* avancer, prêter; ✿ revêtir, plaquer, incruster *(mit de); lit* expliquer; interpréter; ⌐**er** *(Kran)* flèche *f;* ⌐**ung** application *f;* interprétation *f*
ausleihen prêter; *(für Geld)* louer; *refl* emprunter
Auslese choix *m;* sélection *f;* élite *f;* ⌐**n** trier; choisir; *(Buch)* terminer (la lecture); ~**prüfung** concours *m*
Ausliefer|er *com* livreur; 🕮 distributeur; ⌐**n** livrer; *pol* extrader; 🕮 mettre en vente; ~**ung** *pol* extradition *f;* 🕮 mise *f* en vente, distribution *f;* expédition *f;* ~**ungslager** dépôt *m*
aus|liegen être à l'étalage; ~**löschen** éteindre; *(Schrift)* effacer; ~**losen** tirer au sort; mettre en loterie
auslös|en *a. fig* déclencher; *(Gefangenen)* racheter; *(Pfand)* dégager; *fig* provoquer, causer, susciter; ⌐**er** 📷 déclencheur *m;* ⌐**evorrichtung** déclic *m;* ⌐**ung** *a. fig* déclenchement *m*
aus|machen *(Licht, Feuer)* éteindre; 🔌 fermer; *(Kartoffeln)* *(sichten)* distinguer, localiser; *(vereinbaren)* fixer, convenir; *(bilden)* composer, constituer; *(betragen)* faire; *(bedeuten)* importer; *d. macht nichts aus* cela ne fait rien; ~**malen** peindre; *fig* dépeindre, broder sur; *refl* s'imaginer, se figurer
Ausmarsch sortie *f;* départ *m;* ⌐**ieren** sortir; partir
Aus|maß dimension *f,* envergure *f;* mesure *f;* proportion *f;* ⌐**mauern** maçonner; ⌐**mergeln** exténuer; épuiser; ⌐**merzen** retrancher, extirper, éliminer; ⌐**messen** mesurer; *(ver-)* arpenter; ⌐**misten** enlever le fumier; *fig* faire de l'ordre; ⌐**mustern** retirer de la circulation; trier; *mil* réformer; ~**musterung** *mil* réforme *f*
Ausnahm|e exception *f;* dérogation *f; mit ~e von* à l'exclusion de; *bis auf e-e* ~**e** à une exception près; *e-e* ~**e** *bilden* faire exception; ~**efall** cas exceptionnel; ~**egesetz** loi *f* d'exception; ~**ezustand** état *m* de siège; ⌐**slos** sans exception; ⌐**sweise** exceptionnel(lement); à titre exceptionnel, par exception
ausnehmen excepter, exclure; *(Tier)* vider; éviscérer; *(Nest)* dénicher; *fig umg* estamper; *s. gut (schlecht)* ~ faire bon (mauvais) effet; *s.* ~ *wie* avoir l'air de; ~**d** particulièrement, extrêmement
aus|nutzen utiliser, mettre à profit, exploiter; tirer le maximum de; *pej* gruger; ~**nutzung** exploitation *f;* ~**packen** *(Waren)* déballer; *(Koffer)* défaire; *fig umg* cracher, avouer, se mettre à table, manger le morceau; ~**peitschen**

fustiger, fouetter; ~**pfeifen** siffler, huer; ~**pichen** poisser; ~**plaudern** raconter, ébruiter; colporter; ~**plündern** piller; dévaliser, détrousser; saccager; ~**posaunen** claironner, crier sur les toits; ~**prägen** monnayer; *refl* se prononcer, s'accuser; ~**pressen** exprimer; *fig* pressurer, extorquer; ~**probieren** expérimenter, essayer; goûter
Auspuff(rohr) (tuyau *m* d')échappement *m;* ~**gas** gaz *m* d'échappement; ~**topf** pot *m* d'échappement
aus|pumpen pomper; vider, épuiser; ~**punkten** battre aux points; ~**putzen** nettoyer; orner; ⬇ ébrancher, émonder, élaguer; ~**quartieren** déloger; ~**quetschen** pressurer; *fig* cuisiner
aus|radieren effacer, gommer; ~**rangieren** mettre au rebut *(od* au rancart *od* hors service); ~**rauben** dépouiller, dévaliser; ~**raufen** arracher; ~**räumen** débarrasser; *(Flußlauf)* curer; ~**rechnen** calculer; ⌐**rechnung** calcul *m*
Ausrede faux-fuyant *m,* échappatoire *f,* excuse *f;* ⌐**n** finir de parler; *j-m etw.* ⌐**n** dissuader qn de faire qch
ausreichen suffire; ~**d** suffisant; *päd* passable
Ausreise sortie *f;* ~**erlaubnis** permis *m* de sortie; ~**genehmigung** visa *m* de sortie; ⌐**n** quitter (un pays)
aus|reißen arracher; *vi* se déchirer; *umg* se sauver, prendre la fuite; faire le mur; ~**renken** ⚕ démettre, luxer
ausricht|en redresser; *a. mil* aligner; *(Geschütz)* régler (le tir); *(Auftrag)* s'acquitter de; *(Gruß)* transmettre, orienter *(auf* vers); *(Erfolg haben)* réussir; ⌐**ung** orientation *f;* alignement *m*
aus|roden déraciner, essarter; ~**rotten** exterminer, extirper; ⌐**rottung** extirpation *f,* extermination *f; (Krankheit)* éradication *f;* ~**rücken** *mil* effectuer une sortie; ✿ débrayer; *umg* filer, décamper; ⌐**rückhebel** *(Kupplung)* lévier *m* de débrayage;
Ausruf exclamation *f;* cri *m; ling* interjection *f;* ⌐**en** crier; s'écrier; proclamer; ⌐**er** crieur (public); ~**ung** proclamation *f;* ~**ungszeichen** point *m* d'exclamation
aus|ruhen *a. refl* se reposer, se délasser; ~**rupfen** arracher
ausrüst|en munir, doter, pourvoir *(mit* de); outiller; *mil,* ⚓ armer, équiper *(a.* 🎣); ⌐**ung** aménagement *m;* installation *f; a.* 🎣 équipement *m;* ✿ outillage *m;* ⌐**ungsgüter** biens *mpl* d'équipement
aus|rutschen glisser; faire un faux pas; ⌐**saat** semailles *fpl; (Vorgang)* ensemencement *m;* ~**säen** semer, ensemencer
Aussage déclaration *f;* dires *mpl;* énonciation *f;* ⚖ déposition *f; eidliche* ~ déposition *f* sous serment; ⌐**fähig** pertinent; significatif; ~**kraft** impact *m;* efficience *f;* pertinence *f;* efficacité *f;* ⌐**n** déclarer; énoncer; déposer, témoigner
Aus|satz lèpre *f;* ⌐**sätzig** lépreux; ~**sätziger** lépreux
aussaugen sucer; vider, *fig* pressurer, épuiser, gruger
aus|schachten excaver, creuser; ~**schalten**

exclure, éliminer, écarter; ⚡ couper (le circuit); ⚡ fermer; ⚡schalter ⚡ interrupteur *m;* ⚡schank débit *m* (de boissons); buvette *f*
Ausschau: ~ *halten* scruter l'horizon; ⚡en: *nach j-m* ⚡*en* chercher qn des yeux
ausscheid|en *vi* quitter (des fonctions), démissionner; 🎏 être éliminé; *vt* séparer; écarter; *aus dem Geschäft* ~*en* se retirer des affaires; ⚡ung élimination *f;* 💊 excrétion *f;* ⚡ungskampf *m* (épreuve *f*) éliminatoire *f*
aus|schelten tancer; ~**schenken** débiter (des boissons); ~**schicken:** *nach j-m* ~*schicken* envoyer chercher qn
ausschiff|en débarquer; ⚡ung débarquement *m*
aus|schimpfen gronder, houspiller, invectiver; ~**schlachten** *fig* exploiter; ~**schlafen** dormir son content
Ausschlag 💊 eczéma *m; (Waage)* trait *m; (Zeiger)* déviation *f; (Rad, Ruder)* braquage *m; (Pendel)* amplitude *f; d.* ~ *geben* faire pencher la balance, départager; ⚡en *(Auge)* crever; *(Zahn)* casser; ⚙ revêtir *(mit* de); *(Angebot)* repousser, refuser, renoncer (à une offre); *vi (Pferd)* ruer; *bot* pousser, bourgeonner; *(Waage)* pencher; *fig* tourner; ⚡gebend prépondérant, décisif
ausschließ|en exclure; éliminer, expulser; 🎏 disqualifier; ~**lich** exclusif; ⚡lichkeit exclusivité *f;* ⚡ung exclusion *f;* 🎏 disqualification *f*
ausschlüpfen éclore
Aus|schluß, ~**schließung** exclusion *f;* 📖 espaces *fpl; unter* ~*schluß d. Öffentlichkeit* à huis clos
aus|schmücken orner, décorer; *fig* broder, embellir; ~**schneiden** découper; *(Baum)* élaguer, émonder; *(Kleid)* décolleter; échancrer; *(Wunde)* débrider; ⚡schnitt *(Buch)* extrait *m; (Zeitung)* coupure *f; (Kleid)* décolleté *m;* ~**schöpfen** vider; écoper; *fig* épuiser
ausschreib|en écrire en toutes lettres; *(Scheck)* remplir; *(Rechnung)* dresser; *(Stelle)* mettre au concours; *(Wettbewerb)* ouvrir; *(Anleihe)* émettre; *(Auftrag)* lancer un appel d'offres; ⚡ung mise *f* au concours; *com* adjudication *f,* appel *m* d'offres
ausschreien crier partout
ausschreit|en allonger le pas; ⚡ung excès *m,* acte *m* de violence
Ausschuß comité *m,* commission *f; (bei Produktion)* casses *fpl* (de fabrication); ~**(ware)** marchandise défectueuse, rebut *m; umg* fretin *m,* camelote *f*
ausschütt|eln secouer; ~**en** verser, répandre; *(Dividende)* distribuer; ⚡ung (distribution *f* de) dividende *m*
ausschweif|en sortir des limites; commettre des écarts, des excès; ~**end** dissolu, dévergondé, débauché, licencieux; ⚡ung dévergondage *m,* débauche *f*
aus|schwenken rincer; ~**schwitzen** suinter; suer, transpirer; 💊 exsuder
aussehen avoir l'air *(wie* de); ressembler *(wie* à); *(den Anschein haben)* paraître; sembler; *er sieht ganz danach aus* il a bien la tête à ça; ⚡ *su*

air *m,* aspect *m,* mine *f; dem* ⚡ *nach* d'après l'apparence
außen dehors; *nach* ~ en dehors; *von* ~ du dehors; ~ *befindlich* à l'extérieur; ⚡aufnahme 🎬 (prise *f* de) vue extérieure; ⚡bordmotor (moteur *m*) hors-bord *m;* ~**dienst** agence *f* commerciale; ⚡handel commerce extérieur, échanges *mpl* extérieurs; ⚡kante plan *m* extérieur; ~**luft** air *m* ambiant, atmosphère ambiante; ⚡ministerium ministère *m* des Affaires étrangères; ⚡politik politique extérieure; ⚡seite dehors *m,* extérieur *m;* ⚡seiter isolé; 🎏 outsider; ⚡stände créances *fpl* à recouvrer; ⚡station *EDV* terminal *m;* ⚡stelle agence *f;* ⚡stürmer 🎏 ailier; ⚡welt monde extérieur
aussend|en envoyer (dehors); expédier; *phys* émettre; ⚡ung *phys* émission *f;* envoi *m*
außer[1] *präp* hors de, en dehors de; ~ *Betrieb* hors service; ~ *Dienst* retraité; ~ *sich sein* être hors de soi
außer[2] *conj* excepté, à part; à moins que; sauf, si ce n'est; ~ *mir* à part moi; ~ *wenn er kommt* sauf s'il venait; à moins qu'il ne vienne; ~**dem** en outre; outre cela; en plus; d'ailleurs; ~**dienstlich** hors service; ~**ehelich** extra-conjugal; *(Kind)* 🔩 illégitime; ~**fahrplanmäßig** (train) supplémentaire; ~**gewöhnlich** extraordinaire, exceptionnel; insolite; ~**halb** hors de; *adv* à l'extérieur; ⚡kraftsetzung abrogation *f,* annulation; ~**ordentlich** extraordinaire; remarquable; extrême; ~**planmäßig** supplémentaire; *(Angestellte usw.)* surnuméraire; ~**stande** incapable *(zu* de); ~*stande sein zu* être hors d'état de, ne pas être à même de
Äußer|e extérieur *m;* apparence *f;* dehors *mpl;* ⚡lich extérieur; superficiel; ⚡licher Gebrauch 💊 usage *m* externe; ⚡n *(Meinung)* dire; exprimer; *(Gefühl)* manifester; *(Wunsch)* émettre; *refl* se prononcer *(über* sur); ~**st** extrême; le plus éloigné; *(Preis)* dernier; *adv* extrêmement; *aufs* ~*ste* à outrance; *im* ~*sten Fall* à la rigueur; *au pis aller; aufs* ~*ste gefaßt sein* s'attendre au pis; *sein* ~*stes tun* faire tout son possible; ~**ung** manifestation *f,* expression *f;* déclaration *f; pl* remarques *fpl,* propos *mpl*
aussetzen exposer (à); *(Preis)* proposer; *(Belohnung)* offrir; *(Arbeit)* interrompre, suspendre; *(Kind)* exposer, abandonner; *(Truppen)* débarquer; ⚓ mettre à la mer; *(Zahlung)* suspendre; 🔩 surseoir (à qch); 🚗 *(Motor)* avoir des ratés; *refl* s'exposer à, encourir; *etw. auszusetzen haben (fig)* trouver à redire à qch; ~**d** intermittent
Aussicht vue *f; fig* perspective *f;* probabilité *f,* espérance *f; pl* chances *fpl; in* ~ *nehmen* envisager; *etw. in* ~ *stellen* laisser entrevoir *(od* espérer) qch; ⚡slos sans chance de succès; sans espoir; ⚡sreich prometteur; ~**sturm** belvédère *m*
aussied|eln évacuer; faire émigrer; ⚡ler rapatrié *m;* émigré; ⚡lung évacuation *f*
aussöhn|en réconcilier, raccommoder; ⚡ung réconciliation *f*
aus|sondern, ~**sortieren** trier; mettre au rebut; éliminer; assortir; ~**spähen** épier, guetter

Aussonderung ☊ *(Konkurs)* distraction *f*
ausspannen étendre; détendre; *(Pferd)* dételer;
(Arbeiter) *umg* débaucher; *fig* se détendre,
prendre du repos; *umg* se relaxer; ⌐ *su fig*
détente *f;* relaxation *f*
aus|sparen réserver, ménager; laisser en blanc;
~**speien** cracher; ~**sperren** fermer sa porte à qn;
(Arbeiter) lockouter; ⌐**sperrung** lock-out *m;*
~**spielen** *(Karte)* jouer; ~**spinnen** *(Gedanken)*
amplifier, délayer; ~**spionieren** espionner;
⌐**sprache** prononciation *f,* accent *m; fig*
explication *f; pol* débat *m;* ~**sprechen** prononcer; dire; exprimer; *(zu Ende reden)* achever;
finir; *refl* s'expliquer; se prononcer *(für* pour);
~**spritzen** lancer, faire jaillir; rincer; ⌐**spruch**
sentence *f;* parole *f* (sentencieuse); ~**spülen**
rincer; laver; ~**staffieren** garnir; *pej* accoutrer,
affubler *(mit* de)
Ausstand grève *f; in d.* ~ *treten* se mettre en
grève, débrayer
ausstatt|en équiper, munir, pourvoir; garnir
(mit de); *(Tochter)* donner un trousseau à, doter
(a. fig); fig douer *(mit* de); ⌐**ung** équipement *m;*
dotation *f;* ✪ décors *mpl; (Buch)* présentation *f;*
(Tochter) trousseau *m,* dot *f*
aus|stechen enlever; *(Auge)* crever, *fig* évincer,
éclipser; damer le pion à qn; ~**stehen** endurer,
supporter; *vi* être en retard; ne pas arriver; *j-n*
nicht ~*stehen können* ne pouvoir sentir qn;
~**steigen** descendre *(aus* de); *fig* abandonner
ausstell|en exposer; mettre à l'étalage; *(Paß*
usw.) délivrer; *(Zeugnis)* établir; *(Wechsel)*
émettre; *mil* poster; ⌐**er** exposant; *(e-s*
Wechsels) tireur; ⌐**ung** exposition *f;* salon *m;*
(Paß) délivrance *f; (Wechsel)* émission *f*
aus|sterben disparaître; *(Familie)* s'éteindre;
fig (Stadt) se dépeupler; ⌐**steuer** trousseau *m,*
dot; ~**steuern** sélectionner, moduler; ~**steuerung** modulation *f;* ~**stopfen** rembourrer; *(Tier)*
empailler
Ausstoß production *f;* rendement *m;* débit *m;*
⌐**en** rejeter, expulser; éjecter, chasser; *(aus e-r*
Gemeinschaft) exclure; *(Schrei)* pousser; *(Beleidigungen)* proférer; ~**ung** expulsion *f,* exclusion
f; élimination *f*
ausstrahl|en irradier; ⌑ diffuser; ⌐**ung**
rayonnement *m;* irradiation *f,* émission *f*
aus|strecken étendre; *(Arm)* allonger; ~**streichen** barrer, rayer, biffer; *(glätten)* effacer les
plis; ~**streuen** semer, disséminer; *(Gerücht)*
répandre; ~**strömen** *vt* dégager; *vi* se dégager,
s'échapper, s'écouler; exhaler; *fig* répandre;
~**suchen** choisir
Austausch échange *m;* substitution *f;* ⌐**bar**
échangeable, interchangeable; ⌐**en** échanger
austeil|en distribuer; répartir; partager *(unter*
entre); *(Sakrament)* administrer; ⌐**ung** distribution *f;* partage *m;* répartition *f;* administration *f*
Auster huître *f;* ~**nbank** huîtrière *f,* banc *m*
d'huîtres; ~**nzucht** ostréiculture *f*
aus|tilgen extirper, exterminer; ~**toben** *vt (Wut)*
épuiser; *refl* s'abandonner à sa fureur *(od* à ses
passions); *(Gewitter)* sévir; *fig* jeter sa gourme
Austrag décision *f,* solution *f; (Streit)* règlement

m; ⌐**en** ◊ distribuer, porter; *(Junges)* porter à
terme; *(Streit)* vider; ⋔ disputer; ~**ung** ◊
distribution *f;* ⋔ épreuve *f* éliminatoire
Austral|ien l'Australie *f;* ~**ier** Australien; ⌐**isch**
australien
austreib|en expulser; *(Vieh)* mener au pâturage; *(Geister)* exorciser; *bot* bourgeonner; ✿
emboutir; *j-m etw.* ~*en* faire passer qch à qn;
⌐**ung** expulsion *f;* exorcisme *m*
austreten *(Schuhe)* éculer; *(Treppe)* user; *vi*
s'écarter; *(Toilette)* sortir un instant; *(Wasser)*
déborder; *(Gas)* s'échapper, fuir; *(aus e-r Gesellschaft)* ~ quitter *(od* se retirer d')une société
aus|trinken vider son verre; ⌐**tritt** sortie *f;*
retrait *m; (Partei)* défection *f; (Fluß)* débordement *m; (Gas)* échappement *m;* ⌐**trittsöffnung**
orifice *m* d'évacuation
austrockn|en dessécher, assécher; tarir; *biol*
déshydrater; ⌐**ung** dessiccation *f;* assèchement
m, dessèchement *m*
ausüb|en exercer; *(Beruf)* pratiquer; *(Amt)*
remplir; *(Recht)* user de; ⌐**ung** *(Amt, Beruf)*
exercice *m*
Ausverkauf liquidation *f;* soldes *mpl;* ⌐**en**
liquider; solder; ⌐**t** épuisé; ✿ complet
aus|wachsen germer; achever sa croissance;
⌐**wahl** choix *m;* sélection *f;* élite *f; com*
assortiment *m;* ~**wählen** choisir; sélectionner;
~**wahlprüfung** concours *m;* ~**wahlschärfe** sélectivité *f*
Auswander|er émigrant, émigré; ⌐**n** émigrer,
s'expatrier; ~**ung** émigration *f*
auswärt|ig étranger; demeurant hors de la ville;
⌐*iges Amt* (ministère *m* des) Affaires étrangères; ~**s** (en) dehors, au dehors; hors la ville
auswaschen laver; *(Fleck)* enlever; *(Augen)*
bassiner; *(Ufer)* ronger
auswechsel|bar échangeable; ✿ amovible;
(untereinander) interchangeable; ~**n** échanger;
remplacer; ~**ung** échange *m;* remplacement *m*
Ausweg issue *f,* sortie *f; fig* expédient *m;* ⌐**los**
désespéré, sans issue
ausweich|en se ranger, se garer, céder le
passage; *fig* éluder, esquiver; ~**en** évitement *m;*
~**end** évasif; ⌐**geleise** voie *f* d'évitement;
⌐**klausel** ☊ clause *f* échappatoire; ⌐**stelle**
(Kanal) gare *f*
aus|weiden vider, étriper; ~**weinen** *refl* se
soulager en pleurant; *s. d. Augen* ~*weinen*
pleurer toutes les larmes de ses yeux
Ausweis document *m;* pièce *f* d'identité;
légitimation *f;* ⌐**en** *vt* expulser; *(in Tabellen)*
montrer, faire état de; *refl* montrer ses papiers;
justifier de son identité; se légitimer; ~**papiere**
papiers *mpl* d'identité; ~**ung** expulsion *f*
ausweit|en élargir, accroître, augmenter; *(durch*
Gebrauch) dilater, distendre; ⌐**tung** augmentation *f,* accroissement *m; (Krieg)* extension *f*
(d'un conflit); *(Schaden)* progression *f; (Gewinn)* expansion *f*
aus|wendig (à l')extérieur; *fig* de mémoire, par
cœur; ~**werfen** jeter dehors, éjecter; *(Anker,*
Netz) jeter; *(Graben)* creuser; *(Betrag)* allouer;
⚕ expectorer

auswert|en mettre en valeur; faire valoir, utiliser; exploiter; ⌐ung mise *f* en valeur; exploitation *f;* évaluation *f; (math., Wahlergebnis)* dépouillement *m;* interprétation (des résultats)

auswirk|en *vt* obtenir; *refl* produire des effets; se répercuter; ⌐ung effet *m;* répercussion *f*

auswischen essuyer; *(Topf)* torchonner; *(Schrift)* effacer; *j-m eins ~* jouer un mauvais tour à qn

aus|wringen tordre; ⌐wuchs excroissance *f*, difformité *f; fig* abus *m*, excès *m;* ~wuchten équilibrer; ⌐wurf $ crachat *m*, expectoration *f; fig* rebut *m*, lie *f;* ~zacken denteler; ~zackung dentelure *f*

auszahl|en payer; *(Rente)* servir; ⌐ung paiement *m*, versement *m;* remboursement *m;* ⌐ungsanweisung mandat *m* de paiement; ⌐ungssperre opposition *f* au paiement; ⌐stelle bureau *m* payeur

auszählen compter; *(Boxen)* compter out; *d. Stimmen ~* dépouiller le scrutin

auszanken gronder, réprimander

auszehr|en épuiser; consumer; ⌐ung consomption *f;* $ phtisie *f*, cachexie *f*

auszeichn|en marquer; *(Waren)* étiqueter; *(Preise)* afficher; distinguer; *(mit e-m Orden)* décorer; *refl* exceller, se distinguer; ⌐ung étiquetage *m;* affichage *m;* distinction *f; mil* citation *f; (Orden)* décoration *f*

auszieh|en 1. *vt* ôter, enlever; *(refl* se) déshabiller; *(Pflanze)* arracher; *(Tisch)* allonger; *(Zahn)* extraire; *(Zeichnung)* passer à l'encre; *(Mantel, Jacke)* retirer, quitter; *d. Handschuhe, Schuhe ~en* se déganter, se déchausser; **2.** *vi* partir; déménager; ⌐tisch table *f* à rallonges

auszischen huer, siffler

Auszubildender apprenti *m;* stagiaire *m*

Auszug *(Wohnung)* déménagement *m; (Tisch)* rallonge *f; (Buch)* extrait *m;* résumé *m*, abrégé *m;* ⌐sweise en abrégé

auszupfen arracher; *(Stoff)* effilocher

authentisch authentique

Auto voiture *f*, automobile *f;* auto *f (umg);* ~bahn autoroute *f*, autostrade *f;* ~bus autobus *m;* car *m;* ~didakt autodidacte; ~fahrer automobiliste; ~gramm autographe *m;* ~hupe klaxon *m;* ~mat robot *m*, automate *m;* distributeur *m* (automatique); ⌐matisch automatique; ⌐matisierung automatisation *f;* ⌐nom autonome; ~radio autoradio *f;* ~schlosser mécanicien d'autos; mécano *(umg);* ~verkehr trafic *m* (od circulation *f)* automobile

Autor auteur *m;* ⌐enrecht droit *m* d'auteur, copyright *m;* ⌐isieren autoriser *(zu à);* ⌐itär autoritaire, impérieux; ~ität autorité *f*

Aval crédit *m;* cautionnement *m;* ~kredit crédit de cautionnement

avancieren avancer en grade; être promu

Axt hache *f;* cognée *f*

Azur azur *m;* ~blau azuré, d'azur

B

b ♪ *(Note)* si bémol; ♪ *(Erniedrigungszeichen)* bémol *m*

babbeln babiller; jaser, bavarder

Baby bébé *m;* ~ausstattung layette *f;* ~sitten faire du baby-sitting

Bach ruisseau *m; (kleiner)* ru *m*, ruisselet *m;* ~e laie *f;* ~stelze bergeronnette *f*

Backbord bâbord *m*

Back|e joue *f;* ~enbart côtelettes *fpl*, favoris *mpl;* ~enknochen pommette *f;* ~entasche *zool* abajoue *f;* ~enzahn molaire *f*

back|en cuire; *(in d. Pfanne)* frire; *(Schnee)* prendre; ~en four *m;* ~encuisson *f;* ~end *(Kohle)* collant

Bäcker boulanger; ~ei, ~laden boulangerie *f*

Back|fisch *fig* jouvencelle *f;* jeune fille *f* à l'âge ingrat; ~form moule *m;* ~obst fruits séchés; ~ofen four *m;* ~pfeife gifle *f*, claque *f;* ~pflaume pruneau *m;* ~pulver poudre *f* à lever, levure *f* chimique; ~stein brique *f;* ~stube fournil *m;* ~trog pétrin *m*, huche *f;* ~werk pâtisserie *f*

Bad bain *m; (Ort)* station *f* balnéaire

Bade|anstalt piscine *f;* établissement *m* de bains; ~anzug maillot *m* de bain; ~gast baigneur; ~haube bonnet *m* de bain; ~hose caleçon *m ou* culotte *f* de bain; ~kur cure *f (od* saison *f)* balnéaire; ~mantel peignoir *m* de bain; ~meister moniteur *m* de natation, maître-nageur; ~n *vt* baigner (qn *od* qch); faire prendre un bain à; *vi u. refl* se baigner, prendre un bain; ~nixe jeune baigneuse; ~ofen chauffe-bain *m;* ~ort station *f* balnéaire *(od* thermale), ville *f* d'eaux; ~strand plage *f;* ~tuch serviette de bain; ~wanne baignoire *f;* ~zelle cabine *f* de bain; ~zimmer salle *f* de bains

baff *umg* épaté; *ich bin ~* cela m'épate

Bagage bagage *m (mst pl); umg* barda *m*, attirail *m; fig* racaille *f*, canaille *f*

Bagatell|e bagatelle *f;* ~isieren minimiser

Bagger excavateur *m*, excavatrice *f; (Naß-)* drague *f*, dragueur *m;* ~n excaver; draguer

Bahn voie *f*, chemin *m;* route *f;* ⚒ chemin *m* de fer; ↟ piste *f; astr* orbite *f; (a. Geschoß)* trajectoire *f; (Stoff)* lé *m* ♦ *sich ~ brechen* se frayer un chemin, percer; *freie ~ haben* avoir le champ libre; *aus d. ~ geworfen werden* avoir son existence bouleversée; *auf d. schiefe ~ geraten* s'écarter du droit chemin; suivre une mauvaise voie; ~beamter employé de chemin de fer, cheminot; ⌐brechend qui ouvre *(od* fraie) de nouvelles voies; ~brecher pionnier; ~bus autocar *m* circulant pour le compte des chemins de fer allemands; ~damm remblai *m;* ⌐en *(Weg. a. fig)* frayer; ouvrir, percer; tracer; ~hof gare *f*, station *f;* ~hofsgaststätte buffet *m;* ~hofshalle hall *m* de gare; ~hofsvorsteher chef de gare; ~körper terre-plein *m;* ⌐lagernd en gare; ~linie ligne *f* de chemin de fer; ~netz réseau *m* de chemin de fer; ~post poste *f* de la gare; ~schranke barrière *f;* ~steig quai *m;* ~steigkarte ticket *m* de quai; ~übergang *(schienengleicher)* passage *m* à niveau; ~verbin-

dung liaison ferroviaire, correspondance; **~ver-kehr** trafic *m* ferroviaire; **~versand** expédition *f* par rail; **~wärter** garde-barrière

Bahre civière *f*, brancard *m*; *(Sarg)* bière *f*

Baiser *(Gebäck)* meringue *f*

Bajonett baïonnette *f*

Bake balise *f*

Bakelit bakélite *f*

Bakterie bactérie *f*

Balance équilibre *m*; **~ieren** balancer

bald bientôt, sous peu; tout à l'heure; *bis* ~! à bientôt!; ~ ..., ~ ... tantôt... tantôt...; *so* ~ *wie möglich* le plus tôt possible; *ich hätte* ~ *gesagt*... j'allais dire...

Baldachin dais *m*, baldaquin *m*

baldig prompt, prochain; **~st** aussitôt que possible

Baldrian valériane *f*

Balg peau *f*; dépouille *f*; ♪ , ⅢⅢ soufflet *m*; *umg* gamin *m*, moutard *m*; **~en** *refl* se chamailler; **~erei** rixe *f*, chamaillerie *f*

Balkan les Balkans *mpl*, pays *mpl* balkaniques

Balken poutre *f*; madrier *m*; *(Decken-)* solive *f*; *(kleiner)* poutrelle *f* ♦ *er lügt, daß s. d.* ~ *biegen* il ment comme un arracheur de dents; **~werk** charpente *f*, poutrage *m*, solivage *f*

Balkon balcon *m*; ᾧ galerie *f*

Ball 1. balle *f*; *(Fuß-)* ballon *m*; *am* ~ *bleiben* ne pas démordre; ~ *spielen* jouer à la balle; **2.** *(Tanz)* bal *m*; **~kleid** robe *f* de bal; **~saal** salle *f* de danse

Ballast lest *m*, remplissage *m*; *fig* fatras *m*; ~ *abwerfen* délester; **~stoffe** aliments *mpl* de lest

Ballen *(Ware)* ballot *m*, balle *f*; *(Fuß-)* éminence *f*; ᾧ *(Faust)* fermer, serrer; *(zus.-)* mettre en pelote; *refl* se pelotonner

Ballermann *umg* flingue *m*, pétard *m*, revolver *m*

Ballett ballet *m*; **~meister** maître de ballet; **~tänzerin** ballerine; **~truppe** corps *m* de ballet

ballistisch balistique

Ballon *(a. aus Glas)* ballon *m*; *chem* bonbonne *f*; **~reifen** pneu *m* ballon

Balsam baume *m*; **~isch** balsamique

Balz pariade *f*; **~en** être en chaleur

Bambus(rohr) bambou *m*

Bammel *e-n* ~ *haben* avoir les foies (*od* la frousse, *od* la trouille) *(pop)*

Banane banane *f*; **~nstecker** ⇔ fiche *f* banane

Banause *umg* cuistre, pédant; **~nhaft** d'esprit borné, racorni

Band ⅢⅢ volume *m*, tome *m*; *(Einband)* reliure *f*; *(Bindung)* lien *m*, attache *f*; ⅢⅢ chaîne (de production); *(Schmuck)* ruban *m*, lacet *m*, cordon *m*; *(Haar-)* bride *f*; *anat* ligament *m*; ⅢⅢ bande *f*; *(Faß-)* cercle, **~arbeit** travail *m* à la chaîne; **~breite** marge *f* de fluctuation; **~enwerbung** publicité *f* dans les stades; **~erole** bande *f*, bandelette *f*; **~förderer** ⚙ transporteur *m* à courroie

Bande bande *f*, gang *m*, troupe *f*

Band|maß mètre *m* ruban, ruban *m* d'acier; **~säge** scie *f* à ruban; **~wurm** ténia *m*, ver *m* solitaire

bändig|en maîtriser, mater; juguler; *a. fig* dompter; *fig* refréner, mettre un frein à; **~er** dompteur

Bandit brigand, bandit

bang|e peureux; craintif; anxieux; **~en** crain-dre (*um pour*); **~igkeit** peur *f*; inquiétude *f*; angoisse *f*

Bank¹ banc *m*; *(in Fahrzeugen)* banquette *f*, siège *m*; *durch d.* ~ sans faire de distinction ♦ *auf d.. lange* ~ *schieben* traîner en longueur; **~eisen** *(Hobelbank)* valet *m* d'établi

Bank² *(Geldinstitut)* banque *f*; **~angestellter** employé *m* de banque; **~anweisung** virement *m* bancaire; **~ausweis** rapport *m* de la banque; **~betrieb** activités *fpl* bancaires; **~diskont** taux *m* d'escompte; **~einlage** dépôt *m* en banque; **~fähig** bancable; **~geschäft** opération *f* ban-caire; **~halter** banquier; **~ier** banquier; **~konto** compte *m* en banque; **~krach** krach *m*; **~leitzahl** numéro de code bancaire; **~mäßig** négociable en banque; bancaire; **~note** billet *m* de banque; **~rate** taux *m* d'escompte; **~raub** hold-up *m* d'une banque; **~rott** en faillite; **~rott** *su (betrügerischer)* banqueroute *f* (fraudu-leuse); **~rott machen** *(a. fig)* faire faillite; **~schalter** guichet *m* de banque; **~scheck** chèque *m* de banque; **~technisch** bancaire; **~tresor** coffre-fort *m*; **~verkehr** transactions *fpl* bancaires; **~wert** valeur *f* bancaire; **~wesen** organisation *f* bancaire

Bankett banquet *m*; ᾧ accotement *m*

Bann 1. ban *m*; *(Verbannung)* bannissement *m*; *rel* excommunication *f*; *in d.* ~ *tun* mettre au ban; *rel* excommunier; **2.** charme *m*, fascination *f* ♦ *d.* ~ *brechen* rompre la glace; **~en** bannir; *(Gefahr)* conjurer; **~fluch** anathème *m*; **~ware** contrebande *f*

Banner bannière *f*

Bantamgewicht poids *m* coq

Bar bar *m*; **~dame** barmaid; **~hocker** tabouret *m* de bar; **~mixer** barman

bar 1. *(unbedeckt)* nu; *fig* dépourvu, dénué, démuni; **2.** *(Geld)* comptant, liquide; *in* ~ *en* espèces; *gegen* ~ *au* comptant; **~bestände** encaisse *f*; avoirs *mpl* en espèces; **~fuß** nu-pieds, pieds nus; **~geld** argent comptant, espèces *fpl*; **~geldlos** par virement; par chèque; **~häuptig** nu-tête; **~kauf** achat *m* au comptant; **~mittel** argent comptant, fonds *mpl* liquides; **~scheck** chèque *m* payable au comptant; **~zahlung** paiement comptant

Bär ours *m*; ⚙ mouton *m*, masse *f* frappante; ♦ *j-m e-n* ~ *en aufbinden* en faire accroire à qn; **~beißig** hargneux, grognon; **~enhunger** faim *f* de loup; **~enklau** *bot* acanthe *f*

Baracke baraque *f*; **~nlager** baraquement *m*

Barbar barbare; **~ei** barbarie *f*

Barbe *(Fisch)* barbeau *m*

Barett bonnet carré, toque *f*

Bariton baryton *m*

Barke barque *f*; nacelle *f*

barmherzig charitable, miséricordieux; **~keit** charité *f*, miséricorde *f*

Barock style *m* baroque; ᾧ *adj* baroque

Barometer baromètre *m;* ~**stand** niveau *m* barométrique
Baron baron; ~**in** baronne
Barrel *n* barril *m* (de pétrole brut de 159 litres)
Barren *(Metall)* lingot *m,* barre *f;* ↑↑ barres *fpl* parallèles
Barrikade barricade *f*
Barsch perche *f*
barsch brusque, rébarbatif, bourru
Barschaft argent *m* liquide; espèces *fpl*
Bart barbe *f; (Schlüssel-)* panneton *m; in d.* ~ **brummen** grommeler, parler entre les dents ♦ *j-m um d.* ~ **streichen** courtiser qn; *um d. Kaisers* ~ **streiten** se disputer pour des vétilles; *das hat so e-n* ~ c'est une histoire rebattue; *da ist der* ~ *ab!* c'est le comble!; ♭**los** imberbe
Bärt|chen barbiche *f;* ♭**ig** barbu
Basalt basalte *m*
Base[1] cousine *f*
Bas|e[2] *chem* base *f;* ♭**ieren** se baser, se fonder *(auf* sur); ~**ilika** basilique *f;* ~**is** base *f,* fondement *m;* ♣ embase *f,* socle *m*
Baskenmütze béret *m* basque
Baß ♪ basse *f;* ~**geige** contrebasse *f*
Bassist bassiste *m*
Bast *bot* liber *m; zool* frayoir *m;* ~**faser** fibre *f* libérienne; raphia *m;* ~**seide** soie écrue
Bastard bâtard *m; zool, bot* hybride *m,* métis *m*
Bast|elei bricolage *m;* ♭**eln** bricoler; ~**ler** bricoleur
Batterie *mil,* ⚡ batterie *f;* ⚡ pile *f;* ~**flüssigkeit** électrolyte *m;* ~**gerät** ⚞ poste *m* à piles; ~**zündung** 🚗 allumage *m* par batterie
Bau construction *f; (Gebäude)* bâtiment *m,* édifice *m,* immeuble *m; (Auf-)* structure *f; (e-s Körpers)* organisation *f;* 🏭 fabrication, production; *(Dachs-)* terrier *m;* ~**abschnitt** phase *f* de construction, tranche *f* de travaux; ~**arbeiter** ouvrier du bâtiment; ~**art** style *m* (de construction); ~**darlehen** prêt *m* à la construction; ~**element** composante *f;* ♣ élément constitutif; ~**fach** bâtiment *m;* ~**fällig** croulant, délabré, vétuste; ♭**fällig sein** menacer ruine; ~**fälligkeit** délabrement *m;* ~**führer** maître d'œuvre; ~**gelände** terrain *m* à bâtir; ~**genehmigung** permis *m* de construire; ~**genossenschaft** coopérative *f* de construction; ~**gerüst** échafaudage *m;* ~**gewerbe** (industrie *f* du) bâtiment *m;* ~**herr** maître *m* de l'ouvrage; ~**holz** bois *m* de charpente; ~**hütte** baraque *f* de chantier; ~**kasten** jeu *m* de construction; ~**kosten** coût *m* de la construction; ~**kostenzuschuß** subvention *f* aux frais de construction; ~**kran** grue *f* à tour; ~**kunst** architecture *f;* ~**land** terrain *m* à bâtir; ~**leistungen** exécution *f* de travaux; ~**leistungsvertrag** marché *m* de travaux; ♭**lich** constructif; architectural; ~**materialien** matériaux *mpl* de construction, matériau *m;* ~**meister** architecte; ~**plan** plan *m* (de construction); ~**platz** terrain *m* à bâtir; chantier *m* (de construction); ~**polizei** police *f* des constructions; ~**schutt** décombres *mpl;* ~**stein** *a. fig* brique *f;* pierre à bâtir; ~**stelle** chantier *m* (de construction); ~**stil** style architectural; ~**stoffe** matériaux *mpl* de con-

struction; ~**trupp** ⚒ équipe *f* de pose; ~**unternehmen** entreprise *f* de construction; ~**unternehmer** entrepreneur; ~**vorlage** devis *m* estimatif de plan; ~**werk** édifice *m;* construction; bâtiment *m;* ~**wesen** construction *f*
Bauch *(a. Flasche, phys)* ventre *m;* ♓ fond *m* ♦ *vor j-m auf d.* ~ *liegen* ramper devant qn; *s. d.* ~ *halten vor Lachen* se tenir les côtes de rire; ~**binde** ceinture abdominale; *(Zigarre)* bague *f;* ~**fell** *anat* péritoine *m;* ~**höhle** cavité abdominale; ♭**ig** ventru; *fig* convexe, bombé; ~**laden** éventaire *m;* ~**landung** attérissage *m* train rentré; ~**redner** ventriloque; ~**schmerzen** colique *f;* ~**speicheldrüse** pancréas *m*
bauen bâtir, construire, édifier; fabriquer; *(Nest)* faire; ↓ cultiver; *fig* compter *(auf* sur)
Bauer[1] *m* paysan, fermier; exploitant *m* agricole; cultivateur; *fig* rustre; *(Schach)* pion *m; (Karte)* valet *m*
Bauer[2] *n* cage *f*
Bäuer|in paysanne, fermière; ♭**isch** campagnard, rustique; ♭**lich** paysan
Bauern|fänger faiseur de dupes; ~**fängerei** attrape-nigaud *m;* ~**hof** ferme *f;* ~**lümmel** rustre; ~**stand** paysannerie *f*
Baum arbre *m; (Hebe-)* levier *m;* ♓ flèche *f;* ~ *der Erkenntnis* l'arbre du Bien et du Mal ♦ *es ist, um auf d. Bäume zu klettern* c'est à en devenir fou; *er sieht d. Wald vor Bäumen nicht* les arbres lui cachent la forêt; ♭**eln** pendiller; ~**bäumen** *refl* se cabrer; ~**knorren** loupe *f;* ~**pfahl** tuteur *m,* piquet *m;* ~**rinde** écorce *f;* ~**schere** sécateur *m;* ~**schule** pépinière *f;* ~**stamm** tronc *m;* ♭**stark** fort comme un Turc; ~**stumpf** souche *f,* chicot *m;* ~**wolle** coton *m;* ~**wollindustrie** industrie cotonnière; ~**wollpflanzung** cotonnerie *f;* ~**wollspinnerei** filature *f* de coton; ~**wollstoff** cotonnade *f;* ~**wollstaude** cotonnier *m*
Bausch bourrelet *m;* tampon *m* ♦ *in* ~ *u. Bogen* en bloc; ~**en** bouffer; ♭**ig** bouffant
Bauxit bauxite *f*
Bay|er Bavarois; ~**ern** la Bavière; ♭**(e)risch** bavarois
Bazillus bacille *m*
beabsichtig|en se proposer; projeter; songer à, viser à; avoir l'intention de; compter *(od* entendre) faire; ~**t** *bes* 🏛 intentionnel; *adv* volontairement
beacht|en faire attention à; tenir compte de; prendre en considération; *(Vorschrift)* observer; *(Rat)* suivre; ~**enswert** remarquable; ~**lich** considérable, appréciable; ♭**ung** attention *f;* considération *f;* observation *f*
Beamte|napparat appareil *m* administratif; ~**nbeleidigung** outrage *m* (à magistrat); ~**nbestechung** corruption *f; (passiv)* concussion *f;* ~**nlaufbahn** carrière *f* (de fonctionnaire); ~**nrecht** statut *m* de la fonction publique; ~**ntum** fonctionnaires *mpl;* agents *mpl* publics; ~**r** fonctionnaire; ♭**r** titulaire
beängstigen inquiéter, alarmer; ~**d** alarmant
beanspruch|en prétendre à qch; réclamer qch; *(Recht)* revendiquer; *(Aufmerksamkeit)* exiger; *(Zeit)* prendre; *(Kraft)* absorber; ♣ soumettre à

un effort; **⚔ung** ⚙ fatigue f, effort m, sollicitation f; *(geistig)* préoccupation f

beanstand|en contester; *(Ware)* faire une réclamation; faire objection, trouver à redire; contester; **⚔ung** réclamation f; objection f, contestation f

beantrag|en demander, solliciter; proposer; ⚒ *(Strafe)* requérir; **⚔ung** demande f, requête f; proposition f

beantwort|en répondre à; **⚔ung** réponse f; *in* **⚔ung**... en réponse à

bearbeit|en a. *fig* travailler; ⚙ usiner; façonner; ⬇ cultiver; ♪ arranger; *(Thema)* étudier, examiner, traiter; *umg fig* entreprendre qn; *neu* ~en remanier, refondre; **⚔er** adaptateur; ♪ arrangeur; **⚔ung** ⚙ travail m, usinage m; façonnage m; ♪ arrangement m,⚑ adaptation f

beaufsichtig|en surveiller, contrôler, garder; **⚔ung** surveillance f, contrôle m

beauftrag|en charger *(mit* de); mandater; **⚔ter** chargé d'affaires; délégué; ⚒ mandataire; **⚔ung** mission f, délégation f

bebau|en ⬇ cultiver; *(Grundstück)* bâtir (sur), construire; **⚔ung** construction f (de bâtiments); **⚔ungsplan** plan m d'aménagement

beben trembler, vibrer; *(Zorn)* frémir; *(vor Kälte)* frissonner, grelotter; *(Stimme)* trembloter; **⚔** *su* tremblement m; frissonnement m; frémissement m

bebilder|n illustrer; **⚔ung** illustration f

Becher gobelet m; *(Metall-)* timbale f; *(Würfel-)* cornet m; **⚔n** boire sec, gobeloter

Becken a. *anat, geog* bassin m; ⚙ réservoir m; *(Wasch-)* cuvette f; ♪ cymbales fpl

Bedacht réflexion f; considération f; circonspection f, prudence f; *mit* ~ intentionnellement, volontairement; **⚔** réfléchi, attentif *(auf* à); **⚔** *sein auf* songer à

bedächtig réfléchi; circonspect, prudent; **⚔keit** circonspection f; *fig* lenteur f

bedanken *refl* remercier *(bei j-m für etw.* qn de qch)

Bedarf besoins mpl; *com* demande f; *bei* ~ en cas de besoin; *nach* ~ selon les besoins; *den* ~ *decken* couvrir les besoins, satisfaire à la demande; **~sartikel** article m de consommation courante; **~sfall** *im* ~sfall au *(od* en cas de) besoin

bedauer|lich regrettable, fâcheux; **~n** regretter; déplorer; plaindre qn de; avoir pitié de; **⚔n** regret m; **~nswert** déplorable

bedeck|en couvrir; recouvrir, revêtir; **~t** *meteo* couvert; **⚔ung** *mil* escorte f; *(Güter)* bâchage m

bedenk|en considérer, prendre en considération; penser à; *(vorher)* préméditer; *refl* réfléchir, délibérer; *(zögern)* hésiter; *s. anders* ~en *se* raviser; **⚔en** *su (Nachdenken)* réflexion f; *(Zögern)* hésitation f; *(Zweifel)* doute m, scrupule m; **⚔en tragen** *(zu)* hésiter (à); **~enlos** sans scrupule; sans hésitation; **~lich** douteux, délicat, scabreux; **⚔zeit** *e-e Woche* **⚔zeit** une semaine de réflexion

bedeut|en signifier; *(darstellen)* représenter; *j-m etw.* ~en *(sagen)* donner à entendre qch à qn;

(wert sein) être cher à qn; *was* ~*et das?* qu'est-ce que cela signifie *(od* veut dire)?; *das hat nichts zu* ~en cela n'a pas d'importance; **~end** important, notable, considérable, remarquable; **~sam** significatif; **⚔ung** signification f, sens m; importance f; *ohne* **⚔ung** sans intérêt; **~ungslos** insignifiant, futile; **⚔ungslosigkeit** insignifiance f; **~ungsvoll** significatif

bedien|en servir qn; ⚙ manœuvrer, conduire, manier; *(von Hand)* manipuler; *(Karten)* fournir; *refl* user, se servir de; employer qch; **⚔steter** employé *(de la fonction publique)*; **⚔ter** serviteur, domestique, valet; **⚔ung** service m; personnel m, gens mpl de service; ⚙ maniement m; commande f, manœuvre f; **⚔ungsvorschriften** instructions fpl de service;

beding|en conditionner; stipuler; impliquer; exiger; **~t** conditionnel, limité; ~*t sein durch* dépendre de; **⚔ung** condition f; clause f, stipulation f; modalité f; préalable m; *unter der* **⚔ung,** *daß* à condition que, à charge de; **~ungslos** inconditionné, sans condition; inconditionnel

bedräng|en presser; *(bedrücken)* oppresser, affliger; obséder; talonner; **⚔nis** embarras m, gêne f; *(seelische)* affliction f, oppression f

bedroh|en menacer; **~lich** menaçant; **⚔ung** menace f, danger m, péril m

bedrucken imprimer

bedrück|en oppresser, affliger, déprimer, attrister; **~t** déprimé, affligé; **⚔ung** accablement m, dépression f

bedürf|en avoir besoin de, nécessiter; **⚔nis** besoin m, nécessité f *(nach* de); **⚔nisanstalt** chalet m de nécessité; urinoir m, vespasienne f; **~tig** indigent, nécessiteux; **⚔tigkeit** indigence f

Beefsteak bifteck m

beehren honorer *(mit* de); *refl* avoir l'honneur *(zu* de)

beeidig|en *(j-n)* assermenter; *(etw.)* affirmer sous serment; **⚔gung** prestation f de serment

beeilen *refl* se dépêcher, se hâter, se presser; s'empresser *(de faire qch)*

beeindrucken impressionner, frapper, affecter

beeinfluss|en influencer; influer sur, agir sur; **⚔ung** influence f

beeinträchtig|en porter préjudice *(od* atteinte) à, nuire à, faire tort à; **⚔ung** préjudice m, atteinte f

beend|en terminer, finir; achever, accomplir; cesser; **⚔igung** fin f, achèvement m; cessation f

beeng|en gêner; **⚔theit** gêne f

beerben hériter de qn, recueillir l'héritage de qn

beerdig|en a. *fig* enterrer; inhumer; ensevelir; **⚔ung** enterrement m; inhumation f; **⚔ungsfeier** funérailles fpl, obsèques fpl; **⚔ungsinstitut** entreprise f de pompes funèbres

Beere baie f; *(Wein-)* grain m

Beet planche f, plate-bande f; **~e:** *rote* ~*e* betterave f rouge

befähig|en rendre capable de; rendre apte à; *(Zeugnis)* qualifier pour; **⚔ung** capacité f, aptitude f; *(Zeugnis)* qualification f; ⚒ habilitation f; **~ungsnachweis** certificat m d'aptitude

befahr|bar praticable; ⚓ navigable; **~en** circuler sur; ⚓ naviguer sur
befallen saisir, attraper; *(plötzlich)* surprendre; § atteindre
befangen timide; embarrassé, gêné; *(voreingenommen)* prévenu; *s. für ~ erklären* 🕮 se récuser; **~heit** embarras *m,* gêne *f;* prévention *f,* parti pris
befassen saisir *(mit* den); *refl* s'occuper *(mit* de)
Befehl commandement *m,* ordre *m; (ausdrücklicher)* injonction *f; (Anweisung)* instruction *f,* directives *fpl; mil* consigne *f; auf ~* par ordre (de); *auf allerhöchsten ~* par ordre suprême; *~ führen* avoir le commandement; *zu ~!* à vos ordres!; **~en** commander, ordonner; *s. Gott ~en* se recommander à Dieu; **~end** *(Ton)* impérieux; **~sform** *ling* impératif *m;* **~sgewalt** commandement *m;* **~shaber** commandant *(oberster* en chef); **~shaberisch** impérieux; autoritaire; **~sstand** *mil* poste *m* de commandement; **~sverweigerung** refus *m* d'obéissance
befestig|en fixer, attacher; *(verstärken)* affermir; *(festmachen)* assujettir; *fig* consolider, stabiliser; *(Straße)* revêtir; *mil* fortifier; **~ung** fixation *f,* attache *f;* ⚙ serrage *m; (Ladung)* arrimage *m; fig* consolidation *f; mil* fortification *f*
befeuchten humecter; mouiller
befind|en *vt* trouver, juger; *refl* se trouver; être situé; *(Gesundheit)* se porter, aller; *~en über* décider (de) qch; **~en** *su* état *m* (de santé); *fig* avis *m;* **~lich** situé
befingern *umg* tripoter, toucher
beflaggen pavoiser
befleck|en tacher, souiller, salir; polluer, maculer; *fig* entacher; *mit Blut ~en* ensanglanter; **~ung** tache *f;* souillure *f;* pollution *f*
befleißigen *refl* s'efforcer de, s'appliquer à; s'attacher à
befliegen desservir (une ligne aérienne)
beflissen assidu, empressé, zélé; appliqué à; **~heit** assiduité *f;* apllication *f;* soins *mpl*
beflügeln *fig* donner des ailes à; *(Schritte)* accélérer
befolg|en *(Vorschrift)* observer; obéir à; *(Rat)* suivre; *(Befehl)* exécuter; **~ung** observation *f;* exécution *f*
beförder|n transporter; expédier; *(im Rang)* promouvoir, faire avancer; **~ung** transport *m; (im Rang)* promotion *f,* avancement *m;* **~ungskosten** frais *mpl* de transport; **~ungsmittel** moyen de transport
befrachte|n charger; ⚓ affréter; **~r** affréteur; chargeur *m;* expéditeur
befrackt en habit
befra|gen questionner, interroger; *(um Rat)* consulter; **~gung** interview *f;* enquête *f;* sondage *m*
befrei|en libérer, délivrer; *(vom Joch)* affranchir; *(von Steuern)* exempter, exonérer; *(von e-r Verpflichtung)* dispenser, dégager, relever de; *(von Vormundschaft)* émanciper; *(aus e-r Gefahr)* tirer; *refl* se débarrasser de; **~er** libérateur; **~t:** *~t aufatmen* pousser un soupir de

délivrance; **~ung** libération *f,* délivrance *f;* exemption *f,* exonération *f;* dispense *f;* émancipation *f*
befremden surprendre, étonner; **~** *su* surprise *f,* étonnement *m;* **~d** étrange, insolite; surprenant, déconcertant
befreunden *refl* se lier d'amitié; *fig* se familiariser
befried|en pacifier; **~et** entouré d'une clôture; **~igen** satisfaire; donner satisfaction; contenter; *fig* apaiser, assouvir; **~igend** satisfaisant; *päd* assez-bien; **~igung** satisfaction *f;* contentement *m; (Zahlung)* paiement *m; fig* assouvissement *m;* **~ung** pacification *f*
befrist|en fixer un délai pour; **~et** limité, à terme, à durée déterminée
befrucht|en *a. fig* féconder; fertilliser; **~ung** fécondation *f;* ↓ fertilisation *f; (künstl.)* insémination (artificielle)
befug|en autoriser *(zu* à); **~nis** pouvoir *m,* droit *m,* autorisation *f;* attributions *fpl;* compétence *f,* faculté *f;* **~t** compétent; autorisé *(zu* à)
befühlen palper, tâter; toucher
Befund état *m* (des choses); *(Gutachten)* avis *m;* § diagnostic *m*
befürcht|en craindre, appréhender (que + *subj);* redouter; **~ung** appréhension *f;* crainte *f*
befürwort|en recommander; préconiser; *(Gesuch)* appuyer; parler *(od* intervenir) en faveur de; **~er** avocat; préconiseur; **~ung** soutien *m;* recommandation *f; (Gesuch)* appui *m,* avis *m* favorable
begab|en douer, doter, pourvoir *(mit* de); **~t** doué; talentueux *(umg);* **~ung** don(s) *m(pl),* talent(s) *m(pl);* aptitude(s) *f(pl);* disposition *f(pl)*
begatt|en *refl* s'accoupler; **~ung** accouplement *m;* coït *m;* union charnelle
begaunern filouter; escroquer
begeb|bar *com* négociable; **~en** *(Wechsel)* négocier; *(Anleihe)* émettre; *refl* se rendre; aller; se diriger; *bes* 🕮 se transporter; *(unpers.)* arriver, se passer; *(verzichten)* renoncer à, se désister de, se départir de; *s. in Gefahr~en* s'exposer au danger; *s. zur Ruhe ~en* aller se coucher; **~enheit** événement *m;* fait *m;* incident *m;* **~ung** émission *f,* lancement *m* (d'un emprunt)
begegn|en *(refl)* rencontrer; *fig* arriver; *(zuvorkommen)* prévenir; obvier à; *(abhelfen)* remédier à; *(behandeln)* traiter, accueillir; *refl (Fahrzeuge)* se croiser; **~ung** rencontre *f;* entrevue *f; (Fahrzeug)* croisement *m*
begeh|en *(Wegstrecke)* parcourir; *(Bahnstrecke)* couvrir un parcours; *(Gelände)* inspecter; *(Fest)* célébrer; *(Dummheit)* faire; *(Fehler)* commettre; *(Verbrechen)* perpétrer; **~ung** inspection *f; (Fest)* célébration *f; (Straftat)* perpétration *f*
begehr|en désirer, rechercher; ambitionner; *mst pej* convoiter; **~en** *su* désir *m;* envie *f;* demande *f;* **~enswert** désirable; **~t** recherché; *com* demandé; **~lich** plein de convoitise; avide; *(sinnlich)* concupiscent; **~lichkeit** convoitise *f;* cupidité *f;* avidité *f;* concupiscence *f*

begeister|n a. *refl* enthousiasmer, passionner, enflammer, exalter; inspirer; **~t** enthousiaste, passionné; *(glühend)* ardent, fervent; *(eifrig)* fanatique; **⁴ung** enthousiasme *m;* passion *f;* exaltation *f*

Begier|de désir *m;* envie *f;* convoitise *f,* avidité *f;* cupidité *f;* *fig* soif *f;* *(sinnlich)* appétits *mpl;* concupiscence *f;* ⚠ appétence *f;* **⁴ig** avide, très désireux, envieux *(auf, zu* de)

begießen *(Pflanzen, Braten)* arroser *(a. fig)*

Beginn commencement *m;* début *m;* *(Ausbruch)* déclenchement *m;* *fig* (point *m* de) départ *m;* **⁴en** *vt* commencer, entreprendre; *(Unterhaltung, Kampf)* engager, déclencher; *(Diskussion)* ouvrir; *(Verhandlungen)* entamer; *(Werk)* amorcer; *vi* se mettre en train; débuter; *(Musik)* partir

beglaubig|en attester, certifier; *(Unterschrift)* légaliser; *(notariell)* notarier; ⚖ homologuer; *(Gesandten)* accréditer; **⁴ung** attestation *f,* certificat *m;* ⚖ *(Unterschrift)* légalisation *f;* **⁴ungsschreiben** lettres *fpl* de créance

begleich|en payer, régler; *(Schuld)* acquitter; **⁴ung** règlement *m,* paiement *m*

begleit|en a. ♪ accompagner; *(nach Hause)* raccompagner; *(Gefolge)* suivre; *(Wächter)* escorter; ⚙ convoyer; **~er** compagnon; ♪ accompagnateur; **⁴erin** dame de compagnie; chaperon *m;* ♪ accompagnatrice; **⁴erscheinung** phénomène concomitant; **⁴schein** bordereau *m* d'envoi; documents *mpl* accompagnant la marchandise; **⁴schreiben** lettre *f* d'envoi; **⁴ung** a. ♪ accompagnement *m;* *(Gefolge)* suite *f,* escorte *f;* in **⁴ung von** accompagné de, suivi de

beglück|en rendre heureux; charmer; ravir; **~t** heureux; ravi; **~wünschen** féliciter, congratuler *(zu* de); complimenter *(wegen* de); **⁴wünschung** félicitation *f,* congratulation *f*

begnadet doué, béni des Dieux

begnadig|en gracier, faire grâce; **⁴ung** grâce *f;* **⁴ungsgesuch** recours *m* en grâce; **⁴ungsrecht** droit *m* de grâce

begnügen *refl* se contenter *(mit* de)

begraben enterrer; inhumer; ensevelir; *du kannst dich ~ lassen!* va te rhabiller!

Begräbnis enterrement *m;* inhumation *f*

begradigen *(Straße)* rectifier

begreif|en comprendre, saisir, concevoir; *(einschließen)* embrasser; enfermer, renfermer, contenir; comporter, impliquer; **~lich** concevable, compréhensible, intelligible, accessible; *~lich machen* expliquer; **~licherweise** naturellement

begrenz|en limiter, borner; *(abgrenzen)* circonscrire, délimiter; *(einfassen)* border; **⁴theit** limitation *f;* *fig* bornes *fpl;* **⁴ung** délimitation *f;* bornes *fpl;* restriction *f;* *(nach oben)* plafond *m;* *(nach unten)* plancher *m*

Begriff idée *f,* notion *f;* *(abstrakt)* concept *m;* *(Auffassung)* conception *f;* *im ~ sein zu* être sur le point de; *schwer von ~ sein* avoir l'esprit obtus *(od* la tête dure); **⁴en** en train de; *in d. Ausführung* **~en** en cours d'exécution; **~lich** conceptuel; abstrait; **~sbestimmung** définition *f;* **~svermögen** compréhension *f,* entendement *m*

begründ|en fonder, établir, créer; *fig* justifier;

motiver; **~et** bien fondé; *nicht ~et* sans fondement **⁴ung** raisons *fpl;* motif *m;* fondement; motivation *f;* exposé *m* des motifs, *mit d.* **⁴ung...** en alléguant...

begrünen installer des espaces verts

begrüß|en saluer; *fig* se réjouir de, se féliciter de; **~enswert** agréable, bienvenu; **⁴ung** salutation(s) *f(pl),* salut *m;* bienvenue *f*

begucken *umg* mirer, lorgner, reluquer

begünstig|en favoriser; *(bevorzugen)* avantager, privilégier; *(fördern)* appuyer, protéger; *umg* pistonner; **⁴ung** faveur *f;* privilège *m;* appui *m,* protection *f;* ⚖ recel *m* de malfaiteur(s)

begutacht|en donner un avis (d'expert) sur; juger de; **⁴ung** avis *m* (d'expert)

begüt|ert aisé, riche, opulent; **~igen** apaiser

behaar|t poilu, velu, pileux; *(Kopf)* chevelu; *(Pflanze)* peluché; **⁴ung** *(Tiere)* toison *f;* poils *mpl;* *(Mensch)* cheveux *mpl,* chevelure *f*

behäbig lent, posé, tranquille, lourd; cossu; corpulent

behaftet *(Schulden)* chargé, grevé; *(Krankheit)* atteint; *(Irrtum)* entaché

behag|en plaire, convenir, être agréable; **⁴en** *su* aise *f,* bien-aise *m,* bien-être *m;* agrément *m,* plaisir *m;* *~lich* confortable, agréable; *es sich ~lich machen* se mettre à son aise; **⁴lichkeit** confort *m,* aises *fpl*

behalten garder, conserver; *(zurück, Gedächtnis)* retenir; *etw. für sich ~ (fig)* garder qch pour soi

Behälter récipient *m;* réservoir *m,* conteneur *m,* bac *m,* citerne *f;* réceptacle *m;* **~schiff** bateau *m* conteneurs

behämmert *umg* cinglé, dingue, jobard, toqué

behand|eln *(Menschen)* traiter; ⚙ manipuler, travailler; *(Thema)* étudier *(erschöpfend)* épuiser; *(Kranke)* soigner, donner des soins à; *schlecht ~eln* maltraiter; *~elnder Arzt* médecin traitant; **~lung** traitement *m;* maniement *m;* ⚕ thérapeutique *f*

Behang tenture *f;* tapisserie *f*

behängen tapisser, tendre *(mit* de); *(schmücken)* garnir, orner *(mit* de)

beharr|en persévérer, persister *(auf* dans); s'obstiner, s'opiniâtrer, s'acharner, s'entêter *(auf* à); **~lich** persévérant, constant *(hartnäckig)* opiniâtre, acharné; *(zäh)* tenace, coriace; *(dickköpfig)* obstiné, entêté, têtu; **⁴lichkeit** persévérance *f,* persistance *f,* constance *f,* ténacité *f,* opiniâtreté *f,* obstination *f;* **⁴ungsvermögen** persévérance *f;* *phys* force *f* d'inertie

behauen tailler; *(zuhauen)* dégrossir; *(glätten)* dégauchir; *(Balken)* charpenter

behaupt|en a. *fig* maintenir, soutenir; *(Stellung)* tenir; *fig (versichern)* affirmer, assurer; *(vorgeben)* prétendre, avancer; *refl* tenir tête à qn; tenir bon *(od* ferme); **⁴ung** maintien *m;* affirmation *f,* assertion *f*

Behausung demeure *f;* logement *m;* habitation *f;* gîte *m* (*umg*); *(elende)* taudis *m,* bouge *m,* réduit *m,* galetas *m*

beheben écarter; *(Schaden)* réparer, remédier à; *(Mißstände)* réformer

beheimatet originaire (*in* de); domicilié à
beheiz|en chauffer; ~**ung** chauffage *m*
Behelf expédient *m*, moyen *m* de fortune; ⌂**en**
refl s'arranger; se tirer d'affaire; recourir à; se
débrouiller (*umg*); *s. ohne...* ⌂**en** se passer de;
~**sbrücke** pont *m* de fortune; ⌂**smäßig** provisoire; improvisé; de secours, de fortune; ~ **sheim**
logement *m* de fortune
behellig|en (*stören*) importuner, molester, gê-
ner; (*angreifen*) harceler, persécuter; ⌂**ung**
molestation *f*, importunité *f*
behend|(e) agile, leste; preste, prompt; ⌂**igkeit**
agilité *f*; prestesse *f*; promptitude *f*
beherberg|en héberger, loger; ⌂**ung** héberge-
ment *m*; ⌂**ungsgewerbe** hôtellerie *f*
beherrsch|en dominer; commander; avoir
autorité sur; (*Land*) régner sur, régir, gouverner;
fig maîtriser; (*Sprache*) parler, pratiquer, manier, posséder; (*überragen*) dominer; *refl* se
maîtriser, se retenir; être maître de soi; ~**end**
dominant, dominateur; ⌂**er** dominateur, maître; souverain; ~**t** *adv* avec sang-froid; ⌂**ung**
domination *f*; empire *m*, autorité *f*; (*Können*)
maîtrise *f*; (*Selbst-*) maîtrise *f* de soi, sang-froid
m
beherz|igen prendre à cœur; ~**igenswert** digne
de considération; (*Rat*) à retenir; ⌂**ung** (prise *f*
en) considération *f*; ~**t** courageux, vaillant;
(*kühn*) hardi, brave; ⌂**theit** courage *m*; valeur *f*;
hardiesse *f*
behex|en charmer, enchanter, ensorceler, en-
voûter; ⌂**ung** enchantement *m*, ensorcellement
m, envoûtement *m*
behilflich secourable, serviable; *j-m* ~ *sein*
aider qn à faire qch
behinder|n gêner, embarrasser; entraver, mettre
obstacle à; (*räumlich*) encombrer; *fig* désavanta-
ger; *bes* 🔨 handicaper; ~**t** handicapé; ~**ter**
(*geistig, körperlich*) handicapé *m* mental, physique; ⌂**ung** entrave *f*; obstacle *m*; handicap *m*;
fig désavantage *m*
behorchen écouter (en cachette), être indiscret;
prêter oreille; § ausculter
Behörd|e administration *f*, service *m* public;
autorité *f*; organisme *m*, office *m*; ⌂**lich** officiel;
administratif
behüt|en garder; protéger (*vor* contre, de);
préserver; garantir (*vor* de); **Gott** ~ **e!** *interj* non,
jamais!, en aucun cas!; ⌂**er** protecteur; gardien
behutsam prudent, précautionneux; circonspect; *adv* avec prudence, doucement; ⌂**keit**
précaution *f*; circonspection *f*; réserve *f*
bei 1. (*örtl.*) ~ *Tisch* à table; ~ *Paris* près de
Paris; ~*m Feuer* auprès du feu; ~ *der Hand*
sous (*od* à portée de) la main; ~ *sich* sur soi; ~
sich sein avoir sa connaissance; ~ *uns* chez
nous; ~ *d. Marine* dans la marine; ~ *Molière*
chez Molière; **2.** (*zeitl.*) ~ *d. Ankunft* à l'arrivée;
~*m Hinausgehen* en sortant; ~ *diesen Worten* à
ces mots; ~ *diesem Wetter* par ce temps; ~
Tage de (*od* le) jour; ~ *Tag und Nacht* jour et
nuit; ~*m Essen* pendant le repas; ~ *s-m*
Aufenthalt lors de son séjour; **3.** ~ *guter*
Gesundheit en bonne santé; ~ *dieser Hitze* par

une telle chaleur; ~ *Wasser u. Brot* au pain et à
l'eau; **4.** ~ *s-r Ehre* sur son honneur; ~
Todesstrafe sous peine de mort; **5.** ~ *weitem* de
beaucoup, à beaucoup près; ~ *weitem nicht*
loin de, il s'en faut de beaucoup; ~ *aller*
Freundschaft malgré l'amitié qui nous lie; ~
alledem malgré (*od* avec) tout cela
bei|behalten garder, conserver; maintenir;
⌂**blatt** feuillet *m* annexe; ~**bringen** fournir,
apporter; (🕮, *Beweise*) produire; (*Niederlage*)
infliger; (*lehren*) enseigner, inculquer; (*ver-*
ständl. machen) faire comprendre; (*zu verstehen*
geben) faire entendre; ⌂**bringung** 🕮 production *f*
Beicht|e confession *f*; *zur* ~*e gehen* aller à
confesse; *j-m die* ~*e abnehmen* (*a. fig*) confesser
qn; ⌂**en** *vt/i* confesser; se confesser (*bei* à);
~**geheimnis** secret *m* de la confession; ~**iger**
confesseur; ~**kind** pénitent(e) *m* (*f*); ~**stuhl**
confessionnal *m*, tribunal *m* de la pénitence;
~**vater** confesseur, directeur de conscience
beide les deux, tous (les) deux, l'un et l'autre;
wir ~ nous deux; *e-r von* ~*n* l'un ou l'autre; *k-r*
von ~*n* ni l'un ni l'autre; *auf* ~*n Seiten* des deux
côtés, de côté et d'autre; de part et d'autre;
~**rlei** des deux sortes; ~**rseitig** réciproque;
mutuel; respectif; *im* ~*rseitigen Einverständnis*
d'un commun accord; ~**rseits** des deux côtés,
de part et d'autre; mutuellement, réciproquement
beidrehen ⚓ mettre en panne
beieinander ensemble; l'un avec (*od* près de)
l'autre; *nicht alle* ~ (*umg*) un peu fou, dingue,
cinglé
Beifahrer aide-conducteur
Beifall applaudissements *mpl*; approbation *f*;
j-m ~ *spenden* applaudir qn, acclamer qn; ~
finden avoir du succès; **beifällig** approbateur;
~**sruf** bravo *m*, acclamation *f*; ~**ssturm** salve *f*
(*od* tonnerre *m*) d'applaudissements
beifüg|en ajouter, joindre; inclure; attacher,
annexer; ⌂**ung** addition *f*, adjonction *f*; *ling*
apposition *f*
Beifuß *bot* armoise *f*; herbe *f* de Saint-Jean;
(*Bratengewürz*) estragon *m*
Beifutter ⚘ aliments *mpl* concentrés complémentaires
Beigabe supplément *m*; extra *m* (*umg*)
beigeben ajouter; adjoindre; *klein* ~ en
rabattre, filer doux
Beigeordnete *m* adjoint *m* (*au maire*)
Beigeschmack arrière-goût *m*, petit goût (*von*
de)
beigesellen adjoindre; *refl* s'associer à
Beihilfe aide *f*; secours *m*; concours *m*;
(*Zahlung*) allocation *f*, subvention *f*
beikommen s'approcher; atteindre; *fig* avoir
prise sur qn
Beil hache *f*, cognée *f*, merlin *m*
Beilage annexe *m*; (*Zeitung*) supplément *m*;
(*Essen*) garniture *f*; *mit* ~ garni
beilegen ajouter, joindre; inclure, annexer;
(*Wert*) attacher, attribuer; (*Titel*) conférer, *refl*
s'adjoindre; (*Streit*) arranger; régler

beileibe: ~ *nicht!* ma foi, non!
Beileid condoléances *fpl; sein* ~ *aussprechen* présenter ses condoléances
beiliegen être joint à; **~d** ci-joint, ci-inclus, sous ce pli
bei|mengen ajouter (qch à qch); additionner (qch de qch); **⊾mengung** *chem* impureté *f,* admixtion *f;* **~messen** attribuer; *(Schuld)* imputer; *(Wert)* attacher
Bein *(Mensch u. Pferd)* jambe *f; (Tier)* patte *f; (Tisch)* pied *m; (Knochen)* os *m; j-m e.* ~ *stellen* faire un croc-en-jambe à qn; *auf d.* ~*e stellen* mettre sur pied; *gut auf d.* ~*en sein* avoir de bonnes jambes; *wieder auf die* ~*e kommen* se remettre en selle; *ich kann mich kaum auf d.* ~*en halten* j'ai les jambes en coton; *s. auf d.* ~*e machen* se mettre en route; *j-m* ~*e machen* faire décamper qn; *s. d.* ~*e in d. Bauch stehen* faire le pied de grue, croquer le marmot; *d.* ~*e unter d. Arme nehmen* prendre ses jambes à son cou; *er reißt s. kein* ~ *aus* il ne se foule pas la rate; **⊾ern** en os; **~haus** ossuaire *m,* charnier *m;* **~kleid** pantalon *m*
beinah(e) presque, à peu (de chose) près, pour un peu; quasi; *er wäre* ~ *gefallen* il a failli (*od* manqué de) tomber
Bei|name surnom *m;* sobriquet *m;* **⊾ordnen** adjoindre, coordonner; **~packzettel** mode *m* d'emploi; notice *f* d'instruction; **⊾pflichten** approuver; être du même avis que qn; adopter l'opinion de qn; **~rat** conseil *m; (Person)* conseiller
beirren déconcerter, irriter, contrarier
beisammen ensemble, réuni; **⊾sein** réunion *f*
Bei|satz *ling* apposition *f;* **⊾schießen** payer sa part, participer
Beischlaf coït *m,* cohabitation *f*
Beisein: *im* ~ *von* en présence de; *im* ~ *e-s Notars* par-devant notaire
beiseite à part, de côté, à l'écart; ~ *bringen* subtiliser, escamoter; ~ *gehen* s'écarter; ~ *lassen* négliger, laisser de côté; ~ *legen* mettre de côté; ~ *nehmen* prendre à part; ~ *schaffen* faire disparaître; ~ *schieben* écarter; ~ *stehen* se tenir à l'écart; ne pas être pris en considération; ~ *treten* s'écarter
bei|setzen *(Tote)* enterrer, ⚙ inhumer; *(Segel)* déployer; **⊾setzung** enterrement *m;* funérailles *fpl,* obsèques *fpl;* **⊾sitzer** assesseur; *(Richter)* conseiller *m*
Beispiel exemple *m; als* ~ à titre d'exemple; *z.* ~ par exemple (*Abk* p. ex.); *mit gutem* ~ *vorangehen* donner le bon exemple, prêcher d'exemple; *j-n z.* ~ *nehmen* prendre modèle sur qn; **⊾haft** exemplaire; **⊾los** sans exemple; inouï; **⊾sweise** par exemple, à titre d'exemple
beispringen aider, secourir qn; venir à la rescousse de qn
beiß|en mordre; *(stechen)* piquer; *auf d. Zähne* ~*en* serrer les dents; *nichts zu* ~*en haben* n'avoir rien à se mettre sous la dent; **~end** *a. fig* acéré, acre; mordant, piquant; *(Schmerz)* cuisant; *(Rede)* satirique, caustique, à l'emporte-pièce; **⊾zange** pince coupante

Bei|stand secours *m,* assistance *f;* soutien *m,* aide *f,* appui *m; (Rechts-)* avocat *m;* conseil *m;* **~stand leisten** prêter main-forte; **⊾stehen** secourir qn, assister qn; **⊾steuern** contribuer (*zu* à); **⊾stimmen** approuver; être de l'avis de qn; faire chorus avec qn; abonder dans le sens de qn; **~stimmung** consentement *m,* assentiment *m*
Beitrag contribution *f (zu* à); cotisation *f,* quote-part *f; a. fig* apport *m; (Versicherung)* prime *f;* **⊾en** contribuer, aider, concourir *(zu* à); *(mitarbeiten)* collaborer à
beitreib|bar recouvrable; **~en** recouvrer; faire rentrer; *mil* réquisitionner; **⊾ung** recouvrement *m*
bei|treten adhérer à; se ranger du côté de; entrer dans; **⊾tritt** adhésion *f;* entrée *f;* affiliation *f;* **⊾trittserklärung** acte *m* d'adhésion; **⊾wagen** side-car *m;* **~wohnen** assister à; *(schlafen mit)* coucher (avec qn); **⊾wort** épithète *f*
Beiz|e corrosif *m,* mordant *m;* ⚙ décapant *m;* 𝕊 caustique *m; (Küche)* marinade *f;* chasse *f* avec un oiseau de proie; chasse à l'épervier; **~en** *su* ⚙ décapage *m; (Pelze)* macération *f;* **⊾en** macérer; *(Holz)* teinter; *(Fleisch)* mariner; 𝕊 cautériser; ⚙ décaper
beizeiten *(früh)* de bonne heure; *(rechtzeitig)* à temps
bejah|en affirmer; répondre affirmativement; **~end** affirmatif; **~endenfalls** dans l'affirmative; **⊾ung** acquiescement *m,* acceptation *f;* réponse *f* affirmative
bejahrt âgé, d'un âge avancé, vieux
bejammern déplorer; se lamenter sur; **~swert** déplorable; lamentable
bekämpf|en combattre qch, lutter contre qch; **⊾ung** lutte *f* (contre qch)
bekannt connu *(bei* de); familier *(mit* avec); *(berühmt)* renommé, célèbre; *(Sachen)* public, notoire; *das war mir nicht* ~ je n'en avais pas connaissance; ~ *machen (Personen)* présenter, faire les présentations; *(Tatsachen)* rendre public, annoncer; publier; ~ *sein mit j-m* connaître qn; ~ *werden* se faire un nom; **⊾er,** **⊾schaft** connaissance *f;* **⊾gabe** annonce *f,* communication *f;* publication *f;* ⚙ notification *f;* **~geben** *bes pol* proclamer; communiquer; publier; annoncer; ⚙ notifier; **~lich** comme on (le) sait; **~machen** annoncer, publier; afficher; **~machung** publication *f,* proclamation *f;* avis *m,* affiche *f*
bekehr|en convertir; **⊾ter** converti, prosélyte; néophyte; **⊾ung** conversion *f*
bekenn|en confesser, avouer; *rel* professer; *refl* se déclarer partisan *(zu* de); *(schuldig)* s'avouer coupable; **⊾tnis** confession *f;* aveu *m; rel* profession *f* de foi; **⊾tnisschule** école confessionnelle (*ou* libre)
beklag|en plaindre, déplorer; *refl* se plaindre *(bei j-m über etw.* à qn de qch), gémir, se lamenter; **~enswert** déplorable, lamentable, regrettable; *(Person)* à plaindre; **⊾te(r)** ⚖ défendeur *m,* défenderesse *f*
be|klatschen applaudir; **~klauen** *umg* soulager

qn de qch, barboter, choper, piquer; **~kleckern** tacher, barbouiller (*mit* de)

bekleid|en habiller, vêtir (*mit* de); ✿ revêtir de; *(mit e-m Amt)* revêtir (qn de); *(Amt)* occuper, exercer, remplir (un poste, une fonction); **⚓ung** habillement *m;* vêtement(s) *m(pl);* tenue *f;* ✿ revêtement *m,* couverture *f;* **⚓ungsindustrie** industrie *f* du vêtement; **⚓ungsstücke** vêtements *mpl,* effets *mpl;* affaires *fpl (umg)*

beklemm|en oppresser; *fig* serrer le cœur, étreindre; **⚓ung** oppression *f;* serrement *m* de cœur; ⚑ étouffement *m*

beklommen oppressé, serré; mal à l'aise; **⚓heit** serrement *m* de cœur; angoisse *f*

be|klopfen frapper, percuter; **~kloppt** *adj umg* loufoque, cinglé, dingue; **~knackt** *adj umg* simple d'esprit, détraqué, dément; peu réjouissant, ingrat, pénible

bekommen recevoir; obtenir; trouver; *(Zähne)* faire; *(Krankheit)* attraper; *(Kind)* avoir; *Hunger* ~ commencer à avoir faim; *e-n Bauch* ~ prendre du ventre; *Junge* ~ mettre bas; *e-n Korb* ~ essuyer un refus; *vi (gut* ~) réussir, faire du bien

bekömmlich digestible; salubre

beköstigen nourrir; **⚓ung** nourriture *f*

bekräftig|en confirmer, affirmer; corroborer, appuyer; **⚓ung** affirmation *f,* confirmation *f;* corroboration *f; zur* ~*ung von* à l'appui de

be|kränzen couronner; **~kreuzigen** faire le signe de la croix; *refl* se signer; **~kriegen** faire la guerre à; **~kritteln** dénigrer; **~kritzeln** gribouiller, barbouiller, grifonner

bekümmer|n chagriner, peiner; inquiéter; *refl* se soucier de; avoir soin, s'occuper (*um* de); **~t** soucieux; en peine

be|kunden manifester, montrer; témoigner de; déclarer; ⚖ affirmer sous la foi du serment; **~lächeln** sourire de; **~lachen** rire de; **~laden** charger (*mit* de); **⚓ladung** chargement *m*

Belag 💲 enduit *m; (Spiegel)* tain *m; (Brot)* garniture *f; (Brücke)* tablier *m;* ✿ revêtement *m;* couche *f;* garniture *f;* **⚓ern** assiéger; **~erung** siège *m;* **~erungszustand** état *m* de siège

Belang: *von* ~ d'importance; *nicht von* ~ sans conséquence; *s-e* ~ *e wahren* sauvegarder ses intérêts; **⚓en** poursuivre, traduire en justice; **⚓los** sans importance; **~losigkeit** insignifiance *f,* futilité *f;* **~ung** ⚖ poursuite *f*

belassen laisser tel quel, ne pas modifier

belast|en *a.* ⚖ charger; *fig* accabler; *(Konto)* débiter; *(mit Abgaben)* grever; *(Grundstück)* hypothéquer; **⚓ung** charge *f,* chargement *m; com* débit *m;* ⚡ puissance distribuée (*od* transportée); *(Umwelt)* nuisance *f; fig umg* boulet *m; erbliche* **⚓ung** tare *f* héréditaire; **⚓ungsprobe** ✿ essai *m* de charge; **⚓ungszeuge** témoin à charge

belästig|en molester; gêner; incommoder, importuner (*mit* de); tarabuster (*umg);* **⚓ung** tracasserie *f,* contrariété *f;* gêne *f*

be|laubt feuillu; **~lauern** guetter; **~laufen** *refl* s'élever (*auf* à); **~lauschen** écouter indiscrètement; prêter l'oreille

beleb|en animer, vivifier; *neu* ~*en* raviver, ranimer; **~end** animateur; stimulant; **~t** animé; vif, vivant; *(Straße)* fréquenté, passant; **⚓theit** animation *f,* vivacité *f;* mouvement *m;* **⚓ung** animation *f;* stimulation *f*

belecken lécher

Beleg preuve *f;* pièce justificative (*od* à l'appui); document *m;* récépissé *m; (Text)* référence *f; als* ~ *für* à l'appui de; **~en** couvrir; *(Brot)* garnir; *(Spiegel)* étamer; *(Platz)* occuper, réserver, marquer; *(Vorlesung)* s'inscrire pour (*od* à); *(Tiere)* couvrir; *(beweisen)* prouver, justifier; documenter; *mit Beschlag* **~en** saisir, confisquer; *mit Steuer* **⚓en** imposer; **~exemplar** (exemplaire *m)* justificatif *m;* **~schaft** personnel *m;* effectifs *mpl;* équipe *f;* **~stelle** référence *f;* **~stück** pièce justificative, (*od* à l'appui); **⚓t** *(Zunge)* chargé, empâté; *(Stimme)* couvert, voilé; *(Brot)* garni; **⚓tes Brötchen** sandwich *m;* **~ung** occupation *f* (d'une place)

belehr|en informer, instruire; *j-n e-s Besseren* ~*en* détromper qn; **~end** instructif; **⚓ung** instruction *f*

beleibt corpulent, replet; **⚓heit** corpulence *f,* embonpoint *m*

beleidig|en insulter, offenser; injurier; outrager; *(kränken)* froisser; *fig* choquer, blesser; **~end** offensant; injurieux; outrageant; **⚓ung** insulte *f,* offense *f,* injure *f;* outrage *m;* affront *m;* **⚓ungsklage** plainte *f* en diffamation

be|leihen prêter sur; **~lesen** qui a beaucoup lu; **⚓lesenheit** connaissances *fpl* littéraires

beleucht|en éclairer; *(festlich)* illuminer; *fig* éclaircir; **~er** ⚡ électricien; **⚓ung** éclairage *m;* illumination *f; fig* éclaircissement *m;* **⚓ungskörper** appareil *m* d'éclairage, luminaire *m;* **⚓ungsmesser** luxmètre *m;* **⚓ungsstärke** éclairement; **⚓ungstechniker** éclairagiste

beleum(un)det qui a bonne (mauvaise) réputation

Belg|ien la Belgique; **~ier** Belge; **⚓isch** belge

belicht|en ▣ exposer, impressionner; **⚓ung** exposition *f;* pose *f;* quantité *f* d'éclairement; **⚓ungsmesser** posemètre *m;* **⚓ungszeit** (temps *m* de) pose *f*

belieb|en se plaire à; *wie es mir* ~*t* à ma guise; **~en** *su* goût *m,* plaisir *m; nach* ~*en* à volonté, à discrétion; *nach Ihrem* ~*en* à votre gré; **~ig** quelconque; *adv* à volonté, facultativement; ~*ig viel(e)* n'importe combien; **~t** favori, recherché; populaire, en vogue; **⚓theit** vogue *f,* popularité *f*

beliefer|n fournir, approvisionner (*mit* de); **⚓ung** approvisionnement *m*

bellen aboyer; **⚓** *su* aboiement *m*

Belletristik littérature *f* d'agrément

belobig|en louer; **⚓ung** louange *f*

belohn|en récompenser (*für* de); **⚓ung** récompense *f; zur* ~*ung für* en récompense de; pour la peine de

belüft|en aérer, ventiler; **⚓ung** conditionnement *m* de l'air, climatisation; aération; **⚓ungsanlage** aérateur *m;* conditionneur

belügen mentir (à qn)

belustig|en amuser, divertir, distraire; égayer; réjouir; **~end** amusant, divertissant, plaisant; drôle, risible; **⬩ung** amusement *m*, divertissement *m;* plaisir *m;* distraction *f; pl* réjouissances *fpl*

be|mächtigen *refl* s'approprier qch; s'emparer de qch; **~mäkeln** trouver à redire à; dénigrer; **~malen** peindre, peinturer; **⬩malung** peinture *f;* **~mängeln** critiquer; **~mannen** ⚓, ✈ équiper, armer; **⬩mannung** ⚓, ✈ armement *m*, équipement *m;* équipage *m;* **~mänteln** voiler; *(Übel)* pallier; *(Wahrheit)* farder, truquer, maquiller; **~meiern** *umg* berner, attraper, avoir

bemerk|bar perceptible, sensible; *s.* **~bar machen (Sachen)** se faire sentir; *(Personen)* faire remarquer; **~en** remarquer, s'apercevoir de; noter; observer, faire observer; **~enswert** remarquable, notable; **⬩ung** remarque *f;* observation *f;* réflexion *f*

bemessen proportionner *(nach* à); calculer, fixer

bemitleiden avoir pitié de; s'apitoyer sur; **~swert** pitoyable, digne de pitié

be|mittelt riche, aisé; **~mogeln** *umg* filouter, rouler, refaire; **~moost** moussu; *fig* vieux, âgé

bemüh|en demander un effort (à qn); déranger, incommoder; *refl* tâcher de, chercher à, s'efforcer de, tenter de; s'empresser auprès de; **~en Sie s. nicht!** ne vous dérangez pas!; **⬩ung** effort *m;* empressement *m*

bemüßigt: *sich* **~** *fühlen* se sentir obligé

bemuttern entourer de soins maternels

benach|bart voisin; avoisinant; attenant; **~richtigen** informer de; mettre au courant; faire connaître *(od* savoir) qch; donner avis de; **⬩richtigung** information *f,* avis *m,* communication; **~teiligen** désavantager, porter préjudice à; faire tort à; ⚖ léser; *bes* ✝ handicaper; **~teiligt** défavorisé; **⬩teiligung** désavantage *m;* discrimination *f;* préjudice *m;* lésion *f;* ✝ handicap *m*

Bendel bande *f,* ruban *m;* lanière *f*

benebel|n obnubiler; **~t** *umg* gris, pompette

benehmen ôter, enlever; *(Atem)* couper; *refl* se conduire, se comporter; **⬩** *su* comportement *m*, conduite *f;* manières *fpl;* allures *fpl;* höfliches **⬩** bonnes manières; *s.* **ins ⬩** *setzen* prendre contact, se concerter *(mit* avec); **im ⬩** *mit* en consultation avec

beneiden envier *(j-n um etw.* qch à qn); jalouser; **~swert** enviable

benenn|en nommer, appeler; dénommer, désigner; **⬩ung** dénomination *f,* désignation *f*

benetzen mouiller, humecter, humidifier

Bengel gamin; polisson, galopin

benommen engourdi; étourdi; *(Kopf)* lourd; **⬩heit** torpeur *m,* engourdissement *m;* lourdeur *f*

benötigen avoir besoin *(etw.* de qch)

benutz|bar utilisable; **~en** utiliser, employer; se servir de, user de; *(Gelegenheit)* profiter de; *(Zug)* prendre; *(Weg)* emprunter; **⬩er** usager; **⬩ung** usage *m,* emploi *m;* utilisation *f*

Benzin 🚗 essence *f;* chem benzine *f;* **~behälter** = **~kanister** bidon *m* à essence, jerrican *m,* nourrice *f;* **~motor** moteur *m* à essence; **~preis**

prix des hydrocarbures, prix de l'essence; **~tank** réservoir *m* à essence

Benzol benzène *m*

beobacht|en observer, remarquer; examiner; surveiller; **⬩er** observateur; **⬩ung** observation *f;* **⬩ungsgabe** esprit *m* d'observation; **⬩ungsposten** *mil* observatoire *m*

be|ordern envoyer *(zu* chez; *nach* à); *(zu s. bestellen)* mander, citer; **~packen** charger *(mit* de); **~pflanzen** planter *(mit* de); **~pinseln** *a.* 💊 badigeonner; **⬩plankung** revêtement *m;* **~pudern** poudrer, saupoudrer; **~quasseln** *umg* baratiner; **~quatschen** *umg* palabrer, mégoter; discuter

bequem confortable, commode, aisé; *(Person)* qui aime ses aises, nonchalant, indolent; *es sich* **~** *machen* se mettre à l'aise; **~en** *refl* se prêter à, consentir à, condescendre à; daigner; **⬩lichkeit** commodité *f,* confort *m;* aises *fpl; (Person)* nonchalance *f,* indolence *f*

berappen *umg* débourser, casquer, dépocher, se fendre

berat|en *vt* conseiller; *vi* délibérer, conférer; discuter; débattre *(über etw.* qch); *schlecht* **~en** *sein* être mal avisé; **~end** consultatif, délibératif; **⬩er** conseiller; ⚖ conseil; **⬩ung** 💲, ⚖ consultation *f;* délibération *f; (Berufs-)* orientation *f*

beraub|en voler, priver; dépouiller, dévaliser; spolier; **⬩ung** dépouillement *m;* privation *f;* spoliation *f,* dépossession *f*

berausch|en *a. fig* griser, enivrer; **~end** *a. fig* grisant, enivrant; **~** ivre

Berber Berbère *m;* tapis *m* berbère

berech|enbar calculable, chiffrable; **~nen** calculer, compter; évaluer, supputer; *j-m etw.* **~nen** porter qch au compte de qn; **~nend** *(sein) pej* agir seulement dans son propre intérêt, ne chercher que son propre avantage; **⬩nung** calcul *m;* évaluation *f,* supputation *f; mit* **⬩nung** par calcul

berechtig|en autoriser *(zu* à); habiliter *(zu* à); qualifier *(zu* pour); **~t** juste, légitime, fondé; habilité à; **~t** *sein zu* être autorisé à, ⚖ avoir qualité de; **~ter** titulaire *m* d'un droit; ayant droit; **⬩ung** autorisation *f,* droit *m;* permis *m;* légitimité *f; (e-r Behandlung)* bien-fondé *m*

bered|en parler de, discuter; *(überreden)* persuader qn de qch, décider qn à qch; *refl* se concerter; **⬩samkeit** éloquence *f;* **~t** éloquent

Bereich domaine *m;* sphère *f;* portée *f; (Aufgaben-)* ressort *m; bes com* secteur *m; (Fach)* spécialité *f; (Toleranz)* marge *f;* 📻 gamme *f;* ⚙ régime *m,* plage *f*

bereicher|n enrichir; **⬩ung** enrichissement *m*

bereif|en 🚗 garnir de pneus; *(Faß)* cercler; **⬩ung** 🚗 pneus *mpl,* pneumatiques

bereinig|en *fig* régler; vider; **⬩ung** règlement *m,* apurement *m*

bereisen parcourir, visiter

bereit prêt, disposé *(zu* à); *sich* **~** *halten* se tenir prêt; *s.* **~** *finden (erklären)* être disposé à; *etw.* **~** *haben* avoir préparé qch; **~en** préparer, apprêter; *(Überraschung)* ménager; *(Sorge usw.)*

causer; *(Empfang)* réserver; ~**halten** = ~**legen** mettre à portée de la main; ~**machen** *refl* se disposer à; ⌐**schaft** disposition *f;* disponibilité *f; (Polizei)* permanence *f; mil* piquet *m;* ⌐**schaftspolizei** police *f* d'intervention; ~**stellen** mettre à la disposition; *(Kredite)* dégager, débloquer; ouvrir (des crédits); ~**willig** empressé; *adv* de bonne grâce, volontiers; ⌐**willigkeit** obligeance *f,* serviabilité *f,* empressement *m*
bereuen se repentir de; regretter
Berg montagne *f;* mont *m; fig* tas *m; pl (Bergbau)* terres *fpl,* stériles *mpl* ♦ *mit s-r Meinung hinter d.* ~ *halten* mettre son drapeau dans sa poche; *ihm stehen die Haare zu* ~*e* les cheveux se dressent sur sa tête; *goldene* ~*e versprechen* promettre monts et merveilles; *er ist über alle* ~*e* il a pris la clef des champs, il a gagné le large; ⌐**ab(wärts)** en descendant, à la descente; *es geht mit ihm* ⌐*ab (Gesundheit)* il décline, *(Geschäft)* ses affaires périclitent; ~**abhang** versant *m;* ~**akademie** école *f* des mines; ⌐**an** en montant; ~**arbeiter** (ouvrier) mineur; ⌐**auf** en montant; ~**bahn** chemin *m* de fer de montagne; ~**bau** industrie minière; exploitation *f* des mines; ~**bau...** mines; ~**bauingenieur** ingénieur des mines; ~**bewohner** montagnard; ~**fahrt** 🚊, montée *f;* ⌐**freudig** 🚠 grimpeur; ~**fried** donjon *m;* ~**führer** guide; ~**grat** arête *f;* ~**hang** versant *m;* ⌐**ig** montagneux; ~**kessel** cirque *m;* ~**kette** chaîne *f* de montagnes; ~**kristall** cristal *m* de roche; ~**kuppe** ballon *m;* ~**mann** mineur; ~**massiv** massif *m;* ~**pech** bitume *m;* ~**predigt** Sermon *m* sur la Montagne; ~**recht** concession *f* minière; droit minier; ~**rennen** course *f* de côte; ~**rücken** croupe *f* de montagne; ~**rutsch** éboulement *m;* ~**schuhe** chaussures *fpl* à crampons; ~**spitze** pic *m;* piton *m;* ~**steigen** alpinisme *m;* ~**steiger(in)** alpiniste *m, f;* ~**stock** alpenstock *m,* bâton ferré; ~ **wacht** secours *m* en montagne; ~**wand** paroi *f;* ~**und-Tal-Bahn** montagnes *fpl* russes; ~**werk** mine *f; (Kohlen-)* charbonnage *m,* houillère *f;* ~**werkshalde** terril *m*
Berg|egeld = ~**lohn** droit *m* de sauvetage; ⌐**en** repêcher, sauver, récupérer; *in s.* ⌐*en* renfermer, receler; ~**ung** sauvetage *m;* assistance *f;* ~**ungsschiff** bateau de sauvetage
Bericht rapport *m,* compte rendu, exposé *m;* mémoire *m;* récit *m;* ⌐**en** rapporter; relater, raconter; rendre compte; informer qn de qch; ~**erstatter** rapporteur; *journ* reporter; ~ radio-reporter; *(auswärtiger)* correspondant; ⌐**igen** corriger, rectifier, redresser, mettre au point; ~**igung** correction *f,* rectification *f,* redressement *m,* mise *f* au point; *(amtl.)* rectificatif *m;* ~**sjahr** exercice *m*
be|riechen flairer; *fig* tâter, chercher à connaître; ~**rieseln** irriguer, arroser; ⌐**rieselung** irrigation *f,* arrosage *m;* épandage *m* (des eaux d'égout); ~**ringen** baguer; ~**ringt** *(Hände)* chargé de bagues; ~**ritten** monté, à cheval
Bernhardiner *(Hund)* saint-bernard *m*
Bernstein ambre *m* jaune
Berserker vandale *m,* destructeur *m*

bersten se fendre, se crevasser; *a. fig* crever, éclater; ⌐ *su* éclatement *m*
berüchtigt mal famé; *iron* fameux
berücken charmer, enchanter, fasciner; ~**d** captivant, séduisant, ravissant
berücksichtig|en tenir compte de, faire état (*od* cas) de, prendre en considération; ⌐**ung** considération *f; unter* ⌐*ung von* en tenant compte de, eu égard à, compte tenu de
Beruf profession *f,* métier *m; freie* ~*e* professions libérales; *e-n* ~ *ausüben* exercer une profession; *e-n* ~ *ergreifen* embrasser une profession; *den* ~ *wechseln* se reconvertir; *von* ~ de son métier; ⌐**en** 1. appeler, nommer *(zu* à); *(herbefehlen)* mander; *(beschwören)* conjurer; *refl* invoquer, en appeler à; se recommander de qn; s'appuyer sur qch; 🕮 alléguer, exciper de qch; 2. *adj* compétent; qualifié; ⌐*en sein zu* avoir la vocation de; ⌐**lich** professionnel; ~**sausbildung** formation professionnelle; ~**sausübung** exercice *m;* ~**sbeamter** fonctionnaire de carrière; ~**sberater** conseiller d'orientation professionnelle; ~**sberatung** orientation professionnelle; ~**sbildung** éducation professionnelle; ~**serfahrung** expérience professionnelle; ~**sfachschule** collège *m* d'enseignement technique; ~**sförderung** promotion professionnelle; ~**sgeheimnis** secret professionnel; ~**sgenossenschaft** assocation préventive des accidents de travail; ~**sheer** armée *f* de métier; ⌐**leben** activité *f* professionnelle; ⌐**los** en chômage; ⌐**smäßig** professionnel; ⌐**soffizier** officier de carrière; ~**sorganisation** syndicat *m* professionnel; ~**sschule** centre *m* d'apprentissage; école professionnelle; ~**sspieler** 🎾 professionnel; ⌐**stätig** qui travaille, qui exerce une profession; ~**sverband** organisation professionnelle; ~**sverbot** interdiction professionnelle; ~**sverbrecher** malfaiteur d'habitude; ~**svereinigung** syndicat *m;* ~**sverkehr** circulation aux heures de pointe (les jours ouvrables); ~**sweg** carrière; ~**ung** vocation *f;* *(Ernennung)* nomination *f;* 🕮 pourvoi' *m,* appel *m; unter* ~*ung auf* en se référant à; ~*ung einlegen* interjeter appel; ~**ungsgericht** cour *f* d'appel; ~**ungskläger** appelant; ~**ungsweg:** *auf d.* ~*ungsweg* 🕮 par voie d'appel
beruh|en reposer, être fondé, s'appuyer *(auf* sur); *e-e Sache auf s.* ~*en lassen* ne pas poursuivre une affaire, en demeurer là; *d.* ~*t auf e-m Irrtum* cela provient d'une erreur; ~**igen** calmer, apaiser; tranquilliser, rassurer; *(entspannen)* détendre; *refl* se rasséréner; ~**igend** consolant; 💊 sédatif; ⌐**igung** apaisement *m;* ⌐**igungsmittel** 💊 sédatif *m,* calmant *m*
berühmt célèbre, fameux, illustre; renommé, réputé; légendaire; ⌐**heit** *(a. Person)* célébrité *f;* renommée *f,* renom *m;* notoriété *f*
berühr|en toucher (à) qch; *(streifen)* frôler; *(Thema)* effleurer; *angenehm* ~ *en* choquer; ⌐**ung** contact *m;* attouchement *m;* frôlement *m,* effleurement *m; in nahe* ⌐*ung kommen mit j-m* coudoyer qn
besäen ensemencer; *fig* parsemer *(mit* de)

besag|en dire; signifier, prouver; **~t** ledit, ladite, lesdits, lesdites

besaiten mettre des cordes

Besamung fécondation artificielle, insémination

besänftig|en adoucir, apaiser; **~ung** adoucissement *m*, apaisement *m*

Besatz bordure *f;* garniture *f;* (*Bergbau*) bourrage *m;* **~ung** garnison *f;* troupes *fpl* d'occupation; ⚓, ✈ équipage *m;* **~ungsbehörden** autorités occupantes; **~ungsmacht** puissance occupante; **~ungszone** zone *f* occupée

besaufen *refl* se soûler, prendre une cuite, s'enivrer, se piquer le nez

beschädig|en endommager, détériorer, dégrader; gâter; ⚓ avarier; ⚕ blesser, léser; **~ung** dommage *m*, endommagement *m*, dégradation *f*, détérioration *f;* ⚓ avarie *f;* ⚕ lésion *f;* blessure *f*

beschaffen 1. procurer, fournir; *refl* obtenir, trouver; 2. *adj* constitué, fait (de nature à); **~heit** nature *f*, condition *f;* qualité *f;* état *m*, constitution *f;* (*Leibes-*) complexion *f*

beschäftig|en occuper; employer; (*sehr stark*) absorber; *fig* préoccuper; *refl* s'occuper (de qch *od* à faire qch); **~ung** occupation *f;* emploi *m;* **~ungsstand** niveau *m* de l'emploi

beschäm|en humilier; rendre honteux; confondre; **~t** honteux, confus, confondu; déconfit; **~ung** honte *f;* confusion *f;* humiliation *f*

beschatten ombrager; (*Polizei*) filer, surveiller; épier

Beschau inspection *f;* **~en** regarder, contempler; examiner, inspecter; **~lich** contemplatif; **~lichkeit** contemplation *f*

Bescheid réponse *f;* renseignement *m*, information *f;* communication *f;* avis *m;* ⚖ décision *f;* arrêt *m; abschlägiger* ~ refus *m;* ~ *geben* répondre; informer; ~ *wissen* s'y connaître, être au courant (*od* au fait) de qch; *j-m gehörig* ~ *sagen* dire carrément son fait à qn; **~en** 1. *vt* informer; répondre; (*zu sich*) mander, faire venir; *refl* se contenter (*mit* de); se résigner (*mit* à); 2. *adj* modeste; humble; discret; (*Einkommen*) modique, petit; **~enheit** modestie *f;* humilité *f;* discrétion *f;* (*Einkommen*) modicité *f*

beschein|en éclairer; **~igen** attester, certifier; *d. Empfang* **~igen** donner quittance; accuser réception; **~igung** attestation *f;* certificat *m;* (*Quittung*) reçu *m*, quittance *f*

bescheißen *pop!* couillonner, foutre dedans, posséder

beschenken faire un cadeau à qn; *mst iron* gratifier (*mit* de)

bescher|en donner; faire des cadeaux (de Nouvel an); **~ung** distribution *f* des cadeaux (de Nouvel an); étrennes *fpl* ♦ *da haben wir d.* **~ung!** nous voilà dans de beaux draps!

beschicken (*Ausstellung*) participer à; (*Haus*) mettre en ordre; (*Hochofen*) charger

beschieß|en tirer sur; (*MG*) mitrailler; (*Artillerie*) bombarder, canonner; **~ung** bombardement *m;* canonnade *f*

beschimpf|en injurier, insulter; outrager; invec-

tiver; **~ung** affront *m;* insulte *f*, injure *f;* outrage *m*

beschirmen protéger (contre), abriter (de)

Beschi|ß *pop* mauvais tour, tromperie; **~ssen** misérable, infect, exécrable

beschlafen coucher avec qn, avoir des relations sexuelles avec qn; *fig* laisser passer la nuit sur qch (pour réfléchir)

Beschlag armature *f;* (*Verzierung*) applique *f;* (*Tür*) ferrure *f;* (*Feuchtigkeit*) buée *f;* (*Schimmel*) moisissure *f;* ⚙ embase *f;* ~ *legen auf* saisir, mettre l'embargo sur; *in* ~ *nehmen* mettre la main sur; *j-n mit* ~ *belegen* accaparer qn; **~en** 1. ⚙ garnir, armer; (*mit Nägeln*) clouter; (*Pferd*) ferrer; (*Segel*) ferler; *vi* (*Fenster*) embuer; (*Spiegel*) se ternir; (*Wände*) suer; 2. *adj* versé; *umg* ferré, calé; **~nahme** confiscation *f*, mainmise *f; mil* réquisition *f;* 🏛 saisie *f;* (*vorläufige*) mise *f* sous séquestre; **~nahmen** confisquer; 🏛 saisir, séquestrer; *mil* réquisitionner

beschleunig|en (*a.* ⚙, *Puls*) accélérer; dépêcher; hâter; précipiter, brusquer; (*Schrift*) presser; (*Sache*) activer; **~er** (*Atomphysik*) accélérateur *m* de particules; **~ung** accélération *f*

beschließ|en décider, résoudre; décider (résoudre) de faire qch; se décider (se résoudre) à faire qch; se proposer de faire qch; (*beenden*) terminer, conclure; (*abstimmen*) voter; (*Gesetz*) adapter; ~ *en über* statuer sur; ~ *ende Stimme* voix délibérative

Beschluß décision *f*, résolution *f;* 🏛 (*Gericht*) arrêt *m;* (*Versammlung*) délibération *f;* **~fähig** qui réunit le quorum; **~fähigkeit** quorum *m;* **~fassung** résolution *f;* délibération *f;* décision *f;* **~unfähig sein** ne pouvoir délibérer valablement

beschmieren barbouiller, mâchurer, poisser

beschmutzen *a. fig* salir, souiller; crotter, encrasser

beschneid|en (*Baum*) tailler, étêter; (*Hecke*) tondre; (*Nägel*) couper; (*Papier*) rogner; (*Geldmittel*) réduire, amputer; (*Recht*) restreindre; ⚕ circoncire; **~en** *su* coupe *f;* (*Baum*) taille *f;* **~ung** restriction *f;* ⚕ circoncision *f*

be|schnüffeln, **~schnuppern** flairer; *fig* fourrer son nez dans

beschönig|en embellir, farder; **~ung** excuse *f*

beschotter|n empierrer, caillouter; **~ung** empierrement *m*, cailloutage *m*

beschränk|en limiter, borner, restreindre (*auf* à); (*begrenzen*) circonscrire, délimiter; *refl* se cantonner, s'en tenir (*auf* à); se contenter (*auf* de); **~end** restrictif, limitatif; **~t** borné; (*Zahl*) limité, restreint; (*Geist*) étroit; **~te Haftung** responsabilité limitée; **~theit** *a. fig* étroitesse *f;* **~ung** limitation *f*, restriction *f;* (*Ausgaben*) réduction *f*

beschrankt 🚂 gardé

beschreib|en (*Papier*) écrire sur; (*darstellen*) décrire, peindre, dépeindre; (*Person*) signaler; **~ung** description *f;* signalement *m; jeder* **~ung** *spotten* être indescriptible, être indicible

beschreiten prendre, choisir, s'engager dans

(une voie); *den Rechtsweg* ~ avoir recours aux tribunaux
beschrift|en mettre une inscription sur; étiqueter; **⌐ung** inscription *f*
beschuldig|en incriminer; accuser, taxer (de qch); 🐍 inculper; **⌐ter** 🐍 inculpé; prévenu; **⌐ung** imputation *f*, incrimination *f*; 🐍 inculpation *f*
beschummeln *umg* rouler, carotter
Beschuß feu *m*, bombardement *m*
beschütz|en protéger; **⌐er** protecteur
beschwatz|en circonvenir, persuader, tromper, embobiner
Beschwer *f* effort *m*, peine *f*
Beschwer|de plainte *f*, grief *m*, réclamation *f*; doléances *fpl*; *(Mühe)* peine *f*, fatigue *f*; **§** douleur *f*; *~de führen bei j-m* présenter des doléances à qn; **⌐en** charger, lester; *refl* se plaindre; **⌐lich** fatigant; pénible; *(schwierig)* difficile; *(lästig)* embarrassant, malaisé; **~lichkeit** incommodité *f*; difficulté *f*; peine *f*
beschwichtig|en apaiser, calmer; faire taire; **⌐ung** apaisement *m*, atermoiement *m*
beschwindeln *(belügen)* raconter des blagues à qn, faire marcher qn, en conter; *(betrügen)* *umg* posséder qn, duper, circonvenir
beschwin|gen donner des ailes; exalter, animer; **~gt** plein d'entrain
beschwipst éméché, pompette
beschwör|en affirmer sous serment, jurer; *(anflehen)* adjurer, conjurer; *(Geister)* évoquer; *(austreiben)* conjurer, exorciser; *(Schlangen)* charmer; **⌐ung** affirmation *f* sous serment; adjuration *f*, conjuration *f*; évocation *f*
beseel|en animer; **⌐ung** animation *f*
besehen regarder; examiner
beseitig|en faire disparaître, se débarrasser de; *(Schaden)* réparer; *(Hindernis)* aplanir, éliminer, écarter; *umg* liquider; **⌐ung** *(Hindernis)* élimination *f*; *(Schaden)* réparation *f*; *(Mißstände)* réforme *f*
Besen balai *m*; *pop (Frau)* garce *f*; *pop! (Penis)* bite *f*, balayette *f*, engin *m*, défonceuse *f*; *auf den* ~ *laden* ridiculiser; *mit eisernem* ~ *kehren* rétablir l'ordre, faire régner l'ordre; **~stiel** manche *m* à balai
besessen possédé, obsédé *(von de)*; maniaque, fanatique; **⌐er** possédé, énergumène, démoniaque, maniaque; **⌐heit** obsession *f*, idée *f* fixe, hantise *f*; fanatisme *m*
besetz|en occuper; *(benähen)* garnir *(mit de)*; 🐍 distribuer; *(Teich)* peupler; *e-e Stelle* ~ pourvoir à un poste; **~t** occupé; *(Platz)* pris; *(Wagen)* complet; *(Saal)* comble; **⌐ung** occupation *f*; 🐍 distribution *f*
besichtig|en visiter; inspecter; **⌐ung** visite *f*; inspection *f*; 🐍 descente *f* de justice; *mil* revue *f*
besiedel|n peupler; coloniser; **~t**: *dicht* ~*t* à forte densité de population
besiegel|n sceller; *fig* confirmer; *d. Schicksal ist* ~*t* le sort en est jeté
besieg|en vaincre; triompher de, l'emporter sur; **⌐er** vainqueur; **⌐ter** vaincu
besingen chanter; célébrer

besinn|en *refl* réfléchir; se souvenir de qch, se rappeler qch; *ohne sich zu* ~*en* sans hésiter *(od* balancer); *sich e-s Besseren* ~*en* se raviser; **~lich** pensif, songeur, méditatif; **⌐ung** connaissance *f*; conscience *f*; **⌐ung verlieren §** perdre connaissance; *fig* perdre la tête; *wieder zur* **⌐ung kommen** reprendre connaissance; *fig* revenir à la raison; *zur* **⌐ung bringen** ramener à la raison; **~ungslos** sans connaissance, évanoui; *fig* hors de soi; **⌐ungslosigkeit** évanouissement *m*
Besitz possession *f*; détention *f*; *(Habe)* propriété *f*; biens *mpl*; *in* ~ *nehmen* prendre possession de; *im* ~ *sein von* être en possession de; **⌐anzeigend** *ling* possessif; **⌐en** posséder; détenir; avoir; **~er** possesseur; propriétaire; détenteur; **~ergreifung** prise *f* de possession, entrée *f* en possession; *pol* annexion *f*; **⌐los** pauvre, sans biens; **~stand** patrimoine *m*; **~tum** biens *mpl*; **~ung** propriété *f*, terres *fpl*, domaine *m*; *(überseeische)* colonie *f*, possession *f*; **~wechsel** changement *m* de propriétaire; 🐍 mutation *f*
besoffen *pop* soûl, noir, plein
bestohlen ressemeler
besold|en *(Arbeiter)* payer, rémunérer, rétribuer; *(Angestellte)* appointer; *(Dienstboten)* gager; **⌐ung** rétribution *f*, rémunération *f*; *(Arbeiter)* paye *f*, salaire *m*; *(Beamte)* traitement *m*; *(Angestellte)* appointements *mpl*; *(Dienstboten)* gages *mpl*; *mil* solde *m*
besonder particulier; spécial; *(einzigartig)* singulier; *im* **~en** en particulier; *d. ist nichts* **~es** ce n'est rien d'extraordinaire; **⌐heit** particularité *f*; aspect *m* spécial; singularité *f*; bizarrerie *f*; **~s** spécialement, particulièrement, en particulier; *(vor allem)* surtout, principalement
besonnen *adj* réfléchi, circonspect; **⌐heit** sagesse *f*, circonspection *f*
besorg|en procurer; *(Arbeit)* faire; *(Geschäft)* s'occuper de, prendre soin de; *(befürchten)* craindre; *es j-m* ~*en* rendre la pareille; faire la legon à qn.; **⌐nis** appréhension *f*, crainte *f*, préoccupation *f*, inquiétude *f*; **~niserregend** inquiétant; **~t** inquiet, soucieux; *(fürsorglich)* soigneux; **⌐theit** sollicitude *f*; **⌐ung** commission *f*; course *f*, emplette *f*; **⌐ungen machen** faire des courses *(od* achats)
bespan|nen *(Wand)* tendre *(mit* de); **⚓** entoiler; *(Tennisschläger)* garnir; *(Wagen)* atteler *(des chevaux à une voiture)*; **~nung** revêtement *m*, entoilage *m*
bespie|geln *refl* se regarder dans un miroir; réfléchir sur soi-même; **~lbar** 🌲 *(terrain)* praticable; **~len** *(Tonband)* enregistrer
bespitzeln moucharder, espionner
bespötteln railler, se moquer de qn, ironiser
besprech|en discuter, débattre; *(Buch)* commenter; *(Platte)* graver; *refl* conférer *(mit* avec); **⌐ung** discussion *f*, colloque *m*, entretien *m*, pourparlers *mpl*; *(Buch)* compte rendu, commentaire *m*; **⌐ungsexemplar** 📖 exemplaire *m* de presse
be|sprengen asperger, humecter, arroser;

~spritzen *(Schmutz)* éclabousser; *(Wasser)* mouiller; **~spucken** cracher sur qn; **~spülen** baigner, arroser

besser meilleur; *adv* mieux; *es ist* ~ il vaut mieux; *d. Wetter wird* ~ le temps s'améliore *(od* se remet); *immer* ~ de mieux en mieux, *um so* ~ tant mieux; *etw.* ~ *wissen* en savoir davantage; ~ *als nichts (umg)* c'est déjà ça; ~ *spät als nie* mieux vaut tard que jamais; *s-e* **~e** *Hälfte* sa moitié *(umg); s. e-s.* **~en** *besinnen* se raviser; **~n** amender; réformer (qch); *refl (Gesundheit)* se rétablir, aller mieux; *(Wetter)* se remettre (au beau); *(moralisch)* s'amender; **⸦ung** amélioration *f; (moral.)* amendement *m;* réforme *f; (Gesundheit)* rétablissement *m, (vorübergehende)* rémission *f;* **~ungsanstalt** maison *f* de correction; **⸦wisser** Gros-Jean qui en remontre à son curé

best le meilleur; *adv* le *(od* au) mieux; *aufs* **~e** au mieux; *d. erste* **~e** le premier venu; *nicht z.* **~en** assez mal; *j-n z.* **~en** *halten* se moquer de qn, se payer la tête de qn; *etw. z.* **~en** *geben* régaler qn de qch; *sein* **~es** *tun* faire de son mieux; *z.* **~en** *au profit de; zu s-m* **~en** dans son intérêt; *d.* **⸦e** *daraus machen* en tirer ce que l'on peut; **~enfalls** en mettant les choses au mieux; **~ens** *a.* au mieux; parfaitement; **~möglich** le mieux possible; **⸦seller** livre *m* de forte vente, best-seller *m;* **⸦zeit** 𝄞 temps *m* record

bestall|en nommer; investir (d'une fonction); **⸦ung** nomination *f*

Bestand *(Dauer)* continuité *f;* durée *f; (Haltbarkeit)* stabilité *f; (Besitz)* inventaire *m; (Waren-)* stocks *mpl; (Kassen-)* encaisse *f; (Vieh-)* cheptel *m;* ~ *haben* durer, subsister; *ohne* ~ instable; **~saufnahme** inventaire *m;* **~teil** partie *f* (intégrante); constituant *m,* élément constitutif; organe *m; bes chem* composant *m;* 𝄇 ingrédient *m*

beständig constant; *(Wetter, chem)* stable; *(ständig)* continuel, permanent; *(haltbar)* durable; *(unveränderlich)* fixe; *com (Nachfrage)* ferme; ⚙ résistant; **⸦keit** constance *f; a.* chem stabilité *f;* permanence *f;* fixité *f;* ⚙ résistance

bestärk|en affermir, confirmer, fortifier *(in* dans); **⸦ung** affermissement *m*

bestätig|en confirmer; vérifier; *(anerkennen)* attester, certifier; *(amtl)* donner acte; *(zustimmen)* sanctionner; *(Vertrag)* ratifier; *(rechtskräftig machen)* homologuer, entériner; *(d. Empfang)* **~en** accuser réception; *refl* se confirmer, se vérifier; s'avérer; **⸦ung** confirmation *f;* accusé *m* de réception; consércration *f;* attestation *f;* certificat *m;* ratification *f;* 𝄇 sanction *f;* homologation *f,* entérinement *m*

bestatt|en enterrer, inhumer; *(einäschern)* incinérer; **⸦ung** enterrement *m;* inhumation *f;* funérailles *fpl,* obsèques *fpl;* sépulture *f; (Feuer-)* incinération *f,* crémation *f;* **⸦ungsinstitut** entreprise *f* de pompes funèbres

bestaunen admirer

bestäub|en saupoudrer; *bot* féconder; **⸦ung** pollinisation *f*

bestech|en corrompre; *umg* graisser la patte à qn; *fig* séduire, éblouir; **~lich** corruptible, vénal; **⸦lichkeit** corruptibilité *f,* vénalité *f;* **⸦ung** corruption *f*

Besteck *(Tisch-)* couvert *m;* nécessaire *m;* 𝄇 trousse *f;* 🜪 point *m;* **~en** garnir de; piquer de

bestehen *vt (Prüfung)* réussir, être reçu à; *(Kampf)* soutenir, sortir vainqueur; *vi* exister; *(dauern)* durer, subsister, persister; ~ *auf* insister sur, appuyer sur; s'obstiner à, persister dans; ~ *aus* consister en, se composer de; **⸦** *su* existence *f; seit* **⸦** depuis la création *(od* fondation)

bestehlen voler, dévaliser

besteig|en monter (sur, à); *(Berg)* gravir; *(Rad)* enfourcher; *(Thron)* accéder à; **⸦ung** ascension *f;* accession *f*

bestell|bar *(Land)* arable; **⸦buch** carnet *m* de commandes; **~en** commander; *(Person)* faire venir, mander; *(Platz)* retenir; *(Brief)* délivrer, remettre; *(Grüße)* transmettre; *(Land)* cultiver, labourer; *(Haus)* mettre en ordre; *(ausrichten)* faire une commission; *(ernennen)* nommer, investir; *ich bin auf zwei Uhr* **~t** j'ai rendez-vous à deux heures; *es ist schlecht um ihn* **~t** ses affaires vont mal; **⸦nummer** numéro *m* de référence; **⸦schein** bon *m* de commande; **⸦ung** commande *f; (Zustellung)* remise *f;* 🜨 culture *f,* labour *m; (Auftrag)* commission *f; (Ernennung)* nomination, désignation *f;* 🜨 constitution *f;* **⸦zettel** bulletin *m* de commande

bestenfalls au mieux

besteuer|n imposer, taxer; **⸦ung** imposition *f,* taxation *f*

besti|alisch bestial; **⸦alität** bestialité *f;* **⸦e** bête *f* féroce; *fig* brute *f*

bestimm|bar déterminable; **~en** déterminer; *(Begriff)* définir; *(veranlassen)* décider *(zu* à); *(ausersehen)* désigner; *(festsetzen)* fixer; *(anordnen)* prescrire, ordonner, arrêter, décréter; *chem* analyser; **~en** *für* affecter à, destiner à; **~en** *über* disposer de; **~t** déterminé; défini; fixe; *(gewiß)* certain, sûr; positif; *(entschieden)* décidé, résolu; *(Ton)* décisif; *(Antwort)* net; **~t!** certainement!; sans faute!; **⸦theit** certitude *f;* décision *f;* netteté *f;* **⸦ung** détermination *f;* définition *f;* désignation *f;* fixation *f; (Anordnung)* disposition *f; (Schicksal)* destin *m; chem* analyse *f; ling* complément *m;* **⸦ungshafen** port *m* de destination; **⸦ungsort** (lieu *m* de) destination *f;* **⸦ungspostamt** bureau *m* destinataire

bestmöglich optimum

bestraf|en punir *(für, mit* de); pénaliser, frapper d'une peine; sanctionner; châtier, corriger; **⸦ung** punition *f,* châtiment *m,* correction *f*

bestrahl|en éclairer (de ses rayons); *phys,* 𝄇 irradier; **⸦ung** irradiation *f;* **⸦ungsdauer** durée *f* d'exposition

bestreben *refl* s'efforcer de, chercher à; **⸦** *su* aspiration *f;* effort *m; in dem* **⸦** soucieux de

bestreichen enduire *(mit* de); *(Brot)* tartiner, *(mit Butter)* beurrer; *(mit Geschützfeuer)* balayer (par le feu)

bestreiken immobiliser par une grève
bestreit|bar contestable, discutable; **~en**
contester, nier; *(streitig machen)* disputer;
(Kosten) payer; *(Unterhalt)* subvenir
bestreuen parsemer (*mit* de); *(mit Zucker usw.)*
saupoudrer (de); *mit Blumen ~* joncher de
fleurs; *mit Sand ~* sabler
bestricken *fig* ensorceler, charmer, envoûter
bestücken *mil* armer de canons
Bestuhlung densité *f* de sièges, nombre de
chaises
bestürmen assaillir; *fig* presser, obséder
bestürz|en ahurir, bouleverser, consterner,
ébahir, stupéfier; **~t** ahuri, ébahi, stupéfait,
interdit, consterné; **⌃ung** ahurissement, cons-
ternation *f;* stupéfaction *f;* ébahissement *m;*
effarement *m;* affolement *m*
Besuch visite *f; (Schule)* fréquentation *f; ~*
haben avoir du monde; **⌃en** rendre visite à qn,
aller *(od* venir) voir qn, *(häufig)* courir; *(Schule)*
fréquenter; *(Kranke)* visiter; *(Versammlung)*
assister à; *(Theater)* aller à; *(Vorlesung)* suivre;
~er visiteur; **~skarte** carte *f* de visite; **~szeit**
heures *fpl* de visite; **~szimmer** *(Kloster,
Gefängnis usw.)* parloir *m*
besudeln *a. fig* souiller; *fig* entacher
betagt âgé, d'un âge avancé
betasten tâter, palper; manier
betäti|gen ✿ manœuvrer, actionner, comman-
der; *refl* être actif, s'occuper; prendre part *(bei
etw.* à qch); **⌃gung** commande *f*, manœuvre *f;*
⌃gungshebel levier *m* de commande
betäub|en assourdir, abasourdir; étourdir;
(Schmerz) assoupir; $ insensibiliser; anesthé-
sier; chloroformer, éthériser; **⌃ung** assourdisse-
ment *m;* étourdissement *;* torpeur *f;* engourdissement *m;* assoupissement *m;* $ narcose *f,*
anesthésie *f; fig* stupeur *f;* **⌃ungsmittel** $
anesthésique *m*, narcotique *m;* stupéfiant *m*
beteilig|en faire participer qn *(an* à); *com*
intéresser qn *(an* à, dans); *refl* participer,
prendre part *(an* à); **~t** *com* intéressé *(an* à,
dans); *an e-r Sache ~t* engagé dans une affaire;
⌃ter intéressé *m*, participant *m;* partenaire *m;*
⌃ung participation *f; com* intérêt *m;* intéresse-
ment *m;* quote-part *f*, contribution *f*
beten prier *(zu Gott* Dieu); faire ses prières;
(Gebet) dire
beteuer|n protester de; affirmer; **⌃ung** affirma-
tion *f;* protestation *f*
betiteln intituler; *(Person)* donner un titre à
Beton béton *m; bewehrter ~* béton armé;
⌃ieren bétonner; **~ierung** bétonnage *m;* **~mi-
scher** bétonnière *f;* bétonneuse *f*
beton|en *a. fig* accentuer, appuyer sur, mettre
l'accent sur; *fig* souligner, mettre en valeur *(od*
en relief), insister sur, faire ressortir; **~t** *fig*
ostensible; **⌃ung** accentuation *f;* accent *m*
betör|en séduire, enjôler; **⌃ung** séduction *f,*
enjôlement *m*
Betracht: *außer ~ lassen* laiser de côté; *in ~
kommen* entrer en ligne de compte; *in~ ziehen*
envisager, prendre en considération; **⌃en**
regarder, contempler; considérer *(als* comme);

(Person) dévisager; *genau* **⌃et** tout bien
considéré, tout compte fait; **~er** spectateur *m;*
(Dia, Film) visionneuse *f;* **beträchtlich** considérable, important; **~ung** contemplation *f;* considération *f;* réflexion *f;* méditation *f; bei
genauerer ~ung* à y regarder de plus près; *après
un examen approfondi*
Betrag montant *m*, somme *f; (Gesamt-)* total *m;
~ erhalten* pour acquit; **⌃en** monter à, s'élever
à, se chiffrer à; *refl* se conduire, se comporter;
~en *su* conduite *f*, comportement *m*, manières
fpl, attitude *f*
betrau|en charger (qn de qch), confier (qch à
qn), préposer (qn à qch); **~ern** pleurer qn,
porter le deuil de qn
Betreff *(Brief)* concerne; *in ⌃* concernant,
touchant, quant à, au sujet de, à l'égard de; **⌃en**
(angehen) concerner, avoir trait à, regarder,
toucher; *(Unglück)* frapper, atteindre; *was mich
betrifft* quant à moi, pour ma part, pour mon
compte; *was dies betrifft* à cet égard; *was...
betrifft* en ce qui concerne *(od regarde)...;* **⌃end**
concernant, touchant; relatif à; en question; *d.
~ende* intéressé *m;* **⌃s** quant à, en ce qui
concerne, au sujet de, à l'égard de
betreiben entreprendre; *(Geschäft)* exploiter,
tenir; *(Gewerbe)* exercer; *(Politik)* pratiquer;
(Studien) faire, poursuivre; *auf ⌃ von* à
l'instigation de
betreten 1. *vt* entrer dans, mettre le pied dans,
marcher sur; 2. *adj* embarrassé, confus, gêné;
⌃ *su* passage *m*, accès *m*
betreu|en s'occuper de, prendre soin de, être
préposé à; *(Kirchengemeinde)* desservir; **⌃er** ☞
soigneur *m;* assistant; **⌃ung** prise *f* en charge;
assistance *f*, aide *f;* service *m*
Betrieb exploitation *f (landwirtschaftl. ~* a.
agricole) entreprise *f; (Werk)* usine *f,* établissement *m;* ✿ marche *f,* fonctionnement *m;
(Tätigkeit)* activité *f,* mouvement *m; (Verkehr)*
animation *f; elektr. ~* 🏴 traction *f* électrique;
in ~ sein marcher; *in ~ setzen* mettre en
marche, faire marcher; *in ~ nehmen* mettre en
service; *außer ~* hors service; *außer ~ setzen*
arrêter; *den ~ aufhalten* retarder le travail;
den~ satthaben en avoir assez, être excédé,
dégoûté; **~sablauf** marche *f* de l'exploitation;
~sabrechnung décompte *m* d'exploitation;
⌃sam actif, affairé; **~sangehörige** personnel *m;*
~sanlagen installations *fpl* industrielles; immo-
bilisations *fpl;* **~sanleitung** mode *m* d'emploi;
~sart mode *m* de fonctionnement; **~sarzt**
médecin *m* du travail; **~saufwendungen** charges
fpl d'exploitation; **~sberater** ingénieur-conseil;
⌃sfertig en état *(od* ordre) de marche;
~sführung gestion *f* de l'entreprise; **~skapital**
fonds *mpl* de roulement; **~skosten** frais
généraux, charges d'exploitation; **~sleiter** directeur; chef d'entreprise; **~smittel** capital *m*
technique, moyens de production; **~sobmann**
homme de confiance, délégué du personnel;
~sordnung règlement *m* de l'entreprise; **~srat**
conseil *m* d'entreprise; **~sschalter** commutateur
m de service; **~ssicherheit** sécurité *f* de

fonctionnement; **~sspannung** ⚡ tension *f* de régime; **~sstoff** carburant *m*; **~sstörung** panne *f*, défaillance *f*; **~sunfall** accident *m* du travail; **~swirtschaft** organisation *f* des entreprises; **~swissenschaft** technologie *f* des entreprises

betrinken *refl* s'enivrer, se griser

betroffen *fig* consterné, embarrassé, confus

betrüb|en affliger, attrister, contrister, chagriner; *(tief)* désoler; **~lich** affligeant, regrettable; **⅄nis** affliction *f*, chagrin *m*, tristesse *f*; **~t** triste, affligé; *(tief)* désolé

Betrug fraude *f*, tromperie *f*; escroquerie *f*; fourberie *f*; *(Verstellung)* imposture *f*; *(Schwindel)* duperie *f*, mystification *f*; *(Spiel)* tricherie *f*

betrüg|en tromper; frauder, escroquer; *(beschwindeln)* abuser, duper; tricher; **⅄er** trompeur, fourbe; fraudeur, escroc; tricheur; **~erisch** fraudeleux

betrunken ivre, gris; **⅄heit** ivresse *f*

Bet|schwester *pej* bigote; **~stuhl** prie-Dieu *m*

Bett *(a. Fluß)* lit *m*; couche *f*; ⚙ *(Unterbau)* socle *m*; *zu ~ bringen* coucher; *zu ~ gehen* aller se coucher; *d. ~ hüten* être alité, garder le lit; *d. ~ machen* faire le lit; *mit j-m ins ~ gehen* coucher avec qn; *sich ins gemachte ~ legen* profiter des efforts des autres; **~bezug** drap *m* de lit; **~couch** canapé-lit *m*; **~decke** couverture *f*; *(z. Schmuck)* dessus-de-lit *m*, couvre-lit *m*; **⅄en** coucher, mettre au lit; faire un lit (à qn) ♦ *wie man sich ⅄et, so liegt man* comme on fait son lit, on se couche; **~geschichte** passade *f*, amourette *f*, aventure *f*, liaison *f*; **~hase**, **~häschen** jeune fille facile, sauterelle *f*, gigolette; **~hupferl** friandise *f*, bonbon *m*; **⅄lägerig** alité; **~laken** drap *m*; **~nässen** énurésie *f*; **~nässer** (enfant) énurétique; **⅄reif** très fatigué, crevé; **~ruhe**: *~ruhe verordnen* prescrire le lit; **~stelle** bois *m* de lit; **~tuch** drap *m*; **~ung** ⚓ ballast *m*; **~vorlage** descente *f* de lit; **~wäsche** draps *mpl*; **~zeug** literie *f*

Bettel mendicité *f*; *fig* fatras *m*; **~arm** pauvre comme Job; **~brief** supplique *f*; **~ei** mendicité *f*; *fig* quémandage *m*; **~mönch** moine mendiant; **⅄n** mendier; *fig* quémander; **~sack** besace *f*; **~stab**: *an d. ~stab bringen* réduire à la mendicité

Bettler mendiant, gueux; quémandeur

beug|en courber, plier, fléchir, ployer; *(demütigen)* humilier; *(Recht)* faire une entorse (à la loi); *ling* décliner, *(Verb)* conjuguer; *phys* infléchir; *refl* se plier, s'incliner; **~ung** *a. ling* flexion *f*; *phys* diffraction *f*

Beule bosse *f*; 💲 enflure *f*

beunruhig|en inquiéter, préoccuper, troubler, alarmer; **~end** inquiétant, préoccupant, troublant, alarmant; **~t** inquiet, alarmé; tourmenté *(über de)*; **⅄ung** inquiétude *f*, alarme *f*, préoccupation *f*, trouble *m*

beurkunden dresser par écrit; confirmer (par des documents); authentifier

beurlaub|en donner (un) congé *(mil* une permission) (à qn); **~t** en congé

beurteil|en juger de; critiquer; **⅄ung** jugement *m*; critique *f*; appréciation *f*

Beute proie *f*; *(Kriegs-)* butin *m*; *(Raub)* rapine *f*, dépouilles *fpl*; ♌ prise *f*; *leichte ~* proie *f* facile; victime (de); **~zug** razzia *f*

Beutel sac *m*; *(Geld-)* bourse *f*; *(Tabaks-)* blague *f*; *zool* poche *f*; *(Sieb)* blutoir *m*; *es geht an den ~* c'est cher; **⅄n** bluter; *fig* secouer; **~tiere** marsupiaux *mpl*

bevölker|n peupler *(mit* de); **~t** peuplé; populeux; **⅄ung** population *f*; *(Tätigkeit)* peuplement *m*; **⅄ungsdichte** densité *f* de la population; **⅄ungsexplosion** explosion *f* démographique; **⅄ungsrückgang** = **⅄ungsschwund** dépopulation, dépeuplement *m*

bevollmächtig|en donner (plein) pouvoir (à qn de qch); autoriser (qn à qch); mandater; **⅄ter** mandataire; *com* fondé de pouvoir; *pol* plénipotentiaire; **⅄ung** mandat *m*, autorisation *f*; plein pouvoir; procuration *f*

bevor avant que (ne) *(+ subj)*, avant de *(+ inf)*; **~munden** tenir qn en tutelle; **⅄mundung** tutelle *f*; **~raten** stocker; **⅄ratung** stockage *m*; approvisionnement; **~rechtigen** privilégier; **~schussen** avancer (de l'argent); **~stehen** être imminent; **~stehend** imminent; prochain, proche; **~zugen** préférer; favoriser, avantager; **~zugt** favorisé, avantagé, privilégié; **⅄zugung** préférence *f*; traitement *m* de faveur

bewach|en garder, surveiller; **⅄ung** garde *f*, surveillance *f*; escorte *f*

bewachs|en recouvert *(mit* de); **⅄ung** tapis *m* végétal

bewaffn|en armer; *refl fig* se munir de; **⅄ung** armement *m*

bewahr|en conserver, garder; *(schützen)* protéger *(vor* contre), préserver (de); **~!** pas du tout!, jamais de la vie!; **~heiten** *refl* se confirmer; **⅄ung** conservation *f*; préservation *f*; protection *f*

bewähr|en *refl* faire ses preuves; être éprouvé; qui a fait ses preuves; **⅄ung** épreuve *f*; **⅄ungsfrist** ⚖ sursis *m*, délai d'épreuve, période probatoire; **⅄ungshelfer** agent *m* de probation

bewahrheiten: *sich ~* s'avérer juste

bewaldet boisé

bewältigen venir à bout (de qch)

bewandert versé *(in* dans), ferré (sur)

Bewandtnis état *m* de choses, caractère *m*; *damit hat es folgende ~* voici ce qu'il en est; *damit hat es s-e eigene ~* c'est un cas particulier

bewässer|n irriguer, arroser; **⅄ung** irrigation *f*, arrosage *m*

beweg|en mouvoir; déplacer; *(hin u. her)* remuer, agiter; *fig* émouvoir, attendrir, toucher; *(veranlassen)* inciter, déterminer (qn à faire qch); *refl* se mouvoir, se remuer; bouger; *s. um etw. ~en* tourner autour de qch; *s. (unruhig) hin u. her bewegen* se trémousser; **⅄grund** motif *m*, mobile *m*; **~lich** mobile; ⚖ meuble, mobilier; *fig* agile, vif; **⅄lichkeit** mobilité *f*; vivacité *f*, agilité *f*; **~t** agité; *(Meer)* houleux, gros; *fig* ému, attendri, touché; *(Leben)* mouvementé; **⅄theit** *(Meer)* agitation *f*; *fig* attendrissement, émotion *f*; **⅄ung** mouvement *m*; déplacement *m*; agitation *f*; *(Gemüts-)* émotion *f*; *(heftige)* émoi *m*, trouble *m*; *s. ⅄ung verschaffen* prendre de l'exercice; *s. in* ᒿ*ung setzen* se mettre en mouvement, s'ébranler; ᒿ*ungs...* moteur; ᒿ**ungsenergie** énergie *f* cinétique; ᒿ**ungsfreiheit** liberté *f* de mouvement; *fig* carte blanche, coudées franches, latitude *f*; ᒿ**ungslehre** cinématique *f*; ~**ungslos** immobile

be|wehren armer; renforcer; ~**wehrt** armé (*mit* de); ~**weihräuchern** a. *fig* encenser; ~**weinen** pleurer

Beweis preuve *f* (*für* de); argument *m*, démonstration *f*; *schlüssiger* ~ preuve formelle; *schlagender* ~ argument massue; *Freispruch aus Mangel an* ~*en* acquittement faute de preuves; *d.* ~ *führen* faire (*od* administrer) la preuve; ~**aufnahme** ᒍ audition *f* des preuves; ᒿ**bar** prouvable, démontrable; ᒿ**en** prouver, démontrer, *fig* faire preuve de, donner des marques de, montrer; ~**führung** démonstration *f*, argumentation *f*; ᒍ administration de la preuve; ~**grund** raison probatoire, argument *m*; ~**kraft** force probante; ᒿ**kräftig** probant, concluant; ~**mittel** argument *m*; moyen de preuve; ~**stück** ᒍ preuve *f*, pièce justificative

bewenden: *es bei etw.* ~ *lassen* se borner (*od* s'en tenir) à qch

bewerb|en *refl* offrir ses services; *(Amt, Stelle)* solliciter (*um etw.* qch), se porter candidat, poser sa candidature; concourir (*um* pour); *s. um d. Hand e-s Mädchens* ~*en* demander la main d'une jeune fille; ᒿ**er** candidat, postulant *m*; aspirant (*für* à); *(a. Heirat)* prétendant; ᒿ**ung** candidature *f*; offre *f* de service, demande *f* d'emploi, demande *f* en mariage; ᒿ**ungsschreiben** lettre *f* de demande d'emploi; offre *f* de service; ᒿ**ungsunterlagen** dossier *m* (de candidature)

be|werfen jeter (qch sur qch); *(Mauer)* crépir; ~**werkstelligen** effectuer; réaliser, exécuter

bewert|en estimer, évaluer; taxer; ~**ung** évaluation *f*, estimation *f*; appréciation, détermination (de la valeur); ᒿ**ungsmaßstab** critère *m* de mesure

bewetter|n ❂ aérer, ventiler; ᒿ**ung** ventilation *f*, aérage *m*; *(Werkstoffe)* exposition *f* externe

bewillig|en accorder, concéder, octroyer; *(Geld)* allouer; ᒿ**ung** consentement *m*; agrément *m*; concession *f*; *(Geld)* allocation *f*, octroi *m*

be|willkommnen souhaiter la bienvenue (à qn); ~**wirken** opérer; causer, provoquer, produire, amener; avoir pour conséquence

bewirt|en régaler, traiter; ~**schaften** exploiter; *(Land)* mettre en valeur, cultiver; *(Waren)* rationner, contingenter; ᒿ**schaftung** exploitation *f*; gestion; administration; rationnement *m*, contingentement; *(Devisen)* réglementation *f*; ᒿ**ung** traitement *m*

bewohn|bar habitable; ~**en** habiter, occuper; demeurer, vivre (dans); ᒿ**er** habitant

bewölk|en *refl* se couvrir de nuages; ╱~**t** nuageux; ᒿ**ung** nuages *mpl*; nébulosité *f*

Bewunder|er admirateur; ᒿ**n** admirer; ᒿ**nswert** admirable; ~**ung** admiration *f*

Bewurf crépi *m*, enduit *m*, ravalement *m*

bewußt conscient; *adv* sciemment, en connais-

sance de cause; *(bekannt)* connu, en question; *s. e-r Sache* ~ *sein* se rendre compte de qch; ~**los** sans connaissance; ~*los werden* perdre connaissance; ᒿ**losigkeit** évanouissment *m*; ᒿ**sein** connaissance *f*; conscience *f*; ᒿ**einstrübung** § absence *f*

bezahl|en payer; *(Arbeit)* rétribuer, rémunérer; *(Schuld)* acquitter; régler; *in bar* ~*en* payer comptant (*ou* en espèces); *sich* ~*t machen* être payant, payer; ᒿ**ung** paiement *m*; rétribution *f*, rémunération *f*; acquittement *m* règlement *m*

bezähmen refréner; *refl* se maîtriser

bezauber|n charmer, enchanter, ensorceler; fasciner; ~**nd** charmant, enchanteur; ᒿ**ung** enchantement *m*, ensorcellement; sortilège *m*

bezeichn|en marquer, indiquer, désigner; *(nennen)* qualifier (*als* de); ~**end** significatif; caractéristique, symptomatique; ᒿ**ung** marque *f*, désignation *f*; indication *f*; qualification *f*; terme *m*; *handelsübliche* ᒿ*ung* dénomination commerciale

bezeig|en montrer, manifester; témoigner de; ᒿ**ung** marque *f*, démonstration *f*, témoignage *m*

bezeug|en attester; témoigner de; *(Gefühl)* protester de; ᒿ**ung** attestation *f*; témoignage *m*

bezichtig|en accuser (qn de qch); ᒿ**ung** accusation *f*

bezieh|bar libre; *(Wohnung)* pouvant être occupé; ~**en** couvrir, garnir; *(Bett)* mettre des draps; *(mit Saiten)* monter; *(Haus)* s'installer dans; *(Universität)* s'inscrire à; *mil (Stellung)* prendre; *(Gehalt)* toucher; *(Waren)* se fournir; *(Zeitung)* être abonné à; *refl* se rapporter, se référer (*auf* à); *(Himmel)* se couvrir; ᒿ**er** abonné; ᒿ**ung** relation *f*; rapport *m*; *gute* ᒿ*ungen haben (umg)* avoir du piston; *in* ᒿ*ung stehen zu* être en rapport avec; *e-e* ᒿ*ung aufnehmen* rechercher un contact; *in gewisser* ᒿ*ung* à certains égards; ~**ungsweise** respectivement

beziffer|n numéroter, chiffrer; *refl* se chiffrer, s'élever (à); ᒿ**ung** numérotage *m*

Bezirk district *m*; arrondissement *m*; *(Wahl-)* circonscription *f*; *fig* sphère *f*.

Bezogener *com* tiré

Bezug garniture *f*, revêtement *m*; *(Kissen-)* taie *f*; *(Zeitung)* abonnement *m*; *(Waren)* achat *m*; *pl* appointements *mpl*, émoluments *mpl*; ~ *nehmen auf* se référer à; *in* ᒿ *auf, bezüglich* concernant, touchant; quant à, en ce qui concerne, à l'endroit de; ~**nahme** référence *f*; *unter* ~*nahme auf* en se référant à; ~**sachse** axe *m* de référence; ~**sbedingungen** conditions *fpl* de livraison; ᒿ**fertig** 🏛 prêt à être occupé; ~**spreis** prix *m* d'achat; *(Zeitung:* d'abonnement); ~**squelle** origine *f*; source d'approvisionnement; ~**squellennachweis** liste *f* des fournisseurs; ~**srecht** *com* option *f*; *(Aktien)* droit *m* de souscription; ~**(s)schein** bon *m* d'achat

Bezüge *mpl* appointements *mpl*, revenus *mpl*, allocations *fpl*, prestations

be|zwecken avoir pour but (*od* objet) de; viser à; ~**zweifeln** mettre en doute, douter de

bezwing|en maîtriser, mater, triompher de; *refl*

se contenir, se maîtriser; ⌐**er** dompteur; triomphateur; ⌐**ung** soumission *f*, assujettissement *m*
Bibel Bible *f*, Écriture sainte; ⌐**fest** versé dans la Bible; ~**spruch** verset *m*
Biber *(a. Pelz)* castor *m*
Bibliothek bibliothèque *f*; ~**ar** bibliothécaire
biblisch biblique; ⌐**e** *Geschichte* Histoire sainte
bieder honnête, intègre, loyal; ⌐**keit** honnêteté *f*, intégrité *f*; ⌐**mann** honnête homme; *pej* petit-bourgeois borné; ⌐**meierstil** style Biedermeier
bieg|en courber, recourber, plier; *(durch-)* fléchir; *(Zweig)* ployer; *(rund)* cintrer, incurver; *refl* se plier; fléchir; *um d. Ecke* ~**en** tourner le coin; *sich* ~**en vor Lachen** se tordre de rire ♦ *es geht auf* ⌐**en u. Brechen** il faut que cela plie ou que cela casse; ⌐**gen** *su* courbage *m*; combrage; coudage, pliage; ~**sam** flexible, souple, pliant, pliable; ~**samkeit** flexibilité *f*; souplesse *f*; ⌐**ung** courbure *f*, pliage *m*; flexion *f* *(Weg, Fluß)* tournant *m*, détour *m*, coude *m*, sinuosité *f*
Biene abeille *f*, mouche à miel; ~**nfleiß** ardeur *f* au travail, zèle *m*; ~**ngesumm** bourdonnement *m*; ~**nhaus** rucher *m*; ~**nhonig** miel *m* d'abeilles; ~**nkönigin** (abeille *f*) reine *f*; ~**nkorb**, ~**stock** ruche *f*; ~**nschwarm** essaim *m*; ~**wabe** alvéole *m*; ~**nwachs** cire *f*; ~**nweide** champ de récolte; ~**nzucht** apiculture *f*; ~**nzüchter** apiculteur
Bier bière *f*; *dunkles* ~ (bière) brune; *helles* ~ (bière) blonde; *das ist nicht mein* ~ ce n'est pas mon affaire, cela ne m'intéresse guère; ~**arsch** gros cul; ~**ausschank** débit de bière; ~**brauer** brasseur; ~**brauerei** brasserie *f*; ~**faß** tonneau *m* à bière; ~**glas** verre *m* à bière; ~**hefe** levure *f* de bière; ~**krug** pot *m* (à bière); ~**leiche** personne qui s'est cuitée à la bière; ~**niederlage** = ~**verlag** grossiste en bière
Biese passepoil *m*
Biest bête *f*; *fig* animal *m*, brute *f*; *(Mädchen)* garce *f*, chipie *f*, chameau *m*; *(Gegenstand)* machin *m*, chose *f*, fourbi *m*
biet|en offrir; *(Belohnung)* proposer; *höher* ~**en** enchérir; *Hilfe* ~**en** prêter secours; *d. Hand* ~**en** prêter la main *(zu à)*; *d. Arm* ~**en** présenter le bras; *Trotz* ~**en** défier, braver qn; *refl (Gelegenheit)* se présenter; ⌐**er** offrant, enchérisseur; soumissionnaire *m*
Bigam|ie bigamie *f*; ~**ist** bigame
Bilanz résultat *m* global; *com (Unternehmen)* bilan *m*; *(Außenhandel)* balance *f*; *d.* ~ *ziehen (a. fig)* dresser *(od* faire) le bilan; ~**abschluß** clôture *f* du bilan; ~**prüfer** commissaire aux comptes; ~**prüfung** vérification *f* du bilan; ~**verschleierung** falsification *f* de bilan; ~**ziehung** établissement *m* du bilan
Bild image *f*; portrait *m*; 𝕀 photo(-graphie) *f*, épreuve *f*; *(Gemälde,* 𝕍) tableau *m*; *(Abbildung)* illustration *f*, gravure *f*; *(Münze)* effigie *f*; *fig* idée *f*; *s. e.* ~ *machen von etw.* se faire une idée de qch; *im* ~ *sein* y voir clair; *ich bin im* ~ je suis au courant; ~**archiv** photothèque *f*; ~**aufnahmegerät** appareil *m* de prises de vue;

~**ausschnitt** cadrage *m*; ~**band** volume illustré; ~**bericht** reportage illustré; ~**berichterstatter** reporter photographe; ⌐**en** former: *(gestalten)* façonner; faire; *(geistig)* cultiver, instruire; *(Regierung)* constituer; *(ausmachen)* constituer; ⌐**end** instructif; 𝕍 plastique
Bilder|bogen feuille *f* d'images; ~**buch** livre *m* d'images; ~**dienst** service *m* photographique; ~**galerie** galerie *f* de tableaux; ~**rahmen** cadre *m*; ~**rätsel** rébus *m*; ⌐**reich** *(Sprache)* métaphorique, fleuri, imagé; ⌐**schrift** écriture *f* idéographique; ~**stürmer** iconoclaste
Bild|feld champ d'observation; *phys* champ d'image; champ angulaire; ⌐**fläche** 𝕍 écran *m*; *auf d.* ~**fläche erscheinen** apparaître (à l'horizon); *von d.* ~**fläche verschwinden** disparaître de la circulation; ~**haftigkeit** plasticité *f*; ~**hauer** sculpteur, statuaire; ~**hauerei** sculpture *f*; ⌐**hübsch** fort *(od* très) joli, joli à croquer; ⌐**lichfiguré**, métaphorique; ~**nis** portrait *m*; effigie *f*; ~**säule** statue *f*; ~**schärfe** 𝕀, ⌐⌐ netteté*f*; ~**schirm** écran *m*; ~**schnitzer** sculpteur sur bois; ⌐**schön** de toute beauté, beau comme le jour; ~**seite** *(Münze)* effigie *f*; ~**streifen** bande *f* (de film); ~**tafel** 𝕀 planche *f*; ~**telegraphie** téléphotographie *f*; ~**telegramm** bélinogramme *m*; ~**text**, ~**unterschrift** légende *f*; ~**werfer** projecteur *m*
Bildung 1. *(Bilden, Gestalten)* formation *f*, création, élaboration, constitution, composition; 2. *(geistige Vervollkommnung)* éducation (intellectuelle et morale), culture *f*, instruction, enseignement *m*, formation (professionnelle), apprentissage; 3. *(Anstand, Takt)* civilité, savoir-vivre *m*, politesse *f*, bienséance *f*; ~**sanstalt** maison *f* d'éducation; ~**sgrad** degré *m* d'instruction; niveau *m* de culture; ~**güter** *pl* patrimoine *m* culturel; ~**urlaub** congé *m* de recyclage; ~**wesen** éducation nationale, instruction publique
Billard *n* billard *m*, ~**kugel** bille *f*, boule de billard; ~**stock** queue *f* de billard
Billet *n* billet *m*; courte lettre, mot *m*; carte *f*, ticket *m*
billig 1. bon marché; à bas prix; de prix modéré; ~ *kaufen* acheter bon marché; *ich habe es* ~ bekommen je l'ai eu à bon compte; *d.* ~**sten Plätze** les populaires; ~**er Witz** plaisanterie facile; 2. *(gerecht)* équitable; *(vernünftig)* raisonnable; *das ist nicht mehr als recht u.* ~ ce n'est que juste; ~**en** approuver; ⌐**keit** bon marché, modicité *f* du prix; *(Gerechtigkeit)* équité *f*; ⌐**ung** approbation *f*, acquiescement *m*, acceptation *f*
Billion billion *m*, million de millions
bimmeln tinter
Bimsstein pierre *f* ponce
Binde bande *f*; *(Stirn-)* bandeau *m*; *(Leib-)* ceinture *f*; *(Arm-)* brassard *f*; *(Schlips)* cravate *f*; 𝕊 bandage *m*; *(Schlinge)* écharpe *f* ♦ *sich e-n hinter die* ~ *gießen* siffler un coup; ~**gewebe** *anat* tissu conjonctif; ~**glied** lien *m*, *fig* trait *m* d'union; ~**haut** *anat* conjonctive *f*; ~**hautentzündung** conjonctivite *f*; ~**mittel** ciment *m*,

mortier *m;* liant *m;* ⌐**n** lier *(a. Küche);* attacher; nouer; *ling* faire la liaison; **▥** relier; *(Faß)* cercler; *(Besen)* faire; *fig* paralyser, contenir; *(verpflichten)* obliger, astreindre (à); *refl* s'engager ♦ *j-m etw. auf d. Seele* ⌐**n** mettre qch sur la conscience de qn; ⌐**nd** obligatoire; **~r** cravate *f;* **▥**, poutre *f* maîtresse; ciment *m,* mortier *m;* ↓ (moissonneuse-)lieuse *f;* **~strich** trait *m* d'union; **~wort** conjonction *f*

Bind|faden ficelle *f* ♦ *es regnet ~fäden* il pleut des hallebardes; **~ung** attache *f,* lien *m; a. chem u. ling* liaison *f; (Schi)* fixation *f; fig* obligation *f,* engagement *m*

binnen dans; ~ *kurzem* sous peu; ⌐**gewässer** eaux *fpl* intérieures; ⌐**hafen** port fluvial; ⌐**handel** commerce intérieur; ⌐**meer** mer intérieure; ⌐**schiffahrt** navigation intérieure (*od* fluviale)

Binse jonc *m* ♦ *in d. ~n gehen* aller à vau-l'eau; **~nwahrheit** truisme *m,* vérité *f* de La Palice, lapalissade *f*

Bio *päd umg* cours *m* de biologie; **~chemie** biochimie *f;* **~genese** biogénie *f,* ontogenèse; biogenèse *f;* **~graphie** biographie *f;* **~loge** biologiste *m;* **~logie** biologie *f;* **~masse** biomasse *f;* **~physik** biophysique *f;* **~top** *n* biotope *m;* **~zönose** biocénose *f*

Birk|e bouleau *m;* **~hahn** coq *m* de bruyère

Birn|baum poirier *m;* **~e** poire *f;* ⚡ ampoule *f; pop (Kopf)* caboche *f*

bis jusque, jusqu'à; à; ~ *auf* sauf, excepté, à...près; ~ *auf weiteres* jusqu'à nouvel ordre, pour le moment; ~ *spätestens* avant; ~ *gleich!* à tout à l'heure!; *conj* jusqu'à ce que, en attendant que (+ *subj*); **~her** jusqu'à présent, jusqu'ici; **~weilen** parfois, quelquefois

Bisam musc *m;* **~ratte** rat musqué

Bischof évêque *m;* **bischöflich** épiscopal; **~smütze** mitre *f;* **~sstab** crosse *f;* **~swürde** épiscopat *m*

Biß morsure *f; (Schlangen-)* piqûre *f;* **~chen** un peu de, un brin de

Biss|en bouchée *f;* morceau *m;* ⌐**ig** *(Hund)* méchant; *fig* hargneux; *(Rede)* mordant, incisif; **~igkeit** mordant *m,* virulence *f,* acrimonie *f,* causticité *f*

Bistum évêché *m*

Bit *n EDV* bit *m,* binon *m,* élément *m* binaire

Bitt|e prière *f;* demande *f; (inständige)* supplication *f,* instance *f,* adjuration *f;* ⌐**e** s'il vous (*od* te) plaît; *(nach Dank)* à votre service; je vous en prie; *(nach Entschuldigung)* il n'y a pas de quoi (*od* de mal); *wie* ⌐**e?** pardon?; ⌐**en** prier (*zu* de); demander à qn (*zu* de, *um* qch); *(inständig)* supplier, adjurer; *ich muß doch sehr ~n!* mais vous exagérez!, il ne vous manque pas de toupet!; **~gang** *rel* procession *f;* **~schrift** pétition *f;* supplique *f;* **~steller** solliciteur; pétitionneur

bitter *a. fig* amer; *fig* acrimonieux, aigre; *(Kälte)* piquant; *(Vorwürfe)* cinglant; **~böse** très méchant; très en colère; **~ernst** grave, sérieux, dramatique; **~kalt** (un) froid de canard (*ou* de loup); ⌐**keit** amertume *f;* acrimonie *f,* âcreté *f,* aigreur *f;* **~lich** amèrement; ⌐**stoff** chicotin

m; ⌐**mittel** amer *m,* liqueur *f* apéritive; **~süß** doux-amer; **~wenig** (quantité) infime, minime

Biwak bivouac *m* ; ⌐**ieren** bivouaquer

Bizeps biceps *m*

Blag *n umg* marmot *m,* môme *m,* morveux *m;* polisson *m*

bläh|en gonfler, enfler, ballonner; ☿ causer des vents (*od* des flatuosités); *refl* ballonner, se gonfler, (s')enfler; ⌐**ung** ☿ flatulence *f,* flatuosité *f*

blaken filer; fumer

Blam|age honte *f;* ⌐**ieren** discréditer, ridiculiser; *refl* se rendre (*od* couvrir de) ridicule

blank brillant, reluisant; poli; *(nackt)* nu; ~ *Waffe* arme blanche; ~ *putzen* fourbir; ~ *sein (umg)* être fauché (*od* à sec); **~o:** *in* ~ en blanc, à découvert; **~oscheck** chèque *m* en blanc; **~ovollmacht** blanc-seing *m; fig* carte blanche; **~ziehen** dégainer

Bläschen petite bulle; ☿ vésicule *f;* bouton *m*

Blas|e bulle *f; anat* vessie *f;* ☿ *(Haut)* ampoule *f; (Guß-)* soufflure *f;* **~ebalg** soufflet *m;* ⌐**en** souffler; *(Trompete)* sonner (de la trompette); *(Flöte)* jouer (de la flûte); *z. Sammeln* ⌐**en** sonner la générale; **~engries** ☿ gravelle *f;* **~enleiden** affection *f* de la vessie; **~enpflaster** vésicatoire *m;* **~enstein** calcul *m;* **Bläser** ♪ joueur (*od* sonneur) d'un instrument à vent; **~ewerk** *(Orgel)* soufflerie *f;* **~instrument** instrument *m* à vent; **~orchester** harmonie *f*

blasiert blasé, désabusé

blaß pâle, blême, blafard; *(nur Gesicht)* hâve; décoloré *(a. fig);* ~ *werden* pâlir; *(Farben)* passer; *k-e blasse Ahnung haben* ne pas avoir la moindre idée; **~blau** bleu pâle *(inv);* **~lila** violâtre; **~rot** rosé; rouge éteint *(inv)*

Blässe pâleur *f;* **bläßlich** pâlot

Blatt *(Laub, Papier, Zeitung)* feuille *f; (Blüten-)* pétale *m; (Buch)* feuillet *m;* page *f;* ✿ lame *f; (Ruder-)* pale *f; (Wild)* épaule *f; (Scheibenwischer)* balai *m* (d'essuie-glace); *vom* ~ *spielen* jouer à première vue ♦ *kein* ~ *vor d. Mund nehmen* parler sans détours (*od* sans ambages); *dire crûment les choses; d.* ~ *hat sich gewendet* la roue a tourné; *d. steht auf e-m anderen* ~ c'est une autre paire de manches; **~ader** nervure *f*

Blatter ☿ pustule *f;* **~n** *pl* ☿ petite vérole, variole *f;* ⌐**narbig** grêlé, varioté

blätter|ig feuilleté, en feuilles, lamellaire; **~pilz** agaric *m;* **~n** feuilleter; **~teig** pâte feuilletée

Blatt|feder ressort *m* à lames; **~gold** or *m* en feuilles; **~grün** *su* vert *m* de feuille, chlorophylle *f;* **~laus** puceron *m;* **~pflanze** plante verte; **~rippe** côte *f* (d'une feuille); **~stiel** pétiole *m;* **~werk** feuillage *m*

blau bleu, azuré, d'azur; *(Auge)* poché; *umg* ivre, noir; ~ *werden* bleuir; *d.* ⌐**e** *vom Himmel herunterlügen* mentir comme un arracheur de dents; *Fahrt ins* ⌐**e** voyage *m* improvisé; **~äugig** aux yeux bleus; **~beere** myrtille *f;* **Bläue** bleu *m,* couleur bleue; **bläuen** *(Wäsche)* passer au bleu; **~grau** gris bleu *(inv);* **bläulich** bleuâtre; **~machen** s'absenter du travail (sans motif valable); ⌐**mann** *umg* bleu *m* de travail; ⌐**meise** mésange bleue; ⌐**pause** (calque *m*) bleu *m;* ⌐**säure** acide *m* prussique; ⌐**stich** *(Foto)* dominante *f* bleue, virage *m* au bleu; ⌐**strumpf** bas-bleu *m*

Blech tôle *f; (Weiß-)* fer-blanc *m;* ♪ cuivres *mpl; fig umg* bourdes *fpl*, sottises *fpl;* ~ *reden* dire des sottises; ~**bearbeitung** tôlerie *f;* ~**büchse,** ~**düse** boîte *f* en fer-blanc; ⌐**en** *pop* casquer; ⌐**ern** de tôle; de fer-blanc; ~**geschirr** *mil* gamelle *f;* ~**instrument** cuivre *m;* ~**musik** musique *f* de cuivres; fanfare *f;* ~**schaden** tôle *f* froissée, dommage *m* matériel; ~**schere** cisailles *fpl* (de ferblantier); ~**schmied** tôlier; ferblantier; ~**walzwerk** laminoir *m* à tôles; ~**waren** ferblanterie *f;* tôlerie *f*

blecken: *d. Zähne* ~ montrer les dents

Blei plomb *m;* ⌐**ern** *a. fig* de plomb; ~**erz** minerai *m* de plomb; ⌐**farben** plombé; ~**gießer** plombier; ~**glanz** galène *f;* ~**glas** verre plombé; ⌐**haltig** plombifère; ~**hütte** plomberie *f;* ~**kristall** cristal *m* plombeux; ~**kugel** balle *f* de plomb; ~**lot** fil *m* à plomb; ~**mantel** ✿, ⚡ gaine *f* de plomb; ~**rohr** tube *m* (tuyau *m*) de plomb; ~**stege** *(Fenster)* résille *f;* ~**stift** crayon *m;* ~**stiftmine** mine *f;* ~**stiftspitzer** taille-crayon *m;* ~**stiftzeichnung** (dessin *m* au) crayon *m;* ~**vergiftung** saturnisme *m;* ~**weiß** céruse *f;* ~**zucker** acétate *m* de plomb

Bleibe gîte *m;* ⌐**n** *a.* rester, demeurer; *(beharren)* persister *(bei* dans); ⌐**n** *lassen* laisser, se garder de; *bei d. Sache* ⌐**n** ne pas s'écarter du sujet; *bei d. Wahrheit* ⌐**n** s'en tenir à la vérité; ⌐**nd** permanent, durable

bleich pâle, blême; ~ *werden* pâlir, changer de visage; ~**en** blanchir; ⌐**en** *su* blanchiment *m;* ⌐**erde** argile *f* décolorante; ⌐**lauge** eau *f* de javel; ⌐**sucht** chlorose *f*

Blend|e ▣ diaphragme *m;* obturateur *m;* ouverture *f;* 🏛 fausse porte, fausse fenêtre; *chem* blende *f;* ⌐**en** aveugler; *a. fig* éblouir; *fig* fasciner; *(täuschen)* tromper; ~**end** éblouissant; éclatant, resplendissant; ~**laterne** lanterne sourde; ⌐**schutz** dispositif antiéblouissant; ~**ung** éblouissement *m;* ~**werk** illusions *fpl;* mirage *m*

bleuen rosser, bâtonner

Blick regard *m,* coup *m* d'œil; *(verstohlener)* œillade *f; (Aussicht)* vue *f; böser* ~ mauvais œil; *auf d. ersten* ~ à première vue, du premier coup d'œil; ⌐**en** regarder; ⌐**en** *lassen* montrer; ~**fang** accrocheur *m;* ~**feld** champ visuel; ~**punkt** point *m* de vue; ~**winkel** angle visuel; *fig* angle *m,* aspect *m*

blind aveugle; *(Spiegel)* terne; *(Alarm)* faux; *(Schuß)* à blanc; *(Passagier)* clandestin; *auf e-m Auge* ~ borgne; ~ *werden* perdre la vue; ~ *drauflos* à tort et à travers; ⌐**darm** appendice *m,* cæcum *m;* ⌐**darmentzündung** appendicite *f;* ⌐**ekuh** colin-maillard *m;* ⌐**enschrift** braille *m;* ⌐**er** aveugle; ⌐**flug** vol *m* sans visibilité; ⌐**gänger** explosif non éclaté; raté *m;* ⌐**heit** cécité *f; fig* aveuglement *m;* ~**landung** atterrissage *m* par mauvaise visibilité; ~**lings** aveuglément, à l'aveuglette; ⌐**material** ▭ espaces *fpl,*

blancs *mpl;* ⌐**probe** essai *m* à blanc; ⌐**schacht** *(Bergbau)* puits *m* intérieur, faux puits; ⌐**schleiche** orvet *m;* ⌐**verschluß** raccord *m* d'obturation; ~**wütend** rageur, exaspéré, furieux

blink|en reluire, briller; *(metallisch)* rutiler; *(Sterne)* scintiller; *(Licht)* clignoter; *mil* faire des signaux lumineux; ⌐**er** clignoteur *m,* indicateur *m* de direction à feu clignotant; ⌐**feuer** ⚓ (phare *m* à) feu *m* à éclipses; ⌐**leuchte** = ⌐**licht** 🚗 voyant-clignoteur *m,* feu *m* clignotant; ⌐**spruch** *mil* communication *f* optique; ⌐**zeichen** signal lumineux

blinzeln cligner de l'œil, ciller; *(dauernd)* clignoter

Blitz éclair *m,* foudre *f; wie ein geölter* ~ à une vitesse vertigineuse; *wie vom* ~ *getroffen* sidéré; ~**ableiter** paratonnerre *m;* ⌐**artig** foudroyant; ⌐**blank** resplendissant, reluisant; ⌐**en** briller, étinceler; fulgurer; *(Augen)* flamboyer; *es* ⌐*t* il fait des éclairs; ~**gespräch** ☎ communication urgente; ~**krieg** guerre *f* éclair; ~**licht** flash *m;* ~**lichtgerät** ▣ photo-flash, lampe *f* éclair; ~**meldung** flash *m* d'information; ⌐**sauber** propret; ~**schlag** (coup *m* de) foudre *f;* ~**schnell** comme l'éclair, en coup de vent; ~**schutz** ⚡, 🔻 parafoudre *m;* ~**strahl** foudre *f;* ~**telegramm** ☎ télégramme urgent; ~**umfrage** sondage *m* éclair

Block bloc *m; (Häuser-)* pâté *m; (Hack-)* billot *m; (Notiz-)* bloc-notes *m;* ✿ lingot *m; (Flaschenzug)* poulie *f;* ⌐**ade** blocus *m;* ⌐**flöte** flûte *f* à bec *(od* douce); ⌐**frei** *pol (Staat)* (pays) non-aligné, non-engagé; ~**haus** cabane *f* de bois; *mil* blockhaus *m;* ⌐**ieren** bloquer; ~**ierung** blocage *m;* ⌐**schrift** caractères *mpl* bâtons; ~**signal** 🚩 signal *m* de bloc; ~**stelle** 🚩 poste *m* de canton

blöd|e imbécile, stupide, sot; *(schüchtern)* timide; *(Sache)* fâcheux; ~**eln** dire des sottises; ⌐**heit** imbécillité *f;* ⌐**ian** imbécile *m,* idiot *m,* crétin *m;* ⌐**igkeit** timidité *; ⌐**sinn** stupidité *f,* bêtise *f;* ⌐**sinn reden** dire des inepties; ~**sinnig** idiot, imbécile

blöken *(Schaf)* bêler; *(Rind)* beugler, mugir

blond blond, blondin; ~ *werden* blondir; ⌐**ine** (femme) blonde *f;* ⌐**kopf** = ⌐**schopf** blondinet *m,* blondin *m*

bloß nu; simple(ment); seul(ement); *mit* ~*em Auge* à l'œil nu; ~ *e Gedanke* rien que la pensée; *wie ist er* ~ *hierher gekommen?* comment donc est-il venu ici?; ~**legen** mettre à nu, dénuder; ~**stellen** démasquer; compromettre

Blöße nudité *f; fig* faiblesse *f; s. e-e* ~ *geben* donner prise sur soi

Bluff bluff *m;* ⌐**en** bluffer, leurrer, tromper

Blue jeans *pl* blue-jean(s) *m,* pantalon de coutil

blühen être en fleur; *a. fig* fleurir; *fig* prospérer; *fig umg* arriver; ~**d** en fleur, fleuri; *fig* florissant, prospère

Blume fleur *f; (Wein)* bouquet *m* ♦ *durch d.* ~ *sagen* parler à mots couverts; ~**beet** parterre *m;* ~**händler** fleuriste; ~**nkohl** chou-fleur *m;* ~**nmädchen** bouquetière *f;* ~**nreich** *fig* fleuri; ~**nständer** jardinière *f;* ~**nstock** pot *m* de fleur;

~**nstrauß** bouquet *m*, gerbe *f* de fleurs; ~**ntopf** pot *m* à fleurs; ~**nvase** vase *m* à fleurs; ~**nzucht** floriculture *f*; ~**nzwiebel** bulbe *m*
blumig semé de fleurs; fleuri
Bluse chemisier *m*; chemisette *f*; blouse *f*; corsage *m*
Blut sang *m*; *fig* origine *f*, race *f*; *mit* ~ **beflecken** ensanglanter; ~ *u. Wasser schwitzen* suer sang et eau; *er hat* ~ *geleckt* il y a pris goût; ~**alkohol** alcoolémie *f*; ~**andrang** congestion *f*; ⌐**arm** alcoolémie *f*; ~**andrang** congestion *f*; massacre *m*, carnage *m*; ~**bild** formule *f* hématologique; ~**buche** hêtre *m* rouge; ~**druck** tension artérielle; ⌐**drucksenkend** hypotensif; ⌐**dürstig** sanguinaire, féroce; ~**egel** sangsue *f*; ⌐**en** saigner; ~**entnahme** prise *f* de sang; ~**er** hémophile; ~**erguß** épanchement *m* de sang; ~**erkrankheit** hémophilie *f*; ~**ersatz** substituant *m* sanguin; ~**gefäß** vaisseau sanguin; ~**gerinn-** **sel** caillot *m* de sang; ~**gerüst** échafaud *m*; ⌐**gierig** sanguinaire, altéré de sang; ~**gruppe** groupe sanguin; ~**gruppenbestimmung** détection *f* du groupe sanguin; ⌐**ig** sanglant, ensanglanté; *(Fleisch)* saignant; ⌐**jung** tout jeune; ~**konserve** sang *m* conservé; ~**körper-** **chen** globule *m* (du sang); ~**kreislauf** circulation *f* (du sang); ~**lache** mare *f* de sang; ⌐**leer** exsangue; ~**probe** prise *f* de sang; analyse *f* du sang; ~**rache** vendetta *f*; ⌐**reinigend** dépuratif; ⌐**rot** rouge sang; tout rouge; ~**sauger** *fig* vampire *m*, sangsue *f*; ~**schande** inceste *m*; ⌐**schänderisch** incestueux; ~**schuld** responsabilité d'un meurtre; ~**senkung** sédimentation *f* du sang; ~**spender** donneur de sang; ⌐**stillend** hémostatique; ~**sturz** hémorragie *f*; ⌐**sverwandt** proche parent; consanguin; ~**tat** meurtre *m*; ~**übertragung** transfusion sanguine; ~**ung** saignement *m*; hémorragie *f*; ~**unterlaufen** ecchymosé; ~**vergießen** effusion *f* de sang; ~**vergif-** **tung** septicémie *f*; ~**verlust** perte *f* de sang; ~**wurst** boudin *m*; ~**zeuge** martyr; ~**zucker-** **spiegel** glycémie *f*
Blüte fleur *f*; *(Zeit)* floraison *f*; *fig* apogée *m*; ~**nblatt** pétale *m*; ~**nkelch** calice *m*; ~**nknospe** bouton *m* de fleur; ~**nstand** inflorescence *f*; ~**nstaub** pollen *m*
Bö rafale *f*; ⌐⌐ grain *m*; ⌐**ig** à rafales
Bob 🛷 bobsleigh *m*, bob *m*
Bock bouc *m*; *(Kaninchen)* bouquin *m*; *(Gestell)* tréteau *m*; *(Kutsch-)* siège *m* de cocher; *(Schemel)* tabouret *m*; *(Hebezug)* bique *f*; *(Motor-)* bâti *m* moteur; *(Ramme)* bélier *m*; 🐐 cheval *m* de bois, *steifer* ~ *(umg)* lourdaud; *e-n* ~ *schießen* commettre un impair (*od* une gaffe, un pas de clerc); *keinen* ~ *haben auf etw., (umg) Null* ~ n'avoir aucune envie de (faire qch), ne pas être tenté par; *interj* bof!; en avoir marre; être dégoûté; *e-n* ~ *haben* être buté, récalcitrant, têtu ♦ *d.* ~ *z. Gärtner machen* introduire le loup dans la bergerie; ⌐**beinig** entêté, récalcitrant; ⌐**en** se cabrer; ⌐**ig** entêté, rétif; ~**shorn:** *sich (nicht) ins* ~*shorn jagen lassen* (ne pas) se laisser intimider; (ne pas) se laisser blouser; ~**springen** saute-mouton *m*

Boden terre *f*; sol *m*, terrain *m*; *(Grund u.* ~ *)* biens-fonds *mpl*; *(Fuß-)* plancher *m*, parquet *m*; *(Dach-)* grenier *m*; *(Gefäß)* fond *m*; *in Grund u.* ~ *radicalement*; ~ *gewinnen (fig)* gagner du terrain; *zu* ~ *werfen* jeter par terre; *d.* ~ *unter d. Füßen verlieren* perdre pied; *am* ~ *zerstört sein umg* être complètement crevé; ~**abwehr** défense *f* terrestre; ~**belag** revêtement *m* de sol; ~**beschaffenheit** nature *f* du terrain; ~**bewirt-** **schaftung** faire-valoir *m*; ~**erhebung** élévation *f*, éminence *f*; ~**ertrag** revenu *m* foncier; rendement *m* du sol; ~**haftung** 🚗 tenue *f* de route; ~**kammer** mansarde *f*, galetas *m*, ~**kredit(an-** **stalt)** crédit foncier; ⌐**los** sans fond; *fig* inouï, énorme; ~**personal** ✈ personnel *m* non navigant; *umg* rampants *mpl*; ~**platte** dalle *f*; ~**reform** réforme *f* agraire; ~**satz** résidu *m*, dépôt *m*; sédiment *m*; *(Wein)* lie *f*; ~**schätze** richesses *fpl* du sous-sol; ressources minières (*od* minérales); ~**see** lac *m* de Constance; ~**senke** dépression *f* de terrain; ⌐**ständig** natif, autochtone; ~**welle** onde *f* de surface; ~**wind** vent *m* au sol
Bodmerei emprunt *m* à la grosse
Bogen arc *m*; courbe *f*; *(Brücke)* arche *f*; 🏛 cintre *m*; 🎵 archet *m*; *(Papier)* feuille *f*; *um j-n e-n* ~ *machen* éviter qn ♦ *d.* ~ *heraus haben* avoir la manière, savoir s'y prendre; ~**fenster** fenêtre cintrée; ⌐**förmig** arqué, en arc; ~**gang** arcade *f*; ~**gewölbe** voûte *f* en plein cintre; ~**lampe** lampe *f* à arc; ~**schießen** tir *m* à l'arc; ~**schütze** archer; ~**strich** 🎵 coup *m* d'archet
Bohle planche *f* épaisse, madrier *m*
Bohne haricot *m*; *(weiße)* flageolet *m*; *(dicke)* fève *f*; *(Kaffee)* grain *m*; *blaue* ~*n (arg mil)* pruneaux *mpl* ♦ *nicht d.* ~. pas du tout!; ~**nkaffee** café *m* (sans succédanés); ~**nstange** rame *f*; *fig* échalas *m*, perche *f*, asperge *f*
Bohner|besen cireuse *f*; ~**n** cirer, encaustiquer; ~**wachs** encaustique *f*
bohr|en percer, forer; *(Brunnen)* foncer; *(Zahn-arzt)* creuser; *in d. Grund* ~*en* couler, saborder; ⌐**en** *su* forage *m*, perforage; ~**er** *(Holz-)* mèche *f*, vrille *f*, *(großer)* tarière *f*; *(Metall-)* foret *m*; *(Bergbau)* fleuret *m*; *(Zahn-)* fraise *f*; ⌐**insel** plate-forme de forage sous-marin; ⌐**kern** carotte *f*; ⌐**kran** grue *f* de sondage; ⌐**loch** trou *m* de forage, sondage *m*; ⌐**maschine** foreuse *f*, perforatrice *f*; ⌐**turm** tour *f* de sondage, derrick *m*; ⌐**ung** forage *m*, sondage *m*; *(Tunnel)* percement *m*; ⚙ forure *f*; ⌐**winde** vilebrequin *m*
Boiler chauffe-eau *m*
Boje balise *f*, bouée *f*
Böller petit mortier, crapouillot *m*
Bollwerk bastion *f*; *a. fig* rempart *m*
Bolschewis|mus bolchevisme *m*; ~**t** bolcheviste, bolchevique
Bolzen boulon *m*; *(Zapfen)* cheville *f*; *(Keil)* clavette *f*; *(Waffe)* carreau *m*
bombardieren bombarder
Bombe bombe *f*; ~**nangriff** bombardement *m*; ~**nblindwurf** largage *m* de bombes à l'aveuglete; ~**nerfolg** *umg* succès fou; ~**ngeschäft** affaire

f du tonnerre; **~nkerl** type formidable; **~nrolle** ♈ rôle *m* à effet; **⌐nsicher** à l'épreuve des bombes; *fig* positif; **~nsplitter** éclat *m* de bombe; **~r** bombardier *m*
Bonbon bonbon *m*, dragée *f*
Bonität *com* honorabilité; solvabilité; qualité (des marchandises)
Bonus *com* bonification *f*, bonus *m*; prime *f*; ristourne *f*
Boom *com* prospérité *f* soudaine et peu stable, boom *m*, expansion brusque et incertaine
Boot barque *f*; canot *m*; embarcation *f*; chaloupe *f*; bateau *m*; **~sfahrt** promenade *f* en bateau; **~shaken** gaffe *f*; **~shaus** hangar *m* nautique; **~smann** maître d'équipage
Bor bore *m*; **~salbe** vaseline boriquée
Bord[1] *n* rayon *m*, tablette *f*
Bord[2] *m (a.* ♈, ✈) bord *m*; *an ~* à bord; *Mann über ~!* un homme à la mer!; *an ~ gehen* s'embarquer; *über ~ werfen* jeter par-dessus bord; *fig* se débarrasser de; **~buch** carnet *m* de bord; **~funker** radiotélégraphiste; *umg* radio; **~stein** bordure *f* de trottoir, élément *m* de bordure; **~wand** bordage *m*
Bordell bordel *m*, maison *f* de tolérance
Borg emprunt *m*; *auf ~* à crédit; **⌐en** emprunter *(von* à); *(ver-)* prêter
Borke écorce *f*
Born source *f*, puits *m*
borniert borné; **⌐heit** étroitesse *f*
Borretsch bourrache *f*
Börse bourse *f*; **~nbericht** bulletin de la bourse; **⌐ngängig** admis à la cote, négociable en bourse; **~ngeschäfte** opérations *ou* transactions boursières; **~njobber** boursicotier; **~nkrach** krach *m*; **~nkurs** cote *f* en bourse; **~nmakler** agent de change; **~nnotierung** cotation *f*, cote *f*; **~npapiere** valeurs *fpl* boursières; **~nschwindel** tripotage *m*; **~nspekulant** agioteur; **~nspekulation** agiotage *m*
Borst|e soie *f* (de porc); **⌐ig** sétifère; *fig* rébarbatif
Borte bordure *f*, galon *m*, liseré *m*
bös|artig méchant; malfaisant, malveillant; ♈ malin, pernicieux; **⌐artigkeit** malignité *f*; méchanceté *f*; **~e** mauvais; méchant; *(zornig)* fâché, irrité; *das* **⌐e** le mal; *der* **⌐e** *(rel)* le Malin, le maudit; **⌐ewicht** coquin, scélérat; **~willig** malintentionné; malveillant; ♋ par des manœuvres dolosives
Böschung talus *m*, pente *f*; *(Ufer)* berge *f*
bos|haft malicieux, malfaisant; **~hafterweise** par méchanceté, de manière malintentionnée; **⌐haftigkeit** méchanceté *f*; malignité *f*; **⌐heit** méchanceté *f*, malveillance, malice *f*
Boß *umg* patron *m*, chef *m*; *pej* singe *m*, négrier
Botan|ik botanique *f*; **~iker** botaniste; **⌐isch** botanique; **⌐isieren** herboriser
Bot|e messager, courrier; coursier, garçon de courses; **~engang** course *f*; commission *f*; **~enzustellung** remise *f* à domicile; **⌐mäßig** assujetti, soumis; tributaire; **~mäßigkeit** soumission *f*; **~schaft** message *m*; *pol* ambassade *f*; **~schafter** ambassadeur

Böttcher tonnelier; **~ei** tonnellerie *f*
Bottich cuve *f*
Box box *m*; **⌐en** boxer; **~er** boxeur; pugiliste; **~ermotor** moteur *m* à pistons opposés; **~kampf** match *m* de boxe; **~ring** ring *m*; **~sport** boxe *f*
Boykott boycottage *m*; **⌐ieren** boycotter
brach en friche, en jachère; **⌐e** ↓ jachère *f*; **⌐feld** champ *m* en friche; guéret *m*; **~liegen** être en jachère, être en friche; *a. fig* reposer
Brack|e braque *m*; **⌐ig** saumâtre; **~wasser** eau *f* saumâtre
Bramsegel voile *f* de perroquet
Branche *com* branche *f*, spécialité *f*
Brand feu *m*, incendie *m*; embrasement *m*; *(Holzscheit)* tison *m*; *bot* rouille *f*, nielle *f*; ♄ gangrène *f*; *umg* grande soif, pépie *f*; *in ~ geraten* prendre feu; *in ~ stecken* incendier; *in ~ stehen* être en flammes; **~anzeiger** détecteur *m* d'incendie; **~blase** cloque *f*; **~bombe** bombe *f* incendiaire; **~brief** demande pressante; **⌐en** se briser, déferler; **~fackel** torche *f* incendiaire; *a. fig* brandon *m*; **~geruch** odeur *f* de roussi *(od* de brûlé); **~herd** foyer *m* d'incendie; ♄ grangréné; **~mal** marque *f* au fer rouge; flétrissure *f*; *a. fig* stigmate *m*; **⌐marken** marquer au fer rouge, flétrir; *a. fig* stigmatiser; **~markung** flétrissure *f*, stigmatisation *f*; **~mauer** mur *m* coupe-feu, cloison *f* pare-feu; **~opfer** holocauste *m*; **~rede** discours *m* incendiaire; **~salbe** onguent *m (od* liniment *m)* contre les brûlures; **~schaden** dommage causé par l'incendie; **⌐schatzen** rançonner; imposer une contribution; **~schatzung** rançonnement *m*; **~schott** cloison pare-feu; **~sohle** semelle intérieure; **~stifter** incendiaire; **~stiftung** ♋ incendie *m* volontaire; **~ung** déferlement *m*, brisant *m*, ressac *m*; **~wunde** brûlure *f*; **~zeichen** marque *f* à chaud
Branntwein eau-de-vie *f*; **~brenner** distillateur, bouilleur de cru; **~brennerei** distillerie *f*, brûlerie *f*
Brasil|laner Brésilien; **⌐ianisch** brésilien; **~ien** le Brésil
Brasse *zool* brème *f*
brassen ♈ brasser
Brat|apfel pomme cuite; **⌐en** *(im Rohr)* rôtir; *(in d. Pfanne)* frire; *(auf d. Rost)* griller; *(Apfel)* cuire; *(bräunen)* rissoler; **~en** *m* rôti *m* ♦ d. **~en riechen** éventer la mèche; **~ensaft** jus *m* de rôti; **~enwender** tournebroche *m*; **~fett** friture *f*; **~fisch** poisson frit; friture *f*; **~huhn** poulet rôti; **~kartoffeln** pommes (de terre) sautées; **~pfanne** poêle *f* à frire; **~rost** gril *m*; **~spieß** broche *f*; **~wurst** saucisse *f* à rôtir
Bratsch|e alto *m*; **~ist** altiste
Brauch usage *m*; coutume *f*; tradition *f*; **⌐bar** utilisable; utile, valable; *(Mensch)* capable, qualifié; propre à; **~barkeit** utilité *f*; **⌐en** avoir besoin de; *(Zeit)* mettre; *man braucht nur zu...* il suffit de..., on n'a qu'à...; *man braucht nicht* il n'est pas nécessaire de..., ce n'est pas la peine de...; *Sie werden für d. Arbeit 5 Stunden* **⌐en** ce travail vous demandera cinq heures; **~tum** coutumes *fpl*

Braue sourcil *m*
brau|en brasser; *fig* préparer; **⌃er** brasseur; **⌃erei** brasserie *f*
braun brun; *(Haut)* bronzé, hâlé, tanné; *(Haar)*châtain; *(Pferd)* bai; **Bräune** bronzage *m.*hâle *m;* **bräunen** brunir; *(Küche)* rissoler; *refl* se bronzer; **⌃kohle** lignite *m;* **bräunlich** brunâtre; **~rot** mordoré; roux
Brause *(Gießkanne)* pomme *f* d'arrosoir; *(Bad)* douche *f; (Sprudel)* eau gazeuse; **~n** bruire; *(Wasser)* bouillonner; *(a. refl)* se doucher, prendre une douche; **~pulver** poudre effervescente
Braut fiancée; *(am Hochzeitstag)* mariée; **~ausstattung** trousseau *m;* **~bett** lit nuptial; **~führer** garçon d'honneur; **Bräutigam** fiancé; *(am Hochzeitstag)* marié; **~jungfer** demoiselle d'honneur; **~kleid** robe *f* de mariée; **~kranz** couronne *f* (de fleurs) d'oranger; **~leute, ~paar** fiancés *mpl;* **~schleier** voile *m* de mariée; comme une fiancée; **~stand** fiançailles *fpl*
brav honnête; *(Kind)* sage
Bravo *n* bravo *m,* applaudissement *m,* marque *f* d'approbation
Brech|bohnen haricots verts, mange-tout *m;* **~durchfall** 𝕊 cholérine *f;* **~eisen** levier *m* de fer; **⌃en** *vt* rompre, casser, briser; *(Glied)* fracturer; *(Blumen)* cueillir; *(Steine)* extraire; *(Hanf)* broyer; *(Licht)* réfracter; *(Rekord)* battre; *(Herz)* fendre, déchirer; *(Wort)* manquer à; *(Eid)* violer; 𝕊 vomir; *Bahn* **⌃en** frayer la voie; *vi* (se) rompre, se briser, (se) casser; *(Deich)* crever; *(Stimme)* muer; *(Auge)* s'éteindre; 𝕊 vomir; *mit j-m* **⌃en** rompre avec qn; *zum* **⌃en** *voll* plein à craquer; **~er** ⚓ paquet *m* de mer; ⚙ concasseur *m,* broyeur *m;* **~kraft** indice *m* de réfraction; **~mittel** 𝕊 vomitif *m,* émétique *m;* **~nuß** médicinier *m,* noix *f* vomique; **~reiz** haut-le-cœur *m,* nausée *f;* **~stange** pince-monseigneur *f;* levier; **~ung** *phys* réfraction *f*
Brei bouillie *f; (Kartoffel-)* purée *f; j-m ~ ums Maul schmieren (umg)* passer la main dans le dos, flatter bassement; *um den heißen ~ herumreden* tourner autour du pot, ne pas savoir par où commencer; *j-n zu ~ schlagen (umg)* casser la gueule à qn, tabasser qn; **~ig** visqueux, collant; gluant; **~umschlag** cataplasme *m*
breit large; *(nase)* plat; *fig* diffus, prolixe; *lang u. ~ erzählen* délayer, s'étendre sur; **~beinig** les jambes écartées; **⌃e** largeur *f; (Stoff)* lé *m,* laize *f; (Stil)* ampleur *f; geog* latitude *f;* **~en** étendre; **⌃engrad** degré *m* de latitude; **⌃enkreis** parallèle *m;* **~machen** s'asseoir; *fig* faire l'important; **~schlagen** applatir; *fig umg* amadouer; **~schulterig** d'une forte carrure; **⌃seite** ⚓ bordée *f*
Brems|anlage dispositif *m* de freinage; **~backe** mâchoire *f* de frein; **~belag** garniture *f* de frein; **~e** frein *m; zool* taon *m;* **⌃en** freiner, serrer le frein; *fig* enrayer; **~er** garde-frein; **~erhäuschen** vigie *f;* **~klappe** ✈ volet *m* d'aérofrein; **~klotz** sabot *m* de frein, cale *f* (de roue); **~leuchte** = **~licht** feu *m* stop; **~pedal** 🚗 pédale *f* de frein; **~schuh** 🚂 cale *f;* **~rakete** rétrofusée *f;* **~spur**

trace *f* de freinage; **~substanz** *(Atomphysik)* modérateur *m;* **~ung** freinage; *(Neutronen)* modération; **~weg** 🚗 chemin *m*
brenn|bar combustible, inflammable; **⌃ebene** *(Optik)* plan *m* focal; **⌃element** *(Reaktor)* élément *m* de combustible; **~en** *vt* brûler; *(Kalk)* calciner; *(Ziegel)* cuire; *(Kaffee)* torréfier, griller; *(Branntwein)* distiller; *(Haare)* friser; *vi* brûler; *(Licht)* être allumé; *(Ofen)* marcher; *(Augen, Nessel)* piquer; *(Wunde)* cuire; *(in d. Kehle)* écorcher; *(fig)* **~en auf** brûler de; *brennt!* au feu!; **~end** ardent *(a. fig),* brûlant, en feu; *(Kerze, Licht)* allumé; *(Schmerz)* cuisant; *fig* vif; **⌃er** *(Gas)* brûleur *m,* bec *m;* **⌃erei** distillerie *f;* **⌃glas** lentille *f;* **⌃holz** bois *m* de chauffage; **⌃material** combustible *m;* **⌃nessel** ortie *f;* **⌃punkt** *a. fig* foyer *m,* point *m* névralgique; **⌃spiegel** miroir ardent; **⌃spiritus** alcool *m* à brûler; **~stoff** combustible *m,* carburant *m;* **⌃weite** distance focale
brenzlig qui sent le brûlé; *fig* critique; *es wird ~* cela sent le brûlé
Bresche brèche *f; e-e ~ schlagen* ouvrir une brèche; *in d. ~ springen* venir au secours (de qn)
Brett planche *f;* rayon *m,* tablette *f; pl* ♟ planches *fpl;* 🎿 skis *mpl; Schwarzes ~* tableau noir; *ein ~ vor dem Kopf haben* être bouché; **~erbude** baraque *f;* **~erzaun** clôture *f* en planches
Brevier bréviaire *m*
Brezel bretzel *m*
Brief lettre *f;* **~beschwerer** presse-papiers *m;* **~geheimnis** secret *m* de la correspondance; **~kasten** boîte *f* aux lettres; **~kopf** en-tête *m;* **⌃lich** par lettre; par écrit; **~mappe** portefeuille *m;* **~marke** timbre-poste *m;* **~öffner** coupe-papier *m;* **~ordner** classeur *m;* **~papier** papier *m* à lettres; **~partner** correspondant; **~porto** port *m;* **~sammelstelle** centre *m* de tri (postal); **~stil** style épistolaire; **~tasche** portefeuille *m;* **~taube** pigeon voyageur; **~träger** facteur; **~umschlag** enveloppe *f;* **~waage** pèse-lettre *m;* **~wahl** vote *m* par correspondance; **~wechsel** correspondance *f*
Bries *n* ris *m* (de veau)
Brigade *mil* brigade *f,* unité tactique; 🏴 collectif *m* de travail
Brikett aggloméré *m,* briquette *f*
Brillant brillant *m*
Brille lunettes *fpl;* **~nbügel** branche *f* de lunettes; **~nfassung** monture *f;* **~nfutteral** étui *m* à lunettes; **~nschlange** serpent *m* à lunettes, naja *m*
bringen apporter; porter; *(Personen)* amener, mener; *(begleiten)* accompagner; *(hervor-)* produire; *(Gewinn)* rapporter; *(Opfer)* faire; *(im Rundfunk)* passer; *(in d. Zeitung)* publier; *an sich ~* s'approprier; *beiseite ~* mettre de côté; *mit sich ~* comporter, entraîner; *das bringt nichts!* cela ne vaut pas la peine!; *j-n um etw. ~* ôter qch à qn; *es weit ~* aller loin; *es nicht über sich ~* ne pas oser (faire qch); *es zu etw. ~* faire son chemin; *j-n zu etw. ~* déterminer qn à qch;

zustande ~ réaliser, achever; *j-n z. Äußersten* ~ pousser qn à bout; *auf d. Beine* ~ mettre sur pied; *zu Bett* ~ coucher; *in Einklang* ~ mettre d'accord; *in Erfahrung* ~ apprendre; *zu Fall* ~ perdre; *aus. d. Fassung* ~ désarçonner, dérouter; *in Gefahr* ~ mettre en danger; *Glück* ~ porter bonheur; *unter d. Haube* ~ trouver mari; *übers Herz* ~ avoir le cœur de; *z. Lachen* ~ faire rire; *unter d. Leute* ~ ébruiter, divulguer; *an d. Mann* ~ placer; *in Ordnung* ~ mettre en ordre; *zu Papier* ~ mettre par écrit; *z. Schweigen* ~ réduire au silence; *an d. Tag* ~ révéler; *z. Vernunft* ~ faire entendre raison; *in Verruf* ~ discréditer; *z. Welt* ~ mettre au monde
Brise brise *f*
Brit|e Britannique; ⁀**isch** britannique
bröckel|ig friable; **~n** (s')émietter
Brocken morceau *m;* fig bribe *f,* brin *m; an e-m harten* ~ *zu kauen haben* avoir du pain sur la planche; ⁀ *vt* émietter; ⁀**weise** par morceaux
brodeln bouillonner; *fig* être agité
Brokat brocart *m*
Brombeer|e mûre *f* sauvage, mûron *m;* **~strauch** ronce *f*
Bronchi|e bronche *f;***~tis** bronchite *f*
Bronze bronze *m;* ⁀**farben** bronzé; **~zeit** âge *m* de bronze
Brosamen *pl* miettes *fpl* de pain
Brosch|e broche *f;* ⁀**ieren** brocher; **~üre** brochure *f,* plaquette *f*
Brösel miette *f;* ⁀**n** émietter
Brot pain *m;* tartine *f;* (*belegtes*) sandwich *m; für ein Stück* ~ vraiment pas cher, pour presque rien; *ein hartes* ~ un travail dur; *sein* ~ *verdienen* gagner sa vie; **~aufstrich** garniture *f;* **~beutel** *mil* musette *f;* **~chen** petit pain; **~erwerb** gagne-pain *f;* **~getreide** céréales *fpl* panifiables; **~herr** patron; **~herstellung** panification *f;* **~kanten** croûton *m;* **~korb** panier *m* à pain ♦ *j-m d. ~korb höher hängen* serrer la courroie à qn; **~krume** mie *f;* **~kruste** croûte *f;* **~laib** miche *f;* ⁀**los** sans pain, sans travail; *fig* peu lucratif; **~neid** jalousie *f* de métier; **~rinde** croûte *f;***~röster** grille-pain *m;* **~scheibe** tranche *f* de pain; **~schneidemaschine** coupe-pain *m;* **~schnitte** tranche *f* de pain; **~suppe** panade *f*
Bruch *a. fig* rupture *f;* cassure *f;* bris *m;* (*Zerbrochenes*) casse *f,* brisure *f;* 🕂 violation *f;* *math* fraction *f;* ⚕ hernie *f;* (*Knochen-*) fracture *f; fig* divorce *m; umg* camelote *f,* pacotille *f,* toc *m;* ~ *machen* ✝ casser du bois; *in d. Brüche gehen* se casser, échouer; *zu* ~ *fahren* endommager (sa voiture); *sich e-n* ~ *lachen umg* se tordre de rire, rire comme un bossu, s'esclaffer; **~band** ⚕ bandage *m* herniaire; **~bude** masure *f;* ⁀**fest** résistant à la rupture; ⁀**festigkeit** résistance *f* à la rupture; **brüchig** cassant, fragile; ⁀**landen** ✝ crasher; **~risiko** com risque *m* de casse; **~schaden** casse *f;* **~stein** moellon *m;* **~stelle** cassure *f* point de rupture; **~strich** barre *f* de fraction; **~stück** fragment *m;* morceau *m;* ⁀**stückhaft** fragmentaire; **~teil** fraction *f;* quote-part *f;* **~zahl** nombre *m* fractionnaire

Brücke pont *m;* 🔗 passerelle *f;* (*Zahn*) bridge *m;* (*Teppich*) carpette *f; e-e* ~ *schlagen* jeter un pont; *alle* ~*n hinter s. abbrechen* brûler ses vaisseaux; **~ngeländer** garde-fou *m,* parapet *m;* **~nkopf** tête *f* de pont; **~npfeiler** pile *f* de pont; **~nwaage** balance *f* à bascule; **~nzoll** péage *m*
Bruder frère *m; fig* confrère; *lustiger* ~ joyeux compère; **~krieg** guerre intestine (*ou* fratricide); **brüderlich** fraternel; **Brüderlichkeit** fraternité *f;* **~mord** fratricide *m;* **~schaft** rel confrérie *f;* congrégation *f;* **Brüderschaft** fraternité *f*
Brüh|e bouillon *m,* jus *m;* sauce *f; pej* brouet *m; in der* ~ *sitzen* se trouver dans une mauvaise passe; ⁀**en** échauder; ⁀**warm** *fig* tout chaud
brüllen (*Rind*) mugir, meugler; (*Löwe*) rugir; (*Mensch*) hurler, vociférer; *das ist ja zum* ⁀*!* c'est du plus haut comique!
Brumm|bär grognon *m,* bougon *m;* ⁀**eln** bougonner, ronchonner, grogner, grommeler; ⁀**en** gronder; (*Motor*) ronfler; (*Insekt, Flugzeug*) vrombir; (*Insekt, Kopf*) bourdonner; *umg* être sous les verrous; *in d. Bart* ⁀**en** marmonner; **~er** gros insecte; mouche à viande; **~i** *umg* poids lourd; ⁀**ig** grognon; **~schädel:** *e-n ~schädel haben* avoir mal aux cheveux; **~ton** ronflement *m,* bourdonnement *m*
brünett brun, brunet
Brunnen puits *m;* fontaine *f;* (*Wasser*) eaux *fpl;* **~becken** vasque *f,* bassin *m;* **~kresse** *bot* cresson *m;* **~kur** cure *f* d'eaux (minérales); **~rand** margelle *f*
Brunst *zool* rut *m,* chaleur *f;* **brünstig** en rut; *fig* ardent
brüsk brusque; *adv* à brûle-pourpoint
Brust poitrine *f;* sein *m,* gorge *f;* mamelle *f; s. in d.* ~ *werfen* se rengorger; **~bein** sternum *m;* **~bild** buste *m;* **brüsten** *refl* se vanter (*mit* de); **~fell** plèvre *f;* **~kasten, ~korb** thorax *m,* cage *f* thoracique; **~schwimmen** (nage *f* à la) brasse *f;* **~tasche** poche intérieure; **~ton:** *mit d. ~ton d. Überzeugung* d'un ton de profonde conviction; **Brüstung** parapet *m,* balustrade *f,* appui *m;* **~warze** mamelon *m,* tétin *m;* **~wehr** parapet *m*
Brut incubation *f;* couvée *f;* (*Bienen*) couvain *m;* (*Fische*) alevin *m;* (*Kinder*) nichée *f; pej* engeance *f;* **~apparat** couveuse *f* (artificielle); **brüten** *a. fig* couver; *fig* songer, méditer; **Brüter** (s. Brutreaktor); **~henne** couveuse *f;* **~hitze** *fig* chaleur *f* d'étuve; **~ofen** incubateur *m;* **~reaktor** réacteur *m* surrégénérateur; **~schrankétuve** *f* bactériologique; **~stätte** *fig* foyer *m,* officine *f;* **~zeit** couvaison *f;* **~zone** (*Reaktor*) couche *f* fertile
brutal brutal; ⁀**ität** brutalité *f*
brutto brut; ⁀**einnahme** recette brute; ⁀**gewicht** poids brut; ⁀**registertonne** tonneau *m* (de jauge brute)
Bub|e garçon, gamin; (*Karten*) valet; *pej* polisson, coquin, fripon; **~enstreich** polissonnerie *f,* friponnerie *f;* ⁀**ikopf** coiffure *f* à la garçonne
bübisch coquin, fripon
Buch livre *m;* registre *m;* ~ *abschließen* (*com*) arrêter les écritures; ~ *führen* (*com*) tenir les

livres, faire la comptabilité; *er redet wie ein ~* c'est un moulin à paroles; **~abschluß** arrêté *m* des comptes; **~auszug** relevé *m* de compte; **~besprechung** compte rendu; **~binder** relieur; **~binderei** (atelier *m* de) reliure *f;* **~druck** imprimerie *f;* typographie *f;* **~drucker** imprimeur; typographe; **~einband** reliure *f;* **≈en** inscrire; passer aux écritures; *(Platz)* retenir, réserver; **~führung** comptabilité *f; doppelte ~führung* comptabilité en partie double; **~geld** monnaie *f* scripturale (*ou* de compte); **~gemein- schaft** club *m* du livre; **~halter** comptable; **~handel** commerce *m* de livres, librairie *f;* **~händler** libraire; **~handlung** librairie *f;* **~hülle** couvre-livre *m,* liseuse *f;* **~macher** 🕱 bookma- ker; **≈mäßig** comptable; **~messe** foire du livre; **~prüfer** expert *m* comptable, vérificateur aux écritures; **~prüfung** vérification *f* des livres; **~stabe** lettre *f,* caractère *m; kleiner ~stabe* minuscule *f; großer ~stabe* majuscule *f; in ~staben* en toutes lettres; **≈stabieren** épeler; **≈stäblich** littéral; *adv* à la lettre, au pied de la lettre; **~stütze** support *m* de livres, appui(e)- livres *m;* **~ung** (*com*) inscription *f* à la comptabilité; passer une écriture; *(Platz)* réservation *f;* **~ungsbeleg** document *m* compta- ble; **~ungsmaschine** machine *f* comptable; **~wert** valeur *f* comptable

Buch|e hêtre *m;* **~ecker** faîne *f;* **~fink** pinson *m;* **~weizen** sarrasin *m*

Bücher|brett rayon *m;* **~ei** bibliothèque *f;* **~freund** bibliophile; **~narr** bibliomane; **~regal** étagère *f;* **~revisor** expert comptable; **~schrank** bibliothèque *f;* **~tasche** cartable *m,* sacoche *f;* **~wurm** rat *m* de bibliothèque

Buchsbaum buis *m*

Buchse ✿ douille *f;* manchon *m;* coussinet *m;* ⚡ jack *m; EDV* plot *m*

Büchse boîte *f; (Gewehr)* fusil *m;* **~nfleisch** viande *f* en conserve; **~nmacher** armurier; **~nmilch** lait condensé; **~nöffner** ouvre-boîtes *m*

Bucht baie *f,* golfe *m; (kleine)* crique *f,* anse *f*

Buck|el bosse *f;* gibbosité *f; umg* dos *m* ♦ *e-n breiten ~el haben* avoir bon dos; *rutsch mir den ~el 'runter umg* va te faire voir ailleurs, va te faire cuire un œuf; *schon viele Jahre auf dem ~el haben* être très vieux; **≈lig** bossu

bück|en *refl* se baisser; se courber, se plier; **≈ling** révérence *f;* courbette *f; (Fisch)* hareng fumé (*od* saur)

buddeln fouiller la terre

Bude boutique *f; umg* turne *f,* cambuse *f*

Büffel buffle *m;* **≈n** *umg* piocher, bûcher

Bug ⚓ proue *f* avant *m,* cap *m;* 🏛 lien *m* de faîtage; *(bei Tieren)* épaule *f;* **~spriet** ⚓ beau- pré *m*

Bügel *(Handtasche)* monture *f; (Kleider-)* cintre *m; (Steig-)* étrier *m; (Gewehr)* pontet *m; (Brillen-)* branche *f;* **~brett** planche *f* à repasser; **~eisen** fer *m* à repasser; *(Schneider-)* carreau *m;* **~falte** pli *m* de pantalon; **~maschine** machine *f* à repasser; **~n** repasser; **~säge** scie *f* à archet

bugsieren ⚓ remorquer; *fig* conduire, mener, guider (avec adresse)

buhlen faire la cour, courtiser; *um etw. ~ (fig)* briguer (*od* rechercher) qch

Buhne barrière brise-vagues, estacade; 🏛 épi *m*

Bühne scène *f;* théâtre *m;* ✿ palier *m,* pont *m,* plate-forme *f,* plateau *m; über die ~ bringen* parvenir au résultat souhaité; *über d.' ~ gehen* se dérouler sans incidents; **~narbeiter** machinis- te; **~nbild** décors *mpl;* **~nbildner** décorateur; **~ndichter** auteur dramatique, dramaturge; **≈nmäßig** scénique

Bulgar|ien la Bulgarie; **≈isch** bulgare

Bull|auge ⚓ hublot *m;* **~dogge** bouledogue *m;* **~e** taureau *m*

Bumm|el flânerie *f,* balade *f,* virée *f;* **≈eln** flâner, muser, musarder; **~elei** flânerie *f;* **~elstreik** grève du zèle; **~elzug** tortillard *m;* **~ler** flâneur, traînard, fainéant

bumsen caramboler, se heurter, bousculer; frapper; 🕱 tirer au but; *pop* faire l'amour, coucher avec qn

Bund¹ *m* alliance *f,* ligue *f,* union *f,* confédération *f;* ✿ collet *m,* colleret *m;* 📖 nervure *f; (Hosen-)* ceinture *f*

Bund² *n* botte *f; (Reisig)* fagot *m*

Bündel paquet *m;* trousse *f; (Papier)* liasse *f; (Strahlen)* faisceau *m* de rayons; *math* réseau *m; (Kabel)* toron *m,* grelin *m* ♦ *sein ~ schnüren* plier bagage; **≈n** lier ensemble; fagoter, botteler; faire un paquet de; **~ung** concentra- tion *f,* focalisation *f*

Bundes|... fédéral; **~amt** office *m* fédéral; **~anstalt für Arbeit** agence *f* fédérale pour l'emploi; **~bahn** chemin de fer fédéral; **~bank** banque *f* centrale fédérale; **~bürger** citoyen *m* ouest-allemand, habitant *m* de la R.F.A.; **~genosse** allié; **~kanzler** chancellier *m* fédéral; **~lade** *rel* arche *f* d'alliance; **~präsident** président de la République fédérale allemande; **~rat** *(Deutschland)* Bundesrat *m* (seconde cham- bre regroupant les représentants des Länder); *(Schweiz)* Conseil fédéral (gouvernement de la confédération helvétique); **~regierung** gouver- nement *m* fédéral; **~republik** République fédérale; **~staat** fédération, confédération *f; (einzelner)* Etat fédéré; **~tag** Assemblée fédéra- le, diète *f* (fédérale); **~wehr** forces armées fédérales

bündig concis, lapidaire; ✿ à fleur; **≈nis** coali- tion *f,* alliance *f*

Bunker *mil* abri *m;* ⚓ soute *f;* ✿ silo *m,* trémie *f;* **≈n** mettre en soute; **~kohle** charbon *m* de soute; **~station** ⚓ dépôt *m* de charbon

Bunsenbrenner bec *m* Bunsen

bunt multicolore, de plusieurs couleurs; coloré; *(buntscheckig)* bariolé, chiné, panaché, bigarré; *fig* varié; *~ durcheinander* pêle-mêle ♦ *das ist mir zu ~* c'en est trop; **≈metall** métal non-ferreux; **~papier** papier *m* de couleur; **~sandstein** grès bigarré; **≈specht** épeiche *f;* **≈stift** crayon *m* de couleur; **≈wäsche** linge *m* de couleur

Bürde fardeau *m,* faix *m,* charge *f*

Burg château fort; citadelle *f;* **~frieden** trêve *f;* **~herr** châtelain

Bürg|e garant *m; caution f; (Wechsel)* avaliseur; **~en** répondre de; cautionner; se porter garant; *(Wechsel)* avaliser; **~schaft** garantie *f;* caution *f;* **~schaftsvertrag** cautionnement *m*

Bürger bourgeois; *(Staats-)* citoyen; **~entscheid** référendum communal; **~initiative** association de défense d'intérêts communaux; **~krieg** guerre civile; **~kunde** instruction *f* civique; **~lich** bourgeois; civil; *~liches Gesetzbuch* Code civil; **~meister** maire; *(in Belgien)* bourgmestre; **~recht** citoyenneté *f;* droit *m* de cité; droits *mpl* des citoyens; **~schaft** ensemble des citoyens d'une commune; *(Hamburg u. Bremen)* assemblée municipale; **~sinn** civisme *m;* **~steig** trottoir *m;* **~tum** bourgeoisie *f;* **~wehr** milice *f*

Burgund la Bourgogne; **~er(wein)** bourgogne *m;* **~isch** bourguignon

Büro bureau *m,* office *m;* cabinet *m;* **~angestellte** employé *m* de bureau; **~bedarf** fournitures *fpl* de bureau; **~haus** building *m;* **~klammer** agrafe *f,* trombone *m;* **~krat** bureaucrate; **~kratie** bureaucratie *f;* **~kratisch** bureaucratique; **~vorstand** = **~vorsteher** chef de bureau

Bursch|e garçon *m, umg* gars *m; mil* ordonnance *f;* **~ikos** sans gêne

Bürst|e brosse *f; 🔩* balai *m;* **~en** brosser; **~enbinder** brossier

Bus bus *m;* car *m*

Busch buisson *m,* arbrisseau *m; (Wald)* brousse *f; (Feder-)* touffe *f ♦ auf d. ~ klopfen* tâter le terrain; *s. in d. Büsche schlagen* s'esquiver, prendre le large; **~ig** touffu, buissonneux; embroussaillé; **~werk** broussailles *fpl*

Büschel *(Pflanzen-)* botte *f; (Haar-)* touffe *f*

Busen sein *m;* gorge *f; (Meer-)* golfe *m;* **~freund** ami intime

Bussard buse *f*

Buß|e *rel* pénitence *f; (Geld-)* amende *f;* pénalité *f;* **~fertig** pénitent; **~geldbescheid** contravention *f*

Bussel, Busserl bécot *m,* petit baiser *m,* bise *f,* poutou *m;* **~n** bécoter, embrasser

büß|en expier, payer pour; *vi* faire pénitence; **~er** pénitent; **~erhemd** haire *f,* cilice *m*

Büste buste *m;* seins *mpl,* poitrine *f;* **~nhalter** soutien-gorge *m*

Bütt|e cuve *f;* baquet *m;* **~el** huissier; valet de bourreau; **~enpapier** papier *m* à la cuve

Butter beurre *m; es ist alles in ~* tout va bien; **~berg** stocks *mpl* de beurre; **~blume** bouton-d'or *m;* **~brot** tartine *f* beurrée; *für ein ~brot* pour un morceau de pain; **~dose** beurrier *m;* **~faß** baratte *f;* **~milch** babeurre *m;* **~n** baratter; **~säure** acide *m* butyrique

C

c *♪* do, ut; **~-Dur** ut majeur; **~-Moll** ut mineur

Caddie *m* caddy *m,* petit chariot métallique

café café *n*

Callgirl *n* call-girl *f,* prostituée *f* (avec laquelle on prend contact par téléphone)

Camping camping *m;* **~ausrüstung** matériel *m* de camping; **~platz** terrain *m* de camping

cash| and carry vente *f* au comptant et à emporter; **~flow** marge brute d'autofinancement

Cassetten-Recorder lecteur *m* de cassettes

Catcher catcheur

Cell|ist violoncelliste; **~o** violoncelle *m*

Cembalo clavecin *m*

Chagrinleder chagrin *m*

Chamäleon caméléon *m*

Champagner champagne *m;* **~glas** flûte *f* à champagne; **~kelch** coupe *f* à champagne

Champignon champignon *m* de couche

Chance chance *f; pl* possibilités *fpl*

Chao|s chaos *m;* **~tisch** chaotique

Charakter caractère *m; (Wesensart)* naturel *m,* tempérament *m; (Wesensart)* portrait *m* (littéraire); **~bild** portrait *m* (littéraire); **~fest** d'un caractère ferme; **~isieren** caractériser; **~istisch** caractéristique, typique; **~los** sans caractère; versatile; **~zug** trait *m* (caractéristique *od* de caractère)

Charge *(Amt)* fonction *f,* office *m,* emploi *m; mil* grade *m* militaire; rang, dignité; *⚙ (Ladung)* charge *f;* quantité chargée; fournée *f; com* série *f,* lot *m; 🎭* petit rôle

Charter charter *m,* contrat d'affrètement; **~er** affréteur; **~flug** vol *m* charter; **~n** affréter; **~ung** affrètement *m;* **~verkehr** trafic *m* par charter

Chassis 🚗 châssis *m; 💿* platine *f*

Chauffeur chauffeur, conducteur

Chaussee chaussée *f,* grande route; **~graben** fossé *m* de (la) chaussée

Check chèque *m;* **~en** *⚙* vérifier (le bon fonctionnement); procéder au dernier contrôle; **~er** vérificateur; **~liste** liste *f* de vérifications; **~up** *💲* contrôle médical complet

Chef *umg* patron; **~arzt** médecin chef; **~in** *umg* patronne; **~redakteur** rédacteur en chef; **~sekretärin** secrétaire *f* de direction; **~visite** *💲* visite médicale (dans un hôpital) du médecin chef

Chemie chimie *f;* **~faser** fibre artificielle (*ou* synthétique)

Chemi|kalien produits *mpl* chimiques; **~ker** chimiste; **~sch** chimique

Chiffr|e chiffre *m,* numéro *m;* code *m;* **~anzeige** annonce *f* chiffrée; **~eur** chiffreur; **~ieren** chiffrer

Chile le Chili; **~ne** Chilien

Chin|a la Chine; **~arinde** quinquina *m;* **~ese** Chinois; **~esisch** chinois

Chinin quinine *f*

Chip *m* microprocesseur *m, umg* puce *f*

Chirurg chirurgien; **~ie** chirurgie *f*

Chlor chlore *m;* **~haltig** chloré; **~kalk** chlorure *m* de chaux; **~oform** chloroforme *m;* **~ophyll** chlorophylle *f;* **~wasserstoff** acide *m* chlorhydrique

Cholera choléra *m;* **~kranker** cholérique

cholerisch colérique, irascible

Cholesterin *n* cholestérol *m*

Chor *(a. 🎵, 🏛)* chœur *m;* **~al** choral *m; gregorianischer ~al* chant grégorien, plain-chant *m;* **~eographisch** chorégraphique; **~hemd** sur-

plis *m;* **~knabe** enfant de chœur; **~rock** *rel* chape *f;* **~stuhl** stalle *f*
Christ chrétien *m;* **~baum** arbre *m* de Noël; **~enheit** chrétienté *f;* **~entum** christianisme *m;* **~enverfolgung** persécution *f* des chrétiens; **~fest** (fête *f* de) Noël *f;* **≗ianisieren** christianiser; **~kind** enfant *m* Jésus, petit Jésus; **≗lich** chrétien; **~us** le Christ, Jésus-Christ
Chrom chrome *m;* **≗atisch** ♪ chromatique; **≗haltig** chromifère
Chromosom chromosome *m*
Chron|ik chronique *f;* **≗isch** ⚕ chronique; **~ist** chroniqueur; **~ologie** chronologie *f;* **≗ologisch** chronologique; **~ometer** chronomètre *m*
circa environ
Clearing *n* clearing *m,* compensation *f* des créances et des dettes; **~abkommen** accord de clearing; **~stelle** chambre *f* de compensation; **~verkehr** opérations de clearing
Clique clan *m,* clique *f;* **~nwirtschaft** favoritisme *m,* népotisme
Clown clown
Cock|pit ⚓ cockpit *m;* ✈ habitacle *m* du pilote; **~tail** cocktail *m;* mélange *m*
Comic Strips *pl* bandes dessinées
Computer ordinateur *m;* **~anlage** centre *m* informatique; **≗gesteuert** à commande programmée; **~spezialist** informaticien *m*
Container conteneur *m;* **~schiff** cargo *m* porte-conteneurs
Creme crème *f;* **≗farben** crème *(inv)*

D

d ♪ ré; *≗-Dur* ré majeur; *~-Moll* ré mineur
da *adv (örtl.)* là, y; *(zeitl.)* alors; *conj (zeitl.)* lorsque, quand; *(kausal)* parce que, puisque, comme; *~ bin ich* me voici; *~ dem so ist* puisque c'est ainsi; *~ entlang, ~ hindurch* par là; *~ kommt er ja* le voilà qui vient; *~ und dort* par-ci, par-là, de loin en loin, çà et là; *nichts~! (umg)* jamais (de la vie)!
dabei *adv* près (de), proche (de); y; *(außerdem)* en outre, de plus; ce faisant; *(doch)* mais, cependant; *~ sein, etw. zu tun* être en train de faire qch, *(im Begriff)* être sur le point de faire qch, *(damit beschäftigt)* être occupé à faire qch; *~ bleiben* persister (*zu* à), insister; *~ bleibt es* on en reste là; *es bleibt ~!* d'accord!, c'est entendu!; *was ist ~? (umg)* et encore?; *~ kommt nichts heraus* cela ne sert à rien; **~bleiben** rester; **~sein** être présent à, assister à; *(aufpassen)* faire attention à; *(s. beteiligen)* participer à
Dach toit *m,* toiture *f; ein ~ decken* couvrir une maison; *flaches ~* (toit en) terrasse *f; er wohnt unter dem ~* il loge sous les combles ♦; *etw. unter ~ und Fach bringen* mettre à l'abri qch; *eins aufs ~ bekommen umg* se faire engueuler; recevoir un coup sur la tête; *j-m aufs ~ steigen umg* passer un savon à qn, faire la fête, sonner les cloches; **~balken** solive *f;* **~boden** grenier *m;* **~decker** couvreur; **~fenster** lucarne *f;* **~first** arête *f;* faîte *f;* **~garten** jardin-terrasse *m;* **~geschoß** combles *mpl;* étage *m* mansardé; **~gesellschaft** holding *m;* **~hase** *umg* lapin *m* de gouttière; **~kammer** mansarde *f,* galetas *m;* **~luke** fenêtre *f* à tabatière; lucarne *f;* **~organisation** organisation centrale; **~pappe** carton bitumé; **~pfanne** tuile *f;* **~rinne** gouttière *f;* chéneau *m;* **~schindel** bardeau *m;* **~sparren**-chevron *m;* **~stuhl** charpente *f* de comble; **~traufe** gouttière; **~werk** toiture *f;* **~ziegel** tuile *f*
Dachs blaireau *m;* **~bau** terrier *m* de blaireau; **~hund** basset *m*
Dackel basset allemand
da|durch par là, de cette façon; *~durch, daß* du fait que; **~für** pour cela; en retour; au lieu de, à la place de; *~für sein* approuver; *ich bin ~für, daß...* je suis d'avis que...; *ich kann nichts ~für* je n'y suis pour rien, je n'y peux rien; **~gegen** contre cela, contre; en comparaison de...; en compensation, en revanche; au contraire; *ich habe nichts ~gegen* je n'y vois pas d'inconvénient, je veux bien; **~gegenhalten** comparer
da haben avoir en magasin (*ou* en stock)
daheim à la maison, chez soi; *(in d. Heimat)* chez nous; *≗ su* maison *f,* chez-soi *m,* foyer *m*
daher *(örtl.)* de ce côté-là, de là; *(kausal)* aussi (*+ Inversion*); c'est pourquoi; **~kommen** arriver, se montrer; **~reden** parler à tort et à travers, bavarder hors de propos
dahin là; là-bas, vers; y; *(entlang)* le long de; *(verloren)* perdu; *(vergangen)* passé; *bis ~ (zeitl.)* d'ici là, *(örtl.)* jusque là; *es steht ~, ob...* il reste à savoir si...; **~dämmern** végéter dans un état d'inconscience (*ou* apathique); **~eilen** *(Zeit)* passer rapidement; **~geben** abandonner, sacrifier; **~gehen** s'en aller; **~raffen** emporter; *lit* moissonner; **~rasen** 🚗 *umg* filer à toute allure; **~scheiden** décéder; **~schwinden** décroître, s'affaiblir; **~siechen** végéter; **~stellen** *(Entscheidung)* ne pas décider; **~ziehen** s'avancer lentement; s'étendre au loin
dahint|en là-derrière; *(in der Ferne)* là-bas; **~er** derrière; là-derrière; **~erkommen** découvrir le pot aux roses
Dahlie dahlia *m*
dalassen laisser *ou* déposer en un lieu déterminé
damal|ig d'alors; **~s** alors, à l'époque, en ce temps-là; *seit ~s* depuis lors
Damast damas *m*
Dame dame *(a. Karten, Schach); (Spiel)* jeu *m* de dames; *~ spielen* jouer aux dames; **~brett** damier *m;* **~nbinde** tampon *m* hygiénique; **~nkostüm** tailleur *m;* **~nschneider** couturier
Damhirsch daim *m*
damit avec cela, de cela, y, en; *(Zweck)* afin que, pour que; afin de, pour; *~ ist alles gesagt* c'est tout dire; *und ~ ging er* là-dessus, il partit
dämlich stupide, imbécile
Damm digue *f;* barrage *m; (Hafen)* jetée *f; (Straße)* chaussée *f; fig* barrière *f;* ⚕ périnée *f* ♦ *auf dem ~ sein* être en forme; *nicht auf d. ~ sein* ne pas être dans son assiette
dämmen endiguer; isoler; *fig* arrêter

dämmer|ig crépusculaire; *fig* vague; **~n** *es* ~*t* il va faire jour (*od* nuit); **≈schlaf** somnolence *f;* **≈ung** (*Morgen-*) point *m* du jour, aurore *f,* aube *f;* (*Abend-*) crépuscule *m; in der ≈ung* entre chien et loup; **≈zustand** état *m* de somnolence

Dämm|stoff matière *f* isolante; isolateur; **~ung** isolation *f;* **~zahl** facteur *m* d'isolement

Dämon démon; **≈isch** démoniaque

Dampf (*Wasser-*) vapeur *f;* (*Rauch*) fumée *f; j-m* ~ *machen umg* presser, talonner qn; ~ *drauf haben umg* rouler à tombeau ouvert, à fond de train; **~antrieb** commande *f* à vapeur; **~bad** bain *m* de vapeur; **~boot** bateau *m* à vapeur; **≈en** dégager des vapeurs; (*Wiese*) fumer

dämpf|en (*Speise*) étuver, faire cuire à l'étouffée (*od* étuvée); (*Ton*) étouffer, assourdir; (*Stoß*) amortir; (*Licht*) tamiser; (*mildern*) adoucir, affaiblir; **≈er** ♪, *fig* sourdine *f;* ✿ amortisseur *m;* atténuateur *m*

Dampf|er vapeur *m;* **~hammer** marteau-pilon *m;* **~heizung** chauffage *m* à (la) vapeur; **~kessel** chaudière *f* à vapeur, générateur *m;* **~lokomotive** locomotive *f* à vapeur; **~maschine** machine *f* à vapeur; **~regler** servoamortisseur, atténuateur *m;* **~schiff** (bateau *m* à) vapeur *m;* **~schiffahrt** navigation *f* à vapeur; **Dämpfung** amortissement *m,* étouffement *m;* affaiblissement, atténuation *f;* (*Schall*) insonorisation; **~walze** rouleau compresseur

danach après cela; (*entsprechend*) d'après cela, conformément à cela

Dän|e Danois; **~emark** le Danemark; **≈isch** danois

daneben à côté; *conj* outre cela; à côté de cela; en même temps; **~gehen** *umg* rater, échouer, manquer; **~hauen** = **~tippen** *umg* se fourrer le doigt dans l'œil, se tromper

danieder *adv* à terre, par terre; **~liegen** être alité; *fig* languir

Dank remerciement *m;* gratitude *f;* reconnaissance *f;* (*Lohn*) récompense *f; zum* ~ en remerciement (*für* de), (*Lohn*) en récompense; ~ *sagen* dire merci; *j-m* ~ *wissen* savoir gré à qn; *zu* ~ *verpflichten* obliger; *j-m* ~ *verpflichtet sein* être redevable à qn, être obligé envers qn; **≈** (*präp: durch*) grâce à; **≈bar** reconnaissant (*für* de); *adv* avec reconnaissance; **~barkeit** reconnaissance *f,* gratitude *f;* **≈e!** merci!; (*Weigerung*) non, merci; **≈e sehr!** merci beaucoup!, merci bien!; **≈en** remercier (*j-m für etw.* qn de qch); (*verdanken*) devoir; (*lohnen*) récompenser (*j-m etw.* qn de qch); **≈enswert** digne de reconnaissance; **~sagung** remerciements *mpl; rel* action *f* de grâces

dann alors, puis, ensuite; (*ferner*) en outre; *bis* ~! *interj* à tout à l'heure!; *selbst* ~ même dans ce cas; ~ *u. wann* de temps à autre, de temps en temps, de loin en loin

daran y; à côté; près, contre; *ich arbeite* ~ j'y travaille; *er tut gut* ~, *zu*... il fait bien de...; *er ist nicht gut* ~ il ne va pas bien; *man weiß nie, wie man mit ihm* ~ *ist* on ne sait jamais à quoi s'en tenir avec lui; *ich war nahe* ~ *fortzugehen* j'ai failli m'en aller; *mir liegt nichts* ~

qu'importe!; **~gehen** = **~machen** (*umg*) se mettre (*etw. zu tun* à faire qch); **~setzen** ajouter; *alles* ~ *setzen* mettre tout en œuvre

darauf (*örtl.*) (là-)dessus; (*zeitl.*) ensuite, puis, là-dessus, après cela; *gleich* ~ immédiatement après; *wenige Tage* ~ quelques jours plus tard; *das Jahr* ~ l'année suivante; ~ *verlasse ich mich* j'y compte; *man muß* ~ *achten* il faut y faire attention; ~ *aus sein* viser à; *m-e ganze Zeit geht* ~ j'y perds tout mon temps; **~hin** sur ce, là-dessus, après cela

daraus de là; par là; ~ *werde e-r klug!* on ne s'y reconnaît plus!; *man sieht* ~ on voit par là; ~ *wird nichts* il n'en sera rien; *ich mache mir nichts* ~ je ne m'en soucie guère

darben être dans l'indigence

dar|bieten présenter, offrir; **≈bietung** présentation *f;* spectacle *m,* représentation *f;* **~bringen** offrir

darein là-dedans, y; **~finden** *refl* s'incliner, se résigner

darin (là-)dedans, y; ~ *haben Sie unrecht* c'est en quoi vous avez tort

dar|legen exposer; expliquer; **≈legung** exposé *m,* exposition *f;* explication *f;* **≈lehen** prêt *m,* emprunt *m;* **≈lehensgeber** prêteur *m;* **≈lehenskasse** caisse *f* de crédits; **≈lehensnehmer** emprunteur

Darm *allg* boyau *m; anat* intestin *m;* **~blutung** hémorragie intestinale; **~fieber** fièvre intestinale; **~saite** corde *f* à boyau; **~verschlingung** volvulus *m*

Darre four *m* à sécher; touraille *f*

darreichen présenter

darstell|en représenter; *lit* dépeindre, décrire; *chem* préparer; ⚜ interpréter; *etwas/nichts* ~ *faire/ne pas faire de l'effet; kurz* ~*en* un aperçu de; **~ende Geometrie** géométrie descriptive; **≈er** ⚜ interprète, acteur; **≈ung** représentation *f;* (*Tatsachen*) présentation *f; lit* description *f; chem* préparation *f;* ⚜ interprétation *f;* (*Radar*) visualisation *f; EDV* notation *f*

dartun expliquer; démontrer

darüber (au-)dessus; en travers; ~ *vergaß ich, daß*... cela m'a fait oublier que...; ~ *starb er* là-dessus, il mourut; *ich werde mit ihm* ~ *sprechen* je lui en parlerai; ~ *hinaus* en outre, outre cela, de plus

darum autour; pour cela, c'est pourquoi

darunter (là-)dessous, au-dessous; (*zwischen*) parmi, entre; (*weniger*) moins

das ce, ceci, cela; ça (*umg*); (*siehe* der, welcher); voici, voilà; ~ *war e-e Freude!* quelle joie!; ~ *ist gut* voilà qui est bien; ~ *ist m-e Frau* voici ma femme; ~ *heißt* c'est-à-dire (*Abk* c.-à-d.)

dasein exister; être; **≈** *su* existence *f,* vie *f;* **≈sberechtigung** raison *f* d'être; **≈skampf** lutte *f* pour la vie

daselbst *adv* là(-même); en ce lieu, y

daß que; *so* ~ de sorte que, de manière que; *auf* ~ afin que, pour que (+ *subj*)

dasselbe le (la) même; *das ist* ~ c'est la mîne chose, c'est pareil (*umg*)

dastehen être là, se tenir là

Datei fichier *m* informatisé; cartothèque *f*
Dat|en données *fpl*, informations *fpl*; caractéristiques *fpl*; indications *fpl*; paramètres *mpl*; **~enbank** banque *f* de données; **~enbestand** volume *m* des données; **~enschutz** protection *f* de la vie privée contre les abus de l'informatique; **~enübertragung** transmission des données; **~enverarbeitung** traitement *m* des informations; **⌐ieren** dater, porter une date sur un acte; **~ierung** datation *f*, **~um** date *f*; *(Monatstag)* quantième *m*; *welches ~um haben wir heute*, le combien sommes-nous aujourd' hui?; **~umsstempel** timbre *m* à dater, composteur-dateur *m*
Dattel datte *f*; **~palme** dattier *m*
Daube douve *f*
Dauer durée *f*; *auf d. ~* à la longue; **~auftrag** prélèvement *m* automatique, ordre *m* de virement premanent; **~beschäftigung** emploi *m* stable; **~betrieb** régime *m* continu; **~brandofen, ~brenner** fourneau *m (od* poêle *f)* à feu continu; **⌐haft** durable, stable, solide; **~haftigkeit** durabilité *f*, persistance *f*; stabilité *f*; **~lauf** pas *m* gymnastique; ⋈ course *f* de fond; **⌐n** durer; *(weiter gehen)* continuer; *(leid tun)* faire pitié; **⌐nd** *adj* permanent, continu; *für* **⌐nd** à demeure, pour toujours; **~stellung** situation *f* stable; **~welle(n)** (ondulation *f*) permanente *f*, indéfrisable *f*; **~wurst** saucisson sec *(od* fumé); **~zustand** état *m* endémique
Daumen pouce *m* ♦ *j-m d. ~ halten* brûler une chandelle pour qn; *über den ~ peilen* juger à vue de nez, au pifomètre
Däumling doigtier *m*; *lit* Petit Poucet
Daunen duvet *m*; **~bett** édredon *m*
davon de cela; en; *er ist auf und ~* il est parti; il a décampé, il a filé *(umg)*; **~eilen** partir en courant; **~fliegen** s'envoler, partir; **~gehen** partir, s'en aller; **~kommen** échapper, s'en tirer; *wir sind noch gut ~gekommen* nous l'avons échappé belle; **~laufen** *umg* se sauver; **~machen** *refl* s'éclipser, filer, décamper *(umg)*; *(heimlich)* s'esquiver; **~tragen** emporter; *d. Sieg ~tragen* remporter la victoire, l'emporter *(über* sur)
davor devant; de cela
dazu à cela, y; en *(was sagst du ~?*) qu'en dis-tu?); à cet effet, pour cela; *noch ~* de plus, en sus, en outre; par-dessus le marché *(umg)*; **~geben** ajouter; **~gehören** faire partie de; **⌐gehörigkeit** appartenance *f*; adhésion *f*; **~kommen** survenir (venir) s'y ajouter; **~lernen** acquérir de nouvelles connaissances, **~mal** à l'époque; **~schlagen** augmenter; **~tun** ajouter; *ohne mein* **⌐tun** sans que je m'en mêle
dazwischen entre (cela); au milieu; **~kommen** intervenir; survenir; **~mischen** entremêler; **~rufen** interpeller (un orateur); **~stehen** être placé entre; avoir une position moyenne; **~treten** intervenir
Debatt|e débat(s) *m(pl)*, discussion *f*; **⌐ieren** débattre qch; discuter de qch
Deb|et *com* débit *m*; dû *m*; **~etsaldo** solde *m* débiteur; **⌐itieren** débiter

debütieren ⛛ faire ses débuts, débuter
Deck ⚓ pont *m*; **~anstrich** seconde couche de peinture; **~bett** édredon *m*; **~blatt** *(Zigarre)* robe *f*; **~e** *(Woll-)* couverture *f*; *(Tisch-)* nappe *f*; *(Zimmer-)* plafond *m*; *(Reifen)* enveloppe *f*; *(Schnee)* couche *f* ♦ *s. nach d.* **~e** *strecken* s'accommoder aux circonstances; *mit j-m unter e-r ~e stecken* être de connivence *(od umg* de mèche) avec qn; **~el** couvercle *m*; *(Buch-)* couverture *f*; *(Hut)* galurin *m*; ✿ capot *m*, coupole *f*; **⌐en** couvrir; *(beschützen)* protéger; *(Bedarf)* satisfaire (à); *(Defizit)* combler; *zool* saillir; *refl (a. math)* coïncider; *d. Tisch* **⌐en** mettre le couvert; **~enbalken** solive *f*; **~enbeleuchtung** plafonnier *m*; **~engemälde** plafond *m*; **~mantel** *fig* masque *m*, voile *m*; *unter dem ~mantel* sous couvert de; **~name** pseudonyme *m*; nom *m* de guerre; **~ung** abri *m*; protection *f*; *com* couverture *f*, provision *f*; ⚔ défense *f*; *~ung suchen (mil)* se mettre à l'abri; **⌐ungsgleich** congruent; **~ungskauf** achat *m* de couverture; **~ungsrücklage** réserve *f* actuarielle
defekt défectueux, endommagé; **⌐** *su* défaut *m*, vice *m* de fabrication; défectuosité *f*; imperfection
defensiv défensif; **⌐e** défensive *f*
defin|ieren définir; **⌐ition** définition *f*; **~itiv** définitif
Defizit déficit *m*; découvert *m*; **~finanzierung** financement *m* des investissements publics par des dépenses non couvertes (par des recettes correspondantes)
Deflation *com* déflation *f*
deftig *(Speise)* nourissant, mais peu délicat; *(Witz)* grossier, cru, trivial
Degen épée *f*; **~stich** coup *m* d'épée
Degener|ation dégénérescence *f*; dégénération *f*; **⌐ieren** dégénérer
degradieren *mil* dégrader
dehn|bar extensible; élastique; *(Metall)* ductile; *fig* vague; **⌐barkeit** extensibilité *f*, élasticité *f*; ductilité *f*; **~en** étendre; *(in d. Breite)* élargir; *(in d. Länge)* allonger, étirer; *phys* dilater; *(Worte)* allonger, étirer; *phys* dilater; *(Worte)* traîner; *refl* s'étirer; **⌐fuge** joint *m* de dilatation; **~ung** extension *f*; élargissement *m*; allongement *m*; dilatation *f*, expansion *f*; **⌐ungsmesser** extensomètre *m*
Deich digue *f*; **~bruch** brèche *f*
Deichsel timon *m*; *(Gabel-)* limonière *f*; **⌐n** *umg* venir à bout (de qch)
dein *pron* ton, ta; *pl* tes; *der, die, das ~(ig)e* le tien, la tienne; *d.* **⌐en** les tiens; **~erseits** de ton côté, de ta part; **~esgleichen** ton pareil; **~etwegen** à cause de toi; pour toi
Dekan doyen *m*; **~at** décanat *m*
Deklam|ation déclamation *f*; **⌐atorisch** déclamatoire; **⌐ieren** déclamer
Deklin|ation déclinaison *f*; **⌐ieren** décliner
Dekontamination décontamination *f*; désinfection
Dekor|ateur décorateur *m*; **~ation** décoration *f*; ⛛ décors *mpl*; **~ationsmaler** peintre décorateur; **⌐ativ** décoratif; ornemental; **⌐ieren** décorer

Deleg|ation délégation *f;* ᵋ**ieren** déléguer;
~**ierter** délégué
delikat délicat; ᵋ**esse** régal *m;* délice *m; pl*
comestibles *mpl* de choix; ᵋ**essengeschäft**
alimentation fine
Delikt ⚖ .délit *m;* fait *m* illicite
delir|ieren délirer; ᵋ**ium** délire *m*
Delle incurvation *f,* courbure *f,* concavité *f,*
creux *m*
Delphin dauphin *m*
Delta *(a. Fluß)* delta *m*
dem *siehe* der; *wie* ~ *auch sei* quoi qu'il en soit;
wenn ~ *so ist* s'il en est ainsi; ~**entsprechend,**
~**gemäß,** ~**nach,** ~**zufolge** conforme à; par
conséquent, par suite; dès lors; donc; ~**nächst**
prochainement, bientôt, un de ces jours
Demagog|e démagogue; ~**ie** démagogie *f;*
ᵋ**isch** démagogique; démagogue
Dement|i démenti *m;* ᵋ**ieren** démentir
Demokrat démocrate; ~**ie** démocratie *f;* ᵋ**isch**
démocratique; *(Person)* démocrate; ~**isierung**
démocratisation
Demonstr|ant manifestant; ~**ation** démonstra-
tion *f; pol* manifestation *f;* ~**ationszug** cortège
m; ᵋ**ativ** démonstratif; ostentatoire; ᵋ**ieren**
démontrer; *pol* manifester
Demont|age démontage *m,* démantèlement *m;*
ᵋ**ieren** ⚙ démonter
Demoskopie sondage *m* d'opinion
Demut humilité *f;* soumission *f*
demütig humble; soumis; ~**en** humilier;
rabaisser; confondre; ᵋ *ung* humiliation *f*
den *siehe* der
dengeln *(Sense)* battre
Denk|ansatz idée directrice, point de départ;
~**art** mentalité *f;* ᵋ**bar** imaginable; ᵋ*bar*
einfach le plus simple du monde; ᵋ**en** penser;
songer; raisonner; croire, *refl* s'imaginer; se
douter de; *s. s-n Teil* ᵋ*en* avoir son idée à soi; *er*
wird noch daran ᵋ*en* il s'en souviendra; *ich*
dachte es mir je m'en doutais; *man hat an alles*
gedacht on a tout prévu; ~**en** *su* pensée *f;*
réflexion *f;* ᵋ**faulheit** paresse *f* d'esprit;
~**freiheit** liberté *f* de penser; ~**mal** monument
m; ~**münze** médaille *f;* ᵋ**schrift** mémoire *m;*
~**vorgang** idéation; ᵋ**würdig** mémorable; ~**zet-**
tel *: j-m e-n* ~*zettel geben* donner une leçon à qn
denn donc; *(Grund)* car; *(als)* que; *es sei* ~*, daß*
à moins que; ~**och** cependant; pourtant;
toutefois; néanmoins; quand
Denunz|iant dénonciateur, délateur; ᵋ**ieren**
dénoncer
depo|nieren *a. com,* ⚖ déposer; entreposer;
ᵋ**siten** valeurs *fpl* en dépôt; ᵋ**sitenbank** banque
f de dépôts
Depot dépôt *m;* entrepôt *m;* ~**geschäft**
opérations *fpl* sur titres; garde *f* des titres
Depp idiot *m,* imbécile *m,* sot *m,* crétin
Depression dépression, affaissement
der *(die, das, pl die)* **1.** le, la *(vor Vokal* l'); *pl* les;
2. *Relativpron.* qui, lequel, laquelle, lesquel(le)s;
3. *siehe* dieser; ~ *und* ~ un tel; ~**art** tant,
tellement; ~**artig** tel, pareil; de ce genre; ~**einst**
un jour; ~**einstig** futur; ~**en** dont; en;

~**entwegen** à cause de laquelle *(od* d'eux,
d'elles); ~**gestalt** de telle manière; ~**gleichen** ,
~**lei** pareil, tel, semblable; ~**jenige** *(diejenige,*
dasjenige) celui, celle, ceux, celles; ~**maßen**
tellement, à tel point; ~**selbe** *(dieselbe, dasselbe)*
le *(od* la) même; ~**weilen** entre temps; ~**zeit**
momentanément, en ce moment ~**zeitig** actuel
derb *a. fig* solide, compact; fort, vigoureux,
rude, grossier; *(Worte)* cru, trivial; ᵋ**heit** solidité
f; grossièreté *f; (Worte)* crudité *f,* trivialité *f*
Derivat *chem* dérivé *m*
des *siehe* der; ♪ ré bémol; ~**gleichen** de même;
pareillement; ~**halb,** ~**wegen** pour cette raison,
pour cela; à cause de cela; c'est *(od* voilà)
pourquoi; pour autant, dès lors
Desert|eur déserteur; ᵋ**ieren** déserter
Design *n* esthétique *f* industrielle, design *m*
Desin|fektion désinfection *f;* stérilisation; anti-
sepsie *f;* ~**fektionsmittel** désinfectant *m;* ᵋ**fizie-**
ren désinfecter, stériliser; purifier
Despot despote, tyran *m;* ᵋ**isch** despotique
dessen *siehe* der; ~**ntwegen** à cause de
cela, c'est pourquoi, à cause de quoi *(od*
duquel); ~**ungeachtet** néanmoins; nonobstant;
malgré cela
Destill|ation distillation *f;* ᵋ**ieren** distiller;
~**ierkolben** alambic *m*
desto d'autant; ~ *besser!* tant mieux!; *je … ~*
plus … plus
Detekt|iv détective; ~**ivbüro** agence *f* de
détectives privés; ~**or** 📻 détecteur *m*
deut|en subtiliser, ratiociner, ergoter *(an* sur);
~**en** *vt* expliquer, interpréter; *vi* indiquer *(auf*
etw. qch); montrer (qch du doigt); ~**lich**
distinct, net, clair; marqué, sensible; ᵋ**lichkeit**
clarté *f,* netteté *f;* précision *f;* ᵋ**ung** interprétation *f,* explication *f*
deutsch allemand; germanique; *(Schrift)* gothique; *deutsch-deutsch* interallemand; ♦ *mit j-m* ~
reden parler sans mâcher ses mots à qn, mettre
les points sur les i; ᵋ**er** Allemand; ~**feindlich**
germanophobe; ~**französisch** franco-alle-
mand; ~**freundlich** germanophile; ᵋ**land** l'Allemagne *f;* ~**sprachig** = ~**sprechend** germano-
phone; ~**stämmig** d'origine allemande; ᵋ**tum**
nationalité allemande; les Allemands
Devise *a. com* devise *f* (étrangère); slogan *m;*
~**nbewirtschaftung** contrôle *m* des changes;
~**ngeschäft** opération *f* de change; ~**handel**
marché *m* des devises; ~**nkurs** cours *m* du
change
Dezember décembre *m*
Dezer|nat service *m,* ressort *m;* ~**nent** chef de
service
Dezi|… *(bei Maßen)* déci…; ~**mal…** décimal;
~**malstelle** décimale *f*
Diagnos|e 🩺 diagnostic *m; e-e* ~*e stellen* faire un
diagnostic; ~**tik** 🩺 diagnose *f;* ᵋ**tisch** diagnos-
tique; ᵋ**tizieren** diagnostiquer
Diakon diacre; ~**at(sweihe)** diaconat *m;* ~**isse**
diaconesse
Dialekt dialecte *m;* parler *m;* ~**ik** dialectique *f,*
argumentation *f;* contradiction, antonomie *f;*
ᵋ**isch** *ling* dialectal; *phil* dialectique

Dialog dialogue *m*, conversation *f;* tête à tête *m;* ⁓isieren dialoguer, s'entretenir, converser
Diamant diamant *m;* hart wie ⁓ diamantin; ⁓enhalsband rivière *f* de diamants; ⁓schleifer diamantaire
Diät régime *m* (alimentaire); ⁓ leben être au régime (*od* à la diète); ⁓en indemnité *f* (parlementaire); jetons *mpl* de présence
dich *siehe* du
dicht étanche; compact; *(Wald, Nebel)* épais, dense; *(Regen, Haare)* dru; ⁓es Netz réseau *m* serré; ⁓ *machen* fermer boutique; ⁓e densité *f;* *phys* masse *f* volumique; épaisseur *f;* ⁓en 1. faire des vers; 2. ✿ rendre étanche, étancher; *(verstopfen)* boucher; ⁓er (-in) poète *m;* (poétesse *f);* ⁓ergabe don *m* de la poésie; ⁓erisch poétique; ⁓erling rimailleur; ⁓igkeit étanchéité *f;* ⁓kunst art *m* poétique; ⁓ring bague *f* d'étanchéité (*ou* anti-fuite); ⁓ung 1. poésie *f;* poème *m;* fiction *f;* 2. ✿ joint *m* (d'étanchéité)
dick épais, gros; *(beleibt)* corpulent; *(Milch)* caillé; ⁓er *werden (Person)* grossir; *durch* ⁓ u. *dünn gehen* passer à travers tous les obstacles; *sich* ⁓ *tun (mit etw.)* se vanter (de qch), faire l'important; ⁓e épaisseur *f*, grosseur *f;* ⁓fellig insensible; ⁓flüssig visqueux; ⁓häuter pachyderme *m;* ⁓icht taillis *m;* fourré *m;* ⁓kopf umg tête dure; ⁓köpfig têtu, entêté; ⁓köpfigkeit entêtement *m*, obstination *f*, opiniâtreté *f;* ⁓wanst pansu, patapouf
die *siehe* der, dieser
Dieb voleur; *wie ein* ⁓ *in der Nacht* sans faire de bruit, à pas feutrés; ⁓erei volerie *f;* ⁓esbande bande *f* de voleurs; ⁓esbeute butin *m;* ⁓esnest repaire *m;* ⁓stahl vol *m;* larcin *m;* *(Einbruch)* cambriolage *m*
diejenige *siehe* derjenige
Diele planche *f;* *(Flur)* vestibule *m;* ⁓n parqueter, planchéier
dien|en servir *(als* de; *zu* à qch; *j-m* qn; *j-m zu etw.* ⁓en servir à qn de qch); *(helfen)* aider; *mil* faire son service militaire; ⁓er serviteur, domestique, valet; *(Verbeugung)* révérence *f;* ⁓erschaft domestiques *mpl*, domesticité *f;* ⁓lich utile, profitable, bon
Dienst service *m;* emploi *m;* charge *f;* travail *m;* fonction *f; j-m e-n* ⁓ *erweisen* rendre service à qn; *j-m zu* ⁓en stehen, in *j-s* ⁓en stehen être au service de qn; ⁓ *haben, tun* être de service; *d.* ⁓ *antreten* entrer en service; *s-n* ⁓ *versehen* faire son service; ⁓ *ist* ⁓*! service d'abord!; was steht zu* ⁓en? qu'y a-t-il pour votre service?; *außer* ⁓ *(a. D.)* en retraite; ⁓alter années *fpl* de service; ancienneté *f;* ⁓aufsicht surveillance *f* hiérarchique; ⁓barkeit servitude; ⁓befehl ordre *m;* ⁓bezüge traitement *m;* ⁓bote domestique; ⁓eid serment *m* de fonctionnaire; ⁓fähig apte au service; ⁓fertig empressé; ⁓fertigkeit empressement *m*, zèle *m;* ⁓frei libre; *mil* libéré du service miltaire; ⁓grad échelon *m;* *mil* grade *m;* ⁓herr employeur *m*, umg patron; ⁓leistung (prestation de) service *m;* ⁓leistungsgewerbe secteur *m* tertiaire; ⁓lich officiel; ⁓mädchen

servante, bonne; ⁓mann commissionnaire; porteur; ⁓ordnung règlement *m;* ⁓pflicht *mil* service *m* obligatoire; ⁓reise voyage *m* de service; déplacement *m;* ⁓stelle service *m*, office *m;* ⁓strafe peine *f* disciplinaire; ⁓stunden heures *fpl* de service; ⁓verweigerung refus *m* de service; ⁓vorschrift règlement *m;* ⁓weg: *auf d.* ⁓weg par la voie hiérarchique; ⁓wohnung logement *m* de fonction; ⁓zeit années *fpl* de service
Dienstag mardi *m*
dies ce, cela; ⁓ *hier* ceci; ⁓mal cette fois(-ci)
Dieselmotor moteur *m* Diesel
dies|er (⁓*e*, ⁓*es*, *pl* ⁓*e*) *pron* ce *(vor Vokal* cet), cette, *pl* ces; su celui-ci, celle-ci, *pl* ceux-ci, celles-ci; ⁓seits en deçà *(von* de), de ce côté(-ci) *(von* de); ⁓seits *su* notre monde *m*
diesig brumeux
Dietrich crochet *m;* passe-partout *m;* rossignol *m (umg)*
Differential|getriebe ✿ différentiel *m;* ⁓rechnung calcul différentiel
Differenz *(Unterschied)* différence *f;* *(Streit)* différend *m;* ⁓iertheit variété *f*
differieren différer; être différent
Dikt|at dictée *f;* *pol* traité imposé, Diktat *m;* *nach* ⁓at sous la dictée; ⁓ator dictateur; ⁓atorisch dictatorial; ⁓atur dictature *f;* ⁓atzeichen référence *f* (à rappeler); ⁓ieren dicter; ⁓iergerät dictaphone *m*
Dilemma dilemme *m*
Dilettant dilettante *m;* *pej* amateur *m*
Dill fenouil *m*, aneth *m*
Ding chose *f;* objet *m;* umg truc *m* machin *m;* *(Angelegenheit)* affaire *f*, activité *f; junges* ⁓ *umg (pej)* jeune fille, jouvencelle; *das ist ja ein* ⁓*! interj* ça, c'est vraiment fort!; *ein* ⁓ *drehen* faire un mauvais coup; *krumme* ⁓*er machen* agir en marge de la loi; *guter* ⁓*e sein* être de bonne humeur; *vor allen* ⁓*en* avant tout; *aller guten* ⁓*e sind drei* jamais deux sans trois; *da geht es nicht mit rechten* ⁓*en zu* il y a qch là-dessous, ce n'est pas très catholique; *über den* ⁓*en stehen* être au dessus de la mêlée; ⁓en embaucher; louer; ⁓fest *j-n* ⁓*fest machen* arrêter qn; ⁓lich réel; ⁓sbums chose *f*, machin *m*, truc *m*
Dinkel *bot* épeautre *m*
Diözes|an diocésain; ⁓e diochèse *m*
Diphtherie diphtérie *f*
Diplom diplôme *m*, brevet *m;* ⁓at diplomate; ⁓atie diplomatie *f;* ⁓atisch diplomatique; *fig* diplomate; ⁓iert diplômé
dir *siehe* du
direkt direct; immédiat; tout droit; ⁓flug vol *m* sans escale; ⁓ion direction, gestion *f;* présidence *f;* ⁓or directeur, chef *m*, patron *m;* président *m*, administrateur *m;* dirigeant *m;* *(e-r Oberschule)* proviseur *m;* ⁓orin, ⁓rice directrice
Dirig|ent ♪ chef d'orchestre; ⁓ieren ♪ diriger; *(führen, leiten)* conduire, administrer, gérer, mener; ⁓ismus dirigisme *m*
Dirn|dl gamine; *(Kleid)* costume tyrolien; ⁓e fille publique; prostituée; grue *(umg)*

Diskont escompte *m;* **~bank** banque *f (od* comptoir *m)* d'escompte; **⌐ieren** escompter; **~satz** taux *m* d'escompte

diskriminier|en discriminer; **~end** discriminatoire; **⌐ung** discrimination *f*

Diskus disque *m;* **~werfer** discobole *m,* lanceur de disque

Disku|ssion discussion *f,* débat *m,* échange de vues; **⌐tieren** discuter (*über etw.* de qch), débattre

dispo|nieren disposer; **⌐sition** disposition *f*

Disput dispute *f;* **⌐ieren** disputer (de *od* sur qch); discuter, débattre (qch)

Dissertation thèse *f* de doctorat

Distanz distance *f;* écart *m;* espace *m;* chemin *m,* trajet *m;* **⌐ieren** 🏃 distancer; *s. von j-m* **⌐ieren** se désolidariser de qn

Distel chardon *m;* **~fink** chardonneret *m*

Disziplin discipline *f; (Unterricht)* matière *f;* **⌐arisch** disciplinaire; **⌐iert** discipliné

Diva diva; vedette

Divi|dend *m math* dividende *m;* **~dende** *f* quote-part de bénéfices, dividende *m;* **⌐dieren** diviser (*durch* par); **~sion** *math, mil* division *f*

Diwan divan *m*

doch donc; *(aber)* mais; *(indessen)* cependant, pourtant; *(dennoch)* néanmoins, tout de même; *(Bejahung)* si

Docht mèche *f*

Dock ⚓ dock *m;* bassin *m;* cale *f;* **~arbeiter** docker

Dogge dogue *m*

Dogma dogme *m*

Dohle choucas *m*

Doktor *(allgemeiner Titel u. Anrede f. Arzt)* docteur; médecin; *d.* ~ *machen* faire son doctorat; **~arbeit** thèse *f* de doctorat; **~würde** doctorat *m*

Dokument document *m,* pièce *f;* ⚖ acte *m* probatoire; **~arfilm** documentaire *m;* **⌐arisch** documentaire; **⌐ieren** attester; documenter

Dolch poignard *m; (kleiner)* stylet *m*

Dolde *bot* ombelle *f*

dolmetsch|en traduire, servir d'interprète; **⌐er** interprète

Dom cathédrale *f; (Kuppel)* coupole *f, a.* ⚙ dôme *m;* **~herr** chanoine; **~pfaff** bouvreuil *m*

Donner tonnerre ; **⌐n** tonner; **~wetter!** sapristi!, nom de nom!

Donnerstag jeudi *m*

doof *pej* bête, idiot, imbécile, sot, stupide; **⌐heit** bêtise *f,* connerie *f,* ineptie *f;* **⌐kopf** *pej* nigaud *m,* crétin *m*

Doppel *a.* 🎾 double *m;* **~decker** biplan *m;* **⌐deutig** équivoque, ambigu; **~ehe** bigamie *f;* **~gänger** sosie *m;* **⌐gleisig** à deux voies; **~griff** ♪ double corde *f;* **~kinn** double menton *m;* **⌐läufig** *mil* à deux canons; **~punkt** deux-points *m;* **~sinn** ambiguïté *f;* **⌐sinnig** à double sens, ambigu, équivoque; **~stecker** 🔌 fiche *f (od* prise *f)* double; **⌐t** double; **⌐te** *Buchführung* comptabilité en partie double ♦ **⌐t** *genäht hält besser* deux précautions valent mieux qu'une; **~verdiener** couple *m* qui travaille; **~vergaser** carburateur *m* jumelé; **~zentner** quintal *m;* **~zimmer** chambre *f* à deux lits

Dorf village *m;* **~bewohner** villageois; **~gemeinde** commune rurale

Dorn épine *f;* piquant *m; (Schnalle)* ardillon *m;* ⚙ éperon *m;* mandrin *m;* poinçon *m;* broche *f;* ♦ *j-m ein* ~ *im Auge sein* être la bête noire de qn; **~enkrone** couronne *f* d'épines; **⌐ig** *a. fig* épineux; **~röschen** la Belle au bois dormant

dörr|en sécher, dessécher; **⌐gemüse** légumes secs; **⌐obst** fruits séchés

Dorsch petite morue

dort là, y; ~ *drüben* là-bas; ~ *oben* là-haut; ~ *unten* là-bas; ~ *ist,* ~ *sind* voilà; **~her** de là, de ce côté-là; **~hin** par là, de ce côté-là, dans cette direction

Dos|e boîte *f;* **~enblech** fer-blanc *m;* **~enmilch** lait *m* (concentré *od* condensé) en boîte; **~enöffner** ouvre-boîtes *m;* **⌐ieren** doser; **~ierung** dosage *m;* **~is** dose *f*

dösen rêvasser, être dans les nuages

dotieren doter (*mit* de)

Dotter jaune *m* d'œuf; **~blume** renoncule *f*

Dozent maître de conférences; chargé de cours

Drache *a. fig* dragon *m; (Spielzeug)* cerf-volant *m*

Dragoner dragon *m*

Draht fil *m* (de fer); câble *m;* *heißer* ~ *pol* téléphone *m* rouge ♦ *auf* ~ *sein* être malin; **~anschrift** adresse *f* télégraphique; **~bürste** brosse *f* métallique; **⌐en** télégraphier; câbler; **~esel** *umg* bécane *f;* **~funk** télédiffusion *f;* **~geflecht** grillage *m* métallique; **~gitter** treillis *m;* **⌐los** sans fil; **~schere** cisailles *fpl;* **~seil** câble *m* métallique; **~seilbahn** téléphérique *m;* **~speichenrad** roue *f* à rayons métalliques; **~verbindung** liaison *f* filaire; **~verhau** *mil* réseau *m* de barbelés; **~zaun** clôture *f* en fils de fer; **~zieher** tréfileur; *fig* instigateur, meneur; **~zieherei** tréfilerie *f*

drakonisch draconien

drall ferme, dru; **⌐** *su* torsion *f;* rotation (en roulis)

Drama drame *m;* **~tiker** dramaturge, auteur dramatique; **⌐tisch** dramatique; **⌐tisieren** dramatiser; **~turg** conseiller scénique

dran *siehe* daran; *ich bin* ~ c'est mon tour

Drang impulsion *f,* poussée *f*

dräng|eln bousculer, jouer des coudes; **~en** presser; pousser, bousculer; *fig* obséder, relancer; **⌐en:** *auf* **⌐en** *von* sur les instances de

Drangsal tribulation *f,* tourment *m;* **⌐ieren** tourmenter, tracasser, tarabuster

drastisch *(Beispiel)* frappant; *(Mittel)* draconien; radical; drastique

drauf *siehe* darauf: ~ *und dran sein* être sur le point de; **~gabe** *com* arrhes *fpl,* dédit *m;* **⌐gänger** casse-cou, risque-tout; **~gängerisch** audacieux, téméraire, risque-tout

draußen (au) dehors; en plein air; à l'étranger

drechs|eln ⚙ tourner; **⌐elbank** tour *m;* **⌐ler** tourneur

Dreck ordure *f;* boue *f,* crotte *f;* saleté *f;* crasse *f* ♦ ~ *am Stecken haben* s'être livré à des magouilles, avoir commis des actions douteuses ou malhonnêtes; *j-n in den ~ ziehen* salir qn, diffamer qn; *der letzte ~ sein* c'est une belle ordure; *j-n wie d. letzten ~ behandeln* (pop) traiter qn comme la dernière merde; *im ~ stecken* (pop) être dans la merde; *d. geht dich e-n ~ an* (pop) mêle-toi de tes oignons; ⌐**ig** sale; crotté, crasseux; ~**sau**, ~**schwein** saligaud *m,* salaud *m,* ordure *f;* ~**wetter** sale temps

Dreh artifice *m,* combine *f,* tour *m,* stratagème *m,* truc *m; d. ~ heraushaben* connaître la combine, être à la coule; ~**achse** pivot *m,* axe *m* de rotation; ~**arbeiten** *pl* ▥ tournage *m;* ~**bank** tour *m;* machine-outil *f;* ⌐**bar** rotatif, tournant, pivotant; ~**bewegung** *phys* mouvement *m* angulaire, rotation; ♌ giration *f,* abattée *f;* ~**bleistift** porte-mine *m;* ~**brücke** pont tournant; ~**buch** scénario *m;* ~**bühne** scène tournante; ⌐**en** *a.* ✿, ♞ tourner; tordre; *(Seil)* corder; *(Zigarette)* rouler; *refl* tourner, virer; *(im Kreis)* tournoyer; *a. fig* pivoter *(um* sur); *fig* s'agir (de); *s.* ⌐**en** *u. wenden* tergiverser; *e. Ding* ⌐**en** *(pop)* faire un coup; ~**er** tourneur; ~**knopf** bouton *m* de réglage; ~**kondensator** ⚙ condensateur *m* variable; ~**kreuz** tourniquet *m,* moulinet *f;* ~**moment** couple *m* (de rotation); ~**orgel** orgue *m* de Barbarie; ~**punkt** centre *m* de rotation, pivot *m,* articulation; ~**scheibe** tour *m* de potier; ⌐**r** plaque tournante; ~**strom** ⚡ courant triphasé; ~**stuhl** fauteuil pivotant; ~**tür** porte tournante; ~**ung** rotation *f;* révolution *f;* virage *m;* pivotement *m;* tour *m;* ~**zahl** vitesse *f* de rotation, régime *m,* nombre *m* de tours; ~**zahlmesser** tachymètre *m*

drei trois ♦ *nicht bis ~ zählen können* être bête comme ses pieds; ⌐**achteltakt** (mesure *f* à) trois-huit *m;* ~**eck** triangle *m;* ~**eckig** triangulaire; ~**erlei** de trois sortes; ~**fach** triple; ⌐**faltigkeit** Trinité *f;* ⌐**farbendruck** trichromie *f;* ~**farbig** tricolore; ⌐**fuß** trépied *m;* ~**geteilt** triparti; ~**hundert** trois cent(s); ~**jährig** de trois ans; triennal; ⌐**kantfeile** tiers-point *m,* lime *f* triangulaire; ⌐**königsfest** Épiphanie *f,* jour *m* des Rois; ~**mal** trois fois; ~**meilenzone** zone *f* côtière de 3 miles; ~**monatlich** trimestriel; ~**motorig** trimoteur; ⌐**rad** tricycle *m;* ~**radlieferwagen** tricar *m;* ~**seitig** trilatéral; ~**sitzer** triplace *m;* ⌐**sprung** ⚘ triple saut *m;* ~**ßig** trente; ~**ßigste** trentième; ~**stimmig** à trois voix; ~**stöckig** de trois étages; ~**tausend** mille; ~**teilig** en trois parties; ~**viertel** trois quarts; ⌐**vierteltakt** (mesure *f* à) trois-quatre *m;* ~**wertigkeit** trivalence *f;* ~**zack** trident *m;* ~**zehn** treize; ~**zente** treizième

dreist effronté, hardi, déluré; ⌐**igkeit** hardiesse *f,* effronterie *f,* toupet *m*

Dresch|e volée *f,* fessée *f;* ⌐**en** battre le blé; *fig* rosser; ~**flegel** fléau *m;* ~**maschine** batteuse *f*

dress|ieren dresser; ⌐**ur** dressage *m*

Drill *mil* exercice *m,* dressage *m;* ~**bohrer** drille *f;* ⌐**en** *mil* dresser; *fig* mettre au pas; ⬇ semer en ligne; ~**ich** treillis *m;* ~**ing** *(Gewehr)* fusil *m* à trois canons; ~**inge** triplés *mpl;* ~**maschine** ⬇ semoir *m*

dring|en pénétrer; insister *(auf* sur; *in j-n* auprès de qn); presser *(in j-n* qn); ~**end,** ~**lich** urgent, pressant; *(Bitte)* instant; ⌐**lichkeit** urgence *f*

drinnen (au-)dedans, à la maison

dritt|e troisième; ⌐**el** tiers *m;* ~**ens** troisièmement, tertio; ⌐**er** ♌ tierce personne, tiers *m*

droben en haut, là-haut

Droge drogue *f;* ~**rie** droguerie *f*

Droh|brief lettre *f* comminatoire *(od* de menace); ⌐**en** menacer *(j-m mit etw.* qn de qch); ⌐**end** menaçant, comminatoire; *(Gefahr)* imminent; ~**ung** menace *f*

Drohne faux bourdon *m*

dröhnen retentir; ~**d** tonitruant

drollig drôle, comique, cocasse; ⌐**keit** drôlerie *f;* cocasserie *f*

Dromedar dromadaire *m*

Droschke fiacre *m;* 🚗 taxi *m*

Drossel *orn* grive *f;* ~**klappe** 🚗 papillon *m;* clapet *m* d'étranglement; ⌐**n** étrangler; *(Motor)* mettre au ralenti; *fig* réduire, freiner; ~**spule** ⚡ bobine *f* de réactance

drüben de l'autre côté

Druck (*a.* ✿, *fig*) pression *f;* ⚙ compression *f;* ▥ impression *f,* tirage *m,* épreuve *f;* ⚖ poussée *f* (d'une voûte); ⚖ pesanteur *f;* *in ~* ⬚ sous presse; *j-n unter ~ setzen* faire pression sur qn; ~**abfall** chute *f (ou* perte *f)* de pression; ~**bogen** ▥ feuille *f* (imprimée); ~**buchstabe** caractère *m* d'imprimerie; ⌐**en** imprimer, tirer ♦ *er lügt wie gedruckt* il ment comme un arracheur de dents; ~**er** imprimeur; *EDV* imprimante *f;* ~**erei** imprimerie *f;* ~**erpresse** presse *f* (d'imprimerie); ~**erschwärze** encre *f* d'imprimerie; ~**feder** ressort *m* de compression; ~**fehler** faute *f* d'impression, coquille *f;* ⌐**fertig** bon à tirer; ~**festigkeit** ⚙ resistance *f* à la (com-)pression; ~**kabine** ✈ cabine pressurisée; ~**knopf** bouton-pression *m;* ~**legung** mise *f* sous presse; ~**luft** air comprimé; ~**luftbremse** frein *m* pneumatique; ~**mittel** moyen *m* de pression (*ou* de coercition); ~**platte** ▥ plaque *f* photo-litographique; ⚙ contre-plaque, plaque de butée; ~**posten** planque *f,* filon *m; s. e-n ~posten sichern* s'embusquer, se planquer; ~**pumpe** pompe foulante; ~**regler** régulateur *m* de pression; ~**sache** ♛ imprimé *m;* ~**schrift** ▥ caractères *mpl* d'imprimerie; publication *f; com* prospectus *m;* ~**stempel** cachet *m;* ⚙ butée *f* (de pression); ~**welle** onde *f* de souffle

Drücke|berger tire-au-flanc; *mil* embusqué; ⌐**n** presser; *(Hand)* serrer; *(Knopf)* appuyer sur; *(unterdrücken)* opprimer; *fig* accabler; *(Preise)* peser sur; *refl* se défiler, se débiner, se planquer; ⌐**nd** *(Hitze)* accablant; *(Wetter)* lourd; ~**r** poignée *f;* loquet *m; (Gewehr)* détente *f; (Klingel)* bouton *m*

drum *siehe* darum ♦ *das ganze* ⌐ *und Dran* tout le bataclan

drunt|en en bas; ~**er** *siehe* darunter; ~**er u. drüber** sens dessus dessous

Drüse glande *f;* ~**nkrankheit** adénopathie *f;* ~**ngeschwür** adénome *m*

Dschungel jungle *f*

du tu; toi ♦ *mit j-m auf ~ und ~ stehen* être à tu et à toi avec qn

Dual|system *EDV* système *m* binaire; **~zahl** = **~ziffer** symbole *m (ou* chiffre *m)* binaire

Dübel goupille *f;* cheville *f,* goujon *m;* **~balken** poutre *f* chevillée

duck|en baisser; *a. fig* abaisser, rabaisser; *fig* doucher, moucher; *refl* se baisser; s'aplatir, se tapir; **&mäuser** béni-oui-oui *mpl;* menteur *m,* imposteur *m,* sournois; **&mäuserei** le fait de ramper devant l'autorité; sournoiserie *f*

dudel|n jouer de la cornemuse; *fig* jouer mal; **&sack** cornemuse *f;* musette *f*

Duell duel *m;* **~ant** duelliste; **&ieren** *refl* se battre en duel (*mit* avec)

Duett duo *m*

Duft odeur *f;* arôme *m,* parfum *m;* **&en** répandre un parfum; sentir bon; *nach etw.* **&en** sentir qch; **&ig** vaporeux; léger; **~stoff** parfum *m,* essence *f*

duld|en tolérer, souffrir, supporter, endurer; **&er** souffre-douleur; *refl* se complaisant (face à l'autorité); **&samkeit** le fait de s'accommoder facilement des circonstances; **&ung** tolérance *f*

dumm sot, bête, imbécile, inepte, stupide; *(Sache)* ennuyeux, vilain; *~es Zeug reden* dire des bêtises; *stell dich doch nicht ~!* ne fais pas la bête!; *~ wie Bohnenstroh* bête à manger du foin; **&erjungenstreich** gaminerie *f;* **&heit** bêtise *f,* sottise *f;* **&kopf** sot, imbécile; gourde *f (umg)*

dumpf *(Lärm. Stimme)* sourd, caverneux; *(Schmerz)* sourd; *(Luft)* étouffant; *(Farbe)* terne; *fig* morne, engourdi

Dün|e dune *f;* **~ung** houle *f*

Dünge|mittel engrais *m* (chimique); **&n** fumer; engraisser; *(mit Kalk)* chauler; **&r** fumier *m;* engrais *m;* **~rgrube** fosse *f* à fumier

Dunghaufen tas *m* de fumier

Düngung fumage *m,* fumaison *f*

dunk|el *a. fig* obscur, sombre; *(Farbe)* foncé, sombre; *(unklar)* vague; *~le Nacht* nuit épaisse; *~ler Anzug* costume *m* sombre; *~les Bier* bière brune; *~ler machen* foncer; *~el werden* noircir; *j-n im ~eln lassen* laisser qn dans l'incertitude; **&elheit** *a. fig* obscurité *f;* **&elkammer** chambre noire; **~eln** foncer; *es ~elt* la nuit tombe; **&ziffer** chiffre *m* noir

Dünkel suffisance *f,* fatuité *f,* présomption *f;* **&haft** suffisant, fat, présomptueux

dünken sembler, paraître; *refl* se croire

dünn mince; *(Umfang)* ténu, faible; *(Gestalt)* fluet, grêle, maigre; *(Bedeutung)* maigre, faible; *(Suppe)* clair; *(Kaffee)* faible; *(Stimme)* grêle; *(Atmosphäre)* raréfié; *~e Folie* feuille *f* mince; *~er machen* amincir; *~er werden* (s')amaigrir, *(Haar)* s'éclaircir; *sich ~(e) machen (umg)* s'esquiver; **~darm** intestin *m* grêle; **~film** film *m* mince; **~flüssig** fluide; **~gesät** *a. fig* clairsemé; *fig* rare; **~schicht** film *(ou* pellicule *f)* mince

Dunst vapeur *f;* fumée *f; meteo* brume *f;* buée; *(Atmung)* exhalaison *f* ♦ *k-n blassen ~ haben von etw..* ne pas avoir la moindre idée *(od* le moindre soupçon) de qch; *j-m blauen ~*

vormachen en faire accroire à qn; **&en** dégager des vapeurs; **dünsten** étuver, faire cuire à l'étouffée; **&ig** vaporeux

Duplikat double *m,* copie *f; bes* 🕮 duplicata *m;* **~negativ** contretype *m* négatif

Dur ♪ mode majeur

durch *(Ort, Mittel)* par; *(quer ~)* à travers de; *(Mittel)* au moyen de, grâce à; *(zeitl.)* pendant, durant; *~ und ~* de part en part, tout à fait

durcharbeiten étudier à fond

durchaus tout à fait, complètement, absolument, parfaitement; *~ nicht* pas du tout, nullement

durch|beißen couper d'un coup de dent; *refl* faire son chemin; **&biegung** flexion *f;* flèche *f;* ♫ contre-arc *m;* **~blättern** feuilleter; **~bleuen** rouer de coups

Durch|blick échappée *f;* **&blicken** voir à travers; **&blicken lassen** faire entrevoir, laisser entendre; **&bluten** 🕱 irriquer; **~blutung** irrigation sanguine

durch|bohren percer, perforer; **~brechen** rompre, briser; percer; **~brennen** *(Sicherung)* sauter; griller; *umg* filer, lever le pied, prendre la clef des champs; **~bringen** *(Patient)* tirer d'affaire; *(Vermögen)* dissiper; *refl* gagner sa vie; **~brochen** à jour, ajouré; **&bruch** percée *f,* percement *m;* ⚡ décharge *f* disruptive; *(Metall)* percée; *(Damm)* rupture *f;* **~denken** approfondir, examiner à fond; **~drehen** *(Rad)* chasser; brasser; *fig umg* s'énerver, perdre la tête, s'affoler; **'~dringen** *a. fig* pénétrer, percer; traverser; *(Stimme)* percer; **&dringung** *a. math* pénétration *f;* **~drücken** faire passer de force; *(Plan)* faire admettre, faire passer; **~eilen** parcourir; passer *(od* traverser) à la hâte

durcheinander pêle-mêle; indifféremment; **&** *su* pêle-mêle *m;* confusion *f;* chaos *m;* **~bringen** confondre, emmêler

durchfahr|en traverser (en voiture), passer par; ne pas s'arrêter; **&t** traversée *f;* passage *m;* **&tshöhe** hauteur *f* limite

Durch|fall 🕱 diarrhée *f; fig* échec *m;* ♟ four *m;* **&fallen** tomber à travers; *fig* échouer; *päd* échouer à l'examen; **&** tomber

durch|fechten emporter de haute lutte; faire triompher qch; *refl* se faire jour l'épée à la main; **~finden** *refl* trouver son chemin; **~fließen** traverser, arroser; **&fluß** débit *m;* écoulement *m;* **~forschen** sonder; *(Land)* explorer; **~fressen** ronger; corroder

Durchfuhr *com* transit *m*

durchführ|bar réalisable, faisable; **~en** exécuter, accomplir; mener à bonne fin; **&ung** exécution *f;* réalisation *f;* accomplissement *m;* mise en œuvre; **&ungsbestimmung, &ungsverordnung** décret *m (ou* règlement *m)* d'application

durchfurchen sillonner

Durch|gang passage *m;* transit *m;* traversée *f; sich ~gang verschaffen* se frayer un passage; *kein ~gang!* passage interdit!; **&gängig** général; **~gangshandel** commerce *m* de transit; **~gangsverkehr** *com* transit *m;* ❄ service direct;

~gangswagen wagon *m* à couloir; **~geben** transmettre

durchgehen passer par, traverser; *(prüfen)* examiner; *(Pferde)* s'emballer; *umg* filer, lever le pied; **~d** sans interruption, continu; *~der Zug* train direct; *~d geöffnet* ouvert en permanence

durch|greifen passer la main à travers; prendre des mesures énergiques; **~greifend** énergique, décisif; **~halten** résister, ne pas céder; aller jusqu'au bout; tenir le coup *(umg)*; **~hauen** couper en deux, trancher; fendre (à coups de hache); *(prügeln)* rosser; **~hecheln** passer au peigne; *fig* éreinter; **~helfen** aider à passer; *refl* se tirer d'affaire; **~jagen** passer rapidement; **~kämmen** *fig* passer au peigne fin; **~kämpfen** *refl* se faire jour, faire son chemin; **~kochen** faire bien cuire; **~kommen** percer; arriver au bout; *(Prüfung)* réussir; *(Krankheit, Gefahr)* en réchapper; **~kreuzen** croiser, traverser; *(Pläne)* contrarier, contrecarrer; *(Fragebogen)* biffer; rayer; mettre une croix (sur); **~laden** *(Waffe)* charger; **~laß** passage *m*; **~lassen** laisser passer; **~lässig** perméable; **~lässigkeit** perméabilité *f*

Durch|lauf passage *m*; circulaire *f*; '**~laufen** *vi* passer (à travers); **~laufen** *vt* parcourir, traverser; **~leuchten** $ examiner aux rayons X, radioscoper; **~leuchtung** $ radioscopie *f*; **~lochen** perforer; **~löchern** percer, trouer; *fig* ne pas respecter; **~löchert** perforé; **~lüften** aérer; **~machen** subir; *viel ~machen* en voir de toutes les couleurs

Durchmarsch *mil* passage *m*

durch|mengen mêler, mélanger; **~messen** parcourir, traverser; **~messer** diamètre *m*; ⚙ calibre *m*; **~nässen** tremper; **~nässt** **~pausen** calquer, poncer; **~peitschen** fouetter, fustiger; **~planen** prévoir dans les moindres détails; *(prügeln)* rosser; **~queren** traverser; *fig* contrecarrer; **~querung** traversée *f*; **~rasseln** *umg* échouer (à l'examen); **~rationalisieren** rationaliser à l'extrême; **~rechnen** calculer; vérifier un calcul

Durch|reise passage *m*; *auf der ~reise* de passage; '**~reisen** passer (en voyage); **~reisen** parcourir; **~reisender** client *m* de passage; **~reisevisum** visa *m* de transit

durch|reißen déchirer de part en part; **~rosten** être percé de la rouille; **~rütteln** cahoter; **~sage** message *m* (radiodiffusé); **~sagen** passer; **~sägen** scier; **~satz** flux *m*, débit *m*; '**~schauen** regarder à travers; '**~schauen** pénétrer les intentions (*j-n* de qn)

durchscheinen *(Licht)* pénétrer; transparaître; **~d** diaphane; translucide

durchschießen percer d'une balle; 🕮 interligner; interfolier

Durchschlag *(Sieb)* passoire *f*; *(Öffnung)* ouverture *f*, brèche *f*; *(Abschrift)* copie *f*, double *m*; **~en** percer, pénétrer; être efficace; *(durch e. Sieb)* passer; *refl* se frayer un chemin; **~end** éclatant; convaincant; percutant; décisif; **~ender Erfolg** plein succès; succès retentissant; **~papier** papier *m* carbone

durch|schlängeln *refl* se glisser à travers; **~schlüpfen** glisser à travers; se faufiler; *fig* échapper; **~schneiden** couper en deux

Durchschnitt moyenne *f*; *math* intersection *f*; **~lich** *adj* moyen; *adv* en moyenne

durch|schnüffeln fureter, farfouiller (dans); **~schrift** copie *f*; **~schuß** 🕮 interligne *m*; *(Blatt)* feuillet *m* intercalaire; *(Weben)* trame *f*; **~schütteln** bien secouer; **~schwitzen** tremper de sueur; **~sehen** revoir, examiner; parcourir; **~seihen** filtrer, passer (au tamis); **~setzen** réussir à qch; *(erreichen)* obtenir qch; *(Forderungen)* faire accepter; imposer *s-n Willen* **~setzen** imposer sa volonté, *s-e Meinung* **~setzen** faire prévaloir son opinion; *refl* arriver à ses fins, se faire sa place au soleil; **~setzen** imprégner, entremêler (*mit* de)

Durchsicht revision *f*, examen *m*, inspection *f*; **~ig** diaphane; transparent; **~igkeit** transparence *f*; *fig* clarté *f*

durch|sickern suinter, filtrer (à travers qch); **~sieben** tamiser, cribler; **~sprechen** débattre, discuter à fond

durchstechen percer, perforer

durch|stecken passer (à travers); **~stich** percée *f*; percement *m*; **~stöbern** fouiller, retourner; **~stoßen** percer; transpercer; **~strahlung** irradiation; **~streichen** biffer, rayer; **~streifen** parcourir; vagabonder par; **~strömen** traverser; **~suchen** fouiller; **~suchung** fouille *f*; *(Haus)* perquisition *f*; **~tränken** tremper, imbiber; imprégner (*mit* de); **~treiben** passer; **~trennen** couper, trancher; **~trieben** rusé, madré; **~triebenheit** ruse *f*, rouerie *f*; **~wachen** veiller (toute la nuit); *~wachte Nacht* nuit blanche; **~wachsen** *adj (Fleisch)* entrelardé; *(Speck)* maigre; **~wahl** ☎ communication (*ou* interurbain) automatique; **~wandern** parcourir à pied; **~wärmen** bien chauffer; **~waten** passer à gué; **~weg** généralement, sans exception; **~weichen** tremper; **~wirken** brocher (*mit* de); **~wühlen** fouiller, farfouiller; **~zählen** compter un à un; **~zeichnen** calquer; **~ziehen** passer; faire passer; **~zug** passage *m*; courant *m* d'air; **~zwängen** faire passer de force; *refl* se frayer un chemin

dürfen avoir le droit (*od* la permission) de, être autorisé à; pouvoir; *nicht ~* ne pas devoir; *wenn ich bitten darf* s'il vous plaît; *darf ich?* tu permets?, vous permettez?; *das dürfte wahr sein* cela paraît vraisemblable; cela doit être vrai

dürftig *(bedürftig)* indigent, pauvre, nécessiteux; *(ungenügend)* insuffisant, incomplet; *(armselig)* chétif, mesquin; **~keit** indigence *f*, pauvreté *f*; insuffisance *f*

dürr sec; *(Boden)* aride; *(Holz)* mort; *(mager)* maigre; **~e** aridité *f*, sécheresse *f*; *(Gestalt)* maigreur *f*

Durst soif *f*; *s-n ~ löschen* se désaltérer ♦ *e-n über d. ~ trinken* boire un coup de trop; **~en** avoir soif, être altéré; **dürsten** *siehe ~en*; *(nach etw.)* avoir soif de qch; **~ig** assoiffé, altéré; **~ig sein** avoir soif; **~stillend** désaltérant; **~strecke** *com* marasme *m*, creux de la vague

Durton|art ton majeur; **~leiter** gamme majeure

Dusche douche f; ⁴n doucher; refl prendre une douche
Düse ☼ tuyère f; gicleur m, buse f; injecteur m; ✈ turbo-réacteur m; ~**nantrieb** propulsion f à réaction; ~**nflugzeug** avion m à réaction; ~**ntriebwerk** turbo-récateur m
Dusel (Betäubung) vertige m; umg veine f; ⁴ig somnolent; abasourdi; ⁴n somnoler
düster a. fig sombre, morne, lugubre
Dutzend douzaine f; ⁴weise par douzaines
duzen tutoyer
dynam|isch dynamique, actif, énergique; ⁴it dynamite f; ⁴o dynamo f
D-Zug express m; train m rapide

E

e ♪ mi; ⁴-Dur mi majeur; ~-Moll mi mineur
Ebbe marée basse, reflux m; ~ u. Flut le flux et le reflux; ~**linie** laisse f de basse mer; ~**strom** courant m de jusant
eben 1. plan; plat; uni; zu ~er Erde au rez-de-chaussée; 2. justement, précisément; (gerade jetzt) à peine; er ist ~ fertig il vient de terminer; ⁴bild portrait m, image f; ~**bürtig** égal, d'égale valeur; ~**da**, ~**dort** là-même; ibidem; ~**derselbe** le même; ⁴e plaine f; niveau m; palier m; fig échelon m; math plan m; schiefe⁴e plan incliné ♦ auf d. schiefe⁴e geraten suivre une mauvaise pente, mal tourner; ~**erdig** à même le sol; ~**falls** aussi, de même, également, pareillement; ~**maß** symétrie f; harmonie f; juste proportion f; ~**mäßig** symétrique, bien proportionné; ~**so** aussi, pareillement; ~so handeln en faire autant; ~**soviel** autant (wie que); ~**soviel** autant (wie que); ~**sowenig** aussi peu (wie que)
Ebenholz (bois m d')ébène f
Eber verrat m; ~**esche** sorbier m
ebnen aplanir; égaliser; (Boden) niveler; fig préparer (la voie)
Echo a. fig écho m; ~**lot** sondeur m sonore, dérosonde f
Echse saurien m
echt vrai, véritable; (Urkunde) authentique; (rein) pur, naturel; ⁴heit authenticité f; ⁴zeittemps m réel
Eck|ball ⚑ corner m; ~**daten** données fpl de référence; ~e coin m; angle m; an allen ~en u. Enden partout, de tous côtés ♦ um d. ~e bringen bousiller; ⁴ig angulaire; anguleux; ~**lohn** salaire m de référence; ~**stein** pierre f angulaire; borne f; (Karten) carreau m; ~**zahn** canine f; ~**zins** taux m de référence
edel noble; (großmütig) généreux; ⁴gas gaz m rare; ⁴holz bois m précieux; ⁴mann gentilhomme; ~**metall** métal précieux; ⁴mut générosité f, noblesse f; ~**mütig** noble, généreux; ⁴stahl acier spécial; ⁴stein pierre précieuse; ⁴tanne sapin argenté; ⁴weiß edelweiss m
~**Efeu** lierre m
Effekt effet m; ~en com effets mpl; valeurs fpl mobilières; titres mpl; ~**enbestand** portefeuille m de titres; ~**enbörse** bourse f des valeurs;

~**enmakler** courtier m en valeurs mobilières; ~**hascher** poseur
effektiv effectif, réel, positif; ⁴lohn salaire m réel; ⁴wert ⚡ valeur f efficace
egal pareil; égal; d. ist ~ (umg) c'est la même chose
Egel m sangsue f
Egge herse f; ⁴n herser
Egois|mus égoïsme m; ⁴tisch égoïste
ehe avant que; avant de; ~**dem**, ~**mals** autrefois, jadis; ~**malig** ancien; ex…; ~r (zeitl.) plus tôt; (vielmehr) plutôt
Ehe mariage m; ménage m; in zweiter ~ en secondes noces; Kinder aus erster ~ enfants du premier lit; wilde ~ concubinage m; ~**anbahnungsinstitut** agence matrimoniale; ~**band** lien m conjugal; ~**bett** lit conjugal; ~**brecher** adultère; ⁴brecherisch adultère; ~**bruch** adultère m; ~**fähigkeit** capacité f de contracter mariage; ~**frau** femme; épouse; ~**gatte** époux; conjoint; ~**güterstand** régime m matrimonial; ~**leute** époux mpl, conjoints mpl; ~**lich** conjugal; matrimonial; ✿ marital; (Kind) légitime; ⁴lichen épouser; ⁴los célibataire; ~**losigkeit** célibat m; ~**mann** mari; époux; ~**paar** couple m; ménage m; ~**partner** conjoint m; ~**ring** alliance f; ~**scheidung** divorce m; ~**scheidungsklage** action (ou demande f) en divorce; ~**schließung** mariage m; ~**vertrag** contrat m de mariage; ~**zwist** dispute f (ou scène) de ménage
ehern a. fig d'airain; en bronze
Ehr|abschneider diffamateur; ⁴bar honorable; honnête; décent; ~**barkeit** honnêteté f; ~e honneur m; (Ruhm) gloire f; (Ruf) réputation f; zu ~en von en l'honneur de; auf ~e und Gewissen! en mon âme et conscience!; j-m d. letzte ~e erweisen rendre les derniers devoirs à qn
ehren honorer; respecter; ⁴amt charge f honorifique; ~**amtlich** (à titre) honorifique; ~**bezeigung** mil honneurs mpl; ~**bürger** citoyen d'honneur; ~**doktor** docteur honoris causa; ⁴erklärung réparation f d'honneur; ⁴gast invité d'honneur; ~**haft** honorable; ⁴haftigkeit honorabilité f; ~**halber** pour l'honneur; ~**handel** affaire f d'honneur; ⁴legion Légion f d'honneur; ⁴mal monument m aux morts; ⁴mann homme d'honneur (od de bien); ⁴mitglied membre m honoraire; ~**rechte** (bürgerliche) droits mpl civiques; ⁴rettung réhabilitation f; ~**rührig** infamant, diffamatoire; ~**runde** ⚡ tour m d'honneur; iron fait de redoubler (une classe); ⁴titel titre m honorifique; ~**voll** honorable; glorieux; ⁴vorsitz présidence f d'honneur; ~**wert** honorable, respectable; ⁴wort parole f d'honneur
ehr|erbietig respectueux, déférent; ⁴erbietung respect m, déférence f; révérence f; ⁴furcht respect m; vénération f; ~**fürchtig** respectueux; ~**furchtlos** irrévérencieux; ~**furchtsvoll** respectueux, plein de respect; ~**gefühl** sens m de l'honneur; ⁴geiz ambition f; ~**geizig** ambitieux; ~**lich** honnête, loyal; (rechtschaffen)

probe; ~*lich gesagt (umg)* franchement; ~*liche Leute* braves gens; ⬩**lichkeit** honnêteté *f;* probité *f;* loyauté *f;* ~**los** infâme; ⬩**losigkeit** infamie *f,* déshonneur *m;* ⬩**ung** distinction *f* honorifique; hommage *m;* ~**vergessen** sans honneur; ~**verletztend** insultant; outrageant; ⬩**verletzung** atteinte *f* à l'honneur, outrage *m;* ⬩**verlust** dégradation *f* civique; perte *f* des droits civiques; ⬩**würden** Révérend Père; ~**würdig** vénérable, respectable

Ei œuf *m; weiches* ~ œuf à la coque; *hartes* ~ œuf dur; *russische* ~*er* œufs à la russe; *verlorene* ~*er* œufs pochés ♦ *sie gleichen einander wie e.* ~ *dem andern* ils se ressemblent comme deux gouttes d'eau; *wie aus d.* ~ *geschält* tiré à quatre épingles; *wie ein rohes* ~ *behandeln* traiter avec (beaucoup de) ménagement; ~**dotter** jaune *m* d'œuf; ~**erbecher** coquetier *m;* ~**erbrikett** boulet *m;* ~**erkörbchen** œufrier *m;* ~**erkuchen** crêpe *f;* galette *f;* ~**erschale** coque *f; (leer)* coquille *f;* ~**erschnee** œufs *mpl* à la neige; ~**erstock** ovaire *m;* ⬩**förmig** ové, ovoïde; ~**gelb** jaune *m* d'œuf; ~**weiß** blanc *m* d'œuf; albumine *f; (rohes)* glaire *f;* ⬩**weißhaltig** albuminé; ~**weißstoff** albuminoïde *m,* protéine *f*

Eib|e if *m;* ~**isch** guimauve *f*

Eich|amt bureau *m* de vérification des poids et mesures; ~**beamter** vérificateur *m* des poids et mesures; ⬩**en** étalonner; juger; *(Thermometer)* graduer; *(Waage)* ajuster; ~**maß** étalon *m;* jauge *f;* ~**stempel** poinçon *m* de vérification; ~**ung** étalonnage *m;* jaugeage *m*

Eich|e chêne *m;* ~**el** gland *m;* ~**elhäher** geai *m;* ⬩**en** *adj* de chêne; ~**enholz** chêne *m;* ~**enwald** chênaie *f;* ~**hörnchen** écureuil *m*

Eid serment *m; e-n* ~ *leisten* prêter serment; *unter* ~ *aussagen* affirmer sous (la foi du) serment; ⬩**brüchig** parjure; ~**esformel** formule *f* de serment; ~**esleistung** prestation *f* de serment; ⬩**esstattlich** sous la foi du serment; sur l'honneur; ~**genosse** confédéré; ~**genossenschaft** confédération *f;* ⬩**lich** sous serment

Eidechse lézard *m*

Eider|daunen édredon *m;* ~**ente** eider *m*

Eifer zèle *m;* empressement *m,* assiduité *f;* ardeur *f,* ferveur *f; in* ~ *geraten* s'échauffer; ~**er** zélateur *m;* ~**n** s'emporter, invectiver *(gegen* contre); ~**sucht** jalousie *f;* ⬩**süchtig** jaloux *(auf de)*

eifrig zélé; empressé, assidu; fervent

eigen propre, personnel, à soi; *(eigenartig)* particulier; singulier, étrange; *(besonders)* spécial, à part; *(wählerisch)* difficile, exigeant, méticuleux; *s. zu* ~ *machen* adopter, s'approprier; *(Meinung)* épouser, faire sien; ⬩**art** particularité *f;* caractère *m* spécifique; ~**artig** particulier; singulier; ⬩**bedarf** besoins *mpl* personnels; ⬩**brötler** original; ours *(umg)* ; ⬩**finanzierung** autofinancement *m;* ⬩**gewicht** poids *m* propre; 🚗 tare *f;* ~**händig** de sa propre main; ~**händig** *(geschrieben)* 🖐️ olographe; ⬩**heim** maison particulière *(ou* individuelle); ⬩**heit** particularité *f;* singularité *f;* ⬩**liebe** amour *m* de soi; ⬩**lob** éloge *m* de soi; ⬩**kapital**

capitaux *mpl* propres; apport *m* personnel; ~**mächtig** sans autorisation; de son propre chef; ⬩**name** nom *m* propre; ⬩**nutz** intérêt particulier *(od* personnel); ~**nützig** intéressé; égoïste; *adv* par intérêt personnel, dans un dessein intéressé, dans son propre intérêt; ⬩**nützigkeit** intérêt particulier; égoïsme *m;* ~**s** *adv* exprès; particulièrement; ⬩**schaft** qualité *f; (Sachen)* propriété *f; in m-r* ⬩**schaft** *als* en tant que; ⬩**schaftswort** adjectif *m;* ⬩**sinn** entêtement *m,* opiniâtreté *f;* ~**sinnig** têtu; entêté; opiniâtre, obstiné; ~**tlich** propre; véritable, vrai; proprement dit; *adv* au fond, à proprement parler, vrai dire; ⬩**tum** propriété *f;* ⬩**tümer** propriétaire; ~**tümlich** caractéristique; particulier, singulier; ⬩**tümlichkeit** particulartié *f;* singularité *f;* propriété *f;* spécialité *f;* ~**tumsbildung** accès *m* à la propriété; constitution d'un partrimoine; ~**tumserwerb** acquisition *f* de la propriété; ~**tumsrecht** droit de propriété, titre *m* (de propriété); ⬩**tumswohnung** logement *(ou* appartement) en copropriété; ~**willig** arbitraire; volontaire

eign|en *refl* être propre *(zu* à); se prêter *(zu* à); être qualifié *(zu* pour); ⬩**ung** qualification *f,* aptitude *f;* ⬩**ungsprüfung** examen *m* d'aptitude; test *m*

Eiland île *f;* îlot *m*

Eil|bote courrier; *durch* ~*boten* par exprès; ~**brief** lettre *f* exprès; ~**e** hâte *f;* précipitation *f; in aller* ~**e** à la hâte, en toute hâte; *ich habe* ~*e* je suis pressé; *es hat k-e* ~*e* rien ne presse; *e-n courir, refl* se presser, se hâter, se dépêcher; ⬩**t!** urgent!; ⬩**ends** à la hâte; ⬩**fertig** prompt, empressé; ~**fracht** , ~**gut** régime *m* accéléré, grande vitesse; ⬩**ig** *(Sache)* pressant, urgent; *(Person)* pressé; ⬩**zug** express *m*

Eimer seau *m;* ⚙ godet *m,* auget *m; im* ~ *sein umg* être fichu, être foutu

ein¹ un; *in* ~*em fort* continuellement; *nicht* ~ *noch aus wissen* ne savoir où donner de la tête; *bei j-m* ~ *u. aus gehen* fréquenter qn

ein² *(Schalter)* marche; ~ *aus* marche – arrêt; **Ein-Aus-Schalter** commutateur *m* marche – arrêt **ein|achsig** à deux roues; ⬩**akter** pièce *f* en un acte; ~**ander** l'un l'autre, réciproquement; ~**ander helfen** s'entr'aider; ~**arbeiten** *vt* initier au travail; *refl* se mettre au courant d'un travail; ~**armig** manchot

einäscher|n réduire en cendres; *(Leiche)* incinérer; ⬩**ung** incinération *f;* crémation *f* **ein|atmen** aspirer; 💲 inhaler; ⬩**atmung** aspiration *f,* inspiration; ~**äugig** borgne

Ein|bahnstraße (rue *f* à) sens *m* unique; ⬩**balsamieren** embaumer; ~**band** 📖 reliure *f;* ~**banddecke** couverture *f;* ~**bau** installation *f,* équipement *m,* insertion *f,* mise *f* en place, montage *m,* pose *f;* ⬩**bauen** incorporer, installer; *(Möbel)* encastrer; ~**baum** pirogue *f;* ~**baumöbel** meubles encastrables; ~**bauschloß** serrure *f* encastrée; ~**bauschrank** placard *m;* ⬩**begreifen** comprendre; impliquer; refermer; synthétiser; ⬩**begriffen** implicite; compris, inclus; ⬩**behalten** retenir

einberuf|en *(Versammlung)* convoquer; *mil* appeler; *(Reservisten)* rappeler; **ᴸung** convocation *f; mil* appel *m*, recrutement *m;* **ᴸungsbescheid** avis *m* d'appel

ein|beschreiben *math* inscrire; **~betonieren** bétonner; **~betten** ✿ encastrer, enrober; noyer; **~beulen** cabosser; **~beziehen** comprendre, faire entrer dans; **~biegen** courber (en dedans); *vi* entrer *(in* dans); tourner, virer *(nach rechts* à droite)

ein|bilden *refl* s'imaginer, se figurer; *s. etw.* **~bilden** se flatter, être fier *(auf* de); avoir des prétentions; **ᴸbildung** imagination *f;* illusion *f; (Anmaßung)* présomption *f,* vanité *f;* **ᴸbildungskraft** (faculté *f* d')imagination *f;* **~binden** 📖 relier; **~blasen** *a. fig* souffler; **~blenden** ⚓ mélanger; *(Film)* surimprimer, surimposer; **ᴸblick** *fig* aperçu *m*

einbrech|en *vt* enfoncer; *vi* s'effondrer, s'enfoncer, s'écrouler; *(mit Gewalt)* faire irruption; *mil* enfoncer, *(in ein Land)* envahir *(in etw.* qch); *(Nacht)* tomber; *(Dieb)* cambrioler *(in etw.* qch); **ᴸer** cambrioleur

ein|brennen marquer au fer rouge; **~bringen** *(Ernte)* rentrer, engranger; *(Antrag)* déposer; *(Zeit)* rattraper; *com* rapporter; **~brocken** tremper; *s. etw.* **~brocken** se mettre dans de beaux draps; **ᴸbruch** irruption *f;* effraction *f; (Konjunktur)* effondrement *m,* chute *f;* bei **ᴸbruch der Nacht** à la tombée de la nuit; **ᴸbruchsdiebstahl** ⚖ vol *m* avec effraction, cambriolage *m;* **ᴸbuchtung** anse *f,* creux *m;* **~bürgern** naturaliser; *refl fig* acquérir droit de cité; **ᴸbuße** perte *f;* **~büßen** perdre, essuyer une perte

ein|dämmen *a. fig* endiguer, refréner; *(Brand)* circonscrire, localiser; **~decken** *refl* s'approvisionner en, faire provision de; **ᴸdecker** ✈ monoplan *m;* **~deutig** sans ambiguïté, sans équivoque

eindring|en pénétrer *(in* dans); entrer par force; *mil* envahir; *auf j-n* **~en** presser qn, insister auprès de qn; **~lich** pressant, insistant; *adv* avec insistance; **ᴸlichkeit** insistance *f;* **~ling** intrus; *mil* envahisseur

Ein|druck impression *f;* effet *m;* **ᴸdrücken** enfoncer; empreindre; **ᴸeindrucksvoll** imposant, impressionnant

ein|ebnen aplanir, niveler; **~en** unifier; **~engen** rétrécir, resserrer; mettre à l'étroit, gêner

einer un; quelqu'un; on; *er macht einem angst* il vous fait peur; **ᴸ** *su math* unité *f;* 🚣 skiff *m,* canot *m* à un rameur; **~lei** de la même sorte; *es ist* **~lei** c'est égal; **ᴸlei** *su* monotonie *f;* train-train *m;* **~seits** d'un côté

einfach simple; élémentaire; facile; *fig.* modeste, humble; *(Mahlzeit)* frugal; *adv* simplement, tout bonnement; **ᴸheit** simplicité *f*

einfädeln *(Nadel)* enfiler; *(Gespräch)* amorcer; *fig* tramer, manigancer

einfahr|en *(Ernte)* rentrer; 🚗 roder; ✈ *(Fahrgestell)* escamoter; *vi* entrer dans; *(Bergwerk)* descendre; **ᴸt** entrée *f; (Tor)* porte cochère

Einfall *mil* irruption *f,* invasion *f,* envahissement

m; phys incidence *f; (Gedanke)* idée *f,* trouvaille *f,* inspiration *f;* fantaisie *f,* caprice *m;* **~en** s'ébouler, s'écrouler; *mil* envahir (un pays); ♪ rentrer; *phys* faire incidence, *es fällt mir etw. ein* il me vient une idée; *d. fällt mir nicht ein j'en suis* bien loin; *was fällt dir ein?* qu'est-ce qui te prend?; **~swinkel** angle *m* d'incidence

Einfalt simplicité *f;* naïveté *f,* ingénuité *f;* **einfältig** naïf, ingénu; simple, niais; **~spinsel** nigaud, jocrisse, benêt

Ein|familienhaus maison individuelle, pavillon *m;* **ᴸfangen** prendre; capturer, capter; **ᴸfarbig** unicolore, d'une seule couleur; monochrome; uni; **ᴸfassen** border; entourer; encadrer; *(Stein)* monter, enchâsser, sertir; **ᴸfassung** bordure *f,* rebord *m;* ceinture *f; (Edelstein)* monture *f; (Brillenglas)* châsse *f;* **ᴸfetten** graisser; **ᴸfinden** *refl* ⚖ comparaître; se présenter; **ᴸflechten** entrelacer; fig entremêler, insérer; **ᴸfliegen** faire venir par avion *(ou* par voie aérienne); **ᴸfließen** couler (dans); se jeter dans; *fig* **ᴸfließen** *lassen fig* glisser; **ᴸflößen** faire prendre; *fig* inspirer, imposer; **~flugschneise** couloir aérien; **~fluß** influence *f,* ascendant *m;* **~flußbereich** zone *f* d'influence; **ᴸflußreich** influent; **ᴸflüstern** souffler; *fig* suggérer, insinuer; **ᴸfordern** *(Steuern)* recouvrer; *(Schulden)* réclamer (le remboursement)

einförmig uniforme, monotone; **ᴸkeit** uniformité *f,* monotonie *f*

ein|frieren *(Obst, Gemüse)* surgeler, congeler; geler *(a. Kapital);* fig immobiliser, bloquer; *(Schiff)* être pris par la glace; **ᴸfrieren** *su* congélation *f;* gel *m;* **~fügen** insérer; ✿ encastrer, emboîter; *refl* s'adapter *(in* à); **~fühlen** *refl* s'identifier *(in j-n* à qn); se mettre au diapason (de qn)

Einfuhr importation *f;* **~abgabe** droit *m* d'entrée; **~beschränkung** restriction *f* à l'importation; **~erlaubnis** licence *f* d'importation; **~schein** document *m* d'entrée; *(zollfrei)* passavant *m;* **~verbot** interdiction *f* d'importer, embargo *m;* **~zoll** droit *m* d'entrée

einführ|en introduire; initier *(in* à); *(in ein Amt)* installer; *(Brauch)* établir; *com* importer; **ᴸung** introduction *f;* initiation *f;* installation *f;* établissement *m;* com lancement *m;* **ᴸungspreis** prix *m* de lancement, prix-réclame *m*

ein|füllen verser dans; remplir; *(in Flaschen)* embouteiller; **ᴸgabe** requête *f;* pétition *f; EDV* programmation, entrée *f;* **ᴸgabedatei** fichier *m* d'entrée; **ᴸgabespeicher** mémoire *f* d'entrée

Eingang entrée *f; (Zugang)* accès *m; (Geld)* rentrée *f,* recette *f,* recouvrement *m; (Einleitung)* introduction *f; com* arrivage *m;* réception *f;* **~s** au commencement, au début; **~sbestätigung** avis *m* de réception; **~svermerk** mention *f* d'arrivée

eingeb|en *(Arznei)* faire prendre, administrer; *(Gedanken)* inspirer, suggérer; *EDV* programmer; mettre des données en mémoire; **ᴸung** inspiration *f*

einge|baut encastré; **~bildet** *(Sache)* imaginaire, fictif; *(Person)* prétentieux, infatué, suffisant; ⌐**bildetheit** prétention *f,* suffisance *f,* infatuation *f;* ~**boren** indigène, natif; ⌐**borener** indigène, aborigène; autochtone; ~**denk** se souvenant de; ~**fahren** rodé; ~**fallen** maigre, have; *(Wangen)* cave, creux; ~**fleischt** invétéré; incorrigible

eingehen 1. *vt (Ehe)* contracter; *(Wette)* faire; *(Risiko)* courir; *(Vertrag)* conclure; *(Verpflichtungen)* prendre; *e-n Vergleich* ~ transiger; **2.** *vi (Geld)* rentrer; *(Brief)* arriver; *(Stoff)* (se) raccourcir; *(Tier)* crever; *(Pflanze)* dépérir; *(Zeitschrift)* cesser de paraître; *(in d. Geschichte) passer;* ~ *auf* accepter qch, acquiescer, consentir à; *(Thema)* s'étendre sur, se pencher sur; ~**d** détaillé, circonstancié; poussé; *adv* à fond

Einge|machtes conserves *fpl;* confitures *fpl;* ⌐**meinden** englober, incorporer, fusionner *(des communes);* ⌐**nommen** prévenu *(für* en faveur de; *gegen* contre); *von s.* ⌐**nommen** suffisant, épris *(od* plein) de soi-même; ~**nommenheit** prévention *f;* ~**schränkt** restreint, limité; ⌐**schrieben** ✓ recommandé; ⌐**sessen** domicilié *(ou* installé) depuis longtemps; ~**ständnis** aveu *m;* ⌐**stehen** avouer, reconnaître; ⌐**tragen** enregistré, inscrit, déclaré; ~**weide** intestins *mpl,* viscères *mpl; (Tiere)* tripes *fpl;* ⌐**weiht** initié; ⌐**wöhnen** acclimater; ⌐**wurzelt** *fig* enraciné, invétéré, tenace; ⌐**zogen** retiré, isolé

ein|gießen verser *(in* dans); ⌐**glas** monocle *m;* ~**gleisig** à voie unique; ~**gliedern** incorporer; intégrer; *(Land)* annexer; ~**graben** enterrer, enfouir; *(gravieren, a. fig)* graver *(in* sur); *refl* *mil* se retrancher; ~**greifen** ✿ engrener, mordre; *fig* intervenir *(in* dans), se mêler *(in* de); *(in ein Recht)* empiéter sur; ⌐**griff** ⚡ opération *f,* intervention *f (a. fig); fig* empiétement *m,* ingérence *f;* ~**haken** accrocher, agrafer; *fig* intervenir

Einhalt arrêt *m;* ~ *gebieten* mettre un terme à, arrêter; ⌐**en** *vt (Vorschrift)* respecter, observer; *(Verpflichtung)* remplir; *vi* s'interrompre, s'arrêter, cesser; ~**ung** observation *f,* respect

ein|hämmern *fig* faire entrer dans la tête, rabâcher, ressasser; ~**händig** manchot; ~**händigen** remettre (en main propre), délivrer; ~**hängen** accrocher; *(Tür)* pendre; ✓ raccrocher; ~**hauchen** insuffler, inspirer; ~**hauen** tailler *(od* graver) dans; ~**heimisch** indigène; du pays, local; ~**heimsen** *umg* empocher

Einheit *(a. math, phys, mil)* unité *f;* ensemble *m; e-e* ~ *bilden* faire partie intégrante; ⌐**lich** uniforme, homogène; standardisé, normalisé; ~**lichkeit** unité *f,* homogénéité *f;* ~**sform** norme *f;* ~**sgewerkschaft** syndicat unitaire; ~**sliste** liste *f* unique; ~**spartei** parti *m* unifié; ~**spreis** prix *m* unique; ~**svertrag** contrat-type; ~**swert** *com* base *f* d'imposition unitaire; ✿ valeur *f* standard

ein|heizen chauffeur; *j-m* ~*heizen (fig)* secouer les puces à qn; ~**hellig** unanime; ⌐**helligkeit** unanimité *f*

einher|gehen marcher, avancer; ~**stolzieren** parader, se pavaner

einholen aller chercher qch; atteindre, rejoindre; *(Zeit)* rattraper; *(Segel)* rentrer; *(Genehmigung)* demander; *(Rat)* prendre; *vi* faire ses achats, aller aux provisions

einhüllen envelopper

einig unanime; d'accord; *mit j-m* ~ *werden* se mettre *(od* tomber) d'accord avec qn; ~**en** unifier; *(refl)* se mettre d'accord; ⌐**keit** union *f,* concorde *f;* ⌐**ung** unification *f;* conciliation *f;* accord *m*

einig|e quelques; *pron* quelques-uns; ~**emal** plusieurs fois; ~**ermaßen** quelque peu, en quelque sorte, dans une certaine mesure; passablement

ein|impfen *a. fig* inoculer; *fig* inculquer; ~**jagen:** *j-m Angst* ~*jagen* effrayer qn; ~**jährig** d'un an; *bot* annuel; ~**kalkulieren** faire entrer en ligne de compte; ~**kassieren** *com* encaisser

Einkauf achat *m;* emplette *f;* ⌐**en** acheter; faire des emplettes *(od* son marché); **Einkäufer** acheteur; ~**sbummel** lèche-vitrine *m;* ~**snetz** filet *m* à provisions; ~**spreis** prix *m* d'achat *(od* coûtant); ~**szentrum** centre *m* commercial, super-marché

Einkehr *fig* recueillement *m;* ⌐**en** descendre (à l'hôtel), aller *(od* entrer) (au café)

ein|keilen coincer; ~**kellern** encaver, mettre en cave; ~**kerben** entailler, cocher; ~**kesseln** *mil* encercler; ~**klagbar** ⚖ exigible; ~**klagen** ⚖ poursuivre le recouvrement; ~**klammern** mettre entre parenthèses; ⌐**klang** accord *m,* unisson *m;* harmonie *f; in* ⌐**klang bringen** concilier, mettre d'accord *(od* en harmonie); ~**klarieren** ⚓ dédouaner; ~**kleiden** habiller, vêtir; *mil* equiper; ~**klemmen** serrer, coincer; ⚕ étrangler; ~**knicken** plier; *(Papier)* corner; ~**kochen** mettre en conserves, confire

einkommen *vi* demander, solliciter *(um etw.* qch); *(Geld)* rentrer; ⌐ *su* revenu *m;* ⌐**steuer** impôt *m* sur le revenu; ⌐**sverhältnisse** ressources *fpl*

ein|kreisen encercler, cerner; ⌐**künfte** revenus *mpl;* ~**kuppeln** embrayer

einlad|en charger, embarquer; *(j-n)* inviter, convier, prier *(zu* à); ~**end** engageant, séduisant; ~**ung** invitation *f;* *(Befehl)* convocation *f;* ⌐**ungskarte** carte *f* d'invitation

Einlage *(Küche)* garniture *f; (Brief)* annexe *f;* 🖊 intermède *m; (Schuh)* support *m; (Sparkasse)* dépôt *m; (Kapital-)* mise *f* de fonds, apport *m; (Sach-)* apport en nature, *(ou* en matériel)

einlagern stocker, emmagasiner, entreposer

Einlaß admission *f;* entrée *f;* ⌐**karte** carte *f* d'entrée; ~**ventil** soupape *f* d'admission

ein|lassen faire *(od* laisser) entrer, admettre; *refl* s'engager *(auf, in* dans); se mêler (de); ⌐**lauf** entrée *f;* ⚕ lavement *m;* ~**laufen** arriver; entrer (🚂 en gare, ⚓ au port); *(Stoff)* (se) rétrécir, (se) raccourcir; *j-m d. Haus* ~*laufen* importuner qn de prières; ~**läuten** carillonner; ~**leben** *refl* s'acclimater; s'habituer à

einlege|n mettre (dans); insérer; *(Furnier)* marqueter, incruster; *(Geld)* apporter; *(Fleisch)* saler; *(Heringe)* mariner; *(Obst, Gurken)* confi-

re; *(Pause)* faire; *e-n Film* ~*n* charger
(l'appareil); *Berufung* ~*n* interjeter appel;
Verwahrung ~*n* protester, élever une protestation; *Ehre* ~*n* retirer de la gloire; *e. gutes
Wort* ~*n* intercéder *(für* en faveur de); ⌐**sohle**
semelle *f*

einleit|en introduire; amorcer; préparer; *(Buch)*
préfacer; *(Verhandlung)* entamer, ouvrir; ♩
préluder; ⌐**ung** introduction *f;* préface *f;*
ouverture *f;* ♩ prélude *m*

ein|lenken entrer dans, prendre; *fig* se raviser,
changer de ton; ~**leuchten** être clair *(od* évident);
~**leuchtend**
clair, évident; ~**liefern** livrer; *(Kranken)* hospitaliser; ⌐**lieferung** livraison *f;* dépôt *m;*
⌐**lieferungsschein** ♺ récépissé *m;* ~**lösen**
racheter, dégager; *(Pfand)* retirer; *(Scheck)*
encaisser; *(Wechsel)* honorer; *(Versprechen)*
remplir, s'acquitter de; ⌐**lösung** remboursement
m; encaissement *m;* rachat *m,* dégagement *m*

einmach|en confire, mettre en conserves; ⌐**glas**
bocal *m* à conserves

einmal une fois; *(früher)* autrefois, jadis; *(in
Zuk.)* un jour; *auf* ~ tout à coup, *(zusammen)* à
la fois; *nicht* ~ pas même, ne… même pas; ~
dies, ~ *das* tantôt ceci, tantôt cela; *noch* ~
encore une fois, de nouveau; *noch* ~ *so groß*
deux fois plus grand; *wenn* ~ si jamais; *komm*
~ *her!* viens un peu ici!; *denk* ~ pense donc ♦
~ *ist keinmal* une fois n'est pas coutume; ⌐**eins**
table *f* de multiplication; ~**ig** unique; simple;
⌐**packung** emballage *m* perdu

Einmarsch entrée *f* (des troupes)

ein|mauern (em)murer; enchâsser dans un mur;
~**mengen,** ~**mischen** *refl* se mêler *(in* de);
intervenir, s'ingérer, s'immiscer, *(in* dans);
~**mieten** ↓ mettre en silo; *refl* louer un logement;
⌐**mischung** ingérence *f,* intervention *f,* immix-
tion *f;* ~**motorig** monomoteur; ~**mummen**
emmitoufler; ~**münden** *(a. Straße)* déboucher;
se jeter *(in* dans); *(Straße)* aboutir *(in* à); ~**mütig**
unanime; ⌐**mütigkeit** unanimité *f*

Einnahme *(Stadt)* prise *f; (Land)* conquête *f;
(Geld)* recette *f; (Steuern)* perception *f; (Einkommen)* revenu *m;* ~**quelle** source *f* de revenus;
ressources *fpl*

einnehmen prendre; *(Raum)* occuper, tenir;
(Geld) encaisser; *(Lohn)* toucher; *(Steuern,
Beiträge)* percevoir; *(Haltung)* observer; *fig*
captiver, charmer; prévenir *(für* en faveur de,
gegen contre); ~**d** *fig* engageant, séduisant,
prévenant

ein|nicken s'assoupir; ~**nisten** *refl* s'installer; se
nicher, s'implanter

Ein|öde région *f* désertique; désert *m,* solitude *f;*
⌐**ölen** huiler, lubrifier; ⌐**ordnen** ranger, mettre à
sa place; *(Akten)* classer; *sich* ⌐**ordnen** *(Straßenverkehr)* serrer à droite; ⌐**packen** envelopper,
empaqueter, emballer; faire sa malle; *du kannst
dich* ⌐**packen lassen** *umg* tu es un minable, on ne
peut rien faire avec toi; ⌐**passen** ✿ ajuster,
adapter; ⌐**pauken** entonner, seriner (ach à qn);
⌐**pferchen** *a. fig* parquer; ⌐**pflanzen** planter; *fig*
implanter; ⌐**phasig** ↯ monophasé; ~**pökeln**

saler; ⌐**prägen** *a. fig* empreindre, imprimer,
graver *(in* dans); *fig* inculquer; ~**pressen**
enfoncer; emmancher; sertir

einquartier|en loger; *mil* cantonner; ⌐**ung**
logement *m;* cantonnement *m*

ein|rahmen encadrer; ~**rammen** ficher, enfon-
cer; ⌐**rasten** déclic *m;* crantage *m;* ~**räumen**
ranger, mettre en place; *(Wohnung)* emménager; *fig (abtreten)* céder, abandonner; accorder,
concéder; *(Recht)* reconnaître; *(zugestehen)*
admettre, convenir de; ⌐**räumung** octroi *m,*
constitution *f* (d'un droit); ~**rechnen** inclure;
comprendre dans; tenir compte de

Einrede objection *f;* contradiction *f;* ෆ
exception *f;* ~**n** *(j-m etw.)* faire croire qch à qn,
persuader qn de qch; *(auf j-n)* chercher à
persuader qn

ein|reiben frotter, frictionner; ~**reichen** présen-
ter; remettre; *(Abschied)* donner; ⌐ déposer;
⌐**reichung** présentation *f,* dépôt *m,* remise *f;*
~**reihen** ranger; incorporer, enrôler; ⌐**reiher**
costume droit

Einreise entrée *f;* ~**erlaubnis** permis *m* d'entrée;
⌐**n** entrer; ~**verbot** interdiction *f* d'entrée;
~**visum** visa *m* d'entrée

ein|reißen *vt* déchirer; *(Gebäude)* démolir,
mettre à bas; *vi* se déchirer, se rompre (au bord);
fig se répandre, se propager, s'enraciner;
~**renken** ✿ remettre, remboîter; réduire; *fig umg*
arranger; ~**rennen** enfoncer

einricht|en arranger, disposer; organiser; *(Woh-
nung)* aménager, meubler; *(Geschäft)* établir,
installer; ✿ ajuster, régler; *es so* ~*en, daß* faire
en sorte que *(+ subj); refl* s'installer, s'organiser; *(auf etw.)* se préparer à; ⌐**ung** aménagement *m,* installation *f; (Möbel)* mobilier *m,*
ameublement *m; (Ausstattung)* équipement *m;*
organisation *f,* établissement *m,* institution *f;*
✿ dispositif *m*

ein|riegeln enfermer au verrou; ~**ritzen** inciser;
~**rollen** enrouler; ~**rosten** (se) rouiller; *fig*
s'encroûter; ~**rücken** *vt* 📖 insérer; ✿ em-
brayer; *mil* rejoindre l'armée; *vi* entrer *(in* dans)
eins un; ✿ *su* le un

ein|sacken ensacher, mettre en sac; *umg*
empocher; ~**salben** oindre, enduire; ~**salzen**
saler

einsam seul, solitaire; isolé; retiré; ⌐**keit**
solitude *f;* isolement *m*

ein|sammeln recueillir; ~**sargen** mettre en bière

Einsatz *(Spiel)* mise *f,* enjeu *m; (Pfand)* gage
m, consigne *f;* ♩ attaque *f,* rentrée *f; (Spitzen-)*
entre-deux *m; (Gestell)* châssis *m; mil* montée *f*
en ligne; *(Arbeiter)* mise *f* au travail; emploi
m; (Mittel) mise *f* en œuvre; *persönlicher* ~
engagement personnel; ⌐**bereit** *(Fahrzeug)* en
état de fonctionnement; en ordre de marche;
mil apte au combat; prêt à monter en ligne;
~**bereitschaft** emploi immédiat; aptitude opéra-
tionnelle; ⌐**fähig** opérationnel, apte à l'emploi

einsaugen *a. fig* sucer, absorber

einschalt|en intercaler; insérer; *(Strom)* établir
le contact; *(Licht)* allumer; 🚋 mettre; ✿ mettre
en marche; ↯ mettre sous tension; *(Gang)*

engager; *d. 2. Gang* ~*en* 🚗 passer en deuxième vitesse; *refl fig* intervenir, s'interposer; ~*ung* intercalation *f;* insertion *f; fig* intervention *f*
ein|schärfen inculquer, enjoindre; ~**scharren** enfouir; ~**schätzen** estimer, évaluer; taxer; ⌂**schätzung** estimation *f;* évaluation *f;* taxation *f;* ~**schenken** verser; *vi* verser à boire; ~**schicken** envoyer; ~**schieben** glisser; intercaler; insérer; ~**schießen** (*Brot*) enfourner; *refl mil* régler le tir; ~**schiffen** embarquer; ⌂**schiffung** embarquement *m;* ~**schlafen** s'endormir; (*Glied*) s'engourdir; (*Gespräch*) languir; ~**schläfern** *a. fig* endormir, assoupir; ~**schläfernd** *a. fig* soporifique, somnifère
Einschlag point *m* de chute (*od* d'impact); (*Blitz*) chute *f;* (*Gewebe*) trame *f;* (*Räder*) braquage *m; fig* nuance *f* teinte *f;* ⌂**en 1.** *vt* (*Nagel*) planter, enfoncer; (*Tür*) défoncer; (*Fenster*) briser; (*Zähne*) casser; (*Ware*) envelopper; (*Saum*) rentrer; (*Räder*) braquer; (*Weg*) enfiler, prendre; **2.** *vi* (*Blitz*) tomber; (*Granate*) éclater; (*Handschlag*) toper; *fig* réussir
ein|schlägig relatif au sujet, respectif; ~**schleichen** *refl* se faufiler, se glisser; s'insinuer; s'introduire furtivement; ~**schleppen** 🚢 introduire; ~**schleusen** introduire clandestinement; (*Falschgeld*) mettre en circulation
einschließ|en enfermer; mettre sous clef; (*umgeben*) entourer, encercler; enclore; *mil* cerner, investir; *fig* comprendre, englober, renfermer; ~**lich** inclusivement; y compris; ⌂**ung** blocus *m,* encerclement *m;* (*Strafe*) emprisonnement *m; phys* confinement *m*
ein|schlummern s'assoupir; *fig* s'endormir; ⌂**schluß** inclusion *f;* ~**schmeicheln** *refl* s'insinuer (*bei* auprès de); ~**schmelzen** (re)fondre; ~**schmieren** enduire; graisser; ~**schmuggeln** introduire en contrebande; ~**schnappen** se fermer à ressort; *fig* prendre la mouche; ~**schneiden** entailler, inciser; graver (*in sur*); *vi* couper, entrer; ~**schneidend** *fig* radical, décisif; ~**schneien** être bloqué par la neige; ⌂**schnitt** *a.* 🚢 incision *f. a. fig* coupure *f;* (*Kerbe*) entaille *f,* coche *f;* (*Küste*) découpure *f;* ~**schnüren** lacer; serrer; ⌂**schnürung** striction *f;* contraction *f;* (*Hals*) étranglement *m*
einschränk|en limiter, borner; restreindre, réduire; *refl* se restreindre; ~**end** restrictif; limitatif; ⌂**ung** limitation *f;* restriction *f;* (*Ausgaben*) réduction *f,* compression *f*
Einschrei|b(e)brief lettre recommandée; ~**b(e)gebühr** ✍ surtaxe *f* de recommandation; ⌂**ben** inscrire; enregistrer; ⌂**ben lassen** ✍ recommander; *sich* ⌂**ben lassen** (*Univ.*) prendre ses inscriptions; ~**bung** inscription *f;* immatriculation *f*
ein|schreiten intervenir; 👥 engager la procédure; ~**schrumpfen** (se) rétrécir; se ratatiner; ~**schüchtern** intimider; ⌂**schüchterung** intimidation *f;* ⌂**schulung** entrée *f* à l'école; ~**schuß** trou *m* (laissé par une balle), dépression *f,* cratère *m; phys* injection *f*
einsegn|en bénir; confirmer; ⌂**ung** bénédiction *f;* confirmation *f*

einsehen (*Bücher*) examiner; prendre connaissance; *mil* avoir vue sur; (*erkennen*) reconnaître, comprendre, se rendre compte de; ⌂ *su* discernement *m;* compréhension *f; ein* ⌂ *haben* se rendre à la raison
einseifen savonner; *fig* rouler
einseitig *a.* 👥 unilatéral; (*parteilich*) partial; (*Geist*) étroit; ⌂**keit** étroitesse *f;* partialité *f*
einsend|en envoyer, adresser, expédier; ⌂**ung** envoi *m*
einsetz|en 1. *vt* mettre, poser, placer; (*Spiel*) mettre en jeu; ⬇ planter; (*in ein Amt*) installer; (*z. Erben*) instituer; (*Kräfte*) employer, mettre en œuvre; *mil* mettre en action; (*Leben*) risquer; **2.** *vi* commencer; 🎵 partir, rentrer; **3.** *refl* s'employer (*für* pour), intervenir (*für* en faveur de); ⌂**ung** institution *f;* installation *f;* désignation *f;* (*feierliche*) investiture *f*
Einsicht examen *m;* inspection *f; fig* intelligence *f,* jugement *m;* compréhension *f;* ⌂**ig** intelligent, compréhensif; ~**nahme** examen *m;* ~**nahme** *verlangen* demander la communication (de); *Recht auf* ~**nahme** droit de regard
einsickern *a. fig* s'infiltrer
Einsied|elei ermitage *m;* ~**ler** ermite; solitaire; anachorète
ein|silbig monosyllabique; *fig* taciturne; ~**sinken** s'enfoncer; ⌂**sitzer** monoplace *m;* ~**spannen** serrer, fixer; encastrer, mettre en place; (*Pferd*) atteler (*a. fig*); ⌂**sparung** économie *f;* ~**speichern** emmagasiner; (*Nachricht*) enregistrer; ~**speisen** alimenter; ~**sperren** enfermer; (*Gefängnis*) emprisonner, incarcérer; écrouer; ~**spielen** *refl* s'exercer; (*Kompaß*) se stabiliser; ~**spinnen** *refl* se mettre en cocon; *fig* s'isoler; ~**sprengen** (*Wäsche*) humecter, arroser; ~**springen** remplacer (*für j-n* qn)
Einspritz|düse ⚙ injecteur *m,* gicleur *m;* ⌂**en** 🔧, ⚙ injecter; ~**ung** injection *f*
Einspruch protestation *f,* réclamation *f; pol* veto *m;* 👥 opposition *f;* pourvoi *m;* ~ *einlegen* = ~ *erheben* réclamer, protester (*gegen* contre), faire opposition (*gegen* à); ~**srecht** droit *m* de veto
einspurig 🚃 à une voie; (*Straße*) à simple courant; (*Band*) à piste unique
einst (*früher*) jadis, autrefois, une fois; (*zukünftig*) un (*od* quelque) jour; ~**ig** ancien; ~**mals** autrefois; ~**weilen** en attendant; entre-temps; ~**weilig** provisoire, intérimaire; 👥 provisionnel
ein|stampfen 📖 mettre au pilon; **Einstand** 🎾 égalité *f; s-n* ⌂**stand geben** payer une tournée de bienvenue; ⌂**standspreis** prix rendu (*ou* de revient); ~**stauben** se couvrir de poussière; ~**stechen** piquer; ~**stecken** mettre (*in* dans); empocher; *fig* encaisser; ~**stehen** répondre (*für* de); ~**steigen** monter (en voiture)
einstell|bar ⚙ réglable; ~**en** mettre, placer (*in* dans); (*Sender*) prendre; 🚗 garer; ⚙ régler, ajuster, mettre au point (*a.* 📷); (*Arbeiter*) embaucher; (*Dienstboten*) engager; *mil* enrôler; (*Rekord*) égaler; (*aufhören*) cesser; abandonner; *com* suspendre; 👥 arrêter; (*Arbeit*) se mettre en grève; *refl* apparaître; se produire; se présenter; *s.* ~*en auf* s'adapter à; ~**ig** d'un seul chiffre;

⊾marke trait *m* de repère; **⊾schraube** vis *f* de réglage *m*, ajustage *m;* **~stellung** ✿ mise *f* au point, réglage *m;* ajustage *m; (von Arbeitern)* embauchage *m*, recrutement *m; (Aufhören)* cessation *f;* suspension *f;* ⚖ déclaration *f* de non-lieu; *(Ansicht)* attitude *f;* opinion *f;* point *m* de vue

einstimm|en *a. fig* faire chorus, se joindre *(in* à); **~ig** ♪ à une seule voix; à l'unisson; *fig* unanime; **⊾igkeit** unanimité *f*

ein|stöckig à un étage; **~stoßen** effondrer, enfoncer; **⊾strahlung** irradiation *f;* insolation; **~streichen** *(Geld)* empocher; **~streuen** répandre (dans); *fig* semer, insérer, glisser; **~strömen** se déverser, affluer; **⊾strömung** admission *f;* introduction; **~studieren** étudier; ✿ répéter; **~stufen** classer *(in* dans); **⊾stufung** classement *m*, classification; catégorie *f; (Steuer)* évaluation du fisc; **~stündig** d'une heure; **~stürmen** *a. fig* fondre *(auf* sur); **⊾sturz** effondrement *m*, écroulement *m*, éboulement *m;* **~stürzen** s'écrouler, s'effondrer, s'ébouler

ein|tägig d'un jour; **⊾tagsfliege** éphémère *m;* **~tauchen** plonger; immerger; tremper; **~tauschen** échanger, changer, troquer *(gegen* contre) **einteil|en** diviser; distribuer, répartir; classer, classifier; *(Skala)* graduer; **⊾ung** division *f;* distribution *f;* répartition *f;* classification *f;* graduation *f*

eintönig monotone; uniforme; **⊾keit** monotonie; *f;* uniformité *f*

Ein|topf pot-au-feu *m;* **~tracht** union *f;* harmonie *f*, concorde *f;* **⊾trächtig** uni, en harmonie; *adv* à bonne intelligence

Eintrag *siehe* Eintragung; *(Schaden)* préjudice *m*, tort *m;* **⊾en** inscrire; enregistrer; porter *(in* sur); ⚖ entériner; *fig* rapporter, rendre, produire; **einträglich** profitable, lucratif; **~ung** inscription *f;* enregistrement *m;* ⚖ entérinement **ein|träufeln** instiller; **~treffen** arriver; *(Voraussage)* se réaliser; **~treiben** *(Geld)* faire rentrer; *(Steuern)* lever, percevoir, recouvrer; **⊾treibung** *(Steuern)* recouvrement *m*, perception *f;* **~treten** *vt* enfoncer; *vi* entrer; *(in e-e Partei)* adhérer, s'affilier; *(geschehen)* se produire, s'effectuer, avoir lieu; *(plötzlich)* survenir; *(für j-n)* défendre (qn); *(für etw.)* préconiser (qch), prendre parti pour qch

Eintritt entrée *f; fig* commencement *m;* **~frei/verboten** entrée libre/interdite; **⊾salter** âge d'admission; **~skarte** billet *m* d'entrée; **~spreis** entrée *f*

ein|trocknen sécher; se dessécher; *(Brunnen)* tarir; **~tröpfeln** instiller; **~tunken** tremper; **~üben** étudier

einver|leiben incorporer (dans *od* à); *(Land)* annexer; *sich* **~leiben** engloutir; **~nehmen** accord *m*, entente *f; (geheimes)* collusion *f; im gegenseitigen* **⊾nehmen** d'un commun accord; *in gutem* **⊾nehmen stehen** être en bons termes *(mit* avec); **~standen** d'accord *(mit* avec); **~standen!** d'accord!, entendu!; **⊾ständnis** consentement *m;* entente *f; im* **⊾ständnis mit** d'intelligence avec; ⚖ de connivence avec

Einwand objection *f;* **⊾frei** irréprochable, impeccable, irrécusable

Einwander|er immigrant; immigré; **⊾n** immigrer; **~ung** immigration *f*

ein|wärts en dedans; **~wechseln** changer; **~wecken** mettre en conserves; **~weichen** tremper, macérer, détremper

Einweg- non consigné, à jeter; **~packung** emballage perdu

einweih|en inaugurer; *rel* consacrer; initier *(j-n in etw.* qn à qch); *umg* étrenner; *(Haus)* pendre la crémaillère; **⊾ung** inauguration *f; rel* dédicace *f*, consécration *f*

einweisen donner des directives, instruire; *(ins Krankenhaus)* faire hospitaliser qn; *(in ein Amt)* introduire, installer

einwend|en objecter; opposer; **⊾ung** objection *f;* opposition; ⚖ exception *f*

ein|werfen *(Brief)* mettre à la poste, poster; *(Fenster)* casser; *(Ball)* (re)mettre en jeu; *fig* objecter; **~wertig** *chem* univalent, monovalent **einwickel|n** envelopper, emballer; *fig umg* embobiner, entortiller; **⊾papier** papier *m* d'emballage

einwillig|en consentir, acquiescer *(in* à); **⊾ung** consentement *m;* assentiment *m*, acquiescement *m*

einwirk|en agir *(auf* sur); *fig* influer *(auf* sur); **⊾ung** action *f*, influence *f*

Einwohner habitant; **~liste** registre *m* des habitants d'une commune; **~meldeamt** service municipal de déclaration domiciliaire; **~meldepflicht** obligation (en RFA) de déclarer son domicile; **~schaft** habitants *mpl*, population *f*

Ein|wurf *(Briefkasten)* fente *f* d'une boîte aux lettres); *(Ball)* mise *f* en jeu; *fig* objection *f;* **~wurzeln** *ref* prendre racine; *fig* s'enraciner **Einzahl** singulier *m;* **⊾en** payer, verser; **~ung** paiement *m*, versement *m*

einzäun|en entourer d'une clôture; **⊾ung** clôture *f*

Einzel|anfertigung fabrication *f* sur commande; **~bild** cliché *m;* **~fall** cas isolé; **~gänger** solitaire; **~haft** détention *f (od* emprisonnement *m)* cellulaire; **~handel** (commerce *m* de) détail *m;* **~handelspreis** prix *m* au détail; **~händler** détaillant, débitant; **~heit** détail *m;* **~person** individu *m;* **~preis** prix *m* à l'unité *(ou* à la pièce); *(Zeitschrift)* prix *m* de vente au numéro; **~radaufhängung** 🚗 (quatre) roues indépendantes; **~(spiel)** simple *m;* **~teil** ✿ pièce détachée; **~verkauf** vente *f* au détail; **~zimmer** chambre *f* à un lit

einzeln seul; séparé; isolé; détaché; particulier; *adv* un à un; *im* **~en** en détail; *ins* **~e gehen** entrer dans les détails; *der* **~e** l'individu

einzieh|bar *(Krallen)* rétractile; *(Fahrgestell)* escamotable; *(Geld)* recouvrable; **~en** *vt* faire entrer; *(z. B. Krallen)* rentrer; *(Erkundigungen)* prendre; *(Schulden)* faire rentrer, recouvrer; *(Steuern)* percevoir; *(Geldsorten)* retirer de la circulation; *(Luft)* aspirer; *(Flüssigkeit)* absorber; ⚖ confisquer; *mil* appeler, mobiliser; ⚓ *(Segel)* amener; ✈ *(Fahrgestell)* escamoter; *vi*

entrer *(a. mil); (Wohnung)* emménager; **⌐ung** *(Geld)* recouvrement *m*, perception *f;* ⚙ confiscation *f; mil* appel *m*, mobilisation *f*
einzig seul; unique; ~ *u. allein* uniquement; **~artig** unique; singulier
Einzug entrée *f;* ⌐ renfoncement *m*
einzwängen comprimer (*in* dans)
Eis glace *f; d.* ~ *brechen* rompre la glace; *auf ~ legen* mettre provisoirement en sommeil; **~bahn** patinoire *f;* glissoire *f;* **~bank** banquise *f;* **~bär** ours blanc; **~bein** jarret *m* de porc; **~berg** iceberg *m;* **~beutel** vessie *f* de glace; **~blume** fleur *f* de givre; **~blumenbildung** givrage *m;* **~bombe** bombe glacée; **~brecher** brise-glace *m;* **⌐frei** débarrassé des glaces; **~gang** débâcle *f;* **⌐gekühlt** glacé, frappé; **~heilige** saints de glace; **~hockey** hockey *m* sur glace; **⌐ig,** **⌐kalt** glacé; *fig* glacial, glaçant; **~kaffee** café glacé (*od* liégeois); **~kappe** calotte *f* glaciaire; **~keller** glacière *f;* **~kunstlauf** patinage *m* artistique; **~lauf** patinage *m;* **~maschine** glacière *f;* **~meer** Océan glacial; **~pickel** piolet *m;* **~scholle** glaçon *m;* **~schrank** glacière *f;* **~verkäufer** glacier; **~vogel** martin-pêcheur *m;* **~zapfen** glaçon *m;* **~zeit** période *f* glaciaire
Eisen fer *m* ♦ *z. alten* ~ *werfen* mettre au rancart; *mehrere* ~ *im Feuer haben* avoir plusieurs cordes à son arc
Eisenbahn chemin *m* de fer ♦ *es ist höchste* ~ il n'y a plus une minute à perdre; **~er** cheminot; **~fähre** ferry-boat *m;* **~fahrplan** indicateur *m*, horaire *m;* **~knotenpunkt** nœud *m* ferroviaire; **~netz** réseau ferroviaire; **~schiene** rail *m;* **~signal** sémaphore *m;* **~übergang** passage *m* à niveau; **~unterführung** passage *m* sous-voies; **~verbindung** communication *f* ferroviaire; **~wagen** wagon *m*, voiture *f*
Eisen|beton béton (*od* ciment) armé; **~blech** tôle *f*, fer blanc; **~erz** minerai *m* de fer; **~erzbergwerk** mine *f* de fer; **~feilspäne** limaille *f* de fer; **~fresser** fier-à-bras; **~gießerei** fonderie *f* de fonte; **~guß** *(Werkstoff)* fonte *f;* *(Arbeit)* coulée *f* de fonte; **~haltig** ferrugineux; **~hut** *bot* aconit *m;* **~hütte(nwerk)** usine *f* sidérurgique; **⌐schaffend: ⌐schaffende Industrie** sidérurgie *f,* industrie *f* sidérurgique; **~späne** paille *f* de fer; **⌐verarbeitend: ⌐verarbeitende Industrie** métallurgie *f,* industrie *f* métallurgique; **~waren(handlung)** quincaillerie *f*
eisern en fer; *a. fig* de fer; ~*er Wille* volonté de fer; ~*er Fleiß* zèle acharné; ~*er Bestand* fonds *m* (*od* vivres *mpl*) de réserve; ~*ne Lunge* 🩺 poumon *m* d'acier; ~*ner Vorhang* (🎭, *pol*) rideau *m* de fer
eitel coquet; vaniteux, suffisant, vain; futile; *(rein)* pur; **⌐keit** vanité *f;* présomption *f,* coquetterie *f*
Eiter pus *m;* **⌐ig** purulent; **⌐n** suppurer; **~ung** suppuration *f*
Ekel 1. *m* dégoût *m;* écœurement *m;* *(mit Brechreiz)* nausée *f;* **2.** *n (Person)* casse-pieds *m;* **⌐erregend** dégoûtant, écœurant, répugnant; nauséabond; **⌐haft** dégoûtant, rebutant; **⌐n** dégoûter; *refl* avoir du dégoût *(vor* pour)

elasti|sch élastique; **⌐zität** élasticité *f;* **⌐zitätsmodul** module d'élasticité
Elch élan *m*
Elefant éléphant *m*
elegan|t élégant; **⌐z** élégance *f*
elektri|fizieren électrifier; **⌐fizierung** électrification *f;* **⌐ker** électricien; **~sch** électrique; ~*sches Licht* éclairage *m* électrique; **⌐sche** tramway *m;* **~sieren** *a. fig* électriser; **⌐zität** électricité *f;* **⌐zitätsversorgung** approvisionnement *m* en énergie électrique; **⌐zitätswerk** centrale *f* électrique
Elektro|de électrode *f;* **~gerät** appareil *m* électro-ménager; *pl* matériel *m* électrique; **~herd** cuisinière *f* (*ou* fourneau *m*) électrique; **~industrie** industrie *f* électrique; **~karren** chariot automateur; **~lyse** électrolyse *f;* **~magnet** électro-aimant *m;* **~n** électron *m;* **~nenblitz** flash *m* électronique; **~nengehirn** ordinateur *m;* **~nenmikroskop** microscope *m* électronique; **~nrechner** calculateur *m* électronique; **~nentechniker** électronicien; **~nik** électronique *f;* **~technik** électrotechnique *f;* **~techniker** électricien
Element *chem* élément *m*, corps *m* simple; *fig* élément *m;* **⌐ar** élémentaire; **~arbuch** traité *m* élémentaire
elend misérable, malheureux; **⌐** *su* misère *f,* détresse *f; ins* **⌐** *geraten* tomber dans la misère; **⌐squartier** taudis *m;* **⌐sviertel** quartier *m* insalubre, bidonville *m*
elf onze; **⌐** *a.* 🏐 le onze; **~te** onzième; *d.* **⌐te** *(Monatstag)* le onze; **⌐tel** onzième *m*
Elf|e sylphe *m*, sylphide *f;* **⌐enhaft** féérique
Elfenbein ivoire *m*
Ell|e *(Maß)* aune *f; anat* cubitus *m;* **~bogen** coude *m; d.* ~*bogen gebrauchen (fig)* jouer des coudes
Elster pie *f*
elterlich parental; ~*e Gewalt* autorité parentale
Eltern parents *mpl*, père et mère; **~haus** domicile *m* familial; **⌐los** orphelin; **~recht** droit parental; **~teil** *m* père *ou* mère
Email|(le) émail *m;* **⌐lieren** émailler
Embryo 🩺 embryon *m;* **⌐nal** embryonnaire
Emigrant émigré
Emission *com, phys* émission *f;* **~sbank** banque *f* d'affaires
Empfang *a.* 📻 réception *f; (Aufnahme)* accueil *m; in* ~ *nehmen* recevoir; *d.* ~ *bestätigen (com)* accuser réception de; **⌐en** recevoir; *(aufnehmen)* accueillir; 🩺 concevoir; **~sbescheinigung** quittance *f*, reçu *m*, récépissé *m;* **~sbestätigung** accusé *m* de réception; **~schef** chef *m* de réception; réceptionniste; **~sstörung** 📻 parasites *mpl;* **~szimmer** salon *m*
Empfäng|er destinataire *m;* ⚙ réceptionnaire *m;* 📻 *(poste m)* récepteur *m;* **⌐lich** sensible *(für* à), susceptible *(für* de); **~lichkeit** susceptibilité *f;* impressionnabilité *f; (für Krankheiten)* prédisposition *f,* réceptivité *f;* **~nis** 🩺 conception *f;* **~nisverhütung** contraception *f;* **~nisverhütungsmittel** contraceptif *m;* **~niszeit** période *f* de la conception

empfehl|en recommander; *refl* se retirer; **~enswert** recommandable; **⌐ung** recommandation *f; (Gruß)* compliments *mpl;* **⌐ungsschreiben** lettre *f* de recommandation

empfind|en éprouver, sentir; *(seelisch)* ressentir; **~lich** *a. phys* sensible *(gegen* à); *(heikel)* délicat; *(leicht gekränkt)* susceptible; **~liche Kälte** froid piquant; **~licher Magen** estomac délicat; **~licher Schmerz** vive douleur; **⌐lichkeit** *a. phys* sensibilité *f; (Reizbarkeit)* susceptibilité *f;* **~sam** sentimental; **⌐samkeit** sentimentalité *f;* délicatesse *f* de sentiment; **⌐ung** *(Sinne)* sensation *f; (Gemüt)* sentiment *m;* **~ungslos** insensible; **⌐ungslosigkeit** insensibilité *f;* **⌐** anesthésie *f*

empor en haut, vers le haut; **~arbeiten** *refl* s'élever (par son travail); *fig* faire des progrès; **⌐e** galerie *f*, tribune *f;* **⌐kömmling** parvenu; **~ragen** s'élever *(über* au-dessus de); **~schwingen** *refl* s'élever

empör|en soulever, révolter; *fig* indigner; *refl* se soulever, se révolter; **~end** révoltant; **⌐er** rebelle; **⌐ung** révolte *f*, rébellion *f*

emsig diligent, laborieux, assidu, actif; **⌐keit** diligence *f*, assiduité *f*

End|abnehmer consommateur *m;* **~abrechnung** solde *m* (de tout compte); compte *m* définitif; **~bestand** solde *m* final; **~betrag** total *m*

End|e *(Schluß, zeitl.)* fin *f*, terme *m; (örtl.)* fin *f*, bout *m; (äußerstes)* extrémité *f; (Stück)* bout *m; (Zweck)* but *m; (Geweih)* andouiller *m; (Endung)* terminaison *f; (Ausgang)* issue *f; am* **~e** à la fin, finalement; *am* **~e der Welt** *(örtl.)* au bout du monde, *(zeitl.)* à la fin du monde; *am anderen* **~e** *von* à l'autre bout de; *von e-m* **~e z.** *andern* d'un bout à l'autre; *letzten* **~es** en fin de compte; après tout, somme toute; *zu* **~e bringen** achever, terminer; *e-r Sache e.* **~e machen** mettre fin à qch ♦ *d. dicke* **~e kommt nach** à la queue gît le venin; **~e gut, alles gut** tout est bien qui finit bien; **⌐en**, **⌐igen** finir, terminer; *vi* cesser, se terminer; *fig* mourir; **~ergebnis** résultat final; **~esunterzeichneter** soussigné; **~geschwindigkeit** vitesse finale; **⌐gültig** définitif; **~kampf** finale *f;* **⌐lich** *adj (abschließend)* final; *(begrenzt)* limité; *(endgültig)* définitif; *adv* enfin, finalement, à la fin; *(zuletzt)* en dernier lieu; **⌐los** *adj* interminable, infini; *adv* sans fin, à l'infini; **~spurt** finish *m;* **~station** terminus *m;* **~stelle** extrémité *f;* terminal *m;* **~stück** *(Kabel)* embout *m;* queue *f;* **~summe** montant *m* définitif; **~ung** *ling* terminaison *f*, désinence *f*

Endivie chicorée *f*

Energie *a. fig* énergie *f;* puissance *f;* force *f;* **~aufwand** consommation *f* d'énergie; dépense *f* en énergie; **~bedarf** besoins *mpl* énergétiques; **~einsparung** économie *f* d'énergie; **~erzeugung** production *f* d'énergie; **~knappheit** pénurie *f* d'énergie; **~krise** crise *f* de l'énergie; **⌐los** sans énergie; **~losigkeit** manque *m* d'énergie; **~politik** politique *f* énergétique; **~quelle** source *f* d'énergie; **~versorgung** approvisionnement *m* en énergie; **~vorrat** réserves *fpl* énergétiques, stocks *mpl* d'énergie

eng étroit; *(gedrängt)* serré; **~anliegend** collant;

⌐e *a. fig* étroitesse *f*, exiguïté *f* ♦ *j-n in d.* **⌐e** *treiben* mettre qn au pied du mur; **~herzig** mesquin; **~maschig** à mailles serrées; **⌐paß** défilé *m; (Straße)* chaussée *f* rétrécie, étranglement; *com* goulot *m* d'étranglement; impasse *f*

Engel ange *m;* **⌐haft** angélique

Engerling ver blanc

Eng|land l'Angleterre *f;* **~länder** Anglais *m;* ✿ clef anglaise; **⌐lisch** anglais; *(in Zssg)* anglo-; **~lischer Gruß** angélus *m;* **⌐lische Krankheit** rachitisme *m;* **⌐lisches Pflaster** **⌐** taffetas anglais; **~lischhorn** cor anglais

Enkel petit-fils; **~in** petite-fille; **~(kinder)** petits-enfants *mpl*

enorm énorme

Ensemble ♕ troupe *f*

entart|en dégénérer *(in, zu* en); **⌐ung** dégénération *f*, dégénerescence *f*

entäußer|n *refl* aliéner *(e-r Sache* qch), se défaire de qch; **⌐ung** dessaisissement *m*, aliénation *f*

entbehr|en être privé de, être dépourvu de; *etw.* **~en können** pouvoir se passer de qch; **~lich** superflu; **⌐ung** privation *f*

entbieten faire parvenir; *(zu sich)* mander

entbind|en *(befreien)* dispenser, délivrer, délier; **⌐** *vt/i* accoucher; **⌐ung** *(Befreiung)* dispense *f;* **⌐** accouchement *m;* **⌐ungsheim** maternité *f*

ent|blättern effeuiller; *refl* perdre ses feuilles; **~blößen** découvrir, dénuder, mettre à nu; *fig* démunir; *refl* se découvrir; *fig* se dépouiller de qch; **⌐blößung** mise *f* à nu, nudité *f; fig* dénuement *m;* **~brennen** *a. fig* s'enflammer

entdeck|en découvrir, dévoiler; *(mitteilen)* révéler; *refl* se découvrir; **⌐er** découvreur; **⌐ung** découverte *f; fig* révélation *f*

Ente *a. fig* canard *m; (weibl.)* cane *f; (kleine)* caneton *m*, canette *f; fig* fausse nouvelle; canulard *m*, bobard *m;* **⌐** bocal *m* à urine; **~rich** canard *m*

entehr|en déshonorer; *(schänden)* déflorer; **~end** déshonorant; *(Strafe)* infamant; **⌐ung** déshonneur *m;* flétrissure *f*

enteign|en exproprier, déposséder; **⌐ung** expropriation *f;* dépossession *f*

ent|eilen s'enfuir, s'envoler; **~eisen** déglacer; *(Glasscheibe)* dégivrer; **~eisung** *(Straße)* déglaçage *m; (Scheibe, Eisschrank)* dégivrage *m;* **⌐eisungsvorrichtung** dégivreur *m;* **~erben** déshériter

entern ⚓ aborder

ent|fachen *a. fig* enflammer; **~fahren** échapper; **~fallen** échapper, tomber; *(Anteil)* revenir *(auf* à); *Ihr Name ist mir* **~fallen** votre nom m'échappe; *der auf m-n Bruder* **~fallende Teil** la portion afférente à mon frère; **~falten** déployer; déplier; *(entwickeln)* développer; *refl* s'épanouir; **⌐faltung** déploiement *m; a. fig* épanouissement *m; fig* développement *m;* **~färben** décolorer, déteindre; *refl* perdre ses couleurs; **⌐färbung** décoloration *f;* **⌐färbungsmittel** décolorant *m*

entfern|en éloigner; écarter; exclure; enlever; faire disparaître; *refl* s'éloigner; **~t** *a. fig* éloigné; *(entlegen, a. zeitl.)* lointain; *nicht im ~testen* pas le moins du monde; **⌐ung** éloignement *m; (Abstand)* distance *f; (Flecken)* enlèvement *m; (aus dem Dienst)* révocation *f;* suspension *f;* **⌐ungsmesser** télémètre *m*

enfesseln déchaîner; *(Krieg)* déclencher

entfett|en dégraisser; **⌐ung** dégraissage *m;* **⌐ungskur** cure *f* d'amaigrissement

entfeuch|ten déshumidifier; **⌐ter** appareil *m* de déshumidification, **⌐tung** déshumidification (de l'air)

entflamm|bar inflammable; **~en** enflammer, allumer; *bes fig* embraser; *fig* passionner

entflecht|en décentraliser; *(Unternehmen)* démanteler, déconcentrer; **⌐ung** décentralisation *f;* déconcentration *f,* décartellisation *f*

ent|fliegen s'envoler; **~fliehen** s'enfuir

entfremd|en aliéner, éloigner; **⌐ung** aliénation *f*

entführ|en enlever, ravir, kidnapper; détourner; **⌐er** ravisseur; **⌐ung** enlèvement *m; (Flugzeug)* détournement *m*

entgegen *(örtl.)* au-devant de, à la rencontre de; *(geistig)* à l'encontre de, contraire; à l'opposé de, au contraire de; **~arbeiten** contrarier, contrecarrer qch; **~gehen** aller à la rencontre *(od* au-devant) de qn; **~gesetzt** contraire, opposé *(zu* à); **~halten** opposer; *(einwenden)* objecter; *(vergleichen)* comparer; **~handeln** contrevenir à; **~kommen** venir à la rencontre de; aller au-devant de; *fig* faire des avances à qn, se montrer complaisant envers qn; *(preislich)* accorder une remise; **⌐kommen** *su* complaisance *f;* **⌐kommend** complaisant, prévenant; **⌐nahme** réception *f;* acceptation *f;* **~nehmen** recevoir; **~sehen** attendre; **~setzen,** **~stellen** opposer; **~stehen** être contraire à, s'opposer à; **~treten** s'opposer à; *(Gefahr)* affronter qch; **~wirken** contrarier qch

entgegn|en répondre, répliquer; *(schlagfertig)* riposter; **⌐ung** réponse *f,* réplique *f;* riposte *f*

entgehen échapper; *s. etw. nicht ~ lassen* ne pas se faire faute de qch

ent|geistert ébahi; **⌐gelt** rémunération *f,* rétribution *f;* **~gelten** *a. fig* payer, dédommager; **~geltlich** à titre onéreux; **~giften** désintoxiquer

entgleis|en *a. fig* dérailler; **⌐ung** *a. fig* déraillement *m*

ent|gleiten glisser des mains, échapper; **~gräten** enlever les arêtes; **~haaren** épiler; **⌐haarung** épilation *f;* **⌐haarungsmittel** épilatoire *m;* **~halten** contenir, renfermer, comprendre, comporter; *(fassen)* tenir; *refl* s'abstenir (de); **~haltsam** abstinent, sobre; *(geschlechtl.)* continent; **⌐haltsamkeit** abstinence *f,* tempérance *f; (geschlechtl.)* continence *f;* **⌐haltung** abstention *f,* neutralité *m*

enthaupt|en décapiter; **⌐ung** décapitation *f; lit* décollation *f*

entheb|en délivrer, dispenser; *j-n e-s Amtes ~en* destituer qn d'une fonction; **⌐ung** délivrance *f,* dispense *f; (vom Amt)* destitution *f*

entheilig|en profaner; **⌐ung** profanation *f*

enthüll|en *(Geheimnis)* dévoiler, révéler; *(Denk-*

mal) inaugurer; **⌐ung** *(Geheimnis)* révélation *f; (Denkmal)* inauguration *f*

enthülsen écosser

ent|jungfern déflorer; **~keimen** stériliser; **~kernen** dénoyauter; **~kleiden** déshabiller; *fig* dépouiller; *refl* se déshabiller; **⌐kohlung** décarburation *f;* **~kommen** (s')échapper, s'évader; **~korken** déboucher; **~kräften** affaiblir, épuiser; *e-n Beweis ~kräften* infirmer une preuve; **⌐kräftung** affaiblissement *m,* épuisement *m;* annulation; invalidation; **~laden** *a. 4* décharger; *refl (Gewitter, Zorn)* éclater; *(Gewehr)* partir; **⌐ladung** déchargement *m; 4* décharge *f*

entlang le long de; **~fahren, ~gehen** longer qch

entlarven démasquer

entlass|en congédier, renvoyer; *(Angest.)* remercier; *mil* licencier, démobiliser; *(Gefangene)* libérer; **⌐ung** congé *m,* renvoi *m;* licenciement *m; mil* démobilisation *f;* libération *f;* **⌐ungsgesuch** démission *f*

entlast|en soulager, débarrasser; ☼, ♨ décharger; ♨ donner décharge *(od* quitus) (à qn); **⌐ung** soulagement *m; (Verkehr)* délestage *m;* dégagement *m* (de la circulation); ☼, ♨ décharge *f;* **⌐ungsstraße** route *f* de délestage, itinéraire *m* de dégagement; **⌐ungszeuge** témoin à décharge

ent|lauben effeuiller, défolier; **⌐laubung** défoliation; **~laufen** échapper; s'évader; **~lausen** épouiller; **~ledigen** *refl* se débarrasser, se défaire (de); *(Pflicht)* s'acquitter (de); **~leeren** vider; *(Grube)* vidanger; *(Ballon)* dégonfler; *refl* évacuer; **~legen** lointain, éloigné; isolé, perdu; **~lehnen** emprunter *(von* à); **⌐lehnung** emprunt *m;* **~leihen** *refl* se suicider; **~leihen** emprunter; **~locken** soutirer, arracher; *(Töne)* tirer

entlohn|en rémunérer, rétribuer; **⌐ung** rémunération *f,* rétribution *f*

entlüft|en aérer, ventiler; *(Leitung)* purger; **⌐ung** aération *f,* ventilation *f;* **⌐ungspumpe** pompe *f* à vide

ent|mannen châtrer, castrer, émasculer; **⌐mannung** castration *f;* **~menscht** barbare, dénaturé, inhumain; **~militarisieren** démilitariser; **⌐militarisierung** démilitarisation *f;* **~motten** dénaphtaliser; **~mündigen** ♨ mettre en tutelle; *(als Strafe)* interdire; **⌐mündigung** ♨ mise en tutelle; *(strafweise)* interdiction *f;* **~mutigen** décourager, démoraliser; **⌐nahme** (re)prise *f;* prélèvement *m (a. 🜄); (Geld)* retrait *m;* ☼ soutirage *m;* **~nazifizieren** dénazifier; **~nehmen** prendre (de *od* à); *(Lager)* déstocker; *(Stichprobe)* prélever; *fig* conclure *(aus* de); **~nervt** faible, dégénéré; **~ölen** déshuiler; **~puppen** *refl fig* se dévoiler, se révéler *(als etw.* qch); **~rahmen** écrémer; **~raten** se passer de; **~rätseln** déchiffrer; **~ratten** dératiser; **~rechten** priver de ses droits; **~reißen** arracher; enlever, ôter (de force); **~richten** payer, acquitter; *(Dank)* présenter; **⌐richtung** paiement *m;* **~riegeln** débloquer; **~rinden** décortiquer; **~ringen** arracher; *refl (Seufzer)* échapper; **~rinnen** échapper à; s'échapper, s'enfuir, s'évader de;

~**rollen** dérouler; *(Fahne)* déployer; ~**rosten** dérouiller; ~**rücken** éloigner; dérober; *fig* ravir; ~**rümpeln** déblayer

entrüst|en indigner; fâcher, irriter; **⊾ung** indignation *f*

entsag|en renoncer à; se désister de; abandonner; *d. Thron* ~**en** abdiquer; **⊾ung** renoncement *m*, renonciation *f*; désistement *m*; abnégation *f*; abdication *f*

entsal|zen dessaler; **⊾zung** dessalement *m* (de l'eau de mer); **⊾zungsgerät** déchlorureur *m*

Entsatz *mil* délivrance *f*; armée *f* de secours

entschädig|en dédommager, indemniser *(für* de); *(für Auslagen)* rembourser; **⊾ung** dédommagement *m*, indemnité *f*; compensation *f*; **⊾ungssumme** indemnité *f*

entschärf|en désamorcer, neutraliser; **⊾ung** désamorçage *m*, neutralisation

Entscheid décision *f*; verdict *m*; ~**en** *vt* décider; *(Frage)* trancher, régler; *vi* décider *(über* de); 🖧 prononcer *(auf etw.* qch); *refl* décider de, se décider à, se déterminer à); **⊾end** décisif; crucial; critique; ~**ung** décision *f*; 🖧 jugement *m*, sentence *f*; verdict *m*, arrêt *m*; ~**ungsbefugnis** droit *m* de décision; 🖧 compétence *f*, juridiction *f*

entschieden décidé, résolu; incontestable; absolu, péremptoire; **⊾heit** décision *f*, résolution *f*

ent|schlafen s'endormir; ~**schleiern** dévoiler; ~**schließen** *refl* se résoudre, se décider, se déterminer *(zu* à); **⊾schließung** résolution *f*

entschlossen résolu, décidé, déterminé; **⊾heit** détermination *f*, fermeté *f*

Entschluß résolution *f*, décision *f*; parti *m*; ~**losigkeit** indécision *f*

entschlüssel|n déchiffrer, décrypter; *EDV* décoder; **⊾ung** déchiffrement *m*; décodage *m*

entschuld|bar excusable, pardonnable; ~**en** désendetter, renflouer; ~**igen** excuser; pardonner; *refl* s'excuser *(wegen* de; *bei* auprès de); ~**igen Sie!** pardon, Monsieur!; **⊾igung** excuse *f*; pardon *m*; **⊾igungsbrief** lettre *f* d'excuses

ent|schwinden disparaître; ~**seelt** inanimé, mort; ~**senden** déléguer, députer, envoyer; ~**siegeln** décacheter; 🖧 lever les scellés

entsetz|en *(Amt)* révoquer, destituer; *mil* dégager, débloquer; *fig* épouvanter; **⊾en** *su* épouvante *f*; horreur *f*, terreur *f*; ~**lich** épouvantable; horrible, terrible; affreux

ent|seuchen désinfecter; décontaminer; **⊾seuchung** décontamination; ~**sichern** *(Waffe)* armer; ~**siegeln** décacheter, desceller; ~**sinnen** *refl* se souvenir de, se rappeler qch; **⊾sittlichung** dépravation *f (od* corruption *f)* des mœurs

entsorg|en éliminer (les déchets); **⊾ung** élimination *f* (des déchets)

entspann|en *fig* détendre; *(Bogen)* débander; *bes* **§** relaxer; *refl* se délasser; **⊾ung** détente *f*; **§** relaxation *f*; relâche *m*, délassement *m*

entspinnen *refl* commencer; se préparer, se développer

entsprech|en correspondre à; être conforme à;

(Erwartung) répondre à; *(Wünschen)* satisfaire à; *(Antrag)* faire droit à; **⊾end** correspondant, conforme; analogue; proportionnel; *d. Umständen* ~**end** suivant les circonstances; *präp* conformément à, selon; **⊾ung** correspondance *f*; analogie *f*; pendant *m*

ent|springen *(Fluß)* naître, prendre naissance, prendre sa source; *(Gefangene)* s'évader; *fig* provenir *(aus* de); ~**stammen** descendre, provenir de; être issu de

entsteh|en naître, prendre naissance *(aus* de); *fig* provenir, résulter *(aus* de); se former; se produire; **⊾ung** naissance *f*; origine *f*; formation *f*; apparition *f*

entstell|en défigurer; déformer; *fig* altérer, travestir; **⊾ung** défiguration *f*, déformation *f*; altération *f*

entstör|en 🖧 éliminer les parasites; **⊾ung** 🖧 déparasitage *m*; antiparasitage *m*; **⊾ungsdienst** 🖧 service *m* de déparasitage

enttäusch|en désabuser, décevoir; désillusionner, désappointer; désenchanter; **⊾ung** déception *f*; désillusion *f*, désenchantement *m*, désappointement *m*

ent|thronen détrôner; ~**trümmern** déblayer; ~**völkern** dépeupler; **⊾völkerung** dépeuplement *m*; ~**wachsen**: ~*wachsen sein* avoir dépassé l'âge de, être sotri de, avoir quitté qch; ~**waffnen** *a. fig* désarmer; **⊾waffnung** désarmement *m*; **⊾warnung** fin *f* d'alerte

entwässer|n drainer, dessécher; **⊾ung** drainage *m*, dessèchement *m*

entweder: ~ ... *oder* ou (bien)... ou (bien); soit... soit; ~ *oder! (umg)* c'est à prendre ou à laisser!, de deux choses l'une!

ent|weichen s'évader; *(Gas)* se dégager; ~**weihen** profaner; **⊾weihung** profanation *f*; ~**wenden** dérober; voler; soustraire; ~**wendung** soustraction *f*; vol *m*, larcin *m*; ~**werfen** ébaucher, esquisser; concevoir, projeter; *(Plan)* arrêter, dresser

entwert|en déprécier; *com* dévaloriser; *(Briefmarke)* oblitérer; **⊾ung** *com* dévalorisation *f*, dépréciation *f*; oblitération *f*; *(Fahrschein)* compostage *m*

entwick|eln *a.* 🖧 développer; 🎦 révéler; ⚖ mettre au point, concevoir; projeter, dessiner; *(Wärme, Gas)* dégager; *(entfalten)* déployer; *(darlegen)* expliquer; *refl* évoluer, se développer; **⊾ler** 🎦 révélateur *m*; **⊾lung** développement *m*; évolution *f*; réalisation *f*; étude *f* technique; déploiement *m*, dégagement *m*; **⊾lungsdienst** office *m* fédéral de la coopération avec les pays du Tiers Monde; **⊾lungsjahre** âge ingrat; puberté *f*; **⊾lungshelfer** coopérant *m*; **⊾lungshilfe** aide *f* au développement; **⊾lungsland** pays *m* du Tiers Monde, Pays les moins avancé

ent|winden arracher des mains; ~**wirren** démêler, débrouiller; ~**wischen** s'échapper; ~**wöhnen** déshabituer, désaccoutumer (de); *(Kind)* sevrer

entwürdig|en dégrader, avilir; **⊾ung** dégradation *f*, avilissement *m*

Entwurf projet *m;* ébauche *f,* canevas *m;* esquisse *f,* croquis *m; (Konzept)* brouillon *m; lit* dessin *m,* linéaments *mpl*
ent|wurzeln *a. fig* déraciner; **~zaubern** désenchanter; **~zerren** corriger; redresser
entzieh|en retirer, enlever, refuser; *refl* se soustraire, dérober *(e-r Sache `qch); j-m etw.* **~en** priver qn de qch; **ᴸung** privation *f;* retrait *m;* **ᴸungskur** cure *f* de désintoxication
entziffer|bar déchiffrable; **~n** déchiffrer; **ᴸung** déchiffrement *m*
entzück|en ravir, enchanter; **ᴸen** *su* ravissement *m,* enchantement *m;* extase *f;* **~end** ravissant, charmant
Entzug privation *f;* 🔁 retrait *m*
entzünd|bar inflammable; **ᴸbarkeit** inflammabilité *f;* **~en** enflammer; *a. fig* allumer; *refl (a.* **$**) s'enflammer; **~lich** inflammable; **ᴸung $** inflammation *f*
entzwei en deux; cassé, en pièces; **~brechen** *vt* rompre, briser, casser, *vi* se rompre, se briser, (se) casser; **~en** désunir, brouiller; **~gehen** se casser; **~schneiden** couper en deux; **ᴸung** désunion *f;* brouille *f (umg)*
Enzian gentiane *f; (Getränk)* amer *m* (à base de gentiane)
Enzy|klika encyclique *f;* **~klopädie** encyclopédie *f,* dictionnaire *m* encyclopédique
Epidem|ie épidémie *f;* **ᴸisch** épidémique
Epik poésie *f* épique; **~er** poète épique
Epilep|sie épilepsie *f;* **ᴸtisch** épileptique
Epilog épilogue *m*
episch épique
Epi|sode épisode *m;* **~stel** épître *f*
Epoche époque *f;* ère *f;* période *f;* **ᴸmachend** qui fait date; sensationnel, mémorable
Epos épopée *f,* chanson *f* de geste
er il; lui
erachten croire, estimer, tenir pour; **ᴸ** *su:* *meines* **ᴸs** à mon avis
erarbeiten acquérir par son travail; mettre au point, élaborer
erbarm|en faire pitié à; *refl* avoir pitié de; **ᴸen** pitié *f;* commisération *f,* miséricorde *f;* **~enswert** pitoyable; **erbärmlich** misérable, lamentable, malheureux; *(gemein)* vil; **~ungslos** sans merci, impitoyable; **~ungsvoll** miséricordieux
erbau|en bâtir, construire, ériger; *rel* édifier; **ᴸer** constructeur; architecte; **~lich** édifiant; **ᴸung** construction *f; rel* édification *f*
erb|bedingt atavique; **ᴸbegräbnis** tombeau *m* de famille; **~berechtigt** 🔁 successible; **ᴸe 1.** *m* héritier; successeur; **2.** *n* héritage *m;* succession *f;* hérédité *f;* patrimoine *m;* **~en** hériter *(etw. de qch; etw. von j-m* qch de qn); **~fähig** 🔁 habile à succéder, successible; **ᴸfall** décès *m* (ouvrant la succession); **~feind** ennemi héréditaire; **~folge** succession *f;* **ᴸgut** patrimoine *m* transmis; **ᴸin** héritière; **ᴸkrankheit** maladie *f* héréditaire; **ᴸlasser** 🔁 testateur; **~lich** héréditaire; **ᴸlichkeit** hérédité *f;* atavisme *m;* **~onkel** oncle à héritage; oncle d'Amérique *(umg);* **ᴸpacht** bail *m* emphytéotique; **ᴸprinz** prince héritier; **ᴸrecht** droit *m* de succession; **ᴸschaft**

héritage *m;* **ᴸschaftssteuer** impôts successoraux, droits *mpl* de succession; **~schein** attestation *f* de la qualité d'héritier; **ᴸschleicher** captateur (de testament); **ᴸschleicherei** captation *f* d'héritage; **ᴸsünde** *rel* péché originel; **ᴸteil** part *f* d'héritage, portion *f* héréditaire
er|beben trembler, tressaillir; **~betteln** mendier; **~beuten** capturer; prendre à l'ennemi; **~bieten** *refl* s'offrir à; **~bitten** demander, solliciter *(etw. von j-m* qch à qn)
erbitter|n exaspérer; irriter; **~t** acharné; **ᴸung** exaspération *f;* acharnement *m*
er|blassen, ~bleichen blêmir, pâlir; **~blicken** voir, apercevoir; **~blinden** perdre la vue; *(Spiegel)* se ternir; **~blühen** s'épanouir; **~bosen** fâcher, irriter; **~brechen** *(Tür)* forcer, enfoncer; *refl* vomir; **ᴸbrechen** *su* vomissements *mpl;* **~bringen** produire, fournir; apporter; *e-e Leistung* **~bringen** effectuer une prestation
Erbse pois *m;* grüne **~n** petits pois; **~nreiser** rames *fpl*
Erd|achse axe *m* terrestre; **~anschluß** 🔁 prise *f* de terre; **~apfel** pomme *f* de terre; **~arbeiten** travaux *mpl* de terrassement; **~bahn** orbite *f* terrestre; **~ball** globe *m* terrestre; **~beben** tremblement *m* de terre, séisme *m;* **~bebenwarte** station *f* sismologique; **~beere** fraise *f;* **~beerpflanze** fraisier *m;* **~bewohner** terrien; **~boden** terrain *m,* sol *m; dem* **~boden** *gleichmachen* raser; **~e 1.** *astr* Terre *f;* monde *m;* globe *m; auf* **~en** ici-bas; **2.** terre *f,* terrain *m,* sol *m;* **3.** 🔩 terre *f,* masse *f;* **ᴸen** 🔩 mettre à la terre *(od* à la masse); **ᴸfarben** terreux; **~ferne** apogée *f;* **~gas** gaz naturel; **~geist** gnome *m;* **~geschoß** rez-de-chaussée *m;* **~hälfte** hémisphère *m;* **~hügel** tertre *m;* **ᴸig** terreux; **~karte** planisphère *m,* mappe monde *f;* **~kreis** univers *m;* **~kugel** globe *m;* **~kunde** géographie *f;* **~leiter** 🔩 conducteur *m* de terre; **~nuß** arachide *f,* cacahuète *f;* **~öl** pétrole *m* brut; **~ölchemie** pétrochimie *f;* **~ölfeld** champ *m* pétrolifère; **~ölförderländer** pays *mpl* producteurs de pétrole; **~ölgesellschaft** compagnie *f* pétrolière; **ᴸölhaltig** pétrolifère; **~ölkrise** crise *f* du pétrole; **~ölleitung** pipe-line *m,* oléoduc *m;* **~ölpreis** prix du brut; **~ölvorkommen** gisement *m* de pétrole; **~reich** 🔩 sol *m;* **~rinde** écorce *f (od* croûte *f)* terrestre; **~rutsch** *a. fig* glissement *m* de terrain; **~scholle** motte *f* de terre; **~stoß** secousse *f* tellurique; **~strom** 🔩 courant *m* tellurique; **~teil** continent *m;* partie *f* du monde; **~ung** 🔩 prise *f* de terre, mise *f* à la terre
erdenk|bar imaginable; **~en** imaginer; concevoir; **~lich** imaginable, concevable
erdicht|en inventer; controuver; **~et** fictif, controuvé
er|dolchen poignarder; **~dreisten** *refl* avoir le front *(od* l'impudence) de; **~dröhnen** retentir; **~drosseln** étrangler; **~drücken** *a. fig* écraser, étouffer; **~dulden** endurer, souffrir; **~eifern** *refl* s'échauffer, se passionner
ereig|nen *refl* arriver; avoir lieu; se passer, se produire; **ᴸnis** événement *m;* incident *m;* épisode *m;* **~nisreich** mouvementé

erellen *fig* atteindre
Eremit ermite
erfahr|en *vt* apprendre (*von* de, par); tenir (*von* de); faire l'expérience de qch; *(erleben)* éprouver; *(erleiden)* subir; **~en** *adj* expérimenté, expert, versé; **⊥ung** expérience *f; in* **⊥ung bringen** apprendre; **⊥ungsaustausch** échange *m* de vues; **~ungsgemäß** par expérience; **~ungsmäßig** expérimental; empirique
erfass|en *a. fig* saisir; recenser; *fig* comprendre; **⊥ung** recensement *m*
erfind|en inventer; concevoir, imaginer; créer; **⊥er** inventeur; **~erisch** inventif, ingénieux; **⊥ung** invention *f*, création *f*; nouvelle controuvée; **⊥ungsgabe** ingéniosité *f*, esprit inventif; **~ungsreich** inventif
erflehen implorer, invoquer
Erfolg succès réussite *f*; résultat *m;* **~ haben** réussir; *e-n* **~ davontragen** marquer des points; *dem* **~ nahe** en voie de réussir; **⊥en** arriver, avoir lieu; se produire, s'effectuer; survenir; **⊥los** sans succès; inefficace; infructueux, inutile; **~losigkeit** inefficacité *f*, inutilité *f;* **⊥reich** couronné de succès; *adv* avec succès; **⊥versprechend** prometteur (de succès)
erforder|lich requis, nécessaire, exigé; **~n** nécessiter; demander, réclamer; exiger; *(Zeit)* prendre; **⊥nis** exigence *f*, nécessité *f;* besoin *m;* impératif *m*
erforsch|en explorer; *fig* sonder, scruter; **⊥ung** exploration *f*, investigation *f;* étude *f;* **~ der öffentlichen Meinung** sondage *m* d'opinion
er|fragen demander; *zu* **~fragen bei** s'adresser à; **~frechen** *refl* exécuter; **⊥frechen** *refl* oser
erfreu|en faire plaisir à qn; *refl* jouir, se réjouir (*e-r Sache* de qch); trouver plaisir, se délecter (*an* à); **~lich** réjouissant, agréable; satisfaisant; **~licherweise** heureusement, par bonheur; **~t** content, heureux; charmé, ravi
erfrier|en geler; mourir de froid; **⊥ung** gelure *f*
erfrisch|en rafraîchir; **⊥ung** rafraîchissement *m;* **⊥ungsraum** buvette *f*
erfüll|en remplir; *(Pflicht)* accomplir; s'acquitter de; *(Leistung)* faire; *(Bitte)* accéder à, satisfaire (à); *(Versprechen)* réaliser; effectuer; *(Wunsch)* exaucer; *refl* s'accomplir, se réaliser; **~bar** réalisable; **⊥ung** réalisation *f*, accomplissement *m; in* **⊥ung gehen** se réaliser; **⊥ungsort** lieu *m* de paiement
ergänz|en *(vollständig machen)* compléter; *(hinzufügen)* ajouter, suppléer; **~end** complémentaire; supplémentaire; **⊥ung** complément *m;* supplément *m;* **⊥ungsabgabe** impôt *m* complémentaire
ergaunern escroquer, soutirer, carotter
ergeb|en *vt* donner, produire; *refl* capituler, se rendre; se résigner (*in* à); *(hingeben)* se livrer; se dévouer; résulter (*aus* de); *daraus ergibt s.* il s'ensuit; **~en** *adj* dévoué; résigné; *Ihr* **~ener** votre dévoué; **⊥enheit** dévouement *m;* résignation *f;* **⊥nis** résultat *m;* produit *m*, fruit *m;* conclusion *f;* **~nislos** sans résultat, sans fruit, inutile, vain; **⊥ung** capitulation *f;* soumission *f;* résignation *f*

ergehen *(Befehl)* être publié; **~ lassen** publier, émettre; *refl* se promener; *fig* se répandre (*in* en); *etw. über sich* **~ lassen** supporter qch (avec patience); *wie ist es ihm ergangen?* qu'est-il devenu?; **⊥ su** (état *m* de) santé *f*
ergieblg *(fruchtbar)* fécond, fertile; *(ertragreich)* productif, lucratif; *(reichhaltig)* abondant; **⊥keit** productivité *f; (Reichhaltigkeit)* abondance *f; (Leistung)* rendement *m*
er|gleßen *refl* se répandre (*über* sur); se jeter (*in* dans); **~glühen** s'enflammer; **~götzen** amuser, divertir; *refl* se réjouir (*an* de); **⊥götzen** *su* divertissement *m;* **~götzlich** divertissant, amusant; **~grauen** grisonner
ergreif|en *a. fig* saisir, prendre; *(Gelegenheit)* saisir, profiter de; *(seelisch)* toucher; **~end** saisissant; touchant; **⊥ung** saisissement *m;* arrestation *f; (Macht-)* prise *f* de pouvoir
ergriffen ému, touché; **⊥heit** émotion *f*
er|grimmen se mettre en colère, se courroucer; **~gründen** sonder; *fig* pénétrer, étudier à fond; **⊥guß § u.** *fig* effusion *f*, épanchement *m*
erhaben éminent, auguste; haut, élevé; en relief; *fig* sublime; **~ sein über** être au-dessus de; **⊥heit** relief *m;* hauteur *f; fig* sublimité *f;* supériorité *f*
Erhalt réception *f;* **⊥en** conserver; *(bekommen)* recevoir, obtenir; **erhältlich** *com* en vente; disponible; **~ung** *(Bewahrung)* conservation *f; (Schutz)* sauvegarde *f;* maintien *m; (Sache)* entretien *m;* **~ungssatz** principe *m* de la conservation (de l'énergie)
er|hängen pendre; *refl* se pendre; **~härten** *(Beweise)* corroborer; *durch Eid* **~härten** affirmer par serment; *refl* (se) durcir
er|haschen attraper; **~heben** lever, élever; *(Stimme)* hausser; *(Steuern)* percevoir; *(Widerspruch)* soulever; *refl* *(aufstehen)* se lever; *(widersetzen)* s'insurger, se révolter, se soulever; *(entstehen)* s'élever; **~hebend** exaltant; **~heblich** considérable; **⊥hebung** élévation *f; (Steuern)* perception *f; (Umfrage)* enquête *f; pol* soulèvement *m*, insurrection *f; (Erbauung)* exaltation *f;* **⊥erhebungsbogen** formulaire *m* d'enquête (*ou* de recensement)
er|heischen exiger, demander; **~heitern** (*refl* s') égayer; **⊥heiterung** divertissement *m;* **~hellen** éclairer; *fig* éclaircir; **~heucheln** feindre; **~hitzen** chauffer; *fig* échauffer; *refl* se chauffer, *fig* s'échauffer
erhoffen espérer, compter sur, escompter
erhöh|en *(höher machen)* hausser, rehausser; élever; *(vermehren)* augmenter; majorer (*um* de); porter (*auf* à); **⊥ung** exhaussement *m;* élévation *f; (Preis usw.)* majoration *f*, hausse *f*, augmentation *f; (Anhöhe)* hauteur *f*
erhol|en *refl* *(nach Arbeit)* se reposer, se délasser; *(nach Krankheit)* se rétablir, se remettre; *(von Schrecken)* se remettre; **~sam** reposant; **⊥ung** repos *m; (nach Krankheit)* rétablissement *m; com* redressement (des cours); **⊥ungsheim** maison *f* de repos; **⊥ungspause** récréation *f;* temps *m* de repos, pause *f*
erhör|en exaucer; **⊥ung** exaucement *m*

erinner|n rappeler (*j-n an etw.* qch à qn); évoquer (*an etw.* qch); *refl* se souvenir (*an de*), se rappeler (qch); **⌐ung** souvenir (*an de*), avertissement *m*; *wieder in* **⌐ung** *bringen* remettre en mémoire; *zur* **⌐ung** *an* en souvenir de; **⌐ungsschreiben** lettre *f* de rappel; **⌐ungsvermögen** mémoire *f*; **⌐ungswert** *com* valeur *f* résiduelle

erkalten (se) refroidir

erkält|en *refl* prendre froid, s'enrhumer; **~et** enrhumé; **⌐ung** refroidissement *m*, rhume *m*

erkämpfen acquérir de haute lutte

erkenn|bar reconnaissable; (*wahrnehmbar*) perceptible; **⌐barkeit** perceptibilité *f*; **~en** reconnaître; (*unterscheiden*) discerner, distinguer; *zu ~en geben* manifester, *refl* se faire connaître; **~tlich** reconnaissable; (*dankbar*) reconnaissant (*für de*); **⌐tlichkeit** reconnaissance *f*; **⌐tnis** (*Wissen*) connaissance *f*; (*Urteil*) jugement *m*, décision *f*; **⌐ung** reconnaissance *f*; **⌐ungsmarke** plaque *f* d'identité; **⌐ungsmerkmal = ⌐ungszeichen** signe *m* de reconnaissance

Erker encorbellement *m*, pièce *f* en saillie; **~fenster** fenêtre *f* en saillie; **~zimmer** chambre *f* en saillie

erklär|en (*erläutern*) expliquer, interpréter; (*bestimmen*) définir; (*äußern*) déclarer; *refl* (*Absicht*) se déclarer, (*Meinung*) se prononcer; **~end** explicatif; **~lich** explicable; **⌐ung** (*Erläuterung*) explication *f*; (*Äußerung*) déclaration *f*; (*Begriffsbestimmung*) définition *f*

er|klecklich considérable; **~klettern** (*Mauer*) escalader; (*Baum*) grimper sur; (*Berg*) gravir; **~klingen** retentir, résonner; **~koren** choisi; **~kranken** tomber malade; **~krankt sein an** être atteint de; **⌐krankung** maladie *f*

erkund|en explorer; *mil* reconnaître; **~igen** *refl* s'informer, s'enquérir (*nach* de); se renseigner (*nach* sur); **⌐igung** information *f*, renseignement *m*; **⌐ung** exploration *f*; *mil* reconnaissance *f*

er|lahmen (*Eifer*) diminuer, s'affaiblir; **~langen** (*bekommen*) obtenir; (*erreichen*) atteindre; (*erwerben*) acquérir; **⌐langung** obtention *f*, acquisition *f*; **⌐laß** arrêté *m*, ordonnance *f*, décret *m*; (*Aufhebung*) dispense *f*, exemption *f*; (*Verminderung*) remise *f*; **~lassen** (*veröffentlichen*) publier; (*verordnen*) arrêter, décréter, édicter; (*vermindern*) remettre; (*aufheben*) dispenser (de qch), exempter (de qch)

erlaub|en permettre; autoriser (qn à faire qch); *refl* oser, se permettre de; **⌐nis** permission *f*, autorisation *f*; permis *m*, licence *f*; **~t** permis, licite

erlaucht illustre

erläuter|n (*erklären*) expliquer; (*erörtern*) commenter; (*auslegen*) interpréter; **~nd** explicatif, interprétatif; **⌐ung** explication *f*; commentaire *m*; interprétation *f*

Erle aune *m*

erleb|en (*dabeisein*) vivre, assister à, voir; (*kennenlernen*) connaître; (*erfahren*) faire l'expérience de; (*erreichen*) atteindre; **⌐ensfallversicherung** assurance survie; **~nis** (*Abenteuer*) aventure *f*; (*Erfahrung*) expérience *f*; (*Ereignis*) événement *m*; **~nishungrig** avide d'aventures; **⌐niswelt** monde *m* intérieur, subjectivité *f*

erledig|en (*beenden*) finir, terminer; (*lösen*) régler, résoudre; (*Arbeit*) expédier; (*Auftrag*) s'acquitter de; **~t** fini, terminé; (*fig*) *er ist ~t* c'en est fait de lui; **⌐ung** (*Lösung*) règlement *m*; (*Geschäft*) expédition *f*; (*Vollendung*) achèvement *m*; (*Besorgung*) commission *f*

er|legen tuer; (*Geld*) payer; **~leichtern** (*vereinfachen*) faciliter; (*Gewicht vermindern*) alléger; (*lindern*) soulager; (*abnehmen*) débarrasser; **⌐leichterung** soulagement *m*; allégement *m*; *com* facilités *fpl*; **~leiden** (*Schmerzen*) souffrir; (*Verlust*) subir; (*Mißerfolg*) essuyer; **~lernen** apprendre; **~lesen** *adj* choisi, de choix; exquis, de premier choix; **~leuchten** éclairer, illuminer; *fig* éclaircir; **⌐leuchtung** illumination *f*; *fig* inspiration *f*, intuition *f*; **~liegen** succomber (à)

erlogen menteur, mensonger, faux

Er|lös produit *m*, recette nette; **⌐löschen** *a. fig* s'éteindre; (*Firma*) cesser d'exister; **~löschen** *su* extinction *f*; **~lösen** délivrer; *rel* (*loskaufen*) racheter; **~löser** libérateur; *rel* Sauveur, Rédempteur; **~lösung** délivrance *f*; *rel* rédemption *f*, rachat *m*

ermächtig|en autoriser (*zu* à); **⌐ung** autorisation *f*; **⌐ungsgesetz** loi *m* accordant les pleins-pouvoirs, loi sur l'état de siège

ermahn|en exhorter (*zu* à); faire des remontrances; admonester; **⌐ung** exhortation *f*; recommandation *f*

ermangel|n manquer (*e-r Sache de* qch); **⌐ung** *in ⌐ung…* faute de, à défaut de

ermäßig|en réduire; modérer; *zu ~tem Preis* à prix réduit; **⌐ung** réduction *f*; diminution *f*, baisse *f*; modération *f*

ermatt|en affaiblir; *vi* s'affaiblir, se fatiguer; **~et** fatigué, exténué, harassé; **⌐ung** affaiblissement *m*, exténuation *f*

ermessen mesurer; *fig* juger, estimer, considérer; **⌐** *su* 🜨 pouvoir *m* discrétionnaire; *meines ⌐s* à mon gré, selon moi; *nach menschlichem ⌐* autant qu'on en puisse juger, à vues humaines; *dem ⌐ überlassen* laisser à la discrétion; **⌐sfrage** question *f* d'appréciation; **⌐sspielraum** latitude *f* (*ou* marge *f*) d'appréciation

ermitt|eln rechercher; découvrir; *nicht zu ~eln* introuvable; **⌐lung** recherche *f*, enquête *f*; 🜨 instruction *f* (*judiciaire*); **⌐lungsrichter** juge *m* d'instruction

ermöglichen rendre possible; (*erleichtern*) faciliter; (*gewährleisten*) assurer; *es ~, zu…* trouver moyen de…

ermord|en assassiner; égorger; **⌐ung** assassinat *m*, meurtre *m*; égorgement *m*

ermüd|en *vt* lasser; fatiguer; *vi* se lasser; se fatiguer; **~end** fatigant; **⌐ung** *a.* ⚙ fatigue *f*; lassitude *f*

ermunter|n égayer; animer, encourager (*zu* à); **⌐ung** animation *f*; encouragement *m*

ermutig|en encourager (*zu* à); **⌐ung** encouragement *m*

ernähr|en nourrir, alimenter; entretenir; **⤷er** soutien de famille; **⤷ung** alimentation *f*; nutrition *f*; *(d. Familie)* entretien; **⤷ungsgüter** denrées *fpl* alimentaires; **⤷ungsindustrie** (secteur *m*) agro-alimentaire *m*

ernenn|en nommer, désigner; **⤷ung** nomination *f*, désignation *f*; *(Offiziere)* promotion *f*

erneu|ern renouveler; rénover, restaurer, réformer, régénérer; **⤷erung** renouvellement *m*; rénovation *f*; réforme *f*, réformation *f*; *lit* renouveau *m*; 🚂 reconduction *f*; **~t** *(von vorne)* à nouveau, *(wiederholt)* de nouveau

erniedrig|en abaisser; *(Preise)* réduire, diminuer, baisser *(a. ♪)*; *fig* humilier, avilir; *mil* dégrader; **⤷ung** *fig* abaissement *m*; humiliation *f*, avilissement *m*; **⤷ungszeichen** ♪ bémol *m*

ernst *adj* sérieux; grave, sévère; **~** *nehmen* prendre au sérieux; **~** *bleiben* garder son sérieux; **⤷** *su* sérieux *m*; gravité *f*; sévérité *f*; *im* **⤷** sérieusement, vraiment, pour de bon; **~** *machen* mettre une menace à exécution; *allen* **⤷es** tout de bon; *das ist doch nicht Ihr* **⤷**! vous plaisantez! ♦ *d.* **~** *des Lebens* l'amère réalité; les dangers de la vie quotidienne; **⤷fall** état *m* d'urgence; *im* **⤷fall** si les choses en arrivaient là; **~haft** sérieux; **~lich** sérieux, grave

Ernte *a. fig* récolte *f*; *(Getreide)* moisson *f*; *(Obst-)* cueillette *f*; **~arbeiter** moissonneur; **~n** *a. fig* récolter; *(Getreide)* moissonner; *(Obst)* cueillir; *fig* recueillir, remporter; **~zeit** moisson *f*

ernüchter|n *a. fig* dégriser; *fig* désillusionner, désenchanter; **⤷ung** *a. fig* dégrisement *m*; *fig* désillusion *f*, désenchantement *m*

Erober|er conquérant; **⤷n** conquérir, prendre; **~ung** conquête *f*; prise *f*

eröffn|en ouvrir; inaugurer; *(Diskussion)* engager; *fig* faire savoir, communiquer; **⤷ung** ouverture *f*, inauguration *f*; *fig* communication *f*, déclaration *f*; **⤷ungsbilanz** bilan *m* d'ouverture; **⤷ungsrede** discours inaugural; **⤷ungssitzung** séance inaugurale; **⤷ungsvorstellung** première *f*

erörter|n *a. math* discuter, débattre; **⤷ung** discussion *f*, débat *m*

Eroti|k érotisme *m*, sensualité *f*; **⤷isch** érotique, sensuel, sexuel

Erpel canard *m*

erpicht avide de, acharné à; *aufs Geld* **~** âpre au gain, cupide

erpress|en faire chanter qn; *fig* extorquer *(qch* à qn); **⤷er** extorqueur; maître chanteur; **⤷ung** extorsion *f*; chantage *m*

erprob|en éprouver, essayer; expérimenter; **~t** éprouvé; à toute épreuve; **⤷ung** épreuve *f*, essai *m*; expérimentation *f* (technique); **⤷ungsflug** vol *m* d'essai; **⤷ungszeit** période *f* d'essai(s)

erquick|en rafraîchir, ranimer, restaurer; *fig* réconforter; **⤷ung** rafraîchissement *m*

er|raten deviner; **~rechnen** calculer; déterminer par le calcul

erreg|bar excitable; émotionnable; irritable; **⤷barkeit** émotivité *f*; **~en** *a.* ⚡ exciter; irriter; agiter; *(hervorrufen)* causer, provoquer, soule-

ver; *(Mitleid)* faire; *(Begierde)* éveiller; **⤷er** ⚡ microbe *m* *(od* agent *m)* pathogène; **~t** excité; ému; irrité; **⤷ung** excitation *f*, émotion *f*, agitation *f*

erreich|bar accessible, à la portée (de); **~en** atteindre; parvenir à, arriver à; obtenir; *(Ufer)* gagner

errett|en sauver, délivrer; **⤷er** libérateur, sauveur; **⤷ung** délivrance *f*

errricht|en construire, élever; *(Denkmal)* ériger; établir, fonder, créer; **⤷ung** construction *f*; érection *f*; établissement *m*, fondation *f*; création *f*

er|ringen emporter, conquérir; *(Sieg)* remporter; **~röten** rougir, s'empourprer; **⤷rungenschaft** conquête; *f*; acquisition *f*; *(Technik)* neueste **~rungenschaft** dernier perfectionnement; *soziale* **⤷rungenschaften** acquis *mpl* sociaux

Ersatz remplacement *m*; compensation *f*; restitution *f*; *(Entschädigung)* dédommagement *m*, indemnité *f*; *(Gegenwert)* équivalent *m*; *(Nahrungsmittel)* ersatz *m*, succédané *m*; *mil* réserve *f*; **~anspruch** 🚂 recours *m* en réparation d'un dommage, demande *f* d'indemnisation; **~beschaffung** *(Material)* renouvellement *m*; **~dienst** *mil* service *m* civil; **~kasse** caisse *f* privée d'assurance-maladie; **~mann** remplaçant; suppléant; **~mine** mine *f* de rechange; **~rad** roue *f* de rechange *(od* de secours); **~stoff** substitut *m*, succédané *m*, ersatz *m*; **~teil** pièce *f* de rechange, pièce détachée (de maintenance); **~zeit** *(Versicherung)* période assimilée (au travail effectif)

er|saufen se noyer; **~säufen** noyer

erschaff|en créer; faire, produire; **⤷ung** création *f*

er|schallen retentir, résonner; **~schauern** frissonner, frémir *(vor* de)

erschein|en sembler; *a.* 📖 paraître; 🚂 comparaître; *(Geist)* apparaître; **⤷ung** apparition *f*; vision *f*; phénomène *m*; aspect *m*; 📖 parution *f*, publication *f*; *(Gestalt)* physique *m*; *(Auftreten)* présentation *f*; *in* **⤷ung** *treten* se montrer, se manifester

er|schießen fusiller, passer par les armes; tuer; **⤷schießung** exécution *f* par les armes; **~schlaffen** se relâcher; *(Kraft)* s'alanguir; *(Mut)* s'amollir; *(Eifer)* s'attiédir; **~schlagen** assommer; **~schleichen** capter; obtenir par la ruse; **~schließen** ouvrir; *(Grund u. Boden)* mettre en valeur; *(Märkte)* ouvrir; *(Grund u. Boden)* mettre en valeur; **⤷schließung** mise *f* en valeur; viabilisation *f*; exploitation *f* (des ressources)

erschöpf|en épuiser; exténuer, harasser, fatiguer; **~end** épuisant, fatigant; exhaustif; complet, détaillé; *adv* à fond; **⤷ung** épuisement *m*, exténuation *f*; **⤷ungszustand** inanition *f*

er|schrecken *vt* effrayer, épouvanter; faire peur à; *vi* s'effrayer, s'épouvanter; **⤷schrecken** *su* frayeur *f*; effroi *m*; épouvante *f*; **⤷schreckenheit** frayeur *f*, peur *f*

erschütter|n ébranler; *fig* émouvoir, troubler, bouleverser; **~nd** poignant; **⤷ung** ébranlement

m, secousse *f;* choc *m;* trépidation *f;* **ʃ** commotion *f; fig* émotion *f,* bouleversement *m* **erschwer|en** *(schwierig)* rendre plus difficile; *(schlimm)* aggraver; *~ende Umstände* ⚶ circonstances aggravantes; **ʟnis** *f =* **ʟung** surcroît *m* de difficultés; aggravation *f*
erschwindeln escroquer, soutirer
erschwinglich abordable, accessible
er|sehen voir, apercevoir; **~sehnen** souhaiter vivement, désirer ardemment
erset|zen remplacer; suppléer; tenir lieu de; *(Schaden)* réparer, compenser; *(erstatten)* restituer; rembourser; **ʟzung** remplacement *m;* substitution *f; (Schaden)* réparation *f*
er|sichtlich visible; évident; **~sinnen** imaginer, inventer; **~spähen** repérer, dépister; guetter; **~sparen** économiser, épargner *(a. fig);* **ʟsparnis(se)** épargne *f,* économies *fpl;* **~sprießlich** profitable, avantageux, utile; **ʟsprießlichkeit** profit *m,* utilité *f*
erst 1. *adj* (le) premier; *fig* (le) meilleur; *der ~e beste* le premier venu; *fürs ~e* pour le moment; *in ~er Linie* en premier lieu; *~er von hinten* 🏁 lanterne *f* rouge; 2. *adv (zuerst)* d'abord; *(vorher)* auparavant, préalablement; *(nur)* seulement, ne… que… *(~ gestern* pas plus tard qu' hier); *(gar)* donc; *und Sie ~!* et vous donc!; *nun ~ recht!* raison de plus!
Erst|aufführung 🎭 première *f;* **~ausgabe** 📖 première édition; **~ausstattung** dotation *f* initiale; **~besteigung** première (ascension); **ʟenmal:** *z.* **ʟenmal** pour la première fois; **ʟens** primo, premièrement; **ʟere:** *d.* **ʟere** le premier; **ʟgeboren** premier-né, aîné; **~geburt** aînesse *f,* primogéniture *f;* **~geburtsrecht** droit *m* d'aînesse; **ʟklassig** de première qualité, de premier ordre; **~kommunion** première communion; **~ling** prémices *fpl;* **ʟmalig** pour la première fois; **~recht** privilège *m;* **~versorgung ʃ** premiers secours; **~zulassung** première immatriculation
erstarr|en s'engourdir, se raidir; *(gerinnen)* se figer, se solidifier; **~t:** *vor Kälte ~t* transi de froid; *vor Schreck ~t* stupéfait, figé; **~ung** solidification *f,* engourdissement *m; (Betäubung)* torpeur *f,* stupeur *f*
erstatt|en rendre, restituer; *(Kosten)* rembourser; *Bericht ~en* rendre compte; **ʟung** restitution *f; (Kosten)* remboursement *m*
erstaun|en s'étonner, être étonné *(über etw.* de qch); **ʟen** *su* étonnement *m; (Überraschung)* surprise *f; (Verblüffung)* stupéfaction *f; in* **ʟen** *versetzen* étonner; *zu m-m größten* **ʟen** à ma grande surprise; **~lich** étonnant, surprenant; **~t** étonné, surpris
er|stechen poignarder; **~stehen** acheter, acquérir; *vi* s'élever; naître; ressusciter; **~steigen** *(Berg)* gravir; *(Mauer)* escalader; **~steigern** acheter *(od* acquérir) aux enchères; **~stellen** produire, fabriquer; **ʟstellung** production *f,* fabrication *f; (Urkunde)* établissement *m*
erstick|en *vt (a. fig)* étouffer; *(Gas)* asphyxier; *vt/i* suffoquer; *vi* étouffer *(vor* de); s'asphyxier; **ʟen** *su* suffocation *f,* étouffement *m,* asphyxie *f;*

~end suffocant, étouffant; **ʟung** asphyxie *f,* étouffement *m;* **ʟungstod** mort *m* par asphyxie
erstreben aspirer à, prétendre à, briguer; **~swert** digne d'efforts, désirable
er|strecken *refl* s'étendre *(auf* à); *(betreffen)* s'appliquer à, porter sur; **~stürmen** prendre d'assaut; **ʟstürmung** enlèvement *m,* prise *f* d'assaut; **~suchen** prier; *j-n um etw. ~suchen* demander qch à qn; *j-n ~suchen, etw. zu tun* demander à qn de faire qch; **ʟsuchen** *su* demande *f,* prière *f; auf* **ʟsuchen** *von* à la requête de; **~tappen** prendre, surprendre, attraper; pincer *(umg)*
erteil|en donner, conférer, attribuer; *(Auftrag)* passer; *(Rüge)* infliger; *(Befehl)* intimer; **ʟung** octroi *m,* attribution *f; (Patent)* délivrance *f; (Auftrag)* passation *f*
ertönen retentir
Ertrag produit *m,* rapport *m; (an Geld)* revenu *m; (♄, Kapital)* rendement *m;* **ʟen** supporter, subir, endurer; *nicht zu* **ʟen** insupportable; **ʟfähig** productif; lucratif; **~fähigkeit** productivité *f;* **erträglich** supportable; *(leidlich)* passable; **ʟreich** fertile, productif; **ʟsausfall** manque *m* à gagner; **ʟslage** niveau *m* de rendement; **ʟssteuer** impôt *m* sur les bénéfices; **ʟszuwachs** accroissement *m* de la productivité
er|tränken *(refl* se) noyer; **~träumen** rêver; **~trinken** se noyer
ertüchtig|en *(refl* s') entraîner, éduquer; **ʟung** entraînement *m; körperlich* **ʟung** éducation *f* physique
er|übrigen économiser, épargner; *refl* être inutile; **~wachen** se réveiller
erwachsen 1. *adj* adulte; 2. *vi* naître, provenir *(aus de);* **ʟer** adulte *m,* grande personne
erwäg|en peser, considérer, prendre en considération; **ʟung** considération *f; in* **ʟung** *ziehen* prendre en considération
erwähl|en choisir; *(Beruf)* embrasser, **ʟung** élection *f,* choix *m*
erwähn|en mentionner, faire mention de; **ʟung** mention *f*
erwärm|en échauffer, chauffer; *refl* se chauffer; *fig* s'intéresser *(für* à); **ʟung** échauffement *m*
erwart|en attendre; s'attendre à; *wie ~et* comme prévu *(ou* attendu, *ou* escompté); **ʟung** attente *f; (Hoffnung)* espérance *f,* espoir *m;* expectative *f; gegen alle* **ʟung** contraire(ment) à toute attente; **~ungsgemäß** conforme *(od* conformément) à notre attente
erweck|en éveiller; *(hervorrufen)* provoquer; *(Neid)* susciter; *vom Tode ~en* ressusciter; **ʟung** *(vom Tode)* résurrection *f*
er|wehren *refl* se défendre (contre); *s. e-r Sache nicht ~wehren können* ne pouvoir se défendre *(od* s'empêcher) de faire qch; **~weichen** *a. fig* amollir; *(rühren)* attendrir
erweisen *(beweisen)* prouver, démontrer; *(bezeigen)* accorder, rendre; *refl* se révéler
erweiter|n élargir, agrandir, étendre; **ʟung** élargissement *m,* agrandissement *m,* extension *f; (Kenntnisse)* enrichissement *m,* approfondissement *m;* dilatation *f*

Erwerb *(Verdienst)* gain *m*, produit *m; (Kauf)* acquisition *f; (Gewerbe)* industrie *f; (Tätigkeit)* activité *f* rémunérée; gagne-pain *m (umg);* **~en** *(gewinnen)* gagner; *(kaufen, erlernen)* acquérir; **~er** acheteur *m,* acquéreur *m;* **~sfähig** capable d'exercer une activité professionnelle; **~sleben** vie *f* active; **~slos** sans travail; **~los sein** chômer, être en chômage; **~slosenfürsorge** assistance *f* aux chômeurs; allocation *f* de chômage; **~sloser** chômeur, sans-travail; **~slosigkeit** chômage *m;* **~squelle** ressource *f;* **~sunfähigkeit** invalidité *f;* **~szweck** but *m* lucratif; **~szweig** branche *f* d'activité, métier *m;* **~ung** acquisition *f*

erwider|n répondre, répliquer; *(schlagfertig)* riposter; **~ung** réponse *f,* réplique *f;* riposte *f,* repartie *f*

erwiesenermaßen comme il a été prouvé

er|wirken obtenir; se procurer; **~wischen** attraper; *umg* pincer, épingler; *sich ~wischen lassen* se faire pincer; **~wünscht** désiré; à souhait; **~würgen** étrangler; **~würgen** *su* étranglement *m*

Erz *(Gestein)* minerai *m; (Metall)* bronze *m,* airain *m; ~ ...* archi..., maître...; **~ader** veine *f* métallifère; **~aufbereitung** préparation des minerais; **~bergbau** exploitation des minerais; **~bergwerk** *(Eisen)* mine *f* de fer; **~bischof** archevêque, métropolitain; **~bischöflich** archiépiscopal, métropolitain; **~bistum** archevêché *m;* **~dummkopf** maître sot; **~en** de bronze, d'airain; **~engel** archange *m; ~feind** ennemi juré *(od* mortel); **~förderung** extraction *f* de minerai; **~frachter** minéralier *m; ~gang** filon *m* métallique; **~gauner** maître fripon, archifourbe; **~gießerei** fonderie *f* en bronze; **~grube** mine *f* (métallique); **~haltig** métallifère; **~herzog** archiduc; **~herzogin** archiduchesse; **~hütte** fonderie *f;* **~lagerstätte** gisement *m* de minerai, gîte *m* métallifère; **~lügner** fieffé menteur; **~vater** patriarche

erzähl|en raconter; *lit* conter, narrer; *ausführlich ~en* raconter en détail; *von etw. ~en* parler de qch; *viel ~en* en raconter long; **~end** narratif; **~er** conteur, narrateur; **~ung** *(Bericht)* récit *m (a. lit); lit* conte *m;* narration *f*

er|zeugen *(zeugen)* engendrer; *(a. fig)* procréer; *(schaffen)* créer, faire naître; *(herstellen)* produire, fabriquer; **~zeuger** *(Vater)* père; *com* producteur; ☼ générateur *m;* **~zeugnis** produit *m,* production *f;* **~zeugung** *zool u. auch fig* engendrement *m;* ☜ production *f;* **~zeugungskosten** coûts *mpl* de production

er|ziehen élever, éduquer; **~zieher** éducateur; *(Lehrer)* instituteur; **~zieherin** gouvernante; **~ziehung** éducation *f;* **~ziehungskunst** pédagogie *f;* **~ziehungswesen** éducation *f*

er|zielen atteindre, obtenir, aboutir à; *(Gewinn)* réaliser; **~zielung** obtention *f;* réalisation *f;* **~zittern** trembler; **~zürnen** courroucer, mettre en colère; **~zwingen** forcer, obtenir par la force

es il; ce; le; en, y; *~ regnet* il pleut; *~ klopft* on frappe; *~ wird getanzt* on danse; *~ steht Ihnen frei* vous êtes libre de; *ich hoffe ~* je

l'espère; *er bereut ~* il s'en repent; *da haben wir ~!* nous y voilà!

Esche frêne *m*

Esel *a. fig* âne *m,* baudet *m,* bourrique *f;* **~ei** ânerie *f;* **~in** ânesse *f;* **~sbrücke:** *j-m e-e ~sbrücke bauen* tendre la perche à qn; **~sohr** *(Buch)* corne *f;* **~streiber** ânier

Eskimo Eskimau

Eskort|e escorte *f;* **~ieren** escorter

Espe tremble *m;* **~nlaub:** *wie ~nlaub zittern* trembler comme une feuille

Essay étude *f,* essai *m*

eß|bar mangeable, comestible; **~geschirr** service *m* de table; *mil* gamelle *f;* **~kastanie** châtaigne *f,* marron *m;* **~löffel** cuiller *f* à soupe; **~lust** appétit *m;* **~waren** comestibles *mpl,* denrées *fpl;* **~zimmer** salle *f* à manger

Esse cheminée *f*

essen manger; *zu Mittag ~* déjeuner, *(Belg., Schweiz)* dîner; *zu Abend ~* dîner, souper; *auswärts ~* dîner en ville; **~** *su* manger *m;* repas *m; (Gastmahl)* banquet *m;* **~marke** ticket-repas *m*

Essenz essence *f*

Essig vinaigre *m; in ~ u. Öl* à la vinaigrette ♦ *damit ist es ~* c'est tombé à l'eau; **~flasche** vinaigrier *m;* **~gurke** cornichon *m;* **~sauer** acétique; **~säure** acide *m* acétique

Estrich carrelage *m,* plancher carrelé

Etappe étape *f; mil* arrière *m;* **~nschwein** *arg mil* embusqué

Etat budget *m;* **~mäßig** budgétaire; **~sjahr** exercice *m* (budgétaire)

Ethi|k éthique *f;* **~sch** éthique

Etikett étiquette *f;* **~e** étiquette *f,* protocole *m;* **~enschwindel** fraude *f* sur les étiquettes; **~ieren** étiqueter

etliche quelques, quelques-un(e)s

etwa environ, à peu près, approximativement; peu-être, par hasard; *etwa 10 Pfund* dans les dix livres; **~ig** éventuel

etwas 1. *pron* quelque chose; *(Mengenangabe)* un *(od* quelque) peu de; *~ anderes* autre chose; *ohne ~ zu sagen* sans rien dire; *e. gewisses ~* un je-ne-sais-quoi; **2.** *adv* un peu, quelque peu

eu|ch vous; à vous; **~er** votre; *pl* vos

Eule chouette *f,* hibou *m* ♦ *~n nach Athen tragen* porter de l'eau à la rivière; **~nspiegelei** espièglerie *f*

eur|erseits de votre part; **~esgleichen** vos pareils; **~etwegen** à cause de vous; pour vous; **~ig:** *der, die, das ~ige* le *(od* la) vôtre

Euro|bank eurobanque *f;* **~devisen** eurodevises *fpl;* **~dollar** eurdollar *m;* **~krat** eurocrate

Europa l'Europe *f;* **~äer** Européen; **~äisch** européen; **~äisieren** européaniser; **~aparlament** parlement *m* européen; **~arat** conseil *m* de l'Europe

Euter pis *m,* tétine *f*

evakuier|en évacuer; **~ung** évacuation *f*

evangel|isch évangélique; protestant; **~ist** évangéliste; **~ium** Évangile *m*

eventuell éventuel(lement)

ewig éternel; perpétuel; continuel; *pej* sempiternel; *seit ~en Zeiten* de temps immémorial; *auf ~* à jamais, à perpétuité; **≈keit** éternité *f*

exakt exact, précis; **≈zeit** exactitude *f*, précision *f*

Examen examen *m; ein ~ ablegen* passer (*od* subir) un examen

Exekutive (pouvoir) exécutif *m*

Exempl|el exemple *m; e. ~el statuieren* faire un exemple; **~lar** exemplaire *m*; **≈larisch** exemplaire

exerzier|en *vt* exercer; *vi* faire l'exercice, manœuvrer; **≈platz** champ *m* de manœuvre

Exil exil *m; ins ~ schicken* exiler; **~regierung** gouvernement *m* en exil

Exist|enz existence *f;* **~enzbedingungen** conditions *fpl* de vie; **~enzberechtigung** raison *f* d'être; **≈enzfähig** viable; **~enzminimum** minimum vital; **~enzmittel** ressources *fpl;* **≈ieren** exister; vivre; être

exkommunizieren excommunier

exotisch exotique

Expan|der 🐾 extenseur *m;* **~sion** expansion *f;* détente *f;* **~sionskraft** force expansive

Exped|ient (commis) expéditionnaire; **≈ieren** expédier; **~ition** expédition *f*

Experiment expérience *f;* **≈ell** expérimental; **≈ieren** expérimenter (*mit etw.* qch)

Expert|e expert *m*, spécialiste *m;* **~ise** expertise *f*, dires *mpl* d'expert

explo|dieren exploser; éclater; **≈sion** explosion *f;* éclatement *m;* **≈sionsdruckwelle** onde *f* de souffle; **~siv** explosible; *fig* explosif; **≈sivstoff** explosif *m*

Export exportation *f;* **~eur** exportateur *m;* **~firma** maison *f* d'exportation; **≈ieren** exporter

Expreß (train) express *m;* **~gut** colis *m* express

extra *adv* exprès; en supplément; *adj (außergewöhnlich)* extraordinaire; **≈blatt** *journ* édition spéciale; **~fein** extra-fin; **≈kosten** frais *mpl* supplémentaires; **≈kt** extrait *m;* **≈vaganz** excentricité *f*, extravagance *f;* **≈wurst:** *er will immer e-e* **≈wurst** *haben* il lui faut toujours qch de particulier

Extrem extrême *m; von e-m ~ ins andere fallen* passer d'un extrême à l'autre

exzentrisch excentrique; original, bizarre

Exze|ß excès *m;* **~ssiv** excessif, démésuré, extrême

F

f ♪ ♩ fa; **≈-Dur** fa majeur; **~-Moll** fa mineur

Fabel fable *f;* **≈haft** fabuleux; *umg* épatant; **≈n** radoter, divaguer

Fabrik usine *f*, fabrique *f;* manufacture *f;* établissement *m;* atelier *m; ab ~* départ *m* usine; **~ant** fabricant; industriel *m;* **~arbeiter** ouvrier d'usine; **~at** produit *m* (manufacturé); **~ation** fabrication *f*, production *f;* **~ationsfehler** défaut *m* (*ou* vice *m*) de fabrication; **~ationsstätte** atelier *m* (de fabrication); **~besitzer** fabricant, industriel; **~marke** marque *f* de fabrique; **≈mäßig** produit en série; **≈neu** sortant de l'usine; **~preis** prix *m* d'usine

fabrizieren fabriquer, produire

Fach case *f; (Schrank)* compartiment *m;* casier *m; (Regal)* rayon *m; (Schublade)* tiroir *m; fig* branche *f*, ressort *m*, spécialité *f; (Studium)* matière *f*, discipline *f; Mann vom ~* homme du métier; *unter Dach u. ~ bringen* mettre à l'abri; **~arbeit** travail *m* de spécialiste; **~arbeiter** ouvrier qualifié (*ou* professionnel); **~arzt** spécialiste; **~ausdruck** terme *m* technique; **~ausschuß** commission *f* d'experts; **~gebiet** spécialité *f;* **~gelehrter** spécialiste; **~geschäft** magasin spécialisé; **~kenntnis(se)** connaissances professionnelles; **≈kundig** compétent; **~lehrer** professeur spécialisé; **≈lich** professionnel, technique; **~literatur** ouvrages *mpl* de référence; **~mann** technicien, expert, homme du métier, professionnel; **≈männisch** expert; technique; **~richtung** spécialité *f;* **~schule** école professionnelle; **≈simpeln** parler métier; **~sprache** langue *f* de spécialité; **~text** texte *m* scientifique (*ou* technique); **~welt** l'ensemble des spécialistes (dans un domaine donné); **~werk** colombage *m;* cloisonnage *m;* **~wörterbuch** lexique *m* de termes techniques; **~zeitschrift** revue *f* technique

fäch|eln *vt* éventer; *vi* s'agiter au vent; **≈er** éventail *m;* **~erförmig** en éventail

Fackel flambeau *m*, torche *f;* **≈n:** *nicht lange* **≈n** ne faire ni une ni deux; **~zug** retraite *f* aux flambeaux

fade fade, insipide

Faden fil *m;* ficelle *f;* ♪ filament *m; (Näh-)* aiguillée *f;* ⚓, brasse *f ♦ der rote ~* fil directeur; *alle Fäden fest in der Hand halten* avoir les affaires bien en main, tenir dans sa main les fils d'une affaire; *den ~ verlieren* perdre le fil; *keinen trockenen ~ mehr am Leibe haben* être trempé jusqu'aux os; *an e-m (seidenen) ~ hängen* ne tenir qu'à un fil; **~kreuz** (croisée de) réticule *m;* **~nudeln** vermicelles *mpl;* **≈scheinig** râpé; élimé; *a. fig* usé jusqu'à la corde

Fagott basson *m*

fähig capable (*zu* de); apte (*zu* à); qualifié (*zu* pour); susceptible (*zu* de); **≈keit** capacité *f;* aptitude *f;* faculté *f;* habileté *f; (Anlage)* talent *m*, moyens *mpl*

fahl blafard, livide; pâle, blême

fahnd|en rechercher (*nach j-m* qn); **≈ung** recherche *f* policière; enquête *f* (judiciaire)

Fahne drapeau *m;* bannière *f;* étendard *m;* 📖 épreuve *f*, placard *m ♦ s-n ~ nach dem Wind drehen* se ranger (toujours) du côté des plus forts; *mit fliegenden ~n* bannières déployées; **~nabzug** 📖 placard *m;* **~neid** serment *m* au drapeau; **~nflucht** désertion *f;* **≈nflüchtig** déserter; **~nstange** hampe *f;* **~nträger** porte-drapeau

Fähnrich porte-drapeau, enseigne

Fahr|ausweis billet *m* (de transport); *(Schweiz)* permis *m* de conduire; **~bahn** chaussée *f*, voie *f;* **~bahnbelag** revêtement *m* de la chaussée; **≈bar** mobile, roulant, transportable; carossable; **~bereit** prêt à partir, apte; **~dienstleiter** chef de gare; ⌃**en** *vt* charrier, transporter; 🚗 conduire; *vi* aller; 🚗 conduire; rouler, circuler; faire route vers; ⚓ naviguer; *fig (gut, schlecht)* se trouver (bien, mal); *wann fährt… ?* à quelle heure part…?; ⌃**en** *lassen* lâcher, abandonner; renoncer à; ⌃**end** ambulant; errant; ⌃**endes** *Volk* forains *mpl;* ⌃**er** chauffeur, conducteur; ~**erflucht** délit *m* de fuite, non-assistance *f;* ~**erhaus** cabine *f* de conduite; ~**erlaubnis** permis *m* de conduire; ~**gast** voyageur; ⚓, ✈ passager; *(Taxi)* client; ~**gastschiff** paquebot *m;* ~**geld** prix *m* (du transport); ⚓ passage *m;* ~**geschwindigkeit** vitesse *f* de marche; ~**gestell** 🚗 châssis *m;* ✈ train *m* d'atterrissage; ⌃**ig** distrait, absent; instable; ~**karte** billet *m,* ticket *m;* ~**kartenschalter** guichet *m;* ⌃**lässig** imprudent, négligent; ⚙ par imprudence; ~**lässigkeit** imprudence *f,* négligence *f,* inadvertance *f,* incurie *f;* ~**plan** horaire *m;* indicateur *m;* ⌃**planmäßig** régulier, conforme à l'horaire; ~**preis** prix *m* du voyage; ~**preisanzeiger** taximètre *m;* ~**prüfung** examen *m* du permis de conduire; ~**rad** bicyclette *f;* vélo *m (umg) ;* ~**radwache** garage *m* de vélos; ~**rinne** ⚓ passe *f;* chenal *m;* ~**schein** billet *m,* ticket *m;* ~**scheinheft** carnet *m;* ~**schule** auto-école *f;* ~**sicherheit** sécurité *f* routière; ~**streifen** voie *f;* ~**stuhl** ascenseur *m,* lift *m; (Kranken-)* chaise roulante; ~**stuhlführer** liftier; ⌃**t** voyage *m; (Taxi)* course *f; (Ausflug)* excursion *f,* promenade *f; (Strecke)* trajet *m,* parcours *m; (Geschwindigkeit)* allure *f,* vitesse *f;* ♦ *in* ~**t** *kommen* s'animer; *in voller* ~**t** à toute vitesse; *freie* ~**t!** allure libre!; ~**tausweis** titre *m* de circulation; ~**tenschwimmer** nageur *m* de grand fond; ~**tmesser** ✈ anémomètre *m;* ~**trichtung** 🚗 sens *m* obligatoire; ~**trichtungsanzeiger** indicateur *m* de direction; ~**tschreiber** enregistreur *m* de vitesse, disque *m* enregistreur; ~**wasser** ⚓ passe *f;* chenal *m; in falsches* ~**wasser geraten** faire fausse route; ~**werk** ✈ train *m* d'atterrissage; ~**zeug** véhicule *m,* voiture *f*

Fähr|e bac *m;* ~**mann** passeur; ~**schiff** ferry-boat *m,* transbordeur *m;* ~**te** piste *f;* trace *f;* foulées *fpl* ♦ *j-n auf e-e falsche* ~**te bringen** induire qn en erreur

Faksimile fac-similé *m;* ~**stempel** griffe *f*

fakt|isch effectif, réel; ⌃**or** *a. math* facteur *m;* élément *m; com* gérant; 📖 prote; ⌃**otum** factotum *m;* ⌃**ura** facture *f*

Fakul|tät faculté *f; math* factorielle *f;* ⌃**tativ**facultatif

falb fauve; *(Pferd)* aubère

Falke faucon *m*

Fall *(Sturz)* chute *f; (Gefälle)* pente *f; (Ereignis)* événement *m; (Verfall, Untergang)* ruine *f,* écroulement *m;* décadence *f; (Angelegenheit)* cas *m,* affaire *f,* cause *f;* ⚙ cas *m,* espèce *m; ling.* ⚑ cas *m; zu* ~ *bringen* faire tomber; *fig* déshonorer; *zu* ~ *kommen* tomber; *auf alle Fälle, auf jeden* ~ en tout cas, en tout état de cause; *für alle Fälle* à toute éventualité; *für den* ~, *daß* au cas où; *im schlimmsten* ~ au pis

aller; *von* ~ *zu* ~, *je nach dem* ~ suivant le cas; *gesetzt den* ~ à supposer que…; *im entgegengesetzten* ~ e dans le cas contraire; *das ist der* ~ *bei…* c'est le cas de…; *im* ~**e** *von…* *(Person:)* dans le cas de…; *(Sache:)* en cas de…

Fall|beil guillotine *f;* ~**brücke** pont-levis *m;* ~**e** piège *m; (Türschloß)* clenche *f; e-e* ~**e** *stellen* tendre un piège, dresser des embûches (à qn); *in e-e* ~**e** *locken* emberlificoter; *in d.* ~**e** *gehen* donner dans le piège

fallen tomber; *(sinken)* baisser, décroître, *(schnell)* chuter; *(sterben)* mourir, périr; *(Thermometer)* descendre; *(Aktien)* être en baisse; *auf d. Boden* ~ tomber par terre; *j-m zu Füßen* ~ tomber aux pieds de qn; *auf die Knie* ~ tomber à genoux; ~ *lassen* lâcher, laisser tomber

fällen *(Baum, Tier)* abattre; *(Urteil)* prononcer, porter (un jugement sur); *chem* précipiter; *d. Lot* ~ abaisser une perpendiculaire; ⌃ *su chem* précipitation

Fallgrube trappe *f*

fällig payable; exigible; dû; échu; ~ *werden* venir à échéance; ⌃**keit** terme *m,* échéance *f;* ⌃**keitstermin** date *f* d'échéance

Fall|obst fruits tombés; ~**reep** ⚓ échelle *f* de coupée; ~**schirm** parachute *m; mit d.* ~**schirm** *abwerfen* parachuter; ~**schirmabsprung** saut *m* en parachute; ~**schirmabwurf** parachutage *m;* ~**schirmjäger,** ~**springer** parachutiste *m; arg mil* para; ~**strick** embûche *f;* ~**sucht** épilepsie *f,* haut mal; ~**tür** trappe *f*

falsch *(fehlerhaft)* faux, erroné; incorrect; *(künstlich)* artificiel; *(vorgetäuscht)* feint, truqué; *(heimtückisch)* faux; *(unehrlich)* perfide; ~**er** *Ausdruck* terme impropre; ~**es** *Haar* cheveux postiches; ~**e** *Karten* cartes truquées; ~**er** *Name* nom d'emprunt; ~**er** *Schmuck* (parure en) simili; ~**e** *Zähne* fausses dents; ⌃ *su* duplicité *f; ohne* ⌃ sincère, loyal, honnête; ⌃**aussage** faux témoignage; ⌃**buchung** erreur *f* d'écriture; ⌃**eid** faux serment

fälsch|en *(nachmachen)* contrefaire, imiter, falsifier; *(ändern)* fausser, altérer, adultérer; *(Wein)* frelater; *(Würfel)* piper; *(Karten)* truquer; ⌃**er** faussaire, falsificateur

Falsch|geld fausse monnaie; ~**heit** fausseté *f;* perfidie *f;* ⌃**lich** falsch par erreur; faussement; à tort; ~**meldung** fausse nouvelle; ~**münzer** faux-monnayeur; ~**spieler** tricheur

Fälschung 1. faux *m;* 2. *(e-r Urkunde usw.)* falsification *f,* faux *m; (d. Qualität)* altération *f; (von Wein)* frelatage *m; (e-r Ware)* contrefaçon *f;* imitation *f*

Falt|blatt dépliant *m;* ~**boot** canot pliant; ~**e** pli *m; a. geog* fronce *f; (Haut)* ride *f; fig* repli *m;* ~**en** *werfen* faire des plis; *in* ~**en** *legen* plisser; *d. Stirn in* ~**en** *ziehen* froncer les sourcils; ⌃**fälteln** plisser, froncer; ⌃**en** plier, plisser; *(Hände)* joindre; ~**enbalg** soufflet *m;* ⚙ raccord *m* à soufflet; ~**enbildung** formation *f* de plis; *(Textil)* gondolement *m;* ~**enrock** jupe plissée; ~**enwurf** draperie *f,* drapé *m;* ~**er** papillon *m;* ~**garage** tente-auto *f,* housse-garage *f;* ⌃**ig** plissé; *(Haut)* ridé; ~**karte** carte pliante; ~**prospekt** dépliant _m;_ **~schachtel** boîte pliante; **~ung** _geog_ plissement _m_

Falz ✿ rainure _f;_ coulisse _f;_ pli _m;_ feuillure _f;_ 📖 mors _m;_ **~bein** plioir _m,_ coupe-papier _m;_ **~blatt** 📖 onglet _m;_ **~en** plier, agrafer, sertir

famili|är familier; familial; _aus ~ären Gründen_ pour (des) raisons de famille; **~e** famille _f;_ ménage _m;_ foyer _m;_ **~enangehöriger** membre _m_ de la famille; **~enbeihilfe** allocation familiale; **~enbuch** livret _m_ de famille; **~engruft** caveau _m_ de famille; **~enkreis** sein _m_ (_od_ cercle _m_) de la famille; _im_ **~enkreis** en famille; **~enleben** vie _f_ de famille (_od_ familiale); **~enname** nom _m_ de famille (_od_ patronymique); **~enoberhaupt** chef _m_ de famille; **~enplanung** planning _m_ familial; **~enrat** conseil _m_ de famille; **~enstand** état civil; **~envorstand** chef de famille; **~enzuwachs** heureux évènement _m,_ progéniture _f_

famos _umg_ fameux, épatant

Fanat|iker fanatique; **~isch** fanatique; **~ismus** fanatisme _m_

Fanfare fanfare _f_

Fang prise _f,_ capture _f;_ (_Fisch-_) pêche _f;_ _zool_ (_Zahn_) croc _m;_ (_Kralle_) serre _f;_ **~arm** tentacule _m;_ **~eisen** chausse-trape _f;_ **~en** prendre (_Feuer~en, a. fig_ pr. feu); saisir; attraper; capturer; **~grube** trappe _f;_ **~netz** filet _m_ de pêche; **~platz** lieu _m_ de pêche; **~vorrichtung** (_Aufzug_) parachute _m;_ **~zahn** croc _m_

Farb|aufnahme photo _f_ en couleur; **~band** ruban _m_ encreur (_od_ de machine à écrire); **~druck** chromo(lithographie) _f;_ **~e** couleur _f;_ coloris _m;_ teint _m;_ (_Anstrich_) peinture _f;_ (_zum Färben_) teinture _f;_ _~e bekennen_ jouer cartes sur table, sortir son drapeau; _d. ~e wechseln_ (_a. fig_) changer de couleur; **~echt** bon teint; couleur _f_ indélébile; **~echtheit** solidité (_ou_ indébilité) de la couleur; **~enblind** daltonien; **~enblindheit** daltonisme _m;_ **~enfreudig** haut en couleurs; **~enpracht** éclat _m;_ émail _m;_ **~ensehen** vision _f_ des couleurs; **~enspiel** jeu _m_ des couleurs; diaprure _f;_ **~fernsehempfänger** téléviseur _m_ couleur; **~fernsehen** T.V.-couleurs, télévision _f_ en couleurs; **~film** film _m_ en couleurs; **~filter** 📖 filtre coloré; **~gebung** coloris _m;_ **~ig** de couleur, coloré; **~kasten** boîte _f_ à couleurs; **~kopie** tirage _m_ en couleurs; **~lack** laque _f;_ **~los** incolore, décoloré; (_Stimme_) blanc; **~stift** crayon _m_ de couleur; **~mittel** = **~stoff** matière colorante, colorant _m;_ **~ton** teinte _f_

färb|en teindre; colorer, colorier; **~er** teinturier; **~erei** teinturerie _f;_ **~ung** coloration _f;_ teinte _f,_ couleur _f;_ coloris _m_

Farm ferme _f;_ **~er** fermier

Farn(kraut) fougère _f_

Färse génisse _f_

Fasan faisan _m;_ **~erie** faisanderie _f_

Fasching carnaval _m_

Faschis|mus fascisme _m;_ **~t, ~tisch** fasciste

Fasel|ei radotage _m;_ **~n** divaguer, radoter

Faser fibre _f,_ fibrille _f;_ fil _m;_ filandre _f;_ filament _m;_ **~ig** fibreux, filandreux, filamenteux; fibrillaire; **~n** s'effiler, s'effilocher; **~stoff** fibrine _f,_ matière _f_ fibreuse

Faß tonneau _m;_ fût _m,_ futaille _f;_ barrique _f;_ baril _m;_ (_Butter-_) baratte _f;_ (_Herings-_) caque _f;_ (_Maß_) muid _m_ ♦ _d. schlägt dem ~ den Boden aus_ c'est le comble; **~abfüllung** soutirage _m_ en fûts; **~binder** tonnelier; **~daube** douve _f_

Fassade _a. fig_ façade _f;_ **~nkletterer** monte-en-l'air

fassen prendre, saisir, empoigner; (_Edelstein_) monter, sertir, enchâsser; (_Quelle_) capter; (_enthalten_) contenir, cuber; (_Maschinenbau_) s'engrener, enclencher; (_Plan_) concevoir, former; (_Dieb_) arrêter; _fig_ comprendre; _Grund ~_ 🌣 prendre racine; _in Worte ~_ formuler; _refl_ se ressaisir, se remettre, se calmer; _er konnte s. vor Freude nicht ~_ il ne se sentait (_od_ tenait) pas de joie; _s. kurz ~_ être bref

faßlich compréhensible, clair

Fassung ✿ monture _f;_ ⚡ douille _f;_ (_Darstellung_) version _f;_ _fig_ contenance _f;_ calme _m;_ sang-froid _m;_ _aus d._ ~ geraten perdre contenance; _aus d._ ~ _bringen_ décontenancer, déconcerter; **~skraft** compréhension _f,_ intelligence _f,_ conception _f;_ **~slos** décontenancé, déconfit; **~svermögen** (_Volumen_) capacité _f_ (de chargement); contenance _f;_ _fig_ compréhension _f_

fast presque, à peu près, quasi; _~ schon_ pratiquement; _~ etw. tun_ faillir (_od_ manquer de) faire qch

fast|en jeûner; faire maigre; **~en** _su_ jeûne _m;_ **~enzeit** carême _m;_ **~nacht** carnaval _m;_ mardi gras; **~tag** jour _m_ d'abstinence, jour maigre

faszinieren fasciner

fatal fâcheux, désagréable, vexant; **~ismus** fatalisme _m;_ **~ist** fataliste

Fata Morgana mirage _m_

Fatzke gandin, freluquet, fat

fauchen cracher; souffler

faul pourri, putride; (_Zahn_) carié; (_Speise_) gâté; (_träge_) paresseux, fainéant; (_unsicher_) douteux, véreux; (_Ausrede, Witz_) mauvais; **~en** pourrir, se putréfier; **~enzen** paresser, fainéanter, clampiner; **~enzer** paresseux, fainéant, clampin; **~enzerei** fainéantise _f;_ **~grube** fosse _f_ septique; **~heit** paresse _f;_ **~ig** putride; **Fäulnis** pourriture _f,_ putréfaction _f;_ **fäulniserregend** saprogène, putréfiant; **~pelz** flemmard, clampin, lézard; **~päd** cancre; **~tier** _zool_ paresseux _m_

Faun faune _m,_ divinité _f_ champêtre, sylvain _m_

Fauna faune _f,_ monde _m_ animal

Faust poing _m;_ _auf eigene ~_ de son propre chef ♦ _s. ins Fäustchen lachen_ rire sous cape; _wie d. ~ aufs Auge passen_ venir comme des cheveux sur la soupe; **~dick** gros comme le poing; **~dicke** _Lüge_ mensonge puant ♦ _er hat es_ **~dick** _hinter d. Ohren_ c'est un gros malin, il est madré; **~handschuh** moufle _f;_ **~kampf** pugilat _m;_ **~pfand** gage _m;_ **~recht** droit _m_ du plus fort; **~regel** règle _f_ générale; **~schlag** coup _m_ de poing

Favorit favori

Faxen grimaces _fpl;_ blagues _fpl,_ farces _fpl,_ singeries _fpl_

Fazit résultat _m;_ total _m;_ _fig_ bilan _m;_ _das ~ ziehen_ dresser le bilan

Februar février *m*

Fecht|boden salle *f* d'armes; **≈en** faire de l'escrime; **~er** escrimeur; **~sport** escrime *f*

Feder plume *f;* ✿ ressort *m; in d.* ~*n kriechen* se mettre dans les plumes ♦ *s. mit fremden* ~*n schmücken* se parer des plumes du paon; **~ball** volant *m;* **~bein** 🚗 amortisseur *m;* **~besen** plumeau *m;* **~bett** édredon *m; (Unterbett)* lit *m* de plume; **~blatt** lame *f* de ressort; **~busch** panache *m,* aigrette *f;* **~fuchser** *umg* plumitif; **~gewicht** *(Boxen)* poids *m* plume; **~halter** porte-plume *m;* **~kasten** plumier *m;* **~kiel** tuyau *m* de plume; **~kleid** *zool* plumage *m,* livrée *f;* **~kraft** élasticité *f;* **~lesen:** *ohne viel* ~*lesens* sans façons; **≈n** *vt* déplumer; *vi* ✿ faire ressort, être élastique; **~skizze** esquisse *f* à la plume; **~strich** trait *m* de plume; **~ung** 🚗 suspension *f;* **~vieh** volaille *f*

Fee fée *f;* **≈nhaft** féerique

Fege|feuer *rel* purgatoire *m;* **≈n** balayer, nettoyer; *(Schornstein)* ramoner; *zool* frayer

Feh petit-gris *m*

Fehde hostilité *f;* querelle *f*

fehl *adv* mal; à faux; de travers; ~ *am Platz sein* être déplacé, faire tache; **≈** *su* défaut *m;* **~bar** faillible; **≈betrag** déficit *m,* manque *m;* **≈einschätzung** erreur *f* de jugement; **≈en** manquer, faire défaut, être absent; *(sündigen)* manquer, pécher; *mir* ~*t...* je manque de... il me manque...; *was* ~*t dir?* qu'est-ce que tu as?; *wo* ~*t es?* qu'est-ce qui ne va pas?; *das* ~*te gerade noch!* il ne manquait plus que cela!; *es* ~*te wenig daran, daß...* il s'en fallut de peu que...; *weit gefehlt!* vous n'y êtes pas!; **≈entscheidung** mauvais choix; décision *f* erronée; **≈entwicklung** prolongements *mpl* néfastes; *par* faute *f,* manquement *m,* erreur *f;* défaut *m,* tare *f; (Herstellungs-)* vice *m; (im Material)* défectuosité *f; (in der Rechnung)* mécompte *m;* **~erfrei,** **~erlos** correct; sans fautes; sans défaut; **≈ergrenze** marge *f* d'erreur; **~erhaft** faux, fautif; incorrect, vicieux; défectueux; **≈erhaftigkeit** défectuosité *f,* imperfection *f;* **≈ersuche** recherche *f* d'un dérangement; **≈erquelle** source *f* d'erreurs; **≈geburt** fausse couche, avortement *m;* **~gehen** se tromper de chemin; *fig* se tromper; **≈griff** méprise *f;* bévue *f;* **≈schlag** échec *m,* insuccès *m;* **~schlagen** échouer, faire fiasco; **≈schluß** conclusion erronée; paralogisme *m;* **≈start** départ *m* manqué; **~stelle** défaut *m;* marque *f;* **≈tritt** *a. fig* faux pas; **≈urteil** jugement erroné; mal-jugé *m;* **≈zündung** ✿ raté *m* (d'allumage)

Feier célébration *f;* fête *f;* cérémonie *f;* **~abend** fin *f* de la journée de travail; ~*abend machen* cesser de travailler; **≈lich** solennel, cérémonieux; **~lichkeit** solennité *f,* cérémonie *f;* fête *f;* **≈n** *vt* fêter; célébrer; *vi* chômer; **~tag** (jour *m* de) fête *f,* jour férié

Feige figue *f;* **~nbaum** figuier *m;* **~nblatt** *fig* feuille *f* de vigne

feig|e lâche, poltron, peureux; couard; **≈heit** lâcheté *f,* couardise *f,* poltronnerie *f;* **≈ling** lâche, poltron

feil en vente; *fig* vénal; **~bieten** mettre en vente, offrir; **~schen** marchander *(um etw. qch)*

Feil|e lime *f;* **≈en** limer; *fig* polir; **~späne** limaille *f*

fein fin; menu; mince, délié, ténu; délicat; *(Stimme)* grêle; *(schlau)* subtil; *(vornehm)* distingué, élégant; *(schön)* beau; *(genau)* précis, exact; *(gut)* bon; *com* de choix; ✿ affiné; *e.* ~*er Kerl (umg)* un chic type; **≈abstimmung** *(Gerät)* réglage d'accord; **≈bäckerei** pâtisserie *f;* **≈einstellung** réglage *m* de précision; **~fühlig** délicat, sensible; **≈gefühl** délicatesse *f;* **≈gehalt** ✿ titre *m;* **~gliedrig** gracile, grêle; **≈heit** finesse *f;* délicatesse *f;* distinction *f,* élégance *f;* subtilité *f;* **≈kostgeschäft** épicerie *f* (fine); **≈mechanik** mécanique *f* de précision; **≈messung** mesure précise; **≈schmecker** gourmet

Feind ennemi *m; j-m* **≈** *sein* être hostile à qn; **~eshand:** *in F. fallen* tomber entre les mains de l'ennemi; **~esland** pays ennemi; **≈lich** ennemi, hostile; **~schaft** hostilité *f,* inimitié *f;* **≈selig** hostile; **~seligkeit** hostilité *f;* animosité *f*

feist gras; replet, obèse

feixen ricaner, rire d'autrui par méchanceté

Feld champ *m;* 🏴 peloton *m; mil* campagne *f; (Schach)* case *f; fig* domaine; *d.* ~ *räumen* abandonner le terrain; *aus d.* ~ *schlagen* évincer; *ins* ~ *ziehen* partir en guerre; **~arbeit** labour *m,* travail *m* des champs; **~arbeiter** ouvrier *m* agricole; **~bereinigung** remembrement *m* rural; **~bett** lit *m* de camp; **~dieb** maraudeur *m;* **~flasche** bidon *m,* gourde *f;* **~forschung** enquête *f* sur le terrain; **≈grau** gris-vert; **~herr** homme de guerre, chef militaire *(ou de* guerre), (grand) capitaine; **~hüter** garde champêtre; **~küche** cuisine roulante; **~lager** bivouac *m;* **~marschall** maréchal; **≈marschmäßig** en tenue de campagne; **~maus** campagnol *m;* **~messer** arpenteur; **~mütze** bonnet *m* de police; **~prediger** aumônier; **~salat** doucette *f,* mâche *f;* **~stärke** ⚡ intensité de champ (électrique); **~stecher** jumelles *fpl;* **~webel** *(etwa:)* adjudant; **~weg** chemin vicinal; **~zug** campagne *f*

Felge jante *f*

Fell peau *f;* pelage *m* ♦ *e. dickes* ~ *haben* avoir la peau dure; *j-m d.* ~ *über d. Ohren ziehen* tromper qn. (dans un marché)

Fels rocher *m;* roc *m; (Block)* roche *f;* **~enbein** 💲 rocher *m;* **≈enfest** inébranlable; **≈enfest glauben** croire dur comme fer; **~enküste** falaise *f;* **~enriff** récif *m;* **~gestein** roche *f;* **≈ig** rocheux; **~masse** rocher *m;* **~spalte** faille *f;* **~wand** muraille *f;* paroi rocheuse

femin|in féminin; **≈ismus** féminisme *m;* **≈istin** féministe *f*

Fenchel fenouil *m*

Fenster fenêtre *f; (Kirchen-)* vitrail *m;* 🚗 glace *f; (Schau-)* vitrine *f,* devanture *f; (Waschmaschine)* hublot *m; z.* ~ *hinauswerfen (a. fig)* jeter par la fenêtre; **~bank** accoudoir *m,* rebord *m;* **~flügel** battant *m;* **~kreuz** croisée *f;* **~laden** volet *m;* contrevent *m;* persienne *f;* **~leder** peau *f* de chamois; **~nische** embrasure *f;* **~öffnung** baie *f;* **~putzer** laveur de carreaux; **~rahmen** châssis *m* (de fenêtre); ~**scheibe** vitre *f;* carreau *m;* ~**umschlag** enveloppe *f* à fenêtre

Ferien vacances *fpl;* congé *m; (Gerichts-)* vacations *fpl;* ~**aufenthalt** séjour *m* de vacances; ~**staffelung** étalement *m* des vacances; ~**zeit** période *f* de vacances

Ferkel porcelet *m,* goret *m*

fern *(örtl. u. zeitl.)* éloigné; *(entlegen)* lointain; *adv* loin; *von* ~*e* de loin, à distance; *d.* ᴸᵉ *Osten* l'Extrême-Orient *m;* ᴸ**amt** bureau téléphonique interurbain; inter *m (umg);* ᴸ**anzeige** téléaffichage *m;* ᴸ**bedienung** manipulation *f* à distance; ✿ télécommande *f;* ~**bleiben** ne pas assister *(von* à); *fig (e-r Sache)* ne pas se mêler de; ᴸ**e** lointain *m;* éloignement *m; in der* ~*e* au loin, dans le lointain; ᴸ**empfang** ⬦ réception *f* à grande distance; ~**er** *su* champ *m* de neige; ~**er** ultérieur; *adv* en outre, de plus; ~**erhin** à l'avenir; ᴸ**fahrer** routier; ᴸ**fahrt,** ᴸ**flug** randonnée *f;* ~**gelenkt** télécommandé; ᴸ**gespräch** ⚡**communication** interurbaine; ᴸ**glas** jumelles *fpl;* ~**halten** tenir à l'écart *(od* à distance); ᴸ**heizung** chauffage urbain; ᴸ**heizwerk** centrale *f* de chauffage urbain; ᴸ**lenkung** direction *f* à distance; téléguidage *m;* ᴸ**licht** 🚗 feu *m* de route; ~**liegen** être loin; *d. liegt mir* ~ je n'y pense même pas; ᴸ**meldeamt** bureau *m* central (téléphonique); ᴸ**meldedienst** télécommunications *fpl;* ~**meldesatellit** satellite *m* de télécommunications; ᴸ**meldetechnik** télécommunications *fpl;* ~**mündlich** par téléphone; ᴸ**rohr** lunette *f,* longue-vue *f;* télescope *m;* ᴸ**ruf** appel *m* téléphonique; ᴸ**schaltung** télécommande *f;* ᴸ**schnellzug** train *m* rapide; ᴸ**schreiben** télex *m,* message *m* (par télex); ᴸ**schreiber** téléimprimeur *m,* télex *m,* téléscripteur *m;* ᴸ**sehempfänger** poste *m* de télévision; ᴸ**sehen** télévision *f;* ᴸ**sehgerät** téléviseur *m;* ᴸ**sehsender** émetteur *m* (vision); ᴸ**sehsendung** émission *f* de télévision; ᴸ**sehzuschauer** téléspectateur; ᴸ**sicht** vue *f;* panorama *m;* ᴸ**sprechanschluß** abonnement *m* au téléphone; ᴸ**sprechapparat** appareil *m* téléphonique; ᴸ**sprechauftragsdienst** service *m* des abonnés absents; ᴸ**sprechautomat** taxiphone *m;* ᴸ**sprecher** téléphone *m;* ᴸ**sprechgebühr** redevance *f* téléphonique; ᴸ**sprechleitung** ligne *f* téléphonique; ᴸ**sprechzelle** cabine *f* téléphonique; ~**stehen** être étranger à; ᴸ**steuern** télécommander, téléguider; ᴸ**trauung** mariage *m* par procuration; ᴸ**unterricht** cours *mpl* par correspondance; ᴸ**verkehr** trafic *m* à grandes distance; service *m* des grandes lignes; ᴸ**verkehrsstraße** grand axe routier interurbain; ᴸ**wirkung** *a. phys* action *f* à distance; ᴸ**ziel** objectif *m* lointain

Ferse talon *m; j-m auf d.* ~*n sein* être sur les talons de qn; ~**ngeld** : ~*ngeld geben* tourner *(od* montrer) les talons

fertig prêt *(zu* à); *(gemacht)* fait, fini, achevé; ~*!* ça y est!; ~ *sein* avoir fini; ~ *werden* achever *(mit etw.* qch); *fig* venir à bout de; *fix u.* ~ *sein* être fin prêt; *fig* être à bout; ᴸ**bau** préfabriqué *m;* ~**bekommen,** ~**bringen** pouvoir terminer; réussir à faire qch; ~**en** fabriquer, manufactu-

rer; ᴸ**erzeugnis** = ᴸ**fabrikat** produit fini; ᴸ**gericht** plat *m* cuisiné prêt à être consommé; ᴸ**haus** maison préfabriquée; ᴸ**keit** adresse *f,* habileté *f;* ᴸ**kleidung** confection *f;* ~**machen** terminer, achever; *fig umg (ermüden, heftig tadeln)* esquinter, éreinter; *(ermüden)* vanner; ᴸ**stellen** mettre au point, réaliser, achever; ᴸ**teil** élément *m* préfabriqué; pièce *f* finie; ᴸ**ung** fabrication *f;* ᴸ**ungskosten** coûts *mpl* de la production; frais *mpl* de fabrication; ᴸ**ware** produit manufacturé

Fes chéchia *f,* fez *m*

fesch chic, pimpant, coquet

Fessel lien *m;* entrave *f;* ⚡ cheville *f; (Pferd)* paturon *m;* ~**ballon** ballon captif; ᴸ**n** ligoter, lier; garrotter; *(an e-n Ort)* clouer; *fig* captiver, fasciner; *(Blick)* fixer; ᴸ**nd** captivant, prenant, fascinateur

fest ferme; rigide; *(Körper)* solide, compact, consistant; *(unbeweglich)* stable; *(beständig)* permanent; *(Schlaf)* profond; *(Schritt)* décidé; *(Preis)* fixe; *(Glaube)* inébranlable; ᴸ**angebot** offre *f* ferme; ~**beißen** *refl* ne pas en démordre; ~**binden** attacher; ~**bleiben** rester ferme, ne pas céder; ᴸ**e** forteresse *f;* ~**fahren** *refl* s'embourber; *(a. fig)* être au point mort; *fig* s'enferrer; ~**fressen** *refl* ✿ se gripper; ~**halten** *vt* tenir bon *(od* ferme); retenir; *(festnehmen)* arrêter; *fig* noter, enregistrer; *vi* tenir; *(an Gebräuchen)* conserver, observer qch; ne pas démordre *(od* se désister) de; *refl* se tenir, s'accrocher *(an* à); ~**igen** consolider, affermir, stabiliser; ᴸ**igkeit** solidité *f,* fermeté *f,* stabilité *f;* consistance *f;* ✿ résistance *f;* ᴸ**igung** affermissement *m,* stabilisation *f;* consolidation *f;* ~**klammern** *refl (a. fig)* se cramponner *(an* à); ~**kleben** coller *(an* sur); ᴸ**komma** *EDV* virgule *f* fixe; ᴸ**kosten** coûts *mpl* fixes, frais *mpl* généraux; ᴸ**land** terre *f* ferme; continent *m;* ᴸ**landsockel** plate-forme *f (ou* plateau *m)* continental(e); ~**legen** déterminer; fixer; stipuler; préciser, définir; *(Geld)* immobiliser; *refl* s'engager, se lier; ~**machen** attacher, fixer; ⚓ amarrer; *com* arrêter les termes de; ᴸ**meter** mètre *m* cube, stère *m;* ~**nageln** clouer; ᴸ**nahme** arrestation *f;* ~**nehmen** arrêter, appréhender; ᴸ**preis** *(vertraglich)* prix ferme; *(staatlich usw.)* prix imposé; ~**punkt** repère *m* (terrestre); ~**setzen** fixer, établir, stipuler; arrêter; emprisonner; ᴸ**setzung** établissement *m;* fixation *f;* stipulation *f;* ~**sitzen** tenir; 🚗 être en panne; *fig* être cloué sur place; ~**stampfen** pilonner, damer; ~**stecken** épingler; ~**stehen** être certain, être (bien) établi; ~**stellen** arrêter, bloquer; détecter, repérer, localiser; constater; établir; déterminer; démontrer; ᴸ**stellung** constatation *f;* 🔍 constat *m;* détermination *f,* détection *f; (Schaden)* évaluation *f;* ✿ calage *m,* fixation *f;* ~**treibstoff** poudre *f* propulsive ᴸ**ung** forteresse *f;* ~**verzinslich** à revenu fixe

Fest fête *f;* gala *m;* solennité *f;* ~**abend** soirée *f* de gala; ~**akt** cérémonie officielle; ᴸ**beleuchtung** illumination *f;* ~**essen** banquet *m,* festin *m;* ᴸ**lich** solennel; ᴸ**lich begehen** célébrer, fêter; ~**lichkeit** caractère solennel; fête *f,* festivité *f;*

~**rede** discours *m* (solennel); ~**saal** salle *f* de fête; ~**spiele** festival *m*; ~**tag** (jour *m* de) fête *f*; ~**vorstellung** 🎭 (représentation *f* de) gala *m*
Fetisch fétiche *m*; ~**ismus** fétichisme *m*; ~**ist** fétichiste *m*
fett gras; *(Boden)* fertile; *(Nahrung)* riche; ⚎ *su* graisse *f*; *chem* corps gras; ⚎**auge** œil *m* de bouillon; ⚎**druck** 🕮 caractères gras; ~**en** graisser; ⚎**fleck** tache *f* de graisse; ~**haltig** adipeux; ~**ig** graisseux, onctueux; ~**leibig** obèse; ⚎**leibigkeit** obésité *f*; ~**löslich** liposoluble; ⚎**näpfchen**: *ins* ⚎**näpfchen treten** mettre le pied dans le plat; ⚎**sucht** adipose *f*; ⚎**wanst** patapouf, pansu
Fetzen loque *f*; lambeau *m*; chiffon *m*
feucht humide; mouillé; *(bes Haupt)* moite; ⚎**igkeit** humidité *f*; moiteur *f*; ⚎**igkeitsmesser** hygromètre *m*; ~**warm** *(Klima)* mou
feudal fastueux, somptueux; *hist* féodal; ⚎**system** féodalité *f*
Feuer *a. mil* feu *m*; tir *m*; *(Brand)* incendie *m*; *fig* fougue *f*, verve *f*, ardeur *f*; ~ ! au feu!; ~ **fangen** *(a. fig)* prendre feu; ~ *legen* mettre le feu *(an* à); *mit dem* ~ *spielen* jouer avec le feu ♦ *für j-n durchs* ~ *gehen* se jeter dans le feu pour qn; ~**alarm** alerte *f* au feu; ~**bestattung** incinération *f*; ~**bohne** haricot *m* d'Espagne; ~**büchse***(Lokomotive)* foyer *m*; ~**dorn** *bot* buisson ardent; ~**eifer** ardeur *f*, ferveur *f*; ~**einstellung** cessez-le-feu *m*; ⚎**fest** réfractaire; incombustible, ignifuge; ~**gefahr** danger *m* d'incendie; ~**gefährlich** inflammable; ~**haken** tisonnier *m*; ~**kraft** *mil* puissance *f* de feu; ~**löscher** extincteur *m*; ~**löschgeräte** matériel *m* d'incendie; ~**melder** avertisseur *m* d'incendie ⚎**n** *mil* faire feu, tirer *(auf* sur); ~**probe** épreuve *f* du feu; *fig* creuset *m*; ⚎**rot** rouge feu; *(Gesicht)* en feu; ~**salamander** salamandre *f* maculée; ~**sbrunst** embrasement *m*, incendie *m*; ~**schiff** bateau-phare *m*; ⚎**sicher** ignifuge; ~**speiend** volcanique; ⚎*speiender Berg* volcan *m*; ~**spritze** pompe *f* à incendie; ~**stein** silex *m*; pierre *f* à briquet *(od* à feu); ~**stelle** foyer *m*; ~**stoß** *mil* tir *m* par rafales; ~**taufe** baptême *m* du feu; ~**überfall** tir *m* de surprise; ~**ung** chauffage *m*; *(Material)* combustible *m*; ~**versicherung** assurance *f* contre l'incendie, assurance-incendie *f*; ~**wache** poste *m* de pompiers; ~**waffe** arme *f* à feu; ~**wehr** (corps *m* des) pompiers *mpl*; ~**wehrleiter** échelle *f* mécanique; ~**wehrmann** pompier; ~**wehrschlauch** tuyau *m* (de pompe); ~**werk** feu *m* d'artifice; ~**werker** artificier, pyrotechnicien; ~**zeug** briquet *m*
Feuilleton partie *f* littéraire, feuilleton *m*
feurig ardent, fervent; fougueux; passionné; *(Wein)* généreux
Fez *umg (Unsinn)* rigolades *fpl*, farces *fpl*
ff extra fin, de première qualité; *etw. aus d.* ~ **können** savoir qch sur le bout du doigt
Fibel abécédaire *m*, syllabaire *m*; *(Spange)* broche *f*
Fiber fibre *f*; ~**optik** système *m* optique en fibres, optique *f* des fibres
Fiche *m EDV* fiche *f* informatisée

Fichte épicéa *m*
fidel gai, joyeux, gaillard, jovial
Fieber *a. fig* fièvre *f*; ~**anfall** accès *m* (*od* poussée *f*) de fièvre; ⚎**haft**, ⚎**ig** fiévreux; fébrile; ~**kurve** feuille *f* de température; ~**mittel** fébrifuge *m*, antipyrétique *m*; ⚎**n** avoir (de) la fièvre; *a. fig* être fiévreux; ⚎**nd** 🦠 délirant; *fig* fiévreux, fébrile; ~**schauer** frisson *m*; ⚎**senkend** fébrifuge, antipyrétique; ~**thermometer** thermomètre médical; ~**wahn** 🦠 délire *m* (fébrile)
Fiedel violon *m*; *pej* crin-crin *m* ♦ *gespannt sein wie e-e* ~**el** être extrêmement curieux; ~**ler** ménétrier
Figur *(Körper)* taille *f*; *(Umrißbild, Abbildung, Tanz)* figure *f*; *(Schach-)* pièce *f*; 👤 personnage *m*; *umg* type *m* ♦ *e-e gute* ~ *machen* faire impression; *e-e klägliche* ~ *abgeben* être minable; ~**ant** figurant *m*, comparse *m*
Filet *(Fleisch u. Handarbeit)* filet *m*
Filiale succursale *f*
Film 📽 pellicule *f*; 👤 film *m*; ~**atelier** studio *m*; ~**aufnahme** prise *f* de vues; ~**emacher** régisseur *m* et dialogiste; ⚎**en** tourner un film; faire du cinéma; ~**industrie** industrie *f* cinématographique; ~**künstler** cinéaste, artiste de cinéma; ~**regie** réalisation *f*, mise *f* en scène; ~**regisseur** réalisateur, metteur en scène; ~**schauspieler** acteur de cinéma; ~**star** vedette *f* (de cinéma); ~**theater** salle *f* de cinéma; ~**verleih** société *f* de distribution (cinématographique); ~**vorführung** projection *f* (d'un film)
Filou fripon
Filter filtre *m*; ~**kaffee** café filtre; ~**mundstück** bout *m* filtre; ⚎**n** filtrer; ~**presse** filtre-presse *m*; ~**zigarette** cigarette *f* à bout filtre
filtrier|**en** filtrer; ⚎**en** *su* filtrage *m*; ⚎**gerät** appareil filtrant; ⚎**papier** papier-filtre *m*
Filz feutre *m*; ⚎**en** (se) feutrer; ⚎**gefüttert** garni de feutre, feutré; ~**hut** feutre *m*, chapeau mou; ⚎**okratie** *(umg)* népotisme *m*; ~**stift** feutre *m*
Fimmel *umg* toquade *f*
Finale ♪ finale *m* (🎵 *f*)
Finanz *f* finance *f*, activités bancaires; *(Personen)* financiers *mpl*, banquiers, capitalistes; ~**amt** perception *f*, service *m* des impôts et trésorerie principale; ~**beamter** fonctionnaire aux impôts directs, percepteur; ~**behörde** administration des finances; ~**en** finances *pfl*; ~**hilfe** aide financière; ⚎**iell** financier; ⚎**ieren** financer; ~**ierung** financement *m*; ~**minister** ministre des finances; ~**verwaltung** administration *f* des finances; ~**wesen** finances *fpl*
Findelkind enfant trouvé
find|**en 1.** trouver; *für gut* ~**en** trouver bon; *Beifall* ~**en** être applaudi; *ich* ~**e**, *er sieht gut aus* je lui trouve bonne mine; **2.** *refl* se trouver, se rencontrer; *man findet s. in alles* on s'accommode de tout; *das wird s.* ~**en** cela s'arrangera; ⚎**er** trouveur; 🔍 inventeur *m*; ⚎**erlohn** récompense *f* accordée à l'inventeur; ~**ig** inventif, ingénieux, perspicace; débrouillard *(umg)*; ⚎**igkeit** ingéniosité *f*, perspicacité *f*; ⚎**ling** enfant trouvé; *geol* bloc *m* erratique
Finger doigt *m*; *d. kleine* ~ le petit doigt,

l'auriculaire *m* ♦ *j-m auf die* ~ *klopfen* donner sur les doigts à qn; *j-m auf die* ~ *sehen* surveiller qn; *keinen* ~ *krumm machen umg* ne rien foutre; *lange/krumme* ~ *machen umg* chiper, barboter, piquer; *keinen* ~ *rühren* ne pas remuer le petit doigt; *sich in den* ~ *schneiden* se mettre le doigt dans l'œil; *etw. mit dem kleinen* ~ *machen* savoir faire qch sur le bout des doigts; *j-n um d. kleinen* ~ *wickeln* faire marcher qn au doigt et à l'œil; *j-m unter die* ~ *geraten* mettre la main sur qn; *laß die* ~ *davon!* ne t'en mêle pas!; bas les pattes!; **~abdruck** empreinte digitale; **~abdruckverfahren** dactyloscopie *f;* **~breite** doigt *m;* **⌐fertig** habile de ses doigts; **⌐fertig sein** avoir de la dextérité; **~glied** phalange *f;* **~hut** dé *m* (à coudre); *bot* digitale *f;* **~ling** doigtier *m;* **~nagel** ongle *m* (du doigt); **~ring** bague *f;* **~satz** ♪ doigté *m;* **~spitze** bout *m* du doigt; **~spitzengefühl** doigté *m;* **~zeig** indication *f*

fingier|en feindre, simuler; **~t** fictif, feint, simulé

Fink pinson *m*

finster obscur, sombre; *fig* triste, lugubre; **⌐nis** obscurité *f;* ténèbres *fpl; astr* éclipse *f*

Finte ruse *f,* feinte *f*

Firlefanz fanfreluches *fpl,* oripeau *m*

Firm|a *(Geschäft)* maison *f* (de commerce); établissement *m,* firme *f; (Geschäftsname)* raison sociale; **~enchef** directeur *m,* patron *m;* **~enname** raison sociale; **~enschild** enseigne *f;* **~enstempel** cachet commercial; **~wert** valeur *f* d'un fonds de commerce

firm|en *rel* confirmer; **⌐ung** *rel* confirmation *f*

Firn névé *m*

Firnis vernis *m;* **⌐sen** vernir

First *(Dach, Berg)* faîte *m*

fis ♪ fa dièse

Fisch poisson *m* ♦ *kleine* ~*e* fretin *m; stumm wie e.* ~ muet comme une carpe; *weder* ~ *noch Fleisch* ni *(od* moitié) chair, ni *(od* moitié) poisson; *er ist gesund wie e.* ~ *im Wasser* il se porte comme un charme; *s. fühlen wie ein* ~ *im Wasser* être comme un poisson dans l'eau *(od* comme un coq en pâte); **~bein** baleine *f;* **~brühe** court-bouillon *m;* **~brut** alevin *m,* frai *m;* **~dampfer** bateau de pêche; **~eier** rogue *f;* frai *m;* **⌐en** pêcher; **~er** pêcheur *m;* **~erei** pêche *f;* **~ereirecht** droit *m* de pêche; **~fang** pêche *f;* **~fanggeräte** apparaux *mpl* de pêche; **~gericht** plat *m* de poisson; **~gräte** arête *f* de poisson; **~geschäft** poissonnerie *f;* **~händler** marchand de poissons; **~händlerin** poissonnière; **~kutter** cotre *m* de pêche; **~laich** frai *m* de poisson; **~markt** marché *m* aux poissons; **~milch** laitance *f;* **~netz** filet *m;* **~otter** loutre *f;* **~platz** pêcherie *f;* **⌐reich** poissonneux; **~reiher** héron (cendré); **~reuse** nasse *f;* **~teich** vivier *m;* **~weib** poissarde *f;* **~zucht** pisciculture *f;* **~zug** pêche *f,* coup *m* de filet

fisk|alisch fiscal; **⌐us** fisc *m*

Fistel ⚕ fistule *f*

Fistelstimme fausset *m*

fix *umg* alerte, prompt; **~e Idee** idée *f* fixe; ~ *u.*

fertig fin prêt; à bout; **⌐ierbad** 🔲 bain *m* de fixage; **~ieren** fixer; **⌐iermittel** 🔲 fixateur *m;* **📷 fixatif** *m;* **⌐ierung** 🔲 fixage *m;* **⌐um** fixe *m*

flach plat; *(eben)* plan, uni; *fig* superficiel; *mit d. ~en Hand* du plat de la main; *auf d. ~en Land* en rase campagne; **⌐feile** lime *f* plate; **⌐heit** *fig* platitude *f;* **⌐land** pays plat; plaine *f;* **⌐relief** bas-relief *m;* **⌐zange** pince plate

Fläche superficie *f; (Außenseite)* surface *f;* face *f; (Ebene)* plan *m;* plaine *f;* **~inhalt** superficie *f; math* aire *f;* **~nmaß** mesure *f* de superficie

Flachs lin *m;* **⌐blond** filasse

flackern *(Licht)* vaciller, trembloter; *(Flamme)* danser

Fladen galette *f*

Flagg|e pavillon *m,* couleurs *fpl; s-e* ~ *setzen* arborer son pavillon; *d.* ~ *niederholen* amener les couleurs; *billige* ~ pavillon de complaisance; **⌐en** hisser le pavillon; pavoiser; **~enleine** drisse *f;* **~schiff** vaisseau amiral, bâtiment *m* de commandement

Flak D.C.A. *f* (défense *f* contre avions); **~geschütz** canon *m* de D.C.A.

Flame Flamand

Flamingo flamant *m*

Flamme flamme *f; fig* béguin *m,* dulcinée *f* ♦ *Feuer u.* ~ *sein* être tout feu tout flamme; *in vt* flamber; *vi* être en flammes; flamboyer; **⌐nd** *fig* ardent; **~nfest** réfractaire; **~nwerfer** lance-flammes *m*

Flandern la Flandre

Flanell flanelle *f*

Flank|e flanc *m;* 🏃 saut *m* de côté; *(Fußball)* centre *m;* **⌐ieren** flanquer

Flansch ⚙ bride *f,* collerette *f,* bourrelet *m*

Flasche bouteille *f; (kleine)* flacon *m,* carafon *m,* fiole *f; (Säuglings-)* biberon *m; fig umg* andouille *f; aus d.* ~ *trinken* boire à même la bouteille; **~nabfüllung** soutirage *m,* mise *f* en bouteille(s); **~nbier** bière *f* en bouteilles; **~nbürste** goupillon *m;* **~ngas** gaz comprimé; **~nhals** goulot *m;* **~nhülle** clisse *f,* paillon *m;* **~nkürbis** calebasse *f,* gourde *f;* **~nöffner** décapsuleur *m;* **~npfand** consigne *f;* **~nzug** ⚙ palan *m,* moufle *f*

flatter|haft volage; mobile, inconstant, évaporé; **⌐haftigkeit** inconstance *f,* légèreté *f,* humeur *f* volage; **~n** flotter, voltiger, voleter; *(Fahne)* ondoyer; **⌐n** *su* ⚙ shimmy *m;* flutter *m;* 🎵 battement *m*

flau languissant; *com* morose, stagnant

Flaum duvet *m;* **~haar** poil follet; **⌐ig** duveté

Flausch frise *f*

Flause calembredaine *f,* fabriole *f*

Flaute ⚓, *fig* accalmie *f; com* morte-saison *f,* période creuse; *(Börse)* marasme *m*

Flechse tendon *m*

Flecht|e *(Haar)* tresse *f,* natte *f; bot* ⚕ lichen *m;* ⚕ dartre *f;* **⌐en** tresser, natter; **~werk** treillis *m*

Fleck endroit *m,* place *f,* lieu *m; (Schmutz-)* tache *f; (Flicken)* pièce *f,* morceau *m; blauer* ~ meurtrissure *f,* bleu *m; nicht vom* ~ *kommen* piétiner, faire du sur place; **⌐en** tacher; *(sprenkeln)* tacheter, moucheter; **~en** *su* tache *f;*

(Ort) bourg *m;* ⁀**enlos** sans tache(s); immaculé;
~**enwasser** dégraisseur *m,* produit *m* détachant;
~**fieber** typhus *m;* ⁀**ig** taché

Fleder|maus chauve-souris *f;* ~**wisch** plumeau
m

Flegel fléau *m; fig* rustre, mufle, goujat,
malotru; ~**ei** goujaterie *f;* ~**jahre** âge ingrat

flehen supplier, implorer; ⁀ *su* supplication *f,*
imploration *f;* ~**tlich** instant

Fleisch chair *f; (Speise-)* viande *f; (Frucht-)*
pulpe *f; wildes* ~ **$** chaires mortes; *aus ~ u.
Blut* en chair et en os ♦ *sein eigen ~ und Blut*
c'est la chair de sa chair; *in ~ u. Blut übergehen*
devenir seconde nature; *s. ins eigene ~
schneiden* se nuire soi-même; ~**bank** étal *m;*
~**beschau** inspection *f* sanitaire; ~**brühe** bouillon *m,* consommé *m;* ~**er** boucher; charcutier;
~**erladen** boucherie *f;* charcuterie *f;* ⁀**fressend**
carnivore; ⁀**ig** charnu; ~**klößchen** boulette *f;*
⁀**lich** charnel; ~**werdung** *rel* incarnation *f;*
~**wolf** hachoir *m,* hache-viande *m*

Fleiß application *f;* assiduité *f;* zèle *m,* diligence
f ♦ *ohne ~ kein Preis* on n'a rien sans peine; ⁀**ig**
appliqué, laborieux, diligent, assidu, indus-
trieux; *(Arbeit)* soigné

flennen pleurnicher

fletschen: *d. Zähne ~* montrer les dents

flexib|el souple; mobile; élastique, flexible; ~**le
Altersgrenze** (possibilité de la) retraite anticipée;
~**le Arbeitszeit** horaire *m* dynamique (*ou* à la
carte); ~**ler Wechselkurs** taux *m* de change
flottant; ⁀**ilität** flexibilité *f,* souplesse *f,* élasticité *f*

flick|en raccommoder; rapiécer; ravauder; repri-
ser; ~**en** *m* morceau *m,* pièce *f;* ⁀**schneider**
raccommodeur; ⁀**schuster** savetier; ⁀**werk** *fig*
rapiéçage *m,* ravaudage *m;* placage *m;* ⁀**wort**
cheville *f;* ⁀**zeug** nécessaire *m* de réparations

Flieder lilas *m;* ⁀**farben** lilas; ~**tee** tisane *f* de
sureau

Fliege mouche *f (a. Bart); (Bart)* impériale *f;
(Krawatte)* papillon *m* ♦ *in d. Not frißt d. Teufel
~n* faute de grives, on mange des merles; *zwei
~n mit e-r Klappe schlagen* faire coup double,
faire d'une pierre deux coups; ⁀**n** *vt* piloter; *vi*
voler; flotter; voltiger; *umg* être renvoyé; *in die
Luft ~n* sauter; ⁀**nd** volant, ambulant; ⁀**ner
Händler** marchand ambulant; *mit ~nden Haaren*
échevelé; ~**ndraht** toile *f* métallique; ~**nfänger**
attrape-mouches *m;* ~**ngewicht** *(Boxen)* poids *m*
mouche; ~**nklatsche** tue-mouches *m;* ~**npilz**
fausse oronge; tue-mouche *m;* ~**nschmutz**
chiure *f;* chiasse *f;* ~**nschnäpper** *orn* gobe-
mouches *m;* ~**nschrank** garde-manger *m*

Flieger aviateur, pilote; *(Radsport)* sprinter;
~**abwehr** défense antiaérienne; ~**alarm** alerte *f;*
~**angriff** attaque aérienne; ~**anzug** combinaison *f;* ~**ei** aviation *f;* ~**horst** base *f* aérienne,
aérodrome *m* militaire; ~**leitradar** radar *m* de
contrôle (des vols)

flieh|en *vt* fuir; *vi* s'enfuir; ⁀**kraft** force *f*
centrifuge

Fliese carreau *m,* dalle *f; mit ~n belegen* daller,
carreler; ~**nleger** dalleur, carreleur

Fließband chaîne *f;* ~**arbeit** travail *m* à la
chaîne; ~**produktion** production *f* en série

fließen couler; **ϟ** circuler; *ins Meer ~* se jeter
dans la mer; ~**d:** *~des Wasser* eau courante;
~**d sprechen** parler couramment

flimmern scintiller, vaciller, trembloter; *(Film)*
vibrer

flink agile, leste, ingambe; alerte; preste;
diligent, prompt; expéditif

Flinte fusil *m* ♦ *d. ~ ins Korn werfen* jeter le
manche après la cognée

Flirt flirt *m;* ⁀**en** flirter *(mit* avec), conter
fleurette (à)

Flitter paillette *f; fig* fanfreluches *fpl;* clinquant
m; ~**gold** oripeau *m;* ~**wochen** lune *f* de miel

flitzen *umg* filer

Flock|e flocon *m; (Textil)* bourre *f;* ⁀**en**
floculer; ~**enbildung** floculation *f;* ⁀**ig** flocon-
neux; cotonneux

Floh puce *f* ♦ *j-m e-n ~ ins Ohr setzen* mettre à
qn la puce à l'oreille; **flöhen** épucer

Flor 1. floraison *f;* **2.** crêpe *m;* voile *f;* ~**a** flore *f;*
~**ett** fleuret *m;* ⁀**ieren** fleurir, être florissant;
prospérer

Floß radeau *m,* train *m* de bois

Flosse nageoire *f;* ✝ stabilisateur *m;* 🕮 main
f; umg (Hand) patoche *f*

Flößen flotter

Flöt|e flûte *f;* flageolet *m,* sifflet *m;* ~**en** *(Amsel)*
flûter; jouer de la flûte; siffler; ⁀**engehen** *umg*
paumer; péter, se casser; ⁀**engegangen** *(umg)*
fichu; ~**enkessel** bouilloire *f* à sifflet; ~**ist**
flûtiste

flott ⚓ à flot; *(Benehmen)* fringant; *(Gang)*
dégagé; *(Kleidung)* chic, pimpant; ~ *leben*
mener joyeuse vie; ~**e** flotte *f,* marine *f;* ~**enbasis**
base navale; ~**machen:** *wieder ~machen* (⚓, *fig)* renflouer,
remettre à flot; 🚗, ⚙ dépanner

Flöz couche *f,* veine *f*

Fluch juron *m;* malédiction *f,* imprécation *f;*
blasphème *m;* ⁀**en** jurer; maudire; sacrer
(umg); ⁀**würdig** exécrable

Flucht fuite *f (d. ~ ergreifen* prendre la fuite; *in
d. ~ schlagen* mettre en fuite); *mil* déroute *f;* 🏛
alignement *m; (von Räumen)* enfilade *f;* ~**linie**
🏛 alignement *m;* ~**punkt** point *m* de fuite

flücht|en fuir, s'enfuir; *refl* se réfugier *(zu* chez);
~**ig** fugitif, fuyard; *fig* fugace, passager;
superficiel, volage; *(Blick)* rapide; *(Arbeit)* peu
soigné; bâclé; *chem* volatil; ⁀**igkeit** légèreté *f,*
négligence *f;* volatilité *f;* ⁀**igkeitsfehler** faute *f*
d'inattention; ⁀**ling** réfugié *m;* fugitif *m,* fuyard
m

Flug vol *m;* ✝ raid *m,* croisière *f; (Vögel)* volée
f; e-n ~ buchen réserver un vol; ~**abwehr**
défense antiaérienne; ~**asche** ⚙ cendres folles;
~**bahn** trajectoire *f;* ~**betrieb** service *m* aérien;
~**blatt** tract *m;* ~**boot** hydravion *m;* ~**feld**
aérodrome *m;* ~**gast** passager *m;* ~**hafen**
aéroport *m;* aérodrome *m;* ~**käfig** *(Zoo)* volière
f; ~**körper** missile *m,* engin *m* balistique;
~**navigation** navigation aérienne, aéronaviga-
tion *f;* ~**platz** base *f* aérienne, aérodrome *m;*

~**sand** sables mouvants; ~**schein** brevet *m* de pilote; ~**sicherheit** sécurité *f* des vols; ~**schrift** tract *m*, pamphlet *m*; ~**verkehr** trafic aérien; ~**wesen** aviation *f*; ~**zeug** avion *m*; ~**zeugführer** pilote; ~**zeughalle** hangar *m* d'avions; ~**zeugrumpf** coque *f*, fuselage *m*; ~**zeugträger** porte-avions *m*

Flügel (*a*. 🏛, ⭹, *Nase*) aile *f*; (*Lunge*) lobe *m*; (*Tür, Fenster*) battant *m*; (*Altar*) vantail *m*; ♪ piano *m* à queue; *d*. ~ *hängen lassen* (*fig*) s'abandonner au découragement; ⬥**lahm** *fig* paralysé; ~**mutter** ⚙ écrou *m* à ailettes (*od* oreilles); ~**rad** (*Motor*) roue *f* à ailettes; ~**spitze** aileron *m*; ~**tür** porte *f* à deux battants; ~**weite** envergure *f*

flügge prêt à quitter le nid; ~ *werden* (*fig*) prendre sa volée

flugs vite, sur-le-champ

Fluidum fluide *m*

Flunker|ei blague *f*; ⬥**n** *umg* blaguer, en mettre plein la vue, faire de l'épate

Fluor fluor *m*; ~**eszenz** fluorescence *f*; ⬥**eszierend** fluorescent

Flur 1. *f* campagne *f*, champs *mpl*; 2. *m* vestibule *m*, couloir *m*, corridor *m*; ~**bereinigung** remembrement *m* (des terres); ~**hüter** garde *m* champêtre; ~**name** lieu-dit *m*; ~**schaden** dommage *m* causé aux cultures

Fluß rivière *f*; (*zum Meer*) fleuve *m*; ⚙ fusion *f*; ⚡, *fig* flux *m*; 💲 fluxion *f*; *in* ~ *bringen* (*fig*) mettre en train; ⬥**abwärts** en aval; ~**arm** bras *m* de rivière; ⬥**aufwärts** en amont; ~**bett** lit *m* (d'une rivière); ~**dichte** *phys* densité *f* de flux; ~**ebene** plaine *f* alluviale; ~**gewässer** eaux *fpl* fluviales; ~**fisch** poisson *m* d'eau douce; ~**gebiet** bassin *m* d'un fleuve; ~**mittel** ⚙ fondant *m*; ~**netz** réseau fluvial; ~**pferd** hippopotame *m*; ~**schiff** chaland *m*, péniche *f*; ~**schiffahrt** navigation fluviale; ~**schiffer** batelier, marinier; ~**spat** spath *m* fluor, fluorine *f*; ~**stahl** acier fondu; ~**windung** méandre *m*

flüssig fluide; *a*. *com* liquide; *com* disponible; (*Stil*) coulant; ~ *machen* (*Kapital*) mobiliser; débloquer des fonds; ⬥**gas** gaz *m* liquéfié; ⬥**keit** liquide *m*; *phys*, *fig* fluide *m*; fluidité *f*

flüstern chuchoter ◆ *j-m etw.* ~ (*umg*) rabrouer qn; *das kann ich dir* ~ (*umg*) ça, tu peux me (le) croire

Flut flot *m*; (*Gezeiten*) marée haute, flux *m*; *bes fig* débordement *m*; torrent *m*, déluge *m*; ⬥**encouler**, flotter; arriver à flots; ~**hafen** port *m* de marée; ~**höhe** hauteur *f* de la marée; ~**lichtbeleuchtung** éclairage *m* par projecteurs; ~**linie** laisse *f* de haute mer; ~**welle** mascaret *m*, raz *m* de marée; barre *f*

Fock|mast mât *m* de misaine; ~**segel** (voile *f* de) misaine *f*

Fohlen poulain *m*

Föhn (*Wind*) fœhn *m*; *siehe* Fön

Föhre pin *m*

Fokus 📷, 💲 foyer *m*; *fester* ~ 📷 mise *f* au point fixe; ~**sierung** mise au point, focalisation *f*; concentration (du faisceau)

Folge (*Ergebnis*) conséquence *f*; (*Reihenfolge*) série *f*; (*Gefolge, Fortsetzung, Zukunft*) suite *f*; (*Nachfolge*) succession *f*; *in der* ~ dans la suite; *zur* ~ *haben* avoir pour conséquence, entraîner qch; ~ *leisten* (*gehorchen*) obéir (à qn); (*Einladung*) se rendre (à une invitation); ~**n** *haben* tirer à conséquence, avoir des suites; *zur* ~ *haben* provoquer, engendrer; ⬥**n** suivre (qn, qch); (*gehorchen*) obéir à qn; (*nachfolgen*) succéder à qn; (*sich ergeben*) résulter, découler (*aus* de); *mit d. Augen* ⬥**n** suivre des yeux; *j-m auf Schritt u. Tritt* ⬥**n** emboîter le pas à qn, ne pas lâcher qn d'une semelle; *Fortsetzung folgt* à suivre; ⬥**nd** suivant; ⬥**ndermaßen** de la manière suivante; ⬥**nschwer** lourd de conséquences, important; ⬥**richtig** logique, conséquent; ⬥**richtigkeit** conséquence *f*, logique *f*; *Mangel an* ~**richtigkeit** inconséquence *f*; ⬥**rn** conclure, déduire (*aus* de); ~**rung** conclusion *f*, déduction *f*; ⬥**widrig** illogique, inconséquent

folglich par conséquent, en conséquence

Foli|ant in-folio *f*; ~**e** (*Metall u. Kunststoff*) plaque *f*, feuille *f*; (*Hintergrund*) fond *m*; ~**oformat** in-folio *m*

Folter torture *f*; *auf d.* ~ *spannen* (*fig*) mettre à la torture, torturer; ~**knecht** tortionnaire; ⬥**n** torturer; *fig* mettre au supplice; ~**qual** torture *f*

Fön séchoir *m* à main

Fonds *m* fonds *m*, capital *m*, réserves *fpl*; obligations *fpl* émises par l'État; ~**börse** bourse *f* des valeurs mobilières

foppen duper; faire monter à l'échelle

forder|n demander, exiger, réclamer, revendiquer; *zum Duell* ~ provoquer en duel; *Rechenschaft* ~**n** demander raison (*von j-m* à qn); ⬥**ung** demande *f*, exigence *f*, revendication *f*, réclamation *f*; 💰, *com* créance *f*; (*zum Zweikampf*) provocation *f*

Förder|band ⚙ convoyeur *m* (*ou* transporteur) à bande; ~**einrichtung** ⚙ dispositif *m* de manutention; ~**er** protecteur, promoteur; ~**gut** produit *m* d'extraction; ~**hund** ⚙ benne *f*, berline *f*; ~**kohle** tout-venant *m*; ~**korb** cage *f*; ~**leistung** capacité *f* d'extraction, rendement *m*; (*Pumpe*) débit *m*; ⬥**lich** profitable; ⬥**n** encourager, favoriser, protéger; ⚙ extraire; convoyer, transporter; ~**schacht** puits *m* d'extraction; ~**turm** chevalement *m* (de mine); ~**ung** encouragement *m*, protection *f*; ⚙ extraction *f*; production *f* ~**wagen** chariot *m* transporteur; benne *f*

Forelle truite *f*

Forke fourche *f*

Form forme *f*, façon; *f*; ⚙ moule *m*; *aus d.* ~ *bringen* déformer; *aus d.* ~ *kommen* se déformer; *aus d.* ~ *nehmen* démouler; (*gut*) *in* ~ *sein* (*umg*) être en (pleine) forme; *in aller* ~ en bonne et due forme

form|al formel; ⬥**alität** formalité *f*; ⬥**at** format *m*; ~**bar** plastique; *a*. *fig* malléable; ⬥**barkeit** plasticité *f*; *a*. *fig* malléabilité *f*; ~**beständig** indéformable; ⬥**blatt** formulaire *m*, imprimé *m*; ⬥**el** *a*. *math* formule *f*; ~**ell** *adj* formel; *adv* formellement; ~**en** former, façonner, modeler;

✿ mouler *(a. fig);* ⌐**en** *su* façonnage *m;* ✿ **moulage** *m;* ⌐**enlehre** *ling* morphologie *f;* ⌐**er** modeleur; ✿ mouleur; ⌐**fehler** *a.* ⚙ vice *m* de forme; ~**gerecht** dans les formes, en bonne et due forme; ~**gestaltung** design *m;* esthétique *f* industrielle; ~**ieren** *refl* se former; ⌐**ierung** formation *f;* **förmlich** formel, cérémonieux, solennel; *fig umg* en quelque sorte, quasiment; **Förmlichkeit** formalité *f;* ⌐**los** sans façons, libre; ⌐**losigkeit** absence *f* de formes, sans-gêne *m;* ⌐**sache** formalité *f; das ist nur* ⌐**sache** c'est pour la forme; ~**schön** de belle forme; ⌐**ular** formule *f,* formulaire *m;* ~**ulieren** formuler; ~**vollendet** (de forme) parfait(e)

forsch crâne, énergique, fougueux, fringant, impétueux

forsch|en faire des recherches; s'enquérir *(nach* de), rechercher (qch); ~**end** *(Blick)* scrutateur; ⌐**er** chercheur, investigateur; ⌐**ergeist** esprit chercheur; ⌐**ung** recherche *f* (scientifique), investigation *f;* ⌐**ungsreise** expédition *f,* voyage *m* d'exploration

Forst forêt *f,* exploitation *f* forestière; ~**amt** administration *f* des forêts; **Förster** (garde *m)* forestier; ~**frevel** délit forestier; ~**haus** maison forestière; ~**meister** conservateur des eaux et forêts; ~**verwaltung** administration *f* des eaux et forêts; ~**wirtschaft** exploitation forestière; sylviculture *f*

fort *(weg)* absent, loin, parti; ~ *mit euch! (pop)* filez!, ôtez-vous de là!, décampez!; *(weiter) in e-m* ~ sans relâche, sans cesse, sans interruption; *und so* ~ et ainsi de suite; ~**an** désormais, dorénavant; ⌐**bestand** continuité *f,* pérennité *f;* ~**bestehen** subsister; ~**bewegen** mouvoir, déplacer; *refl* avancer; ~**bewegung** locomotion *f,* déplacement *m;* ~**bilden** *(refl* se) perfectionner; ⌐**bildung** formation *f* permanente *(ou* continue), recyclage *m;* ⌐**bildungskurs** cours *m* postscolaire *(ou* de perfectionnement); ~**bringen** emporter; *(Person)* emmener; ⌐**dauer** permanence *f,* persistance *f;* ~**dauern** durer, continuer, persister; ~**dauernd** permanent; ~**eilen** partir à la hâte; ~**fahren** *(abreisen)* partir; *(fortsetzen)* continuer, poursuivre; ~**fallen** être supprimé; ~**fliegen** s'envoler; ~**führen** continuer; ⌐**führung** continuation *f,* prolongement *m;* ~**gang** avancement *m,* évolution *f;* ~**gehen** partir; ~**geschritten** avancé; ~**jagen** chasser, mettre à la porte; ~**kommen** *(vorwärtskommen)* faire son chemin, progresser, faire des progrès; *(verschwinden)* disparaître, se perdre; *mach, daß du* ~**kommst!** *(umg)* sauve-toi!; ⌐**kommen** *su* avancement *m,* progrès *m;* ~**laufen** prendre la fuite, s'enfuir, s'évader; se sauver *(umg);* ~**laufend** suivi, continu; ~**leben** survivre; ⌐**leben** *su (nach d. Tod)* survie *f;* ~**nehmen** prendre, enlever, ôter, confisquer; ~**pflanzen** reproduire; *(verbreiten)* propager; *refl* se reproduire; *(verbreiten)* se propager, se transmettre; ⌐**pflanzung** reproduction *f; (Verbreitung)* propagation *f,* transmission *f;* ~**räumen** enlever; ~**schaffen** *(entfernen)* enlever, ôter, faire disparaître; *(befördern)* transporter; ~**schicken** en-

voyer, expédier; *(entlassen)* renvoyer, congédier; ~**schleppen** entraîner; *refl* se traîner; ~**schreiben** actualiser, réévaluer; ~**schreiten** progresser, avancer; ⌐**schreiten** *su* progrès *m,* progression *f;* ~**schreitend** progressif; ⌐**schritt** progrès *m;* ⌐**schritte machen** faire des progrès, progresser; ~**schrittlich** progressiste; ~**schrittsgläubig** progressiste; ~**setzen** continuer, poursuivre; ⌐**setzung** suite *f;* continuation *f,* prolongement *m;* ~**während** continu, continuel, perpétuel; ~**werfen** jeter; ⌐**zahlung** maintien *m* du versement *(ou* du paiement)

Foto *umg* photo *f;* ~**apparat** appareil *m* photographique; ⌐**gen** photogénique; ~**graf** photographe; ~**grafie** photographie *f;* ⌐**grafieren** photographier; faire de la photographie; ⌐**grafisch** photographique; ~**kopie** photocopie *f;* ~**montage** montage *m* photographique; truquage *(od* trucage) *m* photographique; ~**zelle** cellule *f* photo-électrique

Fracht fret *m;* chargement *m,* charge *f;* ⚓ cargaison; prix *m* de transport; ~**brief** lettre *f* de voiture; ⚓ connaissement *m;* ~**dampfer,** ⌐**er** cargo *m,* navire marchand; affréteur *m;* ~**flugzeug** avion-cargo *m;* ⌐**frei** franco de port, port payé; ⌐**gut** marchandise *f* transportée, fret *m; als* ~**gut** en régime ordinaire; ~**kahn** péniche *f,* chaland *m;* ~**kosten** frais *mpl* de transport, fret *m;* ~**rate** taux *m* de fret; ~**raum** ✝ soute *f;* ⚓ cale *f;* ~**satz** tarif *m,* barème *m;* ~**schiff** cargo *m;* ~**verkehr** trafic *m* de marchandises; ~**vertrag** charte-partie *f*

Frack habit *m,* frac *m*

Frage question *f;* demande *f;* problème *m; (Prüfung,* ⚙) interrogation *f* ◆ *das ist gar keine* ~ c'est tout à fait clair; *ohne* ~ sans aucun doute possible; *d.* ~, *ob* la question de savoir si; *in* ~ *kommen* entrer en ligne de compte; *in* ~ *stellen* mettre en question; ~**bogen** questionnaire *m;* ~**n** demander *(j-n nach etw.* qch à qn; *nach j-m* qn); interroger; questionner *(über* sur); *nichts danach* ⌐**n** s'en soucier guère; *es fragt sich, ob...* reste à savoir si...; ⌐**nd** interrogatif, interrogateur; ~**satz** proposition interrogative; ~**zeichen** point *m* d'interrogation

frag|lich douteux, contestable, précaire; en cause, en question; ~**los** incontestable; sans aucun doute; ~**würdig** douteux; précaire; aléatoire; louche

Fragment fragment *m;* ⌐**arisch** fragmentaire

Fraktion *pol* groupe *m* parlementaire

Fraktur § fracture *f;* ▱ caractères *mpl* gothiques, gothique *f*

frank: ~ *u. frei* franchement; ⌐**atur** affranchissement *m;* ⌐**en** franc *m;* ~**ieren** affranchir; ~**o** franc de port, franco

Frankreich la France ◆ *wie Gott in* ~ *leben* vivre comme un coq en pâte

Franse frange *f*

Franzose Français; ✿ clef anglaise; ⌐**nfreundlich** francophile; ~**ntum** génie *m* de la France; caractère français

französisch français ◆ *sich* ~ *empfehlen* filer à l'anglaise

Fräs|e ✿ fraiseuse *f;* **~en** fraiser; **~er** fraiseur; *(Werkzeug)* fraise *f;* **~maschine** fraiseuse *f*

Fraß *pop* mangeaille *f,* boustifaille *f*

Fratz marmouset *m,* gamin *m;* **~e** grimace *f;* **~enhaft** grotesque

Frau femme; dame; *(Ehe-)* épouse; *(Anrede)* Madame; **~** *d. Hauses* maîtresse de maison; **~enarbeit** travail *m* pour femmes; travail de la femme; **~enarzt** gynécologue; **~enberuf** profession féminine; **~enbewegung** mouvement féminin, féminisme *m;* **~enfeind** misogyne; **~enrechtlerisch** féministe; **~enschuh** *bot* sabot *m* de Vénus; **~enzimmer** *umg* donzelle; **~lich** féminin; maternel

Fräulein jeune fille; demoiselle; *(Anrede)* Mademoiselle

frech insolent, impertinent; impudent, effronté; **~dachs** gamin, polisson; **~heit** insolence *f,* impertinence *f,* effronterie *f;* toupet *m (umg)*

frei libre, indépendant; exempt, gratuit, sans frais; *com* franco, port *m* payé; *(Stelle)* vacant; *(Platz)* inoccupé; *(offen)* franc, sincère; *(gewagt)* hardi, libertin; *d.* **~***en Künste* les arts libéraux; *aus* **~***er Hand* à main levée; *aus* **~***en Stücken* de bon gré; *auf* **~***en Fuß setzen* 🜨 relaxer; **~** *werden* ✿ se dégager; 🜨 tomber dans le domaine public; *im* **~***en* en plein air, au grand air; à le belle étoile; **~antwort** réponse payée; **~bad** piscine *f* en plein air; **~beruflich** concernant les professions non-salariées; **~betrag** *(Steuern)* tranche *f* non imposable, abattement *m* à la base; **~beuter** *f* flibustier; **~bleibend** *com* sans engagement; **~brief** *fig* licence *f;* **~denker** libre penseur; **~en** demander en mariage; **~er** épouseur, prétendant; *auf* **~ersfüßen gehen** chercher femme; **~exemplar** exemplaire gratuit; **~gabe** libération *f; com* déblocage *m,* libéralisation *f;* 🜨 mainlevée *f;* **~geben** mettre en liberté, libérer; *päd* donner congé; **~gebig** libéral, large, généreux; **~gebigkeit** libéralité *f,* largesse *f,* générosité *f;* **~geist** esprit fort; **~gelassener** affranchi; **~gepäck** bagages *mpl* en franchise; **~grenze** seuil *m* d'imposition; **~hafen** port franc; **~halten** régaler, défrayer, payer pour *(j-n* qn); *(Platz)* réserver; **~handel** libre-échange *m;* **~händig** à main levée; *com* à l'amiable; **~heit** liberté *f;* indépendance *f; (von Abgaben)* franchise *f,* exemption *f; (Bewegungs-)* latitude *f;* **~heitlich** libéral; **~heitsberaubung** séquestration *f;* **~heitskrieg** guerre *f* d'indépendance; **~heitsstrafe** peine privative de liberté; **~karte** carte *f* (d'entrée) gratuite, billet *m* de faveur; **~kauf** rachat *m;* **~körperkultur** nudisme *m;* **~lager** dépôt *m* de transit; **~lassen** lâcher, remettre en liberté; 🜨 relaxer; *(Sklaven)* émanciper, affranchir; **~lassung** mise *f* en liberté; émancipation *f,* affranchissement *m;* 🜨 élargissement *m,* relaxation *f,* relaxe *f;* **~lauf** (embrayage *m* à) roue *f* libre; **~legen** dégager; déblayer; **~leitung** 🗲 ligne aérienne; **~lich** bien sûr, assurément; en effet; il est vrai que; **~lichtbühne** scène *f* en plein air; **~machen** dégager; débarrasser; déboucher; ♉ affranchir; *refl* s'émanciper,

s'affranchir; **~marke** timbre(-poste) *m;* **~maurer** (franc-)maçon; **~maurerei** (franc-)maçonnerie *f;* **~maurerisch** (franc-)maçonnique; **~mut** franchise *f;* **~mütig** franc; *adv* à cœur ouvert; **~nehmen** *refl* prendre un jour de congé; **~schar** corps franc; **~schwimmen** *refl* passer son brevet de nageur; **~setzen** *phys, chem* libérer; *(Arbeiter)* congédier, licencier; **~sinnig** libéral, éclairé; **~sprechen** 🜨 acquitter; *rel* absoudre; **~spruch** 🜨 acquittement *m;* **~statt** asile *m,* refuge *m;* **~stehen:** *es steht Ihnen* **~***, zu...* libre à vous de; **~stelle** bourse *f;* **~stellen** *(vom Wehrdienst)* dispenser; laisser le choix *(j-m etw.* à qn de faire qch); laisser (qn) libre *(od* à même) (de); *com* exempter, exonérer; **~stellung** *mil* dispense *f;* **~stilringen** catch (as catch can) *m;* **~stilschwimmen** nage *f* libre; **~stoß** 🝔 coup franc; **~stunde** heure creuse; **~tag** vendredi *m;* **~tod** suicide *m;* **~treppe** escalier *m* hors-d'œuvre *(od* extérieur); **~übungen** exercices *mpl* d'assouplissement; **~umschlag** enveloppe timbrée; **~verkehr** *(Börse)* marché *m* libre *(ou* hors-cote); **~willig** volontaire; spontané; *adv* de son propre gré; **~willigenmeldung** enrôlement *m* volontaire; **~williger** volontaire; **~willigkeit** spontanéité *f;* **~zeichnungsklausel** clause *f* de non-responsabilité; **~zeit** loisir(s) *m(pl),* temps *m* libre; **~zeitgesellschaft** société *f* des loisirs; **~zeitgestaltung** organisation *f* des loisirs; **~zone** zone franche; **~zügigkeit** libre circulation *f*

fremd *(auswärts)* étranger, exotique; *(unbekannt)* inconnu; *(seltsam)* étrange, bizarre; *das ist mir* **~** je n'y comprends rien, je ne m'y connais pas; **~arbeiter** travailleur *m* étranger; **~artig** *(verschieden)* hétérogène; *(ungewöhnlich)* insolite; **~e** *f: in der* **~** en pays étranger, à l'étranger; **~enbuch** registre *m* des voyageurs; **~enführer** guide *m* touristique; **~enindustrie** industrie *f* du tourisme; **~enlegion** légion étrangère; **~enverkehr** tourisme *m;* **~enverkehrsamt** syndicat *m* d'initiative, office *m* de tourisme; **~enzimmer** *(privat)* chambre *f* d'hôte; *(Gasthof)* chambre *f* d'hôtel; **~er** étranger; **~herrschaft** domination étrangère; **~kapital** capital étranger à l'entreprise; **~körper** $ corps étranger; **~ländisch** exotique, étranger; **~ling** étranger; **~sprache** langue *f* étrangère; **~sprachkorresondentin** secrétaire-correspondancière (bi-)trilingue; **~sprachlich** d'une langue étrangère; **~sprachl.** *Unterricht* enseignement *m* des langues étrangères; **~stoff** impureté *f,* corps *m* étranger; **~wort** mot d'origine étrangère, anglicisme (etc.)

Frequenz *math, phys* fréquence *f*

Fresko fresque *f;* **~malerei** peinture *f* à fresque

Fresse *pop* gueule *f; e-e große* **~** *haben (umg)* avoir une grande gueule; *j-m die* **~** *polieren (umg)* casser la gueule à qn; **~n** manger; dévorer, avaler; *pop* bouffer, becqueter; *sie werden dich schon nicht* **~** *n! (umg)* on ne te mangera pas!; *sie hat e-n Narren an ihm gefressen* elle raffole de lui; **~n** *su* pâture *f; gefundenes* **~***n* aubaine *f*

Freßgier gloutonnerie *f*

Frettchen furet *m*

Freude joie *f;* plaisir *m; (laute)* allégresse *f; mit ~n* avec plaisir; *vor ~* de joie; *voller ~* pénétré de joie; *j-m e-e ~ bereiten* faire plaisir à qn; *es ist keine reine ~* ce n'est pas du gâteau; **~nbotschaft** joyeuse nouvelle; **~nfeuer** feu *m* de joie; **⊥strahlend** rayonnant de joie

freud|ig joyeux; content; *adv* de bon cœur, avec joie; *ein ~iges Ereignis* un heureux évènement; **~los** triste, morne; **⊥losigkeit** tristesse *f*

freuen réjouir; *refl* se réjouir *(über, an* de); être enchanté, charmé, content (de); *s. auf etw. ~* se réjouir (à la pensée) de; *das freut mich* cela me fait plaisir

Freund ami; *(Anhänger)* amateur; *sich ~e erwerben* se faire des amis; *sie sind gute (dicke) ~e* ils sont bons (grands) amis; *ich bin kein ~ von…* je n'aime pas (qch, à faire qch); **~in** amie; **⊥lich** aimable, affable, gentil, obligeant; **~lichkeit** amabilité *f*, affabilité *f*, gentillesse *f*, obligeance *f;* **~schaft** amitié *f; ~schaft schließen mit j-m* se lier d'amitié avec qn; *aus ~schaft zu* par amitié pour ♦ *kleine Geschenke erhalten die ~schaft* les petits cadeaux entretiennent l'amitié; **⊥schaftlich** amical; **~schaftsdienst** service *m* d'ami; **~schaftsspiel** rencontre *f* amicale; **~schaftsvertrag** pacte *m* d'amitié

Frev|el *(Lästerung)* sacrilège *m; (Vergehen)* délit *m*, crime *m; (Missetat)* forfait *m;* **⊥elhaft** sacrilège; criminel; **~elhaftigkeit** caractère criminel; **⊥eln** violer la loi, commettre un crime; attenter *(an etw.* à qch); **~ler** criminel; scélérat; *(Lästerer)* sacrilège; *(Missetäter)* malfaiteur

Fried|e paix *f; fig* calme *m*, repos *m*, tranquillité *f; im ~en* en temps de paix; *~en schließen* faire la paix ♦ *d. ~en nicht trauen* avoir des soupçons; **~ensbruch** violation *f* de la paix; **⊥ensmäßig** d'avant-guerre; **~enspfeife** calumet *m* de (la) paix; **~enspflicht** *com* obligation *f* de respecter la paix sociale; **~ensrichter** juge de paix; **~ensschluß** conclusion *f* de la paix; **~ensstärke** *mil* effectifs *mpl* de paix; **~ensstifter** pacificateur; **~ensstörer** semeur de discorde, trouble-fête; **~ensunterhändler** négociateur *m (ou* médiateur) de la paix; **~ensvermittlung** médiation *f;* **~ensvertrag** traité *m* de paix; **⊥fertig**, **⊥liebend** pacifique; **~hof** cimetière *m;* **⊥lich** paisible, tranquille; **⊥los** inquiet, sans repos, agité

frieren avoir froid; geler

Fries 𝄔 frise *f*

frisch frais; neuf, nouveau; *(Ereignis)* récent; *(Wäsche)* propre; *fig* vif, allègre, alerte; *auf ~er Tat* sur le fait, en flagrant délit; *~ gestrichen!* attention à la peinture! ♦ *~ gewagt ist halb gewonnen* la fortune sourit aux audacieux; **⊥e** fraîcheur *f;* vigueur *f;* **~en** ☼ affiner; **⊥fische** marée *f;* **⊥gemüse** légumes verts; **~gebacken** *fig* frais émoulu; **~haltepackung** emballage *m* de conservation; **⊥ling** *zool* marcassin *m;* **⊥luft** air frais; **~weg** sans hésiter

Fris|eur coiffeur; **⊥ieren** coiffer; *(Bilanz)* maquiller; falsifier; *(Motor)* gonfler; **~ierkom-**

mode table-coiffeuse *f;* **~iermantel** peignoir *m;* **~iersalon** salon *m* de coiffure; **~ur** coiffure *f*

Frist *a.* 🕓 délai *m;* terme *m;* prorogation *f; (Aufschub)* répit *m; e-e ~ setzen* impartir un délai; *~gemäß* expiration *f* du délai; **⊥en:** *sein Leben ~en* vivoter; **⊥gemäß** dans le délai prescrit; **⊥los** sans délai; sans préavis; **~verlängerung** prorogation *f* de délai

frivol léger, superficiel, frivole; libre, libertin

froh gai, joyeux; content; heureux; *~ gelaunt* de bonne humeur; **~gemut** plein d'espoir et d'entrain; **~locken** jubiler; triompher, exulter; **⊥sinn** jovialité *f*, gaieté *f;* enjouement *m;* bonne humeur

fröhlich gai, joyeux, enjoué; **⊥keit** gaieté *f*, enjouement *m;* joie *f*, allégresse *f*

fromm pieux; dévot; béat; *(Tier)* doux, paisible; *~es Werk* œuvre pie; **~en** profiter, être utile

Frömm|elei bigoterie *f*, tartuferie *f;* **⊥elnd** béat, bigot; **~igkeit** piété *f*, dévotion *f*, religiosité *f;* **~ler** tartufe, faux dévot; bigot

Fron|dienst corvée *f;* **~leichnam(sfest)** fête-Dieu *f*

frönen s'adonner à; *e-m Laster ~* être l'esclave d'un vice

Front *mil* front *m;* 🏛 façade *f*, face *f* antérieure, avant *m; ~ machen gegen* s'élever contre; **⊥al** de front; 🏛 de face; **~antrieb** 🚗 traction *f* avant; **~kämpfer** ancien combattant; **~scheibe** glace *f* frontale, pare-brise *m*

Frosch grenouille *f; (Feuerwerk)* pétard *m* ♦ *e-n ~ im Hals haben* avoir un chat dans la gorge; **~augen** yeux *mpl* à fleur de tête; **~mann** homme-grenouille; **~perspektive** contre-plongée *f;* **~schenkel** cuisse *f* de grenouille

Frost gel *m*, gelée *f;* froid *m;* froidure *f;* **~beule** engelure *f;* **⊥frösteln** frissonner, avoir des frissons; **⊥en** congeler, surgeler; **~er** congélateur; **⊥ig** froid; *fig* glacial; **~igkeit** froideur *f;* **~schutzmittel** ▲ antigel *m*

frottier|en frotter, frictionner; **~handtuch** serviette-éponge *f*

Frucht *a. fig* fruit *m;* 💲 fœtus *m; fig* résultat *m;* **⊥bar** fécond; prolifique; *(Boden)* fertile; *fig* fructueux; **~barkeit** fécondité *f;* fertilité *f;* **⊥bringend** fructifère; *fig* fructueux, profitable; **Früchtchen** *fig* garnement *m*, mauvais sujet, mauvaise graine; **~en** profiter; *nichts ~en* rester sans effet, ne servir à rien; **~fleisch** pulpe *f*, chair *f;* **~knoten** *bot* ovaire *m;* **⊥los** infructueux, inutile, vain; **~presse** pressoir *m;* **~saft** jus *m* de fruits;· **~salat** macédoine *f* de fruits; **~zucker** fructose *f*

frugal frugal

früh matinal; prématuré; *(Früchte)* précoce, hâtif; *adv* tôt, de bonne heure; *heute ~* ce matin; *am ~en Morgen* de bon (*od* grand) matin; *~ u. spät* matin et soir; **⊥aufsteher** homme matineux; **⊥beet** couche *f;* (*ou* semis *m*) de primeurs; **⊥e** matin *m; in aller ~e* de grand matin; **~er** *adj* ancien; précédent; antérieur; *adv* plus tôt, de meilleure heure; *(vorher)* auparavant; *(ehemals)* autrefois, anciennement; *~er oder später* tôt ou tard, un jour ou l'autre;

~estens au plus tôt; ⌐geburt accouchement prématuré; enfant né avant terme; ⌐gemüse primeurs *fpl*; ⌐geschichte protohistoire *f*; ⌐jahr, ⌐ling printemps *m*; ⌐kartoffel pomme de terre primeur; ⌐messe *rel* première messe; ⌐mette *rel* matines *fpl*; ~morgens de bon matin; au point du jour; ⌐obst primeurs *fpl*; ~reif hâtif; précoce, prématuré *(a. fig)*; ⌐reife précocité *f*; ⌐rente retraite anticipée; ⌐schicht équipe *m (ou* poste *m)* du matin; ⌐stück petit déjeuner; *(Belgien u. Schweiz)* déjeuner *m*; ~stücken déjeuner; ⌐warnung alerte *f* anticipée; détection lointaine; ~zeitig *adv* de bonne heure, précoce, prématuré

Fuchs renard *m*; (cheval *m*) alezan *m*; *schlauer* ~ fin matois; ~bau renardière *f*; ~eisen chausse-trape *f*; ⌐en vexer; ~pelz renard *m*; ⌐rot roux; ~schwanz ✿ (scie *f*) égoïne *f*; *bot* amarante *f*; ⌐teufelswild fâché tout rouge, furibond, transporté de fureur

Fuchsie *f bot* fuchsia *m*

Fuchtel: *unter j-s* ~ *stehen* être sous la férule de qn; ⌐n agiter *(mit etw.* qch)

Fuder *(Holz usw.)* charretée *f*, charge *f*; *(Wein)* foudre *m*

Fug: *mit* ~ *u. Recht* à bon droit, à bonne enseigne; ~e 1. joint *m*; jointure *f*; rainure *f*; *aus d.* ~en *gehen* se disloquer, se déboîter; 2. ♪ fugue *f*; ⌐en joindre, assembler; *(Mauer)* jointoyer

füg|en ✿ assembler; joindre, emboîter; *fig* disposer; *refl* se plier, se soumettre, se résigner *(in* à); accepter *(in etw.* qch); ~sam soumis, docile, souple; accommodant; ⌐samkeit soumission *f*, docilité *f*, souplesse *f*; ⌐ung arrangement *m*, disposition *f*; providence *f*, destin *m*

fühl|bar sensible; *(bei Berührung)* palpable; *fig* appréciable, notable, prononcé; ~en sentir, éprouver; toucher, tâter; ⌐er palpeur *m*, tateur *m*; sonde *f*, détecteur *m*; ⌐erkopf élément *m* sensible; ~los insensible; *fig* aride, sec; ⌐ung contact *m*; ⌐ungnahme prise *f* de contact

Fuhr|e charretée *f*; charroi *m*; ~mann voiturier, charretier; ~park parc *m* automobile; *mil* parc *m*, train *m* des équipages; ~unternehmer voiturier, entrepreneur de transports; ~werk véhicule *m*; voiture *f*; chariot *m*

führ|en *vt* conduire, mener; diriger; guider; ✈ piloter; *mil* commander; *(Buch, Haushalt)* tenir; *(Namen)* porter; *(Beweis)* apporter, fournir; *(Protokoll)* dresser; *(Feder)* manier; *(in Versuchung)* induire; *vi (a.* ♞) mener; ~en *zu* aboutir à; *refl* se conduire; *bei s.* ~en avoir *(od* porter) sur soi; *mit s.* ~en *(Fluß)* charrier; *fig* entraîner; *e-n Prozeß* ~en ♘ être en procès (avec); *(Anwalt)* plaider une cause; *d. Befehl* ~en avoir le commandement; *Krieg* ~en faire la guerre; *etw. im Schilde* ~en manigancer qch; *d. Wort* ~en porter la parole; ~end directeur; à la tête; ~ende Männer dirigeants; ⌐er chef; *mil* commandant; conducteur; ✈ pilote; *(a. Buch)* guide; *pol* leader; meneur; ⌐erkanzel poste *m* de pilotage; ⌐erschaft dirigeants *mpl*; ⌐erschein

🚗 permis *m* de conduire; ⌐ersitz 🚗 siège *m* du chauffeur; *(Eisenb.)* poste *m (od* plate-forme *f)* de commande *(od* de mécanicien); ⌐ung direction *f*; ✈ pilotage *m*; *mil* commandement *m*; *(Bücher, Haushalt)* tenue *f*; *(Betrieb)* gestion *f*; ✿ guidage *m*; *a. fig* conduite *f*; *(Besichtigung)* visite guidée; *in* ⌐ung *gehen* prendre la tête; ⌐ungskräfte cadres *mpl*; ⌐ungsschicht classe *f* dirigeante; ⌐ungsschiene glissière *f*; ⌐ungsstab état-major *m*; ⌐ungswechsel changement *m* de l'équipe dirigeante; ⌐ungszeugnis certificat *m* de bonnes vie et mœurs

Füll|e plénitude *f*; richesse *f*; abondance *f*; ⌐en remplir *(mit* de); *(Ballon)* gonfler; *(Zahn)* plomber; *(Speisen)* farcir; *in Flaschen* ~en mettre en bouteilles; ⌐federhalter stylo *m*; ~gewicht poids net; ~horn corne *f* d'abondance; ~sel *(Speise)* farce *f*; ~stoff 🏛 matière *f* de remplissage; *(Kunststoff)* charge *f*; ~ung remplissage *m*; *(Ballon)* gonflage *m*; *(Zahn)* plombage *m*; *(Speise)* farce *f*; *(Tür)* panneau *m*

Füllen poulain *m*

fummeln astiquer; tripoter; bricoler

Fund trouvaille *f*; découverte *f*; ~büro bureau *m* des objets trouvés; ~gegenstand objet trouvé; ~grube *fig* mine *f*, trésor *m*, source *f*

Fund|ament 🏛 fondation *f*, base *f*, socle *m*, *a. fig* fondements *mpl*; ⌐amental fondamental; ⌐ieren établir, fonder; *com* garantir, consolider

fünf cinq ♦ ~ *gerade sein lassen* ne pas y regarder de si près; *nicht für* ~ *Pfennig* pas pour un sou; ⌐eck pentagone *m*; ~erlei de cinq sortes; ~fach quintuple; ~hundert cinq cent(s); ~jahresplan plan quinquennal; ~jährig de cinq ans; ~jährlich quinquennal; ⌐kampf 🏹 pentathlon *m*; ~linge quintuplés *mpl*; ~mal cinq fois; ~sitzig 🚗 à cinq places; ~stöckig à cinq étages; ⌐tagewoche semaine de 40 heures; ~tausend cinq mille; ~te cinquième; ⌐tel cinquième *m*; ~tens cinquièmement; ~zehn quinze; ~zehnte quinzième; ~zig cinquante; *etw. a* ~ig une cinquantaine; ⌐iger quinquagénaire; ⌐zigjahrfeier cinquantenaire *m*; ~zigste cinquantième

fungibel fongible; substituable; échangeable

fungieren faire fonction *(als* de)

Funk radio(diffusion) *f*, T.S.F. *f*; ~amateur sans-filiste; ~bearbeitung adaptation *f* radiophonique; ~bild téléphotographie *f*; ⌐en radiotélégraphier; ~er radio(télégraphiste) *m*; ~feuer radiophare *m*, radiobalise *f*; ~haus station *f* d'émission radiophonique; ~nachrichten nouvelles radiodiffusées, journal parlé; ~navigation radionavigation; ~orgel orgue *m* radiophonique; ~ortungsdienst service de radiolocalisation; ~peilstation poste *m* radar; ~peilung radiogoniométrie *f*; ~signal signal *m* radio-électrique; ~spruch radiotélégramme *m*; ~station poste émetteur; ~steuerung commande *f* radioélectrique; ~technik radiotechnie *f*; ~turm pylône *m* de T.S.F.; ~wagen véhicule *m* radio; ~verbindung radiocommunication *f*

Funke étincelle *f*; *k-n* ~n *Verstand* pas un grain de bon sens; ⌐ln étinceler, briller, scintiller;

(Auge) pétiller; *(Meer)* brasiller; **⌐lnagelneu** (tout) flambant neuf; **~nflug** projection *f* d'étincelles

Funktion fonction *f;* **⌐ieren** fonctionner, marcher; **~sablauf** fonctionnement *m;* **⌐sfähig** capable de fonctionner; **~sprüfung** vérification *f* du bon fonctionnement

Funzel lumignon *m*

für pour; *(als Ersatz)* au lieu de, à la place de, en échange de; *(z. Zweck)* en vue de; *(im Verhältnis zu)* eu égard à, par rapport à; *(z. Gebrauch von)* à l'usage de; *das ist eine Sache ~ sich* c'est une autre affaire; *~ sich leben* vivre seul; *~ den Augenblick* pour le moment; *~ ein Jahr* pour un an; *was ~ e-e Frau?* quelle femme?; *an u. ~ sich* en soi; *ein ~ allemal* une fois pour toutes; *das* ⌐ *u. Wider* le pour et le contre; *Mann ~ Mann* l'un après l'autre; *Schritt ~ Schritt* pas à pas; *Stück ~ Stück* pièce à pièce; *Tag ~ Tag* tous les jours; *Woche ~ Woche* chaque semaine; *Wort ~ Wort* mot à mot

für|baß: **~baß gehen** poursuivre son chemin; **⌐bitte** *rel* intercession *f; (Gebet)* prière *f;* **⌐bitte einlegen** intercéder *(bei... für* auprès de... pour); **⌐bitter** intercesseur; **~einander** l'un pour l'autre, les uns pour les autres; **⌐sorge** secours *m;* assistance publique, prévoyance sociale; **⌐sorgeeinrichtung** bureau *m* d'aide sociale; **⌐sorgeempfänger** bénéficiaire *m* de l'aide sociale; **⌐sorgerin** assistante sociale; **⌐sorgewesen** assistance sociale *(od* publique); **⌐sprache** intervention *f; bes rel* intercession *f;* **~wahr** en vérité, vraiment; **⌐wort** pronom *m*

Furche sillon *m; (Runzel)* ride *f; (Rille)* cannelure *f;* **⌐n** sillonner; *(runzeln)* rider

Furcht crainte *f* (*vor* de); *(Angst)* angoisse *f*, peur *f; (Befürchtung)* appréhension *f; (Besorgnis)* anxiété *f; (Entsetzen)* effroi *m*, frayeur *f;* **⌐bar,fürchterlich** affreux, effroyable, épouvantable, horrible, redoutable, terrible; *umg* formidable; **~barkeit** caractère *m* redoutable; **fürchten** craindre, redouter, appréhender; *refl* avoir peur *(vor etw.* de qch), craindre (qch); *ich fürchte, er will (nicht) gehen* je crains qu'il ne veuille (pas) partir; **⌐ergriffen** saisi de peur, apeuré; **⌐los** sans crainte, intrépide; **~losigkeit** intrépidité *f;* **⌐sam** craintif; *(ängstlich)* peureux; *(schüchtern)* timide; **~samkeit** timidité *f*

Fur|ie furie *f*, mégère; **~or** *(Wut)* fureur *f*, rage *f;* **~ore:** **~ore machen** faire fureur

Furnier feuille *f* de placage; **⌐en** ✿ plaquer

Fürst prince; **~enhaus** dynastie *f;* **~entum** principauté *f;* **~in** princesse; **⌐lich** princier

Furt gué *m*

Furunkel furoncle *m;* clou *m* (*umg)*

Fusel gnôle *m*, tord-boyaux *m*

Fusion *com, chem* fusion *f;* intégration *f;* concentration *f;* **⌐ieren** fusionner

Fuß *a. fig* pied *m; (Tier)* patte *f; (Längenmaß)* pied *m; fig* base *f*, piédestal *m*, support *m; zu ~* à pied; *zu ~ gehen* aller à pied, marcher; *~ fassen* prendre pied; *auf eigenen Füßen stehen* être indépendant; *den ~ vor das Haus setzen* mettre le pied dehors; *gut zu ~ sein* être bon

marcheur; *das hat weder Hand noch ~* cela n'a ni queue ni tête; *wieder auf die Füße fallen* retomber sur ses pattes; *auf freien ~ setzen* mettre en liberté; *auf großem ~ leben* mener grand train; *auf freundschaftlichem ~* sur un pied d'amitié; *auf gleichem ~* sur un pied d'égalité

Fuß|abstreifer paillasson *m;* **~angel** chausse-trape *f;* **~bad** bain *m* de pieds; **~ball** ballon *m; (Spiel)* football *m;* **~bank** tabouret *m;* **~boden** plancher *m;* **~bremse** frein *m* à pied; **⌐en** se fonder, se baser, reposer *(auf* sur); **~ende** pied *m* du lit; **~fall** prosternation *f*, prosternement *m;* **~gänger** piéton; **~gängerüberweg** passage *m* clouté; **~gängerzone** zone *f* piétonne, rue *f* piétonnière; **~gelenk** articulation *f* du pied; **~hebel** pédale *f;* **⌐krank** éclopé; **~lappen** chaussette *f* russe; **~leiste** plinthe *f;* **~matte** paillasson *m;* **~note** note *f* (au bas de la page); **~pfad** sentier *m;* **~pflege** pédicure *f;* **~raste** repose-pied *m;* **~sohle** plante *f* du pied; **~spitze** pointe *f* du pied; **~spur** trace *f*, vestige *m;* **~stütze** repose pied *m;* **~tritt** coup *m* de pied; **~truppen** infanterie *f;* **~volk** *pej* piétaille *f*

futsch *umg* fichu

Futter *(Vieh)* fourrage *m*, pâture *f; (Kleidung)* doublure *f; (Pelz-)* fourrure *f;* ✿ revêtement *m;* **~krippe** mangeoire *f*, auge *f; fig* assiette *f* au beurre; **~n** *pop* boulotter; **~napf** mangeoire *f;* **~pflanze** plante fourragère; **~raufe** râtelier *m;* **~trog** auge *f*

Futteral fourreau *m;* étui *m*, gaine *f*

füttern *(Kind)* donner à manger; *(Vieh)* affourager; *(Vogel)* embecquer; *(Kleidung)* doubler; *(mit Pelz)* fourrer; **⌐ung** *(Vieh)* affouragement; *(Stoff)* doublure *f*

G

g ♪ sol *m;* **⌐-Dur** sol majeur; **~-Moll** sol mineur

Gabe *a. fig* don *m*, talent *m*, facilité *f*, aptitude *f; (Geschenk)* cadeau *m*, présent *m; (Medikament)* administration *f;* dose *f* administrée; *milde ~n* aumônes *mpl*

Gabel fourchette *f; (Heu-, Fahrrad-, Weg-)* fourche *f; (Deichsel)* limonière *f;* **~frühstück** déjeuner *m* à la fourchette; lunch *m;* **~heber** levier *m* à fourche; **⌐n** *refl* (se) fourcher; *(Weg)* bifurquer; s'embrancher; **~stapler** chariot *m* élévateur à fourche; **~ung** bifurcation *f;* **~weihe** *orn* milan *m;* **~zinken** fourchon *m*

gackern caqueter; **⌐** *su* caquetage *m;* caquet *m*

Gaffel ⚓ corne *f*

gaff|en bayer aux corneilles; **⌐er** badaud *m*

Gage cachet *m*, rétribution *f* d'un artiste

gähnen bâiller; **⌐** *su* bâillement *m;* **~d** *fig* béant

Gala: *in ~* en grande tenue

Galan amant, galant; **~t** galant, courtois; **~terie** galanterie *f;* **~teriewaren** articles *mpl* de fantaisie

Galeere galère *f;* **~nsträfling** galérien

Galerie galerie *f;* ⚐ poulailler *m*, paradis *m*

Galgen potence *f*, gibet *m; (Mikrophon)* girafe *f;* **~frist** quart *m* d'heure de grâce; **~gesicht** mine *f*

patibulaire; ~**humor** humour noir (*od* macabre);
~**strick** pendard; ~**vogel** gibier de potence
Gall|apfel (noix *f* de) galle *f;* ~**e** bile *f,* fiel *m* (*a.
fig*); *fig* amertume *f;* ~**enblase** vésicule *f* biliaire;
⌐**enbitter** amer comme chicotin; ~**enstein**
calcul *m* biliaire; ⌐**ig** *a. fig* bilieux, fielleux;
~**wespe** cynips *m*
Gallert|(e) gélatine *f;* gelée *f;* ⌐**artig** gélatineux
Galopp galop *m;* ⌐**ieren** galoper
Galosche galoche *f;* caoutchouc *m*
galvani|sch galvanique; ~**sieren** galvaniser;
⌐**sierung** galvanoplastie *f*
Gamasche guêtre *f*
Gang (*Bewegung*) marche *f,* mouvement *m;*
(*Gangart*) allure *f,* (*Mensch*) démarche *f;*
(*Ablauf*) cours *m,* évolution *f;* fonctionnement
m; (*Besorgung*) course *f;* (*Spaziergang*) promenade *f;* (*Flur*) couloir *m,* corridor *m;* 🚗 vitesse *f;*
⚙ (*Schrauben-*) pas *m* de vis; (*Bergbau*) filon *m;*
♀ conduit *m;* (*Gericht*) plat *m;* 🍴 tour *m; in ~
bringen* déclencher, lancer; faire tourner; *erneut in ~ bringen* réanimer, relancer; *in ~
halten* faire tourner; *in ~ setzen* mettre en
marche (*od* en train); *in vollem ~ sein* battre son
plein; *im großen ~* 🚗 en prise directe; ⌐*: es ist
⌐ und gäbe* cela se fait, c'est courant; ~**art** train
m; allure *f;* démarche *f; geol* gangue *f;* ⌐**bar**
(*Weg*) praticable; (*Ausdruck*) courant; (*Münze*)
ayant cours; ~**spill** ⚓ cabestan *m*
Gängelband: *j-n am ~ führen* mener qn à la
lisière, tenir qn en laisse
gängig courant; (*Ware*) d'un débit (*od* de vente)
facile
Ganglion *n* ganglion *m* nerveux; arthropathie *f*
Gangster *m* gangster *m,* bandit *m,* malfaiteur
m; ~**bande** gang *m;* ~**chef** chef *m* d'une
association de malfaiteurs; ~**unwesen** gangsté-
risme *m*
Gans oie *f; dumme ~* péronnelle, oie blanche
Gänse|blümchen pâquerette *f;* ~**braten** oie
rôtie; ~**füßchen** *fig* guillemets *mpl;* ~**haut** chair *f*
de poule; ~**klein** abattis *m* d'oie; ~**leberpastete**
pâté *m* de foie gras; ~**marsch** *im ~marsch* à la
file indienne, à la queue leu leu; ~**rich** jars *m;*
~**schmalz** graisse *f* d'oie; ~**wein** Château-la-
Pompe *m*
ganz 1. *adj* tout; total, complet; *a. math* entier;
intact; intégral; *~e Note* ronde *f; d. ~en Tag*
toute la journée; *~e 8 Tage* huit jours entiers;
von ~em Herzen de tout son cœur; *im ~en* en
tout, en somme, en bloc; *im ~en genommen*
somme toute; 2. *adv* tout, bien; totalement,
complètement, entièrement; (*ziemlich*) assez,
passablement; *~ u. gar* tout à fait; *~ u. gar
nicht* pas du tout; *~ gewiß* bien sûr; *~ recht!*
parfaitement!; *~ gleich welche* n'importe
lesquels; *~ Ohr sein* être tout oreilles; *er ist ~
d. Vater* c'est son père tout craché; ⌐**es** *su*
ensemble *m,* tout *m,* total *m;* totalité *f,*
intégralité *f;* ⌐**leder(einband)** (reliure *f*) peau
pleine; ⌐**leinen(band)** (reliure *f*) pleine toile
gänzlich en entier, entièrement, totalement
Ganztagsbeschäftigung emploi *m* à temps
complet, travail *m* à plein temps

gar 1. assez cuit, à point; 2. très, fort, bien; *~
nicht* ne... point, nullement; *~ nichts* rien du
tout; *d. ist ~ nicht sicher* ce n'est rien moins que
certain
Garage garage *m;* ~**nbesitzer,** ~**nhalter** gara-
giste
Garant garant *m,* caution *f;* ~**ie** garantie *f;*
sûreté *f;* ~**iebezeichnung** label *m,* sigle *m*
d'appellation contrôlée; ⌐**ieren** garantir, donner sa garantie
Garaus: *j-m d. ~ machen* donner le coup de
grâce à qn
Garbe gerbe *f*
Gard|e garde *f;* ~**ist** garde *m*
Garderobe (*Raum*) vestiaire *m;* (*Kleidung*)
toilette *f;* (*Flur-*) portemanteau *m;* ~**nfrau** dame
du vestiaire; ~**nmarke** ticket *m* de vestiaire
Gardine rideau *m; hinter schwedischen ~n* au
violon (*umg*); ~**npredigt** semonce *f,* sermon *m;*
~**nstange** tringle *f*
gär|en fermenter; travailler; *fig* être en
effervescence; (*Wein*) cuver; ⌐**stoff** ferment *m;*
⌐**ung** fermentation *f*
Garn fil *m;* (*Netz*) rets *m,* panneau *m; j-m ins ~
gehen* donner dans le panneau de qn; ~**knäuel**
pelote *f;* ~**rolle** bobine *f*
Garnele crevette *f*
garn|ieren garnir; ⌐**ierung** garniture *f;* ⌐**ison**
garnison *f;* ⌐**itur** garniture *f;* assortiment *m;* (*an
Kleidern*) parement *m;* (*Zug*) rame *f*
garstig vilain, repoussant, laid
Garten jardin *m;* (*Gemüse-*) potager *m;* (*Obst-*)
verger *m;* (*botanischer*) ~ jardin botanique;
~**arbeit** jardinage *m;* ~**bau** horticulture *f;*
~**haus** pavillon *m;* ~**laube** tonnelle *f;* ~**stadt**
cité-jardin *f;* ~**weg** allée *f;* ~**zaun** clôture *f*
Gärtner jardinier; horticulteur; ~**ei** jardinage
m, horticulture *f;* établissement *m* horticole; ~**in**
jardinière; ⌐**isch** horticole; ~**n** jardiner
Gas gaz *m;* ~ *geben* 🚗 accélérer; ~
wegnehmen 🚗 couper les gaz; ~**anzünder**
allume-gaz *m;* ~**behälter** gazomètre *m;* ~**beton**
béton *m* au gaz; ~**brand** ♀ gangrène gazeuse (*ou*
infectée); ~**brenner** bec *m* de gaz; ~**feuerung**
chauffage *m* au gaz; ⌐**förmig** gazéiforme;
~**hahn** robinet *m* à gaz; ⌐**haltig** gazeux; ~**hebel**
🚗 accélérateur *m;* ~**heizung** chauffage *m* au
gaz; ~**herd** fourneau *m* à gaz; ~**kessel**
gazomètre *m;* ~**kocher** réchaud *m* à gaz; ~
laterne réverbère *m,* bec *m* de gaz; ~**leitung**
conduite *f* de gaz; gazoduc *m;* ~**maske** masque
m à gaz; ~**ofen** poêle *f* à gaz; ~**rohr** conduit *m*
de gaz; ~**uhr** compteur *m* à gaz; ~**vergiftung**
asphyxie *f;* ~**versorgung** alimentation *f* en gaz;
~**werk** usine *f* à gaz
Gäßchen ruelle *f*
Gasse rue étroite; (*Durchgang*) défilé *m;*
~**nhauer** rengaine *f,* scie *f;* ~**njunge** gamin,
polisson
Gast hôte *m,* invité *m;* (*bei Tisch*) convié *m,*
convive *m;* (*Restaurant*) consommateur *m;*
j-n zu ~ bitten inviter qn, convier qn; **Gästebuch**
registre *m* des hôtes; **Gästezimmer** chambre
f d'hôte; ⌐**frei,** ⌐**freundlich** hospitalier;

~**freundschaft** hospitalité *f;* ~**geber** hôte; ~**geberin** hôtesse; ~**haus,** ~**hof,** ~**stätte,** ~**wirtschaft** *(mit Übernachtung)* hôtel *m,* hôtellerie *f,* pension *f, (auf dem Lande)* auberge *f; (Speisegaststätte)* restaurant *m; (Bierlokal)* brasserie *f;* ~**hörer** auditeur libre; ⌐**lich** hospitalier, accueillant; ~**land** pays *m* d'accueil, pays hôte; ~**mahl** banquet *m,* festin *m;* ~**recht** droit *m* d'hospitalité; ~**spielreise** ♥ tournée *f;* ~**stätten-gewerbe** industrie hôtelière, hôtellerie *f;* ~**wirt** hôtelier, aubergiste; restaurateur

Gatt|e mari; époux *(bes* ♋*);* ~**en** *(Eheleute)* époux *mpl;* ~**in** épouse

Gatter grille *f,* grillage *m,* treillage *m,* treillis *m*

Gattung *bot, zool* genre *f,* variété *f,* espèce *f;* ~**sbegriff** dénomination *f* générique; ~**skauf** ♋ achat *m* de genre; ~**sname** *ling* mot *m* générique

Gau province *f,* pays *m,* contrée *f*

Gauk|elbild illusion *f,* fantasmagorie *f;* ~**elei,** ~**elspiel,** ~**elwerk** jonglerie *f,* escamotage *m,* tour *m* de passe-passe, charlanterie *f;* ⌐**eln** jongler; *(flattern)* voltiger; ~**ler** jongleur; *fig* bouffon, charlatan, escamoteur

Gaul carne *f; (alter)* canasson *m;* rosse *f* ♦ *e-m geschenkten* ~ *schaut man nicht ins Maul* à cheval donné, on ne regarde pas (à) la dent

Gaumen palais *m;* ~**laut** consonne *f* palatale; ~**segel** voile *m* du palais

Gauner *(Dieb)* fripon; *(Betrüger)* escroc; *(Schwindler)* aigrefin; ~**ei** escroquerie *f,* filouterie *f;* ~**sprache** langue verte *(ou* argotique)

Geächteter hors-la-loi, proscrit

Geächze geignement *m,* gémissements *mpl*

Geäder veines *fpl;* ⌐**t** veiné; *(Stein)* marbré

Geäst ramure *f,* branchage *m*

Gebäck pâtisserie *f*

Gebälk charpente *f; (Decken-)* solives *fpl,* poutrage *m*

Gebärde geste *m;* ~**n** *refl* se conduire; *s.* ⌐**n** *wie...* faire le (la)...; ~**nspiel** mimique *f;* ~**nsprache** langage *m* mimique

Gebaren conduite *f,* attitude *f*

gebär|en mettre au monde, accoucher de; ⌐**en** *su* enfantement *m;* accouchement *m;* ⌐**mutter** *anat* matrice *f,* utérus *m*

Gebäude bâtiment *m,* immeuble *m,* construction *f; a. fig* édifice *m;* ~**block** = ~**komplex** pâté *m* de maisons, bloc *m* d'immeubles; ~**schaden** dommage *m* immobilier

Gebeine ossements *mpl*

Gebell aboiement *m*

geben 1. donner; *(schenken)* faire cadeau de; *(aufführen,* ♥) représenter; ♪ jouer; *(festsetzen)* indiquer, fixer; *(bezahlen)* payer; *(reichen, verabfolgen)* administrer; infliger; appliquer; *(verteilen)* distribuer; *(liefern)* procurer, fournir; *(gewähren)* accorder; *(zuerkennen)* attribuer; *(hervorbringen)* produire, rapporter; **2.** *refl* se conduire; se donner pour, se faire passer pour; s'apaiser; s'arranger; *von sich* ~ *(ausdrücken)* débiter, exprimer; *(erbrechen)* vomir; *s. in etw.* ~ se résigner à qch, s'accommoder de qch; *es gibt* il y a; *da gibt's gar nichts (umg)* il n'y a pas de doute possible; cela s'entend; *das gibt's nicht*

cela n'existe pas; cela ne se peut pas; *was gibt's? qu'y a-t-il?; umg* qu'est-ce qu'il y a?; *viel (wenig) auf etw.* ~ faire grand (peu de) cas de qch; *darauf gebe ich nichts* je n'en fais aucun cas; *das gibt zu denken* cela donne à penser; *Gott gebe es!* plaise *(od* plût) à Dieu!

Geber donneur *m;* ~**land** pays *m* donateur

Gebet prière *f;* oraison *f; sein* ~ *verrichten* faire sa prière; *j-n ins* ~ *nehmen* tenir qn sur la sellette; ~**buch** livre *m* de prières *(od* d'heures); paroissien *m*

Gebiet région *f;* territoire *m;* district *m;* zone *f; fig* domaine *m,* ressort *m;* ⌐**en** *vt* commander, ordonner; *(Schweigen)* imposer; *vi* commander *(über* à); régner *(über* sur); ~**er** maître; souverain; ~**erisch** impérieux; impératif; autoritaire; ~**sanspruch** revendication territoriale; ~**sgrenze** frontière *f,* limite *f* territoriale; ~**shoheit** souveraineté territoriale; ~**skörper-schaft** collectivité *f* territoriale

Gebilde produit *m;* formation *f;* création *f;* chose *f;* ⌐**t** instruit, cultivé, lettré

Gebimmel tintement *m*

Gebinde gerbe *f;* faisceau *m; (Garn)* écheveau *m; (Faß)* barrique *f,* futaille *f*

Gebirg|e montagne *f;* monts *mpl;* ⌐**ig** montagneux; ~**sbach** torrent *m;* ~**sbewohner** montagnard; ~**skamm** crête *f;* ~**skette** chaîne *f* de montagnes; ~**skunde** orographie *f;* ~**spaß** col *m;* ~**sschlucht** gorge *f,* défilé *m*

Ge|biß dents *fpl,* denture *f; (künstl.)* dentier *m; (Pferd)* mors *m;* ~**bläse** ventilateur *m;* ✿ soufflante *f;* ~**blöke** bêlement *m;* ⌐**blümt** à fleurs; ~**blüt** sang *m,* race *f;* origine *f;* ~**bogen** courbe, (re)courbé; *(Nase)* busqué

geboren né; ~ *werden* naître

geborgen sauvé; à l'abri; ⌐**heit** sécurité *f*

Gebot *a. rel* commandement *m;* ordre *m; (Notwendigkeit)* nécessité *f; (An-)* offre *f; (Versteigerung)* mise *f, (höheres)* enchère *f; zu* ~ *stehen* être à la disposition

Gebräu mixture *f;* breuvage *m*

Gebrauch *(Brauch)* usage *m,* coutume *f,* pratique *f; (Benutzung)* emploi *m,* utilisation *f;* maniement *m; in* ~ en service; *außer* ~ hors d'usage; ~ *machen von* faire usage de; *außer* ~ *kommen* tomber en désuétude; ⌐**en** employer; user, faire usage, se servir (de qch); **gebräuchlich** usuel; d'usage; usité, courant; ~**sanweisung** mode *m* d'emploi; ⌐**sfahrzeug** véhicule *m* utilitaire; ⌐**sfertig** prêt à l'usage; ~**sgegenstand** objet usuel; *pl* effets personnels; ~**sgraphiker** dessinateur en publicité; ~**sgüter** biens *mpl* (de consommation) durables; ~**smuster** modèle déposé; ⌐**t** usagé; *(kaufen)* de seconde main, d'occasion; ⌐**swert** valeur *f* d'usage; ~**twagen** voiture *f* d'occasion

gebrech|en *es gebricht mir an* je manque de; ⌐**en** *su* infirmité *f,* défaut *m;* ~**lich** frêle; *(krank)* invalide, infirme, impotent; ⌐**lichkeit** fragilité *f;* impotence *f; (Alter)* décrépitude *f*

Ge|brüder frères; ~**brüll** hurlement *m,* rugissement *m;* ~**brumm** grondement *m; (bes Motor)* vrombissement *m*

Gebühr droit *m*, taxe *f*; tarif *m*; *zu ermäßigter* ~ à tarif réduit; ~ *bezahlt* ♥ port payé; *nach* ~ dûment; *über* ~ excessivement, plus que de raison, outre mesure; ⌐**en** revenir, être dû; *refl* convenir; ⌐**end** dû; *adv* selon ses mérites; ⌐**enfrei** exempt de taxes; ~**enmarke** timbre *m* fiscal, vignette *f*; ~**enordnung** barème *m* (tarifé) des honoraires; ⌐**enpflichtig** soumis à la taxe, payant; ~**ensatz** taux *m* des droits; ~**enzuschlag** surtaxe *f*

ge|bündelt *(Papier)* en liasse; ~**bunden** *chem* combiné; *(Wärme)* latent; ⌐ relié; *(Preis)* imposé; *fig* engagé

Geburt naissance *f*; accouchement *m*; origine *f*; *von* ~ *an* dès sa naissance; *vor Christi* ~ avant Jésus-Christ; ~**enregelung** contrôle *m* des naissances; ~**enrückgang** dénatalité *f*; ~**enüberschuß** excédent *m* de naissances; ~**enziffer** natalité *f*; **gebürtig** natif *(aus* de); ~**sanzeige** faire-part *m* de naissance; ~**shelfer** accoucheur; ~**sjahr** année *f* de naissance; ~**sort** lieu *m* de naissance; ~**sschein** extrait *m* de naissance; ~**stag** anniversaire *m*; ~**surkunde** acte *m* de naissance

Gebüsch buisson *m*; *(Dickicht)* broussailles *fpl*, fourré *m*

Geck fat, gommeux, freluquet; ⌐**enhaft** fat; ~**enhaftigkeit** fatuité *f*

Gedächtnis mémoire *f*; *aus d.* ~ de mémoire; *zum* ~ en mémoire de, en souvenir de; *s. etw. ins* ~ *zurückrufen* se remémorer qch; ~ *wie ein Sieb* sa mémoire est une passoire; ~**feier** commémoration *f*; ~**schwund** amnésie *f*; ~**übung** mnémotechnie *f*

Gedanke pensée *f*; idée *f*; *in* ~*n* en pensée, mentalement; *par distraction; in* ~*n versunken* pensif, plongé dans la méditation; *sich* ~*n machen* s'inquiéter *(über* de); *sich mit dem* ~ *tragen* avoir l'idée de, concevoir le projet de; *beim bloßen* ~*n* rien que d'y penser; ~**nblitz** trait *m* d'esprit, saillie *f*; ~**ngang** raisonnement *m*; ~**ngut** activité *f* intellectuelle, les Idées, conception *f*, entendement *m*; ⌐**nlos** irréfléchi; distrait; étourdi; ~**nlosigkeit** irréflexion *f*; distraction *f*; étourderie *f*; ~**nstrich** tiret *m*; ~**nvorbehalt** réserve *f* mentale; ~**übertragung** télépathie *f*; ~**verbindung** association *f* d'idées; ⌐**voll** pensif; préoccupé

gedanklich par la pensée; mentalement

Gedärme entrailles *fpl*; intestins *mpl*; boyaux *mpl*

Gedeck couvert *m*

gedeih|en prospérer; réussir; se développer, grandir; profiter; venir bien; ⌐**en** *su* prospérité *f*; ~**lich** prospère; profitable

gedenk|en se souvenir de; penser à; *(vorhaben)* se proposer, avoir l'intention (de faire qch); ⌐**en** *su* souvenir *m*; mémoire *f*; ⌐**feier** commémoration *f*; cérémonie commémorative; ⌐**münze** médaille *f*; ⌐**stein** monument *m*; ⌐**tafel** plaque commémorative *f*; ⌐**tag** anniversaire *m*; commémoration *f*

Gedicht poème *m*, poésie *f*; ~**band** recueil *m* de poésies; ~**sammlung** anthologie *f*

gediegen *(Metall)* natif; *fig* ferme, solide, de bon aloi

Gedräng|e bousculade *f*; cohue *f*, foule *f*; ⌐**t** pressé, serré; *(Stil)* concis

gedrückt *fig* affligé; déprimé; ⌐**heit** dépression *f*

gedrungen *(Gestalt)* ramassé, trapu; ~*e Bauweise* encombrement *m* réduit

Geduld patience *f*; ⌐**en** *refl* patienter, prendre patience; ⌐**ig** patient, endurant; ~**sfaden**: *ihm reißt d.* ~*sfaden* sa patience est à bout; ~**sprobe**: *j-n auf e-e* ~*sprobe stellen* mettre la patience de qn à l'épreuve; ~**sspiel** jeu *m* de patience; puzzle *m*

gedunsen bouffi, boursouflé

geehrt: *sehr* ~*er Herr X!* Monsieur,

geeignet propre; approprié; idoine; convenable; *(Person)* apte, capable

Gefahr danger *m*; péril *m*; risque *m*; *auf Ihre* ~ *(com)* à vos risques et périls; ~ *laufen, zu* risquer de, courir le risque de; *auf die* ~ *hin, daß* au risque de, quitte à; ~**enübergang** transfert *m* des risques; ~**enzone** zone dangereuse; ⌐**los** sans danger; ⌐**voll** dangereux

gefähr|den mettre en danger; exposer à un risque; compromettre; ⌐**dung** danger *m*, risque *m*, atteinte *f* (à); ~**ungshaftung** responsabilité *f* objective *(ou* du risque créé); ~**lich** dangereux; *(Sachen)* périlleux; *d.* ~*liche Alter* l'âge *m* critique; ~**lichkeit** caractère dangereux

Gefährt voiture *f*; véhicule *m*; ~**e** compagnon, camarade; ~**in** camarade *f*; *(Ehe-)* compagne

Gefälle inclinaison *f*; *(a. Fluß)* pente *f*, *phys, meteo* gradient *m*; ↯ chute *f*; *com* écart *m*, différence *f*, disparité *f*

gefall|en plaire, convenir; *sich* ~**en** in se complaire à; *s. etw.* ~**en** lassen souffrir qch; *es gefällt mir gut hier* je me plais bien ici; *das lasse ich mir nicht* ~**en!** je ne permets pas cela!; ⌐**en** *su (n)* complaisance *f*, grè *m*; *(m)* service *m*; ~**en** *finden an* prendre plaisir à; ~**süchtig** coquet

gefallen² *(tot)* tombé, tué, mort; ⌐**er** tué, mort

gefällig obligeant; *(zuvorkommend)* complaisant, accommodant, prévenant, serviable; *(hübsch)* joli, agréable; *j-m* ~ *sein* être obligeant envers qn, obliger qn; *was ist* ~? qu'y a-t-il pour votre service?; ⌐**keit** complaisance *f (aus* ⌐**keit** par c.); obligeance *f*; ~**st** s'il vous plaît

gefangen prisonnier, captif; ⌐**enwärter** surveillant; ⌐**er** *a. mil* prisonnier; captif; *(Haft)* détenu; ⌐**nahme** *mil* prise *f*; ~**nehmen** faire prisonnier, prendre; ⌐**schaft** captivité *f*; détention *f*; ⌐**setzung** emprisonnement *m*

Gefängnis prison *f*; maison *f* de détention *(od* d'arrêt); ~**arbeit** travail *m* pénitentiaire; ~**strafe** (peine *f* d')emprisonnement *m*; ~**wärter** geôlier, porte-clefs; *umg* maton

Gefasel divagations *fpl*, radotage *m*

Gefäß vase *m*; récipient *m*; conteneur *m*; *anat, bot* vaisseau *m*; ~**krankheit** *f* ~**leiden** angiopathie *f*; ~**verkalkung** artériosclérose *f*

gefaßt calme; tranquille; *sich* ~ *machen* s'attendre, se préparer *(auf* à)

Gefecht rencontre *f*; engagement *m*; combat *m*;

außer ~ setzen mettre hors de combat; **~sfeld** champ *m* de bataille; **⌐sklar** **⌐sklar machen** ♫ sonner le branle-bas; **~skopf** *(Rakete)* tête *f* active; **~sschießen** tir *m* de combat; **~sstand** poste *m* de commandement

gefeit immunisé *(gegen* contre); invulnérable (à)

Gefieder plumage *m;* **⌐t** *zool* emplumé; *bot* penné; *(Pfeil)* empenné

Gefilde champs *mpl*

Ge|flecht claie *f;* clayonnage *m,* tresse *f;* **⌐fleckt** tacheté, moucheté; **⌐flissentlich** exprès, à dessein, intentionnellement

Geflügel volaille *f;* **~händler** volailler; **~farm** ferme *f* avicole; **~hof** basse-cour *f;* **⌐t** ailé; **⌐tes** *Wort* dicton *m,* sentence *f;* **~zucht** aviculture *f,* élevage *m* de volailles

Geflunker menterie *f,* vantardise *f,* fanfaronnade *f*

Geflüster chuchotement *m*

Gefolge suite *f,* cortège *m; etw. im ~ haben (begleitet werden von)* s'accompagner de qch; *(nach s. ziehen)* avoir pour conséquence

gefragt *fig* recherché

gefräßig gourmand, glouton, goulu, vorace; **⌐keit** gourmandise *f,* gloutonnerie *f,* voracité *f*

Gefreiter caporal

Gefrier|anlage installation *f* frigorifique; **⌐en** geler, congeler; **~en** *su* congélation *f; zum ~en bringen* congeler, glacer; **~ender** *Nebel* brouillard *m* givrant; **~fleisch** viande congelée; **~punkt** point *m* de congélation *f,* zéro *m;* **~trocknung** lyophilisation *f;* **~ware** marchandise *f* congelée (*ou* surgelée)

Gefüg|e structure *f;* texture *f;* **⌐ig** docile, maniable, accommodant, souple, flexible; **~igkeit** docilité *f,* souplesse *f*

Gefühl *(Tastsinn)* toucher *m; (Stimmung)* sentiment *m; (Ahnung)* pressentiment *m; (Empfindsamkeit)* sensibilité *f; (Verständnis)* goût *m; das höchste der ~e* tout au plus; *mit gemischten ~en* avec une certaine appréhension; *etw. im ~ haben* avoir le sentiment de; **⌐los** *(unempfindlich)* insensible; *(herzlos)* dur, cruel; *(gleichgültig)* indifférent; **~losigkeit** insensibilité *f;* dureté *f,* cruauté *f,* indifférence *f;* **~sduselei** sentimentalisme *m,* sensiblerie *f;* **~skälte** froideur *f;* **~sleben** vie intérieure; **~smensch** homme sentimental; **⌐voll** *(empfindsam)* sensible; *(liebevoll)* affectueux, tendre

gegeben *math* soit; *zu ~er Zeit* au moment voulu; **~enfalls** s'il y a lieu, le cas échéant, éventuellement; **⌐heiten** *pl* données *fpl* (d'un problème), faits *mpl*

gegen *(wider)* contre; *(Bezug)* envers; *(Richtung)* vers; *(ungefähr)* à peu près, environ; *(zeitl.)* vers; *12 – 5 Stimmen* douze voix contre cinq; *er hat es ~ m-n Willen getan* il l'a fait malgré moi; **⌐angebot** contre-proposition *f;* **⌐auftrag** contre-ordre *m;* **⌐beschuldigung** récrimination *f;* **⌐beweis** preuve *f;* du contraire; **⌐buchung** contre-passation *f,* jeu d'écritures *f;* **⌐demonstration** contre-manifestation; **⌐dienst** revanche *f;* **~einander** l'un contre l'autre;

~einanderhalten comparer; **⌐geleise** contrevoie *f;* **⌐gewicht** *a. fig* contrepoids *m;* **⌐gift** contrepoison *m,* antidote *m;* **⌐klage** demande reconventionnelle; **⌐leistung** contrepartie *f;* **⌐licht** contre-jour *m;* **⌐liebe** *fig* accueil *m* favorable; **⌐maßnahme** contre-mesure *f,* représailles *fpl;* **⌐mittel** *a.* ♣ remède *m;* ♣ antidote *m;* **⌐partei** ♣♣ partie *f* adverse; **⌐probe** contre-épreuve *f;* **⌐rechnung** facture *f* en contre-partie; **⌐rede** réplique *f; (Einwand)* objection *f;* **⌐satz** contraste *m,* opposition *f; im ⌐satz zu* contrairement à, par opposition à; *im ⌐satz dazu* en revanche; **⌐sätzlich** divergent; **⌐sätzlichkeit** divergence *f;* **⌐schlag** contre-coup *m,* riposte *f,* réplique *f;* **⌐schrift** réfutation *f;* **⌐seite** côté opposé; ♣♣ partie *f* adverse; **~seitig** mutuel, réciproque; **⌐seitigkeit** solidarité *f,* mutualité *f,* réciprocité *f; Versicherung auf ⌐seitigkeit* assurance mutuelle; **⌐spieler** antagoniste, adversaire; **⌐sprechanlage** appareil *m* d'intercommunication; **⌐sprechverkehr** liasion *f* en duplex; **⌐stand** *a. fig* objet *m; (Abhandlung usw.)* sujet *m;* **⌐ständlich** concret; **~standslos** superflu, sans intérêt; sans objet; *a.* ♣ abstrait; **⌐stimme** ♪ contre-partie *f; (Wahl)* voix *f* contraire; **⌐stoß** contre-attaque *f;* **⌐strömung** *a. fig* contre-courant *m,* contre-pied *m; im ⌐teil* au contraire; **~teilig** contraire, opposé; **~teilige** *Meinung* contrepartie *f;* **~über** vis-à-vis (de), en face (de); **⌐über** *su* vis-à-vis *m; (Gespräch)* interlocuteur *m;* **~überliegen** être en face (de); **~überliegend** d'en face, opposé; **~überstehen** être opposé à; *refl* se regarder; s'opposer; **~stellen** oposer; confronter; **⌐überstellung** confrontation *f; (Vergleich)* comparaison *f;* **~verkehr** circulation *f* en sens inverse; **⌐wart** *(Anwesenheit)* présence *f; (Zeit, a. ling)* présent *m;* **~wärtig** *(anwesend)* présent; *(jetzt) adj* actuel; *adv* actuellement, à présent; *(im Gedächtnis)* présent à l'esprit; **⌐wehr** défense *f,* résistance *f;* **⌐wert** équivalent *m,* contre-valeur *f;* **~wind** vent *m* contraire (*od* debout); **~zeichnen** contresigner; **⌐zeichnung** contreseing *m*

Gegend région *f,* contrée *f; (Umgebung)* alentours *mpl,* environs *mpl*

gegliedert articulé

Gegner adversaire, antagoniste; **⌐isch** adverse, opposé; **~schaft** antagonisme *m; (Personen)* adversaires *mpl*

Gehabe façons *fpl,* airs *mpl*

Gehacktes viande hachée; *(zubereitet)* hachis *m*

Gehalt[1] *m (Anteil)* teneur *f (an en); (Wert)* valeur *f; (Inhalt)* contenu *m; (geistig)* fond *m;* **⌐los** insignifiant, sans valeur; **⌐voll** substantiel

Gehalt[2] *n (Angestellte)* salaire *m,* appointements *mpl; (Beamte)* traitement *m,* émoluments *mpl;* **~sabzug** retenue *f* (sur le salaire); **~sempfänger** salarié; **~serhöhung;** augmentation *f* du salaire; **~spfändung** saisie-arrêt *f* sur le salaire; **~sstreifen** feuille *f* de paie; **~szulage** complément *m* d'appointements

gehässig haineux, malveillant; **⌐keit** malveillance *f*

Gehäuse boîte *f*; *(Motor)* carcasse *f*; *(Maschinen)* cage *f*, carter *m*; *(Uhr)* boîte *f*, boîtier *m*; *(Wanduhr)* cartel *m*; *(Kompaß)* habitacle *m*; *bot* trognon *m*; *zool* coque *f*; *(Schnecken-)* coquille *f*
Gehege enclos *m*, enceinte *f*; *j-m ins ~ kommen* aller sur les brisées de qn, marcher sur les plates-bandes de qn
geheim secret, caché, mystérieux, clandestin, occulte; *streng ~* strictement confidentiel; *im ~en* en secret, en cachette; ⌐**bündelei** activités *fpl* clandestines; ⌐**bündler** conjuré *m*; ⌐**dienst** service secret, Deuxième Bureau *m*; ⌐**fach** cachette *f*, compartiment *m* à secret; ⌐**fonds** caisse *f* noire; fonds *m* occultes; **~halten** tenir secret, cacher; ⌐**haltung** conservation *f* du secret; ⌐**haltungspflicht** *com* obligation de respecter le secret professionnel; ⌐**konto** compte *m* secret *(ou* à numéro); ⌐**nis** secret *m*, mystère *m*; *offenes (öffentliches)* ⌐*nis* secret de Polichinelle; *hinter d.* ⌐*nis kommen* découvrir le pot aux roses; *unter das ~ fallen* être couvert par le secret; ⌐**niskrämer** cachottier; ⌐**nisträger** dépositaire *m* de secrets; ⌐**nisvoll** mystérieux; ⌐**polizei** police secrète; ⌐**tinte** encre *f* sympathique; ⌐**tip** *umg* tuyau
Geheiß ordre *m*; *auf ~ von* sur l'ordre de
gehen 1. aller, marcher; *(aufbrechen)* s'en aller, me porte bien; *es geht ihm schlecht* il va mal; *es geht mir schlecht (geschäftlich)* mes affaires vont mal; *wie geht's?* comment allez-vous?; *es ist ihm ebenso gegangen* il lui est arrivé la même chose; *wie wird es mir ~?* que deviendrai-je?; *wie es so geht* de fil en aiguille; *das Geschäft geht gut* les affaires vont bien; *diese Ware geht gut* cet article a bien pris; *das geht nicht* c'est impossible; *das wird schon ~* cela s'arrangera; *das geht zu weit* cela dépasse les limites *(od* les bornes); 2. *(in Verbindungen:)* **an...** ~: *an die Arbeit ~* se mettre à l'ouvrage; **in...** ~ *(eintreten)* entrer; *(besuchen)* aller à; *(beginnen)* ins zwanzigste *Jahr ~* entrer dans sa vingtième année; *in sich ~* faire un retour sur soi-même, rentrer en soi-même; **mit...** ~ aller avec (qn); *etw. mit sich ~ lassen umg* chaparder, choper, faire main basse sur qch; **nach...** ~ aller à, en; *ich gehe nach Paris* je vais à Paris; *ich gehe nach Frankreich* je vais en France; **über...** ~: *über d. Straße ~* traverser la rue; *das geht über meine Kräfte* cela dépasse mes forces; **um...** ~: *es geht um...* il s'agit de...; **vor sich** ~ se passer, s'opérer; **zu...** ~: *zu j-m ~* se rendre chez qn; *zum Militär ~* s'enrôler
geheuer: *nicht ~* suspect; inquiétant
Ge|heul hurlement *m*, mugissement *m*; **~hilfe** aide, adjoint, assistant; *com* commis *m*, préposé *m*; **~hilfin** aide
Gehirn *(Organ)* cerveau *m*; *(Substanz)* cervelle *f*; **~blutung** hémorragie cérébrale; **~erschütterung** commotion cérébrale; **~hautentzündung** méningite *f*; **~schlag** apoplexie *f*; **~wäsche** lavage *m* de cerveau
Ge|höft ferme *f*, métairie *f*; **~hölz** bosquet *m*
Gehör *(Sinn)* ouïe *f*; *(allg. u.* ♪) oreille *f*; *e. gutes ~ haben* ♪ avoir de l'oreille; *~ finden bei* être

écouté par; *j-m ~ schenken* écouter qn; **~gang** conduit auditif; **~nerv** nerf *m* acoustique; **~prüfung** audiométrie *f*; **~schutz** protège-oreilles
gehorchen obéir, obtempérer *(mst* ♫)
gehör|en appartenir, être à qn; *(angehören)* faire partie de, être du nombre de; *(zustehen)* ressortir à; *(erforderlich sein)* falloir, être nécessaire; *refl* convenir; *wie sich ~t* comme il faut
gehörig *(angehörend)* appartenant (à); *(erforderlich)* nécessaire, requis; *(anständig)* convenable; *adv* dûment; *(beträchtlich)* beaucoup
Gehörn cornes *fpl*; *(Rehbock)* bois *m*; ⌐**t** cornu, encorné; **~ter** *m* (mari) cocu *m*; diable *m*
gehorsam obéissant; ⌐ *su* obéissance *f*
Geh|rock redingote *f*; **~weg** trottoir *m*
Geier vautour *m*
Geifer bave *f*; ⌐**n** baver; *fig* écumer (de colère)
Geige violon *m*; *e-e ~ stimmen* accorder un violon; *~ spielen* jouer du violon; *d. erste ~ spielen (a. fig)* jouer le premier violon ♦ *d. Himmel voller ~n sehen* voir la vie en rose, être aux anges; ⌐**n** jouer du violon; **~nbauer** luthier; **~nbogen** archet *m*; **~nkasten** étui *m* à violon; **~r** violon(iste); *erster ~r* premier violon; **~rzähler** *phys* compteur *m* Geiger
geil lascif, lubrique; *bot (Boden)* trop gras; *(Pflanzen)* exubérant; ⌐**heit** lubricité *f*; *bot* exubérance *f*
Geisel otage *m*; **~nahme** prise *f* d'otage(s); **~nehmer** preneur *m* d'otages
Geiß chèvre *f*; *bique f (umg)* ; **~blatt** chèvrefeuille *m*; **~bock** bouc *m*
Geißel fouet *m*; *fig* fléau *m*; ⌐**n** fouetter; *rel* flageller; *fig* fustiger, châtier; **~ung** flagellation *f*
Geist esprit *m*; génie *f*; intelligence *f*; *(Gespenst)* revenant *m*, fantôme *m*; böser ~ démon *m*; *d. Heilige ~* le Saint-Esprit; *d. ~ aufgeben* rendre l'âme; *von allen guten ~ern verlassen sein* faire une bêtise; agir de façon déraisonnable; **~erbeschwörung** conjuration *f* (des démons); exorcisme *m*; ⌐**erhaft** spectral, fantomatique; **~erseher** visionnaire; ⌐**esabwesend** absent, distrait; **~esabwesenheit** absence *f* (d'esprit), distraction *f*; ⌐**esarbeiter** travailleur intellectuel; **~esart** mentalité *f*; génie *f*; **~esblitz** *umg* (avoir une) idée géniale; **~esgabe** talent *m*; **~esgegenwart** présence *f* d'esprit; **~esgestört** atteint de troubles mentaux; déséquilibré; **~eshaltung** disposition *f (od* tour *m od* tournure *f)* d'esprit; ⌐**eskrank** aliéné; **~esleben** vie intellectuelle; **~esschärfe** perspicacité *f*; ⌐**esschwach** faible d'esprit, imbécile; **~esschwäche** débilité mentale; **~eswissenschaften** sciences humaines; **~eszustand** état mental; ⌐**ig** spirituel; intellectuel; mental, moral; *(Getränke)* spiritueux; ⌐**lich** clérical, ecclésiastique; spirituel; religieux; *d.* ♫ sacré; **~licher** ecclésiastique homme d'église; **~lichkeit** clergé *m*; ⌐**los** dénué d'esprit, insipide, fade; ⌐**reich** spirituel; ingénieux; ⌐**tötend** abrutissant, assommant
Geiz avarice *f*; ladrerie *f (umg)*; ⌐**en** être avare

(*mit* de); ~**hals**, ~**kragen** avare; avaricieux; ⌐**ig** avare, avaricieux; parcimonnieux, chiche; ladre *(umg)*

Ge|jammer lamentations *fpl*, jérémiades *fpl*; ~**jauchze**, ~**jubel** cris *mpl* de joie, jubilation *f*; ⌐**kachelt** carrelé; ~**keife** criailleries *fpl*; ~**kicher** rires étouffés; ~**kläff** jappements *mpl*; ~**klapper** cliquetis *m*, claquement *m*; ~**klingel** tintement *m*; ~**klirr** cliquetis *m*; ~**knatter** crépitement *m*, crépitation *f*, pétarade *f*; ⌐**knickt** coudé; ~**knister** crépitation *f*, crépitement *m*, pétillement *m*; *(Stoff)* frou-frou *m*; ⌐**konnt** bien réussi (*od* enlevé); ⌐**koppelt** lié, couplé; associé (à); ⌐**körnt** en grains; ~**krächze** croassement *m*; ~**kritzel** griffonnage *m*; pattes *fpl* de mouche; ~**kröse** tripes *fpl*; *anat* mésentère *m*; ⌐**krümmt** courbe, recourbé, incurvé; ⌐**kühlt** refroidi, frigorifié, réfrigéré; ⌐**künstelt** recherché, affecté; guindé, alambiqué, précieux; ⌐**kürzt** *(Inhalt)* abrégé; *adv* en abrégé

Gelaber bavardage *m*, racontar *m*, ragot *m*, commérage *m*

Gelächter rires *mpl*, éclats *mpl* de rire; *z.* ~ *werden* devenir la risée (de); *z.* ~ *machen* tourner en dérision

Gelage orgie *f*; beuverie *f*

gelähmt paralysé (*an* de), perclus; § paralytique

Gelände terrain *m*; ~**aufnahme** levé *m* topographique; ~**fahrzeug** véhicule *m* tout-terrain; ⌐**gängig** tout-terrain; ~**lauf** 🏃 cross-country *m*; ~**r** balustrade *f*; *(Treppen-)* rampe *f*; *(Brücken-)* parapet *m*, garde-fou *m*; *(Balkon)* balustrade *f*

ge|langen *a. fig* arriver, parvenir (*zu* à); atteindre (*zu etw.* qch); ~**lappt** *bot* lobé

gelassen calme; posé; pondéré; impassible; détaché; ⌐**heit** calme *m*; pondération *f*; sérénité *f*

geläufig courant; familier; ⌐**keit** facilité *f*

gelaunt disposé; luné *(umg)*; *gut (schlecht)* ~ de bonne (mauvaise) humeur; bien (mal) luné

gelb jaune; ~*e Rübe* carotte *f*; ~**lich** jaunâtre; ⌐**sucht** jaunisse *f*, ictère *m*

Geld argent *m*; *pl* fonds *mpl*, moyens *mpl* financiers; capital *m*; bares ~ numéraire *m*, espèces *fpl*; *kleines* ~ monnaie *f*; *ins* ~ *gehen* coûter cher; *etw. zu* ~ *machen* réaliser qch; ~ *wie Heu haben* remuer l'argent à la pelle; ~**abfindung** indemnité *f* en argent; ~**abwertung** dévaluation *f*; ~**anlage** placement *m* (de fonds); ~**anweisung** mandat *m*; ~**aufnahme** emprunt *m*; ~**aufwendungen** dépense *f*; ~**aufwertung** réévaluation *f*; ~**automat** billetterie *f* automatique; ~**ausfuhr** exportation *f* de numéraire; ~**beutel** bourse *f*, porte-monnaie *m*; ~**börse** marché *m* monétaire; ~**brief** lettre *f* chargée; ~**buße** amende *f*; ~**eingang** rentrée *f* de fonds; ~**einlage** mise *f* de fonds; ~**entwertung** dépréciation *f* monétaire; ~**geber** bailleur de fonds; ⌐**gierig** cupide; ~**institut** établissement financier; ~**kreislauf** circuit *m* monétaire; ~**kurs** cours *m* du change; ⌐**lich** pécuniaire; ~**markt** marché *m* monétaire; ~**menge** masse *f*

monétaire; ~**mittel** fonds *mpl*, capitaux *mpl*, moyens *mpl*, ressources *fpl*; ~**schein** billet *m* de banque; ~**schrank** coffre-fort *m*; ~**strafe** amende *f*; ~**stück** pièce *f*; ~**umlauf** circulation *f* monétaire; ~**wesen** finances *fpl*

Gelege ponte *f*

gelegen situé; 😴 sis; donnant (*nach* sur); *(passend)* opportun, à propos, convenable; *mir ist daran* ~ il m'importe de, j'ai intérêt à; ⌐**heit** occasion *f*; occurrence *f*; *bei j-r* ⌐**heit** à tout propos; ⌐**heitsarbeit** travail occasionnel; ⌐**heitsgesellschaft** consortium *m*; ⌐**heitskauf** occasion *f*; ~**tlich** *adj* occasionnel, incident; *adv* incidemment, en passant, par occasion; *präp* à l'occasion de, à propos de

gelehr|ig docile; ⌐**igkeit** docilité *f*; ⌐**samkeit** érudition *f*; ~**t** savant; érudit, docte; *e.* ~*tes Haus* un puits de science; ⌐**ter** savant; érudit

Geleise voie *f*; rails *mpl*; *(Wagenspur u. fig)* ornière *f*; *wieder ins* ~ *bringen* remettre sur la bonne voie

Geleit conduite *f*; *mil* escorte *f*; *freies* ~ sauf-conduit *m*; ⌐**en** conduire; accompagner; *mil* escorter; 😴 convoyer; ~**wort** préface *f*; ~**zug** 🚢 convoi *m*

Gelenk articulation *f*; jointure *f*, joint *m*; ~**entzündung** arthrite *f*; ⌐**ig** souple, flexible; articulé; ~**igkeit** souplesse *f*; ~**rheumatismus** rhumatisme *m* articulaire; ~**welle** ⚙ arbre *m* à cardan

gelernt *(Arbeiter)* qualifié

Geliebte bien-aimée; *(nichteheliche Verbindung)* amante, maîtresse; ~**r** bien-aimé; amant

ge|linde doux, modéré; léger; ~*linde gesagt* au bas mot; ~**lingen** réussir; *es* ~*lingt mir zu* je réussis à; ⌐**lingen** *su* réussite *f*, succès *m*; ⌐**lispel** zézaiement *m*

gellen résonner, retentir; ~**d** strident; *(Stimme)* perçant, criard

ge|loben faire vœu (de); promettre (solennellement); *d.* ⌐**lobte Land** la Terre promise; ⌐**löbnis** vœu *m*, promesse (solennelle)

gelt|en *vt* valoir; *vi* être valable; être en vigueur; *(Münze)* avoir cours; *(vermögen)* avoir de l'influence; *(abgezielt sein auf)* viser (qch); ~*en als* être considéré comme, passer pour; ~*en lassen* admettre; ~*en für* s'appliquer à; ~*end machen* faire valoir; *d. gilt nicht* cela ne compte pas; *es gilt, zu…* il s'agit de…; *jetzt gilt es* c'est le moment de; *es gilt d. Leben* il y va de la vie; *es gilt!* tope!; ⌐**endmachung** allégation *f*; *(vor Gericht)* action en justice; ⌐**ung** valeur *f*, importance *f*, crédit *m*; *(Münze)* cours *m*; *z.* ⌐**ung bringen** mettre en valeur; *sich* ⌐**ung verschaffen** s'imposer; ⌐**ungsbedürfnis** besoin *m* de se faire valoir; ⌐**ungsbereich** domaine *m* d'application

Ge|lübde vœu *m*; *e.* ~**lübde ablegen** faire un vœu; ~**lungen** réussi; *umg* fameux; ⌐**lüsten**: *es* ⌐**lüstet mich nach** j'ai envie de

Gemach chambre *f*, cabinet *m*, salle *f*

gemach lentement, doucement

gemächlich commode; lent; ⌐**keit** commodité *f*; lenteur *f*

gemacht: *e. ~er Mann* un homme arrivé; *d. Sache ist ~* l'affaire est dans le sac
Gemahl époux; **~in** épouse
ge|mahnen rappeler (*j-n an etw.* qch à qn); **⌂mälde** tableau *m*, toile *f*, peinture *f*; **~masert** marbré; **~mäß** *adj* approprié, conforme (à); *präp* selon, suivant, d'après; **~mäßigt** (*a. Klima*) tempéré; *a. pol* modéré; **⌂mäuer** maçonnerie *f*; murailles *fpl*
gemein commun; public; (*gewöhnlich*) ordinaire; (*Soldat*) simple; (*niedrig*) bas, vil, trivial, ignoble, vulgaire, abject; *d. ~e Mann* l'homme du peuple; *~ haben mit* avoir de commun avec; *sich ~ machen mit j-m* frayer avec qn; **⌂gebrauch** usage *m* public; **~gefährlich** qui constitue un danger public; **⌂gut** bien commun; domaine public; **⌂heit** bassesse *f*, infamie *f*, vilenie *f*; **~hin** communément, ordinairement; **⌂kosten** frais *mpl* généraux; dépenses *fpl* communes; **⌂nutz** intérêt général; **⌂nützig** d'utilité publique, d'intérêt général; **⌂platz** lieu commun; **~sam** (en) commun; collectif; solidaire; *~same Sache machen mit* faire cause commune avec; **⌂schaft** communauté *f*; collectivité *f*; *rel* communion *f*; **~schaftlich** collectif; commun; *adv* de concert, en commun; **⌂schaftsarbeit** travail collectif; **~schuldner** ☾ failli; **⌂sinn** sens *m* civique; **~verständlich** à la portée de tout le monde; **⌂wesen** communauté *f*; **⌂wohl** bien public
Gemeinde commune *f*; municipalité; *f*; *rel* paroisse *f*; **~abgabe** taxe *f* locale; impôt *m* communal; **~betrieb** entreprise communale; **~finanzen** finances *fpl* locales; **~grund** communaux *mpl*; **~haushalt** budget *m* communal; **~helferin** *rel* diaconesse; **~rat** conseil municipal; **~saal** salle communale; salle paroissiale; **~verwaltung** administration communale; **~vorsteher** maire; **~zweckverband** syndicat *m* de communes
Ge|menge mélange *m*; **⌂messen** mesuré; grave; **⌂messenen Schrittes** à pas comptés; **~messenheit** mesure *f*, gravité *f*, réserve *f*; **~metzel** carnage *m*, massacre *m*, boucherie *f*, tuerie *f*; **~misch** mélange *m*; **⌂mischt** mixte, mélangé
Gemme camée *m*; intaille *f*
Gemse chamois *m*
Ge|murmel murmure *m* confus; **~murre** grondements *mpl*, murmures *mpl*
Gemüse légume *m*; **~anbau** culture maraîchère; **~garten** (jardin *m*) potager *m*; **~gärtner** maraîcher; **~händler** (*ambulanter*) marchand des quatre-saisons; **~suppe** julienne *f*
gemustert décoré (*od* orné) de dessins (*od* de motifs); façonné, ouvré; (*Stoff*) imprimé
Gemüt cœur *m*; âme *f*; **~er** *pl* esprits *mpl*; **⌂lich** d'un bon naturel, bonhomme; confortable, à la papa; *hier ist es ⌂lich* on est bien (*od* à son aise) ici; **~lichkeit** confort *m*; **~sart** naturel *m*, tempérament *m*; **~sbewegung** émotion *f*; **⌂skrank** mélancolique; **~smensch** sentimental; **~sruhe** calme *m*, tranquillité *f*; **~szustand** état *m* d'âme
genau (*pünktlich*) exact, ponctuel, précis;

(*getreu*) fidèle; (*zuverlässig*) précis, sûr; (*deutlich*) distinct, clair, net; (*sparsam*) économe; (*ausführlich*) détaillé; (*knapp*) juste; (*stimmend*) exact, juste; (*sorgfältig*) minutieux, méticuleux; *~ bestimmen* préciser; *~ kennen* connaître à fond; *~ um 10 Uhr* à dix heures précises; *~ von vorn* droit devant; **~genommen** strictement parlant; **⌂igkeit** exactitude *f*, justesse *f*; précision *f*; minutie *f*
genehm agréable, convenable; **~igen** permettre; agréer, approuver, accorder; consentir à; *bes* **⌂igung** permission *f*, agrément *m*; autorisation *f*; approbation *f*
geneigt incliné, penché; *fig* enclin, disposé, porté (*zu* à); **⌂heit** *fig* bienveillance *f*; disposition *f*
General général; **~bevollmächtigter** fondé de pouvoir; **~direktor** directeur général; président *m* du directoire; (*umg*) pédégé; **~probe** ♥ répétition générale; **~sekretär** secrétaire *m* général; **~staatsanwalt** avocat *m* général; **~stab** état-major *m*; **~streik** grève générale; **~überholung** ✿ revision générale; **~vertreter** agent exclusif; **~vollmacht** pleins pouvoirs *pl*
Gener|ation génération *f*; **~ator** ⚡ génératrice *f*; alternateur *m*; groupe *m* électrogène; (*Gas-*) gazogène *m*; **⌂ell** *adj* général; *adv* généralement, en général
genes|en se rétablir, guérir; **~ender** convalescent; **⌂ung** guérison *f*, convalescence *f*
genial génial; **⌂ität** génialité *f*
Genick nuque *f*; *sich d. ~ brechen* (*a. fig*) se casser le cou
genieren gêner; *refl* se gêner
genieß|bar (*Essen*) mangeable; (*Getränk*) potable; (*Lebensmittel*) manger, boire, goûter; prendre; *nicht zu ~en* (*fig*) insupportable; **⌂er** jouisseur; **~erisch** en jouisseur
genital génital; **⌂apparat** appareil *m* génital; **⌂e** *n =* **⌂organ** parties génitales, sexe *m*
Genosse compagnon; *a. pol* camarade; **~nschaft** (association *f*) coopérative *f*; **~nschaft(l)er** coopérateur
genug assez; suffisamment; **⌂tuung** satisfaction *f*; **⌂tuung fordern** demander raison (de)
Genüg|e *zur ~e* suffisamment, assez; *~e tun* satisfaire (qn; à qch); **⌂en** suffire; *sich ⌂en lassen an etw.* se contenter de qch; **⌂end** suffisant, satisfaisant
genügsam sobre, modeste; (*Essen*) frugal; **⌂keit** frugalité *f*, sobriété *f*, modestie *f*
Genuß jouissance *f*, plaisir *m*; **~mittel** stimulant *m*; *com* (*pl*) boissons alcooliques, tabac et autres stimulants; **⌂reich** délectable, délicieux; **~sucht** goût *m* du plaisir
Geograph géographe; **~ie** géographie *f*; **⌂isch** géographique
Geolog|e géologue; **~ie** géologie *f*; **⌂isch** géologique
Geometrie géométrie *f*
geordnet réglé, systématique, ordonné
Gepäck bagages *mpl*; *das ~ aufgeben* faire enregistrer les bagages; **~abfertigung** enregistre-

ment *m* des bagages; **~aufbewahrung** consigne *f;* **~ausgabe** délivrance *f* des bagages; **~freigrenze** franchise *f;* **~halter** porte-bagages *m;* **~netz** filet *m;* **~schalter** guichet *m* des bagages; **~schein** bulletin *m* de bagages; **~stück** colis *m;* **~träger** porteur; **~wagen** fourgon *m* (à bagages)

ge|panzert blindé; **~pfeffert** poivré; *(Witz)* grivois; *(Rechnung)* salé; **~pflegt** *(Person)* soigné; **⌐pflogenheit** coutume *m,* habitude *f;* **⌐plänkel** escarmouche *f,* accrochage *m,* échauffourée *f;* **⌐plapper** babillage *m; (Kind)* babil *m; pej* patenôtres *fpl;* **⌐plätscher** murmure *m;* **⌐plauder** causerie *f;* **⌐polter** fracas *m,* tapage *m;* **⌐präge** *(Prägung u. Eigenart)* empreinte *f;* **⌐pränge** faste *m,* pompe *f,* luxe *m;* **⌐prassel** pétillement *m,* crépitement *m;* **⌐quake** coassement *m*

gerade **1.** *adj (krümmungsfrei)* droit; *(ohne Umweg)* direct; *(aufrichtig)* sincère, loyal, droit; *(durch 2 teilbar)* pair; **2.** *adv (genau)* précisément, justement; *(soeben)* tout à l'heure; *(erst recht!) jetzt ~* raison de plus; *er kommt ~ recht* il vient juste à point; *ich war ~ dabei, zu...* j'étais justement en train de...; *ich wollte ~ gehen* j'allais partir

Gerade *math* droite *f*

gerade|aus tout droit; **~heraus** franchement, carrément; **~stehen** se tenir droit; *fig für etw. ~ stehen* répondre de qch; **~wegs** directement; *fig* sans façons; **~zu** vraiment, tout simplement

Gerad|heit *(Charakter)* droiture *f;* **⌐linig** *math* rectiligne

gerädert courbaturé

Geranie géranium *m*

Gerassel fracas *m,* cliquetis *m*

Gerät *(Haus-)* ustensile *m; (Apparat)* appareil *m; (Werkzeug)* outillage *m; (Ausrüstung)* attirail *m;* dispositif *m;* ✿ matériel *m;* **~ebau** construction *f* d'appareils; **~elaufkarte** fiche *f* matricule (du matériel); **~esatz** lot *m;* **~etafel** tableau *m* de bord; **~eturnen** exercices *mpl* aux agrès; **~schaften** attirail *m*

geraten[1] *vi (gelingen)* réussir; *(hingelangen)* arriver, parvenir; entrer; *außer sich ~* s'exaspérer; *in e-e Falle ~* tomber dans un piège; *in Konkurs ~* faire faillite, déposer le bilan; *in Schwierigkeiten ~* avoir des problèmes; *in Vergessenheit ~* tomber dans l'oubli; *auf e-n falschen Weg ~* s'égarer de son chemin; *in Zorn ~* se mettre en colère

geraten[2] *adj (angebracht)* convenable, à propos; à conseiller

Geratewohl: *aufs ~* à tout hasard, au petit bonheur

geraum: *seit ~er Zeit* depuis longtemps

geräumig spacieux, large, vaste

Geräusch bruit *m;* **⌐arm** silencieux, insonorisé; **~dämpfung** insonorisation *f;* **~erzeuger** bruiteur *m;* **~kulisse** fond *m* sonore; **⌐los** silencieux; **~meßgerät** sonomètre *m;* **~pegel** niveau *m* de bruit; **~voll** bruyant

gerb|en corroyer, tanner; *j-m d. Fell ~en* tanner le cuir à qn; **⌐er** corroyeur, tanneur; **⌐erei** tannerie *f;* **⌐erlohe** tan *m;* **⌐stoff** tan(n)in *m*

gerecht juste; légitime; équitable; *(Strafe)* mérité; *~ werden* rendre justice, faire droit *(j-m* à qn); **⌐igkeit** justice *f;* équité *f; j-m ⌐igkeit widerfahren lassen* rendre justice à qn; **⌐same** privilège *m,* usufruit *m*

Gerede bavardage *m;* racontars *mpl,* commérage *m,* ragot *m; d. ~ d. Leute* le qu'en-dira-t-on; *j-n ins ~ bringen* compromettre la réputation de qn

gereichen causer *(zu etw.* qch); contribuer *(zu* à); *zur Ehre ~* faire honneur *(j-m* à qn)

gereizt irrité; **⌐heit** irritation *f*

gereu|en: *es ~t mich* je regrette (de); je m'en repens

Gericht **1.** plat *m,* mets *m;* **2.** tribunal *m,* juridiction *f; (Gebäude)* palais *m* de Justice; *(Personen)* cour *f; vor ~ laden* citer en justice; *d. Jüngste ~* le Jugement dernier; *mit j-m ins ~ gehen* reprendre qn, admonester qn; **⌐lich** judiciaire; **⌐lich verfolgen** poursuivre en justice; **~sarzt** médecin légiste; **~sbarkeit** juridiction *f;* **~entscheid(ung)** décision *f* de justice; **~sdiener** huissier *m* (audiencier); **~sferien** vacances judiciaires; vacations *fpl;* **~sgebäude** palais *m* de Justice; **~shof** cour *f* (de justice), tribunal *m;* **~skanzlei** greffe *m;* **~skosten** dépens *mpl;* **~smedizin** médecine légale; **~ssaal** salle *f* d'audience, prétoire *m;* **~sschreiber** greffier; **~ssitzung** audience *f;* **~sstand** tribunal compétent; **~sverfahren** procédure *f* judiciaire; **~svollzieher** huissier *m*

ge|rieben *fig umg* futé; **⌐riesel** ruissellement *m*

gering petit; de peu d'importance; de peu de valeur; *(Preis)* modique; *(Person)* humble; *(Gehalt an)* pauvre (en); *~e Menge...* peu de; *~er* moindre; inférieur (als à); *nicht im ~sten* pas le moins du monde; *nicht d. ⌐ste* pas l'ombre de; *das ⌐ste* la moindre chose; **~achten, ~schätzen** mépriser, dédaigner; **~fügig** insignifiant, futile, exigu; *(Fehler)* léger; **⌐fügigkeit** futilité *f,* bagatelle *f;* légèreté *f;* modicité *f;* **~schätzig** dédaigneux; méprisant; **⌐schätzung** dédain *m,* mépris *m;* mésestime *f*

gerinn|en se coaguler; se cailler; se figer; *(Milch)* tourner; **~sel** *a.* ⚶ caillot *m*

Gerippe squelette *m;* (✿, *Tier)* carcasse *f;* ✿ ossature *f,* charpente *f;* **⌐t** *(Stoff)* côtelé; à côtes; *(Papier)* vergé

gerissen *fig* madré, roué; malin *(pop)*

German|e Germain; **⌐isch** germain; germanique

gern volontiers, avec plaisir; de bon cœur, de bonne grâce; *~! je veux bien!; ~ geschehen!* à votre service!; *etw. ~ tun* aimer faire qch; *j-n ~ haben* affectionner qn; *ich möchte ~* je voudrais bien; *du kannst mich ~ haben! interj umg* va te faire voir ailleurs!; **⌐egroß** vantard, hâbleur

Geröll éboulis *m;* galets *mpl*

Gerste orge *f;* **~ngraupen** orge *(m!)* mondé; **~korn** ⚶ orgelet *m*

Gerte verge *f,* badine *f; (Reit-)* cravache *f*

Geruch *(Sinn)* odorat *m;* odeur *f,* arôme *m,* parfum *m; im ~ stehen* être considéré comme...; **⌐los** inodore, sans odeur

Gerücht bruit *m*, on-dit *m;* ragot *m*, bavardage *m; es geht das ~ ...* le bruit court...
geruh|en daigner (*etw. zu tun* faire qch); **~sam** tranquille, calme
Gerümpel bric-à-brac *m*, vieilleries *fpl*
Gerundium gérondif *m*
Gerüst échafaud *m*, échafaudage *m*, charpente *f*, ossature *f*
gesamt total, global, entier; **⌐ansicht** vue *f* d'ensemble; **⌐auflage** tirage global; **⌐ausgabe** 𝄞 œuvres complètes; **⌐ausgaben** dépense(s) totale(s); **⌐betrag** total *m;* **⌐gewicht** poids total, poids en charge; **⌐heit** totalité *f;* ensemble *m;* collectivité *f;* **⌐preis** prix *m* total; **⌐schuld** dette *f* solidaire; **⌐übersicht** vue *f* d'ensemble; **⌐vermögen** patrimoine *m;* **⌐werk** (*bildende Kunst*) œuvre *f; lit* œuvres complètes; **⌐wert** valeur totale
Gesandt|er ambassadeur *m;* ministre plénipotentiaire; *päpstlicher ~er* nonce; **~schaft** ambassade *f*, légation *f; päpstliche ~schaft* nonciature *f*
Gesang chant *m;* cantique *m; (Vögel)* ramage *m;* **~buch** livre *m* de cantiques; **~verein** société *f* de chant, chorale *f; (bes Männer-)* orphéon *m*
Gesäß derrière *m*, séant *m*
gesättigt rassasié; *chem* saturé
Geschäft (*Laden*) magasin *m*, boutique *f; (Firma)* maison *f*, établissement *m; (Beschäftigung)* occupation *f*, travail *m; (Gewerbe)* métier *m; (Handel)* affaire *f*, marché *m; (Abschluß bei Börse u. Bank)* transaction *f*, opération *f ♦ sein kleines/großes ~ machen/erledigen umg* faire pipi, uriner; faire caca, aller à la selle; **⌐ig** affairé, empressé, actif; **~igkeit** activité *f*, empressement *m;* **⌐lich** *ich habe ⌐lich zu tun* j'ai des affaires; **~sabschluß** conclusion *f* d'un marché; clôture de l'exercice; **~santeil** part *f* sociale; **~saufgabe** cessation *f* de commerce; **~sbank** établissement *m* de crédit; **~sbedingungen** (*allgemeine ~*) conditions *fpl* générales; **~sbereich** ressort *m;* **~sbericht** compte rendu; **~sbeziehung** relation *f* (d'affaires); **~sbrief** lettre commerciale; **~sbücher** livres *mpl* de commerce; **~seröffnung** ouverture *f* (d'une maison, d'un magasin); **⌐sfähig** capable de contracter; **~sfähigkeit** capacité *f* d'exercice; **~sfreund** correspondant *m;* **~sführer** gérant *m*, directeur *m;* **~sführung** gestion *f* des affaires; **~sgang** marche *f* des affaires; **~sjahr** exercice *m;* **~sleben** affaires *fpl;* **~sleitung** direction *f* de l'entreprise; **~sleute** commerçants *mpl;* **~smann** homme *m* d'affaires; **~sordnung** règlement *m* intérieur; **~sreise** voyage *m* d'affaires; **~ssitz** siège *m* social; **~sstelle** bureau *m; (Gericht)* greffe *m;* **~sstunden** heures *fpl* de bureau; **~sträger** chargé d'affaires; **~sunfähigkeit** incapacité *f* d'exercice; **~sunkosten** frais généraux; **~sverbindung** relation commerciale; **~sverteilungsplan** organigramme *m* d'affaires; **~sviertel** quartier *m* d'affaires; **~szweig** branche *f*
geschehen (*s. ereignen*) se passer, arriver, avoir lieu; survenir; *~ lassen* laisser faire; *~ ist ~* ce qui est fait est fait; *es ist mir unrecht ~* on m'a

fait tort; *es geschieht ihm recht* c'est bien fait pour lui; *es ist um ihn ~* c'en est fait de lui; **⌐ su** le cours des événements *mpl;* le processus de développement, conjoncture *f*
Geschehnis événement *m*, circonstance *f*, situation *f;* affaire *f*
gescheit intelligent, raisonnable, judicieux
Geschenk cadeau *m*, présent *m; don m; etw. ist ein ~ des Himmels* c'est un don du ciel
Geschicht|e (*Entwicklung, Vergangenheit*) histoire *f; (Vorfall, Sache)* affaire *f*, histoire *f; (Erzählung)* conte *m; (Lüge)* histoires *fpl ♦ das ist e-e schöne ~ !(umg)* en voilà une bien bonne!; *mach keine ~en!* ne fais pas d'histoires; **⌐lich** historique; **~schreiber** historien
Geschick 1. (*Schicksal*) sort *m*, destin *m;* 2.(*Eignung*) aptitude *f;* **~lichkeit** habileté *f*, adresse *f*, dextérité *f;* **⌐t** adroit, habile
Geschirr (*Behälter*) vase *m; (Tisch-)* vaisselle *f; (Küchen-)* batterie *f* de cuisine; (*Kaffee, Tee-*) service *m; (Pferd)* harnais *m;* 🜨 appareil *m; sich ins ~ legen fig* travailler avec ardeur; **~schrank** buffet *m*, dressoir *m;* **~spülmaschine** lave-vaisselle *m;* **~tuch** serviette *f*
Geschlecht sexe *m; (Abstammung)* race *f*, famille *f*, origine *f;* génération *f; ling* genre *m;* **⌐lich** sexuel; **~lichkeit** sexualité *f;* **~sakt** acte charnel, coït *m;* **~skrankheit** maladie vénérienne; **~sleben** vie sexuelle; **⌐slos** asexué; *bot* agame; **⌐sreif** pubère; **~sreife** puberté *f;* **~steile** organes génitaux, parties *fpl;* **~strieb** instinct sexuel; **~sverkehr** cohabitation *f;* **~swort** article *m*
geschlossen fermé; serré; clos; *mil* (*Front*) continu; privé; uni, unanime; *adv* en bloc
Geschmack *a. fig* goût *m;* saveur *f; ~ haben* avoir du goût; *~ finden an* trouver goût à; *über d. ~ läßt sich nicht streiten* des goûts, des couleurs il ne faut pas discuter; **⌐los** insipide; *fig* de mauvais goût; **~losigkeit** insipidité *f;* manque *m* de goût; **~sache** affaire *f* de goût; **~snerv** nerf gustatif; **⌐voll** de bon goût; de bon ton; élégant
Geschmeid|e bijoux *mpl;* pierreries *fpl;* joyaux *mpl*, parure *f;* **⌐ig** souple, flexible, ductile, malléable; **~igkeit** souplesse *f*, flexibilité *f*, ductilité *f*, malléabilité *f*
Ge|schmeiß vermine *f; fig* canaille *f*, racaille *f;* **~schmier** gribouillage *m;* **⌐schmiert:** *d. geht wie ⌐schmiert* cela coule de source; **~schnatter** caquetage *m;* **⌐schniegelt** tiré à quatre épingles; **~schöpf** créature *f;* **~schoß** projectile *m; (Stockwerk)* étage *m;* **~schoßkopf** *mil* ogive *f;* **⌐geschraubt** *fig* maniéré, apprêté, empesé, guindé; tarabiscoté (*umg*); **~schrei** cris *mpl*, clameur *f*
Geschütz pièce *f* (d'artillerie); canon *m;* **~bedienung** servants *mpl;* **~feuer** canonnade *f;* **~turm** tourelle *f*
Geschwader ⚓ escadre *f*, force navale; (*kleinere Einheit*) escadrille *f;* ✈ escadrille *f*, escadre aérienne; **~flug** raid *m* d'escadre
Geschwätz bavardage *m*, babillage *m;* fariboles *f*, papotage *m;* sornettes *fpl; (Klatsch)* potins

mpl; ⁎**ig** bavard, verbeux; ~**igkeit** loquacité *f,* verbosité *f*
geschweige: ~ *denn* et encore moins
geschwind rapide, prompt; *adv* vite; rapidement; ⁎**igkeit** vitesse *f,* allure *f;* rapidité *f;* promptitude *f;* vélocité *f;* ⁎**igkeitsbeschränkung** limitation *f* de la vitesse; ⁎**igkeitsmesser** compteur *m* de vitesse, tachymètre *m*
Geschwister frère(s) et sœur(s); ⁎**lich** fraternel
geschwollen gonflé, tuméfié; *a. fig* enflé; *fig* pompeux, bouffi
Geschworener 🙊 juré
Ge|schwulst 💲 enflure *f,* tumeur *f;* ~**schwür** abcès *m,* ulcère *m*
Gesell|e *(Handwerk)* compagnon; ouvrier *m* artisan; *(Gefährte)* compagnon, camarade, compère; ⁎**en** joindre, assembler, associer *(a. refl);* ~**enbrief** brevet *m* de compagnon; ~**enzeit** compagnonnage *m;* ⁎**ig** sociable; ~**igkeit** sociabilité *f;* soirée *f* (mondaine)
Gesellschaft société *f;* association *f;* réunion *f;* cercle *m;* compagnie *f; d. vornehme* ~ la bonne société; ~ *mit beschränkter Haftung* société *f* à responsabilité limitée; ~ *leisten* tenir compagnie; ~**er** *com* associé; *guter* ~**er** homme d'un commerce agréable; *stiller* ~**er** commanditaire; ~**erin** dame de compagnie; ⁎**lich** social, mondain; ~**santeil** *com* part sociale; ~**sanzug** tenue *f* de soirée; ~**seinlage** *com* mise *f* de fonds; ~**sform** structure *f* de la société; ~**skapital** capital social; ~**sreise** voyage collectif *(od* en groupe); ~**sspiel** jeu *m* de société; ~**ssteuer** impôt *m* sur les sociétés; ~**svermögen** *com* patrimoine social; ~**svertrag** contrat *m* de société; ~**swissenschaften** sciences *fpl* humaines
Gesetz loi *f;* ~**buch** code *m;* ~**entwurf,** ~**esvorlage** projet *m* de loi; ~**esänderung** amendement *m;* ~**eskraft** force *f* de loi; ~**eskraft** *erlangen* prendre force de loi; ~**estafeln** *rel* tables *f* de la Loi; ~**esübertretung** = ~**esverletzung** violation *f* de la loi; ⁎**gebend** législatif; ~**geber** législateur; ~**gebung** tion *f;* ⁎**lich** légal; conforme à la loi; ~**lichkeit** légalité *f;* ⁎**los** anarchique; ~**losigkeit** anarchie *f;* ⁎**mäßig** légitime; ~**mäßigkeit** légitimité *f;* ⁎**widrig** illégal, illégitime; illicite; ~**widrigkeit** illégalité *f,* illégitimité *f*
gesetzt *(bedächtig)* posé, grave, sérieux; *(vorausgesetzt)* supposé
Gesicht 1. *(Antlitz)* face *f,* figure *f,* visage *m; j-m ins* ~ *lachen* rire au nez de qn; ~**er** *schneiden* grimacer, faire des grimaces; *j-m ins* ~ *sehen* regarder qn en face; *gut zu* ~ *stehen* aller bien; *d.* ~ *verlieren* perdre la face; *ich habe es ihm ins* ~ *gesagt* je le lui ai dit en face; *die Sache kriegt ein anderes* ~ l'affaire prend une autre tournure; *sein wahres* ~ *zeigen* monter sa vraie nature; *d. Tatsachen ins* ~ *sehen* regarder les choses en face. **2.** *(Sinn)* vue *f; zu* ~ *bekommen* apercevoir; *d.* ~ *verlieren* perdre la vue; **3.** *(Erscheinung)* vision *f,* apparition *f;* ~**sausdruck** physionomie *f,* air *m,* mine *f;* ~**sfarbe** teint *m;* ~**sfeld** champ visuel; ~**skreis** horizon *m;*

~**smassage** massage facial; ~**spuder** poudre *f* (de riz); ~**spunkt** point *m* de vue, aspect *m; unter diesem* ~**punkt** sous cet angle; ~**srose** 💲 couperose *f;* ~**swinkel** angle visuel; ~**szug** trait *m; pl* faciès *m*
Gesims cimaise *f,* moulure *f;* entablement *m*
Gesind|e domestiques *mpl;* crapule *f;* gens crapuleux, canaille *f,* vermine *f*
gesinnt disposé; *gut (schlecht)* ~ bien (mal) intentionné
Gesinnung caractère *m,* mentalité *f;* opinion *f;* ~**slosigkeit** manque *m* de caractère; ⁎**stäter** délinquant *m* politique; ⁎**streu** loyal; ~**swandel** = ~**swechsel** changement *m* d'opinion; *(plötzlich)* volte-face *f*
gesitt|et sage, poli, discipliné, civilisé; ⁎**ung** civilisation *f,* bonnes mœurs
ge|sondert séparé; ~**sonnen** disposé à; ⁎**spann** attelage *m; fig* couple *m;* ~**spannt** *a. fig* tendu; *(Neugierig)* curieux; *(Aufmerksamkeit)* soutenu; ~**spannte** *Lage* situation tendue; *auf etw.* ~**spannt** *sein* attendre qch avec impatience
Gespenst revenant *m,* spectre *m,* fantôme *m;* ⁎**isch** spectral; fantomatique
Ge|spiele compagnon *m* de jeu; ⁎**spinst** fils *mpl,* tissu *m; a. fig* trame *f;* ~**spött** risée *f;* moquerie *f,* dérision *f*
Gespräch conversation *f;* entretien *m;* 📞 communication *f (R-* ~ communication en P.C.V.; *c.* payable à l'arrivée); ⁎**ig** causeur, communicatif; causant *(umg)* ~**igkeit** loquacité *f;* ~**sanmeldung** demande *f* de communication; ~**seinheit** unité *f* de taxation; ~**spartner** interlocuteur; ~**sstoff,** ~**sthema** sujet *m* de conversation; ⁎**sweise** en causant
ge|spreizt écarté; *fig* affecté, bouffi, grandiloquent; ~**sprenkelt** moucheté; ⁎**stade** rivage *m,* rive *f,* bord *m;* ~**staffelt** échelonné
Gestalt forme *f;* figure *f;* façon *f; (Wuchs)* taille *f,* stature *f; (Person)* personnage *m; (Aussehen)* aspect *m; (anat: Bau)* conformation *f; bes geol* configuration *f;* ⁎**en** former, modeler, façonner; organiser; aménager; développer; *(Kunst)* composer; ~**er** organisateur; concepteur; styliste *m;* ⁎**los** amorphe; ~**ung** formation *f;* composition *f;* conformation *f,* configuration *f;* façonnage *m;* aménagement *m;* agencement *m;* ~**wandel** métamorphose *f*
Gestammel balbutiement *m*
geständ|ig: ~*ig sein* avouer; ⁎**nis** aveu *m*
Ge|stänge tiges *fpl,* tringlerie *f;* 🚗 timonerie *f;* ~**stank** puanteur *f*
gestatten permettre; autoriser; tolérer
Geste geste *m*
gesteh|en avouer, confesser, reconnaître; *offen gestanden* à dire vrai, à vrai dire; ⁎**ungskosten** coût *m* de production; prix *m* de revient
Gestein roche *f;* pierres *fpl*
Gestell chevalet *m,* tréteau *m; (Sockel)* piédestal *m; (Regal)* étagère *f;* ⚙ carcasse *f,* bâti *m;* ~**ung** *(Zoll)* présentation (en douane); ~**ungsbefehl** ordre *m* d'appel
gest|ern hier ♦ *er ist nicht von* ~**ern** il n'est pas novice, il n'est pas né d'hier

Gestik gestes *mpl*, mimique *f;* ⌐**ulieren** gesticuler

Gestirn astre *m*, étoile *f;* ⌐**t** étoilé

Gest|öber tourbillon *m;* ~**ört** dérangé, en panne; perturbé, brouillé; ~**otter** balbutiement *m;* ~**räuch** broussailles *fpl;* ⌐**reift** strié, rayé, à rayures; ⌐**reng** sévère; ~**rüpp** fourré *m*, broussaille *f;* ⌐**hallier** *m;* ~**üt** haras *m*

Gesuch demande *f*, pétition *f*, requête *f*

gesucht *(geziert)* affecté, maniéré, recherché; *(viel verlangt)* (très) prisé

gesund *(Person)* sain, bien portant; *(heilsam)* salubre; *a. fig* salutaire; ~**er Menschenverstand** bon sens, sens commun; ~**es Urteil** jugement sain; ~ **werden** guérir; ~ **u. munter** frais et dispos; ~**en** guérir, se rétablir; *com* assainir, redresser; ⌐**heit** santé *f;* salubrité *f;* ⌐**heit!** à vos souhaits!; ~**heitlich** quant à la santé; ⌐**heitsamt** service *m* *(od* office *m)* de santé; ~**heitsförderlich** salubre; ⌐**heitspflege** hygiène *f;* ⌐**heitswesen** santé publique; ⌐**heitszustand** état *m* de santé; ⌐**ung** rétablissement *m; com* assainissement *m*

Ge|täfel lambris *m*, boiserie *f;* ⌐**täfelt** lambrissé; ~**tändel** badinage *m;* ~**tier** animaux *mpl*, bestioles *fpl;* ⌐**tigert** tigré; ~**töse** fracas *m*, vacarme *m;* tintamarre *m (umg);* mit ~**töse** à grand bruit; ⌐**tragen** solennel, grave, cérémonieux; ~**trampel** trépignements *mpl*, piétinements *mpl;* ~**tränk** boisson *f;* ~**tränkesteuer** impôt *m* sur les boissons; ⌐**trauen** *refl* oser (faire qch)

Getreide céréales *fpl;* grains *mpl;* blé *m;* ~**(an)bau** culture *f* des céréales; ~**brand** charbon *m;* ~**halm** tige *f;* ~**mühle** meule *f;* ~**speicher** grenier *m* à blé, silo *m*

ge|trennt séparé; ~**trennt leben (Eheleute)** ⚖ être séparé de corps et de biens; ~**treu** fidèle, loyal

Ge|triebe mécanisme *m*, commande *f*, mouvement *m;* ✿ rouage *m*, engrénage *m*, réducteur *m;* 🚗 boîte *f* de vitesses; *fig* agitation *f;* ⌐**trost** avec confiance, en toute sécurité, rassuré; ⌐**trösten** *refl* attendre avec confiance; ~**tue** affectation *f;* simagrées *fpl;* ~**tümmel** tumulte *m*, brouhaha *m;* mêlée *f*, cohue *f;* ⌐**übt** exercé, entraîné; versé; ~**vatter** compère, parrain; ~**vatterin** commère, marraine; ~**viert** carré *m;* 🕮 cadratin *m*

Gewächs plante *f;* végétal *m; (Wein)* cru *m; (Auswuchs)* excroissance *f;* 💲 tumeur; *f;* ~**haus** serre *f*

gewachsen: ~ **sein** être à la hauteur (de qch); *j-m* ~ **sein** être de taille à se mesurer *(od* à tenir tête) à qn

ge|wagt risqué, hasardeux; osé; ~**wagtes Urteil** jugement *m* téméraire; ~**wählt** choisi, distingué

gewahr: ~ **werden** = ~**en** s'apercevoir, se rendre compte de qch; ⌐**sam** garde *f*, sûreté *f;* détention *f;* prison *f; in sicherem* ⌐**sam** en lieu sûr; *polizeilicher* ⌐**sam** garde *f* à vue

Gewähr garantie *f*, caution *f; ohne* ~ *(com)* sans engagement (de notre part); ⌐**en** accorder, conférer; octroyer; *(bieten)* offrir; *j-n* ⌐**en lassen**

laisser faire, ne pas contrarier qn; ⌐**leisten** garantir, se porter garant de; ~**leistung** garantie *f;* ~**smann** répondant, garant; informateur (de confiance); ~**ung** octroi *m*, attribution *f; (Kredit)* ouverture *f*

Gewalt pouvoir *m*, puissance *f*, autorité *f;* force *f;* violence *f; geistliche* ~ pouvoir spirituel; *gesetzgebende* ~ pouvoir législatif; *höhere* ~ force majeure; *vollziehende* ~ pouvoir exécutif; *weltliche* ~ pouvoir temporel; *durch* ~ de (vive) force; *mit aller* ~ à toute force; *j-m* ~ *antun* faire violence à qn; *in s-r* ~ *haben* avoir sous sa domination; *s. in d.* ~ *haben* se maîtriser, avoir le contrôle de ses actes; ~**akt** acte *m* de violence; ~**anwendung** usage *m* de la force; ~**herrschaft** tyrannie *f*, despotisme *m;* ~**herrscher** tyran, despote; ⌐**ig** puissant; fort; énorme; ~**losigkeit** non-violence *f;* ~**marsch** marche forcée; ⌐**sam** violent, par force; ~**samkeit** violence *f;* ~**streich** coup *m* de force; ~**tat** acte *m* de violence; ~**täter** terroriste *m;* ~**tätig** violent, brutal; ~**verzicht** renonciation *f* à l'emploi de la force

Gewand vêtement *m;* habit *m*

gewandt habile, adroit, leste, agile; ⌐**heit** adresse *f*, agilité *f;* habileté *f*, dextérité *f;* savoir-faire *m; (im Umgang)* entregent *m*

gewärtig: ~ *sein* = ~**en** s'attendre à

Ge|wäsch bavardage *m;* commérage *m;* ~**wässer** eaux *fpl;* ⚓ parages *mpl;* ~**webe** *a. fig* tissu *m; bes fig* texture *f;* ~**webemuster** dessin *m* du tissu; ~**webeschaden** 💲 lésion *f* tissulaire; ⌐**weckt** vif, éveillé, dégourdi

Gewehr fusil *m; an d.* ~*e!* aux armes!; ~**feuer** fusillade *f;* ~**kolben** crosse *f;* ~**lauf** canon *m* (de fusil); ~**schloß** culasse *f;* ~**schuß** coup *m* de fusil

Geweih bois *m*, ramure *f*

Gewerb|e activités commerciales *et/ou* industrielles; métier *m;* profession *f;* (petite) industrie *f;* ~**ebetrieb** établissement *m* industriel *ou* commercial; ~**efreiheit** liberté *f* de l'industrie et du travail; ~**egebiet** zone industrielle; ~**ekammer** chambre *f* des métiers; ~**eordnung** législation sur les professions artisanales, commerciales et industrielles; ~**eschein** patente *f*, licence *f;* ~**eschule** école professionnelle *(od* technique); ~**esteuer** taxe *f* professionnelle; ~**etreibender** industriel; commerçant; ⌐**lich** industriel; commerçant; ⌐**smäßig** *(e-n Beruf ausüben)* en faire sa profession habituelle

Gewerkschaft syndicat *m* ouvrier; ~**er** = ~**ler** syndiqué; syndicaliste; ~**sbund** confédération syndicale; ~**sführer** dirigeant *m* syndicaliste, secrétaire *m* général; ~**sfunktionär** permanent *m* (d'un syndicat); ~**shaus** bourse *f* du travail; ~**sverband** fédération *f; (Dach-)* confédération syndicale; ~**swesen** syndicalisme *m*

Gewicht poids *m; fig* importance *f; nach* ~ au poids; *ins* ~ *fallen* être d'importance, avoir du poids; ~ *legen auf* attacher de l'importance à; ~**heben** 🏋 lever *m* de poids; ⌐**ig** de poids; *fig* important, prépondérant

ge|wieft *umg* malin, débrouillard; ~**wiegt**

expérimenté, versé dans; ⌐wieher hennissement *m;* ~willt disposé, prêt (*zu* à); ⌐wimmel fourmillement *m;* grouillement *m;* ⌐wimmer lamentations *fpl;* gémissements *mpl;* ⌐winde (*Blumen*) guirlande *f;* ✿ filet *m; (Mutter)* taraudage *m;* ⌐windebohrer taraud *m*

Gewinn gain *m,* bénéfice *m,* profit *m;* avantage *m;* ~ *bringen* rapporter (de l'argent), être lucratif; ~anteil part *f* de bénéfice, dividende *m;* tantième *m;* ~beteiligung participation *f* aux bénéfices; ⌐bringend profitable, lucratif; ⌐en gagner; *(erlangen)* obtenir; *(erwerben)* acquérir; *(abbauen)* extraire; ~er vainqueur *m;* gagnant *m;* ~spanne marge *f* bénéficiaire; ~sucht passion *f* du lucre; ⌐süchtig âpre au gain

Gewinnung obtention *f,* production *f,* élaboration *f; (Bergbau)* extraction *f,* exploitation *f;* abattage *m;* EDV acquisition *f* (de données); ~sverfahren procédé *m* d'extraction

Ge|winsel pleurnicherie *f;* ~winst lucre *m;* ~wirke tricot *m,* bonneterie *f;* ~wirr enchevêtrement *m,* embrouillement *m;* imbroglio *m;* désordre *m,* confusion *f*

gewiß ceratin, sûr; *adv* certes, certainement, sûrement; sans doute; *aber* ~ *!* mais oui!, bien sûr!; *umg* pardi!; dame!; ⌐heit certitude *f;* assurance *f; sich* ⌐*heit verschaffen über etw.* s'assurer de qch

Gewissen conscience *f; j-m ins* ~ *reden* s'adresser à la conscience de qn; *auf dem* ~ sur la conscience; *ein gutes* ~ *haben* avoir la conscience nette; *sein* ~ *beruhigen* faire qch par acquit de conscience; *mit bestem* ~ en toute conscience; *vor m-m* ~ dans mon for intérieur; *weites* ~ conscience *f* large; ⌐haft consciencieux; ponctuel; minutieux; ~haftigkeit conscience scrupuleuse; probité *f;* ⌐los sans scrupule; ~losigkeit absence *f* de scrupule; ~sbisse remords *mpl;* scrupules *mpl;* ~serforschung examen *m* de conscience; ~sfrage cas *m* de conscience; ~sfreiheit liberté *f* de conscience; ~skonflikt conflit *m* de conscience; ~spflicht devoir *m* de conscience; obligation morale; ~szwang contrainte morale

gewissermaßen en quelque sorte, pour ainsi dire

Gewitter orage *m; es gibt e.* ~ le temps est à l'orage, il va y avoir un orage; ~regen pluie *f* d'orage; ⌐ig orageux; ⌐schwül étouffant, lourd; ~wolke nuée *f* d'orage

ge|witzt éveillé, dégourdi; malin, débrouillard *(umg);* ~wogen affectionné, favorable (à)

gewöhnen habituer, accoutumer (*an* à); familiariser (*an* avec); *refl* s'habituer, se faire (*an* à)

Gewohnheit habitude *f,* coutume *f;* routine *f;* usage *m; z.* ~ *werden* tourner en habitude; *e-e schlechte* ~ *annehmen* prendre un mauvais pli; ⌐smäßig habituel, coutumier; routinier; ~srecht ♋ droit coutumier; ~strinker ivrogne d'habitude, buveur invétéré

ge|wöhnlich *adj* habituel, usuel, ordinaire; courant; *(niedrig)* trivial, vulgaire; *adv* d'habitude, d'ordinaire; ordinairement, de coutume; terre à terre; *wie* ~wöhnlich comme à l'ordinaire

(od d'habitude); ~wohnt accoutumé à, habitué à; ⌐wöhnung accoutumance *f;* ⌐wölbe 🏛 voûte *f; (Brücke)* arche *f;* ⌐wölk nuages *mpl,* nuée *f;* ⌐wühl tumulte *m,* cohue *f;* ~wunden tordu, tors; contourné; *(Pfad)* sinueux, tortueux; ~würfelt quadrillé, en damier; *(Stoff)* à carreaux

Gewürz condiment *m,* épice *f,* assaisonnement *m;* ~gurke cornichon *m;* ~kräuter fines herbes; ~mühle moulin *m* à épices; ~nelke (clou *m* de) girofle *m*

ge|zackt strié, cannelé; ~zahnt découpé, denté, dentelé; ✿ endenté; ⌐zappel frétillement *m;* ⌐zänk criaillerie *f,* gronderie *f;* ⌐zeiten marées *fpl;* ⌐zeitenkraftwerk centrale marémotrice

geziemen convenir; ~d convenable; décent; *adv* dûment

ge|ziert *fig* mièvre, affecté, maniéré, mignard; précieux, minaudier, grimacier; ~ziertes Wesen airs pincés; ⌐ziertheit pose *f,* affectation *f,* mièvrerie *f;* ⌐zisch sifflements *mpl;* huée *f;* ⌐zücht espèce *f,* race *f;* engeance *f;* ~zweig branchage *m,* ramure *f;* ⌐zwitscher gazouillement *m;* ~zwungen: ~zwungen lächeln rire du bout des lèvres

Gicht[1] § goutte *f;* ⌐isch goutteux

Gicht[2] ✿ gueulard *m*

Giebel pignon *m;* fronton *m,* faîte *m;* ~feld tympan *m*

Gier avidité *f;* ⌐en convoiter (*nach etw.* qch); ~en ✝ (mouvement en) lacet *m;* ⌐ig avide

Gießbach torrent *m,* ravine *f*

gieß|en *(Blumen)* arroser; *(Flüssigkeit)* verser; *(Stahl)* fondre; *(Bronze)* mouler, couler; *(regnen)* flotter; *in su* ✿ coulage *m,* coulée *f;* moulage *f;* ⌐er fondeur *f;* ⌐erei fonderie *f;* ⌐form moule *m;* ⌐kanne arrosoir *m;* ⌐maschine ✿ machine *f* à couler; ▢ fondeuse *f*

Gift *a.* § poison *m; (tierisch)* venin *m (a. fig);* *bes* § toxine *f;* toxique *m;* ~ *u. Galle speien* écumer de rage; ~becher coupe empoisonnée; *d.* ~*becher trinken* boire la ciguë; ~drüse glande *f* à venin; ~gas gaz asphyxiant (*ou* toxique); ~hauch souffle vénéneux; ~ig (*bes. bei Tieren, a. fig)* venimeux; (*bes bei Pflanzen)* vénéneux; § toxique; ~igkeit toxicité *f,* venimosité *f;* ~kröte *fig* peste *f,* gale *f;* ~mischer empoisonneur; ~mord (crime *m* d') empoisonnement *m;* ~nudel *umg* sèche *f,* cigarette *f; (Person)* peste *f;* ~pflanze plante vénéneuse; ~pilz champignon vénéneux; ~schlange serpent venimeux, *fig* vipère; ~stoff toxine *f;* ~trank ciguë *f;* ~zahn crochet *m* à venin; ~zunge langue *f* de vipère; ~zwerg *umg* avorton *m* teigneux

Gigant géant *m;* ⌐isch gigantesque

Gilde corporation *f* (d'artisans, de marchands)

Ginster genêt *m*

Gipfel *(Berg)* sommet *m; (a. Baum)* faîte *f,* cime *f; fig* apogée *m;* comble *m; das ist der* ~ *!* c'est le bouquet!; ~höhe altitude *f* maximum (*ou* de culmination); ✝ plafond *m;* ~konferenz conférence *f* au sommet; ~leistung record *m;* ~punkt *fig* zénith *m,* apogée *m;* point culminant

Gips plâtre *m; chem* gypse *m; in* ~ *legen* § mettre dans le plâtre; ~abdruck (moulage *m* en)

plâtre *m*; **~bewurf** crépi *m* de plâtre; **⌐en**plâtrer; **~er** plâtrier; **~verband** appareil plâtré, plâtre *m*

Giraffe girafe *f*

Gir|ant endosseur *m*; **~at** endossé *m*; **⌐ieren** endosser; **~o** endossement *m*; **~obank** banque *f* de virement; **~overkehr** opérations *fpl* de virement

Girlande guirlande *f*

girren roucouler; **⌐** *su* roucoulement *m*

Gischt écume *f*; embrun *m*

Gitarre guitare *f*

Gitter grille *f*, grillage *m*; *math phys* réseau *m*; **~fenster** fenêtre grillagée; **~tür** porte *f* à claire-voie; **~werk** treillis *m*, treillage *m*, claire-voie *f*

Gladiole glaïeul *m*

Glanz *a. fig* éclat *m*; splendeur *f*; brillant *m*; resplendissement *m*; *(Stoff)* brillance *f*; lustre *m*, satiné *m*; **~abzug** *(Foto)* épreuve *f* glacée; **~bildung** glaçage; **~leistung** brillant succès, exploit *m*; **~licht** reflet *m*; **⌐los** *a. fig* sans éclat, terne; **~papier** papier glacé; **~punkt** apogée *m*; **⌐voll** brillant

glänzen briller, étinceler; *in etw.* ~ exceller en qch, se distinguer dans qch; **~d** brillant, resplendissant, reluisant, éclatant; *fig* splendide, magnifique

Glas verre *m*; *(Fern-)* jumelle(s) *f(pl)* ♦ *zu tief ins* ~ *gucken* boire un coup de trop; **~arbeiter** verrier; **~artig** vitreux, hyalin; **~auge** œil artificiel; **~ballon** bonbonne *f*; ballon *m*; **~bläser** souffleur; **~dach** toit vitré; **~er** vitrier; **~erei** vitrerie *f*; **~faser** fibre *f* de verre; **~faseroptik** optique *f* des fibres; **gläsern** de verre; **~glocke** cloche *f*; globe *m*; **~haus** serre *f*; **~hütte** verrerie *f*; **~ig** vitreux; **~kasten** vitrine *f*; **~körper** *anat* humeur vitrée; **~malerei** peinture *f* sur verre; **~papier** papier *m* verre; **~perlen** verroterie *f*; **~scheibe** vitre *f*; carreau *m*; glace *f*; **~scherbe** débris *m* de verre; tesson *m*; **~schleifer** tailleur de verre; **~schneider** ✿ diamant *m*; **~tür** porte vitrée, porte-fenêtre *f*; **~waren** verrerie *f*; **~wolle** laine *f* de verre

glas|ieren glacer; émailler; vernir; *(Ton)* vernisser; **⌐ur** glaçure *f*; émaillage *f*; vernis *m*

glatt 1. *adj* lisse; poli; *(eben)* uni, net; *(schlüpfrig)* glissant; *(kahl)* ras; *(Haut)* doux; **⌐** *(Landung)* parfait; *(Rechnung)* rond; *(einfach)* simple, sans accroc, *fig (Mensch)* patelin, mielleux, qui ne donne pas de prise; 2. *adv* **~weg**; **⌐eis** verglas *m* ♦ *j-n aufs* **⌐eis führen** tendre un piège à qn; **⌐eisgefahr** risque *m* de verglas; **~weg** (tout) net, nettement; rondement; sans façon

Glätte lisse *m*, poli *m*; *(Straßen-)* pavé glissant; **⌐n** lisser, polir, unir; *(Falten)* rabattre, déplisser

Glatz|e tête *f* chauve, calvitie *f*; **⌐köpfig** chauve

Glaub|e foi *f*; croyance *f*; confession *f*; **~en** *schenken* ajouter foi à; *in gutem* **~en** de bonne foi; *Treu u.* **~en** bonne foi; **⌐en croire** (*j-m* qn); *an j-n* à qn; *an Gott* en Dieu); penser; s'imaginer; *ich* **⌐e ja** je crois que oui; *man könnte* **⌐en, daß** on dirait que; *wenn man ihm* **⌐en darf** à l'en croire ♦ **dran ⌐en müssen** être la victime de..., mourir; *j-n etw.* ~ *machen wollen* vouloir faire accroire qch à qn; *das ist doch kaum zu* ~ *umg* mais c'est inouï (*ou* incroyable); **~ensbekenntnis** confession *f*; credo *m*; **~ensfreiheit** liberté *f* de conscience; **~ensgemeinschaft** association *f* cultuelle; **~ensgenosse** coreligionnaire *m*; **~enslehre** dogmatique *f*; **⌐enslos** irréligieux; **~enslosigkeit** irréligion *f*; **~enssatz** dogme *m*, article *m* de foi; **⌐haft** digne de foi; plausible, croyable; **⌐würdig** digne de foi (*od* de confiance), crédible; **~würdigkeit** crédibilité *f*; vraisemblance *f*

gläubig croyant, fidèle; *fig* confiant; **⌐e:** *d.* ~ les croyants, les fidèles; **⌐er** *com* créancier; **⌐keit** religiosité *f*

gleich 1. *(übereinstimmend)* égal, pareil, même; *ein* **~es tun** faire de même; *d. kommt aufs* **~e** *hinaus* cela revient au même; **⌐es mit ⌐em** *vergelten* rendre la pareille; ~ *u.* ~ *gesellt s. gern* qui se ressemble s'assemble; ~ *groß sein* être de la même grandeur (*od* taille); 2. *(ähnlich)* semblable, similaire; analogue; *sich* **~sehen** se ressembler; *das sieht ihm* ~! c'est bien lui!; 3. *(schon)* ~ *heute* dès aujourd'hui; ~ *zu Anfang* dès le commencement; 4. *(eben)* uni, plan; *d. Boden ist* ~ le sol est plan; 5. *(sofort, bald)* tout de suite, sur-le-champ, immédiatement, sans délai, à l'instant; tout à l'heure; *er kommt* ~ il va venir; ~ *darauf* aussitôt (*od* immédiatement) après; *das dachte ich mir* ~! je m'en doutais bien!; *bis* ~! à tantôt!, à tout à l'heure!

gleich|altrig du même âge; **~artig** semblable, similaire; analogue; *zool* congénère; **~artigkeit** similitude *f*, analogie *f*, ressemblance *f*, homogénéité *f*; **~bedeutend** identique (*mit* à); *ling* synonyme; **~behandlung** non-discrimination; **~berechtigt** égal en droits; paritaire; **⌐berechtigung** égalité *f* de droits; **~bleibend** invariable, stable; constant; **~en** ressembler (*j-m* à qn); *refl* se ressembler; **~ermaßen, ⌐falls** également, de même; **~förmig** monotone; **⌐förmigkeit** monotonie *f*; **⌐gesinnt** sympathisant; **~gewicht** équilibre *m*; *ins* **⌐gewicht bringen** équilibrer; *aus d.* **⌐gewicht bringen** déséquilibrer; **⌐gewichtsstörung** déséquilibre *m*; **~gültig** indifférent, désintéressé; **⌐gültigkeit** indifférence *f*, désintéressement *m*; **⌐heit** égalité *f*; **⌐klang** consonance *f*; **~kommen** équivaloir (à); égaler (*j-m* qn; *an* en); *fig* être synonyme de; **~laufend** parallèle; **~lautend** *ling* homonyme; *(Abschrift)* conforme; **~machen** égaliser; *(Boden)* aplanir; *a. fig* niveler; **⌐maß** rythme *m*; **~mäßig** régulier; **⌐mäßigkeit** régularité *f*; **⌐mut** calme *m*, philosophie *f*; **~mütig** calme, impassible, serein; **⌐nis** parabole *f*; **~richten** ⚡ redresser; **⌐richter** ⚡ redresseur *m*; **~sam** quasi; **~schalten** coordonner; *fig* mettre au pas, aligner; **⌐schaltung** *pol* mise *f* au pas; **~schenklig** *math* isocèle; **⌐schritt** pas cadencé (*im* **⌐schritt** au p. c.); **~seitig** *math* équilatéral; **~setzen** mettre sur le même plan, identifier; **~stellen** mettre au même niveau; **⌐stellung** non-discrimination *f*; parité *f*; égalité *f*; **⌐strom**

courant continu; ~**tun:** *es j-m ~tun* égaler qn;
⌐**ung** *math* équation *f;* ~**viel** n'importe; ~**wertig**
équivalent; ~*wertig sein* équivaloir (*mit* à);
⌐**wertigkeit** équivalence *f;* ~**wohl** néanmoins;
~**zeitig** *adj* simultané; *adv* en même temps,
simultanément; du même coup; ~*zeitig beste-
hend* (od *wirkend*) concomitant; ⌐**zeitigkeit**
simultanéité *f*

Gleis *siehe* Geleise

gleißen rutiler, briller, flamboyer

Gleit|bahn glissoire *f;* ⌐**en** glisser; ~**end:** ~*ende
Lohnskala* échelle *f* mobile des salaires; ~**fläche**
glissière *f;* ~**flug** (vol *m*) plané *m;* ~**flugzeug**
planeur *m;* ~**klausel** *com* clause *f* d'échelle
mobile; ~**mittel** lubrifiant *m;* ~**schiene** glissière
f; ~**schutz** 🚗 antidérapant *m*

Gletscher glacier *m;* ~**schnee** névé *f;* ~**spalte**
crevasse *f*

Glied (*Teil e-s Ganzen, Gliedmaße*) membre *m;*
(*Finger*) phalange *f;* (*Generation*) génération *f;*
(*Reihe*) rang *m;* (*Kette*) chaînon *m,* maillon *m,*
maille *f;* *math* terme *m; an allen ~ern zittern*
trembler de tous ses membres; ~**erfahrzeug**
véhicule *m* articulé; ~**ern** diviser, subdiviser;
~**erpuppe** mannequin *m;* ~**erung** disposition *f,*
structure *f;* enchaînement *m;* répartition *f;*
ventilation *f;* ~**maßen** extrémités *fpl,* membres
mpl

glimm|en couver; ⌐**er** mica *m;* ⌐**lampe** lampe *f*
à effluves; ⌐**licht** ⚡ lueur *m* (cathodique)

glimpflich: ~ *davonkommen* s'en tirer à bon
compte

glitsch|en glisser; ~**ig** glissant

glitzern étinceler, scintiller

global *adj* global, entier, total; d'ensemble; *adv*
globalement; en bloc

Globus globe *m* terrestre

Glöckchen clochette *f,* sonnette *f*

Glocke cloche *f; große ~* bourdon *m* ♦ *etw. an
d. große ~ hängen* crier qch sur les toits,
carillonner qch; ~**nblume** clochette *f,* campanu-
le *f;* ⌐**nförmig** en forme de cloche; *bot*
campanulé; ⌐**nhell** argentin; ~**ngeläut** tintement *m,* sonnerie *f; unter ~ngeläut* au son des
cloches; ~**nrock** jupe *f* cloche; ~**nschlag** coup
m de cloche; *auf den ~nschlag* à l'heure
sonnante; ~**nspiel** carillon *m;* ~**nstube,** ~**nstuhl**
beffroi *m;* ~**nturm** clocher *m;* campanile *m*

Glöckner sonneur (de cloches)

Glor|ie gloire *f;* ~**ienschein** auréole *f;* ⌐**ifizieren**
glorifier; ⌐**reich** glorieux

Glosse glose *f;* ~*n machen* gloser (*über* sur);
~**nschreiber** glossateur

Glotze *umg* télé *f,* lucarne *f;* ⌐**n** *umg* bigler,
mirer, reluquer; regarder la télé

Glück (*Glückseligkeit*) bonheur *m,* béatitude *f;*
(*Schicksal*) fortune *f;* (*Zufall*) chance *f; umg*
veine *f;* (*Wohlstand*) prospérité *f; höchstes ~*
félicité *f; auf gut ~* à tout hasard; *sein ~
versuchen* tenter sa chance; *viel ~!* bonne
chance!; *j-m ~ wünschen* souhaiter bonne
chance à qn ♦ *j-r ist s-s ~es Schmied* chacun est
l'artisan de sa fortune; *sein ~ machen* faire
fortune; *von ~ sagen (reden) können* avoir (eu)

de la chance; ⌐**en** réussir; ⌐**lich** heureux;
⌐**licherweise** heureusement; par bonheur;
~**sbringer** porte-bonheur *m;* ⌐**selig** bienheureux; ~**seligkeit** félicité *f,* béatitude *f;* ~**sfall**
(coup *m* de) chance *f;* ~**spilz** *umg* veinard *m;*
~**ssache** question *f* de chance; ~**sspiel** jeu *m* de
hasard; ~**stag** jour *m* faste (*od* de chance);
~**wunsch** félicitation *f,* congratulation *f*

Glucke couveuse *f;* ⌐**n** (*Henne*) glousser; ~**n** *su*
gloussement *m*

Glüh|birne ampoule *f;* ⌐**en** *vt* calciner; ⚙
recuire; faire revenir; *vi* être rouge; (*weiß-*) être
incandescent, être en ignition; ~**end** (porté au)
rouge, incandescent; *fig* ardent; ~**faden** ⚡
filament *m;* ~**lampe** lampe *f* à incandescence;
ampoule *f;* ~**strumpf** manchon *m;* ~**ung** recuit
m; ~**wein** vin chaud; ~**würmchen** ver luisant

Glut (*Zustand*) incandescence *f;* (*glühende Kohlen*) braise *f; fig* (*Leidenschaft*) ardeur *f,* ferveur *f*

Gnade grâce *f; ohne ~* sans merci; ~**nbild**
image miraculeuse; ~**nbrot** pain *m* de la
charité; ~**nfrist** délai *m* de grâce; ~**ngesuch** 🔏
pourvoi *m* en grâce; ~**nstoß** coup *m* de grâce

gnädig (*gütig*) propice, favorable, bienveillant;
(*nachgiebig*) clément, indulgent

Gold or *m; er ist ~es wert* il vaut son pesant d'or
♦ *es ist nicht alles ~, was glänzt* tout ce qui brille
n'est pas or; ~**ammer** bruant *m;* ~**auflage:** *mit
~auflage* en plaqué or; ~**barren** lingot *m* d'or;
~**bestand** encaisse-or *f;* ~**deckung** com couverture *f* or; ~**en** d'or, en or; (*Farbe*) doré; ⌐**ene**
Hochzeit noces *fpl* d'or; ⌐**ener** *Mittelweg* juste
milieu *m;* ~**fisch** poisson *m* rouge; ~**gehalt**
poids *m* d'or fin; ⌐**gelb** doré; ~**grube** *a. fig*
mine *f* d'or; ~**haltig** aurifère; ⌐**ig** doré; *fig*
mignon, ravissant; ~**käfer** carabe doré; ~**klumpen** pépite *f;* ~**kurs** prix *m* de l'or; ~**lack** for
giroflée *f* jaune; ~**medaille** médaille *f* d'or;
~**rausch** ruée *f* vers l'or; ~**regen** *bot* cytise *m;*
~**schmied** orfèvre; ~**schmiedekunst** orfèvrerie *f;*
~**schnitt** 📖 tranche dorée; ~**währung** étalon-
or *m*

Golf *geog* golfe *m;* (*Spiel*) golf *m;* ~**platz** terrain
m de golf; ~**strom** Gulf Stream *m*

Gondel gondole *f;* (*Ballon*) nacelle *f*

gönn|en ne pas envier (qch à qn); *ich ~e es ihm*
tant mieux pour lui; ⌐**er** protecteur, patron;
bienfaiteur, mécène; ~**erhaft** *pej* condescen-
dant, dédaigneux; ⌐**ermiene** air protecteur;
⌐**erschaft** protection *f,* patronage *m*

Gör(e) (*kleines Kind*) loupiot *m,* marmot *m;*
gosse *m;* (*freches Mädchen*) une môme effrontée
(*ou* friponne)

Gorilla *a. fig* gorille *m*

Gosse *a. fig* ruisseau *m,* égout *m*

Got|ik (style *m*) gothique *m;* ⌐**isch** gothique; 🏛
ogival

Gott dieu; (*christl.*) Dieu; (*griechisch usw.*)
déité *f;* divinité *f; d. liebe ~* le bon Dieu; *~ sei
Dank!* heureusement!, Dieu merci!; *um ~es
willen!* pour l'amour de Dieu!; *von ~es Gnaden*
par la grâce de Dieu; *in ~es Namen* au nom de
Dieu; *leider ~es* hélas!; *weiß ~!* Dieu sait!;
vergelt's ~! Dieu vous le rende!; *~ bewahre!* à

Dieu ne plaise!; *das wissen die Götter!* Dieu seul le sait!; ~ *sei's geklagt!* malheureusement!; ~**esacker** cimetière *m;* ~**esanbeterin** mante religieuse; ~**esdienst** culte *m,* service divin; **⤙esfürchtig** craignant Dieu, pieux; ~**eshaus** église *f; prot* temple *m;* ~**eslästerung** blasphème *m;* ~**esurteil** jugement *m* de Dieu, ordalie *f;* ~**heit** divinité *f,* déité *f;* **⤙lob** Dieu merci!, Dieu soit loué!; **⤙los** athée; impie; ~**losigkeit** athéisme *m;* ~**seibeiuns** le Malin; **⤙verlassen** perdu; ~**vertrauen** confiance *f* en Dieu

Gött|erdämmerung crépuscule *m* des dieux; ~**ersage** mythe *m;* ~**in** déesse; **⤙lich** divin

Götze idole *f;* faux dieu; ~**nbild** idole *f;* ~**ndienst** idolâtrie *f*

Grab tombe *f;* tombeau *m;* fosse *f; d. Heilige* ~ le Saint Sépulcre; *zu* ~*e tragen* porter en terre ◆ *s. sein eigenes* ~ *schaufeln* causer sa propre ruine; **⤙en** creuser; **↓** bêcher; *(Brunnen)* foncer; *(Torf)* extraire; ~**en** *m* fossé *m;* fosse *f; mil* tranchée; ~**esstimme** voix sépulcrale *(od* caverneuse); ~**esstille** silence *m* du tombeau *(od* de mort); ~**geläute** glas *m;* ~**hügel** tombe *f;* tertre *m* funéraire; ~**inschrift** épitaphe *f;* ~**mal** tombeau *m;* monument *m;* ~**rede** oraison *f* funèbre; ~**stätte** sépulture *f,* sépulcre *m;* ~**stein** pierre tombale *(od* tumulaire); ~**stichel** ciselet *m;* poinçon *f;* ~**ung** *archäol* fouille(s) *f(pl);* ~**ungsstätte** chantier *m* de fouilles

Grad degré *m;* grade *m;* niveau *m;* taux *m;* ~**bogen** limbe *m;* ~**einteilung** graduation *f;* échelle *f;* **⤙ieren** *(Salzsohle)* graduer; ~**ierwerk** installation *f* de graduation; ~**messer** échelle graduée; ~**netz** canevas *m;* ~**skala** échelle *f* graduée; ~**uiert** gradué

Graf comte; **Gräfin** comtesse; ~**schaft** comté *m*

gram: *j-m* ~ *seinen* vouloir à qn, garder rancune à qn; **⤙** *su* chagrin *m,* affliction *f;* ~**voll** affligé

gräm|en *refl* s'affliger (de), se chagriner (pour); ~**lich** chagrin; morose, grincheux

Gramm gramme *f*

Grammat|ik grammaire *f;* **⤙isch** grammatical

Grammophon gramophone *m;* phonographe *m;* ~**nadel** aiguille *f*

Granat grenat *m;* ~**apfel** grenade *f;* ~**e** obus *m;* ~**splitter** éclat *m* d'obus; ~**trichter** trou *m* d'obus, entonnoir *m*

Granit granit *m*

Granne *bot* arête *f,* barbe *f*

Granulat granulé *m;* ~**ion** granulation *f;* grain *m;* granule *f*

Graph|ik art *m* graphique; diagramme *m,* table *f;* production *f* graphique; ~**iker** dessinateur (en publicité); **⤙isch** graphique; ~**it** graphite *m,* plombagine *f*

Gras herbe *f; pl* graminacées *fpl* ◆ *ins* ~ *beißen* mordre la poussière; *über etw.* ~ *wachsen lassen* passer l'éponge sur qch; ~**en** brouter, paître; **⤙grün** vert comme l'herbe; ~**halm** brin *f* d'herbe; ~**hüpfer** sauterelle *f;* ~**mücke** fauvette *f*

grassieren sévir, faire rage

gräßlich atroce, horrible, monstrueux; hi-

deux, affreux; **⤙keit** atrocité *f,* monstruosité *f;* hideur *f*

Grat ▥ arête *f,* crête *f;* ✿ bavure *f,* ébarbure *f*

Grät|e arête *f;* **⤙ig** qui a beaucoup d'arêtes; **⤙schen** ⌕ écarter les jambes

Gratifikation gratification *f;* prime *f;* surpaie *f*

gratis gratuitement, à titre gracieux; ~**exemplar** exemplaire gratuit *m; (Buch)* spécimen *n;* ~**muster** échantillon *m* gratuit

Gratul|ant qui félicite qn; ~**ation** félicitations *fpl;* **⤙ieren** féliciter qn *(zu* de); congratuler qn *(mst iron);* **⤙iere!** félicitations!

grau gris; *fig* sans couleur, morne, nébuleux; *com* en marge de la légalité; ~ *in* ~ sombre; en grisaille; ~ *werden* grisonner ◆ *s. k-e* ~*en Haare wachsen lassen* ne pas se tracasser (pour qch); **⤙bart** grison, barbon; **⤙brot** pain bis; ~**haarig** aux cheveux gris; ~**meliert** tacheté de gris; *(Haare)* grisonnant

grau|en¹: *der Tag* ~*t* le jour se lève *(od* point)

grauen²: *es graut mir davor* cela me fait horreur; ~ *su* horreur *f,* affres *fpl;* ~**haft,** ~**voll** horrible, affreux, atroce

gräulich grisâtre

Graupe orge mondé; ~**el** grésil *f;* **⤙eln** grésiller

Graus effroi *m,* épouvante *f;* **⤙am** cruel, féroce; ~**amkeit** cruauté *f,* férocité *f;* **⤙ig** lugubre, sinistre; horrible

gravier|en graver; ~**end** important, sérieux; ♻ aggravant; **⤙kunst** (art *m* de la) gravure *f*

Gravit|ation gravitation *f;* ~**ationsfeld** champ *m* de la pesanteur; **⤙ätisch** grave, solennel; *adv* avec gravité, solennellement

Graz|ie grâce *f; d. drei* ~**ien** les trois Grâces; **⤙iös** gracieux

Greif *(Vogel)* griffon *m*

greif|bar tangible; à portée de la main; *com* disponible; *fig* évident; palpable; ~**en** prendre, saisir; empoigner; *fig* recourir, avoir recours *(zu* à); *um sich* ~ se propager, s'étendre, faire tache d'huile; *j-m unter d. Arme* ~**en** donner un coup d'épaule à qn; **⤙er** griffe *f; (Bagger)* grappin *m,* benne preneuse; ✿ mâchoire *f*

greinen pleurnicher, larmoyer

Greis vieillard; ~**enalter** vieillesse *f;* **⤙enhaft** sénile; ~**enhaftigkeit** sénilité *f;* décrépitude *f;* ~**in** vieille femme

grell *(Licht)* cru, éblouissant; *(Farbe)* criard, voyant; *(Stimme)* aigu, perçant, criard

Gremium organe *m;* groupement *m;* comité *m,* commission *f*

Grenz|abfertigung accomplissement *m* des formalités douanières; ~**ausgleichsbeträge** montants *mpl* compensatoires; ~**bahnhof** gare *f* frontière; ~**berichtigung** rectification *f* de frontière; ~**bewohner** frontalier; ~**bezirk** zone *f* frontière; ~**e** *a. fig* limite *f; pol* frontière *f; a. fig* confins *mpl; fig* bornes *fpl; (Höchst-)* plafond *m; (Niedrigst-)* plancher *m; (Schwelle)* seuil *m;* **⤙en** confiner, toucher à, être voisin de; être attenant à; *fig* approcher de, friser (qch); *d.* ~*t ans Fabelhafte* cela tient du miracle; **⤙enlos** sans bornes, illimité, infini; *fig* excessif;

~**enlosigkeit** infinité *f;* ~**fall** cas *m* extrême, cas *m* limite; ~**gänger** travailleur frontalier; ~**gebiet** zone *f* frontière; ~**kosten** *pl* coût *m* marginal; ~**land** pays *m* limitrophe; région *f* frontière; ~**linie** ligne *f* de démarcation; ~**polizei,** ~**schutz,** ~**wache** garde *f* frontière; ~**pfahl** poteau *m* frontière; ~**spediteur** transitaire; ~**stein** borne *f;* ~**übergang** passage *m* de frontière; ~**übertritt** passage *m* de la frontière; ~**verletzung** violation *f* de frontière; ~**verkehr** trafic frontalier; ~**wert** valeur *f* limite; ~**zwischenfall** incident *m* de frontière

Greu|el cruauté *f,* férocité *f,* acte *m* barbare; abomination *f,* exécration *f; er ist mir e.* ~*el* je l'ai en horreur, c'est ma bête noire; ~**eltat** atrocité *f;* ⌐**lich** horrible, atroce, abominable, exécrable

Griebs trognon *m; j-n am* ~ *packen* serrer la gorge à qn

Griech|e Grec; Hellène; ~**enland** la Grèce; ⌐**isch** grec

Gries|gram grognon; ⌐**grämig** grognon, bourru, renfrogné, grincheux

Grieß semoule *f;* ⌐**¢** gravelle *f*

Griff prise *f;* poignée *f,* manche *m; (Maschine)* lévier *m; (Textilien)* toucher *m; (Korb)* anse *f; e-n guten* ~ *tun* toucher juste; *e-n falschen* ~ *tun* commettre une méprise; *etw. im* ~ *haben* avoir le coup de main de qch; ⌐**bereit** à portée de la main; ~**brett** *(Geige)* touche *f;* ~**el** crayon *m* d'ardoise; *bot* style *m*

Grill gril *m;* ~**fleisch** grillade *f*

Grille *zool* cigale *f,* grillon *m,* cricri *m; fig* chimère *f;* caprice *m,* lubie *f* ♦ ~*n fangen* avoir le cafard; ⌐**nhaft** capricieux, changeant, fantasque; lunatique

Grimasse grimace *f;* singerie *f;* ~*n schneiden* grimacer

Grimm fureur *f,* courroux *m;* ~**darm** côlon *m;* ⌐**ig** furieux, furibond, courroucé; *fig* terrible; ⌐**ige** *Kälte* froid rigoureux

Grind *(Wunde)* croûte; *(Pilzkrankheit)* teigne *f;* ⌐**ig** teigneux

grinsen ricaner; ⌐ *su* ricanement *m*

Grippe grippe *f,* influenza *f;* ⌐**krank** grippé

Grips jugeote *f*

grob gros; grossier, brutal, rude; vulgaire; ~*e See* mer agitée; ~ *fahrlässig* par négligence grave; ~*er Fehler* faute grossière *(od* grave); *in* ~*en Zügen* grosso modo ♦ ~ *wie Bohnenstroh* grossier comme du pain d'orge; ⌐**heit** grossièreté *f,* vulgarité *f,* trivialité *f; j-m* ⌐**heiten** *an d. Kopf werfen* dire des grossièretés à qn; ⌐**ian** rustre, goujat, malotru, mufle; ~**körnig** à gros grains; ⌐**blich** grossier; *adv* grossièrement; ~**maschig** à larges mailles; ~**schlächtig** de nature grossière

Grog grog *m*

grölen brailler; beugler

Groll ressentiment *m,* rancune *f,* rancœur *f;* amertume *f;* ~ *hegen gegen j-n* nourrir de la rancune envers qn; ~**en** garder rancune; *en* vouloir à qn, bouder qn; *(Donner)* gronder

Grönland le Groenland

Gros *(Maß)* grosse *f; (Teil)* gros *m*

Groschen pièce de dix pfennigs; ♦ *bei mir ist d.* ~ *gefallen* j'y suis, je pige; ~**roman** roman *m* de quatre sous

groß 1. *adj* grand; *(Fläche)* gros, vaste, ample, étendu, spacieux; *(lang)* long (*e-e* ~*e Strecke* un long parcours); *(hoch)* haut (~ *von Wuchs* de haute taille; *1,80 m* ~ haut d'un mètre quatre-vingts; *gleich* ~ de même taille); *(breit)* large; *(tüchtig)* fort; *(bedeutend)* important, considérable; *(zahlreich)* nombreux; *(schwerwiegend)* grave (*e.* ~*er Fehler* une grave faute); *(erwachsen)* adulte *(größer werden* grandir); *(Buchstabe)* majuscule (~ *schreiben* écrire en majuscule); *(edel)* noble, magnanime, généreux; *(vornehm)* d. ~*e Welt* le grand monde; *e-e* ~*e Dame* une femme du monde; *im* ~*en u. ganzen* dans l'ensemble, en général, grosso modo; **2.** *adv* beaucoup (*da liegt mir nichts* ~ *dran* je n'y tiens pas beaucoup; *ich habe* ~ *verdient* j'ai gagné beaucoup); *j-n* ~ *ansehen* regarder qn bouche bée

groß|angelegt: *e.* ~*angelegtes Werk* une œuvre de longue haleine *(od* de grande envergure); ~**artig** grandiose, imposant, magnifique, majestueux; ⌐**aufnahme** *(Film)* gros plan; ⌐**baustelle** gros chantier *m;* ⌐**betrieb** grande entreprise; exploitation *f* en grand; ⌐**britannien** la Grande-Bretagne; ⌐**eltern** grands-parents *mpl;* ⌐**enkel** arrière-petit-fils; ~**enteils** en grande partie, pour la plupart, en majeure partie; ⌐**grundbesitz** grande propriété foncière; ⌐**grundbesitzer** grand propriétaire foncier; ⌐**handel** commerce *m* de gros; ⌐**handelspreis** prix *m* de gros; ⌐**händler** négociant en gros, grossiste *m;* ~**herzig** généreux, magnanime; ⌐**herzigkeit** générosité *f,* magnanimité *f;* ⌐**herzog** grand-duc; ⌐**industrie** grande industrie; ⌐**industrieller** grand industriel; ~**jährig** majeur; ⌐**kapital** grand capital; ⌐**kapitalist** (gros) capitaliste; ⌐**kaufmann** négociant en gros, homme *m* d'affaires; ⌐**kopfeter** *umg* grosse légume; ⌐**macht** grande puissance; ⌐**mama** grand-maman; ⌐**mannssucht** vantardise *f;* ~**maschig** à larges mailles; ⌐**maul** braillard *m,* vantard *m;* fanfaron *m;* hâbleur *m; pop* gueulard *m;* ⌐**mut,** ⌐**mütigkeit** générosité *f,* grandeur *f* d'âme, magnanimité *f;* ⌐**mütig** généreux, magnanime; ⌐**mutter** grand-mère, aïeule; *d. kannst du deiner* ⌐**mutter** *erzählen!* à d'autres!; ⌐**onkel** grand-oncle; ⌐**papa** grand-papa; ~**raum** *(Urbanismus)* agglomération *f;* grand espace; ⌐**raumflugzeug** gros-porteur *m,* avion *m* de gros tonnage; ⌐**reinemachen** nettoyage *m* à fond; ⌐**schnauze** *pop* grande gueule; ⌐**sprecher** fanfaron, hâbleur, vantard; ⌐**sprecherei** jactance *f,* vantardise *f,* fanfaronnade *f;* ~**sprecherisch** vantard, fanfaron; ~**spurig** arrogant; ⌐**stadt** grande ville; ⌐**städter** citadin; habitant d'une grande ville; ⌐**tanker** superpétrolier; ⌐**tat** exploit *m,* prouesse *f,* haut fait; *fig: der* ~*teil von* le plus clair de...; ⌐**tuerei** vantardise *f,* fanfaronnade *f;* forfanterie *f;* ⌐**vater** grand-père; aïeul; ~**ziehen** élever; ~**zügig** généreux; *fig* à larges vues, de grand style; **≈zügigkeit** générosité *f; fig* largeur *f* d'esprit, grand style

Größ|e grandeur *f; (Höhe)* taille *f,* stature *f,* hauteur *f; (Umfang)* grosseur *f,* étendue *f,* ampleur *f; (Zahl)* quantité *f; (Stärke)* force *f,* intensité *f; astr* magnitude *f; fig* grandeur *f,* importance *f;* célébrité *f; belanglose ~e* quantité négligeable; *veränderliche ~* paramètre *m; d. ~e nach* par rang de taille; **~enordnung** ordre *m* de grandeur; **~enverhältnis** proportion *f;* **~enwahn** folie *f* des grandeurs, mégalomanie *f;* **≈tenteils** pour la plupart; en majeure partie; **≈tmöglich** le plus grand possible

Grossist grossiste

grotesk grotesque, absurde

Grotte grotte *f*

Grube fosse *f;* ✿ mine *f,* carrière *f; in d. ~ fahren* descendre au tombeau ♦*wer andern e-e ~ gräbt, fällt selbst hinein* tel est pris qui croyait prendre

Grüb|elei rumination *f,* remâchement *m; ≈eln* se creuser l'esprit; remâcher, ruminer *(über etw.* qch); **~ler** rêveur, songe-creux

Gruben|arbeiter mineur; **~betrieb** exploitation minière; **~entleerung** vidange *f;* **~erz** minerai brut; **~gas** grisou *m;* **~lampe** lampe *f* de mineur

Gruft caveau *m;* crypte *f*

grün vert; frais; en herbe; *fig* inexpérimenté; *vom ~en Tisch aus* d'une manière purement théorique *(od* abstraite); *auf e-n ~en Zweig kommen* réussir dans la vie; *j-n ~ u. blau schlagen* couvrir qn de bleus; *j-m nicht ~ sein* n'être pas bien disposé envers qn, en vouloir à qn; *j-n über d. ~en Klee loben* faire le panégyrique de qn; *~ werden* verdir, verdoyer; **≈** *su* vert *m;* verdure *f; im ≈en* à la campagne, au vert; **≈anlage** parc *m;* espace *m* vert; **≈donnerstag** jeudi saint; **~en** verdir, verdoyer; **die ≈en** les écologistes; mouvement écologique; **≈fink** verdier *m;* **≈futter** fourrage vert; **≈kern** grain *m* de blé vert; **≈kohl** chou vert; **≈land** prairies *fpl;* **~lich** verdâtre; **≈schnabel** blanc-bec *m;* **≈span** vert-de-gris *m;* **≈specht** pivert *m*

Grund 1. *m; (Boden)* sol *m,* terrain *m; (Besitz)* fonds *m,* biens-fonds *mpl,* propriété *f; (Grundlage)* base *f,* fondements *mpl;* fondations *fpl; auf ~ geraten* toucher le fond; *auf ~ laufen* ⚓ s'échouer; *d. ~ unter d. Füßen verlieren* perdre pied; *d. ~ zu etw. legen* jeter les fondements de qch; *d. Dingen auf d. ~ gehen* aller au fond des choses; *von ~ auf* radicalement, du tout au tout; 2. *fig* raison *f,* cause *f,* motif *m;* principe *m;* argument *m; auf ~ von* en raison de, en vertu de; *aus Gründen* pour raisons de; *aus d. guten ~e* pour la bonne raison; *aus welchem ~e?* pourquoi?, pour quel motif?; *im ~e* au fond; *im ~e genommen* après tout, strictement parlant; *und zwar aus gutem ~!* et pour cause!; *~ haben zu* avoir de bonnes raisons de; **~...** *(in Zssg:)* fondamental; **~anstrich** couche *f* de fond; **~akkord** ♩ accord fondamental; **~bedingung** condition principale *(od* fondamentale); **~begriff** notion fondamentale *(od* sommaire); élément *m;* **~besitz**

propriété foncière; **~besitzer** propriétaire; **~buch** livre *m* foncier; **~buchamt** bureau du registre foncier; bureau *m* de la conservation des hypothèques; **~dienstbarkeit** servitude *f* foncière; **~eigentum** propriété *f* foncière; **≈ehrlich** foncièrement honnête; **~eis** glace *f* de fond; **~erwerb** acquisition de biens fonciers; **≈falsch** absolument faux; **~farbe** couleur *f* simple; **~festen:** *in s-n ~festen erschüttern* ébranler jusque dans ses fondements; **~fläche** base *f;* plan *m;* **~gebühr** taxe *f* de base; **~gedanke** idée maîtresse *(od* dominante *od* fondamentale); **~gehalt** *(Fixum)* traitement *m* de base; **~gesetz** loi fondamentale (de la République fédérale d'Allemagne); constitution *f;* **~herr** possesseur de terres; seigneur; **≈ieren** ♩ apprêter; appliquer la première couche (de peinture); **~ierschicht** première couche; couche *f* d'apprêt; **~kapital** capital *m* social; **~lage** a. *fig* base *f,* fondement *m,* assises *fpl;* **~legend** fondamental; déterminant; capital; **~linie** *math* base *f;* **~linien** grandes lignes; **~lohn** salaire *m* de base; **≈los** *(sehr tief)* sans fond; *(Weg)* défoncé; *(unbegründet)* sans raison, mal fondé; *(Gerücht)* dénué de fondement; **~losigkeit** profondeur *f* insondable; *(Unbegründetheit)* absence *f* de fondement; **~mauer** soubassement *m,* fondement *m; fig* assises *fpl;* **~pfeiler** pilier *m; fig* soutien *m;* **~preis** prix *m* unitaire; **~recht** droit fondamental; droit foncier; **~regel** règle fondamentale; **~rente** rente foncière; **~riß** 🏛 plan *m; (Abriß)* précis *m,* abrégé *m;* **~satz** principe *m,* axiome *m;* maxime *f;* **≈sätzlich** fondamental; *adv par (od* en) principe; **~schuld** dette *f* foncière; **~schule** école *f* primaire *(od* élémentaire); **~see** lame *f* de fond; **~stein** première pierre; **~steuer** impôt foncier; **~stock** base *f;* capital *m;* **~stoff** matière *f* première (de base); *chem* élément *m,* corps *m* simple; **~stoffindustrie** industrie extractive; **~stück** fonds *m;* bien-fonds *m; (bebaut)* immeuble *m;* **~stücksmakler** marchand de biens; **~ton** ♪ note *f* tonique; 🎵 ton fondamental; *fig (Rede)* ton général; **~übel** source *f* de tous les maux; **~vermögen** fonds *m;* capital foncier; **~verschieden** radicalement différent; **~wahrheit** vérité fondamentale; **~wasser** nappe phréatique; **~wasserspiegel** niveau *m* d'eau souterraine; **~zahl** nombre cardinal; **~zug** trait fondamental, élément *m*

gründ|en fonder; créer, établir; *(stützen)* fonder sur; baser sur; **≈er** fondateur; créateur; **≈eraktie** action *f* d'apport; **≈eranteil** part *f* de fondateur; **~lich** *adj* profond, approfondi; radical; *adv* à fond; minutieusement; **~lich sein** aller au fond des choses; **≈lichkeit** minutie *f;* **≈ling** *zool* goujon *m;* **≈ung** constitution *f,* création *f;* fondation *f;* **≈ungskapital** capital *m* initial, mise *f* de fonds

grunzen grogner

Grupp|e groupe *m;* catégorie *f;* classe *f; chem* radical *m;* **~enarbeit** travail *m* d'équipe; **≈enweise** par *(od* en) groupes; **≈ieren** grouper; *refl* se grouper, se masser

Grus gravier *m*, menu charbon, poussier *m*; ⌐elig qui fait frissonner, qui donne la chair de poule; ⌐eln: *es gruselt mir* j'ai le frisson

Gruß salut *m*, salutation(s) *f(pl)*; compliments *mpl*; coup *m* de chapeau; *j-m freundliche Grüße bestellen* adresser à qn des salutations amicales; ~formel formule *f* de politesse

grüßen saluer; ~ *Sie ihn von mir* saluez-le de ma part; ~ *Sie bitte Ihre Frau Mutter* veuillez présenter mes hommages à Madame votre mère

Grütze gruau *m*; *pop* cervelle *f*

guck|en regarder; ⌐fenster regard *m*; vasistas *m*; ⌐loch judas *m*

Gulasch goulasch *m*; ~kanone cuisine roulante

Gulden florin *m*

gültig valable; 🕮 valide; *(Münze)* ayant cours (légal); ⌐keit validité *f*; *(Münze)* cours *m*; ⌐keitsdauer durée *f* de validité

Gummi caoutchouc *m*; gomme *f*; ~band élastique *m*; ~baum gommier *m*; ~dichtung joint *m* en caoutchouc; ⌐eren gommer; *(Stoff)* caoutchouter; ~erung gommage *m*; ~handschuh gant *m* en caoutchouc; ~knüppel matraque *f*; ~mantel (manteau *m)* imperméable *m*; ~reifen pneu *m*; ~schuhe caoutchoucs *mpl*; ~sohle semelle *f* en caoutchouc; ~stempel cachet *m* de caoutchouc; ~stiefel botte *f* en caoutchouc; ~strumpf bas *m* élastique; ~zelle cabanon *m*; ~zug élastique *m*

Gunst faveur *f*; grâce *f*, bonnes grâces; *zu* ~*en von* en faveur de; *bei j-m in* ~ *stehen* être en faveur auprès (*od* dans les bonnes grâces) de qn

günst|ig favorable, avantageux; opportun; propice; ⌐ling favori; ⌐lingswirtschaft favoritisme *m*

Gurgel gosier *m*; gorge *f*; ~n gargouiller; se gargariser; ~wasser gargarisme *m*

Gurke concombre *m*; *(saure)* cornichon *m*; *pop (Nase)* pif *m*

gurren roucouler

Gurt ceinture *f*; *Sicherheits*~ 🚗 ceinture de sécurité; *mil* ceinturon *m*; *(Bett, Pferd)* sangle *f*; 🏛 membrure *f*; plinthe *f*; *(Brücke)* semelle *f*

Gürt|el ceinture *f*; *mil* ceinturon *m*; ~elrose 💲 zona *m*; ⌐eltier tatou *m*; ⌐en ceindre (*mit* de)

Guß *(Wasser)* jet *m*; douche *f*; *(Regen)* averse *f*, ondée *f*; *(Zucker-)* glace *f*; ☼ coulée *f*, fonte *f*; *aus e-m* ~ d'un seul jet; ~eisen fonte *f* moulée; ~fehler défaut *m* de coulée; ~form moule *m*; coulée *f*; ~stahl acier coulé; ~teil pièce *f* coulée

Gut bien *m*; utile, propre à; *(Wetter)* beau; *adv* com marchandise *f*; patrimoine *m*; fortune; ~sbesitzer propriétaire foncier; ~shof ferme *f*; ~sverwalter régisseur, intendant

gut *adj* beau; utile, propre à; *(Wetter)* beau; *adv* bien, bon; ~ *riechen* sentir bon; ~en *Abend!* bonsoir, Monsieur (Madame *usw.)!; ~e zwanzig Minuten* vingt bonnes minutes; ~ *zehn Jahre* bien dix ans; ~ *gemeint* dans une bonne intention; ~ *u. gern* bel et bien; *schon* ~ cela suffit; *kurz u.* ~ en un mot, bref; *im* ~en à l'amiable; *so* ~ *es geht* tant bien que mal; *so* ~ *wie fertig* pour ainsi dire terminé; ~ *aussehen* avoir bonne mine; *umg* être bien (foutu); *für* ~

finden estimer bon; *mir geht es* ~ je vais (*od* je me porte) bien; *es sich* ~ *gehen lassen* se la couler douce; *j-m* ~ *sein* aimer bien qn; *es* ~ *haben* être favorisé; *es* ~ *meinen mit j-m* être bien disposé envers qn; *seien Sie so* ~ ayez la bonté de ♦ *Ende* ~, *alles* ~ tout est bien qui finit bien; *das* ⌐e *le bien*; ⌐achten avis *m* (d'expert); expertise *f*; certificat *m*, attestation *f*; ⌐achter expert; ~artig d'un bon naturel; 💲 bénin; ⌐artigkeit bon naturel; 💲 bénignité *f*; ⌐dünken bon plaisir; *nach* ⌐dünken à volonté, à discrétion; ~gehen *(Gesundheit)* aller bien; *(Sache)* bien se terminer; ~gehend florissant; ~gelaunt de bonne humeur; ~gewicht surpoids *m*; ~gläubig de bonne foi; ⌐haben crédit *m*, avoir *m*; ~heißen approuver; acquiescer à; ~herzig bon, qui a bon cœur, charitable; débonnaire; ~machen réparer, arranger; *(Unrecht)* redresser; ~mütig débonnaire, bonhomme; bon enfant; ⌐mütigkeit bonhomie *f*, bon naturel, bon cœur; ~sagen *(für j-n)* répondre pour (*od* de) qn; se porter garant pour qn; ⌐schein bon *m*; ~schreiben créditer; porter au crédit de qn; ⌐schrift (écriture au) crédit *m*, créance *f*, avoir *m*; ~tun faire bien; faire du bien; *du tust* ~, *hinzugehen* tu ferais bien d'y aller; *das tut mir* ~ cela me fait du bien; ~willig *adj* (plein) de bonne volonté; *adv* de bonne grâce; volontairement; ⌐willigkeit bonne volonté

Güt|e bonté *f*; douceur *f*; *(Ware)* qualité *f*; *du meine* ~*e!* grand Dieu!; mon Dieu!; ~eklasse *com* catégorie *f*; ~evorschrift norme *f* de qualité; ⌐ig aimable, bienveillant, complaisant; *adv* avec bonté (*od* bienveillance), bénévolement; ⌐lich amicalement; à l'amiable; *s.* ⌐*lich tun* se régaler (*an* de)

Güter biens *mpl*; marchandises *fpl*; ~abfertigung expédition *f* des marchandises; ~bahnhof gare *f* de marchandises; ~gemeinschaft 🕮 (régime *m* de la) communauté *f* de biens; ~trennung 🕮 (régime *m* de la) séparation *f* de biens; ~verkehr trafic *m* de marchandises; ~wagen wagon *m* de marchandises; ~zug train *m* de marchandises

Gymnas|iast lycéen; ~ium lycée *m*; collège *m*; ~tik gymnastique *f*; culture *f* physique; ⌐tisch gymnastique

Gynäko|loge gynécologiste *m*; ~logie gynécologie *f*, médecine *f* de la femme; ⌐logisch gynécologique

H

h ♪ si *m*; ⌐*-Dur* si majeur; ~*-Moll* si mineur

Haar *(Kopf-)* cheveu *m*; cheveux *mpl*, chevelure *f*; *(Körper-)* poil *m*; *(Pferd)* crin *m*; *an e-m* ~ *hängen* tenir à un cheveu (*od* à un fil); *um e.* ~ *wäre...* il s'en est fallu d'un cheveu que... (+ *subj)*; *aufs* ~ très exactement; au poil *(umg)* ♦ ~*e lassen (müssen)* laisser des plumes; ~*e spalten* couper les cheveux en quatre, pinailler; ~*e auf d. Zähnen haben* n'avoir pas froid aux yeux, avoir bec et ongles; *s. in d.* ~*en liegen* être aux prises avec; *s. in d.* ~*e geraten* se prendre aux cheveux, se crêper le chignon; *kein gutes ~ an j-m lassen* dire pis que pendre de qn; *laß dir k-e grauen ~e wachsen!* ne te fais pas de bile!; ~**ausfall** chute *f* des cheveux; ~**band** bandeau *m;* ~**bürste** brosse *f* à cheveux; ~**büschel** touffe *f* de cheveux; toupet *m;* **houppe** *f;* ⌐**en** épiler; *refl* muer; ~**entferner** dépilatoire *m;* ~**esbreite:** *um* ~*esbreite* de l'épaisseur d'un cheveu; ~**flechte** natte *f;* tresse *f;* ⌐**genau** d'une précision absolue; *au poil (umg);* ⌐**ig** velu, poilu; *fig* désagréable; sale; ~**klemme** pince *f* à cheveux; ~**kleid** *zool* livrée *f,* pelage *m;* ⌐**klein** fin comme un cheveu; *adv* minutieusement; par le menu; dans les moindres détails; ~**knoten** chignon *m;* ~**nadel** épingle *f* à cheveux; ~**nadelkurve** 🚲 virage *m* en épingle à cheveux; ~**netz** résille *f;* ~**riß** fissure *f,* fendillement *m;* ⌐**scharf** tranchant, bien affilé; très exact; ~**schleife** nœud *m;* ~**schnitt** coupe *f* (de cheveux); ~**schopf** toupet *m;* ~**spalterei** subtilités *fpl;* chinoiseries *fpl;* ~**strähne** mèche *f;* ⌐**sträubend** qui fait dresser les cheveux sur la tête; horripilant; ~**tracht** coiffure *f;* ~**trockner** séchoir *m;* ~**waschmittel** shampooing *m;* ~**wasser** lotion *f;* ~**wuchs** chevelure *f*

Hab|e patrimoine *m,* avoir *m,* biens *mpl;* *(un)bewegliche* ~ *e* biens (im)meubles; *sein ganzes* ~ *u. Gut* tous ses biens; ⌐**en** avoir; *(besitzen)* posséder, tenir, détenir; *(bekommen)* obtenir, recevoir; *(enthalten)* contenir; *(erhalten* ⌐**en)** tenir de; *gern* ⌐**en** aimer; *lieber* ⌐**en** préférer, aimer mieux; *Eile* ⌐**en** être pressé; *es gut* ⌐**en** être heureux *(od* à son aise); *etw. dagegen* ⌐**en** être opposé à; *s.* ⌐**en** se conduire, se comporter; *nichts auf s.* ⌐**en** être sans importance; *zu* ⌐**en sein** pouvoir être obtenu; *was* ⌐*e ich davon?* quel profit en ai-je?; *was hat er?* qu'a-t-il?; *ich hab's!* j'y suis!; *da* ⌐**en wir's!** nous voilà propres!; *woher* ⌐**en Sie das?** d'où tenez-vous cela?; *dich hat's wohl! (umg)* mais tu es fou!; *hat sich was (umg)* tu peux toujours courir; ~**enichts** pauvre diable, gueux, va-nu-pieds; ~**enposten** poste *m* créditeur; ~**gier** cupidité *f;* avidité *f; (Geiz)* avarice *f;* ⌐**gierig** cupide; avide; avare; ⌐**haft:** *e-r Sache* ⌐**haft** *werden* s'emparer *(od* se saisir*)* de qch; ~**seligkeiten** effets *mpl,* affaires *fpl;* nippes *fpl,* frusques *fpl (umg);* ~**sucht** rapacité *f;* ⌐**süchtig** rapace, avide

Habicht vautour *m*

habilitieren *refl (etwa:)* se qualifier pour l'enseignement supérieur

Hack|beil hachette *f;* ~**brett** hachoir *m;* ~*e* houe *f,* pioche *f,* pic *m; (Fuß)* talon *m; d.* ~*en zus.klappen* claquer les talons; ⌐**en** *(Fleisch)* hacher; *(Holz)* fendre; ↓ piocher; ~**fleisch** viande hachée, hachis *m;* ~**messer** couperet *m,* hachoir *m;* ~**ordnung** *zool* hiérarchie *f* de becquetage

Hader *(Zank)* querelle *f,* dispute *f,* altercation *f;* grabuge *m; (Lumpen)* vieux chiffons; ⌐**n** se disputer; se quereller *(mit* avec); s'en prendre *(mit* à)

Hafen *a. fig* port *m; fig* refuge *m,* asile *m; d.* ~ *anlaufen* entrer au port; *aus d.* ~ *auslaufen* quitter le port; ~**anlagen** installations *fpl* portuaires; docks *mpl;* ~**arbeiter** docker; ~**becken** bassin *m;* darse *f;* ~**bereich** zone *f* portuaire; ~**damm** môle *m;* jetée *f;* ~**einfahrt** entrée *f* du port; ~**gebühren** taxes *fpl* portuaires; ~**polizei** police *f* de port; ~**sperre** embargo *m; mil* blocus *m;* ~**stadt** ville *f* maritime; ~**umschlag** manutention *f (ou* transbordement *m)* portuaire; ~**zoll** droit *m* de quai, droit *m (od* taxe *f)* portuaire

Hafer avoine *f;* ~**brei** bouillie *f* d'avoine; porridge *m;* ~**flocken** flocons *mpl* d'avoine; ~**grütze** gruau *m* d'avoine; ~**schleim** crème *f* d'avoine

Haff haff *m*

Haft détention *f,* emprisonnement *m;* prison *f; in* ~ *halten* détenir; *in* ~ *nehmen* arrêter, emprisonner; mettre aux arrêts; ⌐**bar** responsable; ⌐**bar machen** rendre responsable *(j-n für etw.* qn de qch); ~**befehl** mandat *m* d'arrêt; ⌐**en** *(kleben)* coller, tenir *(an* à); *(einstehen)* répondre de; se porter garant de; ⌐**end** adhésif; ~**entlassung** élargissement `m,` libération *f;* ~**fähigkeit** adhérence *f,* pouvoir *m* adhésif; ~**geld** caution *f;* ~**gläser** verres *mpl* de contact; **Häftling** prisonnier, détenu; ~**pflicht** responsabilité civile; ⌐**pflichtig** responsable; ~**pflichtversicherung** assurance *f* responsabilité civile; ~**ung** responsabilité *f;* ~**ungsausschluß** non-responsabilité *f;* exclusion *f* de la garantie; ~**ungsbeschränkung** limitation *f* de la responsabilité *(ou* de la garantie); ~**vermögen** adhésivité *f*

Hag bosquet *m,* buisson *m;* ~**ebutte** fruit *m* de l'églantier; gratte-cul *m (umg);* ~**edorn** aubépine *f;* ~**estolz** vieux garçon; célibataire endurci

Hagel grêle *f;* ~**korn** grêlon *m;* ~**n** grêler; ~**schlag** chute *f* de grêle; ~**schauer** giboulée *f;* ~**wetter** (tempête *f* de) grêle *f,* orage accompagné de grêle

hager maigre, grêle; émacié; ⌐**keit** maigreur *f*

Hahn *zool* coq *m; (Sperr-)* robinet *m; (Gewehr)* chien *m; (Faß)* cannelle *f* ♦ *er ist* ~ *im Korb* c'est le coq du village; ~**enfuß** *bot* renoncule *f;* ~**enkamm** crête *f* de coq; ~**enschrei** chant *m* du coq; *mit d. ersten* ~*enschrei* dès potron-jaquet *(od* potron-minet); ~**entritt** pied-de-poule *m;* ~**rei** *umg* cocu

Hai requin *m,* squale *m*

Hain bosquet *m,* bocage *m*

Häkel|arbeit ouvrage *m* au crochet; ⌐**n** faire du crochet; ~**nadel** crochet *m*

Haken croc *m;* crochet *m;* agrafe *f; (Kleider-)* patère *f,* porte-manteau *m; (Hase, Boxen)* crochet *m; (Liste)* coche *f; fig* difficulté *f;* pépin *m (umg); vom* ~ *nehmen* décrocher; ~**kreuz** croix gammée, svastika *m;* ~**nase** nez crochu

halb demi; *adv* à demi, à moitié; *in Zssg:* demi-, semi-; ~ *zwei Uhr* une heure et demie; ~ *und* ~ moitié, moitié; entre les deux; *umg* couci-couça; *es ist* ~ *so schlimm* ce n'est pas si grave; *auf* ~*er Höhe* à mi-hauteur; ~*e Note* ♩ blanche *f;* ~*e Pause* ♪ demi-pause *f; e.* ~*es*

Pfund une demi-livre; *zum ~en Preis* à moitié prix; *~ öffnen* entrebâiller, entrouvrir; **~amtlich** officieux; **~automatisch** semi-automatique; **⌐bildung** demi-culture *f;* **⌐blut** demi-sang *m;* **⌐bruder** demi-frère; *(von d. Mutter her)* frère utérin; *(vom Vater her)* frère consanguin; **⌐dunkel** clair-obscur *m;* demi-jour *m;* pénombre *f;* **~er** à cause de, pour raison de, en considération de; *d. Scheins~er* pour sauver les apparences; **⌐erzeugnis** = **⌐fertigprodukt** produit demi-fini (*ou* semi-ouvré); **~fett** 📖 demi-gras; **⌐franzband** demi-reliure *f;* **~gebildet** primaire; **~geschlossen** mi-clos; **⌐gott** demi-dieu; **⌐heit** demi-mesure *f,* imperfection *f,* insuffisance *f;* **~ieren** partager en deux; diviser par moitiés; **⌐ierung** réduction *f* de moitié; **⌐insel** presqu'île *f;* **⌐jahr** semestre *m;* **~jährig** de six mois; qui dure six mois; **~jährlich** semestriel; *adv* tous les six mois; **⌐kreis** demi-cercle *m;* **⌐kugel** hémisphère *f;* **~laut** à mi-voix; **⌐leder** (reliure *f)* demi-peau *f;* **⌐lederband** volume relié demi-peau; **⌐leinen** toile métisse; 📖 (reliure *f)* demi-toile *f; in Zssg:* fil et coton; **⌐leiter** semi-conducteur *m;* **⌐leiterschicht** couche *f* de barrage; **⌐mast:** *auf ⌐mast setzen* mettre en berne; **⌐messer** rayon *m;* **~militärisch** paramilitaire; **~monatlich** bi-mensuel; tous les quinze jours; **⌐mond** demi-lune *f;* croissant *m;* **~offen** entrouvert; **~part:** *~part machen* se mettre de moitié; **~pension** demi-pension; **~rund** semi-circulaire; **⌐schatten** pénombre *f;* **⌐schlaf** somnolence *f;* demi-sommeil *m;* **⌐schuh** soulier bas; **⌐schwester** demi-sœur; **⌐starker** demi-sel, blouson noir; **⌐tagsbeschäftigung** emploi *m* à mi-temps; **⌐ton** ♪ demi-ton *m; (Farbe)* demi-teinte; **~tot** à moitié mort; demi-mort; **~voll** à moitié plein; **⌐waise** orphelin *m* de père (*od* de mère); **~wegs** à mi-chemin; *fig* à peu près, passablement, tant bien que mal; **⌐welt** demi-monde *m;* **⌐weltdame** demi-mondaine; **⌐wertzeit** *phys* période *f* radioactive, période *f* de demi-transformation; *biol* demi-vie biologique, période biologique; **⌐wissen** demi-savoir *m;* **~wöchentlich** deux fois par semaine; **~wüchsig** mineur; imberbe; **⌐zeit** 🚩 mi-temps *f*

Halde terril *m;* carreau *m* de mine; *com* dépôt *m,* stock *m;* **~nvorrat** stock *m* sur le carreau

Hälfte moitié *f; zur ~* à moitié; *zur ~ beteiligt sein* être de moitié (dans); *bis z. ~* jusqu'au milieu; *s-e bessere ~ (umg)* sa moitié

Halfter licou *m; (Waffe)* fourreau *m*

Hall son *m;* bruit *m;* résonance *f;* **⌐en** retentir, résonner

Halle halle *f; (Vor-)* vestibule *m; (Vorbau)* portique *m,* . porche *m; (Hotel)* hall *m; (Ausstellungs-)* pavillon *m; (Turn-)* salle *f;* ✝ hangar *m;* **⌐nd** réverbérant; **~nbad** piscine couverte; **~ntennis** tennis *m* sur court couvert

Halleluja alléluia *m*

Hallig îlot bas de la mer du Nord

hallo! 🗨 allô!; **⌐** *su* brouhaha *m;* hourvari *m*

Halm brin *m; (Stroh-)* fétu *m; (Stengel)* tige *f;* **~früchte** céréales *fpl*

Hals cou *m; (Kehle)* gorge *f,* gosier *m; (Flaschen-)* goulot *m; ~ über Kopf* précipitamment; *aus vollem ~* à tue-tête, à gorge déployée; *bis an d. ~ (fig)* par-dessus la tête; *j-m um d. ~ fallen* se jeter au cou de qn; *etw. auf d. ~ haben* avoir qch sur les bras; *d. ~ kosten* coûter la tête; *s. etw. vom ~ schaffen* se défaire de qch ♦ *~ u. Beinbruch!* bonne chance!; *d. hängt mir z. ~ heraus* j'en ai plein le dos; **~abschneider** égorgeur; *fig* exploiteur *m,* usurier *m;* **⌐abschneiderisch** *(Preise)* exagéré, exorbitant; **~ader** veine *f* jugulaire; **~ausschnitt** décolleté *m;* **~band** collier *m;* **~binde** cravate *f;* **⌐brecherisch** périlleux, dangereux; **~eisen** carcan *m;* **~entzündung** angine *f;* **~kette** collier *m;* **~krause** *(Truthahn)* fraise *f;* collerette *f;* **~schmerzen, ~weh** mal *m* de gorge; **~starrig** têtu, opiniâtre; **~starrigkeit** entêtement *m,* opiniâtreté *f;* **~tuch** cache-col *m,* cache-nez *m;* foulard *m; (Damen)* fichu *m;* **~weite** encolure *f*

Halt halte *f;* arrêt *m; (Stütze)* support *m,* appui *m; (Festigkeit)* fermeté *f,* solidité *f; ohne ~* instable, inconstant, sans caractère; **⌐!** halte!, stop!, arrêtez-vous!; **⌐bar** durable, solide, résistant; **⌐bar bis…** périmé le…; **~barkeit** solidité *f,* stabilité *f;* durabilité *f;* consistance *f;* **~barkeitsdatum** date *f* de peremption; date-limite de vente

halten 1. *vt* tenir; *(zurück-)* retenir; *(ein-)* observer; *(ab-)* célébrer; *(be-)* conserver, garder; *(stützen)* supporter, soutenir; *(Rede)* prononcer; *(Zeitung)* être abonné à; *(verfahren)* agir; *(Preise)* maintenir; *~ für* croire, prendre pour, considérer comme; *für gut ~* juger bon; *~ von* penser de; *von j-m viel ~* avoir haute opinion de qn; *für etw. gehalten werden* passer pour qch; **2.** *vi* s'arrêter, faire halte, stationner; *(haltbar sein)* tenir; durer; être solide; *(Eis)* porter; *zu j-m ~* être avec qn; être le partisan de qn; *er hält zu mir* il est de mon côté; *an sich ~* se retenir; *dafür ~* être d'avis que; *auf etw. ~* tenir à qch, attacher de l'importance à qch; **3.** *refl* se tenir; se maintenir; durer; se soutenir; *s. rechts ~* tenir sa droite

Halt|er support *m;* soutien *m; (Griff)* poignée *f;* 🚗 détenteur *m,* gardien *m;* **~estelle** arrêt *m;* **~etau** hauban *m;* **~everbot** 🚗 interdiction *f* d'arrêt; **⌐los** inconstant, sans caractère; inconstant; **~losigkeit** inconsistance *f,* manque *m* de caractère; instabilité *f;* **⌐machen** s'arrêter, faire halte, faire une pause; **~ung** attitude *f; (Körper)* posture *f,* position *f; (Kopf)* port *m; (Benehmen)* comportement *m,* maintien *m,* tenue *f,* conduite *f; (Beherrschung)* maîtrise *f* de soi; 🐂 garde *f* (d'une chose); *d. ~ung verlieren* perdre contenance

Halunke gredin, forban, chenapan

hämisch hargneux; sournois

Hammel mouton *m;* **~beine:** *j-m d. ~beine langziehen* secouer les puces à qn; **~braten** rôti *m* de mouton; **~keule** gigot *m;* **~ragout** haricot *m* de mouton; **~rücken** selle *f* de mouton

Hammer marteau *m; (Eisenschmiede)* forge *f; unter d. ~ kommen* être vendu aux enchères;

~hai marteau *m;* **hämmern** marteler; **~werfen** 🏹 lancement *m* du marteau

Hämorrhoiden hémorroïdes *fpl*

Hampelmann *a. fig* pantin

Hamster *zool* hamster *m;* **~er** accapareur; **♠n** *vt* accaparer; *vi* entasser des provisions

Hand main *f; öffentliche ~* pouvoirs publics; *j-s rechte ~* le bras droit de qn; *mit leichter ~* facilement; *aus zweiter ~* de seconde main; *an d. ~* à portée de la main; *an ~ von* au moyen de, à l'aide de, sur la base de; *unter d. ~* sous le manteau; *um j-s ~ anhalten* demander qn en mariage; *~ anlegen* mettre la main à la pâte; *d. letzte ~ anlegen* mettre la dernière main, apporter les dernières retouches; *~ an s. legen* se suicider; *j-m etw. an d. ~ geben* fournir à qn les moyens de; *etw. aus d. ~ geben* se dessaisir de qch; *j-m an d. ~ gehen* donner un coup de main à qn; *von d. ~ gehen* filer sous les doigts; *zwei linke Hände haben* être maladroit; *e-e lockere ~ haben* avoir la main prompte; *völlig freie ~ haben* avoir toute licence de, avoir pleins pouvoirs pour; *auf d. ~ liegen* être évident, être clair comme le jour; *j-n auf Händen tragen* être aux petits soins auprès de qn; *etw. von langer ~ vorbereiten* bien préparer son coup; *von d. ~ weisen* repousser, rejeter; *alle Hände voll zu tun haben* ne savoir où donner de la tête; *Hände weg!* n'y touchez pas!; *~ aufs Herz* la main sur la conscience *♦ s-e ~ im Spiel haben* être mêlé à l'affaire; *weder ~ noch Fuß haben* n'avoir ni queue ni tête; *von d. ~ in d. Mund leben* vivre au jour le jour; *s-e ~ dafür ins Feuer legen* en mettre la main au feu; *e-e ~ wäscht d. andere* les loups ne se mangent pas entre eux; *s-e Hände in Unschuld waschen* s'en laver les mains; *e. Spatz in d. ~ ist besser als e-e Taube auf d. Dach* un tiens vaut mieux que deux tu l'auras; **~apparat** 📞 combiné *m;* **~arbeit** travail manuel; ouvrage *m* (de dames); **~arbeiter** travailleur manuel; **~aufheben:** *abstimmen durch ~aufheben* voter à main levée; **~ball** hand-ball *m;* **~bedienung** commande *f* volontaire; **~betrieb** commande *f* à la main; **~bewegung** geste *m* (de la main); **~bremse** frein *m* à main; **~buch** manuel *m;* **Händedruck** poignée *f* de main; **~feger** balayette *f,* brosse *f* à main; **~fertigkeit** dextérité *f,* adresse *f;* **~fessel** menotte *f;* **♠fest** robuste, solide; **~feuerwaffe** arme *f* à feu portative; **~fläche** paume *f;* **~geld** acompte *m;* arrhes *fpl; (Vorschuß)* avance *f;* **~gelenk** poignet *m;* **♠gemacht** façon-main; fait à la main; **~gemein: ♠gemein werden** en venir aux mains; **~gemenge** mêlée *f;* corps à corps *m;* **♠genäht** cousu (à la) main; **~gepäck** bagages *mpl* à main; **~gepäckaufbewahrung** consigne *f;* **♠gerecht** maniable, commode; **~granate** grenade *f* (à main); **♠greiflich** *fig* manifeste; tangible; **♠greiflich werden** en venir aux mains; **~greiflichkeit** voies *fpl* de fait; **~griff** poignée *f;* ✿ manette *f; (Korb)* anse *f; (Bewegung)* coup *m,* tour *m* de main, manœuvre *f;* **♠habe** prise *f;* **♠haben** manier, manipuler; ✿ manœuvrer; **~habung** maniement *m,* manipulation *f,* manutention *f;*

manœuvre *f;* **~kante** tranchant *m* de la main; **~karren** brouette *f,* chariot *m* à bras; **~koffer** valise *f;* **~kurbel** manivelle *f;* **~kuß** baisemain *m;* **~lampe** baladeuse *f;* **~langer** homme de peine; manœuvre *m;* **~laterne** falot *m;* **~lauf** main courante; **~lesekunst** chiromancie *f;* **♠lich** maniable, commode; **~pferd** cheval de main; **~pflege** manucure *f;* **~ramme** ✿ demoiselle *f,* dame *f,* hie *f;* **~reichung** coup *m* de main, aide *f,* service *m;* **~regelung** commande *f* manuelle; **~rücken** dos *m* (*od* revers *m*) de la main; **~satz** 📖 composition *f* à la main; **~schellen** menottes *fpl;* **~schlag** poignée *f* (*od* serrement *m*) de main(s); *etw. durch H. bekräftigen* toper, taper dans la main; **~schrift** écriture *f;* 📖 manuscrit *m;* **~schriftendeutung** graphologie *f;* **♠schriftlich** manuscrit; **~schuh** gant *m;* **~schuhnummer** pointure *f;* **~spiegel** miroir *m* à main; **~steuerung** commande *f* manuelle; **~stickerei** broderie à la main; **~streich** coup *m* de main; **~tasche** sac *m* à main; **~teller** paume *f,* creux *m* de la main; **~tuch** serviette *f* (de toilette); essuie-main *m;* **~tuchhalter** porte-serviettes *m;* **~umdrehen:** *im ~umdrehen* en un tournemain (*od* tour de main); **~voll** poignée *f;* **~wagen** chariot à bras; **♠warm** tiède; **~werk** métier *m* manuel; artisanat *m ♦ j-m d. ~werk legen* mettre fin aux menées de qn; **~werker** artisan; **♠werklich** artisanal; **~werksbursche** compagnon; **~werkskammer** chambre *f* des métiers; **♠werksmäßig** de façon artisanale; **~werksmeister** maître artisan; **~werkzeug** outils *mpl;* outillage *m;* **~wurzel** carpe *m;* **~zeichen** paraphe *m;* **~zeichnung** dessin *m* à la main; **~zettel** tract *m*

Handel *(Gewerbe)* commerce *m,* négoce *m; allg* affaires *fpl; (Geschäft)* marché *m; im ~* en vente; *~ treiben mit (Ware)* faire commerce de, *(Partner)* commercer avec; *unerlaubten ~ treiben* trafiquer; *e-n ~ abschließen* conclure un marché; *~ u. Gewerbe* commerce et industrie; *~ u. Wandel* l'économie *f;* **♠n** agir, procéder; *(von)* traiter (de); *com* faire commerce (*mit* de); *(Börse; Effekten)* négocier; *(feilschen)* marchander, discuter le prix; *(refl:) es ♠t sich um* il s'agit de; **~sabkommen** accord commercial; **~sagent** agent *m* commercial; **~sbank** banque commerciale; **~sbedingungen** conditions *fpl* de commerce; **~sbetrieb** entreprise *f* commerciale; **~sbeziehungen** relations commerciales; **~sbilanz** balance commerciale; **~sdampfer** cargo *m,* navire marchand; **♠seinig: ♠seinig werden** tomber d'accord; **♠sfähig** négociable; **~sfirma** maison *f* de commerce; 📇 *(Name)* raison sociale; **~sflotte** marine marchande; **~sgeist** esprit marchand; *pej* esprit *m* mercantile; **~sgenossenschaft** coopérative commerciale; **~sgericht** tribunal de commerce; **~sgesellschaft** société commerciale; **~sgesetzbuch** code *m* de commerce; **~sgewerbe** activité *f* commerciale; **~sgewicht** poids marchand; **~sgüte** qualité *f* commerciale; **~shafen** port *m* de commerce (*od* marchand); **~skammer** chambre *f* de commerce; **~smarine** marine marchande;

~smäßig relatif au commerce; du point de vue commercial; **~srecht** droit commercial; **~sregister** registre *m* du commerce; **~sreisender** voyageur *m* de commerce; **~sschiff** navire marchand; **~sschranke** entrave *f* aux échanges; **~sschule** école *f* de commerce; **~sspanne** marge commerciale; **~steil** *(Zeitung)* rubrique économique; **~süblich** conforme aux usages commerciaux, usuel dans le commerce; **~sunternehmen** entreprise commerciale; **~sverkehr** échanges *mpl* commerciaux; **~svertrag** traité *m* de commerce; **~svertreter** agent *m* commercial; représentant de commerce; **~svertretung** agence commerciale; **~sweg** voie commerciale; **~swert** valeur marchande; **~szeichen** marque *f* de fabrique; label *m*; **~szweig** branche *f*; **~treibend** qui exerce des actes de commerce; **~treibender** commerçant, marchand

Händel querelles *fpl*; ~ *suchen* chercher querelle *(mit* à); **~süchtig** querelleur

Händler commerçant, marchand, (re)vendeur; *pej* trafiquant

Handlung *a.* ☿ action *f*; acte *m*; *(Geschäft)* magasin *m*, boutique *f*; *strafbare* ~ acte *m* punissable *(od* répréhensible); **~sfreiheit** liberté *f* d'action; **~sgehilfe** commis *m*; **~sreisender** commis voyageur; **~sspielraum** marge *f* de manœuvre; **~sunfähigkeit** incapacité *f* d'exercice; **~svollmacht** pleins pouvoirs *mpl*; **~sweise** manière *f* d'agir, conduite *f*, procédé *m*

hanebüchen incroyable, inouï; grossier

Hanf chanvre *m*; **~seil** corde *f* de chanvre

Hänfling linotte *f*; *pej fig* tête *f* de linotte

Hang pente *f*, versant *m*; *fig* penchant *m*, inclination *f*, propension *f*, disposition *f*

Hänge|backe bajoue *f*; **~boden** soupente *f*; **~brücke** pont suspendu; **~matte** hamac *m*; **~n** *vt* suspendre, accrocher, attacher; *vi* être pendu, être suspendu, être accroché; être fixé à; *a. fig* tenir à, adhérer à; **~nbleiben** s'accrocher; *fig umg* prendre racine

Hans|dampf: *er ist ein* **~dampf** *in allen Gassen* il fourre son nez partout; **~wurst** polichinelle, pantin, guignol, bouffon, pitre

hänseln taquiner; agacer

Hansestadt ville *f* hanséatique

Hantel ⚚ haltère *m*

hantieren s'activer, travailler; manipuler, manier *(mit etw.* qch)

haper|n clocher, ne pas tourner rond; *es ~t mit etw.* il y a qch qui cloche

Happ|en bouchée *f*; morceau *m*; **~ig** *(gierig)* avide, glouton, rapace; *(übertrieben)* exagéré, fort, violent

Hardware matériel *m*, quincaille *f*, hardware *m*

Harf|e harpe *f*; **~enist**, **~ner** harpiste

Harke râteau *m* ♦ *ich werde ihm zeigen, was e-e* ~ *ist* je vais lui montrer comment je m'appelle; **~n** *(Weg)* ratisser; *(Heu)* râteler

Harm affliction *f*, tourment *m*, chagrin *m*; *(Kränkung)* insulte *f*, offense *f*; **härmen** *refl* s'affliger de, se tourmenter de; se chagriner de; **~los** inoffensif; *a.* ⚕ bénin, anodin; ingénu, candide; sans malice; **~losigkeit** caractère

inoffensif; innocence *f*, candeur *f*; ⚕ caractère anodin

Harmon|ie *a. fig* harmonie *f*; **~ielehre** (science *f* de l')harmonie *f*; **~ieren** s'accorder *(mit* avec); *fig* s'entendre *(mit* avec); **~ika** *(Mund-)* harmonica *m*; *(Zieh-)* accordéon *m*; **~isch** ♪ harmonique; *a. fig* harmonieux; **~isierung** harmonisation

Harn urine *f*; **~blase** vessie *f*; **~blasenentzündung** cystite *f*; **~en** uriner; **~fluß** incontinence *f* d'urine; **~glas** urinal *m*; **~grieß** ⚕ gravelle *f*; **~leiter** uretère *m*; **~röhre** urètre *m*; **~säure** acide *m* urique; **~stein** ⚕ calcul *m* urinaire; **~stoff** urée *f*; **~treibend** ⚕ diurétique; **~vergiftung** urémie *f*; **~wege** voies *fpl* urinaires

Harnisch harnais *m*; cuirasse *f*; armure *f* ♦ *j-n in* ~ *bringen* exaspérer qn, faire sortir qn de ses gonds; *in* ~ *geraten* s'emporter, entrer en fureur

Harpun|e harpon *m*; **~ieren** harponner

harren attendre *(auf etw.* qch), être dans l'attente *(de qch)*

harsch rude, âpre; ~ *su* neige gelée *(od* croûtée)

hart dur; *(fest)* ferme, solide, résistant; *(streng)* sévère, rigoureux; *(gefühllos)* sans pitié, cruel; endurci; *(schwer)* rude, pénible; *(Währung)* fort; ~ *werden* durcir, se solidifier; *wenn es* ~ *auf* ~ *geht* dans les coups durs; **~faserplatte** panneau *m* de fibres; **~futter** fourrage pressé; **~geld** monnaie *f* métallique, numéraire *m*; **~gesotten** dur; *fig* endurci, inflexible; ~ *Mensch* un dur-à-cuire; **~gummi** ébonite *m*; **~guß** fonte trempée; **~herzig** insensible, sec; **~herzigkeit** dureté *f (od* sécheresse *f)* de cœur; **~holz** bois dur; **~leibigkeit** constipation *f*; *fig* obstination *f*; **~löt** brasure *f*; **~löten** braser; **~näckig** obstiné, opiniâtre; tenace, acharné; *(Krankheit)* persistant; ~ *näckig auf s-r Meinung bestehen* tenir mordicus à son opinion; **~näckigkeit** opiniâtreté *f*, obstination *f*; acharnement *m*, ténacité *f*; *(Krankheit)* persistance *f*; **~spiritus** alcool solidifié

Härte *a. fig* dureté *f*; fermeté *f*; *(Gemüt)* rudesse *f*, cruauté *f*; *(Schicksal)* sévérité *f*, rigueur *f*; ⚙ trempe *f*; **~fall** rigueur *f*; cas *m* social; **~fonds** fonds *m* de solidarité; **~n** durcir, endurcir; ⚙ tremper; **~n** *su* ⚙ trempe *f*

Harz résine *f*; **~ig** résineux

Hasch|ee hachis *m*; **~ieren** hacher

haschen happer, attraper au vol; *fig* tendre à, aspirer à; *nach Effekt* ~ viser à l'effet

Häschen levraut *m*

Häscher bailli, huissier; *pej* homme *m* de main

Hase lièvre *m*; *(Häsin)* hase *f* ♦ *e. alter* ~ un vieux renard; *da liegt d.* ~ *im Pfeffer* c'est là que gît le lièvre, voilà le hic; *wissen, wie d.* ~ *läuft* savoir comment vont les choses; **~nbraten** rôti *m* de lièvre; **~nfuß** peureux, poltron, capon, pleutre; **~npanier**: *d.* ~ *npanier ergreifen* prendre la poudre d'escampette; **~npfeffer** civet *m* de lièvre; **~nscharte** bec-de-lièvre *m*

Hasel|gebüsch coudraie *f*; **~huhn** gelinotte *f*; **~maus** muscardin *m*; **~nuß** noisette *f*; **~strauch** noisetier *m*, coudrier *m*

Haspe ⚙ crampon *m*, happe *f*; *(Angel)* gond *m*;

~l ☼ bobine *f*, dérouloir *m;* dévidoir *m*, treuil *m;* ≈ln dévider

Haß haine *f*, répulsion *f*, animosité *f*

hassen haïr; détester, abominer; ≈swert odieux, haïssable

häßlich hideux, laid, affreux, vilain; ≈keit laideur *f*

Hast hâte *f*, précipitation *f;* ≈en se hâter, se précipiter; ≈ig *adj* précipité; *adv* précipitamment, en toute hâte

hätscheln choyer, dorloter

Haube bonnet *m*, coiffe *f;* capeline *f;* 🚗 capot *m*, capote *f;* 🏛 dôme *m*, sommet *m* arrondi, calotte *f;* ≈ ♦*unter d.* ~ *bringen* marier, caser (sa fille); *unter d.* ~ *kommen* trouver à se caser, se marier; ~nlerche alouette huppée

Haubitze obusier *m*

Hauch souffle *m;* haleine *f; e.* ~ *von Puder* un soupçon de poudre; ≈en souffler; *(flüstern)* susurrer; ~laut consonne aspirée; ≈zart ténu

Hau|degen soudard, troupier, grognard; ~e ⤓ houe *f;* pic *m*, pioche *f; fig* coups *mpl*, volée *f*, fessée *f*, rossée *f;* ≈en *(Bäume)* abattre; *(Holz)* fendre; *(Steine)* extraire; *(schlagen)* frapper, cogner, taper; *refl* se battre; *j-n übers Ohr* ≈en escroquer qn; ~er *(Eber)* broche *f*, défenses *fpl; (Arbeiter)* mineur *m*, abatteur; ~klotz billot *m*

Haufen tas *m*, amas *m*, monceau *m*, pile *f; (wertloser* ~ *)* ramassis *m; (Zahl)* grand nombre, quantité *f; (Masse)* foule *f*, masse *f; über d.* ~ *werfen* chambarder; ≈weise en tas, en masse; en foule, par bandes; ~wolke cumulus *m*

häuf|eln *(Erde)* butter; ~en entasser, amasser; mettre en tas; accumuler, amonceler; *refl* se multiplier; ~ig *adj* fréquent; *adv* fréquemment, souvent; ≈igkeit fréquence *f;* ≈ung amoncellement *m*, entassement *m;* accumulation *f*, cumul *m*

Haupt *a. fig* tête *f;* ~... *(in Zssg:)* principal, capital, grand, central, cardinal; ~altar maître-autel *m;* ~anliegen but principal; vœu le plus cher; ~anschluß poste *m* téléphonique principal; ~arbeit le gros de l'ouvrage; ~ausschuß comité central; ~bahnhof gare centrale; ~bedeutung sens principal; ~beruf profession principale; ~bestandteil élément principal; ~buch *com* grand livre; ~darsteller vedette *f;* protagoniste; ~eigenschaft qualité maîtresse; ~eingang entrée principale; ~fach matière principale; ~fehler faute *f* majeure; défaut fondamental; ~gebäude édifice *m* principal; ~gewinn gros lot; ~haar cheveux *mpl;* chevelure *f;* ~hahn *(Gas, Wasser)* manette *f;* ~kartei fichier *m* principal; **Häuptling** chef de tribu *(bzw* de bande); ~mann capitaine; ~merkmal caractère principal *(od* distinctif); ~nenner *math* dénominateur commun; ~niederlassung établissement principal; ~person personnage principal; ~post poste centrale; ~probe ☿ répétition générale; ~quartier (grand) quartier général; ~rolle grand *(od* premier) rôle; ~sache principal *m*, essentiel *m;* important *m; in d.* ~*sache* au fond, au total; *(besonders)* surtout; ≈sächlich principal, essentiel, capital, majeur; *adv* surtout, principa-

lement, notamment; ~saison pleine saison; ~satz théorème fondamental; ~schalter interrupteur général; ~schlagader aorte *f;* ~schlüssel passe-partout *m;* ~stadt capitale *f;* ~straße grande rue; route principale; ~treffer gros lot; ~verkehrsstraße route *f (od* voie *f)* à grande circulation, route principale, grand-route *f;* ~verkehrszeit heures *fpl* de pointe *(od* d'affluence); ~versammlung assemblée générale; ~verwaltung administration centrale; ~wort nom *m*, substantif *m;* ~ziel objectif primordial; ~zweck raison majeure

Haus 1. maison *f;* immeuble *m; öffentliches* ~ maison publique *(od* de tolérance); *nach, zu* ~ à la maison, chez soi; *fig* dans son pays; *außer* ~*e* dehors, en ville; *d.* ~ *hüten* rester chez soi, être casanier; *ins* ~ *liefern* livrer à domicile; *e. großes* ~ *führen* mener grand train; **2.** *(Familie)* famille *f*, lignée *f; (Herrscher)* dynastie *f; aus gutem* ~*e* de bonne famille; *von* ~ *aus* d'origine, de naissance; **3.** ☿ salle *f* de spectacles); *volles* ~ *machen* faire salle comble; *vor ausverkauftem* ~*e spielen* jouer à guichets fermés; *vor leerem* ~*e spielen* jouer pour les banquettes ♦ *in e-r Sache zu* ~ *e sein* être au fait de qch; ~angestellte(r) domestique *m, f;* bonne *f; pl* gens *mpl* de maison; ~anzug vêtement *m* d'intérieur; ~apotheke (armoire *f* à) pharmacie *f;* ~arbeit travaux *mpl* domestiques; *(travaux mpl du)* ménage *m; päd* devoir *m;* ~arzt médecin de famille; ~aufgabe devoir *m;* ≈backen *fig* pot-au-feu; terre à terre; ~besitzer propriétaire; ~besuch visite *f* à domicile; ~brand(kohle) charbon *m* domestique; ~dame gouvernante; ~durchsuchung perquisition *f;* ~einrichtung ameublement *m;* mobilier *m;* ≈en demeurer, loger, habiter; nicher, percher *(umg); (wüten)* faire des ravages, causer des dégâts; ~flur vestibule *m;* ~frau maîtresse de maison; ménagère; ~freund ami de la maison; *pej* sigisbée; ~friedensbruch violation *f* de domicile; ~gehilfin bonne (à tout faire); ~gemacht interne; ~gemeinschaft maisonnée *f;* ~halt ménage *m; a. pol* budget *m;* ~halten gérer son affaire; être économe *(mit etw.* de qch); ~hälterin ménagère, femme de charge; gouvernante; ≈hälterisch ménager, économe; ~haltsdefizit déficit *m* budgétaire; ~haltseinnahmen recettes *fpl;* ~haltführung gestion budgétaire; ~haltsgegenstand ustensile de ménage; ~haltsgerät appareil *m* ménager; ~haltsjahr année *f (od* exercice *m)* budgétaire; ~haltskürzung restriction *f* budgétaire; ~haltsmittel crédit budgétaire; ~haltsnachtrag budget rectificatif; ~haltsordnung règlement financier; ~haltsplan budget *m;* état *m* prévisionnel; ~haltsvoranschlag prévisions *fpl* budgétaires; ~haltung gestion *f;* foyer *m*, ménage *m;* train *m* de maison; ~halt(ungs)schule école ménagère; ~herr maître de maison, propriétaire; *(Gastgeber)* hôte; ~herrin maîtresse de maison; hôtesse; ≈hoch de la hauteur d'une maison; *fig* démesuré, immense; ≈ieren colporter *(mit etw.* qch); ~ierer colporteur; ~kleid vêtement *m (od* robe *f)* d'intérieur; peignoir *m;* déshabillé *m;* négligé *m;* ~**knecht** domestique; *(Hotel)* garçon; ~**lehrer** précepteur; ~**mann** homme au foyer; ~**mannskost** cuisine simple; ~**meister** concierge; ~**miete,** ~**zins** loyer *m;* ~**mitteilung** note intérieure; ~**mittel** remède *m* de bonne femme; ~**ordnung** règlement *m* (intérieur); ~**putz** nettoyage *m;* ~**rat** ustensiles *mpl* de ménage; ~**sammlung** collecte *f* à domicile *(od* de porte en porte); ~**schlachtung** abattage *m* domestique; ~**schneiderin** couturière en journée *(od* à domicile); ~**schuh** pantoufle *f,* mule *f;* ~**stand** ménage *m;* ~**suchung** ☙ perquisition *f,* visite *f* domiciliaire; ~**telefon** téléphone privé; ~**tier** animal *m* domestique; ~**tür** porte *f* de la maison; ~**vater** père de famille; ~**verwalter** intendant, gérant d'immeubles; ~**wesen** ménage *m;* train *m* de maison; ~**wirt** propriétaire; ~**wirtschaft** économie *f* domestique; ⌐**wirtschaftlich** ménager; ~**wirtschaftsschule** école ménagère

Häus|chen maisonnette *f,* pavillon *m* ♦ *aus d.* ~**chen sein** être hors de soi, être dans tous ses états; ~**erblick** îlot *m (od* pâté *m)* de maisons; ~**erreihe** rangée *f* de maisons; ~**ermakler** courtier en immeubles; ⌐**lich** domestique; sédentaire, casanier; *s.* ⌐**lich niederlassen** planter sa tente; ~**lichkeit** chez-soi *m;* vie *f* de famille

Hausse hausse *f; (starke)* boom *m;* ~**spekulant** haussier

Haut peau *f; (Menschen a.)* épiderme *m; (Obst, Zwiebel)* pelure *f;* ⁜ revêtement *m; (Metall)* croûte *f; durch die* ~ percutané ♦ *e-e gute (ehrliche)* ~ une bonne pâte d'homme, un bon bougre, un brave type; *mit* ~ *u.* Haar de la tête aux pieds; *mit* ~ *u. Haar verschlingen* avaler tout cru; *naß bis auf d.* ~ trempé jusqu'aux os; *mit heiler* ~ *davonkommen* s'en tirer sain et sauf, l'échapper belle; *auf d. faulen* ~ *liegen* fainéanter, se la couler douce; *aus d.* ~ *fahren* sortir de ses gonds; *s. s-r* ~ *wehren* défendre sa peau; ~**ausschlag** eczéma *m,* éruption *f;* ~**creme** crème *f* de beauté; **Häutchen** membrane *f,* pellicule *f,* film *m;* ~**häuten** ôter la peau, dépouiller; *refl* muer; ~**farbe** teint *m;* ~**jucken** démangeaison *f;* ~**krankheit** maladie *f* de la peau, dermatose *f;* ~**naht** suture cutanée; ~**pflegemittel** cosmétique *m;* ~**schere** ciseaux *mpl* de manucure *(od* à envies); ~**wasser** lotion *f*

Havarie ⚓ avarie *f*

Heb|amme sage-femme *f;* ~**ebaum** levier *m;* ~**ebock** vérin *m,* chèvre *f;* ~**ebühne** chariot de transbordement; ~**ekran** élévateur *m;* ~**el** levier *m* ♦ *alle* ~*el in Bewegung setzen* faire jouer tous les ressorts, remuer ciel et terre; ~**elarm** bras *m* de levier; ⌐**en** lever; élever, soulever; augmenter, améliorer; *(Stimme)* hausser; *d. Stimmung* ⌐**en** relever le moral; *e-n* ⌐**en** *(umg)* boire un coup; ~**er** 🚗 cric *m; (Saug-)* siphon *m;* ~**erolle** rôle *m* des contributions; ~**esatz** taux *m* des contributions; ~**ezeug** ✿ appareil *m* de levage; ~**ung** élévation *f;* relevage *m; fig* relèvement *m,* augmentation *f*

hebräisch hébreu *(nur m);* hébraïque

Hechel carde *f;* ⌐**n** sérancer, carder

Hecht brochet *m;* ~**sprung** plongeon *m*

Heck ⚓ poupe *f;* 🚗 arrière *m;* ~**motor** moteur *m* arrière

Hecke 1. haie *f;* 2. *zool* période *f* de rut; *(Vögel)* couvée *f;* nichée *f;* ⌐**n** pondre, couver; nicher; ~**nrose** églantier *m; (Blüte)* églantine *f;* ~**nschere** sécateur *m,* cisailles *fpl;* ~**nschütze** franc-tireur

Heer armée *f,* force *f* terrestre, corps de bataille; *a. fig* légion *f,* foule *f;* ~**esbedarf** munition *f;* ~**esleitung:** *Oberste* ~*esleitung* haut commandement; ~**führer** chef militaire; ~**schau** revue *f;* ~**straße** route *f* militaire

Hefe levain *m; (Bier-)* levure *f; (Wein-, fig)* lie *f*

Heft 1. cahier *m;* carnet *m;* brochure *f;* 📖 livraison *f,* fascicule *m;* 2. *(Werkzeug)* poignée *f;* manche *m* ♦ *das* ~ *ergreifen* prendre les rênes (d'une affaire); *d.* ~ *in d.* Hand haben tenir les commandes, tenir la queue de la poêle; ⌐**en** attacher; *(Kleid)* faufiler; 📖 brocher; *(Blicke)* fixer; ~**klammer** agrafe *f;* trombone *m;* ~**maschine** agrafeuse *f;* 📖 brocheuse *f;* ~**pflaster** sparadrap *m;* bande adhésive; emplâtre *m;* ~**stich** bâti *m;* ~**zwecke** punaise *f*

heftig violent; *(stark)* fort; *(Charakter)* vif, emporté, irascible, virulent; *(Rede)* véhément, virulent; *(Schmerz)* aigu; *umg* carabiné; ~ *werden* s'emporter; ⌐**keit** violence *f;* véhémence *f;* virulence *f;* intensité *f; (Schmerz)* acuité *f*

heg|en soigner; protéger; *fig* nourrir, entretenir; *(Hoffnung)* caresser; ~*en u. pflegen* choyer; ⌐**er** garde forestier

Hehl dissimulation *f;* secret *m; ohne* ~ ouvertement, sans détours; *kein* ~ *daraus machen* ne pas se cacher de, ne pas faire mystère de; ⌐**en** dissimuler; ⌐**er** receleur; ~**erei** recel *m*

hehr sublime, auguste, majestueux

Heid|e¹ *m* païen; ~**enangst** peur *(od* frousse) bleue; ~**engeld** un argent fou; ~**enlärm** potin infernal, vacarme *m* de tous les diables; ~**entum** paganisme *m;* ⌐**nisch** païen

Heide² *f* lande(s) *f(pl);* garrigue *f;* ~**kraut** bruyère *f;* ~**lbeere** myrtille *f,* airelle *f;* ~**rose** rose *f* sauvage; églantine *f*

heikel délicat, scabreux, épineux; *(anspruchsvoll)* difficile

heil indemne, intact, entier; *(geheilt)* guéri, rétabli; *mit* ~*er Haut* sain et sauf; *su* salut *m; sein* ⌐ *versuchen* tenter sa chance; *im Jahre d.* ⌐*s* l'an de grâce; ⌐**anstalt** maison *f* de santé, asile *m* d'aliénés; ⌐**anzeige** 💲 indication *f;* ⌐**bad** station *f* de bain; cure *f* thermale; ~**bar** curable, guérissable; ⌐**barkeit** curabilité *f;* ⌐**behandlung** traitement médical; ⌐**butt** flétan *m;* ~**en** *vt/i* guérir; se rétablir, recouvrer la santé, se remettre; ⌐**erde** terre curative; ⌐**gymnastik** gymnastique médicale; ~**kräftig** possédant des vertus curatives; ⌐**kräuter** simples *mpl,* plantes *(od* herbes) médicinales; ⌐**kunde** thérapie *f;* ⌐**kunst** art *m* de soigner; ~**los** sans remède; désespéré; déplorable, désastreux; ⌐**massage**

massage *m* thérapeutique; ⌐**mittel** remède *m;* médicament *m;* produit *m* pharmaceutique; ⌐**pflanzen** *(siehe:* ⌐**kräuter);** ⌐**praktiker** guérisseur; ⌐**quelle** source minérale *(od* thermale); ~**sam** salubre; *a. fig* salutaire; ⌐**sarmee** Armée *f* du Salut; ⌐**stätte** sanatorium *m;* ⌐**ung** guérison *f;* rétablissement *m;* convalescence *f,* cure *f;* ⌐**verfahren** thérapeutique *f;* cure *f;* médication *f;* ⌐**wirkung** effet curatif

Heiland Sauveur

heilig saint; sacré; *d.* ⌐*e Geist* le Saint-Esprit; ⌐**abend** veille *f* de Noël; ~**en** sanctifier; consacrer ♦ *d. Zweck* ~*t d. Mittel* la fin justifie les moyens; ⌐**enschein** auréole *f;* ﹖ nimbe *m;* ⌐**er** saint; ⌐**keit** sainteté *f;* S-e ⌐*keit* Sa Sainteté; ~**sprechen** canoniser; ⌐**sprechung** canonisation *f;* ⌐**tum** sanctuaire *m;* relique *f;* ⌐**ung** sanctification *f*

heim *adv* chez soi; au pays; ⌐ *su* chez-soi *m;* intérieur *m;* foyer *m,* home *m;* ⌐**arbeit** travail *m* à domicile; ⌐**arbeiter** ouvrier à domicile; ~**begleiten** reconduire (à la maison); raccompagner; ⌐**chen** grillon *m,* cricri *m;* ⌐**fahrt** retour *m;* ~**gehen** rentrer; *fig* mourir; ~**isch** du pays, local; familier *(in* avec); *s.* ~*isch fühlen* se sentir comme chez soi; ⌐**kehr** rentrée *f;* retour *m* (au pays); ⌐**kehrer** rapatrié; ~**kommen** rentrer; ~**leuchten** repousser, rabrouer *(j-m* qn); ~**lich** secret, caché, furtif; *(verboten)* clandestin, subreptice; *adv* à la dérobée, en cachette, en sourdine, sournoisement, furtivement, en tapinois; ⌐**lichkeit** caractère secret *(od* mystérieux); clandestinité *f; pl* cachotteries *fpl;* ⌐**reise** retour *m;* ~**suchen** affliger, éprouver; visiter; *(Ungeziefer)* infester; ⌐**suchung** épreuve *f,* fléau *m; rel* Visitation *f;* ⌐**tücke** perfidie *f,* sournoiserie *f;* ~**tückisch** perfide, sournois; ~**wärts** vers la maison *(od* le pays); ⌐**weg** (chemin *m* de) retour; ⌐**weh** mal *m* du pays; nostalgie *f;* ⌐**werker** bricoleur *m;* ~**zahlen** rendre la pareille, rendre la monnaie de sa pièce

Heimat pays *m* (natal); lieu *m* de naissance; patrie *f; bot, zool* habitat *m;* ~**bahnhof** gare *f* d'attache; ~**hafen** port *m* d'attache; ~**kunde** géographie locale; ~**land** patrie *f; com* pays d'origine; ⌐**lich** du pays; de chez nous; ⌐**los** sans domicile; sans famille; n'ayant ni feu ni lieu; ~**recht** droit *m* à la patrie; ⌐**vertriebener** réfugié, rapatrié

Heirat mariage *m;* ⌐**en** *vt* épouser; *vi* se marier; ~**santrag** demande *f* en mariage; ~**sanzeige** faire-part *m* (de mariage); ⌐**sfähig** nubile, mariable; ~**sgut** dot *f;* ~**sinstitut** agence matrimoniale; ~**skandidat** prétendant *m;* ~**sschwindler** escroc au mariage; ~**surkunde** acte *m* de mariage; ~**svermittlung** organisation de rencontres, club *m* des relations, centre-alliances; agence matrimoniale

heischen demander, exiger, revendiquer

heiser enroué, rauque; ~ *werden* s'enrouer; *sich* ~ *schreien* s'égosiller; ⌐**keit** enrouement *m*

heiß chaud; *fig* ardent; *es ist* ~ il fait chaud; *mir ist* ~ j'ai chaud; ~**blütig** emporté, fougueux; ⌐**blütigkeit** emportement *m,* fougue

f; ⌐**dampfreaktor** réacteur *m* à vapeur surchauffée; ~**ersehnt** ardemment désiré; ~**geliebt** adoré, adulé, chéri, bien-aimé; ⌐**hunger** faim dévorante; fringale *f (umg);* ﹩ boulimie *f;* ~**laufen** ✿ chauffer, gripper; ⌐**leiter** thermistance *f;* ⌐**luft** air chaud; ⌐**lufttrockner** séchoir *m* à air chaud; ~**mangel** sécheuse-repasseuse; ⌐**sporn** risque-tout *m;* casse-cou *m;* personne téméraire

heißen s'appeler; *(befehlen)* ordonner, enjoindre; *(bedeuten)* signifier; *das* ~*t* c'est-à-dire; *was* ~*t das?* qu'est-ce que cela veut dire?

heiter serein, enjoué, gai; hilare; *(Wetter)* clair, beau; *(Himmel)* pur, découvert; ⌐**keit** sérénité *f;* ~**keiterregend** hilarant; ⌐**keitsausbruch** hilarité *f*

heiz|en chauffer; ⌐**er** chauffeur; ⌐**faden** filament *m* chauffant; ⌐**gas** gaz *m* de ville *(od* de chauffage); ⌐**gerät** appareil *m* de chauffage; ⌐**kessel** chaudière *f* (de chauffage); ⌐**kissen** coussin *m* chauffant; ⌐**körper** radiateur *m;* ⌐**kraftwerk** centrale *f* chaleur-force; ⌐**material** combustibles *mpl;* ⌐**öl** fuel(-oil) *m,* mazout *m,* huile combustible; ⌐**platte** plateau *m* chauffant; ⌐**sonne** radiateur *m* à rayonnement; ⌐**ung** *(Anlage)* chauffage *m,* calorifère *m; (Raum)* chaufferie *f;* ⌐**wert** pouvoir *m* calorifique

Hektar hectare *m*

Held héros; ~**endichtung** poésie *f* épique; ~**enepos** épopée *f;* ⌐**enhaft** héroïque; ~**enmut** héroïsme *m;* ~**ensage** mythe *m;* ⌐**entat** exploit *m;* prouesse *f; pl* hauts faits; ~**entod:** *d.* ~*entod sterben* mourir au champ d'honneur; ~**entum** héroïsme *m;* ~**in** héroïne

helf|en aider (qn), secourir (qn); venir en aide (à qn); donner un coup de main (à qn); apporter de l'aide (à qn); *(nützen)* être utile *(od* bon) à, servir à; *einander* ~*en* s'entraider; *sich zu* ~*en wissen* se débrouiller, savoir s'y prendre, avoir plus d'un tour dans son sac; *j-m aus d. Verlegenheit* ~*en* tirer qn d'embarras, dépanner qn, tendre la perche à qn; ⌐**er** assistant, aide; ﹩ secouriste *m;* ⌐**ershelfer** complice; suppôt; acolyte, homme de main

hell clair; limpide; éclatant, vif; *(Bier)* blond; *fig* lucide; *es wird* ~ il commence à faire jour; *e.* ~*er Kopf* un esprit délié; ~*er Wahnsinn* pure folie; ~**blau** bleu clair; ~**blond** blond pâle; ⌐**dunkel** ﹖ clair-obscur *m;* ⌐**e** clarté *f;* éclat *m; fig* lucidité *f;* ~**hörig** qui a l'oreille fine; *(Wohnung)* mal insonorisé; ~**icht:** *am* ~*ichten Tage* au grand jour; ⌐**igkeit** clarté *f;* limpidité *f;* éclat *m;* jour *m;* luminosité *f;* ⌐**sehen** voyance *f;* seconde *(od* double) vue; ⌐**seher** voyant; ~**sichtig** clairvoyant

Heller denier *m* ♦ *keinen roten* ~ *haben* n'avoir ni sou ni maille; *auf* ~ *u. Pfennig* (payer) rubis sur l'ongle

Helm casque *m;* 🏛 dôme *m,* coupole *f;* ~**busch** panache *m*

Hemd chemise *f;* ~**bluse** chemisier *m;* ~**brust** plastron *m;* ~**engeschäft** chemiserie *f;* ~**hose** combinaison *f;* ⌐**särmelig** en bras de chemise

hemm|en *(anhalten)* arrêter, retenir, ralentir;

enrayer; *(hindern)* entraver, gêner, embarrasser, mettre obstacle à; *fig* refréner, contenir, mettre un frein à; **§** inhiber; **ᴬnis** obstacle *m*, entrave *f*; **ᴸschuh** sabot *m* d'enrayage; **🚋** cale *m*; *fig* entrave *f*, obstacle *m*, frein *m*; **ᴸstoff** inhibiteur *m*; **ᴸung** ralentissement *m*; arrêt *m*; enraiement *m*; *(Uhr)* échappement *m*; **§** inhibition *f*; *fig* entrave

Hengst étalon *m*

Henkel anse *f*; *(Topf)* oreille *f*; **~korb** panier *m* à anses

henk|en pendre; **ᴸer** bourreau; *z.* **ᴸer!** au diable!; **ᴸersmahlzeit** dîner *m* d'adieu

Henne poule *f*

her ici; de ce côté(-ci); *von ... ~* de; *von Süden~* (venant) du sud; *von früher ~* d'autrefois; *von alters ~* de toute antiquité; *es ist lange ~, daß* il y a longtemps que; *~ zu mir!* approchez!; *~ damit!* donnez-le-moi!; *hinter etw. ~ sein* courir après qch ♦ *es ist nicht weit ~ damit* cela ne vaut pas grand-chose

herab vers le bas, en bas; en descendant; *von oben ~* d'en haut; **~fahren** descendre; **~fallen** tomber; **~gehen** descendre; **~hängen** pendre; **~kommen** descendre; **~lassen** descendre; *(Vorhang)* baisser; *(Rettungsboot)* amener; *refl* daigner (faire qch), condescendre à; **ᴸlassung** condescendance *f*; **~schrauben** *s-e Ansprüche ~schrauben* en rabattre; **~sehen:** *auf j-n ~sehen* regarder qn du haut de sa grandeur; **~setzen** réduire, diminuer; *(Preis)* baisser; *(~auf)* ramener à; *fig* déprécier, décrier, dénigrer; **ᴸsetzung** diminution *f*, réduction *f*, abaissement *m*; dépréciation *f*, dénigrement *m*; **~steigen** descendre; **~stufen** dégrader; **~würdigen** ravaler, dégrader, déprécier, avilir; *refl* se dégrader; **ᴸwürdigung** avilissement *m*

heran|bilden former; **~kommen** approcher *(an etw. qch)*; *er kommt nicht an dich ~* il ne peut pas se comparer à toi; **~nahen** approcher; *beim ~nahen ...* à l'approche de; **~reichen** atteindre (qch); pouvoir se comparer *(an à); nicht ~reichen an* ne pas valoir; **~reifen** mûrir; *fig* parvenir à sa maturité; **~rufen** appeler, héler; **~treten** aborder *(an j-n, etw.* qn, qch); s'adresser (à qn); **~wachsen** grandir; **~ziehen** attirer; *(Person)* s'adjoindre qn; **ᴸziehung** *mil* recrutement

herauf en haut, vers le haut; **~beschwören** susciter; déclencher, provoquer; évoquer; **~kommen** monter; **~schrauben** faire monter *(ou* grimper); **~setzen** *(Preise)* augmenter, majorer; **~ziehen** *vt* monter; *vi* s'élever, s'approcher

heraus (en) dehors; *von innen ~* du dedans; *~!* sortez!; *~ damit!* expliquez-vous!; *~ mit der Sprache!* parle!; accouche! *(umg);* **~arbeiten** *(bloßlegen)* dégager; *(profilieren)* galber, profiler; *refl* se tirer d'embarras; **~bekommen** *(Geld)* être remboursé; *(Lösung)* trouver (une solution); *(Geheimnis)* découvrir; *(Sinn)* comprendre, saisir; **~bilden** *refl* se cristalliser, naître; **~bringen** sortir; **📖** éditer, publier; **🎭** sortir, porter à la scène, porter à l'écran; *(Erzeugnis)* sortir, lancer (un produit); *fig: man bringt nichts*

aus ihm ~ on ne peut rien tirer de lui; **~finden** *(erraten)* deviner, trouver; **~fordern** provoquer, défier *(zu* à); **~fordernd** agressif, provocant; *(Blick)* agaçant; **ᴸforderung** provocation *f*, défi *m*; **ᴸgabe** restitution *f*; dessaisissement *m*; **📖** publication *f*, édition *f*; **ᴸgabeanspruch** demande de restitution; **~geben** restituer, délivrer; *(Geld)* rendre; *(Buch)* publier, éditer; **ᴸgeber** *(Buch)* éditeur; *(Zeitung)* directeur; **~gehen** sortir; *aus sich ~gehen* s'extérioriser; **~geputzt** pimpant; **~halten** *refl* ne pas intervenir; **~heben** mettre l'accent sur; **~helfen** *refl* se débrouiller, se tirer d'embarras; **~holen** sortir; *(Gewinn)* tirer (profit) *(aus* de); **~kommen** *(erscheinen)* sortir, paraître; *(s. ergeben)* résulter *(bei* de); *das kommt auf das gleiche ~* cela revient au même; *alles kommt ~ (umg)* tout se sait; *ganz groß ~kommen (umg)* avoir le gros tabac; être présenté sous le meilleur jour; **~kriegen** finir par savoir; *(Laute)* articuler; *(Geld)* toucher; **~lesen** découvrir grâce à l'interprétation; **~locken** soutirer; **~lösen** extraire; **~kristallisieren** *refl* se cristalliser; **~nehmen** enlever, ôter, retirer; *s. etw. ~nehmen* se permettre qch *(od* de faire qch); **~platzen** éclater *(od* pouffer) (de rire); **~putzen** attifer; affubler de; *refl* s'endimancher; **~ragen** s'élever *(über* au-dessus de); dominer (qch); **~reden** *refl* se disculper; **~reißen** arracher; **~rücken** *fig* s'expliquer; *pop (Geld)* se fendre de, allonger; **~rufen** **🎭** rappeler; **~schlagen** *(Vorteil)* tirer *(aus* de); **~schleichen** partir subrepticement *(ou* furtivement); **~schleudern** éjecter; **~schneiden** couper *(aus* dans); **~spritzen** jaillir; **~stellen** *(unterstreichen)* mettre en évidence; *refl* s'avérer, se révéler, apparaître; **~strecken** tendre; *(Zunge)* tirer; **~streichen** mettre en relief; *refl* se vanter; **~suchen** sélectionner; choisir; **~treten** sortir; **~werfen** éjecter; jeter (dehors); mettre à la porte; **~wirtschaften** *(Gewinn)* tirer (bénéfice) de; **~ziehen** retirer; dégager; extraire

herb âpre, acerbe, amer; *(Wein)* sec, aigre, rêche; *(Worte)* rude, dur, âpre, vert; *(Charakter)* austère, rêche; **ᴸheit** âpreté *f*, âcreté *f*; *(Worte)* verdeur *f*, crudité *f*

Herbarium herbier *m*

herbei ici, par ici; **~bringen** apporter; **~eilen** accourir; **~führen** *a. fig* amener; *(Begegnung)* ménager; *fig* causer, déterminer, occasionner; *(Tod)* entraîner; **~lassen** *refl* consentir, condescendre *(zu* à); **~rufen** appeler, faire venir; **~schaffen** apporter, procurer; **~strömen** affluer; **~ziehen** attirer; *an d. Haaren ~ziehen (fig)* tirer par les cheveux

herbemühen *refl* prendre la peine de venir .

Herberg|e auberge *f*; gîte *m*; logis *m*; **~svater** responsable *m* d'une auberge de jeunesse

her|bestellen faire venir; donner rendez-vous (*j-n* à qn); **~bitten** prier de venir; **~bringen** apporter; *(Person)* amener

Herbst automne *m*; **ᴸlich** d'automne, automnal; **~messe** foire *f* d'automne; **~zeitlose** colchique *m*

Herd *(Küche)* fourneau *m*, cuisinière *f*; *fig* foyer

m, siège; chez-soi *m; (Ursprung)* foyer *m (a.* ✿), centre *m; ~***platte** plaque *f* de cuisson; ✿ sole *f*
Herde troupeau *m; ~***ntrieb** *a. fig* instinct *m* grégaire; *fig* esprit moutonnier
herein (en) dedans; à l'intérieur; ~! entrez!;
~**bekommen** *(Ware)* recevoir; ~**bitten** prier d'entrer; ~**brechen** faire irruption; *(Nacht)* tomber; ~**bringen** rentrer; *(Defizit)* combler; ~**fallen** entrer; *fig* donner *(od* tomber) dans le panneau, être dupé; ~**holen** faire entrer; ~**kommen** entrer; ~**lassen** laisser *(od* faire) entrer; ~**legen** *fig* mettre qn dedans, faire marcher qn; ~**poltern** entrer avec fracas; ~**rasseln** se fourvoyer dans une mauvaise passe; ~**regnen** pleuvoir *(in* dans); ~**rufen** appeler; ~**schneien** *fig* tomber du ciel; ~**stürmen** entrer en coup de vent; ~**stürzen** faire irruption, se précipiter *(in* dans); ~**tragen** apporter; rentrer
her|fallen tomber, fondre, se ruer *(über* sur); attaquer *(über j-n* qn); ⌃**gang** marche *f,* succession *f; ~***geben** donner, passer; *refl* se prêter *(zu* à); ~**gebracht** traditionnel, conventionnel; coutumier; ~**gehen** *(Ereignis)* se passer; *vor j-m ~gehen* précéder qn; *hinter j-m ~gehen* suivre qn; *es geht hoch ~* on s'en donne, on s'amuse; ~**halten** faire les frais *(für* de); ~**holen** aller chercher; ~**hören** écouter
Hering hareng *m; (Zelt-)* piquet *m; ~***sfang** pêche *f* du hareng; ~**sfänger** harenguier *m; ~***sfischerei** harengaison *f; ~***snetz** harenguière *f; ~***stonne** caque *f*
her|kommen venir; s'approcher; *fig* résulter, provenir, dériver, *(von* de); ⌃**kommen** *su* les us et coutumes; ~**kömmlich** usuel; traditionnel; conventionnel; ⌃**kunft** provenance *f;* origine *f;* extraction *f;* ⌃**kunftsland** pays *m* d'origine; ~**leiern** psalmodier; *(Rede)* débiter; ~**leiten** dériver, déduire *(von* de); *refl* découler *(von* de); ~**machen** *refl* se mettre à; *(über j-n)* se jeter sur, fondre sur
Hermelin hermine *f*
hermetisch hermétique
her|nach après (cela), dans la suite, ensuite; ~**nehmen** prendre
hero|isch héroïque; ⌃**ismus** héroïsme *m*
Herold *hist* héraut *m; fig* porte-voix
Herr *(Anrede)* monsieur; *(Meister)* maître; *(Besitzer)* propriétaire, maître; *(Gott)* Seigneur; *sehr geehrter ~!* Monsieur, ...; *m-e ~en!* Messieurs!; ~ *Direktor* Monsieur le directeur; *d. ~ des Hauses* le maître de la maison; *sein eigener ~ sein* être maître chez soi, être son (propre) maître; ~ *der Lage sein* avoir la situation bien en main; *aus aller ~en Länder* de toute(s) part(s) ♦ *wie d. ~, so der Knecht* tel maître, tel valet; ~**enanzug** complet *m; ~***enartikel** *(Geschäft)* chemiserie *f; ~***enhaus** maison *f* de maîtres; manoir *m; ~***enleben *vie *f* de château; ~**enlos** *(Tier)* sans maître; *(Besitz)* vacant; ~**enmantel** pardessus *m; ~***enmode** mode masculine; ~**enrad** bicyclette *f* d'homme; ~**enschal** cache-col *m,* foulard *m,* cache-nez *m; ~***enschneider** tailleur pour hommes; ~**enzimmer** studio *m; ~***gott** le bon Dieu; ~**in** maîtresse *f;*

~**isch** impérieux, autoritaire; ⌃**lich** magnifique ♦ ⌃**lich** *u. in Freuden leben* vivre en seigneur; ~**lichkeit** magnificence *f,* splendeur *f,* éclat *m*
her|reichen passer, tendre; ~**richten** préparer, apprêter
Herrsch|aft *(Beherrschung)* domination *f,* maîtrise *f;* pouvoir *m,* domination *f; (Epoche, a. fig)* empire *m,* règne *m; (Herr u. Frau d. Hauses)* maîtres *mpl; (Besitz)* domaine *m,* seigneurie *f;* ⌃**aftlich** *(großartig)* somptueux, magnifique; *(grundherrlich)* seigneurial; ⌃**en** régner *(über* sur); gouverner; dominer; *(bestehen)* exister; ~**er** souverain; ~**erhaus** dynastie *f; ~***sucht** esprit *m* autoritaire, caractère *m* despotique; ⌃**süchtig** despotique, autoritaire
her|rühren venir, provenir *(von* de); émaner *(von* de); ~**sagen** dire, réciter; ~**schaffen** apporter; procurer; ~**sehen** regarder (ici); ~**schreiben** *refl* dater *(von* de); ~**stammen** tirer son origine, descendre *(von* de)
herstell|en produire; fabriquer, manufacturer; confectionner; réaliser; élaborer; créer; *(Verbindung)* établir; *(wieder-)* réparer, restaurer; ✿ rétablir; ⌃**er** fabricant; producteur; constructeur; ⌃**ung** fabrication *f;* production *f;* manufacture *f;* confection *f;* réalisation *f;* élaboration *f;* création *f;* établissement *m; ~***ungsfehler** malfaçon *f,* vice *m* de fabrication; ⌃**ungskosten** coût *m* de production; ⌃**ungsland** pays producteur; ⌃**ungsverfahren** procédé *m* de fabrication
herüber de ce côté-ci; ~**bringen** faire passer, faire traverser; ~**helfen** aider (qn) à passer; ~**holen** faire venir; ~**kommen** venir (de ce côté-ci); ~**reichen** passer; ~**wehen** souffler; ~**ziehen** tirer vers soi
herum autour (de); à l'entour; de côté et d'autre; dans les environs; *rund um... ~* tout à l'entour de...; *hier ~* par ici; *um drei Uhr ~* vers trois heures; ~**bummeln** flâner, courir la prétentaine; ~**doktern** soigner par des moyens inadéquats; tripoter; *erschrocken ~fahren* tressauter, sursauter; ~**fingern** tripoter *(an etw.* qch), peloter; ~**fließen** contourner *(um etw.* qch); ~**fuchteln** gesticuler; ~**führen** mener autour (de qch); *(Straße)* faire le tour (de qch); conduire, piloter *(j-n* qn); ~**geben** faire circuler; ~**gehen** se promener; faire le tour *(um* de), tourner *(um* autour de), contourner *(um etw.* qch); *(Zeit)* passer; ~**gehen lassen** faire circuler; ~**irren** errer; ~**knutschen** peloter, caresser, palper; ~**kommandieren** mener à la baguette *(j-n* qn); ~**kommen** voyager, courir le monde; *(bekannt werden)* se répandre; *umg* réussir à éviter (qch); ~**kramen** farfouiller, fureter; ~**kriegen** convaincre, persuader; ~**laufen** errer; *in der Stadt h.* courir la ville; ~**liegen** traîner; ~**reisen** parcourir (le pays); ~**reiten** *auf etw.* ~*reiten* insister sur qch; ~**schnüffeln** fureter; fourrer son nez partout; ~**stehen** faire le cercle

(*um* autour de); *(müßig)* traîner, badauder; ~**stöbern** fouiller, fureter; ~**treiben** *refl* rôder; vagabonder; traîner dans les rues; ~**werfen**: d. *Steuer* ~*werfen* 🚗 braquer à fond; *fig* renverser la vapeur; ~**wickeln** enrouler, entortiller; ~**ziehen** traîner; errer, rôder, vagabonder

herunter en bas, à bas; par terre; du haut; *von oben* ~ de haut en bas; ~ *mit…!* à bas…! ~**drücken** réduire, faire baisser; ~**fallen** tomber (par terre); ~**gehen** descendre; *(Preise)* baisser, diminuer, fléchir; *(Fieber)* diminuer; ~**handeln** marchander; ~**holen** *(Vogel,* 🦅*)* descendre *(umg);* ~**klappen** baisser; ~**kommen** descendre; *fig* déchoir, tomber bien bas; se ruiner, se déclasser; ~**lassen** faire descendre; *(Vorhang)* baisser; ~**leiern** débiter; ~**machen** enlever; *fig* chapitrer, reprendre, tancer qn; ~**nehmen** descendre; dépendre, décrocher; ~**purzeln** dégringoler; ~**putzen** moucher *(j-n* qn); ~**schalten** 🚗 descendre les vitesses; ~**schlagen** abattre; ~**werfen** jeter (par terre); ~**wirtschaften** ruiner

hervor en avant; (au-)dehors; au-dessus; ~**brechen** s'élancer, sortir; se faire jour, éclater; ~**bringen** produire, créer; donner; faire naître, enfanter; *(Worte)* proférer; ~**gehen** résulter, ressortir *(aus* de); surgir *(aus* de); ~**heben** souligner, faire ressortir; mettre en évidence *(od* en relief); ~**kehren** étaler, faire valoir; ~**kommen** sortir, apparaître; ~**ragen** saillir, avancer; dépasser *(über etw.* qch); émerger *(aus* de); *fig* exceller; ~**ragend** saillant, en saillie; *fig* éminent, excellent; de premier ordre; insigne; ~**rufen** provoquer, causer; faire naître, engendrer; susciter, soulever; ~**schnellen** s'avancer brusquement; ~**spritzen** gicler; ~**sprudeln** jaillir; ~**stürzen** s'élancer; ~**treten** sortir avancer; faire saillie; émerger; *fig* ressortir, se détacher; se dessiner; ~**tun** *refl* se distinguer, se faire remarquer, exceller, s'illustrer

Herweg: *auf d.* ~ en venant
Herz *(a. Kartenspiel; Salat)* cœur *m; (Mittelpunkt)* centre *m; (Gefühl)* âme *f,* sentiment *m; (Mut)* courage *m; von ganzem* ~*en* de tout (mon) cœur; *schweren* ~*ens* à contrecœur; *sein* ~ *ausschütten* s'épancher, s'ouvrir; *sich e.* ~ *fassen* prendre courage; *zu* ~*en gehen* aller (droit) au cœur; *ans* ~ *legen* recommander chaudement; *s. etw. zu* ~*en nehmen* prendre qch à cœur; *ins* ~ *geschlossen haben* porter dans son cœur; *ins* ~ *treffen* toucher au vif ♦ *sie sind e.* ~ *u. e-e Seele* ils ne font qu'un; *d.* ~ *auf d. Zunge haben* avoir le cœur sur la main; *d.* ~ *auf d. rechten Fleck haben* avoir le cœur bien placé; *auf* ~ *u. Nieren prüfen* examiner sur toutes les coutures; *mir fällt e. Stein v.* ~*en* je me sens soulagé d'un gros poids; *wes d.* ~ *voll ist, des geht d. Mund über* de l'abondance du cœur la bouche parle; ~**allerliebste** chérie, bien-aimée; ~**anfall** attaque *f* cardiaque; ~**beklemmung** serrement *m* de cœur; ~**beschwerden** troubles cardiaques; ~**eleid** affliction *f,* chagrin *m;* crève-cœur *m;* ⌐**en** caresser, embrasser; ~**ens-angst** angoisse *f;* ~**ensbildung** noblesse *f* de cœur; ~**ensgrund:** *aus* ~*ensgrund* du fond du

cœur; ⌐**ensgut** très bon, qui a un cœur d'or; ~**ensgüte** bonté *f* de cœur; ~**enslust:** *nach* ~*enslust* à cœur joie; ⌐**ergreifend** navrant, poignant, bouleversant; ~**erweiterung** hypertrophie *f* cardiaque; ~**fehler** lésion *f* cardiaque; ⌐**förmig** en forme de cœur; ~**frequenz** rythme *m* cardiaque; ~**grube** creux *m* de l'estomac; ⌐**haft** courageux; résolu; ⌐**haft lachen** rire de bon cœur; ~**haftigkeit** courage *m;* détermination, résolution *f;* ⌐**ig** gentil, charmant, mignon; ~**infarkt** infarctus *m* du myocarde; ~**kammer** ventricule *m* (du cœur); ~**klappe** valvule *f* du cœur; ~**klappenfehler** lésion *f* valvulaire; ~**klopfen** palpitations *fpl;* ⌐**krank** cardiaque; ⌐**lich** cordial; affectueux; sincère; ⌐**lich gern** bien volontiers, de grand cœur; ~**lichkeit** cordialité *f;* affection *f;* ⌐**los** sans cœur; insensible; ~**muskel** myocarde *m;* ~**muskelentzündung** myocardite *f;* ~**schlag** battement *m* du cœur; ⚕ attaque *f* d'apoplexie; ~**schrittmacher** pacemaker *m.* stimulateur *m* électrique du cœur; ~**schwäche** insuffisance *f* cardiaque; ~**spender** donneur *m;* ~**spezialist** cardiologue; ⌐**stärkend** cordial; ⌐**tätigkeit** fonction *f* cardiaque; ⌐**zerreißend** navrant, poignant, déchirant

herziehen *vt* attirer; *vi* s'installer; *über j-n* ~ dénigrer qn, jaser de qn
Herzog duc; ~**in** duchesse; ⌐**lich** ducal; ~**tum** duché *m*
Hetz|agent agent provocateur, agitateur; ~**artikel** article incendiaire; ~**blatt** *pej* canard *m,* feuille de chou; ~**e** *(Eile)* précipitation *f,* hâte *f; (Jagd)* chasse *f* à courre; *(Aufhetzung)* excitation *f* à la haine; calomnie *f;* provocation *f;* ⌐**en** *(verfolgen)* traquer, pourchasser; *(aufwiegeln)* tenir des propos incendiaires; *(antreiben)* talonner; ⌐**erisch** provocateur; ~**jagd** chasse *f* à courre; ~**kampagne** campagne *f* d'excitation (*ou* de dénigrement); ~**propaganda** propagande provocatrice (*od* agressive); ~**rede** discours *m* dénigreur (*ou* détracteur); ~**redner** agitateur, provocateur

Heu foin *m* ♦ *Geld wie* ~ *haben* remuer l'argent à la pelle, avoir du foin dans ses bottes; ~**boden** fenil *m;* ⌐**en** faner; ~**ernte** fenaison *f;* ~**fieber,** ~**schnupfen** rhume *m* des foins; ~**gabel** fourche *f* à foin; ~**schober** meule *f;* ~**schrecke** sauterelle *f;* ~**schuppen** fenil *m;* ~**wender** faneuse *f*
Heuch|elei hypocrisie *f,* imposture *f,* tartuferie *f;* ~**eln** feindre, affecter, faire semblant de; ~**ler** hypocrite, imposteur, tartufe; ⌐**lerisch** hypocrite, sournois, fourbe
heuer cette année
Heuer ⚓ paie *f* de matelot; engagement d'un marin; ~**n** enrôler des marins
heulen hurler; *(Wind)* mugir, rugir; *umg* pleurnicher ♦ *mit d.* Wölfen ~ hurler avec les loups; ⌐**su** hurlement *m;* mugissement *m*
heut|e aujourd'hui; ce jour; *noch* ~*e* aujourd'hui même, dès aujourd'hui; encore aujourd'hui; ~*e in 14 Tagen* aujourd'hui en quinze; d'ici quinze jours; ~*e vor 14 Tagen* il y a (aujourd'hui) quinze jours; *ab* ~*e* à partir d'aujourd'hui; ~*e morgen* ce matin; ~*e*

nachmittag cet après-midi; *~e abend* ce soir; **~ig** d'aujourd'hui; moderne; **~igentags, ~zutage** de nos jours, par le temps qui court

Hexe sorcière; *(Schimpfwort)* mégère; **~nkessel** *fig* enfer *m;* **~nmeister** sorcier; **~nsabbat** sabbat *m* (des sorcières); **~nschuß** *umg* tour *m* de reins, ⚕ lumbago *m;* **~rei** *a. fig* sorcellerie *f,* magie *f,* sortilège *m*

Hieb coup *m; (Schnitt)* entaille *f,* balafre *f; e-n ~ versetzen (a. fig)* porter un coup; **~̂fest** invulnérable; **~waffe** arme tranchante

hienieden ici-bas

hier ici; *(auf Briefen)* en ville; *(bei Aufruf)* présent!; *~ (nimm)!* tiens!; tenez!; *~ ist (sind)* voici; *~ bin ich* me voici; *~ u. da* çà et là; par-ci, par-là; **~an** en, en ceci; y, à ceci; par là; **~auf** là-dessus, sur cela; ensuite; **~aus** de là; de ceci; en; **~bei** en faisant (*bzw* disant) cela; **~bleiben** rester (ici); **~durch** par là, par ce moyen; **~für** pour cela; **~gegen** contre cela, là contre; **~her** ici, de ce côté-ci; par ici; *bis ~her* jusqu'ici; **~hin** ici, par ici; *~hin u. dorthin* de-ci, de-là; çà et là; **~in** là-dedans; en cela; **~mit** par cela; avec cela; en cela; *com* par la présente; **~nach** ensuite; après cela; d'après cela; **~über** là-dessus; à ce sujet; **~unter** là-dessous; parmi cela; **~von** de cela; en; **~zu** à cela; à cet effet; en outre, de plus; **~zulande** chez nous; dans ce pays-ci

hierarch|isch h̲iérarchique; **~̂ie** h̲iérarchie *f;* ordre m; organisation sociale

hiesig d'ici; local; de ce pays

hieven ⚓ h̲isser, embarquer; virer

Hi-Fi Hi-Fi *f,* haute fidélité

Hifthorn cor *m* de chasse

Hilf|e aide *f;* secours *m;* assistance *f; zu ~e!* au secours!; *erste ~e* premiers soins; *mit ~e von* à l'aide de; *j-m ~e leisten* aider qn; secourir qn, assister qn, porter secours à qn; **~eleistung** aide *f,* assistance *f,* secours *m;* **~̂esuchend** réclamant du secours; implorant, suppliant; **~̂los** délaissé; perplexe, embarrassé; **~losigkeit** abandon *m,* délaissement *m;* impuissance *f,* gaucherie *f;* **~̂reich** secourable; **~sangebot** offre *f* d'assistance; **~sarbeiter** manœuvre; **~̂sbedürftig** nécessiteux; misérable, indigent; **~sbedürftigkeit** indigence *f;* **~̂sbereit** secourable, serviable; **~sbereitschaft** serviabilité *f;* **~sdienst** service *m* auxiliaire; **~sgerät** accessoire *m;* **~sgesuch** demande d'aide; **~skraft** auxiliaire *m, f;* **~slehrer** instituteur adjoint; **~smittel** moyen *m* (d'action); expédient *m;* **~spolizei** police auxiliaire; milice *f;* **~squelle** ressource *f;* **~sschule** école *f* pour enfants arriérés; **~sspeicher** *EDV* mémoire *f* auxiliaire; **~struppen** troupes *fpl* auxiliaires; **~swerk** œuvre *f* d'assistance; **~swilliger** supplétif *m;* **~szeitwort** verbe *m* auxiliaire

Himbeer|e framboise *f;* **~strauch** framboisier *m*

Himmel ciel *m;* firmament *m; am ~* dans le ciel; *unter freiem ~* en plein air; *unter freiem ~ schlafen* coucher (*od* dormir) à la belle étoile ♦ *j-n in d. ~ heben* porter qn aux nues; *~ u. Hölle in Bewegung setzen* remuer ciel et terre; *im siebten ~ sein* être aux anges; **~̂an** vers le ciel; **~̂angst:** *mir ist ~̂angst* j'ai une peur bleue; **~̂blau** bleu céleste; **~fahrt** Ascension *f; Mariä ~fahrt* Assomption *f;* **~fahrtskommando** opération *f* suicide; **~fahrtsnase** nez *m* en trompette; **~reich** royaume *m* des cieux; **~̂schreiend** révoltant; atroce; **~sgewölbe** voûte *f* céleste; **~skarte** carte *f* céleste; **~skörper** corps *m* céleste; **~srichtungen** points cardinaux; **~sschlüssel** *bot* primevère *f;* **~̂weit** *(Unterschied)* énorme

himmlisch céleste; divin, angélique; *fig* sublime

hin vers, y; *umg* fichu; *am Walde ~* le long de la forêt; *~ u. her* de côté et d'autre; *~ u. wieder* quelquefois, parfois, de temps à autre; *~ u. zurück* aller et retour; *~̂u. Her* va-et-vient *m;* allées et venues *fpl; nach langem ~̂ u. Her* après bien des discussions (*od* réflexions); *~ u. her bewegen* agiter; *~ u. her gehen* aller et venir; *~ u. her reden* discourir (de), discuter (qch); *~ u. her überlegen* considérer et reconsidérer (qch); *auf d. Gefahr ~* au risque (de); *es ist noch lange ~* il y a encore longtemps d'ici là; *wo ist er ~?* où est-il allé?

hinab en bas, vers le bas; *d. Strom ~* en aval; **~fahren, ~gehen, ~steigen** descendre

hinan en h̲aut, vers le haut

hinarbeiten travailler (*auf* en vue de); aspirer (à), viser (à)

hinauf en h̲aut, vers le haut; *d. Strom ~* en amont; **~arbeiten** *refl* parvenir (*zu etw.* à qch) à force de travail; **~bringen, ~fahren, ~gehen, ~steigen, ~tragen** monter

hinaus dehors; *über ... ~ (räumlich)* au-dessus (de), au-delà (de); *(zeitlich)* au-delà (de); *(überragend)* au-dessus (de); *~!* sortez!, h̲ors d'ici!, à la porte!; *da ~* par ici, par là; *darüber bin ich ~* je suis au-dessus de cela; *wo soll das ~?* à quoi cela aboutira-t-il?; **~gehen** sortir; *(Zimmer, Fenster)* donner (*auf* sur); *nach Süden ~gehen* être exposé au midi; *über etw. ~gehen* dépasser qch, surpasser qch, outrepasser qch; **~kommen** sortir; **~laufen** sortir en courant; *~laufen auf* revenir à, aboutir à, déboucher sur; **~ragen** déborder, dépasser (qch); **~schieben** *fig* ajourner, remettre, différer; renvoyer à une date ultérieure, reporter à; **~schießen:** *übers Ziel ~schießen* dépasser le but; **~schmeißen** flanquer à la porte; **~werfen** mettre à la porte; *er wirft sein Geld z. Fenster ~* il jette son argent par la fenêtre; **~wollen:** *auf etw. ~wollen* vouloir en venir à qch; *worauf ich ~will, ist...* je veux dire que...; *hoch ~wollen* avoir des visées ambitieuses; **~ziehen** *fig (refl* se) prolonger; **~zögern** retarder, différer

Hin|blick: *im ~blick auf* en vue de, en considération de; **~̂bringen:** *s-e Zeit ~̂bringen mit* passer son temps à (faire qch)

hinder|lich embarrassant, gênant, encombrant, importun; **~n** embarrasser, gêner, incommoder; entraver; empêcher, retenir (*an* de); **~̂nis** empêchement *m,* obstacle *m,* entrave *f; e. ~̂nis in d. Weg legen* opposer un obstacle; **~̂nislauf** course *f* de h̲aies; **~̂nisrennen** steeple(-chase) *m*

hindeuten montrer, désigner, indiquer (*auf etw.* qch); *fig* faire remarquer (*auf etw.* qch), faire allusion (*auf etw.* à qch)
Hindin biche *f*
hindurch à travers, par; *(zeitl.)* pendant; *d. ganzen Tag* ~ tout le long de la journée (*od* du jour); *d. ganze Jahr* ~ pendant toute l'année
hinein dans, dedans, là-dedans; *mitten* ~ au beau milieu (*in etw.* de qch) ♦ *in d. Tag* ~ *leben* vivre au jour le jour; **~beißen** mordre à pleines dents; **~bitten** prier qn d'entrer; **~blicken** regarder à l'intérieur; **~denken** *refl* se familiariser avec qch *ou* qn; **~finden** se familiariser (*in* avec); **~gehen** entrer; *(fassen)* tenir; **~knien** *refl* s'atteler (*in* à); **~kommen** entrer (dans); **~legen** *fig* mettre qn dedans; **~passen** *(Schlüssel)* aller; *(Sache)* entrer; **~reden** se mêler (*in* à); **~stehlen** *refl* se glisser dans, s'insinuer dans; **~ziehen** faire entrer; *(Skandal)* mêler, éclabousser
hin|fahren aller; transporter (à un endroit); **⁂fahrt** aller *m;* **~fallen** tomber; **~fällig** *(ungültig)* caduc, nul, annulé; *(schwächl.)* faible, infirme; *(überflüssig)* superflu; **⁂fälligkeit** caducité *f;* **~fort** dorénavant, désormais, à l'avenir; **~führen** conduire (*zu* à), mener, orienter (*auf* vers); **⁂gabe** *(Aufgabe)* abandon *m;* *(Ergebenheit)* dévouement *m;* *(Eifer)* zèle *m,* application *f;* **~geben** *refl* s'adonner à, se livrer à, s'abandonner à; **⁂gebung** *rel* dévotion *f;* **~gebungsvoll** *(ergeben)* dévoué; *(aufmerksam)* attentif; *(andächtig)* dévot; **~gegen** au contraire, en revanche; **~gehen** aller (à un endroit); *(vergehen)* passer; **~gehen lassen** passer (qch à qn); *d. mag diesmal* **~gehen** cela peut passer pour cette fois; **~gerissen** ravi; **~halten** *(reichen)* tendre; *(j-n)* faire attendre (qn); *etw.* **~halten** retarder qch; *d. Feind* **~halten** amuser l'ennemi; **~hauen** *umg* taper sur; *(Arbeit)* abandonner; mal faire (son travail), bâcler, saboter; *(gutgehen)* bien tourner, aller
hinken *a. fig* boiter, clocher; **~d** boiteux
hin|länglich suffisant; **~legen** déposer, mettre; *refl* se coucher; *(bei Krankheit)* s'aliter; **~nehmen** accepter; *(ertragen)* supporter; **~neigen** incliner (*zu* à)
hinnen: *von* ~ *gehen* s'en aller
hin|raffen *(Tod)* enlever; **~reichen** *vt* passer, tendre; *vi* suffire; **~reichend** suffisant; **⁂reise** voyage *m* aller, aller *m;* **~reißen** *fig* ravir, charmer; *sich* **~reißen lassen** *zu* se laisser aller à; **~reißend** ravissant; **~richten** exécuter, mettre à mort; **⁂richtung** exécution *f;* **~scheiden** trépasser, décéder; **~schlagen** *fig* tomber par terre; ramasser une pelle *(umg);* **~schwinden** dépérir, s'évanouir; **~sehen** regarder; *genau* **~sehen** regarder de près; **~setzen** mettre, (dé)poser; *refl* s'asseoir; *umg* tomber sur le derrière; **⁂sicht** égard *m; in dieser* **⁂sicht** à cet égard; *in mancher* **⁂sicht** à bien des égards; *in jeder* **⁂sicht** à tous égards; *in mehrfacher* **⁂sicht** à divers égards; *in gewisser* **⁂sicht** à certains égards; **~sichtlich** quant à, en ce qui concerne, pour ce qui est de, à l'égard de; **~siechen** languir; **~sinken** s'affaisser; **⁂spiel** 🕱 match *m* aller; **~stellen** mettre,

poser, placer; *refl* se planter, se poster; *j-n* **~stellen als** présenter qn comme; **~strecken** tendre; *(töten)* tuer; *refl* s'allonger; **~werfen** jeter par terre
hintan|setzen, ~stellen mettre de côté; *(vernachlässigen)* négliger; *(benachteiligen)* défavoriser, désavantager; **⁂setzung** négligence *f; unter* **⁂setzung…** en négligeant… ; **~stehen** se trouver négligé; être négligeable
hinten derrière, à l'arrière, au fond; *nach* ~ en arrière; *von* ~ par derrière; **~nach** après (coup); ensuite; **~über** à la renverse
hinter *präp* derrière, en arrière de; *(nach)* après; *adj* arrière *(inv),* postérieur; ~ *d. Hause* derrière la maison; ~ *d. Kulissen* dans la coulisse; ~ *etw. kommen* découvrir le pot aux roses; *(verstehen)* comprendre, saisir qch; ~ *sich bringen* en finir avec qch, parvenir au bout de qch; *(Entfernung)* couvrir; ~ *sich lassen* *(überholen)* devancer, distancer; *(überragen)* surpasser, l'emporter (sur); ~ *j-m her sein* être aux trousses de qn, traquer qn; **⁂achse** essieu *m* arrière; pont *m* arrière; **⁂bein** patte *f* de derrière; ♦ *sich auf d.* **⁂beine stellen** ruer dans les brancards; **⁂bliebener** survivant; **⁂bliebenenfürsorge** assistance *f* aux survivants; **~bringen** rapporter (*od* révéler) qch à qn; **~drein** après (coup); **~einander** l'un derrière l'autre, l'un après l'autre; à la file, en file, en file indienne; successivement; *zwei Tage* **~einander** deux jours de suite; **~fotzig** *umg* sournois, fauxjeton, double-jeu, dissimulé; **~fragen** chercher les raisons cachées, contester; **⁂fuß** *siehe* **⁂bein; ⁂gedanke** arrière-pensée *f;* **~gehen** abuser, tromper, duper, frauder; **⁂grund** fond *m,* arrière-plan *m (bes* 👁*);* *pl* dessous *mpl; im* **⁂grund bleiben** *(fig)* rester dans la coulisse; **⁂halt** embuscade *f,* embûche *f,* guet-apens *m,* piège *m;* **~hältig** insidieux; **~hand** *(Pferd)* arrière-main *f;* **⁂haus** bâtiment *m* sur la cour; arrière-corps *m;* **~her** après (coup); **⁂hof** arrière-cour *f;* **⁂kopf** 👂 occiput *m;* partie postérieure de la tête; **⁂land** hinterland *m,* arrière-pays *m;* **~lassen** laisser; *(testamentarisch)* léguer; *j-m e-e Nachricht* **~lassen** laisser un mot à qn; **⁂lassenschaft** succession *f,* héritage *m;* **~legen** déposer, consigner, mettre en dépôt; **⁂leger** déposant *m;* **⁂legung** dépôt *m;* consignation *f; (Zoll)* caution réelle; **⁂leib** arrière-train *m;* **~list** astuce *f,* ruse *f;* artifice *m;* **~listig** astucieux; **⁂mann** *com* endosseur *m; mil* serre-file; *fig* machinateur, instigateur *m;* informateur; **⁂n** derrière *m,* postérieur *m;* **⁂rad** roue *f* arrière; **⁂radantrieb** propulsion *f* arrière; **⁂radbremse** frein *m* arrière; **~rücks** par derrière; *fig* traîtreusement, insidieusement; **⁂seite** face postérieure; *(Papier)* verso *m;* **⁂steven** ⚓ étambot *m;* **⁂teil** partie postérieure; *(Hintern)* derrière *m,* postérieur *m;* **⁂treffen** *mil* arrière-garde *f; ins* **⁂treffen geraten** être éclipsé; **~treiben** contrecarrer, faire échouer; **⁂treppe** escalier *m* de service; **⁂treppenroman** roman *m* de chez la portière; **⁂tür** porte *f* de derrière; *fig* biais *m; sich e-e* ~ *tür offenhalten* assurer ses

arrières; **⌐wäldler** homme des bois; **~wärts** par derrière; en arrière; **~ziehen** détourner, soustraire; **⌐ziehung** détournement m, soustraction f
hinüber de l'autre côté; *er ist ~ (fig)* il a passé
hinunter en bas; **~fahren, ~gehen** descendre; **~schlucken** avaler, ravaler
Hinweg aller m; **⌐** *adv* au loin; *interj* loin d'ici!; **⌐gehen** *a. fig* passer (*über etw.* par-dessus qch); **⌐kommen** surmonter; *ich komme nicht darüber* **⌐** je n'en reviens pas; **⌐raffen** faucher; *(Person)* mourir subitement; **⌐sehen** fermer les yeux (*über* sur); **⌐setzen** *refl* passer outre (*über* à)
Hinweis *(Auskunft)* indication f, renseignement m; *(Anspielung)* allusion f *(auf* à); *(Erwähnung)* mention f *(auf* de); *(Verweis)* renvoi m *(auf* à); *(Anweisung)* directive f; *unter ~ auf* avec mention de; **⌐en** indiquer (*auf etw.* qch); renvoyer (*auf etw.* à qch); *darauf* **⌐en,** *daß* faire observer que, attirer l'attention sur le fait que; **~schild** plaquette f indicatrice
hin|werfen jeter; *(Bemerkung)* dire en passant; *e-e Arbeit* **~werfen** planter là un travail; **~wiederum** en revanche; **~ziehen** attirer (*zu* à); *refl* se prolonger; **~zielen** viser (*auf* à), tendre (*auf* à)
hinzu à cela; en outre, de plus; **~fügen, ~tun** ajouter à, joindre à; **~kommen** s'ajouter; *(zufällig)* survenir; **~ziehen** *(Arzt)* consulter, appeler
Hiobsbotschaft message m funeste, fâcheuse nouvelle
Hippe ♩ serpe f; faux f; *(Frau) umg* vieille bique, rombière
Hirn cerveau m; *(Tier)* cervelle f; **~blutung** hémorragie f cérébrale; **~erschütterung** commotion f cérébrale; **~gespinst** chimère f, billevesée f, élucubration f; **~haut** méninge f; **~hautentzündung** méningite f; **~schale** crâne m; **⌐verbrannt** fou, absurde
Hirsch cerf m; **~fänger** couteau m de chasse, coutelas m; **~hornsalz** carbonate m d'ammoniaque; **~käfer** cerf-volant m; **~kalb** faon m; **~kuh** biche f; **~leder** daim m
Hirse millet m; **~korn** grain m de mil
Hirt|e pâtre; berger; *(Rinder-)* bouvier; *lit, rel* pasteur; **~enbrief** lettre pastorale, mandement m; **~enflöte** flûte de pan; **~enhund** chien berger; **~enstab** houlette f; *rel* crosse f; **~entäschelkraut** bourse-à-pasteur f; **~envolk** nomades *mpl;* **~in** bergère; *lit* pastourelle
hissen hisser; *(Flagge)* arborer
Histor|iker historien; **⌐isch** historique
Hitz|e chaleur f; *fig* fougue f, emportement m; *in ~e geraten* s'échauffer, s'emporter, s'emballer; **⌐beständig** réfractaire; **~ewelle** vague f de chaleur; **~ig** *(ungestüm)* fougueux; *(jähzornig)* emporté, irascible; *(z.B. Debatte)* violent; **~kopf** tête chaude; **~schlag** insolation f
Hobel rabot m; **~bank** établi m (de menuisier); **~maschine** raboteuse f; **⌐n** raboter; **~span** copeau m
hoch haut; élevé; *(Ehre)* grand; *(Alter)* avancé; *(Fieber)* fort; *(Meer)* gros; ♩ aigu; *fig* éminent, sublime; *adv* beaucoup, fort, bien; *zwei ~ drei*

deux puissance trois; *auf hoher See* en pleine mer; *d. hohe Norden* l'extrême Nord; *höher* supérieur; *höhere Gewalt* force majeure; *höhere Schule* école f secondaire; *~ zu Roß* perché sur son cheval; *j-n etw. ~ anrechnen* tenir grand compte de qch à qn; *es geht ~ her* on s'en donne; *wenn es ~ kommt* en mettant les choses au mieux; *d. ist mir zu ~* cela me dépasse ♦ *~ u. heilig versprechen* jurer ses grands dieux; *s. aufs hohe Pferd setzen* prendre un air arrogant; *d. Nase ~ tragen* se pousser du col; **⌐** *su (meteo)* zone f de haute pression; *e.* **⌐** *ausbringen* porter un toast (*auf* à); **⌐achtung** respect m, grande estime; **~achtungsvoll** veuillez agréer, Monsieur, mes salutations distinguées; **⌐adel** haute noblesse; **⌐altar** maître-autel m; **⌐amt** grand-messe f, messe haute; **⌐antenne** antenne aérienne; **⌐bahn** métro aérien; **⌐bau** *(Gebäude)* building m, gratte-ciel m; *(Industrie)* bâtiment m; construction en élévation (*ou* en surface); **~begabt** très doué; **⌐berühmt** illustre; **~betagt** très âgé; **⌐betrieb** activité f intense; *com* grande affluence, période f de pointe; ⚙ circulation f intense; **⌐burg** citadelle f; *pol* bastion m; **⌐druck** haute pression; ⌨ impression f en relief; *mit* **⌐druck** *arbeiten* travailler à toute allure; **⌐druckgebiet** anticyclone m; **⌐ebene** plateau m; **~empfindlich** très sensible; **~entwickelt** avancé, hautement développé; *... de pointe*, de haute technicité; **~erfreut** enchanté (*über* de); **~fahren** sursauter; **~fahrend** hautain; arrogant; **~fein** select, superfin; **~fliegend** ambitieux; **⌐format** format m en hauteur; **⌐frequenz** haute fréquence; **⌐gebirge** haute montagne; **~gehen** *(Vorhang)* se lever; *(Mine) (See)* être gros; *fig* s'emporter; **⌐genuß** régal m; délectation f; délice m; **~geschlossen** *(Kleid)* montant; **~gespannt** à haute tension; *fig* vaste, grand; **~gewachsen** de haute taille, élancé; **~gradig** intense, extrême; **~halten** tenir en haute estime; **⌐haus** building m; gratte-ciel m; **~heben** lever; élever, soulever; **~heilig** très saint; *iron* sacro-saint; **~herzig** magnanime; **~herzigkeit** magnanimité f; **~klettern** grimper, monter, *(Preise)* flamber; **~konjunktur** période f de prospérité; boom m; haute conjoncture; **~leben:** *j-n ~leben lassen* boire à la santé de qn; **~leistung** haute performance; ✿ à grande puissance; **⌐moor** fagne f; **⌐mut** orgueil m; hauteur f; présomption f; **~mütig** orgueilleux, hautain; *(herrisch)* altier; **~näsig** arrogant, pincé; **⌐ofen** haut fourneau; **~päppeln** *umg* renflouer; **~rechnen** *pol* faire une estimation; établir une fourchette, extrapoler; **⌐rechnung** estimation f; fourchette f; extrapolation f; **~rot** rouge vif *(inv);* **⌐saison** pleine saison; **~schätzen** estimer; **⌐schätzung** estime f; **⌐schule** université f, établissement m d'enseignement supérieur; **~schullehrer** professeur d'université; **~schulstudium** études supérieures; **⌐seefischerei** pêche hauturière; **⌐sitz** affût perché; **⌐sommer** plein été; époque f des grandes chaleurs; **⌐spannung** ⚡ haute tension; **~spielen** monter en épingle;

⸚**sprache** langage standard, usage *m* courant; ⸚**sprung** saut *m* en hauteur; ⸚**stapelei** escroquerie *f*; ⸚**stapler** escroc; chevalier d'industrie; ⸚**stimmung** exaltation *f*; ~**tourig** à grande vitesse, ~**trabend** grandiloquent, emphatique; ronflant; ⸚**verrat** haute trahison; ~**verzinslich** à intérêt élevé; ⸚**wald** futaie *f*; ⸚**wasser** crue *f*, inondation *f*; ⸚**wertig** de valeur, de (haute) qualité; ⸚**würden** Révérend Père; ~**würdig** révérend

höchst le plus haut, le plus élevé; suprême; souverain; ultime; *adv* au dernier point, extrêmement, tout à fait; ~*e Zeit* grand temps; *d.* ~*e Punkt* le point culminant; *d.* ~*e Gut* le premier des biens; *im* ~*en Grade* au dernier degré; ~**ens** (tout) au plus, au maximum; ⸚**alter** âge-limite; ⸚**belastung** charge maxima; ⸚**betrag** plafond *m*; montant maximum; ⸚**geschwindigkeit** vitesse maxima; *(zulässig)* vitesse limite; ⸚**grenze** *(Preise)* plafond *m*; ⸚**leistung** rendement *m* maximum; 🖳 record *m*; ~**persönlich** en personne, en chair et en os; ⸚**wert** maximum *m*

Hochzeit *(Trauung)* mariage *m*; *(Fest)* noces *fpl* ♦ *auf zwei* ~ *zu gleich tanzen* manger à deux râteliers; ⸚**lich** nuptial; ~**sgeschenk** cadeau *m* de mariage; ~**sgesellschaft** noce *f*; ~**skleid** robe *f* de la mariée; ~**spaar** les (jeunes) mariés; ~**stag** jour *m* des noces

Hock|e tas *m* de gerbes; *(Stellung)* accroupissement *m*; ~**en** être accroupi; *zu Hause* ⸚**en** être casanier; ~**er** tabouret *m*, escabeau *m*

Höcker bosse *f*; protubérance *f*; gibbosité *f*; ⸚**ig** bossu; *(uneben)* raboteux

Hockey hockey *m*; ~**schläger** crosse *f*

Hode testicule *m*; ~**nsack** scrotum *m*

Hof cour *f*; *(a. Gefängnis-)* préau *m*; *(Bauern-)* ferme *f*, exploitation *f* agricole; *astr* halo *m*; *j-m d.* ~ *machen* faire la cour à qn, courtiser qn; ~**dame** dame d'honneur; ⸚**fähig** admis à la cour; *fig* bien introduit; ~**fart** orgueil *m*, superbe *f*; morgue *m*; ~**haltung** cour *f*; ~**hund** chien *m* de garde, mâtin *m*; ~**lieferant** fournisseur *m* attitré (de sa majesté); ~**meister** intendant; gouverneur; ~**narr** bouffon; ~**staat** cour *f*, suite *f*; ~**tor** porte *f* cochère

hoff|en espérer; ~**entlich** il faut espérer que; ~**entlich!** espérons-le!; ⸚**nung** espoir *m*; espérance *f*; *guter* ⸚**nung sein** être enceinte, être en (état d')espérance, être dans une situation intéressante; ~**nungslos** sans espoir, désespéré; ⸚**nungslosigkeit** désespoir *m*; ~**nungsvoll** plein d'espoir; prometteur

höf|isch de (la) cour; ~**lich** poli, courtois, civil; bien élevé; correct; ⸚**lichkeit** politesse *f*, courtoisie *f*, civilité *f*; ~**ling** courtisan *m*

Höhe *a. math* hauteur *f*; *geog* altitude *f*; *(geog Breite)* latitude *f*; *(Hügel)* coteau *m*; éminence *f*, élévation *f*; *(Summe)* montant *m*; *auf gleicher Höhe* au niveau de, au ras de; *auf d.* ~ *von Dünkirchen* ⚓ au large de Dunkerque; *auf halber* ~ à mi-côte; *in d.* ~ *fahren* sursauter; ~ *gewinnen* ✈ prendre de l'altitude ♦ *auf d.* ~ *sein* être à la page; *nicht auf d.* ~ *sein* ne pas être

dans son assiette; *d. ist d.* ~*!* c'est le comble!; ~**nkrankheit** mal *m* des montagnes *(od de l'altitude)*; ~**nkurort** station *f* climatique; ~**nlinie** courbe *f* de niveau; ~**nmesser** altimètre *m*; ~**ruder** ✈ gouvernail *m* de profondeur; ~**nsonne** lampe *f* à rayons ultraviolets; ~**nstrahlung** rayons *mpl* cosmiques; ~**nunterschied** différence *f* de niveau; ~**nzug** chaîne *f* de collines; ~**punkt** point culminant; *astr* zénith *m*; *fig* apogée *m*; paroxysme *m*, sommet *m*, couronnement *m*

Hoheit grandeur *f*, sublimité *f*; majesté *f*; *(Titel)* Altesse *f*; *pol* souveraineté *f*; ~**sgebiet** territoire *m*; ~**sgewässer** eaux territoriales; ~**srecht** droit *m* de souveraineté; ~**sträger** dépositaire *m* de l'autorité publique; ⸚**svoll** majestueux; ~**szeichen** emblème *m* national

Hohe||lied le Cantique des Cantiques; ~**priester** grand prêtre, pontife

hohl *a. fig* creux; cave; concave; *(ausgehöhlt)* évidé, creusé; *(Stimme)* caverneux; *fig* vide, insignifiant; *d.* ~*e Hand* le creux de la main; ~*e See* houle *f*; ⸚**heit** *fig* nullité *f*; ⸚**kehle** gorge *f*, cannelure *f*, cimaise *f*; ⸚**kopf** tête *f* de linotte, buse *f*; ⸚**maß** mesure *f* de capacité; ~**raum** vide *m*; cavité *f*; ~**saum** ourlet *m* à jour; ~**spiegel** miroir *m* concave; ⸚**weg** chemin creux, ravin *m*

Höhl||e caverne *f* grotte *f*; creux *m*, cavité *f*; *(Tiere)* tanière *f*, terrier *m*, antre *m*; 🫀 ventricule *f*, cavité *f* ♦ *s. in d.* ~*e d. Löwen wagen* se jeter dans la gueule du loup; ~**enbewohner** troglodyte; ~**enforschung** spéléologie *f*; ~**ung** creux *m*; cavité *f* concavité *f*; excavation *f*

Hohn sarcasme *m*; dérision *f*; raillerie *f*, moquerie *f*; ~**gelächter** huée *f*; ricanement *m*; ⸚**lachen** ricaner; ⸚**sprechen** défier, narguer; insulter à

höhn|en bafouer, couvrir de sarcasmes; railler; ~**isch** sarcastique; railleur, moqueur

Höker brocanteur *m*, revendeur; ~**n** colporter

Hokuspokus tour *m* de passe-passe, charlatanerie *f*

hold propice, favorable; *(anmutig)* gracieux, doux, charmant; *j-m* ~ *sein* accorder ses faveurs à qn; *d. Glück ist ihm* ~ la fortune lui sourit; ~**selig** plein de grâces, ravissant; ⸚**seligkeit** grâce *f*; charme *m*

Holding(gesellschaft) société *f* de portefeuille, holding *m*, société financière

holen aller *(od venir)* chercher *(od prendre)*; *(aus d. Tasche)* sortir, tirer; *(Rat, Atem)* prendre; ~ *lassen* envoyer chercher; faire venir; *refl* 🫀 attraper ♦ *d. Teufel soll's* ~*!* que le diable l'emporte!

Höll||e enfer *m*; *fig* fournaise *f*; ~**enlärm** bruit infernal; boucan *m (umg)*; ~**enmaschine** machine infernale; ~**enqualen** supplices *mpl* de l'enfer; ~**enqualen ausstehen** souffrir mille morts; ~**enstein** pierre infernale; ⸚**isch** infernal, d'enfer; diabolique

Hollerith||maschine machine *f* à cartes perforées; ~**verfahren** mécanographie *f*

Holm *(Querholz)* montant *m*, longeron *m*; 🖳 barre *f*; ⚓ chantier *m*; *(Insel)* îlot *m*

holper|ig *a. fig* raboteux; rugueux; inégal; *(Stil)* rocailleux, heurté; **~n** cahoter

Holunder sureau *m;* **~beere** fruit *m* de sureau, baie *f* noire (rouge)

Holz bois *m (a. Gehölz);* forêt *f;* bosquet *m ♦ von gleichem ~ sein* être du même tonneau *(od* de la même trempe); **~apfel** pomme *f* sauvage; **~arbeiter** ouvrier forestier; **~blasinstrument** instrument *m* à vent en bois; *pl* bois *mpl;* **~bock** *zool* tique *f;* **~bohrer** foret *m* à bois; **~bündel** fagot *m;* **~en** couper du bois; **hölzern** de bois, en bois; *fig* gauche; **~fäller** bûcheron *m;* **~faserplatte** panneau *m* de fibres de bois; **~flößen** flottage *m;* **~frei** sans (pâte de) bois; **~frevel** délit forestier; **~hammer** maillet *m;* **~ig** ligneux; **~klotz** billot *m;* rondin *m;* **~kohle** charbon *m* de bois; **~mehl** farine *f (ou* sciure *f)* de bois; **~pantine** galoche *f;* **~scheit** bûche *f,* billette *f;* **~schliff** pâte *f* de bois; **~schnitt** gravure *f* sur bois; **~schnitzer** sculpteur sur bois; **~schuh** sabot *m;* **~schuppen** bûcher *m;* **~splitter** éclat *m* de bois; *(kleiner)* écharde *f;* **~stift** cheville *f;* **~stoß** pile *f* de bois; **~täfelung, ~verkleidung** boiserie *f;* **~weg:** *auf d. ~weg sein* faire fausse route; **~wolle** laine *f* de bois, fibre *f* d'emballage; **~wurm** ver *m* du bois; **~zellstoff** cellulose *f (ou* pâte) de bois

homogen homogène; uniforme; **~ität** homogénéité *f*

Homöopath homéopathe; **~isch** homéopathique

homosexuell homosexuel; **~er** homosexuel

Honig miel *m ♦ j-m ~ um d. Mund schmieren* passer de la pommade à qn; **~kuchen** pain *m* d'épice; **~schleuder** extracteur *m;* **~süß** *fig* mielleux, melliflue, emmiellé; **~wabe** rayon *m* de miel

Honor|ar honoraires *mpl; (Unterrichts-)* cachet *m; (Autoren-)* droits *mpl* d'auteur; **~atioren** notables *mpl,* notabilités *fpl;* **~ieren** verser des honoraires, honorer, rétribuer; *(Wechsel)* honorer, faire honneur *(od* accueil) à

Hopfen houblon *m ♦ da ist ~ u. Malz verloren* on y perd sa peine et ses soins; **~garten** houblonnière *f;* **~stange** perche *f* à houblon; *fig* perche *f*

hopsen sautiller, gambader

Hör|apparat appareil *m* auditif; **~bar** audible; **~bereich** zone *f* d'audibilité; **~bericht** radioreportage *m;* **~brille** lunettes *fpl* acoustiques

horch|en écouter, prêter l'oreille; se tenir aux écoutes; espionner; **~er** écouteur aux portes; espion; **~posten** *mil* poste *m* d'écoute

Horde troupeau *m,* bande *f,* horde *f*

hör|en entendre; *(zu-)* écouter; *(gehorchen)* obéir; *(erfahren)* apprendre; *(Vorlesung)* suivre; *auf d. Namen B. ~en* répondre au nom de B.; *schlecht ~en* avoir l'oreille dure; *von s. ~en lassen* donner de ses nouvelles; *wie man ~t* il paraît que; *d. läßt sich ~en!* à la bonne heure!; *~en Sie mal!* dites-donc! *♦ d. Gras wachsen ~en* être trop subtil; **~ensagen** ouï-dire *m (vom* par); **~er** *(Person)* auditeur; *(Student)* étudiant; **⚲**

récepteur *m,* écouter *m;* **~erschaft** auditoire *m,* auditeurs *mpl;* **~fehler** erreur *f* d'audition; **~folge** série *f* radiophonique; **~funk** radio (diffusion) *f;* **~funkwerbung** publicité *f* à la radio; **~gerät** appareil *m* auditif; **~ig** serf; *fig* au ordres de; **~kapsel** récepteur *m* téléphonique; **~kopf** tête *f* reproductrice; **~melder** avertisseur *m* acoustique; **~muschel** pavillon *m* d'écouteur; **~nerv** nerf auditif; **~rohr** cornet *m* acoustique; **§** stéthoscope *m;* **~saal** auditoire *m,* amphithéâtre *m;* **~spiel** pièce *f* radiophonique; **~weite:** *außer ~weite* hors de la portée de la voix

Horizont horizon *m; fig* cercle *m* d'idées *♦ d. geht über m-n ~* c'est de l'hébreu pour moi; **~al** horizontal

Hormon hormone *f;* **~behandlung** **§** hormonothérapie *f*

Horn corne *f;* **♩** cor *m;* **🚗** avertisseur *m ♦ j-m Hörner aufsetzen* poser des cornes à qn, rendre qn cocu; *s. d. Hörner abstoßen* jeter sa gourme; **~brille** lunettes *fpl* d'écaille; **Hörnchen** croissant *m;* **~haut** durillon *m; (Auge)* cornée *f;* **~ist** cor, corniste; **~vieh** bovidés *mpl,* bêtes *fpl* à cornes

Hornisse frelon *m*

Horoskop horoscope *m*

Horst aire *f; (Gebüsch)* bosquet *m,* hallier *m;* **✝** base aérienne

Hort trésor *m; fig* appui *m; (Kinder-)* garderie *f* d'enfants; **~en** thésauriser; **~ung** thésaurisation; **~ungskauf** achat *m* spéculatif

Hose pantalon *m; (kurze)* culotte *f ♦ d. ~n anhaben* porter la culotte; **~nbandorden** ordre *m* de la Jarretière; **~nboden** fond *m* de pantalon *♦ j-m d. ~boden versohlen* donner une fessée à qn; **~nklammer** pince *f;* **~nrolle** **🎭** travesti *m;* **~nschlitz** braguette *f;* **~nträger** bretelles *fpl*

Hospit|al hôpital *m;* asile *m;* **~ant** auditeur libre; **~ieren** suivre un cours (en auditeur libre)

Hospiz hospice *m*

Hostie hostie *f;* **~ngefäß** ciboire *m*

Hotel hôtel *m;* **~boy** groom; **~besitzer** hôtelier; **~fachschule** école *f* hôtelière; **~gewerbe** industrie *f* hôtelière; **~kette** chaîne *f* hôtelière

Hub *(Kolben)* course *f,* longueur *m* de course; **~brücke** pont *m* levant; **~raum** **⚙** cylindrée *f;* **~schrauber** hélicoptère *m;* **~stapler** chariot élévateur

hüben de ce côté-ci; *~ u. drüben* des deux côtés

hübsch *a. fig* joli; gentil, charmant; *(schön)* beau; *(liebenswürdig)* aimable, charmant; *(lieblich)* mignon; *fig adv* bien; pas mal de

Hucke faix *m,* fardeau *m; ♦ j-m die ~ voll hauen* *umg* casser la gueule à qn; *j-m die ~ voll lügen umg* mentir à qn; **~pack** sur le dos; **~packverkehr** ferroutage *m*

Huf sabot *m;* **~eisen** fer *m* à cheval; **~eisenförmig** en (forme de) fer à cheval; **~lattich** pas-d'âne *m,* tussilage *m;* **~nagel** clou *m* à ferrer; **~schlag** *(Tritt)* coup *m* de pied de cheval; *(Geräusch)* pas *m* d'un cheval; **~schmied** maréchal-ferrant

Hüft|bein os *m* iliaque *(ou* coxal); **~e** hanche *f;* **~gelenk** articulation *f* de la hanche; **~gürtel** porte-jarretelles; **~halter** gaine *f*

Hügel colline *f;* côte *f,* coteau *m;* butte *f,* mamelon *m;* ⁃ig vallonné, accidenté
Huhn poule *f; junges* ~ poulet *m* ♦ *mit j-m e.*
Hühnchen zu rupfen haben avoir maille à partir avec qn
Hühner|auge cor *m,* œil-de-perdrix *m;* ~augenpflaster corricide *m;* ~hund braque *m;* ~stall poulailler *m;* ~stange juchoir *m,* perchoir *m*
Huld bienveillance *f,* faveur *f; (Milde)* clémence *f;* ⁃igen rendre hommage à; *(Ansicht)* adhérer à; *(s. hingeben)* s'adonner à; ~igung hommages *mpl;* ⁃reich, ⁃voll gracieux; clément
Hülle enveloppe *f; (Decke, Umschlag)* couverture *f,* gaine *f; (Zeitung)* bande *f; (Schleier)* voile *m; (Schicht)* couche *f,* écorce *f; d. sterbliche* ~ la dépouille mortelle; *in* ~ *u. Fülle* en abondance, à foison, à profusion; ⁃n envelopper *(in de); (bedecken)* couvrir *(in de;); fig* voiler *(in de); s. in Schweigen* ⁃n se renfermer dans le silence; ⁃nlos *iron* tout nu
Hülse *bot* cosse *f,* gousse *f; (Patrone)* douille *f;* ~nfrüchte légumineuses *fpl*
human *(menschlich)* humain, bon, cordial; *(menschenfreundlich)* philanthrope, altruiste, charitable; *(gut)* bienfaisant, bienveillant; ⁃isierung humanisation *f;* ~ismus humanisme *m;* ⁃ist humaniste; ~istisch humaniste; classique; ~itär humanitaire; ⁃ität humanité *f,* bonté *f,* bienveillance *f*
Humbug hâblerie *f,* forfanterie *f;* ânerie *f*
Hummel bourdon *m*
Hummer homard *m*
Humor humour *m;* bonne humeur; ~eske conte *m* humoristique; ~ist écrivain humoristique; humoriste; ⁃istisch humoristique
humpeln boiter, clocher
Humpen hanap *m*
Humus humus *m,* terreau *m*
Hund chien *m* ♦ *bekannt wie e. bunter* ~ connu comme le loup blanc; *auf d.* ~ *sein* être aux abois; *mit allen* ~*en gehetzt sein* connaître plus d'un tour; *vor die* ~*e gehen umg* crever comme un chien; *wie* ~ *und Katze leben* s'entendre comme chien et chat; *ein dicker* ~*! interj* nom d'un chien!; ~ehütte niche *f;* ~ekälte froid *m* de loup; ~ekoppel meute *f;* ~eleben vie *f* de chien; ~eleine laisse *f;* ~emarke plaque *f* (de chien); ⁃emüde éreinté; ~esteuer taxe *f* sur les chiens; ~ewetter temps *m* de chien; ~ezwinger chenil *m;* **Hündin** chienne *f;* **hündisch** *fig* rampant; servile; ~sfott canaille *f,* jean-foutre *m;* ⁃sgemein salaud *m;* ~stage canicule *f*
hundert cent; *zu* ⁃*en* par centaines; ~erlei de cent sortes; *umg* trente-six choses; ~fach centuple; ⁃jahrfeier centenaire *m;* ~jährig centenaire; ~prozentig cent pour cent; ⁃satz pourcentage *m;* ⁃schaft centurie *f;* ~ste centième ♦ *vom* ⁃*sten ins Tausendste kommen* faire des coq-à-l'âne; ~stel centième *m*
Hunger faim *f (nach* de); *fig* soif *f (nach* de); ~ *haben* avoir faim; *großen* ~ *haben* avoir grand'faim; ~*s sterben* mourir de faim; ~künstler jeûneur; ~kur régime *m* de jeûne; ~leider meurt-de-faim; ~lohn salaire *m* de

famine; ⁃n avoir faim; jeûner; ~snot famine *f,* disette *f;* ~streik grève *f* de la faim; ~tod mort *f* par inanition; ~tuch: *am* ~*tuch nagen* manger de la vache enragée, tirer le diable par la queue
hungrig affamé
Hupe klaxon *m,* avertisseur *m* sonore; ⁃n klaxonner
hüpfen sautiller; frétiller ♦ *das ist gehüpft wie gesprungen* c'est bonnet blanc et blanc bonnet
Hürde claie *f,* clayon *m;* 🐑 haie *f; (Gatter)* enclos *m,* parc *m; d.* ~*n nehmen* 🐑 franchir *(od* sauter) la haie; ~nlauf course *f* de haies
Hure prostituée; putain *(pop)*
Hurrapatriot patriote *m* chauvin
hurtig alerte, preste, prompt, leste; agile; ⁃keit agilité *f;* promptitude *f*
huschen (se) glisser
hüsteln toussoter
husten tousser; ⁃ *su* toux *f;* ⁃anfall quinte *f;* ~stillend anti-tussif
Hut[1] *f* garde *f; auf d.* ~ *sein* se tenir sur ses gardes, être sur le qui-vive
Hut[2] *m* chapeau *m; vor j-m d.* ~ *abnehmen* ôter son chapeau devant qn; ~ *ab!* chapeau (bas)!; *unter e-n* ~ *bringen* mettre d'accord; ~fabrik, ~geschäft chapellerie *f;* ~macher chapelier
hüten garder; *sich* ~, *etw. zu tun* se garder de faire qch; *sich* ~ *vor etw.* se garder de qch
Hütte cabane *f,* hutte *f,* chaumière *f;* ⚙ forge *f;* ~nbesitzer maître de forge; ~nkunde, ~nwesen métallurgie *f;* ~nwerk forge *f,* usine *f* sidérurgique
Hyäne hyène *f*
Hyazinthe jacinthe *f*
Hydrant bouche *f* d'incendie
Hydrau|lik hydraulique *f;* ⁃lisch hydraulique
Hydro|cortison hydrocortisone *f;* ~dynamik hydrodynamique; ~lyse hydrolyse *f*
Hygien|e hygiène *f,* salubrité *f;* ⁃isch hygiénique
Hymne hymne *m (rel f)*
Hyper|bel hyperbole *f;* ~trophie hypertrophie *f;* exagération, développement *m* excessif
Hypno|se hypnose *f;* ⁃tisch hypnotique; ⁃tisieren hypnotiser
Hypochond|er hypocondriaque; ~rie hypocondrie *f;* ⁃risch hypocondriaque
Hypothek hypothèque *f; mit e-r* ~ *belasten* grever d'une hypothèque, hypothéquer; *e-e* ~ *aufnehmen (abtragen)* prendre (purger) une hypothèque; ⁃arisch hypothécaire; ~enbank banque *f* hypothécaire; ~enschuld dette *f* hypothécaire
Hypothese hypothèse *f,* supposition *f,* présomption *f*

I

I: ⁃ *wo!* allons donc!, mais non!; ~-Punkt point *m* sur l'i
i.A. *(im Auftrage)* par ordre de (p. o.), par délégation; au nom de; *(in Auflösung)* (société) en liquidation
iahen braire

ich je; moi; ~ *bin es!* c'est moi!; *hier bin ~!* me voici!; ~ *Armer!* pauvre de moi!; ~ *Narr!* fou que je suis!; ⚹ *su* moi *m; zweites* ⚹ alter ego *m*
ideal idéal, accompli, parfait; ⚹ *su* idéal *m;* modèle *m*, plan *m*, dessein *m; fixe* ~ idée *f* fixe, obsession *f; um e-e* ~ *dunkler (umg)* un tout petit peu *(od* une idée) plus sombre; ⚹**ll** idéal; n'existant qu'en idée, imaginaire; ~**nreichtum** faculté *f* d'invention, créativité *f*, imagination *f*
identi|fizieren identifier, reconnaître; ⚹**fizierung** identification *f;* ~**sch** identique; ⚹**tät** identité *f*
Idiom idiome *m;* ⚹**atisch** idiomatique
Idiot idiot; *umg pej* crétin, imbécile; ⚹**isch** idiot, *pop* con, bête
Idol idole *f*
Idyll idylle *f;* ⚹**isch** idyllique
Igel hérisson *m;* ~**stellung** *mil* défense *f* en hérisson
Ignor|ant ignorant, illettré; inculte; ⚹**ieren** ne pas vouloir tenir compte de; affecter *(od* feindre) de ne pas connaître (qn, qch)
ihm lui; à lui; *ich glaube* ~ je le crois; *ich folge* ~ je le suis
ihn le; lui
ihnen leur; à eux, à elles; ⚹ vous, à vous
ihr lui; à elle; ~**(e)** son, sa; leur; *pl* ses; leurs; ⚹**(e)** votre; *pl* vos; *der, die das* ~*(ig)e* le sien, la sienne; (la) leur; *der, die, das* ⚹*(ig)e* le (la) vôtre; *tun Sie das* ⚹*ige* faites ce qui est en votre pouvoir *(od* ce qui vous incombe); *es waren* ~*er fünf* ils étaient cinq; ~**erseits** de sa (leur) part; ~**esgleichen** son (leur) pareil; ~**ethalben,** ~**etwegen** à cause d'elle(s), à cause d'eux
illeg|al illégal, illicite, irrégulier; ⚹**alität** acte *m* illégal, illégalité *f; pol* clandestinité *f;* ~**itim** illégitime
illiquid insolvable; ⚹**ität** difficultés *fpl* de trésorerie, insolvabilité provisoire
Illumin|ation illumination *f;* éclairement *m*, éclairage *m;* ⚹**ieren** illuminer
Illus|ion illusion *f;* leurre *m*, chimère *f*, rêve *m;* ⚹**orisch** illusoire; trompeur; vain
Illustr|ation illustration *f;* ⚹**ieren** illustrer; ~**ierte** illustré *m*
Iltis putois *m*
imaginär imaginaire, irréel, fictif
Imbiß collation *f;* casse-croûte *m;* ~**stube** buvette *f;* bar *m*
Imit|ation imitation *f;* copie *f; pej* plagiat *m;* simili *m; (minderwertige)* toc *m (umg);* ⚹**ieren** imiter
Imker apiculteur; ~**ei** apiculture *f*
immateriell immatériel; ~*er Schaden* 🐍 dommage moral
Immatrikul|ation inscription *f;* ⚹**ieren** *refl* s'inscrire, prendre ses inscriptions

immer toujours; ~ *noch* encore, toujours; *auf* ~ pour toujours, à jamais, à perpétuité; ~ *besser* de mieux en mieux; ~ *mehr* de plus en plus; ~ *schlimmer* de mal en pis; ~ *weniger* de moins en moins; ~ *wenn* toutes les fois que; *wer auch* ~ qui que ce soit; *wo* ~ où que…; ~**dar,** ~**fort** toujours, continuellement, constamment, sans cesse; ~**grün** *bot* toujours vert; ⚹**grün** *su* pervenche *f;* ~**hin** toujours est-il que; toutefois; quand même, tout de même; ~**während** perpétuel; ~**zu** sans cesse
Immission nuisance *f*, pollution *f;* ~**sschutz** protection *f* contre les nuisances
Immobilien immeubles *mpl*, biens *mpl* fonciers; ~**gesellschaft** société immobilière; ~**händler** marchand de biens; ~**makler** agent *m* immobilier
immun immunisé *(gegen* contre); ~**isieren** immuniser; ⚹**ität** immunité *f*
Imper|ativ impératif *m;* ~**fekt** *ling* imparfait *m;* ~**ialismus** impérialisme *m;* ⚹**ialistisch** impérialiste
impf|en vacciner *(gegen* contre); ⚹**stoff** vaccin *m;* ⚹**ung** 💲 vaccination *f*
imponieren en imposer à qn; ~**d** imposant
Import importation *f;* ~**eur** importateur *m;* ⚹**ieren** importer
impoten|t 💲 impuissant; ~**z** 💲 impuissance *f*
imprägnieren imprégner
Im|pressum 🔲 signature *f;* nom *m* de l'éditeur; ~**primatur** imprimatur *m*
Improvis|ation improvisation *f;* ⚹**ieren** improviser
Impuls impulsion *f;* ⚹**iv** impulsif
imstande ~ *sein, etw. zu tun* être en état *(od* à même, en mesure, capable) de faire qch
in 1. *(örtl.)* dans, en, à; ~ *d. Stadt* en ville; ~ *Paris* à Paris; ~ *ganz Europa* dans toute l'Europe; ~ *d. Mitte* au milieu; 2. *(zeitl.)* dans, en, pendant; ~ *e-m Jahr* dans un an; *im Sommer* en été; ~ *d. Nacht* pendant la nuit; 3. ~ *Gold* en or; ~ *strengem Ton* d'un ton sévère; ~ *Eile* à la hâte
In|angriffnahme commencement *m* (d'une action), démarrage *m;* ~**anspruchnahme** mise *f* à contribution; recours *m* (à); *mil* réquisition *f;* ~**begriff** quintessence *f;* substance *f*, totalité *f;* ⚹**begriffen** y compris; ~**betriebnahme,** ~**betriebsetzung** mise *f* en service *(od* en exploitation), mise en œuvre; ~**brunst** ferveur *f*, ardeur *f;* ⚹**brünstig** fervent, ardent; *adv* fervemment, avec ferveur
in|dem pendant que; tandis que; comme; ~**des,** ~**dessen** pendant ce temps, sur ces entrefaites; *(Einschränkung)* cependant, toutefois
Inder Indien
Index indice *m; rel* index *m;* ⚹**ieren** indexer; ~**klausel** clause *f* d'indexation; ~**zahl** indice *m*
Indi|aner Indien; ⚹**anisch** indien; ~**en** l'Inde *f;* ⚹**sch** indien; des Indes
Indigo(blau) indigo *m*
Indi|kativ indicatif *m;* ~**kator** indicateur *m; com* indice *m* économique; *(Radioaktivität)* traceur *m* radioactif; ⚹**rekt** indirect

indiskret indiscret; ⌐ion indiscrétion f
Individu|alismus individualisme m; ~alist
individualiste; ~alität individualité f, originalité f, particularité; ⌐ell individuel; distinct,
propre; ~um individu m
Indiz indice m; ~ienbeweis preuve f par
présomption
Indo|china l'Indochine f; ⌐germanisch indo-
européen
Indoss|ament endos(sement) m; ~ant endos-
seur; ~at endossataire; ⌐ieren endosser
industri|alisieren industrialiser; ⌐alisierung
industrialisation f; ⌐e industrie f; ⌐ebereich
secteur m industriel; ⌐ebezirk zone industrielle;
⌐eerzeugnis produit industriel; ⌐ekaufmann
agent m technico-commercial; ⌐eller industriel;
fabricant; ⌐emacht puissance f économique;
⌐eunternehmen entreprise industrielle; ⌐ever-
band syndicat patronal pour le secteur industriel; ⌐ezentrum centre industriel; ⌐ezweig
branche f d'industrie; ⌐e- u. Handelskammer
Chambre f du Commerce et de l'Industrie
induzieren induire, conclure; induzierte Emission émission stimulée
ineinander l'un dans l'autre; les uns dans les
autres; ~fügen emboîter; ~gehen (Zimmer)
communiquer; ~greifen ✿ s'engrener; fig
s'enchaîner; ~passen s'adapter (l'un dans
l'autre), ~schiebbar télescopique; ~schieben
emboîter, télescoper
infam infâme; honteux, ignoble, abject
Infanter|ie infanterie f; ~ist fantassin
infantil enfantin; puéril, infantile
In|farkt 🩺 infarctus m; ~fektion 🩺 infection f;
~fektionskrankheit maladie infectieuse; ⌐fek-
tiös infectieux, contagieux; ~feriorität infériorité f
infiltrieren (s')infiltrer
Infi|nitiv infinitif m; ⌐zieren infecter
Inflation inflation f; ⌐är inflationniste; ~sbe-
kämpfung lutte f anti-inflationniste
infolge par suite de; ~dessen par conséquent;
en conséquence de quoi
Inform|ant informateur m; ~atik informatique
f; ~atiker informaticien; ~ation information f,
renseignement m; instruction f; ~ationsdienst
service m d'information; ~ationsfluß circulation des informations; ~ationsmaterial documentation f; ~ationsspeicher mémoire f; ⌐ieren
informer, mettre au courant (über de); renseigner (über sur); avertir (über de); ⌐iert instruit,
informé (über de); renseigné (über sur)
infrarot infrarouge; ⌐strahlung radiation f
infrarouge
Infrastruktur infrastructure f, équipement m
économique et technique; mil installations
militaires, infrastructure militaire
Ingangsetzung mise f en train (od en marche);
amorçage; mise en service
Ingenieur ingénieur; ~bauten ouvrages mpl
d'art; ~büro bureau m d'études; ~wesen génie
civil
Ingredienz ingrédient m
Ingrimm rage intérieure, fureur secrète

Ingwer gingembre m
Inhaber possesseur, détenteur; (Geschäft) propriétaire; (Orden, Amt) titulaire; auf d. ~
lautender Wechsel billet m au porteur; ~aktie
action f au porteur
inhaftier|en emprisonner; ⌐ung arrestation f
Inhal|ation inhalation f; ~ator inhalateur m;
⌐ieren inhaler
Inhalt contenu m; substance f; (Raum-) capacité
f, contenance f; (Gespräch) sujet m; 🔢 teneur f;
⌐lich adv quant au contenu; ~sangabe
sommaire m; ⌐sleer, ⌐slos vide, creux, sans
valeur; ⌐sreich substantiel; fig profond; ~sver-
zeichnis table f des matières
Initiale initiale f; lettrine f
Initiative initiative f; aus eigener ~ de son
propre chef; d ~ ergreifen prendre l'initiative,
attacher le grelot
In|jektion injection f; ~jektionsspritze 🩺 serin-
gue f; ⌐jizieren injecter; ~jurie 📚 (Verbal-)
injure f, diffamation f; (Real-) outrage m par
voies de fait, violences fpl
Inkasso encaissement m, recouvrement m;
~geschäft opération f de recouvrement; ~spe-
sen frais mpl d'encaissement; ~wechsel effet m à
l'encaissement
inklusive y compris, inclusivement
inkonsequen|t inconséquent; contradictoire;
⌐z inconséquence f
Inkraft|setzung mise f en vigueur; ~treten
entrée f en vigueur
Inkubation(szeit) 🩺 incubation f
Inland intérieur m (du pays); territoire m
national; **Inländer** résident m, national m;
inländisch du pays; intérieur; indigène; national; ~flug vol m intérieur; ~absatz vente
intérieure; ~sbedarf besoins intérieurs; ~sbelie-
ferung livraison f à l'intérieur; ~serzeugung
production f indigène; ~smarkt marché intérieur (bzw national); ~spreis prix intérieur
In|lett enveloppe f d'édredon; ~liegend ci-
inclus, ci-joint; ⌐mitten au milieu (de)
inne|haben posséder; (Platz) occuper; (Rekord)
détenir; ~halten vi s'arrêter; ~werden s'apercevoir, se rendre compte (de qch); ~wohnen être
inhérent (à); ~wohnend inhérent (à); immanent
innen dedans; au-dedans, à l'intérieur; nach ~
en dedans; nach ~ zu vers le dedans; von ~ du
dedans; d. Tür ist von ~ abgeschlossen la porte
est fermée de l'intérieur; ⌐... (in Zssg:)
intérieur; ⌐architekt ensemblier, décorateur;
⌐architektur décoration f; ⌐ausstattung installation (od décoration) intérieure; ⌐beleuchtung
éclairage m intégré; ⌐dienst service m de
bureau; ⌐einrichtung ameublement m; ⌐hand
paume f de la main; ⌐hof cour intérieure;
⌐leben subjectivité f, vie f intérieure, psychisme
m; ⌐minister ministre de l'intérieur; ⌐ministe-
rium ministère m de l'intérieur; ⌐politik
politique intérieure; ~politisch de politique
intérieure; ~raum intérieur m; ⌐stadt centre m
ville; cité f; ⌐stürmer intérieur m; ⌐wand cloison
m, paroi f intérieure; ⌐welt réalité f subjective,
conscience f; subjectivité

inner intérieur; interne; *(Gefühl)* intime; *(wesentlich)* intrinsèque; ~**betrieblich** au sein de l'entreprise, ⌃**e** dedans *m*, intérieur *m*; *fig* cœur *m*, âme *f*; *im* ⌃**n** à l'intérieur; *in m-m* ⌃**n** dans mon for intérieur; ⌃**eien** boyaux *mpl*, entrailles *fpl*; *(Tier)* tripes *fpl*; ~**halb** *(örtl.)* au-dedans de, à l'intérieur de; *(zeitl.)* dans, en; ~**halb** *von Paris* dans P.; ~**halb** *dreier Monate* en l'espace de trois mois; ~**lich** intérieur; interne; *(Gefühl)* intime, mental; **§** pour usage interne; *adv* intérieurement; *fig* dans son for intérieur; ⌃**lichkeit** intimité *f*, profondeur *f*; ~**politisch** de politique nationale; ~**st** intime; ⌃**ste** tréfonds *m*; entrailles *fpl*

inn\|ig intime; tendre; (profondément) senti; cordial; *(z.B. Dank)* sincère, fervent; ⌃**igkeit** intimité *f*; cordialité *f*; tendresse *f*; ferveur *f*; ⌃**ung** corporation *f*, corps *m* de métier; ⌃**ungswesen** (système *m* des) corporations *fpl*, corps *mpl* de métiers

Inquisit\|ion inquisition *f;* ~**or** inquisiteur; ⌃**orisch** inquisiteur

Insasse occupant; habitant; 🚗 passager

ins\|besondere en particulier; notamment, spécialement; ~**geheim** en secret, secrètement, en cachette; ~**gemein** en général, généralement; d'ordinaire, ordinairement; communément; ~**gesamt** tous (ensemble); en tout, au total

Inschrift inscription *f;* *(Stein)* épigraphe *f;* *(Münze)* légende *f*, exergue *m;* ~**enkunde** épigraphie *f;* ⌃**lich** épigraphique

Insekt insecte *m;* ~**enfresser** insectivore *m;* ~**enkunde** entomologie *f;* ~**enpulver** (poudre *f)* insecticide *m;* ~**enstich** piqûre *f* d'insecte

Insel île *f; künstliche* ~ île flottante; *kleine* ~ îlot *m;* ~ *des Friedens* havre *m* de paix, refuge *m*, abri *m;* ~**bewohner** insulaire *m;* ~**lage** insularité *f;* ~**meer** archipel *m*

Inser\|at annonce *f;* ~**ent** annonceur; ⌃**ieren** passer une annonce (dans)

Insemination insémination *f* (artificielle)

insgesamt en tout, au total; globalement

Insignien emblèmes *mpl*, insignes *mpl*

inso\|fern, ~**weit** en cela; en tant (*als* que); pour autant (*als* que)

insolven\|t 🪦, *com* insolvable; ⌃**z** insolvabilité *f*

insonderheit particulièrement, spécialement, notamment

Insp\|ektion inspection *f;* ✿ révision *f*, visite *f*, vérification *f;* *mil* direction technique, inspection d'armement; ~**ektor** inspecteur; ~**izient** 🎭 régisseur; ⌃**izieren** inspecter; surveiller

Install\|ateur plombier; ⚡ électricien; ~**ation** installation *f;* ~**ationsgeschäft** plomberie *f;* ⌃**ieren** installer

instand\|halten entretenir, (main-)tenir en état; ⌃**haltung** entretien *m;* maintenance *f;* ⌃**haltungskosten** frais *mpl* d'entretien; ~**setzen** réparer; (re)mettre en état; *j-n* ~*setzen etw. zu tun* donner les moyens à qn pour faire qch; ⌃**setzung** réparation *f;* (re)mise *f* en état; ⌃**setzungsarbeiten** travaux *mpl* de réfection

inständig instant, pressant; ~ *bitten* prier instamment, adjurer, implorer

Instanz instance *f; in erster* ~ en première instance; *in letzter* ~ en dernier ressort; ~**weg** voie *f* hiérarchique; filière administrative; *(Gerichte)* voie *f* de recours; *d.* ~**enweg einhalten** suivre la voie hiérarchique

Instinkt instinct *m;* ⌃**iv** instinctif; *adv* par instinct, par réflexe

Institut institut *m;* *(Erziehung)* institution *f*, établissement *m* (scolaire); pensionnat *m*

instru\|ieren instruire, aviser, informer; ⌃**ktion** instruction *f;* *mil* consigne *f*

Instrument instrument *m;* appareil *m;* *e.* ~ *spielen* jouer d'un instrument; ~**albegleitung** accompagnement *m;* *(Gesang)* symphonie *f;* ~**alist** instrumentiste; ~**almusik** musique instrumentale; ~**enbrett** 🚗, ✈, 🚂 tableau *m* de bord; ~**enmacher** facteur d'instruments de musique; ~**ierung** instrumentation *f*, orchestration *f*

inszenier\|en mettre en scène; *fig* monter, arranger; ⌃**ung** mise *f* en scène

intakt intact, intégral

Integr\|alrechnung calcul intégral; ~**alzähler** compteur-totalisateur *m;* ~**ation** intégration *f;* ~**ationsglied** élément *m* intégrateur; ⌃**ieren** intégrer; ~**ierte Schaltung** circuit *m* intégré; ~**ierung** intégration; *(Foto)* superposition; *(Vereinigung)* unification *f*

Intell\|ekt intellect *m;* ⌃**ektuell**, ~**ektueller** intellectuel; ⌃**igent** intelligent; ~**igenz** intelligence *f;* *(Schicht)* les intellectuels

Intendant directeur de théâtre; *mil* intendant; ~**ur** *mil* intendance *f*

Intensi\|tät intensité *f;* ⌃**v** intense; ⌃**ve Bodenbewirtschaftung** culture intensive; ⌃**vieren** intensifier

interess\|ant intéressant; captivant, passionnant; *(Preis)* avantageux; ⌃**e** intérêt *m (für* envers, à l'égard de qn; pour qch); *(Anteilnahme)* bienveillance *f*, sollicitude *f;* *(Nutzen, Gewinn)* rapport *m*, revenu *m*, avantage *m; es liegt in Ihrem* ⌃**e**, *zu* il est de votre intérêt de; *gemeinsame* ~**en haben** être lié d'intérêt, avoir des intérêts communs; ⌃**engebiet** centre *m* d'intérêt; ⌃**engemeinschaft** communauté *f* d'intérêts; ⌃**ent** intéressé; ⌃**entengruppe** groupement *m* d'intéressés; ⌃**enverband** groupe *m* de pression; ⌃**ieren** intéresser; concerner, toucher, regarder; *s. für j-n (etw.)* ~**ieren** s'intéresser à qn (qch); *sich nicht mehr* ~**ieren für** se désintéresser de

interim\|istisch intérimaire, provisoire; par intérim; ⌃**skonto** compte *m* d'attente (*od* d'ordre); ⌃**slösung** solution *f* provisoire

Intermezzo intermède *m;* *fig* incident *m*

intern interne; ⌃**at** internat *m;* ⌃**atsschüler** interne; ~**ieren** interner; ⌃**ierung** internement *m;* ⌃**ierungslager** camp *m* d'internement; ⌃**ist** (médecin) spécialiste des maladies internes

inter\|national international; ~**pellieren** interpeller; ⌃**pret** interprète; ~**pretieren** interpréter; ~**punktieren** ponctuer; mettre la ponctuation; ⌃**punktion** ponctuation *f;* ⌃**punktionszeichen** signe *m* de ponctuation; ⌃**vention** intervention *f;* ⌁**view** interview *f; e.* ⌁*view gewähren* accorder une interview; ⌁**viewen** interviewer; ⌁**viewer** intervieweur *m,* reporter *m,* enquêteur *m*

Intimsphäre vie *f* privée

Inton|ation intonation *f;* ⌁**ieren** entonner

Intrig|ant intrigant; ~*e* intrigue *f;* cabale *f;* ⌁**ieren** intriguer, machiner

Invalid|e invalide, mutilé; ~**enrente** rente *f (od* pension *f)* d'invalidité; ~**enversicherung** assurance *f* contre l'invalidité; ~**ität** incapacité *f* de travail, invalidité

Invent|ar mobilier *m* et matériel *m; (Liste)* inventaire *m;* ⌁**arisieren** inventorier; ~**ur** inventaire *m;* ~**ur(aus)verkauf** vente *f* après inventaire; soldes *mpl*

invest|ieren placer; investir; ⌁**ierung,** ⌁**ition** placement *m;* investissement *m;* ⌁**itionsboom** boom *m* des investissements; ⌁**itionsförderung** encouragement *m* des investissements; ⌁**mentgesellschaft** société *f* de placement; ⌁**mentzertifikat** part *f* d'un fonds de placement; ⌁**or** investisseur *m*

in|wendig intérieur; *adv* au-dedans, en dedans; *e-e Angelegenheit* ~*- u. auswendig kennen* connaître une chose à fond *(od* sur toutes les coutures); ~**wiefern,** ~**wieweit** jusqu'à quel point, dans quelle mesure; ⌁**zahlungnahme** prise *f* en compte; ⌁**zucht** union consanguine; ~**zwischen** entre-temps; en attendant

Ionen|austauscher échangeur *m* d'ions; ~**beschleuniger** accélérateur *m* ionique

ird|en en terre; ~*enes Geschirr* poterie *f;* ~**isch** terrestre, d'ici-bas; *(weltlich)* temporel, séculier

Ir|e Irlandais *m;* ⌁**isch** irlandais; ⌁**land** l'Irlande *f*

irgend ~ *etwas* n'importe quoi; *ohne mir* ~ *etwas zu sagen* sans me dire quoi que ce soit; ~ *jemand* quelqu'un, n'importe qui; ~**ein** quelque; un... quelconque, n'importe quel; *(verneint)* aucun; ~**einer** quelqu'un, une personne quelconque; ~**einmal** une fois; un jour quelconque; ~**wann** n'importe quand, à n'importe quel moment; en quelque moment que ce soit; *wenn* ... ~*wann* si jamais; ~**welche** quelques; d'aucuns; ~**wie** n'importe comment; d'une manière quelconque; de quelque façon que ce soit; ~**wo(hin)** quelque part, n'importe où; ~**woher** de n'importe où

Iris iris *m;* ~**blende** ▣ diaphragme *m* iris; ⌁**ieren** iriser

Iron|ie ironie *f,* dérision *f,* sarcasme *m;* ⌁**isch** ironique; moqueur, railleur

irr(e) égaré, fourvoyé; ⚤ fou, aliéné, dément; *umg* dingue, cinglé, loufoque, maboul; ~*e sein* être dans le coma; ~*e werden* ne plus savoir que penser de; ⌁*e* 1. fou *m;* folle *f;* aliéné *m,* dément *m,* malade *m* mental; 2. égarement *m; in d.* ~*e gehen* s'égarer; ~**eführen** induire en erreur; fourvoyer, égarer; donner le change à; *umg* faire marcher, posséder, avoir; *pop!* foutre dedans; ⌁**eführung** tromperie *f,* duperie *f;* désorientation *f;* mystification *f;* ~**egehen** se fourvoyer, s'égarer, faire fausse route; ~**emachen** dérouter, déconcerter, désorienter; *s. nicht* ~*emachen lassen* ne pas se laisser décontenan-

---

cer; ne pas perdre le nord *(umg);* ~**en** errer; *(s. täuschen)* se tromper, être dans l'erreur; *wenn ich nicht irre* si je ne me trompe, si je ne m'abuse, si j'ai bonne mémoire; sauf erreur (de ma part); ⌁**enanstalt** hôpital *m* psychiatrique; *pej* asile *m* (d'aliénés); ⌁**enarzt** aliéniste; psychiatre; ⌁**er** fou, aliéné; ~**ereden** divaguer; ⚤ délirer; ⌁**fahrt** course vagabonde; odyssée *f;* ⌁**garten** labyrinthe *m;* dédale *m;* ⌁**glauben** hétérodoxie *f;* hérésie *f;* ~**gläubig** hétérodoxe; hérétique; ~**ig** erroné; inexact; controuvé; ⌁**läufer** ⟲ envoi fourvoyé; ⌁**lehre** doctrine erronée, hétérodoxie *f;* hérésie *f;* ⌁**licht** feu *m* follet; ⌁**sinn** démence *f,* folie *f;* aliénation *f* (mentale); ⌁**tum** erreur *f,* méprise *f,* malentendu *m;* confusion *f; (Versehen)* mégarde *f,* méprise *f; umg* bévue *f;* ⌁*tum vorbehalten* sauf erreur ou omission (s. e. ou o.); *da sind Sie im* ⌁*tum!* vous vous trompez!; ~**tümlich** erroné; *adv* par erreur; ⌁**ung** erreur *f;* ⌁**weg** mauvais chemin; *auf* ⌁*wege geraten* s'écarter du droit chemin

Ischias sciatique *f*

Is|land l'Islande *f;* ~**länder** Islandais; ⌁**ländisch** islandais

Isol|ation isolation *f; (Abdichtung)* isolement *m;* protection *f;* ~**ator** isolant *m,* isolateur *m,* matière isolante; ~**ierband** ruban isolant, chatterton *m;* ⌁**ieren** isoler; ~**ierung** ⚡ isolation *f; fig* isolement *m;* ~**iermaterial** = ~**ierstoff** *siehe Isolator;* ~**ierzelle** cellule *f;* prison *f* cellulaire

Ist|bestand effectif réel; stock *m;* ~**-kosten** coûts *mpl* réels; ⌁**wert** valeur momentanée; ~**-Zahlen** chiffres *mpl* réels; résultats *mpl* comptables

Isthmus isthme *m*

Italien l'Italie *f;* ~**er** Italien; ⌁**isch** italien

J

ja oui; *das* ⌁ le oui; ~ *doch* mais oui, certes; ~ *freilich* oui, sans doute; ~ *selbst,* ~ *sogar* voire; *o* ~*!* mais oui; *ich glaube* ~ je crois (bien) que oui; *da sind Sie* ~*!* vous voilà enfin!; *das ist* ~ *unmöglich!* mais c'est impossible!; ~**sagen** consentir (zu à); ⌁**sager** *pej* béni-oui-oui *m,* godillot *m* du pouvoir; ~**stimme** voix *f* pour; ~**wohl** parfaitement!; mais oui!; oui, certes!; ⌁**wort** (le) oui; consentement *m;* acquiescement *m; sein* ⌁*wort geben* accorder sa main (à)

Jacht yacht *m*

Jacke veste *f,* veston *m; (Damen-)* jaquette *f* ♦ *d. ist* ~ *wie Hose* c'est bonnet blanc et blanc bonnet; ~**nkleid** deux-pièces *m;* ~**tt** veston *m; (Damen-)* veste *f*

Jagd chasse *f; auf d.* ~ *gehen* aller à la chasse; ~ *machen* pourchasser *(auf j-n* qn); ~**aufseher** garde-chasse; ~**beute** chasse *f;* ~**bezirk** terrain *m* de chasse; ~**bomber** chasseur-bombardier *m;* ~**flinte** fusil *m* de chasse; ~**flugzeug** avion *m* de chasse, chasseur *m;* ~**frevel** délit *m* de chasse, braconnage *m;* ~**geschwader** escadre *f* de chasse; ~**gewehr** fusil *m* de chasse; ~**haus** pavillon *m* de chasse; ~**horn** cor *m* de chasse;

~**hund** chien *m* de chasse; ~**recht** droit *m* de chasse; ~**revier** chasse gardée; ~**schein** permis *m* de chasser; ~**staffel** escadrille *f* de chasse; ~**tasche** gibecière *f,* carnassière *f;* ~**trupp** *mil* commando *m;* ~**wesen** vénerie *f;* ~**zeit** saison *f* de la chasse

jagen chasser; *fig vt* pourchasser; *vi* aller à fond de train

Jäger *a. mil* chasseur; ✈ avion *m* de chasse; ~**latein** histoires *fpl* de chasseurs; ~**sprache** argot *m* des chasseurs

jäh soudain, subit; précipité; *(steil)* raide, escarpé; *adv* soudain(ement), précipitamment; ~**lings** subitement, soudainement; ⁴**zorn** irascibilité *f;* colère subite; ~**zornig** irascible, colérique, coléreux; emporté

Jahr an *m;* année *f;* im ~*e* 1960 en 1960; *(bei niedrigen Zahlen, z.B.:)* im ~*e* 60 l'an 60; *in* e-*m* ~ dans un an, d'ici un an; *e. halbes* ~ six mois; *er ist fünf* ~*e alt* il a cinq ans; *vor zehn* ~*en* il y a dix ans; *laufendes* ~ année *f* en cours *(od* courante); *von* ~ *zu* ~ d'année en année; *in d. besten* ~*en* dans la force de l'âge; *in mittleren* ~*en* entre deux âges; *in s-n* ~*en* à son âge; *seit* ~ *u. Tag* depuis longtemps; ⁴**aus,** ⁴**ein** bon an, mal an; ⁴**buch** almanach *m;* annuaire *m;* ⁴**elang** pendant des années; ~**esabschluß** *com* bilan *m* annuel; clôture *f* de l'exercice; ~**esbericht** compte rendu annuel; ~**esdurchschnitt** moyenne *f* annuelle; ~**eseinkommen** revenu annuel; ~**esrate** annuité *f;* ~**esring** 🌲 cerne *m;* ~**esseelenamt** obit *m;* ~**estag** anniversaire *m;* ~**eswechsel** nouvel an; ~**eszahl** millésime *m;* ~**eszeit** saison *f;* ⁴**eszeitlich** saisonnier; ~**gang** *(Zeitschrift)* année *f; (Wein)* millésime *m; mil* classe *f* d'âge; *päd* promotion *f;* ~**hundert** siècle *m;* ~**hundertwende** tournant *m* du siècle; ~**markt** foire *f,* kermesse *f;* ~**marktsbude** baraque foraine; ~**tausend** millénaire *m;* ~**zehnt** décennie *f*

jähr|en: *heute* ⁴*t es sich, daß*... il y a aujourd'hui un an que...; ~**lich** (de) tous les ans; *(erscheinend)* annuel; *(pro Jahr)* par an

Jakob: *billiger* ~ camelot, bonimenteur; ~**sleiter** ⚓ échelle *f* de corde

Jalousie persienne *f;* jalousie *f*

Jammer détresse *f,* désolation *f,* misère *f;* lamentation *f; es ist e.* ~*, daß* c'est pitié de voir que; ~**lappen** geignard, molasson; **jämmerlich** piteux, pitoyable, minable; *(Zustand)* lamentable; ⁴**n** *vi* se lamenter, se plaindre; gémir; *vt* faire *(od* inspirer de la) pitié (à qn); ⁴**schade** très dommage; *das ist* ⁴*schade!* c'est déplorable!; ~**tal** vallée *f* de larmes; ⁴**voll** *siehe* jämmerlich

Januar janvier *m*

Japan le Japon, le Nippon, ~**er** Japonais, Nippon; ~**isch** japonais, nippon; ~**papier** papier *m* du Japon

Jasmin jasmin *m*

Jaspis jaspe *m*

jäten sarcler, désherber

Jauche purin *m;* ~**grube** fosse *f* à purin

jauchzen pousser des cris de joie; jubiler

Jazzkapelle orchestre *m* de jazz

je 1. *(jemals)* jamais; *hat man* ~ *so etwas gesehen?* a-t-on jamais vu pareille chose?; **2.** *(pro)* chaque, chacun; à la fois; ~ *drei u. drei* trois par trois; ~ *e. Buch* à chacun un livre; **3.** ~ *nach* selon; ~ *nachdem, ob* selon que, *suivant que;* ~ *nachdem!* c'est selon!; **4.** *(Vergleich)* ~ *mehr, desto besser* plus il y en a, mieux cela vaut; ~ *eher,* ~ *lieber* le plus tôt sera le mieux; **5.** *interj: o* ~*!* mon Dieu!; ~ *nun!* eh bien!

jedenfalls en tout cas; quoi qu'il en soit; quoi qu'il arrive

jed|er, ⁴**e,** ⁴**es** chaque, tout; chacun, chacune; ~**er** *zweite, dritte...* un sur deux, trois...; ~**er,** *der* quiconque, toute personne qui; ~**en** *Augenblick* à tout moment; *auf* ~*en Fall* en tout cas; *ohne* ~*en Zweifel* sans aucun doute; ~**em** *d. Seine* à chacun son dû; ~*es Ding hat zwei Seiten* toute médaille a son revers; *d. sieht doch* ~*er* cela saute aux yeux; ~**erart** de toute sorte; n'importe quel (quelle); ~**erlei** de toute sorte; ~**ermann** chacun, tout le monde; n'importe qui; ~**erzeit** à toute heure, à tout moment; en tout temps; ~**esmal** chaque fois, toutes les fois *(wenn que);* ~**möglich** tout

jedoch cependant, toutefois, pourtant; au contraire

jegliche|r tout; ~**n** *Alters* de tout âge

Jein oui et non

Jelänger|jelieber *bot* chèvrefeuille *m*

je|mals jamais; un jour; ~**mand** quelqu'un; *e. gewisser* ⁴**mand** *(pej)* un quidam; ~**mand** *anderes* quelqu'un d'autre; *ohne* ~**manden** *zu beleidigen* sans vouloir vexer personne

jen|er, ~**e,** ~**es** ce(t), cette; ceux, celles; ce *(usw.)*... la; *(alleinstehend)* celui-là, celle(s)-là, ceux-là; cela, cette chose-là; *dieser u.* ~*er* celui-ci et celui-là; *bald dieser, bald* ~*er* tantôt l'un, tantôt l'autre; ~**seitig** (qui est) au-delà, de l'autre côté, du côté opposé; *am* ~*seitigen Ufer* sur l'autre rive; ~**seits** de l'autre côté *(von de);* au-delà *(von de); (in Zssg)* trans..., ultra...; *das* ⁴**seits** l'au-delà *m,* l'autre monde *m; ins* ⁴*seits befördern* expédier dans l'autre monde

Jesuit jésuite *m; pej* hypocrite; ~**enorden** compagnie *f* de Jésus

jetz|ig actuel, d'à présent; de nos jours; ~**t** maintenant, actuellement, à présent, présentement; *bis* ~*t* jusqu'ici, jusqu'à présent; *von* ~*t an* dorénavant, désormais; ⁴**tzeit** le (temps) présent; temps actuel

jeweil|ig respectif; ~**s** respectivement

Job *m* travail *m* rémunéré, job *m;* ⁴**ben** exercer une activité rémunérée

Joch *a. fig* joug *m; (Berg)* col *m;* 🏛 travée *f; (Brücke)* arche *f;* ~**bein** *anat* os *m* de la pommette

Jod iode *m;* ⁴**haltig** iodé; ~**oform** iodoforme *m;* ~**tinktur** teinture *f* d'iode

jodeln iouler, jodler

Joghurt yogourt *m,* yaourt *m*

Johannis|beere groseille *f; (schwarze)* cassis *m;* ~**beerlikör** cassis *m;* ~**beerstrauch** groseillier *m;* ~**brot** caroube *f;* ~**würmchen** ver luisant

johlen criailler, crier à tue-tête
Joll|e ⚓ yole *f*
Jongl|eur jongleur; **⌁ieren** jongler
Joppe vareuse *f*, veste *f*
Journal com (livre) journal *m*
Jubel allégresse *f*; jubilation *f*; **~rufe** cris *mpl* d'allégresse; **⌁n** pousser des cris de joie (*od* d'allégresse), s'exalter; triompher
Jubil|ar jubilaire; **~äum** jubilé *m*; anniversaire *m*; **⌁ieren** jubiler, exulter
Juchten(leder) cuir *m* de Russie
juck|en démanger; *umg* gratter; *refl* se gratter ♦ *ihn ~t das Fell* il cherche la bagarre; **⌁en** su démangeaisons *fpl*; **⌁pulver** poil *m* à gratter; **⌁reiz** démangeaison *f*; 𝕊 prurit *m*
Jude Juif, Israélite; *ewiger ~* Juif errant; **~nheit** judaïté *f*; **~ntum** judéité *f*; judaïsme *m*; **~nverfolgung** persécution *f* des juifs, holocauste *m*; **jüdisch** juif, hébreux
Jugend jeunesse *f*, adolescence *f*; (*Kindheit*) enfance *f*; *von ~ auf* dès sa (ma) jeunesse; *in früher ~* à l'âge tendre ♦ *~ hat k-e Tugend* jeunesse n'a point de sagesse; **~alter** adolescence *f*, jeune âge *m*; **~arbeitslosigkeit** chômage *m* des jeunes; **~buch** livre *m* pour la jeunesse; **~erinnerung** souvenir *m* de jeunesse; **~freund** ami *m* d'enfance; **~fürsorge** assistance *f* à la jeunesse; **~gericht** tribunal *m* pour enfants; **~herberge** auberge *f* de jeunesse; **~jahre** jeune âge *m*, années *fpl* de jeunesse; **⌁lich** adolescent, juvénile, jeune; **~liche** *pl* jeunes *mpl*; mineurs *mpl*; adolescents; **~lichkeit** juvénilité *f*, jeunesse *f*; **~liebe** premières amours; **~schutz** protection *f* de la jeunesse; **~streich** fredaine *f*; **~zeit** jeunesse *f*
Jugoslaw|e Yougoslave; **~ien** la Yougoslavie; **⌁isch** yougoslave
Juli juillet *m*
jung jeune; (*Gemüse*) frais, vert; *~ u. alt* grands et petits; *mein jüngerer Bruder* mon frère cadet; (*wieder*) *~ werden* rajeunir; **⌁brunnen** fontaine *f* de Jouvence; **⌁e** garçon, garçonnet; *alter ⌁e!* (*pop*) mon pote!; *dummer ⌁e* nigaud; *grüner ⌁e* blanc-bec; *kleiner ⌁e* gamin, bambin; *schwerer ⌁e* dur; **~enhaft** juvénile; (*Knabe*) gamin; (*kindlich*) puéril; **~es** zool petit *m*; **⌁e werfen** mettre bas; **⌁fer** iron pucelle; *alte ⌁fer* vieille fille; **⌁fernfahrt** premier voyage; **⌁fernschaft** virginité *f*; **⌁frau** vierge; *d. heilige ⌁frau* la (Sainte) Vierge; **~fräulich** virginal; *a. fig* vierge; **⌁geselle** célibataire; (*älter*) vieux garçon; **⌁gesellenleben** vie *f* de garçon; **~gesellenwohnung** garçonnière *f*
Jüng|er disciple; adepte; **~ling** adolescent; *lit* éphèbe, jouvenceau; **⌁st** dernièrement, tout récemment; **⌁ste** la (le) plus jeune...; (*Bruder*) cadet; *in d. ⌁sten Zeit* ces derniers temps; *d. ⌁ste Gericht* le Jugement dernier
Juni juin *m*; **~käfer** hanneton *m* de la Saint-Jean
Junior: *Herr Dupont ~* Monsieur Dupont fils
Jur|a¹ droit *m*; *~a studieren* faire son droit; **~ist** juriste, homme de loi; jurisconsulte; **⌁istisch** juridique; **⌁istische Person** personne morale

Jura² *geog* Jura *m*
Jury jury *m*
just justement, précisément
Justierung ⚙ ajustage *m*, réglage *m*, mise *f* au point; 📖 justification *f*
Justitiar conseiller *m* juridique
Justiz justice *f*; (*Gerechtigkeit*) équité *f*; (*Rechtspflege*) organisation *f* judiciaire, pouvoir *m* juridictionnel; **~beamter** magistrat; **~irrtum** erreur *f* judiciaire; **~ministerium** ministère *m* de la Justice; **~mord** exécution par suite d'une erreur judiciaire
Jute jute *m*
Juwel joyau *m*; bijou *m*; *pl* joaillerie *f*; pierres précieuses; **~ier** bijoutier, joaillier; **~iergeschäft** bijouterie *f*; **~ierkunst** joaillerie *f*
Jux blague *f*, farce *f*, plaisanterie *f*; *~ machen* se livrer à des facéties

K

Kabarett cabaret *m*, boîte *f* de nuit
kabbeln *refl* se chamailler
Kabel câble *m*, télégramme *m*; **~depesche**, **~telegramm** câblogramme *m*; **⌁n** câbler; télégraphier
Kabeljau morue fraîche, cabillaud *m*
Kabine cabine *f*; **~nkoffer** malle-cabine *f*; **~tt** a. *pol* cabinet *m*; **~ttskrise** crise ministérielle
Kabotage cabotage *m*, navigation *f* marchande côtière
Kabriolett 🚗 cabriolet *m*
Kachel carreau *m*; **~ofen** poêle *m* de faïence
Kadaver cadavre *m*; charogne *f*
Kadenz cadence *f*
Kader cadre *m* supérieur
Käfer coléoptère *m*, scarabée *m*, escarbot *m*
Kaff trou *m*, patelin *m*; bled *m* (*pop*)
Kaffee café *m*; *schwarzer ~* café nature; *~ mit Milch* café au lait ♦ *d. ist kalter ~* cela n'a ni queue ni tête; **~bohne** grain *m* de café; **~ersatz** succédané *m* de café; **~fahrt** voyage *m* publicitaire; **~geschirr** service *m* à café; **~kanne** cafetière *f*; **~kränzchen** thé *m* à papotages; **~löffel** cuiller *f* à café; **~maschine** cafetière *f*; (*große*) percolateur *m*; **~mühle** moulin *m* à café; **~mütze** cosy *m*; **~pflanzung** caféière *f*, plantation *f* de café; **~satz** marc *m* de café; **~strauch** caféier *m*; **~tasse** tasse *f* à café
Käfig cage *f*
kahl chauve; (*Gegend*) nu, pelé; pauvre, triste; (*Baum*) dégarni; **~geschoren** tondu ras; **⌁heit** calvitie *f*; *fig* aridité *f*, nudité *f*; **⌁köpfig** chauve
Kahn canot *m*, barque *f*; (*Last-*) chaland *m*, péniche *f*; *~ fahren* canoter, faire du canotage; **~fahrt** promenade *f* en bateau
Kai quai *m*; *frei ~* livré à quai
Kairo Le Caire
Kaiser empereur; **~in** impératrice; **~krone** couronne impériale; **⌁lich** impérial; **~reich** empire *m*; **~schnitt** 𝕊 (opération *f*) césarienne *f*
Kajüte cabine *f*
Kakadu cacatoès *m*, cacatois *m*
Kakao cacao *m* ♦ *j-n durch d. ~ ziehen* faire des

gorges chaudes de qch; **~baum** cacaoyer *m*, cacaotier *m;* **~bohne** amande *f* de cacao; **~pulver** cacao *m* en poudre

Kakerlak blatte *f*, cafard *m*, cancrelat *m*

Kaktus cactus *m*, plante *f* grasse

Kalauer calembour *m*

Kalb veau *m;* **~en** vêler; **~ern** faire le (petit) fou; **~fleisch** veau *m;* **~sbraten** rôti *m* de veau; **~sbries** ris *m* de veau

Kaldaunen tripes *fpl;* boyaux *mpl*

Kalender calendrier *m;* agenda *m*, almanach *m;* **~jahr** année civile

Kali potasse *f;* **~dünger** engrais *m* potassique; **~um** potassium *m*

Kaliber calibre *m; fig* acabit *m*

Kalk chaux *f;* **~düngung** chaulage *m;* **~farbe** badigeon *m;* **~haltig** calcaire; **~ofen** chaufour *m*, four *m* à chaux; **~stein** (pierre *f*) calcaire *m*

Kalku|lation calcul(s) *m(pl);* **~lationsfehler** erreur *f* de calcul; **~lieren** calculer

Kalorie calorie *f*

kalt froid; *fig* impassible, indifférent; *mir ist ~* j'ai froid; *es ist ~* il fait froid; **~blüter** animal *m* à sang froid; **~blütig** *zool* à sang froid; *fig* impassible; de sang-froid; **~blütigkeit** sang-froid *m;* impassibilité *f;* **~herzig** insensible; **~schnäuzig** insolent, rouge; **~start** départ *m* à froid; **~stellen** limoger, disgracier; **~verformung** formage *m* à froid

Kälte froid *m;* froidure *f; fig* froideur *f;* **~anlage** installation *f* frigorifique; **~biologie** cryobiologie *f;* **~dämmung** isolation *f* frigorifique; **~erzeugend** cryogénique; **~mischung** mélange réfrigérant; **~schauer** frisson *m*

Kamel chameau *m;* **~haar** poil *m* de chameau; **~stute** chamelle; **~treiber** chamelier

Kamera caméra *f;* appareil *m* photographique; **~mann** opérateur (de cinéma)

Kamerad camarade; copain *(umg);* **~in** camarade *f;* **~schaft** camaraderie *f;* **~schaftlich** en (*bzw* de) camarade

Kamille camomille *f*

Kamin cheminée *f;* **~aufsatz, ~sims** manteau *m*, mitre *f* (de cheminée); **~besen** hérisson *m;* **~feger, ~kehrer** ramoneur; **~schirm** écran *m*

Kamm peigne *m; (Hahn, Welle, Gebirge)* crête *f* ♦ *alles über e-n ~ scheren* mettre tout dans le même sac; *ihm schwillt d. ~* la moutarde lui monte au nez; **kämmen** peigner; *(Wolle)* carder; **~garn** laine peignée *(od* cardée)

Kammer chambre *f; pol* Chambre *f;* **~diener** valet de chambre; **~frau** femme de chambre, camériste; **~herr** chambellan; **~musik** musique *f* de chambre; **~ton** la *m* normal; **~zofe** *bes* ♥ soubrette

Kampf combat *m;* bataille *f;* lutte *f;* conflit *m; im ~ mit* aux prises avec; **~ansage** déclaration *f* de guerre, défi *m;* **~anzug** battle-dress; **~art** mode *m* de combat; **~bahn** ⚡ piste *f*, stade *m;* arène *f;* **~einheit** *mil* unité *f* combattante; **~flieger** pilote de combat; **~gebiet** zone *f* de combat; **~geist** esprit *m* de combativité; **~geschwader** escadrille *f* de combat; **~handlung** opération *f*, action; **~lust** ardeur belliqueuse; combativité *f;* **~lustig**

combatif; agressif; **~platz** champ *m* de bataille; *fig* arène *f;* **~richter** arbitre; **~stoff** agent *m* offensif, toxique de guerre, gaz de combat; **~truppe** troupe *f* combattante; **~unfähig** hors de combat

kämpf|en combattre; lutter; militer; **~er** lutteur; *mil* combattant; *fig* militant, protagoniste; **~erisch** combatif, batailleur

Kampfer camphre *m*

kampieren camper

Kanad|a le Canada; **~ier** Canadien; **~isch** canadien

Kanal canal *m; (Abfluß)* égout *m*, caniveau *m; (Rinne)* conduit *m; geog* la Manche; **~arbeiter** égoutier; **~deckel** couvercle *m* de caniveau; **~isation** canalisation *f;* drainage *m;* tout-à-l'égout *m;* **~isieren** canaliser; drainer; **~rohr** conduit *m (od* tuyau *m)* de drainage; **~schacht** bouche *f* d'égout

Kanarienvogel canari *m*

Kandare mors *m* (de bride) ♦ *j-n an d. ~ nehmen* serrer la bride à qn

Kandelaber candélabre *m*

Kandid|at candidat; aspirant; **~atur** candidature *f;* **~ieren** se porter candidat; poser sa candidature

kand|ieren confire; candir; **~iszucker** sucre *m* candi

Känguruh kangourou *m*

Kaninchen lapin *m;* **~stall** clapier *m*

Kanister bidon *m*, jerrycan *m;* bidon *m*

Kanne broc *m*, pot *m*, pichet *m; (große)* bidon *m*

Kanon canon *m*

Kanon|e canon *m; fig umg* as *m* ♦ *unter aller ~* au-dessous de tout; **~enboot** cannonière *f;* **~endonner** cannonade *f;* bruit *m (od* grondement *m)* du canon; **~enfutter** chair *f* à canon; **~enrohr** bouche *f* à feu; **~ier** canonnier, artilleur

Kant|e bord *m;* arête *f; (Möbel)* angle *m; (Tuch)* lisière *f* ♦ *etw. auf d. hohe ~e legen* mettre qch de côté; **~en** équarrir; *(Stein)* tailler; **~en** *m (Brot)* grignon *m;* **~ig** à arêtes vives; *(Gesicht)* anguleux

Kantine cantine *f;* **~nwirt** cantinier

Kanton canton *m*

Kantor chantre *m*

Kanu canoë *m*, canot *m;* pirogue *f;* canadienne *f;* **~fahrer** canoéiste, canotier; **~sport** canotage *m*

Kanz|el chaire *f;* ✈ habitacle *m*, cockpit *m;* **~elredner** prédicateur; **~lei** 🕮 étude *f* (de notaire); bureau *m;* **~leidiener** huissier *m;* **~leigebühr** droit *m* de greffe; **~leipapier** papier *m* ministre; **~ler** chancelier; **~leramt** chancellerie *f*

Kap cap *m;* promontoire *m*

Kapaun chapon *m*

Kapazität capacité *f; fig* autorité *f*

Kapell|e chapelle *f;* ♪ orchestre *m; mil* musique *f;* **~meister** chef d'orchestre; *mil* chef de musique

Kaper¹ *f* câpre *f*

Kaper² *m* corsaire; **~n** capturer; *fig* accaparer

kapieren *pop* piger
Kapital capital *m;* fonds *m; totes* ~ capital improductif; ~ *u. Zins* principal et intérêts; ~ *anlegen* placer *(od* investir) des capitaux; ~ *flüssig machen* réaliser des fonds; ~ *schlagen aus etw.* capitaliser qch; *fig* tirer profit de; **~anlage** investissement *m,* placement *m;* **~bedarf** besoins *mpl* en capitaux; **~einlage** mise *f* de fonds; **~flucht** évasion *f* des capitaux; **~geber** bailleur *m* de fonds; **~gesellschaft** société *f* de capitaux; **~güter** biens *mpl* d'investissement; **~hilfe** aide *f* en capital; **⊥intensiv** à fort coefficient de capital; **~ismus** capitalisme *m;* **~ist** capitaliste; **⊥kräftig** bien pourvu de fonds; **~markt** marché *m* des capitaux; **~schwund** érosion *f* des capitaux; **~verbrechen** crime capital; **~verkehr** mouvement *m* de capitaux
Kapitän capitaine; *(Handelsmarine)* commandant; **~leutnant** lieutenant de vaisseau
Kapit|el chapitre *m ♦ d. ist e. ~el für sich* c'est une affaire à part; **~ell** 🏛 chapiteau *m;* **~ulation** capitulation *f;* **⊥ulieren** capituler
Kaplan vicaire; chapelain
Kappe bonnet *m; (mit Schirm)* casquette *f; (Damenhut)* toque *f; (Mönchs-)* calotte *f; (Kapuze)* capuchon *m ♦ etw. auf s-e ~ nehmen* prendre qch sous son bonnet; **⊥n** *(Mast)* couper; *(Baum)* étêter; *vet* châtrer
Käppi képi *m*
Kapri|ole cabriole *f;* **⊥ziös** capricieux, fantasque, instable, inconstant
Kapsel capsule *f;* boîte *f; (Arznei)* cachet *m,* ⛨ caisson *m*
kaputt cassé, abîmé, démoli; *umg a. fig* fichu; **~lachen** *refl* se marrer, crever de rire *(pop);* **~machen** casser, détruire, détériorer, abîmer; *refl* s'éreinter
Kapuz|e capuchon *m;* **~iner** capucin; **~inerkresse** capucine *f*
Karabiner carabine *f;* **~haken** (porte-) mousqueton *m*
Karaffe carafe *f*
Karamel caramel *m*
karambolieren *umg* entrer en collision (avec); tamponner (qch)
Karat carat *m*
Karawan|e caravane *f;* **~enführer** caravanier; **~serei** caravansérail *m*
Karbid carbure *m* (de calcium); **~lampe** lampe *f* à acétylène
Karb|ol(säure) phénol *m,* acide *m* phénique; **~onat** carbonate *m*
Karbunkel ⚕ charbon *m,* furoncle *m,* anthrax *m*
Kardan|gelenk ✿ joint *m* universel (de cardan)
Kardinal cardinal; **~tugend** vertu cardinale; **~zahl** nombre cardinal
Kar|freitag Vendredi saint; **~woche** Semaine sainte
Karfunkel escarboucle *f*
karg maigre; *(Mahlzeit)* frugal; **~en** lésiner; être mesquin (de)
kärglich pauvre, maigre
kariert *(Papier)* quadrillé; *(Stoff)* à carreaux

Karik|atur caricature *f;* charge *f;* **⊥ieren** caricaturer
Karmeliter carme; **~in** carmélite
Karmesin cramoisi *m;* **~(rot)** carmin *m*
Karneval carnaval *m*
Karnickel lapin *m*
Karo *(a. Spielkarte)* carreau *m*
Karosse carrosse *m;* **~rie** carrosserie *f*
Karotte carotte *f*
Karpfen carpe *f*
Karre|(n) charrette *f; (Gepäck-)* chariot *m; (Sack-)* diable *m ♦ d. ~ aus d. Dreck ziehen* sortir la carriole de l'ornière; **⊥n** brouetter, charrier
Karriere carrière *f;* ~ *machen* faire son chemin
Karst ⚒ houe *f,* pioche *f*
Karte *(a. geog u. Spiel)* carte *f;* fiche *f; vorgelochte* ~ carte perforée; *nach d.* ~ *essen* manger à la carte; *~n spielen* jouer aux cartes; *~n legen* tirer les cartes; *~n mischen* battre *(od* mélanger) les cartes; *s-e ~n aufdecken* montrer son jeu, jouer cartes sur table *♦ s. nicht in d. ~n sehen lassen* cacher son jeu; *seine ~n offen auf den Tisch legen* jouer cartes sur table; *alle ~n in der Hand haben* avoir tous les atouts dans son jeu; *alles auf e-e ~ setzen* jouer sa dernière carte, jouer à quitte ou double, mettre tous ses œufs dans le même panier; **~nhaus** château *m* de cartes; **~nkunde** cartographie; **~nkunststück** tour *m* de cartes; **~nlegerin** tireuse de cartes, cartomancienne; **~nlegerkunst** cartomancie *f;* **~nschalter** guichet *m* des billets; **~nreiter** cavalier *m* (pour fiches); **~nskizze** croquis *m;* **~nspiel** jeu *m* de cartes; **~nzeichner** cartographe
Kartei fichier *m;* classeur *m;* **~karte** fiche *f*
Kartell entente *f;* cartel *m;* **~amt,** **~behörde** office *m* de surveillance des ententes; **~bildung** cartellisation *f;* **~verbot** interdiction *f* des ententes (illicites)
Kartoffel pomme *f* de terre; patate *f (umg);* **~brei** purée *f* de pommes de terre; **~käfer** doryphore *m;* **~krautfäule** mildiou *m* des pommes de terre; **~puffer** crêpe *f* de pommes de terre; **~quetsche** presse-purée *m;* **~salat** salade *f* de pommes de terre
Karton carton *m;* boîte *f ♦ nicht alle im* ~ *haben umg* être un peu cinglé; **⊥ieren** cartonner
Kartothek fichier *m;* casier *m*
Karussell manège *m* (de chevaux de bois)
Karzer cachot *m*
Kaschemme caboulot *m,* cabaret *m* mal famé
Kaschmir *(Stoff)* cachemire *m*
Käse fromage *m;* **~blatt** feuille *f* de chou; **~glocke** cloche *f* à fromage; **~laib** meule *f;* **~made** ciron *m,* asticot *m;* **~rei** fromagerie *f*
Kasern|e caserne *f;* **~enhof** cour *f* de caserne; **⊥ieren** (en)caserner
Kasino casino *m; mil* mess *m*
Kaskoversicherung *(Voll~)* assurance (automobile) *f* tous risques
Kasperle guignol *m;* polichinelle *m;* **~theater** guignol *m*
Kassa caisse *f; gegen* ~ au comptant; **~geschäft** opération au comptant

Kasse caisse *f;* ⚑ bureau *m* de location, guichet *m; gegen* ~ au comptant; *bei* ~ *sein* être en fonds; *nicht bei* ~ *sein* être à court d'argent; *gemeinsame* ~ *machen* faire bourse commune; *mit d.* ~ *durchbrennen* lever le pied; **~nab-schluß** arrêté *m* de caisse; **~narzt** médecin conventionné; **~nbeleg** document *m* comptable; **~nbestand** encaisse *f;* **~nbuch** livre *m* de caisse; **~nstunden** heures *fpl* d'ouverture (des guichets); **~nsturz** état *m* de caisse; **~nzettel** bon *m* (de caisse)

Kassette cassette *f;* 📷 châssis *m;* chargeur *m;* 🏛 caisson *m*

kassier|en encaisser, toucher, percevoir; empocher; *umg* palper; ⚖ casser, invalider; **²er** caissier; **²erin** caissière

Kastanie marron *m;* châtaigne *f* ♦ *d.* ~*n aus d. Feuer holen* tirer les marrons du feu; **~nbaum** marronnier *m;* châtaignier *m;* **~nbraun** marron *(inv); (Haare)* châtain

Kästchen coffret *m*

Kaste caste *f*

kastei|en mortifier, macérer; *refl* se mortifier; **²ung** mortification *f*

Kastell château fort

Kasten coffre *m,* caisse *f;* boîte *f;* **~bauweise** structure *f* caisson; **~kamera** chambre *f* noire; **~wagen** 🚐 fourgon *m* automobile, fourgonnette *f*

Kastr|at castrat, eunuque; **²ieren** châtrer, castrer

Kata|falk catafalque *m;* décoration *f* funèbre; **~kombe** catacombe *f,* ossuaire *m;* **~log** catalogue *m;* **~logpreis** prix-catalogue *m;* **²logisieren** cataloguer; **~lysator** catalyseur *m;* **~lyse** catalyse *f;* **~pult** catapulte *f,* rampe *f* de lancement; **~rakt** *geol* u. ⚕ cataracte *f*

Katarrh rhume *m;* catarrhe *m;* bronchite *f*

Kataster cadastre *m*

katastroph|al catastrophique; **²e** catastrophe *f;* cataclysme *m*

Katechismus catéchisme *m*

Kategor|ie catégorie *f;* classe *f;* **²isch** catégorique; *(Ton)* péremptoire

Kater chat (mâle), matou ♦ *e-n* ~ *haben* avoir mal aux cheveux

Kathe|der chaire *f;* **~drale** cathédrale *f;* **~te** *math* côté *m* de l'angle droit

Kathode cathode *f*

Kathol|ik catholique; **²isch** catholique; **~izismus** catholicisme *m*

Kattun catonnade *f;* calicot *m; (bedruckter)* indienne *f*

katz|balgen *refl* se chamailler, se quereller; *umg* se crêper le chignon; **~buckeln** ramper devant, flatter bassement qn; **Kätzchen** *a. bot* chaton *m;* **²e** chat *m;* chatte *f* ♦ *d.* **²e** *aus dem Sack kaufen* acheter chat en poche; *d.* **²e** *aus dem Sack lassen* montrer le bout de l'oreille; *für d.* **²** *arbeiten* travailler pour des prunes; *um etw. herumgehen wie die* **²** *um den heißen Brei* tourner autour du pot; *d.* **²e** *läßt d. Mausen nicht* chassez le naturel, il revient au galop; **~enartig** félin; **²enauge** 🐱 catadioptre *m,*

cataphote *m;* **²enjammer** mal *m* aux cheveux; cafard *m;* **²enmusik** charivari *m;* **²ensprung:** *es ist nur e.* **²ensprung** c'est à deux pas d'ici; **²enwäsche:** **²enwäsche** *machen* se laver le bout du nez

Kauderwelsch charabia *m;* baragouin(age) *m*

kauen mâcher; mastiquer; *(langsam)* mâchonner; *(Tabak)* chiquer; *an d. Nägeln* ~ se ronger les ongles; **²** *su* mastication *f*

kauern *refl* s'accroupir, se blottir

Kauf achat *m,* acquisition *f;* ~ *auf Raten* achat *m* à tempérament; ~ *nach Probe* achat sur échantillon; ~ *zur Probe* vente à l'essai; *e-n* ~ *abschließen* faire (*od* arrêter, conclure) un marché; *in* ~ *nehmen* s'accommoder (*etw.* de qch); **²en** acheter, acquérir; **Käufer** acheteur; acquéreur, preneur; *(Kunde)* client; **~haus** grand magasin; bazar *m;* **~kraft** pouvoir *m* d'achat; **²kräftig** riche; solvable; **käuflich** à vendre; *fig* vénal; *adv* par voie d'achat; **Käuflichkeit** vénalité *f;* **~mann** commerçant; *umg oft leicht pej* marchand; *(Großhändler)* négociant; **²männisch** commercial; **~preis** prix *m* d'achat; **~vertrag** contrat *m* de vente

Kaulquappe têtard *m*

kaum guère; à peine

Kaution caution *f,* cautionnement *m*

Kautschuk caoutchouc *m*

Kauz chat-huant *m,* hulotte *f; seltsamer* ~ drôle *m* de pistolet

Kavalier homme du monde, galant homme; **~sdelikt** peccadille *f;* **~lerie** cavalerie *f*

keck hardi; *(Verhalten)* osé, effronté; **²heit** hardiesse *f,* audace *f;* effronterie *f*

Kegel *a. math* cône *m; (Spiel)* quille *f;* ~ *schieben* jouer aux quilles; **~bahn** jeu *m* de quilles; **²förmig** conique; **~kugel** boule *f* de jeu de quilles; **²n** jouer aux quilles; **~radgetriebe** ⚙ engrenage *m* conique; **~schnitt** section *f* conique; **~stumpf** tronc *m* de cône

Kehl|e gorge *f,* gosier *m;* 🏛 cannelure *f; aus voller* ~*e* à gorge déployée; *etw. schnürt j-m die* ~ *zu* avoir la gorge serrée par…; *es geht j-m an die* ~ qn est en grand danger; *j-m das Messer an die* ~ *setzen* tenir le couteau sur la gorge à qn; *etw. in die falsche* ~ *bekommen* avaler qch de travers; *fig* mal reprendre; **~kopf** larynx *m;* **~kopfentzündung** laryngite *f;* **~laut** son guttural

Kehr|aus dernière danse; **~besen** balai *m;* **~e** ⚑ virage *m,* tournant *m;* **²en** balayer, nettoyer; *(Schornstein)* ramoner; *(wenden)* tourner; *s. nicht daran* **²en** ne pas y faire attention; *d. Unterste zu oberst* **²en** mettre sens dessus dessous; *in s. gekehrt* plongé dans ses réflexions, pensif; **~icht** ordures *fpl,* balayures *fpl;* **~ichteimer** poubelle *f;* **~reim** refrain *m;* **~seite** *(Stoff* u. *fig)* revers *m; (Münze, fig)* revers *m;* **²tmachen** faire demi-tour; revenir sur ses pas; **~twendung** demi-tour *m; bes fig* volte-face *f*

keifen criailler, clabauder

Keil coin *m;* cale *f;* ⚙ clavette *f;* **~en** caler; *refl* se battre; **~er** sanglier *m;* **~erei** rixe *f,* bagarre *f;* **²förmig** cunéiforme, en forme de coin; **~hose** (pantalon) fuseau *m;* **~kissen** *(etwa:)* traversin m; ~**riemen** courroie f trapézoïdale; ~**schrift** écriture f cunéiforme

Keim germe m; im ~ ersticken tuer dans l'œuf; ~**blatt** cotylédon m; ⌐**en** a. fig germer; ⌐**frei** stérilisé; stérile, aseptique; ⌐**tötend** germicide, antiseptique; ~**zelle** zygote m; fig source f, foyer m

kein (ne…) pas de, (ne…) point de; nul; aucun; pas un, personne; (Antwort auf Fragebogen) néant; ~er von beiden ni l'un ni l'autre; auf ~en Fall en aucun cas; in ~er Weise d'aucune façon; ~**erlei** d'aucune sorte (od espèce); ~**erseits** d'aucune part; ~**esfalls**, -**wegs** nullement, aucunement; point du tout; ~**mal**: einmal ist ~mal une fois n'est pas coutume

Keks biscuit m; gâteau sec

Kelch a. bot calice m; coupe f; ~**blatt** bot sépale m; ⌐**förmig** en forme de coupe

Kelle louche f; (Maurer-) truelle f

Keller cave f; (kleiner) caveau m; ~**assel** cloporte m; ~**ei** (Wein) cellier m; ~**fenster** soupirail m; ~**geschoß** sous-sol m, souterrain m; ~**meister** sommelier, maître de chai; ~**wechsel** traite f en l'air

Kellner garçon (de café); ~**in** serveuse

Kelter pressoir m; ⌐**n** pressurer

kenn|en connaître; savoir ◆ ich ~e ~e m-e Pappenheimer je connais mon monde; ⌐**blatt** fiche f de renseignements; ⌐**daten** caractéristiques fpl; ~**enlernen** faire la connaissance (de qn); connaître (qn; qch); ⌐**er** connaisseur; expert; ⌐**karte** carte f d'identité; ⌐**tnis** connaissance f; in ⌐tnis setzen informer (j-n von etw. qn de qch); communiquer (qch à qn); etw. zur ⌐tnis nehmen prendre acte de qch; ⌐**ung** identification f; caractéristiques; ⌐**wort** mot m de passe; ⌐**zeichen** marque distinctive, caractéristique f; (amtliches) ~ numéro m (ou plaque f) d'immatriculation; ~**zeichnen** marquer; caractériser; baliser; (Weg) flécher; ~**zeichnend** caractéristique; ⌐**zeichnung** marquage m; identification f; signalisation; (Weg) fléchage m; ⌐**ziffer** numéro indicatif, indice m; (Logarithmus) caractéristique f

kentern chavirer; (u. sinken) sombrer

Keramik céramique f

Kerb|e entaille f; (en)coche f; cran m; ~**el** cerfeuil m; ~**en** cocher; (Münze) créneler; ~**holz** taille f ◆ etw. auf d. ~holz haben avoir qch sur la conscience; ~**tier** insecte m

Kerker cachot m, geôle f; ~**meister** geôlier

Kerl gars, gaillard, type; pej individu; armer ~ pauvre diable; elender ~ misérable; erbärmlicher ~ triste sire; feiner ~ chic type; guter ~ bon bougre, bon diable

Kern (Apfel usw.) pépin m; (Steinobst, Atom, Zelle) noyau m; (Melone) graine f; (Nuß) amande f; fig noyau m, centre m, substance f, cœur m ◆ des Pudels ~ le fin mot de l'histoire; ~**brennstoff** combustible m nucléaire; ~**energie** énergie f nucléaire (od atomique); ~**forschung** recherche f nucléaire; ~**gehäuse** cœur m, trognon m; ⌐**gesund** plein de santé; ~**holz** cœur m du bois; ⌐**ig** à pépins; fig solide, vigoureux;

~**kraft** energie f (ou force f) nucléaire; ~**kraftwerk** centrale f nucléaire; ~**obst** fruits mpl à pépins; ~**physik** physique f nucléaire; ~**punkt** point essentiel (od crucial); ~**reaktor** pile f atomique, réacteur nucléaire; ~**seife** savon m de Marseille; ~**spaltung** fission f; ~**spruch** sentence f; ~**truppe** troupe f d'élite; ~**waffe** arme f nucléaire; ~**zerfall** désintégration f nucléaire

Kerze a. 🚗 bougie f; chandelle f; rel cierge m; ⌐**ngerade** droit comme un cierge; ~**nhalter** bougeoir m; chandelier m

Kessel ☼ chaudière f; (Topf) marmite f, chaudron m; (Tee-) bouilloire f; (Tal) vallée encaissée, cirque m; mil zone encerclée; ~**bau** chaudronnerie; ~**flicker** rétameur, chaudronnier; ~**haken** (im Kamin) crémaillère f; ~**haus** ☼ chaufferie f; ~**pauke** 🎵 timbale f; ~**schmied** chaudronnier; ~**schmiede** chaudronnerie f; ~**stein** ☼ tartre f; incrustation f; ~**treiben** battue f; ~**wagen** 🚂 wagon-citerne m

Kette chaîne f; (Hals-) collier m; (Posten-) cordon m; (Rebhühner) compagnie f; in ~n legen mettre aux fers; ⌐**n** enchaîner; attacher, lier; ~**nantrieb** ⚙ transmission f par chaîne; ~**nbruch** math fraction continue; ~**nbrücke** pont suspendu; ~**ngeschäft** magasin m à succursales multiples; chaîne f; ~**nglied** maillon m, chaînon m; ~**nhund** chien m de garde; ~**npanzer** cotte f de mailles; ~**nrad** roue f dentée; roue f à chaîne; ~**nraucher** fumeur invétéré; ~**nreaktion** réaction f en chaîne; ~**nschaltung** (Fahrrad) dérailleur m

Ketzer hérétique; ~**ei** hérésie f; ⌐**isch** hérétique; ~**verbrennung** autodafé m

keuch|en haleter, souffler; ~**end** haletant, pantelant; ⌐**husten** coqueluche f

Keule massue f; 🍖 mil m; (Geflügel) pilon m; (Kalbs-, Rinds-, Wild-) cuisse f, cuissot m; (Hammel-) gigot m

keusch chaste; pudique; ⌐**heit** chasteté f

kichern glousser; rire sous cape

Kiebitz vanneau m; fig spectateur importun

Kiefer¹ m mâchoire f; ~**höhlenentzündung** sinusite f; ~**knochen** os m maxillaire

Kiefer² f pin m; ~**nwald** pinède f, forêt f de pins; ~**nzapfen** pomme f de pin

Kiel ⚓ carène f, quille f; (Feder-) tuyau m (de plume); auf ~ legen mettre sur cale; ⌐**holen** caréner; ~**legung** mise f sur cale; ~**raum** fond m de cale; ~**wasser** a. fig sillage m

Kiemen branchies fpl; ~**öffnungen** ouïes fpl

Kien bois résineux; ~**apfel** pomme f de pin; ~**span** copeau résineux

Kiepe hotte f

Kies gravier m; ~ haben (umg) avoir de la galette; ~**el** = ~**elstein** galet m, caillou m; ~**elsäure** acide f silicique; ~**grube** gravière f; ~**weg** chemin caillouteux

Kilo|gramm kilogramme m; ~**hertz** kilohertz m; ~**meter** kilomètre m; ~**meterpauschale** forfait m kilométrique; ~**meterstein** borne f kilométrique; ~**meterzähler** compteur m kilométrique; ~**watt** kilowatt m; ~**wattstunde** kilowattheure m

Kimm ♋ horizon *m;* ~**e** entaille *f; (Gewehr)* cran *m* de mire

Kind enfant *m;(neugeborenes)*bébé *m; von ~ auf* dès l'enfance; *an ~es Statt annehmen* adopter ♦ *mit ~ u. Kegel ausrücken* partir avec armes et bagages (*od* avec toute sa smalah); *d. ~ beim rechten Namen nennen* appeler un chat un chat; *gebranntes ~ scheut d. Feuer* chat échaudé craint l'eau froide; *~er u. Narren sagen d. Wahrheit* la vérité sort de la bouche des enfants; ~**bett** couches *fpl;* ~**bettfieber** fièvre puerpérale; ~**erarbeit** travail *m* des enfants (*ou* des mineurs); ~**erei** enfantillage *m,* puérilité *f;* ~**ergarten** école maternelle, jardin *m* d'enfants; ~**ergärtnerin** jardinière d'enfants; ~**ergeld** allocations *fpl* familiales; ~**erheim** home *m* d'enfants, foyer *m* d'enfants; ~**erhort** garderie *f* d'enfants; ~**erkrankheit** maladie infantile; ~**erlähmung** paralysie infantile, poliomyélite *f;* ⌁**erleicht** simple comme bonjour, d'une simplicité enfantine; *das ist* ⌁*erleicht* c'est un jeu d'enfant; ~**erlos** sans enfants; ~**ermädchen** bonne d'enfants, nurse; ⌁**erreich:** ⌁*erreiche Familie* famille nombreuse; ~**erschreck** croque-mitaine *m;* ~**erschuhe:** *diese Erfindung steckt noch in d. ~erschuhen* cette invention est encore dans les limbes; ~**erspiel** *fig* jeu *m* d'enfant, bagatelle *f;* ~**erstube:** *e-e gute ~erstube haben* être bien élevé; ~**erwagen** voiture *f* d'enfant; poussette *f;* ~**erzulage** allocation pour enfant à charge; ~**esalter:** *im ~esalter* en bas âge; ~**esbeine:** *von ~esbeinen an* dès sa tendre enfance; ~**esmord** infanticide *m;* ~**heit** enfance *f;* ⌁**isch** puéril; *fig* gâteux; ⌁*isch werden* retomber en enfance, devenir gaga; ⌁**lich** enfantin; *fig* naïf, ingénu; ⌁*liche Liebe* amour filial; ~**skopf** niais; ~**taufe** baptême *m*

Kinn menton *m;* ~**backe** mâchoire *f;* ~**bart** barbiche *f,* bouc *m;* ~**haken** crochet *m* à la mâchoire, uppercut *m;* ~**lade** mâchoire inférieure, *umg* mandibule *f*

Kino cinéma *m;* ~**gänger** habitué du cinéma; ~**fachmann** cinéaste; ~**vorstellung** séance *f* de cinéma

Kiosk kiosque *m*

Kipp|e *(Vorrichtung)* installation *f* de culbutage; *(Zigaretten-) umg* mégot *m; auf d. ~e stehen* être en équilibre instable, être sur le point de tomber (*od* de basculer), *(gesundheitl.)* ne tenir qu'à un fil; ⌁**en** pencher; basculer, perdre l'équilibre; ~**er** (wagonnet) culbuteur *m;* ⌑ camion basculant; ~**hebel** = ~**schalter** basculeur *m,* *(Motor)* culbuteur *m;* ⚡ commutateur, interrupteur *m* à bascule; ~**wagen** tombereau *m*

Kirch|e *(Institution)* Église *f; (Gebäude)* église *f; prot* temple *m;* ~**enbann** excommunication *f;* ~**enbuch** registre paroissial; ~**enchor** maîtrise *f,* lutrin *m;* ~**endiener** sacristain, bedeau; ~**enfenster** vitrail *m;* ~**engemeinde** paroisse *f;* ~**enlicht:** *er ist kein K.* ce n'est pas une lumière; ~**enlied** cantique *m,* hymne *f;* ~**enmaus:** *arm wie e-e ~enmaus* pauvre comme un rat d'église; ~**enrat** (conseiller de) fabrique *f;* ~**enraub** sacrilège *m;* ~**enrecht** droit canon; ~**enschiff** nef *f;* ~**enspaltung** schisme *m;* ~**enstaat** États pontificaux

(*od* de l'Église); ~**ensteuer** impôt *m* cultuel (prélevé d'office); ~**gänger** fidèle; ~**hof** cimetière *m;* ⌁**lich** ecclésiastique; religieux; ~**platz** parvis *m;* ~**turm** clocher *m;* ~**weih** fête patronale; kermesse *f*

Kirmes kermesse *f,* foire *f*

kirre: *~ machen* apprivoiser; *fig* amadouer

Kirsch|baum cerisier *m;* ~**e** cerise *f; (wilde)* merise *f* ♦ *mit ihm ist nicht gut ~en essen* il n'est pas commode, il est mauvais coucheur; ~**wasser** kirsch *m*

Kissen coussin *m; (Kopf-)* oreiller *m;* ~**bezug** taie *f* d'oreiller

Kiste caisse *f; (Zigarren-)* boîte *f; umg* ⌑ guimbarde *f;* ~**nöffner** pied-de-biche *m*

Kitsch *(Schund)* pacotille *f,* camelote *f; (Tand)* toc *m; (Bild)* croûte *f; (Buch)* roman *m* à l'eau de rose; *(Film)* navet *m*

Kitt ciment *m; (Fenster-)* mastic *m;* ⌁**en** cimenter, mastiquer; coller

Kittchen taule *f*

Kittel *(Arzt, Verkäufer usw.)* blouse *f,* sarrau *m;* ~**schürze** cotte *f*

Kitz|el chatouillement *m;* ⌁**elig** *a. fig* chatouilleux; *fig* délicat, épineux, scabreux; ⌁**eln** chatouiller

Kladde brouillon *m,* com brouillard *m,* main courante; ~**nführer** annotateur *m*

klaffen bâiller, être entrouvert; béer; s'ouvrir; ~**d** béant

kläff|en glapir, japper, clabauder; ⌁**er** roquet *m*

Klafter toise *f; (Holz)* corde *f*

klag|bar recouvrable; ⌁**e** plainte *f;* ♺ instance *f,* action *f;* doléances *fpl,* récriminations *fpl;* *(Wehklagen)* lamentations *fpl; (Beschwerde)* grief *m; e-e* ⌁*e anstrengen* engager une action *(gegen* contre); ⌁**ebefugnis** droit *m* d'ester en justice; ⌁**elied** complainte *f;* ⌁*e se plaindre (über* de); déplorer *(um etw.* qch); ♺ intenter une action en justice *(gegen* contre, *wegen* pour); ~**end** plaintif, dolent; ⌁**epunkt** ♺ objet de la requête; ⌁**esache** procès *m,* cause *f;* litige *m* ⌁**eschrift** demande en justice

Kläg|er ♺ demandeur; requérant *m;* ~**erin** demanderesse; ⌁**lich** plaintif, dolent; pitoyable, piteux

klamm serré, étroit; *(feucht)* moite; *(steif)* engourdi, gourd; *(pleite, umg)* fauché; ⌁ *su* gorge *f;* ravin *m;* ⌁**er** pince *f;* ✽ crampon *m; (Papier)* agrafe *f; (Text)* parenthèse *f; (eckige)* crochet *m; (Wäsche-)* fichoir *m;* ~**ern** fixer avec des pinces; *refl* se cramponner, se raccrocher *(an* à)

Klamotten *pop* frusques *fpl,* fringues *fpl; arg mil* barda *m*

Klang son *m;* ton *m; (Stimme)* timbre *m;* ~**farbe** timbre *m;* tonalité *f;* ~**fülle** sonorité *f;* ⌁**los** sourd; *(Stimme)* blanc; ~**regler** ⌁ régulateur *m* de tonalité; ~**voll** sonore; ~**wiedergabe** reproduction *f* des sons

Klapp|bett lit pliant; ~**e** ✽ valve *f,* clapet *m; (Tisch)* abattant *m; (Kleider)* revers *m,* patte *f; (Umschlag)* rabat *m; anat* valvule *f;* ♪ clef *f,* languette *f; umg (Bett)* plumard *m,* pieu *m; pop*

(Mund) bec *m*, gueule *f;* ⚊**en** basculer; claquer; *umg* aller bien, marcher; *es* ⚊*t* cela marche, ça colle; **~enventil** ⚙ clapet *m;* **~horn** cornet *m* à pistons; **~messer** couteau pliant; **~sitz** strapontin *m;* **~stativ** pied *m* pliant; **~stuhl** (siège) pliant *m;* **~tisch** table pliante; **~tür** trappe *f*

Klapper claquette *f; a. rel* crécelle *f;* ⚊**dürr** maigre comme un clou; **~ig** branlant; brinquebalant; **~kasten** 🚗 patraque *f*, patache *f;* ⚊**n** cliqueter; *(Storch)* craqueter; *(mit d. Zähnen)* claquer (des dents); **~schlange** serpent *m* à sonnettes, crotale *m*

Klaps tape *f*, claque *f*, taloche *f; e-n ~ haben* être un peu cinglé; ⚊**en** claquer, taper

klar clair; *(durchsichtig)* transparent; *(deutlich)* net; *(Wasser)* limpide; *(Himmel)* pur; *(Geist)* lucide; ⚓ paré; *fig* clair, distinct, intelligible; *nicht ganz ~ im Kopf sein* avoir le cerveau détraqué; **~blickend** clairvoyant; ⚊**heit** clarté *f;* netteté *f;* limpidité *f;* lucidité *f;* **~ieren** *com* dédouaner; ⚊**lack** vernis *m* clair; **~legen** exposer; **~machen** ⚓ parer; *fig* expliquer (*j-m etw.* qch à qn); *refl* se rendre compte (de qch); ⚊**meldung** ⚓ avis *m* d'appareillage; ⚊**sichtmittel** produit *m* antibuée; **~stellen** éclaircir, mettre *(od* tirer) au clair; mettre au point

Klär|anlage station *f* d'épuration; ⚊**en** clarifier; *(Flüssigkeit)* décanter; *fig* éclaircir, élucider, tirer au clair; **~ung** clarification *f; fig* éclaircissement *m*, élucidation *f*

Klarinett|e clarinette *f;* **~ist** clarinettiste

Klasse *a. zool* classe *f;* catégorie *f; d. besitzenden (mittleren)* **~n** les classes possédantes (moyennes); **~narbeit** *päd* composition *f;* **~neinteilung** classement *m*, classification *f;* **~ngeist** esprit *m* de caste; **~nkampf** lutte *f* des classes; **~nzimmer** classe *f* (d'école)

klassifizier|en classer; ⚊**ung** classification *f*, classement *m*

Klassi|k classicisme *m;* **~ker** classique; ⚊**sch** classique

Klatsch claque *f*, taloche *f; fig* commérages *mpl*, caquets *mpl*, racontars *mpl*, potins *mpl;* **~base** commère, cancanière; **~e** tue-mouches *m;* ⚊**en** claquer; *(Regen)* fouetter; ✊ applaudir; *fig* cancaner, caqueter, jaser; **~erei** cancans *mpl*, commérages *mpl;* **~maul** cancanier *m;* **~mohn** coquelicot *m;* ⚊**naß** trempé jusqu'aux os

klauben trier; éplucher; *Worte* ⚊ couper les cheveux en quatre, ergoter

Klaue *zool* ongle *m*, griffe *f; (Vögel)* serre *f;* ⚙ mâchoire *f;* ⚊**n** chiper, faucher, chaparder; **~nseuche** fièvre aphteuse

Klaus|e ermitage *m; geog* cluse *f*, défilé *m;* **~el** clause *f*, stipulation *f;* **~ner** ermite, solitaire; **~ur** *rel* clôture *f; in* **~ur** *(päd)* en loge, sous surveillance

Klaviatur clavier *m*

Klavier piano *m (elektrisches ~* p. mécanique); *~ spielen* jouer du piano; **~auszug** partition *f* pour piano; **~konzert** *(Veranstaltung)* récital *m* de piano; *(Stück)* concerto *m* pour piano; **~spieler** pianiste *m;* **~stimmer** accordeur de pianos

kleb|en *vt* coller; *(Plakat)* afficher; *vi* coller à, être collé à, adhérer à; *(Sozialversicherung)* cotiser; *j-m e-e* **~en** flanquer une gifle à qn; ⚊**emittel** adhésif *m;* ⚊**er** *bot* gluten *m;* ⚊**etisch** 📖 table *f* de montage; ⚊**folie** feuille *f* adhésive; ⚊**gummi** gomme *f* arabique; ⚊**mittel** colle *f*, adhésif *m;* **~rig** collant, gluant; adhésif; visqueux, poisseux; ⚊**stoff** colle *f;* ⚊**streifen** bande gommée

Klecks tache *f*, pâté *m;* ⚊**en** faire des taches; *(Feder)* cracher; *fig* barbouiller

Klee trèfle *m;* **~blatt** feuille *f* de trèfle; *fig* trio *m;* **~salz** sel *m* d'oseille

Kleid habit *m*, vêtement *m; (Frauen-)* robe *f* ♦ *~er machen Leute* l'habit fait le moine; ⚊**en** habiller, vêtir; *(gut stehen)* aller bien (*j-n* à qn); *in Worte* **~en** trouver une expression pour; **~erablage** vestiaire *m;* garde-robe *f;* **~erbügel** cintre *m;* **~erbürste** brosse *f* à habits; **~erhaken** patère *f*, portemanteau *m;* **~erschrank** penderie *f*, garde-robe *f;* armoire *f* (à habits); **~erständer** portemanteau *m;* ⚊**sam** seyant, qui habille bien; **~ung** habillement *m;* vêtements *mpl;* **~ungsstück** vêtement *m*, habit *m*

Kleie son *m*, bran *m;* **~nmehl** recoupe *f*

klein petit; *(dünn)* menu, mince, exigu; *(Wuchs)* court; *(unbedeutend)* faible, médiocre, insignifiant; *(Buchstabe)* minuscule; *pej* mesquin, bas; *e. ~ wenig* un petit peu; *von ~ auf* dès le bas âge; *~ beigeben* courber le dos *(od* l'échine); *d. ~ere Übel* le moindre mal; *im ~en* en miniature; ⚊**aktionär** petit porteur; ⚊**anzeige** petite annonce; ⚊**arbeit** travail *m* de détail; **~asien** l'Asie Mineure; ⚊**bahn** chemin *m* de fer à voie étroite; ⚊**bauer** petit exploitant agricole; ⚊**betrieb** petite entreprise; ⚊**bild** 📖 petit format; ⚊**buchstabe** minuscule *f;* ⚊**bürger** (petit) bourgeois; philistin; ⚊**computer** miniordinateur *m;* ⚊**garten** jardinet *m;* jardin *m* ouvrier *(od* de lotissement); ⚊**gärtner** jardinier amateur; ⚊**geist** esprit mesquin; ⚊**geld** (petite) monnaie *f;* ⚊**handel** commerce *m* de détail *m;* petit commerce; ⚊**händler** détaillant; ⚊**heit** *a. fig* petitesse *f;* exiguïté *f;* médiocrité *f;* ⚊**hirn** cervelet *m;* ⚊**holz** menu bois *m;* ⚊**holz machen** ✝ casser du bois; ⚊**igkeit** bagatelle *f;* rien *m;* babiole *f*, bricole *f;* ⚊**igkeitskrämer** tatillon, pinailleur; ⚊**kalibrig** de petit calibre; ⚊**kind** bébé *m;* enfant en bas âge; ⚊**kram** broutilles *fpl;* babioles *fpl;* colifichets *mpl;* ⚊**krieg** guérilla *f;* **~laut** interdit, déconcentré; *~ laut werden* baisser le ton, filer doux; ⚊**lich** mesquin; vétilleux; pédant; minutieux, tatillon; ⚊**lichkeit** minutie *f;* mesquinerie *f*, petitesse *f* d'esprit; ⚊**mut** pusillanimité *f;* ⚊**mütig** pusillanime, timoré; ⚊**rechner** petit ordinateur; ⚊**rentner** petit rentier; ⚊**sparer** *pl* la petite épargne; ⚊**staaterei** particularisme *m;* ⚊**stadt** petite ville; **~städtisch** provincial; ⚊**stkind** nourrisson *m*, bébé *m;* ⚊**stlebewesen** microbe *m;* ⚊**vieh** petit bétail; ⚊**wagen** 🚗 petite voiture; voiturette *f*

Kleinod bijou *m*, joyau *m*

Kleister colle *f* d'amidon, empois *m;* ⚊**n** coller

Klemme pince *f;* ⚡ borne *f*, serre-fils *m; fig*

embarras *m*, gêne *f*; *in d.* ~ *sitzen* être dans une mauvaise passe; **⮮n** serrer, pincer; coincer; **~r** pince-nez *m*

Klempner plombier; ferblantier; **~ei** plomberie *f*; **~laden** a. *fig* ferblanterie *f*

Klepper bidet *m*, rosse *f*

kler|ikal clérical; **⮮ikalismus** cléricalisme *m*; **⮮iker** ecclésiastique; **⮮us** clergé *m*

Klette bardane *f*, glouteron *m*; *fig* crampon *m*

Kletter|eisen grappin *m*; **~er** grimpeur; **⮮n** grimper, monter (*auf* sur); (*Berg*) gravir, escalader (*auf etw.* qch); **~pflanze** plante grimpante; **~stange** mât *m*

Klima climat *m*; **~anlage** dispositif *m* (*od* installation *f*) de climatisation (*od* d'air conditionné); *Saal mit ~anlage* salle climatisée; **~gerät** conditionneur-pulseur *m*; **~kurort** station *f* climatologique; **⮮tisch** climatique; **~tisierung** conditionnement *m* d'air

Klimbim bazar *m*, bric-à-brac *m*; *d. ganze* ~ tout le tralala

klimm|en grimper; **⮮zug** rétablissement *m*

Klimper|kasten (*Klavier*) chaudron *m*; **⮮n** pianoter

Klinge lame *f*; (*Degen*) épée *f*; *über d.* ~ *springen lassen* passer au fil de l'épée

Klingel sonnette *f*, sonnerie *f*; (*Straßenbahn*) clochette *f*; **~beutel** bourse *f* à quêter; **~knopf** bouton *m* de sonnette; **⮮n** sonner, tinter; (*Motor*) cliqueter; **~schnur** cordon *m* (de sonnette)

kling|en sonner, tinter; retentir; *mit ~endem Spiel* tambour battant; *in ~ender Münze* en espèces sonnantes et trébuchantes; *d ~t sonderbar* cela paraît étrange; *es ~t mir in d. Ohren* les oreilles me cornent

Klini|k clinique *f*; (*Geburts-*) maternité *f*; **~ker** clinicien; **~sch** clinique

Klinke poignée *f*, béquille *f*; clenche *f*, loquet *m*; ✿ cliquet *m*; **⮮n** presser le loquet

Klinker brique recuite (*ou* hollandaise)

Klipp clip *m*, attache *f*

klipp: ~ *u. klar* clair et net

Klipp|e a. *fig* écueil *m*; brisant *m*; **~fisch** morue salée (*od* verte)

klirr|en cliqueter, tinter; (*Fenster*) vibrer; **⮮faktor** facteur de distorsion

Klisch|ee cliché *m*; **⮮ieren** clicher

Klistier lavement *m*; clystère *m*

klitsch|ig pâteux; **~naß** trempé comme une soupe

Kloake égout *m*; a. *zool* cloaque *m*

Klob|en bûche *f*; (*Flaschenzug*) poulie *f*; (*Tür*) gond *m*; **⮮ig** massif; *fig* rude, pataud

klopf|en *vt/i* frapper, taper; (*Steine*) casser; *vi* (*Herz*) battre, palpiter; (*Motor*) cogner; **⮮er** (*Teppich-*) battoir *m*; (*Tür-*) marteau *m*; **~fest** antidétonant

Klöpp|el (*Glocke*) battant *m*; (*Klingel*) marteau *m*; (*Spitzen-*) fuseau *m* (à dentelle); **⮮eln** faire de la dentelle; **~elspitze** dentelle *f* au fuseau; **~lerin** dentellière

Klops boulette *f*, croquette *f*

Klosett cabinets *mpl*; water-closet *m*, W.-C. *m*;

~**papier** papier *m* hygiénique; **~spülung** chasse *f* d'eau

Kloß motte *f*; (*Speise*) quenelle *f*, boulette *f*, croquette *f*; *e-n* ~ *im Halse haben* avoir la gorge serrée; **~brühe:** *klar wie ~brühe* clair comme de l'eau de boudin

Kloster couvent *m*, cloître *m*, monastère *m*; **~bruder** religieux, moine; **~frau** religieuse, nonne; **~leben** vie *f* monastique (*od* monacale); **klösterlich** monastique; monacal (*oft pej*)

Klotz bloc *m*; billot *m*; *fig* butor *m*, lourdaud *m* ♦ *auf e-n groben* ~ *gehört e. grober Keil* à vilain, vilain et demi; **~en** y mettre le paquet; **⮮ig** lourd, massif, grossier; *umg* énorme, terrible

Klub club *m*, cercle *m*; **~sessel** fauteuil *m* de cuir

Kluft abîme *m*, gouffre *m*; *umg* uniforme *m*, tenue *f*

klug intelligent, sensé; (*aufgeweckt*) avisé, perspicace; (*weise*) sage; (*vorsichtig*) prudent; (*schlau*) fin, ingénieux, malin; *aus e-r Sache nicht* ~ *werden* n'y rien comprendre, y perdre son latin ♦ *d. Klügere gibt nach* c'est le plus sage qui cède; *durch Schaden wird man* ~ dommage rend sage; **~heit** intelligence *f*; perspicacité *f*; sagesse *f*; prudence *f*

Klügel|ei subtilité *f*, raffinement *m*; **⮮n** ergoter, chercher la petite bête

Klump|en masse *f*; boule *f*; bloc *m*; (*Erde, Butter*) motte *f*; (*Blut*) caillot *m*; (*Speise*) grumeau *m*; **~fuß** pied bot; **⮮ig** grumeleux

Klüngel clique *f*, coterie *f*

knabbern croquer, grignoter, (*nagen*) mordiller, rogner

Knabe garçon, garçonnet; enfant; **~nalter** (années *fpl* d')enfance *f*; **⮮nhaft** svelte, gracile; **~nkraut** orchis *m*

knack|en *vt* casser; *vi* craquer; (*Kode*) décrypter; (*Geldschrank*) forcer; **⮮er:** *alter ⮮er* vieux gâteux; **⮮geräusch** clic *m*; **⮮mandel** amande sèche; **~s** craquement *m*; (*Sprung*) fêlure *f*; *e-n ⮮s haben* avoir du plomb dans l'aile

Knall a. *fig* éclat *m*; (*Waffe*) détonation *f*, coup *m* (de feu); (*Peitsche, Tür*) claquement *m* ♦ ~ *und Fall* de but en blanc, sans faire ni une ni deux; **~effekt** coup *m* d'éclat (*od* de théâtre); **⮮en** éclater; (*Tür*) claquer; (*Schuß*) partir, détoner; **~erbse** pois fulminant; **~frosch** pétard *m*; **~gas** mélange détonant; **~geräusch** choc *m* acoustique; **⮮rot** d'un rouge éclatant

knapp juste, étroit, serré; (*dürftig*) rare, maigre, chiche; (*Stil*) succinct, consic; (*Mehrheit*) faible; *adv* à peine, guère; ~ *werden* s'épuiser, se tarir; ~ *sitzen* aller comme un gant; *mit ~er Not* de justesse; ~ *halten* tenir la bride haute (*j-n* à qn); **~heit** rareté *f*, pénurie *f*; étroitesse *f*; (*Stil*) concision *f*

Knapp|e écuyer; (apprenti-)mineur; **~schaft** corporation des mineurs

Knarr|e crécelle *f*; *fig umg* flingot *m*; **⮮en** grincer, gémir, crier

Knast *umg* taule *f*, trou *m*, violon *m*; peine *f* de prison; **~bruder** taulard *m*

Knaster *umg* perlot *m*

knattern pétiller, crépiter
Knäuel pelote f, peloton m; fig tas m, amas m
Knauf bouton m; (Degen) pommeau m; 🏛 chapiteau m
Knauser lésineur, ladre, pingre; ~ei lésine f, ladrerie f, pingrerie f; ⌐ig ladre, pingre, mesquin, chiche; ⌐n lésiner sur, être avare de
knautschen chiffonner, froisser
Knebel bâillon m; ⚙ (Säge) garrot m; ⌐n a. fig bâillonner; museler; ~verband 💊 garrot
Knecht ⬇ valet, garçon de ferme; (Sklave) esclave; (Leibeigener) serf; ⌐en asservir, tyranniser; ⌐isch servile; ~schaft servitude f
kneif|en pincer; umg pej se dérober, s'esquiver; ~er pince-nez m, lorgnon m, binocle m; ⌐zange pince f coupante, tenailles fpl
Kneipe taverne f; pop bistrot m; ⌐n chopiner; ~wirt débitant m de boissons
knet|en pétrir; malaxer; (Wachs) modeler; ⌐masse pâte malaxée; pâte f à modeler
Knick (Biegung) coude m; (Riß) fêlure f, cassure f; (Paper) pli m; ⌐en casser, briser; se fêler; (Papier) plier; ⚙ couder; ~er ladre; rapiat (pop); ⌐erig siehe knauserig; ~s révérence f; ⌐sen faire la révérence
Knie genou m; (Fluß, Rohr) coude m, tuyau m coudé; d. ~ beugen fléchir les genoux; e-e Arbeit übers ~ brechen bâcler une affaire; weiche ~ umg (avoir) la pétoche (ou la trouille); in die ~ gehen s'avouer battu; j-n übers ~ legen umg dérouiller qn; ⌐beuge flexion f sur les genoux; ~fall génuflexion f; ⌐fällig à genoux; ~hose culotte f; ~kehle jarret m; ⌐n s'agenouiller; être à genoux; ~riemen tire-pied m; ~scheibe rotule f; ~schützer 🦵 genouillère f; ~strumpf demi-bas m; ⌐tief jusqu'aux genoux
Knies mésintelligence f; brouille f; dispute f
Kniff pli m, fronce f; (List) truc m, artifice m, stratagème m; ⌐en plier, plisser; ⌐lig délicat, épineux
Knigge règles fpl de conduite
Knilch umg pej zigue, type, gazier, coco
knipsen photographier
Knirps marmot, marmouset; (Schirm) tompouce m
knirschen (Schnee) crisser; (mit d. Zähnen) grincer (des dents)
knistern pétiller, crépiter; (Seide) froufrouter
knitter|frei infroissable; ~n se froisser
knobeln tirer à la courte paille; (herumraten) se creuser la cervelle
Knoblauch ail m; ~zehe gousse f d'ail; ~zwiebel bulbe f d'ail
Knöchel (Fuß) cheville f; (Finger) nœud m
Knochen os m ♦ bis auf die ~ jusqu'à la moelle des os, complètement; d. Nachricht ist ihm in d. ~ gefahren cette nouvelle lui a cassé bras et jambes; ~bau, ~gerüst ossature f, charpente osseuse; squelette m; ~bruch fracture f; ~mark moelle f; ~splitter esquille f
knöchern, knochig osseux; ossu; fig sec
Knödel quenelle f, boule f de pâte
Knolle tubercule m, bulbe f; ~engewächs plante f à tubercule; ⌐ig tubéreux, bulbeux

Knopf bouton m; ⚡ (bouton-)poussoir m; (Stock) pomme f ♦ s. etw. an den Knöpfen abzählen s'en remettre au hasard (umg au petit bonheur la chance); **knöpfen** boutonner; ~loch boutonnière f
Knorpel cartilage m; ⌐ig cartilagineux
Knorr|en broussin m, loupe f; (im Holz) nœud m; ⌐ig noueux, raboteux
Knospe (Blatt) bourgeon m; (Blüte) bouton m; ⌐n bourgeonner; boutonner
knot|en nouer, faire un nœud; ⌐en a. ⚓ nœud m; (Haar-) chignon m; 💊 nodosité f; ⌐enpunkt 🚉 embranchement m; nœud m (ferroviaire); ~ig noueux
Know-how savoir-faire m; tour de main
knüllen chiffonner, froisser
Knüller sensation f; com succès de vente
knüpfen nouer, lier, attacher
Knüppel rondin m, gourdin m; (Waffe) matraque f, massue f ♦ j-m ~ zwischen d. Beine werfen mettre des bâtons dans les roues à qn; ~damm caillebotis m
knurr|en gronder, grogner; (Magen) gargouiller; fig bougonner, ronchonner, rouspéter; ~ig grognon, grondeur
knusp|ern croquer, croustiller; ~rig croquant; a. fig croustillant
Knute knout m
knutschen bécoter
Knüttel trique f; siehe a. Knüppel
Koalition coalition f, entente f, alliance f; ~srecht liberté f syndicale; ~szwang pol discipline f de vote
Kobalt cobalt m
Kobold lutin m, farfadet m
Koch cuisinier; chef (de cuisine); 👨‍🍳 maître queux, coq ♦ viele Köche verderben d. Brei trop de cuisiniers gâtent la sauce; Hunger ist d. beste ~ la faim est le meilleur assaisonnement; ~buch livre m de cuisine; ⌐en vt cuire; faire bouillir; préparer; (Kaffee) faire; vi cuisiner, faire la cuisine; (Speise) cuire; (Wasser) bouillir; vor Wut ⌐en rager; ~en su cuisson f; ébullition f; ~er réchaud m; ~geschirr batterie f de cuisine; mil gamelle f; ~herd fourneau m, cuisinière f; Köchin cuisinière f; ~kiste marmite norvégienne; ~kunst art m culinaire; ~löffel cuiller f de cuisine; ~rezept recette f; ~salz sel commun (od de cuisine); ~topf marmite f, casserole f; (elektr.) bouilloire f électrique
Köcher carquois m
Köder amorce f, appât m; bes fig leurre m, fausses promesses; ⌐n appâter, attirer, leurrer
Ko|dex code m; ⌐difizieren codifier; ~difizierung codification f
Koffein caféine f; ⌐frei décaféiné
Koffer (Hand-) valise f; (kleiner) mallette f; (großer) malle f ♦ die ~ packen müssen être congédié; ~grammophon électrophone m; ~radio poste portatif; ~raum 🚗 coffre m; 👜 ✈ soute f à bagages
Kohl chou m; fig balivernes fpl ♦ das macht d. ~ nicht fett cela ne mettra pas de beurre dans nos épinards; ~dampf: ~dampf schieben avoir

l'estomac dans les talons; claquer du bec *(pop);*
~**rabi** chou-rave *m;* ~**rübe** chou-navet *m;*
~**weißling** piéride *m*
Kohle charbon *m; (Stein-)* houille *f; (Braun-)*
lignite *m; (Zeichen-)* fusain *m* ♦ *auf heißen* ~*n*
sitzen être sur des charbons ardents; **≠haltig**
houilleux, carbonifère; ~**hydrat** hydrate *m* de
carbone; **≠n** charbonner; ⚓, faire du charbon;
umg blaguer; ~**nabbau** extraction *f* de la
houille; ~**nbecken** bassin *m* houiller; *(Herd)*
brasier *m;* ~**nbergbau** industrie charbonnière;
~**nbergwerk** mine *f* de charbon, charbonnage *m;*
~**nbunker** ⚓, soute *f* à charbon; ~**neimer** seau *m*
à charbon; ~**ngrube** mine *f* de charbon;
~**händler** charbonnier; ~**nkraftwerk** centrale *f*
à charbon; ~**nlager** gisement *m* houiller; stock
m de charbon; ~**npott** *umg* bassin houiller de la
Ruhr; ~**nsäure** acide *m* carbonique; gaz *m*
carbonique; ~**nschaufel** pelle *f* à charbon;
~**nstoff** carbone *m;* ~**nwasserstoff** hydrocarbure *m;* ~**papier** papier *m* carbone; ~**vorkommen**
gisement houiller; ~**zeichnung** fusain *m*
Köhler charbonnier
Kohl|meise (mésange *f)* charbonnière *f;* **≠ra-
benschwarz** noir comme du jais
Koje cabine *f; umg* plumard *m*, pieu *m*
Kokain cocaïne *f;* **≠süchtig** cocaïnomane
Kokerei cokerie *f*
kokett coquet; **≠erie** coquetterie *f;* ~**ieren**
coqueter, faire la coquette
Kokon cocon *m*
Kokos|faser fibre *f* de coco; ~**fett** huile *f* de
coco; ~**milch** lait *m* de coco; ~**nuß** noix *f* de
coco; ~**palme** cocotier *m*
Koks coke *m; umg (Geld)* pognon *m*, fric *m*,
oseille *f; (Kokain)* coco *f*
Kolben *(Gewehr)* crosse *f; ⚗* piston *m; chem*
cornue *f*, alambic *m; bot* régime *m; (Mais)* épi
m; ~**bolzen** axe *m* de piston; ~**fressen** grippage
m; ~**hub** course *f* de piston; ~**pumpe** pompe *f*
à piston; ~**ring** segment *m* de piston; ~**stange**
tige *f (ou* bielle *f)* de piston
Kolibri colibri *m*, oiseau-mouche *m*
Kolik colique *f; (Gebärmutter)* tranchées *fpl*
Kollaps § collapsus *m; com* effondrement *m*,
débâcle *f*
Kolleg cours *m;* ~**e** collègue; confrère; **≠ial**
collégial; ~**ium** collège *m; (Lehrer-)* corps
enseignant; ~**stufe** *päd* les deux classes
terminales (au lycée)
Kollekt|e quête *f*, collecte *f;* **≠ieren** quêter; **≠iv**
collectif; ~**ivismus** collectivisme *m;* ~**or** ⚡
collecteur *m*
Koller 1. collet *m*, collerette *f;* 2. rage *f*, folie
furieuse; *vet* vertigo *m;* ~**gang** ✿ broyeur *m*
à meules; **≠n** rouler; *fig* rager; *(Truthahn)*
glouglouter
kolli|dieren entrer en collision; **≠sion** collision
f; **≠sionskurs** désaccord, heurt, collision (des
intérêts)
Kolloquium colloque *m*
kolonial colonial; **≠reich** empire colonial;
≠waren denrées *fpl* exotiques; **≠warengeschäft**
épicerie *f;* **≠warenhändler** épicier

Koloni|e colonie *f;* **≠sieren** coloniser; ~**sierung**
colonisation *f;* ~**st** colon
Kolonne *mil* colonne *f;* 🚗 file *f* de véhicules
Kolor|atur ♪ roulade *f;* **≠ieren** colorier; ~**it**
coloris *m; fig* ambiance *f*
Koloß colosse *m*
kolossal colossal; énorme, monstre
Kombin|at grande entreprise; ~**ation** combinai-
son *f; fig* conjecture *f;* **≠ieren** combiner; *fig*
conjecturer
Kombiwagen break *m*, voiture utilitaire
Kombüse cambuse *f*
Komet comète *f;* ~**enschweif** queue *f* de comète
Komfort confort *m*
Komi|k comique *f;* ~**ker** 🎭 (acteur) comique;
≠sch comique; *fig* étrange; *e-e* **≠sche** *Geschichte*
une drôle d'histoire
Komitee comité *m*
Komma virgule *f*
Kommand|ant *a.* ⚓, commandant; ~**antur**
état-major *m* (de la place); ~**eur** *mil* chef de
corps, commandant; **≠ieren** commander; **≠ie-
render** *General* général en chef; **≠iert** *zu (mil)*
détaché à; ~**itgesellschaft** société *f* en comman-
dite; ~**itist** commanditaire; ~**o** commandement
m; (Gruppe) commando *m*, détachement *m;*
~**obrücke** ⚓, passerelle *f* de commandement;
~**ostelle** poste *m* de commandement
kommen venir, arriver, s'approcher de; aller; *(s.
ergeben)* résulter, provenir *(von, aus* de); *(s.
ereignen)* se passer, se produire, arriver;
(unerwartet) survenir; 🚗 parlez!; ~ *lassen* faire
venir, mander; ~ *sehen* prévoir; *dazu* ~ avoir
le temps de; *gerade recht* ~ *(umg)* tomber à pic;
~ *auf* coûter; se monter à; *auf etw.* ~ en venir à
parler de qch, se souvenir de qch; trouver qch;
hinter etw. ~ découvrir qch; *um etw.* ~ perdre
qch; être frustré de qch; *wieder zu sich* ~ se
ranimer, reprendre connaissance; *zu kurz* ~
être mal loti; *zu spät* ~ arriver (trop) tard; *in
Betracht* ~ entrer en ligne de compte; *außer
Atem* ~ perdre haleine; *außer Gebrauch* ~
tomber en désuétude; *z. Vorschein* ~ apparaître, se révéler, se manifester; *z. Welt* ~ venir au
monde; *es mußte so* ~ c'était fatal; *d. kommt
von...* cela tient à... ; *wie kommt es, daß?*
comment se fait-il que?; *d. kommt davon,
wenn...* voilà ce que c'est que de...; ~**d** à venir;
im ~**den** *Jahr* l'année prochaine; *d.* ~**den
Freuden** les plaisirs à venir
Komment|ar commentaire *m;* **≠ieren** commen-
ter
kommerz|ialisieren mettre sur le marché,
vendre; ~**iell** commercial
Kommilitone condisciple; camarade
Kommiß service *m* militaire, armée *f*
Kommiss|ar commissaire; ~**ion** *(Gremium)*
comité *m*, commission *f; com* ordre *m*,
commande *f;* ~**ionär** commissionnaire
Kommode commode *f*
kommunal communal; municipal; **≠beamter**
fonctionnaire municipal; **≠politik** politique
communale; **≠steuer** taxe locale; **≠verwaltung**
administration communale *(od* municipale)

Kommun|e commune *f*, municipalité *f;* **~ika-tion** communication *f*, liaison *f*, rapport *m*

Kommuni|on communion *f;* **⌕zieren** communiquer; *rel* communier

Kommun|ismus communisme *m;* **~ist** communiste; **⌕istisch** communiste

Komödi|ant comédien; **~e** *a. fig* comédie *f*

Kompagnon *com* associé

Kompanie compagnie *f;* **~feldwebel** adjudant *m* (de compagnie)

Komparse ♛ figurant

Kompaß boussole *f;* ⚓ compas *m;* **~nadel** aiguille aimantée

Kompensation *(Ausgleich)* compensation *f;* péréquation *f; (Entschädigung)* réparation *f* (du dommage), dédommagement

kompeten|t compétent; **⌕z** compétence *f*, attribution *f;* autorité *f*, pouvoir *m;* capacité *f*

Komplementär *com* commandité

komplett complet, entier

Komplex ensemble *m; psych* complexe *m*

Komplice complice, acolyte

Kompli|kation complication *f;* **~ment** compliment *m;* **⌕zieren** compliquer; **~ziertheit** complexité *f*

Komplott complot *m;* conspiration *f; e. ~ schmieden* tramer un complot

Kompo|nente composant *m;* partie *f* constituante; *phys* composante *f;* **⌕nieren** composer; **~nist** compositeur; **~sition** composition *f*

Kompott compote *f;* **~schale** compotier *m*

Kompr|esse § compresse *f;* **~ession** compression *f;* **~essor** ♛ compresseur *m;* **⌕imieren** comprimer

Kompro|miß compromis *m*, transaction *f; e-n ⌕miß schließen* faire un compromis, transiger; **⌕mittieren** compromettre

Kondens|ation ♛ condensation *f;* **~ator** ⚡ condensateur *m;* ♛ condenseur *m;* **⌕ieren** condenser; **~milch** lait condensé

Konditor confiseur, pâtisser; **~ei** confiserie *f*, pâtisserie *f*

kondolieren présenter ses condoléances

Konfekt confiseries *fpl*, sucreries *fpl;* **~ion(sklei-dung)** prêt-à-porter *m*

Konfer|enz conférence *f;* **⌕ieren** conférer (au sujet de); délibérer (sur)

Konfirm|and confirmand; **~ation** confirmation *f;* **⌕ieren** confirmer

konfiszieren confisquer

Konflikt conflit *m*, antagonisme *m;* opposition *f*, lutte *f*

konfus confus; équivoque; embrouillé

Kongreß congrès *m;* conférence *f;* **~mitglied** congressiste *m*

kongruen|t coïncident; **⌕z** coïncidence *f*

König *(a. Spiel)* roi; *d. Hl. Drei ~e* les Rois mages, *(Fest)* le jour des Rois, l'Épiphanie; **~in** *(a. Biene, Spiel)* reine; **~lich** royal; **~reich** royaume *m;* **~skerze** *bot* molène *f;* **~stiger** tigre royal; **⌕streu** royaliste; **~tum** royauté *f*

Konju|gation conjugaison *f;* **⌕gieren** conjuguer; **~nktion** conjonction *f;* **~nktiv** subjonctif *m*

Konjunktur conjoncture *f;* situation *f* économi-que; **~abschwung** fléchissement *m* de l'activité économique, tassement *m* conjoncturel; récession *f;* **~ankurbelung** relance *f* économique; **~aufschwung** reprise *f* économique; **~kurve** tendance *f* du marché; **~ritter** opportuniste; **~schwankungen** fluctuations conjoncturelles *(od du marché)*

konkret concret, réel, tangible; **⌕en** *n* réel *m*

Konkurr|ent concurrent, compétiteur; **~enz** concurrence *f; (Firma)* maison concurrente; *außer ~enz* hors concours; **⌕enzfähig** compétitif; **~enzklausel** clause *f* de non-concurrence; **⌕ieren** concourir; rivaliser; concurrencer *(mit j-m* qn)

Konkurs faillite *f*, ⚖ liquidation *f* des biens; *betrügerischer ~* banqueroute (frauduleuse); *~ machen* faire faillite; *~ anmelden* déposer le bilan, se déclarer en faillite; **~erklärung** déclaration *f* de faillite; **~gläubiger** créancier faisant partie de la masse; **~masse** patrimoine *m* du débiteur failli; **~schuldner** failli; **~verwalter** syndic (de la faillite)

können pouvoir; savoir; être capable de; avoir la capacité de; être en mesure de, être à même de, être en état de; *Französisch ~* savoir le français; *es kann sein* cela se peut; *es könnte sein* peut-être bien; *ich kann nicht mehr* je n'en peux plus; *ich kann nicht umhin...* je ne puis m'empêcher (de); *ich kann nichts dafür* ce n'est pas ma faute, je n'y suis pour rien; *so gut ich kann* de mon mieux; *es mit j-m gut ~ umg* s'entendre bien avec qn; **⌕** *su* pouvoir *m;* capacité *f;* savoir-faire *m;* science *f;* habileté *f;* mérite *m;* possibilité *f*

Könner spécialiste *m*, expert *m*

Konnossement connaissement *m;* contrat de transport maritime

kon|sekutiv consécutif; **~sequent** conséquent, logique, conforme; **⌕sequenz** conséquence *f*, effet *m*, résultat *m*, retentissement *m;* (esprit *m* de) suite *f*

konserv|ativ conservateur; **⌕ator** conservateur; **⌕atorium** conservatoire *m;* **⌕e** conserve *f;* **⌕endose** boîte *f* à conserves; **⌕enfabrik** conserverie *f;* **~ieren** conserver; **⌕ierung** conservation *f*

Konsol|e *a.* 🏛 console *f;* 🏛 corbeau *m;* **⌕idieren** consolider

Konsonant consonne *f*

kon|stant constant; persévérant, ferme, stable; **⌕stante** constante *f;* **~statieren** constater; vérifier, se rendre compte de; **⌕stellation** constellation *f; fig* situation *f;* **~stituieren** constituer; **⌕stitution** constitution *f;* tempérament *m;* **~stitutionell** constitutionnel

konstru|ieren construire; **⌕ktion** construction *f;* structure *f;* conception *f;* type *m*, modèle *m;* **⌕ktionsbüro** bureau *m* d'études; **⌕ktionsfehler** défaut *m* de construction

Konsul consul; **~at** consulat *m;* **⌕tieren** consulter

Konsum consommation *f;* **~artikel** article *m* de consommation courante; **~ent** consommateur; **⌕genossenschaft** coopérative *f* de consommation; ~**güter** biens *mpl* de consommation; **⁴ieren** consommer

Kontakt contact *m;* relation *f;* ⚡ plot *m;* ~ *aufnehmen mit* entrer en contact avec; ~**abzug** 📖 épreuve *f* par contact; **⁴arm** inadapté; ~**glas** verre *m (od* lentille *f)* de contact

Kontamination contamination *f,* souillure *f,* pollution *f*

Konten|führung tenue *f* des comptes; ~**nummer** numéro *m* de compte; ~**plan** plan *m* comptable; ~**sperre** blocage *m* des comptes

Konterfei portrait *m,* image *f*

kontern contrer, s'opposer; répliquer

Kontext contexte *m*

Kontinent continent *m;* **⁴al** continental

Kontingent contingent *m;* ~**ierung** contingentement *m*

kontinuierlich continu

Konto compte *m;* ~**auszug** relevé *m* de compte; ~**führung** tenue *f* de compte; ~**guthaben** avoir *m;* ~**inhaber** titulaire d'un compte; ~**korrent** compte courant; ~**stand** solde *m* de compte; ~**überziehung** découvert *m*

Kontor bureau *m;* comptoir *m;* ~**ist** employé de bureau

Kontra|baß contrebasse *f;* ~**hent** contractant; *fig* antagoniste; ~**punkt** contrepoint *m*

Kontrast contraste *m;* **⁴ieren** contraster (*mit* avec); *(stark)* trancher (sur); **⁴reich** contrasté

Kontroll|abschnitt talon *m,* souche *f,* coupon *m,* contremarque *f;* ~**e** contrôle *m,* vérification *f;* ~**eur** contrôleur; ~**gerät** contrôleur *m;* **⁴ieren** contrôler, vérifier; ~**lampe** lampe-témoin *f,* voyant *m;* ~**marke** jeton *m* de contrôle; ~**stelle** autorité *f* de contrôle; ~**turm** tour *f* de contrôle; ~**versuch** essai *m* témoin

Kontur contour *m;* silhouette *f*

Konvention *a. fig* convention *f;* ~**alstrafe** dédit *m;* **⁴ell** conventionnel

Konversationslexikon dictionnaire *m* encyclopédique

Konver|ter convertisseur *m;* **⁴tierbar** convertible; ~**tierbarkeit** convertibilité *f;* **⁴tieren** *com* convertir; *rel* se convertir; ~**tierung** convertissement *m;* **⁴tit** converti

Konzentr|at concentré *m;* ~**ation** concentration *f;* ~**ationslager** camp *m* de concentration; **⁴ieren** concentrer; **⁴isch** concentrique

Konzept brouillon *m;* plan *m,* programme *m; nicht ins* ~ *passen* ne pas coïncider avec le plan prévu; *aus d.* ~ *bringen* faire perdre le fil à qn, déconcerter qn; ~**ion** conception *f*

Konzern groupe *m,* konzern *m;* groupement *m* de sociétés; consortium *m*

Konzert concert *m; (Stück)* concerto *m;* **⁴ierte Aktion** *com* concertation *f* entre partenaires sociaux

Konzession concession *f;* autorisation *f; com* licence *f;* ~**är** concessionnaire; **⁴ieren** accorder une licence (à); ~**sgebiet** concession

Koordin|ate coordonnée *f;* **⁴ieren** coordonner; ~**ierung** coordination *f*

Köper *(Gewebe)* croisé *m*

Kopf tête *f;* personne *f; (Brief-)* en-tête *m;*

(Münze) face *f; fig* esprit *m,* cerveau *m,* cervelle *f; e. kluger* ~ esprit supérieur; *aus d.* ~ *par cœur; pro* ~ par personne; *von* ~ *bis Fuß* de pied en cap ♦ *Hals über* ~ précipitamment; *auf d.* ~ *stellen* mettre sens dessus dessous; *er ist e-n* ~ *größer als ich* il a la tête de plus que moi; *e-n roten* ~ *kriegen* rougir, *(umg)* piquer un soleil; *s. etw. in d.* ~ *setzen* se mettre qch en tête; *vor d.* ~ *stoßen* brusquer, choquer; *d.* ~ *verlieren* perdre la tête (*od* le nord); *s. d.* ~ *zurechtsetzen* creuser la cervelle; *j-m d.* ~ *zurechtsetzen* remettre qn à la raison; *er ist nicht auf d.* ~ *gefallen* il n'est pas bête; *er weiß nicht, wo ihm d.* ~ *steht* il ne sait où donner de la tête; *j-m d.* ~ *waschen* passer un savon à qn; ~**arbeit** travail intellectuel (*od* de tête); ~**arbeiter** travailleur *m* intellectuel; ~**bahnhof** gare *f* en cul-de-sac; ~**bedeckung** coiffure *f;* **⁴köpfen** décapiter, guillotiner; ↓ écimer, étêter; 🔨 donner un coup de tête; ~**ende** chevet *m;* ~**geld** prime *f* de capture; ~**hörer** écouteur *m;* casque *m;* ~**kissen** oreiller *m;* traversin *m;* **⁴lastig** ✝ *a. fig* décentré, déséquilibré; **⁴los** *fig* sans cervelle, écervelé; ~**rechnen** calcul mental; ~**salat** laitue *f;* **⁴scheu** *(Mensch)* effarouché; *(Pferd)* ombrageux; *j-n* **⁴scheu machen** intimider, effaroucher qn; ~**schlagader** carotide *f;* ~**schmerzen** maux *mpl* de tête; ~**schmerzen haben** avoir mal à la tête; ~**schützer** passe-montagne *m;* ~**schuppen** pellicules *fpl;* ~**sprung** plongeon *m;* ~**stimme** voix *f* de tête, fausset *m;* ~**stütze** repose-tête *m,* appui-tête *m;* ~**tuch** foulard *m,* mouchoir *m* de tête; **⁴über** la tête la première; ~**weite** pointure *f;* ~**zerbrechen** embarras *m,* souci *m;* tintouin *m (umg)*

Kopie copie *f;* 📖 épreuve *f;* **⁴ren** copier; *fig* imiter; ~**rgerät** duplicateur *m;* machine *f* à photocopier, photocopieur *m;* ~**rstift** crayon-encre *m*

Koppel[1] *n* ceinturon *m*

Koppel[2] *f* ↓ enclos *m; (Hunde, Pferde)* couple *m;* **⁴eln** (*Hunde,* ⚡, 📖) coupler; 🚂 accoupler; ~**lung** ⚡, 📖 couplage *m;* 🚂 accouplement *m; fig* rattachement *m,* interdépendance *f*

Koralle corail *m;* ~**nfischerei** récolte *f* du corail; **⁴nrot** corallin

Korb corbeille *f,* panier *m; (Ballon)* nacelle *f; fig* refus *m; j-m e-n* ~ *geben* éconduire qn; *(Heiratsantrag)* refuser qn; ~**flasche** bouteille clissée; *(Ballon)* dame-jeanne *f,* bonbonne *f;* ~**macher** vannier; ~**sessel** siège *m* en osier; ~**waren** vannerie *f;* ~**weide** osier *m*

Kord velours *m* côtelé; fil *m* cordé; ~**el** corde *f,* cordelette *f;* ~**elung** moletage *m*

Korinthen raisins *mpl* de Corinthe

Kork liège *m;* ~**eiche** chêne-liège *m;* ~**en** bouchon *m;* ~**enzieher** tire-bouchon *m*

Korn grain *m; (Weizen)* blé *m; (Roggen)* seigle *m; (Getränk)* eau-de-vie *f* de grain; 📖 granulation *f; (Gewehr)* mire *f* ♦ *aufs* ~ *nehmen* avoir qn à l'œil; ~**ähre** épi *m;* ~**blume** bl(e)uet *m;* **⁴körnen** ✳ granuler; ~**ernte** moisson *f,* récolte *f* des céréales; ~**fäule** carie *f* du blé; ~**feld** champ *m* de blé; ~**garbe** gerbe *f;* **körnig**

granulaire, granuleux; ~**speicher** grenier; silo *m*
Körper corps *m; phys* solide *m;* ~**ausdünstung**
émanation *f (ou)* exhalaison corporelle; ~**bau**
organisation *f,* constitution *f,* conformation *f;*
physique *m;* ~**behaarung** pilosité *f;* ⌐**behindert**
infirme; ~**behinderter** handicapé *m* physique;
~**flüssigkeit** humeur *f;* ~**fülle** corpulence *f,*
embonpoint *m;* ~**größe** taille *f;* ~**haltung** port
m; posture *f,* maintien *m;* ~**kraft** force *f*
physique; ⌐**lich** corporel, physique; matériel; **§**
somatique; ~**maße** *pl* mensurations *fpl;* ~**pflege**
hygiène corporelle; ~**schaft** corporation *f;*
collectivité *f;* société *f;* ~**schaftsteuer** impôt *m*
sur les (revenus des) sociétés; ~**verletzung**
blessure *f;* 🔟 lésion corporelle; ~**verstümme-**
lung mutilation *f*
Korporal caporal; brigadier
Korps corps *m* d'armée
korrekt correct; exact; ⌐**or** 🖵 correcteur; ⌐**ur**
a. 🖵 correction *f;* ⌐**ur lesen** corriger des
épreuves
Korrespond|ent correspondant; *com* corres-
pondancier; ~**enz** correspondance *f,* échange *m*
de lettres; *(Postsachen)* courrier *m;* ⌐**ieren**
correspondre *(mit avec)*
Korridor corridor *m,* couloir *m; (groß)* galerie *f*
korrigieren corriger, rectifier; *sich* ~ se
reprendre
Korrosion corrosion *f;* ⌐**sbeständig** résistant à
la corrosion; ~**sschutz** protection contre la
corrosion; *(Mittel)* anticorrosif *m*
korrupt corrompu; ⌐**ion** corruption *f*
Kors|e Corse; ~**ika** la Corse
Korsett corset *m,* ceinture *f,* gaine *f*
Koryphäe coryphée *m; umg* as *m*
kose|n caresser *(mit j-m* qn), câliner, cajoler,
bouchonner; ⌐**name** terme *m* d'affection
Kosmeti|k cosmétologie *f;* ~**ka** produits *mpl* de
beauté, cosmétiques *mpl;* ~**sch** cosmétique
kosm|isch cosmique; ~*ischer Nebel (astr)*
nébuleuse *f;* ⌐**opolit** cosmopolite; ~**opolitisch**
cosmopolite; ⌐**os** cosmos *m*
Kost aliment *m;* repas *mpl;* nourriture *f; in* ~ en
pension; *freie* ~ *u. Wohnung haben* être logé et
nourri; *magere* ~ *(umg)* maigre pitance; ~**en¹**
goûter, déguster; savourer; ~**gänger** pensionnaire; ~**geld** pension *f*
kostbar précieux; cher, de grande valeur; ⌐**keit**
objet précieux; richesse *f*
kost|en² coûter, valoir; *es s. etw.* ~*en lassen* se
mettre en frais; ~*e es es, was es wolle* coûte que
coûte; vaille que vaille; ⌐**en** *mpl* coût *m,* frais
mpl, dépenses *fpl; auf* ⌐**en** *anderer leben* vivre
aux dépens d'autrui; *auf s-e* ⌐**en** *kommen* s'y
retrouver; *d-en bestreiten (a. fig)* faire les frais
de; ⌐**enanstieg** augmentation *f* des coûts;
⌐**enaufwand** charges *fpl,* frais *mpl,* dépenses *fpl;*
⌐**enbeitrag** contribution *f;* ⌐**dämpfung** compression *f* des dépenses; ⌐**enerstattung** remboursement des frais; ~**enlos** gratuit; à titre
gracieux, gracieusement; ⌐**enrechnung** calcul *m*
des frais; ~**ensatz** pourcentage *m* des frais
généraux; ⌐**envoranschlag** devis *m;* ~**spielig**
coûteux, onéreux, dispendieux

köstlich délicieux, exquis, excellent; délicat;
⌐**keit** excellence *f,* délicatesse *f*
Kostüm costume *m; (Damen-)* tailleur *m;* ~**ball**.
bal costumé; ⌐**ieren** costumer, travestir
Kot boue *f,* crotte *f;* excréments *mpl; (Tier-)*
fiente *f; a. fig* fange *f;* ~**flügel** garde-boue *m,*
aile *f*
Kotelett côtelette *f;* ~**en** *(Bart)* favoris *mpl,*
pattes *fpl* de lapin
Köter roquet, cabot; clebs *(pop)*
kotzen vomir; *umg* dégobiller, dégueuler; *zum*
⌐*! pop* dégueulasse!
Krabbe crabe *m; (Garnele)* crevette *f*
krabbeln *vt* chatouiller, gratter; *vi* aller à quatre
pattes; *(Käfer)* marcher; *(wimmeln)* grouiller
Krach craquement *m; (Lärm)* fracas *m,* vacarme
m; chahut *m; com* krach *m,* déconfiture *f;*
(Streit) brouille *f,* brouillerie *f;* ~ *machen od*
schlagen se rebiffer, se regimber, ne pas se
laisser faire; ⌐**en** craquer; éclater; claquer;
(Schuß) craquer; ~**en** *su* bruit *m;* craquement *m;*
fracas *m*
krächzen croasser
Kraft force *f;* énergie *f; (Wirksamkeit)* efficacité
f, vertu *f; (Leistungsfähigkeit)* pouvoir *m,*
puissance *f; (geistig)* faculté *f;* 🔟 *, fig* vigueur *f;*
(Arbeiter, -in) aide *m (f),* bras *m (mst pl)* ♦ *die*
treibende ~ *sein* être la cheville ouvrière de qch;
in ~ *treten* entrer en vigueur; *außer* ~ *setzen*
abroger; *mit aller* ~ de toutes ses forces; *nach*
besten Kräften de son mieux; *zu Kräften*
kommen se remonter; ⌐ *präp* en vertu de;
~**anlage** centrale *f* de force motrice; ~**arm** bras
m de la force motrice; ~**aufwand** déploiement *m*
de forces; énergie dépensée; ~**brühe** consommé
m, bouillon *m;* ~**fahrer** conducteur d'automobile, automobiliste; ~**fahrzeug** véhicule *m* à
moteur *(od* automobile); ~**fahrzeugindustrie**
industrie *f* (de l')automobile; ~**fahrzeugschein**
carte *f* grise; ~**feld** champ *m* de force; ~**futter**
fourrage concentré; ⌐**los** débile, sans énergie;
~**meier** malabar; ~**probe** épreuve *f* de force;
~**protz** *umg* malabar, costaud; ~**rad** motocyclette *f;* ~**stoff** carburant *m,* essence *f;*
~**stoffleitung** conduite *f* de carburant; ~**stoff-**
pumpe pompe *f* d'alimentation; ~**strom** courant
m (de) force (motrice); ~**stück** tour *m* de force;
~**verkehr** transports *mpl* par autocars; ⌐**voll**
vigoureux, plein de force; énergique; ~**wagen**
automobile *f;* ~**werk** centrale *f (od* usine *f)*
électrique, centrale (de force) motrice
Kräft|eausgleich équilibre *m* des forces;
~**everfall** dépérissement *m;* ~**everhältnis** rapport *m* de(s) forces; ~**everschleiß** épuisement *m*
physique; ⌐**ig** fort; robuste, solide; vigoureux,
intense; *(Nahrung)* substantiel; ⌐**igen** fortifier;
raffermir; restaurer; ~**igung** raffermissement *m;*
~**igungsmittel** **§** fortifiant *m,* tonique *m*
Kragen col *m; (Mantel)* collet *m* ♦ *es geht j-m an*
den ~ il y va de sa tête; *ihm platzt d.* ~ la
moutarde lui monte au nez; ~**knopf** bouton *m*
de col; ~**spiegel** *mil* écusson *m;* ~**stäbchen**
baleine *f;* ~**weite** encolure *f*
Krähe corneille *f* ♦ *e-e* ~ *hackt d. anderen kein*

Auge aus les loups ne se mangent pas entre eux; ~nfüße *(Runzeln)* pattes-d'oie *fpl; (Schrift)* pattes *fpl* de mouche

krähen *(Hahn)* chanter, pousser des coquericos; *fig* piailler ♦ *danach kräht kein Hahn* nul ne s'en soucie

Krake *zool* poulpe *m,* pieuvre *f*

Krakeel grabuge *m,* chahut *m;* ⚡en faire du grabuge, chahuter

Kralle griffe *f,* ongle *m; (Raubvögel)* serre *f* ♦ *j-m die ~n zeigen* montrer les dents à qn; *etw. nicht aus den ~n lassen* ne pas démordre; *etw. in die ~n bekommen umg* mettre le grappin sur qch

Kram fatras *m,* fourbi *m,* bazar *m; d. paßt mir nicht in d.* ~ cela m'embête; ⚡en fouiller, farfouiller; ~laden boutique *f*

Krämer boutiquier; ~geist, ~seele esprit *m* mercantile

Krampe crampon *m,* crochet *m*

Krampf crampe *f;* ✚ convulsion *f,* spasme *m;* ~ader varice *f;* ⚡en *refl* se contracter convulsivement, se crisper; ⚡haft convulsif, spasmodique; *(Anstrengung)* désespéré; ⚡lösend antispasmodique, spasmolytique

Kran grue *f; (Hahn)* robinet *m;* ~arm = ~ausleger flèche *f* de grue; ~wagen 🚂 grue *f* ferroviaire; 🚗 camion-grue *m*

Kranich grue *f*

krank malade, souffrant; ~ *werden* tomber malade; *sich ~ lachen* se tordre de rire; ~en a. *fig* souffrir; être atteint *(an etw. de* qch); ⚡enabteilung infirmerie *f;* ⚡enbett lit *m* de malade; ⚡engeld allocation *f* de maladie; ⚡engeschichte anamnèse *f;* ⚡enhaus hôpital *m;* ⚡enkasse caisse *f* d'assurance-maladie; ⚡enkost diète *f;* ⚡enpflege soins *mpl;* ⚡enpfleger infirmier; ⚡ensaal salle *f* d'hôpital; *(e-r Anstalt)* infirmerie *f;* ⚡enschein feuille *f* de maladie; ⚡enschwester infirmière *f;* ⚡enstand nombre *m* de malades; ⚡enträger brancardier; ⚡enversicherung assurance-maladie *f;* ⚡enwagen ambulance *f;* ⚡enwärter garde-malade; infirmier; ⚡er malade; ~feiern s'absenter du travail; prétexter une maladie; ~haft maladif; morbide; pathologique; ⚡heit maladie *f;* mal *m;* affection *f;* ⚡heitsbild aspect *m* clinique; ⚡heitserreger agent *m* pathogène; ⚡heitserscheinung symptôme *m;* ⚡heitshalber pour cause de maladie; ~schreiben constater (*ou* attester) par écrit la maladie d'un salarié

kränk|eln être souffreteux (*od* malingre); languir; ~en froisser, désobliger; blesser, offenser; *gekränkt sein* se vexer, se froisser; ~lich souffreteux; malingre; chétif; maladif; ⚡ung froissement *m;* offense *f;* humiliation *f,* mortification

Kranz couronne *f*

Krapfen beignet *m*

kraß extrême, grossier

Krater cratère *m*

kratz|bürstig revêche, rébarbatif; ~en *vt* gratter; racler; égratigner; *(Katze)* griffer; *vi* gratter; ⚡er égratignure *f;* rayure *f;* **Krätzer** *(Wein)* piquette *f;* ⚡festigkeit résistance *f* aux

éraflures; ⚡fuß courbette *f;* ⚡geräusch 🎵 friture *f;* ⚡wunde égratignure *f*

kraulen gratter légèrement; *vi* 🏊 nager le crawl

kraus crépu; *(Haar)* crépelé, crêpé; *fig* enchevêtré; ⚡e *(Hals-)* collerette *f; (Brust-)* jabot *m*

kräuseln friser, frisotter, crêper; onduler; *(Stoff)* froncer, plisser; *refl (Wasser)* se rider

Kraut *bot* herbe *f; (Kohl)* chou *m; umg (Tabak)* perlot *m; ins ~ schießen* monter en graine ♦ *dagegen ist kein ~ gewachsen* il n'y a pas de remède à cela; *wie ~ und Rüben* de façon désordonnée; ~junker hobereau

Kräuter|händler herboriste; ~handlung herboristerie *f;* ~tee tisane *f,* infusion *f*

Krawall tumulte *m,* bagarre *f,* échauffourée *f*

Krawatte cravate *f*

Kreatur créature *f*

Krebs écrevisse *f;* ✚ cancer *m;* ⚡artig cancérigène, carcinogène; ~früherkennung dépistage *m* précoce du cancer; ~gang; *d. ~gang gehen* aller à reculons; ~geschwür carcinome *m;* ~kranker cancéreux; ~leiden affection cancéreuse; ~schaden *fig* gangrène *f*

Kredenz buffet *m* de salle à manger, dressoir *m,* crédence *f*

Kredit *a. fig* crédit *m;* prêt *m,* emprunt *m; fig* réputation *f; auf* ~ à crédit; ~ *einräumen* ouvrir un crédit (*j-m* à qn); ~anstalt établissement *m* de crédit; ~aufnahme emprunt *m;* ~brief lettre *f* de crédit; ⚡fähig solvable; ~fähigkeit solvabilité *f;* ~genossenschaft coopérative *f* de crédit; ~kauf vente *f* à crédit; ~limit plafond *m* (du crédit); ~mittel fonds *mpl,* moyens *mpl* financiers; ~überziehung dépassement *m* de crédit; ~vergabe octroi *m* d'un crédit

Kreid|e craie *f; geol* crétacé *m* ♦ *bei j-m in d. ~ stehen* devoir de l'argent à qn; ⚡ebleich, ⚡eweiß blanc comme un linge; ~ezeichnung dessin *m* à la craie; ⚡ig crayeux

Kreis cercle *m,* rond *m; (Bereich)* sphère *f,* orbite *f; (Verwaltung)* district *m,* arrondissement *m;* ⚡ circuit *m; (Personen)* cercle *m,* milieu *m; im ~ d. Familie* au sein de la famille; ~bahn orbite *f;* ~bewegung mouvement *m* circulaire; rotation *f,* giration *f;* ~bogen arc *m* de cercle; ~el toupie *f,* sabot *m; phys* gyroscope *m;* ⚡en faire le tour (de); tourner, graviter (*um* autour de); *(Blut)* circuler; ~förmig rond, circulaire; ~kolben piston *m* rotatif; ~lauf *a.* ✚ circulation *f; (Natur)* cycle *m;* circuit *m;* ~laufstörungen troubles *mpl* circulatoires; ~säge scie *f* circulaire; ~stadt chef-lieu *m;* ~umfang circonférence *f;* ~verkehr sens *m* giratoire; ~wehrersatzamt bureau de recrutement (d'un district)

kreischen crier; grincer; *umg* piailler; ~d: *~de Stimme* voix *f* aigre (*od* de crécelle)

kreiß|en accoucher, enfanter; ⚡saal salle *f* des accouchements

Krematorium (four *m*) crématoire *m*

Krempe bord *m,* rebord *m*

krepieren crever, mourir, trépasser

Krepp crêpe *m;* ~apier papier *m* crêpé

Kresse cresson *m*

Kreuz croix *f; anat* reins *mpl; (Pferd)* croupe *f; ♪*
dièse *m; (Kartenspiel)* trèfle *m; fig* affliction *f,*
chagrin *m ♦ j-n aufs ~ legen umg* posséder,
pigeonner, avoir qn; coucher (avec une femme);
drei ~e hinter j-n/etw. machen être heureux de
ne pas avoir affaire à qn/qch; *zu ~e kriechen*
faire amende honorable; *≃ u. quer de* long en
large, en tous sens; **~abnahme** descente *f* de
croix; **~band:** *unter ~band* sous bande; **~bein**
sacrum *m;* **~blütler** cruciféracées *fpl;* **≃en** *a. biol*
croiser; *(Straße)* traverser; *⚓* louvoyer; *refl* se
croiser, s'entrecroiser; **~er** *⚓* croiseur *m;*
~fahrer croisé; **~fahrt** croisière *f;* **~feuer** feux
croisés; **≃fidel** gai comme un pinson; **≃förmig**
cruciforme, en forme de croix; **~gang** cloître *m;*
~gelenk cardan *m;* **≃igen** crucifier; **~igung**
crucifixion *f,* crucifiement *m;* **~kopf ✿** tête *f* de
bielle, crosse *f;* **~lahm** éreinté, fourbu; claqué,
flapi *(umg);* **~otter** vipère *f;* **~ritter** croisé *m;*
~schmerzen: *~schmerzen haben* avoir mal aux
reins; **~see** houle *f* battue; **~stich** point croisé;
~ung *(Weg-)* croisée *f; (Straßen-)* carrefour *m;*
⚒, *biol* croisement *m;* **⚒** intersection *f;*
~verhör ⚖ interrogatoire *m* contradictoire;
(Polizei) interrogatoire sous feux croisés; **~weg**
carrefour *m;* croisement *m,* croisée *f; rel* chemin
m de croix; **≃weise** en croix; **~worträtsel** mots
croisés; **~zeichen** (signe *m* de la) croix *f;* **~zug**
croisade *f*
kribbe|lig: *~ig sein* avoir les nerfs en boule; **~n**
picoter, fourmiller
kriech|en ramper, se glisser *(durch* par); *fig*
ramper *(vor j-m* devant qn); flagorner *(vor j-m*
qn); *auf allen vieren ~en* marcher à quatre
pattes; **≃er** flagorneur, adulateur, lèche-bottes;
≃erei servilité *f;* **~erisch** rampant, servile;
≃spur voie *f* réservée aux véhicules lents; **≃tier**
reptile *m*
Krieg guerre *f; kalter ~* guerre froide; *d. ~*
erklären déclarer la guerre; *~ führen* faire la
guerre *(gegen* à), guerroyer; *in d. ~ ziehen* partir
en guerre; **~er** guerrier, soldat; **≃erisch**
guerrier, belliqueux, martial; **~erwitwe** veuve de
guerre; **≃führend** belligérant; **~führung** stratégie *f,* tactique *f;* **~sanleihe** emprunt *m* de guerre;
~sausbruch début *m* des hostilités; **~sberichter-**
statter correspondant aux armées *(od* de
guerre); **~sbeschädigung** mutilé de guerre;
~sblinder aveugle de guerre; **~sdienstverweige-**
rer objecteur de conscience; **~sdienstverweige-**
rung objection *f* de conscience, refus *m* des
obligations militaires; **~serklärung** déclaration *f*
de guerre; **~sfolgen** séquelles *fpl* de guerre;
~sfuß: *auf d. ~sfuß stehen* être sur le pied de
guerre; **~sgefahr** danger *m* de guerre, risque de
conflit armé; **~sgefangener** prisonnier de
guerre; **~sgefangenschaft** captivité *f;* **~sgericht**
conseil *m* de guerre; **~sgewinnler** profiteur de
guerre; **~sgrund** casus belli *m;* **~shafen** port *m*
de guerre; **~shetze** bellicisme *m;* **~shetzer**
belliciste, fauteur de guerre; **~slist** ruse *f* de
guerre, stratagème *m;* **≃slustig** belliqueux;
~smacht puissance *f* militaire; **~smarine** marine
f de guerre; **~smaterial** matériel *m* de guerre;

~sopfer victime *f* de la guerre; **~spolitik**
politique *f* belliciste; **~srecht** lois *fpl* de la
guerre; **~sschäden** dommages matériels de
guerre; **~sschauplatz** théâtre *m* des hostilités;
~sschiff vaisseau *m* de guerre; **~sstärke** effectif
m de guerre; **~steilnehmer** ancien combattant;
~sverbrecher criminel de guerre; **~sversehrter**
mutilé de guerre; **~sverwendungsfähig** apte au
service armé; **~swaise** pupille *m, f* de la Nation;
~swirtschaft économie *f* de guerre; **~szeiten**
temps *mpl* de guerre; **~szug** expédition *f*
militaire; **~szustand** état *m* de guerre
kriegen attraper; obtenir; avoir
Kriminal|beamter agent *(ou* officier) de la
police judiciaire; **~fall** infraction *f;* **~film** film
policier; **~istik** criminologie *f;* **~ität** criminalité
f; **~polizei** police *f* judiciaire; **~polizist**
inspecteur de la P. J.; **~roman** roman policier
Krimmer astrakan *m*
Kringel boucle *f; (Gebäck)* craquelin *m*
Krippe mangeoire *f; (a. Kinder-)* crèche *f;*
~nfigur santon *m*
Krise crise *f;* **≃nanfällig** exposé à la crise;
≃nfest à l'abri d'une crise; **~ngefahr** menace *f*
de crise; **~ngeschüttelt** ébranlé par la crise;
~nherd foyer *m* de la crise; **~nzeit** période *f* de
crise
Kristall cristal *m;* **≃inisch** cristallin; **≃klar**
cristallin, transparent, limpide; **~waren** cristal-
lerie *f;* **~zucker** sucre cristallisé
Krit|erium critère *m;* critérium *f;* **~ik** critique *f,*
censure *f;* **📖** compte rendu; **~iker** critique,
censeur; **≃isch** critique; **≃isieren** faire la
critique (de), critiquer, blâmer; **≃teln** critiquer
sans raison, criticailler
kritzeln griffonner, gribouiller
Krocket croquet *m*
Krokodil crocodile *m*
Krokus crocus *m*
Kron|e couronne *f; (Baum)* cime *f; (Blume)*
corolle *f ♦ e-r Sache d. ~ aufsetzen* mettre le
comble à qch; *was ist dir in d. ~e gefahren?*
quelle mouche te pique?; *e-n in d. ~e haben*
avoir un verre dans le nez; **krönen** couronner;
~juwelen joyaux *mpl* de la couronne; **~leuchter**
lustre *m;* **Krönung** couronnement *m;* **~zeuge**
témoin principal; *iron* témoin de la couronne
Kropf *(Geflügel)* jabot *m;* **⚕** goitre *m*
Kröte crapaud *m; (Geld) umg* avoine, blé, fric;
fig gamine *f*
Krück|e béquille *f;* **~stock** béquillon *m*
Krug pot *m,* cruche *f,* pichet *m ♦ d. ~ geht*
solange zu Brunnen, bis er bricht tant va la cruche
à l'eau qu'à la fin elle se casse
Kruke cruchon *m*
Krume mie *f; ↓* terre *f* arable
Krümel miette *f;* **≃n** émietter
krumm courbe, crochu, déjeté; *(Beine)* tors,
tordu, arqué; *(Rücken)* voûté; *(Weg)* anfrac-
tueux, sinueux; *a. fig* tortueux, retors; **~beinig**
(avoir les) jambes torses; bancal; *(nach innen)*
cagneux; **krümmen** courber, cambrer; *s. vor*
Lachen krümmen se tordre *(od* se gondoler) de
rire; **≃stab** crosse *f;* **Krümmung** courbe *f,*

courbure *f*, incurvation *f*, cambrure *f*; **§**
contorsion *f*; *(Fluß)* coude *m*, sinuosité *f*,
méandre *m*, repli *m*
Kruppe *(Pferd)* croupe *f*
Krüppel invalide, estropié, infirme; *z.* ~
machen estropier
Kruste croûte *f*; **§** escarre *f*; **~ntier** crustacé *m*
Kryo|genik cryogénie *f*; **~therapie** cryothéra-
pie *f*
Kübel baquet *m*, seau *m*, tinette *f*; *(Pflanzen-)*
caisse *f*; ✿ benne *f*; **~wagen** chariot *m* à bennes
Kubik|inhalt volume *m*; **~maß** mesure *f* de
volume; **~meter** mètre *m* cube; **~wurzel** racine *f*
cubique; **~zahl** cube *m*
kub|isch cubique; **⌐us** cube *m*
Küche cuisine *f*; *kalte* ~ buffet froid;
~nbenutzung: *mit* ~*nbenutzung* avec usage de la
cuisine; **~nchef** chef (de cuisine); **~ngerät**
ustensiles *mpl* de cuisine; **~nherd** cuisinière *f*;
~njunge marmiton; **~nschabe** cancrelat *m*;
~ntuch torchon *m*; **~nzettel** menu *m*
Kuchen gâteau *m*; tarte *f*; **~bäcker** pâtissier;
~blech tôle *f*; **~form** moule *m* (à gâteau)
Kuckuck coucou *m* ♦ *zum* ~ *(noch mal)!* nom
d'une pipe!; *geh z.* ~*!* fiche-moi le camp!
Kufe *(Faß)* cuve *f*; *(Schlitten)* patin *m*
Küfer tonnelier
Kugel boule *f*, bille *f*; *(große)* globe *m*; *math*
sphère *f*; *(Geschoß)* balle *f*; *s. e-e* ~ *durch d.*
Kopf jagen se brûler la cervelle; **~abschnitt**
segment *m* de sphère; **~blitz** foudre *f* en
globulaire; **Kügelchen** globule *m*; ~**fang** pare-
balles *m*; **⌐förmig** sphérique; globulaire;
~gelenk ✿ (joint *m* à) rotule *f*; **~haufenreaktor**
réacteur *m* à éléments sphériques; **~lager**
roulement *m* à billes; **~n** rouler; *refl* se tordre
(de rire); **⌐rund** tout rond; **~schreiber** stylo *m* à
bille; **~stoßen** lancement *m* du poids; **~ventil**
clapet *m* à billes
Kuh vache *f*; **~fladen** bouse *f*; **~glocke** clarine *f*,
sonnaille *f*; **~handel** *m* ❄ maqui-
gnonnage *m*; **~haut:** *d. geht auf k-e* ~*haut* c'est
incroyable *(od* inouï*)*; **~hirt** vacher; **~stall**
étable *f* à vaches, vacherie *f*
kühl frais; *fig* froid, sec; ~ *aufbewahren* garder
au frais; **⌐anlage** (installation *f)* frigorifique *m*;
⌐e fraîcheur *f*; **~en** *(Lebensmittel)* frigorifier;
rafraîchir; refroidir; ✿ réfrigérer; *(in Eis)*
frapper; **⌐er** 🚗 radiateur *m*; **⌐erhaube**
couvre-radiateur *m*; **⌐erverkleidung** calandre *f*;
⌐gebläse ventilateur *m* de refroidissement;
⌐haus glacière *f*; **⌐ mantel** enveloppe réfrigé-
rante; **⌐mittel** agent *m* de refroidissement;
⌐raum chambre froide *(od* frigorifique*)*; **⌐rippe**
ailette *f* de refroidissement; **⌐schiff** cargo *m*
réfrigérateur; **⌐schlange** ✿ serpentin réfrigérant; **⌐schrank** réfrigérateur *m*; *umg* frigo *m*;
Ⓦ frigidaire *m*; **⌐transport** transport *m*
frigorifique; **~ung** rafraîchissement *m*; réfrigé-
ration *f*; ✿ refroidissement *m*; **⌐wagen** wagon *m*
frigorifique; **⌐wasser** eau *f* de refroidissement
kühn ḫardi; audacieux, téméraire; entreprenant; osé; intrépide; **⌐heit** hardiesse *f*; audace
f; témérité *f*; intrépidité *f*

Küken poussin *m*
kulant accommodant, arrangeant, coulant
Kuli coolie
Kulisse panneau *m* de décors; *(Raum)* coulisse
f; *fig* fond *m*; *hinter d.* **~n** dans la coulisse
Kult culte *m*; **⌐isch** du culte, cultuel; rituel;
⌐ivieren *a. fig* cultiver; **⌐iviert** instruit, cultivé;
~ur civilisation *f*; *(Bildung)* culture *f*; **⌐urell**
culturel; **~urfilm** documentaire *m*; **~urge-
schichte** histoire *f* de la civilisation; **~urgüter**
patrimoine *m* national; **~haus** maison *f* de la
culture; **~urland** terre *f* arable; **~urstufe** degré
m de civilisation; **~urvolk** peuple civilisé;
~usminister ministre de l'Éducation nationale
(od de l'Instruction publique*)* et des cultes
Kümmel cumin *m*; *(Getränk)* kummel *m*
Kummer chagrin *m*; peine *f*; souci *m*; **⌐voll**
affligé; soucieux
kümmer|lich misérable; pauvre, maigre; mes-
quin; **~n** regarder, intéresser; *refl* se soucier de,
prendre soin de; se mêler de; **⌐nis** chagrin *m*,
affliction *f*
Kummet collier *m*
Kum|pan compagnon, copain; *pej* acolyte; **~pel**
mineur; *umg* copain
künd|bar *(Vertrag)* résiliable; **~igen** congédier
(qn), donner son congé; *(Arbeit, Wohnung)*
résilier *(ou* dénoncer*)* un contrat (de travail, de
location); *(Angest.)* renvoyer (qn); *(Vertrag)*
dénoncer, résilier; **⌐igung** *(e-s Arbeitnehmers)*
licenciement *m*, congé *m*, renvoi *m*; *(Vertrag)*
dénonciation *f*, résiliation *f*; **⌐igungsbrief** lettre *f*
de licenciement; **⌐igungsfrist** délai-congé *m*,
délai *m* de préavis
Kund|e¹ *m* client; *(Käufer)* acheteur; *(Verbrau-
cher)* consommateur; **~enbetreuung** service *m*
après vente; **~endienst** service *m* (après vente);
~enfang racolage *m*; **~enkredit** crédit *m* à la
consommation; **~enkreis** clientèle *f*; *(e-s Vertre-
ters)* portefeuille *m*; **~enstamm** clientèle *f* fidèle;
~enwerber démarcheur *m*; **~enwerbung** démar-
chage *m*; prospection *f* de la clientèle; **~in**
cliente; **~schaft** clientèle *f*
Kund|e² *f* nouvelle *f*; *(Kenntnis)* connaissance *f*;
⌐geben donner connaissance (de qch);
⌐tun donner connaissance (de qch);
faire savoir (qch), faire connaître (qch);
~gebung manifestation *f*, démonstration *f*; **⌐ig**
expérimenté, instruit
künftig *adj* futur, à venir; *(nahe Zukunft)*
prochain; *adv* à l'avenir, désormais, dorénavant
Kunst *art m*; *(Geschicklichkeit)* habileté *f*;
(Kniff) ruse *f*, artifice *m*; *d. bildenden Künste*
les arts *mpl* plastiques; *d. schönen Künste* les
beaux-arts ♦ *das ist k-e* ~ ce n'est pas bien
malin; *das ist d. ganze* ~ ce n'est pas plus malin
que ça; **~akademie** école *f* des beaux-arts;
~ausstellung exposition *f*, Salon *m*; **~druckpa-
pier** papier couché; **~dünger** engrais *m*
chimique; **~eis** glace artificielle; **~eisbahn**
patinoire *f*; **~faser** fibre *f* synthétique; **⌐fertig**
habile, ingénieux; **~fertigkeit** habileté *f*, ingé-
niosité *f*; **~flieger** voltigeur *m*; **~fliegerei**
acrobatie aérienne; **~freund** amateur des
beaux-arts; mécène; **~gegenstand** objet *m* d'art;

♣**gerecht** a. fig conforme aux règles de l'art; ~**geschichte** histoire f de l'art; ~**gewerbe** arts décoratifs; ~**gewerbeschule** école f des arts et métiers; ~**griff** artifice m, ruse f; astuce f; ~**handel** commerce m d'objets d'art; ~**händler** marchand m d'objets d'art; ~**handwerk** artisanat m d'art; ~**harz** résine artificielle; ~**kenner** connaisseur d'art; ~**kritiker** critique d'art; ~**leder** similicuir m; ~**licht** ⓜ lumière artificielle; ~**maler** peintre; ~**produkt** produit artificiel; ~**reiter** écuyer; ~**sammlung** collection f d'art; ~**schlosserei** ferronnerie f; ~**seide** soie artificielle, rayonne f; ~**sinn** goût m de l'art; ~**stoff** matière f plastique; synthétique m; ~**stoffschaum** mousse f synthétique; ~**stoffüberzug** plastage m; ♣**stopfen** stopper; ~**stopfen** n stoppage m; ~**stück** tour m d'adresse; ~**tischler** ébéniste; ~**verlag** éditions fpl (od librairie f) d'art; ♣**voll** ingénieux; ~**werk** œuvre f d'art

Künst|elei affectation f, raffinement m; ~**ler** artiste; ♣**lerisch** (Werk) artistique; (Veranlagung) artiste; ~**lername** pseudonyme m; ~**lertum** génie m (artistique); savoir-faire m (de l'artiste); ♣**lich** artificiel; synthétique; (unecht) faux, factice

kunterbunt adv pêle-mêle

Kupfer cuivre m; ~**geschirr** cuivres mpl; ♣**haltig** (Gestein) cuprifère; ~**legierung** alliage m cuivreux; ♣**n** de cuivre; ♣**rot** cuivré; ~**schmied** chaudronnier; ~**stich** gravure f à l'eau-forte; estampe f, taille-douce f; ~**sulfat**, ~**vitriol** sulfate m de cuivre, vitriol bleu; ~**tiefdruck** héliogravure f

Kuppe (Berg-) cime f, sommet m; (Finger-) bout m; ~**l** coupole f, dôme m

Kupp|elei proxénétisme m; ♣**eln** 🚗 embrayer; ⚙ accoupler, coupler; 🐎 atteler; ~**elpelz**: s. e-n ~elpelz verdienen tenir la chandelle; ~**ler** proxénète, entremetteur; ~**lerin** entremetteuse; ~**lung** 🚗 embrayage m; ⚙ accouplement m; 🐎 attelage m; ~**lungskopf** tête f d'accouplement; ~**lungspedal** pédale f d'embrayage; ~**lungswelle** arbre m d'embrayage

Kur cure f; zur ~ gehen aller aux eaux; ~**fürst** Électeur; ~**gast** curiste m, f; ~**haus** casino m; ♣**ieren** guérir; ~**ort** station f balnéaire, station thermale; ~**pfuscher** médicastre, charlatan, médecin marron; ~**taxe** taxe f de séjour

Kurat|el curatelle f; ~**orium** comité m de patronage

Kurbel manivelle f; ~**gehäuse** carter m moteur; ♣**n** tourner la manivelle; ~**stange** ⚙ bielle f; ~**welle** ⚙ villebrequin m; arbre m moteur

Kürbis courge f, citrouille f; pop (Kopf) caillou m, melon m

Kurie curie f

Kurier courrier

kurios curieux, bizarre; ♣**ität** curiosité f, bizarrerie f

Kurrentschrift écriture cursive; courante f

Kurs cours m; pol orientation f; ⚓ route f; ~**bericht** bulletin m de la Bourse; ~**buch** indicateur m (des chemins de fer); ~**dämpfung** tassement m des cours; ~**einbruch** chute f des

cours; ~**erholung** reprise f; ~**festsetzung** cotation f; ♣**ieren** (Geld) circuler; (Gerücht) courir; ~**notierung** cote f; ~**parität** parité f de change; ~**schwankung** fluctuation f des cours; ~**us** cours m; ~**wagen** voiture directe; ~**wechsel** fig changement m de cap; ~**zettel** bulletin m de la cote

Kürschner fourreur; pelletier; ~**ei** pelleterie f

Kursivschrift italique m

Kurve a. math courbe f; 🐂 virage m, tournant m, boucle f ♦ d. ~ kratzen umg décamper, décaniller, ficher le camp; d. ~ kriegen umg comprendre (enfin) le truc; d. ~ noch nicht herausbaben umg ne pas piger; ~**nanflug** approche f en arc; ~**nmesser** curvimètre m

kurz court; (bes Zeit) bref; binnen ~em avant peu, sous peu; bis vor ~em jusqu'à une date récente; ~ u. bündig succinct, concis, laconique; ~ u. gut bref; ~ u. klar concis et précis; in ~en Worten brièvement, en peu de mots; über ~ oder lang tôt ou tard; ~ angebunden sein ne pas faire de cérémonies; sich ~ fassen être bref; j-n ~ halten serrer la vis à qn; zu ~ kommen ne pas trouver son compte; ~ en Prozeß machen faire peu de façons de; en finir lestement (od prestement) avec qch (od qn); ~ u. klein schlagen mettre en pièces; ♣**arbeit** chômage partiel; ♣**atmig** asthmatique, poussif; ~**bericht** compte rendu m sommaire; ♣**beschreibung** description f sommaire; ♣**bezeichnung** référence f; ♣**erhand** sans autre forme de procès; ♣**fassung** résumé m; ♣**film** court métrage; ~**fristig** à bref délai, à court terme, à courte échéance; ~**gefaßt** bref, sommaire; ~**geschoren** à tête rase; ~**haarig** à poils ras; ~**lebig** éphémère; ♣**nachrichten** nouvelles brèves; ~**schalten** ~**schließen** ⚡ court-circuiter; ~**schluß** court-circuit m; ~**schrift** sténographie f; ~**sichtig** myope; ♣**sichtigkeit** myopie f; fig vue bornée; ~**streckenflugzeug** avion f à court rayon d'action; ~**um** enfin, en un mot, bref; ♣**waren(-geschäft)** mercerie f; ♣**warenhändler** mercier; ~**weg** de but en blanc, sans détours; ♣**weil** passe-temps m; ~**weilig** amusant, divertissant; ♣**welle** onde f courte; ♣**wellenbereich** gamme f O.C.; ~**zeitbetrieb** régime m de courte durée

Kürz|e brièveté f; (Ausdruck) concision f; in ~e sous peu; ~**el** abréviation f sténographique; ♣**en** raccourcir, écourter; réduire; (Text) élaguer; (Bruch) simplifier; ♣**er**: ~er machen raccourcir; ~er werden se raccourcir; d. ♣**eren** ziehen avoir le dessous, être désavantagé; ♣**lich** récemment, dernièrement, nouvellement; ~**ung** abréviation f; (Bruch) simplification f; (Haushalt) compression f; réduction

Kusine cousine

Kuß baiser m; umg bise f; **Küßchen** umg bécot m, poutou m, bisette f; **küssen** embrasser; umg bécoter, faire la bise; pop sucer la pomme; refl s'embrasser; d. Hand küssen baiser la main; **Küssen** embrassements mpl, embrassades fpl; étreinte; ♣**echt** indélébile; ~**hand**: e-e ~**hand** zuwerfen envoyer un baiser

Küste côte *f*, bord *m* de la mer; *an d.* ~ sur la côte; **~nfischerei** pêche côtière; **~ngebiet** littoral *m;* **~ngewässer** eaux *fpl* territoriales; **~nschiff** caboteur *m;* **~nschiffahrt** navigation côtière, cabotage *m;* **~nstreifen** bande côtière; **~nwachboot** garde-côte *m;* ~**nzone** zone côtière
Küster sacristain
Kustos conservateur (de musée)
Kutsch|e calèche *f*, carrosse *m;* ~**er** cocher; **⌁ieren** mener, conduire
Kutte froc *m*
Kutter cotre *m*
Kuvert enveloppe *f*
Kux part minière
Kybernetik cybernétique *f*

L

Lab présure *f;* **⌁en** rafraîchir; *refl* se rafraîchir; *fig* se délecter (*an etw.* à qch); ~**magen** *zool* caillette *f;* ~**sal** rafraîchissement *m*
labil *a. fig* instable; *biol* labile; **⌁ität** instabilité *f*
Labor laboratoire *m;* labo *m (umg); (pharm.)* officine *f;* ~**ant** préparateur; ~**antin** laborantine; ~**atorium** laboratoire *m;* ~**experiment** = ~**versuch** expérience *f (ou* essai *m)* de laboratoire; **⌁ieren** *chem* faire des expériences
Labyrinth *a. anat* labyrinthe *m;* dédale *m*
Lache[1] *(Pfütze)* flaque *f; (Blut-)* mare *f* (de sang)
Lache[2] *(Gelächter)* éclat *m* de rire
läch|eln sourire (*über* de); **⌁eln** *su* sourire *m;* ~**erlich** ridicule, grotesque, risible; *(sonderbar)* saugrenu, absurde; *(gering)* dérisoire; ~**erlich machen** ridiculiser qch, tourner qn en ridicule; *sich ~erlich machen* tomber dans le ridicule; **⌁erlichkeit** ridicule *m*
lachen rire; *gezwungen* ~ rire jaune; *laut* ~ s'esclaffer; *schallend* ~ rire aux éclats; *Tränen* ~ rire aux larmes; *j-m ins Gesicht* ~ rire au nez de qn; *ich muß* ~ je ne puis m'empêcher de rire ♦ *s. e-n Ast* ~ rire comme un bossu; **⌁** *su* rire *m; das ist ja zum* **⌁** *(umg)* c'est à se tordre; *es ist nicht zum* **⌁** ce n'est pas du tout drôle
Lach|gas gaz hilarant; ~**krampf** 𝄞 rire convulsif; *fou* rire; ~**möwe** mouette rieuse
Lachs saumon *m;* ~**farben** saumon *(inv);* ~**schinken** jambon saumoné
Lack laque *f*, vernis *m;* **⌁ieren** laquer, vernir; ~**muspapier** papier *m* tournesol; ~**papier** papier *m* vernis; ~**schuhe** souliers vernis
Lade caisse *f*, coffre *m;* tiroir *m;* ~**fähigkeit** capacité *f* de chargement; tonnage *m;* portée *f* utile; ~**fläche** surface *f* de chargement; ~**gerät** 𝄞 chargeur; ⚓ appareil *m* de charge; ~**hemmung** enrayage *m;* ~**mast** ⚓ mât *m* de charge; ~**profil** ⚒ gabarit *m*
lade|n *(a. Waffe,* 𝄞, 📖) charger; *(Gast)* inviter, convier *(zu* à); *vor Gericht* ~ citer en justice ♦ *auf j-n geladen sein* avoir une dent contre qn; **⌁n**[1] *n* chargement *m;* **⌁rampe** rampe *f* de chargement; ~**raum** ⚓ cale *f;* ✝ soute *f; (Maß)* ⚓ jauge nette
Laden[2] *m* magasin *m;* fonds *m* de commerce; *(kleiner)* boutique *f; (Fenster-)* volet *m;* ~**dieb**

voleur *m* à l'étalage; ~**diebstahl** vol *m* à l'étalage; ~**hüter** stock *m* mort; invendu *m; umg* rossignol *m;* ~**kette** chaîne *f;* ~**mädchen** demoiselle de magasin, vendeuse; ~**preis** prix *m* de vente au public; prix de détail; ~**schild** enseigne *f;* ~**schluß** fermeture *f* des magasins; ~**tisch** comptoir *m*
lädieren blesser; endommager
Ladung *a.* 𝄞 charge *f;* ⚓ cargaison *f;* ⚓, ✝ fret *m;* biens *mpl* chargés; *(Versicherung)* faculté *f; (Vorladung)* citation *f;* convocation; ~**saustausch** échange *m* de charge; ~**smeister** ⚓ soutier *m*, chef *m* de soute; ~**snetz** *(Hebezeug)* filet *m* d'élingue; ~**spapiere** documents *mpl* d'embarquement
Lafette affût *m* (de canon)
Laffe fat, freluquet
Lage situation *f; (Platz, Stellung)* position *f; (Haltung)* attitude *f; (Zustand)* état *m*, circonstances *fpl*, conditions *fpl; (Bodenschicht)* couche *f; (Papierschicht)* cahier *m; (Tonhöhe)* voix *f; (Getränke)* tournée *f; die* ~ **erkunden** *(a. fig)* reconnaître le terrain; *in d.* ~ **sein,** *etw. zu tun* être en mesure (*od* à même) de faire qch; *versetzen Sie sich in m-e* ~*!* mettez-vous à ma place!; ~**bericht** rapport *m*, compte-rendu *m;* ~**plan** plan *m* des installations
Lager *(Ruhestätte)* lit *m*, couche *f; (Soldaten, a. pol)* camp *m;* mil bivouac *m; (Banditen, Raubtiere)* repaire *m; (Hasen)* gîte *m; (Wildschweine)* bauge *f; (Vorratsraum)* magasin *m*, stock *m*, entrepôt *m;* ⚙ palier *m*, coussinet *m*, roulement *m; (Bergbau)* gisement *m; d.* ~ **aufschlagen** *(abbrechen)* dresser (lever) le camp; *sein* = **aufschlagen** *(fig)* fixer sa demeure, s'établir; *auf* ~ **haben** avoir en stock (*od* en magasin); *auf* ~ **nehmen** stocker; ~**aufnahme** inventaire *m;* ~**bestand** stocks *mpl;* ~**bier** bière *f* de garde; ~**bolzen** goupille *f;* ~**buchse** coussinet; **⌁fähig** propre au stockage; ~**feuer** feu *m* de camp; ~**geld** droits *mpl* de magasinage; ~**halter** magasinier; ~**haltung** magasinage *m;* tenue des stocks; ~**haus** entrepôt *m;* **⌁n** *vi* camper; *com* être en magasin, être stocké; reposer *(auf* sur); *vt* coucher; emmagasiner, stocker; *refl* se coucher, s'étendre; ~**n** *su (Waren)* magasinage *m; (Soldaten)* campement *m;* ~**platz** camp *m;* ~**räume** stocks *mpl;* ~**schein** bulletin *m* de dépôt; warrant *m;* ~**schuppen** hangar *m*, remise *f;* ~**stätte** *geol* gisement *m;* ~**ung** (em)magasinage *m*, stockage *m;* ~**vorrat** stocks *mpl*
Lagune lagune *f*
lahm paralysé, perclus; *(hinkend)* boiteux; *(schwach)* faible, mou, débile; *com* languissant; 𝄞 paralytique, impotent; **⌁er** paralytique, boiteux; ~**en** boiter; *aller* clopin-clopant
lähmen *a. fig* paralyser; ~**legen** paralyser
Lähmung *a. fig* paralysie *f*
Laib *(Brot)* miche *f; (Käse)* meule *f*
Laich frai *m;* **⌁en** frayer; ~**platz** frayère *f*
Laie *(Nichtfachmann)* profane, novice; débutant *m*, *umg* bleu *m; (Nichtgeistlicher)* laïque *m;* ~**nbruder** frère lai; **⌁nhaft** laïc; profane;

~npriester prêtre séculier; ~nspiel théâtre *m* d'amateurs

Lakai laquais; *umg* larbin

Lake saumure *f*

Laken drap *m* (de lit)

lakonisch laconique

Lakritze réglisse *f*

Lakt|albumin lactalbumine *f*; ~ase lactase *f*; ~ation lactation *f*; ~ose lactose

lallen bégayer, balbutier

Lama *m u. n* lama *m*

Lametta *fig umg* ferblanterie *f*

Lamelle lamelle *f*

Lamm agneau *m*; ~fell toison *f* d'agneau; ⚊fromm doux comme un agneau

Lampe lampe *f* ♦ e-n auf d. ~ gießen *umg* s'humecter (*ou* se rincer) le gosier, lamper; ~ndocht mèche *f*; ~nfieber trac *m*; ~nschirm abat-jour *m*; ~nwärter lampiste *f*; ~nzylinder verre *m* de lampe

Lampion lampion *m*

Land (*Staat*) pays *m*; (*Festland*) continent *m*; terre *f*; ⬇ sol *m*; (*Grundstück*) champ *m*, terrain *m*; (*Gegens. z. Stadt*) campagne *f*; (*in d. Bundesrepublik*) Land *m* (*pl*: Laender); *d. Heilige ~* la Terre sainte; *an ~ gehen* débarquer; *auf dem ~ (wohnen)* (habiter) (à) la campagne; *außer ~es gehen* s'expatrier; *des ~es verweisen* exiler, expulser ♦ *wieder ~ sehen* commencer à s'en sortir; *an ~ ziehen umg* s'approprier, empocher; ⚊arbeiter ouvrier agricole; ⚊aus, ⚊ein en parcourant (*od* dans tout) le pays; ⚊besitz propriété foncière; ~bevölkerung population rurale; ~ebahn ✝ piste *f* d'atterrissage; ⚊en ⚓ aborder, accoster; ✝ atterrir; ~enge isthme *m*; ~esaufnahme topographie *f*; ~esfarben couleurs nationales; ~eshauptstadt (*Regierungssitz*) capitale *f*; ~esherr souverain *m*; ~eshoheit souveraineté *f*; ~esregierung gouvernement *m* d'un Land; ~essprache langue nationale; ~esüblich coutumier dans le pays; courant; ~esverrat haute trahison; ~esverteidigung défense nationale; ~flucht désertion *f* des campagnes; exode rural; ⚊flüchtig fugitif; ~gemeinde commune rurale; ~gericht tribunal *m* régional (allemand); ~gut propriété rurale, terre *f*; ~haus maison *f* de campagne, villa *f*; ~karte carte *f* géographique; ~kennung ⚓ atterrage *m*; ⚊läufig courant, usité; ~leute campagnards *mpl*, ruraux *mpl*; ~messer arpenteur, géomètre; ~partie partie *f* de campagne; ~plage calamité *f* publique, fléau *m*; ~pomeranze villageoise; campagnarde; ~rat (*etwa:*) sous-préfet; ~ratsamt service administratif d'un district (correspondant à l'arrondissement); ~ratte terrien *m*; ~schaft paysage *m*, site *m*; ~schaftsmaler paysagiste; ~schaftsschutz protection *f* des sites; ~ser soldat; troufion (*pop*); ~smann compatriote; (du) pays (*umg*); ~smännin compatriote; payse (*umg*); ~straße chaussée *f*, (grande) route *f*; ~streicher chemineau, vagabond; trimardeur; ~streicherei vagabondage *m*; ~streitkräfte forces *fpl* terrestres; ~strich contrée *f*, terroir *m*; *bes geog* région

f; ~sturm *mil* territoriale *f*; ~tag diète *f*; assemblée législative d'un Land; ~ung ⚓ débarquement *m*, descente *f* à terre, accostage *m*; ✝ atterrissage *m*; (*auf Flugzeugträgern*) appontage *m*; ~ungsbrücke; ~ungssteg débarcadère *m*, appontement *m*; ~vermessung topographie *f*, arpentage *m*; ~weg: ~ weg par la voie de terre; ~wehr réserve *f*; ~wirt agriculteur, exploitant *m* agricole; cultivateur; (*Diplom-*) agronome; ~wirtschaft agriculture *f*; ⚊wirtschaftlich agricole; ~wirtschaftskammer chambre *f* d'agriculture; ~wirtschaftskunde agronomie *f*; ~wirtschaftsministerium ministère *m* de l'Agriculture; ~wirtschaftsschule école *f* d'agriculture; ~wirtschaftsverband comice *m* agricole; ~zunge langue *f* de terre

Länd|ereien domaines *mpl*, terres *fpl*; ~erkampf 🏃 match international; ~erspiel 🏃 rencontre internationale; ~ler ♪ tyrolienne *f*; ⚊lich rural, champêtre; *a. lit* rustique; *lit* agreste, pastoral

lang long, de longue durée; *gleich ~* de même longueur; *~ u. breit* longuement; *vor ~em* il y a longtemps; *über kurz oder ~* tôt ou tard; *vor längerer Zeit* il y a assez longtemps; *zwei Wochen ~* pendant quinze jours; *es wird mir ~* je trouve le temps long; *2 Meter ~ sein* avoir deux mètres de long, être long de deux mètres; *länger machen* allonger; *länger werden* s'allonger; (*Tage*) augmenter, croître; ~atmig *a. fig* de longue haleine; *fig* circonstancié; *pej* filandreux; ~beinig haut sur jambes; ~e longtemps; *seit ~em* depuis longtemps; *das ist ~e her* il y a longtemps; *wie ~e?* combien de temps?; ~eweile ennui *m*; ⚊finger chapardeur; *er ist e.* ⚊finger il a les doigts crochus; ~fristig à long terme, à longue échéance; ~haarig à long poil; ~jährig vieux, ancien; ⚊lauf (*Schi*) ski de fond; ~lebig durable, de longue durée; ⚊lebigkeit longévité *f*; ⚊mut patience *f*, longanimité *f*; ~mütig patient; ~sam lent; (*schwerfällig*) lourd, pesant; *~samer werden, fahren* ralentir; ⚊samkeit lenteur *f*; ⚊schiff 🏛 grande nef; ⚊schläfer grand dormeur; qui aime faire la grasse matinée; ~spielplatte disque *m* microsillon; ⚊streckenflug raid *m*; ⚊streckenflugzeug avion *m* long-courrier; ⚊streckenlauf course *f* de fond; ⚊streckenläufer coureur de fond; ~weilen: *refl* s'ennuyer; *s. zu Tode ~weilen* s'ennuyer à mourir; ~weilig ennuyeux, fastidieux; ⚊welle onde(s) longue(s), grande(s) onde(s); ~wierig long, laborieux; 🩺 chronique; ⚊zeitversuch essai *m* de longue durée; ⚊zeitwirkung action *f* à long terme

Läng|e longueur *f*; (*Dauer*) durée *f*; *geog* longitude *f*; *d. ~e nach hinfallen* tomber de tout son long; *in d. ~e ziehen* traîner en longueur; *um e-e ~e gewinnen* gagner d'une longueur; ~engrad degré *m* de longitude; ~enmaß mesure *f* de longueur; ⚊er *adv* plus longtemps; *je ⚊er, desto besser* le plus longtemps sera le mieux; ⚊lich allongé, oblong; ⚊s le long de; ⚊sachse axe longitudinal; ~sseit: s. ⚊sseit legen ⚓ accoster; ⚊st depuis longtemps; ⚊stens au plus tard; tout au plus

langen vt (greifen) saisir; (geben) tendre, donner; vi (genügen) suffire

Languste langouste f

Lanze lance f ♦ e-e ~ für j-n brechen rompre une lance pour qn; ~tte § lancette f

Lappalie vétille f, bagatelle f

Lapp|en chiffon m; torchon m; anat lobe m ♦ durch die ~en gehen filer entre les doigts (od les mains) (à qn); ~ig anat lobé

läppisch niais, puéril, inepte; ~es Zeug niaiseries fpl, inepties fpl

Lärche mélèze m

Lärm bruit m, fracas m, tapage m; vacarme m; (Aufruhr) tumulte m; dumpfer ~ rumeur f; ~ schlagen donner (od sonner) l'alerte (od l'alarme) ♦ viel ~ um nichts beaucoup de bruit pour rien; ~bekämpfung lutte f contre la pollution sonore; ~en faire du bruit; tapager; ~end tapageur, bruyant, tumultueux, turbulent; adv à grand bruit; ~schluckend insonorisé

Larve masque m; zool larve f

lasch mou, flasque; lâche, relâché; ~e ⚙ éclisse f; (Schuh-) languette f

Laser laser m, amplificateur m de lumière

lassen (zu-) laisser (od permettre de) faire qch; (unter-) négliger (od omettre de) faire qch; s'abstenir de (od renoncer à) faire qch; cesser de faire qch; (veranlassen) faire faire qch; ordonner qch; (aufgeben) abandonner, lâcher; holen ~ envoyer chercher; j-n etw. wissen ~ faire savoir qch à qn; nicht von etw. ~ s'entêter (od s'obstiner) à faire qch; niemand zu sich ~ ne recevoir personne; s. alles gefallen ~ se laisser tout faire, tout supporter; d. Dinge beim alten ~ laisser les choses telles qu'elles sont; j-m d. Vortritt ~ céder le pas à qn; s. Zeit ~ prendre son temps; j-n im Stich ~ laisser qn en plan; d. Leben ~ für etw. donner sa vie pour qch; s. sehen ~ se faire voir; von s. hören ~ donner de ses nouvelles; s. nötigen ~ se faire prier; es läßt s. nicht leugnen, daß... on ne saurait nier que...; alles läßt vermuten, daß... tout porte à croire que...; ~ Sie mich in Ruhe! laissez-moi tranquille!; laß das sein! n'y touche pas!, ne t'en mêle pas!; ~ wir das! n'en parlons plus!, passons!; das kann s. sehen ~! c'est qch d'excellent, ce n'est pas mal!, c'est une chose que l'on peut montrer!; darüber ließe s. reden on pourrait en discuter (od s'entendre là-dessus); ~ Sie es s. gesagt sein! tenez-vous cela pour dit!

lässig nonchalant, négligent; insouciant; (träge) indolent; ~keit nonchalance f, négligence f; indolence f

läßlich véniel

Last charge f; (Fracht) cargaison f; (Bürde) charge f, poids m, fardeau m; pl (Steuer-) charges fpl (fiscales); zu ~en von aux frais de, à la charge de; com au débit de ♦ j-m zur ~ fallen être à charge à qn; être à la charge de qn; j-m etw. zur ~ legen accuser qn de qch; rendre qn responsable de qch; imputer qch à qn; ~en a. fig peser (auf sur); das ~et auf mir cela me pèse; ~enaufzug monte-charge m; ~enausgleich péréquation f des charges; ~enfrei exempt de

charges; ~er 🚃 poids lourd; ~kahn péniche f, chaland m; ~kraftwagen camion m; ~tier bête f de somme; ~seil câble m de hissage; ~schrift inscription au débit; ~schriftzettel avis m de débit; ~träger portefaix; ~zug camion m avec remorque, train routier

Laster vice m; ~haft vicieux, dépravé; ~haftigkeit dépravation f, corruption f, mœurs dissolues; ~höhle antre m du vice; ~leben vie dépravée

Läst|erer blasphémateur; ~ermaul langue f de vipère; ~ern (geg. Gott) blasphémer ([contre] Dieu); proférer des blasphèmes; (geg. Pers.) diffamer qn, outrager qn; ~erung blasphème m; diffamation f; outrage m; ~ig fâcheux, ennuyeux; importun; ~ig sein être collant (od embêtant); j-m ~ig fallen obséder qn, importuner qn; ~iger Kerl crampon, casse-pieds

Latein latin m ♦ er ist mit s-m ~ am Ende il est au bout de son latin; ~amerika l'Amérique latine; ~isch latin

latent latent

Laterne a. 🏛 lanterne f; ⚓, ⚓ fanal m; (Straßen-) réverbère m; ~npfahl poteau m de réverbère

Latrine latrines fpl

Latsch|e bot pin nain; (alter Schuh) savate f ♦ aus den ~en kippen umg tourner de l'œil; être soufflé (ou baba); ~en traîner la jambe; donner une gifle à qn; ~ig qui traîne la jambe; fig mou, traînant

Latte latte f; ⚒ barre f; lange ~ (fig) grande perche ♦ j-n auf der ~ haben (umg) ne pas pouvoir pifer qn; nicht alle auf der ~ haben (umg) être timbré (ou piqué); ~nwerk lattis m

Latz corsage m; (Hose) pont m

Lätzchen (Kinder) bavette f

lau a. fig tiède; (Wasser) dégourdi; fig mou; ~ werden (abkühlen) tiédir; ~heit tiédeur f

Laub feuillage m; feuilles fpl; ~e tonnelle f; 🏛 arcade f; ~engang charmille f; 🏛 arcades fpl; ~frosch grenouille verte, rainette f; ~los effeuillé; ~säge scie f à chantourner; ~wald forêt f d'arbres à feuilles; ~wechselnd = ~werfend à feuilles caduques; ~werk feuillage m, frondaison f

Lauch poireau m

Lauer guet m, embuscade f; s. auf d. ~ legen se mettre à l'affût (nach de), s'embusquer; auf d. ~ liegen se tenir en embuscade; ~n être aux aguets; guetter (auf etw. qch)

Lauf (Rennen) course f; (Ablauf) cours m; (Maschine) marche f; ♪ roulade f; (Tierbein) patte f; (Gewehr) canon m; im ~e... au cours de; ~ der Dinge le cours des évènements; s-n ~ nehmen suivre son cours; d. ~ d. Lebens le fil de la vie; freien ~ lassen donner libre carrière (od cours) à; ~achse essieu m porteur; ~bahn carrière f; ~en aller à pied, marcher; (schnell) courir; (Maschine) marcher, fonctionner; (regelm.) tourner rond; (Wasser) couler; (Gefäß) fuir; (Film) passer; (Schiff) faire route, filer; ~en lassen (Maschine) faire marcher; j-n ~en lassen relâcher qn; hin u. her ~en faire la navette ♦ es *läuft wie am Schnürchen* cela marche comme sur des roulettes; ⌐**end** courant; en cours; de façon permanente; *am* ⌐**enden Band** *(fig)* sans arrêt; ⌐**ende Nummer** numéro courant *(od* d'ordre); *auf d.* ⌐**enden halten** tenir à jour; *(informieren)* tenir au courant *(über etw.* de qch); *auf d.* ⌐**enden sein** être à la page, être au courant; ~**erei** courses *fpl* interminables; ~**feuer** *(Gewehr)* feu roulant; *(Busch)* feu *m* de broussailles; *d. Nachricht verbreitet sich wie e.* ~*feuer* cette nouvelle se répand comme une traînée de poudre; ~**graben** *mil* boyau *m* (de communication); ~**junge** garçon de courses; ~**katze** ✿ chariot *(ou* palan *m)* roulant; ~**kundschaft** clientèle *f* de passage; ~**kran** pont roulant; ~**masche** maille filée; ~**maschenreparatur** rem-(m)aillage *m;* ~**paß:** *j-m d.* ~*paß geben* donner son congé à qn; *umg* envoyer promener qn; ~**schiene** rail *m* de roulement; 🚗 glissière *f;* ~**rad** roue *f* de roulement; *(Turbine)* roue *f* à aubes; ~**schritt** pas *m* gymnastique, pas *m* de course; ~**stall** parc *m;* ~**steg** passerelle *f;* ~**vogel** (oiseau *m)* coureur *m;* ~**werk** ✿ mécanisme *m,* mouvement *m;* ~**zeit** *(Wechsel)* délai *m* de circulation; durée *f;* échéance *f;* ~**zettel** feuille *f (ou* fiche) suiveuse

Läuf|er coureur; *(Fußball)* demi; *(Schach)* fou *m;* ✿ roue *f* mobile; *(Textil)* curseur *m;* ⚡ rotor *m;* *(Teppich)* passage *m,* tapis *m* d'escalier; ~**erstange** tringle *f;* ⌐**ig** *zool* en rut, en chaleur; ~**igkeit** rut *m,* chaleur *f*

Lauge lessive *f;* *(Salz-)* saumure *f;* ⌐**n** lessiver; ~**nsalz** sel alcalin

Laun|e *(Stimmung)* humeur *f;* *(Grille)* lubie *f;* caprice *m,* fantaisie *f; bei guter* ~*e* de bonne humeur; ⌐**enhaft,** ⌐**isch** capricieux, d'humeur changeante, instable, quinteux, lunatique; ~**enhaftigkeit** humeur capricieuse; ⌐**ig** divertissant; enjoué

Laus pou *m* ♦ *j-m Läuse in d. Pelz setzen* donner du fil à retordre à qn; *j-m ist e-e* ~ *über d. Leber gelaufen* être mal luné, être de mauvaise humeur; ~**bub** polisson; vaurien

Lauschangriff écoute *f* clandestine

lausch|en écouter *(auf etw.* qch); *(heimlich)* être aux écoutes; ⌐**er** personne *f* qui écoute avec curiosité; écouteur; ⌐**ig** intime; retiré

Laus|emädel mauvaise graine; ⌐**en** chercher les poux *(j-n* à qn); *refl* s'épouiller; **Läusepulver** insecticide *m;* ⌐**ig** *fig* misérable; ⌐**ig kalt** terriblement froid

laut bruyant, sonore, éclatant; *präp* aux termes de, en vertu de; conformément à, suivant; ~ *werden (Nachricht)* s'ébruiter; ~ *sprechen* parler haut *(od* à haute voix); ~ *singen* chanter fort; ~ *lachen* rire aux éclats; ⌐ *su* son *m;* ⌐ *geben* donner de la voix; *k-n* ⌐ *von s. geben* ne souffler mot, se tenir coi; ~**bar** divulgué, notoire; ~*bar werden* s'ébruiter; ⌐**e** luth *m;* ~**en** être conçu dans les termes...; ~*en auf* être libellé à; *(Fälligkeit)* être valable pour; *auf den Namen* ~*end (com)* nominatif; *auf den Überbringer* ~*end* au porteur; *d. Antwort* ~*et folgendermaßen* la réponse est ainsi conçue; ~**er** pur *(d.*

~*ere Wahrheit* la pure vérité); *(aufrichtig)* sincère; *(Flüssigkeit)* limpide, clair; *(Metalle)* sans mélange; *(nichts als)* rien que; ⌐**erkeit** pureté *f,* limpidité *f;* *(Aufrichtigkeit)* sincérité *f,* intégrité *f;* ⌐**heit** intensité *f* auditive; ⌐**lehre** phonétique *f;* ~**lich** phonétique; ~**los** silencieux, sans bruit, sans voix, muet; ~**lose Stille** silence profond; ⌐**malerei** onomatopée *f;* ⌐**schrift** écriture *f* phonétique; ⌐**sprecher** haut-parleur *m;* ⌐**sprecherbox** enceinte *f;* ⌐**stärke** ⚡ puissance *f* sonore, volume *m* sonore; ⌐**stärkenregelung** ⚡ réglage *m* de volume, contrôle *m* de l'intensité; ⌐**stärkeumfang** gamme *f* dynamique; ⌐**verschiebung** mutation *f* consonantique; ⌐**verstärker** amplificateur *m;* ⌐**zeichen** signe *m* phonétique

läut|en *vt/i* sonner (qch, qn); *alle Glocken* ~*en* carillonner; *Sturm* ~*en* sonner le tocsin; *etw.* ~*en hören* entendre vaguement parler de qch; *es* ~*et zur Messe* la messe sonne, on sonne la messe; ~**ern** clarifier; *a. fig* purifier, épurer; *(Flüssigkeit)* filtrer; décanter; *(Metall)* affiner; *chem* rectifier; ⌐**erung** clarification *f; a. fig* purification *f,* épuration *f;* *(Metall)* affinage *m;* *(Flüssigkeit)* décantation *f,* filtrage *m; chem* rectification *f,* épurement *m;* ⌐**ewerk** sonnerie *f*

lauwarm tiède

Lava lave *f;* ~**strom** coulée *f* de lave

Lavendel lavande *f*

lavieren *a. fig* louvoyer, manœuvrer; *fig* biaiser

Lawine avalanche *f;* ~**ngefahr** danger *m* d'avalanche

lax lâche; ~*e Sitten* mœurs relâchées; ⌐**heit** laxité *f;* relâchement *m;* ⌐**iermittel** laxatif *m,* purgatif *m*

Lazarett hôpital *m;* *(Feld-)* ambulance *f;* ~**zug** train *m* sanitaire

Leasing location-vente *f;* crédit-bail *m;* leasing *m*

Lebemann viveur, fêtard, noceur

Leben vie *f;* *(Dasein)* existence *f;* *(Lebenskraft)* vitalité *f;* *(Lebhaftigkeit)* vivacité *f; sein* ~ *lang* sa vie durant; *am* ~ *sein* être en vie; *am* ~ *bleiben* rester en vie, survivre; ~ *bringen in* animer (qch); *ins* ~ *rufen* faire naître; *s. d.* ~ *nehmen* se suicider; *e-m Kind d.* ~ *schenken* donner la vie à un enfant; *j-m d.* ~ *schenken (begnadigen)* faire grâce de la vie à qn; *ums* ~ *bringen* tuer; *ums* ~ *kommen* périr; *j-m d.* ~ *sauer machen* rendre la vie dure à qn; *nach d.* ~ *malen* peindre d'après nature; *aus d.* ~ *gegriffen* pris sur le vif; *Kampf auf* ~ *u. Tod* combat à mort

lebe|n vivre, exister; *(wohnen)* demeurer; ~*n von* subsister de, vivre de; *glücklich* ~*n* vivre heureux; *kümmerlich* ~*n* vivoter; *in den Tag hinein* ~*n* vivre au jour le jour; *genug zum* ⌐*n haben* avoir de quoi vivre; *solange ich lebe* de mon vivant; *so wahr wir* ~*n!* aussi vrai que nous vivons!; *es lebe...!* vive...!; ~**nd** vivant, en vie; ~*nde Hecke* haie vive; ⌐**ndgewicht** poids vif; ~**ndig** *a. fig* vif, vivant; *fig* plein de vie; ⌐**ndigkeit** vivacité *f;* animation *f;* ⌐**wesen** être vivant, organisme *m;* ⌐**wohl** adieu *m;* ⌐**wohl!** adieu!

Lebens|abend soir *m* de la vie, âge *m* de la retraite; **~abschnitt** tranche *f* d'âge; **~alter** âge *m*; *mittleres ~alter* moyenne *f* de vie; **~art** manière *f* de vivre; savoir-vivre *m*; manières *fpl*; **~baum** *bot* thuya *m*; **~bedingungen** conditions *fpl* de vie; **~bedrohlich** dangereux; **~berechtigung** raison *f* d'être; **~beschreibung** biographie *f*; **~dauer** durée *f* de la vie; longévité *f*; *(Sachen)* durée *f* de vie, durabilité *f*, endurance *f*; **~elixier** élixir *m* de longue vie; **~erfahrung** expérience *f* (de la vie); **~erwartung** espérance *f* de vie; **~fähig** viable; **~fähigkeit** $ viabilité *f*; *(Kraft)* vitalité *f*; **~fern** irréel, abstrait; **~form** mode *m* d'existence; **~frage** question vitale; **~freude** joie *f* de vivre; **~froh** joyeux; heureux de vivre; **~führung** manière *f* de vivre, train *f* de vie; **~gefahr** danger *m* de mort; *unter ~gefahr* au péril de sa vie; *in ~gefahr schweben* être entre la vie et la mort; **~gefährlich** très dangereux, périlleux; **~gefährte** compagnon de vie; *(Ehe)* époux; **~gefährtin** compagne *f*; *(Ehe)* épouse; **~geist** principe vital; **~gemeinschaft** union *f* libre, concubinage *m*; **~gewohnheit** *a.* zool mœurs *fpl*; **~größe** grandeur *f* nature; **~haltung** train *m* de vie; niveau *m* de vie; **~haltungsindex** indice *m* du coût de la vie; **~haltungskosten** coût *m* de la vie; **~kraft** vitalité *f*, force vitale; **~künstler** bon vivant; **~länglich** perpétuel, à vie; **~lauf** curriculum *m* vitae; **~lust** mondanité *f*; **~lustig** mondain; **~mittel** denrées *fpl* alimentaires, vivres *mpl*; **~mittelgeschäft** magasin *m* d'alimentation, épicerie; **~mittelindustrie** industrie *f* des produits alimentaires; **~mittelkarte** carte *f* de rationnement; **~mittelversorgung** ravitaillement *m*; **~mittelvorrat** provisions *fpl*; **~müde** las de vivre; **~qualität** qualité *f* de la vie; **~raum** espace vital; **~regel** maxime *f*; **~retter** sauveur *m*; **~standard** niveau *m* de vie; **~stellung** position permanente; situation *f* stable; **~überdruß** dégoût *m* de la vie; **~überdrüssig** dégoûté de la vie (*od* de l'existence); **~unterhalt** subsistance *f*; *s-n ~unterhalt verdienen* gagner sa vie; **~versicherung** assurance *f* vie; **~wandel** conduite *f*, mœurs *fpl*; **~weise** train *m* de vie; **~weisheit** philosophie *f*; **~wichtig** vital; **~zeichen** signe *m* de vie; **~zeit** durée *f* de la vie; *auf ~zeit* à vie, à perpétuité; *(Rente)* viager; *(Beamte)* titularisé; **~zuschnitt** train *m* de vie

Leber foie *m* ♦ *frei von d.* ~ *weg sprechen* parler à cœur ouvert; *s. alles von d.* ~ *reden* vider son sac; *e-e durstige* ~ *haben* être porté sur la boisson; **~fleck** tache *f* hépatique; **~leiden** affection *f* hépatique; **~tran** huile *f* de foie de morue; **~wurst** saucisse *f* de foie

leb|haft vif, animé; *(Farbe)* frais; *(Stil)* alerte; **~haftigkeit** vivacité *f*, animation *f*; **~kuchen** pain *m* d'épice; **~los** sans vie, inanimé; *(Materie)* inerte; **~tag**: *mein ~tag nicht!* jamais de la vie!; **~zeiten**: *zu ~zeiten m-s Vaters* du vivant de mon père

lechzen mourir de soif; *fig* languir (*nach* de), soupirer (*nach* après)

Leck *(Faß)* fuite *f*; *(Schiff)* voie *f* d'eau; **~en**[1]

(Gefäß) couler, fuir; *(Schiff)* faire eau, avoir une voie d'eau

leck|en[2] lécher (*an etw.* qch); *refl* se lécher ♦ *s. d. Finger nach etw.* **~en** se lécher les doigts de qch

lecker appétissant, friand; **~bissen**, **~ei** friandise *f*, gourmandise *f*, morceau *m* de roi; **~maul** gourmet *m*; fin bec

Leder cuir *m*, peau *f*; *genarbtes* ~ chagrin *m*; *umg (Fußball)* cuir *m*; *in* ~ *binden* 📖 relier en cuir; *vom* ~ *ziehen* dégainer; *was das* ~ *hält* vigoureusement, fortement; *j-m ans* ~ *gehen* assaillir qn; **~band** 📖 volume relié cuir; **~einband** 📖 reliure *f* en cuir; **~n** de (*od* en) cuir, de (*od* en) peau; *(zäh)* sec; **~rücken** 📖 dos *m* basane; **~waren** articles *mpl* en cuir, cuirs *mpl*, maroquinerie *f*

ledig célibataire, libre; *(frei von)* libre de; ~ *bleiben* rester garçon; rester fille; *~e Mutter* fille-mère *f*, mère célibataire; **~enstand** célibat *m*; **~lich** *(nur)* purement, simplement; *(ausschließlich)* uniquement, exclusivement

Lee côté *m* sous le vent

leer vide; *(Platz)* net; *(Papier)* blanc; *(Zimmer)* non meublé; *~e Versprechungen* vaines promesses; *~e Worte* paroles vides de sens; ~ *ausgehen* rentrer bredouille, faire chou blanc; *mit ~en Händen dastehen* rester les mains vides; *vor ~em Hause spielen* 🎭 jouer pour les banquettes; ~ *laufen* ⚙ tourner à vide; *e-n ~en Magen haben* avoir le ventre creux; **~e** vide *m*, creux *m*; *fig* vide *m*; *ins ~e schauen* regarder dans le vague; **~en** vider; *(räumen)* évacuer; *(Briefkasten)* faire la levée; **~gewicht** poids mort; **~lauf** ⚙ marche *f* à vide; 🚗 ralenti *m*; *fig* gaspillage *m*; **~taste** *(Schreibmasch.)* touche *f* d'espacement; **~ung** vidage *m*; vidange *f*; *(Briefkasten)* levée *f*

Lefze zool babine *f*

legal légal; **~isation** légalisation; **~isieren** légaliser, authentifier; **~ität** légalité

Legat 1. *n* legs *m*; **2.** *m* légat *m*; **~ionsrat** secrétaire *m* der affaires étrangères

legen mettre, placer, poser, coucher; *(Eier)* pondre; *(Wasserminen)* mouiller; *refl* se coucher; *(aufhören)* cesser; *(nachlassen)* se calmer, s'apaiser; *etw. an den Tag* ~ témoigner de qch; *j-m etw. zur Last* ~ imputer qch à qn; *s. auf etw.* ~ *(fig)* avoir recours à qch; *s. ins Mittel* ~ *für* s'employer pour qn; *s. ins Zeug* ~ faire des efforts

Legende *(a. Erklärung)* légende *f*; *fig* mythe *m*

legier|en ⚙ allier; *(Suppe)* lier; **~ung** alliage *m*

Legion légion *f*

Legislat|ive pouvoir *m* législatif; **~ur(periode)** législature *f*

legitim légitime; **~ation** légitimation *f*; **~ationspapiere** pièces *fpl* d'identité; **~ieren** légitimer; *refl* justifier de son identité

Lehen fief *m*

Lehm glaise *f*, limon *m*, terre *f* limoneuse; *(Ton)* argile *m*; **~boden** sol glaiseux (*od* argileux); **~grube** glasière *f*; **~ig** glaiseux; argileux; **~ziegel** brique *f* d'argile

Lehn|e dos *m*, dossier *m*; *(Arm-)* accoudoir *m*,

bras *m; (Stütze)* appui *m; (Abhang)* pente *f,* versant *m; ~en* appuyer *(an* contre); *(mit d. Rückseite)* adosser *(an* à); *refl* s'appuyer *(an* contre, *auf* sur); *(mit d. Rücken)* s'adosser *(an* à); *s. aus d. Fenster ~en* se pencher par la fenêtre; **~stuhl** fauteuil *m;* bergère *f*

Lehns|herr seigneur; *(Ober-)* suzerain; **~mann** vassal; **~recht** droit féodal; **~wesen** féodalité *f,* régime féodal

Lehnwort mot d'emprunt

Lehr|amt fonctions *fpl* d'enseignement; professorat *m;* **~amtskandidat** instituteur stagiaire; **~anstalt** établissement *m* d'enseignement, école *f; (höhere)* collège *m,* lycée *m;* **~beauftragter** chargé de cours; **~befähigung** certificat *m* d'aptitude pédagogique; **~beruf** profession *f* d'enseignant; **~buch** traité *m,* précis *m,* manuel *m; ~e* leçon *f; (Warnung)* leçon *f;* avis *m,* avertissement *m; (Folgerung)* morale *f,* conclusion *f,* conséquence *f; (Theorie)* doctrine *f;* dogme *m;* théorie *f;* science *f; (Handwerk)* apprentissage *m;* ✿ jauge *f,* calibre *m; in d. ~e gehen* faire son apprentissage; *aus etw. e-e Lehre ziehen* tirer une leçon de qch ♦ *d. wird ihm e-e ~e sein* cela lui apprendra; **~en** enseigner; apprendre (qch à qn, à faire qch); professer; *(beweisen)* prouver, démontrer; **~er** maître; *(Oberschule)* professeur; *(Volksschule)* instituteur; *(Sport)* moniteur; **~erbildungsanstalt** Ecole normale; **~erin** maîtresse; institutrice; *(Oberschule)* professeur *m;* **~erschaft** instituteurs, professeurs; corps enseignant; **~fach** discipline *f,* branche *f* d'enseignement; **~film** film *m* didactique *(ou* éducatif); **~gang** cours *m,* stage *m;* **~geld** frais *mpl* d'apprentissage; *~geld bezahlen (fig)* apprendre à ses dépens; **~herr** patron, maître; **~jahre** années *fpl* d'apprentissage; **~körper** corps enseignant; **~kraft** enseignant *m;* **~ling** apprenti *m,* apprentie *f;* **~lingsabgabe** taxe *f* d'apprentissage; **~meister** maître *m,* patron *m;* **~mittel** matériel *m* d'enseignement *(od* scolaire); **~mittelfreiheit** enseignement gratuit; **~plan** programme *m* d'enseignement; **~platz** poste *m* d'apprenti; **~reich** instructif; **~saal** salle *f;* **~satz** *phil* thèse *f; math* théorème *m; rel* dogme *m;* **~stelle** place *f* d'apprenti; *(Schule)* emploi d'enseignement; **~stoff** matière *f* d'enseignement, discipline *f* à enseigner; **~stuhl** chaire *f;* **~stuhlinhaber** professeur titulaire; **~tätigkeit** enseignement *m,* professorat *m;* **~vertrag** contrat *m* d'apprentissage; **~zeit** temps, durée d'apprentissage; **~zeugnis** certificat *m* d'aptitude professionnelle

Leib corps *m; (Unterleib)* abdomen *m,* ventre *m; (Mutter-)* sein *m; am ganzen ~e* de tout son corps; *bei lebendigem ~e* (tout) vif; *~ u. Seele* de corps et d'âme, de tout son cœur; *etw. am eigenen ~e erfahren haben* savoir d'expérience; *j-m zu ~e gehen* attaquer qn; *nichts auf d. ~e haben* n'avoir rien à se mettre; *nichts im ~e haben* n'avoir rien mangé; *s. j-n vom ~e halten* tenir qn à distance; *damit bleib mir vom ~e!* ne m'ennuie pas avec cela!; *das ist er, wie er ~t u. lebt* c'est son portrait

parlant, c'est lui tout craché; **~arzt** médecin particulier; **~binde** ceinture abdominale; **~chen** corsage *m,* corselet *m;* **~eigen** serf; **~eigener** serf; **~eigenschaft** servage *m;* **~eserbe** § **1.** *m* hoir, héritier direct; **2.** *n* hoirie *f;* **~esbeschaffenheit** constitution, complexion, conformation *f;* **~eserziehung** éducation *f* physique; **~esfrucht** fœtus *m;* **~eskraft:** *aus ~eskräften* de toutes ses forces, *(rennen)* à toutes jambes, *(schreien)* à tue-tête; **~esstrafe** peine *f* corporelle; **~esübungen** gymnastique *f,* culture *f* physique; exercices *mpl* physiques; **~esvisitation** fouille corporelle; **~garde, ~wache** garde *f* du corps; **~gericht, ~speise** plat préféré; **~haftig** en chair et en os, en personne; *d. ~haftige Teufel* le diable incarné; **~lich** physique, corporel; matériel; *(Verwandtschaft)* propre; *~licher Vetter* cousin germain; **~rente** rente viagère; **~schmerzen** colique(s) *f(pl); ~schmerzen haben* avoir mal au ventre, avoir des coliques; **~wächter** garde *m* du corps; **~wäsche** linge *m* (de corps), lingerie *f,* sous-vêtements *mpl;* **~weh** douleurs *fpl* abdominales

Leiche cadavre *m,* corps *m,* dépouille *f,* mort *m; (Tier)* charogne *f;* 📖 bourdon *m; nur über m-e ~!* il faudra me passer sur le corps! ♦ *über ~n gehen* ne se laisser arrêter par rien; **~nbegängnis** funérailles *fpl,* obsèques *fpl;* convoi *m* funèbre; **~nbeschauer** médecin des morts; **~nbittermiene** figure *f* d'enterrement; **~nblaß** blême, livide; *~nblaß sein* avoir une mine de déterré *(umg);* **~nfledderer** détrousseur de cadavres; **~nhaft** cadavéreux; **~nhalle** salle *f* mortuaire; **~nhemd** linceul *m,* suaire *m;* **~nöffnung** autopsie *f;* **~nrede** oraison *f* funèbre; **~nschmaus** repas *m* d'enterrement; **~nschau** autopsie *f;* **~nschauhaus** morgue *f;* **~nstarre** rigidité *f* cadavérique; **~nträger** employé des pompes funèbres; croque-mort *(umg);* **~ntuch** linceul *m,* drap *m* mortuaire; **~nverbrennung** crémation *f,* incinération *f;* **~nwagen** corbillard *m;* **~nzug** cortège *m (od* convoi *m)* funèbre

Leichnam cadavre *m,* corps *m,* dépouille *f*

leicht *(an Gewicht; nicht beschwerend; Fehler)* léger; *(unbedeutend)* insignifiant; *(einfach)* facile, aisé, simple; *(oberflächlich)* superficiel; *(leichtsinnig)* libre, facile, léger; **~er Boden** sol meuble; **~er Stoff** étoffe souple; *~ verwundet* légèrement blessé; *~ entzündlich* très inflammable; *es wäre ~ möglich* il se pourrait bien; *~en Herzens* de bon cœur; *es ist ihm e. ~es* ce n'est qu'un jeu pour lui; *j-n um etw. ~er machen* soulager qn de qch; *~ reden haben* avoir beau dire ♦ *d. ist ~ gesagt* c'est plus facile à dire qu'à faire; *~en Kaufes davonkommen* s'en tirer à bon compte; *etw. auf d. ~e Schulter nehmen* prendre qch à la légère; **~athlet** athlète; **~athletik** athlétisme *m;* **~bauweise** construction *f* allégée; **~blütig** serein; **~fallen** être facile (pour); **~fertig** *(leichtsinnig)* léger, étourdi; *(ohne Ernst)* leste, libre; **~fertigkeit** légèreté *f;* frivolité *f;* **~flüssig** fluide; **~fuß** étourdi; **~gläubig** crédule; **~gläubigkeit** crédulité *f;* **~gut** marchandise non pondéreuse; **~hin** à la légère; **⌴igkeit** *(Gewicht)* légèreté *f*; *(Mühelosigkeit)* facilité *f*; **~lebig** insouciant; **⌴lebigkeit** insouciance *f*; **⌴matrose** matelot de pont; **⌴metall** métal léger; **⌴sinn** étourderie *f*, insouciance *f*; **~sinnig** léger, étourdi; **~sinniger Mensch** étourdi, évaporé, écervelé; **~verdaulich** facile à digérer, léger; **~verderblich** périssable; **⌴verwundeter** blessé léger

Leichter ⚓ allège *f*, chaland *m*

Leid *(Betrübnis)* tristesse *f*, amertume *f*; peine *f*; *(Schaden)* mal *m*, affliction *f*; *(Schmerz)* douleur *f*, chagrin *m*, souffrance *f*; *(Trauer)* deuil *m*; *in Freud u.* ~ dans la bonne et la mauvaise fortune; *sein* ~ *klagen* conter ses peines; ~ *tragen* porter le deuil; *j-m* ~ *zufügen* causer du mal à qn; *s. ein* ~ *antun* attenter à ses jours; **⌴:** *es tut mir* **⌴** je regrette, j'en suis fâché *(od* navré*)*; *es tut mir furchtbar* **⌴** je suis désolé; *du tust mir* **⌴** tu me fais pitié; *ich bin es* **⌴** j'en suis las; **~eform** voix passive, passif *m*; **⌴er** malheureusement; **⌴er!** hélas!; **⌴er nein!** malheureusement non *(od umg* pas)!, hélas non!; **⌴ig** fâcheux, malheureux, ennuyeux; **⌴lich** passable; *adv* pas trop mal; comme ci, comme ça; **~tragender** victime *f*; *(Trauerfall)* famille *f* du défunt; **~voll** douloureux; **~wesen:** *zu s-m* **~wesen** à son regret

leiden souffrir *(an, unter* de); *(erdulden)* subir, éprouver *(qch)*; *(zulassen)* tolérer, permettre *(qch)*; *(gut)* ~ *können* aimer bien; *nicht* ~ *können* ne pas pouvoir souffrir; *Hunger* ~ souffrir de la faim; *Not* ~ être dans la misère; **⌴** *su* souffrance *f*; *(Krankheit)* mal *m*; *(Kummer)* chagrin *m*, peine *f*; *(Schmerz)* douleur *f*; *d.* **⌴** *Christi* la Passion de Jésus-Christ; **~d** souffrant *(an* de); *(kränklich)* souffreteux; **⌴schaft** passion *f*; **~schaftlich** passionné; enthousiaste, fervent; fanatique; **⌴schaftlichkeit** emportement *m*; **~schaftslos** froid, flegmatique; apatique; **⌴sgefährte** = **⌴sgenosse** compagnon de misère *(od* d'infortune*)*; **⌴sgeschichte** *rel* Passion *f* (de Jésus-Christ); **⌴sweg** passion *f*

Leier lyre *f*; vielle *f*; *immer dieselbe* ~! c'est toujours la même rengaine *(od* antienne*)*!; **~kasten** orgue *m* de Barbarie; **~kastenmann** joueur d'orgue de Barbarie; **~n** tourner la manivelle; *fig* rebâcher *(vt/i)*; ⚙ avoir trop de jeu

Leih|amt, **~haus** Crédit municipal, mont-de-piété *m*; **~bücherei** bibliothèque de prêt; **~e** prêt *m* à usage, ⚖ commodat *m*; **⌴en** prêter *(j-m etw.* qch à qn); emprunter *(etw. von j-m* qch à qn); **~gabe** prêt *m*; **~weise** à titre de prêt

Leim colle (forte); *(Vogel-)* glu *f*; *aus d.* ~ *gehen* se disloquer, se déboîter ♦ *j-m auf d.* ~ *gehen* donner dans le panneau; **⌴en** coller; *(Papier)* encoller; *(Vogel)* engluer; *fig* duper; empaumer *(umg)*; **~farbe** détrempe *f*; **⌴ig** gluant, visqueux, glutineux; **~rute** gluau *m*; **~topf** pot *m* à colle; **~ung** *(Papier)* encollage *m*

Lein lin *m*; **~e** corde *f*; *(Hunde-)* laisse *f*; *an d.* **~e** *führen* tenir en laisse; **⌴en** de lin; de fil; *rein*

⌴en pur fil; **~en** *su* toile *f*; **~enband** 📖 reliure *f* en pleine toile; **~engewebe** toile *f* de lin; **~enwäsche** linge *m* de fil; **~enweberei** manufacture *f* de toile; **~öl** huile *f* de lin; **~pfad** ⚓ chemin *m* de halage; **~tuch** drap *m*; **~wand** a. 🎨 toile *f*, lin *m*; 🎬 écran *m*; *auf* **~wand** *ziehen* entoiler

leise *(lautlos)* silencieux; *(schwach)* faible; *(leicht)* léger; *(sanft)* doux; *adv* doucement; légèrement; ~ *sprechen* parler bas *(od* à voix basse*)*; ~ *stellen* ⬇ baisser (le poste); **⌴treter** sournois

Leiste *(Gardinen-)* tringle *f*; *(Zier-)* baguette *f*, moulure *f*; *(Holz-)* liteau *m*; 🏛 listel *m*; *anat* aine *f*; 📖 bordure *f*, vignette *f*; encadrement *m*; **~nbruch** hernie inguinale

Leist|en forme *f* ♦ *alles über e-n* **~en** *schlagen* mesurer tout à la même aune; *Schuster, bleib bei deinem* **~en!** chacun son métier, les vaches seront bien gardées!; **⌴en** *(Arbeit)* effectuer, accomplir, exécuter, faire (un travail); *(erzeugen)* produire, rendre; *(Dienst)* rendre (un service); *(Eid, Hilfe)* prêter (serment, secours); *Folge* **⌴en** accomplir, exécuter (qch); se rendre, donner suite (à qch); *Gesellschaft* **⌴en** tenir compagnie à; *Genüge* **⌴en** satisfaire (qn, qch); *Verzicht* **⌴en** *auf etw.* s'abstenir de qch, se désister de qch; *j-m Widerstand* **⌴en** tenir tête à qn; *Zahlung* **⌴en** effectuer un paiement; *s. etw.* **⌴en** se permettre qch, se payer qch; *das kann ich mir nicht* **⌴en** ce n'est pas dans mes prix; **~ung** *(Dienst)* service *m*, travail *m* (fourni), prestation *f* de service; *(Durchführung)* accomplissement *m*, exécution *f*; *(Ergebnis, z. B. in d. Schule)* résultat *m*; 📇 rendement *m*, débit *m*, quantité *f* produite, production *f*; 🏭 com performance *f*; com efficience *f*, efficacité *f*, capacité *f* de rendement; *(Motor)* puissance *f*; *(Pumpe)* débit *m*; *(Errungenschaft)* réalisation *f*; *(Geld)* paiement *m*; *(Versicherungs-, Eides-)* prestation *f*; **~ungsabfall** baisse *f* de rendement; ⚙ chute *f* de puissance; **~ungsabgabe** puissance de sortie; **~ungsanreiz** incitation à un rendement accru; **⌴ungsberechtigt** ayant droit aux prestations; **~ungsdruck** stress *m* provoqué par l'obligation au rendement; **~ungsfähig** capable, fort; efficient, productif; solvable; **~ungsfähigkeit** capacité *f*, efficience *f*; efficacité *f*; *(Fabrik)* productivité *f*; *(Maschine)* capacité *f* (de rendement), puissance *f*; **~ungsfaktor** facteur *m* d'efficience *(od* de productivité*)*; **~ungsgesellschaft** société performante *(ou pej* perf*)*, société basée sur le rendement personnel; *pol* méritocratie *f*; **~ungskraft** efficience, rendement; **~ungslohn** salaire *m* au rendement; **~ungsprämie** prime *f* au rendement; **~ungsprüfung** test *m* (de performance); **~ungsreaktor** réacteur *m* de puissance; **~ungsreserve** ⚙ réserve *f* de puissance; **~ungsschau** exposition *f* technique *(od* commerciale*)*; **⌴ungsschwach** de faible rendement; **~ungssport** sport *m* de compétition; **~ungssportler** athlète *m* de haut niveau; **~ungsstand** 📇 degré *m* de technicité, niveau technologique; *(Person)* niveau *m* de connaissances; **⌐ungsstark** (très) puissant; **~ungsver-stärker** ⚡ amplificateur m; **~ungsverweigerung** refus m du rendement à tout prix; **~ungsverzug** ⚖ inexécution f (dans le délai prévu); **~ungswettbewerb** ⚖ appel m d'offres; **~ungszulage** prime f au rendement

Leit|artikel éditorial m; **~artikler** éditorialiste; **⌐en** (Unternehmen, Delegation) diriger; (Verwaltung) administrer, gérer; (Armee) conduire, commander; (Staat) gouverner, régir; (beaufsichtigen) contrôler; (lenken) guider; phys transmettre; s. **⌐en** lassen s'inspirer de, être guidé par; **⌐end** (führend) dirigeant; (anweisend) directeur; phys conducteur; **⌐ende Stellung** poste m de direction; **⌐ender Angestellter** cadre m supérieur; **~er** (Führer) dirigeant; (Chef) chef, patron; directeur; gérant; phys conducteur m; **~erin** directrice; **~faden** manuel m, guide m; **⌐fähig** phys conductible; **~fähigkeit** phys conductibilité f; **~gedanke** idée maîtresse (od directrice); **~hammel** bélier m; fig meneur m; **~kabel** câble m directeur; **~linie** directive f; **~motiv** leitmotiv m; **~planke** (Straße) glissière f de sécurité; **~satz** principe m; maxime f; com taux m de référence; **~schiene** contre-rail m; **~seil** guide f, longe f; **~stelle** ✛ station f de contrôle radio; **~stern** étoile f polaire; fig guide m; **~ung** (Führung) direction f; (Verwaltung) administration f, gestion f; (Aufsicht) contrôle m, surveillance f; ⚡ circuit m; (Draht) fil m, câble m; ⚡ ligne f; (Rohr) tube m, tuyau m; phys conduction f; (Wasser-) e-e lange **~ung** haben (umg) avoir l'esprit obtus (od la compréhension lente); **~ungsdraht** fil conducteur; **~ungsmast** ⚡ pylône m, poteau m; **~ungsnetz** réseau m électrique; canalisations fpl d'eau; **~ungsrohr** conduit m, conduite f; ⚡ gaine f de câbles; **~ungsschnur** câble m; **~ungsstörung** perturbation f dans le réseau; **~ungsstrom** courant m (de conduction); **~ungsvermögen** ⚡ conductibilité f; **~ungswasser** eau f de canalisation (od potable); **~ungswiderstand** résistance f électrique; **~werk** ✛ empennage m; **~zahl** 🔢 nombre-guide m; (Post) numéro m de code postal; code m; **~zentrale** centre m de contrôle; **~zins** taux m de référence

Leiter (Feuerwehr-) échelle f d'incendie; ♪ gamme f; (Wagen) ridelle f; **~sprosse** échelon m, barreau m d'une échelle; **~wagen** charrette f à ridelles; 🚗 camion m à ridelles

Lekt|ion a. fig leçon f; j-m e-e **~ion** erteilen donner une leçon à qn; **~or** (Univ., 📖) lecteur; **~üre** lecture f

Lenden reins mpl, lombes mpl; (Hüften) hanches fpl; **~braten** aloyau m; **~gegend** région f lombaire; **~schurz** pagne m; **~stück** filet m; **~wirbel** vertèbre f lombaire

lenk|bar dirigeable; **~en** (Kraftfahrzeug) conduire, piloter; (Pferd) guider; (Menschen) manier, diriger; (Schiff, Staat) gouverner; (Wirtschaft) planifier; (Produktion) régler; d. Aufmerksamkeit auf etw. **~en** attirer l'attention sur qch; s-e Schritte auf etw. **~en** diriger ses pas

vers qch; **~er** (Fahrrad) guidon m; (Fahrer) conducteur; fig dirigeant; **~flugkörper** missile m (ou engin m) guidé; **~knüppel** levier m de manche; **~rad** volant m (de direction); **~sam** maniable, docile; **~säule** arbre m de direction; **~stange** guidon m; **~ung** ⚙ guidage m; 🚗 u. fig direction f; (Wirtschaft) dirigisme m, orientation f; **~ungsausschuß** comité m directeur; **~ungsvorrichtung** dispositif m de guidage

Lenz lit printemps m; fig renouveau m

Lepra lèpre f; **~krank** lépreux; **~station** léproserie f

Lerche alouette f

Lern|begier = **~eifer** zèle m pour l'étude; **~eifrig** studieux; **~en** apprendre (qch, à faire qch); étudier (qch); etw. auswendig **~en** apprendre qch par cœur

Les|art version f, interprétation f; **~e** (Ähren-) glanage m; (Wein-) vendange f; **~eautomat** EDV automate m liseur; **~ebuch** livre m de lecture; (Fibel) abécédaire m, syllabaire m; **~egerät** EDV lecteur m de bande; **~eglas** loupe f de lecture; **~elämpchen** liseuse f; **⌐en** lire; (Messe) dire; (Univ.) faire des cours; (Ähren) glaner; (Erbsen) trier; (Trauben) vendanger; laut **⌐en** lire à haute voix; **~en** su lecture f; **~enswert** qui mérite d'être lu; **~eprobe** ♟ lecture f; **~er** lecteur; glaneur, vendangeur; **~eratte** rat m de bibliothèque; **~erbrief** lettre f à la rédaction; **~erkreis** lecteurs mpl; public m; **~erlich** lisible; **~esaal** salle f (od salon m) de lecture; **~estoff** lecture f; **~estück** passage m de lecture; **~ezeichen** liseuse f; (Band) signet m; **~ung** lecture f

Letter 📖 type m, caractère m d'imprimerie

Lettner 🏛 jubé m

letzt dernier; (äußerst) ultime; (neu) le plus récent; (abschließend) final; (schlecht) dernier; (verborgen) extrême; (vorig) dernier; **~en** Mittwoch mercredi dernier; **~es** Jahr l'an dernier; in d. **~en** Tagen ces derniers jours; **~er** Wille dernières volontés; d. **~e** Ölung l'extrême-onction; zu guter **~** tout à fait à la fin; bis zum **~en** jusqu'au dernier; bis ins **~e** dans tous les détails; bis aufs **~e** totalement, entièrement; sein **~es** hergeben faire l'impossible; das ist das **~e!** c'est la fin de tout; **~ere** dernier; d. **~ere** ce dernier; celui-ci; **~geborener** dernier-né; **~hin** dernièrement, récemment, l'autre jour; **~lich** finalement, en fin de compte, en dernière analyse; après tout; **~willig** ~willige Verfügung ⚖ disposition f testamentaire

Leucht|e lampe f; voyant m; luminaire m; 🚗 feu m de signalisation (ou d'éclairage); fig flambeau m, lumière f; er ist k-e ~e ce n'est pas une lumière; **⌐en** éclairer, luire, resplendir; (Sterne) scintiller; (Meer) brasiller; j-m **⌐en** éclairer qn; **~en** su resplendissement m; lueur f; scintillement m; brasillement m; **⌐end** lumineux, luisant, luminescent; **~er** chandelier m, bougeoir m; candélabre m; **~farbe** vernis m fluorescent; **~feuer** ⚓ phare m; ✛ feu m; fanal m; **~gas** gaz m d'éclairage; **~käferchen** ver luisant, luciole f; **~körper** corps m lumineux; **~kraft** pouvoir éclairant; (Lichtstärke) intensité lumineuse; ~**kugel** balle traçante; ~**melder** voyant *m* lumineux; ~**rakete** fusée éclairante; ~**reklame** réclame lumineuse; ~**schirm** écran *m* luminescent; ~**stoffröhre** ampoule *f* néon; ~**turm** phare *m*; ~**zeichen** signal *m* optique; ~**ziffer** chiffre lumineux; ~**zifferblatt** cadran lumineux

leugnen nier, contester; désavouer; *nicht zu* ~ incontestable; ⌂ *su* négation *f*

Leumund réputation *f*, renommée *f*; *(Achtung)* estime *f*; ~**szeugnis** certificat *m* de bonnes vie et mœurs

Leute gens *mpl*; peuple *m*; monde *m*; *junge* ~ jeunes gens; *kleine* ~ menu peuple; gens de peu; *rechtschaffene* ~ braves gens; *vor d.* ~*n* dans le monde; *wenig* ~ peu de monde; *unter d.* ~ *kommen* voir du monde; ~**schinder** exploiteur

Leutnant sous-lieutenant; ~ *z. See* enseigne de vaisseau de 2ᵉclasse

leutselig affable, sociable; ⌂**keit** affabilité *f*, sociabilité *f*

Leviten: *j-m d.* ~ *lesen* chapitrer qn

Levkoje giroflée *f*

lexi|kalisch lexicographique; ⌂**kograph** lexicographe; encyclopédiste; ⌂**kographie** lexicographie; ⌂**kologie** lexicologie; ~**kon** dictionnaire *m*; lexique *m*; *(Konversations-)* encyclopédie *f* ♦ *e. wandelndes* ⌂**kon** un dictionnaire vivant, une bibliothèque vivante

Libelle libellule *f*, demoiselle *f*; ⚙ niveau *m* à bulle d'air

liberal libéral; ⌂**ismus** libéralisme *m*

Libretto libretto *m*, livret *m*

Licht lumière *f*; lueur *f*; *(Tages-)* jour *m*; *(Helligkeit)* clarté *f*; *(Beleuchtung)* illumination *f*, éclairage *m*; ♨ feu *m*; *gegen d.* ~ à contre-jour; *grünes* ~ *für etw. geben* donner le feu vert; *bei* ~*e besehen* à y regarder de près; ~ *anmachen* allumer; *ans* ~ *bringen* dévoiler; *d.* ~ *d. Welt erblicken* voir le jour ♦ *etw. ins rechte* ~ *setzen* présenter qch sous son vrai jour; *j-m e.* ~ *aufstecken* ouvrir les yeux à qn; *j-n hinters* ~ *führen* donner le change à qn, duper qn; *sein* ~ *unter d. Scheffel stellen* être trop modeste, cacher ses vertus; *jetzt geht mir e.* ~ *auf* je commence à y voir clair; ⌂ *adj* clair, lumineux; *(nicht dicht)* clairsemé; *(diamètre m)* intérieur; ~*e Breite* largeur *f* libre; ~*e Öffnung* ouverture *f* utile; *am* ~*en Tage* au grand jour; ⌂*e Weite* largeur intérieure, diamètre intérieur; ouverture *f*; ⌂*e Höhe* hauteur libre; ⌂*er Augenblick* moment lucide; ~**anlage** installation *f* électrique; ~**automat** minuterie *f*; ~**bild** photographie *f*; projection lumineuse; ⌂**blau** bleu clair; ~**blick** rayon *m* d'espoir; ~**bogen** arc *m* électrique; ~**brechung** réfraction *f* des rayons lumineux; ⌂**durchlässig** translucide; ⌂**empfindlich** photosensible; ⌂*empfindlich machen* sensibiliser; ~**empfindlichkeit** sensibilité *f* lumineuse; ⌂**erloh:** ⌂*erloh brennen (a. fig)* être tout en flammes; ~**erzeugung** production *f* de la lumière; ~**hof** cœur vitrée *(od* intérieur*)*; ▥ ḫalo *m*; ⌂**hoffrei** ▥ antihalo; ~**hupe** 🚗

avertisseur lumineux; ~**jahr** *astr* année-lumière *f*; ~**kegel** faisceau lumineux; ~**leitung** secteur *m (od* ligne *f)* d'éclairage; ~**maschine** dynamo *f*; ~**meß** la Chandeleur; ~**pause** tirage *m*, bleu *m*; ~**quelle** source lumineuse; ~**reiz** stimulus *m* lumineux; ~**reklame** réclame *(od* publicité*)* lumineuse; ~**schacht** prise *f* de lumière; ~**schalter** interrupteur *m*, commutateur *m*; ~**schein** lueur *f*, reflet *m* de lumière; ⌂**scheu** qui fuit la lumière; ~**schranke** barrière *f* optique; ~**seite** *fig* côté *m* favorable, beau côté; ~**signal** signal *m* optique; 📡 signal lumineux; ~**spieltheater** cinéma(tographe) *m*; ⌂**stark** lumineux; ▥ à grande ouverture; ~**stärke** intensité lumineuse; *opt* luminosité *f*; ~**strahl** rayon *m* de lumière *(od* lumineux*)*; ~**strom** courant *m* lumière; flux *m* lumineux; ⌂**voll** lumineux; *fig* lucide

licht|en *(Wald)* éclaircir; *(Baum)* élaguer; *(Anker)* lever; *refl* s'éclaircir; ⌂**ung** clairière *f*, éclaircie *f*

Lid paupière *f*

lieb cher, chéri, bien-aimé; *(liebenswürdig)* aimable; *(nett)* gentil; *(angenehm)* agréable; ~*er Freund (Briefanfang)* mon cher ami; *mein* ⌂*er!* mon vieux!, mon bon!; *d.* ~*e Gott* le bon Dieu; *d.* ~*en langen Tag* tout le long du jour; *d. ist mir* ~ j'en suis bien aise; *wenn dir d. Leben* ~ *ist* si tu tiens à la vie; ~**äugeln** faire des yeux doux à qn; *mit etwas* ~*äugeln* caresser qch; ⌂**e** amour *m*; *(Zuneigung)* affection *f*; *(fürsorgende)* sollicitude *f*; *christl.* ⌂*e* charité chrétienne; *kindl.* ⌂*e* amour filial; ⌂*e rostet nicht* on revient toujours à ses premières amours; ⌂**edienerei** obséquiosité *f*; flagornerie *f*; ⌂**elei** aventure *f*, flirt *m*; *umg* béguin *m*, touche *f*, passade *f*, amourette *f*; ~**en** aimer; affectionner; *(innig)* chérir; *(leidenschaftlich)* adorer; ~**ende** amoureux *mpl*, amants *mpl*; ~**enswert** digne d'être aimé; ~**enswürdig** aimable; *Sie sind zu* ~*enswürdig* vous me comblez; ⌂**enswürdigkeit** amabilité *f*, bienveillance *f*, prévenance *f*, gentillesse *f*; ~*er adv* plutôt; *dann bleibe ich* ~*er zu Hause* j'aime autant rester à la maison; ~*er haben*, ~*er wollen* préférer, aimer mieux; ⌂**esabenteuer** aventure amoureuse *ou* sentimentale *ou* galante; *auf* ⌂*esabenteuer ausgehen* courir la prétentaine; ⌂**esbrief** lettre *f* d'amour, billet doux; ⌂**esdienst** complaisance *f*; bons offices; ⌂**eserklärung** déclaration *f* d'amour; ⌂**esgaben** dons *mpl* charitables; ⌂**esgeschichte** roman *m* d'amour; ⌂**eshandel** affaire galante; intrigue amoureuse; ⌂**eskummer** chagrin *m* d'amour; ⌂**eslied** chanson *f* d'amour; ⌂**esmüh:** *d. ist verlorene* ⌂*esmüh* c'est peine perdue!; ⌂**espaar** amoureux *mpl*; ⌂**espärchen** tourtereaux *mpl*; ⌂**estrank** philtre *m* d'amour; ⌂**esverhältnis** liaison *f*, relation amoureuse; ~**evoll** affectueux, tendre; ~**gewinnen** prendre qn en affection, se prendre d'amitié pour qn; ~**haben** aimer; ⌂**haber** amant, bien-aimé, bon ami, chéri; *(von Sachen)* amateur; *erster* ⌂**haber** ♨ jeune premier; ⌂**haberei** dilettantisme *m*; goût particulier (pour qch), marotte *f*; violon *m*

d'Ingres; dada *m (umg); aus* ⌐*haberei* en
amateur; ⌐**kosen** caresser, cajoler; ⌐**kosung**
caresse *f;* cajolerie *f;* ~**lich** gracieux, suave;
agréable, aimable, amène; *(reizend)* charmant;
⌐**lichkeit** aménité *f,* douceur *f;* agrément *m;*
joliesse *f;* ⌐**ling** chéri; favori; chouchou *(umg);*
⌐**lings...** favori, préféré; ⌐**lingsbuch** livre *m* de
chevet; ~**los** dur; insensible, peu charitable;
⌐**losigkeit** dureté *f;* sécheresse *f* de cœur; ⌐**reiz**
charme(s) *m(pl),* attrait(s) *m(pl),* séduction *f,*
fascination *f;* ⌐**schaft** amourette *f,* liaison *f;* flirt
m; pl amours *fpl;* ⌐**ste** *su* bien-aimé(e); ~**ste(r)**
adj le (la) plus aimé(e); favori(te); ~*ste*
Beschäftigung occupation favorite; ~**sten:** am
~**sten** de préférence; *was er am* ~**sten** *hat* ce
qu'il aime le mieux

Lied chanson *f; (ernstes)* chant *m; (Kunst-)* lied
m; rel cantique *m; es ist immer d. alte* ~ c'est
toujours la même antienne ♦ *davon kann ich e.*
~ *singen* j'en sais quelque chose, j'ai passé par
là; ~**chen** chansonnette *f;* ~**erbuch** chansonnier
m; ~**erdichter** chansonnier; ~**ertafel** chorale *f*
liederlich négligent; négligé, désordonné; *(Ar-*
beit) bâclé; bousillé *(pop); (Sitten)* déréglé,
dissolu, dévergondé, libertin; *e.* ~*es Leben*
führen mener une vie déréglée *(od umg* de
bâtons de chaise *od* de patachon); ~ *werden*
donner dans le travers; ⌐**keit** dérèglement *m,*
inconduite *f,* dévergondage *m*

Liefer|ant fournisseur; ~**auftrag** ordre *m* de
livraison; ⌐**bar** livrable, disponible; ~**bedin-**
gungen conditions *fpl* de livraison; ~**firma**
fournisseur *m;* ~**frist** délai *m* de livraison; ~**n**
livrer, fournir; *(aushändigen)* remettre; ☼
débiter; *ins Haus* ~**n** livrer à domicile;
Beweise ~**n** donner des preuves; *e-e Schlacht* ~**n**
livrer bataille ♦ *geliefert sein* être ruiné *(od*
perdu); ~**schein** bordereau *m (od* récépissé *m)*
de livraison; ~**sperre** embargo *m;* ~**stopp**
suspension *f* des fournitures; ~**termin** date *f (ou*
délai) de livraison; ~**ung** fourniture *f,* livraison
f; remise *f;* 📖 fascicule *m;* ~**wagen** voiture *f* de
livraison; camionnette *f;* ~**verzug** retard *m* de
livraison

Liege|geld ⚓ frais *mpl* de surestarie; ~**kur** cure
f de repos; ~**n** être couché, être étendu; *(gelegen*
sein) être situé; *mil* être stationné, être en
garnison à; *gut* ~**n** être bien placé; *nach Süden*
⌐**n** être exposé au Sud; *vier km von...* ~**n** être à
quatre kilomètres de... ; *vor Anker* ~**n** être au
mouillage; *zugrunde* ~**n** être à la base de; *d.*
Unterschied liegt darin, daß la différence
consiste dans le fait que; *es liegt mir daran* j'y
tiens; *was liegt daran?* qu'importe?; ~**nlassen**
oublier (d'emporter); *laß das* ~**n!** n'y touche
pas!; *d. Wagen liegt gut auf d. Straße* cette
voiture tient bien la route; ⌐**nbleiben** rester
couché; *(Waren)* rester en magasin; *(Arbeit)*
rester en suspens; rester en souffrance; 🚗 rester
en panne; *(Zug)* rester en détresse; ⌐**nlassen:**
links ⌐**nlassen** laisser à sa gauche; *fig* laisser
tomber qn, tourner le dos à qn; ⌐**nd** situé; ⚕
sis; ~**nschaften** biens-fonds *mpl,* immeubles
mpl; ~**platz** ⚓ mouillage; *(Person)* couchette *f;*

~**stuhl** chaise longue; ~**tag** ⚓ estarie *f;* jour *m*
de planche; ~**wagen** wagon-couchettes *m;* ~**zeit**
⚓ jours *mpl* de planche
Lift ascenseur *m;* ~**führer** liftier
Liga ligue *f;* 🏹 division *f*
Ligatur ligature *f*
Liguster troène *m*
Likör liqueur *f*
lila lilas *(inv)*
Lilie lis *m; (Wappen)* fleur *f* de lis
Liliputaner Liliputien
Limit *n* plafond *m,* maximum *m;* prix-limite
Limonade *f* limonade *f*
Limousine *f* conduite *f* intérieure
lind doux; ~*e Lüfte* brise *f,* zéphyr *m;* ⌐**e** tilleul
m; ⌐**enblütentee** (infusion *f* de) tilleul *m;* ~**ern**
(erleichtern) adoucir, soulager, alléger; *(beruhi-*
gen) apaiser, calmer, pallier; *(mildern)* tempérer;
refl s'adoucir, s'apaiser; ~**ernd** 💊 lénitif,
lénifiant; ⌐**erung** soulagement *m,* allègement
m; apaisement *m,* adoucissement *m;* ⌐**erungs-**
mittel adoucissant *m,* lénitif *m,* sédatif *m,*
palliatif *m*
Linea|l règle *f;* ⌐**r** linéaire; ⌐**are Skala** échelle *f*
linéaire
Linie *a. mil* ligne *f; (Abstammung)* branche *f,*
lignée *f; in erster* ~ d'abord, en premier lieu,
principalement; *in* ~ *aufstellen* aligner; *in*
vorderster ~ *stehen a. fig* être à la pointe du
combat; *auf gleiche* ~ *stellen mit* mettre au
même rang que; *auf seine* ~ *achten* soigner sa
ligne; ~**nabtastung** *(Radar)* balayage *m* de ligne
optique; ~**nblatt** transparent *m;* ~**ndienst** ligne
régulière; ~**nschiff** vaisseau *m* de ligne; ⌐**ntreu**
orthodoxe, inféodé (à); ⌐**ren** rayer, ligner,
régler
link *pop* pas très catholique; douteux; mal famé;
qui n'inspire pas confiance; ~*e Seite* côté
gauche; *(Stoff)* envers; *(Münze)* revers; ⌐**e:** *d.*
⌐*e* la main gauche; *pol* la gauche, les partis de
gauche; ⌐**erhand** à la gauche; ~**isch** gauche,
maladroit; empoté *(umg);* ~**isches Benehmen**
gaucherie *f*
links *(Richtung)* à gauche; *pol* de gauche; *nach*
~ *abbiegen* tourner à gauche; ~ *liegenlassen*
laisser tomber qn, tourner le dos à qn; ⌐**außen**
ailier gauche; ⌐**drall** *(Seil)* torsion *f* à gauche;
pol glissement *m* vers la gauche; ⌐**extremismus**
gauchisme *m;* ⌐**extremist** gauchiste; ⌐**gewinde**
filetage *m* à gauche; ⌐**händer,** ~**händig**
gaucher; ~**kurve** virage *m* à gauche; ⌐**masche**
maille *f* d'envers; ~**um:** ~*um!* demi-tour à
gauche, gauche!
Lino|leum linoléum *m;* ~**lschnitt** gravure *f* sur
linoléum; ~**type** 📖 linotype *f*
Linse *a.* 📷 lentille *f;* ⌐**nförmig** lenticulaire
Lippe lèvre *f; bot* corolle labiée; ~**nblütler**
labiacées *fpl;* ~**nlaut** consonne labiale; ~**nstift**
(bâton *m* de) rouge *m* à lèvres
Liquid|ation *com* liquidation *f* de l'actif;
(Rechnung) facture *f;* ⌐**ieren** *com* liquider; ~**ität**
com liquidité *f*
lispeln chuchoter; susurrer; *(Sprachfehler)*
zézayer

List ruse *f*, artifice *m*; *(Kriegs-)* stratagème *m*; truc *m* (umg); mit ~ vorgehen user de ruses; ~en gebrauchen ruser, procéder astucieusement; **≈ig** rusé, astucieux

Liste liste *f*, relevé *m*; *(Mitglieder-)* tableau *m*; *(Steuer-)* rôle *m*; auf d. schwarze ~ setzen mettre à l'index, boycotter; **≈n** lister; ~npreis prix *m* catalogue; ~nschreibung *EDV* listage *m*

Litanei *a. fig* litanie *f*; kyrielle *f* ♦ es ist immer d. gleiche ~ c'est toujours la même antienne

Liter litre *m*

litera|risch littéraire; **≈t** homme de lettres; **≈tur** littérature *f*; **≈turgeschichte** histoire *f* de la littérature; **≈turnachweis** bibliographie *f*; **≈turwissenschaft** lettres *fpl*; science *f* littéraire

Litfaßsäule colonne *f* Morris

Lithographie lithographie *f*; **≈ren** lithographier

Liturg|ie liturgie *f*; **≈isch** liturgique

Litze *(Schnur)* cordon *m*; *a*. ⚡ toron *m*, fil *m* toronné; *(Textil)* bordure *f*; *(Tresse)* galon *m*

live ⟨⟩ en direct; **≈-Sendung** diffusion *f* en direct

Lizen|tiat licencié; ~z licence *f*; ~zerteilung concession *f*, octroi *m* d'une licence; ~zgebühr droits *mpl* de licence

Lob éloge *m*, louange *f*; ~ spenden décerner des éloges; d. ~es voll sein prodiguer des louanges; **≈en** louer *(für* de); faire l'éloge (de qn); **≈ende** Worte paroles élogieuses; **≈enswert** louable, méritoire; ~hudelei adulation *f*, flagornerie *f*; **≈hudeln** aduler, flagorner; ~lied hymne *m* (rel *f*); **≈preisen** glorifier, exalter; ~rede éloge *m*; panégyrique *m*

Lobby *f* groupe *m* de pression

Loch trou *m*; trouée *f*, brèche *f*, percée *f*; *(Höhlung)* creux *m*, cavité *f*; *(Käse)* œil *m*; *(Wohnung)* trou *m*, taudis *m*, chenil *m*; *(Gefängnis)* cachot *m*, taule *f*, bloc *m* ♦ auf d. letzten ~ pfeifen être aux abois, être réduit à la dernière extrémité; j-m e. ~ in den Bauch fragen harceler qn de questions gênantes; e. ~ in die Luft/in die Wand stieren avoir un air absent; **≈en** poinçonner, percer, perforer; ~en su perforation *f*, perçage *m*; ~er *(Büro)* perforateur *m*; **löcherig** troué; poreux; ~karte carte perforée; ~zange emporte-pièce *m*; *(Fahrkarten)* pince *f* à perforer

Lock|e boucle *f*; **≈en**[1] *(Haare)* boucler, firser, calamistrer; ~enkopf tête frisée; ~enwickel papillote *f*, bigoudi *m*; ⚡ bouclé, frisé

lock|en[2] attirer; allécher; appâter; séduire, leurrer, charmer; ~t Sie das nicht? cela ne vous tente-t-il pas?; j-m Geld aus d. Tasche ~en soutirer de l'argent à qn; **≈mittel** appât *m*; **≈spitzel** *(Polizei)* agent provocateur; mouchard *m*; **≈ung** attrait *m*; appât *m*; séduction *f*; **≈vogel** appelant *m*

locker *(Gewebe)* lâche; *(Schraube)* desserré, dévissé; *(Seil)* relâché; *(Sitten)* libertin, relâché, dissolu; *(Boden)* meuble; *(Teig)* poreux, spongieux; 🔲 aéré; ~ lassen *(Bremse)* lâcher; e-e ~e Hand haben avoir la main leste; er läßt nicht ~ il n'en démord pas; ~n desserrer; *a. fig* relâcher, assouplir; *(Boden)* ameublir; **≈ung** *a.*

fig relâchement *m*, assouplissement *m*; ✿ dislocation *f*; desserrage *m*; *(Boden)* ameublissement *m*

Loden loden *m*

Löffel cuiller *f*, cuillère *f*; *zool* oreille *f*; ✚ curette *f*; spatule *f*; ✿ pelle *f*, benne *f* preneuse; e. ~ voll une cuillerée ♦ d. Weisheit mit ~n gefressen haben avoir la science infuse; **≈n** manger à la cuiller; **≈weise** par cuillerées

Logarithmus logarithme *m*

Logbuch ⚓ journal *m* de bord

Loge *(Freimaurer-)* loge *f*; 🎭 baignoire *f*

Logi|k logique *f*; ~ker logicien; **≈isch** logique

Loh|e tan *m*; écorce *f*; *(Feuer)* flammes *fpl*, brasier *m*; **≈en** *vt* tanner; *vi* jeter des flammes; *a. fig* flamber, flamboyer; ~gerber tanneur

Lohn rémunération *f*; paie *f*; *a. fig* salaire *m*; *(Hausangestellte)* gages *mpl*; loyer *m*; *fig* prix *m*, récompense *f*; ~abhängiger salarié *m*; ~abzug retenue *f* sur le salaire; ~arbeit travail rémunéré; ~arbeiter *(travailleur)* salarié; ~ausfall perte *f* de salaire, manque à gagner; ~ausgleich indemnité *f* salariale; ~buch livre *m* de paie; ~buchhaltung bureau *m* de paie; ~empfänger salarié; **≈en** recompenser *(j-m etw.* qn de qch); *(bezahlen)* payer qn; *(wert sein)* valoir la peine, être profitable; d. **≈t** sich cela vaut le coup; **≈end** lucratif, rémunérateur, profitable, avantageux; ~erhöhung relèvement *m* des salaires; ~fortzahlung maintien *m* du salaire; ~gruppe catégorie *f* salariale; **≈intensiv** de coût salarial élevé; ~kampf conflit *m* social; ~kosten coûts *mpl* salariaux; ~kürzung réduction *f* de salaire; ~liste bordereau *m* des salaires; ~pfändung saisie-arrêt *m* sur le salaire; ~steuer impôt *m* sur les salaires; ~steuerkarte fiche *f* fiscale pour fixer et mentionner la retenue à la source; ~stop blocage *m* des salaires; ~tag jour *m* de paie; la Sainte-Touche (umg); ~tarifvertrag convention *f* collective salariale; ~tüte sachet *m* à paie; ~verhandlungen négociations collectives (sur les salaires)

Löhnung paie *f*, salaire *m*

Lokal local *m*; *(Gaststätte)* restaurant *m*, café *m*; *(Geschäft)* bureau *m*, établissement *m*; ~blatt journal régional; **≈isieren** localiser; ~isierung localisation *f*; ~ität localité *f*; d. ~itäten e-s Hauses les aîtres d'une maison; ~patriotismus esprit *m* de clocher; ~teil *journ* page régionale; chronique locale; ~termin 🔒 descente *f* sur les lieux

Lokomotiv|e locomotive *f*; machine *f*; ~führer mécanicien; ~schuppen dépôt *m* des locomotives

Lombard|geschäft, ~kredit avance *f* sur titres ou sur marchandises, crédit *m* sur nantissement; ~satz, ~zins taux d'intérêt des avances sur titre

Looping boucle *f*, looping *m*

Lorbeer laurier *m*; ~en ernten se couvrir de lauriers ♦ s. auf s-n ~en ausruhen se reposer sur ses lauriers; ~baum laurier *m*; ~kranz couronne *f* de laurier

Lore wagonnet *m*, lorry *m*

Los *(Lotterie)* billet *m* de loterie, lot *m*;

(Schicksal) destin *m*, sort *m; (Anteil)* part *f; d.*
große ~ ziehen gagner le gros lot; *d.* ~ *über etw.*
entscheiden lassen tirer qch au sort; **~einteilung**
lotissement *m; ~ung* **1.** mot *m* de passe; mot *m*
d'ordre; **2.** *zool* fumées *fpl*
los détaché; défait, dénoué; *(Schraube)* desserré; *~e Reden* propos crus; *etw.* ~ *sein* être
débarrassé *(od* délivré) de qch; *etw.* ~ *haben*
être calé *(od* fort) en, s'y connaître en; *was ist~?*
que s'y passe-t-il? *den wären wir* ~*!* bon
débarras!; **~arbeiten** commencer à travailler;
~ballern *umg* canarder, mitrailler; **~binden**
détacher, délier; ⚓ démarrer; **~brechen** *vt* faire
sauter; détacher; *vi* éclater; *fig* fondre sur, se
déchaîner contre; **~bröckeln** s'émietter, s'effriter; **~drücken** *(ab-)* tirer; **~eisen** *fig* soutirer (de
l'argent à qn); **~fahren** démarrer; partir;
~gehen *(Gewehr)* partir; foncer *(auf* sur),
attaquer *(auf j-n, etw.* qn, qch); **~haben:** *etw.* ~
haben être compétent, savoir qch (dans un
domaine particulier); **~haken** décrocher, dégrafer; **~kaufen** racheter; payer la rançon;
~kommen parvenir à se dégager de; *mil* être
libéré; ✝ décoller; **~lassen** lâcher prise;
(Hund) détacher; *(Gefangene)* relâcher, mettre
en liberté; **~lösen** séparer; *refl* se détacher;
~machen affranchir, émanciper; **~sagen** *refl* se
dédire de, renoncer à, se désolidariser de;
~schlagen frapper son coup; *mil* attaquer par
surprise; **~schnallen** déboucler; **~sprechen** *rel*
absoudre, acquitter; **~stürmen** assaillir *(auf j-n*
qn), se précipiter *(auf j-n* sur qn); **~trennen**
défaire, dénouer; **~werden** se débarrasser de;
(Geld) s'alléger de; **~ziehen** partir; *fig* invectiver
(gegen contre)
lösbar *(Aufgabe)* résoluble; 🔧 résiliable; ⚙
démontable; ⚡**keit** résolubilité; ⚙ décrochage
Lösch|blatt buvard *m;* ⚡**en** *(Licht, Feuer)*
éteindre, étouffer; *(Durst)* étancher, apaiser;
(Tinte) effacer, absorber; *(Tonband)* effacer,
remettre à zéro; *(Hypothek)* radier, purger;
(Schuld) amortir, se libérer (d'une dette); ⚓
décharger, débarquer, dépoter (un tanker); *s-n*
Durst ⚡**en** se désaltérer; ⚡**er** *(Feuer-)* extincteur
m (d'incendie); *(Tinte)* tampon-buvard *m;* ⚓
déchargeur; ⚡**fahrzeug** grande pompe mobile;
~gerät extincteur *m,* pompe *f* à incendie; **~kalk**
chaux éteinte; **~kopf** *(Tonband)* tête *f* de
démagnétisation; **~mannschaft** pompiers *mpl;*
~papier papier buvard; **~ung** extinction *f;*
(Durst) étanchement *m; com* radiation *f;*
amortissement *m;* ⚓ déchargement *m*
lose mobile, libre; *(unverbunden)* détaché;
incohérent; *(unverpackt)* en vrac; *fig* libre, leste,
licencieux; *~s Blatt* feuille *f* volante; ~ *Reden*
führen tenir des propos frivoles
Lös|egeld rançon *f;* ⚡**en** *vt* défaire; *(Fahrkarte)*
prendre; *(Problem)* résoudre, dénouer; *chem,*
phys dissoudre; *(Vertrag)* annuler, résilier;
(Beziehungen) rompre; *(Bremse)* débloquer,
desserrer; ⚡**lich** soluble; ⚡**lichkeit** solubilité *f;*
~ung dénouement *m; a. phys, chem* solution *f;*
(Pharmazie) soluté *m;* **~ungsmittel** solvant *m,*
dissolvant *m*

Löß lœss *m*
Lot *(Senkblei)* fil *m* à plomb; ⚓ sonde *f; math*
perpendiculaire *f; (Lötmetall)* soudure *f; (Ge-*
wicht) demi-once *f; im* ~ d'aplomb; *das* ~
fällen abaisser la perpendiculaire; ⚡**en** ⚓
sonder; prendre l'aplomb; ⚡**recht** perpendiculaire
löt|en souder; ⚡**brenner** chalumeau *m;* ⚡**kolben**
fer *m* à souder, soudoir *m;* ⚡**lampe** lampe *f* à
souder; ⚡**rohr** chalumeau *m;* ⚡**stelle** soudure *f,*
soudure *f;* ⚡**wasser** décapant *m;* ⚡**zinn** étain *m* à
souder
Lothring|en la Lorraine; **~er** Lorrain; ⚡**isch**
lorrain
Lotse ⚓ pilote; **~ndienst** pilotage *m;* ⚡**n** piloter
Lotter|bube vaurien; ⚡**ig** dissolu; **~leben:** *e.*
~leben führen mener une vie de patachon
Lotterie loterie *f;* **~los** billet *m* de loterie, lot *m;*
~gewinn lot gagnant
Löw|e lion *m;* **~enanteil:** *s. d. ~enanteil nehmen*
se tailler la part du lion; **~enmäulchen** *bot*
muflier *m,* gueule-de-loup *f;* **~enzahn** *bot*
pissenlit *m,* dent-de-lion *f;* **~in** lionne *f*
loyal loyal; ⚡**ität** loyauté *f*
Luchs lynx *m,* loup-cervier *m; fig* fin matois
Lücke lacune *f,* vide *m; (Scharte)* brèche *f,*
trouée *f; (Auslassung)* omission *f; (Unterbre-*
chung) hiatus *m; (Markt)* créneau *m;* manque *m,*
insuffisance *f;* **~n** reißen faire des vides; *e-e ~*
schließen combler une lacune; **~nbüßer** bouche-
trou *m;* ⚡**nhaft** défectueux, incomplet; ⚡**nlos**
sans vide(s), sans lacune(s); complet, intégral
Luder charogne *f; fig* chameau *m,* garce *f*
Luft air *m; (Atem)* haleine *f; schlechte* ~ air
vicié; *aus d.* ~ *gegriffen* fantaisiste, sans *(od*
dénué de) fondement; *an d.* ~ *gehen* faire un
petit tour; *s.* ~ *machen* se soulager; ~ *schöpfen*
prendre l'air; *j-n an d.* ~ *setzen* mettre qn à la
porte; *in d.* ~ *sprengen* faire sauter ♦ *d.* ~ *ist*
rein il n'y a rien à craindre, on peut y aller;
~abwehr défense antiaérienne; ⚡**abschluß** isolation *f* hermétique; *unter ~abschluß* à l'abri *m* de
l'air, en vase clos; **~angriff** attaque aérienne;
~aufklärung reconnaissance aérienne; **~ballon**
ballon *m;* **~behälter** réservoir *m* d'air; **~betan-**
kung ravitaillement *m* en vol; **~bild** photographie aérienne; **~blase** bulle *f* d'air; *(Metall)*
soufflure *f;* **~brücke** pont aérien; ⚡**dicht**
hermétique, étanche à l'air; **~dichte** densité *f* de
l'air; **~druck** pression *f* atmosphérique *(od*
barométrique); *(Explosion)* souffle *m;* **~druck-**
bremse frein *m* à air comprimé *(od* pneumatique); ⚡**empfindlich** altérable à l'air, sensible à
l'air; **~fahrt** aviation *f,* aéronautique *f,*
navigation *f* aérienne; **~fahrtausstellung** salon
m aéronautique; **~fahrtministerium** ministère *m*
de l'Air; **~fahrtgesellschaft** compagnie *f* (de
navigation) aérienne; ⚡**feuchtigkeit** humidité *f*
de l'air *(od* atmosphérique); *(absolute)* teneur *f*
en humidité; *(relative)* degré *m* hygrométrique);
~filter filtre *m* à air; ⚡**flotte** flotte aérienne;
~fracht fret *m* aérien; ⚡**gefedert** aérostable;
⚡**gekühlt** refroidi à l'air; **~gewehr** fusil *m* à air
comprimé; **~hauch** souffle *m;* **~heizung** chauf-

fage *m* à air chaud; ⪯**ig** aérien; léger comme l'air; poreux; ~**kampf** combat aérien; ~**kanal** conduit *m* aéraulique; ~**kissen** coussin *m* pneumatique; ~**kissenfahrzeug** aéroglisseur *m*; ~**klappe** volet *m* d'aération; ~**korridor** couloir *m* aérien; ~**krieg** guerre aérienne; ~**kühlung** ⚙ refroidissement *m* par air; ~**kurort** station *f* climatique; ~**landetruppen** troupes parachutées (*od* aéroportées); ~**landung** aéroportage *m*, mise *f* au sol; ⪯**leer** vide, évacué; ~**linie**: *in* ~*linie* à vol d'oiseau; ~**loch** ⚓ trou *m* d'air; ⚙ évent *m*; (*Kanal*) ventouse *f*; ~**matratze** matelas *m* pneumatique; ~**pirat** pirate *m* de l'air; ~**post** poste aérienne; *mit* ~*post* par avion; ~**pumpe** pompe *f* à air; ⛟ pompe *f* à pneumatique; motopompe *f* de gonflage; ~**raum** espace *m* aérien; atmosphère *f*; ~**reifen** pneu *m*; ~**röhre** *anat* trachée(-artère) *f*; ~**rüstung** armement aérien; ~**schacht** (*Bergwerk*) puits *m* d'aérage; évent *m*; ~**schiff** aéronef *m*; ~**schiffahrt** navigation aérienne; ~**schlange** serpentin *m*; ~**schlauch** chambre *f* à air; ~**schloß** projet *m* chimérique; ~*schlösser bauen* bâtir des châteaux en Espagne; ~**schraube** hélice *f*, propulseur *m*; ~**schutz** défense passive, protection civile; ~**schutzkeller** abri antiaérien; ~**schutzsirene** sirène *f* d'alerte; ~**sperre** interdiction *f* de survoler; barrage aérien; ~**spiegelung** mirage *m*; ~**sprung** cabriole *f*, gambade *f*; ~**streitkräfte** forces aériennes; ~**strömung** courant aérien; ~**stützpunkt** base aérienne; ~**veränderung** changement *m* d'air; ~**verdünnung** raréfaction *f* de l'air; ~**verkehr** trafic aérien; ~**verschmutzung** pollution *f* atmosphérique; ~**verteidigung** défense *f* aérienne; ~**waffe** armée *f* de l'air; aviation *f* militaire; ~**weg** route aérienne; *auf d.* ~*wege* par avion; ~**widerstand** résistance *f* de l'air; ~**zufuhr** amenée *f* (*od* admission *f*) d'air; ~**zug** courant *m* d'air

lüft|en aérer, ventiler; (*Schleier*) soulever; (*Geheimnis*) percer, révéler; écarter le rideau sur; ⪯**er** bouche *f* d'aération; (*Motor*) ventilateur *m*; ⪯**ung** aération *f*, ventilation *f*

Lug: ~ *u. Trug* mensonge et imposture

Lüg|e mensonge *m*; *j-n* ~*en strafen* démentir qn, donner un démenti à qn ♦ ~*en haben kurze Beine* le mensonge ne mène pas loin; ⪯**en** mentir; (*erdichten*) inventer; conter des fables ♦ *wie gedruckt* ⪯*en* mentir comme un arracheur de dents; ~**engewebe** tissu *m* de mensonges; ⪯**enhaft**, ⪯**nerisch** menteur; (*Sachen*) mensonger, controuvé, inventé; ~**enhaftigkeit** caractère mensonger, fausseté *f*; ~**enmaul** effronté menteur; imposteur; ~**ner** menteur

lugen guetter; se laisser entrevoir

Lugger ⚓ lougre *m*

Luke (*Dach*) lucarne *f*; ⚓ hublot *m*, écoutille *f*, panneau *m*

lukrativ lucratif, bien rémunéré

Lümmel malotru, goujat; (*umg*) mec, zigue; ⪯**haft** grossier

Lump fripouille *f*, canaille *f*, sacripant *m*, gredin *m*, crapule *f*; ~**en** chiffon *m*; haillon *m*, guenille

f, loque *f*; ⪯**en** fainéanter, faire la bringue; *s. nicht* ⪯*en lassen* ne pas se faire tirer l'oreille, ne pas être avare; ~**engesindel**, ~**enpack** vermine *f*, racaille *f*; ~**ensammler** chiffonnier; *fig* le dernier métro, le balai; ~**erei** vacherie *f*, méchanceté *f*; ⪯**ig** déguenillé; *fig* misérable, mesquin

Lunge poumon *m*; (*Speise*) mou *m*; *eiserne* ~ ⚕ poumon *m* d'acier; *s. d.* ~ *aus d. Hals schreien* s'époumoner; ~**nentzündung** pneumonie *f*; ~**nflügel** lobe *m* de poumon; ⪯**nkrank** tuberculeux, poitrinaire, phtisique; ⪯**nschwindsucht** phtisie *f*; consomption *f*; ~**nspitze** sommet *m* du poumon; ~**ntuberkulose** tuberculose *f* pulmonaire

lungern fainéanter, flâner

Lunte mèche *f* ♦ ~ *riechen* éventer la mèche

Lupe loupe *f* ♦ *etw., j-n unter d.* ~ *nehmen* soumettre qch, qn à une critique serrée

Lupine lupin *m*

Lurch batracien *m*

Lust envie *f*; (*Neigung*) désir *m*, goût *m* (*zu etw. de qch*); disposition *f* (*zu etw. à qch*); (*Genuß*) plaisir *m*; jouissance *f*, délectation *f*; *mit* ~ *u. Liebe* avec un véritable plaisir, de cœur et d'âme; ~ *haben auf* être disposé à qch, éprouver l'envie de qch; *k-e* ~ *haben* ne pas avoir envie de faire qch; *er hat k-e* ~ *dazu* cela ne lui dit rien; *j-m d.* ~ *nehmen* décourager qn; *s-e* ~ *an etw. haben* trouver son plaisir à qch; ~**barkeit** divertissement *m*, amusement *m*; réjouissance *f*; ⪯**ig** gai, joyeux, rigolo (*umg*); ⪯*ig machen* se moquer (*über* de); ~**igkeit** gaieté *f*, jovialité *f*, enjouement *m*; ⪯**los** languissant, sans entrain; (*Börse*) peu animé; ~**losigkeit** manque *m* d'entrain (*od* d'animation); ~**mord** crime *m* sadique; ~**spiel** comédie *f*; ⪯**wandeln** flâner

Lüster chandelier *m*, lustre *m*

lüst|ern voluptueux, concupiscent, libidineux; ⪯**ernheit** convoitise *f*, concupiscence *f*; volupté *f*; lasciveté *f*; ~**ling** débauché, paillard

lutsch|en sucer; téter; suçoter (*umg*); *Daumen* ~*en* téter son pouce; ⪯**er** sucette *f*

Luv *f* côté *m* du vent; ⪯**wärts** au vent

luxu|riös luxueux, fastueux, somptueux; ⪯**s** luxe *m*; somptuosité *f*; (*feierlich*) pompe *f*; ⪯**sartikel** article *m* de luxe; ⪯**ausgabe** édition *f* de luxe; ⪯**shotel** palace *m*; ⪯**ssteuer** impôt *m* sur les dépenses somptuaires

Luzerne luzerne *f*

Lymph|drüse ganglion *m* lymphatique; ~**e** lymphe *f*; ~**gefäß** vaisseau *m* lymphatique

lynch|en lyncher; ⪯**justiz** lynchage *m*

Lyr|a lyre *f*; ~**ik** lyrisme *m*; poésie *f* lyrique; ~**iker** lyrique; ⪯**isch** lyrique

M

Mäander 🏛 grecque *f*; (*Flußwindung*) méandre *m*

Maat ⚓ quartier-maître *m*

Mach|art façon *f* (*a. Kleidung*); manière *f*; 🔧 mode *m* de fabrication; genre *m*; ~**e**: *das ist* ~*e*

c'est du théâtre, c'est pour la frime; *j-n in der ~e haben* umg tarabuster qn; casser la gueule à qn; **~er** exécutant *m*; réalisateur *m*; umg fonceur *m*, battant *m*; pej faiseur *m*; **~erlohn** main-d'œuvre *f*

machen faire; *(bewirken)* produire, faire, causer; *(herstellen)* fabriquer, produire; *(kosten)* coûter, revenir à, faire; *(in e-n Zustand versetzen)* rendre; *(ernennen)* nommer, faire; *refl* arriver à qch, faire des progrès; *er hat s. gemacht* il est devenu quelqu'un, il est arrivé à qch; *was kann man da ~?* que voulez-vous qu'on y fasse, que pourrait-on bien faire?; *das läßt s. nicht ~* c'est infaisable *(od* impossible); *da läßt s. nichts ~* il n'y a rien à faire; *das macht nichts* cela ne fait rien, cela n'a pas d'importance; *sich ~ an* se mettre à, commencer; *s. viel ~ aus* attacher beaucoup d'importance à; *ich mache mir wenig aus...* je ne me soucie guère de..., cela ne m'intéresse pas beaucoup de...; *s. nichts daraus ~* s'en moquer, n'en avoir cure; *s. gefaßt ~ auf* s'attendre à; *s. wichtig ~* faire l'important, se rendre important; crâner *(umg)*; *zunichte ~* anéantir, ruiner; réduire à rien; *mach schnell!* fais vite!, dépêche-toi!; **~schaft(en)** *meist pl* agissements *mpl*, machination *f*, intrigue *f*; menées *fpl*, manœuvres *fpl*

Macht pouvoir *m*; *(a. Staat)* puissance *f*; force *f*; *(Einfluß)* influence *f*, autorité *f*, ascendant *m*; *weltliche ~ (rel)* bras séculier; *~ der Gewohnheit* force *f* de l'habitude; *d. steht nicht in m-r ~* cela n'est pas en mon pouvoir; *d. ~ an sich reißen* accaparer le pouvoir; *d. ~ übernehmen* prendre le pouvoir; **~antritt** prise *f* du pouvoir, arrivée au pouvoir; **~befugnis** autorité *f*, pouvoir *m*; *aus eigener M.* de son plein pouvoir; **~bereich** pouvoir *m*, ressort *m*; compétence *f*; sphère *f*; **~ergreifung** prise *f* de pouvoir; arrivée *f* au pouvoir; **~gruppe** *com* cartel *m*; groupe influent; **~haber** tenants *mpl* du pouvoir, maître; dirigeant; **~hunger** volonté *f* de puissance; **~kampf** lutte *f* pour le pouvoir; lutte *f* d'influence; **~los** impuissant; **~losigkeit** impuissance *f*; **~mißbrauch** abus *m* de pouvoir; **~politik** politique *f* de (la) force; **~spruch** acte *m* d'autorité; arrêt *m* sans appel; **~stellung** *(Staat)* puissance *f*; **~verhältnisse** rapports *mpl* de force; **~voll** puissant; **~vollkommenheit** omnipotence *f*; pouvoir *m* discrétionnaire; *aus eigener ~vollkommenheit* de sa propre autorité; **~wechsel** changement *m*; **~wille** volonté *f* de puissance; **~wort** acte *m* d'autorité; *e. ~wort sprechen* faire acte d'autorité, parler d'un ton péremptoire

mächtig puissant; considérable, énorme; *seiner nicht mehr ~ sein* n'être plus maître de soi, n'avoir plus le contrôle de soi-même; **~keit** puissance *f*; geol épaisseur *f*

Machwerk méchant ouvrage; bousillage *m (umg)*

Mädchen jeune fille; *(Tochter)* fille; *(Angestellte)* bonne; *~ für alles* bonne à tout faire; *junges ~* jeune fille, adolescente; jeune personne *(umg)*; *kleines ~* fillette, enfant *f*; gamine *(umg)*;

leichtes ~ fille de mauvaise vie, femme galante; **~haft:** *e-e ~hafte Figur* une taille de jeune fille; **~handel** traite *f* des blanches; **~name** nom *m* de fille; *(Frau)* nom *m* de jeune fille; **~schule** école *f* de (jeunes) filles; **~zimmer** chambre *f* de bonne

Mad|e ver *m*, asticot *m*; **~ig** véreux; *j-m etwas ~ig machen* dégoûter qn de qch, faire passer l'envie d'une chose à qn

Madonna la Sainte Vierge; 🕯 madone

Magazin *(Lager)* entrepôt *m*, dépôt *m*; *(Waffe)* chargeur *m*; *(Zeitschrift)* magazine *m*, revue *f*; **~verwalter** magasinier

Magd servante, bonne

Magen estomac *m*; *s. d. ~ verderben* se donner une indigestion ♦ *j-m hängt der ~ in den Kniekehlen* umg avoir fringale; *j-m dreht sich d. ~ um* se sentir mal; *j-n im ~ haben* umg rester sur l'estomac; **~ausgang** pylore *m*; **~beschwerden** troubles *mpl* gastriques; **~bitter** amer *m*, digestif *m*; **~blutung** hémorragie *f* gastrique; **~geschwür** ulcère *m* gastrique *(od* de l'estomac); **~grube** creux *m* de l'estomac; **~knurren** grouillements *mpl* dans l'estomac; **~krankheit** gastropathie *f*; **~krebs** cancer *m* de l'estomac; **~leiden** affection *f* de l'estomac; **~säure** acide *m* gastrique; **~schmerzen** maux *mpl* d'estomac; douleurs *fpl* gastriques; **~verstimmung** indigestion *f*

mager maigre; *(Boden)* aride, sec, stérile; *(dürftig)* malingre, chétif; *(sparsam)* mesquin; *~e Kost* maigre chère *f*, diète *f*; *~ werden* maigrir; **~keit** maigreur *f*; *(Boden)* aridité *f*, sécheresse *f*, stérilité *f*; **~kohle** charbon *m* maigre; **~milch** lait écrémé

Mag|ie magie *f*; **~ier** magicien; **~isch** magique

Magist|er maître d'école; **~rat** conseil municipal, municipalité *f*

Magnet aimant *m*; **~band** bande *f* magnétique; **~bandgerät** enregistreur *m* magnétique; **~feld** champ *m* magnétique; **~isch** magnétique; **~isieren** ⚡ aimanter; magnétiser, hypotiser; **~isierung** aimantation *f*; magnétisation *f*; **~nadel** aiguille aimantée; **~speicher** *EDV* mémoire *f* magnétique; **~zündung** allumage *m* magnéto-électrique

Magnolie magnolier *m*, magnolia *m*

Mahagoni bois *m* d'acajou; **~baum** acajou *m*

Mahd fauchage *m*, fauchaison *f*

Mäh|drescher moissonneuse-batteuse *f*; **~en** faucher; **~er** faucheur; **~maschine** *(Wiese)* faucheuse *f*; *(Getreide)* moissonneuse *f*; *(Rasen)* tondeuse *f*

Mahl repas *m*; *(feierlich)* festin *m*, banquet *m*; **~zeit** repas *m*

mahl|en *(Getreide)* moudre; *(Steine)* broyer, écraser; *(fein)* pulvériser; **~anlage** installation *f* de broyage; **~en** *su* mouture *f*; broiement *m*, écrasement *m*; **~gang** tournant *m*; **~gut** mouture *f*; **~zahn** (dent *f*) molaire *f*

Mahn|brief lettre *m* de rappel, réclamation écrite; *(stärker)* sommation *f*; **~en** avertir (*j-n an etw.* qn de qch); rappeler, réclamer (*j-n an etw.* qch à qn), sommer (qn de faire qch); com réclamer le paiement d'une dette; *j-n zur Vorsicht* ⌁en recommander la prudence à qn; **~mal** monument commémoratif, mémorial *m;* **~ung** rappel *m* de paiement; sommation *f; (Steuer)* avertissement *m;* ◌ mise *f* en demeure; **~verfahren** procédure *f* de mise en demeure; **~wort** parole *f* d'exhortation

Mähne crinière *f; (Haare)* tignasse *f*

Mähre haridelle *f,* rosse *f*

Mai mai *m; im* ~ en *(od* au mois de) mai; **~baum** (arbre *m* de) mai *m;* **~feier** fête *f* du premier mai; **~glöckchen** muguet *m;* **~käfer** hanneton *m*

Mais maïs *m;* **~kolben** épi *m* de maïs; **~mehl** farine *f* de maïs

Maische *(Bier)* moût *m*

Majestät majesté *f; (Anrede)* Sire; ⌁isch majestueux; **~sbeleidigung** crime *m* de lèse-majesté

Major commandant, chef de bataillon; *(Kavallerie)* chef d'escadron, ⌁enn majeur; **~at** majorat *m;* ⌁ität majorité *f*

Majoran marjolaine *f*

Makel tache *f,* défaut *m,* tare *f;* souillure *f;* ⌁los immaculé; sans tache, irréprochable; **~losigkeit** pureté *f*

Mäk|elei critique mesquine; ⌁elig dégoûté, difficultueux; ⌁eln critiquer; **~ler** critiqueur

Make-up *n* maquillage *m* (du visage); produit *m* de maquillage

Makler courtier, agent d'affaires; *(Börsen-)* agent de change; *(Immobilien-)* agent immobilier; **~gebühr** (droit *m* de) courtage *m;* **~geschäft** courtage *m*

Makrele maquereau *m*

Makrone macaron *m*

Makul|atur maculature *f,* rebut *m; fig* inepties *fpl;* ⌁ieren réduire en pulpe

Mal[1] tache *f;* marque *f;* signe *m; (Mutter-)* envie *f; (Wund-)* cicatrice *f,* marque *f; (Grenze)* borne *f,* marque *f*

Mal[2] fois *f; zum ersten* ~ pour la première fois; *so manches* ~ maintes fois, à plusieurs reprises; *mit e-m* ~ *(plötzlich)* tout à coup, *(in e-m Zug)* tout d'un coup; *e. ums andere* ~ alternativement, une fois sur deux; ⌁ *adv* fois; *zwei* ⌁ *drei* deux fois trois; *sagen Sie* ⌁*!* dites donc!; ⌁nehmen multiplier *(mit* par); **~zeichen** signe *m* de multiplication

Malaria paludisme *m,* malaria *f;* **~anfall** accès *m* de paludisme; **~fieber** fièvre *f* paludéenne; **~kranker** paludéen

Mal|buch livre *m* à colorier; ⌁en peindre; faire un tableau, faire un portrait; *(Anstreicher)* peintre en bâtiment; **~erei** peinture *f;* **~erin** femme peintre; ⌁erisch pittoresque; **~erleinwand** toile *f;* **~erpinsel** pinceau *m;* brosse *f;* **~erwerkstatt** atelier *m* (de peintre); **~kasten** boîte *f* à couleurs

Malve mauve *f;* ⌁enfarbig mauve

Malz malt *m;* **~bier** bière maltée; **~bonbon** bonbon *m* à l'extrait de malt; **mälzen** malter; **Mälzer** malteur; **~kaffee** café *m* au malt; **~zucker** maltose *m,* sucre *m* de malt

Mama maman

Mamsell mademoiselle; buffetière

man on, *(nach* si, ou, où, et, que... *oft:)* l'on; *muß* il faut

Manager *com* dirigeant *m* d'entreprise, cadre *m* supérieur, *a.* 🐎 manager; ♟ imprésario; **~krankheit** surmenage nerveux

manch maint, tel, plus d'un; **~e** bien des...; beaucoup de...; nombre de...; certains; *ein liebe Mal* maintes fois, **~erlei** toutes sortes de, divers, différent; **~mal** quelquefois, parfois

Manchester *(Stoff)* velours côtelé

Mand|ant commettant; mandant; *(Rechtsanwalt)* client; ◌ délégant; constituant; **~at** *pol* mandat *m;* délégation *f* de pouvoir; ◌ assignation *f;* **~atsgebiet** territoire *m* (placé) sous mandat

Mandel amande *f;* ♀ amygdale *f;* ↓ *(Maß)* quinzaine *f; gebrannte* ~ praline *f,* amande pralinée; **~baum** amandier *m;* **~blüte** fleur *f* d'amandier; **~entzündung** amygdalite *f;* ⌁förmig en forme d'amande; *(Augen)* en amande; **~milch** lait *m* d'amandes; **~torte** gâteau *m* aux amandes, tarte *f* d'amandes

Manege manège *m,* piste *f*

Mangan manganèse *m*

Mangel[1] *f (Wäsche-)* calandre *f;* ⌁n calandrer

Mangel[2] *m (Fehler)* défaut *m,* défectuosité *f,* imperfection *f,* vice *m; (Fehlen)* absence *f,* manque *m* (*an* de); ♀ carence *f; bes* com pénurie *f (an* de), rareté *f; (Hungersnot)* disette *f; aus ~ an* faute de; ~ *leiden an* manquer de; **~beruf** profession délaissée; **~erscheinung** ♀ trouble carentiel; **~frei** sans défaut, exempt de vices; impeccable; ⌁haft défectueux; médiocre, imparfait; mauvais; ⌁haftigkeit défectuosité *f;* médiocrité *f,* imperfection *f;* vice *m;* **Mängelhaftung** responsabilité *f* pour vice de fabrication; **~krankheit** maladie *f* par carence; **~lage** pénurie *f;* ⌁n manquer, faire défaut; *es* ⌁*t mir an* je suis à court de; **Mängelrüge** réclamation *f;* ⌁s faute de, à défaut de; **~ware** marchandise *f* rare

Mangold bette *f,* poirée *f*

Man|ie manie *f;* ⌁isch maniaque

Manier *a.* 🦵, *lit* manière *f;* façon *f;* ⌁iert maniéré; ⌁lich qui se tient bien, qui a de bonnes manières; **~lichkeit** bonnes manières, politesse *f*

Manifest manifeste *m;* ⌁ *adj* évident, manifeste; **~ant** manifestant *m;* **~ation** manifestation *f;* ⌁ieren manifester

Maniküre *(a. Person)* manucure *m (f);* **~messer** onglière *mpl;* **~necessaire** onglier *m,* nécessaire *m* de manucure, nécessaire *m* à ongles; ⌁n manucurer, soigner les mains

Manko manque *m,* déficit *m*

Mann homme *m; (Ehemann)* mari; *d.* ~ *auf der Straße* l'homme dans la rue, le Français (l'Allemand *usw.)* moyen; *e. gemachter* ~ un homme arrivé; *e.* ~ *von Welt* un homme du monde; *er ist nicht d.* ~ *dazu* il n'est pas homme à faire cela; *wenn Not am* ~ *ist* si c'est urgent, en cas de besoin ♦ **~s genug sein** être assez fort (pour); *s-n* ~ *stehen* se montrer à la hauteur de sa tâche; *s-e Ware an d.* ~ *bringen* trouver preneur pour (*od* placer) sa marchandise; *mit* ~ *u. Maus untergehen* périr corps et biens; *e.* ~ *e. Wort* un homme d'honneur n'a qu'une parole

mann|bar pubère; **⌁barkeit** puberté *f*; **⌁esalter** âge viril (*od* mûr); *im besten* **⌁esalter** dans la force de l'âge; **⌁eskraft** virilité *f*; ~**haft** mâle, viril; (*entschlossen*) énergique, résolu; **⌁haftigkeit** virilité *f*; énergie *f*; **⌁loch** ☼ trou *m* d'homme; **⌁schaft** (*Arbeit, Sport*) équipe *f*; ⚓ équipage *m*; *mil* (hommes de) troupe *f*; ~**schaftssport** sport *m* d'équipe; **⌁schaftszimmer** *mil* chambrée *f*; ~**shoch** de la taille d'un homme, de grandeur d'homme; **⌁shöhe:** *in* **⌁shöhe** à hauteur d'homme; ~**stoll** nymphomane; **⌁weib** virago, femme hommasse

Manna manne *f*

Männ|chen petit bonhomme; *zool* mâle; *mach* ~**chen!** fais le beau!; ~**erchor** chœur *m* d'hommes, orphéon *m*; **⌁lich** *bes ling* masculin; viril; *bes zool* mâle; ~**lichkeit** masculinité *f*, virilité *f*

mannig|fach, ~**fältig** varié, multiple, diversifié, **⌁faltigkeit** diversité *f*, variété *f*

Manöv|er *a. fig* manœuvre *f*; *fig* ruse *f*; **⌁rieren** *a.* ⚓ manœuvrer; faire une manœuvre; **⌁rierfähig** manœuvrable; ⚓ en état de manœuvrer; ~**rierfähigkeit** maniabilité *f*, manœuvrabilité *f*

Mansarde mansarde *f*; ~**nfenster** fenêtre mansardée

Manschette manchette *f*; (*Blumentopf*) cache-pot *m*; ☼ embouti *m* ♦ ~*n haben* (*umg*) avoir la frousse; ~**nknopf** bouton *m* de manchette

Mantel manteau *m*, paletot *m*; (*Herren-*) pardessus *m*; *mil* capote *f*; (*Reifen-*☼) enveloppe *f*, jupe *f*, gaine *f*, chemise *f*; *com* souche *f* ♦ *d.* ~ *nach d. Wind hängen* tourner comme une girouette; ~**aufschlag** revers *m* de manteau; ~**geschoß** projectile *m* à enveloppe métallique; ~**kragen** collet *m* de manteau; ~**rechen** portemanteau *m*; ~**tarif** *com* tarif collectif, contrat-type *m*

Manufaktur (*Erzeugnis, Fabrik*) manufacture *f*; ~**ware** produit manufacturé

Manuskript manuscrit *m*; 📖 copie *f*; (*Funk, Film*) scénario *m*

Mappe (*Akten-*) serviette *f*, porte-documents *m*; (*Ordner*) carton *m*, chemise *f*, classeur *m*; (*Schul-*) serviette *f*, cartable *f*

Mär nouvelle *f*, conte *m*; ~**chen** légende *f*, conte *m* (de fées); *fig* bruit *m*, histoire *f*; cancan *m* (*pej u. umg*); **⌁chenhaft** *a. fig* fabuleux; ~**chenland** pays *m* féerique (*od* des merveilles); ~**chenpracht** somptuosité fabuleuse (*od* féerique); ~**chenprinz** prince charmant

Marabu marabout *m*

Marathonlauf marathon *m*

Marder martre *f*

Margarine margarine *f*; ~**fabrik** margarinerie *f*

Margerite marguerite *f*

Marien|bild madone *f*; ~**käfer** coccinelle *f*; bête *f* à bon Dieu

Marin|ade marinade *f*; **⌁ieren** mariner

Marine marine *f*; *mil* forces navales; **⌁blau** bleu marine; ~**flieger** aviateur naval; ~**flugzeug** avion *m* de l'aéronavale; ~**luftfahrt** aviation *f* maritime (*od* navale); ~**ministerium** ministère *m* de la Marine; ~**offizier** officier de marine; ~**schule** école navale; ~**soldat** fusilier-marin; ~**station** *mil* base navale

Marionette *a. fig* marionnette *f*; ~**nregierung** gouvernement *m* fantoche; ~**nspieler** joueur de marionnettes; ~**ntheater** théâtre *m* de marionnettes

Mark[1] *f* pays *m* limitrophe; *hist* marche *f*; ~**graf**, ~**gräfin** margrave *m, f*; ~**scheider** géomètre arpenteur; ~**stein** borne *f*; *fig* événement marquant

Mark[2] *n* moelle *f*; (*Obst*) pulpe *f*; *bis aufs* ~ jusqu'à la moelle; *ins* ~ *treffen* toucher la fibre la plus sensible; *durch* ~ *u. Bein* jusqu'à la moelle des os; **⌁erschütternd** déchirant, pénétrant; **⌁ig** moelleux; *fig* énergique, vigoureux; (*Stimme*) cuivré; ~**knochen** os *m* à moelle

Mark[3] mark *m*; *Deutsche* ~ le deutschmark

markant marquant, remarquable

Marke *com* marque *f*; (*Spiel, Telefon*) jeton *m*; (*Wein*) cru *m*; (*Gebühren-*) timbre *m*; (*Lebensmittel*) ticket *m*; *fig*: *d. ist e-e* ~! (*umg*) c'est un numéro!; ~**nalbum** album *m* de timbres-poste; ~**nartikel** article *m* (*ou* produit *m*) de marque; ~**nbutter** beurre *m* de qualité; **⌁nfrei** sans ticket(s), libre; **⌁npflichtig** avec ticket(s), rationné; ~**nschokolade** chocolat *m* de qualité; ~**nschutz** protection *f* de la propriété industrielle; ~**nschutzgesetz** loi *f* sur la protection des marques de fabrique; ~**nware** marchandise *f* (*od* produit *m*) de marque; ~**nzeichen** marque de fabrique; *eingetragenes* ~*nzeichen* marque déposée

Marketender cantinier, vivandier; ~**in** cantinière, vivandière; ~**ei** cantine *f*

Marketing marketing *m*, techniques *fpl* de commercialisation, marchandisage *m*, mercatique *f*, marchéage *m*; étude de marché

markieren marquer; (*umreißen*) tracer les contours (de); *fig* simuler, faire semblant (de)

Markise (*Sonnendach*) marquise *f*; (*Vorhang*) store *m*

Markt marché *m*; (*Absatz-*) débouché *m*; *Gemeinsamer* ~ Marché commun; *schwarzer* ~ marché noir; *e-e Ware auf den* ~ *bringen* lancer un article; *zum* ~ *gehen* (*Hausfrau*) faire son marché; *s-e Haut zu* ~*e tragen* payer de sa personne; ~**anteil** part *m* du marché; **⌁beherrschend** prépondérant, dominant le marché; ~**bericht** bulletin *m* du marché, mercuriale *f*; ~**bude** échoppe *f*, boutique *f*; **⌁en** marchander; ~**erschließung** ouverture (*ou* prospection *f*) d'un marché; **⌁fähig** commercialisable; ~**flecken** bourg *m*; ~**forschung** étude *f* (*od* analyse *f*) du marché; **⌁gängig**: **⌁gängiger** *Preis* prix courant, prix *m* du marché; **⌁gerecht** conforme aux conditions du marché; ~**halle** halle *f*; *marché* *m*; marché couvert; ~**lage** situation *f* du marché; ~**lücke** créneau *m*; ~**ordnung** organisation *f* du

marché; **~platz** marché m; (f. Tiere) champ m
de foire; **⌐politisch** qui a rapport à la situation
du marché; **~preis** prix m courant, cours m du
marché; cote f; **~schreier** camelot m, charlatan;
⌐schreierisch charlatanesque; **~tag** jour m de
(od du) marché; **~wirtschaft:** freie ~wirtschaft
économie f de marché, libéralisme m
Marmelade confiture f
Marmor marbre m; **~bruch** marbrière f; **⌐ieren**
marbrer; **⌐iert** marbré, veiné; **⌐n** marmoréen,
de marbre; **~platte** plaque f de marbre;
~schleiferei marbrerie f; **~statue** statue f de (od
en) marbre
marode éreinté
Marone marron m
Mars ♃ hune f; **~segel** ♃ hunier m
Marsbewohner martien
Marsch a. ♪ marche f, mouvement m; auf dem
~ en marche ♦ j-m d. ~ blasen tancer qn
vertement; **~anzug** mil tenue f de route; **~befehl**
ordre m de mission (od de mouvement); **⌐bereit**
prêt au départ; **⌐ieren** marcher, faire mouvement; **~kolonne** colonne f de route; **⌐mäßig** en
tenue de route; **~pause** halte f; **~route** chemin à
suivre, itinéraire; **~strecke** étape f; **~tempo**
cadence f de marche; **~verpflegung** vivres mpl
de route; petits vivres
Marschall maréchal; **~stab** bâton m de
maréchal
Marstall écurie(s) f(pl) (d'un prince)
Marter a. fig martyre m, supplice m, torture f;
~bank chevalet m de supplice; **~holz** croix f de
supplice; **⌐n** martyriser, supplicier, torturer;
~pfahl poteau m; **~werkzeug** instrument m (od
appareil m) de torture
martialisch martial
Märtyrer martyr; **~tod** martyre m
Martyrium martyre m
März mars m
Marzipan massepain m
Masch|e maille f; point m; pop combine f;
~endraht treillage m métallique; **⌐enfest**
indémaillable; **~ennetz** réseau m maillé; **~en-
werk** réseau m de mailles, réseau maillé; **⌐ig**
à mailles, maillé
Maschin|e machine f, engin m, appareil m
mécanique; auf d. ~e schreiben écrire (umg
taper) à la machine, dactylographier; **⌐ell**
mécanique, à la machine; **~enanlage** équipement m mécanique, machinerie f; **~enarbeit**
travail m à la machine; **~enbau** construction f
mécanique; **~enbauer** constructeur de machines, constructeur mécanicien; **~enbefehl** instruction f, ordre m de servitude; **~enbetrieb**
exploitation f mécanique; auf ~enbetrieb
umstellen mécaniser; Umstellung auf ~enbetrieb
mécanisation f; **~endefekt** détérioration f (od
avarie f) de machine; wegen eines ~endefektes
par suite d'un accident de machine; **~enfabrik**
ateliers mpl de construction mécanique; **~enge-
wehr** mitrailleuse f; **~engewehrfeuer** mitraillage
m; **~engewehrschütze** mitrailleur; **~enhaus**
f de(s) machines; machinerie f; **~enkonstruktion**
construction f de machines; **~enkörper** bâti m;

~enmeister a. ♛ machiniste; **~enpark** machinerie f, parc m de machines; **~enpistole**
pistolet-mitrailleur m; mitraillette f; **~enraum** ♃
machinerie f; compartiment m ou salle f des
machines; **~ensatz** ☐ composition f mécanique; **~enschaden** détérioration f (od avarie f od
dommage m) de machine, incident m mécanique; ♃ avarie f de machine; **~enschlosser**
mécanicien; **~enschreiben** su dactylographie f;
~ensprache code-machine m; **~enteil** élément m
(de machine), pièce f (de machine); **~enwärter**
opérateur; conducteur (od surveillant) des
machines; **~enwesen** mécanique f; **~enzeitalter**
ère f du machinisme; **~erie** machinerie f;
mécanique f; **~ist** a. ♛ machiniste, ♃
mécanicien m chef de quart
Maser veine f; **⌐ig** veiné, madré; **⌐n** veiner; **~n**
su ✿ rougeole f; **~ung** madrure f, veinure f
Mask|e (a. Person) masque m; (Halb-) loup m,
🕮 cache m, fig façade f, camouflage m; d. ~e
fallen lassen (fig) jeter le masque; d. ~e
abnehmen ôter (od lever) le masque, se
démasquer; **~enball** bal masqué (od travesti);
~enkostüm travesti m; déguisement m; costume
m de carnaval; **~enverleih** location f de masques
(od de travestis); **~enzug** mascarade f; **⌐ieren** a.
fig masquer; refl se masquer, se travestir, se
costumer
Maskotte mascotte f, fétiche m, porte-bonheur m
Maß mesure f; (Ausdehnung) dimension f,
étendue f; (Größe) proportion f, taille f; (Grad)
degré m; (Grenze) borne f, limite f; (Verhältnis)
proportion f, rapport m, mesure f; (Bier) litre m
(de bière); (Mäßigung) modération f; in dem
wie à mesure que; in hohem ~e à un haut degré,
dans une très grosse proportion; im höchsten ~e
au plus haut point, au suprême degré; in
solchem ~e, daß jusqu'à..., jusqu'au point
de...; in vollem ~e pleinement; nach ~ sur
mesure; ohne ~ u. Ziel à l'excès; über alle ~en
au-delà de toute mesure; über d. ~en outre
mesure, sans mesure; d. ~ nehmen prendre
mesure (de qch); d. ~ ist voll la mesure est
comble; mit zweierlei ~ messen avoir deux
poids et deux mesures; **~analyse** chem titrage
m; **~anzug** complet m sur mesure; **~arbeit**
travail m sur mesure; **~einheit** unité f (de
mesure); **~gabe** f mesure f; norme f; règle; mit
der ~ gabe, daß sous réserve que; nach ~gabe
von dans la mesure de, dans les limites de,
conformément à, dans le cadre de, selon,
suivant; **⌐gebend** décisif, déterminant; **⌐geb-
lich** compétent, faisant autorité; **~genauigkeit**
précision f des dimensions; **⌐halten** garder la
mesure; **~kleidung** vêtements mpl sur mesure;
~krug pot m (à bière); **~liebchen** pâquerette f;
⌐los démesuré, excessif, sans mesure, immodé-
ré; (übertrieben) outrancier; (gewaltig) immense,
énorme; **~losigkeit** excès m, immodération f,
outrance f, exagération f; **~nahme,** **~regel**
mesure f, sanction f; (Vorkehrung) arrangement
m, prévision f; pl actions fpl, interventions
fpl; **~nahmen ergreifen** prendre des mesures;

⁀**regeln** rappeler à l'ordre; réprimander; **~regelung** mesure *f* disciplinaire, sanction *f,* punition *f;* **~schneider** tailleur travaillant sur mesure; **~stab** *(Lineal)* règle *f* (graduée); *(Verhältnis)* échelle *f (a. fig); fig* mesure *f; in verkleinertem ~stab* à échelle réduite; *im ~stab 1:100 000* au cent millième; *in großem ~stab (fig)* sur une grande échelle; *e-n ~stab an etw. legen* appliquer une norme *(od* mesure) à qch; *als ~stab gelten* servir de norme; ⁀**stäblich** à l'échelle; ⁀**voll** mesuré; modéré, plein de modération; **~werk** 🏛 réseau *m;* **~zahl** cote *f,* indice *m* de mesure

Massak|er massacre *m,* carnage *m,* hécatombe *f;* génocide *m;* ⁀**rieren** massacrer, détruire, exterminer

Masse *(a. ⚡, ♋, phys, fig)* masse *f; (Teig)* pâte *f; e-e ~ Leute (umg)* un tas de gens; *d. breite ~* les masses *fpl,* la grande masse

Massel[1] *f* ✿ gueuse *f*

Massel[2] *m (umg: Glück)* veine *f*

Massen|absatz vente *f* en grandes quantités, écoulement massif; **~artikel** article *m* de grande série; **~aufgebot** levée *f* en masse; **~auflage** gros tirage; **~befragung** enquête *f* parmi la foule; **~demonstration** manifestation *f* de masse; **~elend** paupérisme *m;* **~grab** fosse commune; charnier *m;* **~güter** marchandises *fpl* en vrac; ⁀**haft** en masse, massif; **~kundgebung** manifestation massive, meeting *m;* **~medien** les médias, moyens de communication de grande masse; **~mord** massacre *m,* extermination *f,* holocauste *m;* **~produktion** production *f* en série; **~psychologie** psychologie *f* des foules *(od* des masses); **~suggestion** suggestion *f* collective; **~tierhaltung** élevage *m* industriel; **~streik** grève nationale; **~verhaftung** arrestation *f* en masse; **~vernichtung** destruction *f* massive; **~versammlung** réunion *f* de masse, meeting *m;* **~verwalter** syndic de faillite; ⁀**weise** en masse

massier|en *mil* masser, concentrer; ₷ masser; ⁀**ung** *mil* concentration *f*

mass|ig *fig* massif, trapu, râblé; **~iv** *a. fig* massif

mäßig *(gemäßigt)* modéré, sobre; *(bescheiden)* modeste; *(im Essen)* frugal; *(mittelmäßig)* moyen, passable, médiocre; **~en** modérer, tempérer; *(Stimme)* adoucir; *refl* se modérer; *s-e Ausdrucksweise ~en* ménager ses expressions; **~end** modérateur; ⁀**keit** tempérance *f,* sobriété *f; (im Essen)* frugalité *f;* ⁀**ung** modération *f,* diminution *f,* ralentissement *m;* mesure *f;* tempérance *f*

Mast[1] *m* poteau *m; a.* ⚓ mât *m;* **~korb** ⚓ hune *f;* **~spitze** tête *f* de mât; **~werk** ⚓ mâture *f*

Mast[2] *f* engraissement *m,* engraissage *m;* **~darm** rectum *m;* **~mästen** engraisser; **~futter** engrais *m;* **~gans** oie grasse; **~hähnchen** poulet *m* de grain; **~kalb** veau gras; **~kur** cure *f* d'engraissement, suralimentation *f;* **Mästung** engraissement *m,* engraissage *m;* **~vieh** bétail *m* à l'engrais, bétail engraissé

Masturb|ation masturbation *f,* onanisme *m;* ⁀**ieren** se masturber; *umg* se branler, se toucher

Material matière *f; (Geräte)* matériel *m; (Baustoff)* matériau *m;* **~abfall** chutes *fpl;* **~abrechnung** comptabilité-matières; **~erhaltung** *mil* maintenance *f;* **~ersatz** recomplètement; **~ersparnis** économie *f* de *(od* en) matériel; **~fehler** défaut *m (od* défectuosité *f)* du matériel; **~knappheit** pénurie *f* de matériel; **~kosten** frais *mpl* matières; **~lager** dépôt *m* de matériel; **~prüfung** essai *m* de matériaux; **~schaden** dégâts matériels; **~schwierigkeit** difficulté *f* d'approvisionnement en matériel

Material|ismus matérialisme *m;* **~ist** matérialiste

Materie matière *f,* substance *f;* ⁀**ll** *a. fig* matériel; ⁀**lle Güter** biens *mpl* corporels; ⁀**lle Sicherheit** sécurité *f* matérielle

Matetee thé *m* du Paraguay, thé *m* des Jésuites

Mathemat|ik (sciences *fpl*) mathématiques *fpl;* **~iker** mathématicien; ⁀**isch** mathématique

Matjeshering hareng *m* vierge

Matratze matelas *m*

Mätresse maîtresse

Matri|archat matriarcat *m;* **~kel** matricule *f,* registre *f;* **~ze** matrice *f; (Büro)* stencil *m;* ✿ moule *m;* **~zenrechnung** *math* calcul *m* matriciel

Matrone matrone

Matrose matelot, marin; **~njacke** vareuse *f;* **~nmütze** béret *m* de matelot

Matsch gâchis *m,* boue *f;* ⁀**ig** boueux

matt *(a. Schach)* mat; *(puisé: (Stimme)* éteint; *(Licht)* pâle; *(Glas)* dépoli; *(Haut)* terne; *(Stil)* terne, fade, insipide ♦ *Schach ~ sein umg* être complètement cané; *~ setzen (Schach)* faire mat, mater; **~gelb** jaune pâle; **~glas** verre dépoli; ⁀**gold** or mat; ⁀**heit** *(Oberfläche)* dépoli *m;* **~ieren** mater, rendre mat; *(Glas)* dépolir; ⁀**igkeit** épuisement *m,* abattement *m,* lassitude *f,* langueur *f;* ⁀**scheibe** verre dépoli; *umg* petit écran, télé *f,* lucarne *f;* **~weiß** blanc terne

Matte natte *f;* 🌿 tapis *m; (Wiese)* alpage *m,* pâturage *m* alpestre

Matura bac *m*

Mätzchen frasque(s) *f(pl)*

Mauer *(Wand)* mur *m; (Schutz-)* muraille *f;* barrière *f;* **~anschlag** affiche *f* (murale); **~blümchen:** *~blümchen sein* faire tapisserie; **~brecher** *mil* bélier *m;* **~haken** piton *m;* **~kappe** 🏛 chaperon *m;* ⁀**n** maçonner; **~öffnung** baie *f;* **~riß** lézarde *f,* fente *f* (dans le mur); **~segler** martinet *m;* **~stein** brique *f;* **~werk** maçonnerie *f,* muraille *f*

Mauke *vet* malandre *f*

Maul gueule *f; (Pferd)* bouche *f; (Schnauze)* museau *m; (Wiederkäuer)* mufle *m; halt's ~!* ta gueule!; *j-m d. ~ stopfen* river à qn son clou; *e. ~ ziehen* faire la gueule *(pop);* **~affe** badaud *m;~affen feilhalten* badauder, bayer aux corneilles; **~beerbaum** mûrier *m;* **~beere** mûre *f;* ⁀**en** maugréer, pester, bouder, rouspéter; **~esel** bardot *m;* **~held** fanfaron; **~korb** muselière *f;* **~korbgesetz** Loi restreignant la liberté d'expression; **~schelle** tape *f,* calotte *f,* soufflet *m;* mornifle *f (pop);* **~sperre** ₷ trismus *m,* trisme *m;* **~tier** mulet *m,* mule *f;* **~tiertreiber**

muletier; ~**trommel** guimbarde *f;* ~ u.
Klauenseuche fièvre aphteuse; ~**wurf** taupe *f;*
~**wurfshügel** taupinière *f,* taupinée *f*
Maurer maçon; ~**arbeit** maçonnerie *f,* maçon-
nage *m;* ~**kelle** truelle *f;* ~**meister** maître
maçon; ~**polier** contremaître (maçon)
Maus souris *f;* ~**efalle** souricière *f;* ⌐**eloch** trou
m de souris; ⌐**en** *vt umg* escamoter, chiper,
acheter à la foire d'empoigne; *vi* attraper des
souris (*des* rats); ~**er** mue *f;* ⌐**ern** *refl* muer,
être en mue; ⌐**etot** raide mort; ⌐**grau** gris
souris; ⌐**ig**: *sich* ⌐*ig machen* faire l'important,
faire le malin
mauscheln s'entendre secrètement au préjudice
d'un tiers
Mäus|chen souriceau *m;* ⌐**chenstill**: *s.* ⌐*chen-
still verhalten* se tenir coi; *es ist* ⌐*chenstill* on
entendrait voler une mouche; ~**ebussard** busard
m; ~**edreck** crotte *f* de souris; ~**egift** mort-
aux-rats *f*
Mautgebühr péage *m*
maximal maximum; *adv* au maximum; ~**e**
Leistung rendement maximum; ⌐**ertrag** produit
maximum; revenu maximum, recette maxima;
⌐**geschwindigkeit** vitesse maxima; ⌐**gewicht**
poids maximum; ⌐**leistung** rendement (*od*
effet) maximum; ⌐**preis** prix maximum
Maximum *n* maximum *m,* pointe *f,* crête *f*
Mayonnaise mayonnaise *f*
Mäzen mécène
Mechan|ik mécanique *f;* ~**iker** mécanicien;
⌐**isch** mécanique; *fig* machinal; ⌐**isieren**
mécaniser; ~**isierung** mécanisation *f;* ~**ismus**
mécanisme *m*
Meck|er| ronchonneur, rouspéteur; ~**n** bêler;
(*a. Mensch*) chevroter; *fig umg* maugréer,
rouspéter
Medi|kament médicament *m;* ~**zin** médecine *f;*
~**ziner** médecin; étudiant en médecine; ⌐**zi-
nisch** (*wissenschaftl.*) médical; (*Heilwirkung*)
thérapeutique, médicinal
meditieren méditer (qch *od* sur qch)
Medium médium *m; phys* milieu *m*
Meer mer *f;* océan *m; auf offenem* ~ au large;
Kaspisches ~ (mer) Caspienne; *Rotes* ~ mer *f*
Rouge; *Schwarzes* ~ mer Noire; *Totes* ~ mer
Morte; ~**aal** congre *m,* anguille *f* de mer;
~**busen** golfe *m;* ~**enge** détroit *m;* ~**esarm** bras
m de mer; ~**esboden** fond *m* de la mer;
~**esbodenschätze** ressources *fpl* sous-marines;
~**esbrandung** brisants *mpl;* ~**esgegend** parages
mpl; ~**esgrund** fond *m* de la mer; ~**eshöhe**
niveau *m* de la mer; ~**eskunde** océanographie *f;*
~**esleuchten** phosphorescence *f* de la mer,
brasillement *m;* ~**espegel** marégraphe *m;*
~**espflanze** plante marine; ~**esspiegel** niveau *m*
de la mer, surface *f* de la mer; ~**estiefe** grand
fond, profondeurs *fpl* de la mer (*od* marines);
⌐**grün** glauque; ~**katze** macaque *m;* ~**mädchen**
sirène; ~**rettich** raifort *m;* ~**schaum** écume *f* de
mer; ~**schaumpfeife** pipe *f* en (*od* d')écume de
mer; ~**schweinchen** cobaye *m,* cochon *m*
d'Inde; ~**ungeheuer** monstre marin; ~**wasser**
eau *f* de mer; ⌐**wasserecht** solide à l'eau de mer

Mega|hertz mégacycle *m;* ~**phon** mégaphone
m, porte-voix *m;* ~**tonnenbombe** bombe *f*
mégatonnique; ~**watt** mégawatt *m*
Megäre mégère
Mehl farine *f; (Auszug-)* fleur *f* de farine; ~**brei**
bouillie *f;* ⌐**ig** farineux; (*Obst*) blet; ~**sack** sac
m à farine; ~**speise** (*süße*) entremets *m;* ~**wurm**
ver *m* de farine
mehr plus, davantage (~ *wollte er darüber nicht
sagen* il ne voulut pas en dire davantage); ~ *als*
plus de, plus que; mieux (*er verlangt* ~ *als 100
frs* il demande plus de cent francs; *4 DM sind* ~
wert als 4 neue Franken quatre marks valent plus
que quatre nouveaux francs; ~ *als das* mieux
que cela; ~ *als genug* plus qu'il n'en faut); *nicht*
~ ne… plus (*nicht* ~ *viel Zeit haben* n'avoir
plus guère de temps; *nicht* ~ *u. nicht weniger* ni
plus ni moins; *es ist nicht* ~ *als billig* ce n'est que
juste); *nichts* ~ ne… plus rien (*es war nichts* ~
da il n'y avait plus rien); ~ *noch* plus encore; ~
od weniger plus ou moins; *je* ~ …, *desto* plus…
plus…; *nie* ~ ne plus jamais; *nur* ~ ne plus
que; *um so* ~ *als* d'autant plus que; *was wollen
Sie* ~? que voulez-vous encore?; *d. schmeckt
nach* ~ cela a un goût de reviens-y
Mehr surcroît *m; (Überschuß)* excédent *m;*
~**arbeit** surcroît *m* de travail; ~**aufwand,
~ausgabe** excédent *m* (*od* surcroît *m*) de
dépenses; ⌐**bändig** 🕮 en plusieurs volumes;
~**bedarf** besoins *mpl* accrus; ~**belastung** surcharge *f,* charge *f* supplémentaire; ~**betrag**
excédent *m,* surplus *m;* ~**bieter** surenchérisseur;
⌐**deutig** équivoque; ~**deutigkeit** polysémie *f;*
~**einnahme** excédent *m* de recettes; ~**en**
augmenter; *refl* s'accroître, se multiplier; ⌐**ere**
plusieurs, divers; ⌐**eres** diverses choses; ⌐**erlei**
de plusieurs sortes, de plusieurs espèces; ⌐**fach**
multiple; (*wiederholt*) réitéré; *adv* à différentes
reprises; ~**facherzeugung** production *f* multiple;
~**farbendruck** impression *f* en couleur; ~**farbig**
polychrome; ~**gebot** surenchère *f;* ~**gewicht**
exédent *m* de poids; ~**gewinn** excédent *m* de
bénéfices; ~**heit** majorité *f,* pluralité *f; mit 2/3*
~*heit* à la majorité des deux tiers; ⌐**heitlich** en
majorité; ~**heitsbeschluß** décision *f* majoritaire;
⌐**jährig** de plusieurs années; ~**kosten** excédent
m de frais; frais *mpl* supplémentaires; ~**leistung**
augmentation *f* de rendement; ⌐**malig** répété,
réitéré; (*häufig*) fréquent; ⌐**mals** plusieurs fois,
à plusieurs reprises; ⌐*mals nacheinander* à
plusieurs reprises consécutives, plusieurs fois de
suite; ~**phasensteuer** taxe *f* cumulative à
cascade; ⌐**phasig** ⚡ polyphasé; ⌐**polig** multi-
polaire; ~**seitig** de plusieurs pages; à (*od* de)
plusieurs côtés (*od* faces); (*Abkommen*) multilatéral; *math* polygonal; ⌐**silbig** polysyllabique;
⌐**sprachig** polyglotte; ⌐**stellig** *math* à plusieurs
chiffres; ⌐**stimmig** à plusieurs voix; ⌐**stöckig** à
plusieurs étages; ~**stufenrakete** fusée *f* à
plusieurs étages; ⌐**stündig** de plusieurs heures;
⌐**tägig** de plusieurs jours; ~**teilig** en plusieurs
parties; ~**verbrauch** excédent *m* de consommation; ~**wert** plus-value *f,* valeur *f* ajoutée; ⌐**wertig**
chem polyvalent; ~**wertsteuer** taxe à la (*ou sur*

la) valeur ajoutée; **~zahl** *(Mehrheit)* majorité *f*, majeure partie; *ling* pluriel *m;* **~zweck**... à but multiple, polyvalent, à tout faire

meiden éviter; s'abstenir (de qch)

Meier métayer; **~ei** métairie *f;* vacherie *f*

Meile lieue *f;* mille *m;* **~nstein** pierre *f* milliaire; *fig* jalon *m*, tournant *m;* **⌃nweit** à plusieurs lieues de distance; *fig:* **⌃nweit davon entfernt sein, zu**... être à cent lieues de...

Meiler charbonnière *f*, meule *f; (Atom-)* pile *f*

mein(e) *pron* mon, ma; *pl* mes; *der, die, das* **~(ig)e** le mien, la mienne; *die* **⌃en** les miens; **~** *u. dein* le tien et le mien; *ich für* **~(en)** *Teil* pour ma part, quant à moi; **~es** *Wissens* à ce que je crois, pour autant que je sache ♦ **~** *u. dein verwechseln* avoir les doigts crochus

Meineid faux serment, parjure *m; e-n* **~** *schwören* prêter un faux serment, commettre un parjure, se parjurer; **⌃ig** parjure; **~iger** parjure

meinen penser, croire, être d'avis; *(irrtümlich denken)* croire, s'imaginer; *(vermuten)* supposer; *(sagen wollen)* vouloir dire, entendre *(damit par là); (sagen)* dire; *(anspielen)* faire allusion à; *j-n* **~** parler de qn; *es gut mit j-m* **~** vouloir du bien à qn, avoir de bonnes intentions envers qn *(od* à l'égard de qn); *was* **~** *Sie dazu?* qu'en pensez-vous?, quel est votre avis?; *wie* **~** *Sie?* que voulez-vous dire?, pardon, que disiez-vous?; *das will ich* **~**! c'est bien ce que je pense!, c'est bien mon avis!

mein|erseits, **~esteils** de ma part, de mon côté; pour ma part, quant à moi; en ce qui me concerne; **~esgleichen** mon égal; *pl* mes semblables, mes égaux; **~ethalben**, **~etwegen** à cause de moi; si ce n'est que de moi, je n'y vois pas d'inconvénient; **~etwegen!** soit!; **~etwillen:** *um* **~etwillen** à cause de moi; **~ig** mien

Meinung *(Standpunkt)* opinion *f*, avis *m*, pensée *f*, point *m* de vue; *(Urteil)* jugement *m*, appréciation *f; (Absicht)* intention *f; (Überzeugung)* conviction *f; (Lehr-)* doctrine *f*, conception *f; allgemeine* **~** opinion commune *(od* générale); *öffentliche* **~** opinion *f* (publique); *vorgefaßte* **~** parti pris, préjugé *m; m-r* **~** *nach* à mon avis; *s-e* **~** *sagen* donner son avis *(od* son opinion), exprimer sa pensée; *j-m d.* **~** *sagen* dire ses vérités *(od* son fait) à qn; **~sänderung** changement *m* d'opinion *(od* d'avis); *(plötzliche)* volte-face *f;* **~säußerung** expression *f* de l'opinion; **~saustausch** échange *m* de vues; **~sbefragung**, **~sforschung** sondage *m* d'opinion; **~sfreiheit** liberté *f* d'opinion; **~sstreit** polémique *f;* **~sumfrage** sondage *m* d'opinion; **~umschwung** revirement *m* d'opinion; **~sverschiedenheit** divergence *f* (d'opinion *od* de vues); différend *m*, désaccord *m*

Meise mésange *f*

Meißel ciseau *m*, burin *m;* **⌃n** buriner, travailler *(od* tailler) au ciseau

meist *adv* pour la plupart; *am* **~en** le plus (souvent); *die* **~en** la plupart (de), le plus grand nombre (de); *die* **~e** *Zeit* la plupart du temps, le plus souvent, d'ordinaire; *in d.* **~en** *Fällen* dans la plupart des cas; **⌃begünstigung** traitement *m*

préférentiel; **⌃begünstigungsklausel** clause *f* de la nation la plus favorisée; **~bietend:** *~bietend verkaufen* vendre au plus offrant; **⌃bietender** plus offrant; *(Versteigerung)* dernier enchérisseur; **~ens** le plus souvent, la plupart du temps; **~enteils** pour la plupart; **⌃gebot** meilleure offre; *(Versteigerung)* dernière enchère; **~gekauft** le plus vendu

Meister *(Industrie)* contre-maître *m; (Handwerk)* maître, patron; *(Sport)* champion; *s-n* **~** *in j-m finden* trouver son maître en qn; **~brief** brevet *m* de maîtrise; **⌃haft**, **⌃lich** magistral, parfait; **~in** maîtresse, patronne; championne; **~leistung** coup *m* de maître, œuvre *f* de maître; **⌃n** *(beherrschen)* maîtriser, être maître de (qch); *(erlernen)* se rendre maître de; *(überwinden)* surmonter; *(prüfung)* examen *m* de maîtrise; **~schaft** *(Beherrschung)* maîtrise *f; (Überlegenheit)* supériorité *f;* 🏆 championnat *m;* **~schaftsspiel** match *m* de championnat; **~schütze** champion de tir; **~singer** maître chanteur; **~stück** chef-d'œuvre *m;* **~titel** 🏆 titre *m* de champion; **~werk** chef-d'œuvre *m;* **~würde** maîtrise *f*

Melancho|lie mélancolie *f;* **⌃lisch** mélancolique, hypocondriaque

Melasse mélasse *f*

Meld|eamt bureau *m* des déclarations de domicile, bureau *m* de recensement; **~ebogen** déclaration *f* de domicile; **~efahrer** estafette motorisée; **~egänger** estafette *f* à pied; **⌃en** déclarer; *(anmelden)* annoncer; *(mitteilen)* communiquer, faire savoir; *(berichten)* rapporter, faire rapport (sur) *(anzeigen)* dénoncer; *refl (s. vorstellen)* se présenter; *(s. einschreiben lassen)* faire inscrire; *(antworten, am Tel.)* répondre; *s. krank* **⌃en** se faire porter malade; *s. polizeilich* **⌃en** faire sa déclaration de séjour *(od* de domicile); *sich zu Wort* **⌃en** demander la parole ♦ *nicht viel zu* **⌃en** *haben* n'avoir rien à dire, jouer les seconds rôles; **~epflicht** déclaration *f* obligatoire; **⌃epflichtig** astreint à la déclaration; **~er** ☿ indicateur *m; mil* courrier, planton; **~ereiter** estafette *f* à cheval; **~eschluß** terme *m* (de rigueur) pour la déclaration; *(Examen)* clôture *f* des inscriptions; **~ezettel** fiche *f* de voyageur *(od* d'arrivée); **~ung** *(An-)* déclaration *f; (Mitteilung)* information *f*, message *m; (Einschreibung)* inscription *f; (Bericht)* rapport *m;* **~ung machen** faire un rapport

meliert tacheté, bigarré; *grau* **~** grissonnant

Melk|eimer seau *m* à traire; **⌃en** traire; **~en su** traite *f;* **~er** trayeur; **~maschine** machine *f* àtraire, trayeuse *f*

Melod|ie mélodie *f*, air *m;* **⌃isch** mélodieux

Melone melon *m; (Hut)* (chapeau) melon *m*

Meltau mildiou *m*

Membran(e) membrane *f*, lame *f*, lamelle *f; (Telefon)* diaphragme *m*

Memme poltron *m*, couard *m*

Memo|iren mémoires *mpl;* **~randum** mémorandum *m*, aide-mémoire *m;* **⌃rieren** apprendre par cœur *(od* de mémoire)

Menage huilier *m;* ménage *m*

Menge *(Anzahl)* quantité *f,* nombre *m,* multitude *f; (Menschen)* foule *f,* masse *f; pej* populace *f; (Haufen)* tas *m,* amas *m; e-e ~ Leute* quantité *f* de gens; un tas de gens *(umg); in ~* en foule; *e-e ganze ~ von j-m halten* penser beaucoup de bien de qn; ⪦n mêler, mélanger; *refl* se mêler; *fig* se mêler *(in* de), s'immiscer (dans); **~nangabe** indication *f* de la quantité; **~nbestimmung** analyse quantitative; **~neinheit** unité *f* de mesure; **~nlehre** *math* théorie *f* des ensembles; ⪦**nmäßig** quantitatif; **~nverhältnis** proportion *f;* constitution quantitative

Meng|gestein conglomérat *m;* **~korn** mouture *f,* méteil *m*

Meniskus *(phys, opt, anat)* ménisque *m*

Mennig(e) minium *m*

Mensa restaurant *m* universitaire

Mensch homme *m,* être *m* (humain); *(Einzelwesen)* individu *m; pl (lit)* le genre humain, les humains *mpl,* l'humanité *f; kein ~* (ne...) personne; *e-e Menge ~en* une foule de gens, beaucoup de monde; *von ~ zu ~* d'homme à homme; *e. anderer ~ werden* faire peau neuve; *d. ~en kennen* connaître les hommes; *unter ~en kommen* voir du monde; *nur ein halber ~ sein* être mal en point, se sentir diminué ♦ *d. ~ denkt, Gott lenkt* l'homme propose, Dieu dispose; *eine Seele von ~* un cœur d'or

Menschen|affe anthropoïde *m;* ⪦**ähnlich** anthropomorphe; **~alter** génération *f;* **~feind** misanthrope; ⪦**feindlich** misanthropique; **~fresser** cannibale, anthropophage; *(im Märchen)* ogre; **~freund** philanthrope; ⪦**freundlich** philantropique, humanitaire; **~freundlichkeit** philantropie *f,* humanitarisme *f;* **~furcht** crainte *f* des hommes; *(Furcht vor d. Meinung d. anderen)* respect humain; **~gedenken:** *seit ~gedenken* de mémoire d'homme; **~geschlecht** genre humain, espèce humaine; **~haß** misanthropie *f;* **~kenner** connaisseur des hommes; psychologue; **~kenntnis** connaissance *f* des hommes; **~kraft** force *f* de l'homme, force humaine; *das übersteigt ~kräfte* cela est au-dessus des forces humaines; **~kunde** anthropologie *f;* **~leben** vie humaine; *(Zeit)* génération *f;* **~leben kosten** faire des victimes; ⪦**leer** dépeuplé, désert; **~masse** masse *f;* marée humaine, flot humain; **~material** matériel humain; **~menge** cohue *f,* foule *f;* ⪦**möglich:** *das ist nicht* ⪦*möglich* c'est humainement impossible; **~opfer** sacrifice humain; **~rasse** race humaine; **~raub** enlèvement *m,* rapt *m;* **~rechte** droits *mpl* de l'homme; ⪦**scheu** sauvage, farouche, insociable; **~scheu** *su* sauvagerie *f;* **~schinder** bourreau, tortionnaire; **~schlag** type humain, type *m* d'homme; **~seele** âme humaine; *es war k-e ~seele da* il n'y avait pas âme qui vive; **~sohn** *rel* Fils de l'homme; **~verstand:** *gesunder ~verstand* bon sens, sens commun; **~würde** dignité humaine; ⪦**würdig** digne d'un homme

Mensch|heit humanité *f;* genre humain; ⪦**lich** *a. fig* humain; *fig* bon, cordial; bienveillant ♦ *Irren ist* ⪦*lich* l'erreur est (chose) humaine;

~lichkeit humanité *f;* humanitarisme *m;* **~werdung** *rel* incarnation *f*

Menstru|ation § menstruation *f,* menstrues *fpl,* règles *fpl;* ⪦**ieren** avoir ses règles

Mensur duel *m* d'étudiants

Mentalität mentalité *f*

Menuett menuet *m*

Mergel marne *f;* **~boden** sol marneux; **~grube** marnière *f;* ⪦**n** marner, engraisser avec de la marne

Meridian méridien *m*

Meringe meringue *f*

Merino(schaf) mérinos *m*

merkantil mercantile; **~ismus** mercantilisme *m*

merk|bar, ~lich *(bedeutend)* sensible; *(wahrnehmbar)* perceptible; *(meßbar)* appréciable; *(auffallend)* évident; ⪦**blatt** notice *f* (de renseignements *od* d'observations), fiche *f* signalétique; feuille *f* d'instruction; ⪦**buch** carnet *m,* calepin *m;* **~en** *(bemerken)* remarquer (qch), s'apercevoir (de qch); *(behalten)* prendre note (de); *(gewahr werden)* se rendre compte (de); *(fühlen)* sentir; *(argwöhnen)* soupçonner; *s. etw. (auswendig) ~en* retenir qch (par cœur *od* de mémoire); *d. werde ich mir ~en* je m'en souviendrai, j'en prends bonne note; *~en lassen* laisser voir *(od* entrevoir); donner à comprendre; *s. nichts ~en lassen* ne pas faire sentir; ne pas laisser voir *(od* entrevoir) qch, ne faire semblant de rien; ⪦**mal** *(Kennzeichen)* signe *m,* indice *m,* marque *f; (Eigenschaft)* caractère distinctif, caractéristique *f,* particularité *f,* critère *m;* **~würdig** curieux, étrange, singulier; ⪦**würdigkeit** *(Besonderheit)* curiosité *f;* singularité *f; (Seltenheit)* rareté *f,* chose *f* remarquable; ⪦**zeichen** (point *m* de) repère *m,* marque *f,* signe *m*

meschugge *umg* dingue, cinglé, maboul

Mesner sacristain

Meß|band mètre *m* flexible, mètre *m* ruban; ⪦**bar** mesurable; appréciable; **~becher** gobelet gradué; **~bereich** domaine *m* de mesure, calibre *m;* **~bild** photogramme *m;* **~buch** *rel* livre *m* de messe, missel *m;* **~diener** enfant de chœur, servant; **~fehler** erreur *f* de mesure; **~fühler** capteur *m,* élément *m* sensible; **~funkgerät** radar *m;* **~gerät** appareil *m* de mesure, mesureur *m; rel* vases sacrés; **~gewand** chasuble *f;* **~glas** *chem* éprouvette *f* graduée; **~instrument** instrument *m* de mesure; **~kännchen** *rel* burette *f;* **~kelch** *chem* verre gradué (pour expériences); éprouvette graduée en forme de coupe; *rel* calice *m;* **~kette** chaîne *f* d'arpenteur; **~kolben** ballon *m* de jauge; **~latte** règle graduée, jauge *f;* **~marke** repère *m* de mesure; **~opfer** sacrifice *m* de la messe; **~stab** jauge *f* graduée; **~sucher** 🔲 viseur-télémètre *m;* **~technik** métrologie *f;* **~tisch** planchette *f* topographique; **~tischblatt** plan directeur, feuille *f* topographique; **~trupp** *mil* groupe *m* (*od größer:* section *f*) de repérage; groupe *m* topographique *(od* cartographique); **~uhr** comparateur *m;* **~wagen** laboratoire *m* mobile de détection; **~wein** vin *m* de messe; **~werkzeug** ✿

outils *mpl* de mesurage; ~**zylinder** *chem* éprouvette graduée

Messe 1. *rel, ♪* messe *f; stille* ~ messe basse; *d.*~ *lesen* dire la messe; **2.** *com* foire *f;* exposition *f;* salon *m;* ~**amt** comité *m* d'organisation de la foire; ~**aussteller** exposant *m;* ~**gebäude** bâtiment de la foire; ~**gelände** parc *m* des expositions; ~**stand** stand *m* d'exposition; **3.** *mil* mess *m*

messen mesurer *(vt/i); (Land)* arpenter; *(loten)* sonder; *mit Blicken* ~ toiser; *sich* ~ *können mit* pouvoir se mesurer *(od* s'aligner*)* avec; *s. nicht* ~ *können mit* ne pas arriver à la hauteur de; *niemand kann s. mit ihm* ~ il n'a pas son égal

Messer couteau *m;* ⚕ bistouri *m*, scalpel *m; auf d.* ~*s Schneide stehen* être à l'instant critique *(od* au moment crucial*);* ans ~ *liefern* livrer à ses juges *(od* à ses bourreaux*); das* ~ *sitzt ihm an d. Kehle* il a le couteau sur la gorge; ~**bänkchen** porte-couteau *m;* ~**griff** manche *m* de couteau; ~**held** apache; ~**rücken** dos *m* de couteau; ~**schärfer** fusil *m* à repasser *(od* à affiler*)* les couteaux; ~**schmied** coutelier; ~**schneide** coupant *m,* tranchant *m,* fil *m* de la lame; ~**spitze** pointe *f* de couteau; ~**stich** coup *m* de couteau

Messing laiton *m,* cuivre *m* jaune; ~**beschlag** armature *f (od* garniture *f)* en laiton; ~**blech** laiton *m* en feuilles *(od* en lames*),* tôle *f (od* feuille *f)* de laiton; ~**draht** fil *m* en laiton; ~**en** de laiton, en laiton; ~**schild** enseigne *f (od* plaque *f)* en laiton; ~**waren** dinanderie *f*

Messung mensuration *f,* mesurage *m; (Land)* arpentage *m*

Mestiz|e métis; ~**in** métisse

Met hydromel *m*

Metall métal *m;* ~**arbeiter** (ouvrier) métallurgiste, métallo; ~**baukasten** boîte *f* de mécano; ~**en,** ~**isch** de métal, en métal; métallique *(a. fig);* ~**beschlag** armature *f* (métallique); ~**folie** lamelle *f (od* feuille *f)* de métal; ~**geld** monnaie *f* métallique, espèces *mpl* métalliques; ~**gerüst** armature *f* métallique; ~**gewinnung** métallurgie *f;* ~**haltig** métallifère; ~**industrie** industrie *f* métallurgique *(od* du métal*),* métallurgie *f;* ~**keramik** cermet *m;* ~**säge** scie *f* à métaux; ~**urgie** métallurgie *f;* ~**waren** quincaillerie *f*

Meteor météorite *f;* ~**ologe** météorologue; ~**ologie** météorologie *f;* ~**ologisch** météorologique

Meter mètre *m;* ~**stab** mètre droit *(od* rigide*);* ~**ware** marchandise *f* au mètre

Methan(gas) méthane *m*

Method|e méthode *f; (Verfahren)* procédé *m,* technique *f; (Handhabung)* pratique *f,* façon *f;* ~**isch** méthodique

Methyl|alkohol alcool *m* méthylique; ~**enblau** bleu *m* de méthylène

Metr|ik métrique *f,* prosodie *f;* ~**isch** métrique; ~**um** mètre *m*

Metro|nom ♪ métronome *m;* ~**pole** métropole *f*

Mette messe *f* de minuit; matines *fpl*

Mettwurst saucisse *f* fumée *(à* base de bœuf*)*

Metzel|ei boucherie *f,* carnage *m,* tuerie *f,* massacre *m;* ~**n** massacrer, égorger

Metzger boucher; *(Schweine-)* charcutier; ~**bursche** garçon boucher; ~**ei** boucherie *f;* ~**laden** boucherie *f;* ~**n** *a. fig* charcuter

Meuch|elmord assassinat *m;* meurtre crapuleux; ~**elmörder** assassin, meurtrier; ~**eln** assassiner (par traîtrise *od* dans un guet-apens); ~**lerisch** traître, perfide; ~**lings** traîtreusement, perfidement, crapuleusement

Meute *a. fig* meute *f;* ~**rei** mutinerie *f;* ~**rer** mutin; ~**risch** séditieux, révolté; ~**rn** se mutiner

miauen miauler

mich me; moi

Mieder corsage *m,* corselet *m*

Miene air *m,* mine *f; mit vorwurfsvoller* ~ d'un air réprobateur *(od* de reproche*); e-e wichtige* ~ *aufsetzen* se donner *(od* prendre*)* un air important; *ohne e-e* ~ *zu verziehen* sans sourciller ♦ *gute* ~ *zum bösen Spiel machen* faire contre mauvaise fortune bon cœur; ~**nspiel** jeu *m* de physionomie, mimique *f*

mies *umg* moche; *es ist ihm* ~ *zumute* il a le cafard; ~**macher** *(Pessimist)* défaitiste; rabatjoie; *(Kritikaster)* rouspéteur, grincheux; ~**muschel** moule commune

Miete[1] silo *m; (Korn-)* meule *f;* ~**n** ⬇ mettre en meules

Miet|auto voiture *f* de location; ~**beihilfe** allocation *f* de logement; ~**e**[2] bail *m; (Entgelt)* loyer *m; (das Mieten)* location *f; fällige* ~*e* terme *m; zur* ~*e wohnen* être locataire *(bei* de, chez*);* ~**en** louer; prendre en location; ⚓ affréter; *(Grund)* prendre à bail; ~**en** *su (Sachen, Dienste)* louage *m; (Wohnung, Recht)* location *f;* ~**er** locataire; *(Unter-)* sous-locataire; ⬇ *(Pächter)* fermier; ~**erschaft** locataires *mpl;* ~**erschutz** protection *f* des locataires; ~**ertrag** rapport *m* locatif; ~**frei** exempt de loyer; ~**kauf** vente *f* location; ~**ling** mercenaire; ~**nebenkosten** charges *fpl* locatives; ~**preis** prix *m* de location, loyer *m;* ~**shaus** maison *f* de rapport; ~**skaserne** *pej* cage *f* à lapins; caserne *f (mst pej);* ~**verhältnis,** ~**vertrag** *(Räume)* contrat *m* de location, bail *m; (Sachen)* contrat *m* de louage; ~**wagen** voiture *f* (automobile) de louage; ~**wert** valeur *f* locative; ~**wohnung** appartement *m (od* logement *m)* loué; ~**wucher** hausse *f* illicite des loyers, loyer *m* exorbitant; ~**zeit** durée *f* du bail; ~**zins** loyer *m;* ~**zuschlag** charges *fpl;* ~**zuschuß** indemnité *f* de logement

Miezekatze minet *m,* minette *f*

Migräne migraine *f*

Mikado *(Spiel)* jonchets *mpl*

Mikro|be microbe *m;* ~**elektronik** électronique *f* miniaturisée; ~**fiche** microfiche *f;* ~**film** microfilm *m;* ~**phon** microphone *m;* ~**prozessor** microprocesseur *m;* ~**rille** microsillon *m;* ~**skop** microscope *m;* ~**schalter** microrupteur *m;* microcontacteur; ~**skopieren** examiner au microscope; ~**skopisch** microscopique

Milbe acare *m,* sarcopte *m*

Milch lait *m (Fisch)* laitance *f,* laite *f; dicke* ~ lait caillé; ~**bar** milk-bar *m;* ~**bart** duvet *m,* poil follet; ~**bruder** frère de lait; ~**drüse** glande *f*

mammaire; **~en** donner du lait; **~erzeugnisse** produits laitiers; **~flasche** bouteille *f* à lait; *(Säugling)* biberon *m*; **~geschäft** crémerie *f*; **~gesicht** blanc-bec *m*; figure *f* de poupée; **~glas** verre dépoli; **~händler** laitier, crémier; **~ig** laiteux, lacté; *(Farbe)* opalin; **~kaffee** café *m* au lait; **~kanne** bidon *m* à lait; **~kuh** vache laitière; **~kur** régime lacté, diète lactée; **~ner** poisson laité; **~panscher** mouilleur de lait; **~produkte** produits laitiers; **~pulver** lait *m* en poudre; **~speise** laitage *m*; **~straße** Voie lactée; **~straßensystem** galaxie *f*; **~stube** crémerie *f*; **~suppe** soupe *f* au lait; **~wirtschaft** industrie laitière; **~zahn** dent *f* de lait; **~zentrifuge** écrémeuse *f*; **~zucker** lactose *m*

mild *(Klima)* clément, doux, tempéré; *(wohlwollend)* amène; *(gnädig)* clément; *(nachsichtig)* indulgent; *~e Gabe* aumône *f*; *~e Strafe* peine *(od* punition) légère; *~er werden* s'adoucir; **~e** *su (a. Klima)* clémence *f*; douceur *f*, mansuétude *f*, indulgence *f*; **~ern** *(mäßigen)* adoucir, modérer, tempérer; *(herabsetzen)* atténuer *(a. ♋)*, ♋ mitiger, commuer; *refl* s'adoucir, se radoucir; **~ernd §** lénifiant, lénitif; *~ernde Umstände* ♋ circonstances atténuantes; *~ernder Ausdruck* euphémisme *m*; **~erung** adoucissement *m*, radoucissement *m*; ♋ atténuation *f*, mitigation *f*; **~herzigkeit** bonté *f* de *(od* du) cœur, charité *f*; **~tätig** charitable; **~tätigkeit** charité *f*

Milieu milieu *m*; entourage *m*, ambiance *f*; condition sociale

Militär armée *f*; état *m* militaire; *(Person)* militaire, soldat; *er ist beim ~* il est dans l'armée; **~arzt** médecin militaire; officier du Service de Santé; **~bischof** vicaire *m* aux armées; **~dienst** service *m* national *ou* militaire; **~dienstpflicht** service *m* militaire obligatoire; **~geistlicher** aumônier militaire *(od* aux armées); **~gericht** tribunal *m* militaire; **~haushalt** budget *m* de la défense nationale; **~isch** militaire; **~kapelle** musique *f* militaire, fanfare *f*; **~maß** taille *f* réglementaire; **~musik** musique *f* militaire; **~polizei** police *f* militaire, gendarmerie *f* aux armées; **~regierung** gouvernement *m* militaire

Militär|isierung militarisation *f*; **~ismus** militarisme *m*; **~ist** militariste

Miliz milice *f*; **~soldat** milicien

Milliardär milliardaire; **~arde** milliard *m*; **~gramm** milligramme *m*; **~meter** millimètre *m*; **~on** million *m*; **~onär** millionnaire; **~onste** millionième; **~onstel** millionième *m*

Milz *anat* rate *f*; **~brand §** charbon *m*

Mim|e mime; **~en** mimer; imiter, représenter; *fig* simuler, feindre; **~ik** mimique *f*; **~ikry** *biol* mimétisme *m*; **~isch** mimique

Mimose mimosa *m*, sensitive *f*

Minarett minaret *m*

minder moindre; *(geringer)* inférieur, plus petit; *adv* moins; **~bemittelt** économiquement faible, nécessiteux; **~betrag** moins-value *f*, déficit *m*, mécompte *m*; **~bewertung** sous-évaluation *f*; **~einnahme** moins-perçu *m*; déficit *m*; **~heit**

minorité *f*; **~heitenfrage** problème *m* des minorités; **~heitenrechte** droits *mpl* des minorités ethniques; **~heitsregierung** gouvernement *m* minoritaire; **~jährig** mineur; **~jähriger** mineur; **~jährigkeit** minorité *f*; **~n** diminuer, amoindrir, réduire; *(herabsetzen)* rabaisser, rabattre; *(mildern)* atténuer, modérer; **~ung** diminution *f*, amoindrissement *m*, réduction *f*; rabaissement *m*, atténuation *f*, modération *f*; **~wert** moins-value *f*; **~wertig** de peu de valeur, de mauvaise qualité; médiocre; d'une valeur inférieure; **~wertigkeit** infériorité *f*; **~wertigkeitskomplex** complexe *m* d'infériorité; **~zahl** minorité *f*; *in d. ~zahl* en minorité

mindest le moins; *das ~e* la moindre chose, le moins, le minimum; *nicht im ~en* pas le moins du monde, nullement; *~ens* au moins, pour le moins; *au bas mot*; **~gebot** offre *f* minimale; enchère *f* minimum; **~gebühr** taxe *f* minimale; **~leistung ✿** puissance minima; rendement *(od* débit) minimum; **~lohn** salaire minimum; **~maß** mesure minima; **~preis** prix minimum *(ou* plancher); **~reserve** réserve *f* minimum

Mine *(a. Bleistift)* mine *f*; **~nfeld** champ *m* de mines, terrain miné; **~ngang** trou *m* de mine; **~nleger,§** mouilleur *m* de mines; **~nräumboot** dragueur *m* de mines; **~nräumung** déminage *m*; **~nsperre** barrage *m* de mines; **~nsuchgerät** détecteur *m* de mines; **~nwerfer** lance-bombes *m*

Mineral minéral *m*; **~isch** minéral; **~oge** minéralogiste; **~ogie** minéralogie *f*; **~ogisch** minéralogique; **~öl** huile minérale, pétrole *m*, hydrocarbure *m*; **~ölgesellschaft** compagnie *f* pétrolière; **~ölprodukt** produit pétrolier, produit *m* pétrochimique; **~ölsteuer** taxe *f* sur les produits pétroliers; **~quelle** source *f* d'eaux minérales; **~reich** règne minéral; **~vorkommen** gisement *m* de *(od* ressources *fpl* en) minéraux; **~wasser** eau minérale *(od* gazeuse)

Miniatur miniature *f*; **~isieren** miniaturiser; **~isierung** miniaturisation *f*; **~maler** miniaturiste

minieren miner; *(unter-)* saper

minimal minimum; **~lohn** salaire minimum; **~satz** taux minimum; **~thermometer** thermomètre *m* à minima; **~wert** valeur minima

Minimum minimum *m*, limite *f* inférieure, plancher *m*

Minister ministre; *~ ohne Geschäftsbereich* ministre sans portefeuille; **~ialerlaß** décret ministériel; **~ialdirektor** directeur de Cabinet (du Ministre); **~iell** ministériel; **~ium** ministère *m*; *(Geschäftsbereich)* département *m*; **~präsident** ministre-président; **~rat** Conseil *m* des ministres

Ministr|ant *rel* servant (de messe), enfant de chœur, acolyte; **~ieren** servir la messe

Minna: *grüne ~ (pop)* panier *m* à salade

Minn|e *lit* amour *m*; **~en** *lit* aimer; **~esang** chant *m* d'amour; **~esänger** troubadour, trouvère; **~iglich** aimable, charmant; gracieux, tendre

minor|enn mineur; **~ität** minorité *f*

minus moins; **~ su** différence *f* en moins,

déficit *m; umg* trou *m;* **≈betrag** somme *f*
manquante; **≈kel** (lettre *f*) minuscule *f;*
≈zeichen moins *m,* signe *m* négatif
Minut|e minute *f; auf d.* ~*e* exactement;
ponctuellement; *in e-r* ~*e* en une minute; *pro*
~*e* par minute; **~enberechnung** minutage *m;*
≈enlang qui dure une (*od* des) minute(s);
pendant des minutes; **~enzeiger** grande aiguille,
aiguille *f* des minutes
minuziös minutieux, précis, exact
Minze *bot* menthe *f*
mir me; moi; à moi; ~ *nichts, dir nichts* sans
crier gare; *wie du* ~, *so ich dir* je te rends (*od*
rendrai) la pareille; coup pour coup
Mirabelle mirabelle *f*
Mirakel miracle *m*
Misch|brot pain *m* de métail; pain *m* bis; **~ehe**
mariage *m* mixte; **≈en** mêler (*mit* avec, à),
mélanger (avec); (*Karten*) battre; (*Kaffee,
Tabak*) mélanger; (*Wein*) couper; (*Metall*)
opérer un alliage, allier; *refl* se mêler, s'ingérer,
s'immiscer; *s. unter d. Volk* **≈en** se mêler à la
foule; *sich in etw.* **≈en** se mêler de qch;
gemischtes Eis glace panachée; **~faser** textile *m*
mixte; **~gemüse** macédoine *f;* jardinière *f;*
~korn méteil *m,* mouture *f;* **~ling** métis *m;*
~masch mélange confus, embrouillamini *m;*
~pult table *f* de mixage; **~rasse** race mêlée (*od*
croisée); **~sendung** envoi *m* groupé; **~ung**
mélange *m;* mixture *f (oft pej);* **~ungsverhältnis**
proportions *fpl* du mélange; **~wald** forêt *f*
mixte; **~zoll** droit *m* mixte
miserabel pitoyable, misérable
Mispel nèfle *f;* **~baum** néflier *m*
miß|achten (*nicht achten*) mépriser, mésestimer,
dédaigner; (*nicht beachten*) ne pas respecter;
≈achtung mépris *m,* dédain *m,* mésestime *f;*
unter **≈achtung** *der Vorschriften* au mépris des
règlements; **~behagen** déplaire; *es* ~*behagt mir*
je ne me sens pas à l'aise; **≈behagen** *su*
embarras *m,* gêne *f,* incommodité *f;* **~bilden**
déformer; **≈bildung** déformation *f,* difformité *f;*
§ malformation *f,* monstruosité *f;* **~billigen**
désapprouver, réprouver; **~billigend** désappro-
bateur; réprobateur; **≈billigung** réprobation *f;*
≈brauch abus *m;* **≈brauch** *der Amtsgewalt* abus
m de pouvoir, abus *m* d'autorité; **~brauchen**
(*ausnützen*) exploiter (qch); (*mißhandeln*) abuser (de qch); (*Namen Gottes*) invoquer en vain;
d. Gutgläubigkeit ~*brauchen* exploiter la bonne
foi; **~bräuchlich** abusif; **~deuten** mal interpréter; **≈deutung** fausse interprétation
missen être (*od* se sentir) privé de; regretter
l'absence de
Miß|erfolg échec *m,* insuccès *m;* **♉** four *m; e-n*
~*erfolg erleiden* essuyer un échec; **~ernte**
récolte *f* déficitaire, mauvaise récolte
Misse|tat méfait *m,* forfait *m;* crime *m; rel*
péché *m;* **~täter** malfaiteur; criminel
miß|fallen déplaire; offusquer; choquer; **≈fal-
len** *su* déplaisir *m,* contrariété *f,* désagrément *m;*
~fällig déplaisant, désagréable; offusquant,
choquant; **≈geburt** avorton *m;* **~gelaunt** de
mauvaise humeur; mal disposé; d'une humeur

massacrante (*umg*); **≈geschick** (*widriges Schicksal*) adversité *f;* (*Unglück*) malheur *m,* malchance *f;* (*unglückl. Erlebnis*) mésaventure *f;*
(*Enttäuschung*) déconvenue *f;* *vom* **≈geschick**
verfolgt malchanceux; **~gestaltet** difforme;
contrefait; **~gestimmt** de mauvaise humeur,
mal disposé, grincheux; **~glücken** mal réussir;
être un échec, échouer; **~gönnen** envier (qch à
qn), être jaloux (de); **≈griff** bévue *f,* pas *m* de
clerc; gaffe *f (umg);* **≈gunst** jalousie *f,* envie *f;*
~günstig jaloux, envieux; **~handeln** maltraiter;
brutaliser; **≈handlung** mauvais traitement;
sévices *mpl,* brutalités *fpl;* **~hellig** discordant;
≈helligkeit discordance *f,* dissension *f*
Mission mission *f;* **~ar** missionaire; **~swesen**
organisation de propagation de la foi, Mission
catholique (*etc*)
Miß|jahr mauvaise année; **~klang** dissonance *f,*
faux accord; cacophonie *f;* **~kredit** discrédit *m;*
in ~*kredit bringen* discréditer; ruiner le crédit
(de); **≈leiten** égarer, fourvoyer, induire en
erreur; **≈lich** incertain, douteux; scabreux,
épineux, délicat; (*unglücklich*) fâcheux; **≈liche**
Lage situation critique; **~liebig** discrédité,
impopulaire; (*Sache*) déplaisant; *s.* ≈*liebig
machen* se faire mal voir, se rendre impopulaire;
~liebigkeit discrédit *m,* impopularité *f;* **~lingen**
échouer, ne pas réussir; rater, avorter, faire long
feu; *umg* faire un bide; **~lingen** *su* insuccès *m,*
échec *m;* **~mut** mauvaise humeur; **≈mutig**
d'humeur sombre, morose, découragé; **~raten**
ne pas réussir; manquer, rater; **≈ratenes** *Kind*
enfant qui a mal tourné; **~stand** irrégularité,
inconvénient *m;* situation *f* impossible (*od*
intenable); *e-m* ~*stand abhelfen* mettre fin à
une situation intenable; **≈stimmen** indisposer;
dépiter, mécontenter; **~stimmung** désaccord *m;*
fig mauvaise humeur; ~*ton* **♪** dissonance *f; a.
fig* discordance *f;* **≈tönend** discordant, disso-
nant; **≈trauen** se méfier (*j-m* de qn); se défier
(*j-m* de qn); **~trauen** *su* méfiance *f;* défiance *f;*
suspicion *f;* doute *m; j-m* ~*trauen einflößen*
devenir suspect à qn, inciter qn à la méfiance;
~trauensantrag *pol* motion *f* de défiance (*od* de
censure); **≈trauisch** soupçonneux, méfiant;
(*stärker*) défiant; *j-n* ≈*trauisch machen* éveiller
la méfiance de qn, rendre qn méfiant; *j-n*
≈trauisch *ansehen* regarder qn d'un air
soupçonneux (*od* méfiant, de méfiance);
~vergnügen déplaisir *m,* mécontentement *m;*
≈vergnügt mécontent; **~verhältnis** disproportion *f,* déséquilibre *m;* (*Ungleichheit*) disparité *f;*
≈verständlich qui prête à malentendu (*od* à
méprise); équivoque; **~verständnis** malentendu
m, méprise *f;* **≈verstehen** se méprendre sur le
sens (d'une parole); **~wirtschaft** mauvaise
gestion (*od* administration)
Mist fumier *m; fig* saleté *f;* cochonnerie *f (pop);*
~beet couche *f* de fumier; **≈en** fumer (un
champ); **~fuhre** (*Ladung*) charretée *f* de
fumier; **~gabel** fourche *f* à fumier; **~haufen** tas
m de fumier; **≈ig** *pop* cochon, moche; **~käfer**
bousier *m*
Mistel *bot* gui *m*

mit avec; à; de; *(Begleitung:)* ~ *e-m Freund ausgehen* sortir avec *(od* accompagné d')un ami; *komm* ~! viens avec moi!; *(Mittel:)* par, de, au moyen de; ~ *d. Post* par la poste; ~ *e-m Wort en un mot*; ~ *d. Auto* en voiture, avec la voiture; ~ *d. linken Hand schreiben* écrire de la main gauche; *(Art u. Weise:)* ~ *offenen Armen* à bras ouverts; ~ *gutem Appetit* de bon appétit; ~ *3 % Skonto* à *(od* avec) 3 % d'escompte; ~ *Muße* à loisir; *(Beginn:)* ~ *d. heutigen Tag* à partir d'aujourd'hui; *(Gleichzeitigkeit:)* ~ *e-m Schlag* tout d'un coup; d'un seul coup; ~ *e-m Mal* d'un seul coup, en une seule fois; ~ *10 Jahren* à (l'âge *m* de) 10 ans; ~ *der Zeit* avec le temps; *(Eigenschaft:)* ~ *blauen Augen* aux yeux bleus; **⌐angeklagter** coaccusé; **⌐arbeit** collaboration *f;* unter **⌐arbeit von** avec la collaboration de; **~arbeiten** collaborer *(an* à); **⌐arbeiter** assistant *m,* collaborateur; *ständiger* **⌐arbeiter** *(journ)* correspondant permanent; **~bekommen** *(umg: verstehen)* piger; *(Mitgift)* avoir en dot; **⌐benutzung** utilisation commune, cojouissance *f;* **⌐besitz** bien *m* indivis; **~besitzer** copossesseur; **~bestimmen** participer à la gestion, cogérer; **⌐bestimmung** cogestion *f;* **⌐bestimmungsrecht** droit *m* de cogestion; **⌐bewerber** concurrent, compétiteur; **⌐bewohner** colocataire *m;* **~bringen** *(Sachen)* apporter; *(Personen)* amener; **⌐bringsel** petit cadeau, présent *m;* **⌐bürger** concitoyen; **⌐eigentum** copropriété *f;* **⌐eigentümer** copropriétaire; **~einander** ensemble; *gut ~einander auskommen* s'entendre très bien ensemble; *wir kommen gut ~einander aus* nous nous accordons très bien (ensemble); **~empfinden** sympathiser, partager un sentiment (avec qn), éprouver le même sentiment, compatir (à); **⌐empfinden** *su* sympathie *f;* **⌐erbe** ♋ cohéritier; **~erleben** *(beiwohnen)* assister *(etw.* à qch); *(teilnehmen)* participer *(etw.* à qch); *(mitleiden)* vivre; *er hat die letzten Tage von …~erlebt* il a vécu les derniers jours de … ; **⌐esser** tanne *f,* comédon *m;* **~fahren** accompagner qn (en voiture, en bateau); *j-n ~fahren lassen* laisser monter qn; **~fühlen** sympathiser (avec qn), compatir (à qch); éprouver le même sentiment; **~fühlend** compatissant; **~führen** avoir sur soi, avoir avec soi; **~geben** donner à emporter; *(als Mitgift)* donner en dot; **⌐gefangener** codétenu; **⌐gefühl** compassion *f,* sympathie *f; (Beileid)* commisération *f;* **~gehen** accompagner qn, aller avec qn; *(aufpassen)* suivre (attentivement); *(innerlich teilnehmen)* être emballé; **~gehen lassen** *(umg)* dérober, chiper, escamoter; **~genommen:** *er ist noch stark ~genommen (von)* il n'est pas encore remis (de); **~gerechnet** y compris, inclus; **⌐gift** dot *f;* **⌐giftjäger** coureur de dot; **⌐glied** membre *m;* affilié *m;* adhérent *m; ordentliches* **⌐glied** membre *m* de droit; **⌐gliedsbeitrag** cotisation *f,* contribution *f;* **⌐gliedschaft** qualité *f* de membre; affiliation *f;* **⌐gliedskarte** carte *f* de membre; **⌐gliedstaat** État *m* membre; **⌐haftung** obligation *f* solidaire; solidarité *f;* **~halten** être de la partie; *(Kartensp.)* tenir; **~helfen** coopé-

rer, concourir *(bei* à); **⌐hilfe** concours *m,* collaboration *f;* **~hin** par conséquent, ainsi, donc, en conséquence; **~hören** intercepter une communication; **⌐inhaber** copropriétaire, codétenteur; associé; **⌐kämpfer** compagnon d'armes; **~kommen** accompagner (qn); venir (avec qn); *fig* suivre, (mit d. Ereignissen) être à jour; *da komme ich nicht mehr* ~ là, je m'y perds; là, je ne suis plus; **~kriegen** *fig* comprendre, attraper; **⌐läufer** *(Partei)* sympathisant, suiveur; opportuniste; **⌐laut** consonne *f;* **⌐leid** pitié *f,* compassion *f;* **⌐leid mit j-m haben** avoir pitié de qn, éprouver de la pitié pour qn; **⌐leidenschaft:** *in* **⌐leidenschaft ziehen** affecter *(od* atteindre) également; **~leidig** charitable, compatissant; **~leidslos** impitoyable; **~machen** *(teilnehmen)* prendre part (à qch); être de la partie; *(nachahmen)* suivre; *(erleben)* vivre; **⌐menschen** semblables *mpl;* **⌐nahmepreis** prix *m* marchandise enlevée; **~nehmen** *(Sachen)* emporter, prendre; *(Personen)* emmener; *fig* éprouver, affaiblir, épuiser; **~nichten** nullement, aucunement; **~reden** prendre part au débat; *~zureden haben* avoir son mot à dire, avoir voix au chapitre; **~reisender** compagnon de route; **~reißen** *(Strömung)* entraîner; *fig* enthousiasmer; emballer *(umg);* **~reißend** *fig* entraînant, enthousiasmant; **~samt** avec; **~schicken** envoyer avec, joindre à; **~schleppen** entraîner, traîner avec soi; **⌐schuld** complicité *f;* **~schuldig** complice; **⌐schuldiger** complice; **⌐schuldner** codébiteur; **⌐schüler** camarade de classe; condisciple; **~spielen** prendre part au jeu; ♪ jouer *(bei,* in dans); *j-m hart ~spielen* malmener qn; *j-m übel ~spielen* jouer un mauvais tour à qn; **⌐spieler** 🏸 coéquipier; *(Karten)* partenaire; **⌐spracherecht** droit *m* à la parole; **~sprechen siehe:** ~reden; *fig* entrer en considération

Mittag midi *m; (Süden)* midi *m,* sud *m; zu* ~ *essen* déjeuner; *(Belgien u. Schweiz)* dîner; **~essen** repas *m* de midi, déjeuner *m; (Belgien u. Schweiz)* dîner *m;* **mittäglich** de midi; **⌐s** à midi; vers midi; **~spause** heure *f* du déjeuner; **~sruhe, ~schlaf** sieste *f;* **~stisch** table *f* d'hôte
Mittäterschaft complicité *f*
Mitte centre *m,* milieu *m;* ~ *Februar* à la mi-février; ~ *Vierzig* entre quarante et cinquante ans; *in der* ~ au milieu; *in unserer* ~ parmi nous; *d. goldene* ~ *halten* garder le juste milieu
mitteil|en communiquer (qch à qn), signaler; faire part (de qch à qn); informer, aviser (qn de qch); *(amtl.)* notifier; *(Nachricht)* transmettre (qch à qn); *(Energie)* transmettre, imprimer (qch à qch); *refl* s'ouvrir *(j-m über* à qn de qch), se confier (à qn au sujet de qch); **~sam** communicatif, expansif; **⌐samkeit** expansivité *f;* **⌐ung** communication *f,* information *f; (amtl.)* communiqué *m; (vertraul.)* confidence *f; (von Energie)* transmission *f*
Mittel moyen *m; (Hilfsmittel)* ressource *f; (Maßnahme)* voie *f,* pratique *f,* procédé *m; (Heilmittel)* remède *m; (Durchschnitt)* moyenne *f; pl (Vermögen)* moyens *mpl,* capitaux *mpl,*

fonds *mpl;* ~ *z. Zweck* moyen *m* d'arriver au but; tremplin *m,* marchepied *m;* ~ *z. Leben* moyens *mpl* d'existence; *arithmetisches* ~ *moyenne f* arithmétique; *eigene* ~ ressources personnelles; *mit fremden* ~*n* avec des capitaux étrangers; *alle* ~ *anwenden, um…* se servir de tous les moyens pour…; *andere* ~ *anwenden* employer d'autres moyens, changer de tactique; *s. ins* ~ *legen* s'entremettre, s'interposer ♦ *d. Zweck heiligt d.* ~ la fin justifie les moyens; ⌁ *adj* au (*od* du) milieu; au (*od* du) centre; moyen; (*in Zssg:*) central, moyen, du milieu; ~**achse** axe *m* de symétrie; ~**alter** Moyen Age; ⌁**alterlich** médiéval; moyenâgeux (*mst pej*); *umg (Alter)* entre quarante et cinquante ans; ~**amerika** l'Amérique centrale; ~**aufbringung** rassemblement *m* des fonds; ⌁**bar** indirect; ~**bindung** engagement *m* de fonds; ~**ding** chose *f;* intermédiaire; quelque chose entre… et…; ~**europa** l'Europe centrale; ~**freigabe** dégagement *m* de crédits; ⌁**fristig** à moyen terme; ~**gewicht** 🏋 poids moyen; ~**finger** médius *m,* majeur *m;* ⌁**groß** de taille moyenne, de grandeur moyenne; ~**lage** (*Stimme*) médium *m;* ⌁**ländisch** méditerranéen; ~**läufer** arrière central; ~**linie** ligne *f* axiale, axe *m;* ⌁**los** sans ressources; sans argent (*od* moyens d'existence); nécessiteux, indigent; ~**mächte** Puissances *fpl* de l'Europe centrale; ⌁**mäßig** moyen, médiocre, modeste; *umg* quelconque; ⌁**mäßigkeit** médiocrité *f;* ~**meer** Méditerranée *f;* ~**ohrentzündung** otite moyenne; ~**punkt** centre *m,* cœur *m;* in *d.* ~*punkt stellen* mettre (*od* placer) au centre; ⌁**s** moyennant, au moyen de, à l'aide de; grâce à; ~**schicht** classe *f* moyenne; ~**schiff** 🏛 nef centrale; ~**schule** école primaire supérieure; ~**smann** médiateur, intermédiaire; arbitre; ~**stand** classes moyennes; ⌁**ständisch** de la bourgeoisie, bourgeois; *d.* ~*ständischen Betriebe* (*com*) les petites et moyennes entreprises; ~**streckenflugzeug** avion moyen-courrier; ~**streifen** 🚗 bande médiane, (*Autobahn*) terreplein central; ~**stürmer** 🏋 avant centre; ~**weg** (*Lösung*) compromis *m; d. goldene* ~*weg* le juste milieu; ~**welle** 📻 onde moyenne; ~**wort** participe *m;* ~**zuweisung** répartition de crédits

mitten au milieu; ~ *unter* parmi; ~ *auf,* ~ *in* au milieu de; ~ *aus* du milieu de; ~ *im Winter* en plein (*od* au cœur de l')hiver; ~ *am Tage* au milieu (*od* en plein milieu) de la journée; ~**drin** au beau milieu, en plein milieu, juste au milieu; ~**durch** à travers, tout au travers (de)

Mitternacht minuit *m; um* ~ à minuit; **mitternächtig** de minuit; ~**smesse** messe *f* de minuit; ~**ssonne** soleil *m* de minuit

Mittler intermédiaire, médiateur; *s. als* ~ *anbieten* s'offrir en médiateur, offrir ses bons offices; ⌁ *adj* moyen, central, intermédiaire; (*mittelmäßig*) médiocre, passable; (*durchschnittlich*) moyen, ordinaire, normal; *math* moyen; ⌁*e Abweichung* écart moyen; *im* ⌁*en Alter* entre deux âges, d'un âge moyen; ⌁**er Dienst** fonctionnaires de la catégorie C; *von* ⌁*er Größe*

de taille moyenne; ⌁*e Qualität* qualité moyenne; ⌁**weile** entretemps, sur ces entrefaites

mittschiffs au milieu du navire

Mittwoch mercredi *m*

mit|unter quelquefois, parfois, de temps à autre; ⌁**unterzeichner** (*gleichberechtigt*) cosignataire; contresignataire; ~**verantwortlich** qui partage la responsabilité; responsable solidairement; ~**verantwortung** co-responsabilité *f;* ~**verdienen:** ~*verdienende Ehefrau* épouse travaillant comme son mari; ⌁**versicherung** coassurance; ⌁**welt** les contemporains *mpl;* ~**wirken** prendre part active, coopérer, concourir, collaborer (*an* à qch); ⌁**wirkende** ♪ exécutants *mpl;* 🎭 acteurs *mpl;* ⌁**wirkung** collaboration *f;* coopération *f,* concours *m; unter* ⌁*wirkung von* (🎭, ♪) avec le concours de, avec la participation de; ~**wissen:** *um etw.* ~*wissen* être au courant de qch, être dans la confidence; être complice; ⌁**wissen** *su* connaissance *f* (*de qch*); *ohne mein* ⌁*wissen* à mon insu; ~**wisser** confident; dépositaire (d'un secret); complice; ⌁**wisserschaft** complicité *f,* collusion *f;* ~**zählen** comprendre dans le compte; (*von Bedeutung sein*) compter

Mix|becher shaker *m;* ~**er** barman; (*Gerät*) batteur-mixeur *m*

Mixtur mixture *f,* mixtion *f*

Mob populace *f,* racaille *f*

Möbel meuble *m; pl* ameublement *m;* ~**fabrik** fabrique *f* de meubles; ~**händler** marchand de meubles; ~**spedition** entreprise *f* de déménagement (*od* de transport de meubles); ~**speicher** garde-meuble *m;* ~**tischler** ébéniste; ~**wagen** voiture *f* de déménagement

mobil actif, vif, vivant; ~ *machen* (*mil*) mobiliser; ⌁**iar** mobilier *m,* ameublement *m;* ⌁**iarkredit** crédit *m* mobilier; ⌁**ien** biens *mpl* meubles; ~**isieren** mobiliser; ⌁**machung** *mil* mobilisation *f*

möblier|en meubler; ~*tes Zimmer* chambre meublée (*od* garnie); ~*t wohnen* loger en meublé (*od* en garni); ⌁**ung** ameublement *m*

Modalität modalité *f*

Mode mode *f;* (*Brauch*) usage *m,* coutume *f; neueste* ~ la dernière mode, le dernier cri; *in* ~ en vogue; *nach d.* ~ à la mode, suivant (*od* selon) la mode; *d.* ~ *bestimmen* donner le ton, dicter (*od* lancer) la mode; *in* ~ *bringen* mettre à la mode; *aus d.* ~ *kommen* passer de mode; *d. ist nicht mehr* ~ ce n'est plus (à) la mode, c'est démodé; ~ *werden* devenir la mode; ~**artikel** nouveauté *f;* article *m* de modes (*od* de fantaisie); ~**erscheinung** engouement de la mode; ~**krankheit** maladie *f* à la mode; ~**narr** dandy, gandin, gommeux; ~**nschau** présentation *f* de collection; défilé *m* de mannequins; ~**salon** maison *f* de couture; (*Hut-*) magasin *m* de modes; ~**schöpfer** grand couturier; ~**schriftsteller** auteur en vogue; ~**schmuck** bijou *m* fantaisie, bijouterie *f* de fantaisie; ~**wort** mot *m* à la mode; *umg* mot chic; ~**zeichnung** dessin *m* de mode; modèle *m;* (*Entwurf*) croquis *m* (de modèle); ~**zeitung** journal *m* de modes

Modell *(Person)* modèle *m;* ✿ maquette *f;* *(Muster)* patron *m,* type *m;* ~ *stehen* poser; ~ *in verkleinertem Maßstab* modèle réduit; *nach* ~ *arbeiten* travailler sur un modèle; **~anlage** unité *f* pilote; **~bau** fabrication de maquettes; **~bauer** modeleur; ⊥ modéliste *m;* **~eisenbahn** chemin de fer réduit; **⊥ieren** modeler, former, faconner; **~ierung** modelé *m;* modelage *m;* **~rechnung** prévision *f* modèle, calcul-type *m;* **~schau** présentation *f* de modèles; **~schneider** modéliste; **~schreiner** modeleur; **~vertrag** contrat *m* type; **~zeichner** modéliste

modeln modeler; mouler; faconner

Moder pourriture *f;* **~geruch** odeur *f* de renfermé; **⊥ig** moisi, pourri, putride; **⊥n**[1] *vi* se putréfier, pourrir, moisir

modern[2] *adj* moderne; à la mode; **~isieren** moderniser, transformer, rénover; **⊥isierung** modernisation *f;* **⊥ität** modernité *f*

mod|ifizieren modifier, changer, évoluer; **⊥ifizierung** modification *f*

mod|isch à la mode; **⊥istin** modiste

Modul|ation modulation *f;* **~ieren** moduler

Mofa *n* cyclomoteur *m,* (Wz) mobylette *f*

Modus *ling* mode *m*

Mog|elei tricherie *f;* **⊥eln** tricher, frauder; **~elpackung** emballage *m* trompeur; **~ler** tricheur, *umg* filou *m,* fripon *m*

mögen 1. *(gern haben)* aimer, goûter, apprécier; *lieber* ~ préférer, aimer mieux; *er mag mich gern* il m'aime bien; **2.** *(wünschen)* vouloir, désirer, avoir envie de; *ich möchte haben* je voudrais (bien) avoir, il me plairait d'avoir; *er möchte wissen* il désirerait savoir; **3.** *(können)* pouvoir; avoir la permission de; être en état de; *er mag es tun* à lui de le faire; *was ich auch tun mag* quoi que je puisse faire, quoi que je fasse; **4.** *(möglich sein)* être possible, être probable; *das mag sein* peut-être; c'est possible; *es mochte 12 Uhr sein* il pouvait être midi

möglich possible; *(durchführbar)* faisable, praticable; *(wahrscheinl.)* probable, vraisemblable; *alles ~e* toutes sortes de choses; *es ist ihm nicht* ~, *zu*... il ne peut pas..., il lui est impossible de...; *(das ist ja) nicht* ~*!* (mais ce n'est) pas possible*!* (ça,) par exemple*!;* ~*st schnell* le plus vite possible, aussi vite que possible; ~*st wenig* le moins possible; *sein* ~*stes tun* faire tout son possible; **~erweise** peut-être; si (c'est) possible; il se peut que; **⊥keit** possibilité *f;* moyen *m;* éventualité *f; e-e* ~*keit ausschließen* exclure une hypothèse; *nach* ~*keit* autant que possible

Mohammedaner musulman

Mohn pavot *m; (Klatsch-)* coquelicot *m;* **~samen** graine *f* de pavot

Mohr Maure *(od* More*)*; nègre; *pej* moricaud *m;* **~enkopf** *(Gebäck)* tête-de-nègre *f;* **~enwäsche:** *d. ist e-e* ~*enwäsche* c'est vouloir prendre la lune avec les dents, c'est peine perdue

Möhre, Mohrrübe carotte *f*

Moir|é moiré *f;* **⊥ieren** moirer

mok|ant moqueur, railleur; **~ieren** *refl* se moquer *(über* de*)*; railler *(qn)*

Mokka moka *m;* **~tasse** tasse *f* à moka

Molch triton *m*

Mol *n* molécule-gramme *m,* mole *f*

Mole môle *m,* jetée *f,* digue *f;* **~nkopf** musoir *m*

Molek|ül molécule *f;* **⊥ular** moléculaire; **~ulargewicht** masse *f* moléculaire

Molke petit-lait *m;* **~rei** laiterie *f;* **~reiprodukte** produits laitiers

Moll ♪ *(mode)* mineur *m;* **~tonleiter** gamme mineure

mollig *(weich)* moelleux; *(rundlich)* potelé, grassouillet

Molluske mollusque *m*

Moloch *a. fig* moloch *m*

Moment[1] *m* moment *m,* instant *m;* ~ *mal!* minute*!; jeden* ~ d'un moment *(od* d'un instant*)* à l'autre; **⊥an** *adj* momentané; *adv* pour le moment, pour l'instant, momentanément; **~aufnahme** instantané *m*

Moment[2] *n* ✿ moment *m; (Merkmal)* trait distinctif, caractéristique *f; (Anlaß)* motif *m,* mobile *m; (Antrieb)* mouvement spontané, impulsion *f; (Ursache)* facteur *m*

Monarch monarque; **~ie** monarchie *f;* **⊥isch** monarchique; **~ist** monarchiste; **⊥istisch** monarchiste

Monat mois *m; am 10. des* ~*s* le 10 courant *(Abk* ct*); sie ist im 6.* ~ elle est dans son sixième mois; **⊥elang** durant des *(od* de longs*)* mois; *es hat* ⊥*elang gedauert bis*... cela dura des mois jusqu'à ce que..., il fallut de longs mois pour que...; **⊥lich** mensuel; *adv* par mois; au mois; **⊥liche Abzahlung** mensualité *f,* paiement *m* par mensualités; **~sabschluß** balance mensuelle *(od* intermédiaire*);* **~ausweis** relevé mensuel, relevé *m* de fin de mois; **~sbericht** situation *f* mensuelle; relevé de fin de mois; **~einkommen** revenu *m* mensuel; **~sfluß** règles *fpl,* menstrues *fpl;* **~sgehalt** traitement mensuel; **~skarte** carte mensuelle; **~srate** mensualité *f;* **~sschrift** revue mensuelle; **~stag** *(Datum)* quantième *m* du mois; **~swechsel** *(Studium)* chèque *m* mensuel

Mönch moine; religieux; ~ *werden* se faire moine, entrer dans les ordres, prendre le froc; **⊥isch** monastique, monacal; **~skutte** froc *m;* robe *f* de bure; **~stum** monachisme *m*

Mond lune *f; astr* satellite *m; (Monat)* mois *m* ◆ *nach dem* ~ *greifen* vouloir l'impossible; *nach dem* ~ *gehen umg (Uhr)* indiquer une heure tout à fait inexacte; *auf od hinter d.* ~ *sein* ne pas être de son époque; **~fähre** compartiment *m* lunaire; **~finsternis** éclipse *f* de lune; **~gebirge** montagnes *fpl* lunaires; **~gesicht** trogne *f;* **⊥hell** éclairé par la lune; **~hof** halo *m* (de la lune); **~kalb** § embryon dégénéré, môle *m; fig* idiot *m;* **~landschaft** paysage *m* lunaire; **~landung** alunissage *m;* **~licht** clair *m* de lune; **~phase** phase *f* de lune; **~preis** *com* prix *m* exorbitant; **~scheibe** disque *m* de la lune; **~schein** clair *m* de lune; **~sichel** croissant *m;* **~stein** pierre *f* de lune; **⊥süchtig** somnambule; **~umlauf** lunaison *f;* **~viertel** quartier *m* de la lune

Moneten *pop* fric *m,* oseille *f,* pognon *m*

monieren *(beanstanden)* réclamer (contre

qch); critiquer; *(mahnen)* rappeler, réclamer (qch)

Mono|gamie monogamie *f;* ~**gramm** monogramme *m;* ~**kel** monocle *m;* ~**log** monologue *m*

Monopol monopole *m;* ⌐**isieren** monopoliser; ~**preis** prix fixé par un monopole

Mono|theismus monothéisme *m;* ⌐**ton** monotone; ~**tonie** monotonie *f*

Monstranz ostensoir *m*

monstr|ös monstrueux; ⌐**um** monstre *m*

Monsun mousson *f*

Montag lundi *m; blauen ~ machen* fêter la Saint-Lundi

Mont|age *(a. Film)* montage *m;* ajustage *m,* assemblage *m;* ~**ageband** chaîne *f* de production; ~**agehalle** atelier *m* de montage; ~**ageteil** pièce *f* d'assemblage; ~**agezeichnung** plan *m* d'assemblage *(od* de montage); ~**eur** monteur; ⌐**ieren** monter, ajuster, assembler; ~**ur** *mil* équipement *m;* habillement *m*

Montan|industrie industrie minière; ~**union** Communauté Européenne du Charbon et de l'Acier *(Abk.* C.E.C.A.); pool *m* charbon-acier

Monument monument *m;* ⌐**al** monumental; ~**albau** construction monumentale; édifice monumental

Moor marais *m;* marécage *m;* ~**bad** bain *m* de boue; ~**boden** sol marécageux; ~**erde** sol semi-tourbeux; ⌐**ig** marécageux; ~**landschaft** région marécageuse

Moos mousse *f; pop* oseille *f,* pognon *m;* ~**beere** airelle *f;* ⌐**ig** moussu, couvert de mousse

Mop balai *m* à franges; ⌐**pen** nettoyer avec un balai à franges

Moped cyclomoteur *m,* vélomoteur *m;* ~**fahrer** vélomotoriste *m*

Mops carlin *m;* ~**en** *umg* chiper, chiparder; *refl umg* s'embêter; se raser, se barber *(pop);* ~**nase** nez épaté, nez camus

Moral *(Lehre)* morale *f,* éthique *f; (Sittlichkeit)* moralité *f;* bonnes mœurs; *(Haltung)* moral *m;* ⌐**isch** moral; ⌐**isieren** faire de la morale, moraliser; ~**ist** moraliste; ~**ität** moralité *f;* ~**prediger** moralisateur *m;* ~**predigt:** *j-m e-e* ~**predigt halten** faire un sermon à qn, prêcher la morale à qn

Moräne moraine *f*

Morast *a. fig* bourbe *f,* fange *f;* ⌐**ig** bourbeux, fangeux

Moratorium *com* moratoire *m,* sursis *m;* atermoiement *m;* concordat *m*

morbid morbide

Morchel morille *f*

Mord assassinat *m;* homicide *m* volontaire (avec préméditation *ou* guet-apens); *e-n ~ begehen* assassiner, commettre un meurtre; *es hat ~ u. Totschlag gegeben* il y eut des morts; ~**anschlag** attentat *m (auf j-n* à la vie de qn); ~**drohung** menaces *fpl* de mort; ⌐**en** assassiner; ~**fall** meurtre *m;* ⌐**gierig** sanguinaire; ~**kommission** brigade *f* des homicides; ~**sdurst:** *ich habe e-n* ~**sdurst** j'ai la pépie; ~**serfolg** succès *m* du tonnerre; ~**shunger** faim *f* de loup; ~**skerl** as,

type formidable; ⌐**smäßig** terrible, énorme, fou, formidable; ~**sspektakel** vacarme *m* de tous les diables, tapage *(od* boucan) infernal *(od* épouvantable); ~**versuch** tentative *f* d'assassinat; ~**waffe** arme *f* du crime

Mörder assassin *m;* meurtrier; ~**grube:** *aus s-m Herzen k-e* ~**grube machen** parler à cœur ouvert, avoir le cœur sur les lèvres; ~**in** meurtrière; ⌐**isch** meurtrier; *bes* ♐ homicide; *fig* terrible, épouvantable, affreux

Mores: ~ *lehren* morigéner, tancer, réprimander qn.

Morgen matin *m; (Zeitdauer)* matinée *f; poet* aube *f; (Himmelsgegend)* levant *m,* orient *m;* ↓ arpent *m; guten ~!* bonjour!; *heute* ⌐ ce matin; *am andern ~* le lendemain matin; *vom ~ bis z. Abend* du matin au soir; ⌐ *adv* demain; *ab* ⌐ dès demain; ⌐ *früh* demain matin; ⌐ *mittag* demain midi; ⌐ *abend* demain soir; ⌐ *in acht Tagen* demain en huit ♦ ⌐ *ist auch noch e. Tag* nous aurons le temps demain; à chaque jour suffit sa peine; ~**andacht** prière *f* du matin; ~**dämmerung** aube *f;* ⌐**dlich** matinal; ~**gabe** cadeau *m* de noces; ~**grauen:** *im* ~**grauen** au point du jour, au petit jour, à l'aube; ~**gruß** bonjour *m;* ~**gymnastik** culture *f* physique matinale; ~**land** Orient *m; d. Weisen aus d.* ~*land* les Rois mages; ⌐**ländisch** levantin, oriental; ~**luft** air matinal *(od* matutinal, du matin); ~*luft wittern* flairer la bonne occasion, flairer le bon vent; ~**rock** saut-de-lit *m,* robe *f* de chambre, peignoir *m,* déshabillé *m;* ~**röte** aurore *f;* ⌐**s** le matin; ~**sonne** soleil levant; ~**stern** étoile *f* du matin; *(Waffe)* masse *f* d'armes; ~**stunde** heure matinale ♦ ~*stund' hat Gold im Mund* le monde est à ceux qui se lèvent tôt; ~**tau** rosée (matinale)

morgig: *d.* ~*e Tag* la journée de demain

Morphi|nist morphinomane; ~**um** morphine *f;* ~**umspritze** injection *f* de morphine; ⌐**umsüchtig** morphinomane; ~**umvergiftung** morphinisme *m*

morsch pourri, vermoulu

Morse|alphabet (alphabet *m)* morse *m;* ⌐**n** envoyer un message en morse; ~**taste** manipulateur *m* (de morse); ~**zeichen** signal *m* morse

Mörser *(Gefäß)* mortier *m; (Waffe)* mortier *m* (de tranchée), crapouillot *m;* ⌐**n** piler; ~**keule** pilon *m*

Mörtel mortier *m; mit ~ bewerfen* crépir; ~**bewurf** crépi *m;* ~**mischer** malaxeur *m* à mortier, barboteuse; ⌐**n** lier avec du mortier

Mosaik mosaïque *f;* ~**fußboden** pavement *m* de mosaïque(s); ~**steinchen** carrelet *m* pour mosaïque

Moschee mosquée *f*

Moschus musc *m;* ~**tier** porte-musc *m,* chevrotin musqué; ⌐**duftend** musqué

Moskau Moscou *m;* ~**er** Moscovite

Moskito moustique *m;* ~**netz** moustiquaire *f*

Moslem Musulman

Most moût *m; (Apfel-)* cidre *m;* ~**rich** moutarde *f*

Motel motel *m*

Motette ♪ motet *m*
Motiv motif *m;* ~**ation** motivation *f;* ⁻**ieren** motiver
Motor moteur *m; mit laufendem* ~ moteur en marche; *mit abgestelltem* ~ moteur arrêté; ~**block** bloc *m* moteur; ~**boot** canot *m* à moteur; ~**bremse** frein-moteur *m;* ~**defekt** panne *f* de moteur; ~**endrehzahl** nombre *m* de tours (du moteur); ~**enhersteller** motoriste *m;* ~**gerüst** bâti-moteur *m;* ~**gondel** ✝ fuseau-moteur *m;* ~**haube** capot *m;* ⁻**isieren** motoriser; ⁻**isierung** motorisation *f;* ~**jacht** yacht *m* à moteur; ~**leistung** puissance *f* du moteur; ~**pflug** ↓ charrue *f* à moteur; ~**pumpe** pompe *f* à moteur; ~**rad** motocyclette *f;* ~**radfahrer** motocycliste; ~**radsport** motocyclisme *m;* ~**roller** scooter *m;* ~**schaden** avarie *f* de moteur; ~**schiff** bateau *m* à moteur; ~**schild** plaque *f* de moteur; ~**schlepper** tracteur *m;* ~**schlitten** traîneau *m* à moteur; ~**wagen** (voiture) motrice *f;* ~**welle** arbre *m* moteur; ~**zähler** compteur *m;* ~**zylinder** cylindre *m* moteur
Motte teigne *f,* mite *f; von* ~*n zerfressen* mité; ~**nfraß** mangeure *f* de mites; ~**nloch** trou *m* de mites; ~**npulver** poudre *f* insecticide; ~**nsack** housse *f* antimite; ~**nschutzmittel** (produit *m*) antimite *m*
Motto devise *f*
moussieren mousser
Möwe mouette *f*
Mucke caprice *m,* lubie *f*
Mücke moustique *m,* moucheron *m* ♦ *aus jeder* ~ *e-n Elefanten machen* faire une montagne de tout; ~**nschutz** moustiquaire *f;* ~**nstich** piqûre *f* de moustique
Muckefuck succédané *m* de café; jus *m*
muck|en rechigner, grogner; maugréer, rouspéter; ⁻**er** poltron *m; umg* froussard *m,* dégonflé; ⁻**ertum** fait *m* d'être peureux et hypocrite; ⁻**s:** *k-n* ⁻*s sagen* ne pas souffler mot; ~**sen** bouger; *s. nicht* ~*sen* se tenir coi, ne pas piper; ne pas broncher
müd|e las, fatigué; fourbu, éreinté, harassé; ~*e werden* se fatiguer, se lasser; ⁻**igkeit** fatigue *f,* lassitude *f* ♦ *nur keine* ⁻*igkeit vorschützen!* Allons! assez de faux-fuyants! assez de réticences!
Muff manchon *m; (Schimmel)* moisissure *f; (Geruch)* odeur *f* de moisi; ~**e** ✿ manchon *m;* ~**el 1.** *f* ✿ moufle *m;* **2.** *m zool* mufle *m;* ~**elofen** four *m* à moufle; ~**enverbindung** emboîtement *m,* raccord *m* vissé; ⁻**ig** moisi; ⁻**iger Geruch** relent *m* (*od* odeur *f*) de moisi
Müh|e peine *f; (Anstrengung)* effort *m,* mal *m; (Verdruß)* ennui *m;* tracas *m* (umg); *mit* ~*e* péniblement, avec peine; *mit geringer* ~*e* sans beaucoup d'effort; *mit* ~*e u. Not* à grand-peine; *k-e* ~*e scheuen* ne pas épargner sa peine; *s. alle* ~*e geben* s'évertuer (à), se donner toutes les peines du monde (pour); *geben Sie s. k-e weitere* ~*e* n'insistez pas!; *ich habe* ~*e, zu*... j'ai du mal à...; *das ist nicht d.* ~*e wert* cela n'en vaut (*od* n'est) pas la peine; ~**elos** *adv* facilement, sans peine; *(spielend)* haut la main *(inv);* ⁻**evoll**

pénible, difficulteux, laborieux; ~**ewaltung** efforts *mpl,* peines *fpl;* ~**sal** peines *fpl; (Sorgen)* soucis *mpl; (Arbeit)* labeur *m* rude, travail *m* pénible; ~**sam** pénible, difficile; harassant; ⁻**selig** laborieux, pénible
muhen beugler, meugler, mugir
Mühl|e moulin *m; (Spiel)* marelle *f;* ✿ broyeur *m; (altes Auto)* tacot *m* ♦ *d. ist Wasser auf s-e* ~*e* cela fait bien son affaire; ~**enbetrieb** minoterie *f;* ~**enindustrie** meunerie *f;* ~**enflügel** aile *f* de moulin (à vent); ~**gerinne** chenal *m,* bief *m;* ~**rad** roue *f* de moulin; ~**stein** meule *f*
Muhme tante
Mulatt|e mulâtre; ~**in** mulâtresse
Mulde *geol* cuvette *f,* dépression *f;* creux *m;* ✿ benne *f,* auge *f;* ~**nkipper** camion-benne
Mull mousseline *f;* ~**binde** (rouleau *m* de) gaze *f*
Müll ordures *fpl;* ~**abfuhr** enlèvement *m* des ordures ménagères; ~**aufbereitungsanlage** usine *f* de traitement des ordures; ~**deponie** décharge *f;* ~**eimer** poubelle *f;* ~**grube** fosse *f* à ordures; ~**halde** décharge *f* à ordures; ~**haufen** tas *m* d'ordures; ~**kasten** boîte *f* à ordures, poubelle *f;* ~**mann** éboueur *m;* ~**schlucker** vide-ordures *m;* ~**tonne** poubelle *f;* ~**verbrennung** incinération *f* des ordures; ~**wagen** benne *f* à ordures (ménagères)
Müller meunier, minotier; ~**ei** meunerie *f,* minoterie *f;* ~**in** meunière
mulmig pulvérulent, vermoulu; *es wird* ~ (umg) ça va barder
Mult|i *m* (société) multinationale; ⁻**ilateral** multilatéral; ~**millionär** multimillionnaire, archimillionnaire
Multi|plikation multiplication *f;* ~**plikator** multiplicateur *m;* ⁻**plizieren** multiplier
Mumi|e momie *f;* ⁻**fizieren** momifier; ~**fizierung** momification *f*
Mumm courage *m,* cœur *m;* cran *m* (umg); *er hat k-n* ~ *in d. Knochen* il n'a pas de sang dans les veines, il n'a rien dans le ventre; ~**elgreis** vieillard momifié; gaga
Mummenschanz mascarade *f*
Mumpitz bêtise *f,* ineptie *f;* farce *f*
Mumps ₴ oreillons *mpl*
Mund bouche *f;* ~ *u. Nase aufsperren* demeurer bouche bée; *d.* ~ *halten* tenir sa langue, garder la bouche cousue; *reinen* ~ *halten* garder un secret; *d.* ~ *vollnehmen* parler avec jactance; *von d. Hand in d.* ~ *leben* vivre au jour le jour; *nicht auf d.* ~ *gefallen sein* ne pas avoir la langue dans sa poche, avoir la langue bien pendue; *kein Blatt vor d.* ~ *nehmen* parler sans détours (*od* sans ambages), dire crûment les choses; *über d.* ~ *fahren* couper la parole à qn (par une impertinence); *j-m nach d.* ~ *reden* parler dans le sens de qn; *j-m d.* ~ *wässerig machen* faire venir l'eau à la bouche de qn; ~**art** patois *m,* idiome *m,* dialecte *m;* ⁻**artlich** patoisant, idiomatique, dialectal; ⁻**en:** *das* ⁻*et* cela a bon goût; ⁻**faul** avare de paroles, peu loquace; ⁻**fäule** stomatite *f,* aphte *m;* ~**geruch** haleine forte; ~**harmonika** harmonica *m;* ~**raub** vol *m* de nourriture; mauraudage *m;* ~**schenk**

échanson; **~stück** *(Instrument)* embouchoir *m*, embouchure *f*, bec *m*; *(Zigarette)* bout *m*; ⚙ embout *m*; *(Meßzylinder)* nez *m*; ⌐**tot:** ⌐*tot machen* réduire au silence, museler, bâillonner; **~voll** bouchée *f*; **~vorrat** vivres *mpl*, provisions *fpl* de bouche; **~wasser** gargarisme *m*; **~werk:** *ein gutes ~werk haben* avoir la langue bien pendue; **~winkel** commissure *f* des lèvres

Münd|el pupille *m, f*, personne *f* sous tutelle; **~elgelder** deniers *mpl* pupillaires; ⌐**elsicher** sûr; ⌐*elsichere Wertpapiere* valeurs de père de famille *(od* de tout repos); ⌐**en** *(Fluß)* se jeter *(in* dans); *(Straße)* déboucher; *(Abwasserkanal)* dégorger; ⌐**ig** majeur; ⌐*ig sein* être majeur; ⌐*ig werden* atteindre la majorité; *für* ⌐*ig erklären* émanciper; **~igerklärung** émancipation *f*; **~igkeit** majorité *f*; ⌐**lich** oral, verbal; de vive voix; ⌐*liche Prüfung* (examen) oral *m*; **~ung** *(Fluß)* embouchure *f*; *(Delta)* bouches *fpl*; *(an Instrumenten)* orifice *m*; *(Gewehr)* bouche *f*

Munition munitions *fpl*; **~sbehälter** boîte *f* à cartouches; **~sfabrik** cartoucherie *f*; **~slager** dépôt *m* de munitions; **~snachschub** ravitaillement *m* en munitions; **~swagen** caisson *m*, voiture *f* à munitions

munkeln chuchoter, murmurer

Münster cathédrale *f*, dôme *m*

munter *(flink)* alerte, éveillé, vif; *(fröhlich)* allègre, enjoué; *gesund u. ~* frais et dispos; *~ werden* s'éveiller; ⌐**keit** vivacité *f*, entrain *m*

Münz|e *(Prägung)* monnaie *f*; *(Anstalt)* hôtel *m* des monnaies; *(Gedenk-)* médaille *f*; *~en prägen* frapper de la monnaie; *mit klingender ~e* en espèces sonnantes et trébuchantes; *j-m mit gleicher ~e heimzahlen* rendre à qn la monnaie de sa pièce; *etw. für bare ~e nehmen* prendre qch pour argent comptant; **~einheit** unité *f* monétaire; ⌐**en** battre monnaie, monnayer; *das ist auf ihn gemünzt* c'est une pierre dans son jardin; **~fälscher** faux-monnayeur; **~fälschung** contrefaction *f* de la monnaie; faux-monnayage *m*; **~fernsprecher** taxiphone *m*; **~fuß** titre *m* des monnaies; **~gehalt** titre *m*; **~geld** monnaie *f* métallique, numéraire *m*, espèces *fpl*; **~kunde** numismatique *f*; **~recht** droit *m* de frapper monnaie; **~stempel** coin *m*, poinçon *m*; **~system** système *m* monétaire; **~verbrechen** crime *m* de faux-monnayage

mürbe *(gekocht)* bien cuit; *(Fleisch)* tendre; *(brüchig)* friable, cassant, fragile; *(reif)* mûr; *j-n ~ machen* mater qn, faire plier qn, briser la résistance de qn; *~ werden* fléchir; ⌐**kuchen** gâteau(x) sec(s); ⌐**teig** pâte brisée

murksen *umg* bâcler, bousiller (qch)

Murmel bille *f*; *~ spielen* jouer aux billes; ⌐**n** marmotter; *in s-n Bart* ⌐**n** marmonner entre ses dents; **~n** *su* murmure *m*; **~tier** marmotte *f*; *wie e.* **~tier schlafen** dormir comme un loir

murren grogner, rechigner, maugréer, murmurer; ⌐ *su* murmures *mpl*, grognements *mpl*; *ohne* ⌐ sans grogner *(od* rechigner*)*

mürrisch de mauvaise humeur, bourru, grognon; grincheux; *(Gesicht)* renfrogné; *(Blick)* hargneux

Mus marmelade *f*; purée *f*; *j-n zu ~ schlagen pop* casser la gueule à qn

Muschel moule *f*, coquillage *m*; *(leere)* coquille *f*; *(Ohr-)* pavillon *m*; *(Hör-)* récepteur *m*; *(Vagina) pop!* con *m*, baba *m*, bénitier *m*; **~bank** banc de moules; *(Zucht)* moulière *f*; **~kalk** calcaire conchylien

Muse muse; **~nsohn** enfant des Muses; **~um** musée *m*

Musik musique *f*; *(Kapelle)* orchestre *m*; **~alienhandlung** magasin *m* de musique; ⌐**alisch** *(Sachen)* musical; *(Person)* musicien; ⌐*alisch sein* être musicien, aimer la musique; ⌐**alität** sens *m* de la musique; *(Stück)* effet musical, qualité musicale; **~ant** musicien; **~antenknochen** *umg* petit juif; **~automat** boîte *f* à musique; ⌐**er** musicien; **~fest** fête musicale; festival *m*; **~freund** mélomane; **~hochschule** conservatoire *m*; **~instrument** instrument *m* de musique; **~kapelle** orchestre *m*; **~korps** *mil* musique *f*; **~lehre** (théorie *f* de la) musique *f*; **~lehrer** professeur de musique; **~pavillon** kiosque *m* à musique; **~stück** morceau *m* de musique; **~truhe** meuble *m* (de) radio; **~verein** orphéon *m*; société *f* philharmonique; **~verleger** éditeur de musique

musizieren faire de la musique

Muskat muscade *f*; **~ellerbirne** muscadelle *f*, poire musquée; **~ellertraube** muscat *m*; **~ellerwein** (vin *m*) muscat *m*; **~nuß** (noix *f*) muscade *f*

Muskel muscle *m*; **~arbeit** travail *m* de musculation; **~band** ligament *m* (musculaire); **~faser** fibre *f* musculaire; **~fleisch** muscle *m*; **~geschwulst** myome *m*; **~kater** courbatures *fpl*; **~kraft** force *f* musculaire; **~krampf** crampe *f*; **~paket** *umg* armoire *f* à glace; **~quetschung** écrasement *m* musculaire; **~riß** déchirure *f* musculaire; **~schmerz** douleur *f* musculaire; **~schwund** atrophie *f* musculaire; myopathie *f*; **~zerrung** entorse *f*, foulure *f*; élongation *f*, claquage *m*

Muskete mousquet *m*; **~ier** mousquetaire

Muskul|atur musculature *f*; ⌐**ös** musculeux, musclé

Muße loisir *m*; *mit ~* en toute tranquillité, à loisir; **~stunde** (heure *f* de) loisir *m*; *in s-n ~stunden* en ses heures de loisir

Musselin mousseline *f*

müssen falloir; devoir, avoir à (faire qch); être obligé *(od* contraint, forcé) de; *ich muß* je dois; je suis obligé *(od* forcé, contraint) de; il faut que je (+ *subj); ich muß lachen, wenn…* je ne puis m'empêcher de rire quand…; *sie muß es nicht tun* elle n'est pas obligée *(od* elle n'a pas besoin) de le faire; *es müßte s. gerade so fügen, daß…* le hasard voulut que…; *er muß fort sein* il doit être parti, il est probablement parti; *er müßte denn ausgegangen sein* à moins qu'il ne soit parti

müßig oisif, désœuvré; *(nutzlos)* oiseux, inutile; ⌐**gang** oisiveté *f*, désœuvrement *m* ♦ ⌐*gang ist aller Laster Anfang* l'oisiveté est mère de tous les vices; ⌐**gänger** oisif, désœuvré

Muster modèle *m*, type *m*; *(Zeichnung)* dessin *m*; *(Schnitt-)* patron *m*; *com* spécimen *m*, échantillon *m; gewerbliches* ~ *dessin m* industriel; *zum* ~ *nehmen* prendre pour modèle; ~ *ohne Wert* échantillon sans valeur; **~betrieb** entreprise *f* pilote; **~brief** lettre *f* type; **~entwerfer** dessinateur de modèles; **~exemplar** *com* exemplaire type, modèle *m;* **~gatte** mari modèle; **⌐gültig,** **⌐haft** exemplaire; **~gut** ferme *f* modèle; **~karte** carte *f* d'échantillons; **~klammer** attache *f;* **~knabe** enfant modèle; **~koffer** marmotte *f;* **⌐kollektion** échantillonnage *m;* **~messe** foire *f* d'échantillons; **⌐n** inspecter, examiner; *mil* faire passer le conseil de revision; *(Stoff)* appliquer des dessins; *j-n von oben bis unten* **⌐n** toiser qn du haut en bas; **~prozeß** procès *m* faisant jurisprudence; **~schule** école *f* modèle; **~schüler** élève modèle; **~schutz** protection *f* des marques de fabrique et modèles industriels; **~schutzgesetz** loi *f* sur la protection des marques de fabrique et modèles industriels; **~ung** examen *m;* sélection *f,* orientation *f; mil* inspection *f,* revue *f;* révision *f;* **~ungsausschuß** conseil *m* de révision; **~zeichner** dessinateur de modèles; **~zulassung** homologation

Mut courage *m,* cœur *m;* cran *m (umg);* *(Tapferkeit)* bravoure *f,* vaillance *f; (Unerschrokkenheit)* intrépidité *f,* hardiesse *f; (Stimmung)* humeur *f;* ~ *einflößen, machen* encourager *(j-m* qn); donner *(od* inspirer) du courage (à qn); ~ *fassen* prendre courage; s'enhardir; *d.* ~ *sinken lassen, verlieren* perdre courage, se démoraliser, se démoraliser; *guten* **⌐es** plein d'optimisme; *frohen* **⌐es** gai, de bonne humeur, d'un cœur joyeux; **⌐ig** courageux; **⌐los** découragé, sans courage; **⌐los machen** décourager, démoraliser; **~losigkeit** découragement *m;* **⌐maßen** conjecturer, présumer, augurer; **⌐maßlich** présomptif, probable; *adv* selon toute vraisemblance; **~maßung** présomption *f,* conjecture *f,* supposition *f,* hypothèse *f;* **~wille** malice *f,* espièglerie *f,* pétulance *f;* **⌐willig** pétulant, espiègle, sémillant; *adv* malicieusement, par malice, de gaieté de cœur, de propos délibéré

Mut|ation *biol* mutation *f; (Stimme)* mue *f;* **⌐ieren** muer

Mütchen: *an j-m sein* ~ *kühlen* passer sa colère sur qn

Mutter mère *f; ledige* ~ mère *f* célibataire, fille-mère *f;* ✿ écrou *m;* **~boden** terre végétale *(bzw.* fertile, arable); terreau *m;* **~brust** sein *m* maternel; **~gesellschaft** société *f* mère; **~korn** blé ergoté; **~kuchen** placenta *m;* **~land** métropole *f;* mère patrie *f;* **~lauge** eau-mère *f;* **~leib** sein *m; vom* **~leibe** *an* dès la naissance; **~liebe** amour maternel; **~mal** nævus *m,* envie *f,* tache *f* de vin; **~mord** matricide *m;* **~recht** matriarcat *m;* **~schaf** brebis *f;* **~schaft** maternité *f;* **~schaftsurlaub** congé *m* de maternité; **~schoß** sein *m* (maternel); **~schraube** vis *f* à écrou; **~schutz** protection *f* des mères; **~schwein** truie *f;* **⌐seelenallein** absolument seul; comme une âme en peine; **~söhnchen** enfant gâté; **~sprache** langue maternelle; **~stelle:** *an j-m* **~stelle** *vertreten* tenir lieu de mère à qn;

~tag fête *f* des mères; **~tier** mère *f,* femelle *f;* **~witz** bon sens

Mütter|beratungsstelle service *m* de consultations prénatales; **~chen** mémère; petite mère; **~heim** foyer *m* de convalescence postnatale; foyer de mères célibataires; **⌐lich** maternel; **⌐licherseits** utérin; **~~ und Säuglingsheim** maternité *f*

Mutung *(Bergbau)* demande *f* de concession

Mütze bonnet *m; (Schirm-)* casquette *f;* **~nschirm** visière *f*

Myko|logie mycologie *f;* **~se** mycose *f*

Myo|karditis inflammation *f* du myocarde; **~myome** *m,* tumeur *f* musculaire bénigne; **~pathie** affection *f* musculaire; **~pie** myopie *f*

Myrrhe myrrhe *f*

Myrte myrte *m;* **~nkranz** couronne *f* de myrtes; *(Braut)* couronne *f* de fleurs d'oranger

myst|eriös mystérieux; **⌐erium** mystère *m;* **~ifizieren** mystifier; **⌐ik** mysticisme *m;* mystique *f;* **⌐iker** mystique; **~isch** mystique

Myth|e mythe *m;* **⌐isch** mythique; **~ologie** mythologie *f;* **⌐ologisch** mythologique; **~os** mythe *m*

N

na! alors!; ~ *also!* voyons!; eh bien, tu vois! *(od* vous voyez!); **~nu!** eh bien!; ho, ho!; ha!; ~ *so was!* ça par exemple!; ça alors!; ~ *und?* alors?; ~ *wenn schon!* eh bien, soit!; tant pis!; ~ *warte!* attends!; tu vas voir!

Nabe moyeu *m*

Nabel nombril *m;* ombilic *m;* **~bruch** hernie ombilicale; **~schnur, ~strang** cordon ombilical

nach 1. *(Richtung)* à, en; à destination de, vers; ~ *Paris* à *(od* vers) Paris; ~ *Frankreich* en France; ~ *Portugal* au *(od* vers le) Portugal; *e. Zug* ~ *Paris* un train à destination de Paris; *d. Export* ~ *Frankreich* les exportations vers la France; 2. *(Zeit, Reihenfolge)* après; *er kam* ~ *mir* il est venu après moi; *Viertel* ~ 8 *Uhr* huit heures et *(od* un) quart; ~ *Empfang d. Briefes* au reçu *(od* à réception) de cette lettre; ~ *wie vor* après comme avant, comme d'habitude *(od* auparavant); *e-r* ~ *d. anderen* l'un après l'autre, un à un; ~ *u.* ~ peu à peu, petit à petit, au fur et à mesure; 3. *(gemäß)* suivant, conformément à, selon, d'après; ~ *m-r Meinung* à mon avis, d'après *(od* selon) moi; ~ *seinen Worten* d'après *(od* selon) lui; ~ *dem, was d. Leute sagen* aux dires des gens; ~ *d. Mode* à *(od* selon) la mode; ~ *franz. Art* à la (manière) française; ~ *Maß* sur mesure; ~ *d. Schein urteilen* juger sur les apparences; *d. Namen* ~ *kennen* connaître de nom; ~ *m-r Uhr* à ma montre; ~ *etw. schmecken* avoir un goût de qch

nachäffen singer; contrefaire

nachahm|en imiter, mimer; contrefaire, falsifier; copier, pasticher; **~end** imitateur; imitatif; **~enswert** digne d'être imité; **⌐er** imitateur; contrefacteur *m;* **~ung** imitation *f; lit* pastiche *m; (Fälschung)* contrefaçon *f; (Münze)* contrefaction *f;* **⌐ungstrieb** instinct imitateur

Nacharbeit retouche f, ajustage m; rattrapage des pièces défectueuses
Nachbar voisin; ~haus maison voisine; ⌐lich de (bon) voisin; gut ⌐liche Beziehungen rapports (od relations) de bon voisinage; ~schaft voisinage m; voisins mpl; in Ihrer ~schaft (örtl.) à proximité de chez vous
Nachbau reproduction; ~recht droit m de reproduction
nachbesser|n retoucher; ⌐ung réfection f
nachbestell|en commander en supplément (od complément); ⌐ung commande f supplémentaire (od complémentaire)
nach|beten fig se faire l'écho (j-m de qn); répéter servilement (etw. qch); ~bezahlen verser un supplément; ~bilden copier, reproduire, imiter; ⌐bildung copie f, reproduction f, imitation f; math simulation f; ~bleiben rester (en arrière); ~blicken suivre qn (od qch) du regard; ~brenner dispositif m de post-combustion; ~datieren postdater
nachdem après que; après (avoir..., être...); je ~ selon les circonstances, selon le cas; umg c'est selon; je ~, ob... selon que...; cela dépend de...
nach|denken réfléchir (über à, sur), méditer (sur); ⌐denken su méditation f; ~denklich méditatif, pensif; ~dichtung adaptation f; version f; ~drängen talonner (j-m qn)
Nachdruck 1. énergie f, fermeté f, insistance f; (Rede) force f; etw. mit ~ betreiben activer qch; ~ legen auf etw. insister (od mettre l'accent) sur qch; **2.** 📖 reproduction f, réimpression f; ~ verboten 📖 reproduction interdite; (unerlaubt) contrefaire; ~srecht copyright m, droit m de reproduction; ~svoll, **nachdrücklich** énergique, ferme, insistant; nachdrücklich um etw. bitten demander qch avec insistance (od avec fermeté)
nach|dunkeln s'assombrir, (se) foncer; ⌐eiferer émule; ~eifern être l'émule (j-m de qn); ⌐eiferung émulation f; ~eilen courir après (qn); ⌐eilung décalage f en arrière; ~einander l'un après l'autre, successivement; à tour de rôle; ~empfinden compatir (etw. à qch)
Nachen barque f, esquif m, nacelle f
Nach|ernte seconde récolte; ⌐erzählen rendre (un récit); ~erzählung narration f; ~fahre descendant; ⌐fahren suivre (qn); ~feier lendemain m de la fête
Nachfolge succession f; ~ Christi Imitation f de Jésus-Christ; ⌐n succéder; ~kandidat pol suppléant m; ⌐nd consécutif, suivant; im ⌐nden par la suite, plus loin; ~r successeur; pol dauphin m
Nach|forderung demande f supplémentaire; ⌐forschen engager des recherches (e-r Sache sur qch); ~forschung recherche f, enquête f; ~forschungen anstellen enquêter, engager des recherches (sur qch); ~frage demande f d'informations (od de renseignements); com demande f; d. Gesetz von Angebot u. ~frage la loi (od le jeu) de l'offre et de la demande;

~fragebelebung reprise f de la demande; ~fragedämpfung tassement m; ⌐fragen se renseigner (au sujet de qch); prendre des nouvelles (de qn); ~frager demandeur m; acheteur; ~frist délai m moratoire, délai de grâce; ⌐fühlen compatir (à qch); j-m etw. ⌐fühlen se mettre à la place de qn; ⌐füllen remplir, recharger; ~füllung remplissage m, recharge f; ⌐geben céder, lâcher prise (od pied); ✿ fléchir, relâcher; (Kurse) baisser, fléchir; j-m nichts ⌐geben ne le céder en rien à qn; ⌐geboren posthume; (jünger) puiné; ~gebühr surtaxe f; ~geburt 💲 délivre m, arrière-faix m; ⌐gehen (e-r Sache) s'occuper (de qch); j-m (Uhr) retarder; (Beschäftigung) vaquer (à qch); ~gemacht imité; contrefait; lit pastiché; ⌐geordnet inférieur; subalterne; subsidiaire; ~gerade peu à peu, avec le temps; ~geschmack arrière-goût m; ⌐giebig (friedfertig) conciliant, accommodant; ✿ souple, flexible; ~giebigkeit esprit conciliant, caractère accommodant; ✿ souplesse f, flexibilité f; ~grübeln méditer; se creuser la cervelle (au sujet de qch); ~hall écho m; réverbération f an etw.; ⌐hallen résonner, retentir; ~haltig (dauerhaft) persistant, durable; (wirksam) efficace; (bleibend) constant; ~haltigkeit persistance f, durée f; efficacité f; constance f; ⌐hängen; s-n Gedanken ⌐hängen se livrer à ses pensées; ⌐heizen recharger le poêle (od le four); ⌐helfen assister (j-m qn); tendre la perche (à qn); ⌐her après, plus tard, après coup; bis ⌐her! à tout à l'heure!; ⌐herig ultérieur, postérieur; ~hilfe assistance f; ~hilfestunde leçon privée, répétition f; ⌐hinken traîner, suivre difficilement (od avec peine); ~holbedarf besoins mpl de rattrapage; besoins de reconstitution du stocks; ⌐holen récupérer, regagner, rattraper; ~hut arrière-garde f; ⌐jagen poursuivre, courir après (qn, qch); ~klang écho m, résonance f, retentissement m; fig réminiscence f; ⌐klingen retentir, résonner; ~klingen su retentissement m; écho m; ~komme descendant; ⌐kommen (folgen, a. fig) suivre (qn); (einholen) rejoindre (qn); (Schritt halten) se maintenir au niveau (de qn); (Verpflichtungen) faire face à, satisfaire à qch); ~kommenschaft descendance f, progéniture f, postérité f; ~kömmling descendant; ~korrektur 📖 revision f; ~kriegs... d'après-guerre; ~kriegsgeneration génération f d'après guerre; ~kriegszeit après-guerre m; ~kur traitement ultérieur
Nachlaß com remise f; réduction f, abattement m; (Steuern) dégrèvement m, exonération f; (Erbschaft) héritage m, succession f; 🐟 legs m; lit œuvres fpl posthumes; ~verwaltung administration f de la succession; ~verzeichnis inventaire m de la succession
nachlassen 1. vt (lockern) détendre, relâcher; (ermäßigen) diminuer, réduire, rabattre; (hinterlassen) léguer, laisser; **2.** vi (erlahmen) se relâcher, céder, fléchir, se détendre; s'adoucir; diminuer, s'amoindrir; ⌐ su relâchement m, détente f; diminution f, baisse f, déclin m, fléchissement m; adoucissement m

nachlässig négligent; ⌐**keit** négligence *f;* laisser-aller *m,* nonchalance *f*
Nachlauf 🏠 chasse *f;* ✝ sillage *m;* ~**regler** servomécanisme *m*
nach|laufen courir après, poursuivre; ~**leben** prendre pour modèle; *(über-)* survivre; ~**legen** remettre (du charbon); ⌐**lese** *(Trauben)* grappillage *m; (Getreide)* glanage *m;* ~**lesen** grappiller; glaner; *(prüfen)* vérifier; ⌐**leuchtdauer** temps *m* de persistance; rémanance *f;* ~**liefern** livrer plus tard; compléter une livraison; ⌐**lieferung** livraison ultérieure *(od* complémentaire); ~**lösen** payer un supplément; ⌐**löseschalter** guichet *m* des suppléments; ~**machen** *(nachahmen)* imiter, copier, contrefaire; *(nachholen)* faire qch plus tard; *das soll mir e-r* ~**machen!** que quelqu'un en fasse autant!; ~**malig** ultérieur, postérieur; ~**mals** plus tard, par la suite; ~**mann** *com* endosseur *m* subséquent; ⌐**mittag** après-midi *m;* tantôt *m (umg); heute* ~*mittag* cet après-midi; ~**mittags** (dans) l'après-midi; ⌐**mittagskleid** robe *f* d'après-midi; ⌐**mittagsvorstellung** matinée *f;* ⌐**nahme(sendung)** envoi *m* contre remboursement; ⌐**name** nom *m* de famille, nom *m* patronymique; ~**plappern** répéter (qch) comme un perroquet; ⌐**porto** surtaxe *f;* ⌐**prüfbar** vérifiable, contrôlable; ~**prüfen** vérifier; contrôler; ⌐**prüfung** contrôle *m,* vérification *f,* révision *f;* ~**rechnen** vérifier, contrôler (un compte); ⌐**rede** *lit* épilogue *m; üble* ⌐*rede* diffamation *f;* propos *m(pl)* malveillant(s); ~**reden** *(wiederholen)* répéter; *j-m etw. Schlechtes* ~*reden* médire de qn, dénigrer qn
Nachricht nouvelle *f; (Auskunft)* information *f,* renseignement *m;* ⌐**en** *(Geschütz)* rectifier le pointage; ~**enagentur** agence *f* d'information(s); ~**enblatt** bulletin *m* d'information(s); ~**enbüro** bureau *m* d'information(s); ~**endienst** service *m* d'information(s); *mil* service *m* de renseignements; ~**ennetz** réseau *m* de renseignements; ~**enquelle** source *f* d'information; ~**ensendung** 📻 journal parlé, actualités *fpl* (radiodiffusées); ~**ensprecher** speaker; ~**entruppe** transmissions *fpl;* ~**enübermittlung** transmission *f* des nouvelles; ~**enübertragung** télécommunication *f;* ~**enverbreitung** diffusion *f* des nouvelles; ~**enwesen** les techniques d'information; renseignements *mpl; mil* transmissions *fpl;* ⌐**lich** à titre de renseignement, pour information
nach|rücken avancer (à la suite de qn); poursuivre (qn); ⌐**ruf** *(Zeitung)* article *m* nécrologique, nécrologie *f; (Rede)* éloge *m* funèbre; ⌐**ruhm** gloire *f* posthume; ~**rühmen** *(j-m etw.)* dire qch à l'éloge de qn; ~**rüsten** (armement de) rattrapage; ~**sagen** *(wiederholen)* répéter; *(vorwerfen)* reprocher *(j-m etw.* qch à qn), dire qch sur le compte de qn; ⌐**saison** arrière-saison *f;* ⌐**satz** *(Brief)* post-scriptum *m;* ~**schauen** suivre (qn, qch) du regard; ~**schicken** faire suivre; ~**schlagen** *vi* tenir *(j-m* de qn); *vt (Zitat)* rechercher; *(Buch)* consulter, compulser; ⌐**schlagewerk** ouvrage *m* de référence; ~**schleppen** traîner (après soi); ⌐**schlüssel** fausse clef;

passe-partout *m;* ~**schreiben** copier; prendre des notes; ⌐**schrift** post-scriptum *m;* ⌐**schub** renforts *mpl; mil* ravitaillement *m,* subsistances *fpl;* ⌐**schußpflicht** *com* obligation d'effectuer un versement supplémentaire; ~**sehen** *vt (prüfen)* vérifier, examiner (qch), s'assurer (de qch); *(entschuldigen)* passer *(j-m etw.* qch à qn); *vi (j-m)* suivre qn du regard; *(s. informieren)* s'informer (de qch); consulter (qn, qch); ⌐**sehen:** *das* ⌐*sehen haben* avoir le dessous, être désavantagé; ~**senden** faire suivre; ⌐**sendung** réexpédition *f;* ~**setzen** *vi* poursuivre (qn)
Nachsicht indulgence *f;* ~ *gegen j-n üben* user d'indulgence envers qn; ⌐**ig,** ⌐**svoll** indulgent
Nach|silbe suffixe *m;* ⌐**sinnen** songer (à qch), méditer (sur qch); ⌐**sitzen** être en retenue; ⌐*sitzen lassen* mettre en retenue; ~**sommer** été *m* de la Saint-Martin; ~**speise** dessert *m;* ~**spiel** ♟ épilogue *m; fig* conséquence *f,* suite *f;* ⌐**sprechen** répéter; ⌐**spüren** *(folgen)* suivre à la trace; *fig* rechercher (qn, qch); *(fühlen)* se ressentir de qch
nächst *(Reihenfolge)* prochain, suivant; *(Entfernung)* le plus proche *(od* près), le plus court; *adv* tout près de; *präp* à côté de; *am* ~*en* le plus près, le plus court; *in d.* ~*en Zeit* prochainement; *für d.* ~*e Zeit* pour quelque temps, pour un certain temps; *in d.* ~*en Zukunft* dans un proche avenir; ~*en Mittwoch* mercredi prochain; *d.* ~*en Angehörigen* les proches parents; ⌐**beste** le premier venu; ~**dem** *siehe* nächstens; ⌐**enliebe** amour *m* du prochain, charité *f;* ~**ens** prochainement, sous peu; ⌐**er** prochain; ~**folgend** prochain, suivant; ~**liegend** *(räuml.)* le plus près; *fig (wichtig)* le plus urgent *(od* important); *(logisch)* le plus logique *(od* raisonnable)
nach|stehen être inférieur (à qn), ne pas égaler (qn); ~**stehend** suivant; ci-après, ci-dessous; ~**stellen** *vt* placer après; rajuster; ⚙ régler; *(Uhr)* retarder; *vi* tendre des pièges (à qn), poursuivre (qn, qch), chasser (qn, qch); ⌐**stellung** embûche *f;* poursuite *f;* ~**stimmen** corriger la fréquence; ~**streben** tendre à qch; prendre qn pour modèle; ~**suchen** chercher; solliciter *(um etw.* qch)
Nacht nuit *f; fig* obscurité *f,* ténèbres *fpl; bei* ~, *des* ~*s* de *(od* la) nuit; *im Schutz der* ~ à la faveur de la nuit; *bei* ~ *u. Nebel* à la cloche de bois; *mit einbrechender* ~ à la nuit tombante; *über* ~ du jour au lendemain; durant la nuit; *heute* ~ cette nuit; *es wird* ~ il se fait nuit, la nuit tombe; *gute* ~*!* bonne nuit!; *über* ~ *bleiben* passer la nuit, rester pour la nuit; *zu* ~ *essen* dîner, *(Belgien u. Schweiz) souper; s. d.* ~ *um die Ohren schlagen* passer une nuit blanche; ~**angriff** attaque *f* nocturne; ~**arbeit** travail *m* de nuit *(od* nocturne); ~**asyl** asile *m* de nuit; ~**ausgabe** édition *f* du soir *(od* nuit); ~**bar** boîte *f* de nuit; ~**blindheit** héméralopie *f;* **nächtelang** pendant des nuits entières; ~**essen** dîner *m; (Belgien u. Schweiz)* souper *m;* ~**falter** papillon *m* nocturne *(od* crépusculaire); ~**frost** gelée *f* nocturne; ~**geschirr** vase *f* de nuit, pot *m* de chambre;

~glas opt jumelles fpl de nuit; ~gleiche équinoxe m; ~hemd chemise f de nuit; **nächtigen** passer la nuit; ~lager couche f; gîte m; **nächtlich** nocturne; ~licht veilleuse f; ~lokal établissement m de nuit; boîte f de nuit (umg); ~mahr cauchemar m; ~musik sérénade f; ~portier veilleur de nuit; ~quartier gîte m; ~ruhe repos m nocturne; ≈s de nuit, la nuit, pendant la nuit, nuitamment; ~schattengewächse solanacées fpl; ~schicht équipe f de nuit; ≈schlafend: zu ≈schlafender Zeit quand tout le monde dort; ~schwalbe engoulevent m; ~schwärmer noctambule; ~sehen vision f nocturne ou scotopique; ~stuhl chaise percée; ~tarif tarif m de nuit; ~tisch table f de nuit; ~tischlampe lampe f de chevet; ~wache veille f; veillée f; ~wächter veilleur de nuit; ≈wandeln être somnambule; ~wandler somnambule; ≈wandlerisch somnambule; m ≈wandlerischer Sicherheit infailliblement; ~zug train m de nuit

Nachteil désavantage m, inconvénient m, préjudice m; zum ~ von au détriment de, au désavantage de, au préjudice de; im ~ sein être désavantagé; ≈ig désavantageux; défavorable; préjudiciable, dommageable; nuisible

Nachtigall rossignol m; ~enschlag chant m du rossignol

Nach|tisch dessert m; ~trag supplément m, additif m; addenda m; (Testament) codicille m; ≈tragen ajouter; fig garder rancune (j-m etw. à qn de qch); ~tragsrancunier; ≈träglich (adv u. adj) après coup; adj ultérieur m; ~tragshaushalt budget m supplémentaire; ~tragsvertrag avenant m; ~trupp arrière-garde f; ~untersuchung ⚕ visite f postopératoire; ~urlaub prolongation f de congé; ~versteuerung réajustement m fiscal; ≈wachsen repousser; ~wahl élection f (od tour m de scrutin) complémentaire; ~wehen ⚕ séquelles fpl; douleurs fpl après l'accouchement; fig suites fâcheuses; ~wein râpé m; ≈weinen déplorer (qn, qch); ~weis preuve f, justification f; d. ~weis erbringen démontrer; ≈weisbar démontrable, justifiable; ≈weisen prouver, démontrer, justifier (qch); mettre en évidence, déceler; ≈weislich démontrable; ~welt postérité f; ~winter derniers froids; ≈wirken avoir des répercussions; ~wirkung répercussion f, incidence f, contrecoup m; ~wort épilogue m, postface f; ~wuchs jeunes mpl, relève f, génération f montante; ~wuchsfrage problème m du recrutement; ~wuchskräfte relève professionnelle; jeune main-d'œuvre f; ≈zahlen payer un supplément; ≈zählen recompter, vérifier; ~zahlung rappel m; paiement m supplémentaire (od d'arriéré); ≈zeichnen copier, calquer; ~zeichnung copie f, calque m; ≈ziehen vt traîner, tirer (après soi); (Striche) retracer; (Schraube) serrer, resserrer; vi traîner (derrière); suivre; ~zügler retardataire; traînard (umg)

Nacken nuque f ♦ j-m den ~ steifen encourager qn à poursuivre; den ~ steifhalten persévérer, ne pas se laisser décourager; ~kissen traversin m; ~schlag coup m sur la nuque; fig revers m.

nackt nu; dénudé; à poil (umg); (Vogel)

déplumé; fig dépouillé; ≈heit a. fig nudité f; ≈kultur nudisme m; naturisme m; ≈schnecke limace f

Nadel (Nähen, Kompaß, ♪) aiguille f; (Steck-) épingle f; (Haar-) épingle f à cheveux ♦ wie auf ~n sitzen être sur des charbons ardents; an der ~ hängen (umg) être totalement soumis à la drogue, être toxicomane; ~arbeit ouvrage m à l'aiguille; ~baum conifère m; ~döschen porte-aiguilles m; épinglier m; ~geräusch ♪ crissement m (de l'aiguille); ~hölzer conifères mpl; ~kissen pelote f à épingles; ~öhr chas m; ~stich point m, piqûre f; fig coup m d'épingle; ~ung ⚕ acupuncture f; ~wald forêt f de conifères

Nagel anat ongle m; clou m; (Zier-) clou m de tapissier; (Holz-) cheville f ♦ d. ~ auf d. Kopf treffen mettre le doigt dessus; etwas an d. ~ hängen laisser tomber qch; auf d. Nägeln brennen être très urgent; an d. Nägeln kauen se ronger les ongles; ~bohrer ≈ vrille f, foret m; ~bürste brosse f à ongles; ~feile lime f à ongles; ~geschwür ⚕ panaris m; ~kopf tête f de clou; ~kuppe tête f; ~lack vernis m à ongles; ≈n clouer; ~neu flambant neuf; ~pflege manucure f; ~reiniger cure-ongles m; ~schere ciseaux mpl à ongles; ~schmiede ✿ clouterie f; ~schuhe souliers cloutés (od ferres); ~zieher tire-clou m **nag|en** ronger (a. fig), corroder (an etw. qch); ≈etier rongeur m

nah près, proche (a. zeitl.); voisin (bei de); ~e daran sein, etw. zu tun être sur le point de faire qch; ich war ~ daran, ... j'ai failli..., peu s'en est fallu que je... ≈aufnahme gros plan; **Nähe** proximité f; voisinage m; in d. Nähe von près de, proche de; in nächster Nähe von à proximité immédiate de, tout près de, à deux pas de; aus d. Nähe de près; ~egehen toucher, affecter, émouvoir (j-m qn); ~ekommen approcher (de); fig serrer qch de près; ~elegen suggérer, recommander; ~eliegen être facile à concevoir; tomber sous le sens; ~en (refl s') approcher; ≈en su approche f; ~estehen être attaché (j-m à qn); ~etreten devenir familier (j-m avec qn); j-m zu ~e treten froisser qn, manquer de respect à qn; ~ezu à peu près, presque; math voisin de; ≈kampf (combat m) corps à corps m; ≈ost le Proche-Orient; ~verkehr 🚋 trafic m suburbain; 🚌 camionnage à courte distance; 📞 service m téléphonique à courte distance; ≈verteidigung défense rapprochée; ≈ziel but immédiat

näh|en coudre; ⚕ suturer; ≈en su couture f; ≈erei travail m à l'aiguille; couture f; ≈erin couturière; ≈garn fil m à coudre; ~kante lisière f; ≈kasten boîte f à ouvrage; ≈korb corbeille f à ouvrage; ≈maschine machine f à coudre; ≈nadel aiguille f (à coudre); ≈seide soie f à coudre; ≈tisch table f à ouvrage; ≈zeug nécessaire m de couture

näher plus proche, plus près; (kürzer) plus court, plus direct; (vertrauter) plus familier, plus intime; (genauer) plus détaillé, plus précis; ≈es détails mpl, précisions fpl; ~n approcher, avancer; *refl* (s')approcher (de); ⌐**ungswert** valeur approximative (*od* approchée)

Nähr|boden *biol* bouillon *m* de culture; *fig* milieu *m*, foyer *m*; ⌐**en** *vt* nourrir (*a. fig*); *fig* entretenir; *vi* nourrir, être nutritif, être nourrissant; *refl* se nourrir (*von* de); ~**lösung** $ infusion; ⍦ solution nutritive; ~**mittel** substance nutritive; aliment *m*, denrée *f* (*od* produit *m*) alimentaire; ~**präparat** préparation nourrissante (*od* nutritive); ~**salz** sel nutritif; ~**stoff** substance nutritive; ~**wert** valeur nutritive (*od* alimentaire)

nahr|haft nourrissant, nutritif; substantiel; *fig* lucratif; ⌐**ung** nourriture *f*; aliment *m*; subsistance *f*; (*Unterhalt*) entretien *m*; (*Tiere*) mangeaille *f*; ⌐**ungsaufnahme** absorption *f* de la nourriture; *d. N. verweigern* refuser la nourriture; ⌐**ungsmittel** aliment *m*, produit *m* (*od* denrée *f*) alimentaire; vivres *mpl*; ⌐**ungsmittelfälschung** falsification *f* des denrées alimentaires; ⌐**ungsmittelindustrie** secteur *m* agro-alimentaire; ⌐**ungsmittelration** ration *f* alimentaire; ⌐**ungssorgen** problème *m* de la nourriture; souci *m* du pain quotidien

Naht couture *f*; $ suture *f*; ⚙ soudure *f*, jointure *f*; *fig umg* flopée *f*, ribambelle *f* (de); *falsche* ~ faux piqué; ⌐**los** sans couture; ⚙ sans soudure; ~**stelle** jonction *f*

naiv (*unbekümmert*) naïf; (*natürl.*) naturel; (*unbefangen*) ingénu; (*einfach*) simple; ⌐**ität** naïveté *f*; ingénuité *f*

Name nom *m*; (*Ruf*) renom *m*, renommée *f*, réputation *f*; (*Bezeichnung*) dénomination *f*; appellation *f*; *d.* ~*n nach* de nom; *im* ~*n ...* au nom de; de la part de; *mit vollem* ~*n unterschreiben* signer en toutes lettres; *s. e-n* ~*n machen* se faire un nom ♦ *d. Kind beim rechten* ~*n nennen* appeler un chat un chat; ~**nfirma** raison *f* sociale (empruntée au nom du commerçant); ~**ngebung** baptême *m*; dénomination *f*; ~**nlos** sans nom, anonyme; *fig* indicible, inexprimable; ~**ns** appelé, nommé, du nom de; (*im Auftrag von*) de la part de, au nom de; ~**nsaufruf** appel nominal; ~**nsliste** état nominatif; ~**nsschild** plaque *f*; ~**nstag** fête *f*; ~**nsverzeichnis** liste *f* nominative; ~**nsvetter** homonyme; ~**enszug** signature *f*; griffe *f*; sigle *m*, marque *f*; ⌐**ntlich** adj nominal, nominatif; *adv* nommément; (*besonders*) notamment

namhaft renommé, réputé, connu; (*beträchtlich*) considérable, notable; *j-n* ~ *machen* (dé)nommer qn, donner le nom de qn; citer qn par son nom; établir l'identité de qn

nämlich *adj* même; *adv* à savoir, c'est-à-dire; *er ist* ~ *Professor* c'est qu'il est professeur; ⌐**keitsbescheinigung** passavant *m*

Napalmbombe bombe *f* au napalm, bombe incendiaire

Napf écuelle *f*, terrine *f*, jatte *f*, gamelle *f*; **Näpfchen** godet *m*; ~**kuchen** kouglof *m*

Narb|e cicatrice *f*; *bot* stigmate *m*; (*Leder*) grain *m*; ⌐**en** greneler; ⌐**ig** marqué de cicatrices, couturé; (*Leder*) grenu; ~**ung** (*Leder*) grenure *f*

Narde nard *m*

Narko|se narcose *f*, anesthésie *f*; ~**searzt** médecin anesthésiste; ~**semittel** anesthésique *m*; ~**tikum** narcotique *m*, anesthésique *m*; ⌐**tisch** narcotique; ⌐**tisieren** anesthésier

Narr fou; bouffon, pitre; *j-n zum* ~*en halten* payer la tête de qn, se moquer de qn; *e-n* ~*en gefressen haben an* raffoler de, être coiffé (*od* entiché *od* fou) de; ⌐**en** duper (qn); ~**enhaus** maison *f* de fous; ~**enkappe** bonnet *m* de fou (*od* de bouffon); ~**enpossen** bouffonneries *fpl*, arlequinades *fpl*; pitreries *fpl*; ⌐**ensicher** (*umg*) d'un maniement très facile; ~**enzepter** marotte *f*; ~**etei**, ~**heit** folie *f*

Närr|in folle; ⌐**isch** fou, bouffon

Narzisse narcisse *m*; *gelbe* ~ jonquille *f*

Nasallaut nasale *f*

nasch|en *vi* être gourmand (*od* friand); *vt/i* goûter (de, à qch); ⌐**er** gourmand, friand; **Näscherei**, ⌐**haftigkeit** gourmandise *f*; ~**haft** friand

Nase nez *m*; (*Tier*) museau *m*; (*Hund*) truffe *f*; (*Geruch*) flair *m*; *auf die* ~ *fallen* tomber de tout son long; *fig* subir un échec; *vor d.* ~ *sous le nez*; *s. d.* ~ *putzen* se moucher; *j-m e-e lange* ~ *machen* faire un pied de nez à qn; *d.* ~ *rümpfen* regarder qn de haut; *immer der* ~ *nach* toujours tout droit; *s-e* ~ *stecken in* mettre (*od* fourrer) son nez dans ♦ *d.* ~ *hoch tragen* prendre des airs hautains; *j-m auf d.* ~ *herumtanzen* mener qn par le bout du nez; *j-n an d.* ~ *herumführen* se jouer de qn; *es nicht auf d.* ~ *herumtanzen lassen* ne pas se laisser marcher sur les pieds; *zupf dich an der eigenen* ~! mêle-toi de tes affaires (*od* de ce qui te regarde)!; *j-m etw. auf d.* ~ *binden* casser le morceau à qn; *j-m etw. unter d.* ~ *reiben* jeter qch au nez de qn; *d.* ~ *voll haben* en avoir assez (*od pop* marre) de qch, en avoir plein le dos; *die* ~ *zu tief ins Glas stecken umg* prendre une bonne cuite; ~**nbein** os nasal; ~**nbluten**: ~*nbluten haben* saigner du nez; ~**nflügel** aile *f* du nez; ~**nlänge**: *um e-e N. gewinnen* 🐎 gagner d'une longueur; ~**nloch** narine *f*; (*Pferd*) naseau *m*; ~**nrücken** arête *f* du nez; ~**nschleimhautreizend** sternutatoire; ~**nspitze** bout *m* du nez; ~**nstüber** chiquenaude *f*; ~**nwurzel** racine *f* du nez; ~**weis** blanc-bec

näseln nasiller, parler du nez

nas|führen mener par le bout du nez; ⌐**horn** rhinocéros *m*

naß mouillé; (*durchnäßt*) trempé; (*feucht*) humide; ~ *bis auf d. Haut* trempé jusqu'aux os; ~ *geschwitzt sein* être en nage; ~ *machen* mouiller; ⌐ *su* liquide *m*; boisson *f*; pluie *f*; ~**kalt** froid et humide

Nassauer pique-assiettes, écornifleur

Nässe humidité *f*; ⌐**n** suinter

Nation nation *f*; *Vereinigte* ~*en* Nations Unies; ⌐**al** national; ~**aleinkommen** revenu *m* national; ~**alfeiertag** fête nationale; ~**alflagge** pavillon national; ~**alhymne** hymne national; ~**alisieren** nationaliser; ~**alismus** nationalisme *m*; ⌐**alistisch** nationaliste; ~**alität** nationalité *f*; ~**alökonomie** économie *f* politique; ~**alrat** = ~**alversammlung** Assemblée nationale

Natrium sodium *m;* ~**chlorid** chlorure *m* de sodium; ⌐**haltig** sodique; ~**lampe** lampe *f* à (vapeurs de) sodium
Natron soude *f; chem* carbonate *m* de sodium; *doppeltkohlensaures* ~ bicarbonate *m* de soude; ⌐**haltig** sodé; ~**lauge** lessive *f* de soude; hydroxyde *m* de sodium; ~**salz** chlorure *m* de sodium
Natter couleuvre *f*
Natur nature *f; (Körperverfassung)* constitution *f; (Veranlagung)* tempérament *m,* caractère *m; von* ~ de nature; *nach d.* ~ d'après nature; *e-e starke* ~ une constitution robuste; *wider d.* ~ contre nature; ~**albezüge** avantages *mpl* en nature; ~**alien** produits *mpl* du sol; *(Naturgeschichte)* objets *mpl* d'histoire naturelle; *j-n in* ~*alien bezahlen* payer qn en nature; ⌐**alisieren** naturaliser; ~**alisierung** naturalisation *f;* ~**alismus** naturalisme *m;* ⌐**alistisch** naturaliste; ~**alleistung** prestation *f* en nature; ~**anlage** prédisposition *f,* penchant *m;* ~**begabung** don *m,* aptitude *f* innée; ⌐**belassen** sans substances étrangères; ~**bursche** paysan du Danube; ~**ell** naturel *m,* caractère *m;* ~**ereignis** phénomène naturel; ~**erzeugnis** produit *m* naturel; ~**farbstoff** colorant *m* naturel; ~**faser** fibre *f* naturelle; ~**forscher** naturaliste; ⌐**gemäß** conforme à la nature, naturel, normal; ~**geschichte** histoire naturelle; ~**gesetz** loi *f* de la nature; ⌐**getreu** ressemblant, naturel; ~**heilkunde** thérapeutique naturelle; ~**katastrophe** cataclysme *m,* catastrophe *f;* ~**kunde** sciences naturelles; ~**notwendigkeit** nécessité physique; ~**produkt** produit naturel; ~**recht** droit naturel; ~**reich** la Nature; ~**reichtum** richesses *fpl* naturelles; ⌐**rein** naturel; ~**schätze** richesses naturelles; ~**schönheiten** beautés *fpl* de la nature; ~**schutz** protection *f* de la nature; ~**schutzgebiet** réserve *f,* parc national, zone *f* de protection de la nature; ~**seide** soie *f;* ~**trieb** instinct *m;* ~**volk** peuple primitif; ⌐**widrig** contre nature; ~**wissenschaften** sciences naturelles; ~**wissenschaftler** naturaliste; ~**wunder** merveille *f* de la nature; ~**zustand** état naturel
natürlich naturel; *(einfach)* simple, naïf; 🔍 physique; *adv* naturellement, évidemmment, bien entendu *(od* sûr); ⌐**keit** naturel *m*
Naut|ik art *m* nautique, navigation *f;* ⌐**isch** nautique
Navigation navigation *f;* ~**gerät** instrument *m* de navigation; ~**skarte** carte *f* de navigateur; ~**slicht** feu *m* de route; ~**soffizier** officier de route, navigateur; ~**sraum** chambre *f* des cartes
navigieren naviguer
Nebel brouillard *m;* brume *f; (dünn)* brumasse *f; astr* nébuleuse *f;* ~**büchse** pot *m* fumigène; ~**fleck** *astr* nébuleuse *f;* ⌐**haft** nébuleux *(a. fig),* brumeux, vaporeux; *fig* vague; ~**horn** trompe *f* de brume; ⌐**ig** brumeux; nébuleux; ~**krähe** corneille mantelée; ~**licht** feu *m* antibrouillard; ~**mond** novembre *m;* ~**regen** bruine *f,* pluie fine, crachin *m;* ~**scheinwerfer** phare antibrouillard; ~**schleier** rideau *m* de brouillard *(od* de brume); ~**schwaden** traînée *f* de brouillard;

~**werfer** lance-grenades *m* fumigènes; lance-fumée *m;* ~**wetter** temps brumeux *(od* de brouillard)
neben auprès de, à côté de; contre; *(dazu)* en plus de, outre; *(Vergleich)* en comparaison de; *(in Zssg.:)* accessoire, supplémentaire, secondaire, voisin; ⌐**absicht** arrière-pensée *f,* intention *f* secondaire; ~**an** à côté; ⌐**anschluß** 📞 relais *m* téléphonique, poste *m* téléphonique (supplémentaire); ⚡ dérivation *f;* shunt *m;* ⌐**arbeit** occupation *f* accessoire *(od* secondaire); ⌐**ausgaben** dépense *f* accessoire, frais *mpl* supplémentaires, faux frais; ⌐**bedeutung,** ⌐**sinn** sens *m* secondaire, second sens; ~**bei** en passant, par parenthèse; *(außerdem)* en outre, de plus; ⌐**beruf** occupation *f* accessoire *(od* supplémentaire); ~**beruflich** à titre accessoire; ⌐**beschäftigung** activité *f* annexe, travail *m* d'appoint; ⌐**buhler** rival; ⌐**buhlerschaft** rivalité *f;* ⌐**bürgschaft** garantie *f* secondaire; ~**einander** côte à côte; l'un à côté de l'autre; ~**einanderstellen** juxtaposer; *(Vergleich)* confronter; ~**eingang** entrée *f* de service; ⌐**einkommen** revenu *m* d'appoint, salaire *m* complémentaire; ⌐**einnahme** revenu *m (od* gain *m)* accessoire; à-côté *m;* casuel *m;* ⌐**erscheinung** effet *m* secondaire; ⌐**erwerb** activité *f* d'appoint; ⌐**fach** spécialité *f* complémentaire; *fig* seconde matière; ⌐**fluß** affluent *m;* ⌐**frage** question *f* subsidiaire; ⌐**gebäude** dépendance *f,* annexe *f;* ⌐**gedanke** arrière-pensée *f;* sous-entendu *m;* ⌐**gelaß** débarras *m;* ⌐**geleise** contre-voie *f;* ⌐**geräusch¢s** bruit *m* parasite; ⌐**geschmack** arrière-goût *m;* ~**her,** ~**hin** à côté; de plus; en passant; ⌐**kläger** 🔍 partie civile; ⌐**kosten** frais *mpl* accessoires, faux frais; *(Miete)* charges locatives; ⌐**leistungen** prestations *fpl* accessoires; ⌐**linie** ligne *f (od* voie *f)* de raccordement; *siehe* 👉 Seitenlinie; ⌐**mann** voisin; ⌐**nieren** glandes surrénales; ⌐**person** personnage *m* secondaire; ⌐**produkt** sous-produit *m;* ⌐**rolle** rôle *m* secondaire *(od* accessoire), rôle de second rang; 🐂 *a.* utilités *fpl;* ⌐**sache** chose *f* secondaire; bagatelle *f; d. ist* ⌐*sache* c'est un détail, c'est sans importance; ⌐**sächlich** accessoire; secondaire; insignifiant; indifférent; ⌐**satz** *ling* proposition subordonnée; ⌐**schluß** ⚡ dérivation *f,* shunt *m;* ~**sprache** langue *f* complémentaire; ~**stehend** *(Buch)* ci-contre; ⌐**stelle** *com* sous-agence *f; (Telef.)* raccordement *m* supplémentaire; ⌐**straße** rue *f* latérale *(bzw.* voisine); ⌐**treppe** escalier *m* de dégagement; ⌐**umstände** circonstances *fpl* accessoires; ⌐**verdienst** revenu *m (od* gain *m)* accessoire *(od* supplémentaire); ⌐**winkel** *math* angle *m* supplémentaire; ⌐**wirkung** effet *m* secondaire; ⌐**zimmer** chambre *(od* pièce) voisine
nebst et, (conjointement) avec; accompagné de; y compris
neck|en taquiner, lutiner, ḫarceler, agacer; ⌐**erei** taquinerie *f;* agacerie *f;* ~**isch** taquin, lutin; narquois
Neffe neveu
negativ négatif; défavorable; *(Wirkung)* nuisi-

ble (à); ≈ *su* 〰 négatif *m;* cliché *m,* épreuve négative

Neger Noir *m; pej* nègre; **~in** négresse; **~stamm** tribu *f* nègre

negieren nier; répondre négativement (*etw.* à qch)

nehmen prendre; saisir; *(Hindernis)* franchir; *(an-)* accepter, recevoir; *(weg-)* ôter, enlever; *Abschied ~* prendre congé; *etw. zu sich ~* prendre qch; *es s. nicht ~ lassen,* ... insister sur...; *etw. auf sich ~* se charger de qch, prendre qch sur soi; *es genau ~* être très consciencieux (*od* scrupuleux); *wenn man es so nimmt* à ce compte-là; *wie man's nimmt!* c'est selon!, cela dépend!; *woher ~ u. nicht stehlen?* d'où sortirais-je bien cela?

Nehmer preneur *m,* acheteur *m,* acquéreur *m*
Nehrung cordon littoral

Neid envie *f;* jalousie *f;* ≈**en** envier qch à qn; **~er** jaloux, envieux; ≈**isch** envieux, jaloux (*auf* de); *auf j-n* ≈**isch sein** jalouser qn

Neig|e *(Niedergang, Ende)* déclin *m; (Rest)* reste *m; z. ~e gehen* tirer à sa fin, être sur son déclin; *d. Kelch bis zur ~e leeren* boire le calice jusqu'à la lie; ≈**en** *vt* pencher, incliner, baisser; *vi* tendre, avoir tendance, être enclin (*zu* à); *refl* se pencher, s'incliner; *(enden)* décliner; **~ung** inclinaison *f;* inflexion *f; (Abhang)* pente *f,* penchant *m; fig (Zuneigung)* inclination *f,* sympathie *f* (pour); *(Hang)* penchant *m* (pour), tendance *f* (à); goût *m* (pour); **~ungsehe** mariage *m* d'inclination; **~ungsmesser** clinomètre *m;* **~ungswinkel** angle *m* d'inclinaison

nein non; *ich glaube ~* je crois que non; *mit* ≈ *antworten* répondre négativement; *~ u. abermals ~!* mille fois non!; ≈**stimme** voix *f* contre, vote *m* hostile

Nelke œillet *m; (Gewürz-)* (clou *m* de) girofle *m*
nenn|en appeler, nommer; *(aufführen)* dénommer; *(betiteln)* intituler; *(bezeichnen als)* qualifier de, traiter de; *refl* s'appeler; *(s. ausgeben für)* se dire, s'intituler, se qualifier de; **~enswert** notable; ≈**er** *math* dénominateur *m; auf e-n gemeinsamen* ≈**er bringen** réduire au commun dénominateur; ≈**form** infinitif *m;* ≈**leistung** puissance nominale; ≈**ung** indication *f,* mention *f;* 〰 engagement *m;* ≈**wert** valeur nominale; *zum* ≈**wert** au pair

Neon néon *m;* **~röhre** tube *m* au néon
Nepp *(umg)* escroquerie *f;* ≈**en** *umg* filouter, blouser, escroquer; **~er** *fil* filou *m,* escroc *m*
Nerv *a. fig* nerf *m; auf d. ~en gehen* (*od fallen*) énerver, donner sur les nerfs; *umg* taper sur les nerfs (à); *mit d. ~en fertig sein* être à bout de nerfs; *d. ~en verlieren* s'affoler; **~enarzt** neurologue; **~enbahn** voie nerveuse; **~enbündel** *fig* paquet *m* de nerfs; **~enentzündung** névrite *f;* **~enfieber** fièvre nerveuse; **~engift** agent *m* neurotoxique; neurotoxine *f;* **~enheilanstalt** hôpital *m* psychiatrique; **~enheilkunde** neurologie *f;* **~enknoten** ganglion *m;* **~enkrank** névropathe, névrosé; **~enkrankheit** maladie nerveuse; **~enkrieg** guerre *f* des nerfs; **~enkrise** crise *f* de nerfs; **~enleiden** névropathie *f;*

~enschock choc nerveux; **~enschwäche** neurasthénie *f;* **~ensystem** système nerveux; **~enzelle** cellule nerveuse, neurone *m;* **~enzentrum** centre nerveux; **~enzusammenbruch** effondrement nerveux; ≈**ig** nerveux; ≈**ös** nerveux; ≈**ös machen** énerver; ≈**ös werden** s'énerver; **~osität** énervement *m,* nervosité *f,* nervosisme *m*

Nerz *(a. Pelz)* vison *m*
Nessel *bot* ortie *f; (Gewebe)* fil *m* de ramie ♦ *s. in d. ~n setzen* se mettre dans de mauvais draps; **~fieber** urticaire *f;* **~tuch** tissu *m* de ramie, calicot écru

Nest nid *m; (Horst)* aire *f; fig umg* trou *m,* patelin *m* ♦ *d. ~ leer finden* trouver buisson creux; ≈**eln** attacher, lacer; **~häkchen** cadet *m* choyé et gâté

nett gentil, aimable, sympathique; joli, mignon; ≈**igkeit** gentillesse *f,* amabilité *f,* prévenance *f*
netto net, brut; ≈**einkommen** revenu net; ≈**gehalt** traitement net; ≈**gewicht** poids net; ≈**lohn** salaire net; ≈**preis** prix net; ≈**sozialprodukt** produit national net

Netz filet *m* (*a.* 🕷); 🕸 réseau *m;* ⚡ secteur *m; (Fang-)* filet *m,* rets *m; (Haar-)* filet *m,* résille *f; (Spinne)* toile *f; ins ~ gehen* tomber dans les rets (de qn); **~anschluß** ⚡ alimentation *f* sur le secteur; **~dichte** densité *f* du réseau; **~empfänger** poste *m* (récepteur) sur secteur; ≈**förmig** réticulé; **~haut** *anat* rétine *f;* **~hemd** chemise *f* cellular; **~karte** 🚃 carte *f* de circulation hebdomadaire (ou mensuelle); **~mittel** agent *m* tensioactif, (produit *m*) mouillant *m;* **~spannung** ⚡ tension *f* du secteur; **~stecker** ⚡ fiche *f* de prise de ourant; **~teil** bloc *m* secteur; circuit *m* d'alimentation; **~werk** ⚡ réseau *m,* circuit; 🏛 treillis *m;* entrelacs *m*

netzen mouiller, humecter (*mit* de)
neu nouveau, neuf; frais; *(kürzlich)* récent, de fraîche date; *(neuest)* dernier; *aufs ~e* à nouveau; *von ~em* de nouveau; *was gibt's ~es?* qu'y a-t-il de nouveau?; *umg* quoi de neuf?; quoi de nouveau?; ≈**anfang** recommencement *m;* ≈**ankömmling** nouveau venu; **~artig** nouveau; ≈**auflage** 📖 réédition *f;* nouveau tirage; ≈**bau** construction neuve (*od* nouvelle); reconstruction *f;* ≈**bearbeitung** 📖 édition revue; ≈**beschaffung** renouvellement *m* du matériel; ≈**bewertung** revalorisation *f;* ≈**bildung** reconstitution *f; ling* néologisme *m;* ≈**druck** 📖 réimpression *f;* **~erdings** depuis peu; ≈**erer** novateur; ≈**erung** nouveauté *f;* innovation *f,* réforme *f;* ≈**fassung** refonte *f,* révision *f,* texte *m* nouveau; ≈**festsetzung** réajustement *m,* révision; ≈**fundländer** terreneuve *m;* ≈**geboren** nouveau-né; ≈**gestaltung** réorganisation *f,* restructuration *f,* réaménagement *m;* ≈**gier(de)** curiosité *f;* **~gierig** curieux; **~gierig machen** intriguer; ≈**gründung** création *f;* ≈**heit** nouveauté *f;* ≈**igkeit** nouvelle *f;* nouveauté *f;* ≈**jahr** nouvel an; *j-m zu* ≈**jahr Glück wünschen** souhaiter la bonne année à qn; ≈**jahrsgeschenk** étrenne *f;* ≈**jahrstag** jour *m* de l'an; ≈**landgewinnung** défrichement *m* de nouvelles terres; **~lich** l'autre jour, récemment;

ᐃ**ling** débutant, novice; ~**modisch** moderne; ᐃ**mond** nouvelle lune; ~**ordnen** réaménager, réorganiser; reclasser; ᐃ**ordnung** réorganisation *f;* restructuration *f;* ᐃ**philologe** professeur de langues modernes; ᐃ**regelung** réorganisation *f,* nouvelle réglementation; ᐃ**reicher** nouveau riche, parvenu; ᐃ**seeland** la Nouvelle-Zélande; ~**seeländisch** néo-zélandais; ᐃ**silber** maillechort *m;* ~**vermählt** nouveau (*od* jeune) marié; *die* ᐃ**vermählten** les jeunes époux, nouveaux mariés; ᐃ**verteilung** redistribution *f,* transfert *m;* ᐃ**wert** valeur *f* à neuf; ~**wertig** à l'état neuf; ᐃ**wort** néologisme *m;* ᐃ**zeit** temps *mpl* modernes; ~**zeitlich** moderne

neun neuf; ᐃ**auge** lamproie *f;* ᐃ**malkluger** raisonneur, ergoteur; ~**te** neuvième; ᐃ**tel** neuvième *m;* ~**zehn** dix-neuf; ~**zehnte** dix-neuvième; ~**zig** quatre-vingt-dix; ~**zigjährig** nonagénaire; ~**zigste** quatre-vingt-dixième

Neur|algie névralgie *f;* ᐃ**algisch** *a. fig* névralgique; ᐃ**algischer Punkt** (*a. fig*) point *m* névralgique; ~**asthenie** neurasthénie *f;* ~**itis** névrite *f;* ~**ose** névrose *f;* ~**otiker** névrosé

neutral neutre; ~**isieren** neutraliser; ᐃ**isierung** neutralisation *f;* ᐃ**ität** neutralité *f*

Neutr|on neutron *m;* ~**onenausfluß** fuite *f* de neutrons; ~**onenbombe** bombe à neutrons (*ou* neutronique); ~**oneneinfang** capture *f* de neutrons; ~**onenstrahlung** émission *f* neutronique; ~**um** *ling* neutre *m*

nicht ne… pas, ne… point; *auch* ~ (ne…) non plus; *durchaus* ~ (ne…) absolument pas; *gar* ~ (ne…) pas du tout; *noch* ~ (ne…) pas encore; *wenn* ~ sinon; ~ *einmal* (ne…) même pas; pas même; ~ *mehr* ne… plus; ~ *wahr?* n'est-ce pas?; ~ *weniger als* rien de moins que; ~ *daß ich wüßte* pas que je sache; *dann eben* ~! tant pis! ~**abzugsfähig** non-déductible; ᐃ**achtung** mépris *m;* dédain *m;* ~**amtlich** inofficiel, officieux, non officiel; ᐃ**anerkennung** désaveu *m;* ᐃ**angriffspakt** pacte *m* de non-agression; ᐃ**beachtung** non-observation, non-respect; ᐃ**benutzung** non-utilisation *f;* ᐃ**betroffener** non-intéressé; ᐃ**einmischung** *pol* non-ingérence *f,* non-intervention *f;* ᐃ**eisenmetall** métal non-ferreux; ᐃ**erfüllung** inexécution *f;* ᐃ**erscheinen** ⚖ non-comparution *f,* contumace *f;* ᐃ**gefallen** non-convenance *f;* ~**ig** nul; vain, futile; *null u.* ~*ig sein* être nul et non avenu; *für* ~*ig erklären* annuler; invalider; ᐃ**igkeit** nullité *f,* inanité *f;* néant *m;* frivolité *f,* futilité *f,* vanité *f;* ᐃ**igkeitserklärung** annulation *f;* ᐃ**igkeitsklage** demande *f* en annulation, action *f* en nullité; ᐃ**leiter** ⚡ non-conducteur *m;* ᐃ**mitglied** non-membre *m;* non-syndiqué *m;* ~**öffentlich** à huis clos; ᐃ**raucher** non-fumeur(s); ᐃ**verbreitung** non-prolifération; ᐃ**zahlung** défaut *m* de paiement; ᐃ**zutreffendes** *zutr. streichen* rayer les mentions inutiles

Nichte nièce

nichts ne… rien; *gar* ~ (ne…) rien du tout; ~ *anderes* (ne…) rien d'autre; ~ *mehr* (ne…) plus rien; *für* ~ *u. wieder* ~ pour des riens; ~ *weniger als* (ne…) rien moins que; *mir* ~, *dir* ~

sans plus de façons; de but en blanc; *besser als* ~ c'est déjà ça; *d. macht* ~ cela ne fait rien; *soviel wie* ~ pour ainsi dire rien; ᐃ *su* néant *m;* rien *m; vor d.* ᐃ *stehen* se trouver devant la ruine; ~**destoweniger** néanmoins; il n'en est pas moins… que; ᐃ**nutz** vaurien; ~**sagend** futile, insignifiant; ᐃ**tuer** fainéant; ᐃ**tun** désœuvrement *m,* farniente *m;* ~**würdig** bas, vil, abject; ᐃ**würdigkeit** bassesse *f,* vilenie *f,* abjection *f*

Nickel nickel *m;* ~**blende** millérite *f;* ~**eisen** ferronickel *m*

nick|en faire signe de la tête; (*schlafen*) sommeiller; ᐃ**en** *su* ✝ tangage *m;* ᐃ**erchen** petit somme

nie (ne…) jamais; ~ *u. nimmer* au grand jamais

nieder *adj* siehe niedrig; *adv* en bas, à bas, bas; ~ *mit* …! à bas…!; *auf u.* ~ *gehen* monter et descendre; ~**brennen** réduire en cendres; ᐃ**druck** basse tension; ~**drücken** baisser, presser, appuyer; (*zerdrücken*) accabler, écraser; (*umbiegen*) rabattre; (*bedrücken*) déprimer, oppresser; ~**fahren** descendre; ~**fallen** tomber (par terre); ᐃ**frequenz** basse fréquence; ᐃ**gang** descente *f;* (*Untergang*) ruine *f,* chute *f,* décadence *f,* déclin *m* (*a. Sonne*); (*Sonne*) coucher *m;* (*Rückgang*) dépression *f,* récession *f;* ⚕ descente *f;* ~**gedrückt** *fig* déprimé; ~**gehen** descendre; ✝ se poser, atterrir; (*Regen*) s'abattre; *fig* décliner; ~**geschlagen** *fig* abattu, découragé; ~**geschlagenheit** dépression *f,* découragement *m,* accablement *m,* abattement *m;* ~**halten** neutraliser; ~**holen** (*Flagge*) amener; ~**kauern** s'accroupir, se tapir; ~**knien** s'agenouiller; ~**knüppeln** matraquer; ~**kommen** accoucher (de); ᐃ**kunft** accouchement *m;* ᐃ**lage** défaite *f;* (*Lager*) dépôt *m;* (*Zweigstelle*) succursale *f;* ᐃ**lande** les Pays-Bas; ~**ländisch** néerlandais; ~**lassen** *vt* baisser, descendre; *refl* s'établir, s'installer; ᐃ**lassung** établissement *m,* installation *f;* succursale *f;* (*Siedlung*) colonie *f;* ~**legen** déposer, poser; (*aufgeben*) abandonner; (*Arbeit*) arrêter, cesser; (*Amt*) se démettre (de), démissionner; *refl* se coucher; *schriftlich* ~*legen* coucher par écrit; ~**machen**, ~**metzeln** massacrer; ~**reißen** démolir; ᐃ**schlag** *meteo* précipitations *fpl; chem* précipité *m,* précipitation *f,* dépôt *m;* (*Ablagerung*) sédiment *m,* dépôt *m;* (*Radioaktivität*) retombée *f* (radioactive); (*Boxen*) knock-out *m; fig* répercussion *f,* incidence *f;* ~**schlagen** abattre, assommer; (*Augen*) baisser; (*unterdrücken*) réprimer; ⚖ arrêter, suspendre (une instruction, un procès); (*Rebellion*) mater, réduire; *chem* précipiter; *fig* déprimer, décourager; *refl* se précipiter; *fig* s'exprimer, se traduire (*in* dans); se répercuter sur; ᐃ**schlagsmesser** pluviomètre *m;* ~**schmettern** atterrer; *a. fig* terrasser, foudroyer; ~**schreiben** rédiger; noter; consigner par écrit; ᐃ**schrift** rédaction *f;* notes *fpl;* consignation *f* (par écrit), procès-verbal *m;* ~**setzen** *vt* déposer, poser; *refl* s'asseoir; ~**sinken** s'affaisser; ~**spannung** ⚡ basse (*ou* faible) tension; ~**stoßen** renverser; ~**strecken** terrasser, étendre par terre; ᐃ**tracht** infamie *f,* indignité *f,* lâcheté *f;* ~**trächtig** infâme, lâche;

~**treten** piétiner, fouler; ⌃**ung** bas-fond *m*, vallée *f;* ~**wärts** vers le bas; ⌃**wasser** basse-mer *f;* ~**werfen** jeter par terre; *(unterdrücken)* réprimer; *(überwältigen)* écraser

niedlich mignon, gentil, joli; croquignolet *(umg)*

Niednagel envie *f*

niedrig bas; *(Wert)* inférieur; *(Stand)* humble; *(Preis)* bas, modéré, modique; *fig* vil, ignoble, méprisable; ⌃**keit** petitesse *f (a. fig); fig* bassesse *f*, vilenie *f*, ignominie *f;* ~**lohn** bas salaire *m;* ⌃**preis** bas prix *m;* ⌃**wasser** marée basse

niedrigst le *(ou* au) plus bas, minimal; ⌃**kurs** cours *m* plancher

niemals ne... jamais

niemand ne... personne; ⌃**sland** no man's land

Niere rein *m; (Tier)* rognon *m;* ~**nentzündung** néphrite *f;* ~**nstein** calcul rénal; ~**nstück** longe *f*

niesel|n bruiner; ⌃**regen** crachin *m*, bruine *f*

niesen éternuer

Nießbrauch ♋ usufruit *m;* ~**er** usufruitier *m*

Nieswurz ellébore *m*

Niet rivet *m* ♦ *d. ist* ⌃*- u. nagelfest* cela tient à fer et à clou; ~**e** numéro perdant; *fig* zéro *m;* ~**en** river; ~**hammer** marteau-riveur *m;* ~**nagel** rivet *m;* ~**ung** rivetage *m*

Nihilismus nihilisme *m*

Nikotin nicotine *f;* ⌃**arm** dénicotinisé; ⌃**haltig** contenant de la nicotine; ~**vergiftung** nicotinisme *m;* tabagisme *m*

Nilpferd hippopotame *m*

Nimbus nimbe *m; fig* auréole *f*, prestige *m*

nimmer|(mehr) (ne...) jamais; (ne...) jamais plus; (ne...) en aucune façon; (ne...) plus jamais; ⌃**satt** insatiable, glouton; ~**wiederse- hen:** *auf* ⌃*wiedersehen* adieu pour toujours

Nippel ✿ embout *m* fileté; raccord *m* de réduction; *(Schmier-)* bouchon graisseur

nipp|en goûter (à une boisson); ⌃**sache** bibe- lot *m*

nirgends (ne...) nulle part

Nische niche *f*

Nisse lente *f*

nist|en nicher, faire son nid; ⌃**kasten** nichoir *m*

Nitr|at nitrate *m*, azotate *m;* ~**id** nitrure *f;* ⌃**ieren** nitrater ~**oglyzerin** nitroglycérine *f*

Niveau *n* niveau *m; das* ~ *halten* rester sur le même niveau; ~**unterschied** différence *f* de niveau

nivellier|en niveler; ⌃**ung** nivellement *m;* ⌃**waage** niveau *m* à bulle d'air

Nixe ondine *f*

nobel distingué; *(großzügig)* généreux; chic *(umg);* fastueux; rupin *(pop)*

noch encore; ~ *nicht* (ne...) pas encore; ~ *nie* (ne...) jamais; ~ *dazu* de plus, en outre; ~ *immer* toujours; ~ *einmal soviel* deux fois autant; ~ *heute abend* ce soir même; *weder...* ~ ni... ni (... ne...); *auch das* ~! il ne manquait plus que cela!; ⌃**malig** répété, réitéré; ~**mals** encore une fois

Nocken came *f;* mentonnet *m;* ~**welle** arbre *m* à cames

Nomade nomade; ~**ndasein** vie *f* nomade *(ou* sans domicile fixe); ~**nvolk** peuple de nomades

nomin|al nominal; ⌃**albetrag** valeur nominale; ⌃**aleinkommen** revenu *m* nominal; ~**ell** nomi- nal, de nom

None ♪ neuvième *f*

Nonne religieuse, *iron* nonne

Noppe bouton *m*, nope *f*

Nord|en nord *m;* ~**isch** nordique; **nördlich** septentrional; du nord; au nord; ~**licht** lumière *(od* aurore) boréale; ~**meer** mer *f* de Norvège; ~**osten** nord-est *m;* ~**pol** pôle *m* nord; ~**see** mer *f* du Nord; ~**west** nord-ouest *m;* ~**wind** vent *m* du Nord

Nörg|elei ergotage *m*, chinoiserie *f;* pinaillage *m* *(umg);* ⌃**eln** ergoter, pointiller; pinailler; ~**ler** ergoteur, grogneur; ronchonneur, rouspéteur *(umg)*

Norm norme *f;* règle *f; (in Zssg:)* standard; ⌃**al** normal; standard; ~**alabweichung** écart *m* type; ~**albenzin** carburant *m* ordinaire; ⌃**alerweise** normalement; ~**almeter** mètre-étalon *m;* ~**al- null** niveau *m* de la mer; ~**alspur** voie normale; ~**aluhr** horloge régulatrice; ~**alzeit** heure légale; ~**en** normaliser, standardiser; ~**ierung** = ~**ung** normalisation *f*, standardisation *f*

Norweg|en la Norvège; ~**er** Norvégien; ⌃**isch** norvégien

Not *(Mangel)* besoin *m*, nécessité *f*, indigence *f*, disette *f*, dénuement *m; (Elend)* misère *f*, détresse *f; (Schwierigkeit)* peine *f*, difficulté *f; (Gefahr)* péril *m; (Sorge)* souci *m*, chagrin *m; z.* ~ à la rigueur; *mit knapper* ~ de justesse; à grand-peine; ~ *leiden* être dans le besoin; *aus d.* ~ *e-e Tugend machen* faire de nécessité vertu ♦ ~ *kennt kein Gebot* nécessité n'a point de loi; *in d.* ~ *frißt d. Teufel Fliegen* faute de grives on mange des merles; ~ *macht erfinderisch* nécessité est mère d'invention *(od* d'industrie); ~**ausgang** issue *ou* sortie *f* de secours; ~**behelf** moyen *m* de fortune, pis-aller *m*, expédient *m;* ~**beleuchtung** éclairage *m* de secours; ~**betrieb** fonctionnement *m* en secours; ~**bremse** frein *m* de secours; 🐝 signal *m* d'alarme; ~**brücke** pont *m* de fortune; ~**durft** besoins *mpl;* ~**dürftig** à peine suffisant; *adv* tant bien que mal; ~**fall** cas *m* d'urgence; ⌃**falls** au besoin, en cas de besoin; au pis aller; ~**flagge** pavillon *m* de détresse; ~**gedrungen** forcément, par force *(od* nécessité); bon gré, mal gré; ~**gespräch** conversation *f* de détresse; ~**groschen** une poire pour la soif; ~**hafen** port *m* refuge; ~**hilfe** secours *m* d'urgence; ~**lage** détresse *f;* situation *f* critique; ⌃**landen** faire un atterrissage forcé; ~**landung** atterrissage forcé *(ou* de détresse); ~**leidend** *(Person)* misérable, nécessiteux, indi- gent; *(Gebiet, Maschine)* en détresse; *(Wechsel)* en souffrance; ~**lösung** solution *f* provisoire *(od* de fortune); ~**lüge** pieux mensonge; ~**maßnah- me** mesure *f* d'urgence; ~**ruf** cri *m* de détresse; ✆ appel *m* au secours, numéro d'appel de secours; ~**rufsäule** borne *f* de détresse; ~**schlachtung** abattage forcé; ~**signal** signal *m* de détresse; ~**sitz** strapontin *m;* ~**stand** état *m* de nécessité *(ou* d'urgence); ~**standsarbeiten** travaux *mpl* d'urgence (pour réparer un dommage); **~standsgebiet** *(sehr arme Gegend)* zone marginale; *(bei Katastrophen)* zone sinistrée; **~standsgesetz** Loi portant sur l'état d'exception; **~stromanlage** groupe *m* électrogène de secours; **⌁taufe** ondoiement *m;* **~verband** pansement *m* provisoire; **~verordnung** mesure *f* d'urgence; **~wehr** légitime défense *f;* **⌁wendig** nécessaire, indispensable; **⌁wendigerweise** nécessairement, forcément; **~wendigkeit** nécessité *f;* besoin *m;* **~wohnung** logement *m* provisoire *(od* de fortune); **~zucht** viol *m*

Notar notaire; officier ministériel; **~iat** notariat *m;* étude *f* de notaire; **⌁iell** notarial, par-devant notaire; **⌁iell beglaubigen** légaliser *(od* authentifier) par notaire; **⌁iell beglaubigt** notarié

Note (♪, *pol, päd)* note *f; päd* mention *f; (Geld-)* billet *m* de banque; *fig* marque *f,* cachet *m,* trait *m; ganze ~* ronde *f; halbe ~* blanche *f; nach ~n singen* chanter à vue; *nach ~n (fig)* avec véhémence; **~naustausch** échange *m* de notes diplomatiques; **~nbank** banque *f* d'émission, banque centrale; **~nbündel** liasse *f* de billets; **~nlinien,** **~nsystem** ♪ portée *f;* **~npapier** papier *m* à musique; **~npresse** planche *f* à billets; **~nschrift** ♪ notation musicale; **~nständer** pupitre *m;* **~numlauf** circulation *f* fiduciaire

notier|en prendre note *(etw.* de qch), noter; *(Börse)* coter; **⌁ung** *com* cote *f;* cotation *f*

nötig nécessaire; *es ist ~... il faut...; es ist nicht ~* ce n'est pas la peine (de...); *~ haben* avoir besoin de; *~ machen* nécessiter; **⌁en** obliger, contraindre *(zu* à); exercer une pression (sur qn); presser, forcer *(zu* de); s. *~en lassen* se faire prier; **~enfalls** en cas de nécessité, au besoin; **⌁ung** *a.* 🗲 contrainte *f;* instances *fpl*

Notiz note *f; (Vermerk)* notice *f; ~ nehmen von* prendre note de, remarquer; **~block** bloc-notes *m;* **~buch** carnet *m,* agenda *m,* calepin *m,* mémento *m;* **~zettel** feuille *f* (d'un carnet de notes)

notorisch notoire, manifeste

Novelle nouvelle *f;* 🗲 loi modificative, amendement *m*

November novembre *m*

Novil|tät nouveauté *f;* **~ze** novice; **~ziat** noviciat *m*

Nu moment *m,* instant *m; im ~* en moins de rien, en un clin d'œil

Nuance nuance *f,* différence *f;* **⌁iert** nuancé

nüchtern *(ohne Essen) adj* vide; *adv* à jeun; *fig (vernünftig)* positif, raisonnable, sensé, réfléchi; *(maßvoll)* sobre, sage; *(schmucklos)* dépouillé; prosaïque; *adv* terre à terre; **⌁heit** *(Vernunft)* sang-froid *m,* lucidité *f; (Mäßigkeit)* tempérance *f; (Schmucklosigkeit)* sobriété *f*

nuckel|n sucer; **⌁pinne** 🚗 *umg* tire *f,* tacot *m,* bagnole *f*

Nudel nouille *f; (Faden-)* vermicelle *f; fig* loustic *m;* un bon gros; **~n** *a. fig* gaver

nuklear nucléaire; **⌁energie** énergie *f* nucléaire; **⌁krieg** guerre *f* atomique; **⌁macht** puissance *f* nucléaire

Nu|kleon nucléon *m;* **~kleus** nucléole *m;* noyau *m;* **~klid** nucléide *m*

null zéro; *~ u. nichtig* nul et non avenu; **⌁su** zéro *m; fig* nullité *f;* **⌁punkt** point zéro *m;* ✿ point *m* neutre; *math* origine *f* des coordonnées; **⌁serie** présérie *f;* **⌁stellung** ✿ position *f* zéro; **⌁tarif** gratuité des transports en commun; **⌁wachstum** croissance *f* zéro; **⌁zählung** comptage *m* à rebours

numer|ieren numéroter, chiffrer; **⌁ierung** numérotage *m;* **⌁ik** programmation numérique; **~isch** numérique; **~ische Ablesung** lecture *f* digitale

Nummer *a. fig* numéro *m;* nombre *m;* chiffre *m; laufende ~* numéro d'ordre *(od* de série); *e-e ~ wählen* ✆ composer un numéro; ♦*e-e gute ~ haben (bei)* être dans les petits papiers (de qn), avoir une bonne cote (auprès de qn); *auf ~ sicher gehen* ne pas prendre de risques; **~nbereich** tranche *f* de numérotage; **~nfolge** ordre *m* numérique; **~nscheibe** ✆ cadran *m;* **~nschild** 🚗 plaque *f* d'immatriculation *(ou* minéralogique)

nun *(Zeitp.)* maintenant, à présent; *(Folge)* puis, ensuite; *~? alors?; von ~ an* dès à présent, dorénavant, désormais; *~ mehr* maintenant; puis; **~mehrig** actuel, présent

Nuntius nonce

nur ne... que; seulement; seul; *~ ... nicht* à l'exception de..., sauf...; *~ noch* ne... plus que; *nicht ~, sondern auch* non seulement mais aussi *(od* encore)

Nuß noix *f; d. ist e-e harte ~* cela donne du fil à retordre; **~baum** noyer *m;* **~kern** amande *f;* **~knakker** casse-noix *m;* casse-noisettes *m;* **~kohle** noix *fpl;* **~schale** *(a. kl. Boot)* coquille *f* de noix

Nüstern naseaux *mpl*

Nut|(e) rainure *f;* **~te** *pop* putain *f*

nutz|bar utilisable; *etw. ~bar machen* utiliser, faire valoir qch; **⌁barmachung** mise *f* en valeur, exploitation *f;* **~bringend** profitable, lucratif, fructueux; **⌁effekt** efficience *f,* rendement *m;* **⌁en** profit *m,* bénéfice *m,* parti *m,* intérêt *m; (Nützlichkeit)* utilité *f; (Ertrag)* rapport *m,* fruit *m; ⌁en ziehen aus* profiter, tirer profit *(od* parti) de; mettre à profit; **⌁fahrzeug** véhicule *m* utilitaire; **⌁fläche** surface *f* utile; **⌁garten** *(Gemüse)* potager *m; (Obst)* verger *m* **⌁holz** bois *m* de construction; **⌁last** charge *f (od* poids *m)* utile; **⌁leistung** puissance *f* utile *(od* effective); **~los** inutile; infructueux; vain, oiseux; perdu; *en pure perte;* **⌁losigkeit** inutilité *f;* inanité *f,* futilité *f;* **⌁nießer** *pej* profiteur *m;* usufruitier *m;* **⌁nießung** jouissance *f;* usage *m;* 🗲 usufruit *m;* **⌁pflanze** plante vivrière; **⌁ung** utilisation *f;* usage *m;* exploitation *f; (Ertrag)* rapport *m,* profit *m;* **⌁ungslizenz** licence *f* d'exploitation; **⌁ungsrecht** droit *m* de jouissance; **⌁wert** valeur *f* d'usage

nütz|en *vt* utiliser; mettre à profit; faire valoir, exploiter; *vi* servir, rendre service, être utile; *d. Gelegenheit ~en* profiter de l'occasion; *d. ~t nichts* cela ne sert à rien; *zu etw. ~e sein* servir à qch; **~lich** utile; profitable; fructueux; *(vorteilhaft)* avantageux; **⌁lichkeit** utilité *f*

Nymphe nymphe

O

Oase *a. fig* oasis *f*
ob si; *(über)* au-dessus de; *(wegen)* à cause de; *als* ~ comme si; *tun als* ~ faire semblant de; *und* ~*!* tu penses!; ma foi, oui!
Obacht *(Hut)* soin *m; (Aufmerksamkeit)* attention *f; auf etw.* ~ *geben* faire attention à qch
Obdach abri *m,* asile *m,* refuge *m,* retraite *f;* **⌐los** sans gîte, sans domicile fixe; **~losenasyl** asile *m* de nuit; **~loser** sans-abri, sans-logis
Obdu|ktion autopsie *f;* **⌐zieren** autopsier
O-Beine jambes arquées
Obelisk obélisque *m*
oben en haut; *dort* ~ là-haut; *nach* ~ en haut, vers le haut; *von* ~ *herab* d'en haut; *von* ~ *bis unten* de haut en bas; *weiter* ~ plus haut ♦ *j-n von* ~ *herab behandeln* traiter qn de haut; **~an** tout en haut, au haut bout; **~auf** sur le dessus; *~auf sein* être en pleine forme; *~auf schwimmen* surnager; **~drein** en outre; par-dessus le marché; **~genannt** susdit; **~hin** superficiellement; **~liegend** ✿ en tête
ober *adj* supérieur; **⌐** *su* garçon; **⌐arm** bras *m;* **⌐arzt** médecin-chef; **⌐aufseher** surveillant en chef; **⌐aufsicht** surveillance *f* d'ensemble, supervision *f;* **⌐bau** *(Schiene)* superstructure *f;* **⌐befehl** commandement *m* suprême; **⌐befehlshaber** commandant en chef; **⌐bett** édredon *m,* duvet *m;* **⌐buchhalter** comptable *m* en chef; **⌐bürgermeister** maire *m* (d'une grande ville), bourgmestre; **⌐deck** ⚓ pont supérieur; *(Autobus)* impériale *f;* **⌐feldwebel** *(etwa:)* adjudant-chef; **⌐fläche** *(Körper)* surface *f; (Fläche)* superficie *f (a. fig); (dicht) an d.* **⌐fläche** à fleur de; *auf d.* **⌐fläche** à la surface; **~flächlich** *a. fig* superficiel; *(Mensch)* léger; *(Kenntnisse)* sommaire; *adv* en gros, grosso modo, à la va-vite; **⌐flächlichkeit** frivolité *f,* futilité *f;* **⌐gefreiter** caporal-chef; **⌐geschoß** étage supérieur; **⌐gesellschaft** société *f* mère; **⌐gewalt** suprématie *f;* **~grenze** plafond *m,* limite *f* supérieure; **~gutachten** contre-expertise; **~halb** au-dessus de; *(flußaufwärts)* en amont de; **⌐hand:** *d.* **⌐hand über etw. haben** avoir la haute main sur qch; *d.* **⌐hand über j-n gewinnen** l'emporter sur qn; **⌐haupt** chef; **⌐haus** *pol* Chambre haute; **⌐hemd** chemise *f* d'homme; **⌐herrschaft** hégémonie *f,* suprématie *f,* souveraineté *f;* **⌐hirt** évêque; **⌐in** supérieure; **⌐ingenieur** ingénieur en chef; **⌐irdisch** aérien; **⌐kante** dessus *m;* **⌐kellner** maître d'hôtel; **⌐kiefer** mâchoire supérieure; **⌐kommando** haut commandement, grand quartier général; **⌐körper** torse *m,* buste *m;* **⌐landesgericht** cour régionale supérieure allemande; **⌐lauf** cours supérieur; **⌐leder** empeigne *f;* **⌐leitung** direction générale; caténaire *f;* **⌐leutnant** lieutenant; *O. zur See* enseigne de vaisseau de 1ère classe; **⌐licht** jour *m* d'en haut; *(Fenster)* vasistas *m,* imposte *f;* **⌐lippe** lèvre supérieure; **⌐maat** *(etwa:)* maître; **⌐meister** grand maître; **⌐priester** grand prêtre; **⌐prima** première *f;* **⌐schenkel** cuisse *f;* **⌐schicht** classes supérieures, haute société; **⌐schule**

collège *m,* lycée *m;* **⌐schüler** collégien, lycéen; **⌐seite** dessus *m,* côté supérieur; **~st** *adj* suprême, le plus haut; **⌐st** colonel; **⌐stabsarzt** médecin commandant; **⌐staatsanwalt** procureur général; **⌐steiger** chef-porion; **⌐stimme** dessus *m;* **⌐stleutnant** lieutenant-colonel; **⌐stübchen:** *er ist nicht ganz richtig im O.* il a une araignée au plafond; **⌐stufe** *(höhere Schule)* classes terminales, second cycle; **⌐tasse** tasse *f;* **⌐ton** (son *m*) harmonique *m;* **⌐wasser** amont *m;* ✿ niveau supérieur; **⌐wasser haben** avoir le dessus; **⌐welt** terre *f;* **⌐zähne** dents *fpl* d'en haut
obgleich bien que, quoique, encore que, malgré que (+ *subj*)
Obhut garde *f,* protection *f; in s-e* ~ *nehmen* prendre sous sa garde
obig susdit, susmentionné, cité ci-dessus
Objekt objet *m; ling* complément *m; (Vorhaben)* projet *m,* affaire *f; (Wertgegenstand)* objet *m* de valeur; *(Gebäude)* bâtiment *m,* immeuble *m; (Brücke usw.)* ouvrage *m* d'art; **⌐iv** *adj* objectif, impartial; **⌐iv** *su* 📷 objectif *m;* **⌐ivieren** objectiver; **~ivierung** objectivation *f;* **~ivplatte** 📷 porte-objectif *m;* **~ivsatz** 📷 combinaison *f* d'objectifs; **~ivträger** 📷 barillet *m;* **~ivverschluß** 📷 obturateur *m;* **~tisch** *(Mikroskop)* platine *f;* **~sicherung** protection d'un immeuble *ou* d'un ouvrage d'art; **~träger** *(Mikroskop)* platine *f,* porte-objet *m*
Oblate oublie *f,* plaisir *m; rel* hostie *f*
obliegen s'appliquer à; *(unerps.)* incomber (à qn); **~heit** devoir *m,* obligation *f,* charge *f*
obligat nécessaire, indispensable, de rigueur; **⌐ion** obligation *f (a. com);* **⌐ionsinhaber** obligataire; **⌐ionsschuldner** émetteur d'une obligation; **~orisch** obligatoire
Obligo engagement *m,* garantie *f*
Obmann chef
Obo|e hautbois *m;* **~ist** hautboïste
Obrigkeit autorité *f,* pouvoirs publics; **⌐lich** d'autorité; **~sstaat** régime *m* autoritaire
obschon *siehe* obgleich
Observat|ion surveillance *f;* **~orium** observatoire *m*
obsiegen l'emporter (sur), triompher (de); prévaloir
Obst fruits *mpl;* **~bau** culture *f* des arbres fruitiers, arboriculture *f;* **~baum** arbre fruitier; **~ernte** cueillette *f;* **~händler** fruitier; **~kelter** pressoir *m;* **~kern** pépin *m;* noyau *m;* **~kuchen** tarte *f* aux fruits; **~markt** marché *m* aux fruits; **~messer** couteau *m* à fruits; **~schädling** carpocapse *f,* ver *m* des fruits; **~züchter** arboriculteur
Obstruktion obstruction *f*
obszön obscène; **⌐ität** obscénité *f*
Obus trolleybus *m*
ob|walten prédominer; exister; *unter d.* ~*walten-den Umständen* dans les présentes circonstances; **~wohl** = obgleich
Ochse bœuf *m; fig* imbécile *m,* âne *m; dastehen wie d.* ~ *am Berg* ne savoir que faire; **⌐n** *umg* bûcher; **~nkarren** char *m* à bœufs; **~nmaulsalat**

salade *f* de museau de bœuf; **~nschwanzsuppe**
oxtail *m;* **~ntreiber** bouvier; **~nziemer** nerf *m*
de bœuf

Ocker ocre *f; brauner ~* terre *f* de Sienne
Ode ode *f*

öd|e désert, inhabité; déshérité; **⬥e** *su* désert *m,*
région inhabitée; solitude *f;* **⬥land** jachère *f,*
friche *f*

Odem haleine *f,* souffle *m*

oder ou; *(sonst)* autrement, sinon; *~ aber* ou
bien; *~ auch* ou bien encore

Ofen fourneau *m,* poêle *m; (Back-)* four *m;*
~anlage installation *f* de fours; **~futter**
revêtement *m* du four; **~klappe** registre *m;*
~rohr tuyau *m* de poêle; **~rost** grille *f* (de
poêle); **~schirm** écran *m;* **~setzer** fumiste

offen ouvert; découvert; *(Straße)* public;
(Stelle) libre, vacant; *(Frage)* pendant, en
suspens, indécis; *(Wein)* en carafe; *fig* sincère,
franc; *~ gesagt* à vrai dire, pour parler
franchement; *~es Geheimnis* secret *m* de
Polichinelle; *~es Konto* compte ouvert; *~e*
Handelsgesellschaft société *f* en nom collectif;
~e Reserve réserve visible *(od* déclarée); *~e*
Stelle vacance *f;* **~er** *Wechsel* lettre *f* de crédit;
auf ~em Feld en rase campagne; *auf ~er See* en
pleine mer, au large; *mit ~em Mund* bouche
bée; *d. Augen ~ halten* rester sur le qui-vive;
e-e ~e Sprache führen parler sans détours; *~e*
Türen einrennen enfoncer des portes ouvertes;
~bar apparent, manifeste; **~baren** *a. rel*
révéler; *refl* se manifester; **⬥barung** révélation *f;*
manifestation *f;* **~barungseid** serment *m* révéla-
toire *(od* déclaratoire); **~halten** maintenir
ouvert; **⬥heit** franchise *f,* sincérité *f;* **~herzig**
franc, sincère; **~kundig** manifeste; notoire;
patent; flagrant; **⬥kundigkeit** notoriété *f;*
~lassen laisser en suspens, ne pas décider;
~sichtlich apparent, évident, manifeste; qui
saute aux yeux; **~stehen** être ouvert; *fig* être
permis; *(Rechnung)* être dû

offensiv offensif, agressif; **⬥e** offensive *f*

öffentlich public; *~e Gelder* deniers publics;
~er *Dienst* fonction publique; service public;
~es Haus maison *f* de tolérance; *~es Wohl* bien
public, intérêt général; *~ auftreten* se produire
en public; **⬥keit** (grand) public *m;* publicité *f; in*
aller **⬥keit** au vu et au su *(od* aux yeux) de tout le
monde; **⬥keitsarbeit** relations publiques; **~-**
rechtlich: *~-rechtliche Körperschaft* collectivité *f*
de droit public

offer|ieren offrir; **⬥te** offre *f*

offiziell officiel, autorisé; authentique; *fig*
solennel

Offizier officier; *erster ~ (Handelsmarine)*
second; **~sanwärter** aspirant, élève officier;
~sbursche ordonnance *f;* **~skasino** mess *m* (des
officiers); **~smesse** ⚓ carré *m;* **~spatent** brevet
m d'officier

Offiz|in officine *f;* imprimerie *f;* **⬥iös** officieux
öffn|en ouvrir; *(Kiste)* déclouer; *(Flasche)* décache-
ter; *(Flasche)* déboucher; *(Leiche)* autopsier;
(Stromkreis) couper, déconnecter; *(gewaltsam)*
forcer; **⬥er** ouvre-boîte(s) *m;* **⬥ung** ouverture *f;*

orifice *m;* trou *m,* trouée *f; (Tür-)* baie *f;*
⬥ungszeit heures *fpl* d'ouverture

Offsetdruck offset *m*

oft, **~mals** souvent, fréquemment; *wie ~?*
combien de fois?; *sehr ~* nombre de fois; **öfter**
à plusieurs reprises; souvent; *des öfteren*
plusieurs fois, de façon réitérée *(ou* redoublée);
öfters assez souvent; **~malig** *adj* fréquent
oh! *interj* oh!; ah!

Oh(ei)m oncle

ohn|e sans; dépourvu de, dénué de; *~e daß*
sans que; *~e Gewähr* sans engagement; *~e*
Umstände sans cérémonies *(od* façons); *~e*
weiteres sans plus, sans façon, sans hésiter; *~e*
mein Wissen à mon insu; *d. ist nicht ~e* ce n'est
pas de la petite bière; **~edies, ~ehin** de toutes
façons; *(außerdem)* en outre, au surplus,
d'ailleurs; **~egleichen** sans pareil, sans précédent; **⬥macht** évanouissement *m,* syncope *f,*
pâmoison *f; (Machtlosigkeit)* impuissance *f;*
~mächtig *adj* évanoui; impuissant; **~mächtig**
werden s'évanouir

Ohr oreille *f; ganz ~ sein* être tout oreilles; *s.*
aufs ~ legen se coucher, (aller) faire un petit
somme; *d. ~en spitzen* dresser l'oreille; *bis über*
d. ~en par-dessus les oreilles, jusqu'au cou ♦ *j-n*
übers ~ hauen rouler, carotter qn; *es (faustdick)*
hinter d. ~en haben être malin, rusé, futé; *j-m in*
d. ~en liegen rebattre les oreilles à qn; *d. ~en*
hängen lassen avoir l'oreille basse; *tauben ~en*
predigen prêcher dans le désert; *s. etw. hinter d.*
~en schreiben se tenir qch pour dit; *s. d. Nacht*
um d. ~en schlagen faire nuit blanche; **~enarzt**
otologiste; **~enbeichte** confession auriculaire;
~enklingen tintement *m* d'oreilles; **~enkneifer**
zool perce-oreille *m;* **~ensausen** bourdonnement
m d'oreilles; **~enschmalz** cérumen *m;* **~en-**
schmaus régal *m* pour l'oreille; **~enschützer**
protège-oreilles *m;* **⬥enzerreißend** assourdis-
sant; à rompre le tympan; **~enzeuge** témoin *m*
auriculaire; **~feige** gifle *f,* soufflet *m,* claque *f;*
⬥feigen gifler, souffleter; calotter *(umg)* **~läpp-**
chen lobe *m;* **~muschel** pavillon *m* (de l'oreille);
~ring boucle *f* d'oreille

Öhr chas *m,* trou *m;* œillet *m*

okkult occulte; **⬥ismus** occultisme *m*

Öko|loge écologiste *m,* umg écolo *m;* **~logie**
écologie *f;* **~logisch** écologique

Ökonom économe; gérant; agriculteur; **~ie**
économie *f;* agronomie *f;* **⬥isch** économique

Okt|aeder octaèdre *m;* **~anzahl** indice *m*
d'octane; **~avband** volume *m* in-octavo; **~ave**
octave *f;* **~ober** octobre *m;* **~ogon** ocotogone *m*

Okul|ar oculaire *m;* **⬥ieren** ↓ écussonner

ökumenisch œcuménique

Okzident occident *m*

Öl huile *f; (Erd-)* pétrole *m,* brut *m; in ~ malen*
peindre à l'huile; *~ wechseln* 🚗 faire la vidange
♦ *~ ins Feuer gießen* verser de l'huile sur le feu;
~ auf d. Wogen gießen mettre de l'huile dans les
rouages; **~bad** ⚙ bain *m* d'huile; **~baum** olivier
m; **~behälter** réservoir *m* à huile; **~berg** *rel*
mont *m* des Oliviers; **~bild** peinture *f* à l'huile;
~bohrung puits *m* de pétrole; **~brenner** brûleur

m à mazout; **~dichtung** joint *m;* **~druck** ▭ chromolithographie *f;* ☼ pression *f* d'huile; **~druckschmierung** lubrification *f* à huile sous pression; **~en** graisser, huiler; ☼ lubrifier; **~farbe** peinture *f* à l'huile; **~feld** champ *m* pétrolifère; **~feuerung** chauffage *m* au mazout; **~filter** épurateur *m* d'huile; **~fleck** flaque *f* d'huile; **~förderland** pays *m* producteur de pétrole; **~förderung** production *f* pétrolière; **~gesellschaft** compagnie *f* pétrolière; **~haltig** oléagineux; *geol* pétrolifère; **~heizung** chauffage *m* au mazout; **~ig** huileux; oléagineux; onctueux; **~kanister** bidon *m* à huile; **~kännchen** burette *f;* **~kohle** calamine *f,* huile carbonisée; **~krise** crise *f* du pétrole; **~kuchen** tourteau *m;* **~lack** vernis gras; **~lämpchen** quinquet *m;* **~leitung** oléoduc *m,* pipe-line *m;* **~mühle** huilerie *f;* **~multi** *umg* multinationale *f* du pétrole; **~palme** palmier *m* à huile; **~papier** papier huilé; **~pest** marée *f* noire; **~preiserhöhung** relèvement *m* du prix du brut; **~pumpe** pompe *f* de graissage; **~säure** acide *m* oléique; **~schalter** ⚡ interrupteur *m* à bain d'huile; **~scheich** émir *m* arabe producteur de pétrole; **~schiefer** schiste *m* bitumineux; **~schmierung** lubrification; -**stand(sanzeiger)** (indicateur *m* de) niveau *m* d'huile; **~tanker** pétrolier *m;* **~teppich** nappe *f* de pétrole; **~tuch** toile huilée; **~ung** graissage *m;* lubrification *f; Letzte ~ung (rel)* extrême-onction *f;* **~vorkommen** gisement *m* de pétrole; **~wanne** carter *m* d'huile; **~zeug** ciré *m;* **~zweig** rameau *m* d'olivier

Oleander laurier-rose *m*

Oliv|e olive *f;* **~enbaum** olivier *m;* **~enernte** olivaison *f;* **~enfarben** olivâtre; **~enöl** huile *f* d'olives; **~grün** (vert) olive *(inv)*

Olle *umg* vielle *f; pop* copine *f,* pote *m*

Ölung: *die letzte* ~ extrême-onction *f*

Olymp Olympe *m;* ⚥ *umg* poulailler *m,* paradis *m;* **~iade** jeux *mpl* Olympiques; **~isch** olympique

Oma grand-maman; mémère *(umg)*

Om|budsmann médiateur *m,* juge-arbitre *m;* **~en** augure *m,* présage *m;* **~inös** de mauvais augure, inquiétant

Omnibus *(Stadt-)* autobus *m; (Überland-)* (auto)car *m*

Onanie onanisme *m,* masturbation *f;* **~ren** se masturber, *umg* se branler

ondulieren onduler

Onkel oncle *m; dicker* ~ gros orteil *m;* **~ehe** mariage *m* d'Afrique

Opa grand-papa; pépère *(umg)*

Opal opale *f;* **~isieren** opaliser; **~isierend** opalescent

Oper opéra *m; komische* ~ opéra *m* bouffe; **~ette** opérette *f;* **~nglas** jumelle(s) *f(pl)* de théâtre; **~nhaus** opéra *m;* **~nsänger** chanteur d'opéra; **~nsängerin** cantatrice d'opéra; **~ntext** livret *m*

Oper|ateur 💲, ⚥ opérateur *m;* **~ation** opération *f;* **~ationsbasis** base *f* d'opération; **~ationsforschung** recherche opérationnelle; **~ationsgebiet** *mil* théâtre *m* des opérations; **~ationsplan**

conception *f* de la manœuvre; **~ationsradius** rayon *m* d'action; **~ationssaal** salle *f* d'opération; **~ationstisch** table *f* d'opération; **~ationsverfahren** mode *m (od* processus *m)* opératoire; **~ativ** *adv* 💲 par voie d'opération; *adj mil* opérationnel, stratégique; **~ieren** opérer, manœuvrer habilement

Opfer sacrifice *m; rel* offrande *f; (d. Geopferte)* victime *f; e.* ~ *bringen* faire un sacrifice; *z.* ~ *fallen* être victime de; **~bereitschaft** = **~freudigkeit** esprit *m* de sacrifice; **~gabe** offrande *f;* **~n** *a. fig* sacrifier; immoler; **~stock** tronc *m* (des pauvres); **~tod** sacrifice *m* de sa vie; **~ung** sacrifice *m;* immolation *f;* **~willig** prêt au sacrifice; dévoué

Opium opium *m;* **~haltig** opiacé; **~pfeife** pipe *f* à opium; **~raucher** fumeur d'opium; **~schmuggel** trafic *m* d'opium; **~tinktur** laudanum *m*

Oppon|ent opposant, adversaire; **~ieren** s'opposer *(gegen* à)

opportun opportun; **~ist** opportuniste

Opposition opposition *f;* **~sführer** chef de l'opposition

opt|ieren opter *(für* pour); **~ion** option *f*

Opti|k optique *f;* ▭ système *m* d'optique; *fig* aspect *m;* **~ker** opticien; **~sch** optique; **~sche Täuschung** illusion *f* d'optique

optim|al optimum; **~ieren** optimaliser; optimiser; **~ismus** optimisme *m;* **~ist, ~istisch** optimiste

Opus ♪ œuvre *m*

Orakel, ~spruch oracle *m;* **~n** parler par énigmes

Orange orange *f;* **~farben** orange; **~nbaum** oranger *m;* **~nschale** zeste *m (od* écorce *f)* d'orange

Orang-Utan orang-outan(g) *m*

Oratorium oratorio *m*

Orchester orchestre *m;* **~loge** avant-scène *f;* **~raum** ⚥ orchestre *m*

Orden *rel* ordre *m; mil* décoration *f;* **~sband** ruban *m,* cordon *m;* **~sbruder** frère, religieux; **~sgeistlichkeit** clergé régulier; **~sgelübde** vœu *m* monastique; **~skleid** habit *m;* **~sregel** règle *f* monastique; **~sschwester** sœur, religieuse

ordentlich régulier, ordinaire; ordonné, en ordre; rangé; *(Benehmen)* comme il faut; *(anständig)* honnête; *(z. B. Gasthaus)* convenable; *(groß)* considérable, important; *nichts* **~es** rien qui vaille; **~es** *Mitglied* membre actif *ou* titulaire; **~keit** (esprit *m* d')ordre *m*

Order commandement *m,* ordre *m; com* commande *f;* **~buch** carnet de commandes; **~klausel** clause *f* à l'ordre (de); **~papier** papier *m (od* effet *m)* à ordre; **~n** passer commande

ordin|är ordinaire, vulgaire; **~ariat** charge *f* de professeur; *rel* ordinariat *m;* **~ate** ordonnée *f;* **~ieren** *rel* ordonner

ordn|en mettre en ordre, ranger; ordonner; *(anordnen)* disposer, arranger; classer; **~er** ordonnateur; *(Akten-)* classeur *m;* **~ung** *a. zool* ordre *m;* rang *m,* catégorie *f; (An-)* arrangement *m,* disposition *f; (Ein-)* classement *m; (Satzung)* règlement *m; in* **~ung** en règle; *in* **~ung** *bringen* régler; ⌐*ung bringen* in mettre de l'ordre dans; ⌐*ung schaffen* faire régner l'ordre; *z.* ⌐*ung rufen* rappeler à l'ordre; *d.* ⌐*ung halber* pour la bonne forme; *d. Sache geht in* ⌐*ung* l'affaire est dans le sac; ~*ungsgemäß* réglementaire; en bonne et due forme; conforme aux règles; ⌐*ungsstrafe* peine *f* disciplinaire; ~*ungswidrig* contraire à l'ordre, irrégulier; ⌐*ungswidrigkeit* infraction *f* administrative; amende *f* administrative; ⌐*ungszahl* nombre *m* d'ordre (*od ordinal*)

Ordonnanz *a. mil* ordonnance *f*

Organ *a. fig* organe *m;* organisme *m;* institution *f;* ~*igramm* organigramme; ~*isation* organisation *f;* ~*isationstalent* talent *m* d'organisateur; ~*isator* organisateur, ordonnateur; ⌐*isatorisch* organisateur; organisationnel; ⌐*isch* organique; *biol* organisé; ~*isieren* organiser; *umg* chiper, chaparder; ~*ismus* organisme *m; biol* être vivant; ~*ist* organiste; ~*mandat* contravention *f,* amende *f*

Orgasmus orgasme *m,* plaisir *m* sexuel

Orgel orgue *m,* orgues *fpl;* ~*bauer* facteur d'orgues; ~*gehäuse* buffet *m* d'orgue; ~*pfeife* tuyau *m* d'orgue ♦ *wie d.* ~*pfeifen* en rang d'oignons; ~*punkt* point *m* d'orgue; ~*register* jeux *mpl* d'orgue; ~*zug* registre *m* d'orgue

Orgie orgie *f;* beuverie *f;* ripaille *f*

Orient orient *m;* ~*ale* Oriental; ⌐*alisch* oriental; ⌐*ieren* orienter; *refl* s'orienter (*a. fig);* *fig* se mettre au courant, s'informer (de), se renseigner (sur); ~*ierung* orientation *f; (Gebäude)* orientement *m;* direction *f;* information *f; zu Ihrer* ~*ierung* pour votre gouverne; ~*ierungspunkt* point *m* de repère; ~*ierungssinn* sens *m* de l'orientation

Original *a. fig* original *m;* 🕧 minute *f; fig* excentrique *m;* ⌐ *adj* original, authentique; ~*ität* originalité *f;* ~*packung* emballage *m* d'origine; ~*reportage* reportage *m* en direct; ~*text* (texte) original *m*

originell original; excentrique; personnel; (*erfinderisch*) ingénieux

Orkan ouragan *m*

Ornament ornement *m;* ⌐*al* ornemental; ~*ik* ornementation *f*

Ornat robe *f; rel* vêtements sacerdotaux

Ort lieu *m,* endroit *m;* place *f;* localité *f;* bourgade *f; (Stelle)* point *m,* position *f; (Gegend)* région *f; (Bergbau)* chantier *m; an* ~ *u. Stelle* sur place, sur les lieux; à pied d'œuvre; *höheren* ~*es* en haut lieu; **Örtchen** petit endroit; ⌐*en* repérer; **örtlich** local; 🖇 topique; ⌐*sansässig* local; résident; ~*schaft* localité *f; (geschlossene-)* agglomération *f;* ⌐*sfest* ⚙ fixe, stationnaire; ~*gedächtnis* mémoire locale (*od* des lieux); ~*gespräch* ✆ communication urbaine; ~*skennzahl* ✆ indicatif *m* interurbain; ~*skommandant* commandant de place (*od* d'armes); ~*skrankenkasse* caisse primaire d'assurancemaladie; ~*snetz* réseau *m* urbain; ~*sschild* 🚩 indicateur *m* de localité; ⌐*süblich* conforme aux usages locaux; ~*sveränderung* déplacement *m;* ~*szeit* heure locale; ~*szulage* indemnité locale;

~*szuschlag* indemnité *f* de résidence; ~*ung* repérage *m,* localisation

ortho|dox orthodoxe; ⌐*graphie* orthographe *f;* ~*graphisch* orthographique; ⌐*päde* orthopédiste; ⌐*pädie* orthopédie *f*

Öse œillet *m;* anneau *m*

Ost est *m;* ~*afrika* l'Afrique orientale; ~*blockstaaten* pays *mpl* socialistes; ~*en* est *m,* orient *m,* levant *m; d. Nahe* ~*en* le ProcheOrient; *d. Ferne* ~*en* l'Extrême-Orient; ~*kirche* église *f* d'Orient; **östlich** oriental; *adv* à l'est (*von* de); ~*see* mer *f* Baltique; ⌐*wärts* vers l'est; ~*wind* vent *m* d'est

ostentativ ostensible; manifeste; ostentatoire

Oster|abend veille *f* de Pâques; ~*ei* œuf *m* de Pâques; ~*glocke bot* narcisse *f* jaune; ~*lamm* agneau pascal; **österlich** pascal; ~*n* Pâques *fpl* **Österreich** l'Autriche *f;* ~*er* Autrichien; ⌐*isch* autrichien

Otter 1. *m* loutre *f;* **2.** *f* vipère *f*

Otto|kraftstoff essence *f* pour auto; ~*motor* moteur *m* à carburateur

oval ovale

Oxyd oxyde *m;* ~*ator* oxydant *m; (Raketen)* comburant *m;* ⌐*ieren* oxyder

Ozean océan *m; d. Große* ~ (océan) Pacifique *m; Atlantischer* ~ (océan) Atlantique *m;* ~*dampfer* (paquebot *m*) transatlantique *m;* ~*flieger* aviateur transatlantique *m;* ~*ien* l'Océanie *f;* ⌐*isch* océanique; *(Südsee)* océanien

Ozon ozone *m;* ⌐*haltig* ozoné

P

Paar paire *f;* couple *m; e. junges* ~ un jeune ménage ♦ *d. ist e. anderes* ~ *Stiefel* c'est une autre paire de manches; ⌐ *adj* pair; *(Zahlw.) ein* ⌐ quelques; ~*bildung* *phys* génération *f* de paires; ~*en* *a. zool* accoupler; joindre; *refl* s'accoupler; ⌐*ig* géminé; apparié; appareillé; *nicht* ⌐*ig* dépareillé; ⌐*mal: e.* ⌐*mal* deux ou trois fois; ~*ung* accouplement *m;* ⚙ appariement *m;* ~*ungszeit* pariade *f;* ⌐*weise* deux par deux; par paires (*od* couples); ⌐*weise zusammenstellen* apparier

Pacht bail *m* à ferme, bail rural; *(*~*geld)* fermage *m;* affermage *m; in* ~ *nehmen (geben)*↓ prendre (donner) à ferme; ~*brief* bail *m;* ⌐*en* affermer, louer; ↓ prendre à ferme; ~*en* *su* affermage *m,* louage *m,* location *f;* **Pächter** fermier, preneur à bail; ~*ertrag* rapport *m* (*od* revenu *m*) du fermage (*od* de la gérance); ~*grundstück,* ~*hof,* ~*gut* ferme *f,* métairie *f;* ~*vertrag* contrat *m* de fermage, bail à ferme; ⌐*weise* à bail, à ferme; en gérance; ~*zins* prix *m* du fermage

Pack[1] *n* canaille *f,* racaille *f*

Pack[2] *m* ballot *m,* paquet *m;* **Päckchen** (petit) paquet *m;* ~*eis* banquise *f;* ⌐*en* empaqueter, emballer; empoigner; attraper; *a. fig* saisir; *d. Koffer* ⌐*en* faire sa valise (*od* ses bagages); ⌐*end* prenant; passionnant; poignant; saisissant; ~*er* emballeur, paqueteur; ~*esel* *a. fig* âne *m* bâté; bête *f* de somme; ~*papier* papier *m*

d'emballage; **~raum** salle *f (od* magasin *m)*
d'emballage; **~sattel** bât *m;* **~tasche** sacoche *f;*
~ung emballage *m;* présentation *f;* paquet *m;*
boîte *f;* ✿ garniture *f;* ✿ enveloppement *m;*
~wagen fourgon *m*

Pädagog|e pédagogue; **~ik** pédagogie *f;* **⌁isch**
pédagogique

Paddel pagaie *f;* **~boot** canoë *m,* périssoire *f,*
kayak *m;* **⌁n** pagayer

paff! pan!; **~en** *(Pfeife)* fumer à grosses
bouffées

Page page; *(Hotel)* groom; **~nkopf** coiffure à
la Jeanne d'Arc

paginier|en paginer; **⌁ung** pagination *f*

Paket paquet *m,* colis *m;* **~annahme** (guichet *m*
de) réception *f* des colis postaux; **~ausgabe**
(guichet *m* de) distribution *f* des colis postaux;
livraison *(od* remise) *f* des colis postaux;
~iermaschine machine *f* à empaqueter; **~karte**
bulletin *m* d'expédition; **~post** service *m* des
colis postaux; **~zustellung** distribution des colis

Pakt pacte *m; e-n ~ schließen* conclure un
pacte; **⌁ieren** pactiser avec qn

Palast palais *m*

Palaver palabre *f*

Palett|e palette *f; com* éventail *m,* gamme *f* (de
produits); **~iert** sur palette

Palm|e palmier *m ♦ j-n auf d. ~e bringen*
échauffer les oreilles à qn; **~enhain** palmeraie *f;*
~sonntag dimanche *m* des Rameaux; **~wedel,
~zweig** palme *f*

Palisade(nzaun) palissade *f*

Pampelmuse pamplemousse *m, f*

Pamphlet pamphlet *m;* **~ist** pamphlétaire

Paneel lambris *m*

panieren paner

Pani|k panique *f,* sauve-qui-peut *m;* **⌁isch**
panique

Panne panne *f;* (Reifen-) crevaison *f; fig* échec
m; e-e ~ haben tomber en panne; **~ndienst**
service *m* de dépannage; **⌁nsicher** *(Luftreifen)*
indégonflable, increvable

pan(t)schen frelater; *(Milch)* mouiller

Panther panthère *f*

Pantoffel pantoufle *f ♦ er steht unter d. ~* sa
femme porte la culotte; **~held** personne qui se
laisse mener

Panzer *zool* carapace *f,* test *m;* (Rüstung)
cuirasse *f; mil* char *m* de combat; (véhicule *m)*
blindé *m;* **~abwehr** défense *f* anti-chars;
~fahrzeug engin *(od* véhicule) blindé; **~falle**
piège *m* à chars; **~faust** lance-fusée léger
antichar; **~flotte** flotte cuirassée; **~granate**
grenade *f* anti-chars; **~hemd** cotte *f* de mailles;
~kreuzer (croiseur) cuirassé *m;* **⌁n** blinder;
~platte plaque *f* de blindage; **~schrank**
coffre-fort *m;* **~truppe** troupe blindée; **~ung**
blindage *m;* **~wagen** voiture blindée; **~zug** train
blindé

Papagei perroquet *m;* **~enkrankheit** ✿ psitta-
cose *f*

Paperback livre *m* cartonné, livre de poche

Papier papier *m; pl* pièces *fpl* d'identité; *com*
effet *m;* titre *m;* valeur *f;* **~deutsch** style *m*

administratif allemand; **~fabrik, ~geschäft,
~handlung** papeterie *f;* **~faserstoff** pâte *f* à
papier; **~geld** papier-monnaie *m,* monnaie *f*
fiduciaire; **~hersteller** papetier, fabricant de
papier; **~industrie** industrie *f* du papier; **~korb**
corbeille *f* à papier; **~krieg** paperasserie *f;*
~maché papier mâché; pâte *f* à papier;
~messer coupe-papier *m;* **~schere** ciseaux *mpl*
à papier; **~schneidemaschine** massicot *m;*
~schnitzel rognure *f* de papier; **~tüte** sac *m* en
papier; **~währung** papier-monnaie *m*

Papp|band volume cartonné; **~deckel** carton
m; **~e** carton *m ♦ d. ist nicht von ~e* ce n'est pas
de la petite bière; **~el** peuplier *m;* **~enheimer:**
ich kenne m-e ~enheimer je connais mon
monde; **⌁ig** pâteux; **~schachtel** boîte *f* de
carton

Paprika paprika *m,* piment *m*

Papst pape; **päpstlich** papal; *päpstl. Segen*
bénédiction *f* apostolique; **~tum** papauté *f*

Parab|el parabole *f;* **~olantenne** antenne-assiet-
te; **⌁olisch** parabolique; **~olspiegel** miroir *m*
parabolique

Parade revue *f; e-e ~ abnehmen* passer des
troupes en revue; **~marsch** défilé *m;* **~platz**
place *f* d'armes; **~schritt** pas de parade;
~uniform grande tenue

Paradies paradis *m;* **⌁isch** paradisiaque; **~vogel**
paradisier *m*

paradox paradoxal; **⌁(on)** paradoxe *m*

Paragraph paragraphe *m;* ⚖ article *m* (de loi)

parallel parallèle; **⌁e** parallèle *f* (fig *m);*
⌁schaltung ⚡ montage *m (od* couplage *m)* en
parallèle

Para|meter paramètre *m;* **~phrase** paraphrase
f; **⌁phieren** parafer, parapher; **~sit** *a. fig*
parasite *m;* **~typhus** paratyphoïde *f*

Parforcejagd chasse *f* à courre

Parfüm parfum *m;* **⌁ieren** parfumer; **~industrie**
parfumerie *f;* **~zerstäuber** vaporisateur *m*

pari pair; *über (unter) ~* au-dessus (au-dessous)
du pair; **⌁ausgabe** émission *f* au pair; **⌁tät**
parité *f;* égalité *f;* **~tätisch** paritaire; à parité; à
égalité; **~tätische Mitbestimmung** cogestion *f*
paritaire

parieren *(Stoß)* parer; *(gehorchen)* obéir

Pariser Parisien; **⌁isch** parisien

Park parc *m;* **~anlage** jardin anglais; **⌁en** 🚗
vt/i garer, parquer; *vi* stationner; **~en** su 🚗
parcage *m,* stationnement *m;* **~leuchte** 🚗 feu *m*
de stationnement; **~platz** parc *m* de stationnement, parking *m; bewachter* **~platz** parking
gardé; **~scheibe** disque *m* (de stationnement);
~uhr parc(o)mètre *m;* **~verbot** interdiction *f* de
stationner; stationnement *m* interdit

Parkett parquet *m;* 🎭 (fauteuils *mpl* d')orches-
tre *m;* **⌁ieren** parqueter; **~ierung** parquetage *m*

Parlament parlement *m;* Assemblée nationale;
~är, ~arier, ~smitglied parlementaire; **⌁arisch**
parlementaire; **⌁ieren** *a. fig* parlementer;
~ssitzung séance *f* du Parlement; **~sverhand-
lung** débat *m* parlementaire

Parodie parodie *f;* **⌁ren** parodier

Parole mot *m* d'ordre *(od* de passe); slogan *m*

Part *a.* ♪ partie *f*

Partei *pol* parti *m;* 🐿 partie *f; (Hausbewohner)* locataires *mpl; j-s* ~ *ergreifen* prendre le parti *(od* se ranger du côté) de qn; ~**anhänger** adhérent *m* (d'un parti); ~**buch** carte *f* de membre; ~**enverkehr** heures *sfpl* d'ouverture; ~**freund** fidèle *m,* allié *m,* partisan *m;* ~**führer** chef de parti; ~**gänger** partisan; ⌁**isch** partial; ~**lichkeit** partialité *f;* ⌁**los** neutre, impartial; *pol* indépendant, sans parti, non-inscrit; ~**tag** congrès *m* d'un parti; ~**vorstand** comité *m* directeur, secrétariat *m* général; ~**zugehörigkeit** appartenance *f* (à un parti)

Parterre 🏛 rez-de-chaussée *m;* 🎭 parterre *m;* ~**loge** 🎭 baignoire *f*

Part|ie partie *f; (Heirat)* parti *m; e-e gute* ~*e machen* faire un beau mariage; ⌁**ell** partiel; ~**eware** restes *mpl,* fins *fpl* de stock(s)

Partikel particule *f*

Partisan partisan; ~**enkrieg** guérilla *f*

Part|itur partition *f;* ~**izip** participe *m;* ~**ner** partenaire; *com* associé; ~**nerschaft** participation *f; com* association *f* en participation; *(Städte)* jumelage *m;* ~**nerstadt** ville *f* jumelée

Parzell|e parcelle *f,* lot *m;* ⌁**ieren** lotir, parceller

Paß *(Gebirgs-)* col *m; (Eng-)* défilé *m,* pas *m; (Reise-)* passeport *m; e-n* ~ *ausstellen, verlängern* délivrer, prolonger un passeport; ~**bild** photo *f* d'identité; ~**gang** amble *m;* ~**inhaber** titulaire *m* d'un passeport; ~**kontrolle** vérification des passeports

Passagier,⚓, ✈ passager, voyageur; *blinder* ~ passager clandestin; ~**dampfer** paquebot *m;* ~**flugzeug** avion *m* (de transport) de voyageurs; ~**gut** bagages personnels

Passat|wind vent alizé

passen convenir *(zu, für* à); *(Farben)* aller, se marier *(zu* avec); *(Kleidung)* aller; *(harmonisieren)* s'accorder *(zu* avec); *(zueinander)* aller ensemble; *(Spiel)* passer; *paßt Ihnen das?* cela vous convient(-il)?, cela vous arrange(-t-il)?; ~**d** convenable; approprié, adéquat; congru; *(übereinstimmend)* assorti

passier|bar *(Weg)* praticable; ~**en** passer; arriver, se passer, avoir lieu; ⌁**schein** laissez-passer *m,* sauf-conduit *m; journ* coupe-file *m*

Passion passion *f;* ~**sblume** passiflore *f;* ~**swoche** semaine *f* de la Passion *(od* sainte); ~**szeit** carême *m*

passiv passif; déficitaire; ⌁ *su* passif *m,* voix passive; ⌁**a** *com* passif *m;* ⌁**ität** passivité *f*

Passung ajustement *m*

Passus passage *m,* paragraphe *m*

Paste pâte *f*

Pastell|bild pastel *m;* ~**farbe,** ~**stift** pastel *m;* ~**maler** pastelliste; ~**malerei** peinture *f* au pastel

Pastete pâté *m*

pasteurisieren pasteuriser

Pastor *kath* curé; *prot* pasteur

Pat|e parrain *f;* ~*e stehen* servir de parrain *(bei* à), être parrain (de); ~**enkind** filleul(e); ~**enschaft** parrainage *m; (Städte)* jumelage *m;* ~**in** marraine

Patent brevet *m* (d'invention); *e.* ~ *anmelden* déposer *(od* demander) un brevet; ⌁ *adj* épatant; ~**amt** office *m* des brevets (d'invention); ~**anmeldung** demande *f* de brevet; ~**anwalt** agent *m* en propriété industrielle; ~**fähig =** ⌁ **ierbar** brevetable; ⌁**ieren** breveter; ~**inhaber** détenteur d'un brevet; ~**schutz** protection *f* des inventions *(od* des brevets); ~**verschluß** fermeture brevetée; ~**wesen** propriété *f* industrielle

Pater père; religieux; ~**noster** Pater *m,* Notre Père *m; (Aufzug)* patenôtre *m,* noria *f;* ~**nosterwerk** élévateur *m* à godets

path|etisch pathétique; *(Stil)* émouvant; ⌁**ologe** pathologiste; ~**ologisch** pathologique; ⌁**os** pathos *m,* pathétisme *m,* solennité *f*

Patient malade, sujet; *(bei Operationen)* patient; *pl* clientèle *f*

Patina patine *f*

Patriarch patriarche; ⌁**alisch** patriarcal

Patriot patriote; ⌁**isch** *(Dinge)* patriotique; *(Personen)* patriote

Patrizier patricien

Patron patron; ~**at** patronage *m;* ~**e** cartouche *f;* ~**enhülse** douille *f* de cartouche; ~**entasche** cartouchière *f*

Patsch|e embarras *m,* pétrin *m; j-m aus d.* ~*e helfen* sortir qn du pétrin; *da sitzen wir schön in d.* ~*e!* nous voilà dans de beaux draps!; ⌁**en** patauger; ~**händchen** menotte *f;* ⌁**naß** trempé comme une soupe, mouillé jusqu'aux os

patz|en faire des fautes; agir maladroitement; ⌁**er** maladresse *f,* faute *f; umg* bêtise *f,* gaffe *f;* bâcler son travail; ~**ig** impoli, grossier; impertinent

Pauke timbale *f;* grosse caisse ♦ *auf die* ~ *hauen umg* faire la noce, fêter; faire le mariole; *mit* ~*n u. Trompeten durchfallen umg* ramasser une veste; ⌁**n** battre des timbales; *arg scol* bûcher, piocher; ~**r** timbalier; *arg scol* prof

pausbackig joufflu

pauschal global, forfaitaire; à forfait

Paus|e 1. repos *m;* intervalle *m;* temps *m* d'arrêt; *(a.* 🎵, ♪*)* pause *f; päd* récréation *f;* 🎭 entracte *m;* **2.** *(Zeichnung)* calque *m,* bleu *m;* ⌁**en** calquer; 📖 décalquer; ~**enbrot** goûter *m;* ~**enhof** cour *f* de récréation; ~**papier** papier-calque *m;* papier *m* à calquer; ~**zeichnung** décalque *m*

Pavian babouin *m,* cynocéphale *m*

Pazifis|mus pacifisme *m;* ~**t** pacifiste; ⌁**tisch** pacifiste

Pech poix *f; umg* déveine *f,* malchance *f,* guigne *f;* poisse *f (pop);* ~ *haben* jouer de malheur, ne pas avoir de la chance; ~**blende** pechblende *f;* ~**draht** ligneul *m,* fil *m* à poix; ~**fackel** torche *f* (de résine); ~**schwarz** noir comme du jais; ~**strähne** (période *f* de) déveine *f;* ~**vogel** malchanceux; déveinard *(umg)*

Pedal pédale *f*

Pedant pédant, cuistre; ~**erie** pédantisme *m;* ⌁**isch** pédant, doctoral; pédantesque

Pedell appariteur

Pegel niveau *m;* ⚓ valance *f;* ~**messer**

décibelmètre m, hypsomètre; **~regler** bouton m de niveau; **~stand** niveau m (d'un cours d'eau)

peil|en ⚓ sonder; ⚓ repérer; localiser, déterminer; **~gerät** ⚓ radiogoniomètre m; **~netz** réseau m de triangulation; **~ung** ⚓ sondage m; ⚓ localisation f, repérage m; relèvement m

Pein peine f, tourment m, torture f; **~igen** tourmenter, torturer; tenailler; **~lich** pénible, gênant, ennuyeux; **~lich genau** minutieux, méticuleux, pointilleux, tatillon; **~lichkeit** caractère pénible (od gênant); minutie f

Peitsche fouet m; **~n** fouetter, fustiger; (Regen) battre, cingler; **~nknall** claquement m de fouet; **~nschnur** mèche f; **~nstiel** manche m de fouet

Pelikan pélican m

Pell|e pelure f; **~en** peler; éplucher; **~kartoffeln** pommes de terre en robe de chambre

Pelz fourrure f ♦ j-m auf d. ~ rücken harceler qn; j-m eins auf den ~ geben umg tabasser qn, cogner, rosser; j-m den ~ waschen umg chapitrer qn, sermonner; rouer de coups; **~besatz** garniture f (od passement m) de fourrure; **~gefüttert** fourré; **~geschäft** pelleterie f; **~händler** pelletier; **~jacke** pelisse f; **~jäger** trappeur; **~mantel** manteau m de fourrure; **~mütze** toque f (od bonnet m) de fourrure; **~tier** animal m à fourrure; **~waren** Pelleterie f

Pendel pendule m; (Uhr) balancier m; **~achse** 🚗 essieu m à suspension indépendante (des roues); **~bewegung** mouvement m pendulaire, oscillation f; **~gleichrichter** ⚡ redresseur m (d'oscillation); **~n** osciller; faire la navette; **~schwingung** oscillation f du pendule; **~tür** porte battante; **~uhr** pendule f; **~verkehr** trafic m de banlieu, (service de) navette f

Pendler migrant m quotidien; banlieusard m

Penis verge f, pénis m; umg bit(t)e f

Penn|äler umg potache; **~bruder** clochard, vagabond; **~e** bahut m, boîte f; **~en** roupiller, pioncer

Pension (a. Heim) pension f; retraite f; in ~ gehen prendre sa retraite; **~är** retraité m; pensionnaire; interne; **~at** pensionat m; internat m; **~iert** retraité; **~ierung** mise f à la retraite; **~salter** âge m de la mise à la retraite; **~sanspruch =** **~sberechtigung** droit m à la retraite; **~skasse** caisse f des retraites

per par; ~ Adresse chez, aux (bons) soins de; **~fekt** parfait; achevé; accompli; **~fekt** su passé composé; **~foriermaschine** perforeuse f; **~gament** parchemin m; **~gamentpapier** papier m parchemin

Period|e période f; époque f; laps m de temps; cycle m; ⚕ menstruation f; **~isch** périodique, cyclique; **~izität** périodicité f

Peripherie périphérie f; **~gerät** périphérique m

Perl|e perle f ♦ ~en vor d. Säue werfen jeter des perles aux pourceaux; **~en** (Champagner) pétiller; (Schweiß) perler; **~huhn** pintade f; **~muschel** huître perlière; **~mutt(er)** nacre f

permanen|t permanent; **~z** permanence f

Per|pendikel droite f perpendiculaire; balancier m, pendule m; **~peteum mobile** mouvement perpétuel; **~plex** perplexe, stupéfait; **~senning** prélart m

Person personne f; lit. ♟ personnage m; in (eigener) ~ personnellement, en personne; juristische ~ personne morale; natürliche ~ personne physique; **~al** personnel m; effectifs mpl; fliegendes **~al** personnel navigant; leitendes **~al** personnel d'encadrement; **~alabteilung,** **~albüro** service m (od bureau m) du personnel; **~alakte** dossier m individuel; **~alausweis** carte f d'identité; **~alien** état civil; identité f; s-e **~alien angeben** décliner son identité; **~alkosten** coûts salariaux; **~alkredit** crédit m personnel; **~alleiter** chef m du personnel; **~alunion** union personnelle; **~alwechsel** mouvement m du personnel; **~enbeförderung** transport m de(s) voyageurs; **~enbeschreibung** signalement m; **~enfirma** raison f sociale; **~engesellschaft** société f de personnes; **~en(kraft)wagen** voiture particulière (od de tourisme); **~enschaden** dommage corporel; **~enstand** état civil; **~enverkehr** trafic m voyageurs; **~enverzeichnis** liste nominative; registre nominatif; **~enzug** train m omnibus; **~ifizieren** personnifier; **~ifizierung** personnification f

persönlich personnel; individuel; adv en personne; **~keit** personnalité f; individualité f; (Person) personnage m de marque; **~keitswahl** scrutin m uninominal

Perspektiv|e perspective f, évolution f probable; fig optique f; **~isch** perspectif; en perspective

Perücke perruque f

pervers pervers, contre nature, vicieux

Pessimis|mus pessimisme m; **~t** pessimiste; **~tisch** pessimiste

Pest peste f; **~beule** bubon m (de la peste); fig gangrène f; **~blatter** pustule f (de la peste); **~krank** pestiféré

Peter pej crétin m, imbécile m ♦ j-m d. Schwarzen ~ zuschieben rendre qn responsable de qch; **~wagen** umg panier m à salade, voiture cellulaire

Petersilie persil m

Petroleum pétrole lampant, kérosène m; **~lampe** lampe f à pétrole

petz|en moucharder, cafarder, rapporter; **~er** mouchard, cafard

Pfad sentier m; **~finder** (boy-)scout

Pfaffe prêtre, curé; pej corbeau; **~nfreund** calotin; **~ntum** cléricalisme m; pej calotte f, prêtraille f

Pfahl poteau m, pieu m; (Pflock) piquet m; (Zaun-) palis m; (Grund-) pilot m; (Absteck-) jalon m; (Baum-) tuteur m, échalas m; **~bau** construction f sur pilotis; hist palafitte m; **~bausiedlung** cité f lacustre; **pfählen** empaler; ⬇ échalasser, tuteurer; **~muschel** moule f; **~rost** pilotis m; **~werk** palissade f; **~wurzel** bot pivot m

Pfalz le Palatinat

Pfand gage *m;* nantissement *m;* sûreté *f;* garantie *f;* **~brief** 🕮 obligation *f (od* cédule *f)* hypothécaire; lettre *f* de gage; acte *m* de nantissement; **~darlehen** prêt *m* sur gage; **~gläubiger** (créancier) gagiste; **~haus,** **~leihanstalt** crédit municipal, mont-de-piété *m;* clou *m (umg);* **~leiher** prêteur sur gages; **~recht** droit *m* de gage; **~schein** reconnaissance *f* de gage; titre *m* de nantissement; **~schuld** dette *f* hypothécaire; **~verschreibung** obligation *f* hypothécaire; **~vertrag** contrat pignoratif *(od* de nantissement)

pfänd|bar saisissable; **~en** 🕮 saisir, procéder à une saisie; gager; exécuter, exploiter; **²ung** saisie *f*

Pfann|e poêle *f; (Gewehr)* bassinet *m; anat* cavité *f* articulaire; ✿ chaudière *f,* poche *f; (Ziegel)* tuile *f;* **~kuchen** crêpe *f*

Pfarr|amt cure *f;* **~bezirk,** **~ei,** **~gemeinde** paroisse *f;* **~er** *kath* curé; *prot* pasteur; **~haus** cure *f;* presbytère *m;* **~kind** paroissien; **~kirche** église paroissiale; **~stelle** cure *f;* **~vikar** vicaire

Pfau paon *m;* **~enauge** *zool* paon *m*

Pfeffer poivre *m; spanischer* ~ piment *m,* poivron *m* ♦ *dahin, wo d.* ~ *wächst* à tous les diables; **~büchse** poivrier *m;* **~kuchen** pain *m* d'épice; **~minze** *bot* menthe *f* (poivrée); **~minztee** infusion *f* de menthe, tisane *f* à la menthe; **²n** poivrer, pimenter; *gepfefferte Rechnung* facture *(od* addition) salée

Pfeife sifflet *m; (Tabaks-)* pipe *f* ♦ *nach j-s* ~ *tanzen* se soumettre servilement à qn; **²n** siffler; siffloter ♦ *e-n* **²n** *umg* siffler un verre; *auf j-n od etw.* **²n** *(umg)* se ficher de qn *ou* qch; **~nkopf** tête *f* de pipe, fourneau *m* de pipe; **~nspitze** bout *m* (de la pipe); **~nstiel** tuyau *m* de pipe; **~nstopfer** bourre-pipe *m;* **~nwerk** *(Orgel)* tuyauterie *f* (d'orgue); **~r** fifre

Pfeil flèche *f;* trait *m;* **²schnell** rapide comme une flèche

Pfeiler *a. fig* pilier *m; (Brücken-)* pile *f*

Pfennig pfennig *m* ♦ *auf Heller u.* ~ jusqu'au dernier sou; *keinen* ~ *wert sein* ne rien valoir; *jeden* ~ *dreimal umdrehen* être parcimonieux, *pej* être mesquin; **~fuchser** grippe-sou

Pferch parc *m,* enclos *m;* **²en** parquer

Pferd cheval *m;* 🐴 cheval *m* de voltige ♦ *das beste* ~ *im Stall umg* le meilleur collaborateur; *auf das falsche/richtige* ~ *setzen* faire le mauvais/le bon choix; *wie e.* ~ *schuften* travailler comme un nègre; *s. aufs hohe* ~ *setzen* monter sur ses grands chevaux; *d.* ~ *beim Schwanz aufzäumen* mettre la charrue devant *(od* avant) les bœufs; **~apfel** crottin *m;* **~ebox** stalle *f;* **~edecke** housse *f;* **~edroschke** fiacre *m;* **~efuß** *fig* pied fourchu; **~gespann** attelage *j;* **~ehändler** maquignon; **~elänge** longueur *f* (de cheval); **~erennbahn** hippodrome *m;* champ *m* de courses; **~erennen** course *f* de chevaux; **~eschwanz** *(Frisur)* queue *f* de cheval; **~estall** écurie *f;* **~estärke** cheval-vapeur *m;* **~ewagen** voiture *f* à cheval; **~ezucht** élevage *m* de(s) chevaux

Pfiff coup *m* de sifflet, sifflement *m;* **~erling** girol(l)e *f* ♦ *d. ist k-n* **~erling** *wert* cela ne vaut pas tripette; **²ig** finaud, madré

Pfingst|en la Pentecôte; **~rose** pivoine *f*

Pfirsich pêche *f;* **~baum** pêcher *m*

Pflanz|e plante *f; (Setz-)* plant *m;* **²en** planter; cultiver; **~enfaser** fibre végétale; **~enfett** graisse végétale; **²enfressend** herbivore; **~engeographie** phytogéographie; **~enkost** régime végétarien; **~enkunde** botanique *f;* ~ **enöl** huile végétale; **~enreich** règne végétal; **~ensammlung** herbier *m;* **~enschädling** parasite *m;* **~enschutz** protection *f* des végétaux; **~enschutzmittel** produit *m* phytosanitaire; pesticide *m;* insecticide *m;* **~enseuche** épiphytie *f;* **~enwelt** végétation *f;* monde végétal; **~enenwuchs** végétation *f;* **~er** planteur; **~gut** plants *mpl;* **~holz** plantoir *m;* **²lich** végétal; **~reis** bouture *f;* **~stätte** *fig* pépinière *f;* **~ung** plantation *f*

Pflaster *(Straßen-)* pavé *m;* 💲 emplâtre *m; (Heft-)* sparadrap *m,* taffetas anglais; **~er** paveur; **²n** paver; **~stein** pavé *m;* **~ung** pavage *m*

Pflaume prune *f; (gedörrte)* pruneau *m;* **~nbaum** prunier *m*

Pfleg|e soin(s) *m(pl); (Sachen)* entretien *m; fig* culture *f;* ~ *e u. Wartung* entretien *m* préventif, maintenance *f;* **~eeltern** parents nourriciers; **~ekind** enfant placé en nourrice; **²en** *vt* avoir soin de, soigner; entretenir; cultiver; avoir coutume de; *vi* s'adonner à; *Rats* **²en** tenir conseil; **~epersonal** personnel hospitalier; **~er** tuteur, curateur; 💲 infirmier; **~erin** 💲 garde-malade; infirmière; **²lich** soigneux; **~ling** pupille *m, f;* **~schaft** 🕮 curatelle *f*

Pflicht devoir *m;* obligation *f;* engagement *m; s-e* ~ *erfüllen* accomplir son devoir; *s-e* ~ *verletzen* manquer à son devoir; **²bewußt** conscient de son devoir; **~bewußtsein** conscience *f* du devoir; **~eifer** zèle *m;* **²eifrig** zélé; **²erfüllung** accomplissement *m* du devoir; **~gefühl** sentiment *m* du devoir; **²gemäß** conforme à son devoir; **²schuldig** dû; **~teil** 🕮 réserve *f* légale, part *f* réservataire; **²vergessen** oublieux de son devoir; prévaricateur; **~versicherung** assurance *f* obligatoire; **~verteidiger** avocat *m* commis d'office; **~widrig** contraire aux engagements pris

Pflock taquet *m,* cheville *f,* goujon *m; (Holz-)* fiche *f,* piquet *m*

pflücken cueillir, ramasser

Pflug charrue *f;* **~schar** soc *m*

pflüge|n labourer; **²r** laboureur

Pforte porte *f;* portillon *m;* 🚢 sabord *m*

Pförtner concierge; portier; *anat* pylore *m;* **~wohnung** loge *f* de concierge

Pfosten poteau *m; (Tür-)* montant *m*

Pfote patte *f;* **~n weg!** à bas les pattes!

Pfriem poinçon *m,* alêne *f*

Propf 💲 obstacle *m,* occlusion *f;* **²en** enter *(auf* sur), greffer; *(verschließen)* boucher; **~en** *m* tampon *m; (Kork)* bouchon *m;* **~messer** greffoir *m;* **²reis** greffe *f,* ente *f,* greffon *m*

Pfründe *(rel, a. fig)* prébende *f; iron* sinécure *f*

Pfuhl mare *f*, bourbier *m*

pfui! fi!, pouah!

Pfund livre *f*; ~ *Sterling* livre *f* sterling; ⌃**ig** épatant; chouette *(umg)*; ⌃**weise** à la livre

Pfusch travail *m* noir; ~**arbeit** travail bâclé *ou* saboté; ⌃**en** bâcler son travail; ~**er** bâcleur, gâcheur

Pfütze flaque *f*; mare *f*

Phänomen *(Tatsache)* phénomène *m*; *(Wunder, Person)* phénomène *m*, prodige *m*; ⌃**al** phénoménal, prodigieux, extraordinaire, surprenant

Phantasie (puissance *f* d')imagination *f*; fantaisie *f*; vision *f*, rêverie *f*; ~**gebilde** chimère *f*; fantasmagorie *f*; produit *m* de l'imagination; ⌃**los** sans imagination; ⌃**ren** se livrer à son imagination; rêver; *umg* dérailler; ♫ délirer; ♪ improviser; ⌃**voll** imaginatif

Phantast fantasque, extravagant; ⌃**isch** fantastique; fantaisiste, fantasque; *umg* mirobolant

Phantom fantôme *m*; ~**bild** portrait *m* robot, photo-robot *f*

Pharma|ka *pl* spécialités *fpl* pharmaceutiques; ~**kologie** pharmacologie *f*; ~**zeut** pharmacien; ~**kopöe** pharmacopée *f*; ~**referent** délégué *m* médical; ⌃**zeutisch** pharmaceutique

Phase ⚡, *astr* phase *f*; stade *m*, étape *f*; période *f*; ~**nverschiebung** déphasage *m*

Philister philistin; *pej* bourgeois; ⌃**haft** embourgeoisé, bourgeois

Philolog|e philologue; ~**ie** philologie *f*; ⌃**isch** philologique

Philosoph philosophe; ~**ie** philosophie *f*; doctrine *f*; système *m*; théorie *f*; ⌃**ieren** philosopher; ⌃**isch** philosophique; philosophe

Pianist pianiste

Phlegma flegme *m*; ⌃**tisch** flegmatique

Phoneti|k, ⌃**sch** phonétique *(f)*

Phono|gerät phonographe *m*, gramophone *m*; ~**logie** phonologie

Phosphor phosphore *m*; ~**dünger** engrais phosphaté; ⌃**eszierend** phosphorescent

Photo|biologie photologie *f*; ~**effekt** effet *m* photoélectrique; ~**element** photopile *f*; ~**metrie** photométrie *f*; ~**zelle** cellule *f* photoélectrique

Phrase phrase *f*; ~**ndrescher** phraseur, beau parleur

Physik physique *f*; ⌃**alisch** physique; ~**er** physicien; ~**um** *(etwa:)* licence *f* en médecine

Physiologe physiologiste

physisch physique; corporel, matériel

pichen (em)poisser

Picke pic *m*; *(Spitzhacke)* pioche *f*; ⌃**n** picorer

Pickel alp piolet *m*; ♫ bouton *m*

Picknick pique-nique *m*

piek|en piquer; ~**fein** *umg* chic, tiré à quatre épingles; sur son trente-et-un

piep|en pépier, piailler, piauler ♦ *bei j-m piept es (umg)* qn est un peu timbré, piqué, toc-toc; *zum* ⌃ *sein (umg)* être très drôle, marrant; *keinen Pieps mehr sagen (umg)* ne plus rien dire; être mort; ⌃**ser** piaillement *m*, piaulement *m*

Pier môle *m*, jetée *f*; débarcadère *m*

Pietät piété *f*; ⌃**los** impie

Pik *(Karten)* pique *f*♦ *e-n* ~ *auf j-n haben* avoir une dent contre qn; ⌃**ant** épicé; *(Soße)* relevé, piquant; *fig* croustilleux, salé; ~**e** pique *f*♦ *von d.* ~*e auf gedient haben* être sorti du rang; ⌃**iert** piqué, vexé; ~**kolo** *(Hotel)* chasseur, groom; ~**koloflöte** piccolo *m*, petite flûte

Pilger pèlerin; ~**fahrt** pèlerinage *m*; ⌃**n** faire un *(od* aller en) pèlerinage

Pille pilule *f*; médicament *m*; ♦ *j-m e-e bittere* ~ *versüßen* dorer la pilule à qn; *e-e bittere* ~ *schlucken* avaler des couleuvres; ~**ndreher** apothicaire, potard; ~**nknick** dénatalité *f* par suite de la contraception chimique

Pilot pilote; ~**studie** *com* étude préalable à un grand projet expérimental; ~**ton** ⟨⟩ signal *m* pilote

Pilz champignon *m*; *wie* ~*e aus d. Erde schießen* pousser comme des champignons après la pluie; ~**erkrankung** mycose *f*

Piment piment *m*

Pimpel|ei gâterie *f*; ⌃**ig** malingre, douillet

Pinguin pingouin *m*, manchot *m*

Pinie pin *m* parasol

Pinne pointe *f*, cheville *f*; *(Zwecke)* broquette *f*; *(Hammer-)* panne *f*; ⚓ barre *f*

Pinscher griffon *m*

Pinsel brosse *f*, pinceau *m*; *pop!* bite *f*, engin *m*, queue *f*; *auf den* ~ *drücken umg* rouler à plein gaz; ~**ei** barbouillage *m*; stupidité *f*; ~**führung** touche *f*; ⌃**n** peindre; ♫ badigeonner; ~**strich** coup *m* de brosse

Pinzette pincette(s) *f(pl)*

Pionier *mil* sapeur, soldat du génie; *bes fig* pionnier; ~**e** *mil* génie *m*

Pips pépie *f*

Pirat pirate; ~**entum** piraterie *f*

Pirol loriot *m*

Pirsch chasse *f*; ⌃**en** chasser; giboyer

pissen pisser

Piste piste *f*, bande *f* d'envol; *befestigte* ~ piste en dur

Pistole pistolet *m* ♦ *j-m d.* ~ *auf d. Brust setzen* mettre l'épée dans les reins (*od* le couteau sur la gorge) à qn; *wie aus d.* ~ *geschossen* du tac au tac

Plackerei corvée *f*, besogne *f* ennuyeuse

pläd|ieren plaider *(für* pour); ⌃**oyer** plaidoyer *m*; plaidoirie *f*

Plage tourment *m*, peine *f*; calamité *f*, fléau *m*; plaie *f*; ~**geist** raseur, importun, crampon; ~**n** importuner, tracasser, tarabuster; préoccuper, travailler; *refl* peiner, s'éreinter, se tuer (à la peine)

Plagi|at plagiat *m*; ~**ator** plagiaire; ⌃**ieren** plagier

Plakat affiche *f*; placard *m*; ~**ankleber** afficheur; ~**anschlag** affichage *m*; ⌃**ieren** afficher; ~**maler** affichiste; ~**träger** homme-sandwich; ~**werbung** affichage *m* publicitaire

Plakette plaquette *f*

Plan 1. *a. fig* plan *m*; dessin *m*, tracé *m*; carte *f*; programme *m*; *fig* projet *m*, dessein *m*; 2. *(Ebene)* plan *m*, plaine *f*; *(Kampfplatz)* lice *f*; ~**durchführung** application *f* du plan; ~**e** bâche *f;* **~en** projeter; planifier; faire des projets; **~erfüllung** réalisation *f* des objectifs (du plan); **~ieren** aplanir, égaliser, niveler; **~ierraupe** bulldozer *m;* **~los** sans méthode, sans système; **~losigkeit** manque *m* de système; **~mäßig** méthodique; *adv* avec méthode; conformément au plan; **~soll** chiffre *m* de production prévu par le plan; **~spiel** simulation *f,* étude de cas; **~stelle** poste *ou* emploi budgétaire; **~ung** planification *f;* organisation *f;* études *fpl* prévisionnelles; programmation; **~voll** méthodique, systématique; **~wagen** voiture *f* à bâche; wagon bâché; **~wirtschaft** économie *f* à planification centrale, planification en régime socialiste; **~ziel** but *m* (à atteindre); objectif *m* du plan

Planet planète *f;* **~arisch** planétaire; **~arium** Planétarium *m;* **~oid** astéroïde *m*

Planke planche *f;* madrier *m*

Plänkel|ei escarmouche *f;* **~n** escarmoucher

Plansch|becken bassin *m;* large cuvette; tub *m;* **~en** patauger, barboter

Plantage plantation *f*

Plapper|maul moulin *m* à paroles; **~n** bavarder, babiller, jacasser

plärren criailler, piauler, piailler

Plasmaphysik physique *f* du plasma

Plasti|k (art *m*) plastique *f;* sculpture *f;* § plastique *f;* **~sch** plastique

Platane platane *m*

Platin platine *m*

platonisch platonicien; **~e** *Liebe* amour *m* platonique

plätschern barboter; (*Wasser*) clapoter, murmurer

platt *a. fig* plat; aplati; (*Nase*) épaté, camus; *fig* trivial, banal, inspide; *umg* épaté, baba; **~deutsch** bas-allemand *m;* **~e** *a.* ▥ plaque *f;* ✿ planche *f,* taque *f;* (*Fliese*) carreau *m,* dalle *f;* ♪ disque *m;* (*Tablett*) plateau *m;* (*Speise-*) plat *m; kalte* **~e** assiette anglaise ♦ *ständig d. alte* **~** *laufen lassen* raconter toujours la même chose, rabâcher; **~enabzug** épreuve *f* stéréotypique; **~enspieler** tourne-disque *m,* pick-up *m;* **~enteller** plateau *m;* **~erdings** absolument; **~form** plate-forme *f;* **~fuß** pied plat; 🚗 crevaison *f,* pneu crevé; **~heit** *fig* platitude *f,* banalité *f;* **~ieren** plaquer

Plätt|brett planche *f* à repasser; **~en** repasser; **~erin** repasseuse

Platz place *f;* lieu *m,* endroit *m;* espace *m;* **~** *anweisen* 🏷 placer; **~** *einnehmen* occuper (*od* prendre) de la place; **~** *nehmen* prendre place, s'asseoir; *am* **~** *sein* être opportun, être pertinent; *fehl am* **~** *sein* être inopportun *ou* déplacé; **~angst** agoraphobie *f;* **~anweiserin** ouvreuse *f;* **~en** éclater; crever; *ins Haus* **~en** entrer brusquement; **~karte** ticket *m* de réservation de place; **~mangel** manque *m* de place; **~patrone** cartouche *f* à blanc; **~raubend** encombrant; **~regen** averse *f;* **~sparend** peu encombrant; **~wechsel** rotation *f;* ⟷ ⚡ transposition *f;* 🏃 changement *m* de camp; *com* effet *m* sur place

Plätzchen gâteaux secs

Plauder|ei causerie *f;* entretien *m* familier; **~er** causeur, **~n** causer, deviser; bavarder; faire un brin de causette; **~stündchen** causette *f;* **~tasche** bavarde, jaseuse; **~ton** ton familier

Pleb|ejer, **~ejisch** plébéien; **~s** Plèbe *f*

Pleite faillite *f;* déconfiture *f;* 🐞 dépôt *m* de bilan; **~** *adj* en faillite; *umg* à sec, fauché

Plenarsitzung séance plénière

Pleuelstange bielle *f*

Plomb|e (*Zoll*) plomb *m;* (*Zahn*) plombage *m;* **~ieren** plomber

plötzlich *adj* subit, brusque, soudain; *adv* tout à coup, soudain; en sursaut; au dépourvu; **~keit** soudaineté *f*

plump lourd, grossier, lourdaud; pesant; **~heit** lourdeur *f;* grossièreté *f;* **~sen** tomber lourdement

Plunder *umg* fatras *m,* bric-à-brac *m;* nippes *fpl*

Plünder|er pillard, **~n** piller, saccager; (*Ort*) mettre à sac; **~ung** pillage *m,* mise *f* à sac

Plural pluriel *m*

plus plus; **~** *su* plus *m,* surplus *m;* **~pol** pôle positif; **~punkt** avantage *m;* point *m* positif; **~zeichen** signe *m* plus (*od* de l'addition)

Plüsch peluche *f*

pneumatisch pneumatique

Pöbel populace *f,* plèbe *f,* canaille *f;* **~haft** populacier, poissard, canaille

pochen frapper, heurter (*an, gegen* à); (*Herz*) battre; *vt* (*Erz*) bocarder; **~** *auf* se prévaloir de, se targuer de

Pock|e bouton *m,* bourgeon *m;* **~en** variole *f,* petite vérole; **~enimpfung** vaccination *f* antivariolique; **~ennarbig** variolé

Podium estrade *f,* podium *m*

Poet poète; **~ik** poétique *f;* **~isch** poétique

Point|e pointe *f,* mot *m* de la fin; **~iert** fin, spirituel; mordant

Pokal coupe *f*

Pökel saumure *f;* **~faß** saloir *m;* **~fleisch** viande salée; salaisons *fpl;* **~n** saler, saumurer

Pol *a.* ⚡ pôle *m; d. ruhende* **~** le point fixe

polar polaire; **~eis** glaces *fpl* polaires; **~forscher** explorateur polaire; **~gürtel** région *f* circumpolaire; **~hund** chien esquimau; **~isieren** polariser; **~ität** polarité *f;* **~isierung** polarisation *f;* **~kreis** cercle *m* polaire; **~licht** aurore *f* polaire; **~luft** air *m* polaire; **~meer** Océan *m* glacial arctique; **~stern** étoile *f* polaire; **~strom** courant *m* polaire (*od* arctique)

Pole Polonais; **~n** Pologne *f; noch ist* **~n** *nicht verloren* tout n'est pas encore perdu

Polem|ik, **~isch** polémique (*f*); **~isieren** polémiquer

Polente *pop* flicaille *f;* poulets *mpl*

Police police *f*

Polier (contre-)maître maçon; **~en** *su* polissage *m;* **~en** polir; ✿ brunir; **~mittel** produit *m* à polir

Poliklinik policlinique *f,* dispensaire *m*

Polit|ik politique *f;* **~iker** homme politique; politicien; **~isch** politique; **~isieren** parler politique, politiquer

Politur polissure f, polissage m

Polizei police f; ~**aktion** intervention policière; *(Razzia)* rafle f; ~**aufgebot** corps m de police; ~**aufsicht**: *unter ~aufsicht* en résidence surveillée; ~**beamter** fonctionnaire de police; policier; ~**behörde** autorité f de police; ~**bericht** rapport m de police; ~**dienststelle** commissariat m, poste m de police; ~**gewahrsam** garde f à vue; ~**gewalt** pouvoir m de police; ~**knüppel** matraque f; ~**kommissar** commissaire de police; **⌐lich** policier; ~**präsident** préfet de police; ~**präsidium** préfecture f de police, commissariat central; ~**revier** commissariat m de police; ~**staat** régime m dictatorial et policier; ~**streife** patrouille f *(od* ronde f) de police; ~**stunde** heure f de fermeture; ~**verordnung** ordonnance f de police; ~**wache** poste m de police; **⌐widrig** contraire aux règlements de police

Polizist agent de police, gardien de la paix

Polster bourrelet m, capitonnage m, coussinet m; coussin m; ~**er** matelassier; ~**n** rembourrer, matelasser, capitonner; ~**sessel** fauteuil rembourré; ~**ung** rembourrage m, capitonnage m

Polter|abend veille f des noces; ~**geist** esprit follet; ~**n** faire du tapage, chahuter

polygam polygame; **⌐ie** polygamie f

Polyp a. ⚕ polype m

Polytechnikum école technique supérieure

Pomad|e pommade f; **⌐ig** *umg* flemmard, lambin, traînard; poseur, prétentieux

Pomeranze orange f

Pomp apparat m, splendeur m, pompe f; **⌐ös** pompeux, imposant

Pontius: *von ~ zu Pilatus schicken* renvoyer de Ponce à Pilate

Ponton ponton m; ~**brücke** pont m de bateaux

Pony poney m; ~**frisur** coiffure f à frange

popul|är populaire; ~**arisieren** vulgariser, populariser; **⌐arität** popularité f

Por|e pore m; **⌐ös** poreux; ~**osität** porosité f

Porno|film film m pornographique; ~**graphie** pornographie f; obscénité f; ~**roman** livre m pornographique

Porree poireau m

Portal portail m

Porte|feuille portefeuille m; ~**monnaie** porte-monnaie m

Portier concierge, gardien; ~**sloge** loge f du (de la) concierge

Portion portion f; ration f

Porto port m, affranchissement m **⌐frei** franco de port; port payé; ~**gebühren** frais mpl de port *(od* d'affranchissement); **⌐pflichtig** soumis au port; en port dû; ~**zuschlag** surtaxe f

Porträt portrait m; **⌐ieren** faire le portrait (de qn); ~**maler** portraitiste

Porzellan porcelaine f; *Meißner ~* porcelaine f de Saxe; ~**erde** kaolin m; ~**waren** porcelaines

Posament passement m; ~**ierer** passementier; ~**ierwaren** passementerie f

Posaune trombone m; ~**n** *fig* claironner; ~**nbläser** tromboniste, trombone

Pos|e a. *fig* pose f, attitude f, posture f; *(Angabe)*

affectation f; **⌐ieren** poser; ~**ition** position f; *(Posten)* situation f, poste m; ~**itionslichter** ⚓, 🕂 fanaux mpl de position; **⌐itiv** a. *math*, 🎵 positif; *(bejahend)* favorable, affirmatif; *(sicher)* certain; ~**itiv** 📷 épreuve positive; 🎵 positif m; ~**itur** posture f

Poss|e farce f, farcétie f, bouffonnerie f; **⌐enhaft** burlesque, facétieux, bouffon; ~**enreißer** baladin, bouffon, polichinelle; ~**enspiel** farce f, bouffonnerie f; **⌐ierlich** drôle, plaisant

Post poste f; bureau m de poste; courrier m, lettres fpl, correspondance f; *mit gleicher ~* par le même courrier; **⌐alisch** postal; ~**amt** (bureau m de) poste f; ~**angestellter** postier; ~**anweisung** mandat-poste m; ~**auto** fourgon postal; ~**beamter** préposé des postes; postier; ~**bezug** abonnement postal; ~**bote** facteur; ~**fach** boîte postale; ~**flugzeug** avion postal *(od* courrier); **⌐frei** affranchi; ~**gebühr** taxe f *(ou* tarif m) postal(e), ~**geheimnis** secret m de la correspondance; ~**karte** carte postale; ~**kutsche** diligence f; **⌐lagernd** poste restante; ~**leitzahl** (numéro de) code m postal; ~**nebenstelle** bureau de poste auxiliaire; ~**paket** colis postal; ~**scheck** chèque postal; ~**scheckamt** centre m de chèques postaux; ~**scheckkonto** compte m de chèques postaux; ~**scheckteilnehmer** titulaire d'un C.C.P.; ~**schließfach** boîte postale; ~**sparkasse** caisse d'épargne postale; ~**stempel** cachet m de la poste; ~**überweisung** virement m postal; ~**verkehr** trafic m postal; ~**wagen** 🚃 wagon-poste m; **⌐wendend** par retour du courrier; ~**wertzeichen** timbre-poste m; ~**wurfsendung** envoi collectif (sans adresses); courrier m hors-sac; ~**zug** train-poste m; ~**zustellung** distribution f du courrier

Postament piédestal m; socle m

Posten *(Beruf)* poste m, situation f, emploi m; *mil* faction m; *(Soldat)* factionnaire, sentinelle f; veilleur; *(Streik-)* piquet; *com* lot m, partie f, article m; *(Rechnung)* poste m; ~ *stehen* monter la faction, être de *(od* en) faction ♦ *wieder auf d. ~ sein* être de nouveau en forme; *auf verlorenem ~ stehen* n'avoir aucune chance (de réussir); ~ *schieben mil* être en sentinelle; ~**kette** *mil* ligne f d'avant-postes; **⌐weise** par lots

posthum posthume

postieren poster; *refl* se poster, se planter

potent puissant; **⌐ial** potentiel m; *(Staat)* ressources fpl humaines et économiques; **⌐ialgefälle** différence f de potentiel; **⌐ialität** potentialité f, possibilité f; virtualité f; ~**iell** potentiel; virtuel

Potenz efficacité f; *math*, ⚕ puissance f; *vierte ~* puissance quatre; **⌐ieren** élever à une puissance

Potpourri pot-pourri m

Pott|asche potasse f; ~**wal** cachalot m

Präambel préambule m

Pracht magnificence f, somptuosité f, splendeur f; pompe f, faste m; luxe m; ~**kerl** fameux gaillard, type épatant; **⌐voll** somptueux; splendide; luxeux

prächtig superbe, magnifique
Prädikat *päd* mention *f*, note *f*; ling verbe *m* et prédicat *m*; ~**snomen** attribut *m*
Präg|eanstalt La Monnaie, Hôtel des Monnaies; ~**edruck** gaufrage *m*; ~**eform** matrice *f*; ⌐**en** frapper, monnayer, battre monnaie; estamper; empreindre; *fig* marquer; se graver; *(Wort)* forger; ~**estempel** étampe *f*; poinçon *m*; ~**ung** frappe *f*, monnayage *m*; estampagne *m*; marque *f*, empreinte *f*; caractère *m*
prägnan|t précis, concis, succinct; significatif; ⌐**z** précision *f*, concision *f*
prahl|en se vanter, hâbler; se faire valoir; crâner *(umg)*; ⌐**er** vantard, hâbleur, fanfaron; crâneur *(umg)*; ⌐**erei** vantardise *f*, vanterie *f*; fanfaronnerie *f*, forfanterie *f*; gasconnade *f*; ~**erisch** vantard, hâbleur, fanfaron
Prakti|k pratique *f*; ~**kant** stagiaire; ~**ker** praticien; ~**kum** stage *m*; travaux *mpl* pratiques; ⌐**sch** pratique; *(Person)* habile; débrouillard *(umg)*; ⌐**scher Arzt** praticien; ⌐**zieren** pratiquer
Pralinen chocolats fourrés
prall ferme, dru; (bien) tendu, rebondi; potelé, rondelet, dodu; *in d.* ~*en Sonne* en plein soleil; ⌐ *su* choc *m*, heurt *m*; ~**en** heurter, choquer *(auf* contre); bondir
Prämi|e prime *f*; récompense *f*; ~**engeschäft** marché *m (od* opération *f)* à prime; ⌐**ieren** primer; récompenser
prang|en briller, resplendir; parader; faire étalage de; ⌐**er** pilori *m*
Pranke patte *f*
Präpar|at préparation *f*; ⌐**ieren** préparer; *zool* naturaliser
Präposition préposition *f*
Präsen|s présent *m*; ⌐**tieren** présenter
Präsid|ent président; ⌐**ieren** présider (à qch); ~**ium** présidence *f*; bureau *m*
prasseln crépiter
prass|en mener joyeuse vie; faire la noce *(od* bombance) *(umg)*; ⌐**er** débauché; noceur *(umg)*; ⌐**erei** débauche *f*; bombance *f*
Prätendent prétendant
Praxis pratique *f*; clientèle *f*; § cabinet *m* de consultation
Präzedenzfall précédent *m*; *z.* ~ *werden* 🜍 faire jurisprudence
präzis précis, exact; ponctuel; *(Stil)* concis; ~**ieren** préciser; ⌐**ion** précision *f*; ⌐**ionswaage** balance *f* de précision
predig|en *a. fig* prêcher; ⌐**er** prédicateur; *a. pej* prêcheur; ⌐**t** sermon *m*; prêche *m*; prédication *f*
Preis prix *m*; coût *m*; valeur *f*; *(Lob)* louange *f*; gloire *f*; *(Belohnung)* prix *m*, récompense *f*, prime *f*; *um jeden* ~ à tout prix, coûte que coûte; ~**abbau** réduction *f* des prix; ~**abkommen** entente *f* sur les prix; ~**abschlag** remise *f*, rabais *m*; ~**abzug** déduction *f*, défalcation *f*; ~**angabe** indication *f* des prix; ~**anpassung** réajustement *m* des prix; ~**anstieg** hausse *f* des prix; ~**aufschlag** majoration *f*; ~**ausschreiben** concours *m*; ~**auszeichnung** affichage *m* des prix; ~**berechnung** calcul *m* des prix; ⌐**bereinigt**

exprimé en chiffres réels; ~**bindung** prix imposés *(ou* dictés); ~**empfehlung** prix conseillé; ⌐**en** louer; chanter, célébrer; vanter, prôner, préconiser; ~**erhöhung** hausse *f*; ~**ermäßigung** réduction *f* de prix; ~**festsetzung** taxation *f*; ⌐**geben** abandonner, livrer, vouer à, exposer à; ~**gefälle** disparité *f* des prix; ~**gefüge** structure *f* des prix; ⌐**gekrönt** couronné, primé; ~**gestaltung** tarification *f*; ~**gleitklausel** clause *f* d'échelle mobile; ~**grenze** limite *f* de prix; ⌐**günstig** avantageux; ~**index** indice *m* des prix; ~**lage** prix *m*; *in jeder* ~*lage* à tous les prix; ⌐**lich** relatif aux prix; ~**limit** prix plafond; ~**liste** prix courant; ~**nachlaß** rabais *m*, remise *f*; ~**notierung** cotation *f*; ~**richter** arbitre; ~**schwankung** fluctuation *f* des prix; ~**senkung** réduction *f (od* abattement *m)* des prix; ~**spanne** marge *f* de prix; ~**stopp** blocage *m* des prix; ~**sturz** effondrement *m* des prix; ~**tafel** tarif *m*, barème *m*; ~**träger** lauréat, titulaire d'un prix; ~**treiberei** hausse *f* illicite; ~**unterbietung** vente *f* au-dessous des prix, dumping *m*; ~**vorteil** avantage *m* en matière de prix; ⌐**wert** bon marché, avantageux; *adv* à bon marché
Preiselbeere airelle *f* rouge
Prell|bock 🐗 butoir *m*, heurtoir *m*; ⌐**en** berner; frustrer, duper; ~**erei** duperie *f*; ~**stein** chasse-roue *m*, boute-roue *m*; ~**ung** § contusion *f*
Presse *a.* ⚙ presse *f*; journaux *mpl*; journalisme *m*; *umg* boîte *f* à bachot; ~**amt** Service *m* de la Presse; ~**attaché** attaché *m* de presse; ~**ausweis** carte *f* de presse; ~**büro** agence *f* de presse; ~**chef** chef des services de presse; ~**feldzug** campagne *f* de presse; ~**freiheit** liberté *f* de la presse; ~**konferenz** conférence *f* de presse; ~**notiz** nouvelle *f* de presse, entrefilet *m*; ~**schau** revue *f* de presse; ~**zensur** censure *f* de la presse
pressen presser; serrer; *(aus-)* pressurer; *(zus-)* comprimer; *(Tuch)* catir
Preß|kohle charbon aggloméré; ~**kopf** fromage *m* de tête; ~**luft** air comprimé; ~**lufthammer** marteau *m* pneumatique
prickeln piquer, picoter; *(Wein)* titiller; ~**d** piquant, excitant; intriguant
Priem chique *f*; ⌐**en** chiquer
Priester prêtre; ~**amt** sacerdoce *m*; (saint) ministère; ~**herrschaft** théocratie *f*; ~**in** prêtresse; ⌐**lich** sacerdotal; ~**rock** soutane *f*; ~**schaft** clergé *m*; ~**seminar** séminaire *m*; ~**tum** sacerdoce *m*, prêtrise *f*; ~**weihe** ordination *f*
prima *com* de première qualité; *umg* épatant, fameux, chouette, champion; ⌐ *su päd* première *f*; ~**ner** élève de première; ⌐**s** primat; ⌐**t** primauté *f*; ⌐**wechsel** *com* première *f* de change
Primel primevère *f*
primitiv primitif; rudimentaire; grossier
Primzahl nombre premier
Prinz prince; ~**essin** princesse; ~**gemahl** prince consort; ⌐**lich** princier; ~**regent** prince régent
Prinzip principe *m*; ~**al** gérant; chef; patron;

⌐iell en principe; **~ienreiter** pédant; e. **~ienreiter sein** être à cheval sur les principes

Prior prieur; **~ität** priorité f; **~itätsaktie** action privilégiée (od de priorité); **~itätsanspruch** droit m prioritaire

Prise (Salz) pincée f; (Tabak, ⚓) prise f

Prism|a prisme m; **~englas** jumelle f à prismes

Pritsche lit m de camp; (Narren-) batte f; **~nwagen** camion plat

privat privé; particulier; **⌐anschrift** adresse f privée; **⌐dozent** professeur (d'université) non-titularisé; **⌐eigentum** propriété privée; **⌐kläger** partie civile; **⌐leben** vie privée, privé m; **⌐lehrer** précepteur; répétiteur; **⌐person** particulier; **⌐recht** droit privé; **⌐sache** affaire f privée; d. ist **⌐sache** c'est l'affaire de chacun; **⌐stunde** leçon particulière; **⌐urkunde** acte m sous seing-privé; **⌐wirtschaft** économie privée

Privileg privilège m; **⌐iert** privilégié

pro par; pour; ~ forma pour la forme; ~ Kopf par tête; ~ Monat par mois

probat éprouvé; excellent

Probe épreuve f, essai m; expérience f; a. math preuve f; ⚐ répétition f; com échantillon m, spécimen m; ✿ éprouvette f; e-e ~ machen vérifier; auf ~ nehmen prendre à titre d'essai (od à l'essai); auf d. ~ stellen éprouver, mettre à l'épreuve; **~abzug**, **~druck** 🕮 épreuve f; **~exemplar** spécimen m; **~fahrt** course f d'essai; **~lauf** essai m statique; tour m d'essai; **~lieferung** livraison f à titre d'essai; **~n** répéter; essayer, tester; **~nummer** numéro m spécimen; **~sendung** envoi m de spécimens (ou d'échantillons); **~weise** à titre d'essai; **~zeit** période f probatoire (od d'essai), stage m

probier|en essayer, faire l'essai de; (Speise) déguster, goûter; **⌐glas** éprouvette f; **⌐stein** pierre f de touche

Problem problème m; **~atik** les problèmes posés (par); **⌐atisch** problématique

Produkt a. math produit m; production f; résultat m; **~enbörse** bourse f des produits naturels; **~enhandel** commerce m de produits naturels; **~ion** production f; fabrication f; **~ionsaufnahme** mise f en fabrication; **~ionsgüter** biens mpl de production; **⌐iv** productif; **~ivität** productivité f

Produz|ent producteur, fabricant; **⌐ieren** produire, fabriquer; refl poser, faire l'important

profan profane; laïque, laïc; **~ieren** profaner

Profess|or professeur (d'Université); (ordentl.) professeur titulaire; (a. o.) chargé de cours; **~ur** chaire f

Profil profil m; galbe m; coupe f; gabarit m; (Reifen) sculpture f; **~eisen**, **~stahl** profilés mpl; **⌐ieren** profiler

Profit profit m, gain m; **⌐ieren** profiter (von de); **~gier** âpreté f au gain; **~jäger** profiteur, grappilleur

Proformarechnung facture f pro forma

Prognose pronostic m; prévision f; perspectives fpl

Programm programme m; (Fernsehen) chaîne f; **~abruf** EDV appel m de programme; **~eingabe**

programmation, chargement; **~gemäß** conformément au programme; **⌐gesteuert** programmé; **~ierer** analyste-programmeur; **~sprache** programme m

Prohibitivzoll droit prohibitif

Projekt projet m; plan m; **⌐ieren** projeter; **~ion** projection f; **~ionsapparat** projecteur m; **~ionsbild** image lumineuse; **~ionsschirm** écran m; **~or** projecteur m; **~studie** préétude f

projizieren projeter

Proklam|ation proclamation f; **⌐ieren** proclamer

Prokur|a procuration f; per ~a par procuration; **~ist** fondé de pouvoir

Proletar|iat prolétariat m; **~ier** prolétaire; **⌐isch** prolétaire; prolétarien

prolongieren prolonger, proroger

Promen|ade promenade f; cours m; **~adendeck** ⚓ pont m promenade; **⌐ieren** se promener

Promille pl (taux d') alcoolémie f; **~satz** taux m pour mille

prominen|t éminent; en vedette; **⌐z** personnages mpl de premier plan; personnalités fpl

Promo|tion promotion f; doctorat, soutenance f de thèse; **⌐vieren** vt recevoir docteur; vi passer son doctorat

prompt prompt; rapide

Propagand|a propagande f, publicité f; **~afeldzug** campagne f publicitaire; **~atrick** truc m publicitaire; **~ist** propagandiste

propagieren préconiser; propager, répandre

Propeller hélice f; **~blatt** pale d'hélice; **~turbine** turbopropulseur m

Prophe|t prophète ♦ d. ~t gilt nichts in s-m Vaterlande nul n'est prophète dans son pays; **~tie**, **~zeiung** prophétie f; **~tin** prophétesse; **⌐tisch** prophétique; **⌐zeien** prophétiser, prédire, pronostiquer

Proportion proportion f; **⌐al** proportionnel; **⌐iert** proportionné

Propst prévôt

Prosa prose f; **⌐isch** a. fig prosaïque; **~schriften** écrits mpl en prose; **~schriftsteller**, prosateur

prosit, prost! à votre santé!

Prospekt (Werbung) prospectus m, brochure f; dépliant m; (Ansicht) vue f, perspective f; ⚐ lointains mpl; arrière-plan m; **~ion** prospection; **~material** documentation f publicitaire

prostitu|ieren prostituer; **⌐ierte** prostituée; **⌐tion** prostitution f

Proszeniumsloge loge f d'avant-scène

prote|gieren patronner, protéger; pistonner (umg); **⌐ktion** protection f; piston m (umg); **⌐ktionswirtschaft** protectionnisme m; **⌐ktorat** pol protectorat m; patronage m, auspices mpl

Protest protestation f; (Wechsel) protêt m; ~ erheben élever (od formuler) une protestation; **~aktion** contestation, protestation; **~ant**, **⌐antisch** protestant; **~antismus** protestantisme m; **⌐ieren** protester; **~kundgebung** manifestation en vue de protester; **~rufe** protestations fpl, clameurs fpl de protestation

Prothese prothèse f

Protokoll a. pol protocole m; (Niederschrift) procès-verbal m; zu ~ nehmen inscrire au procès-verbal; prendre acte de; ⬩arisch protocolaire; ~chef chef du Protocole; ~führer rédacteur m du procès verbal; (Sitzung) secrétaire; ⬩ greffier; ⬩ieren dresser un procès-verbal
Proton proton m
Protz fanfaron, vantard; parvenu; crâneur (umg); ⬩en faire étalage (od parade) (mit etw. de qch); faire de l'épate (umg); ~erei vantardise f; hâblerie f; forfanterie f; ⬩ig crâneur, arrogant, bouffi
Protze mil avant-train m
Proviant provisions fpl, vivres mpl; s. mit ~ versehen s'approvisionner
Provinz province f; ⬩iell, ~ler provincial; ~lertum provincialisme m
Provision com commission f; (Wechsel) ouverture f, provision f; ~sreisender voyageur à la commission; ⬩sweise en commission
Provisor préparateur en pharmacie; ⬩isch provisoire; ~ium provisoire m
Provo contestataire m, jeune révolté, provo m; ~kation provocation f; ⬩zieren provoquer (zu à); ⬩zierend provocant
Prozedur processus m, marche à suivre, mécanisme
Prozent pour cent; ~satz pourcentage m, taux m; ⬩ual exprimé en pourcentage
Prozeß chem processus m; ⬩ procès m; e-n ~ anstrengen intenter un procès; e-n ~ führen plaider une affaire ⬩ mit etw. kurzen ~ machen ne pas y aller par quatre chemins; ~akten pièces fpl (du procès); ~bevollmächtigter mandataire m de procédure; demandeur, ~fähigkeit capacité f d'ester en justice; ~führer plaideur; ~führung procédure f; ~gegner partie f adverse, défendeur; **prozessieren** plaider; ~kosten dépens mpl, frais mpl (d'un procès); ~ladung assignation f, citation f; ~ordnung (code m de) procédure f; ~partei partie f; ~recht droit m procédural; ~vollmacht mandat de procédure
Prozession a. fig procession f
prüde pudibond, pudique, puritain; prude; (übertrieben) bégueule
prüf|en examiner; étudier; vérifier; ✿ essayer; (Rechnung) reviser (a. réviser); (amtl.) inspecter, contrôler; (Sachverständiger) expertiser; (kritisch) éplucher; (heimsuchen) éprouver; ⬩bank banc m d'essai; ~end (Blick) examinateur, scrutateur; ⬩er examinateur; (Buch-) réviseur; audit m; inspecteur; ⬩feld panneau m de contrôle; ⬩gerät matériel m de contrôle; ⬩ vérificateur de circuit; ⬩gestell table f d'essais; ⬩glas chem godet m; ~lampe ⬩ lampe-témoin f; ⬩ling candidat; ⬩stand ✿ banc m d'essai; ⬩stein fig pierre f de touche; ⬩ung examen m, étude f; épreuve f; vérification f; ✿ essai m; inspection f, contrôle m; schriftl. (mündl.) ⬩ung (examen m) écrit m (oral m); e-e ⬩ung machen passer un examen; ⬩ungsausschuß commission f d'examen; ⬩ungskommission jury m d'examen

Prügel rondin m, bâton m; ~ei rixe f, bagarre f; ~knabe souffre-douleur; tête f de Turc, bouc m émissaire; lampiste (umg); ⬩n battre, rosser, rouer; ~strafe punition (od peine) corporelle
Prunk faste m, apparat m, somptuosité f; parade f; ⬩en faire parade (od étalage) de; ~sucht amour m du faste; ostentation f; ⬩voll somptueux, fastueux, luxueux, pompeux
Psal|m psaume m; ~ter psautier m
Pseudonym pseudonyme m
Psych|e psyché f; ~iater psychiatre; ~iatrie psychiatrie f; ⬩isch psychique, mental, psychologique; ~oanalyse psychanalyse f; ~ologe psychologue; ~ologie psychologie f; ⬩ologisch psychologique; ~oneurose psychonévrose f; ~opath psychopathe; ~ose psychose f; ~osomatik psychosomatique f; ~otherapie psychothérapie f
Pubertät puberté f
publi|k: ~ werden s'ébruiter; ⬩kum public m; auditoire m; assistance f; ⬩zist publiciste
Pudding pouding m, flan m; ~form moule m à crèmes
Pudel caniche m ⬩ d. ~s Kern le fin mot de l'histoire; wie e. begossener ~ abziehen s'en aller sur sa courte honte (od la queue basse); ~mütze bonnet m à pompon
Puder poudre f; ~dose poudrier m, boîte f à poudre; ⬩n poudrer; refl se poudrer; ~quaste houpette f; ~zucker sucre m en poudre
Puff bourrade f, poussée f; choc m; détonation f; (Spiel) trictrac m; (Sitz) pouf m; pej bordel m, maison close; ~ärmel manches bouffantes (od à gigot); ~bohne fève f de marais; ⬩en faire pouf, détoner; bourrer, cogner; ~er 🐝 EDV ⚡ tampon m; ~erspeicher EDV mémoire f tampon (ou intermédiaire); ~erstaat État m tampon
Pulk foule f, masse f, tas m; ⟱ série f; mil formation serrée
Pullover pull-over m, umg pull m
Puls pouls m; phys impulsion f, pulsation f; ~ader artère f; ⬩ieren battre; fig être animé; ~reaktor réacteur m pulsé; ~schlag pulsation f; ~wärmer miton m
Pult pupitre m
Pulver poudre f; ⬩artig, ⬩ig pulvérulent; ~faß baril m de poudre; ⬩isieren pulvériser; ~magazin poudrière f; ~schnee neige poudreuse
Pump crédit m; auf ~ kaufen acheter à crédit; auf ~ leben vivre de crédit; ~e pompe f; ⬩en pomper; umg taper (etw. von j-m qn de qch); ~station, ~werk station f de pompage
Punkt 1. point m; phys ⚡ spot m; (Ort) endroit m, position f; (Frage) question f, matière f; (Vertrag) article m, clause f; ~ling point final; d.-springende ~ le point délicat (od décisif od vulnérable); toter ~ point mort; wunder ~ point faible (ou névralgique); nach ~en siegen vaincre aux points; 2. ⬩zwölf Uhr (à) midi juste; ⬩ drei (Uhr) (à) trois heures précises; ~abtastung 🖉 analyse f par points; ~helle éclat m apparent; ⬩ieren pointiller; 💲 ponctionner; ~ion 💲 ponction f; ~quelle source f ponctuelle;

~richter 🏛 arbitre *m;* ~roller rouleau *m* de massage; ~sieg victoire *f* aux points; ~sieger vainqueur aux points; ⌐uell ponctuel; ~verlust *com* recul *m* d'un point; ~wertung qualification *f* aux points; ~zahl 🏛 nombre *m* de points, score *m*

pünktlich ponctuel, régulier; minutieux; *adv* à l'heure; ⌐keit ponctualité *f,* régularité *f;* exactitude *f*

Punsch punch *m*

Punze ciselet *m,* poinçon *m;* ⌐n poinçonner; ciseler

Pupille pupille *f*

Puppe poupée *f;* marionnette *f; (Farbstoff)* chrysalide *f* ♦ *bis in d.* ~n schlafen faire la grasse matinée; ~nspiel jeu *m* de marionnettes; ~nspieler joueur de marionnettes; ~nwagen landau *m*

pur pur; ~gieren purger

Puritan|er, ⌐isch puritain

Purpur *(Farbton)* pourpre *m; (Farbstoff)* pourpre *f;* ⌐farben, ⌐n pourpre

Purzel|baum culbute *f;* ⌐n culbuter; dégringoler, débouler

Puste souffle *m,* haleine *f;* ⌐n souffler

Pustel 💲 pustule *f*

Pute dinde *f;* ~r dindon *m;* ⌐rrot rouge comme une tomate *(od* un coq)

Putsch *pol* coup *m* de force; coup *m* d'État; putsch · *m;* insurrection *f;* ⌐en tenter *(od* organiser) un putsch; ~ist putschiste; ~versuch coup *m* de force, tentative *f* de coup d'État

Putz nettoyage *m; (Schmuck)* parure *f,* atours *mpl;* 🏛 crépi *m,* ravalement *m,* enduit *m; umg (Polizist)* cogne, flic; ~bürste brosse *f* à nettoyer; ⌐en nettoyer; brosser; astiquer, polir, récurer; *(Pferd)* étriller; *(Kerze, Nase)* moucher; *(Gemüse)* éplucher; *(Wand)* ravaler; ✿ *(Guß)* ébarber; *(schmücken)* parer, orner, attifer; ~frau femme de ménage; ⌐ig mignon, drôle, rigolo, cocasse; ~mittel (produit *m*) détergent *m (od* détersif *m);* ~wolle déchets *mpl* de coton; ~zeug matériel *m* de nettoyage

Pyjama pyjama *m*

Pyramide pyramide *f; (Gewehr-)* faisceau *m;* ⌐nförmig pyramidal

Q

quabbelig mollasse; gélatineux, flasque

Quacksalber charlatan; médicastre; ⌐n faire le charlatan

Quader *math* parallélépipède *m* rectangle; ~stein pierre *f* de taille; moellon *m*

Quadrant cadran *m,* quadrant *m*

Quadrat carré *m;* ⌸ cadrat *m; im* ~ *(math)* au carré; ⌐isch carré; ~meter mètre carré *m;* ~ur quadrature *f;* ~wurzel racine carrée; ~zahl (nombre *m*) carré *m*

quaken coasser

Quäker quaker

Qual peine *f,* supplice *m,* tourment *m;* torture *f*

quäl|en tourmenter, tracasser, molester, harceler; *refl* se tourmenter; ~end tracassant, vexatoire; ⌐erei tracasserie *f;* torture *f;*

vexations *fpl;* tourments *mpl;* ⌐geist importun; casse-pieds *(umg)*

Quali|fikation qualification *f; (Befähigung)* capacité *f,* aptitude *f;* ⌐ifizierbar qualifiable; ⌐fizieren qualifier; ~tät qualité *f;* ⌐tativ qualitatif; ~tätserzeugnis produit *m* de qualité; ~tätsgarantie label *m* de garantie; ~tätsware article *m* de premier choix; ~tätswein grand vin; ~tätszeichen label *m* de garantie; marque de qualité

Qualle méduse *f*

Qualm fumée épaisse; ⌐en *(Lampe)* fumer; filer; *(rauchen)* fumer; ⌐ig rempli de fumée, fumeux

Quant quantum *m;* ~enelektronik électronique *f* quantique; ~ität quantité *f;* ⌐itativ quantitatif; ~um portion *f,* quantité *f*

Quarantäne quarantaine *f; unter* ~ *stellen* mettre en quarantaine

Quark fromage blanc

Quart (♪, *Fechten)* quarte *f;* ~al trimestre *m;* ⌐alweise par trimestre, trimestriel; ~ett ♪ quatuor *m*

Quartier logement *m,* gîte *m; mil* cantonnement *m; im* ~ *liegen (mil)* être logé (chez l'habitant); *(Einheit)* cantonner; ~macher *mil* fourrier; ~meister officier *m* de l'intendance; ~schein billet *m* de logement

Quarz quartz *m;* ~lampe lampe *f* à (tube de) quartz; ~sand sable quartzeux

quasi quasi

quasseln bavarder, papoter, jacasser

Quast(e) houppe *f;* touffe *f; (Bürste)* brosse *f; (Vorhang usw.)* pompon *m*

Quatsch radotage *m;* sornettes *fpl;* bafouillage *m;* ~! c'est idiot!, stupide!, sot!; ~ *mit Soße pop* connerie *f;* ⌐en radoter, bafouiller; dégoiser *(pop);* ~kopf papoteur, moulin *m* à paroles

Quecke chiendent *m*

Quecksilb|er mercure *m; a. fig* vif-argent *m;* ⌐erhaltig mercuriel; ~erpräparate 💲 mercuriaux *mpl;* ~ersäule colonne *f* barométrique; ⌐rig *fig* vif, sémillant

Quell|(e) source *f; lit* fontaine *f; fig* origine *f; aus erster* ~e de première main; *aus sicherer* ~e de bonne source; ⌐en jaillir, couler, s'écouler, se gonfler; se gondoler; ~en *su* gonflement *m,* expansion *f;* ~enabzug *com* retenue *f* à la source; ~ennachweis indication *f* des sources; ~wasser eau *f* de source

Quengel|ei geignements *mpl;* ⌐n geindre, pleurnicher

quer transversal; *adv* de (*od* en) travers; ⌐balken barre *f* transversale, traverse *f;* ⌐e: *j-m in d.* ⌐e *kommen* aller sur les brisées de qn; ~feldein à travers champs; ⌐format format oblong; ⌐kopf tête carrée, mauvaise tête; ⌐kraft force *f* de dérapage; ⌐pfeife fifre *m;* ⌐rinne cassis *m;* ⌐ruder gouverne de gauchissement *(ou* de roulis); aileron *m;* ⌐schiff 🏛 transept *m,* croisée *f;* ⌐schnitt section *f* (transversale); *(Fläche)* aire *f;* profil *m* en travers; ⌐streifen bande transversale; ⌐summe somme *f* des chiffres; ⌐träger 🚗 traverse *f;*

~treiben contrecarrer (qch); mettre des bâtons dans les roues (à qn); ⌐treibereien menées *fpl;* ⌐verbindung liaison transversale; *⚡, fig* interconnexion *f*

Querulant mauvais coucheur; querelleur; ronchonneur; rouspéteur *(umg)*

Quetsch|e presse *f* (-fruit) *m;* ⌐en *(Früchte)* presser, écraser, broyer; meurtrir; ⚕ contusionner; ⚙ sertir; ~mühle broyeur *m;* ~ung meurtrissure *f;* ⚕ contusion *f;* ~wunde plaie contuse

quietsch|en grincer; crier; ~vergnügt gai comme un pinson

Quint|e *(♪, Fechten)* quinte *f;* ~essenz quintessence *f;* ~ett quintette *m*

Quirl moulinet *m; bot* verticille *f;* ⌐en battre; faire mousser

quitt quitte; ~ieren acquitter; quittancer; ⌐ung quittance *f;* acquit *m* de paiement; reçu *m*

Quitte coing *m;* ~nbaum cognassier *m*

Quot|e quote-part *f,* taux *m,* pourcentage *m;* contingent *m;* ~ient quotient *m*

R

Rabatt réduction *f* (sur le prix), remise *f;* rabais *m;* ~e ⬇ bordure *f;* plate-bande *f;* ~marke timbre-escompte *m*

Rabatz *umg* boucan *m,* pétard *m,* chambard *m;* protestation *f* bruyante

Rabauke casseur *m,* jeune *m* tapageur et violent

Rabbiner rabbin

Rabe corbeau *m; weißer ~ (fig)* merle blanc; ~nmutter mère dénaturée, marâtre; ⌐nschwarz noir comme un corbeau, noir comme du jais

rabiat furibond; en rage

Rach|e vengeance *f; aus ~e* par v.; ~e nehmen se venger *(an j-m de qn);* ~eakt acte *m* de vengeance; **rächen** venger *(etw.,* j-n qch, qn); *ich werde mich dafür an dir rächen* je m'en vengerai sur toi; **Rächer** vengeur; ~gier soif *f* de vengeance; ⌐süchtig vindicatif, avide de vengeance

Rachen *(Mensch)* gosier *m; (Maul)* gueule *f;* ⚕ pharynx *m; fig* gouffre *m*

Rachit|is rachitisme *m;* ⌐isch rachitique

Racker petit coquin

Rad roue *f; umg* vélo *m* ♦ *unter d. Räder kommen* courir *(od* aller) à sa perte; *das fünfte ~ am Wagen umg* être (une personne) superflue; **Rädchen** roulette *f;* ~achse essieu *m;* ~dampfer bateau *m* à aubes; ⌐eln, ⌐fahren aller à bicyclette; pédaler *(umg);* ~fahrer cycliste; ~(fahr)sport cyclisme *m;* ~fahrweg piste *f* cyclable; ~felge jante *f;* ~gabel fourche *f;* ~kappe chapeau *m* de roue; *(Zierkappe)* enjoliveur *m;* ~nabe moyeu *m* de roue; ~rennbahn vélodrome *m;* ~rennen course *f* cycliste; ~rennfahrer coureur cycliste; ~schaufel ⚙ aube *f;* ~speiche rayon *m;* ~spur trace *f* de roue, ornière *f;* ~stand 🚗 empattement *m;* ~tour tour *m (od* randonnée *f)* à vélo *(od* à bicyclette); ~weg piste *f* cyclable

Radar radar *m;* ~bake balise *f* radar; ~falle *umg* 🚗 contrôle radar (de la vitesse); ~funkfeuer balise *f* radar; ~gerät (appareil *m)* radar *m;* ~station station *f* radar; ~zeichen trace *f* de radar; ~ziel cible *f*

Radau chahut *m,* tapage *m, umg* grabuge *m,* boucan *m*

radebrech|en écorcher, baragouiner (le français *usw.)*

Rädelsführer meneur

räder|n *vt* rouer; *wie gerädert sein* être tout moulu; ~werk *a. fig* rouage *m*

radier|en *(aus-)* effacer; gratter; 🖉 graver à l'eau-forte; ⌐gummi gomme *f* (à effacer); ⌐ung eau-forte *f*

Radieschen petit radis *m* ♦ *s. d. ~ von unten ansehen* manger les pissenlits par la racine

radikal radical; *pol* extrémiste; ⌐mittel remède *m* radical *(od* de cheval)

Radio *(a. Gerät)* radio *f;* T.S.F. *f; siehe a.* Rundfunk; ⌐aktiv radioactif; ⌐aktiver Niederschlag retombée radioactive; ⌐aktives Element *(bes. künstl.)* radioélément *m;* ~aktivität radioactivité *f;* ~apparat poste *m* (de T.S.F.); ~empfang réception *f,* audition *f;* ~gramm radiogramme *m;* ~loge radiologue; ~röhre lampe *f* (de T.S.F.); ⌐zubehör accessoires *mpl* de T.S.F.

Radium radium *m;* ~behandlung radiumthérapie *f;* ~emanation radon *m;* ⌐haltig radifère

Radius rayon *m*

raffen *(Kleid)* relever, retrousser

Raffin|ade sucre raffiné *m;* ~erie raffinerie *f;* ⌐ieren ⚙ raffiner; ~ieren *su (Erdöl)* raffinage *m; (Metall)* affinage *m;* ~iert *a. fig* raffiné; *umg* astucieux; ~iertheit raffinement *m;* astuce *f*

ragen s'élever; se dresser

Ragout ragoût *m*

Rahe ⚓ vergue *f*

Rahm crème *f; ~ absetzen* crémer

rahmen encadrer; ⌐ *su* (🖉, *fig)* cadre *m;* encadrement *m;* ▥ *(Fenster)* châssis *m,* dormant *m,* chambranle *m;* ⬥ bâti *m;* 🚗 châssis *m; fig* décor *m; (Grenzen)* limites *fpl;* ⌐antenne 📻 antenne-cadre *f;* ⌐gesetz loi-cadre *f;* ~plan avant-projet *m;* plan *m* d'ensemble; ~vertrag marché *m* à commandes

Rain lisière *f*

Rakete fusée *f; Träger ~* véhicule *m* de lancement; ~nantrieb propulsion *f* par fusées; ~nflugzeug avion-fusée *m;* ~nmotor propulseur *m;* ~nsonde fusée-sonde *f;* ~nstart décollage *m* par fusées; ~ntechnik technique *f* des fusées; ~ntriebwerk moteur-fusée *m*

Ramm|bär, ~bock ⚙ mouton *m (od* bélier *m)* (de sonnette); ~e sonnette *f; (Hand-)* dame *f,* demoiselle *f,* hie *f;* ⌐en ⚙ éperonner; ⚙ damer, battre; enfoncer (avec la hie); ~klotz ⚙ mouton *m;* ~ler ⚙ *zool* bouquin *m*

Rampe rampe *f;* ~nlicht feux *mpl* de la rampe

Ramsch rebut *m,* camelote *f*

Rand bord *m; (Stoff, Wald)* lisière *f; (Buch)* marge *f; (Stadt)* périphérie *f; (Fläche)* contour *m,* bordure *f;* frontière *f; bis z. ~* à ras (de) bord; *am (an den) ~ (a. fig)* en marge ♦ *außer*

~ *u. Band* sorti (*od* hors) de ses gonds;
~**bemerkung** annotation (*od* note) marginale;
rändern *(Münzen)* créneler; ~**gebiet** région *f*
limitrophe; ~**gruppe** groupe *m* marginal;
marginaux *mpl;* ~**leiste** rebord *m;* ~**staat** État *m*
limitrophe; ~**stein** (pierre *f* de) bordure *f;*
~**streifen** lisière *f*
randalieren faire du tapage; casser, détruire
Rang rang *m;* classe *f;* 👑 galerie *f,* balcon *m;* mil
rang *m,* grade *m;* échelon *m* ♦ *alles was* ~ *u.*
Namen hat gens de la haute volée; *umg* gratin
m, dessus *m* du panier; *von* ~ = *ersten* ~*es* de
premier ordre (*od* de première classe); *j-m d.* ~
ablaufen prendre le pas sur qn; damer le pion à
qn (*umg);* ~**abzeichen** mil insigne *m* de grade;
~**ältester** mil le plus élevé en grade; ~**folge**
hiérarchie *f;* ~**liste** classement *m; mil* annuaire
m militaire; ~**ordnung** hiérarchie *f,* ordre *m* de
préséance; ~**stufe** degré *m,* échelon *m*
Range garnement *m;* polisson *m*
Rangier|bahnhof gare *f* de triage; ~**en** 🚩
manœuvrer; *mil* prendre rang; ~**en** *su* 🚩
manœuvre *f;* ~**geleise** voie *f* de triage (*od* de
manœuvre); ~**lokomotive** machine *f* de manœuvre
rank élancé, grêle; ~**e** vrille *f; (Rebe)* sarment
m; ~**en** *vi* pousser des sarments (*od* des vrilles);
grimper (*an* le long de)
Ränke intrigues *fpl,* manigances *fpl,* machina-
tions *fpl;* ~**schmied** intrigant; machinateur
Ranzen sac *m* (d'écolier), gibecière *f; umg*
ventre *m,* panse *f*
ranzig rance; ~ *werden* rancir
Rappe cheval noir (*od* moreau) ♦ *auf Schusters*
~*n gehen* aller à pieds
Rappel toquade *f,* lubie *f;* ~**ig** *pop* loufoque,
maboul; ~**n** cliqueter, faire du bruit
Raps colza *m*
Rapunzel *bot* mâche *f,* doucette *f*
rar rare; ~**ität** rareté *f;* (objet *m* de) curiosité *f*
rasant: ~*es Tempo* vitesse vertigineuse
rasch prompt; rapide; accéléré
rascheln bruire; froufrouter
rase|n *a. fig* rager; être déchaîné; aller à fond de
train, se précipiter, foncer; 🚗 rouler à toute
allure; ~**nd** furieux; *(Beifall)* frénétique; ~**rei**
frénésie *f;* furie *f,* . 🚗 allure excessive
Rasen gazon *m;* ~**fläche** pelouse *f,* gazonnée *f;*
~**mäher** tondeuse *f* de gazon; ~**sprenger**
arroseur *m* (mobile)
Rasier|apparat rasoir *m* mécanique; ~**en** raser;
faire la barbe; ~**er** *umg* rasoir *m* (électrique);
~**klinge** lame *f* de rasoir; ~**messer** rasoir *m;*
~**pinsel** blaireau *m;* ~**seife** savon *m* à barbe;
~**zeug** trousse *f* à barbe
Raspel râpe *f;* copeaux *mpl;* ~**n** râper
Rass|e race *f;* ~**enkreuzung** croisement *m,*
métissage *m; biol* hybridation *f;* ~**enlehre**
racisme *m;* ~**entrennung** ségrégation raciale;
~**ig** racé, de race; ~**isch** racial
Rassel crécelle *f;* ~**n** cliqueter; rouler avec un
grand bruit
Rast repos *m; mil* grand-halte *f; fig* répit *m;* ~**en**
se reposer; faire halte; ~**los** inlassable, sans

répit; ~**losigkeit** activité infatigable; agitation
continuelle; ~**stätte** 🚗 relais routier
Raster 💾 réseau *m, (Bildröhre)* trame *f;* ~**film**
film *m* tramé; ~**hebel** cliquet *m* mobile
Rat *(Ratschlag u. Körperschaft)* conseil *m;*
(Person) conseiller; *j-n um* ~ *fragen* demander
conseil à qn; *j-m mit* ~ *u. Tat beistehen* donner
tout son appui à qn; *j-n zu* ~*e ziehen* consulter
qn; ~**en** conseiller; *(Rätsel)* deviner; ~**geber**
conseiller; ~**haus** mairie *f; (Stadt)* hôtel *m* de
ville; ~**los** perplexe; ~**losigkeit** perplexité *f;*
~**sam** opportun, convenable; *für* ~**sam** *halten*
juger à propos, juger utile; ~**schlag** conseil *m;*
avis *m;* ~**sherr** conseiller municipal
Rate quote-part *f,* fraction *f* (d'un paiement);
versement *m;* *(monatliche)* mensualité *f;* ~**nkauf**
achat *m* (*ou* vente) à tempérament; ~**nzahlung**
paiement *m* fractionné (*ou* à tempérament);
versement échelonné
Ratifi|kation ratification *f;* ~**kationsurkunde**
instrument *m* de ratification; ~**zieren** ratifier
Ration ration *f; eiserne* ~ vivres *mpl* de réserve
(sur l'homme); ~**al** rationnel; ~**alisieren**
rationaliser; ~**alisierung** rationalisation *f;* ~**ell**
rationnel; économique; ~**ieren** rationner; ~**ie-**
rung rationnement *m*
Rätsel énigme *f;* devinette *f;* charade *f; fig*
mystère *m; d.* ~*s Lösung (fig)* le fin mot de
l'histoire; ~**haft** énigmatique; mystérieux
Ratte rat *m;* ~**nbekämpfung** dératisation *f;*
~**nfalle** ratière *f;* ~**ngift** mort-aux-rats *f*
rattern pétarader
Raub rapine *f;* brigandage *m;* 🐾 vol *m* à main
armée, banditisme *m; (Entführung)* rapt *m,*
enlèvement *m; (Beute)* butin *m; fig* proie *f;* ~**bau**
exploitation abusive; *fig* gaspillage *m;* ~*bau*
treiben ruiner, gaspiller; ~**druck** édition *f* pirate;
~**en** ravir; faire main basse (sur qch); piller; *d.*
Freiheit ~**en** ôter la liberté (à qn); ~**gier**
rapacité *f;* ~**gierig** rapace; ~**mord** assassinat *m*
avec vol; ~**mörder** voleur-assassin *m;* ~**pres-**
sung duplication *f* frauduleuse; ~**ritter** chevalier pillard; ~**tier** fauve *m;* bête *f* féroce;
~**überfall** attaque *f* à main armée, hold-up *m;*
~**vogel** oiseau *m* de proie, rapace *m;* ~**zug**
razzia *f*
Räuber brigand; bandit; ~**bande** bande *f* de
brigands; ~**höhle** repaire *m* de brigands; *a. fig*
coupe-gorge *m;* ~**isch** ravisseur, rapace
Rauch fumée *f;* ~**abzug** conduit *m* de fumée;
~**bombe** bombe *f* fumigène; ~**en** fumer; ~*en*
verboten! défense de fumer!; ~**er** fumeur;
~**erabteil** compartiment *m* de fumeurs; ~**er-**
krebs 💲 cancer *m* des fumeurs; ~**fahne** panache
m de fumée; ~**fang** cheminée *f;* ~**fleisch** viande
fumée; ~**geschoß** projectile *m* fumigène; ~**glas**
verre fumé; ~**ig** fumeux; ~**los** sans fumée;
~**säule** colonne *f* de fumée; ~**schleier** écran *m*
de fumée; ~**verzehrer** fumivore *m;* ~**waren**
tabacs *mpl; (Pelze)* pelleterie *f,* fourrures *fpl;*
~**wolke** nuage *m* de fumée; ~**zimmer** fumoir *m*
Räucher|hering hareng fumé; ~**kammer** fu-
moir *m;* ~**n** fumer, enfumer; ~**ung** *(Desinfek-*
tion) fumigation *f*

Räud|e gale f; ~**ig** galeux
Rauf|bold batailleur, bagarreur; ~**en** refl se chamailler, s'empoigner, se prendre aux cheveux; ~**erei** rixe f; bagarre f; ~**lustig** bagarreur
Raufe râtelier m; mangeoire f
rauh (Oberfläche) rêche, rugueux, âpre, raboteux; (Stimme) rauque; (Hals) enroué; (Klima) rigoureux, rude, inclément; ~**bein** rustre, butor; ~**en** (Tuch) lainer; ~**eit** rudesse f; âpreté f, aspérité f; ~**haardackel** basset m à poil dur; ~**igkeit** rugosité f; ~**reif** givre m
Raum espace m; (Ausdehnung) étendue f; (Abstand) intervalle m; (Platz) place f; (Zimmer) pièce f, local m; (Gebiet) zone f, territoire m; ~**bedarf** encombrement m, espace m nécessaire; ~**bild** image f plastique; ~**einheit** unité f de volume; ~**forschung** recherche f spatiale; ~**gestaltung** aménagement m; ~**inhalt** volume m, capacité f; ~**kunst** décoration intérieure; art décoratif; ~**mangel** manque m de place; ~**messung** cubage m; ~**meter** mètre m cube; ~**ordnung** aménagement m du territoire; ~**schiff** astronef m; aéronef m interplanétaire; ~**schiffahrt** navigation f interplanétaire; astronautique f; ~**sparend** peu encombrant, de faible encombrement; ~**station** station spatiale; satellite-relais m
räum|en évacuer; débarasser, vider; (Lager) liquider; (Schutt) déblayer; (Stellung) abandonner; e-e Wohnung ~**en** quitter les lieux, déménager (vi); Hindernisse aus d. Weg ~**en** aplanir (od écarter) des obstacles; Minen ~**en** déminer; ~**lich** spatial, dans l'espace; ~**lichkeit** local m; ~**pflug** tracteur niveleur, bulldozer m; chasse-neige m; ~**ung** évacuation f; expulsion f; (Lager) liquidation f; ~**ungsverkauf** liquidation totale; ~**ungsklage** action f en expulsion
raunen chuchoter, susurrer
Raupe (zool, ✿) chenille f; ~**nschlepper** tracteur m à chenilles
raus! hors d'ici!; ~ mit euch! filez!
Rausch ivresse f; ébriété f; a. fig enivrement m, griserie f; s-n ~ ausschlafen cuver son vin; ~**en** bruire; (Stoff) froufrouter; ⬧ ronfler, bruiter; ~**en** su bruissement m; (Blätter, Stoff) frou-frou m; ⬧ friture f; ~**gift** stupéfiant m, drogue f; ~**gifthandel** trafic m de stupéfiants; ~**giftsüchtiger** toxicomane m
räuspern refl s'éclaircir la voix
Raute losange m
Razzia descente f de police, rafle f
Reag|enz chem réactif m; ~**enzglas** éprouvette f; ~**ieren** réagir (auf contre)
Reaktion a. chem, pol réaction f; riposte f; ~**är** réactionnaire f; ~**sfähigkeit** pouvoir m de réaction; ~**sträg** inerte
Reaktor pile f atomique; réacteur m; ~**behälter** cuve f (de réacteur); ~**kern** cœur m
real réel, effectif; positif; ~**ien** choses réelles (od positives); ~**isierbar** réalisable; ~**isierung** réalisation f; ~**ismus** réalisme m; ~**ist** réaliste; ~**istisch** réaliste; ~**ität** réalité f; ~**iter** od réellement; ~**schule** établissement m d'enseignement secondaire du 1er cycle

Reb|e sarment m; ~**huhn** perdrix f; ~**laus** phylloxéra m; ~**stock** vigne f, cep m (de vigne)
Rebell rebelle; ~**ieren** se rebeller, se révolter; ~**ion** rébellion f; ~**isch** rebelle
rechen (Weg) ratisser; (Heu) râteler; ~ su (a. Spielbank) râteau m
Rechen|anlage ordinateur m, calculateur m; machine f digitale; ~**aufgabe** problème m d'arithmétique; ~**buch** livre m d'arithmétique; ~**exempel** problème m (d'arithmétique); ~**fehler** erreur f de calcul; mécompte m; ~**maschine** machine f à calculer; ~**schaft** rapport m; compte-rendu m; j-n zur ~**schaft** ziehen demander des explications à qn, rendre qn responsable (für de); er ist Ihnen k-e ~**schaft** schuldig il n'a pas de comptes à vous rendre; ~**schaftsbericht** rapport d'activité; ~**schieber** règle f à calcul; ~**zentrum** centre m de calcul
rechnen calculer; compter (auf sur); damit ~ admetre ~ zu metre au nombre de, ranger parmi; im Kopf ~ calculer de tête; ~ su calcul m
Rechner calculateur m, calculatrice f; ~**isch** arithmétique; par des calculs
Rechnung math calcul m; com facture f, note f; (Gaststätte) addition f, douloureuse f (umg); a. fig compte m; in ~ stellen facturer, passer en compte; ~ tragen tenir compte (de); auf s-e ~ kommen trouver son compte ♦ die ~ ohne d. Wirt machen se tromper dans ses prévisions; j-m e-n Strich durch d. ~ machen déranger les plans (od contrecarrer les desseins) de qn; ~**sabgrenzungsposten** compte m de régularisation; ~**sabschluß** clôture des comptes; bilan m; ~**sauszug** extrait m de compte; ~**sbeleg** pièce f comptable justificative; ~**seinheit** unité f de compte; ~**sführer** comptable m; ~**sführung** comptabilité f, gestion f comptable; ~**shof** Cour f des comptes; ~**sjahr** exercice m; année financière; ~**slegung** reddition f de comptes; ~**sprüfer** expert comptable; ~**swesen** comptabilité f
recht (Seite, Winkel) droit; (richtig) juste; (~mäßig) légitime; (geeignet) convenable, opportun; (echt) vrai, véritable; adv assez, passablement; ~e Seite (Stoff) endroit m; erst ~ à plus forte raison; ganz ~! très bien!; zur ~en Zeit à point nommé; auf d. ~en Weg (fig) dans le droit chemin; ~ behalten avoir finalement raison; j-m ~ geben donner raison à qn; ~ haben avoir raison; d. ist mir ~ je veux bien, cela me va; d. ist mir gerade ~ je ne demande pas mieux; es allen ~ machen satisfaire tout le monde; jedes Mittel ist ihm ~ il fait flèche de tout bois
Recht droit m; norme f (ou règle) juridique; loi f; législation f; jurisprudence f; (Befugnis) autorisation f; mit vollem ~ à juste titre; von ~s wegen de droit; u. zwar mit ~ et pour cause; alle ~e vorbehalten tous droits réservés; ~ sprechen rendre la justice; e. ~ haben auf avoir droit à; ~e (pol u. Hand) droite f; ~eck a. math rectangle m; ~eckig rectangulaire; ~en contester, disputer (sur); ~ens légalement, de droit; ~fertigen justifier; refl se disculper; ~fertigung

justification f; ⌐gläubig orthodoxe; ~haber ergoteur; ~haberei ergotage m; ⌐haberisch ergoteur; ⌐lich 👥 juridique; légal; ⌐lich denkend équitable; ~lichkeit rectitude f; équité f; ⌐los sans droits, mis hors la loi; siehe a. ⌐ swidrig; ⌐mäßig légal, légitime; ~mäßigkeit légalité f; légitimité f; ⌐schaffen probe; honnête; intègre; droit; ~schaffenheit probité f; honnêteté f; intégrité f; ~schreibung orthographe f; ~sprechung jurisprudence f; juridiction f; ⌐winklig rectangulaire; d'équerre; ⌐zeitig à temps, en temps utile; dans le délai voulu

rechts à droite, sur la droite; pol de droite; ~ fahren tenir sa droite; nach ~ abbiegen tourner à droite; ~ von mir à ma droite; ⌐abteilung service du contentieux; ⌐anspruch: e-n ⌐anspruch geltend machen faire valoir ses droits; ⌐anwalt avocat; avoué; (Anrede) Maître (Abk. M^e); ⌐außen 👥 ailier droit; ⌐ausschuß commission f juridique; ⌐befugnis compétence f; ⌐beistand avocat-conseil; (vor Gericht) défenseur; ⌐berater conseiller juridique; (Syndikus) syndic; ⌐beugung entorse f à la loi; abus m de droit; ⌐brecher malfaiteur m; ⌐bruch violation f du droit (od du texte de la loi); ⌐drall 👥 pas à droite; ⌐drehung rotation f à droite; ⌐einwand protestation f; opposition f; ⌐erwerb acquisition f d'un droit (od d'un titre); ~fähig ayant la capacité juridique, capable, habile; ⌐fähigkeit capacité f juridique; habilité f; ⌐fall (Prozeß) cause f; espèce f; (strittig) cas litigieux; ⌐form forme juridique; ⌐frage question f de droit; ⌐gang 👥 procédure f; ⌐gelehrter jurisconsulte; légiste; ⌐geschäft acte m juridique; ⌐grundlage 👥 base f juridique (od légale); ~gültig; ⌐kräftig valide; (Dokument) authentique, valable; (Urteil) exécutoire; (Verordnung) ayant force de loi; ⌐gültigkeit, ⌐kraft force f obligatoire, validité f; authenticité f; (Urteil) caractère m exécutoire; ⌐gutachten expertise f juridique, avis m de droit; ⌐handel litige m; affaire f (judiciaire); procès m; cause f; ⌐händer droitier; ⌐hilfe commission f rogatoire; assistance f juridique; ⌐kurve virage m à droite; ⌐lage situation f juridique (od légale); ⌐mittel 👥 recours m; ⌐nachfolger ayant cause; ayant droit; ⌐norm règle de droit; ⌐persönlichkeit personnalité f juridique; ⌐pflege exercice m du pouvoir juridictionnel; ⌐sache siehe ⌐fall; ⌐schutz garantie f légale; défense en justice; ⌐schutzversicherung assurance f recours; ⌐spruch jugement m; (kleinere Streitsachen u. Schiedsgericht) sentence f; (höhere Instanz) arrêt m; (Geschworene) verdict m; ⌐staat État de droit; ⌐stellung statut légal; condition f juridique; ⌐streit litige m; ⌐unfähigkeit incapacité f juridique; ~ungültig non valable; ~verbindlich obligatoire; ⌐verbindlichkeit caractère m obligatoire; ⌐verkehr 👥 circulation f à droite; ⌐verweigerung déni m de justice; ⌐weg voie f judiciaire, procédure f; d. ⌐weg beschreiten avoir recours aux tribunaux, se pourvoir en justice; ~widrig illégitime, illégal; ⌐wissenschaft science f du droit

Reck 👥 barre f fixe; ⌐en vt étendre, allonger; refl s'étirer

Recorder magnétophone m

Recycling recyclage m, retraitement m, (re)valorisation f (des déchets)

Redakt|eur rédacteur; ~ion rédaction f; ~ionsausschuß comité m de rédaction; ~ionsschluß clôture f de rédaction

Rede a. ling discours m, allocution f; (Ausdrucksweise) langage m, style m, élocution f; (Äußerung) propos mpl; wovon ist d. ~? de quoi est-il question?; j-n z. ~ stellen demander des explications à qn; d. ist nicht d. ~ wert il ne vaut pas la peine d'en parler; davon kann k-e ~ sein il n'en saurait être question; ~fluß flux m de paroles; ~freiheit liberté f de parole; ⌐gewandt disert; ~kunst art m oratoire; rhétorique f; ⌐n parler; prononcer un discours; (plaudern) causer; nicht zu ⌐n von sans compter que; s-m ~n nach à l'entendre; er läßt mit s. ⌐n on peut s'entendre avec lui ♦ in d. Wind ⌐n tenir des propos en l'air; ~nsart locution f, tournure f; façon f de parler; abgedroschene ~sart cliché m; ~rei phrases fpl, bavardage m; ~weise élocution f; ~wendung tour m; tournure f; (idiomatische) locution f; ~zeit temps m de parole

redigieren rédiger

Rediskontierung opération f de réescompte

redlich honnête; probe; sincère; intègre; ⌐keit probité f; honnêteté f; intégrité f; loyauté f

Redner orateur; ⌐gabe don m de la parole; ~isch oratoire; ~tribüne tribune f

redselig loquace; pej verbeux, bavard; ~ sein être un moulin à paroles; ⌐keit loquacité f; volubilité f; verbosité f

Redu|ktion réduction f; ~ktionsfaktor facteur m réducteur; ~ndanz EDV redonance f; ⌐zieren réduire; (vermindern) diminuer; (senken) abaisser; (kürzen) couper

Reede 👥 rade f; ~r 👥 armateur; fréteur; ~rei 👥 compagnie f d'armateurs

reell com loyal, raisonnable; honnête, convenable

Refer|at (Vortrag) exposé m, communication f; (Bericht) rapport m; (Abteilung) bureau m, service m; ~endar 👥 licencié en droit; stagiaire; administrateur m adjoint; ~ent chef de section (od de bureau); rapporteur (für chargé de); pol conseiller rapporteur; ~enz référence f; ⌐ieren faire un rapport, exposer

Reff 👥 ris m; ⌐en 👥 vt arriser

reflekt|ieren phys refléter, réfléchir; (zurückstrahlen) réverbérer; auf etw. ~ieren avoir des visées sur qch; ⌐or réflecteur m

Reflex reflet m; ⚙ ~ réflexe m; ~blendung éblouissement m par réflexion; ~ion a. phys réflexion f

Reform réorganisation f; réforme f; ~ation Réforme f; ~ator réformateur m; ⌐atorisch réformateur; ⌐bedürftig qui doit être réorganisé; ~er réformateur m; ~haus (etwa:) maison f de régimes (d'alimentation); ⌐ieren réformer; transformer; ⌐ierter réformé; protestant; ~maßnahmen réformes fpl

Regal étagère f; casier m
Regatta régate f
reg|e vif, actif, alerte; éveillé; intense, animé;
~sam actif; **⌃samkeit** activité f; **⌃ung** mouvement m; émotion f; **~(ungs)los** inanimé; adv
sans bouger; **⌃(ungs)losigkeit** immobilité f
Regel règle f; (Vorschrift) règlement m; (Norm)
norme f; (Grundsatz) principe m; $ menstruation f, règles fpl ♦ nach allen ~n der Kunst selon
les règles de l'art; régulièrement; intensivement;
als ~ gelten faire autorité; zur ~ machen pol
institutionnaliser; in d. ~ en règle générale,
normalement, ordinairement, d'habitude; **⌃bar**
✿ réglable; **~kreis** ✿ servomécanisme; circuit
de réglage; **⌃los** irrégulier; **⌃mäßig** régulier;
périodique; (geordnet) réglé; **~mäßigkeit** régularité f; **⌃n** régler; (Vorschriften erlassen)
réglementer; (in Ordnung bringen) régulariser,
mettre en règle; (festsetzen) fixer; **⌃recht** en
règle, correct, normal; fig vrai, véritable;
achevé, consommé; **⌃stab** barre de réglage;
~ung règlement m, réglementation f; **⌃widrig**
contraire à la règle; irrégulier; **~widrigkeit**
irrégularité f, anomalie f
regen refl (a. fig) (se) remuer; bouger; fig être
actif; (Gefühl) naître, s'éveiller
Regen pluie f; es sieht nach ~ aus le temps est à
la pluie ♦ vom ~ in d. Traufe kommen tomber
de mal en pis; **~bogen** arc-en-ciel m; **~bogenfarben** couleurs primitives; **~bogenhaut** iris m;
~dach auvent m; **⌃dicht** imperméable; étanche
à la pluie; **~guß** ondée f; **~mantel** manteau m
de pluie, imperméable m; **~messer** pluviomètre
m; **~pfeifer** orn pluvier m; **~schauer** averse f,
giboulée f; **~schirm** parapluie m; en-cas m;
~tropfen goutte f de pluie; **~wasser** eau f de
pluie; **~wetter** temps m de pluie; **~wurm** ver m
de terre, lombric m; **~zeit** saison f des pluies;
(Tropen) hivernage m
Regent souverain; régent; **~schaft** régence f
Reg|ie régie f; 🌳 mise f en scène; **~iebetrieb**
entreprise f en régie; **~iepult** 🎛 table f de
mixage; **~ieraum** salle f de régie; **~isseur** 🌳
metteur en scène
regieren gouverner; régner; a. ling régir; d.
~den Kreise gouvernants mpl, dirigeants mpl
Regierung gouvernement m, équipe ministérielle; régime m; (Zeit) règne m; **~santritt**
avènement m; **~sbeschluß** décision gouvernementale; **~sbezirk** (etwa:) circonscription f,
arrondissement f du cabinet; **~sbildung** formation f du
cabinet; **~schef** chef du gouvernement; **~serklärung** déclaration gouvernementale; **⌃sfeindlich** antigouvernemental; **~sform** régime m;
~skrise crise ministérielle; **~smehrheit** majorité
gouvernementale; **~spartei** parti gouvernemental; **~umbildung** remaniement ministériel;
~svorlage projet m de loi
Regiment mil régiment m; fig gouvernement m
regional régional; local; **⌃programm** programme d'actualités régionales
Regist|er (a. Orgel) registre m; cahier m
d'enregistrement; (Buch-) index m, répertoire
m; (Steuer-) rôle m; **~ertonne** 🎵 tonneau m de

jauge; **~ratur** archives fpl; **⌃rieren** enregistrer;
~rierkasse caisse enregistreuse; **~rierung** enregistrement m
Regler ✿ régulateur m; 🎛 dispositif m de
contrôle
regn|en pleuvoir; **⌃er** ↧ irrigateur m; appareil m
d'arrosage; **~erisch** pluvieux
Regreß recours m; **~anspruch** droit m de
recours; **~klage** action f récursoire; **⌃pflichtig**
civilement responsable
regul|är régulier; **⌃ator** régulateur m; **~ierbar**
réglable; **~ieren** ✿ régler; contrôler; (Fluß)
régulariser; **⌃ierung** régulation f; réglage m; ✿
ajustage m
Regung mouvement m; **⌃slos** immobile;
~slosigkeit immobilité f
Reh|(bock) chevreuil m; **~keule** cuissot m de
chevreuil; **~kitz** faon m; **~posten** chevrotine f;
~rücken selle f de chevreuil
rehabilitier|en réhabiliter; **⌃ung** réhabilitation f
Reib|e râpe f; **⌃en** râper; frotter; frictionner;
(Farben) broyer; **~ereien** frottements mpl,
tiraillements mpl, frictions fpl; **~fläche** surface
frottante; frottoir m; **~ung** friction f, frottement
m; **⌃ungslos** sans accroc, sans heurt
reich riche (an en); (Boden) productif, fertile;
abondant; **~haltig** riche; abondant; **⌃haltigkeit**
richesse f; abondance f; **~lich** copieux; ample;
adv largement, grandement, à profusion;
passablement, assez; **⌃tum** richesse f
Reich pol empire m; (pol früher:) Reich m; fig
règne m; **~sapfel** globe impérial
reich|en vt tendre, donner, passer (j-m etw. qch
à qn); vi s'étendre, aller (bis jusqu'à), aboutir
(bis à), porter (bis à); (genügen) suffire; **⌃weite**
distance f franchissable; ✈ autonomie f (en
vol); a. fig portée f; in **⌃weite** à portée de la
main, sous la main; außer **⌃weite** hors
d'atteinte
reif mûr; pubère; ~ für etw. prêt pour qch; **⌃e**
maturité f; zur **⌃e** bringen mûrir; **~en** a. fig
mûrir; **~en** n maturation f; **⌃eprüfung** baccalauréat m; **⌃ezeugnis** diplôme m de bachelier;
~lich: ~lich überlegt mûrement réfléchi
Reif[1] gelée blanche; **~ansatz** dépôt m de givre;
⌃bedeckt givré; **⌃en:** es hat gereift il y a (eu) de
la gelée blanche
Reif[2] siehe Reifen; (Ring) anneau m, bague f;
~rock crinoline f, robe f à panier (od à
crinoline)
Reifen m (Faß) cerceau m, cercle m; (Rad) pneu
m; bandage m pneumatique; **~decke** enveloppe
f; **~druck** pression f; **~panne** crevaison f de
pneu; **~profil** profilé m, sculpture f, dessin m de
la bande de roulement
Reigen danse f; ronde f; d. ~ eröffnen (fig)
commencer la danse
Reih|e rangée f; (Folge) série f, suite f;
(hintereinander) file f, colonne f; (nebeneinander) rang m, ligne f; d. ~e nach à tour de rôle,
successivement; in ~ u. Glied en rangs; ich bin
an der ~e c'est mon tour; aus d. ~e tanzen ne
pas agir comme les autres; **~enfertigung**
fabrication f en série; **~enfolge** succession f,

suite *f*, ordre *m;* tour *m;* ~**enhäuser** maisons *fpl* en rangée (*od* à l'alignement); ~**enschaltung** couplage *m* en série; ᴌ**um** tour à tour

Reiher héron *m;* ~**busch** aigrette *f*

Reim rime *f;* ᴌ**en** *vt/i* rimer (*a. refl*)

rein pur; *(ohne Beimischung)* sans mélange; *chem* à l'état pur; *(Gold)* fin; *(Klang)* net, juste; *(Wasser)* pur, limpide; *(Teint)* frais; *(fehlerlos)* parfait, sans défaut; *(sauber)* propre, blanc, immaculé; *(Gewinn)* net; ~*er Alkohol* alcool absolu; ~*er Zufall* pure coïncidence; ~ *umsonst* en pure perte; *e-e Sache ins* ~*e bringen* arranger une affaire; *ins* ~*e schreiben* mettre au net ♦ ~*en Tisch machen* faire table rase; ~*en Wein einschenken* dire la vérité (à qn); *ins* ~*e kommen* finir par s'entendre (*od* s'arranger); ᴌ**erlös** = ᴌ**ertrag** produit net; ᴌ**fall** échec *m;* ♥ four *m;* ~**fallen** être mis dedans, être roulé; ᴌ**gewinn** bénéfice net; ᴌ**heit** netteté *f*, pureté *f;* justesse *f;* propreté *f;* fraîcheur *f; (Keuschheit)* chasteté *f;* ~**igen** nettoyer; décrasser; *(chem.)* nettoyer à sec; *a. fig* purifier; purger; *(von Flecken)* détacher, ôter les taches de; ~**igung** nettoyage *m;* nettoiement *m;* lavage *m; (chem.)* nettoyage à sec; purification *f;* épuration *f;* curage *m; (von Flecken)* détachage *m;* ᴌ**igungsmittel** détersif *m*, détergent *m;* ᴌ**igungsprozeß** nettoyage *m; pol* épuration *f;* ᴌ**kultur** bouillon *m* de culture; ~**lich** propre; net; propret; ᴌ**lichkeit** propreté *f;* netteté *f;* ᴌ**machefrau** femme de ménage; ~**rassig** de race pure; ᴌ**schrift** texte *m* définitif; ~**waschen** *refl fig* se blanchir

Reis[1] *m* riz *m;* ~**bau** riziculture *f;* ~**bauer** riziculteur; ~**feld** rizière *f;* ~**mehl** poudre *m* de riz

Reis[2] *n* brindille *f*, rameau *m;* ⌡ *(Pfropf-)* greffe *f;* ~**ig** broutilles *fpl*, brindilles *fpl;* ~**igbesen** balai *m* de bouleau; ~**igbündel** fagot *m*

Reise voyage *m; (Rund-)* tour *m;* ♥ tournée *f; (Überfahrt)* traversée *f;* ~ trajet *m; auf* ~*n* en voyage; ~**apotheke** nécessaire *m* de pharmacie; ~**bedarf** articles *mpl* de voyage; ~**beschreibung** récit *m* de voyage; ~**büro** agence *f* de tourisme (*ou* de voyage); *pej* marchand *m* de soleil; ~**decke** plaid *m;* ~**fieber** fièvre *f* du départ; ~**führer** *a.* 📖 guide *m;* ~**gepäck** bagages *mpl;* ~**geschwindigkeit** 🚆 ✈ vitesse commerciale; vitesse *f* de croisière; ~**gesellschaft** voyage *m* organisé; groupe *m* de voyageurs; ~**koffer** valise *f;* ~**kosten** frais *mpl* de déplacement; ~**leiter** accompagnateur *m;* guide *m* touristique; ᴌ**lustig:** ᴌ*lustig sein* avoir envie de voyager (*od* le goût du voyage); ~**n** voyager; partir en voyage; ~**nder** voyageur; touriste; *com* commis voyageur; ~**paß** passeport *m;* ~**route** itinéraire *m;* ~**scheck** chèque *m* de voyage, traveller's cheque *m;* ~**schreibmaschine** machine à écrire portative; ~**spesen** frais *mpl* de voyage; indemnité *f* de déplacement; ~**veranstalter** organisateur *m* de voyages touristiques; ~**verkehr** trafic *m* touristique; ~**vertreter** *com* voyageur (*od* représentant) de commerce; ~**zeit** saison *f* touristique

Reiß|aus: ~*aus nehmen* détaler, décamper, déguerpir; ~**brett** planche *f* à dessin; ᴌ**en** **1.** *vt (ab-)* arracher; *in Stücke* ᴌ*en* déchirer, mettre en pièces; *an s.* ᴌ*en* agripper; *fig* usurper, s'emparer de; *mit s.* ᴌ*en* entraîner; **2.** *vi* rompre, se déchirer; se casser; *(bersten)* se crevasser, se fendre; *s.* ᴌ*en um* se disputer qch, s'arracher qn (qch); ~**en** *su (Schmerz)* déchirement *m*, tiraillement *m*, élancement *m;* ᴌ**end** *(Tier)* féroce; *(Strom)* torrentiel, impétueux; *(Schmerz)* lancinant; ᴌ**enden Absatz finden** se vendre rapidement; ~**er** ♥ pièce *f* à succès; ᴌ**erisch** accrocheur; ~**feder** tire-ligne *m;* ᴌ**fest** indéchirable; ~**festigkeit** tension *f* de rupture; ~**kraft** résistance *f* à la rupture; ~**schiene** té *m*, équerre *f* en T; ~**verschluß** fermeture *f* éclair (*ou* à glissière); ~**zahn** *zool* croc *m;* ~**zwecke** punaise *f*

Reit|bahn manège *m;* piste cavalière; ᴌ**en** *vi* aller à cheval; être à cheval, être en selle; *Schritt (Trab, Galopp)* ᴌ*en* aller au pas (trot, galop); *vt* monter (un cheval); ~**en** *su* équitation *f;* ~**er** cavalier; *(an Instrumenten)* curseur *m; (Kartei)* onglet *m;* ~**erin** cavalerie *f;* ~**erin** cavalière; ~**gerte** badine *f;* ~**hose** culotte *f* d'équitation (*od* de cheval); ~**knecht** palefrenier; ~**kunst** équitation *f;* ~**peitsche** cravache *f;* ~**pferd** cheval *m* de selle; monture *f;* ~**sport** équitation *f;* ~**stall** écurie *f;* ~**stiefel** bottes *fpl* à l'écuyère; ~**tier** monture *f;* ~**- u. Fahrturnier** concours *m* hippique

Reiz charme *m*, attrait *m; (Anreiz)* stimulant *m*, excitant *m; (a.* 🎵*)* excitation *f; pl* attraits *mpl*, appas *mpl;* ᴌ**bar** sensitif, excitable; *(Charakter)* irritable, irascible; ~**barkeit** excitabilité *f;* susceptibilité *f;* ᴌ**en** agacer, irriter; mettre en colère, exciter; exaspérer; *(anregen)* stimuler; *(anlocken)* attirer, exercer un grand charme (sur); avoir des attraits (pour); *(Wunde)* aviver; ᴌ**end** charmant; ravissant; mignon; ᴌ**los** sans attrait; ~**mittel** *a.* 🎵 stimulant *m*, excitant *m;* ~**ung** *a. fig* irritation *f;* ᴌ**voll** piquant; plein d'attrait; *siehe* ᴌ*end;* ~**wirkung** effet irritant, irritation *f*

rekeln *refl* s'étirer, se vautrer

Reklam|ation réclamation *f;* ᴌ**ieren** *vt/i* réclamer, faire une réclamation

Reklame réclame *f;* publicité *f;* propagande *f;* ~**artikel** *com* article *m* promotionnel; ~**preis** prix *m* publicitaire; prix d'appel; ~**prospekt** prospectus *m* publicitaire; ~**schild**, ~**tafel** panneau-réclame *m;* ~**trick** ficelle *f* (*ou* fraude *f*) publicitaire; ~**verkauf** vente *f* promotionnelle; ~**zeichner** dessinateur en publicité

rekognoszier|en *mil* reconnaître (l'ennemi); ᴌ**ung** reconnaissance *f*

rekonstru|ieren reconstruire; ᴌ**ktion** reconstruction *f*, reconstitution *f;* 🏛 restitution *f*

rekonvaleszen|t convalescent; ᴌ**z** convalescence *f*

Rekord record *m; e-n* ~ *aufstellen* établir un record; *e-n* ~ *brechen* battre un record; ~**inhaber** détenteur d'un record, recordman *m;* ~**zeit** temps *m* record

Rekrut recrue *f;* conscrit; *umg* bleu; **~enausbildung** instruction *f* des recrues (*od* de base); *(Einzelausbildung)* école *f* du soldat; **ᴸieren** recruter; **~ierung** recrutement *m*

Rektapapier titre *m* nominatif (*ou* non transmissible)

Rektor directeur d'école; proviseur; *(Univ.)* recteur; **~at** bureau *m* du directeur

Relais ⚡ relais *m;* **~schalter** ⚡ contacteur *m;* **~sender** ⚡ émetteur-relais *m;* **~stelle** ⚡ station *f* relais; **~steuerung** ⚡ commande *f* par relais

relativ relatif; **ᴸität** relativité *f*

Relevanz importance *f,* pertinence *f*

Relief relief *m;* **~karte** plan *m* en relief

Religion religion *f;* **~sbekenntnis** confession *f,* foi *f,* croyance *f,* religion *f;* **~sfreiheit** liberté *f* des cultes; **~sgemeinschaft** communauté religieuse; association *f* cultuelle; **~skrieg** guerre *f* de religion; **~slehre** instruction religieuse; **ᴸslos** sans religion; irréligieux; **~slosigkeit** irréligiosité *f;* **~sstunde** catéchisme *m;* **~sunterricht** enseignement religieux

religi|ös religieux; *(fromm)* pieux; **ᴸosität** religiosité *f;* piété *f*

Reling ⚓ bastingage *m*

Reliquie relique *f;* **~nschrein** reliquaire *m;* châsse *f*

Remitt|enden 📖 retours *mpl;* **ᴸieren** renvoyer

Rempel|ei *umg* bousculade *f;* **ᴸn** bousculer

Ren(tier) renne *m*

Renaissance Renaissance *f;* 🏛 style *m* Renaissance

Renn|bahn piste *f;* **~boot** bateau *m* (*od* canot *m)* de course; **ᴸen** courir; *ins Verderben* **ᴸen** se ruiner, courir à sa perte ♦ *mit d. Kopf durch d. Wand* **ᴸen** s'entêter, ne vouloir rien entendre; **~en** *su* course *f; totes* **~en** course nulle; arrivée *f* tête à tête; *pol* ballottage *m* ♦ *das* **~en machen** l'emporter, décrocher la timbale; **~er** succès *m* commercial, best-seller *m;* **~fahrer** coureur; **~pferd** cheval *m* de course; **~reiter** jockey; **~sport** course(s) *f(pl);* **~stall** écurie *f* (de course); **~strecke** circuit *m;* parcours *m;* piste *f;* **~wagen** voiture *f* de course

Renomm|ee renommée *f;* prestige *m;* **ᴸieren** crâner; se vanter; **ᴸiert** renommé; fameux; **~ist** crâneur, vantard

renovier|en remettre à neuf (*od* en état); **ᴸung** remise *f* à neuf

rent|abel lucratif; rentable; d'un bon rapport; *fig* payant, avantageux; **ᴸabilität** rentabilité *f;* rendement *m;* rapport *m;* **ᴸe** retraite *f,* pension *f; (Ertrag)* rente *f;* **ᴸenalter** âge *m* de la retraite; **ᴸenamt** office *m* des pensions; **~enanpassung** revalorisation *f* des pensions; **ᴸanspruch** droit *m* à la pension; **ᴸanstalt** caisse *f* de retraite; **ᴸenbank** banque *f* de rentes; crédit foncier; **ᴸenbemessung** détermination *f* du montant de la retraite; **ᴸenbrief** titre *m* de rente (foncière); **ᴸenempfänger** titulaire (*od* bénéficiaire) d'une rente (*od* d'une annuité), rentier; **ᴸenmarkt** marché des valeurs à revenu fixe; **ᴸenwerte** valeurs à revenu fixe; effets *mpl* publics; **ᴸenschuld** rente foncière; **~ieren** *refl* être

rentable; payer; **ᴸner** *(Arbeitnehmer)* retraité, bénéficiaire d'une pension de retraite, pensionné; *(Rentier)* rentier

Reorganis|ation réorganisation *f;* remaniement *m;* **ᴸieren** réorganiser; remanier

Reparation|en réparations *fpl;* **~sleistungen** prestations *fpl* à titre de réparation

Reparatur réparation *f;* remise *f* en état (de fonctionnement); dépannage *m;* **ᴸbedürftig** qui a besoin d'être réparé; **~dienst** 🚗 service *m* de dépannage; **ᴸfähig** réparable; **~grube** 🚗 fosse *f* de réparation; **~kosten** frais *mpl* de réparations; **~werkstatt** atelier *m* de réparations; 🚗 service *m* de dépannage

reparieren réparer; remettre en état; dépanner

repatriier|en rapatrier; **ᴸung** rapatriement *m*

Repertoire ♥ répertoire *m*

Repet|ent redoublant *m;* **ᴸieren** répéter; repasser; **~itor** répétiteur

Report *com* report *m;* **~age** reportage *m;* **~er** reporter

Repräsent|ant représentant; **~ation** représentation *f;* **~ationskosten** frais *mpl* de représentation; **~ationsspesen** indemnité *f* de représentation; **ᴸativ** *(Sache)* d'aspect imposant; *(Person, Erscheinung)* de belle prestance; **~ativbefragung** enquête *f* représentative, sondage *m* après échantillonnage; **ᴸieren** représenter

Repressalien représailles *fpl*

Reprodu|ktion 📷, 📖 reproduction *f;* **~ktionskraft** force reproductive, reproductivité *f;* **ᴸzieren** reproduire

Reptil reptile *m*

Republik république *f;* **~aner**, **ᴸanisch** républicain; **~flucht** départ *m* clandestin de la RDA

requi|rieren *mil* réquisitionner; **ᴸsiten** ♥ accessoires *mpl;* **ᴸsition** *mil* réquisition *f*

Reserv|at réserve *f; a. fig* chasse gardée; **~e** *a. mil* réserve *f; in* **~e** *haben* avoir en réserve; *stille* **~e** *(com)* réserves cachées (*od* occultes); **~ebestände** *stocks mpl* de réserve; **~efonds** *com* fonds *m* de réserve; **~eoffizier** officier de réserve; **~erad** roue *f* de secours; **~etank** 🚗 nourrice *f;* **~ewährung** monnaie *f* de référence; **ᴸieren** réserver; *(Plätze)* retenir, ♥ louer; **ᴸiert** *(Benehmen)* réservé; *(Plätze)* retenu, ♥ loué; **~ierung** réservation *f;* location *f* (de places); **~ist** *mil* réserviste; **~oir** réservoir *m;* réserves *fpl*

Resid|ent résident; **~enz** résidence *f;* **ᴸieren** résider

Resign|ation résignation *f;* **ᴸieren** se résigner

resolut décidé, déterminé, résolu

Resonanz *a. fig* résonance *f;* **~boden** table *f* d'harmonie; **~körper** résonateur *m*

Respekt respect *m (vor* pour); *sich ~verschaffen* se faire respecter; **ᴸabel**, **ᴸierlich** respectable; **ᴸeinflößend** imposant le respect; **ᴸieren** respecter; **ᴸlos** irrespectueux; **ᴸvoll** respectueux

Res|piration respiration *f;* **~sort** ressort *m,* compétence *f*

Rest *a. math* reste *m;* surplus *m; com (e-r Schuld)* solde *m,* reliquat *m; (Überrest)* vestige *m; (Stoff)* coupon *m; (in d. Flasche)* fond *m* ♦ *j-m*

d. ~ *geben* donner le coup de grâce à qn; ~**auflage** solde *m* d'édition; ~**betrag** solde *m*, restant *m*; ~**guthaben** solde *m* d'avoir; ≥**lich** restant; ≥**los** entier, total; *adv* sans laisser de reste; ~**posten** restant *m* (d'un article); invendus *mpl;* ~**schuld** solde dû; ~**zahlung** paiement *m* du solde

Restaur|ant restaurant *m*, brasserie *f;* buffet *m;* ~**ateur** restaurateur; ~**ation** restauration *f;* ~**ator** ⚒ restaurateur; ≥**ieren** restaurer

Restriktion restriction *f,* limitation *f;* rationnement *m*

Result|at résultat *m;* ≥**ieren** résulter

Retorte cornue *f;* alambic *m;* ~**nbaby** bébé *m* éprouvette; ~**nstadt** ville *f* nouvelle

rett|en sauver; délivrer ♦ *nicht mehr zu ~en sein* umg être complètement fou; ~*e s. wer kann!* sauve qui peut!; ≥**er** sauveteur

Rettich radis *m*

Rettung sauvetage *m;* délivrance *f;* salut *m* ♦ *j-s letzte* ~ *sein* être le dernier espoir (pour qn); ~**saktion** opération *f* de sauvetage; ~**sanker** *fig* ancre *f* (*od* planche *f*) de salut; ~**sboot** canot *m* de sauvetage; ~**insel** radeau *m* pneumatique; ≥**slos** sans retour, irrémédiablement; ~**sring** bouée *f* de sauvetage; ~**sschwimmer** nageur *m* sauveteur; ~**weste** gilet *m* de sauvetage

Retusch|e 🖳 retouche *f;* ≥**ieren** retoucher

Reu|e regret *m,* repentir *m* (*über* de); *rel* pénitence *f,* contrition *f;* ≥**en:** *es ≥t mich* je le regrette; ≥**evoll,** ≥**ig** repentant; ~**geld** dédit *m;* ≥**mütig** repentant; contrit; pénitent

Reuse nasse *f*

revanchieren *refl* prendre sa revanche (*bei j-s für etw.* sur qn de qch); rendre une politesse à qn

Revers lettre *f* de garantie; *(Kleidung; Münze)* revers *m*

revidieren reviser, revoir; vérifier, examiner

Revier district *m,* canton *m,* secteur *m; mil* infirmerie *f;* 🦌 triage *m,* chasse *f* (gardée); *(Polizei)* commissariat *m; (Bergbau)* bassin *m* minier; *(Grubenabschnitt)* quartier *m*

Revis|ion révision *f,* examen *m;* 🕮 pourvoi *m* en cassation; *(Bücher)* vérification *f; (Zoll)* visite *f;* ~**ion einlegen** 🕮 se pourvoir en cassation; ~**or** reviseur; *(Bücher-)* commissaire aux comptes

Revolt|e révolte *f;* insurrection *f;* mutinerie *f;* ≥**ieren** se révolter, s'élever

Revolution révolution *f;* ~**är** révolutionnaire; ≥**ieren** *a. fig* révolutionner

Revoluzzer *pej* révolutionnaire *m* à la manque, trublion *m*

Revolver revolver *m;* ~**kopf** ⚙ tourelle *f*

Rezens|ent critique *m* (littéraire); ≥**ieren** rendre compte (d'un livre); ≥**ion** compte rendu, critique *f;* ~**ionsexemplar** 🕮 exemplaire *m* de presse

Rezept recette *f;* 💊 ordonnance *f*

rezi|prok réciproque; ~**tieren** réciter

Rhabarber rhubarbe *f*

Rhein le Rhin; ≥**isch** rhénan; ~**land** la Rhénanie

Rhetor|ik rhétorique *f;* ≥**isch** de rhétorique

Rheuma|(tismus) rhumatisme *m;* ≥**krank** rhumatisant; ≥**tisch** rhumatismal

Rhinozeros rhinocéros *m*

Rhombus losange *m,* rhombe *m*

rhythm|isch rythmique, cadencé; ≥**us** rythme *m,* cadence *f*

Richt|antenne antenne directionnelle; ~**blei** fil *m* à plomb; ~**block** billot *m;* ≥**en** dresser, redresser; ⚙ ajuster, aligner; *(gerade ≥en)* mettre droit (*od* d'aplomb); *(her-)* mettre en état (*od* en ordre), préparer; *(hin-)* 🕸 supplicier, exécuter; *(Brief)* adresser (*an* à); *(Blick)* diriger (*auf* vers); *(Mahlzeit)* préparer; *(Tisch)* dresser; *(Waffe)* pointer (*auf* sur); *(Uhr)* mettre à l'heure; 🕸 juger; *s. ≥en nach (Vorbild)* se régler sur; *(Vorschrift)* obéir à, se soumettre à, se conformer à; *ling* s'accorder avec, dépendre de; *zugrunde ≥en* ruiner; ~**fernrohr** *mil* lunette *f* de pointage; ~**geschwindigkeit** vitesse *f* conseillée; ~**kanonier** *mil* pointeur; ~**kreis** appareil *m* goniométrique; ~**linie** ligne *f* de conduite; directive *f; mil* instruction *f;* ~**linien** *pl* principes *mpl* généraux; *pol* politique générale; ~**maß** norme *f;* ~**platz** lieu *m* du supplice; ~**preis** com prix *m* indicatif; prix de vente conseillé au public; ~**scheit** équerre *f;* ~**schnur** cordeau *m; fig* règle *f* de conduite; ~**strahler** 📡 antenne dirigée; ~**ung** direction *f;* sens *m; fig* orientation *f;* tendance *f; d.* ~*ung verlieren* perdre la direction; ≥**ungweisend** pilote; *(umwälzend)* révolutionnaire; ≥**wert** *math* coefficient *m;* valeur *f* approximative; ~**zahl** *com* indice *m*

Richter juge; *vor d.* ~ *bringen* recourir aux tribunaux, engager une action en justice; ≥**lich** 🕸 judiciaire; ~**schaft** magistrature *f* assise, les juges; ~**spruch** 🕸 jugement *m;* sentence *f;* arrêt *m;* ~**stuhl** tribunal *m*

richtig exact; *(Gewicht)* juste; *(Abschrift)* conforme; *(genau)* précis, correct; *(echt)* vrai, authentique; véritable; ~*!* c'est cela!, c'est ça!; *sehr* ~*!* parfaitement!; *d. Uhr geht* ~ la montre est à l'heure; *d. ~e Augenblick* le bon moment; *auf dem ~en Weg* sur la bonne voie; *d. Brief ist* ~ *angekommen* la lettre est bien arrivée; ≥**keit** justesse *f;* véracité *f; (Rechnung)* exactitude *f;* sincérité *f; (Messung)* validité *f; (Ausdruck)* propriété *f,* correction *f; für d.* ≥**keit** *d. Abschrift* 🕸 pour copie conforme; ~**stellen** rectifier; ≥**stellung** mise *f* au point; démenti *m*

Ricke chevrette *f*

riech|en *vt* sentir; flairer; *fig* deviner; *vi* sentir *(nach etw.* qch); avoir une odeur *(nach* de); *(schlecht)* avoir de l'odeur ♦ *d. Braten ~en* flairer l'occasion; *Lunte ~en* éventer la mèche; *j-n nicht ~en können* ne pas pouvoir sentir qn; ≥**er:** *e-n guten ≥er haben* avoir le nez creux, avoir du flair; ≥**fläschchen** flacon *m* de senteur *(od* de sels); ≥**nerv** nerf olfactif

Ried *bot* roseau *m; (Landschaft)* marais *m;* ~**gras** *bot* laîche *f*

Riege 🤸 section *f*

Riegel verrou *m,* targette *f;* loquet *m; (Seife)* bâton *m,* pain *m; (Schokolade)* barre *f; e-r Sache e-n* ~ *vorschieben* mettre obstacle à (*od*

empêcher) qch; **~stellung** *mil* position *f* en
verrou

Riemen courroie *f;* lanière *f; (Gewehr)* bretelle *f;
(Schuh)* cordon *m; (Ruder)* rame *f ♦ s. in d. ~
legen (fig.)* souquer aux avirons; **~blatt** ⚓ pelle
f d'aviron; **~scheibe** ⚙ poulie *f*

Ries rame *f* (de papier)

Ries|e géant; colosse *m; nach Adam ~e* en
comptant bien); **~enerfolg** succès *m* monstre *(ou
éclatant);* **~enkraft** force herculéenne; **~enrad**
grande roue; **~enschlange** boa *m;* python *m;*
~enschritt: mit ~enschritten à pas de géant;
~enslalom slalom *m* géant; **~ig** gigantesque;
géant; monstre; **~in** géante

Riesel|feld champ *m* d'épandage; **~n** ruisseler;
(Wasser, Sand) couler

Riff récif *m;* **~elung** strie *f*

rigoros rigoureux, sévère; dur, rigide; rude,
âpre

Rikscha pousse-pousse *m*

Rille rainure *f;* gorge *f;* ⚙ cannelure *f; (a.
Schallplatte)* sillon *m;* **~n** canneler

Rind bœuf *m;* **~erbraten** rôti *m* de bœuf;
~erzucht élevage bovin; **~fleisch** (viande *f* de)
bœuf *m; (gekochtes)* bouilli *m;* **~sleder** cuir *m* de
bœuf *(od* de vache)

Rinde *(Baum)* écorce *f; (Brot, Käse)* croûte *f*

Ring bague *f,* anneau *m; (Ehe-)* alliance *f;
(Kreis)* rond *m; (Boxen)* ring *m; bot* cerne *m;
chem* cycle *m; ~e um d. Augen haben* avoir les
yeux cernés; **~bahn** ligne *f* de ceinture; **~finger**
annulaire *m;* **~förmig** annulaire; en forme de
cercle; **~mauer** mur *m* d'enceinte; **~richter**
arbitre; **~scheibe** cible *f;* **~sicherung** circlip *m;*
~straße périphérique *m*

Ringel rond *m;* volute *f; (Locke)* boucle *f;* **~n**
refl (Haar) boucler; *(Schlange)* se lover; *(Wurm)*
se tortiller; **~natter** couleuvre *f* à collier

ring|en lutter; se débattre; *d. Hände ~en* se
tordre les mains; *nach Atem ~en* respirer avec
peine; *mit d. Tode ~en* agoniser; **~er** lutteur;
~kampf 🤼 lutte *f*

rings(herum) tout autour; alentour; de tous
côtés; à la ronde

Rinn|e rigole *f;* caniveau *m;* conduit *m; (Fahr-)*
⚓ passe *f,* chenal *m;* **~en** couler, ruisseler;
(Gefäß) avoir une fuite, suinter; *(Zeit)* filer; **~sal**
ruisselet *m;* **~stein** caniveau *m*

Rippe *anat* côte *f;* 🏛, ✝ nervure *f; (Kühl-)* ⚙
ailette *f;* **~nfell** *anat* plèvre *f;* **~nfellentzündung**
§ pleurésie *f;* **~nspeer** côtelette grillée; **~nstoß**
bourrade *f;* **~nstück** entrecôte *f*

Risiko risque *m;* **~deckung** couverture (*ou*
garantie) des risques; **~reich** risqué, hasardeux;
~rückstellung provision *f* pour risque

risk|ant risqué; hasardé, hasardeux; **~ieren**
risquer; courir un risque

Rispe *bot* panicule *f*

Riß déchirure *f; (Kleid)* accroc *m; (Spalte)* fente
f, crevasse *f,* fissure *f; (Haut)* gerçure *f; (Mauer)*
lézarde *f;* **~beginn** amorce *f* de rupture

rissig crevassé; craquelé; fendillé; *(Mauer)*
lézardé; *(Haut)* gercé; *~ werden* se fendiller, se
crevasser

Rist cou-de-pied *m; (Handgelenk)* poignet *m*

Ritt chevauchée *f;* promenade *f* à cheval;
~lings à cheval, à califourchon

Ritter chevalier; *z. ~ schlagen* faire chevalier;
~gut domaine *m* (seigneurial); **~gutsbesitzer**
propriétaire d'une terre seigneuriale; **~lich**
chevaleresque; *fig* courtois, galant; **~lichkeit**
esprit *m* chevaleresque; **~schlag** accolade *f;*
~sporn *bot* pied-d'alouette *m*

Rit|ual rituel *m;* **~ell** rituel; **~us** rite *m*

Ritz|(e) fente *f;* fissure *f; (Schramme)* éraflure *f,*
égratignure *f;* rayure *f;* **~el** ⚙ pignon *m;* **~en**
rayer; égratigner, érafler

Rival|e rival; **~isieren** rivaliser; **~ität** rivalité *f*

Rizinusöl huile *f* de ricin

Robbe phoque *m,* veau marin; **~n** *mil* ramper;
~nfänger navire-phoquier *m;* chasseur *m* de
phoques

Roboter robot *m,* automate *m;* **~industrie**
robotique *f*

robust robuste; **~heit** robustesse *f*

röcheln râler; **~** *su* râle *m,* râlement *m*

Rock[1] habit *m; (Damen-)* jupe *f; (Jacke)* veston
m; ♦ hinter j-m ~ herlaufen courir les filles,
courir le jupon; **~aufschlag** revers *m;* **~schoß**
pan *m,* basque *f*

Rock[2] rock *m;* **~er** rocker; blouson *m* noir

Rodel luge *f;* petit traîneau *m;* **~n** luger, faire de
la luge; **~schlitten** luge

rod|en essarter, défricher; **~ung** essartage *m;
(Fläche)* essart(is) *m*

Rogen œufs *mpl* de poisson; **~er** poisson œuvé
(od rogué)

Roggen seigle *m;* **~brot** pain *m* de seigle

roh cru; *(brutal)* brutal, rude; *(grob)* grossier;
(unverarbeitet) brut, non travaillé, écru; *(ungekocht)* cru; *(ungebildet)* inculte; *mit ~er Gewalt*
avec brutalité *♦ wie e. ~es Ei behandeln* prendre
avec des gants; **~bau** 🏛 gros œuvre; *im ~bau
fertig* en maçonnerie brute; **~bilanz** bilan *m*
estimatif; **~einkommen** revenu *m* brut; **~eisen**
fonte *f,* **~eit** grossièreté *f,* brutalité *f;* **~gewicht**
poids brut; **~gummi** caoutchouc brut; **~kost**
crudités *fpl;* **~ling** brute *f;* ⚙ ébauche *f;* **~stoff**
matière première; produit *m* de base; **~öl**
pétrole brut; **~produkt** produit cru; **~seide** soie
f grège *(od* crue); **~zucker** cassonade *f*

Rohr tuyau *m;* ⚙ tube *m; (nat) bot* roseau
m, canne *f;* jonc *m; (Geschütz)* canon *m;* **~bogen**
coude *m;* **~dommel** *orn* butor *m;* **~förmig**
tubulaire, en forme de tuyau; **~geflecht**
cannage *m;* **~leger** plombier, poseur de tuyaux;
~leitung conduite *f,* canalisation *f;* tuyauterie *f*
rigide; **~post** poste *f* pneumatique; **~postbrief**
pneu(matique) *m;* petit bleu; **~stock** canne *f;*
~stuhl chaise cannée; **~zucker** sucre *m* de
canne

Röhre conduit *m,* tuyau *m,* tube *m;* 💡 lampe *f,*
valve *f;* **~nförmig** tubulaire

Röhricht roseaux *mpl*

Roll|aden jalousie *f,* store *m,* volet roulant;
~bahn ✈ voie *f* de circulation; **~bewegung**
roulis *m;* **~dach** 🚗 toit ouvrant; **~e** *a.* 🎭 rôle *m;
a.* ⚙ rouleau *m; (unter Möbeln)* roulette *f;*

(Lauf-) galet *m; (Flaschenzug)* poulie *f; (Angel)* moulinet *m; aus d.* ~*e fallen* sortir de son rôle; ⌐*en vi/t* rouler; *(zus.-)* enrouler; *refl* se rouler; ~**en su** ⚱ roulis *m;* ~**enlager** ⚙ roulement *m* à galets; ~**er** *(Spielzeug)* trottinette *f,* patinette *f;* 🛵 scooter *m;* ~**feld** ✝ piste *f;* ~**film** pellicule *f* en bobine; ~**fuhrunternehmen** entreprise *f* de camionnage; ~**geld** camionnage *m,* factage *m;* ~**schrank** classeur *m* à rideau; ~**schuh** patin *m* à roulettes; ~**splitt** gravillons *mpl;* ~**streifen** bande de roulement; ~**stuhl** fauteuil *m* à roulettes *(od* roulant); ~**tor** porte *f* roulante; ~**treppe** escalier roulant *(od* mécanique)
Roman roman *m;* ⌐**haft** romanesque; ~**held** héros *m;* ⌐**isch** roman; *(Volk)* latin; ⌐*ische Schweiz* Suisse romande; ~**schriftsteller** romancier; ~**tik** *(Kunst)* romantisme *m; fig* romanesque *m;* ~**tiker** romantique; ⌐**tisch** romantique; ~**ze** romance *f*
Röm|er Romain; coupe *f;* ⌐**isch** romain
Rond|ell rond-point *m; (Beet)* corbeille *f;* ~**o** rondeau *m*
röntgen examiner aux rayons X, radiographier; ⌐**apparat** appareil *m* radiologique; ⌐**aufnahme** = ⌐**bild** radiographie *f;* ⌐**dosis** dose *f* de rayons X; ⌐**durchleuchtung** radioscopie *f;* ⌐**ologe** radiologiste, radiologue; ⌐**röhre** tube *m* à rayons X; ⌐**strahlen** rayons *mpl* X; ⌐**technik** radiologie *f;* ⌐**therapie** radiothérapie *f;* ⌐**untersuchung** examen radioscopique
rosa *adj* rose ♦ *alles durch e-e* ~*rote Brille sehen* voir tout en rose
Ros|e rose *f;* ⚕ érysipèle *m; (Rosette)* rosace *f;* ~**engarten** roseraie *f;* ~**enkohl** chou *m* de Bruxelles; ~**enkranz** chapelet *m,* rosaire *m;* ~**enmontag** lundi gras; ~**öl** huile *f* rosat; ⌐**enrot** rose; ~**enstock** rosier *m; (Wilder)* églantier *m;* ~**enzüchter** rosiériste; ~**ette** 🏛 rosace *f;* ⌐**ig** rose; ~**ine** raisin sec; ~**marin** romarin *m*
Roß cheval *m;* ~**haar** crin *m;* ~**händler** maquignon; ~**kastanie** marron *m (Baum:* marronnier *m)* d'Inde; ~**kur** cure *f* de cheval
Rost[1] *a. bot* rouille *f;* ⌐**beständig** résistant *(od* inattaquable) à la rouille; ~**en** (se) rouiller; ⌐**frei** sans rouille; *(nichtrostend)* inoxydable; ⌐**ig** rouillé; ~**schutz** ... antirouille
Rost[2] grille *f; (Brat-)* gril *m;* ~**braten** grillade *f*
Röst|e rouissoir *m;* ~**en** griller, rôtir; *(Kaffee)* torréfier; *(Flachs)* rouir; ~**kartoffeln** pommes de terre sautées
rot rouge; *(Haar)* roux; ⌐*es Kreuz* la Croix-Rouge; ~ *werden* rougir, s'empourprer; *in die* ~*en Zahlen geraten* devenir déficitaire, subir des pertes; ~**bäckig** aux joues rouges *(od* vermeilles); ~**blond** blond roux *(inv);* ~**braun** rouge brun *(inv);* ~**buche** hêtre *m* rouge; ~**glühend** rouge, chauffé au rouge; ~**haarig** roux; ⌐**haut** Peau-Rouge *m;* ⌐**käppchen** chaperon *m* rouge; ⌐**kehlchen** rouge-gorge *m;* ⌐**kohl** chou *m* rouge; ⌐**schwänzchen** rouge-queue *m;* ⌐**stift** crayon *m* rouge; *den* ⌐*stift ansetzen* réduire les dépenses, prévoir des économies; ⌐**wein** vin *m* rouge; ⌐**welsch** langue verte; ⌐**wild** cervidés *mpl*

Rotation rotation *f;* ~**sbewegung** mouvement *m* rotatoire; ~**sdruck** 📖 impression *f* par machine rotative; ~**spresse** (presse *f)* rotative *f*
Röt|e rougeur *f;* ~**el** crayon *m* rouge, sanguine *f;* ~**eln** ⚕ rubéole *f;* ⌐**lich** tirant sur le rouge; rougeâtre
rot|ieren tourner (sur soi-même)
Rotte équipe *f;* bande *f,* file *f,* troupe *f; mil* patrouille *f*
Rotz *a. vet* morve *f;* ⌐**ig** morveux
Roulade paupiette *f*
Route route *f;* itinéraire *m;* parcours *m*
Routine routine *f;* pratique *f,* habitude *f;* ~**mäßig** routinier; *adv* par routine
Rowdy voyou, apache
Rüb|e rave *f,* betterave *f; gelbe* ~*e* carotte *f; weiße* ~*e* navet *m; rote* ~*e* betterave *f* (rouge) ♦ *wie Kraut u.* ~*en* pêle-mêle; ~**enzucker** sucre *m* de betteraves; ~**öl** huile *f* de colza
Rubel rouble *m*
Rubin rubis *m*
Rubri|k rubrique *f; (Vordruck)* case *f;* ⌐**zieren** mettre sous rubriques, classer
ruch|bar public, notoire; ~*bar werden* s'ébruiter; ~**los** perfide, infâme, scélérat; ⌐**losigkeit** perfidie *f*
Ruck saccade *f,* à-coup *m;* secousse *f* ♦ *s. e-n* ~ *geben* faire un effort; ⌐**artig** par secousses, par à-coups; ~**sack** sac *m* à dos *(od* d'alpiniste *od* tyrolien)
Rück|ansicht vue *f* arrière; ~**antwort:** *bezahlte* ~*antwort* réponse payée; ~**blende,** ~**blick** coup d'œil en arrière; vue rétrospective; ~**blickspiegel** rétroviseur *m;* ⌐**datieren** antidater
rücken déplacer; pousser; remuer; *(weg-)* reculer; approcher *(an* de); *vi* s'écarter, se pousser; *ins Feld* ~ entrer en campagne; *j-m zu Leibe* ~ assaillir qn, se jeter sur qn
Rücken *(a. Buch, Messer, Hand)* dos *m* ♦ *in d.* ~ *fallen* attaquer par derrière; *e-n breiten* ~ *haben* avoir bon dos; ~**deckung** arrière-garde *f;* ~**flosse** nageoire dorsale; ~**flug** vol *m* sur le dos; ~**lehne** dos *m,* dossier *m;* ~**mark** moelle épinière; ~**stütze** 🏛 contre-butage *m;* ~**wind** vent *m* arrière; ~**wirbel** vertèbre dorsale
Rück|erinnerung réminiscence *f;* ⌐**erstatten** rembourser; restituer; ~**erstattung** remboursement *m;* restitution *f;* ~**fahrkarte** billet *m* aller et retour; ~**fahrt** retour *m;* ~**fall** ⚕ récidive *f;* ⚕ rechute *f;* ⌐**fällig** ⚕ récidiviste; ⌐*fällig werden* ⚕ récidiver; ⌐**fälliger** ⚕ récidiviste; ~**fallfieber** fièvre *f* récurrente; ~**fracht** fret *m* de retour; ~**frage** demande *f* de plus amples informations; ⌐**fragen** demander des renseignements complémentaires; ⌐**führen** *pol* rapatrier; ~**führung** *pol* rapatriement *m;* ~**gabe** restitution *f;* ~**gang** recul *m,* déclin *m,* baisse *f; (bes Konjunktur)* ralentissement *m,* régression *f;* ⌐**gängig:** ⌐*gängig machen* annuler; ⚕ résilier; ~**gewinnung** ⚙ récupération *f;* ⌐**gliedern** rattacher, réintégrer; ~**gliederung** rattachement *m,* réintégration *f;* ~**grat** épine dorsale; échine *f;* ~**griff** recours *m;* ~**halt** soutien *m,* appui *m;* ⌐**haltlos** sans réserve, franchement; ~**kauf**

rachat *m;* ~**kaufsrecht** réméré *m;* ~**kehr** retour *m;* rentrée *f;* ~**lage** com réserve *f;* ⌐**läufig** rétrograde; régressif; en régression; ~**licht** feu *m* arrière; ⌐**lings** sur le dos, à la renverse; ~**marsch** mil retraite *f;* ~**nahme** reprise *f;* retrait *m;* ~**porto** port *m* de retour; ~**prall** rebondissement *m;* répercussion *f;* ~**reise** voyage *m* de retour; ~**schlag** échec *m,* répercussion négative; contre-coup *m;* ~**schlagventil** clapet *m* de recharge; soupape *f* de retenue; ~**schluß** déduction *f;* ~**schritt** pas *m* en arrière; recul *m;* ⌐**schrittlich** réactionnaire; ~**seite** dos *m;* revers *m; (Papier)* verso *m;* ~**sendung** renvoi *m,* retour *m;* ~**sicht** égards *mpl,* ménagement *m;* considération *f; mit* ~*sicht auf* en tenant compte de, eu égard à, en considération de; ⌐**sichtslos** sans égards; brutal, radical; ~**sichtslosigkeit** manque *m* d'égards; rudesse *f,* brutalité *f;* ⌐**sichtsvoll** plein d'égards, délicat; ~**sitz** siège *m* arrière; fond *m;* ~**spiegel** rétroviseur *m;* ~**spiel** match *m* retour; ~**sprache** consultation *f;* échange *m* de vues; *nach* ~*sprache mit* après nouvelle consultation de; ~**stand** chem résidu *m;* reste *m; (Treibstoff)* imbrûlés *mpl; (Schuld)* arriéré *m;* ⌐⌐ demeure *f; pl* com arrérages *mpl; im* ~*stand sein* être en arriéré *(od* en retard); ⌐**ständig** *a. fig* arriéré; restant; *(Schuldner)* retardataire; *(veraltet)* démodé; ~**stau** refoulement *m;* ~**stellungen** com provisions *fpl;* ~**stoß** contre-coup *m;* répercussion *f; phys* réaction *f; (Waffe)* recul *m;* ~**strahler** cataphote *m,* catadioptre *m;* ~**taste** touche *f* de recul; ~**tritt** démission *f;* désistement *m; (Vertrag)* résiliation *f;* ~**vergütung** com ristourne *f;* remboursement *m;* ~**versicherung** réassurance *f;* ⌐**wärtig** arrière; ~**wärts** en arrière; ~**wärtsgang** 🚗 marche *f* arrière; ⌐**wirken** réagir, se répercuter *(auf* sur); ⌐**wirkend** rétroactif; ~**wirkung** répercussion *f;* réaction *f;* ⌐⌐ effet *m* rétroactif; ⌐**zahlen** rembourser; ~**zahlung** remboursement *m;* ~**zieher** reculade *f;* ⌐**zug** mil retraite *f;* repli *m; d.* ~*zug antreten* battre en retraite

Rüde chien *m,* mâtin *m;* ⌐ *adj* rude, brutal
Rudel troupe *f,* bande *f;* **harde** *f*
Ruder rame *f;* aviron *m;* ⌐⌐ timon *m; (*⌐⌐, ✝, *a. fig)* gouvernail *m; ans* ~ *kommen (fig)* prendre le gouvernail; ~**boot** bateau *m* à rames; ~**er** rameur; ~**haus** ⌐⌐ timonerie *f;* ⌐**n** ramer
Ruf appel *m;* cri *m; (in e. Amt)* nomination *f; fig* réputation *f,* renom *m,* renommée *f; im* ~ *... stehen* être réputé pour... ; *in schlechten* ~*bringen* discréditer; ⌐**en** appeler; crier; ~*en lassen* mander, faire venir; *um Hilfe* ⌐**en** appeler au secours; *wie gerufen kommen* arriver à point *(od* à pic); ~**name** prénom usuel; ~**nummer** numéro *m* d'appel; *EDV* indicatif *m* de programme; ~**zeichen** indicatif *m* d'appel
Rüffel réprimande *f;* savon *m*
Rüge reproche *m;* blâme *m;* réprimande *f;* com réclamation *f;* ⌐**n** blâmer; censurer
Ruh|e tranquillité *f;* calme *m;* silence *m;* délassement *m,* repos *m; in aller* ~*e* doucement, posément; *s. zur* ~*e setzen* prendre sa retraite; *laß mich in* ~*e!* laisse-moi tranquille!, fiche-moi

la paix!; ~**egehalt** (pension *f* de) retraite *f;* ~**egehaltsempfänger** retraité *m;* ⌐**elos** sans repos; inquiet, agité; ⌐**en** reposer; prendre du repos; se délasser; dormir; ne rien faire; *(Arbeit)* être arrêté, être suspendu; ⌐**en auf** reposer sur, se fonder sur, être soutenu par; *(Blick)* être fixé sur; ⌐**end** en repos; oisif; com improductif; ~**epause** pause *f* dans le travail; ~**estand** retraite *f; in d.* ~*estand versetzen* mettre à la retraite; ~**estätte** lieu *m* de repos; *letzte* ~*estätte* dernière demeure; ~**estellung** position d'arrêt *(od* de repos); *in R.* (mil) en cantonnement; ~**estörer** tapageur; perturbateur de l'ordre public; ~**estörung** perturbation *f* (de l'ordre public); *nächtl.* ~*estörung* tapage *m* nocturne; ~**etag** jour *m* de repos; ⌐**ig** tranquille, calme; silencieux; paisible; serein
Ruhm gloire *f;* renommée *f;* ~**gier** amour *m* de la gloire; gloriole *f;* ambition *f;* ⌐**los** sans gloire, obscur; ⌐**reich,** ⌐**voll** glorieux
rühm|en glorifier, exalter; célébrer; vanter louer, louanger; faire l'éloge; ~**enswert** digne d'éloges; ~**lich** louable; glorieux
Ruhr ⌐ dysenterie *f*
Rühr|ei œufs brouillés; ⌐**en** *vt* remuer, mouvoir; *(Trommel)* battre; *fig* toucher; émouvoir, attendrir; *vi* toucher *(an etw* [à] qch); *siehe* herrühren; *refl* (se) remuer, bouger; *(Gewissen)* parler; ⌐**t euch!** repos!; ⌐**end** touchant, émouvant, attendrissant; ⌐**ig** remuant, actif, dynamique; ~**michnichtan** sainte nitouche; ⌐**selig** larmoyant; ~**ung** émotion *f,* attendrissement *m*
Ruin ruine *f;* com déconfiture *f;* ~**e** ruine *f; fig* épave *f;* ⌐**ieren** ruiner
rülps|en roter; ⌐**er** rot *m*
Rum rhum *m*
rumoren faire du bruit
Rumpel|kammer débarras *m;* ~**kasten** guimbarde *f;* ⌐**n** *(Wagen)* cahoter
Rumpf tronc *m;* ⌐⌐ coque *f;* ✈ fuselage *m*
rümpfen *d. Nase* ~ rechigner (à); faire la moue
rund rond; arrondi; circulaire; *fig* net, franc; *adv* environ; ~ *10* une dizaine; ⌐**bau** rotonde *f;* ⌐**blick** panorama *m;* ⌐**bogen** 🏛 plein-cintre *m;* ⌐**brief** lettre *f* circulaire; ⌐**e** ronde *f;* cercle *m;* 🥊 tour *m; (Boxen)* round *m;* reprise *f;* ~**en** arrondir; ⌐**erlaß** circulaire *f;* ⌐**fahrt** voyage *m* circulaire; ⌐**funk** radio(diffusion) *f,* T.S.F. *f;* ⌐**funkgebühr** redevance *f* radiophonique; ⌐**funkgerät** poste *m* de T.S.F.; ⌐**funknachrichten** nouvelles radiodiffusées; ⌐**funksendung** émission *f* radiophonique *(od* de radio); ⌐**funksprecher** speaker; ⌐**funkstation** (poste) émetteur *m;* ⌐**gang** tour *m;* mil ronde *f;* ~**heraus** de but en blanc; ~**herum** tout autour; à la ronde; ~**lich** arrondi; rondelet, potelé; ~**reise** tournée *f;* circuit *m;* ⌐**schreiben** circulaire *f;* ⌐**ung** rond *m,* rondeur *f,* rotondité *f;* galbe *m;* ⌐**verkehr** circulation *f* à sens giratoire; ~**weg** (tout) net; carrément; bel et bien
Runkelrübe betterave fourragère
Runzel ride *f;* fronce *f;* ⌐**ig** ridé; ⌐**n** rider; *d. Stirn* ⌐**n** froncer les sourcils

rupfen a. fig plumer; déplumer
Rüsche ruche f
Ruß suie f; noir m de fumée; ⌐en produire de la suie, fumer
Russ|e Russe; ⌐isch russe
Rußland la Russie
Rüssel trompe f; (Schwein) groin m; (Insekt a.) bec m
rüst|en préparer, apprêter; équiper, armer; ⊞ échafauder; refl se disposer (zu à); ⌐ig vigoureux, robuste; vert; ⌐igkeit vigueur f, verdeur f; ⌐kammer arsenal m; ⌐ung armement m; (Harnisch) armure f; ⌐ungsbetrieb usine f de fabrication d'armements; ⌐ ungswettlauf course f aux armements; ⌐zeug outillage m, équipement m
Rüster bot orme m
Rute verge f; férule f; (Hund) fouet m; ⌐ngänger sourcier, radiesthésiste
Rutsch|bahn glissoire f; toboggan m; ⌐e ⚙ goulotte f, toboggan m; ⌐e glissière f; ⌐englisser; déraper; ⌐ig glissant; ⌐sicher anti-dérapant; ⌐spur trace f de dérapage
rütteln secouer, ébranler, agiter; gerüttelt Maß mesure f comble; nicht ~ an (fig) ne rien changer à

S

Saal salle f; (langer) galerie f
Saat semailles fpl; (Korn) grains mpl; a. fig semence f; (Aussaat) ensemencement m; d. ~ steht gut les blés sont beaux; ⌐gut semence f, semis m; ⌐kartoffeln pommes fpl de terre à la semence
sabbeln pej bavarder, bafouiller; radoter
sabbern saliver, baver
Säbel sabre m ♦ mit dem ~ rasseln adopter un air martial, prendre une attitude menaçante; ⌐beine jambes torses; ⌐hieb coup m de sabre
Sabot|age sabotage m; ⌐eur saboteur
Sach|aufwendungen dépenses fpl de matériel; ⌐bearbeiter agent m technique; adjoint m; assistant m; employé (für chargé de); (Ministerium) rédacteur; ⌐bereich domaine m; secteur m; ⌐beschädigung détérioration f, destruction f; ⌐bezüge avantages mpl en nature; ⌐dienlich utile, convenable, pratique; ⌐e chose f; com marchandise f, bien m économique; (Angelegenheit) affaire f, sujet m; ♋ cause f; (Sachgebiet) domaine m, rayon m, matière f; (Begebenheit) événement m; pl (bewegl. Habe) effets mpl; ~e des... sein être l'affaire de..., appartenir à... de; bei d. ~e bleiben ne pas s'écarter du sujet; nicht bei d. ~e sein ne pas avoir le cœur à l'ouvrage; e-e ~e vertreten plaider une cause; e-r ~e. auf d. Grund gehen examiner une chose de près; gemeinsame ~e machen mit faire cause commune avec; zur ~e kommen en venir au fait, entrer en matière; s-e sieben ~en packen prendre ses cliques et ses claques; er macht s-e ~e gut il s'acquitte bien de son affaire; d. tut nichts z. ~e cela n'importe pas; d. ~e ist gemacht l'affaire est faite (umg dans le sac); ⌐einlage apport m en

nature; ⌐firma dénomination sociale (d'une société de capitaux); ⌐gebiet domaine m; matière f; ⌐gemäß approprié, adéquat; ⌐geschädigter sinistré; ⌐kenner, ⌐kundiger connaisseur, expert; ⌐kenntnis compétence f; connaissance f des faits (od de la matière); ⌐konto compte m matières; ⌐kundig expert, compétent; ⌐lage état m de choses; circonstances fpl; faits mpl, situation f; bei der gegenwärtigen ~lage en l'occurrence; ⌐leistung prestation f en nature; ⌐lich objectif; positif, concret; (Stil) précis, dépouillé; aus ⌐lichen Gründen pour des raisons de fait; ⌐lichkeit réalisme m; caractère positif; objectivité f; ⌐mangel vice m de la chose, défectuosité f; ⌐register répertoire m; ⌐schaden dommage (od préjudice) matériel; ⌐verhalt faits mpl; ⌐vermögen ♋ biens mobiliers; ⌐versicherung assurance f de biens matériels; ⌐verstand compétence, connaissances fpl approfondies; ⌐verständiger expert; ⌐verständigengutachten rapport m d'expert, expertise f; ⌐walter administrateur m de biens; mandataire; ♋ avoué; ⌐wert valeur réelle; ⌐werte biens réels; ⌐wissen connaissances fpl de la matière; ⌐wörterbuch encyclopédie f; dictionnaire encyclopédique
sachte doucement, lentement; avec précaution; (allmählich) peu à peu
Sack sac m; (Tasche) poche f; ⚓ poche f, kyste f; ⌐en ensacher; se tasser; ⌐gasse a. fig impasse f, cul-de-sac m; ⌐leinen toile f d'emballage
sä|en a. fig semer; ensemencer; ⌐mann semeur; ⌐maschine semoir m, semeuse f
Safe coffre-fort m
Saffianleder maroquin m
Saft a. fig suc m; (Frucht, fig) jus m; (Pflanzen, fig) sève f; fig saveur f; ohne ~ u. Kraft sans goût ni saveur ♦ j-n im eigenen ~ schmoren lassen umg laisser patouiller qn (dans la détresse), ne pas porter secours à qn; ⌐en juter; ⌐ig juteux; (Speise) succulent; (Obst) fondant; a. fig savoureux
Sage légende f, mythe m; ⌐nhaft légendaire, fabuleux, mythique
Säge scie f; (Fuchsschwanz) (scie f) égoïne f; (Baum-) passe-partout m; ⌐band ruban m de scie; ⌐fisch zool scie f; ⌐mehl sciure f ⌐mühle scierie f; ⌐n scier; ⌐ig ronfler; ⌐werk scierie f
sagen dire; raconter; j-m Dank ~ adresser ses remerciements à qn; ~ lassen faire savoir; s. nichts ~ lassen être bouché, ne pas vouloir entendre raison; kein Wort ~ ne souffler mot, ne pas desserrer les dents; wenn ich so ~ darf si j'ose ainsi parler (od m'exprimer ainsi); s. etw. nicht zweimal ~ lassen ne pas se faire prier; was wollen Sie damit ~? qu'entendez-vous par là?; es hat nichts zu ~ cela ne fait rien, cela n'a pas d'importance; er hat hier nichts zu ~ il n'a pas d'ordres à donner ici; sage und schreibe umg en tout et pour tout, au total; vraiment, sans se gêner; laß dir d. gesagt sein tiens-le-toi pour dit; gesagt, getan aussitôt dit, aussitôt fait
Sahne crème f; ⌐kännchen crémière f; ⌐torte tarte f à la crème

Saison saison *f;* ⌷**al** saisonnier; **~arbeiter**
travailleur saisonnier; **~arbeit**
Saite corde *f;* *(Tennisschläger)* boyau *m* (de
raquette) ♦ *andere ~n aufziehen* durcir son
attitude; **~ninstrument** ♪ instrument *m* à cordes
Sakko veste *f* (d'un costume); veston *m;*
~anzug costume *m;* complet *m* (veste et
pantalon)
sakra||sacré; ⌷**ment** sacrement *m*
Sakristei sacristie *f*
Salamander *zool* salamandre *f*
Salat *a. fig* salade *f;* *(grüner)* laitue *f;*
~besteck service *m* à salade; **~pflanze** pied *m*
(de salade); **~schüssel** saladier *m*
Salb|**e** pommade *f,* crème *f;* ⚕ onguent *m,*
liniment *m;* **~ei** *bot* sauge *f;* ⌷**en** *rel* oindre;
(König) sacrer; *(Tote)* embaumer; **~ung** *a. fig*
onction *f; (König)* sacre *m;* ⌷**ungsvoll** onctueux
sald|**ieren** solder, balancer; ⌷**o** solde *m;*
(Restbetrag) reliquat *m;* **~guthaben** solde *m*
créditeur;
Saline saline *f,* marais *m* salant
Salm *zool* saumon *m*
Salmiak sel *m* ammoniac, chlorure *m* d'ammo-
nium; **~geist** alcali volatil, ammoniaque *f*
Salon salon *m;* ⌷**fähig** présentable
salopp négligé; *adv* à la légère
Salpeter salpêtre *m,* nitrate *m* de potassium;
⌷**haltig** nitreux; ⌷**sauer** nitrique; **~säure** acide
m nitrique *(od* azotique)
Salto mortale saut périlleux
Salut *mil* salut *m; ~ schießen* tirer une salve;
⌷**ieren** saluer, faire le salut militaire
Salve salve *f,* décharge *f*
Salz *a. fig* sel *m* ♦ *~ auf die/in die Wunde*
streuen retourner *(ou* remuer) le couteau dans la
plaie; *nicht d. ~ zur Suppe haben* être dans la
misère; **~bergwerk** mine *f* de sel, saline *f;* ⌷**en**
saler; **~faß** salière *f;* **~garten** marais salant;
~gehalt teneur *f* en sel, salinité *f;* **~gewinnung**
salinage *m;* **~gurke** cornichon *m* au sel; ⌷**haltig**
salin, salifère; **~hering** hareng *m* pec *(od* salé);
⌷**ig** salé, salin; **~kartoffeln** pommes *fpl* de terre
à l'eau; **~lake** saumure *f;* **~lösung** solution
saline; **~säure** acide *m* chlorhydrique; **~see** lac
salé; **~wasser** eau salée
Same *a. fig* graine *f; zool* sperme *m; (Saatgut)*
semence *f;* **~nbank** banque *f* de sperme;
~nkorn grain *m,* graine *f;* **~ntierchen** spermato-
zoïde *m*
sämig crémeux
Sämischleder peau *f* de chamois
Sammel||**band** recueil *m;* **~becken** bassin
collecteur; réservoir *m;* **~begriff** *ling* collectif
m; **~bezeichnung** dénomination *f* générique;
~büchse boîte *f* à collectes, tronc *m;* **~fahr-**
schein billet *m* collectif; **~gut** groupage *m;*
~lager entrepôt *m; (Gefangene)* camp *m* de
triage *(ou* de concentration); **~linse** lentille
convergente; **~n** collectionner; *(anhäufen)*
amasser, accumuler, empiler; *(zus.stellen)* grouper, réunir, rassembler; *(Geld)* quêter, collecter;
(Erfahrung) acquérir, faire; *refl* s'assembler, se
réunir; *fig* se recueillir, se concentrer; **~n** *su*

rassemblement *m;* **~platz** lieu *m* de rassemblement *m; mil* point *m* de ralliement; **~surium**
salmigondis *m;* **~transport** transport *m* en
commun *(od* groupé); *mil* convoi *m;* **~werk**
collection *f;* recueil *m* de textes
Samml|**er** collectionneur; ⚙ collecteur; ⚡
accumulateur *m;* **~lerbatterie** batterie-accu
(mulateurs) *f;* **~lung** collection *f; (Auswahl)* recueil
m; (Geld-) quête *f,* collecte *f; fig* recueillement
m; (rel) récollection *f*
Samstag samedi *m*
samt avec; y compris; *~ und sonders* sans
exception; **sämtliche** tous les, l'ensemble des, la
totalité des
Samt velours *m;* ⌷**artig** velouté
Sanatorium sanatorium *m*
Sand sable *m; (sehr fein)* sablon *m* ♦ *irgendwo*
ist~ im Getriebe umg il y a qch qui cloche *(ou*
qui ne va pas); *j-m ~ in die Augen streuen* jeter
de la poudre aux yeux; *im ~ verlaufen* finir en
queue de poisson; *auf ~ bauen* bâtir sur le
sable; **~bank** banc *m* de sable; **~boden** terrain
sablonneux; **~grube** sablière *f,* carrière *f* de
sable; ⌷**ig** sablonneux; *(sandhaltig)* sableux;
~kasten caisse *f* à sable; **~papier** toile *f (ou*
papier *m)* émeri; **~sack** sac *m* de sable; **~stein**
grès *m;* **~steinbruch** carrière *f* de grès;
~strahlgebläse ⚙ sableuse *f;* **~uhr** sablier *m;*
~wüste désert *m* de sable
Sandale sandale *f*
sanft doux, tendre; *(glatt)* lisse; *(leicht)* léger;
⌷**mut** douceur *f,* mansuétude *f;* **~mütig** doux,
débonnaire, inoffensif
Sänfte litière *f,* chaise *f* à porteurs
Sänger chanteur; *fig* poète; **~in** chanteuse *f;*
(Oper, Konzert) cantatrice
sanier|**en** assainir, redresser; rénover; réorgani-
ser; ⌷**ung** assainissement *m,* redressement
financier; *(Gebäude)* réhabilitation *f;* ⌷**ungs-**
plan plan *m* d'assainissement
sanitä|**r** sanitaire; *~re Anlagen* installations *fpl*
sanitaires *(od* hygiéniques); ⌷**ter** infirmier,
brancardier; ⌷**tswagen** ambulance *f;* ⌷**tswesen**
service *m* de santé
Sankt saint
Sanktion sanction *f;* ⌷**ieren** sanctionner
Saphir saphir *m*
Sard|**elle** anchois *m;* **~ine** sardine *f;* **~inenbüch-**
se boîte *f* à sardines
Sarg cercueil *m;* bière *f;* **~tuch** linceul *m*
Sarkas|**mus** sarcasme *m;* ⌷**tisch** sarcastique,
ironique, sardonique, moqueur
Sarkophag sarcophage *m*
Satan Satan *m;* diable; ⌷**isch** satanique
Satellit satellite *m;* **~enstaat** État *m* satellite
Satin satin *m; (Baumwoll-)* satinette *f;* ⌷**ieren**
satiner
Satir|**e** satire *f;* **~iker** *(poète)* satirique;
⌷**isch** satirique
Satisfaktion satisfaction, réparation *f* d'hon-
neur
satt rassasié; *a. fig* repu; *(gesättigt)* saturé;
(Farben) nourri, foncé; *(überdrüssig)* las de,

fatigué de, dégoûté de; *sich ~ essen* manger à sa faim; *etw. ~ haben* en avoir assez de qch

Sattel selle *f; geog* croupe *f,* col *m; fest im ~ sitzen* être bien en selle; *aus d. ~ heben* désarçonner, démonter; **~anhänger** semi-remorque *f;* **⊾fest:** *⊾ fest sein* être ferré (*in sur*); **~pferd** cheval *m* de selle; **⊾n** seller; **~schlepper** tracteur *m* de semi-remorque; **~zeug** sellerie *f*

sättig|en rassasier; *a. fig* assouvir; *chem* saturer; **~end** nourrissant; **⊾ung** rassasiement *m; a. fig* assouvissement *m;* satiété *f; chem, com* saturation *f;* **⊾ungsgrad** degré *m* de saturation

Sattler bourrelier; sellier; **~ei** sellerie *f*

Satz *(Sprung)* saut *m,* bond *m,* enjambée *f; (Rückstand)* dépôt *m,* sédiment *m,* résidu *m; (Wein)* lie *f; (Kaffee)* marc *m; ling* phrase *f,* proposition *f; math* théorème *m; (Auswahl)* lot *m,* jeu *m,* assortiment *m* série *f,* garniture *f; (Tarif)* taux *m,* tarif *m; ♪* mouvement *m;* ⌷ composition *f;* **~bau** construction *f* (de la phrase); **~fehler** ⌷ erreur *f* typographique; **~lehre** syntaxe *f;* **~spiegel** ⌷ surface *f* de la page; **~ung** règlement *m,* statuts *mpl,* charte *f;* **⊾ungsgemäß** statutaire; **~zeichen** (signe *m* de) ponctuation *f*

Sau truie *f; (Wild-)* laie *f; pop* cochon *m ♦ j-n zur ~ machen pop* engueuler qn; *etw. zur ~ machen pop* fracasser, détruire qch; *wie e-e gesengte ~ pop* à la va vite, à fond de train; *unter aller ~ pop* minable; *keine ~ pop* personne, pas un chat; **~bohne** fève *f*

sauber propre; net; *~! (iron)* du propre!; *~ machen* nettoyer; **⊾keit** propreté *f;* netteté *f; fig* pureté *f;*

säuber|n nettoyer; *fig* épurer; **⊾ung** nettoyage *m,* nettoiement *m; a. pol* épuration *f*

sauer aigre; *(Obst)* sur, vert; *a. chem* acide; *(Boden)* marécageux; *(Arbeit)* dur, pénible, désagréable; *(Gesicht)* renfrogné, rechigné; *~ werden* s'aigrir; *(Milch)* tourner *♦ ~ sein umg* râler; *gib ihm Saures! pop* casse-lui la gueule!; *j-m d. Leben ~ machen* rendre la vie dure à qn; **⊾ampfer** *bot* oseille *f;* **~kirsche** griotte *f;* **⊾kraut** choucroute *f;* **⊾säuerlich** aigrelet; **⊾stoff** oxygène *m;* **~stoffhaltig** oxygéné; **⊾teig** levain *m;* **~werden** *(Wein)* surir, aigrir; *(Milch)* tourner

Sauf|bold, ~bruder soûlard, pochard; **~en** *(Tier)* boire, s'abreuver; *(Mensch)* pinter, chopiner, picoler; **~erei** beuverie *f*

Säufer ivrogne; **~wahnsinn** § delirium tremens *m*

saug|en sucer, suçoter *(umg)*; (✿, *an-*) aspirer; **⊾er** tétine *f;* **⊾heber** siphon *m;* **⊾napf** ventouse *f;* **⊾pumpe** pompe aspirante; **⊾rüssel** suçoir *m;* **⊾ventil** clapet *m* d'aspiration

säug|en allaiter, nourrir; donner le sein à; **⊾etier** mammifère *m;* **~ling** nourrisson *m;* **⊾lingsheim** pouponnière *f*

Säule *a. fig* colonne *f;* **~ngang** colonnade *f;* **~nhalle** portique *m*

Saum *(Kleid)* ourlet *m; (Wald)* orée *f,* lisière *f;* **~pfad** sentier muletier; **⊾selig** lent, négligent, indolent; **~tier** bête *f* de somme

säum|en *vt (Kleid)* ourler; *(begrenzen)* border; *vi*

tarder, hésiter; **~ig** lent; négligent; **⌗** défaillant; *com* retardataire

Säure aigreur *f,* acidité *f,* âpreté *f; (Wein)* verdeur *f; chem* acide *m;* **~beständig** résistant aux acides; **⊾fest** antiacide; **⊾frei** neutre, exempt d'acide; **⊾haltig** acidifère; **⊾regen** pluie *f* acide, précipitations *fpl* à forte acidité; **~zahl** indice *m* d'acide

Sauregurkenzeit morte-saison *f*

Saus: *in ~ u. Braus leben* mener joyeuse vie, godailler et ripailler; **säuseln** murmurer; frémir; **⊾en** *(Wind)* siffler, mugir; *umg* courir, filer

Schabe *zool* blatte *f,* cafard *m,* cancrelat *m*

Schab|eisen racloir *m,* grattoir *m,* râpe *f;* **⊾en** racler, gratter; râper

Schabernack farce *f,* niche *f*

schäbig miteux, râpé; *(Anzug)* élimé; *fig* sordide, mesquin, chiche; **⊾keit** sordidité *f,* mesquinerie *f*

Schablone patron *m;* gabarit *m; (Arbeits-)* étalon *m; (für Beschriftung)* pochoir *m;* poncif *m;* **⊾nhaft** routinier; stéréotypé

Schach (jeu *m* d'échecs *mpl; ~ spielen* jouer aux échecs; *in ~ halten* tenir en échec, mater; **~brett** échiquier *m;* **~figur** pièce *f* (d'échecs), pion *m (a. fig);* **⊾matt** échec et mat; *fig* rendu, fourbu; **~partie** partie *f* d'échecs; **~spiel** (jeu *m* d'échecs *mpl;* **~zug** coup *m; fig* stratagème *m*

Schacht fosse *f; (Bergwerk)* puits *m; (Kabel)* gouttière *f; (Belüftung)* gaine *f; (Kontroll-)* chambre *f (de visite);* **~el** boîte *f,* carton *m; alte~el (umg)* vieille toupie; **~elhalm** prêle *f*

schade dommage; *wie ~!* quel dommage!; *zu ~ für* trop bon pour

Schädel crâne *m;* **~bruch** fracture *f* du crâne

schad|en nuire, faire du mal, porter préjudice, causer du dommage (*j-m à* qn); *was ~et es, wenn...?* quel mal y a-t-il si...?, ou est le mal si...?; *es ~et nichts* il n'y a pas de mal, cela ne fait rien; **⊾en** *su* dommage *m;* préjudice *m;* détriment *m,* dégât *m;* sinistre *m; zu ⊾en kommen* se blesser; **⊾enersatz** indemnité *f,* dommages-intérêts *mpl;* dédommagement *m;* **⊾enersatzforderung** demande *f* en dommages-intérêts; **⊾enfreude** malin plaisir; joie maligne; **⊾enfall** sinistre *m;* fait *m* dommageable; **⊾enmeldung** déclaration *f* de sinistre; **⊾enstifter** auteur *m* d'un dommage; **~haft** endommagé, détérioré; *(fehlerhaft)* défectueux; **⊾haftigkeit** défectuosité *f;* mauvais état; **~los** sans dommage; indemne; *s. an etw. ~los halten* se dédommager *(od* se rattraper) sur qch

schäd|igen léser; nuire à; porter atteinte à; **⊾iger** auteur *m* d'un dommage; **⊾igung §** lésion *f;* préjudice *m;* dommage *m;* **~lich** nuisible; préjudiciable; malfaisant; **§** nocif; **⊾lichkeit** nocivité *f;* malignité *f;* **⊾ling** animal *m (bzw plante f)* nuisible; *pl* parasites *mpl,* vermine *f;* **⊾lingsbekämpfung** lutte *f* contre les parasites; **⊾lingsbekämpfungsmittel** pesticides *mpl*

Schaf mouton *m; (Mutter-)* brebis *f; fig* bourrique *f; ~ e u. Lämmer* ovins *mpl;* **~bock** bélier *m;* **~fell** toison *f;* **~garbe** achillée *f,* mille-feuille *f;* **~herde** troupeau *m* (de moutons); **~hürde** parc *m* (à moutons); **~leder** basane *f*

Schäf|chen agneau *m ♦ sein ~chen ins trockene bringen* faire sa pelote; **~chenwolke** cirrus *m;* **~er** berger; **~erhund** (chien *m* de) berger *m*

schaffen *vt* créer; produire; engendrer; *(fertigbringen)* (réussir à) faire; *(ver-)* procurer, trouver; *(her-)* apporter; *(befördern)* transporter, porter; *vi* travailler; *auf d. Seite ~* détourner; *Ordnung ~* rétablir l'ordre; *j-m viel zu ~ machen* donner du fil à retordre à qn; tailler des croupières à qn *(umg); s. zu ~ machen* tripoter, tripatouiller *(pop)* (*an etw.* qch); *nichts zu ~ haben wollen mit …* ne pas se mêler de …; **≏su** création *f;* production *f;* **≏sdrang** élan créateur

Schaffner *(Autobus. Straßenbahn)* receveur; *(Zug)* contrôleur

Schafott échafaud *m*

Schaft tige *f,* tronc *m; (Werkzeug)* queue *f; (Lanze)* hampe *f,* bois *m; (Gewehr, Säule)* fût *m;* **~stiefel** bottes *fpl* à tige

Schäker espiègle, plaisantin; **≏n** badiner; batifoler, folâtrer

schal *(Getränk)* éventé; *a. fig* plat, insipide; fade

Schal cache-nez *m,* écharpe *f*

Schale plat *m;* écuelle *f,* bol *m,* jatte *f;* **$** cuvette *f; (Waage)* plateau *m; (Frucht)* pelure *f,* peau *f; (Zitrone, Nuß)* écorce *f; (Muschel)* écaille *f ♦ s. in ~ werfen* se mettre sur son trente-et-un

schälen peler; *(Kartoffeln)* éplucher

Schalk coquin; espiègle, farceur; **≏haft** blagueur, moqueur, gouailleur; fripon

Schall son *m;* bruit *m;* éclat *m; (Stimme, Glocke)* timbre *m; (Widerhall)* retentissement *m;* **~belastung** ambiance *f* sonore; **~dämmung** insonorisation *f;* isolation *f* phonique; **~dämpfer ☼, 🚗** silencieux *m;* **≏dicht** insonore; insonorisé; **≏dicht machen** insonoriser; **~dose** boîte *f* de résonance; **≏en** sonner; retentir, résonner; **≏end lachen** éclater de rire; **~geschwindigkeit** vitesse *f* du son *(od* sonique); **~isolierung ☼** insonorisation *f;* isolation *f* phonique; **~knall** bang *m* (supersonique); **~lehre** acoustique *f;* **~loch ♪** ouïe *f; (Glocken)* abat-son *m;* **~mauer** mur *m* du son; **~messung** repérage *m* du son; **~pegel** niveau *m* de pression acoustique; **~platte** disque *m; (~plattenaufnahme** enregistrement *m* sur disque; **~plattenmusik** musique enregistrée; **≏schluckend** amortissant (les bruits); **~schutz** isolation *f* phonique; **~trichter** pavillon *m;* **~welle** onde *f* sonore; **~zeichen** avertisseur *m* sonore

Schal|otte échalote *f;* **~uppe ⚓** chaloupe *f*

Schalt|anlage ☼ poste *m* de manœuvre; **⚡** installation *f* de distribution; **~brett ☼** tableau *m* de commande; **⚡** tableau *m* de distribution; **≏en ⚡** coupler, brancher, connecter; **🚗** changer de vitesse; **≏en u. walten** n'en faire qu'à sa guise, agir selon son bon plaisir; **~er** guichet *m;* **⚡** interrupteur *m,* coupe circuit *m,* disjoncteur *m; (Um-)* commutateur *m;* **~erstunden** heures *fpl* d'ouverture; **~hebel** levier *m* de commande; **~jahr** année *f* bissextile; **~plan ⚡** schéma *m* de

connexion; **~pult ⚡** pupitre *m* de commande *(od* de contrôle *od* de distribution); **~raum ⚡** salle *f* de commande; **~schlüssel 🚗** clé *f* de contact; **~tag** jour *m* intercalaire; **~ung** couplage *m;* montage *m;* **🚗** changement *m* de vitesse; **~verbindung** connexion *f;* **~vorrichtung** dispositif *m* de commande; **~zeit** délai *m* de réponse

Scham honte *f;* pudeur *f;* **~gefühl** pudeur *f;* **~gegend** *anat* pubis *m;* **≏haft** pudique; *(übertrieben)* pudibond, prude; **~haftigkeit** pudeur *f,* pudicité *f;* **≏los** impudique; *(unverschämt)* effronté, éhonté; sans vergogne; **~losigkeit** impudeur *f,* effronterie *f;* dévergondage *m;* **≏rot:** **≏rot werden** rougir de honte

schämen *refl* avoir honte *(über* de); rougir *(über* de); être confus; se gêner

Schamotte chamotte *f;* argile *f*

Schand|e honte *f;* ignominie *f,* opprobre *m;* **~fleck** souillure *f,* flétrissure *f;* **~mal** flétrissure *f,* stigmate *m;* **~tat** infamie *f,* vilenie *f*

schänd|en déshonorer, souiller, polluer; flétrir; *(entstellen)* mutiler; *(entweihen)* profaner; *(vergewaltigen)* violer; **~lich** honteux, infâme, ignominieux, ignoble; **≏lichkeit** turpitude *f,* infamie *f;* vilenie *f;* **≏ung** *(Heiligtum)* profanation *f; (Frau)* viol *m*

Schank|erlaubnis licence *f* de débit de boissons; **~tisch** comptoir *m;* zinc *m (umg);* **~wirt** débitant; cabaretier

Schanze *mil* retranchement *m,* redoute *f; (Sprung-)* tremplin *m*

Schar 1. bande *f,* troupe *f;* masse *f; (Rudel)* harde *f;* meute *f;* **2.** *(Pflug-)* soc *m;* **≏en** grouper, rassembler *(um* autour de); **≏enweise** en *(od* par) bandes, par troupes, en masses

scharf tranchant, affilé, aiguisé; *(Kurve)* brusque; *(Kante)* vif; *(Ton)* aigu, strident; *(Blick)* perçant; *(Wind, Kälte)* piquant; *(Umrisse)* net, précis, marqué; *(Verstand)* pénétrant; *(Geschmack)* âpre; âcre, acide; épicé, poivré; *(Gehör)* subtil, fin; *(beißend)* caustique, mordant, cinglant, incisif; *(Bewachung)* minutieux, étroit *♦ ~ rechts fahren* serrer (sur) la droite; *~ auf j-n sein* vouloir à tout prix coucher avec qn; *~ auf etw. sein* désirer ardemment qch; *~ einstellen ꭥ* mettre au point; *~ laden* charger à balles; **~blick** clairvoyance *f;* pénétration *f;* **~blickend** pénétrant, clairvoyant; **Schärfe** *(Säure)* aigreur *f,* acidité *f; (Umriß)* netteté *f; (Sinne)* finesse *f,* perspicacité *f,* subtilité *f; (Worte)* verdeur *f,* causticité *f; (Ton)* acuité *f; (Strenge)* sévérité *f,* rigueur *f;* **≏schärfen** affiler, affûter; rendre tranchant; *a. fig* aiguiser, affiner; **~machen** *(Person)* exciter, aiguillonner, pousser; *(Tier)* dresser à …; **≏richter** exécuteur (des hautes œuvres), bourreau; **≏sinn** perspicacité *f;* finesse *f,* sagacité *f,* subtilité *f;* **~sinnig** judicieux, fin; subtil; perspicace

Scharlach $ scarlatine *f; (Farbe)* écarlate *f;* **≏rot** écarlate

Scharlatan charlatan, imposteur

Scharmützel engagement *m,* escarmouche *f*

Scharnier charnière *f*

Schärpe écharpe f

scharren gratter; *(mit d. Füßen)* trépigner

Schart|e brèche f; *e-e ~e auswetzen* prendre une revanche, réparer un échec; **~ig** ébréché

scharwenzeln flagorner *(um j-n* qn); faire des courbettes

Schatt|en a. fig ombre f; ombrage m; *im ~en* à l'ombre; *in d. ~en stellen (fig)* effacer, éclipser; **~enbild** silhouette f, ombre f; **~enhaft** fantomatique, vague; **~enkabinett** pol gouvernement m fantôme; **~enspiel** ♛ ombres chinoises; **~enspendend** ombrageant; **~ig** ombragé

Schatulle coffret m, cassette f

Schatz a. fig trésor m; *(Anrede)* chéri(e), bijou m; **~amt** le Trésor; **~anweisung** bon m du Trésor; **~gräber** chercheur de trésors; **~kammer** trésorerie f; **~meister** com trésorier m; **~wechsel** bon m du Trésor

schätz|en estimer, apprécier; priser; *(ab-, ein-)* évaluer, taxer, coter *(auf* à); *(beurteilen)* considérer, compter, juger; **~enswert** estimable, appréciable; respectable, considérable; **~ung** estimation f, appréciation f; évaluation f, taxation f; fig estime m; **~ungsweise** approximativement; **~wert** valeur estimative *(od de taxation)*

Schau aspect m; vue f; *(Ausstellung)* exposition f, présentation f, étalage m; ♛ revue f; mil parade f; *z. ~ stellen* exhiber; étaler, faire étalage de; *z. ~ tragen* afficher, affecter; **~bild** diagramme m; (représentation f) graphique m; **~bude** baraque foraine; **~en** regarder; voir; *(aufmerksam)* contempler; **~fenster** devanture f, étalage m, vitrine f; **~geschäft** show-business m, industrie f du spectacle; **~kasten** vitrine-exposition f, montre f; **~platz** a. fig théâtre m; scène f; **~lustig** curieux; **~lustiger** curieux, badaud; **~packung** emballage m factice; **~prozeß** procès m simulacre; **~spiel** a. fig spectacle m; drame m, pièce f (de théâtre); **~spieler** acteur; a. fig comédien; **~spielhaus** théâtre m; **~steller** (marchand) forain

Schauder horreur f; frémissement m, frisson m; **~haft** horrible, affreux; épouvantable, atroce; **~n** frissonner; frémir; **~n vor...** avoir horreur de...

Schauer frisson m; *(Regen-)* ondée f, averse f; *(Hagel-)* giboulée f; *(Atomphysik)* choc m d'ionisation, éclatement m; **~lich** macabre, lugubre; sinistre

Schaufel pelle f; ♛ aube f, palette f; **~bagger** excavateur m, pelle f mécanique; **~n** pelleter; creuser; **~rad** roue f à aubes

Schaukel balançoire f, escarpolette f; **~n** vt balancer; bercer; vi se balancer; *(Wagen)* brimbaler; **~pferd** cheval m de bois; **~stuhl** chaise f à bascule

Schaum mousse f; écume f; **~gummi** caoutchouc m mousse; crêpe m (de latex); **~ig** mousseux; **~ig schlagen** battre en neige; **~löffel** écumoire f; **~wein** (vin) mousseux m

schäumen mousser; bouillonner; a. fig écumer; *(Wellen)* moutonner

Scheck chèque m; **~buch** carnet m de chèques;

~deckung provision f du chèque; **~formular** formule f de chèque; **~heft** chéquier m; **~karte** carte-chèque f; **~konto** compte-chèques m; **~sperre** opposition f; **~verkehr** opérations fpl (od transactions fpl) par chèques; virement m par chèque; **~zahlung** paiement m par chèque

Scheck|e cheval m pie; **~ig** bariolé, bigarré, panaché; moucheté

scheel oblique; de travers, fig envieux, jaloux

Scheffel boisseau m

Scheibe disque m; ♛ rondelle f; *(Glas-)* vitre f, carreau m; *(Ziel-)* cible f; *(Brot)* tranche f; *(Honig)* rayon m; *(Töpfer-)* tour m; **~nbremse** frein m à disque; **~ngardine** brise-bise m; vitrage m; **~nhonig** miel m en rayons; **~nschießen** tir m à la cible; **~nwischer** 🚗 essuie-glace m

Scheich cheikh m (d'un émirat pétrolier); **~tum** émirat m

Scheid|e gaine f, étui m; *(Degen)* forreau m; geog frontière f, (ligne f de) séparation f; anat vagin m; **~elinie** ligne f de démarcation; **~emünze** (petite) monnaie f; monnaie f divisionnaire; **~en** vt diviser, séparer; partager; *(Ehe)* dissoudre; vi partir, quitter, se séparer (de); *s. ~en lassen* divorcer *(von* d'avec); **~ewand** cloison f; mur m de refend; fig ligne f de clivage *(ou de partage)*; **~ewasser** chem eau-forte f; **~eweg** carrefour m; **~ung** chem séparation f; *(Bergbau)* triage m; ⚭ divorce m; **~ungsgrund** cause f de divorce; **~ungsklage** ⚭ action f en divorce

Schein[1] *(Papier)* billet m; fiche f; *(Bescheinigung)* certificat m, attestation f, récépissé m; *(Geld-)* billet m de banque

Schein[2] *(Licht)* lueur f, clarté f; *(Glanz)* éclat m; fig apparence f, semblant m; caractère m fictif; *d. ~ wahren* sauver les apparences; *d. ~ trügt* les apparences sont trompeuses; *z. ~* pour la forme; *dem ~e nach* en apparence; **~angriff** attaque simulée; **~argument** faux-fuyant m, prétexte m; **~bar** apparent; adv en apparence; **~blüte** fig prospérité f illusoire; **~en** luire, briller, rayonner; fig sembler, paraître, avoir l'air de; **~friede** paix fourrée; **~grund** argument spécieux; **~heilig** bigot, cagot, hypocrite; **~tod** léthargie f, mort apparente; **~tot** en léthargie; **~vertrag** contrat m fictif; **~werfer** projecteur m; 🚗 phare m; **~werferlicht** faisceau m lumineux; **~widerstand** ⚡ impédance f

Scheiß pop connerie f; **~dreck** pop merde f; **~freundlich** umg pej obséquieux; **~haus** pop chiottes fpl

Scheiße *(pop)* merde f; fig merdier m; *j-n aus d. ~ ziehen (pop)* repêcher qn, venir à l'aide; *j-n durch d. ~ ziehen (pop)* noircir ou calomnier qn; *in der ~ stecken (pop)* être dans la merde; **~n** *(pop)* chier; **~r** *(pop)* con m, connard m, conasse m, conneau m; **~rei** *(pop)* chiasse f

Scheit bûche f

Scheitel sommet m; math origine f; *(Haar)* raie f ♦ *vom ~ bis zur Sohle* de la tête aux pieds; **~linie** astr ligne verticale; **~n** faire la raie;

~punkt *astr* zénith *m; math* sommet *m; fig* apogée *m,* point culminant
Scheiterhaufen bûcher *m*
scheitern *a. fig* faire naufrage; sombrer, échouer; *fig* avorter; *⌁ su (a. fig)* naufrage *m,*échouement *m; fig* échec *m*
Schell|ack laque *f* en feuilles; gomme *f* laque; **~e** grelot *m,* clochette *f; (Klingel)* sonnette *f;* **⌁en** sonner; carillonner; **~fisch** aiglefin *m;* **~kraut** *bot* chélidoine *f*
Schelm coquin, fripon; lutin; **⌁isch** mutin; fripon; malicieux
schelten réprimander, morigéner, tancer, gronder; *(nennen)* traiter de
Schema schéma *m,* diagramme *m; (Muster)* modèle *m; nach ~* F toujours de la même manière; **⌁tisch** schématique
Schemel escabeau *m;* tabouret *m*
Schemen ombre *f;* fantôme *m;* spectre *m;* **⌁haft** fantomatique, irréel
Schenke débit *m,* cabaret *m*
Schenkel *anat* cuisse *f; (Zirkel, Schere)* branche *f; (Winkel)* côté *m*
schenk|en donner; faire don (*od* cadeau) de, offrir; *(erlassen)* dispenser de, faire grâce de, tenir quitte de; *Glauben ~en* ajouter foi à; *Vertrauen ~en* faire confiance à, se fier à; **⌁er** donateur; **⌁ung** don *m,* donation *f;* **⌁ungssteuer** impôt *m* sur les donations entre vifs; **⌁ungsurkunde** (acte *m* de) donation *f*
Scherbe tesson *m;* débris *m; in tausend ~n* en miettes
Schere (paire *f* de) ciseaux *mpl; (Garten-)* cisailles *fpl; zool* pince *f;* **⌁n** *(a. Schafe)* tondre; *(Haar)* couper; *(Bart)* faire; *✿* cisailler; *fig* toucher, regarder ♦ *was schert mich das!* je m'en fiche!; **~nfernrohr** lunette *f* binoculaire; **~nschleifer** rémouleur; **~nschnitt** silhouette *f;* **~reien** ennuis *mpl;* tracasseries *fpl*
Scherge sbire
Scherz plaisanterie *f,* raillerie *f;* blague *f; im ~* pour plaisanter; *mit j-m s-n ~ treiben* se jouer de qn; **~artikel** attrapes *fpl;* **⌁en** plaisanter, railler, badiner; se jouer (*über* de); **⌁haft** plaisant, railleur; badin; facétieux; **~wort** plaisanterie *f*
scheu timide; *(menschen-)* farouche, sauvage; *(Blick)* hagard, fuyant; *(Pferd)* ombrageux, emballé; *⌁ su* timidité *f;* peur *f,* crainte *f;* **~en** *vt* craindre; appréhender; *vi (Pferd)* s'effaroucher, s'emballer, prendre le mors aux dents; *refl* reculer devant; *k-e Ausgabe ~en* ne pas regarder à la dépense; **⌁klappe** œillère *f*
Scheuer|bürste brosse *f* à frotter (*od* à parquet); **~festigkeit** résistance *f* à l'abrasion; **~lappen** torchon *m;* **~leiste** ⚭ ceinture *f,* bourrelet *m* de défense; **⌁n** nettoyer, récurer; frotter; ⚭ raguer; *wund ⌁n* écorcher
Scheune grange *f*
Scheusal monstre *m;* horreur *f (umg)*
scheußlich monstrueux, hideux, horrible; abominable, atroce; **⌁keit** hideur *f,* horreur *f,* abomination *f*
Schi ski *m;* **⌁laufen** skier, faire du ski *(siehe auch: Ski)*

Schicht *a. fig* couche *f; geol* strate *f,* banc *m,* lit *m; (Luft)* région *f; (Stein-)* assise *f; (Bevölkerung)* couche *f* sociale, classe *f; (Arbeits-)* poste *m,* journée *f* de travail; *(Arbeiter)* équipe *f; (dünne)* film *m;* **⌁arbeit** travail *m* posté; les trois-huit *mpl,* travail en équipe; **~arbeiter** (travailleur) posté *m;* **⌁en** empiler; ranger (*od* disposer) par couches; *geol* stratifier; **~wechsel** changement *m* de poste; relève *f*(d'une équipe); **⌁weise** par couches; *(arbeiten)* par équipes
schick chic, élégant; *⌁ su* chic *m,* élégance *f*
schick|en envoyer; expédier, faire parvenir; adresser à; *~en nach* envoyer chercher, faire venir; faire appeler; *refl (geziemen)* convenir, seoir; *s. ~en in* se résigner à, se soumettre à, s'accommoder de, se faire à; **~lich** (bien) séant; décent, convenable; **⌁lichkeit** bienséance *f;* décence *f,* convenance *f;* **⌁sal** destin *m;* destinée *f;* sort *m; Launen d.* **⌁sals** caprices *fpl* (*od* vicissitudes *fpl*) de la fortune; **~salhaft** fatal, fatidique; **⌁salsschlag** coup *m* du sort; revers *m* de fortune; **⌁schuld** dette *f* portable; **⌁ung** décret *m* de la Providence
Schieb|edach toit ouvrant; **~efenster** *(senkrecht)* fenêtre *f* à guillotine; *(waagerecht)* fenêtre *f* coulissante; **⌁en** pousser; (faire) glisser; avancer; *(Zug)* refouler; *pej* trafiquer; **~er** ✿ *(Läufer)* curseur *m; (Dampf-)* tiroir *m; (Klappe)* vanne *f; com* trafiquant, mercanti; *(Tanz)* one-step *m;* **~etür** porte *f* à coulisse (*ou* à glissières); **~ung** tripotage *m;* manœuvre frauduleuse
Schieds|gericht tribunal *m* d'arbitrage; cour *f* arbitrale; **~richter** arbitre; ⚖ juge *m* arbitre; **⌁richterlich** arbitral, compromissoire; **~spruch** arbitrage *m;* sentence arbitrale; **~vereinbarung** convention *f* d'arbitrage
schief oblique; *(geneigt)* incliné, en pente, penché; *fig* faux, erroné, louche; *adv* de biais, de travers, de guingois; *~ u. krumm* tordu; *~ ansehen* regarder de travers; **~gehen** aller mal, tourner mal; **~winklig** à angle oblique
Schiefer schiste *m,* ardoise *f;* **~bruch** ardoisière *f; ~dach* toit *m* en ardoises; **~tafel** ardoise *f*
schielen bigler; *a. fig* loucher (*auf, nach etw.* sur qch); *fig* guigner, lorgner (*nach etw* qch); *⌁ su* louchement *m;* ⚑ strabisme *m;* **~d** louche, bigle
Schien|bein tibia *m;* **~e** rail *m;* ⚡ barre *f;* ✿ glissière *f;* ⚑ éclisse *f,* attelle *f;* **~e-Straße-Verkehr** transport combiné rail-route; **⌁en** éclisser; **~enabstand** entre-rail *m;* **~enbus** autorail *m;* **~enfahrzeug** véhicule *m* sur rails; **~ennetz** réseau *m* ferroviaire; **~enstrang** voie *f*(ferrée); **~enverkehr** trafic *m* ferroviaire; **~enweg** rail *m*
schier pur; véritable; *adv* presque; *peu s'en faut que...;* **⌁ling** *bot* ciguë *f*
Schieß|bahn travée *f* de tir; **~baumwolle** coton-poudre *m;* **~bude** baraque *f* de tir; **⌁en** *vt* lancer; *(Pfeil)* décocher, darder; *(Wild)* tuer, abattre; *(Fußball)* shooter; *vi* tirer, faire feu; s'élancer, se précipiter; *(Vogel)* fondre sur; *in d. Höhe* **⌁en** pousser, monter en graine; bondir,

sursauter ♦ *es ist zum* ~*en* il y a de quoi crever de rire; ≙ *mal los!* allons, vas-y!; ~**erei** fusillade *f*; ~**platz** champ *m* de tir; ~**prügel** lingot *m*; ~**pulver** poudre *f* à canon; ~**scharte** meurtrière *f*, barbacane *f*; ~**scheibe** panneau *m* (de cible); ~**stand** stand *m* de tir

Schiff bâtiment *m*; bateau *m*; navire *m*; (*Kriegs-*) vaisseau *m*; 🏛 nef *m*; 📖 galée *f*; ≙**bar** navigable; ~**bau** construction *f* navale; ~**barkeit** navigabilité *f*; ~**bruch** a. *fig* naufrage *m*; ~*bruch erleiden* (a. *fig*) faire naufrage, sombrer; *fig* échouer, chavirer; ≙**brüchig** naufragé; ~**brüchiger** naufragé; ~**chen** (*Weben, Nähmasch.*) navette *f*; *mil* calot *m*, bonnet *m* de police; ≙**en** naviguer; aller (par eau); *pop* pisser; uriner; ~**er** (*See*) navigateur; (*Fluß, Kanal*) batelier *m*; ~**erklavier** accordéon *m*; ~**erknoten** nœud marin; ~**fahrt** navigation *f*; ~**fahrtsgesellschaft** compagnie *f* maritime; ~**sarzt** médecin de bord; ~**sbesatzung** équipage *m*; ~**sbrücke** pont *m* de bateaux; ~**sjunge** mousse; ~**skoch** coq; ~**sladung** cargaison *f*; chargement *m*; fret *m*; ~**smakler** courtier maritime; ~**spapiere** lettres *fpl* de bord; ~**sraum** cale *f*; tonnage *m*; ~**srumpf** coque *f*; ~**sschraube** hélice *f*; ~**stagebuch** journal *m* de bord; ~**sumschlagstelle** point *m* de transbordement; ~**swache** vigie *f*; ~**szertifikat** acte *m* de nationalité; ~**szwieback** biscuit *m* de mer

Schikan|e chicane *f*, vexation *f*, tracasserie *f*, brimade *f*; ≙**ieren** chicaner, vexer, tracasser, tarabuster; ≙**ös** chicanier, tracassier

Schild¹ *m* bouclier *m* ♦ *im* ~*e führen* machiner, mijoter, tramer, manigancer; *j-n auf sein* ~ *heben* prendre qn comme chef; faire de qn son idéal

Schild² *n* écriteau *m*; panneau *m*; (*Tür, Auto*) plaque *f*; (*Laden-*) enseigne *f*; ~**drüse** (glande *f*) thyroïde *f*; ~**erhaus** guérite *f*; ≙**ern** décrire, dépeindre, retracer; ≙**ernd** descriptif; ~**erung** description *f*; ~**kröte** tortue *f*; ~**laus** cochenille *f*; ~**patt** écaille *f*; ~**wache** sentinelle *f*

Schilf(rohr) roseau *m*; jonc *m*

schillern chatoyer, miroiter; s'iriser; ~**d** chatoyant; irisé; (*Stoff*) changeant

Schimmel cheval blanc; *bot* moisissure *f*, moisi *m*; ≙**ig** moisi, chanci; ≙**n** moisir, chancir; ~**pilz** moisissure *f*

Schimmer a. *fig* lueur *f*; lumière *f* ♦ *keinen blassen* ~ *haben von* umg ne rien piger; ~**n** reluire; briller; *bes lit* luire

Schimpanse chimpanzé *m*

Schimpf outrage *m*; injure *f*, affront *m*, insulte *f*; avanie *f*; *mit* ~ *u. Schande* ignominieusement, honteusement; ≙**en** gronder; pester, maugréer (*auf* contre); *j-n etw.* ≙**en** traiter (*od* qualifier) qn de qch; ≙**lich** injurieux, ignominieux; ~**name** sobriquet *m*; ~**worte** gros mots, injures *fpl*

Schindanger écorcherie *f*

Schindel bardeau *m*

schind|en équarrir; *fig* crever, éreinter, harasser; tracasser; *refl* s'éreinter, s'esquinter, s'échiner, se tuer; *Eindruck* ~**en** faire de l'esbroufe; *Zeilen* ~**en** tirer à la ligne; ≙**er** équarrisseur; *fig*

exploiteur; bourreau; ≙**erei** équarrissage *m*; *fig* tracasserie *f*, éreintement *m*; exploitation *f*; ≙**luder** charogne *f*; *mit j-m* ≙**luder treiben** traiter qn honteusement; ~**mähre** rosse *f*, haridelle *f*

Schinken jambon *m*

Schirm écran *m*; (*Lampe*) abat-jour *m*; (*Mütze*) visière *f*; (*Regen-*) parapluie *f*; (*Wand-*) paravent *m*; *fig* abri *m*, portection *f*; égide *f*; ~**herr** protecteur; patron; ~**herrschaft** (haut) patronage *m*; *unter* ~*herrschaft von*... sous les auspices de...; sous l'égide de...; ~**ständer** porte-parapluies *m*

schirren harnacher

Schisma *n* schisme *m*, scission *f*; dissidence *f*

Schiß *m* frousse *f* (*pop*); ~**hase** froussard *m*

Schlabbermaul bavard *m*

Schlacht bataille *f*; ~**bank** étal *m*; *z. S. führen* (*fig*) mener à la boucherie; ~**beil** hache *f* de boucher; ≙**en** abattre, tuer; (*Schweine*) saigner; *fig* égorger, immoler; ~**en** su abattage *m*; *fig* tuerie *f*, carnage *m*; ~**er** boucher; (*Schweine-*) charcutier; ~**erei** boucherie *f*; ~**feld** champ *m* de bataille; ~**gewicht** poids abattu; ~**hof** abattoir *m*; ~**ruf** cri *m* de guerre; ~**schiff** bâtiment *m* de ligne; cuirassé *m*; ~**vieh** bêtes *fpl* de boucherie

Schlack|e scorie *f*, crasse *f*, mâchefer *m*; (*Hochofen*) laitier *m*; ~**wurst** cervelas *m*

Schlaf sommeil *m*; somme *m* ♦ *etw. im* ~ *beherrschen* savoir qch sur le bout du doigt; *nicht im* ~ (*an etw. denken*) jamais de la vie!; ~**anzug** pyjama *m*; ≙**en** dormir; (*übernachten*) coucher; ~*en gehen* aller se coucher; ~**krankheit** maladie *f* du sommeil; ~**enszeit** heure *f* de se coucher; ~**lied** berceuse *f*; ≙**los** sans (*od* privé de) sommeil; ≙**lose Nacht** nuit blanche; ~**losigkeit** insomnie *f*; ~**mittel** somnifère *m*, soporifique *m*; ~**mütze** bonnet *m* de nuit; *fig* lourdaud; ~**rock** robe *f* de chambre; ~**saal** dortoir *m*; ~**sack** sac *m* de couchage, duvet *m*; ~**sucht** somnolence *f*, léthargie *f*; ≙**trunken** mal réveillé, ensommeillé, somnolent; ~**wagen** wagon-lit *m*; ~**wandler** somnambule; ~**zimmer** chambre *f* à coucher

Schläf|chen somme *m*; sieste *f*; ~**er** dormeur; ≙**rig** assoupi, somnolent; ≙**rig sein** avoir sommeil; ~**rigkeit** somnolence *f*; *fig* indolence *f*

Schläfe tempe *f*

schlaff lâche, relâché, flasque, mou; ≙**heit** relâchement *m*; mollesse *f*

Schlag a. *fig* coup *m*; *fig* atteinte *f*; 💲 apoplexie *f*, coup *m* de sang; ⚡ commotion *f* (*od* secousse *f*) électrique; (*Vogel*) chant *m*, ramage *m*; (*Wald*) taillis *m*; (*Art*) trempe *f*, acabit *m*; (*Donner-*) éclat *m*; (*Tür-*) portière *f*; ~ *acht Uhr* à huit heures sonnantes; *mit e-m* ~ tout d'un coup ♦ ~ *unter die Gürtellinie* coup *m* bas; *das war ein* ~ *ins Kontor* ce fut une mauvaise surprise; *keinen* ~ *tun* (umg) ne rien foutre; *j-m e-n* ~ *versetzen* décevoir qn; *der* ~ *soll dich treffen!* umg que le diable t'emporte!; *wie vom* ~ *getroffen* complètement abasourdi; ~**ader** artère *f*; ~**anfall** attaque *f* d'apoplexie; coup *m* de sang; ≙**artig** brusque; subit; *adv* d'un seul

coup; **~baum** barrière *f;* **⌐en** *vt* battre, frapper;
taper; *(Feind)* battre, vaincre, défaire; *(Schlacht)*
livrer; *(Wunden)* infliger; *(Münze)* frapper;
(Brücke) jeter; *vi (Herz)* palpiter, battre; *(Uhr)*
sonner; *(Vogel)* chanter; **⌐en** *nach* tenir de; *refl*
se battre (*mit j-m* contre qn); se colleter;
Wurzeln **⌐en** prendre racine; *in d. Flucht* **⌐en**
mettre en fuite; **⌐end** frappant; convaincant;
péremptoire; **⌐ende** *Wetter* grisou *m;* **~er** 𝄐
chanson *f* à la mode; scie *f; com* succès *m* de
vente (*ou* commercial); **⌐fertig**: **⌐fertig** *sein* être
prompt à la repartie; **⌐fertige** *Antwort* riposte *f;*
~instrument 𝄐 instrument *m* de percussion;
~kraft vigueur *f;* décision *f;* **⌐kräftig** *mil*
combattif; pugnace; *(Beweis)* concluant; **~licht**
échappée *f* de lumière; *fig* trait *m* de lumière;
~loch nid *m* de poule; **~ring** coup de poing
américain; **~sahne** crème fouettée; **~seite**:
~seite haben 𝕏 donner de la bande; *fig* avoir du
vent dans les voiles; **~wort** slogan *m;* **~zeile**
manchette *f;* **~zeug** 𝄐 batterie *f*
Schläger spadassin; *(Tennis-)* raquette *f;*
(Hockey-) crosse *f; (Golf-)* canne *f;* **~ei** rixe *f,*
pugilat *m*
Schlamm *a. fig* boue *f;* fange *f;* limon *m,* vase *f,*
bourbe *f;* **⌐ig** fangeux, boueux, vaseux,
bourbeux
schlämm|en *(Kreide)* léviger; *(waschen)* laver,
débourber, curer; **⌐kreide** blanc *m* d'Espagne
Schlam|pe salope, maritorne, souillon *(umg);*
⌐en bousiller, saloper; **⌐ig** négligé; débraillé;
(Arbeit) bâclé
Schlange serpent *m; a. fig* vipère *f; (Reihe)*
queue *f;* ✿ serpentin *m; ~ stehen* faire la
queue; **~nbeschwörer** charmeur de serpents;
~nbiß morsure *f* de serpent; **~ngiftserum** sérum
m antivénéneux
schlängeln *refl* décrire des méandres, serpenter
schlank élancé, svelte, effilé, mince; délié;
⌐heit sveltesse *f;* ✿ allongement *m,* finesse
f; **⌐heitskur** cure *f* d'amaigrissement; **~weg**
carrément
schlapp molasse; avachi; *(erschöpft)* flapi
(umg); ~ machen flancher; *~ werden* s'amollir;
s'avachir; **⌐e** *a. mil* échec *m;* veste *f (umg); e-e*
⌐e *erleiden* subir un échec; ramasser une veste
(umg); **⌐heit** mollesse *f;* veulerie *f;* **⌐hut**
chapeau mou; **~machen** flancher, caler
Schlaraffenland pays *m* de cocagne
schlau rusé, malin, fin; retors, futé, madré;
⌐berger, **⌐meier** rusé; malin; débrouillard;
⌐heit ruse *f,* malice *f;* subtilité *f;* astuce *f;*
finesse *f*
Schlauch tuyau *m* (souple); flexible *m;* boyau
m; (🚲, *Rad*) chambre *f* à air; *(Wein)* outre *m;*
(Feuerwehr-) manche à incendie; **~anschluß**
raccordement *m;* **~boot** canot *m* pneumatique
Schlaufe nœud coulant; ✿ boucle; *(Fallschirm)*
lovage *m;* 𝕏 estrope *f*
schlecht *a. fig* mauvais; méchant; *(verdorben)*
gâté, pourri; *(Stimmung)* déprimé; *(Zeiten)* dur,
difficile; *(Charakter)* pervers; *(Einfluß)* maléfi-
que; *(Qualität)* médiocre; *adv* mal; **~er** *Streich*
sale tour *m; ~e Wegsrecke* route *f* (*ou* chaussée)

déformée; *~ ausgehen* tourner mal; *~*
aussehen avoir triste (*od* mauvaise) mine; *~*
stehen mit j-m être mal avec qn; *es steht ~ mit*
ihm il file un mauvais coton; *~ werden* se
corrompre, se détériorer, se gâter, se pervertir;
~ u. recht tant bien que mal; **~er** pire (*als* que);
immer ~er de mal en pis; **~erdings** absolument;
de toute façon; sans restriction; **~este** le pire;
~gelaunt de mauvaise humeur, mal disposé;
mal luné *(umg);* **~hin** tout bonnement; sans
plus de façons; **⌐igkeit** méchanceté *f; (Gemein-*
heit) bassesse *f,* vilenie *f;* **~machen** noircir,
calomnier, dénigrer
schlecken lécher; être friand de
Schlegel *(Holz)* maillet *m; (Trommel)* baguette *f*
de tambour; *(Fleisch)* gigot *m; (Wild)* cuissot *m*
Schleh|dorn prunellier *m;* **~e** prunelle *f*
schleich|en marcher à pas de loup (*od*
furtivement); se glisser; **~end** furtif; *(Krise)*
larvé; 🌢 lent, insidieux; *adv* à la dérobée, en
tapinois; **⌐er** sournois; chafouin *(umg);* **⌐han-**
del trafic clandestin, contrebande *f;* commerce
prohibé
Schleie tanche *f*
Schleier *a. fig* voile *m;* gaze *f; (Hut-)* voilette *f;*
~eule effraie *f;* **⌐haft** mystérieux, énigmatique;
incompréhensible
Schleif|e nœud *m;* lacet *m; (Kurve)* virage *m,*
tournant *m; (Fluß)* méandre *m,* boucle *f;* **⌐**
boucle *f;* **⌐en** glisser; *(Last)* traîner sur le sol;
(schärfen) affûter, affiler, aiguiser, meuler;
(Diamant) tailler; *(Glas)* polir, doucir; *(abtra-*
gen) raser, démolir, démanteler; **⌐** couler;
(Kupplung) patiner; ✿ rectifier; **~kontakt** balai
m frotteur; **~mittel** abrasif *m;* **~stein** meule *f;*
pierre *f* à aiguiser
Schleim glaire *f,* mucosité *f;* 🌢 mucus *m;*
(Schnecke) bave *f; (Speise)* crème *f,* bouillie *f;*
~haut muqueuse *f;* **⌐ig** glaireux; 🌢 muqueux;
fig pej mielleux
schlemme|n ripailler, faire bonne chère; faire
bombance; **⌐r** gourmand; **⌐rei** ripaille *f,*
bombance *f*
schlend|ern flâner; se balader; **⌐ern** *su* flânerie
f; **⌐rian** incurie *f; im alten* **⌐rian** *weitermachen*
continuer son petit train-train
schlenkern brandiller (*mit etw.* qch); *mit d.*
Beinen ~ gambiller
Schlepp|boot bateau *m* à la traîne; **~dampfer**
remorqueur *m;* **~e** traîne *f,* queue *f;* 𝕏 traîneau
m; **⌐en** *a. fig* traîner; 𝕏 haler; 𝕏
remorquer; **⌐end** *a. fig* traînant; **~er** 🚗 tracteur
m; 𝕏 remorqueur *m;* **~kahn** péniche *f;* **~kleid**
robe *f* à traîne; **~netz** traîneau *m;* **~seil** 𝕏
élingue *f* de remorquage; **~start** ✈ remorquage
m (par avion); **~tau** (câble *m* de) remorque *f; im*
~tau (a. fig) à la remorque
Schleuder fronde *f;* ✈ catapulte *f; (Trocken-)*
essoreuse *f; (Milch-)* machine *f* centrifuge;
(Honig-) extracteur *m;* **~gefahr** chaussée
glissante; **⌐n** lancer, projeter; centrifuger;
(Wäsche) essorer; 🚗 déraper, chasser, faire une
embardée; *(Bann)* fulminer; **~preis** vil prix;
~sitz siège *m* éjectable

schleunig prompt, rapide; en hâte

Schleuse écluse f; (Strahlungsschutz) sas m; **~n** écluser; fig manœuvrer; **~nkammer** sas m; **~ntor** porte f d'écluse; **~nwärter** éclusier

Schliche ruse f, stratagème m, truc m; manigances fpl; manège m

schlicht simple; humble, modeste; uni; **~en** arranger; aplanir; ✿ finir, planer; (Streit) arbitrer, apaiser; **~er** médiateur; **~heit** simplicité f; (Kleid) sobriété f; **~ung** conciliation f, arbitrage m; **~ungsausschuß** commission f de médiation; **~ungsversuch** tentative f de conciliation

Schlick limon m, boue f, vase f

Schließ|anlage dispositif m de fermeture; **~e** fermeture f; ✿ clavette f; (Gürtel) boucle f; **~en** fermer; (Vertrag) conclure, passer; (Frieden) faire; (Freundschaft) lier; (Ehe) contracter; (Debatte) clore; (Buch, Rede) terminer; (folgern) déduire, conclure; (aufhören) finir, se terminer; in s. **~en** comporter, embrasser, renfermer; comprendre; impliquer, englober; auf etw. **~en** lassen indiquer qch; von s. auf andere **~en** juger d'autrui par soi-même; **~er** (Gefängnis) geôlier, guichetier; **~fach** (Post) boîte postale; (Bank) compartiment m de coffre-fort m; **~lich** enfin, à la fin, en définitive; après tout; **~ung** fermeture f; (Vertrag) conclusion f; (Sitzung) clôture f

Schliff ✿ poli m; rectification f; (Messer) tranchant m; (Edelstein) taille f; fig savoir-vivre m

schlimm mauvais; grave; (Krankheit) pernicieux, fatal; (Angelegenheit) fâcheux; (Charakter) méchant, vicieux, pervers; es ist nur halb so ~ ce n'est qu'un demi-mal, le cas n'est pas pendable; **~er** pire; adv pis; **~er werden** empirer; (Krankheit) s'aggraver; es wird immer **~er** cela va de mal en pis (od toujours plus mal); u. was noch **~er ist** … et, qui pis est…; **~ste** le (la) pire; **~ste** su pis m; **~stenfalls** au pis aller; en mettant les choses au pis

Schling|e nœud coulant; ✿ boucle f, élingue f; (a. fig, Jagd) lacs m, lacet m, collet m; (Vögel) pantière f; ⚕ écharpe f; in d. **~e gehen** donner dans le panneau; s. aus d. **~e ziehen** tirer son épingle du jeu; s. in s-r eigenen **~e fangen** tomber dans son propre piège; **~el** galopin, polisson; **~elei** gaminerie f; **~en** nouer; (flechten) entrelacer; (fressen) avaler, engloutir, ingurgiter; refl s'enrouler, s'entortiller (um autour de); (Pflanzen) grimper (um à); **~ern** rouler, ballotter; **~ern** su roulis m; **~pflanze** plante grimpante

Schlips cravate f ♦ j-m auf d. ~ treten marcher sur les pieds à qn; s. auf den ~ getreten fühlen être vexé

Schlitt|en (Rodel-) luge f; (Sport-) toboggan m; (Pferde-) traîneau m; ✿ chariot m, curseur m ♦ mit j-m **~en fahren** donner une danse à qn; **~enkufe** patin m; **~ern** glisser; **~schuh** patin m; **~schuh laufen** patiner; **~schuhläufer** patineur

Schlitz (Spalt) fente f; (Riß) fêlure f, crevasse f; (Kleid) taillade f, crevé m; **~en** fendre; (auf-) éventrer, taillader

Schloß 1. château m, palais m ♦ ein ~ in d. Luft bauen bâtir des châteaux en Espagne; 2. (Tür-) serrure f; (Vorhänge-) cadenas m; (Gewehr) platine f, culasse f ♦ hinter ~ u. Riegel setzen mettre sous les verrous; **~graben** douve f; **~riegel** pêne m

Schlosser serrurier; **~ei** serrurerie f

Schlot cheminée f; geol évent m

schlotter|ig branlant; flageolant; dégingandé; fig négligé; (Hose) flottant; **~n** trembler; (Knie) flageoler

Schlucht gorge f; ravin m

schluchzen sangloter; **~** su sanglots mpl

Schluck gorgée f; mit e-m ~ d'un coup (od trait); **tüchtiger ~** lampée f; **~auf** hoquet m; **~en** déglutir; avaler, absorber; **~er:** armer **~er** pauvre diable; **~impfung** vaccination f per os

Schlummer somme m; sommeil m; assoupissement m; **~lied** berceuse; **~n** sommeiller, somnoler, être assoupi

Schlund gosier m, gorge f

schlüpf|en se glisser, filer; (Vögel) sortir de l'œuf, éclore; **~er** culotte f, slip m; **~rig** glissant; (zweideutig) équivoque, ambigu; (unanständig) lascif, grivois, croustilleux

Schlupfloch refuge m; recoin m, repaire f

schlurfen traîner les pieds

schlürfen humer; siroter, licher (umg)

Schluß fin f; fermeture f; terminaison f; (Sitzung) clôture f; fig conclusion f; **~akt** acte final; **~antrag** ⚖ conclusions fpl; **~bemerkung** remarque finale; **~bericht** rapport final; **~bestimmung** disposition finale; **~bilanz** bilan m de clôture; **~folgerung** conclusion f, conséquence f; math corollaire m; **~formel** formule f de politesse; **~licht** feu m arrière; a. fig lanterne f rouge; **~notierung** cotation f de clôture; **~runde** 🏟 tour final, finale f; **~satz** proposition finale f; (Vortrag) conclusion f; ♪ final m; **~sitzung** séance f de clôture; **~sprung** saut m à pieds joints; **~stein** clef f de voûte; **~verkauf** soldes mpl, vente f de fin de saison; **~wort** épilogue m

Schlüssel a. fig clef f, clé f; (Lösung) code m; **~bart** panneton m; **~bein** clavicule f; **~blume** primevère f, coucou m; **~bund** trousseau m de clefs; **~fertig** clefs en main; **~industrie** industrie f clef; **~loch** trou m de serrure; **~ring** clavier m; **~stellung** position f clef; **~wort** mot convenu (od de code); mot-clé m

schlüssig concluant; conséquent; logique; **~er Beweis** preuve formelle; s. ~ werden prendre un parti

Schmach honte f, ignominie f, flétrissure f; humiliation f, affront m; **~ten** a. fig languir (nach etw. après qch); **~tend** langoureux, languissant; **~voll** ignominieux, honteux

schmächtig grêle, fluet, mièvre

schmackhaft savoureux, succulent; **~igkeit** saveur f, succulence f

schmäh|en injurier qn; invectiver qn; **~lich** ignominieux, déshonorant; **~schrift** pamphlet m, diatribe f; libelle m; **~ung** outrage m, invective f

schmal étroit; *(Gestalt)* mince, effilé; *fig* exigu, maigre; **⊾film** film *m* de petit format, film substandard; **⊾heit** étroitesse *f*; *fig* exiguïté *f*; ~**spurig** à voie étroite

schmäl|en gronder, tancer qn; ~**ern** diminuer, réduire, rétrécir

Schmalz graisse *f*; saindoux *m*; **⊾ig** graisseux; *fig* sentimental, mielleux

Schmankerl plat délicat, spécialité *f* (du pays)

schmarotz|en vivre en parasite; *fig* être aux crochets *(bei j-m* de qn); **⊾er** *a. fig* parasite *m*; *fig* pique-assiette, écornifleur; **⊾erpflanze** parasite *m*

Schmarre balafre *f*; ~**n** *interj* idiot, insignifiant

Schmatz baiser *m*; **⊾en** manger bruyamment

Schmaus festin *m*; régal *m*; **⊾en** se régaler; festoyer, banqueter

schmecken *vt* goûter, déguster; *vi* sentir *(nach etw.* qch); *gut* ~ avoir bon goût, être bon

Schmeich|elei flatterie *f*, adulation *f*, **⊾elhaft** flatteur; **⊾eln** flatter qn; *pej* aduler, flagorner qn; *(zärtl.)* câliner, cajoler qn; ~**ler** flatteur, cajoleur; *pej* adulateur; **⊾lerisch** flatteur; câlin

schmeiß|en jeter, lancer; flanquer *(umg);* **⊾fliege** mouche *f* à viande

Schmelz émail *m*; *fig* éclat *m*; timbre *m*; **⊾bar** fusible; ~**e** fusion *f*, fonte *f*; **⊾en** *vi* fuser; *vt/i (a. fig)* fondre; ~**hütte** fonderie *f*; ~**ofen** four *m* de fusion; ~**punkt** ✿ point *m* de fusion; ~**sicherung** ⚡ fusible *m*; ~**tiegel** *a. fig* creuset *m*

Schmerz douleur *f*, mal *m*; *(plötzl.)* élancement *m*; *(seelisch)* chagrin *m*, peine *f*; **⊾en** faire mal, causer de la douleur; *fig* chagriner, affecter, navrer; **⊾end** endolori; ~**ensgeld** dommages-intérêts *mpl* pour préjudice moral; **⊾erfüllt** désolé, affligé; **⊾haft** douloureux; **⊾lich** douloureux; affligeant; **⊾los** indolore, sans douleur; **⊾stillend** calmant, sédatif

Schmetter|ling papillon *m*; ~**lingsstil** 🏊 nage *f* papillon; **⊾n** *vt (Ball)* flanquer; *zu Boden* **⊾n** terrasser, écraser

Schmied forgeron; **⊾bar** forgeable, malléable; ~**e** forge *f*; **⊾eeisern** en fer forgé; ~**ehammer** masse *f (od* marteau *m)* à forger; **⊾en** forger; *(Komplott)* tramer, ourdir, monter; *(Pläne)* bâtir

schmieg|en *refl* se serrer, se blottir *(an* contre); ~**sam** *a.* 🙂 flexible, souple; *fig* docile; **⊾samkeit** flexibilité *f*, souplesse *f*; docilité *f*

Schmier|e graisse *f*, enduit gras; *(Schmutz)* crasse *f*; 🎭 boui-boui *m*; ~**e stehen** faire le guet; **⊾en** ✿ graisser, lubrifier; *(Schrift)* gribouiller; *(bestechen)* graisser la patte *(j-n* à qn), acheter, corrompre; ~**enkomödiant** cabotin; ~**fink** barbouilleur *m*; ~**geld** pot-de-vin *m*, dessous de table; **⊾ig** graisseux; *fig* sordide, crasseux; ~**mittel** lubrifiant *m*; ~**öl** huile *f* de graissage; ~**seife** savon mou; ~**ung** graissage *m*, lubrification *f*

Schminke fard *m*; **⊾n** *a. fig* maquiller, farder; 🎭 grimer; ~**n** *su* maquillage *m*; 🎭 grimage *m*; ~**r** maquilleur

Schmirgel émeri *m*; **⊾n** polir *(od* frotter) à l'émeri; ~**papier** papier-émeri *m*; ~**paste** pâte *f* abrasive

Schmi|ß balafre *f*, estafilade *f*; *fig* verve *f*, élan *m*, entrain *m*, allant *m*; **⊾ssig** enlevé, plein d'entrain

Schmöker bouquin *m*; **⊾n** bouquiner

schmollen bouder; faire la moue

Schmor|braten bœuf *m* à la daube; **⊾en** *vt* braiser, dauber; *j-n* **⊾en lassen** laisser cuire qn dans son jus; ~**topf** daubière *f*, cocotte *f*

schmuck élégant, coquet, pimpant, joli; **⊾** *su* parure *f*, bijoux *mpl*; décoration *f*, ornement *m*; **⊾kästchen** écrin *m*; *fig* bijou *m*; ~**los** nu, simple; *(Stil)* dépouillé, sobre; *fig* sévère, austère; **⊾waren** bijouterie *f*, joaillerie *f*

schmücken orner, parer, décorer *(mit* de)

Schmugg|el contrebande *f*, fraude *f*; **⊾eln** *vi* faire de la contrebande; *vt* passer en fraude; ~**elware** marchandises *fpl* de contrebande; ~**ler** contrebandier

schmunzeln faire un large sourire

Schmutz saleté *f*; crasse *f*; *(Straße)* boue *f*, crotte *f*; *(Abfall)* ordure *f*; *etw. in d.* ~ *ziehen* traîner qch dans la boue; **⊾en** salir; ~**fink** souillon *m*, *f*; sagouin *m*; **⊾fleck** tache *f*, souillure *f*; **⊾ig** malpropre, sale, boueux; *a. fig* crasseux, immonde; *fig* sordide; ~**igkeit** saleté *f*; sordidité*f*; **⊾titel** 📖 faux-titre *m*

Schnabel *a. fig* bec *m*; 🚣 proue *f*, poulaine *f*; 🎵 embouchure *f* ♦ *er spricht, wie ihm d.* ~ *gewachsen ist* il dit les choses comme elles lui viennent; *den* ~ *halten (umg)* fermer sa gueule; **⊾tasse** tasse *f* à bec

Schnake moustique *m*, cousin *m*

Schnalle boucle *f*; **⊾n** boucler; *enger* **⊾n** serrer

schnalzen claquer (de la langue)

schnapp|en *vt* happer, gober; *fig* pincer; *vi (Schloß)* claquer; *(Feder)* faire ressort; *nach Luft* ~**en** respirer avec difficulté; *frische Luft* ~**en** prendre un bol d'air frais ♦ *etw. geschnappt haben (umg)* avoir compris *(ou* pigé) qch; **⊾schloß** serrure *f* à ressort; **⊾schuß** 📷 instantané *m*

Schnaps eau-de-vie *f*; goutte *f (umg)*; ~**brennerei** distillerie *f*

schnarchen ronfler; **⊾** *su* ronflement *m*

schnattern *(Ente)* cancaner, caqueter, nasiller; *(Gans)* criailler; *fig* caqueter, babiller

schnauben haleter; souffler; *(Pferd)* s'ébrouer; *vor Wut* ~ écumer de rage

schnaufen souffler; haleter; panteler

Schnauz|bart moustache *f*; **⊾bärtig** moustachu; ~**e** museau *m*, mufle *m*; *pop* gueule *f*; *halt d.* ~*e!* (ferme) ta gueule!; **⊾en** gueuler; ~**er** schnauzer *m*

Schneck|e *(mit Haus)* escargot *m*, (co)limaçon *m*; *(ohne Haus)* limace *f*; ✿ vis *m* sans fin; *anat* limaçon *m*; *(Violine)* tête *f* ♦ *j-n zur* ~*e machen umg* engueuler qn; **⊾enförmig** en volute, en spirale; ~**enhaus** coquille *f*; ~**entempo:** *im S.* àpas de tortue

Schnee neige *f*; *zu* ~ *schlagen* battre en neige; ~**ammer** bruant *m* de neige; ~**ball** boule *f* de neige; *bot* viorne *f*; ~**brille** lunettes *fpl* de neige; ~**fall** chute *f* de neige; ~**flocke** flocon *m* de neige; ~**gestöber** tourbillon *m* de neige;

~glöckchen perce-neige *m;* **~grenze** limite *f* des neiges; **~kette** 🚗 chaîne *f* à neige; **~könig** *s. freuen wie ein* **~könig** jubiler, être tranporté de joie; **~mann** bonhomme *m* de neige; **~mensch** homme des neiges; **~pflug** chasse-neige *m;* **~schuh** raquette *f;* **~sturm** tempête *f* de neige; **~wehe** congère *f;* **⌐weiß** blanc comme la neige
Schneid allant *m,* mordant *m;* cran *m (umg);* **~brenner** chalumeau découpeur; **~e** tranchant *m,* taillant *m;* fil *m;* **⌐en** trancher; tailler; (dè)couper; *fig* faire semblant de ne pas voir; *refl* se tailler; se couper; *(Linien)* se croiser; *in Stücke* **⌐en** couper en morceaux; *j-m wie aus d. Gesicht geschnitten sein* être le portrait vivant de qn; **⌐end** coupant; *(a. Ton)* tranchant, pénétrant; *(Kälte)* piquant, mordant, perçant; *fig* cinglant, sarcastique; **~er** tailleur; **~erin** couturière; **⌐ern** faire de la couture; **~etisch** 🗄 table *m* de montage; **~ezahn** (dent) incisive *f;* **⌐ig** plein d'élan
schneien neiger
Schneise laie *f;* mil tranchée *f*
schnell rapide, prompt, vif; *adv* vite; *auf die* **~e** à la va-vite; *so* **~** *wie möglich* au plus vite, le plus vite possible; **~abbinder** 🏛 ciment *m* à prise rapide; **~bahn** réseau *m* express, métro-express *m;* **~bauweise** construction *f* en préfabriqué; **⌐boot** vedette *f* rapide; **~en** *vt* lancer, décocher, darder; *vi* partir; faire ressort; faire un bond; **⌐feuer** tir *m* rapide; **~gang** vitesse surmultipliée; **⌐hefter** classeur *m;* **⌐igkeit** vitesse *f;* rapidité *f,* célérité *f;* vélocité *f;* **⌐kraft** élasticité *f;* ressort *m;* **⌐kochtopf** marmite *f* à pression; **⌐presse** 📖 presse *f* en blanc; **⌐straße** voie *f* express; **~verband** pansement *m* adhésif; **~verfahren** procédure *f* sommaire; **⌐waage** balance romaine; **~zug** (train *m*) rapide *m*
Schnepfe bécasse *f*
schneuzen *(refl* se) moucher
Schnipp|chen: *j-m e.* **~chen schlagen** faire la nique à qn, jouer un (mauvais) tour à qn; **⌐en** claquer (les doigts); **⌐isch** pincé; dédaigneux
Schnitt coupe *f;* taille *f,* entaille *f; (Kleid)* coupe *f,* façon *f; (Muster)* patron *m; (Ernte)* récolte *f,* moisson *f;* 🎭 montage *m; (Wunde)* coupure *f;* ⚕ incision *f;* 📖 tranche *f; goldener* **~** section *f* d'or; *im* **~** en moyenne; *e-n* **~** *machen* faire une bonne affaire; **~blumen** fleurs coupées; **~bohnen** haricots verts; **~e** tranche *f;* **~er** moissonneur; *fig* moissonneuse *f;* **~fläche** coupe *f;* **~holz** bois *m* de sciage, **⌐ig** élégant, chic; **~lauch** ciboulette *f,* civette *f;* **~linie** arête *f;* **~muster** patron *m;* **~punkt** point *m* d'intersection *f;* **~stelle** jonction *f;* **~wunde** coupure *f,* entaille *f*
Schnitz|arbeit sculpture *f* sur bois; **~el** rognure *f; (Fleisch)* escalope *f;* **⌐eln** déchiqueter; tailler (sur bois); sculpter; **~er** sculpteur sur bois; *fig* gaffe *f;* boulette *f (umg);* **~erei** sculpture *f* sur bois
Schnorchel *(U-Boot)* schnorchel *m; (Sporttauchen)* tube *m* respiratoire; **⌐n** faire de la plongée sous-marine

Schnörkel *(Schrift)* crochet *m; (Unterschrift)* paraphe *m;* 🏛 volute *f,* spirale *f;* 🎵 fioriture *f;* **⌐haft** *a. fig* baroque; chargé de fioritures; *(Stil)* tarabiscoté
schnüf|eln renifler; flairer; *fig* fureter; **⌐ler** fureteur
Schnuller sucette *f*
Schnulze chanson (*od* rengaine) sirupeuse
Schnupf|en rhume *m* (de cerveau); ⚕ coryza *m;* **~en haben** être enrhumé; *s. e-n* **~en holen** s'enrhumer; **⌐en** *(Tabak)* priser; **~tabak** tabac *m* à priser; **~tuch** mouchoir *m*
Schnuppe mouchure *f* de chandelle; **~rn** renifler; flairer
Schnur corde *f; (a.* ⚡*)* cordon *m; (Absteck-)* cordeau *m; (Bindfaden)* ficelle *f;* **⌐gerade** tiré au cordeau; tout droit; **⌐stracks** sur-le-champ, immédiatement
Schnür|band, ~riemen lacet *m;* **~boden** cintre *m;* **~chen** cordelette *f,* cordonnet *m* ♦ *wie am* **~chen gehen** aller comme sur des roulettes; **⌐en** ficeler, lacer; *refl* se lacer, se sangler; **~schuh** soulier *m* à lacets; *mil* brodequin *m*
Schnurr|bart moustache *f;* **⌐bärtig** moustachu; **~e** histoire *f* burlesque; facétie *f;* **⌐en** *(Katze)* ronronner; **~haare** moustache *f;* **⌐ig** drôle, cocasse, burlesque
schnurz: *j-m* **~** *sein umg* être bien égal; s'en moquer
Schnute moue *f; (Gefäß)* bec *m*
Schober meule *f* de foin
Schock[1] *n* soixantaine *f; fig* quantité *f,* tas *m*
Schock[2] *m* choc *m;* **⌐ieren** choquer, froisser; scandaliser
Schöffe juré *m;* **~namt** échevinage *m;* **~ngericht** tribunal *m* comportant un jury
Schokolade chocolat *m;* **~ncreme** mousse *f* au chocolat
Scholle 1. *(Erd-)* glèbe *f (a. fig)* motte *f; (Eis-)* glaçon *m;* 2. *zool* plie *f*
schon déjà; **~** *von… an* dès…; **~** *gut* ça va (bien); **~** *jetzt* d'ores et déjà; **~** *wegen…* ne serait-ce que pour…; **~** *wieder!* encore!; **~** *d. Gedanke* la seule pensée; *er wird* **~** *kommen* il viendra bien
schön beau; joli; magnifique, admirable; splendide, merveilleux; *adv* bien; **~!** bon!; d'accord!, parfait!; **~e Künste** beaux-arts *mpl;* **~e Literatur** belles-lettres *fpl; d.* **~e Geschlecht** le beau sexe; **~** *u. gut* bel et bon; **~en Dank!** merci beaucoup!; **~er werden** embellir; *d. wäre noch* **~er!** encore mieux!; *das wird ja immer* **~er** ça va de mieux en mieux!; **~färben** peindre tout en beau; **⌐geist** bel esprit; **~geistig** esthétique; **⌐heit** beauté *f;* **⌐heitsfehler** imperfection *f;* **⌐heitsfleck** grain *m* de beauté; **⌐heitsmittel** cosmétique *mpl;* produits *mpl* de beauté; **⌐heitspfläs7erchen** mouche *f;* **⌐heitspflege** soins *mpl* de beauté; **⌐heitssalon** institut *m* de beauté; **~machen** *refl* se parer, s'endimancher; **⌐redner** beau parleur
schon|en ménager, épargner; *refl* se ménager, ménager sa santé; se soigner; **~end** plein d'égards; avec ménagement; **⌐frist** délai *m* de

grâce; **~gang** 🚗 vitesse *f* surmultipliée; **~ung** ménagements *mpl*; égards *mpl;* indulgence *f;* 🦌 bois *m* en défens; **~ungslos** sans ménagement; impitoyable; **~zeit** temps prohibé, chasse fermée

Schoner schooner *m*, goélette *f*

Schopf toupet *m*, touffe *f* (de cheveux); *(Vögel)* huppe *f,* houppe *f; d. Gelegenheit beim ~ fassen* saisir l'occasion aux cheveux

Schöpf|eimer seau *m* à puiser; ⚙ godet *m;* **~en** puiser; *(Luft)* respirer; *(Mut)* prendre; *(Verdacht)* concevoir; **~er** créateur; auteur; ♪ compositeur; *fig* réalisateur *m;* **~erisch** créateur, producteur; **~kelle, ~löffel** louche *f;* **~rad** roue *f* à godets; **~ung** création *f;* univers *m*

Schoppen *(Bier)* chope *f;* *(Wein)* pinte *f;* ($^1/_2$ *Liter)* chopine *f*

Schorf croûte *f;* ⚕ escarre *f*

Schornstein cheminée *f;* **~feger** ramoneur

Schoß *a. fig* sein *m*, giron *m; fig* bercail *m; (Erde)* entrailles *fpl*, ventre *m; (Rock-)* pan *m*, basque *m; auf d. ~* sur les genoux; *d. Hände in den ~ legen* se croiser les bras; *in d. ~ fallen* tomber du ciel; **~hund** bichon *m;* **~kind** enfant gâté

Schößling jet *m*, rejeton *m*

Schote cosse *f*, gousse *f;* **~n** petits pois

Schott ⚓ cloison *f* étanche

Schott|e Écossais; **~enstoff** écossais *m*, tartan *m;* **~isch** écossais; **~land** l'Écosse *f*

Schotter cailloutis *m*, pierraille *f;* 🚂 ballast *m*

schraffier|en hachurer; **~ung** hachure *f*

schräg oblique; *(geneigt)* incliné, en déclive; *(schief)* (en) biais; *(diagonal)* diagonal; **~e** pente *f*, biais *m*, inclinaison *f;* obliquité *f;* **~en** donner de la pente à; ⚙ biseauter, démaigrir; **~kante** ⚙ chanfrein *m;* **~lage** inclinaison *f;* **~strich** barre *f* oblique

Schramme éraflure *f*, égratignure *f*, écorchure *f;* **~n** érafler, égratigner

Schrank armoire *f;* *(Geschirr-)* buffet *m;* *(Bücher-)* bibliothèque *f;* *(Kleider-)* garde-robe *f;* **~e** barrière *f;* 🚂 barre *f;* *(Turnier)* lice *f; fig* limite *f*, frein *m*, borne *f* ♦ *etw. hält sich in ~* cela ne dépasse pas la moyenne, ce n'est pas formidable, *umg* ça ne casse pas les vitres; *in d. ~en treten* entrer en lice; **~enlos** sans limites; excessif, effréné; **~enwärter** garde-barrière; **~koffer** malle-armoire *f*

Schraub|e *(ohne Mutter)* vis *f;* *(mit Mutter)* boulon *m;* ⚓, ✈ hélice *f;* **~en** visser; **~enfeder** ressort *m* à boudin; **~enförmig** hélicoïdal; **~engewinde** filetage *m;* **~enmutter** écrou *m;* **~enschlüssel** clef *f* à embout *(ou* de serrage); **~enzieher** tournevis *m;* **~stock** étau *m*

Schrebergarten jardin *m* ouvrier

Schreck frayeur *f*, peur *f*, effroi *m;* épouvante *f; mit d. ~en davonkommen* en être quitte pour la peur; **~en** effrayer, épouvanter; effaroucher; **~enerregend** horrible, affreux; **~ensbleich** pâle de terreur; **~ensherrschaft** terrorisme *m;* **~ensmeldung** nouvelle *f* alarmiste; **~haft** peureux, craintif; **~lich** terrible, horrible, effroyable, affreux; **~schuß** coup tiré en l'air

Schrei cri *m;* *(Hahn)* chant *m;* **~e ausstoßen** pousser des cris; **~en** crier; clamer, vociférer; brailler; *(dauernd)* criailler; *d. ist zum ~en* c'est marrant, c'est roulant; **~end** criant, criard; **~er** piailleur, braillard

Schreib|abteil compartiment-secrétariat *m;* **~block** bloc *m* (de papier à lettres); **~en** écrire; *(buchstabieren)* épeler; *(auf-)* noter, mettre par écrit; *auf d. Maschine* **~en** écrire *(od umg* taper) à la machine, dactylographier; **~en** écrit *m;* pièce *f*, document *m; com* lettre *f;* **~er** secrétaire; ⚖ greffier; ⚙ appareil enregistreur; **~feder** plume *f;* **~fehler** faute *f* d'écriture, lapsus *m* calami; **~heft** cahier *m;* **~kopf** *(Schreibmaschine)* tête *f* d'écriture; **~kraft** sténo-dactylo *f*, secrétaire *f;* **~maschine** machine *f* à écrire; **~papier** papier *m* à écrire; **~stift** stylet *m* inscripteur; **~stube** *mil* bureau *m* de compagnie; **~tisch** bureau *m;* **~unterlage** sous-main *m;* **~waren** fournitures *fpl* de bureau, articles *mpl* de papeterie; **~warenhandlung** papeterie *f;* **~weise** graphie *f;* **~zeug** écritoire *m*

Schrein écrin *m;* coffre *m*, bahut *m;* *(Reliquien-)* châsse *f;* **~er** menuisier; ébéniste; **~ern** menuiser

schreiten marcher (à pas comptés); *fig* passer, procéder *(zu etw.* à qch)

Schrift écriture *f;* ⌨ caractère *m*, lettres *fpl;* *(Abhandl.)* écrit *m*, publication *f*, traité *m; d. Heilige ~* l'Écriture sainte; **~en** *su* œuvres *fpl;* pièces ~ d'identité; **~bild** ⌨ œil *m* du caractère; **~deutsch** allemand *m* littéraire; **~führer** secrétaire; **~gießer** ⌨ fondeur de caractères; **~grad** force *f* de corps; **~leiter** rédacteur en chef; **~leitung** rédaction *f;* **~lich** (par) écrit; **~probe** épreuve *f* de caractère; échantillon *m* d'écriture; **~satz** ⌨ fonte *f*, composition *f;* **~setzer** typographe, compositeur; **~stelle** passage *m;* **~steller** écrivain, auteur; homme de lettres; **~stück** écrit *m*, acte *m;* pièce *f*, document *m;* **~tum** littérature *f*, bibliographie *f;* **~verkehr** = **~wechsel** correspondance *f;* **~zeichen** caractère *m;* **~zug** paraphe *m*

schrill strident, aigu; perçant

Schritt pas *m;* *(groß)* enjambée *f;* *(Gangart)* allure *f;* *(Hose)* entrejambe *m; fig* démarche *f; im ~ au pas; ~ halten mit* aller au pas avec, ne pas se laisser devancer; tenir tête à ♦ *den ersten ~ tun* faire le premier pas; *e-n ~ zu weit gehen* exagérer, dépasser la mesure; *den zweiten ~ vor dem ersten tun* agir de façon précipitée et inconsidérée; *j-m auf ~ und Tritt folgen* s'attacher aux pas de qn; **~macher** 🏇 entraîneur; *fig* pionnier; **~weise** pas à pas; graduellement

schroff abrupt, escarpé, à pic; *fig* brusque, rude, rébarbatif; *(Ton)* cassant; **~heit** brusquerie *f*

schröpf|en ⚕ appliquer des ventouses à; scarifier; *fig* plumer; **~kopf** ventouse *f*

Schrot blé égrugé; *(Blei)* menu plomb, grenaille *f*, dragée *f;* *(Feingehalt)* aloi *m* ♦ *von altem ~ und Korn* de bon aloi, de vieille roche; **~brot** pain *m* de blé égrugé; **~en** égruger; concasser, broyer; **~flinte** fusil *m* de chasse

Schrott ferraille *f;* ~**händler** ferrailleur *m,* marchand *m* de ferraille; ~**sammlung** récupération des vieux métaux

schrubb|en frotter; ⬥**er** balai-brosse *m*

Schrulle manie *f,* lubie *f;* toquade *f,* dada *m; e-e alte* ~ une vieille toupie; ⬥**nhaft** maniaque; fantasque, bizarre

schrumpel|ig ratatiné; ridé; ~**n** se ratatiner; se rider

schrump|fen se rétrécir, se contracter; se réduire; se rabougrir; *a. fig* dépérir; ⬥**fung** régression *f,* rétrécissement *m*

Schrunde fissure *f; (Haut)* gerçure *f*

Schub ⚙ *a. fig* poussée *f; (Triebwerk)* régime *m* moteur; *(Brot, a. fig)* fournée *f;* ~**fach** tiroir *m;* ~**karre** brouette *f;* ~**lade** tiroir *m;* ~**lehre** pied *m* à coulisse; ~**leichter** barge *f* (de poussage); ~**riegel** targette *f;* ~**s** bousculade *f*

schüchtern timide; ⬥**heit** timidité *f*

Schuft *umg* canaille *f,* crapule *f,* fripouille *f,* gredin *m;* ⬥**en** trimer, turbiner, bosser; ⬥**ig** canaille, vil, bas; ~**igkeit** canaillerie *f,* friponnerie *f*

Schuh chaussure *f;* soulier *m; …wo ihn der ~ drückt …* où le bât le blesse; *j-m etw. in d.* ~**e schieben** mettre qch sur le dos de qn; ~**anzieher** chausse-pied *m;* ~**bürste** brosse *f* à chaussures; ~**creme** cirage *m;* ~**flicker** savetier; ~**leisten** embauchoir *m;* ~**macher** cordonnier; ~**macherei** cordonnerie *f;* ~**nummer** pointure *f;* ~**putzer** cireur; ~**werk** chaussures *fpl*

Schul|abgänger personne *f* ayant terminé ses études; ~**abschluß** diplôme *m* de fin d'études; ~**amt** service *m* régional d'instruction publique; ~**anfang** rentrée *f* des classes; ~**arbeit** devoir *m* scolaire, interrogation *f* écrite; ~**ausgabe** édition *f* scolaire; ~**beispiel** exemple *m* typique; ~**besuch** scolarité *f;* ~**bildung** études *fpl;* éducation *f* scolaire; ~**buch** livre *m* de classe; ~**diener** concierge (d'une école); ~**e** école *f,* établissement *m* scolaire; *zur* ~*e gehen* aller en classe; ~*e machen* faire école; ⬥**en** entraîner; instruire; former; **Schüler** écolier, élève; *(wissenschaftl.)* disciple; **Schülerin** écolière; élève; ~**ferien** vacances *fpl* scolaires; ⬥**frei:** ⬥*freier Tag* jour *m* de congé; ~**funk** radio *f* scolaire; ~**geld** écolage *m;* ~**geldfreiheit** gratuité *f* de l'enseignement; ~**hof** cour *f;* préau *m;* ⬥**isch** scolaire; ~**jahr** année *f* scolaire; ~**jugend** effectifs *mpl* scolaires, nombre *m* d'élèves; ~**kamerad** camarade de classe; condisciple; ~**leiter** directeur d'école, *(Realschule)* principal *m; (Gymnasium)* proviseur *m;* ~**meister** iron pédant, pion, régent; ⬥**meisterlich** pédantesque; ~**pflicht** enseignement *m (od* scolarité *f)* obligatoire; ⬥**pflichtig** astreint à la scolarité; ~**ranzen** serviette *f* gibecière (pour écoliers); ~**rat** inspecteur *m* d'académie; ~**schiff** vaisseau-école *m;* ~**schluß** sortie *f* des classes; ~**stunde** leçon *f,* heure *f* de classe; ~**tasche** cartable *m;* serviette *f (* ou sac *m)* pour écoliers; ~**ung** instruction *f;* éducation *f;* ~**wesen** enseignement *m;* ~**zeit** scolarité *f;* ~**zeugnis** certificat *m* d'études; ~**zimmer** salle *f* de classe

Schuld 1. faute *f; bes* 🐍 culpabilité *f; (Unrecht)* tort *m; durch m-e* ~ par ma faute; *ohne m-e* ~ sans qu'il y ait faute de ma part; ⬥ *sein an* être la cause de, être responsable de; *er ist* ⬥ *daran* c'est sa faute; *e-e* ~ *auf s. nehmen* prendre la responsabilité de qch; **2.** *(Geld-)* dette *f;* ~**en** *machen* contracter des dettes; *s. in* ~**en** *stürzen* s'endetter; ~**anerkenntnis** *com* reconnaissance *f* de dette; ⬥**bewußt** conscient de la culpabilité; ~**bewußtsein** sentiment *m* de culpabilité; ~**buch** livre *m* des comptes débiteurs; *(Staat)* grand livre *m* de la dette publique; ~ *an* devoir (à qn); *j-m etw.* ⬥*en (fig)* être redevable à qn de qch; ~**endienst** service *m* de la dette; ⬥**enfrei** exempt de dettes; ~**entilgung** amortissement *m (ou* remboursement *m)* d'une dette; ~**erlaß** remise *f* de dette; ~**forderung** 🐍 créance *f;* ⬥**haft** coupable; ⬥**ig 1.** 🐍 coupable; fautif; *sich* ⬥*ig bekennen* 🐍 avouer sa culpabilité; **2.** *fig (gebührend)* dû; *j-m etw.* ⬥*ig sein* être redevable de *(od* devoir*)* qch à qn; *j-m Dank* ⬥*ig sein für etw.* savoir gré à qn de qch; *k-e Antwort* ⬥*ig bleiben* avoir réponse à tout; ~**iger** coupable; ~**igkeit** devoir *m;* obligation *f;* ~**konto** compte débiteur; ⬥**los** innocent; ~**losigkeit** innocence *f;* ~**ner** débiteur; ~**nerverzug** 🐍 retard *m (ou* défaut *m* d'une dette; *od* échue); ~**schein** 🐍 reconnaissance *f* de dette; titre *m* de créance; ~**verhältnis** rapports *mpl* entre créancier et débiteur; ~**verschreibung** obligation *f;* 🐍 reconnaissance *f* de dette

Schulter épaule *f;* ~ *an* ~ côte à côte ⬥ *etw. auf d. leichte* ~ *nehmen* prendre qch à la légère; *j-m d. kalte* ~ *zeigen* battre froid à qn, faire mauvaise mine à qn; ~**blatt** omoplate *f;* ~**klappe,** ~**stück** patte *f* d'épaule; ⬥**n** mettre sur l'épaule; ~**riemen** bandoulière *f*

Schulung instruction *f;* entraînement *m*

Schund camelote *f,* toc *m;* pacotille *f;* ~**literatur** littérature de bas étage *(ou* sans grande qualité); ~**roman** roman *m* de quatre sous

Schupo *umg* flic

Schupp|e *(Fisch)* écaille *f; (Kopf)* pellicule *f* ⬥ *es fiel ihm wie* ~*n von d. Augen* ses yeux se dessillèrent; ⬥**en** *vt* écailler; *refl* se desquamer; ⬥**ig** *a.* 🌿 squameux

Schuppen remise *f; a.* ✈ hangar *m*

Schur tonte *f*

schür|en *(Feuer)* activer; *a. fig* attiser; *(Unruhen)* fomenter; ⬥**haken** tisonnier *m*

schürf|en égratigner; *(Bergbau)* prospecter; ⬥**ung** prospection *f*

Schurk|e crapule *f,* coquin *m,* fripouille *f;* ~**erei** crapulerie *f,* canaillerie *f,* fripouillerie *f;* ⬥**isch** scélérat, crapuleux

Schurz tablier *m; (Lenden-)* pagne *m*

Schürz|e tablier *m* (de cuisine); ⬥**en** (re)trousser; ~**enjäger** coureur de filles

Schuß coup *m* de feu *(od* de fusil *od* de canon); *(Ladung)* charge *f; (Weben)* trame *f; (Pflanzen)* pousse *f; (Wein usw.)* coup *m (od* goutte *f)* de; *(Fußball)* shot *m* ⬥ *weit vom* ~ loin du but; *gut in* ~ en bon ordre; *e-n* ~ *vor den Bug bekommen* recevoir un avertissement sérieux; *ein* ~ *ins Schwarze* en plein dans le mille; ~**bereich** mil portée f du tir; **≈bereit** prêt à tirer; *mil* en batterie; **~waffe** arme f à feu; **~weite** portée f utile; **~wunde** blessure f par arme à feu

Schüssel plat m; *(Salat-)* saladier m; *(flach)* écuelle f; *(irdene)* terrine f

Schuster cordonnier; *(Flick-)* savetier; **~pech** cire poissée; **~werkstatt** cordonnerie f

Schutt débris mpl; décombres mpl; gravats mpl; ordures fpl; **~abladeplatz** décharge f (à ordures), dépotoir m; **~haufen** tas m de décombres

Schüttel|frost frissons mpl; **~n** a. fig secouer; *(Hand)* serrer; *(Flasche)* agiter; d. Kopf **≈n** hocher la tête

schütt|en verser; **≈gut** marchandise f en vrac

schütter clairsemé

Schutz protection f, sauvegarde f; garde f; *(Verteidigung)* défense f; *(Erhaltung)* préservation f; *(Zuflucht)* abri m; asile m; refuge m; *(Schirm)* égide f; j-n in ~ nehmen défendre qn (contre des attaques); im ~ von à l'ombre (od à l'abri) de; **~anstrich** peinture f (od enduit m) de protection; **~befohlener** protégé m; **~behauptung** affirmation f en vue de se défendre (contre des accusations); **~bereich** zone f protégée; **~blech** garde-boue m; **~brille** lunettes protectrices; **~bündnis** alliance défensive; ~ **engel** ange gardien; **~farbe** zool mimétisme m; mil camouflage m; **~frist** 🕮 délai m de protection; **~gebiet** protectorat m; **~haft** détention f préventive; **~heiliger** patron; **~helm** casque m (antichoc); **~herrschaft** protectorat m; patronage m; **~impfung** vaccination préventive; **~klausel** clause f de sauvegarde; **~los** sans abri, sans protection; **~mann** agent m de police, gardien m de la paix; **~marke** marque (de fabrique) déposée; **~mittel** préservatif m; **~rohr** gaine f; **~schicht** couche protectrice; **~umschlag** 📖 jaquette f; **~wehr** a. fig rempart m; *(Wasser)* barrage m (de garde); **~zoll** droits (de douane) protecteurs

Schütz|e[1] f *(Schleuse)* vanne f; **≈en** protéger *(vor de, contre)*, préserver *(vor de)*, garder; sauvegarder; abriter *(vor de)*; garantir *(vor de)*; **~ling** protégé

Schütze[2] m tireur; mil tirailleur, fusilier; astr Sagittaire m; **~nfest** fête f (od concours m) de tir; **~ngraben** tranchée f; **~nloch** mil trou individuel

schwach faible; *(Körper, Gesundheit)* chétif, frêle, débile; délicat, fragile; peu solide, peu robuste; *(machtlos)* impuissant; *(Gedächtnis)* infidèle; *(z. B. Puls)* rare; *(Kaffee usw)* léger; ~ werden s'affaiblir, 💲 défaillir; **≈heit** faiblesse f; **≈kopf**, **~köpfig** faible d'esprit, crétin, imbécile; **≈matikus** umg gringalet m; **≈sinn** débilité mentale; **~sinnig** imbécile; ramolli, gaga *(umg)*; **≈strom** ⚡ courant m à basse tension

Schwäch|e faiblesse f, fragilité f, débilité f; défaillance f; 💲 asthénie f; fig faible m (pour); **≈en** affaiblir, débiliter; diminuer, amoindrir; *(mildern)* atténuer; **≈lich** débile, malingre, délicat, souffreteux; **~lichkeit** débilité f; **~ling**

homme débile; *(Feigling)* poltron, pleutre; **~ung** affaiblissement m; diminution f; amoindrissement m, atténuation f

Schwaden 1. vapeur f; fumée f; nappe f (de gaz); *(Bergbau)* mofette f; 2. *(Mähen)* javelle f, andain m

schwadronieren faire le fringant, hâbler

Schwager beau-frère

Schwägerin belle-sœur

Schwalbe hirondelle f ♦ e-e ~ macht noch k-n Sommer une hirondelle ne fait pas le printemps; **~nschwanz** umg queue-de-morue f; ✿ queue-d'aronde f

Schwamm éponge f; bot champignon m; *(Holz)* amadou m; 💲 excroissance f, fongus m ♦ ~ drüber! passons (l'éponge)!, tirons le rideau!; **≈ig** spongieux; *(Frucht)* cotonneux; fongueux

Schwan cygne m ♦ mein lieber ~! interj (umg) fais gaffe!; ça alors!

Schwang: im ~e sein être en vogue

schwanger enceinte, en espérance; **≈schaft** grossesse f; **≈schaftsabbruch** interruption f volontaire de la grossesse (= IVG); **≈schaftstest** diagnostic m biologique (de la grossesse); **≈schaftsverhütung** contraception f; **≈schaftszeichen** signe m clinique de la grossesse

Schwank facétie f; bouffonnerie f; conte m drolatique; 🎭 farce f; **≈en** *(wanken)* osciller, vaciller, chanceler; *(taumeln)* tituber; *(schwingen, a. fig)* balancer; fig varier; **~end** vacillant, fig hésitant, irrésolu; **~ung** oscillation f; variation f; fluctuation f

Schwanz queue f; pop bite f ♦ kein ~ (umg) pas un chat, personne; den ~ einziehen (pop) se dégonfler, mollir; den ~ hängen lassen (umg) avoir la déprime; **~feder** penne f; **~flosse** 🐟 stabilisateur m; *(flosse)* nageoire caudale; **≈lastig** décentré à l'arrière; **~riemen** trousse-queue m, croupière f

schwänzen: d. Schule ~ faire l'école buissonnière

Schwär|e furoncle m, abcès m; **≈en** suppurer

Schwarm 1. *(Vögel)* volée f, nuée f; *(Bienen)* essaim m; *(Menge)* bande f, troupe f, foule f; 2. fig toquade f, engouement m, caprice m, béguin m

schwärm|en *(Bienen)* essaimer; mil s'égailler, se déployer en tirailleurs; fig se passionner, s'engouer, s'emballer *(für pour)*; umg avoir le béguin *(für pour, de)*; **≈er** zool sphinx m; *(Feuerwerk)* serpenteau m; fig enthousiaste, exalté, fanatique; **≈erei** exaltation f; engouement m, emballement m; **~erisch** exalté, romanesque

Schwarte couenne f; umg gros livre m

schwarz noir, sombre; umg en fraude; **~er** Mann croque-mitaine; **~er** Markt marché noir; **~es** Schaf *(fig)* brebis galeuse; **~er** Tag jour néfaste; **≈arbeit** travail m noir (ou clandestin); **~arbeiten** travailler au noir (ou clandestinement); **≈arbeiter** travailleur m non déclaré (ou au noir); **≈brot** pain bis; **≈dorn** prunellier m; **≈drossel** merle m (commun); **≈e** noir m; ins **≈e** treffen (a. fig) mettre dans le noir, faire mouche;

꒜er noir, nègre; ~fahren voyager sans billet, frauder; *umg* resquiller; ~fahrer fraudeur *m* (du métro etc.); *umg* resquilleur; ~haarig aux cheveux noirs; ꒜handel marché noir; trafic *m* clandestin; ~händler trafiquant *m;* ꒜hörer auditeur clandestin; ~markt marché noir; ~sehen ne pas payer la redevance radio-télé; être pessimiste; *ich sehe* ~ cela va se gâter; ꒜sender émetteur clandestin; ꒜wild sangliers *mpl;* ꒜wurzel salsifis *m* (noir)

Schwärz|e noirceur *f;* ꒜en noircir; ꒜lich noirâtre; ~ung noircissement *m*

Schwatz causette *f;* ~base commère, jacasse; ꒜en bavarder, papoter; ꒜haft bavard; verbeux; indiscret

schwätz|en bavarder, jaser; pérorer; ꒜er jaseur, beau parleur

Schwebe: *in d.* ~ en suspens; ~bahn téléférique *m;* ~flug vol *m* stationnaire; ꒜n planer; flotter; *(Vogel)* voler, 𝕏 être pendant; *in Gefahr* ~n être en danger, être sous la menace de; ꒜nd flottant, en suspens; ~stoff particule *f* solide *(ou* liquide), matières *fpl* suspendues

Schwebung *phys* battement *m*

Schwed|e Suédois; ~en la Suède; ꒜isch suédois

Schwefel soufre *m;* ~bad bain sulfureux; ꒜haltig ꒜ig sulfureux, sulfuré; ~holz allumette *f;* ꒜n soufrer; *(Wein)* muter; ~säure acide *m* sulfurique; ~ung sulfuration *f;* ~wasserstoff acide *m* sulfhydrique

Schweif queue *f;* ꒜en errer, vagabonder; *(Tiere)* vaguer; ⚙ cintrer

Schweig|egeld prix *m* du silence; ꒜en se taire; observer *(od* garder) le silence; ~en *su* silence *m;* mutisme *m; j-n z.* ~*en bringen* faire taire qn; ꒜end *adv* en silence; ~epflicht obligation *f* de réserve; secret *m* professionnel; ꒜sam taciturne, silencieux; ~samkeit taciturnité *f*

Schwein cochon *m; (bes Fleisch)* porc *m; fig* saligaud *m;* cochon ♦ *kein* ~ *(pop)* personne, pas un chat; *großes* ~ *haben (umg)* avoir une veine de pendu; *ein armes* ~ *(umg)* un pauvre type; ~ebraten rôti *m* de porc; ~efleisch (viande *f* de) porc *m;* ~ehirt porcher; ~emetzger charcutier *f;* ~emetzgerei charcuterie *f;* ~erei cochonnerie *f,* saleté *f;* saloperie *f (pop);* ~eschmalz saindoux *m;* ~sleder peau *f* de porc

Schweiß sueur *f;* transpiration *f; im* ~*e s-s Angesichts* à la sueur de son front; *in* ~ *geraten* se mettre en nage; ~blatt dessous *m* de bras; ~drüsen glandes *fpl* sudoripares; ~hund braque *m,* limier *m;* ꒜triefend trempé de sueur

Schweiß|aggregat groupe *m* de soudage; ~brenner chalumeau *m;* ~draht fil *m* à souder; ꒜en souder; ~en *su* soudage *m,* soudure *f;* ~er soudeur; ~erei atelier *m* de soudage; ~naht cordon *m* de soudure; ~riß crique *f* de soudure; ~stelle soudure *f*

Schweiz la Suisse; ~er Suisse; *(Melker)* vacher; ~erin Suissesse; ~erkäse gruyère *m;* ~erisch suisse

schwelen brûler sans flamme, *a. fig* couver

schwelg|en faire bombance *(od* ripaille); *in...*

~*en* s'enivrer de...; ꒜er jouisseur; débauché; ꒜erei orgie *f,* liesse *f*

Schwell|e seuil *m; (Eisenbahn)* traverse; *f;* ꒜en *(a.* 🖑, *Fluß)* enfler; 🖑 se tuméfier; ~ung enflure *f;* gonflement *m*

Schwemm|e abreuvoir *m; com* excédent *m;* surplus *m;* surabondance *f;* ꒜en emporter, charrier; *(waschen)* laver à grande eau; *(an-)* déposer, alluvionner; ~land terrain *m* d'alluvions

Schwengel balancier *m; (Pumpe)* bras *m; (Glocke)* battant *m*

schwenk|bar pivotant; orientable; ~en agiter; *(Glas)* rincer; *vi* changer de direction, tourner; ꒜ung *a. fig* volte-face *f; fig* revirement *m*

schwer lourd, pesant; massif; *(schwierig)* difficile, dur, malaisé, laborieux; *(ernst)* grave, sérieux, sévère; (~*fällig)* lourdaud, engourdi; *(Herz)* serré, gros; *(Essen)* indigeste; *(Wein)* gros, épais; *(Zigarre)* fort; *(Zunge)* épais; *von Diebstahl* vol qualifié; ~ *werden* s'appesantir; ~arbeit travail *m* pénible; ꒜arbeiter travailleur de force; ꒜arbeiterzulage supplément *m* pour travail pénible; ꒜athletik athlétisme lourd; ꒜behinderter grand handicapé; ~blütig inclinant à la tristesse; ꒜e lourdeur *f;* pesanteur *f;* gravité *f; (Strafe)* sévérité *f,* rigueur *f;* ꒜efeld champ *m* gravitationnel, *(Erde)* champ d'attraction terrestre; ꒜elosigkeit apesanteur *m;* ~fallen: *es fällt mir* ~ *zu...* il m'est difficile de..., il m'en coûte de...; ~fällig lourd, pesant; lourdaud, massif, balourd; ꒜fälligkeit lourdeur *f,* pesanteur *f;* balourdise *f;* ꒜gewicht(ler) 🤸 poids lourd; ꒜gut marchandises *fpl* pondéreuses; ~halten être difficile; ~hörig dur d'oreille; ꒜hörigkeit déficience auditive; ꒜industrie industrie lourde; ꒜kraft gravitation *f;* pesanteur *f;* ꒜kriegsbeschädigter grand mutilé de guerre; ~lich difficilement, avec peine; ne guère; ꒜mut mélancolie *f;* ~mütig mélancolique; ~öl huile lourde; ~punkt centre *m* de gravité; *fig* point principal; essentiel *m;* ꒜punktstreik grève *f* thrombose *(ou* bouchon); ~verbrecher (grand) criminel; ~verständlich difficile à comprendre; obscur; ~verwundet grièvement blessé; ꒜verwundeter blessé *m* grave; ~wiegend d'un grand poids; *fig* fort grave

Schwert épée *f; lit* glaive *m;* 𝕏 dérive *f;* ~boot dériveur *m;* ~fisch espadon *m;* ~wal épaulard *m*

Schwester *a. rel* sœur; 🖑 infirmière; *rel* religieuse; ~gesellschaft société *f* fille, filiale *f;* ꒜lich en sœur; ~nhelferin aide-soignante *f;*

Schwieger|eltern beaux-parents *mpl;* ~mutter belle-mère; ~sohn beau-fils, gendre; ~tochter belle-fille, bru; ~vater beau-père

Schwiel|e callosité *f;* durillon *m;* ꒜ig calleux

schwierig difficile; délicat; malaise, ardu; ꒜keit difficulté *f;* embarras *m*

Schwimm|bad piscine *f;* ~becken bassin *m* de natation; ~beckenreaktor réacteur *m* piscine; ~blase vessie *f* natatoire; ~dock 𝕏 cale flottante, dock flottant; ꒜en nager; *(treiben)* flotter; 𝕏 voguer; *obenauf* ꒜en surnager; *mit d.*

Strom ~*en* se laisser porter par le courant; *im
Geld* ~*en* rouler sur l'or; ~*en su* nage *f;* natation
f; ~*er* nageur; ✿, ✝ flotteur *m;* ~**fähigkeit**
flottabilité *f;* ~**flosse** *zool* nageoire *f;* 🖐 palme *f;*
~**fuß** pied palmé; ~**gürtel** ceinture *f* natatoire;
~**haut** *zool* palmure *f;* ~**kompass** compas *m*
liquide; ~**kran** ponton-grue *m;* ~**lehrer** moniteur de natation; ~**sport** natation *f;* ~**vögel**
palmipèdes *mpl;* oiseaux nageurs; ~**weste**
ceinture *f* de sauvetage
Schwindel *a.* ⚕ vertige *m,* étourdissement *m;*
fig duperie *f,* supercherie *f,* tromperie *f,* escroquerie *f;* imposture *f,* bluff *m; d.* ~ *kenn' ich* je
ne m'y laisse pas prendre; ~**anfall** étourdissement *m;* ~**ei** duperie *f,* charlanterie *f,* attrape-
nigauds *m;* ⌐**erregend** vertigineux; ⌐**frei** pas
sujet au vertige; ⌐**haft** vertigineux, *fig* trompeur, charlatanesque; ⌐**ig** pris de vertige; ~**n**
mentir; tromper, bluffer; *mir* ~*t* la tête me
tourne, j'ai le vertige
schwind|en diminuer, décroître; dépérir; *(ver-)*
disparaître; ~*en lassen* abandonner, renoncer
à; ⌐**sucht** consomption *f,* phtisie *f;* ~**süchtig**
phtisique
Schwindler dupeur, imposteur, bluffeur
Schwing|e *(Flügel)* aile *f; (Korn)* van *m;* ⌐**en** *vt*
agiter, brandir, balancer; *vi* osciller, vibrer, se
balancer; *refl* s'élancer; ⌐**end** oscillant, vibrant;
~**hebel** levier *m* oscillant; balancier *m;* ~**kreis** ⌐
circuit oscillant; ~**ung** oscillation *f,* vibration *f;*
~**ungsdämpfer** ⌐⌐ amortisseur *m* de vibrations;
~**ungsdauer** période *f;* ~**ungsmesser** vibroscope
m; ~**ungszahl** fréquence *f*
Schwips: *e-n* ~ *haben* être gris, avoir son
pompon
schwirren bourdonner; *(Pfeil)* siffler
Schwitz|bad bain *m* de vapeur, bain turc; ⌐**en**
transpirer, suer; ~**en** *su* transpiration *f;* ~**wasser**
eau *f* de condensation; buée *f*
schwören jurer *(bei* sur); prêter serment;
affirmer sous la foi du serment; *fig* se fier *(auf*
en)
schwul homosexuel; *umg* homo; ~**ler** *umg*
pédé *m,* tante *f,* pédale *f*
schwül étouffant, accablant; *es ist* ~ il fait
lourd; ⌐**e** chaleur étouffante *(od* accablante);
temps lourd
Schwulst *fig* enflure *f,* emphase *f,* redondance *f;*
⌐**ig** emphatique, redondant
Schwund diminution *f,* perte *f;* ⚕ atrophie *f,*
dépérissement; ⌐⌐ fading *m,* évanouissement *m*
Schwung branle *m,* impulsion *f; a. fig* élan *m;*
fig envolée *f,* essor *m;* allant *m,* fougue *f,* entrain
m, verve *f; in* ~ *bringen* mettre en branle;
~**feder** penne *f;* ⌐**haft** florissant; vivant; ~**kraft**
fig ressort *m;* ~**rad** volant *m;* ⌐**voll** plein de
verve; ayant de l'élan; bien enlevé
Schwur serment *m; e-n* ~ *leisten* prêter
serment; ~**gericht** cour *f* d'assises
sechs six; ⌐**achteltakt** six-huit *m;* ⌐**eck**
hexagone *m;* ~**eckig** hexagonal; ~**fach** sextu-
ple; ~**jährig** de six ans; sexennal; ⌐**tagerennen**
course *f* de six jours; ⌐**te,** ⌐**tel** sixième *m;* ~**tens**
sixièmement

sechzehn seize; ⌐**tel** seizième *m;* ⌐**telnote**
double croche *f*
sechzig soixante; ⌐**er,** ~**jährig** sexagénaire
(m); ⌐**ste,** ⌐**stel** soixantième *m*
Sediment sédiment *m;* ~**ation** sédimentation *f;*
~**gestein** roches *fpl* sédimentaires
See[1] *m* lac *m*
See[2] *f* mer *f;* océan *m; hohe* ~ large *m; in* ~
stechen prendre la mer; *an d.* ~ *gehen* aller à la
mer; ~**bär** *zool* ours marin; *fig* loup de mer;
~**fähigkeit** (état de) navigabilité *f;* ~**fahrer**
navigateur; ~**fahrt** navigation *f;* ~**fisch** poisson
m de mer; *frische* ~**fische** marée *f;* ~**fischerei**
pêche *f* maritime; ~**flotte** flotte *f;* ~**fracht** fret
m; ~**frachtbrief** connaissement *m;* ~**gang** houle
f; hoher ~**gang** mer démontée; ~**gefecht** combat
naval; ~**gras** zostère *f; com* crin végétal; ~**hafen**
port *m* de mer *(od* maritime); ~**handel**
commerce *m* maritime; ~**herrschaft** maîtrise *f*
des mers; ~**hund** phoque *m,* veau marin; ~**igel**
oursin *m;* ~**karte** carte *f* nautique *(ou*
maritime); ⌐**klar** prêt à appareiller; ~**krankheit**
mal *m* de mer; ~**krieg** guerre navale;
~**ladeschein** certificat *m* de chargement; ~**löwe**
otarie *f;* ~**luft** air marin; ~**macht** puissance *f*
maritime; ~**mann** marin *m,* matelot *m;*
⌐**männisch** (de) marin; nautique; ⌐**mäßig:**
⌐*mäßige Verpackung* emballage *m* maritime;
~**meile** mille marin; ~**möve** goéland *m;* ~**not**
détresse *f;* perdition *f;* ~**pferdchen** hippocampe
m; ~**räuber** pirate, forban, corsaire, flibustier;
~**räuberei** piraterie *f;* ~**recht** droit *m* maritime;
~**reise** voyage *m* en *(od* par) mer, croisière *f;*
~**rose** nénuphar *m,* nymphéa *m;* ~**schaden**
avarie *f;* ~**schiffahrt** navigation *f* maritime;
~**schlacht** bataille navale; ~**stern** étoile *f* de
mer, astérie *f;* ~**streitkräfte** forces navales;
~**transport** transport *m* maritime *(od* par voie de
mer); ⌐**tüchtig** en état de tenir la mer; ~**wasser**
eau *f* de mer; ~**weg** route *f* par mer; voie *f*
maritime; ~**wind** brise *f* de mer; ~**zunge** sole *f*
Seel|e *a.* ✿ âme *f; fig* cœur *m; e-e* ~ *von
Mensch* un cœur d'or; *in tiefster* ~*e* au tréfonds
du cœur ♦ *j-m etw. auf d.* ~*e binden* s'en
remettre à la conscience de qn; *er spricht mir aus
d.* ~*e* je ne saurais mieux dire; *d.* ~*e
aushauchen* trépasser; *mit Leib und* ~ de tout
cœur, avec un engagement total; ~**enfriede**
esprit *m* en paix, conscience *f* tranquille;
~**engröße** noblesse *f* d'âme; ~**enheil** salut *m;*
~**enheilkunde** psychiatrie *f;* ~**enleben** psychisme
m; ⌐**enlos** sans âme, dur; ~**enmesse** messe *f* des
morts, requiem *m;* ~**enruhe** sérénité *f;* ⌐**envoll**
avec âme; ~**enwanderung** métempsycose *f;*
⌐**isch** psychique; ~**sorge** tâches *fpl* pastorales;
~**sorger** *kath* curé; *prot* pasteur
Segel voile *f; mit vollen* ~*n* toutes voiles dehors;
d. ~ *setzen* mettre les voiles; *d.* ~ *streichen*
amener les voiles; *fig* baisser pavillon; ~**boot**
barque *f (od* canot *m)* à voiles; ~**fliegerei**
aviation *f* sans moteur; ~**flug** vol *m* à voile;
~**flugzeug** planeur *m;* ~**jolle** yole *f* à voiles; ~**n**
faire voile, naviguer; ~**schiff** voilier *m;*
~**schlitten** traîneau *m* à voiles; ~**sport** yachting

Segen bénédiction *f;* grâce *f; fig* bonheur *m;* ⌐**sreich** béni

Segler voilier *m,* yacht *m*

Segment segment *m* (de droite); ⌐**ieren** segmenter

segn|en bénir; ⌐**ung** bénédiction *f;* bienfait *m*

seh|en voir; *(hin-)* regarder; *(wahrnehmen)* apercevoir; *(beobachten)* observer; *(flüchtig)* entrevoir; *(s. klarmachen)* s'apercevoir de, se rendre compte de; ⌐*en auf* tenir à; ⌐*en nach* veiller à, avoir soin de; *gern* ⌐*en* aimer; *schlecht* ⌐*en* avoir mauvaise vue; *d. kann s.* ⌐*en lassen* cela mérite d'être vu; *es sieht aus als ob...* cela a l'air de...; *sieh mal an!* tiens, tiens!; *wir werden ja* ⌐*en* on verra; ⌐**en** *su* vue *f;* vision *f;* perception *f* visuelle; *vom* ⌐*en* de vue; ⌐**enswert** qui vaut la peine d'être vu; curieux; remarquable; ⌐**enswürdigkeit** curiosité *f;* ⌐**er** voyant, visionnaire, prophète; ⌐**ergabe** seconde vue; ⌐**fehler** $ défaut visuel; ⌐**feld** champ *m* visuel; ⌐**kraft** faculté visuelle; ⌐**nerv** nerf *m* optique; ⌐**organ** organe *m* visuel; ⌐**rohr** périscope *m;* ⌐**schärfe** acuité visuelle; ⌐**störungen** troubles visuels; ⌐**vermögen** aptitude visuelle; ⌐**weite** portée *f* de (la) vue

Sehn|e tendon *m;* ligament *m; math* corde *f;* ⌐**enscheide** gaine *f* de tendon; ⌐**enscheideentzündung** ténosynovite *f;* ⌐**enzerrung** entorse *f;* ⌐**ig** tendineux; filandreux; nerveux

sehn|en *refl* aspirer *(nach* à), désirer ardemment *(nach etw.* qch), soupirer *(nach* après); ⌐**lich** impatiemment; ardemment, avec ferveur; ⌐**sucht** désir ardent, nostalgie *f (nach* de); aspiration *f (nach* vers); ⌐**süchtig** gonflé *(od* consumé *od* dévoré) de désir; langoureux; ⌐**suchtsvoll** nostalgique

sehr très, fort, bien; *(vor Verben)* beaucoup, grandement, vivement; ⌐ *bald* tout de suite, sous peu, bientôt; ⌐ *viel* beaucoup; *so* ⌐ tant, tellement; *so* ⌐ *daß* tant que, au point que; *wie* ⌐ combien; *wie* ⌐ *auch* si... que; *zu* ⌐ trop

seicht peu profond; plat; bas; *fig* plat, superficiel; fade, insipide; ⌐**heit** *fig* platitude *f,* caractère superficiel

Seid|e soie *f;* ⌐**en** de soie; soyeux; ⌐**engewebe** soierie *f;* ⌐**englanz** éclat *m* soyeux, lustre *m* ⌐**englänzend** satiné; ⌐**enpapier** papier *m* de soie; ⌐**enraupe** ver *m* à soie, magnan *m;* ⌐**enraupenzucht** sériciculture *f,* magnanerie *f;* ⌐**enwaren** soieries *fpl;* ⌐**enweich,** ⌐**ig** satiné, soyeux

Seif|e savon *m; (Toiletten-)* savonnette *f;* ⌐**en** savonner; ⌐**enblase** bulle *f* de savon; ⌐**endose** porte-savon *m;* ⌐**enfabrik** savonnerie *f;* ⌐**enflocken** savon *m* en paillettes; ⌐**enlauge** lessive *f;* ⌐**enpulver** poudre *f* de savon, lessives *fpl;* ⌐**ensieder** savonnier; ⌐**ig** savonneux

Seih|e passoire *f,* filtre *m; (Rückstand)* résidu *m;* ⌐**en** passer, couler, filtrer; ⌐**er** passoire *f;* ⌐**tuch** étoffe *f* à filtrer

Seil corde *f;* câble *m;* ⚓ cordage *m,* amarre *f;* ⌐**bahn** téléphérique *m;* funiculaire *m;* ⌐**en** corder; ⌐**er** cordier; ⌐**erwaren** cordages *mpl,* corderie *f;* ⌐**hängebahn** téléphérique *m;* ⌐**rolle**

poulie *f* à gorge; ⌐**strang** brin *m* de câble; ⌐**tänzer** danseur de corde; ⌐**winde** treuil *m* à câble

sein être, exister; se trouver; *(stattfinden)* arriver, avoir lieu, se produire; *(vorhanden* ⌐ *)* y avoir; *(Wetter)* faire; *etw.* ⌐ *lassen* s'abstenir de faire qch; *ich bin's* c'est moi; *mir ist als ob* j'ai comme l'idée que; *mir ist schlecht* je me sens mal; *was ist mit Ihnen?* qu'avez-vous?; *d. ist es ja gerade* voilà justement pourquoi; *sei es... sei es* soit... soit; *es sei denn, daß* à moins que... (+ *subj);* *wie dem auch sei* quoi qu'il en soit; ⌐ *su* être *m;* existence *f*

sein(e) *pron* son, sa; *pl* ses; *der, die, das* ⌐*(ig)e* le sien, la sienne; *d.* ⌐*en* les siens; ⌐**erseits** de son côté, de sa part; ⌐**erzeit** naguère, autrefois; alors, en son temps; jadis; ⌐**esgleichen** son égal, son pareil; *unter* ⌐*esgleichen* entre égaux; *wie* ⌐*esgleichen behandeln* traiter d'égal à égal; ⌐**ethalben,** ⌐**etwegen** pour lui, à cause de lui, par égard pour lui

seism|isch sismique; ⌐**ograph** sismographe *m*

seit depuis, dès, à partir de; ⌐ *kurzem* depuis peu (de temps); ⌐ *langem* depuis longtemps; ⌐ *wann* depuis quand *(od* combien de temps); ⌐ *e-r Stunde warten wir* il y a une heure que nous attendons; ⌐**dem,** ⌐**her** depuis; depuis *(od* dès) lors, depuis que

Seit|e côté *m;* flanc *m;* face *f* latérale; ▭ page *m; (e-s Körpers)* face *f; math* membre *m; (Partei)* parti *m; fig* aspect *m; (Stoff)* rechte ⌐*e* endroit *m,* linke ⌐*e* envers *m; s-e schwache (starke)* ⌐*e* son point faible (fort); ⌐*e an* ⌐*e* côte à côte; *von d.* ⌐*e* de profil, de travers; *von* ⌐*en... de* la part de; *von (nach) allen* ⌐*en* de tous côtés; *auf beiden* ⌐*en (a. fig)* d'un côté et de l'autre, de part et d'autre; *auf d.* ⌐*e gehen* mettre de côté; *refl* 🍴 donner de la bande ◆ *jedes Ding hat zwei* ⌐*en* toute médaille a son revers; ⌐**enabweichung** déviation *f* latérale; ⌐**enangriff** attaque *f* de flanc; ⌐**enansicht** vue *f* de côté; profil *m;* ⌐**enblick** regard *m* de côté *(od* oblique); œillade *f;* ⌐**engewehr** baïonnette *f;* ⌐**enhieb** *fig* coup *m* de bec; ⌐**enlang** interminable; ⌐**enlinie** ligne collatérale; ⌐**enruder,** ⌐**ensteuer** 🚢 gouvernail *m* de direction; ⌐**ens** de la part de; ⌐**enschiff** bas-côté *m,* nef latérale; ⌐**ensprung** escapade *f;* ⌐**enstechen** point *m* de côté; ⌐**enstraße** rue latérale; ⌐**enstück** pendant *m;* ⌐**enwand** paroi latérale; *(Reifen)* flanc *m;* ⌐**enwind** vent *m* de côté *(ou* de travers); ⌐**enzahl** numéro *m* de pages; ⌐**lich** latéral; à côté de; ⌐**wärts** à *(od* de) côté, sur *(od* vers) le côté; latéralement

Sekret(ion) sécrétion *f*

Sekret|är *(a. Möbel)* secrétaire *m;* commis *m; pol* leader *m,* responsable *m;* ⌐**ariat** secrétariat *m;* ⌐**ärin** secrétaire *f*

Sekt champagne *m,* mousseux *m;* ⌐**glas,** ⌐**kelch** flûte *f*

Sekt|e secte *f;* ⌐**ierer** sectaire

Sekt|ion section *f;* $ dissection *f;* ⌐**or** secteur *m*

Sekund|ant témoin; ⌐**är** secondaire; ⌐**e** seconde *f;* ⌐**ieren** seconder *(j-m* qn)

selbst même; *lit* voire; *er* ⌐ lui-même; *von* ⌐

de soi-même, tout seul; *d. versteht s. von* ~ cela va de soi (*od* sans dire); ~ *wenn* même si, quand même; **⌐achtung** respect *m* de soi

selbständig indépendant; *com* non-salarié; *s.* ~ *machen* se rendre indépendant; *com* s'installer à son (propre) compte; **⌐er** personne non-salariée; personne exerçant une profession libérale; **⌐keit** indépendance *f;* autonomie *f*

Selbst|abholung *com* enlèvement *m;* ~**auslöser** ⌐ déclencheur *m* automatique; ~**bedienung** libre-service *m;* ~**bedienungsladen** (magasin *m* à) libre service *m;* ~**beherrschung** maîtrise *f* de soi; ~**bestimmung** autodétermination *f; pol* auto-détermination; ~**bestimmungsrecht** *d. Völker* droit *m* des peuples à disposer d'eux-mêmes; ~**beteiligung** (*Sozialversicherung*) ticket *m* modérateur; *com* participation *f* aux frais; ~**betrug** illusion *f;* **⌐bewußt** conscient de sa valeur; *pej* plein de soi-même, prétentieux, suffisant; ~**bewußtsein** conscience *f* de soi; prétention *f;* ~**bildnis** autoportrait *m;* ~**binder** cravate *f* (à nouer); ~**erhaltungstrieb** instinct *m* de conservation; ~**erkenntnis** connaissance *f* de soi-même; ~**finanzierung** autofinancement *m;* **⌐gefällig** content de soi, pénétré de ses mérites; fat, vaniteux, suffisant; ~**gefühl** amour-propre *m*, sentiment *m* de sa dignité; **⌐gemacht** fait à la maison; **⌐gerecht** infatué; ~**gespräch** soliloque *m*, monologue *m;* **⌐herrlich** autoritaire, arbitraire; ~**herrschaft** autocratie *f;* ~**hilfe** *pol* ⌐ autodéfense *f; com* entr'aide; ~**kosten** coût *m;* prix *m* coûtant; ~**kostenpreis** prix *m* de revient; ~**kritik** autocritique *f;* **⌐los** désintéressé, altruiste; ~**losigkeit** désintéressement *m*, altruisme *m;* ~**mord** suicide *m;* ~**mord begehen** se suicider; ~**mörder** suicidé; **⌐redend** évidemment; ~**schutz** défense *f* passive; **⌐sicher** sûr de soi, assuré; ~**sicherheit** confiance *f* en soi, assurance *f;* ~**sucht** égoïsme *m;* **⌐süchtig** égoïste; ~**tätig** automatique; ~**täuschung** illusion *f;* ~**überwindung** effort *m* sur soi-même; ~**verbrauch** autoconsommation *f;* ~**verleugnung** abnégation *f* de soi-même; **⌐verschuldet** de sa (propre) faute; ~**versorger** qui se pourvoit (*od* s'approvisionne) lui-même; ~**versorgung** autarcie *f;* **⌐verständlich** évident, naturel; **⌐***verständlich!* naturellement!, bien sûr!, bien entendu!; ~**verständlichkeit** évidence *f;* ~**verteidigung** autodéfense *f*, légitime défense; ~**vertrauen** confiance *f* en soi; ~**verwaltung** autogestion *f;* autonomie *f;* ~**wähldienst** ☏ service *m* automatique interurbain; ~**zucht** discipline *f* de soi-même; **⌐zufrieden** content de soi, satisfait de sa personne; *pej* suffisant, vaniteux; ~**zweck** fin *f* en soi, but absolu

selig bienheureux béat; *(tot)* décédé, défunt; **⌐keit** béatitude *f*, félicité *f;* salut *m;* **⌐preisung** glorification *f;* ~**sprechen** béatifier

Sellerie céleri *m*

selt|en rare; extraordinaire; *höchst* ~*en* rarissime; *nicht* ~*en* assez souvent; **⌐enheit** rareté *f;* curiosité *f;* ~**sam** curieux; étrange, bizarre; drôle; **⌐samkeit** curiosité *f;* étrangeté *f;* bizarrerie *f*

Selterswasser eau gazeuse (*od* de Seltz)

Semantik sémantique *f*

Semester semestre *m;* ~**ferien** vacances semestrielles

Seminar *rel* séminaire *m; päd* école normale; *(wissenschaftl.)* institut *m;* ~**ist** *rel* séminariste

Semmel petit pain; ~**brösel** chapelure *f*

Senat *(Regierung)* gouvernement *m*, exécutif *m;* ⌐ chambre *f* (de jugement); *(Universität)* conseil *m; (Zweite Kammer)* Sénat *m;* ~**or** membre *m* du gouvernement; sénateur

Send|bote émissaire, messager; *rel* missionnaire, apôtre; ~**anlage** ⌐ poste *m* d'émission; ~**antenne** antenne *f* d'émission; ~**ebereich** portée *f* de transmission; ~**efolge** programme *m* (de radio); ~**efrequenzbereich** gamme *f* d'émission; ~**egerät** émetteur *m;* ~**eleiter** producteur; ~**emast** ⌐ pylône *m;* **⌐en** envoyer, expédier, faire parvenir; ⌐ diffuser, émettre, transmettre; ~**epause** intervalle *m;* ~**er** envoyeur, expéditeur; ⌐ (poste) émetteur *m;* ~**eraum** ⌐ studio *m;* ~**ereihe** série *f* d'émissions; ~**estärke** puissance *f* d'émission; ~**ewagen** ⌐ voiture émettrice; ~**ezeichen** ⌐ indicatif *m;* ~**ling** émissaire, envoyé; ~**schreiben** missive *f;* épître *f;* ~**ung** envoi *m*, expédition *f; (Auftrag)* mission *f; rel* apostolat *m;* ⌐ émission, diffusion *f*

Senf moutarde *f* ♦ *s-n* ~ *dazu geben* y mettre son grain de sel; ~**korn** grain *m* de moutarde

sengen roussir, brûler

senil sénile

Senior ancien *m;* président *m; Herr Dupont* ~ M. Dupont père (*bei Brüdern* aîné); ~**enkarte** ☗ carte *f* de réduction (pour le troisième âge)

Senk|blei plomb *m;* ~**el** lacet *m;* ~**en** baisser, abaisser, enfoncer; *(Preise)* diminuer, réduire; *refl* s'affaisser, s'abaisser; *(Boden)* se tasser; ~**grube** puisard *m;* ~**kasten** ⌐ caisson *m* de fonçage; ~**niet** rivet *m* à tête fraisée; **⌐recht** vertical, perpendiculaire; *adv* à plomb; ~**ung** abaissement *m*, affaissement *m; (Preise)* diminution *f*, réduction *f; geol* dépression *f*

Senn|erin vachère; ~**hütte** chalet *m*

Sensation sensation *f;* **⌐ell** sensationnel; ~**slust** goût *m* du sensationnel; ~**spresse** presse *f* à sensations

Sense faux *f*

sensi|bel sensible; ~**tiv** sensitif

sentimental sentimental

separat séparé; *adv* séparément, à part; **⌐ismus** séparatisme *m*

Sep|sis ☗ septicémie *f;* **⌐tisch** ☗ septicémique, septique

Sept|ember septembre *m;* ~**ett** septuor *m*

Sergeant sergent

Serie série *f*, jeu *m;* ~**nherstellung** production *f* (*od* fabrication *f*) en série; **⌐nmäßig** standard (*inv*); *adv* en série; ~**nschalter** commutateur *m* à plusieurs directions; ~**nweise** en série

Serpentinenstraße route *f* en lacets

Serum sérum *m*

Serv|ice service *m*, vaisselle *f* de table; *com* service après-vente; ~**ierbrett** plateau *m;* **⌐ieren** servir (à table); ~**iette** serviette *f* (de table)

Sessel fauteuil *m;* ~**lift** télésiège *m*
seßhaft sédentaire; résident, domicilié (in, à)
setz|en mettre, poser, placer, asseoir; installer;
↓ planter; *(Frist)* fixer; ⌘ composer; *(Spiel)*
miser *(auf* sur); *refl* s'asseoir, se rasseoir; *(Vogel)*
se poser; *(Erde)* se tasser; *alles daran* ~**en**
mettre tout en œuvre; ⌁**er** compositeur; ⌁**erei**
(atelier *m* de) composition *f;* ⌁**kasten** ⌘ casse *f;*
⌁**ling** plant *m*, bouture *f*
Seuche épidémie *f;* maladie contagieuse;
peste *f;* ~**nherd** foyer *m* de contagion
seufze|n soupirer, pousser des soupirs; gémir
(über de, sur); ⌁**r** soupir *m*
Sex sexualité *f;* relations *fpl* sexuelles; attirance
f sexuelle, attrait *m* sexuel; ~**film** film *m*
pornographique; ~**laden** = ~**shop** sex-shop *m,*
boutique *f* pornographique; ~**spiel** pratiques *fpl*
amoureuses
Sext|ant sextant *m;* ~**ett** sextuor *m*
Sexual|aufklärung éducation *f* sexuelle; ~**de-
likt** infraction contre les mœurs; ~**erziehung,**
~**kunde** éducation sexuelle; ~**alität** sexualité *f;*
génitalité *f;* ~**leben** vie *f* sexuelle; ~**moral**
éthique *f* sexuelle; ~**mord** meurtre *m* à mobile
sexuel; ~**verkehr** relations *fpl* sexuelles; ~**wissenschaft** sexologie *f*, érotologie *f*
sexuel sexuel, charnel, physique
sezier|en ⚕ disséquer; ~**messer** scalpel *m*
Shampoo shampooing *m*
Sibiri|en la Sibérie; ⌁**isch** sibérien
sich se; soi; *(Anrede)* vous; ~ *selbst* soi-même;
lui-même; elle-même; vous-même; *an* ~ en soi;
für ~ à part
Sichel faucille *f; (Mond-)* croissant *m*
sicher sûr, certain; assuré; *(geschützt)* à l'abri, à
couvert; *(gewiß)* positif, indubitable, indiscuta-
ble; *(fest)* ferme, solide, stable; *(verläßl.)* de
confiance, éprouvé, expérimenté, *adv* certainement; assurément; à coup sûr; *aus* ~*er Quelle*
de bonne source; *um ganz* ~ *zu gehen* par excès
de prudence; *s-r Sache* ~ *sein* être sûr de son
fait
Sicherheit sûreté *f;* sécurité *f; (Schutz)* abri *m;*
(Auftreten) assurance *f;* aplomb *m; com* garantie
f, caution *f;* ~**sbeauftragter** délégué *m* à la
sécurité; agent *m* de sécurité; ~**sbegleiter** garde
m du corps; *umg* gorille *m;* ~**sbereich** zone *f* de
sécurité; ~**faktor** coefficient *m* de sécurité;
~**sfonds** fonds *m* prévoyance *(ou* de garantie);
~**sglas** verre *m* de sécurité; ~**sgurt** ceinture *f* de
sécurité; ⌁**shalber** pour plus de sécurité;
~**sklausel** *com* clause *f* échappatoire; ~**sleistung**
garantie *f;* ~**snadel** épingle *f* de sûreté; ~**spolizei**
(police *f* de) sûreté *f;* ~**srat** Conseil *m* de
sécurité; ~**srisiko** risque *m* d'insécurité;
~**sschalter** coupe-circuit *m;* ~**sschloß** serrure *f*
haute sûreté; ~**sschutz** escorte *f* de protection;
~**sventil** soupape *f* de sûreté; ~**svorrichtung**
dispositif *m* de sécurité; ~**svorschrift** norme *f* de
sécurité
sicher|lich sûrement, certainement, assuré-
ment; à coup sûr; ~**n** *vt* assurer; consolider,
affermir; prémunir, protéger *(gegen* contre);
garantir, préserver *(gegen* de); ⚙ arrêter,

bloquer; *(Waffe)* mettre au cran d'arrêt; *vi*
(Wild) prendre le vent; *refl* prendre des
garanties; ~**stellen** mettre en sûreté *(od* à l'abri);
siehe a. ~**n**; ⌁**ung** protection *f;* consolidation *f;*
(Spuren) mesures *fpl* conservatoires; *(Arbeitsplatz)* sauvegarde *f; (Gewehr)* cran *m* d'arrêt; ⚡
plomb *m,* fusible *m;* ⌁**ungskräfte** force *f* de
sécurité
Sicht *a. com* vue *f;* visibilité *f; com* terme *m,*
échéance *f; auf kurze (lange)* ~ à court (long)
terme; ⌁**bar** visible; manifeste, apparent;
~**barkeit** visibilité *f;* ~**behinderung** le fait de
masquer la vue; ~**beton** béton *m* exposé *(ou* de
parement); ~**einlage** *com* dépôt *m* à vue; ~**en**
voir, apercevoir; découvrir; *(sortieren)* classer,
trier; ⌁**lich** visible; manifeste, évident; apparent, ostensible; ~**melder** voyant *m;* ~**ung**
classement *m,* tri *m;* ~**vermerk** visa *m;* ~**wechsel**
com billet *m (ou* traite *f)* à vue; ~**weite** visibilité
f; portée *f* du regard; *außer* ~**weite** hors de vue;
in ~**weite** à portée de vue
Sicker|grube fosse *f* perdue; ⌁**n** suinter, filtrer;
~**wasser** eau *f* d'infiltration *(ou* de suintement)
sie elle, la, ils, elles, eux; les; ⌁ *(Anrede)* vous
Sieb crible *m; (fein)* tamis *m; (Küche)* passoire *f;*
(Mehl) blutoir *m;* ⌁**en¹** cribler, tamiser; passer
au crible
sieben² sept; *böse* ⌁ chipie; ~**fach** septuple;
~**hundert** sept cent(s); ~**jährig** de sept ans,
septennal; ~**mal** sept fois; ⌁**sachen** effets *mpl,*
~**schläfer** *zool* loir *m*
Sieb|te, ~**tel** septième *m;* ⌁**zehn** dix-sept; ⌁**zig**
soixante-dix
siech maladif, de santé précaire; ⌁**tum** maladie
chronique et irréversible
Siede|hitze température *f* d'ébullition; ⌁**n** *vt*
faire bouillir; *vi* bouillir, bouillonner; ~**punkt**
point *m* d'ébullition
sied|eln s'établir; ⌁**ler** colon; ⌁**lerstelle** lot *m;*
⌁**lung** agglomération *f;* grand ensemble *m;* cité *f*
ouvrière; lotissement *m;* ⌁**lungsgenossenschaft**
société *f* de lotissement
Sieg victoire *f;* triomphe *m; d.* ~ *erringen*
l'emporter; ⌁**en** vaincre *(über j-n* qn); triompher
(über de); ~**er** vainqueur, triomphateur; ~**ereh-
rung** remise *f* des récompenses; ~**erliste**
palmarès *m;* ⌁**esgewiß** sûr de vaincre; ~**eszug**
marche *f (ou* avance) victorieuse; ⌁**reich**
victorieux
Siegel cachet *m,* sceau *m;* 🔒 scellé *m; unter d.*
~ *d. Verschwiegenheit* sous le sceau du secret
♦ *e. Buch mit 7* ~**n** lettre close; ~**lack** cire *f* à
cacheter; ⌁**n** cacheter, apposer le sceau; 🔒
(ver-) sceller; ~**ring** bague *f* à cachet, chevalière *f*
Siel écluse *f;* ⌁**en** *refl* se vautrer
siezen vouvoyer
Signal signal *m;* 🚩 sémaphore *m;* voyant *m;*
sonnerie *f;* ~**anlage** installation *f* de signalisation; ~**horn** bugle *m;* ⌁**isieren** signaler; ~**lampe**
voyant *m;* ~**mast** sémaphore *m*
Sign|atur *a.* ⌘ signature *f;* signe *m,* marque *f,*
caractéristique *m;* ⌁**ieren** signer; signaler; ~**um**
signe *m,* marque *f*
Silbe syllabe *f;* ~**nrätsel** charade *f*

Silber argent *m; (Gerät)* argenterie *f;* **~barren** lingot *m* d'argent; **~fuchs** renard argenté; **~gehalt** titre *m* d'argent; **⌐haltig** argentifère; **⌐n** en argent, d'argent; *(Farbe)* argenté; *(Klang)* argentin; **~münze** pièce *f* en argent; **~papier** papier argenté; papier *m* d'étain; **~pappel** peuplier blanc; **~reiher** aigrette *f*

Silo silo *m*

simpel (trop) simple; **⌐** *su* niais, benêt

Sims moulure *f,* cimaise *f;* tablette *f; (Fenster)* rebord *m*

Simul|ant simulateur; **~ator** simulateur *m;* **⌐ieren** simuler, feindre; se creuser la cervelle; **~ierung** simulation *f;* **⌐tan** simultané; **~tandolmetschen** traduction *f* simultanée; **~tandolmetscher** interprète *m;* **~tanschule** école interconfessionnelle

sing|en chanter; **⌐spiel** opéra-comique *m;* **⌐stimme** voix *f;* partie *f* de chant; **⌐vogel** oiseau chanteur

sinken descendre, s'abaisser; tomber; ⚓ couler, sombrer; *(abnehmen)* diminuer, décroître; *(Preis)* baisser

Sinn sens *m;* esprit *m,* intelligence *f; (Verständnis)* sentiment *m,* goût *m,* intérêt *m; (Bedeutung)* signification *f,* sens *m; (Meinung)* opinion *f,* avis *m* ♦ *der sechste ~* prémonition *f; ohne ~ und Verstand* en dépit du bon sens; *im ~e d. Gesetzes* dans l'esprit de la loi; *im wahrsten ~e d. Wortes* dans toute l'acception du terme; *im ~ haben* avoir l'intention (de faire qch); *s. etw. aus d. ~ schlagen* s'ôter qch de l'esprit; *j-m steht der ~ nach etw.* qn a envie de qch; *nicht aus d. ~ wollen* ne pas sortir de la tête; *s-e fünf ~e beisammen haben* avoir (tout) son bon sens; **~bild** symbole *m,* emblème *m;* **⌐en** méditer (*über* sur); songer; réfléchir (*über* à); *auf etw. ⌐en* tramer qch; **~enlust** volupté *f,* sensualité *f;* **⌐entstellend** qui défigure le sens; **~enwelt** monde *m* physique; **~esänderung** changement *m* d'avis; **~esart** caractère *m,* disposition *f;* **~eseindrücke** impressions sensorielles, sensations *fpl;* **~esorgan** organe *m* des sens; **~estäuschung** hallucination *f;* **⌐fällig** évident; **⌐gemäß** en substance; conforme au sens; **⌐getreu** fidèle au sens (*ou* à la pensée) du texte; **⌐ieren** rêvasser; **⌐ig** sensé, réfléchi; ingénieux; **⌐lich** sensuel, charnel; *(Eindrücke)* sensoriel; *(wahrnehmbar)* physique, matériel; **~lichkeit** sensualité *f;* **⌐los** absurde, insensé, dénué de sens; **⌐los betrunken** ivre mort; **~losigkeit** absurdité *f;* folie *f;* **⌐verwandt** synonyme; **⌐widrig** insensé, illogique

Sinter ⚒ mâchefer *m;* **⌐n** fritter; **~ung** frittage *m;* concrétion *f*

Sintflut déluge *m*

Sipp|e famille *f,* parenté *f,* parentèle *f;* **~schaft** séquelle *f,* clan *m,* clique *f,* coterie *f*

Sirene sirène *f*

Sirup sirop *m*

Sitt|e coutume *f; (Brauch)* usage *m; (Gewohnheit)* habitude *f;* pl mœurs *fpl;* moralité *f;* **~engeschichte** histoire *f* des mœurs; **~engesetz** loi morale; **~enlehre** morale *f,* éthique *f;* **⌐enlos**

sans mœurs; immoral, dissolu, libertin; **~enpolizei** police *f* des mœurs; **~enrichter** censeur, moralisateur; **⌐enstreng** austère, puritain; **~enverderbnis** dissolution *f,* dépravation *f;* **~widrig** contraire aux bonnes mœurs, immoral; **⌐lich** moral; **~lichkeit** moralité *f;* **~lichkeitsdelikt** infraction *f* contre les mœurs; **⌐sam** modeste; décent; vertueux, pudique, chaste; **~samkeit** modestie *f,* décence *f*

Sittich perruche *f*

Situation situation *f;* état *m* des choses; position *f*

Sitz siège *m;* place *f,* banquette *f;* **~bad** bain *m* de siège; **~bezug** housse *f* du siège; **⌐en** être assis; se trouver; *(Schlag)* bien porter; *(für ein Porträt)* poser; *(fest-)* tenir; *umg* être au clou; *das ~t!* bien envoyé; **⌐enbleiben** *päd* redoubler une classe; *(Mädchen)* coiffer Sainte Catherine; *(auf d. Ware)* ne pas trouver preneur; **⌐end** assis; **⌐ende Lebensweise** vie *f* sédentaire; **⌐enlassen** laisser en plan; planter là; *auf s.* **⌐enlassen** avaler; **~gurt** ceinture *f* de siège; **~kissen** coussin *m;* **~lehne** dossier *m;* **~platz** place assise; **~polster** rembourrage *m* du siège; **~stange** perchoir *m,* juchoir *m;* **~streik** grève *f* sur le tas; **~ung** séance *f,* réunion *f;* 🕰 audience *f;* 👥 pose *f;* **~ungsbericht** procès-verbal *m* (de la séance); **~ungsperiode** session *f;* **~ungssaal** salle *f* de conférences; **~verstellung** réglage *m* du siège

Skal|a échelle *f;* cadran *m;* ♪ gamme *f;* **~enbereich** zone *f* du cadran; **~enfehler** erreur *f* d'échelle; **~enscheibe** disque *m* gradué; **~enunterteilung** division *f,* échelle *f*

Skalp scalp *m;* **~ell** scalpel *m;* **⌐ieren** scalper

Skandal scandale *m; (Lärm)* tapage *m,* esclandre *m;* **⌐ieren** faire du tapage; **⌐ös** scandaleux

Skandinav|ien la Scandinavie; **⌐isch** scandinave

Skelett squelette *m;* ✿ ossature *f,* structure *f*

Skep|sis scepticisme *m;* **~tiker, ⌐tisch** sceptique

Ski *m* ski *m;* **~anzug** salopette *f;* **~bindung** fixation *f;* **~bob** bobsleigh *m,* traîneau *m* articulé; **~fahrer** skieur *m;* **~langlauf** ski de fond (*ou* de randonnée); **~laufen** ski alpin (*ou* de piste); **~läufer** skieur; **~lift** remonte-pente *m,* téléski *m;* **~mütze** bonnet *m;* **~springen** saut *m;* **~stiefel** chaussures *fpl;* **~stock** bâton *m;* **~wachs** fart *m*

Skizz|e esquisse *f,* croquis *m;* ébauche *f;* **⌐enhaft** esquissé; ébauché; **⌐ieren** esquisser; ébaucher

Sklav|e esclave; **~enhandel** traite *f* des noirs; **~enhändler** négrier; **~erei** esclavage *m;* **~in** esclave; **⌐isch** servile; *adv* en esclave

Skonto escompte *m* (de caisse)

Skorbut scorbut *m*

Skorpion scorpion *m*

Skrupel scrupule *m;* **⌐los** sans scrupules

Skunk mouf(f)ette *f; (Pelz)* sconse *m*

skurril grotesque, funambulesque

Slaw|e Slave; **⌐isch** slave

Smaragd émeraude *f;* ⌃**grün** émeraude

so 1. *adv* l. *(Grad, Ausmaß)* si, tellement; ~ *sehr* tant, tellement, à ce point; ~ ..., *daß* si... que; ~ ...*wie* aussi... que; ~ *eben* tout juste; ~ *ziemlich* à peu près; ~ *gut ich kann* de mon mieux; **2.** *(in dieser Weise)* ainsi, de cette manière, de la sorte; comme cela; *wenn dem* ~ *ist* s'il en est ainsi; ~ *oder* ~ d'une manière ou d'une autre; ~ *steht d. Sache* l'affaire en est là; *und* ~ *fort* et ainsi de suite; ~ *geht es, wenn*... voilà ce que c'est que de...; *wenn man es* ~ *ansieht* à le prendre ainsi; ~ *siehst du aus!* penses-tu! *er ist* ~ *schon reich genug* il est assez riche sans cela; **3.** *(solch, derart)* tel, pareil; ~ *etwas* une chose pareille; ~ *wie ist* tel qu'il est; *ich habe* ~ *e-e Ahnung* j'ai comme un pressentiment; **4.** *(etwa)* à peu près, environ; *es war* ~ *um Mitternacht* il était à peu près minuit; **2.** *interj:* ~, vrai?, vous croyez?, sans blague?; ~! bon!, c'est ça!; ~, ~! tiens, tiens!; **3.** *conj (also)* donc, ainsi, alors; *(wenn)* si; ~ *war alles vergeblich* ainsi tout était en vain; ~ *Gott will* s'il plaît à Dieu; *es dauerte nicht lange,* ~ ... il n'y avait pas longtemps que...; ~ *daß* de façon que, de (telle) sorte que, de manière que (+ *subj*)

sobald aussitôt que, dès que, sitôt que

Socke chaussette *f;* socquette *f;* ~**l** socle *m,* piédestal *m;* ~**lbetrag** montant de base fixe

Soda (cristaux *mpl* de) soude *f; mit* ~ *(Getränk)* à l'eau

Sodbrennen aigreurs *fpl* d'estomac

soeben tout à l'heure, à l'instant; ~ *etw. getan haben* venir de faire qch

Sofa canapé *m,* sofa *m,* divan *m*

sofern si; en tant que, au cas où; ~ *nur* pour peu que, pourvu que (+ *subj*)

sofort tout de suite, immédiatement; sur-le-champ, à l'instant; séance tenante; ⌃**hilfe** aide immédiate; ~**ig** immédiat, prompt; ⌃**maßnahme** mesure *f* d'urgence; ⌃**programm** programme *m* d'urgence

Sog remous *m*

Software *f* logiciel *m,* ‹matière grise› de l'ordinateur

so|gar même, jusqu'à, voire; ~**genannt** dit; *(angeblich)* prétendu, soi-disant

Sohle *(Fuß)* plante *f; (Schuh)* semelle *f; (Bergbau)* niveau *m*

Sohn fils *m; d. verlorene* ~ l'enfant prodigue

Sojabohne soja *m*

solange aussi longtemps que, tant que

Solawechsel billet *m* à ordre

Sole eau-mère *f;* eau saline

solch tel, pareil; *als* ~*er* comme tel; ~**erlei** de tel(le)s

Sold solde *f,* paie *f;* ~**buch** livret *m* de solde

Soldat soldat; militaire; *auf Zeit* soldat engagé par contrat; ~**enstand** condition *f* militaire; ⌃**isch** du soldat, militaire

Söldner mercenaire

solid solide, ferme; *(Mensch)* sérieux, rangé, régulier; *com* sûr; ~**arisch** solidaire *(mit* de); ⌃**arität** solidarité *f*

Solist soliste

Soll objectif *m;* tâche fixée; *com* débit *m,* doit *m;* objectif prévisionnel; ~ *u.* Haben doit et avoir; ~**aufkommen** rendement exigé *(od* prévu); ~**bestand** *(Personal)* effectif *m* théorique *(od* prévu); ~**einnahme** recette *f* théorique *(ou* prévue); ⌃**en 1.** devoir; **2.** *(Wunsch, Befehl:)* ~ *kommen* qu'il vienne; *sie* ⌃ *d.* tun il faut qu'elle le fasse; *du* ⌃*st nicht töten* tu ne tueras point; *Sie* ⌃*en sehen* vous allez voir; *was* ⌃ *ich tun?* que faire? que voulez-vous que je fasse?; ⌃*te es eigentlich wissen* il devrait le savoir; **3.** *(Möglichkeit:)* ⌃*te er krank sein?* serait-il malade?; *wenn es regnen* ⌃*te* s'il venait à pleuvoir; ⌃*ten Sie ihn sehen* si par hasard vous le voyez; **4.** *(angeblich)* er ⌃ *sehr reich sein* on dit qu'il est très riche; *es* ⌃ *gut sein* il paraît que c'est bon; *man* ⌃*te glauben* on dirait, on croirait; **5.** *(Frage:)* was ⌃ *das?* à quoi bon?; *was* ⌃ *ich dort?* que ferais-je là?; *was* ⌃ *d. heißen?* qu'est-ce que cela veut dire?; ~**wert** valeur *f* nominale

Solo solo *m;* ~**konzert** récital *m*

Solven|t solvable; ⌃**z** solvabilité *f*

somit par conséquent, donc, ainsi

Sommer été *m;* ~**fäden** fils *mpl* de la Vierge; ~**frische** villégiature *f;* ~**frischler** estivant; villégiateur; ~**halbjahr** semestre *m* d'été; ~**kleid** robe *f* d'été; ⌃**lich** estival, d'été; ~**schlußverkauf** solde(s) *m(pl)* d'été; ~**sonnenwende** solstice *m* d'été; ~**sprossen** taches *fpl* de rousseur *(od* de son)

Sond|e § *Raumfahrt,* ⚓ sonde *f;* ⌃**ieren** sonder; *fig* tâter le terrain

sonder sans; ⌃ ... *(in Zssg)* spécial; ~**abgabe** taxe spéciale; ~**ausgabe** *journ* édition spéciale; *(Geld)* extra *m;* ~**ausrüstung** 🚗 équipement *m* optionnel *(ou* spécial); ~**bar** étrange, singulier; curieux; bizarre, baroque; ⌃**berichterstatter** envoyé spécial; ⌃**druck** tirage *m* à part; ~**einsatz** mission *f* spéciale; ~**fall** cas particulier; ~**flug** vol *m* spécial; ~**gleichen** sans pareil; sans précédent; ~**lich** particulier, remarquable, notable; ⌃**ling** original, excentrique; ~**meldung** information spéciale; ~**n 1.** *conj* mais; **2.** *vt* séparer; trier; ⌃**nummer** numéro *m* hors-série; ⌃**recht** privilège *m;* ⌃**stellung** position privilégiée; ~**urlaub** permission *f* spéciale; ~**ziehungsrechte** droits de tirage spéciaux; ~**zug** train spécial

Sonn|abend samedi *m;* ~**e** soleil *m; d.* ~*e scheint* il fait du soleil; ~**en** *vt* exposer au soleil; *refl* se chauffer au soleil; bronzer

Sonnen|aufgang lever *m* du soleil; ~**bad** bain *m* de soleil; ~**batterie** thermopile *f* solaire; ~**blende** 🚗, 📷 pare-soleil *m;* ~**blume** tournesol *m;* ~**brand** coup *m* de soleil; ~**brille** lunettes *fpl* de soleil; ~**dach** marquise *f;* ~**einstrahlung** ensoleillement *m;* ~**energie** énergie *f* solaire; ~**ferne** aphélie *f;* ~**finsternis** éclipse *f* (de soleil); ~**fleck** tache *f* solaire; ~**hitze** ardeur *f* du soleil; ⌃**klar** clair comme le jour; ~**ofen** four *m* solaire; ~**schein** (clarté *f* du) soleil *m;* ~**schirm** parasol *m,* ombrelle *f;* ~**stich** insolation f; ~**strahl** rayon m de soleil; ~**strahlung** insolation f; ~**system** système m solaire; ~**uhr** cadran m solaire; ~**untergang** coucher m du soleil; ⌁**verbrannt** hâlé, basané; ⌁**wärmekraftwerk** centrale f solaire; ~**wende** solstice m; ~**zeit** heure f solaire

sonnig ensoleillé; fig radieux

Sonntag dimanche m; **sonntäglich** dominical; ~**sjäger** chasseur d'occasion (od du dimanche); ~**skind** e. S. sein être né coiffé; ~**srückfahrkarte** billet m de week-end; ~**sruhe** repos dominical; ~**sstaat** habits mpl (od toilette f) du dimanche

sonst sinon, autrement, sans quoi, (außerdem) à part cela; (gewöhnlich) d'habitude, d'ordinaire, à l'ordinaire; (früher) autrefois, jadis; ~ nirgends nulle part ailleurs; ~ niemand personne d'autre; ~ noch etwas? et avec ça?; ⌁**ig** autre; habituel; d'autrefois

sooft toutes les fois que, aussi souvent que

Sopran(istin) soprano m/f

Sorg|e (Kummer) chagrin m, tourment m; (Besorgnis) souci m, inquiétude f, préoccupation f; (Mühe) soin m, peine f ♦ für etw. ~e tragen s'occuper de qch; s. ~en machen se mettre martel en tête, se faire du souci; k-e ~e! ne vous inquiétez pas!; ich habe andere ~n j'ai d'autres chats à fouetter; ⌁**en** prendre soin (für j-n de qn); pourvoir (für etw. à qch); refl s'inquiéter, se soucier, se tourmenter (um de); ~**enkind** enfant qui cause du souci; ⌁**envoll** soucieux; inquiet, préoccupé; sourcilleux; ⌁**falt** soin m, diligence f, attention f; sollicitude f; minutie f; ⌁**fältig** (Arbeit) soigné, minutieux; (Person) soigneux; ⌁**los** insouciant, sans soucis; ~**losigkeit** insouciance f; ⌁**sam** prudent, circonspect; précautionneux

Sort|e sorte f; espèce f; genre m; (Qualität) qualité f, marque f; degré m; (Obst) variété f; (Wein) cru m; pl devises fpl; ⌁**ieren** classer; com assortir, échantillonner; ⚐, ⚙ trier; ~**ierung** tri m, classement m; ~**iment** assortiment m; librairie f d'assortiment

sosehr tant que, bien que (+ subj)

Soße sauce f; (Braten-) jus m; ~**nschüssel** saucière f

Souffl|eur ⚐ souffleur; ~**euse** souffleuse; ~**eurkasten** trou m du souffleur; ⌁**ieren** ⚐ souffler

Soutane soutane f

so|viel autant que; ~viel ich weiß autant que je sache, à ma connaissance; ~**weit** tant que, jusqu'à un certain point; ~**wenig** aussi peu que, pas plus que; ~**wie** dès que, aussitôt que; de même que, ainsi que; ~**wieso** de toutes façons; ~**wohl**: ~wohl... als auch et... et, tant... que, aussi bien... que

Sowjet soviet m; ⌁**isch** soviétique; ~**union** Union f soviétique

sozial social; (gesellig) sociable; (öffentlich) public; ⌁**abgaben** charges sociales; ⌁**amt** service m d'aide sociale; ⌁**arbeiter** éducateur m social; ⌁**ausschuß** commission f des affaires sociales; ⌁**demokrat**, ~**demokratisch** social-démocrate; ⌁**demokratie** social-démocratie f;

⌁**einkommen** allocations fpl sociales; ⌁**einrichtung** institution f à but social; ⌁**fürsorge** assistance (ou aide) sociale; ⌁**fürsorgerin** assistante sociale; ⌁**gericht** tribunal m du contentieux social; ⌁**gesetzgebung** législation sociale; ⌁**hilfe** aide f sociale; ⌁**isierung** socialisation f; ⌁**ismus** socialisme m; ⌁**ist**, ~**istisch** socialiste; ⌁**lasten** charges sociales; ⌁**leistungen** prestations sociales; ⌁**partner** pl partenaires mpl sociaux; ⌁**politik** politique sociale; ⌁**produkt** produit national; ⌁**reform** réforme sociale; ⌁**rente** pension f (de retraite); ⌁**rentner** pensionné de l'assurance sociale; ⌁**staat** État m social; ⌁**versicherung** assurance sociale; Sécurité sociale; ⌁**werk** œuvres fpl sociales

Sozietät société f; coopérative f

Soziolog|e sociologue; ~**ie** sociologie f

Sozius associé; ~**sitz** selle f biplace

sozusagen pour ainsi dire

Spachtel spatule f; ⚏ amassette f

späh|en a. mil guetter; épier (nach etw. qch); ⌁**er** mil guetteur; espion; ⌁**erblick** regard scrutateur; ⌁**trupp** détachement m d'éclaireurs, patrouille f de reconnaissance

Spalier espalier m; ~ stehen faire la haie; ~**obst** fruits mpl d'espalier

Spalt fente f, fissure f; crevasse f; (im Holz) éclat m, gerçure f; ⌁**bar** fissile; ~**bombe** bombe f de fission; ~**e** fente f, fissure f; alp crevasse f; geol faille f; (🕮) colonne f; ⌁**en** fendre, diviser; pol scinder; (Atom) fissionner; chem dédoubler; refl se fendre; fig se diviser, se scinder; ~**pilze** schizomycètes mpl; ~**produkt** produit m de fission; ~**reaktor** réacteur m de fission; ~**stoff** combustible m; ~**ung** (a. Atom) fission f; fig division f, dissociation f; pol scission f; (Glaube) dissidence f; (Kirche) schisme m; ~**ungsneutron** neutron m de fission

Span copeau m; (Metall) tournure f ♦ arbeiten, daß die Späne fliegen en mettre un bon coup; ⌁**abhebend** avec enlèvement de matière; ⌁**ferkel** cochon m de lait

Spange agrafe f; boucle f; épingle f de sécurité

Spani|en l'Espagne f; ⌁**er** Espagnol; ~**sch** espagnol; ⌁**sche Wand** paravent m ♦ d. kommt mir ⌁**sch** vor cela me paraît étrange

Spann cou-de-pied m; ~**beton** béton précontraint

Spann|e (Hand) empan m; (Zeit) espace m (od laps m) de temps; com marge f; ⌁**en** vt tendre; (Feder, Bogen) bander; (straffen) raidir; (Schraube) serrer; (Gewehr, 🔫) armer; vi (Kleid) serrer; fig attendre impatiemment; s-e Erwartungen zu hoch ~en avoir de prétentions exagérées; ~**end** intéressant; captivant; palpitant; ~**er** (Hosen-) tendeur m; (Schuh-) embauchoir m; ⚙ raidisseur m; zool phalène f; ~**kraft** force élastique, élasticité f; ⚡ tonicité f; fig ressort m; ~**schloß** ⚙ tendeur m à lanterne; ~**ung** a. fig tension f; ⚡ voltage m; fig vif intérêt, impatience f; ~**ungsgebiet** zone f de tension; ~**ungsmesser** ⚡ voltmètre m; ~**vorrichtung** ⚙ tendeur m; ~**weite** a. fig envergure f

Spar|buch livret *m* de caisse d'épargne;
~büchse tirelire *f;* **~einlage** dépôt *m* d'épargne;
⌐en épargner; économiser (*mit etw.* qch); faire
des économies; **~er** épargnant; **~förderung**
incitation *f* à l'épargne; **~geld** épargnes *fpl;*
~groschen magot *m;* **~guthaben** dépôt *m* (*od*
avoir *m*) à la caisse d'épargne; **~kasse** caisse *f*
d'épargne; **spärlich** rare; *(Haar)* clairsemé; *adv*
chichement; **Spärlichkeit** parcimonie *f;* **~maß-
nahme** mesure *f* d'économie; **⌐sam** économe,
ménager; **~samkeit** économie *f;* **~schwein**
tirelire *f;* cagnotte *f;* **~zins** taux *m* d'épargne
Spargel asperge *f;* **~kohl** brocoli *m;* **~messer**
coupe-asperges *m;* **~spitzen** pointes *fpl* d'asper-
ges
Sparren chevron *m*
Sparte branche *f,* domaine *m;* catégorie *f,* classe *f,* section *f;* *journ* rubrique *f*
Spaß plaisanterie *f,* raillerie *f,* facétie *f; viel ~!*
amusez-vous bien!; *zum ~* pour rire; *~
beiseite!* plainsanterie *f (od* blague *f*) à part!; *d.
macht mir ~* cela m'amuse, cela me fait plaisir;
⌐en plaisanter; blaguer; *damit ist nicht zu ⌐en*
on ne plaisante pas (*od* badine) pas avec cela;
⌐haft, ⌐ig plaisant; amusant; **~macher** plaisantin, farceur, amuseur; **~verderber** gâcheur
m; rabat-joie *m;* **~vogel** blagueur, farceur
spät tard; en retard, tardif; *erst ~* sur le tard;
von früh bis ~ du matin au soir; *wie ~ ist es?*
quelle heure est-il?; *zu ~er Stunde* à une heure
avancée; **~er** plus tard; postérieur, ultérieur (*als*
à); **~estens** au plus tard; **~folgen** conséquences
fpl éloignées; **⌐heimkehrer** prisonnier de guerre
rapatrié très tard; **⌐herbst** arrière-saison *f;*
⌐jahr automne *m;* **⌐obst** fruits tardifs;
⌐sommer été *m* de la Saint-Martin; **⌐zündung**
retard *m* à l'allumage
Spatel spatule *f;* **⌐** amassette *f*
Spaten bêche *f;* **~stich** coup *m* de bêche
Spatz moineau *m,* pierrot *m ♦ d.* **~en pfeifen es
von d. Dächern** c'est un secret de Polichinelle;
~enhirn tête *f* de linotte
spazier|en(gehen) se promener; **~enfahren** se
promener en voiture; **~enführen** promener;
⌐gang promenade *f;* **⌐gänger** promeneur;
⌐stock canne *f*
Specht pic *m,* pivert *m*
Speck lard *m; ~ ansetzen* faire du lard, prendre
de l'embonpoint; *(z. B. Anzug)* **⌐ig** gras;
graisseux; **~schwarte** couenne *f;* **~seite** flèche *f*
(de lard)
spedi|eren expédier, envoyer; **⌐teur** com
commissionnaire *m* de transport; **⌐tion** entreprise *f* de transport; service *f* d'expédition;
⌐tionsfirma entreprise *f* de transports (*od
Möbel.*) e. de déménagement
Speer *a.* 🏹 javelot *m;* **~werfen** lancement *m* du
javelot
Speiche rayon *m;* rai *m; anat* radius *m*
Speichel salive *f;* crachat *m;* **~drüse** glande *f*
salivaire; **~fluß** salivation *f;* **~lecker** flagorneur,
lèche-bottes
Speicher magasin *m;* entrepôt *m;* silo *m;*
(Korn-) grenier *m; (Wasser-)* réservoir *m; EDV*

mémoire *f;* **~becken** bassin *m* collecteur; **~gerät**
EDV mémoire *f;* **⌐n** emmagasiner, entreposer,
stocker; ensiler; ⚡ accumuler; *EDV* mettre (*ou*
introduire) en mémoire; **~ung** emmagasinage
m, stockage *m,* ensilage *m; EDV* mise *f* en
mémoire; **~werk** *EDV* unité *f* mémoire, bloc *m*
de mémoire; **~zeit** temps *m* de rémanence
speien cracher; (⚕, *fig*) vomir
Speise nourriture *f,* aliments *mpl; (Gericht)* mets
m, plat *m; ~ u. Trank* le boire et le manger;
~brei ⚕ chyme *m;* **~eis** glace *f;* **~kammer**
garde-manger *m;* **~karte** menu *m;* **~leitung**
feeder *m* de liaison; **⌐n** *vt* nourrir; ⚙, ⚡
alimenter; *vi* manger, prendre (*od* faire) un
repas; **~naufzug** monte-plats *m;* **~nfolge** menu
m; **~öl** huile *f* de table; **~röhre** tube digestif,
œsophage *m;* **~saal** réfectoire *m;* **~schrank**
garde-manger *m;* **~wagen** wagon-restaurant *m*
Speisung ⚙, ⚡ alimentation *f*
Spektakel vacarme *m,* tintamarre *m;* chahut *m,*
boucan *m*
Spektr|alanalyse analyse spectrale; **~um** spec-
tre *m*
Spekul|ant spéculateur; agioteur; **~ation** spé-
culation *f;* agiotage *m;* **⌐ieren** spéculer (*auf*
sur); jouer à la bourse; agioter
Spelunke bouge *m,* caboulot *m*
Spelz épeautre *m; ~e* balle *f;* glume *f*
Spend|e don *m;* obole *f; (Almosen)* aumône *f;*
⌐en faire don de, donner; *(verteilen)* distribuer;
(Sakramente) administrer; *(Taufe)* conférer;
~er donateur, bienfaiteur; **⌐ieren** distribuer
avec largesse; **~ung** *(Sakramente)* administration *f*
Spengler plombier, ferblantier
Sper|ber épervier *m;* **~ling** moineau *m*
Sperma sperme *m,* semence *f,* liquide *m*
séminal
sperr|angelweit *~angelweit offen* (tout) grand
ouvert; **⌐druck** 📖 caractères espacés; **⌐e**
fermeture *f; (Straße)* barrage *m; (Schranke)*
barrière *f;* obstacle *m; (Bahnhof)* portillon *m* de
contrôle; *(Absperrung)* blocage *m; (Hafen)*
blocus *m,* embargo *m;* quarantaine *f; (Verbot)*
prohibition *f,* interdiction *f; com* boycottage *m;*
~en fermer, barrer, barricader, bloquer; *(ein-)*
enfermer; *(Gas)* couper; 📖 espacer; prohiber,
interdire, défendre; *refl* résister (*gegen* à), se
raidir, se rebiffer (*gegen* contre); **⌐feuer** tir *m* de
barrage (*od* d'interdiction); **⌐frist** délai *m* de
blocage; **⌐gebiet** zone interdite; **⌐griff** clé *f* de
verrouillage; **⌐gut** marchandises encombran-
tes; **⌐guthaben** compte (*od* avoir) bloqué;
⌐haken mentonnet *m;* crochet *m* d'arrêt;
⌐hebel levier *m* de blocage; **⌐holz** (bois)
contreplaqué *m;* **⌐ig** encombrant; **⌐kette**
chaîne *f* à barrer; *(Tür)* entrebâilleur *m* à chaîne;
⌐schicht couche *f* d'arrêt; **⌐schichtzelle** photo-
element *m;* **⌐stunde** couvre-feu *m;* **~ung**
fermeture *f,* barrage *m;* blocage *m;* 📖
espacement *m;* interdiction *f;* **⌐zone** zone
interdite
Spesen frais *mpl;* débours *mpl;* **~rechnung** note
f de frais

Spezial|arzt spécialiste; **~geschäft** magasin spécialisé; **⌐isieren** spécialiser (*auf* dans); **~isierung** spécialisation *f*; **~ist** *a.* ⚥ spécialiste; **~ität** spécialité *f*
spezi|ell spécial; **~fisch** spécifique; *~fischer Widerstand* ⚡ résistance *f* spécifique, résistivité *f*; **~fizieren** spécifier
Speziessache chose *f* non fongible, corps *m* certain
Sphär|e sphère *f*; **⌐isch** sphérique
spicken larder; entrelarder; *fig* truffer, farcir (*mit* de); *umg* copier
Spiegel miroir *m*; glace *f*; (*Uniform*) écusson *m*; ⚥ spéculum *m*; **~bild** image réfléchie (*od* inversée); reflet *m*; **⌐blank** brillant comme un miroir; **~ei** œuf *m* sur le plat; **~fechterei** simulacre *m*, feinte *f*; **~fernrohr** télescope *m* catoptrique; **~glanz** miroitement *m*; **~glas** glace *f*; **⌐glatt** poli; très glissant; **~n** *vt* refléter, réfléchir; *vi* miroiter; *refl* se mirer; se refléter (*in* dans); **~reflexkamera** (appareil *m*) reflex *m*; **~saal** galerie *f* des glaces; **~scheibe** glace *f*; **~schrank** armoire *f* à glace; **~schrift** écriture renversée; **~ung** reflet *m*, miroitement *m*; réflexion *f*
Spiel jeu *m*; ♟ *a.* match *m*; ♥, ♪ interprétation *f*; *offenes ~* jeu serré; *~ haben* ⚙ avoir du jeu ◆ *leichtes ~ haben* avoir beau jeu (*mit* de); *falsches ~ spielen* jouer double jeu; *gewonnenes ~ haben* avoir partie gagnée, avoir gain de cause; *aufs ~ setzen* risquer, hasarder; *auf d. ~ stehen* être en jeu; *aus d. ~ lassen* ne pas mêler (qn à qch), laisser hors de cause; *das ~ verloren geben* s'avouer vaincu; *ein ~ mit dem Feuer* flirter, badiner, avoir un flirt avec qn; s'engager dans une aventure risquée (*ou* hasardeuse); **~ball** balle *f*, ballon *m*; *fig* jouet *m*; **~bank** casino *m*; **~dauer** (*Platte*) durée *f* (d'audition); **~dose** boîte *f* à musique; **⌐en** *vt* (*Spiel*) jouer à; (*Instrument*) jouer de; ♥ *a.* donner; (*vorgeben*) simuler, contrefaire; se donner pour; *vi* jouer; (*Szene*) se dérouler, se passer; (*Farbe*) tirer (*in* sur); *falsch ~en* tricher; ♪ canarder; *mit d. Gedanken ~en* caresser l'idée; **⌐end** facilement, en se jouant; **~er** joueur; **~erei** amusement *m*; badinage *m*; bagatelle *f*; **~feld** terrain *m*; (*Tennis*) court *m*; **~film** long métrage; **~führer** ♟ capitaine d'équipe; **~hölle** tripot *m*; **~karte** carte *f* à jouer; **~kasse** cagnotte *f*; **~leidenschaft** passion *f* du jeu; **~leiter** directeur, metteur en scène; **~mann** musicien; ménétrier; **~marke** jeton *m*; **~plan** ♥ répertoire *m*, programme *m*; **~platz** terrain *m* de jeu; **~raum** marge *f*; ⚙ jeu *m*; tolérance *f*; **~regel** règle *f* du jeu; **~schuld** dette *f* de jeu; **~uhr** boîte *f* à musique; **~verderber** trouble-fête *m*, rabat-joie *m*; **~warenindustrie** industrie *f* du jouet; **~zeit** ♥ saison *f*; ♟ durée *f* du match; **~zeug** jouet *m*, joujou *m*
Spieß pique *f*, javelot *m*; (*Jagd*) épieu *m*; (*Braten*) broche *f*; 📖 lingot levant; *arg mil* juteux ◆ *d. ~ umdrehen* passer à l'offensive; *schreien wie am ~* crier comme un enragé, un fou *ou* un veau; **~bürger**, **⌐bürgerlich** petit

bourgeois; philistin; **~bürgertum** mentalité *f* de boutiquier; esprit *m* petit bourgeois; **~er** pantouflard; **~geselle** complice; **~er** terre-à-terre; borné; **~ruten:** *~ruten laufen* être sur la sellette
Spill ⚓ cabestan *m* de touage
Spinat épinards *mpl*
Spind placard *m*, armoire *f*
Spindel fuseau *m*; ⚙ tige *f*, arbre *m*; pivot *m*; **⌐dürr** maigrichon, maigrelet
Spinett épinette *f*
Spinn|e araignée *f*; **⌐en** filer; (*Intrige*) tramer, ourdir; (*Katze*) ronronner; *fig* être timbré (*od* cinglé); **~(en)gewebe** toile *f* (*od* fils *mpl*) d'araignée; **~erei** filature *f*; **~erin** fileuse; **~faser** fibre *f* (textile); **~rad** rouet *m*; **~rocken** quenouille *f*; **~stoffindustrie** industrie textile
Spion espion *m*; (*Fenster*) mouchard *m*, espion *m*; **~age** espionnage *m*; **~ageabwehr** contre-espionnage *m*; **⌐ieren** espionner; **~ierer** fureteur, fouinard
Spiral|bohrer foret hélicoïdal; **~e** spirale *f*, volute *f*; **~feder** ressort spiral; (*Uhr*) spiral *m*; **⌐förmig** spiral
Spirit|ismus spiritisme *m*; **~ist**, **⌐istisch** spirite; **~uosen** spiritueux *mpl*; **~us** alcool *m* à brûler (*ou* dénaturé); **~uskocher** réchaud *m* à alcool
Spitz loulou *m*
spitz pointu, acéré; *a. math* aigu, *fig* piquant, mordant; *~ zulaufend* effilé, formant pointe; **⌐bart** bouc *m*; **⌐bogen** (arc *m* à) ogive *f*; **⌐bube** filou, fripon, coquin; **⌐e 1.** pointe *f*; bout *m*; cime *f*, crête *f*, sommet *m*, pic *m*, extrémité *f*; (*Turm*) flèche *f*; *fig* tête *f*, sommité *f*; (*Bosheit*) pique *f*, pointe *f*; *s. an d. ~e setzen* prendre la tête; *an d. ~e stehen* tenir le premier rang; *etw. auf d. ~e treiben* porter (*od* pousser) qch à l'extrême; **2.** (*Gewebe*) dentelle *f*; **⌐el** mouchard indicateur; **~en** aiguiser, affiler, rendre pointu; (*Ohren*) tendre, dresser; **⌐eneinsatz** entre-deux *m*; **⌐enerzeugnis**, **⌐enfabrikat** produit *m* haut de gamme, article *m* de qualité; **⌐enfunktionär** leader *m* syndicaliste; **⌐engeschwindigkeit** vitesse *f* de pointe; **⌐engruppe** *mil* échelon *m* de tête; 🚴 peloton *m* de tête; **⌐enindustrie** industrie *f* de pointe; **⌐enkandidat** candidat *m* tête de liste; **⌐enklasse** première qualité; élite *f*; **⌐enklöpplerin** dentellière; **~enleistung** record *m*, rendement *m* maximum; ⚙ puissance *f* de pointe; **⌐enlohn** haut salaire *m*, revenu *m* élevé; **⌐enverband** centrale *f* (syndicale *ou* patronale); **⌐enwerte** (*Börse*) valeurs *fpl* vedettes; **~findig** subtil; pointilleux, vétilleux, tatillon; **⌐findigkeit** subtilité *f*, argutie *f*; finasserie *f*; **⌐hacke** pic *m*; **⌐maus** musaraigne *f*; **~name** surnom *m*, sobriquet *m*; **~winklig** acutangle
Spleen excentricité *f*; **⌐ig** excentrique
spleißen fendre; (*Tau*) épisser
splendid splendide; donnant
Splint goupille *f* fendue
Splitter éclat *m*; (*Bruchstück*) fragment *m*; (*in d. Haut*) écharde *f*; (*Knochen-*) esquille *f*; **⌐n** éclater; voler en éclats; **~nackt** *umg* nu comme un ver (*od* la main); **~partei** groupuscule *m*

Sponsor sponsor *m*, bailleur *m* de fonds, promoteur *m*

spontan spontané

sporadisch sporadique

Sporn éperon *m;* ✝ béquille *f; zool* ergot *m; fig* aiguillon *m;* ~**streichs** à toute bride, à bride abattue

Sport sport *m; (Fach)* éducation *f* physique; *(Liebhaberei)* passe-temps *m; s. e-n* ~ *machen aus* faire profession de; ~**abzeichen** insigne sportif; ~**art** discipline sportive; ~**flugzeug** avion *m* de sport; ~**funk** émission sportive; ~**geschäft** magasin *m* d'articles de sports; ~**hose** short *m;* ~**jacke** vareuse *f;* ~**lehrer** moniteur; ~**ler** athlète *m;* sportif; ~**lich** sportif; ~**platz** stade *m;* terrain *m;* ~**veranstaltung** manifestation *f* sportive; ~**verein** société sportive; ~**wagen** 🚗 voiture *f* de sport; *(Kinder-)* poussette *f*

Spot *m* flash *m,* spot *m* publicitaire; court-métrage *m* publicitaire; ~**geschäft** opération *f* au comptant, livraison *f* immédiate; ~**markt** *(Erdöl)* marché *m* libre

Spott raillerie *f,* moquerie *f;* dérision *f;* sarcasme *m;* ~**bild** caricature *f;* ~**billig** très bon marché; *umg* donné; à un prix dérisoire; ~**en** railler (qn); se moquer, se rire *(über* de); persifler (qn); *j-r Beschreibung* ~**en** défier toute description; ~**name** sobriquet *m;* ~**preis** prix *m* sacrifié

Spött|elei persiflage *m,* raillerie *f;* ~**eln** persifler *(über* etw. qch); se moquer *(über* de); ~**er** moqueur, railleur; chineur *(umg);* ~**isch** moqueur, railleur

Sprach|begabung don *m* des langues; ~**e** langue *f;* langage *m; (Ausdrucksweise)* diction *f,* parler *m; (Vermögen)* parole *f* ♦ *etw. verschlägt, raubt j-m die* ~ en rester coi *(ou* muet); *mit d.* ~*e herausrücken* accoucher; *zur* ~*e bringen* mettre en discussion *(od* sur le tapis); ~**bau** structure *f* linguistique; ~**eigenheit** idiotisme *m;* ~**eindienst** service *m* linguistique; ~**fehler** vice *m* de prononciation; ~**forscher** linguiste; ~**gefühl** sentiment *m (od* sens *m)* d'une langue; ~**gewandt** disert; habile à la parole; ~**grenze** frontière *f* linguistique; ~**kundig** qui connaît une langue *(od* des langues); ~**labor** laboratoire *m* de langues; ~**lehre** grammaire *f;* ~**lehrer** professeur de langue(s); ~**lich** linguistique; grammatical; ~**los** interdit, interloqué; ~**pflege** défense *f* de la langue; ~**regelung** version *f* officielle; ~**rohr** porte-voix *m; fig* interprète, porte-parole; ~**schatz** vocabulaire *m;* ~**störung** défaut *m* de prononciation; ~**studium** étude *f* des langues; ~**verschlüsselung** cryptophonie *f,* ~**widrig** incorrect; ~**widrigkeit** incorrection *f,* barbarisme *m;* ~**wissenschaft** linguistique *f;* ~**wissenschaftler** linguiste; ~**zentrum** *anat* centre *m (ou* aire *f)* de la parole

Sprech|akt parole *f;* ~**anlage** interphone *m;* ~**chor** slogan *m* scandé par un groupe de personnes; 🅥 chœur parlé; *in* ~ *en parler (mit* à, *über* de); converser; *(aussprechen)* prononcer; *(Urteil)* rendre; *laut (leise)* ~**en** parler haut (bas);

er möchte Sie ~**en** il vous demande; *d. spricht für ihn* cela plaide *(od* parle) en sa faveur; *d. spricht für sich (selbst)* c'est évident *(od* éloquent); *zu* ~**en** *sein* recevoir; *gut zu* ~**en** *sein auf* être bien disposé envers; ~**end** *a. fig* parlant; *fig* frappant; *französisch* ~**ende** *Länder* pays *mpl* francophones; ~**er** *(Redner)* orateur; *(offiziell)* porte-parole; 💬 speaker, annonceur; ~**funk** radiotéléphonie *f;* ~**gebühr** taxe *f* téléphonique; ~**melodie** intonation *f;* ~**stelle** poste *m* téléphonique; ~**stunde** heure *f* d'audience; *(Arzt)* consultation *f;* ~**stundenhilfe** assistante; ~**taste** contact *m* de microphone; ~**übung** exercice *m* de conversation; ~**verbindung** liaison *f* phonie; ~**weise** façon *f* de parler; ~**zimmer** parloir *m; (Arzt, Anwalt)* cabinet *m* (de consultation)

spreizen écarter; *refl fig* se pavaner

Sprengel diocèse *m;* paroisse *f;* 🔸 ressort *m*

Spreng|befehl ordre *m* de mise de feu; ~**bombe** bombe explosive; ~**büchse** boîte *f* d'amorces; ~**en** *vt* briser; *(Schloß)* forcer; *(in d. Luft)* faire sauter, dynamiter; *(Versammlung)* dissoudre, disperser; *(Wasser)* répandre; *(Garten)* arroser, asperger; ~**kommando** détachement *m* de mise de feu; ~**kopf** cône *m* de charge; ~**körper** pastille *f* d'explosif; ~**kraft** pouvoir brisant; ~**ladung** charge explosive; ~**masse** plastic *m;* ~**stoff** explosif *m;* brisant; dynamite *f;* ~**trupp** équipe *f* de destruction; ~**ung** destruction *f* (par explosifs); sautage *m;* ~**wagen** arroseuse *f*

sprenkeln tacheter, moucheter

Spreu balle *f; fig* ivraie *f* ♦ *d.* ~ *vom Weizen sondern* séparer le bon grain de l'ivraie

Sprich|wort proverbe *m,* adage *m;* ~**wörtlich** proverbial

sprießen pousser; poindre

Spring|brunnen fontaine *f;* jet *m* d'eau; ~**en** sauter; bondir; *(entzwei-)* se fendre, se rompre; *(Glas)* se fêler; ~**er** 🐴 sauteur; *(Schach)* cavalier *m;* ~**flut** raz *m* de marée; ~**quell** source vive

Spritz|e *a.* 💉 seringue *f; (Feuer-)* pompe *f* à incendie; *(Einspritzung)* piqûre *f,* injection *f; e-e* ~*e geben* faire une piqûre; ~**en** *vt* faire jaillir; *(besprühen)* arroser, asperger; *(Reben)* sulfater; *(be-)* éclabousser; *vi* gicler, jaillir; *umg* cavaler; ~**er** éclaboussure *f;* ~**gerät** gicleur *m;* ~**guß** coulée *f* par injection; ~**ig** pétillant; ~**kuchen** échaudé *m;* ~**pistole** pistolet pulvérisateur *(ou* à enduire); ~**verfahren** pulvérisation *f* par pistolet

spröd|e *(Metall)* cassant, fragile; *(Haut)* sec, rêche; *fig* prude, bégueule; ~**igkeit** raideur *f,* sécheresse *f;* ⚙ fragilité *f; fig* pruderie *f*

Sproß pousse *f; fig* descendant *m*

Sprosse échelon *m;* ~**nleiter** 🪜 espalier *m*

Sprößling rejeton *m*

sprossen pousser; poindre

Sprotte sprat *m,* harenguet *m*

Spruch vers *m; (Regel)* axiome *m,* maxime *f; (Aus-)* dit *m,* dicton *m;* 🔸 jugement *m,* sentence *f;* ~**band** banderole *f;* ~**kammer** chambre *f* (de la cour); ~**reif** mûr; 🔸 en état

Sprudel eau gazeuse; ~**n** bouillonner, jaillir; pétiller *(a. fig)*

sprüh|en pétiller; *(spritzen)* projeter, asperger; *(Regen)* bruiner; *(Funken)* lancer (des étincelles); *vor Witz* ~*en* étinceler d'esprit; *⌐regen* bruine *f*

Sprung saut *m*, bond *m*; cabriole *f*; *(Pferd)* soubresaut *m*; *(Riß)* cassure *f*, brisure *f*; fêlure *f*; amorce *f* de rupture; *auf d.* ~ *sein, etw. zu tun* être sur le point de faire qch; ~**brett** *a. fig* tremplin *m*; ~**feder** ressort *m*; ~**federmatratze** matelas *m* à ressorts; *⌐haft* inconstant, versatile; ~**schanze** tremplin *m* de ski, sautoir *m*; ~**tuch** toile *f* de saut

Spuck|e salive *f*, crachat *m*; *⌐en* cracher; ~**napf** crachoir *m*

Spuk apparition *f*; fantôme *m*, revenant *m*; *(Unfug)* remue-ménage *m*; *⌐en* revenir, hanter; *es ⌐t in diesem Hause* cette maison est hantée; *⌐haft* fantomatique

Spul|e bobine *f*; *(Nähmaschine)* canette *f*; *⌐en* bobiner; ~**rad** dévidoir *m*

spül|en rincer; *(Geschirr)* laver; *an Land* ~*en* jeter sur le rivage; *⌐becken* plonge *f*; *⌐lappen* torchon *m*; *⌐maschine* rinceuse *f*; *⌐öl* huile *f* de rinçage; *⌐pumpe* pompe *f* de vidange; *⌐schüssel* cuvette *f*; *⌐stein* évier *m*; *⌐wasser* eau *f* de vaisselle; rinçure *f*

Spund(loch) bonde *f*; *⌐en* bondonner

Spur trace *f*; *(Fuß-)* empreinte *f*; *(Wild, Straße)* voie *f*, piste *f*; *(Zeichen)* marque *f*, signe *m*; *(im Wasser)* sillage *m*; *(Rest)* vestige *m*; 🚆 voie *f*; *fig* indice. *m*; *e-r Sache auf d.* ~ *kommen* découvrir le pot aux roses; *⌐los* sans (laisser de) trace(s); ~**weite** 🚆 écartement *m*

spür|en *vt* sentir; éprouver; *(merken)* apercevoir; déceler; *vi* flairer, fureter; ~**hund** limier *m*; *⌐nase* bon nez; *⌐sinn* flair *m*; sagacité *f*

Spurt 🚆 enlevée *f*; sprint *m*; *⌐en* sprinter

sputen *refl* se dépêcher, se hâter

Staat État *m*; *(Kleidung)* atours *mpl*, (grande) toilette; ~ *machen mit* faire parade (*od* étalage) de; ~**enbund** confédération *f* d'États; *⌐enlos* apatride, sans nationalité; *⌐lich* national, étatique; de l'État

Staats|akt cérémonie *f* (de l'État); ~**angehöriger** ressortissant; *m* (d'un État), 👥 national *m*; ~**angehörigkeit** nationalité *f*; ~**anleihe** emprunt d'État; ~**anwalt** procureur *m* (général *od* de la République); ~**anwaltschaft** ministère public, parquet *m*, magistrature *f* debout; ~**anzeiger** journal officiel; ~**apparat** appareil *m* de l'État; ~**archiv** Archives nationales; ~**aufsicht** tutelle *f* étatique; ~**ausgaben** dépenses *fpl* publiques; ~**beamter** fonctionnaire (de l'État); ~**begräbnis** funérailles (*od* obsèques) nationales; ~**betrieb** régie *f*; établissement public; ~**bürger** citoyen; administré *m*; ~**bürgerkunde** instruction *f* civique; *⌐bürgerlich* civique; ~**chef** chef *m* d'État; ~**diener** fonctionnaire *m*; ~**dienst** service *m* public; carrière publique; *⌐eigen* appartenant à l'État; ~**examen** licence *f*, agrégation *f*; ~**feind** ennemi public; *⌐feindlich* anti-national; ~**form** forme *f* de gouvernement; ~**gebiet** territoire *m* (national); *⌐gefährdend* portant atteinte à la sûreté étatique; ~**geheimnis**

secret *m* d'État; ~**gewalt** pouvoir *m*; autorité *f* publique; ~**haushalt** budget *m*, finances *fpl* de l'État; ~**hoheit** souveraineté *f*; ~**kanzlei** chancellerie *f*; ~**kasse** Trésor *m*; ~**kunst** politique *f*; ~**mann** homme d'État; ~**mittel** deniers *mpl* publics; ~**oberhaupt** chef d'État; ~**papiere** effets publics; ~**rat** conseil *m* d'État; *(Person)* conseiller d'État; ~**recht** droit constitutionnel; ~**schuld** dette publique; ~**sekretär** secrétaire d'État; ~**streich** coup *m* d'État; ~**verbrechen** crimes *mpl* et délits *mpl* contre la chose publique; ~**wissenschaften** sciences *fpl* politiques; ~**wohl** bien (*ou* salut) public

Stab bâton *m*; *(Gitter-)* barre *f*, barreau *m*; *(Hirten-)* houlette *f*; *(Pilger-)* bourdon *m*; 🏑 perche *f*; *mil* état-major *m*; *d.* ~ *über j-n brechen* condamner qn; **Stäbchen** baguette *f*; ~**hochsprung** saut *m* à la perche; ~**reim** allitération *f*

stabil stable; solide; ferme; ~**isieren** stabiliser; consolider; *⌐ität* stabilité *f*

Stabs|arzt médecin militaire; major; ~**offizier** officier d'état-major, officier supérieur; ~**quartier** quartier général

Stachel pointe *f*; *bot* piquant *m*; *zool* dard *m*; *(Biene)* aiguillon *m*; *(Igel)* épine *f*; *(Schnalle)* ardillon *m*; ~**beere** groseille *f* à marquereau; ~**draht** (fil *m* de fer) barbelé *m*; *⌐ig* piquant, épineux; ~**schwein** porc-épic *m*

Stadi|on stade *m*; ~**um** stade *m*, degré *m*; phase *f*

Stadt ville *f*; cité *f*; *(Verwaltung)* municipalité *f*; ~**bad** piscine municipale; ~**baumeister** architecte municipal; ~**beamter** fonctionnaire communal; *⌐bekannt: d. ist ⌐bekannt* cela court les rues; ~**bild** physionomie *f* d'une ville; ~**gespräch** 📞 communication urbaine; ~*gespräch sein* être la fable du quartier; ~**kommandant** commandant d'armes; ~**mauer** mur *m*; muraille *f*, enceinte *f*; rempart *m*; ~**mitte** centre-ville *m*, cité *f*; ~**netz** 📞 réseau urbain; ~**plan** plan *m* d'une ville; ~**planung** aménagement *m* des villes; ~**rand** banlieue *f*; ~**randsiedlung** cité *f* périphérique (*ou* suburbaine); *pej* cité-dortoir *f*; ~**rat** conseil municipal; *(Person)* conseiller municipal, édile; ~**sanierung** assainissement *m* urbain; ~**schreiber** greffier municipal; ~**staat** ville-État *f*; ~**teil**, ~**viertel** quartier *m*; ~**tor** porte *f*; ~**werke** voirie *f* urbaine; services publics municipaux; ~**verwaltung** administration municipale; municipalité *f*; ~**zentrum** cité *f*

Städt|chen petite ville, bourg *m*; ~**ebau** urbanisme *m*; ~**er** citadin; *⌐isch* urbain, citadin; municipal

Stafette estafette *f*; 🏑 relais *m*; ~**nlauf** course *f* de (*od* par) relais

Staffage accessoires *fpl*

Staffel marche *f*; degré *m*, échelon *m*; ✝ escadrille *f*; 🏑 relais *m*; ~**besteuerung** imposition *f* progressive; ~**ei** chevalet *m*; ~**lauf** course *f* de (*od* par) relais; *⌐n* échelonner, graduer; ~**tarif** tarif dégressif (*od* échelonné); ~**ung** échelonnement *m*, graduation *f*; progressivité *f*

Stagn|ation croupissement *m*; *a. fig* stagnation *f*; *⌐ieren* croupir; *a. fig* stagner, être stagnant

Stahl acier *m; (Wetz-)* fusil *m;* **~arbeiter** *umg* métallo *m;* ouvrier *m* métallurgiste; **~bau** construction *f* métallique; **~beton** béton armé; **⌀blau** bleu d'acier; **~blech** tôle *f* d'acier; **stählen** *fig* endurcir; **stählern** en acier, métallique; *fig* de fer; **~erzeugung** affinage *m* de la fonte brute; **~feder** ressort *m* d'acier; **~guß** acier moulé; *(Vorgang)* moulage *m* d'acier; **⌀grau** gris d'acier; **~härtung** trempe *f* de l'acier; **~helm** casque *m* d'acier; **~rohr** tube *m* en acier; **~späne** paille *f* de fer; **~werk** aciérie *f*
Stall étable *f; (Pferde)* écurie *f; (Schweine)* porcherie; *f; (Kühe)* vacherie *f; (Schafe)* bergerie *f;* **~knecht** valet d'écurie, palefrenier; **~magd** fille de ferme, vachère; **~meister** écuyer; **~ung** étables *fpl*
Stamm *(Baum-)* tronc *m,* tige *f,* fût *m; zool* embranchement *m;* **~ling** radical *m; (Personal)* cadre *m; (Volk)* tribu *f; (Familie)* lignée *f,* race *f;* **~abschnitt** talon *m;* souche *f;* **~aktie** action *f* ordinaire; **~baum** arbre *m* généalogique; **~buch** album *m;* **~einlage** apport *m* initial *(ou* social); **⌀en** descendre, (pro-)venir, sortir, dater *(von* de); remonter *(von* à); être originaire *(aus* de); **~halter** fils aîné; **~haus** *com* maison-mère *f;* **stämmig** fort, robuste; solide, bien bâti; **~kapital** capital *m* social *ou* initial; **~kunde** client *m* fidèle; habitué; **~personal** personnel *m* stable *(ou* fixe); **~rolle** (registre *m*) matricule *f;* **~tisch** table *f* d'habitués; **⌀verwandt** de la même famille
stammeln bégayer, balbutier, bredouiller
stampf|en piétiner, trépigner; *(Pferd)* piaffer; **⚓** tanguer; **⚙** damer, pilonner; **⌀er** dame *f,* pilon *m,* fouloir *m*
Stand 1. *(Messe-)* stand *m;* boutique *f;* **2.** *(Still-)* arrêt *m,* stationnement *m;* **3.** *(Lage)* position *f,* point *m; (Arbeit)* avancement *m; (Höhe)* niveau *m,* hauteur *m; astr* configuration *f; (Zu-)* état *m; auf d. neuesten ~ bringen* mettre à jour, actualiser; *e-n schweren ~ haben* avoir bien du mal *(bei* avec); **4.** *(Beruf)* métier *m,* profession *f; (Rang)* condition (sociale), situation *f,* rang *m; pl* états *mpl,* corporations *fpl*
Standard standard *m,* modèle *m; (Niveau)* niveau *m;* étalon *m;* **~abweichung** écart-type *m;* **~ausführung** modèle *m* standard; **~ausrüstung** équipement *m* de base; **~isierung** standardisation *f;* **~lösung** chem solution *f* témoin; **~modell** modèle *m* de série; **~werk** ouvrage capital *(bzw* de référence)
Standarte étendard *m;* fanion *m*
Standbild statue *f*
Ständ|chen sérénade *f;* aubade *f;* **~er** support *m,* pied *m,* montant *m;* **⚡** stator *m;* **⌀ig** permanent, perpétuel
Standes|amt bureau *m (od* office *m)* de l'état civil; **~amtliche Urkunde** acte *m* d'état civil; **~beamter** officier de l'état civil; **~dünkel** prétention *f (od* présomption *f)* de caste; **~ehre** honneur corporatif; **⌀gemäß** selon son rang; **~organisation** organisme *m* corporatif, corps *m* de métier(s); **~unterschied** différence *f* de classe
stand|fest stable, solide; **⌀geld** magasinage *m;*

⌀gericht cour martiale; **~haft** ferme, constant, inébranlable; **⌀haftigkeit** fermeté *f;* persévérance *f;* **⌀halten** résister *(etw.* à qch), tenir bon *(od* ferme); **⌀licht** 🚗 feu *m* de position; **⌀ort** place *f,* emplacement *m;* position *f,* point *m; bot* habitat *m; mil* garnison *f;* **⌀pauke** *fig* savon *m,* sermon *m;* **⌀punkt** point *m* de vue; **⌀quartier** quartier permanent; **~recht** justice *f* militaire sommaire; **⌀seilbahn** funiculaire *m;* **⌀uhr** pendule *f*
Stange perche *f,* verge *f; (Mast)* poteau *m;* tige *f;* **⚙** *(Metall)* barre *f; (Geweih)* branche *f; fig* flandrin ♦ *von der ~* prêt-à-porter; *bei d. ~ halten* ne pas lâcher qn; *j-m d. ~ halten* prendre fait et cause pour qn; *e-e hübsche, schöne ~ Geld* beaucoup d'argent; **~nbohne** haricot grimpant
Stänker rouspéteur; **⌀n** rouspéter, protester
Stanniol feuille *f* d'étain, tain *m*
Stanze estampe *f,* matrice *f;* estampeuse *f; (Loch-)* poinçonneuse *f;* **⌀n** estamper; découper; poinçonner
Stapel pile *f,* tas *m;* ⚓ cale *f; vom ~ lassen* lancer, mettre à l'eau; **~lauf** lancement *m,* mise *f* à l'eau; **⌀n** empiler, entasser; emmagasiner, stocker; **~platz** lieu *m* de stockage; entrepôt *m*
stapfen marcher lourdement; *(im Schnee)* patauger; **⌀** *su* trace *f,* empreinte *f*
Star[1] étourneau *m,* sansonnet *m*
Star[2] *(grauer)* cataracte *f; (grüner)* glaucome *m* ♦ *j-m d. ~ stechen (fig)* ouvrir les yeux à qn
Star[3] étoile *f,* vedette *f,* star *f*
stark fort, puissant, vigoureux; intense; *(dicht)* épais; *(Material)* solide, résistant; *(Person)* gros; *adv* très, bien, fort ♦ *d. ist ~!* c'est (un peu) fort!; *s. für j-n ~ machen* se prononcer en faveur de qn, prendre parti pour qn; **⌀strom** courant *m* fort *ou* à haute tension; **⌀stromleitung** ligne *f* à haute tension
Stärk|e force *f,* puissance *f;* intensité *f; (Dicke)* épaisseur *f; (Material)* solidité *f; (Person)* grosseur *f,* embonpoint *m,* corpulence *f; (Größe)* volume *m; (Anzahl)* effectif *m,* nombre *m; (Wäsche-)* amidon *m,* empois *m; fig* fort *m;* **~egrad** (degré *m* d')intensité *f;* **⌀ehaltig** amylacé; **~emehl** fécule *f;* **⌀en** fortifier; ⚡ tonifier; *(Wäsche)* amidonner, empeser; revigorer; *refl* se restaurer, se refaire; **⌀end** fortifiant; ⚡ tonique; *fig* réconfortant; **~ezucker** sucre *m* d'amidon, **~ung** *(Mahlzeit)* repas *m;* réconfort *m;* **~ungsmittel** fortifiant *m,* tonique *m,* reconstituant *m*
starr raide, rigide; immobile; *(Blick)* fixe; gourd, transi, glacé, figé *(vor Kälte* de froid); pétrifié *(vor Schrecken* de terreur); *fig* inflexible, irréductible, rigoureux; **~e** raideur *f,* rigidité *f;* immobilité *f;* **~en** regarder fixement *(auf etw.* qch); être couvert *(od* hérissé) *(vor, von* de); **⌀heit** raideur *f,* rigidité *f;* immobilité *f; fig* inflexibilité *f,* rigueur *f;* **~köpfig** têtu, entêté, obstiné; **⌀krampf** tétanos *m;* **~sinnig** obstiné, opiniâtre
Start *a.* 🦶 départ *m, a. fig* coup *m* d'envoi; 🚗 démarrage *m;* ✈ envol *m,* décollage *m;* **~bahn**

⊥ piste *f* de décollage; **⌐en** partir, prendre le départ; 🚗 démarrer; ⊥ décoller, s'envoler; *fig* lancer; **⌐er** 🏭 starter; 🚗 démarreur *m;* **⌐klar** ⊥ prêt à décoller; **⌐klotz** starting-block *m;* **⌐nummer** dossard *m;* **⌐rampe** rampe *f* de lancement; **⌐zeichen** signal *m* de départ

Stati|k statique *f;* **⌐sch** statique

Station station *f;* gare *f;* § division *f; freie ⌐ haben* être logé et nourri; *⌐ machen* s'arrêter; séjourner; **⌐är** stationnaire; **⌐ieren** stationner; **⌐sarzt** médecin de division; **⌐svorsteher** chef de gare

Statist comparse, figurant; **⌐ik** statistique *f;* **⌐iker** statisticien; **⌐isch** statistique

Stativ support *m*, pied *m;* trépied *m*

statt au lieu de, à la place de; **⌐** *su* lieu *m,* endroit *m,* place *f; Erklärung an Eides ⌐* déclaration formelle sans prestation de serment; *an Kindes ⌐ annehmen* adopter; *an s-r ⌐* à sa place; **Stätte** lieu *m,* endroit *m;* place *f;* **⌐finden** avoir lieu, se passer; **⌐geben** donner suite à, satisfaire à; **⌐lich** important; cossu, majestueux, superbe, imposant; **⌐lichkeit** importance *f;* aspect somptueux; *(Person)* prestance *f*

Statu|e statue *f;* **⌐ette** figurine *f;* **⌐ieren** statuer, régler; **⌐r** stature *f,* taille *f;* **⌐s** état *m* (de choses); 🕮 statut *m,* régime *m* juridique; **⌐s quo** statu quo; **⌐ssymbol** signe *m* extérieur du statut social; **⌐t** *n* règlement *m,* statut *m;* **⌐ten** statuts *mpl;* charte *f;* règlement *m;* **⌐tenmäßig** statutaire, conforme aux statuts

Stau refoulement *m; (Meer)* étale *m; (Verkehr)* embouteillage *m,* bouchon *m;* **⌐becken** bassin *m* de retenue; réservoir *m* d'accumulation; **⌐damm** barrage *m;* **⌐en** *(Wasser)* endiguer, refouler; *(Waren)* arrimer; *refl* s'amasser, s'accumuler; **⌐mauer** digue *f;* **⌐see** lac *m* de retenue; **⌐stufe** marche *f;* **⌐ung** refoulement *m;* accumulation *f,* entassement *m; (Verkehr)* embouteillage *m;* **⌐wasser** eau *f* de retenue; **⌐wehr** *n* barrage *m* de retenue

Staub poussière *f;* poudre *f* ♦ *⌐ aufwirbeln* faire beaucoup de bruit; *s. aus d. ⌐ machen* prendre le large; se tirer, se tailler, filer *(pop);* **⌐en** poudroyer; **⌐ig** poussiéreux, poudreux; **⌐korn** grain *m* de poussière; **⌐mantel** cache-poussière *m;* **⌐maske** masque *m* anti-poussières; **⌐sauger** aspirateur *m;* **⌐tuch** chiffon *m* (à épousseter)

stauchen cogner; comprimer; ✿ refouler, repousser

Staude arbuste *m,* arbrisseau *m*

staunen s'étonner, s'émerveiller *(über* de); **⌐** *su* étonnement *m,* émerveillement *m*

Staupe *vet* morve *f*

Stech|eisen poinçon *m;* **⌐en** *vt* piquer, percer; *(Karte)* couper *(mit Pik* à pique); *(Schwein)* saigner; *(Spargel)* couper; *(Torf)* extraire; *(Stechuhr)* pointer; *vi* § lanciner; *(Sonne)* brûler; **⌐en** *su* § picotement *m,* point *m;* **⌐end** *(Blick)* perçant; *(Schmerz)* lancinant, fulgurant; **⌐er** graveur *m;* **⌐ginster** ajonc *m;* **⌐karre** diable *m;* **⌐karte** fiche *f* de pointage; **⌐mücke** moustique *m;* **⌐palme** houx *m;* **⌐uhr** pointeuse *f;* **⌐zirkel** compas *m* à pointes sèches

Steck|brief signalement *m;* 🐦 fiche *f* signalétique; **⌐buchse** fiche femelle; **⌐dose** prise *f* (de branchement électrique); **⌐en** *vt* mettre, enfoncer, introduire; épingler; *vi* être enfoncé *(od* coincé, caché, fourré) ♦ *in ihm ⌐t etw.* il a une disposition *(ou* aptitude); *es ⌐t etw. dahinter* il y a anguille sous roche; **⌐en** *su* bâton *m;* **⌐enbleiben** s'enliser, s'arrêter; rester enfoncé; *fig* rester en panne; **⌐enpferd** *fig* cheval *m* de bataille; violon *m* d'Ingres; dada *m (umg); sein St. reiten* enfourcher son dada; **⌐er** ⚡ fiche *f,* prise *f* mâle (de courant); **⌐kontakt** contact *m* à fiches; **⌐ling** bouture *f;* **⌐nadel** épingle *f* ♦ *e-e ⌐nadel im Heuhaufen suchen* fouiller méthodiquement qch, mais sans grand espoir de trouver; **⌐nadelkissen** pelote *f;* **⌐rübe** chou-navet *m,* rutabaga *m;* **⌐schloß** serrure *f* à canon *(od* à mortaise); **⌐schlüssel** clef *f* à crantage

Steg passerelle *f;* sentier *m; (Hose)* sous-pied *m;* ✿ âme *f;* ♪ chevalet *m;* 🏛 traverse *f;* **⌐reif** *aus d. ⌐reif sprechen* improviser; **⌐reifübersetzung** traduction au pied levé

Steh|bild image *f* fixe, photo *f;* **⌐en** être *(od* se tenir) debout; être arrêté; stationner; *(passen)* aller, convenir; *(Hut)* coiffer; *(s. befinden)* être; **⌐en für** représenter, remplacer; *(bürgen)* répondre de ♦ *teuer zu ⌐en kommen* coûter *(od* revenir) cher; *es ⌐t Ihnen frei zu…* vous êtes libre de…; *es ⌐t fest* il est certain; *es ⌐t geschrieben* il est écrit; *gut mit j-m ⌐en* être en bons termes avec qn; *auf e-r Liste ⌐en* figurer sur une liste; *über etw. ⌐en (fig)* dominer *(od* planer sur) qch; *im Wege ⌐en* embarrasser; *zu j-m ⌐en* prendre le parti de qn; **⌐en** *su* position *f* debout; stationnement *m; im ⌐en* debout; **⌐enbleiben** s'arrêter, rester en place, s'immobiliser; cesser de fonctionner; **⌐end** debout; arrêté, stationnaire; immobile, fixe; vertical; *(Wasser)* stagnant, dormant, étale, mort; **⌐endes Heer** armée permanente; **⌐enden Fußes** séance tenante; **⌐enlassen** laisser, oublier, abandonner; *j-n ⌐enlassen* planter là qn; **⌐kragen** col droit; **⌐lampe** lampadaire *m,* lampe *f* à pied; **⌐leiter** échelle *f* double; **⌐platz** place *f* debout; **⌐vermögen** 🏭 endurance *f; fig* persévérance *f*

stehlen voler, dérober; *sich ⌐ aus* partir furtivement ♦ *j-m gestohlen bleiben umg* n'avoir rien à faire avec qn

steif raide, rigide, dur; gourd, transi; *(Benehmen)* guindé, compassé; *⌐ u. Kälte* figé de froid; *⌐ u. fest behaupten* soutenir mordicus; **⌐en** raidir; soutenir; *(Wäsche)* empeser, amidonner; **⌐heit** raideur *f,* rigidité *f; (Benehmen)* contrainte *f,* gaucherie *f;* **⌐leinen** bougran *m*

Steig sentier *m;* **⌐bügel** étrier *m;* **⌐e** grimpette *f;* **⌐eisen** crampons *mpl;* griffes *fpl;* **⌐en** monter; *(klettern)* grimper; escalader *(auf etw.* qch); *(zunehmen)* s'accroître; *(Preise)* augmenter, s'élever; *zu Kopf ⌐en (a. fig)* monter à la tête; *(Wein)* être capiteux; **⌐end** montant, croissant; **⌐er** porion; **⌐ern** augmenter, hausser; élever, accroître; aggraver; intensifier; rehausser; *(Auktion)* enchérir; *ling* mettre au comparatif (*bzw.* superlatif); ~**erung** augmentation *f;* hausse *f,* accroissement *m,* intensification *f; ling* comparaison *f;* ~**fähigkeit** 🚗 capacité *f* de montée; ➔ puissance ascensionnelle; ~**ung** montée *f;* rampe *f*

steil raide, ardu, escarpé, abrupt; à pic; ⬆**feuer** tir plongeant; ⬆**hang** pente *f* raide, escarpement *m;* ⬆**heit** raideur *f,* inclinaison *f;* ⬆**küste** falaise *f*

Stein pierre *f; (Fels)* roc *m,* rocher *m; (kleiner)* caillou *m; (Frucht)* noyau *m; (Uhr)* rubis *m; (Spiel)* pion *m;* 💲 calcul *m,* concrétion *f* ♦ *j-m ~e in den Weg legen* contrecarrer les projets de qn; ~ *d. Weisen* pierre philosophale, *fig* solution miracle; *d. ~ ins Rollen bringen* donner le branle; *bei j-m e-n ~ im Brett haben* être dans les bonnes grâces de qn; *umg* avoir la cote; *keinen ~ auf dem anderen lassen* tout casser; ~**adler** aigle doré (*od* brun); ⬆**alt** extrêmement vieux, très âgé; ~**bock** bouquetin *m; astr* Capricorne *m;* ~**bruch** carrière *f;* ~**druck** lithographie *f;* ~**gut** faïence *f,* poterie *f* de grès; ⬆**hart** très dur; adamantin; ⬆**ig** pierreux; ⬆**igen** lapider; ~**igung** lapidation *f;* ~**kohle** houille *f;* ~**kohleeinheit** équivalent charbon; ~**kohlenbergwerk** houillère *f,* charbonnage *m;* ~**marder** fouine *f;* ~**metz** tailleur de pierres; ~**obst** fruits *mpl* à noyaux; ~**pilz** cèpe *m;* ⬆**reich** richissime, cousu d'or; ~**salz** sel *m* gemme; ~**schlag** chute *f* de pierres; ~**zeit** âge *m* de pierre

Steiß derrière *m;* ~**bein** coccyx *m;* croupion *m* (*umg*)

Stellage support *m;* étagère *f; com* stellage *m*

Stell|e place *f,* emplacement *m;* endroit *m,* lieu *m; (Text)* passage *m; (Amt)* situation *f,* place *f;* emploi *m; (Behörde)* bureau *m,* service *m,* office *m; EDV* position *f* ♦ *auf d. ~e* tout de suite, sur-le-champ, séance tenante; illico (*umg*); *an erster ~e* en premier lieu; *an ~e von* à la place de, en guise de; *auf der ~e treten* marquer le pas; *fig* piétiner; ⬆**en** mettre, placer, poser, dresser; régler, fixer, mettre au point; *(bereit-)* fournir, procurer; *(Horoskop)* tirer; *(Uhr)* régler, mettre à l'heure; *refl* se mettre, se placer, se planter; *mil* répondre à l'appel; *(kosten)* coûter; (se) monter, s'élever (*auf* à); *(s. ver-)* feindre, faire semblant (*als ob* de + *inf*); *j-n* ⬆**en** arrêter qn; *j-n vor Gericht* ⬆**en** traduire qn en justice; *d. Weichen* ⬆**en** (*a. fig*) aiguiller (*für eine* qch); *gut gestellt sein* avoir une bonne situation; *auf s. selbst gestellt sein* être réduit à ses propres moyens; ~**enangebot** offre *f* d'emploi; ~**enantritt** entrée *f* en fonction; ~**anzeige** offre *f* d'emploi (dans un journal); ~**enausschreibung** avis *m* de recrutement; ~**enbewerber** postulant *m,* demandeur *m* d'emploi; ~**eneinsparung** dégraissage *m,* compression de personnel; ~**engesuch** demande *f* d'emploi, sollicitation *f* (d'une place); ~**enlos** sans emploi, en chômage; ~**enmarkt** marché *m* du travail; ~**ensuche** recherche *f* d'un emploi; ~**envermittlung** (bureau *m* de) placement *m;* ~**envermittler** placeur; ~**enweise** par endroits; ~**enwert** rang *m,* importance *f;* ~**hebel** levier *m* de manœuvre; ~**macher** charron; ~**mutter** écrou *m* de fixage;

pièce *f* de réglage; ~**ung** position *f,* posture *f;* pose *f; (Ein-)* attitude *f,* opinion *f; (Beruf)* situation *f,* place *f,* emploi *m; (gesellschaftl.)* condition *f,* classe *f,* rang *m; mil* ligne *f,* emplacement *m; astr* configuration *f;* ~**ung nehmen zu** prendre position à l'égard de; ~**ungnahme** prise *f* de position; opinion *f;* ~**ungsbefehl** ordre *m* d'appel; ~**ungskrieg** guerre *f* de tranchées (*od* de positions); ⬆**vertretend** représentant; suppléant; vice...; ~**vertreter** 🐍 mandataire; *com* représentant; *(bei Tätigkeiten)* adjoint *m,* suppléant, remplaçant; ~**werk** 🚂 poste *m* d'aiguillage; ⚙ organe *m* de commande

Stelz|bein, ~**fuß** jambe *f* de bois; ~**e** échasse *f*

Stemm|eisen fermoir *m;* ⬆**en** soulever; ⚙ mortaiser; *refl* s'appuyer, se raidir *(gegen* contre); *fig* résister à

Stempel tampon *m,* timbre *m,* estampille *f; (Post-)* cachet *m; (Bergwerk)* étançon *m;* ⚙ pilon *m; (Präge-)* poinçon *m; bot* pistil *m; fig* marque *f,* empreinte, *f;* ~**farbe** encre *f* à tampon; ~**kissen** tampon *m* encreur; ~**marke** timbre *m* (de quittance *ou* fiscal); ⬆**n** timbrer, estampiller; ⚙ poinçonner, *fig* marquer, empreindre; ⬆**n gehen** chômer; pointer (au bureau du chômage); ⬆**pflichtig** soumis au timbre; ~**uhr** pointeuse *f;* ~**ung** timbrage *m*

Stengel tige *f,* queue *f,* pédoncule *m*

Steno|gramm sténogramme *m;* ~**graph** sténographe; ~**graphie** sténographie *f;* ⬆**graphieren** sténographier; ~**typistin** sténodactylo *f*

Steppdecke courtepointe *f*

Steppe steppe *f;* ~**nwolf** loup *m* des prairies (*ou* des steppes)

Sterbe|bett lit *m* de mort; ~**fall** (cas *m* de) décès *m;* ~**geld** capital *m* décès; ⬆**n** mourir, décéder; *vor Hunger* ⬆**n** mourir de faim; ~**n su** mort *f,* décès *m; trépas m; im ~n liegen* se mourir; ⬆**nd** mourant, moribond, agonisant; ⬆**nskrank** moribond; ~**nswörtchen:** *kein St. sagen* ne pas souffler mot; ~**sakramente** derniers sacrements; ~**stunde** heure *f* de la mort; ~**urkunde** acte *m* de décès

sterblich mortel; ⬆**keit** mortalité *f;* ⬆**keitsziffer** taux *m* de (la) mortalité

Stereo|anlage ensemble *m* stéréo (tourne-disque, ampli, radio avec 2 enceintes), combiné *m* (radio-électrophone) stéréophonique; ~**aufnahme** ♪ enregistrement *m* stéréophonique; stéréophotographie *f;* ~**lautsprecher** enceinte *f* stéréo; ~**metrie** stéréométrie *f;* ~**photographie** photographie *f* stéréoscopique; ~**platte** disque *m* stéréo; ~**plattenspieler** tourne-disque *m* stéréo; ~**skop** stéréoscope *m;* ~**typ** stéréotypé

steril stérile, infertile, infécond; ⬆**isation** stérilisation *f;* ~**isieren** stériliser; ⬆**ität** stérilité *f*

Stern étoile *f,* astre *m;* ⚓ poupe *f; (Orden)* plaque *f;* ~**bild** constellation *f;* ~**chen** 📖 astérisque *m;* ~**deuter** astrologue; ~**enhimmel** firmament *m;* ~**fahrt** rallye *m;* ⬆**förmig** en forme d'étoile, étoilé; ~**karte** mappemonde *f* céleste; ~**klar** étoilé; ~**kunde** astronomie *f;* ~**schnuppe** étoile filante; ~**warte** observatoire *m*

Sterz queue f; *(Pflug)* mancheron m, manche m

stet|ig) ferme; constant, continu; régulier, tranquille; ~**ig arbeitend** ✿ à action continue; **⌐igkeit** fermeté f; continuité f; régularité f; ~**s** toujours; constamment, continuellement

Steuer¹ n 🚗 volant m; ⚓, ✈ gouvernail m; ~**apparat** *EDV* sélecteur m; ~**barkeit** maniabilité f; ~**bord** tribord m; ~**knüppel** manche m à balai; ~**kurs** cap m; ~**mann** timonier; *(Ruderboot)* barreur m; **⌐n** conduire, piloter; ⚓ a. gouverner; ⚓ *(e-n Kurs)* cingler (vers); ✿ commander, diriger, manœuvrer; *e-r Sache* **⌐n** mettre un frein, remédier, parer à qch; ~**rad** 🚗 volant m; ⚓ roue f de gouvernail; ~**stab** *(Reaktor)* barre f de commande; ~**ung** 🚗 conduite f; ⚓ manœuvre f; a. ✈ pilotage m; ✈ gouverne f; ✿ guidage m; commande f, direction f; manœuvre f; réglage m, contrôle m

Steuer² f impôt m, contribution f, taxe f, droit m; ~**abzug** déduction f d'impôt, retenue f fiscale; ~**ansatz** taux m d'imposition; ~**aufkommen** produit m des impôts; ~**befreiung** exonération f fiscale; ~**behörde** fisc m; perception f de l'impôt; ~**bemessungsgrundlage** assiette f de l'impôt; ~**berater** conseiller fiscal; ~**bescheid** feuille f d'impôt; ~**bilanz** bilan m à l'usage du fisc; ~**einnahmen** recettes fpl fiscales; ~**einnehmer** percepteur, receveur; ~**einziehung** recouvrement m des impôts; ~**erhebung** perception f; ~**erhöhung** augmentation f des impôts; ~**erklärung** déclaration f d'impôt; ~**erlaß** détaxe f; ~**ermäßigung** dégrèvement m d'impôt; ~**fahnder** polyvalent m, inspecteur m du fisc; ~**fahndung** enquête f fiscale, répression de la fraude fiscale; ~**flucht** évasion f fiscale; **⌐frei** exempt *(od* exonéré) d'impôts; ~**freibetrag** abattement m à la base; ~**freiheit** exemption f d'impôts; ~**gesetz** loi fiscale; ~**hinterziehung** fraude fiscale; ~**karte** carte f de déclaration des impôts; ~**kasse** perception f; ~**klasse** catégorie f d'imposition; ~**lasten** charges fiscales; ~**lich** fiscal; ~**oase**, ~**paradies** paradis m fiscal; **⌐pflichtig** *(Person)* contribuable, assujetti à l'impôt; imposé; *(Betrag)* imposable; imposé; ~**pflichtiger** redevable, contribuable; ~**satz** taux m de l'impôt; ~**sünder** fraudeur m; ~**tabelle** barème m de l'impôt; ~**veranlagung** assiette f de l'impôt; ~**wesen** fiscalité f, impôts mpl; ~**zahler** contribuable m

Stewardeß hôtesse de l'air

stibitzen chiper, chaparder

Stich piqûre f; *(Hieb)* coup m; *(Nähen;* ♠) point m; *(Bild)* gravure f, estampe f; *(Kartenspiel)* levée f, pli m; *fig* pointe f; *e-n* ~ *bekommen (Getränk)* s'aigrir, se piquer, s'aigrir ♦ *im* ~ *lassen* abandonner, laisser en plan *(od* en carafe); ~**el** poinçon m; ~**elei** taquinerie f, agacerie f; **⌐eln** *fig* taquiner (qn); lancer des pointes (à qn); ~**flamme** jet m de flamme; **⌐haltig** valable, solide; probant; ~**haltigkeit** validité f, solidité f; ~**ling** *zool* épinoche m; ~**probe** prélèvement m, échantillon m; épreuve f improvisée; sondage m; ~**tag** date fixée; jour m ‹J›, jour préfix; ~**waffe** arme pointue; ~**wahl**

scrutin m de ballottage; ~**wort** mot m repère; 📖 vedette f; 🎭 réplique f; ~**wortverzeichnis** index m; ~**wunde** blessure f par instrument tranchant

stick|en broder; ~**erei** broderie f; **⌐ig** suffocant, étouffant; **⌐rahmen** tambour m; **⌐stoff** azote m ~**stoffhaltig** azoté, nitrique

stieben jaillir en étincelles; *(auseinander-)* se disperser

Stief|bruder demi-frère; ~**mutter** belle-mère; *pej* marâtre; ~**mütterchen** *bot* pensée f; **⌐mütterlich** en marâtre; ~**schwester** demi-sœur; ~**sohn** beau-fils; ~**tochter** belle-fille; ~**vater** beau-père

Stiefel botte f; *(Pumpe)* corps m; *(Gefäß)* hanap m; **⌐n** marcher à grands pas

Stieglitz chardonneret m

Stiel *(Werkzeug)* manche m; *(Pfanne, Obst)* queue f; *(Pflanzen)* pédoncule m, tige f; **⌐en** emmancher

stier fixe; ~**en** regarder fixement

Stier taureau f; d. ~ *bei d. Hörnern packen* prendre le taureau par les cornes; ~**kampf** course f de taureaux, corrida f; ~**kämpfer** toréador

Stift¹ m clou m (sans tête), pointe f; fiche f, broche f, goupille f; *(Lehrling)* arpète; *(Blei-)* crayon m; ~**zahn** dent f à pivot

Stift² fondation f, couvent m; **⌐en** donner, faire don de; fonder, instituer; *(Frieden)* faire régner, rétablir; ~**er** donateur; fondateur; ~**ung** donation f; fondation f

Stil style m; ~**blüte** perle f; ~**ebene** niveau m de langue; marque f d'usage; ~**istik** stylistique f; ~**möbel** meubles mpl d'époque; **⌐voll** qui a du style

still silencieux; calme, tranquille; immobile; paisible; ~! chut!, taisez-vous!; ~*e Gesellschaft* association f en participation; *im* ~ *en secrètement; s.* ~ *verhalten* se tenir coi ♦ ~*e Wasser gründen tief* il n'est pire eau que l'eau qui dort; **⌐e** silence m; calme m; tranquillité f; paix f; *in aller* **⌐e** en silence; ~**en** *(Blut)* arrêter, étancher; *(Hunger)* apaiser; *(Kind)* allaiter, nourrir; **⌐en** su allaitement m; ~**gelegt** désaffecté; ~**halten** se tenir immobile; **⌐leben** nature morte; ~**legen** fermer, arrêter; immobiliser; ~**legung** fermeture f; arrêt m; ~**liegen** être fermé *(od* arrêté); ~**schweigen** se taire; **⌐schweigen** su silence m; *mit* **⌐schweigen** übergehen passer sous silence; ~**schweigend** sous-entendu, implicite; a. 🐕 tacite; ~**sitzen** ne pas bouger; **⌐stand** arrêt m, immobilité f; stagnation f; ~**stehen** s'arrêter, s'immobiliser; ~*gestanden!* garde à vous!; ~**stehend** stationnaire; stagnant

Stimm|abgabe vote m; ~**bänder** cordes vocales; **⌐berechtigt** qui a le droit de vote; ayant voix délibérative; ~**bruch** muance f; ~**e** voix f; ♪ pol vote m; *fig* accorder; *fig* disposer; *fröhlich* **⌐en** égayer; *traurig* **⌐en** attrister; **2.** *vi* opiner; *pol* voter; *(richtig sein)* être exact *(od* correct *od* juste *od* vrai); ~**enfang** racolage m de voix; ~**engleichheit** égalité f des voix; ~**enthaltung** abstention f; ~**enzählung** dépouillement m du scrutin; ~**gabel** ♪ diapason *m;* ⌐**haft** sonore; ~**lage** registre *m;* ⌐**los** sourd; ~**recht** droit *m* de vote; ~**ritze** glotte *f;* ~**ung** ♪ accordage *m; fig* état *m* d'âme (*od* d'esprit); atmosphère *f,* ambiance *f;* ⌐ **ungsvoll** qui a de l'atmosphère; ~**wechsel** mue *f;* ⌐**zettel** bulletin *m* de vote

Stink|bombe bombe puante; ⌐**en** puer, sentir mauvais; empester (*nach etw.* qch); ⌐**end** puant, fétide, empesté, infect; ⌐**faul** paresseux, cossard; ~**um** bourse *f*

Stipendi|at boursier; ~**um** bourse *f*

Stirn *a. fig* front *m* ♦ *j-m d.* ~ *bieten* faire front, tenir tête à qn, défier qn; *die* ~ *haben, etw. zu tun* avoir le front de...; ~**band** bandeau *m;* ~**höhle** sinus frontal; ~**höhlenentzündung** sinusite *f;* ~**rad** pignon *m* droit; ~**runzeln** le fait de plisser le front; *fig* désapprouver, blâmer; ~**seite** 🏛 façade *f,* frontispice *m*

stöbern fouiller, farfouiller

stochern (*Feuer*) tisonner; *in d. Zähnen* ~ se curer les dents

Stock 1. bâton *m;* (*Spazierstock*) canne *f;* (*Blumen*) pied *m;* (*Wein*) cep *m;* **2.** (*Gebäude*) étage *m;* ⌐**dunkel,** ⌐**finster** noir, ténébreux, opaque; ⌐**en** s'arrêter, s'immobiliser; hésiter; (*modern*) moisir; *chem* coaguler, se figer, se congéler; *fig* languir, stagner; ~**fisch** morue sèche; *fig* gourde *f;* ~**schnupfen** enchifrènement *m;* ⌐**steif** raide comme un piquet; ⌐**taub** sourd comme un pot; ~**ung** arrêt *m;* 🐝 embouteillage *m; fig* stagnation *f,* marasme *m;* ~**werk** étage *m*

Stoff (*Gewebe*) tissu *m,* étoffe *f;* (*Materie*) matière *f,* substance *f,* corps *m,* agent *m;* (*Thema*) sujet *m,* thème *m;* ~**breite** lé *m;* ~**el** balourd; ⌐**lich** matériel; ~**rest** coupon *m;* ~**wechsel** métabolisme *m*

stöhnen gémir, geindre

Stollen (*Bergwerk*) galerie *f;* (*Gebäck*) gâteau *m* de Noël

stolpern trébucher; broncher

stolz fier, orgueilleux (*auf* de); ⌐ *su* fierté *f,* orgueil *m;* ~**ieren** se pavaner

Stopf|arbeit reprise *f;* ⌐**en** *vt* boucher, combler; (*a. Pfeife*) bourrer; (*Geflügel*) gaver, gorger; (*Gewebe*) repriser, ravauder; *vi* 💲 constiper; ~**garn** fil *m* (*od* coton *m*) à repriser; ~**nadel** aiguille *f* à repriser

Stopp *m* arrêt *m;* suspension *f;* blocage *m;* **stopp!** *interj* stop!, arrêt; ~**signal** signal de stop, stop *m*

Stoppel éteule *f;* chaume *m;* ~**feld** chaume *m;* ⌐**n** glaner

Stopp|en stopper, arrêter; (*Preise*) bloquer; 🕐 chronométrer; ⌐**uhr** chronographe *m,* chronomètre *m* à déclic

Stöpsel bouchon *m;* ⚡ fiche *f; fig umg* courtaud

Stör esturgeon *m*

Stör|aktion action *f* de subversion; ~**angriff** intrusion *f;* ~**harcèlement** *m*

Storch cigogne *f;* ~**schnabel** *bot* géranium *m;* bec *m* de grue; ⚙ pantographe *m*

stör|en troubler, déranger, perturber; incommoder, importuner, gêner; ⚡ brouiller; ~**end** perturbateur, gênant; ⌐**enfried** trouble-fête,

perturbateur, gêneur; ⌐**geräusche** parasites *mpl;* ⌐**sender** brouilleur *m;* ⌐**ung** trouble *m,* dérangement *m,* interruption *f,* perturbation *f;* ⚡ brouillage *m;* ⌐**ungsstelle** ⚡ service *m* des dérangements

störrig, ~**isch** rétif (*a. Pferd*); récalcitrant; obstiné

Stoß coup *m,* poussée *f,* percussion *f;* heurt *m;* choc *m;* (*Fechten*) botte *f;* (*Ruck*) cahot *m,* secousse *f;* (*Stapel*) pile *f,* tas *m;* (*Papier*) liasse *f;* ⚙, 🚂 (*Schienen-*) joint *m;* ~**arbeit** pointe *f;* ~**dämpfer** amortisseur *m* (de choc); **Stößel** pilon *m,* coulisseau *m;* ⌐**en** *vt* pousser, percuter, heurter, choquer, bousculer, secouer; (*in d. Erde*) enfoncer; *vi* cogner, cahoter; *refl* se buter, se cogner, se heurter (*an etw.* contre qch); *fig* se scandaliser (*an* de); *auf etw.* ⌐**en** rencontrer (*od* tomber sur) qch; ~**fänger** pare-choc *m;* ⌐**fest** résistant aux chocs; antichocs; ~**gebet** oraison *f* jaculatoire; ~**kraft** ⚙ poussée *f,* force *f* de propulsion; *fig* impulsion *f;* ~**seufzer** profond soupir; ~**stange** 🚗 pare-chocs *m;* ~**trupp** groupe *m* de choc; ~**waffe** arme blanche; ~**welle** onde *f* de choc; ~**weise** par saccades, par à-coups; ~**wirkung** effet *m* de choc; ~**zahn** défense *f;* ~**zeit** heure *f* de pointe (*od* d'affluence)

Stotter|er bègue, bégayeur; ⌐**n** bégayer; balbutier; *auf* ~*n kaufen* acheter à crédit

Straf|anstalt maison *f* d'arrêt, centre *m* de détention; ~**anzeige** (*durch den Betroffenen*) plainte *f;* (*durch Dritte*) dénonciation *f;* ~**anzeige erstatten** porter plainte; ~**arbeit** pensum *m;* ⌐**bar** punissable, criminel; ~**e** punition *f,* correction *f,* châtiment *m;* 🚓 peine *f,* sanction *f;* (*Geld-*) amende *f,* pénalité *f; bei* ~*e* sous peine de; ⌐**en** punir, pénaliser; corriger, châtier; ~**erlaß** remise *f* de peine, amnistie *f;* ⌐**fällig** passible d'une peine, punissable; ~**fälligkeit** culpabilité *f;* ⌐**frei,** ⌐**los** exempt de peine, impuni; ⌐**los ausgehen** rester impuni; ~**freiheit** exemption *f* de peine; ~**gericht:** *ein* ~*gericht halten* faire justice de qn; ~**gerichtsbarkeit** justice pénale; ~**gesetzbuch** code pénal; ~**gewalt** pouvoir *m* de répression; ~**kammer** chambre correctionnelle; ⌐**lich** punissable, répréhensible; blâmable, inexcusable; **Sträfling** condamné, détenu, prisonnier; ~**mandat** procès-verbal *m;* ~**maß** mesure *f* de la peine; ~**mündigkeit** responsabilité pénale; ~**porto** surtaxe *f;* ~**predigt** sermon *m;* ~**prozeß** procès pénal (*od* criminel); ~**prozeßordnung** code *m* de procédure pénale; ~**punkt** 🕐 point *m* de pénalisation; ~**raum** 🕐 surface *f* de réparation; ~**recht** droit pénal (*od* criminel); ⌐**rechtlich** pénal, criminel; ~**register(auszug)** casier *m* judiciaire; ~**sache** affaire pénale; ~**stoß** pénalty *m;* ~**tat** infraction *f;* ~**verfahren** procédure pénale; ~**vollzug** exécution *f* de la peine; ~**vollzugsanstalt** maison *f* d'arrêt (*ou* centrale), centre *m* de détention

straff tendu, raide; *fig* rigoureux, sévère; ~**en** tendre, raidir, étirer; *refl* se raidir; ⌐**heit** tension *f,* raideur *f*

Strahl *a. math, phys* rayon *m; (Düse; Wasser)* jet *m;* ⸞**en** *a. fig* rayonner; *phys* émettre des rayons, irradier; *(glänzen)* briller, resplendir; *vor Freude* ⸞**en** rayonner de joie; ~**enbelastung** radioexposition *f;* ~**enbiologie** radiobiologie *f;* ~**enbrechung** réfraction *f;* ~**enbündel** faisceau lumineux; ⸞**end** rayonnant, radieux; *(glänzend)* brillant, éclatant, resplendissant; ~**endetektor** détecteur *m* de rayonnements; ⸞**enförmig** radiaire; rayonné; ~**enforschung** radiologie *f;* ~**engefahr** danger *m* d'irradiation; ~**engeschädigter** irradié *m;* ~**enkrankheit** mal *m* des rayons, radiotoxémie *f;* ~**enquelle** source *f* radioactive; ~**entierchen** *npl* radiolaires *mpl;* ~**triebwerk** réacteur *m,* propulseur *m* à réaction; ~**ung** rayonnement *m;* radiation *f;* ~**ungsmessung** radiométrie *f;* ~**ungsschaden** radiolésion *f;* ~**ungsschutz** protection *f* contre les radiations, radioprotection *f;* ~**ungswärme** chaleur rayonnante

Strähn|e mèche *f;* ⸞**ig** en mèches
stramm tendu, raide; robuste; ~**stehen** être *(bzw.* se mettre) au garde-à-vous
strampeln gigoter
Strand plage *f,* grève *f;* ⸞**en** *a. fig* échouer; ~**gut** épaves *fpl;* ~**korb** guérite *f* de plage; ~**läufer** *orn* bécasseau *m;* ~**räuber** naufrageur
Strang corde *f; (Garn)* écheveau *m;* 🐎 voie *f* ♦ *am gleichen ~ ziehen* tier à la même corde; ⸞**ulieren** étrangler
Strapaz|e corvée *f;* fatigue *f;* ⸞**ieren** harasser; *(a. Sachen)* fatiguer; ~**iös** éreintant; épuisant
Straße rue *f;* voie *f* publique; chaussée *f; (Land-)* route *f; (Meeres-)* détroit *m; a. fig* voie *f* ♦ *auf d. ~ liegen* être sur le pavé
Straßen|anzug costume *m* de ville; ~**arbeiter** cantonnier; ~**bahn** tram(way) *m;* ~**bau** construction *f* des routes; ~**decke** revêtement *m* de la route; ~**feger** balayeur de rues; ~**händler** marchand ambulant *(od* des quatre saisons); camelot; ~**höcker** dos *m* d'âne; ~**junge** gamin, polisson; ~**karte** carte routière; ~**kreuzung** carrefour *m,* croisement *m,* intersection *f* de routes; ~**lage** 🚗 tenue *f* de route; ~**laterne** réverbère *m;* ~**mädchen** fille publique, prostituée *f, pop* marcheuse, chandelle *f;* ~**meisterei** (service de) voirie *f;* ~**netz** réseau routier; ~**pflaster** pavé *m;* ~**raub** vol *m* de grand chemin; ~**räuber** bandit, brigand; ~**sperre** barrage routier; ~**transport** transport routier; ~**unterführung** passage inférieur; ~**verkehr** circulation *f* routière; ~**verkehrsordnung** code *m* de la route; ~**wacht** prévention et assistance routière; ~**walze** rouleau compresseur; ~**zoll** péage *m;* ~**zustandsbericht** bulletin *m* des routes
Strateg|e stratège *m;* ~**ie** stratégie *f,* tactique *f;* ⸞**isch** stratégique
sträuben *vt* hérisser; *refl* se dresser, se hérisser; *fig* se rebiffer, se défendre (contre); résister *(gegen etw.* à qch)
Strauch arbrisseau *m;* buisson *m;* ~**dieb** bandit, brigand; *fig* voyou; ⸞**eln** trébucher, broncher; *fig* tomber
Strauß 1. *(Blumen)* bouquet *m;* 2. *(Streit)* querelle *f;* 3. *(Vogel)* autruche *f;* ~**enfeder** plume *f* d'autruche

Strebe contre-fiche *f,* étai *m,* étançon *m;* étrésillon *m;* traverse *f;* ~**balken** chevalet *m;* ~**bogen** arc-boutant *m;* ⸞**n** aspirer, prétendre, tendre *(nach etw.* à qch); ambitionner *(nach etw* qch); ~**n** *su* tendance *f,* aspiration *f,* prétention *f;* ~**pfeiler** contrefort *m;* ~**r** arriviste; bûcheur; ~**rtum** arrivisme *m*
strebsam assidu; ⸞**keit** assiduité *f*
Streck|e distance *f;* traite *f,* parcours *m,* trajet *m;* 🐎 ligne *f; (Route)* itinéraire *m; (Bergbau)* galerie *f; math* segment *m* de droite ♦ *auf der ~e bleiben* échouer; *z. ~e bringen* abattre, faire tomber; ⸞**en** *a. fig* allonger; étirer, étendre; *chem* diluer; *refl* s'étirer; *d. Waffen* ⸞**en** rendre les armes; *j-n zu Boden* ⸞**en** terrasser qn ♦ *s. nach d. Decke* ⸞**en** s'accommoder aux circonstances; ~**enabschnitt** section *f;* ~**enwärter** 🚩 garde-voie; ⸞**enweise** par-ci, par-là; ~**muskel** muscle extenseur; ~**ung** extension *f;* allongement *m;* ~**verband** 💲 appareil *m* à extension continue
Streich coup *m;* tour *m,* niche *f,* farce *f* ♦ *j-m e-n ~ spielen* jouer un mauvais tour à qn; ⸞**eln** caresser; ⸞**en** *vt* peindre; *(Butter)* étendre; *Butter auf Brot* ⸞**en** beurrer du pain; *(z. B. Haare)* écarter *(aus de);* 🎵 jouer; *(Fahne)* baisser; *(Segel)* amener, carguer; *(Wolle)* carder; *(aus-)* rayer, biffer; supprimer, retrancher; *vi* passer la main *(über* sur); passer, rôder, vagabonder; ~**holz** allumette *f;* ~**instrument** instrument *m* à cordes; ~**käse** fromage *m* à tartiner; ~**quartett** quatuor *m* à cordes; ~**riemen** cuir *m* à repasser; ~**ung** radiation *f;* suppression *f,* annulation *f*
Streif = ~**en;** ~**band** bande *f; unter* ~**band** sous bande; ~**e** patrouille *f,* ronde *f;* ⸞**en** *vt* rayer; *(berühren)* frôler, friser, effleurer *(a. fig);* *vi* rôder, vaguer; *mil* patrouiller; ~**en** *su* raie *f,* rayure *f;* traînée *f; (Papier-)* bande *f;* ~**enwagen** voiture *f* de police; ⸞**ig** rayé; ~**jagd** battue *f;* ~**schuß** éraflure *f*
Streik grève *f; in d. ~ treten* se mettre en grève; ~**brecher** briseur de grève; jaune *(umg);* ⸞**en** faire la grève; ~**ender** gréviste; ~**posten** piquet *m* de grève; ~**recht** droit *m* de grève
Streit querelle *f,* démêlé *m;* dispute *f;* ⚖ litige *m,* différend *m;* controverse *f;* conflit *m; in ~ geraten* se prendre de querelle; ⸞**bar** belliqueux, agressif; ⸞**en** se quereller; disputer *(um etw.* qch); avoir un litige; ~**er** combattant; militant; ~**fall** litige *m,* différend *m;* ~**frage** question litigieuse; ~**hammel** querelleur, mauvais coucheur; ⸞**ig** contesté; contentieux, litigieux; *j-m etw.* ⸞**ig machen** disputer qch à qn; ~**igkeit** contestation *f;* litige *m;* ~**kräfte** forces armées; ~**objekt** objet *m* en litige; ~**punkt** point litigieux; ~**sache** ⚖ procès *m,* cause, contentieux *m;* ~**schrift** pamphlet *m;* ~**sucht** quérulence *f;* ⸞**süchtig** querelleur; batailleur; ~**wert** somme *f* litigieuse; ⚖ montant *m* du litige
streng strict, rigoureux, sévère; *(hart)* rude, dur;

(Sitten) austère; *(Kälte)* vif; ⌐e rigueur *f*, sévérité *f*; rudesse *f*, dureté *f*; *(Sitten)* austérité *f*
Streß stress *m*; fatigue *f* nerveuse; ⌐ssen stresser; ~ssor facteur *m* stressant
Streu litière *f*; ~dose saupoudroir *m*; ⌐en répandre, éparpiller, disperser; *Blumen auf etw.* ⌐en joncher qch de fleurs; ~licht lumière *f* diffuse; ~ung dispersion *f*; répartition *f*; *(Werbung)* diffusion
streunen rôder, divaguer
Strich trait *m*; ligne *f*; barre *f*; raie *f*; *(Kompaß)* rhumb *m*; *(Land-)* région *f*, contrée *f*; *(Vögel)* passage *m*; *(Stoff)* poil *m* du drap; *gegen d.* ~ à contre-poil, à rebrousse-poil; *Artikel unter d.* ~ *(journ)* article dans la partie récréative ♦ *nach* ~ *u.* Faden dans toutes les règles de l'art; *auf den* ~ *gehen* faire le tapin; *j-n auf d.* ~ *haben* avoir une dent contre qn; *e-n* ~ *machen unter etw.* faire une croix sur qch; *j-m e-n* ~ *durch d. Rechnung machen* déranger *(od contrarier)* les projets de qn; *d. geht mir gegen d.* ~ cela me chiffonne; *unter dem* ~ *sein* être très mauvais; ~einteilung graduation *f*; ⌐eln *(Fläche)* hachurer; ~elung hachures *fpl*; ~linie trait *m* interrompu; ~marke repère *m*; ~punkt point-virgule *m*; ~regen pluie locale; ⌐weise par endroits; ~zeichnung dessin *m* au trait
Strick corde *f*; *fig* garnement ♦ *an e-m* ~ *ziehen* défendre des intérêts communs; *wenn alle* ⌐e *reißen* au pis-aller; ~arbeit tricotage *m*; ⌐en tricoter; ⌐erin tricoteuse; ~jacke cardigan *m*; ~leiter échelle *f* de corde; ~maschine tricoteuse *f*; ~nadel aiguille *f* à tricoter; ~waren tricotages *mpl*
Striegel étrille *f*; ⌐n étriller, panser
Striemen strie *f*, meurtrissure *f*
Strippe corde *f*, ficelle *f*; fil *m* téléphonique ♦ *an der* ~ *hängen* téléphoner longtemps et souvent
strip|pen faire du strip-tease; ⌐perin strip-teaseuse, effeuilleuse
strittig contentieux, litigieux
Stroh paille *f*; *(Dach-)* chaume *f* ♦ *leeres* ~ *dreschen* ressasser toujours les mêmes histoires ~ *im Kopf haben umg* être bête comme un pied; ~blume immortelle *f*; ~dach toit *m* de chaume; ~feuer *a. fig* feu *m* de paille; ~halm brin *m* de paille, fétu *m*; ~hut chapeau *m* de paille; ~hütte chaumière *f*; ~mann homme de paille, prête-nom; ~matte paillasson *m*; ~pappe carton-paille *m*; ~sack paillasse *f*
Strolch *(Kind)* galopin, polisson; *(Ganove)* truand, voyou
Strom fleuve *m*; *(Strömung,* ⌐) courant *m*; *phys, com* flux *m*; *a. fig* flot *m*, torrent *m*; ⌐ab en aval; ~abnehmer ⌐ frotteur *m*, archet *m*; ~abschaltung coupure *f* de courant; ⌐auf en amont; ~ausfall panne *f* de courant; ~bett lit *m* de fleuve; ~erzeuger génératrice *f*; ~erzeugung production *f* de courant; ~führend parcouru par le courant; ~gebiet bassin *m* d'un fleuve; ~kreis ⌐ circuit *m*; ~linienform forme *f* aérodynamique; ~linienförmig caréné; ~messer ampèremètre *m*; ~richter ⌐ convertisseur *m*; ~schiene rail *m* de contact, barrette *f* de

connexion; ~schnelle rapide *m*; ~stärke intensité *f* du courant; ~stoß ⌐ impulsion *f*; ~verbrauch consommation *f* d'électricité; ~versorgung alimentation *f* en électricité
ström|en couler; s'épancher; *(Regen)* tomber à flots; *(Menschen)* affluer *(nach* à); ⌐ung *a. fig* courant *m*; écoulement *m*; *fig* tendance *f*; ~ungsabriß décrochage *m*; ⌐ngsgetriebe transmission *f* hydraulique
Stromer vagabond, rôdeur
Strophe strophe *f*; couplet *m*
strotzen abonder, foisonner *(vor* en); regorger *(vor* de); *(Gesundheit)* éclater, resplendir; ~d débordant, exubérant *(vor* de)
Strudel *a. fig* tourbillon *m*, remous *m*
Struktur structure *f*; constitution *f*; ⌐bedingt structural; ⌐ell structurel; ~krise crise *f* structurelle; ~politik politique *f* d'aménagement régional
Strumpf bas *m*; ~band jarretière *f*; ~halter jarretelle *f*; ~hose collant *m*; ~waren tricotages *mpl*
Strunk trognon *m*
struppig ébouriffé, hirsute, embroussaillé
Stube chambre *f*, pièce *f*; *gute* ~ salon *m*; *d.* ~ *hüten* garder la chambre; ~nältester *mil* chef de chambrée; ~narrest consigne *f*; ~nfliege mouche *f* domestique; ~ngelehrter homme de cabinet, esprit livresque; ~ngenosse camarade de chambre; ~nhocker pantouflard *m*; ~nmädchen femme de chambre; ⌐nrein propre
Stück morceau *m*, bout *m*; *a.* 🎭 pièce *f*; unité *f*; partie *f*; *(Bruch-)* fragment *m*; *(Seife)* pain *m* (de savon); *(Text)* extrait *m*, passage *m*; ~ Land lopin de terre; ~ *Vieh* pièce *f* de bétail; ~ *für* ~ pièce par pièce; *aus e-m* ~ tout d'une pièce; *aus freien* ~en de son plein gré; *in allen* ~en en tous points; ~ *schönes* ~ Geld une forte somme; *in* ⌐e *fliegen* voler en éclats; *große* ⌐e *halten auf j-n* faire grand cas de qn; ~arbeit travail *m* aux pièces; ~chen bout *m*, brin *m*; ⌐eln morceler, partager, démembrer; ~elung morcellement *m*; coupure *f*; ~gut marchandise *f* en ballots; colis détachés; ~liste 🔧 liste détaillée; ~lohn salaire *m* à la pièce; ~preis prix *m* unitaire; ~werk ouvrage imparfait
Stud|ent étudiant; ~entenausweis carte *f* d'étudiant; ~entenheim foyer *m* d'étudiants; ~entenjahre années *fpl (od* temps *m)* des études; ~entenschaft (collectif *m* des) étudiants *mpl*; ~entensprache argot *m* estudiantin; ~entenverbindung association *f (od* corporation *f)* d'étudiants; ~entin étudiante; ⌐entisch estudiantin; ~ie étude *f*, analyse *f*, examen *m*; essai *m*; ~ienabbrecher étudiant *m* ayant abandonné ses études; ~ienabschluß certificat *(ou* diplôme *m)* de fin d'études; ~ienbewerber postulant *m* (à une place à l'université); ~ienbuch carnet *m* universitaire; ~iendirektor *(etwa:)* directeur d'école supérieure *(od* secondaire); ~ienfach discipline *f*; ~ienfahrt voyage *m* d'études; ~iengang (cours *m* des) études *fpl*; ⌐ienhalber pour cause d'études; ~ienplan programme *m* d'études; ~ienplatz place *f* à l'université;

~ienrat professeur de lycée; **~ienreferendar** professeur stagiaire; ⌁**ieren** étudier, faire ses études; **~io** studio *m;* **~ium** études *fpl*
Stufe marche *f,* gradin *m;* échelon *m;* degré *m,* grade *m;* niveau *m; auf gleicher ~* au même niveau, sur un pied d'égalité; ⌁**nförmig** gradué, échelonné; **~nleiter** marche-pied *m; fig* échelle (sociale); ⌁**nlos** continu; ⌁**nweise** par étapes (*ou* degrés); *fig* progressivement
Stuhl chaise *f,* siège *m;* ℥ selles *fpl; heißer ~ umg* moto *f; d. Heilige ~* le Saint Siège ♦ *j-m d. ~ vor d. Tür setzen* mettre qn à la porte; *s. zwischen zwei Stühle setzen* se mettre tout le monde à dos; *fast vom ~ fallen* être très surpris, être indigné; **~bein** pied *m* de chaise; **~gang** selles *fpl;* défécation *f*
Stulpe revers *m,* retroussis *m,* manchette *f;* **stülpen** retrousser; retourner; planter
stumm muet; **~er Diener** servante *f;* ⌁**er** muet; ⌁**film** film muet
Stummel moignon *m;* tronçon *m; (Kerze)* lumignon *m; (Zigarette)* bout *m;* mégot *m (umg);* **~pfeife** brûle-gueule *m*
Stumpen tronçon *m; (Hut)* cloche *f; (Zigarre)* bout *m*
Stümper bousilleur; ⌁**n** bousiller
stumpf épointé, émoussé; *math* obtus; *(Glanz)* mat, terni; *fig* morne, indifférent, apathique; ⌁*su* tronçon *m,* souche *f,* chicot *m;* bout *m; (Glied)* moignon *m; (Kegel)* tronc *m* ♦ *mit ⌁u. Stiel ausrotten* extirper radicalement; ⌁**sinn** stupidité *f,* hébétude *f,* abrutissement *m*
Stund|e heure *f; (Unterricht)* classe *f,* leçon *f; fig* moment *m; in 12. ~e* à la onzième heure ♦ *wissen was die ~e geschlagen hat* savoir à quoi s'en tenir; *s-e letzte ~e hat geschlagen* sa dernière heure a sonné (*od* est venue); ⌁**en** reporter, ajourner; accorder un délai pour; proroger; **~enbuch** livre *m* d'heures; **~engeschwindigkeit** vitesse *f* horaire; **~englas** sablier *m;* **~enhilfe** femme de journée; **~enkilometer** kilomètre-heure *m;* ⌁**enlang** pendant des heures, des heures durant; **~enlohn** salaire *m* horaire; **~enplan** horaire *m;* **~enzeiger** petite aiguille; **stündlich** (de) chaque heure; toutes les heures; par heure; **~ung** prorogation *f* (de délai); atermoiement *m*
stur têtu, entêté
Sturm *a. fig* tempête *f;* tourmente *f;* bourrasque *f; fig* orage *m,* ouragan *m; mil* assaut *m* ♦ *~ im Wasserglas* tempête dans un verre d'eau; *~ laufen gegen etw.* combattre qch; *~ läuten* sonner le tocsin; **~angriff** charge *f,* assaut *m;* **stürmen** *vt* assaillir, enlever (*od* prendre) d'assaut; *vi* fondre, se précipiter (sur qch); *es stürmt* il fait une tempête; **Stürmer** 🏈 avant; **~flut** raz *m* de marée; **~gepäck** paquetage *m* de combat (*od* de campagne); **~glocke** tocsin *m;* **stürmisch** *a. fig* tempétueux, orageux; *fig* impétueux, turbulent, tumultueux; **~laterne** falot-tempête *m;* **~leiter** échelle *f* d'escalade; **~schritt** pas *m* de charge; **~segel** tourmentin *m;* **~trupp** détachement *m* d'assaut; **~warnung** avertissement *m* aux navigateurs

Sturz chute *f;* culbute *f;* 🏛 linteau *m; pol* renversement *m; (Preise)* effondrement *m;* **~acker** champ labouré; **~bach** torrent *m;* **~flug** ✈ (descente *f* en) piqué *m;* **~gut** marchandises *fpl* en vrac; **~helm** casque *m* de protection; **~karren** tombereau *m;* **~see** lame *f* déferlante
stürzen *vt* précipiter, culbuter; faire tomber, renverser; *vi* tomber, faire une chute; culbuter; *refl* se précipiter, se jeter, s'élancer (*auf* sur); fondre, foncer (*auf* sur); se ruer (*in* à); *s. ins Verderben ~* courir à sa perte
Stute jument *f;* **~nfüllen** pouliche *f*
Stütz|balken étai *m,* étançon *m;* poutre *f* de support; **~e** appui *m,* soutien *m,* support *m;* ⚙ montant *m;* aide *f;* ⌁**en** *a. fig* appuyer; soutenir; étayer, étançonner, buter; accoter; *(j-n)* épauler; *fig* fonder, asseoir (*auf* sur); **~mauer** mur *m* de soutènement; **~pfeiler** contrefort *m;* **~punkt** point *m* d'appui; *mil* base *f;* **~ung** soutien *m;* consolidation *f;* **~ungskauf** achat *m* de soutien
stutz|en *vt* rogner, écourter; *(Bart)* rafraîchir; *(Hund)* courtauder; 🐾 étêter; *vi* être surpris, reculer, hésiter; ⌁**en** *m* carabine *f;* ⚙ tubulure *f,* douille *f;* embout *m;* ⌁**er** dandy, gandin, gommeux; ⌁**ig** étonné, interdit; *~ig machen* étonner, déconcerter
Subjekt *(ling u. fig)* sujet *m;* ⌁**iv** subjectif; **~ivität** subjectivité *f*
Subskri|bent souscripteur; ⌁**bieren** souscrire (pour); **~ption** souscription *f*
Substantiv nom *m*
Substanz substance *f,* matière *f*
subtra|hieren soustraire; **~ktion** soustraction *f*
Subunternehmer sous-traitant *m*
Subvention subvention *f;* ⌁**ieren** subventionner
subversiv subversif, destructeur
Such|dienst service *m* de recherches; **~e** recherche *f; auf d. ~e nach* en quête de, à la recherche de; *auf d. ~e gehen* se mettre à la recherche (de); ⌁**en** chercher, rechercher; demander; essayer (de faire qch); *das Weite* ⌁**en** gagner le large; **~er** chercheur *m;* 📷 viseur *m;* **~kopf** tête *f* chercheuse; **~strahl** faisceau *m* de recherche
Sucht manie *f;* passion *f*
süchtig, ⌁**er** toxicomane; ⌁**keit** toxicomanie *f*
Sud|elei gâchis *m,* ouvrage gâché; gribouillage *m;* ⌁**eln** gâcher, bousiller; barbouiller; griffonner
Süd|en sud *m,* midi *m;* **~früchte** fruits *mpl* exotiques ⌁**lich** du sud, du midi; méridional; austral; *adv* au sud (de); **~osten** sud-est *m;* **~pol** *m* Sud; **~see** mers *pfl* du Sud; **~westen** sud-ouest *m;* **~wester** vareuse *f*
Suff beuverie *f;* ivrognerie *f*
sühn|bar expiable; ⌁**e** expiation *f;* **~en** expier; racheter; ⌁**eversuch** tentative *f* de conciliation
Sultan sultan *m;* **~ine** raisin sec
Sülze gelée *f;* fromage *m* de tête
summ|arisch sommaire, succinct; ⌁**e** somme *f,* montant *m,* total *m;* ⌁**ieren** faire l'addition (*od* le total), totaliser; *refl* s'accumuler
summ|en bourdonner; *(Ohren)* tinter; ⌁**er** ⚡ vibreur *m*

Sumpf marais *m;* marécage *m; fig* bas-fonds *mpl;* ~**dotterblume** souci *m* d'eau; ~**fieber** paludisme *m;* ~**gas** gaz *m* des marais; ~**huhn** poule *f* d'eau; ⌐**ig** marécageux; bourbeux, vaseux

Sünd|e péché *m; e-e* ~*e u. Schande* une véritable <u>h</u>onte; ~**enbock** bouc *m* émissaire; ~**enfall** chute *f;* ~**er** pécheur; ~**erin** pécheresse; ⌐**haft**, ⌐**ig** pécheur; coupable; ⌐**igen** pécher; ⌐**los** impeccable

Super *(Kraftstoff)* super(carburant) *m;* ~**intendent** doyen; ~**kargo** subrécargue *m;* ~**lativ** superlatif *m;* ~**macht** super-grand, super-puissance; ~**markt** supermarché *m;* ~**oxyd** peroxyde *m;* ~**tanker** pétrolier-géant *m*

Suppe soupe *f,* potage *m* ♦ *d.* ~ *auslöffeln* payer les pots cassés; *j-m d.* ~ *versalzen* gâter le plaisir à qn; *ein Haar in d.* ~ *finden* trouver qch à redire; ~**nfleisch** bouilli *m;* ~**ngrün** herbes potagères; ~**nhuhn** poule *f* à bouillon; ~**nkelle** louche *f;* ~**nlöffel** cuiller *f* à soupe; ~**nschüssel** soupière *f;* ~**nteller** assiette creuse

surren bourdonner; vrombir

suspendier|en suspendre; ⌐**ung** suspension *f;* relèvement *m* (de fonction)

süß doux; sucré; *fig* mignon, charmant; *lit* suave; ⌐**e** douceur *f;* ⌐**holz** réglisse *f;* ⌐**holz raspeln** conter fleurette; ⌐**igkeit** douceur *f; pl* friandises *fpl,* sucreries *fpl;* ~**lich** douceâtre; *fig* doucereux, mielleux, melliflue; ~**sauer** aigre-doux; ⌐**speise** entremets *m;* ⌐**stoff** saccharine *f;* ⌐**wasser** eau douce; ⌐**wein** vin *m* de liqueur

Symbol symbole *m;* signe *m,* image *f;* ~**ik** caractère *m* symbolique

Symmetr|ie symétrie *f;* ⌐**isch** symétrique

Sympath|ie sympathie *f;* ~**iestreik** grève *f* de solidarité; ⌐**isch** sympathique; aimable, engageant; ⌐**isieren** sympathiser

Symphonie symphonie *f;* ~**orchester** orchestre *m* symphonique

Symptom symptôme *m;* signe *m,* indice *m*

Synagoge synagogue *f*

synchron synchrone, synchronique; ~**isieren** synchroniser; *(Film)* doubler; ⌐**isierung** synchronisation *f; (Film)* doublage *m*

Syndik|at *com* cartel *m,* entente *f,* organisme *m* de vente; ~**us** conseiller juridique

Syn|kope syncope *f;* ~**ode** synode *m;* ~**onym** synonyme *m;* ⌐**taktisch** syntactique; syntaxique; ~**tax** syntaxe *f*

Synthese synthèse *f*

Syphilis syphilis *f;* vérole *f (pop)*

System système *m;* régime *m; periodisches* ~ *(phys)* classification *f* périodique; ~**atik** ordre *m* systématique, système *m;* ⌐**atisch** systématique

Szene scène *f; (Film)* séquence *f; in* ~ *setzen* mettre en scène; *fig* mettre en relief; ~**rie** décorations *fpl*

T

Tabak tabac *m;* ~**bau** culture *f* du tabac; ~**dunst** fumée *f* de tabac; ~**geschäft** débit *m (od* bureau *m)* de tabac; ~**händler** marchand de tabac, buraliste; ~**sbeutel** blague *f;* ~**sdose** tabatière *f;* ~**spfeife** pipe *f*

tabell|arisch en forme de tableau; *math* tabulaire; ⌐**e** tableau *m,* table *f;* barème *m;* classement *m;* ⌐**iermaschine** tabulatrice *f*

Tablett plateau *m;* ~**e** comprimé *m,* cachet *m*

Tachometer indicateur de vitesse, tachymètre

Tadel blâme *m,* réprobation *f,* réprimande *f,* censure *f; ohne* ~ sans défaut; ⌐**los** impeccable, irréprochable; intact; ⌐**n** blâmer *(wegen* de); réprimander, reprendre

Tafel *(Wand-)* tableau *m* (mural); *(Gedenk-)* plaque *f; (Schiefer-)* ardoise *f; (Schul-)* tableau noir; *(Schokolade)* tablette *f;* ▯ planche *f; (Bild-)* hors-texte *m; (Tisch)* table *f; d.* ~ *aufheben* se lever de table; ~**aufsatz** surtout *m;* ~**obst** fruits *mpl* de table; ~**öl** huile *f* de table; ~**runde** tablée *f*

täfel|n boiser; ⌐**ung** boiserie *f,* lambris *m*

Taft taffetas *m*

Tag jour *m; (Tageslauf)* journée *f; alle* ~*e* tous les jours; *d. ganzen* ~ toute la journée; ~ *für* ~ jour après jour; *dieser* ~*e* un de ces jours, ces jours-ci; *bei* ~*e* de jour; *am hellichten* ~*e* en plein jour; *d.* ~ *X* le jour J; ⌐**aus**, ⌐**ein** jour par jour; *heute in 14* ~*en* aujourd'hui en quinze, dans quinze jours; *e-s (schönen)* ~*es* un (beau) jour; ⌐**s darauf** le lendemain; ⌐**s zuvor** la veille; *von e-m* ~ *auf d. anderen* du jour au lendemain; *(verschieden) wie* ~ *u. Nacht* (différent) comme le jour et la nuit; *auf s-e alten* ~*e* sur ses vieux jours; *unter* ~*e arbeiten* travailler au fond; *an d.* ~ *bringen* révéler, démasquer, mettre en lumière; *an d.* ~ *kommen* se faire jour; *an d.* ~ *legen* témoigner, manifester; *es ist* ~ il fait jour; *es wird* ~ le jour se lève; ~**arbeit** travail *m* de jour *(od* diurne); ~**ebau** extraction *f* à ciel ouvert; ~**eblatt** quotidien *m;* ~**ebuch** journal *m; com* livre-journal *m;* 👁 main-courante *f;* ~**edieb** fainéant; ~**egeld** indemnité journalière; frais *mpl* de déplacement; ~**elang** des jours entiers, des journées entières; ~**elohn** journée *f;* ~**elöhner** journalier; ~**en** *(zus.kommen)* siéger; *es* ⌐**t** il va faire jour

Tages|anbruch aube *f,* pointe *f* du jour; *bei* ⌐**anbruch** à l'aube, à la pointe du jour, au petit jour; ~**befehl** ordre *m* du jour; ~**bericht** rapport *m* quotidien; ~**gespräch** sujet *m* du jour; ~**kurs** cours *m* du jour; ~**lauf** journée *f;* ~**licht** (clarté *f* du) jour *m; bei* ~*licht* au jour, en plein jour; ~**ordnung** ordre *m* du jour; ~**presse** presse quotidienne; ~**schau** journal *m* télévisé; ~**zeit** heure *f* du jour; *zu j-r* ~*zeit* à toute heure du jour; ~**zeitung** quotidien *m*

tag|eweise à la journée, par jour; ⌐**falter** papillon *m* diurne; ~**hell** clair comme le jour; ~**süber** pendant la journée; ~**täglich** journellement, tous les jours; ⌐**ung** congrès *m;* session *f;* réunion *f;* ⌐**ungsteilnehmer** congressiste *m*

täglich quotidien, journalier; *adv* journellement, tous les jours

Taifun typhon *m*

Taille taille *f,* ceinture *f;* ~**nweite** (tour *m* de) taille *f*

Takel ⚓ treuil *m;* ~**age,** ~**ung,** ~**werk** ⚓ gréement *m,* agrès *mpl;* ⚓**n** gréer

Takt ♪ mesure *f;* 🔔 temps *m; fig* tact *m;* cadence *f;* rythme *m;* ³/₄- ~ trois-quatre *m;* ⁴/₈- ~ quatre-huit *m; im* ~ en mesure; *d.* ~ *halten* observer la mesure; *aus dem* ~ *kommen* perdre la mesure; *fig* perdre le fil de ses idées; *d.* ~ *schlagen* battre la mesure; ~**gefühl** tact *m,* délicatesse *f;* ⚓**ieren** donner la mesure; ⚓**los** indiscret; ⚓**los sein** manquer de tact; ~**losigkeit** manque *m* de tact, indiscrétion *f;* ~**stock** baquette *f;* ~**strich** barre *f* de mesure; ~**straße** chaîne *f* de fabrication; ⚓**voll** discret, plein de tact

Taktik tactique *f;* ~**er** tacticien

Tal vallée *f; (kleines)* vallon *m; zu* ~ en aval; ~**boden** fond *m* de vallée; ~**fahrt** descente *f; com* période *f* de récession, détérioration *f* économique; ~**kessel** cirque *m;* ~**sohle** *geol* fond *m* de vallée; *com* creux *m* de la vague, marasme *m;* ~**sperre** barrage *m*

Talar robe *f*

Talent talent *m;* disposition *f* (pour), aptitude *f;* ⚓**iert** de talent, doué

Talg suif *m;* ~**drüse** glande sébacée; ~**licht** chandelle *f*

Talisman talisman *m,* porte-bonheur *m*

Talk talc *m;* ~**um** poudre *f* de talc

Tang varech *m,* goémon *m*

Tank réservoir *m;* citerne *f; mil* tank *m,* char *m* d'assaut; ⚓**en** faire le plein (d'essence); ~**er** ⚓ pétrolier *m,* bateau-citerne *m,* tanker *m;* ~**stelle** station-service *f;* ~**stellenpächter** gérant *m* de station-service; ~**wagen** camion-citerne *m;* ~**wart** pompiste

Tann forêt *f* (de sapins); ~**e,** ~**enbaum** sapin *m;* ~**enholz** (bois de) sapin *m;* ~**ennadel** aiguille *f* de sapin; ~**enwald** forêt *f* de sapins, sapinière *f;* ~**enzapfen** pomme *f* de pin

Tante tante; ~-**Emma-Laden** épicerie *f* du coin; petit détaillant

Tantieme tantième *m;* pourcentage *m;* redevance *f*

Tanz danse *f;* bal *m;* ~**abend** soirée dansante; ~**boden** salle *f* de danse; ⚓**en** danser; **Tänzchen** *umg* sauterie *f;* ~**lokal** bal *m,* dancing *m;* ~**schritt** pas *m* de danse; ~**stunde** cours *mpl* de danse; ~**tee** thé dansant

tänz|eln sautiller; *(Pferd)* caracoler; ⚓**er** danseur; ⚓**erin** danseuse

Tapet: *etw. aufs* ~ *bringen* mettre qch sur le tapis; ~**e** papier peint, tenture *f,* tapisserie *f;* ~**entür** porte dérobée

tapezier|en tapisser; ⚓**er** tapissier

tapfer brave, vaillant, valeureux; ⚓**keit** bravoure *f,* vaillance *f*

tappen tâtonner; *im Dunkeln* ~ aller à tâtons

Tarantel tarentule *f; wie von d.* ~ *gestochen* comme piqué de la tarentule

Tarif tarif *m,* barème *m;* ~**abkommen** accord *m* douanier; ~**abschluß** conclusion *f* d'une convention collective de travail; ~**autonomie** autonomie *f* des partenaires sociaux; ~**kommission** commission *f* paritaire; ~**gruppe** échelon *m*

(od catégorie *f)* conventionnel; ~**ieren** tarifer; ⚓**lich** tarifaire; ~**lohn** salaire *m* conventionnel; ~**partner** partenaire d'une convention collective; ~**verhandlungen** négociations collectives; ~**vertrag** convention collective de travail

tarn|en masquer, camoufler; ⚓**ung** camouflage *m*

Tasche poche *f; (Akten-)* serviette *f; (Hand-)* sac *m* à main ♦ *s. in die eigene* ~ *lügen* se faire des illusions (sur soi-même), s'abuser; *s. die eigenen* ~*n füllen* se remplir les poches, s'enrichir aux dépens d'autrui; *j-n in der* ~ *haben (umg)* avoir mis qn dans sa poche; *etw. in der* ~ *haben (umg)* c'est dans la poche, c'est une affaire faite; *tief in d.* ~ *greifen* ouvrir bien grand son portefeuille; *j-m auf d.* ~ *liegen* vivre aux crochets de qn; ~**nausgabe** édition *f* de poche; ~**nbuch** livre *m* de poche; ~**ndieb** pickpocket; ~**ndiebstahl** vol *m* à la tire; ~**ngeld** argent *m* de poche; ~**nkalender** agenda *m* de poche; ~**nkrebs** (crabe-) tourteau *m;* ~**nlampe** lampe *f* de poche; ~**nmesser** couteau *m* de poche, canif *m;* ~**nspieler** escamoteur, prestidigitateur; ~**ntuch** mouchoir *m;* ~**nuhr** montre *f;* ~**nwörterbuch** dictionnaire *m* de poche

Tasse tasse *f; (Unter-)* soucoupe *f* ♦ *nicht alle* ~*n im Schrank haben umg* être un peu timbré *(ou* cinglé); *trübe* ~ *pej umg* (un type) raseur, rasant, barbant, emmerdant; ⚓**nfertig** instantané

Tast|atur clavier *m;* ~**e** touche *f;* ⚓**en** tâter, tâtonner; ~**enfeld** jeu *m* de touches, clavier; ~**er** ⚙ manipulateur *m;* ~**sinn** toucher *m*

Tat acte *m,* action *f,* fait *m; (Leistung)* exploit *m; e. Mann d.* ~ un homme d'action; *in d.* ~ en fait; *auf frischer* ~ *ertappen* prendre sur le fait *(od* en flagrant délit); *in d.* ~ *umsetzen* mettre en pratique; ~**bestand** faits *mpl;* état *m* de cause, circonstances *fpl;* ⚖️ éléments *mpl* constitutifs d'une infraction; ~**bestandsaufnahme** (procès-verbal de) constat *m;* constatations *fpl;* ~**enlos** inactif; ~**kraft** énergie *f;* ⚓**kräftig** énergique, efficace; ~**ort** lieux *mpl* (de l'infraction); ~**sache** fait *m; pl* données *fpl; vollendete* ~*sache* fait accompli; ~**sachenbericht** récit *m* historique; reportage *m* vécu; ~**sachenmaterial** information *f* sur des faits établis; ⚓**sächlich** effectif; réel, concret; *adv* en réalité, effectivement

Tät|er auteur *m; (Straf-)* délinquant *m,* criminel *m;* responsable *m,* coupable; ⚓**ig** actif; *(beschäftigt)* occupé, employé; ⚓**igen** *(Geschäft)* conclure; effectuer; ~**igkeit** activité(s) *f(pl); (Beruf)* profession *f;* métier *m;* emploi *m;* travail *m;* occupation *f;* ~**igkeitsbereich** champ *m* d'action, domaine *m* d'activité; ~**igkeitsbericht** rapport *m* d'activité *(ou* de gestion); ~**igkeitswort** verbe *m;* ⚓**lich** ⚓**lich werden** en venir aux mains; ~**lichkeit** (acte *m* de) violence *f,* voie *f* de fait

tät|owieren tatouer; ~**scheln** tapoter

Tatze patte *f*

Tau[1] rosée *f;* ⚓**en** dégeler; ⚓**frisch** frais comme la rosée; ~**wetter** dégel *m*

Tau² *n* câble *m*; ⚓ amarre *f*; ~**werk** cordage *m*; ~**ziehen** 🎣 lutte *f* à la corde; *pol* surenchère *f*
taub sourd; *(Glied)* engourdi; *(Nuß)* creux; *(Ähre)* vide; *s.* ~ *stellen* faire la sourde oreille; ⌂**heit** surdité *f*; ⌂**nessel** lamier *m*; ~**stumm,** ⌂**stummer** sourd-muet; ⌂**stummenanstalt** asile *m* de sourds-muets
Täub|chen pigeonneau *m*; ~**erich** pigeon mâle
Taube pigeon *m*; *lit, pol fig* colombe *f*; ~**nschlag** pigeonnier *m*, colombier *m*
Tauch|boot submersible *m*; ⌂**en** *vt/i* plonger; ~**er** scaphandrier, plongeur; *orn* plongeon *m*; ~**eranzug** ~**gerät** scaphandre *m*; ~**erglocke** cloche *f* à plongeur, caisson plongeur; ⌂**fähig** submersible; ~**pumpe** pompe *f* immergée; ~**sieder** thermo-plongeur *m*
Tauf|akt (cérémonie *f* du) baptême *m*; ~**becken** fonts baptismaux; ⌂**buch** registre *m* des baptêmes; ~**e** baptême *m*; *aus d.* ~*e heben* tenir sur les fonts baptismaux; *bes fig* parrainer; ⌂**en** baptiser; ~**kapelle** baptistère *m*; ~**name** nom *m* de baptême; ~**pate** parrain; ~**patin** marraine; ~**schein** extrait *m* de baptême
Täuf|er baptiste; ~**ling** enfant qui reçoit le baptême
taug|en valoir; être bon (*od* apte); être utile, pouvoir servir *(zu etw.* à qch); ⌂**enichts** vaurien, propre à rien; ~**lich** propre, apte *(zu etw.* à qch); ⌂**lichkeit** aptitude *f*, capacité *f*
Taumel vertige *m*; étourdissement *m*, tournis *m*; ⌂**n** tituber, chanceler
Tausch échange *m*, troc *m*; *e-n guten* ~ *machen* faire un échange avantageux; ⌂**en** échanger, troquer *(gegen* contre); *ich möchte nicht mit ihm* ⌂**en** je ne voudrais pas être à sa place; ~**geschäft** opération *f* d'échange; ~**handel** troc *m*; ~**objekt** objet *m* d'échange; ~**wert** valeur *f* d'échange
täusch|en tromper, duper, abuser, jouer; *refl* se tromper, se méprendre, avoir tort; ~**end** trompeur; *s.* ~*end ähnlich sehen* se ressembler à s'y méprendre; ⌂**ung** illusion *f*, mirage *m*; *(Betrug)* fraude *f*, tromperie *f*; *(Irrtum)* méprise *f*, erreur *f*; ⌂**ungsmanöver** manœuvre *f* de diversion
tausend mille; ⌂ *su* mille *m*, millier *m*; *einige* ~ quelques milliers de; *zu* ⌂*en* par milliers; ⌂**er** billet *m* de mille marks; ~**fach** mille fois autant; ⌂**füßler** mille-pattes *m*, scolopendre *m*; *m; pl* myriapodes *mpl*; ~**jährig** millénaire; ~**mal** mille fois; ⌂**sasa** diable d'homme, risque-tout; ⌂**ste,** ⌂**stel** millième *m*
Tax|ameter taximètre *m*; ~**ation** taxation *f*, évaluation *f*; ⌂**ator** taxateur, commissaire-priseur; ~**e** taxe *f*; tarif *m*; évaluation, estimation *f*; ~**i** taxi *m*; ⌂**ieren** taxer, fixer le prix; *(veranschlagen)* estimer, évaluer; ~**wert** valeur *f* d'estimation
Teakholz (bois de) te(c)k *m*
Team *n* équipe *f*; ~**arbeit** travail *m* d'équipe; ~**geist** esprit *m* de corps
Techn|ik technique *f*, technologie *f*; pratique *f*; *(Verfahren)* méthode *f*, procédé *m*; ~**iker** technicien; ~**ikum** école *f* technique; ⌂**isch**

technique, méchanique; *(beruflich)* professionnel; *(Anlagen, Zwecke)* industriel; *(in Zssg;* d'ordre…; *z. B. finanzl.:* d'ordre financier); ⌂**ische Hochschule** école technique supérieure; ⌂**isieren** techniciser, techniser; ~**isierung** mécanisation *f*, automatisation *f*; technicité *f*; ~**okrat** technocrate *m*; ~**okratie** technocratie *f*, technocratisme *m*; ~**ologie** technologie *f*
Tee thé *m*; *(Kräuter-)* infusion *f*, tisane *f*; ~**beutel** sachet *m* de thé; ~**büsche,** ~**dose** boîte *f* à thé; ~**-Ei** œuf *m* à thé; ~**gebäck** gâteaux secs, petits fours; ~**geschirr** service *m* à thé; ~**kanne** théière *f*; ~**kessel** bouilloire *f*; ~**löffel** petite cuiller, cuiller à café; ~**sieb** passe-thé *m*; ~**tasse** tasse *f* à thé; ~**wagen** table roulante
Teer goudron *m*; ⌂**ig** goudronneux; ~**jacke** marsouin *m*, loup *m* de mer; ~**öl** créosote *f*; ~**pappe** carton *m* goudronné; ~**pech** bitume *m*
Teich étang *m*, mare *f*
Teig pâte *f*; ⌂**ig** pâteux; *(Obst)* blet; ~**waren** pâtes *fpl* (alimentaires)
Teil 1. *m* partie *f* (*a.* 🔩), part *f*; portion *f*, section *f*; lot *m*; *(Bruch-)* fraction *f*, tronçon *m*; **2.** *n* *(Bau-)* élément *m*, pièce *f*, organe *m*, composant *m* ♦ *das bessere* ~ *gewählt haben* avoir fait le bon choix; *e. gut* ~ une bonne part *(von* de); *e. gut* ~ *mehr* beaucoup plus; *z.* ~ partiellement, en partie; *z. größten* ~ pour la plupart; *zu gleichen* ~*en* en parties égales; *ich für mein* ~ quant à moi; *s. s-n* ~ *denken* faire ses petites réflexions (au sujet de qch); ⌂**bar** divisible; ~**barkeit** divisibilité *f*; ~**betrag** part *f*; montant partiel; acompte *m*; ~**chen** particule *f*; ~**chenbeschleuniger** accélérateur *m* de porteurs électrisés; ⌂**en** partager, diviser, fractionner; *(auf-)* fragmenter, morceler, démembrer; *refl* se partager (qch); se diviser; bifurquer; ~**er** diviseur *m*; ~**ergebnis** résultat *m* partiel; ⌂**haben** participer *(an/*à); ~**haber** associé, partenaire; *stiller* ~*haber* commanditaire, bailleur de fonds; ~**haberschaft** participation *f*; ~**nahme** participation *f*; 🔩 complicité *f*; *(Mitgefühl)* sympathie *f*, compassion *f*; ⌂**nahmslos** indifférent, apathique; ⌂**nehmen** participer, prendre part *(an etw.* à qch); *(Gefühl)* partager (qch); *(Veranstaltung)* assister (à qch); ~**nehmer** participant; ☎ abonné; 🪖 concurrent *m*; *(Straßenverkehr)* usager *m*; ~**nehmeranschluß** ligne *f* d'abonné; ~**pacht** métayage *m*; ~**programm** sous-programme *m*; ⌂**s** en partie; ~**strecke** section *f*; étappe *f*; ~**ung** division *f*; partage *m*; démembrement *m*; ⌂**weise** en partie, partiellement; ~**zahlung** paiement *m* échelonné (*ou* fractionné); ~**zeitarbeit** travail *m* (*ou* emploi) à temps partiel
Telefon téléphone *m*; ~**amt** central *m* téléphonique; ~**anruf** appel *m* téléphonique, communication *f*; coup *m* de fil; ~**anschluß** branchement *m* téléphonique, poste *m* d'abonné; ~**apparat** appareil *m* (*od* poste *m*) téléphonique; ~**beantworter** répondeur *m* automatique; ~**buch** annuaire *m* téléphonique; ~**fürsorge** ‹SOS-Amitié›; ~**gebühr** taxe *f* (*ou* tarif *m*) téléphonique; ~**gespräch** conversation *f* téléphonique,

communication *f;* ~**hörer** écouteur *m;* ⌐**ieren** téléphoner; donner un coup de téléphone (*od umg* de fil); ⌐**isch** téléphonique; *adv* par téléphone; ~**istin** téléphoniste; standardiste; ~**marke** jeton *m;* ~**stelle** relais *m* téléphonique; ~**verbindung** communication *f* téléphonique; ~**zelle** cabine *f* téléphonique, taxiphone *m;* ~**zentrale** central *m* téléphonique; standard *m*

Telegramm dépêche *f,* télégramme *m;* ~**adresse** adresse *f* télégraphique

Telegraph|enamt bureau *m* du télégraphe; ~**ie** télégraphie *f;* ⌐**ieren** télégraphier; ⌐**isch** télégraphique

Tele|objektiv téléobjectif *m;* ~**pathie** télépathie *f;* ⌐**pathisch** télépathique

Teleskop télescope *m*

Telex *m* télex *m,* échange *m* par téléscripteur

Teller assiette *f; tiefer* ~ assiette creuse

Tempel temple *m;* ~**herr** Templier

Temperament tempérament *m;* disposition *f,* caractère *m; (Lebhaftigkeit)* vivacité *f,* feu *m;* ⌐**los** amorphe, apathique; sans tempérament; ⌐**voll** vif, plein de vivacité (*od* de feu)

Temper|atur température *f;* ~**aturschwankung** variation *f* de température; ⌐**ieren** tempérer, adoucir; *(Wein)* chambrer; ⌐**n** ✿ recuire, malléabiliser

Tempo vitesse *f,* allure *f;* rythme *m,* cadence *f;* ♪ tempo *m;* ~**limit** limitation *f* de vitesse; ~**sünder** conducteur *m* en infraction pour excès de vitesse

Tendenz tendance *f,* propension *f,* penchant *m,* disposition *f;* ⌐**iös** tendancieux; partial

Tender tender *m*

Tennis tennis *m;* ~**ball** balle *f* de tennis; ~**platz** court *m;* ~**schläger** raquette *f;* ~**spiel** match *m* de tennis; ~**turnier** tournoi *m* de tennis

Tenor ♪ ténor *m; (Inhalt)* teneur *f*

Teppich tapis *m; (klein)* carpette *f* ♦ *auf dem* ~ *bleiben (umg)* garder son sang-froid, ne pas s'emballer; *etw. unter den* ~ *kehren (umg)* escamoter, cacher qch à qn; ~**klopfer** tapette *f;* ~**schoner** chemin *m* de milieu; ~**stange** barre *f* à battre les tapis

Termin terme *m,* échéance *f;* ⚖ audience *f; e-n* ~ *setzen* fixer un terme (*od* une date *od* un délai); ~**arbeit** travail *m* à terme; ~**einlage** com dépôt *m* à terme; ~**geschäft** opération *f* à terme; ~**kalender** échéancier *m;* ~**verlängerung** prorogation d'un délai

Termite termite *m;* ~**nhügel** termitière *f*

Terpentinöl essence *f* de térébenthine

Terrasse terrasse *f;* ⌐**nförmig** en terrasse, en gradins

Terrine soupière *f*

territori|al territorial; ~**algewässer** eaux *fpl* territoriales; ~**alverteidigung** défense *f* en surface; ⌐**um** territoire *m*

Terror terrorisme *m;* ~**akt** acte *m* de violence, activité *f* terroriste; ~**anschlag** attentat *m* terroriste; ~**bande** groupe *m* (*ou* organisation) terroriste; ~**herrschaft** terrorisme, (politique de) terreur *f;* ~**isieren** terroriser; ~**ist** terroriste *m;* membre d'un commando de terroristes; ~**maß-**

nahme moyen *m* d'action terroriste; ~**szene** milieu *m* terroriste

Tertia (classe *f* de) troisième *f*

Terz (♪, *Fechten*) tierce *f;* ~**ett** ♪ trio *m*

Test test *m,* examen *m;* analyse *f;* mise *f* au point; ~**bericht** procès-verbal *m* d'essai; ~**betrieb** entreprise *f* pilote; ~**bild** ⬘ mire *f;* ⌐**en** tester, examiner; analyser

Testament testament *m; Altes (Neues)* ~ Ancien (Nouveau) Testament; ⌐**arisch** testamentaire; *adv* par testament; ~**seröffnung** ouverture *f* de testament; ~**svollstrecker** exécuteur testamentaire

teuer cher, coûteux; onéreux; *(kostspielig)* dispendieux; *fig* cher, précieux; ~ *bezahlen* payer cher; ~ *verkaufen* vendre chèrement; *wie* ~ *ist… ?* combien coûte…?; *j-m* ~ *zu stehen kommen* coûter cher à qn ♦ *da ist guter Rat* ~ que faire en pareil cas?; ⌐**ung** renchérissement *m;* hausse *f* des prix; ⌐**ungsrate** taux *m* d'inflation; ~**ungswelle** flambée *f* des prix, valse des étiquettes; ⌐**ungszulage** indemnité *f* de vie chère

Teufel diable *m,* démon *m; pfui* ~*!* fi donc!; *zum* ~*!* diantre!; *j-n zum* ~ *jagen* envoyer qn au diable, envoyer qn promener (*od* paître) ♦ *in* ~*s Küche kommen* se mettre dans de mauvais draps; *d.* ~ *an d. Wand malen* tenter le diable; *in d. Not frißt d.* ~ *Fliegen* faute de grives, on mange des merles

teuflisch diabolique, infernal, satanique

Text texte *m;* ♪ *(Lied)* paroles *fpl; (Oper)* livret *m; aus d.* ~ *kommen (bringen)* (faire) perdre le fil (à qn); ~**buch** ♪ livret *m;* ~**er** rédacteur *m* publicitaire, concepteur *m;* ~**abbildung,** ~**illustration** illustration *f* dans le texte

Textil|branche (industrie *f* du) textile *m;* ~**fabrik** manufacture *f* de textiles; ~**ien** textiles *mpl;* ~**industrie** industrie *f* textile

Theater théâtre *m; fig* histoires *fpl; das reine* ~ une vraie comédie; ~**glas** jumelle(s) *f(pl)* de théâtre, lorgnette *f;* ~**karte** billet *m;* ~**kasse** bureau *m* de location; ~**stück** pièce *f* (de théâtre); ~**zettel** programme *m* de théâtre

Theke comptoir *m;* zinc *m (umg)*

Them|a sujet *m,* matière *f; (a.* ♪) thème *m;* ~**atik** thématique *f;* thème *m* directeur; ~**enbereich,** ~**enkomplex,** ~**enkreis** ensemble *m* organisé de thèmes

Theolog|e théologien; ~**ie** théologie *f;* ⌐**isch** théologique

Theor|etiker théoricien; ⌐**etisch** théorique, spéculatif; ~**ie** théorie *f,* spéculation *f*

Therap|eut thérapeute; ~**eutik** thérapeutique *f;* ~**ie** thérapie *f*

therm|al thermal; ⌐**albad** station thermale; ⌐**alquelle** source thermale; ⌐**oelement** thermocouple *m,* couple *m* thermo-électrique; ⌐**ometer** thermomètre *m;* ⌐**osflasche** (bouteille *f*) thermos *f;* ⌐**ostat** thermostat *m*

These thèse *f;* doctrine *f;* opinion *f*

Thron trône *m;* ⌐**en** *a. fig* trôner; ~**folge** succession *f* au trône; ~ **folger** héritier du trône

Thunfisch thon *m*

Tick tic *m;* ⌐**en** tictaquer
tief *a. fig* profond; *(Wasser a.)* haut; *(weit)* loin;
(Farbe) foncé; *(Ton)* bas, grave; *d. läßt*
blicken cela (vous) ouvre des horizons; *su meteo*
com dépression *f;* ⌐**bau** travaux *mpl* de
construction au-dessous du sol, travaux publics;
⌐**bewegt** profondément ému; ⌐**druck** ⌐⌐
impression *f* en creux; ⌐**druckgebiet** zone *f* de
basse pression; ⌐**e** profondeur *f; (Wasser a.)*
hauteur *f; (Abgrund)* abîme *m; (Ton)* gravité *f;*
⌐**ebene** plaine basse; ⌐**enschärfe** ⌐⌐ profondeur
f de champ; ⌐**flug** (vol *m* en) rase-mottes *m;*
⌐**gang** ⌐ tirant *m* d'eau; ⌐**garage** parking *m*
souterrain; ⌐**gefroren** congelé; ⌐**gekühlt** surgelé; ⌐**greifend** profond; ⌐**kühlen** frigorifier,
surgeler; ⌐**kühltruhe** congélateur *m;* ⌐**kühlung**
surgélation *f;* congélation *f;* ⌐**land** plaine *f,* bas
pays; ⌐**liegend** enfoncé; ⌐**schlag** ⌐ coup bas;
⌐**see** grandes profondeurs (de l'océan); ⌐**sinnig**
profond, pénétrant; mélancolique; ⌐**stand**
niveau *m* plancher; *a. fig* dépression *f*
Tiegel casserole *f; (Schmelz)* creuset *m*
Tier animal *m,* bête *f; pej* brute *f; e. hohes*
⌐ *(umg)* une grosse légume; ⌐**art** espèce
animale; ⌐**arzt** vétérinaire; ⌐**ärztlich** vétérinaire; ⌐**bändiger** dompteur; ⌐**freund** ami des
bêtes; ⌐**garten** jardin *m* zoologique (od
d'acclimatation); ⌐**isch** animal; bestial; ⌐**kreis**
zodiaque *m;* ⌐**kunde** zoologie *f;* ⌐**medizin**
médecine *f* vétérinaire; ⌐**quälerei** cruauté *f*
envers les animaux; ⌐**reich** règne animal;
⌐**schau** ménagerie *f;* ⌐**schutzverein** société
protectrice des animaux; ⌐**versuche** expériences
fpl sur des animaux; **§** expérimentation *f*
animale; ⌐**welt** faune *f*
Tiger tigre; ⌐**in** tigresse
tilg|en amortir; éteindre, effacer; ⌐**ung** amor-
tissement *m,* rachat *m,* libération *f,* acquittement *m;* effacement *m,* extinction *f;* ⌐**ungsplan**
plan *m* d'amortissement; ⌐**ungsrate** taux *m*
d'amortissement; *(jährlich)* annuité *f* d'amortissement
Tinktur teinture *f*
Tinte encre *f; (Farbe)* teinte *f* ◆ *in d.* ⌐ *sitzen* être
dans la mélasse; ⌐**nfaß** encrier *m;* ⌐**nfisch**
seiche *f;* ⌐**ngummi** gomme *f* à encre; ⌐**nstift**
crayon *m* à encre; ⌐**nwischer** essuie-plume *m*
Tip tuyau *m*
Tipp|elbruder vagabond *m,* clochard *m,* chemi-
neau; ⌐**eln** marcher, trotter; ⌐**en** toucher (*an*
etw. qch); *(Schreibmasch.)* taper; *(wetten)* miser
(auf etw. sur qch); ⌐**fehler** faute *f* de frappe;
⌐**se** *pej* dactylo *f*
Tisch table *f; d. runde* ⌐ le tapis vert; *bei* ⌐
pendant le repas, à table; *d.* ⌐ *decken* mettre le
couvert; *s. zu* ⌐ *setzen* se mettre à table,
s'attabler ◆ *reinen* ⌐ *machen* faire table rase (*od*
maison nette) *(mit etw.* de qch); *etw. unter d.* ⌐
fallen lassen passer qch sous silence, ne pas tenir
compte de qch; ⌐**bein** pied *m* de table; ⌐**decke**
nappe *f,* tapis *m* de table; ⌐**gebet** bénédicité *m;*
⌐**genosse** convive, commensal; ⌐**rede** discours
m de banquet; ⌐**rücken** tables tournantes;
⌐**tennis** tennis *m* de table, ping-pong *m;* ⌐**tuch**

nappe *f;* ⌐**wein** vin *m* de table (*od* ordinaire);
⌐**zeit** heure *f* du repas
Tischler menuisier; *(Möbel-)* ébéniste; ⌐**arbeit,**
⌐**ei** menuiserie *f;* ébénisterie *f;* ⌐**leim** colle
forte; ⌐**n** menuiser; ⌐**werkstatt** (atelier *m* de)
menuiserie *f*
Titel *(a. com* ⌐, ⌐⌐) titre *m;* ⌐**bild** frontispice
m; ⌐**blatt** première page, la ‹une›; ⌐**halter,**
⌐**verteidiger** ⌐ titulaire, détenteur du titre
Titul|ar titulaire; ⌐**lieren** donner le titre de; *refl*
s'intituler
Toast toast *m; e-n* ⌐ *ausbringen auf etw.* porter
un toast à qch; ⌐**en** griller; toaster; ⌐**röster**
grille-pain *m*
tob|en *(Sturm)* faire rage, tempêter; *(Person)* se
démener; *(wüten)* enrager; pester, fulminer;
(tollen) tapager; ⌐**sucht** folie furieuse; ⌐**süchtig**
fou furieux
Tochter fille; ⌐**gesellschaft** filiale *f;* ⌐**unterneh-**
men maison affiliée
töchter|lich de fille, filial; ⌐**schule** collège *m* de
jeunes filles
Tod mort *f;* décès *m; bes fig* fin *f; den* ⌐ *finden*
décéder; *d.* ⌐*es sein* être à l'article de la mort;
e-s natürlichen ⌐*es sterben* mourir de mort
naturelle; *z.* ⌐*e verurteilen* condamner à mort; *s.*
d. ⌐ *holen* attraper une maladie mortelle;
⌐**esangst** angoisse (*od* transe) mortelle; *in*
⌐**esängsten schweben,** ⌐**eängste ausstehen** être
dans des angoisses (*od* transes) mortelles;
⌐**esanzeige** faire-part *m* de décès; ⌐**esfall** mort
f, décès *m; pl (journ)* nécrologie *f; im* ⌐*esfalle*
en cas de mort; ⌐**esgefahr** danger *m* de mort;
⌐**eskampf** agonie *f;* ⌐**eskandidat** condamné;
⌐**esqualen:** *T. ausstehen* souffrir mille morts;
⌐**esstoß** coup mortel (*od* fatal); ⌐**esstrafe** peine
capitale (*od* de mort); ⌐**esstreifen** *(Grenze)*
bande *f* morte; ⌐**esstunde** heure *f* de la mort,
dernière heure; ⌐**estag** jour *m* de la mort; (le
centième *usw)* anniversaire de la mort; ⌐**esursa-**
che cause *f* de décès; ⌐**esurteil** arrêt *m* (*od*
sentence *f)* de mort; condamnation *f* à mort;
⌐**feind** ennemi mortel; ⌐**feindschaft** haine
mortelle; ⌐**krank** malade à la mort; **tödlich**
mortel; fatal, funeste; ⌐**müde** rompu (*od* mort)
de fatigue; ⌐**sicher** absolument sûr (*od* certain);
⌐**sünde** péché mortel
Toilette toilette *f;* lavabos *mpl,* cabinet *m* de
toilette; ⌐ *machen* faire sa toilette; ⌐**nartikel**
objets *mpl* de toilette; ⌐**nbeutel** trousse *f* (*od*
nécessaire *m)* de toilette; ⌐**npapier** papier *m*
hygiénique; ⌐**nseife** savonnette *f;* ⌐**ntisch**
coiffeuse *f,* toilette *f*
toler|ant tolérant; indulgent; ⌐**anz** *a.* ⌐
tolérance *f;* ⌐**anzdosis** dose *f* tolérée; ⌐**ieren**
tolérer
toll enragé, fou; *umg* formidable; ⌐**e** toupet *m;*
⌐**en** tapager; gambader; faire le fou; ⌐**haus**
asile *m* de fous; ⌐**häusler** fou, aliéné; ⌐**heit**
frénésie *f;* ⌐**kühn** téméraire; ⌐**kühnheit** témérité; *f;* ⌐**wut** rage *f;* ⌐**wütig** enragé
Tolpatsch, ⌐**ig** pataud, empoté
Tölp|el lourdaud, balourd; ⌐**elhaft** gauche,
maladroit

Tomate tomate *f;* ~**nsaft** jus *m* de tomate; ~**nsoße** sauce *f* tomate

Ton¹ (~*erde*) argile *f,* glaise *f;* ⌃**artig** argileux, glaiseux; ~**erde** alumine *f; essigsaure* ~*erde* acétate *m* d'alumine; **tönern** de terre cuite, d'argile; ~**gefäß** terrine *f,* pot *m* de terre; ~**grube** argilière *f,* glaisière *f;* ⌃**haltig** argilifère; ⌃**ig** argileux, glaiseux; ~**pfeife** pipe *f* en terre; ~**schiefer** argilite *f,* argile schisteuse; ~**waren** poteries *fpl*

Ton² (*Laut, Schall*) son *m;* (*Klang,* ~*fall, a. fig*) ton *m;* ♩ tonalité *f;* (*Farb-*) ton *m,* nuance *f,* teinte *f;* (~*farbe*) timbre *m;* 🎺 bande *f* sonore; (*Betonung*) accent *m; der gute* ~ le bon ton; *d.* ~ *angeben* donner le ton; *e-n anderen* ~ *anschlagen* changer de ton; ~**abnehmer** tête *f* de lecture; lecteur *m* phonographique; ⌃**angebend** qui donne le ton, influent; ~**arm** bras *m* de lecture; ~**art** tonalité *f,* mode *m;* ~**artvorzeichnung** intonation *f;* ~**aufnahme** enregistrement *m* (*od* prise *f*) de son; 🎺 sonorisation *f;* ~**band** bande *f* magnétique; ~**bandaufnahme** enregistrement *m* sur bande; ~**bandgerät** magnétophone *m,* enregistreur *m* magnétique; ~**bandkassette** cassette *f;* ~**bandspule** bobine *f;* ~**dichtung** poème *m* symphonique; **tönen** teindre; nuancer; (*erklingen*) sonner, résonner; ~**fall** intonation *f,* cadence *f,* accentuation *f;* ~**film** film *m* sonore (*od* parlant); ~**filmwiedergabe** projection *f* sonore; ~**folge** suite *f* des tons; ~**frequenz** fréquence *f* acoustique; ~**ika** ♩ (note *f*) tonique *f;* ~**höhe** hauteur *f* du son; ~**ingenieur** ingénieur du son; ~**kopf** tête *f* de lecture; ~**lage** hauteur *f* du son; ~**leiter** gamme *f;* ~**los** atone; éteint; ~**mischpult** pupitre *m* de mixage; ~**setzer** compositeur; ~**spur** piste *f* sonore; ~**stärke** intensité *f* du son; ~**stufe** ton *m;* ~**techniker** ingénieur du son; **Tönung** coloration *f;* ~**verstärker** amplificateur *m* (du) son; ~**wiedergabe** reproduction *f* sonore

Tonne (*Faß*) tonne *f,* tonneau *m,* fût *m;* ⚓**tonneau** *m;* (*Boje*) bouée *f;* balise *f;* (*metrische* ~) tonne *f* (métrique); ~**ngehalt** tonnage *m,* jauge *f;* ~**ngewölbe** 🏛 tonnelle *f,* voûte *f* en berceau

Topf pot *m,* marmite *f,* coquemar *m;* (*Suppen-*) pot-au-feu *m; alles in e-n* ~ *werfen* mettre tout dans le même sac; ~**deckel** couvercle *m;* ~**gucker** fouille-au-pot; ~**lappen** poignée *f;* ~**pflanze** plante *f* en pot

Töpfer potier *m;* ~**erde** argile *f,* glaise *f,* terre *f* glaise; ~**ei** poterie *f;* ~**scheibe** tour *m* de potier; ~**ton** terre *f* à potier; ~**waren** poteries *fpl*

Topp ⚓ (*Vor-*) petit mât *f;* (*Groß-*) grand mât; (*Besan-*) mât *m* d'artimon

Tor¹ *n* porte *f;* 🏑 but *m; e.* ~ *erzielen* marquer un but; ~**einfahrt** porte cochère; ~**hüter** portier; 🏑 gardien de but; ~**lauf** slalom *m;* ~**linie** 🏑 ligne *f* de but; ~**pfosten** 🏑 poteau *m;* ~**schluß** fermeture *f* des portes

Tor² *m* fou; ~**heit** folie *f;* ⌃**töricht** fou

Torf tourbe *f;* ~**boden** terrain tourbeux; ~**moor** tourbière *f;* ~**mull** fibre *f* de fourbe; ~**stecher** tourbier; ~**stich** extraction *f* de la tourbe

torkeln chanceler; tituber

Tornado tornade *f*

torped‖ieren *a. fig* torpiller; ~**ierung** torpillage *m;* ~**o** torpille *f;* ~**oboot** torpilleur *m;* ~**oschnellboot** vedette *f* lance-torpilles

Torte tarte *f;* ~**nheber** pelle *f* à tarte; ~**nplatte** plateau *m* à tarte

tosen bruire, mugir

tot mort, décédé, défunt; tué; (*leblos*) mort, inanimé; ~*er Punkt* (*a. fig*) point mort; ~*es Rennen* 🐎 course indécise; ~*e Zeit* saison morte; ~**arbeiten** *refl* se tuer au travail; ~**töten** tuer; mettre à mort; (*ab-, fig*) mortifier; *refl* se suicider; ⌃**enacker** cimetière *m;* ⌃**enamt** service *m* funèbre; ⌃**enbahre** civière *f;* ⌃**enbett** lit *m* de mort; ⌃**enblässe** teint cadavéreux; lividité *f* cadavérique; ⌃**englocke** glas *m;* ⌃**engräber** fossoyeur; croque-mort; *zool* porte-mort *m;* ⌃**engruft** crypte *f;* ⌃**enhemd** suaire *m;* ⌃**enkopf** tête *f* de mort; ⌃**enliste** nécrologue *m;* ⌃**enmarsch** marche *f* funèbre; ⌃**enmaske** masque *m* mortuaire; ~**enschau** autopsie *f;* ⌃**enschein** acte *m* de décès; permis *m* d'inhumer; ⌃**enstarre** rigidité *f* cadavérique; ⌃**enstille** silence *m* de mort; ⌃**entanz** danse *f* macabre; ⌃**enwache** veillée *f* funèbre; ⌃**er** mort, décédé, défunt, tué; ~**geboren** mort-né; ~**lachen** *refl* mourir de rire; ~**punkt** point *m* mort; ⌃**schlag** ⚖ homicide *m,* meurtre *m;* ~**schlagen** tuer; assommer; *d. Zeit* ~*schlagen* tuer le temps; ⌃**schläger** meurtrier *m;* assommeur; (*Knüppel*) assommoir *m;* ~**schweigen** faire le silence (*etw.* sur qch), étouffer qch; ~**stellen** *refl* faire le mort; **Tötung** homicide *m;* ~**zeit** temps *m* mort

total total; entier, complet; ⌃**isator** totaliseur *m,* totalisateur *m;* ⌃**ausverkauf** liquidation *f* générale; ⌃**schaden** dommage *m* intégral; dégâts *mpl* irréparables; ⌃**verlust** perte *f* irrémédiable (*ou* totale)

Toto (*Pferde-*) pari mutuel (*Abk* P. M. U.); (*Fußball-*) paris *mpl* sur le football

Tour (*Umdrehung*) tour *m,* rotation *f,* révolution *f;* (*Ausflug*) excursion *f,* randonnée *f;* (*Laune*) lubie *f; in e-r* ~ d'une seule traite; sans arrêt, sans cesse; *auf vollen* ~*en* à toute vitesse (*od* allure); *fig* à plein; *auf* ~*en kommen* s'accélérer; *fig* s'agiter; *e-e* ~ *machen* faire une virée; ~**enrad** bicyclette *f* de tourisme; ~**enzahl** nombre *m* de tours; ~**enzähler** compte-tours *m* **Tour‖ismus** tourisme *m;* ~**ist** touriste; ~**istik** tourisme *m;* ~**nee** 🎺 tournée *f*

Trab trot *m; im* ~ au trot ♦ *j-n in* ~ *halten* tenir qn en haleine; ⌃**en** trotter, aller au trot; ~**er** trotteur *m;* ~**rennbahn** piste *f* de course au trot; ~**rennen** course *f* au trot

Trabant satellite *m;* ~**enstadt** ville *f* satellite, ville-dortoir

Tracht costume *m;* costume régional (*od* folklorique); (*Last*) charge *f; e-e* ~ *Prügel* volée *f,* rossée *f;* ⌃**en** aspirer, viser, tendre (*nach etw.* à qch); *j-m nach d. Leben* ⌃**en** attenter à la vie de qn

trächtig pleine; ~ *sein* porter

Tradition tradition *f;* ⌐**ell** traditionnel

Trag|bahre brancard *m,* civière *f;* ~**balken** sommier *m,* poutre maîtresse; solive *f;* ⌐**bar** portatif; *(Kleid)* portable, mettable; *fig* supportable; ~**e** bard *m,* bayart *m;* ⌐**en** porter; *(bringen)* transporter; *(stützen)* soutenir, supporter; *(erdulden)* supporter; *bei s.* ⌐**en** avoir sur soi; *s.* ⌐**en mit** nourrir, entretenir (qch), songer (à qch); *getragen sein von* s'inspirer de; *Bedenken* ⌐**en** hésiter *(zu* à); *Früchte* ⌐**en** porter des fruits; *Sorge* ⌐**en** avoir *(od* prendre) soin *(für* de); ~**etasche** sac *m* publicitaire; ~**fähigkeit** rendement *m;* ✿ limite *f* de charge; ♛ capacité *f* de chargement; ⚓ tonnage *m;* ~**fläche** ✝ plan- *m* de sustentation; ~**gurt** bretelle *f;* ~**kraft** *(Kran)* force portante; ~**last** charge *f,* fardeau *m;* ~**riemen** sangle *f;* ~**weite** *a. fig* portée *f; fig* envergure *f*

Träger porteur; *(Fahrzeug)* véhicule *m* porteur; *(System)* support *m,* bâti *m; (Wäsche)* épaulette *f;* bretelle *f;* 🏛 soutien *m,* sommier *m,* poutre *f; (Körperschaft)* organisme *m,* institution *f;* ~**frequenz** fréquence porteuse; ~**kleid** robe *f* à bretelles; ~**lohn** factage *m;* ⌐**los** sans épaulettes *(od* bretelles); ~**rakete** fusée porteuse, lanceur *m*

träg|e *a. fig* inerte; *fig* fainéant, paresseux, indolent; ⌐**heit** inertie *f;* paresse *f,* indolence *f,* mollesse *f;* ⌐**heitsgesetz** loi *f* d'inertie; ⌐**heitsmoment** moment *m* d'inertie

Trag|ik tragique *m;* ~**iker** tragique; ⌐**ikomisch** tragi-comique; ~**ikomödie** tragi-comédie *f;* ⌐**isch** tragique; *etw.* ⌐**isch nehmen** prendre qch au tragique; ~**öde** tragédien; ~**ödie** tragédie *f*

Train|er entraîneur; ⌐**ieren** *vt* entraîner; *vi* s'entraîner; ~**ing** entraînement *m;* ~**ingsanzug** survêtement *m* (de sport)

Trakt étendue *f;* 🏛 aile *f;* ~**at** tract *m,* traité *m;* ⌐**ieren** traiter *(mit* avec); régaler *(mit* de); ~**or** tracteur *m*

Tramp vagabond, chemineau, trimardeur; ⚓ tramp *m;* ⌐**en** faire de l'auto-stop

Trampel lourdaud *m;* ~**ig** lourdaud; ⌐**n** piétiner, trépigner

Tran huile *f* de poisson *(od* de baleine, de morue); *im* ~ *sein* être hébété *ou* abasourdi; ⌐**ig** gras, rance; ⌐**ig** mou, flemmard

tranchier|en découper; ⌐**messer** couteau *m* à trancher

Träne larme *f* ♦ *j-m/e-r Sache keine* ~ *nachweinen* ne pas regretter le départ de qn/la perte de qch; *heiße* ~*n weinen* pleurer à chaudes larmes; ~*n lachen* rire aux larmes; *in* ~*en zerfließen* fondre en larmes; ⌐**n** pleurer; ~**ndrüse** glande lacrymale; ~**ngas** gaz *m* lacrymogène

Trank breuvage *m,* boisson *f;* 💲 potion *f*

Tränke abreuvoir *m;* ⌐**n** abreuver; *(einweichen)* imbiber, imprégner *(mit* de)

trans|atlantisch transatlantique; ⌐**fer** transfert *m;* ~**ferieren** transférer; ⌐**formator** ⚡ transformateur *m;* ~**formieren** ⚡ transformer; ⌐**ithandel,** ⌐**itverkehr** transit *m;* ~**itiv** transitif; ~**kontinental** transcontinental; ⌐**mission** ✿

transmission *f;* ⌐**missionswelle** ✿ arbre *m* de transmission; ~**ozeanisch** transocéanique; ~**parent** transparent *m;* ⌐**parentpapier** papier-calque *m;* ~**pirieren** transpirer; ~**ponieren** ♩ transposer; ⌐**ponierung** ♩ transposition *f*

Transport transport *m;* expédition *f;* ⌐**abel** transportable; portatif; ~**arbeiter** manutentionnaire *m;* débardeur *m;* ~**art** mode *m* de transport; ~**er** 🚗 transporteur *m;* ✝ cargo *m;* ⌐**fähig** transportable; ~**flugzeug** cargo *m;* ~**gewerbe** transports *mpl;* ⌐**ieren** transporter; ~**kosten** frais *mpl* de transport; ~**mittel** moyen *m* de transport; ~**schiff** cargo *m;* ~**unternehmen** entreprise *f* de transports, messagerie(s) *f(pl);* ~**unternehmer** transporteur; ~**versicherung** assurance *f* contre les risques du transport; ~**wesen** transports *mpl*

Trapez ⟊, *math* trapèze *m*

Trappe outarde *f;* ⌐**ln** piétiner

Trass|ant *com* tireur; ~**at** tiré; ⌐**ieren** tirer *(auf j-n* sur qn); ~**ierung** traite *f*

Tratsch racontar *m,* cancan *m,* bavardage *m*

Tratte traite *f,* lettre *f* de change

Traube *bot* grappe *f; (Wein)* raisin *m* ♦ *d.* ~*n hängen ihm zu hoch* il trouve les raisins trop verts; ~**enlese** vendange *f;* ~**enmost,** ~**ensaft** jus *m* de raisin; ~**npresse** pressoir *m;* ~**nzucker** dextrose *f,* glucose *m*

trau|en 1. *vt* marier; *s.* ~*en lassen* se marier; **2.** *vi* faire confiance (à), se fier (à); *s-n Augen (Ohren) nicht* ~*en* n'en pas croire ses yeux (oreilles); **3.** *refl* oser (faire qch), risquer (de); ~**ring** alliance *f;* ⌐**schein** acte *m* de mariage; ⌐**ung** mariage *m; standesamtl.* ⌐**ung** mariage civil; *kirchl.* ⌐**ung** mariage religieux; ⌐**zeuge** témoin du (de la) marié(e)

Trauer deuil *m;* mélancolie *f;* chagrin *m;* ~ *anlegen* prendre le deuil; ~ *tragen* porter le deuil; *in* ~ *sein* être en deuil; ~**akt** obsèques *fpl* officielles, cérémonie *f* officielle des funérailles; ~**botschaft** nouvelle *f* funeste; ~**fall** décès *m;* ~**haus** maison *f* mortuaire; ~**kleid** vêtement *m* de deuil; ~**marsch** marche *f* funèbre; ⌐**n** porter le *(od* être en) deuil *(um j-n* de qn); ~**rand** bord noir; ~**schleier** voile *m* de deuil; ~**spiel** tragédie *f;* ~**weide** saule *m* pleureur; ~**zug** convoi *m* funèbre

Traufe gouttière *f*

träufeln instiller

Traum rêve *m,* songe *m;* illusion *f; das fällt mir nicht im* ~ *ein (umg)* je n'y pense même pas; ~**bild** vision *f;* ⌐**haft** comme un rêve; ~**gebilde** chimère *f;* ~**phase** phase *f* onirique; ⌐**verloren** rêveur, songeur

träum|en rêver *(von* de, *od fig* à); faire des rêves *(od* songes); *(grübeln)* songer, rêvasser; *das hätte ich mir nie* ~*en lassen* je n'aurais osé y songer; ⌐**er** rêveur, songeur; visionnaire; ~**erei** rêverie *f;* rêvasserie *f;* ~**erisch** rêveur; visionnaire

traurig triste; affligeant, morne, lugubre, funèbre; ⌐**keit** tristesse *f;* mélancolie *f*

Treber *(Gerste)* drêche *f; (Trauben)* marc *m*

Treff rendez-vous *m;* lieu *m* de rencontre

treffen *vi* porter; *vt (berühren)* toucher;

(erreichen) atteindre, frapper, attraper; *(erraten)* deviner; *(begegnen)* rencontrer, trouver; *(wieder ~)* rejoindre; *(zufällig)* tomber sur; *(verletzen)* toucher, affecter, blesser; ⚙ attraper la ressemblance; *es gut ~* tomber bien; *es traf sich, daß...* il arriva que...; *d. trifft sich gut* cela vient à propos, cela tombe bien; *ein Abkommen ~* conclure un accord; *Maßnahmen ~* prendre des mesures; *d. Ton ~ ♪* chanter juste; *s-e Wahl ~* faire son choix; ⚔ *su (a. mil)* rencontre f; entrevue f; *ins* ⚔ *führen (mil)* mener au combat; *fig* avancer

treff|end pertinent, propre, congru; exact, juste; ⚔**er** coup m au but; *fig* coup heureux; *(Lotterie)* numéro *(od lot)* gagnant; *e-n* ⚔**er erzielen** marquer un but; *(Lotterie)* gagner; ~**lich** excellent; ⚔**punkt** rendez-vous m; ~**sicher** juste, exact, précis; ⚔**sicherheit** justesse f du tir; précision f, exactitude f, justesse f

Treib|achse essieu m moteur; ~**arbeit** ⚙ emboutissage m; ~**eis** glace flottante; ⚔**en 1.** vt *(stoßen)* pousser; *(jagen)* chasser, rabattre; *(Vieh)* mener, conduire; *(einschlagen)* enfoncer; *(antreiben)* faire marcher, actionner, mouvoir; pousser; exciter à; *(ausüben)* exercer; pratiquer; s'occuper (de); *(machen)* faire; *(Metall)* bosseler; *(Preise)* faire monter *(od hausser)*; **2.** vi *(schwimmen)* flotter, dériver; *(gären)* fermenter; *(wachsen)* pousser; ~**en su** *(Tun)* activités fpl, occupations fpl; *(Belebtheit)* va-et-vient m, mouvement m; *pej* intrigues fpl, menées fpl; ⚔**end:** *d.* ⚔**ende Kraft** moteur m; ~**gas** gaz combustible; ~**haus** forcerie f, serre f (chaude); ~**holz** bois flottant; ~**jagd** battue f; ~**kraft** force motrice; ~**mine** mine flottante; ~**mittel** agent m propulseur; ~**netz** filet m dérivant; ~**rad** roue motrice; ~**riemen** courroie f (de transmission); ~**sand** sables mouvants f ~**stoff** carburant m, essence f; combustible m

treideln haler

Trend tendance f, direction f, orientation f; ~**wende** changement m d'orientation, renversement m de la tendance

trenn|bar séparable; divisible; ~**en** séparer; disjoindre, dissocier; *(entzweien)* désunir, rompre; *(Naht)* découdre, défaire; ⚔ couper, interrompre; débrancher; *(Raketenstufe)* larguer; *refl* se séparer, se quitter; ⚔**fuge** joint m; ~**scharf** ⚙ sélectif; ⚔**schärfe** ⚙ sélectivité f; ⚔**schärferegler** ⚙ sélecteur m; ~**ung** séparation f; division f; désunion f; largage m; ⚔**ungslinie** ligne f de démarcation; ⚔**ungsstrich** tiret m de séparation ~**wand** cloison f de séparation

trepp|ab en descendant l'escalier; ~**auf** en montant l'escalier; ⚔**e** escalier m; *(Vor-)* perron m; *eine* ⚔ *hoch wohnen* habiter au premier étage; ⚔**enabsatz** palier m; ⚔**engeländer** rampe f d'escalier; ⚔**enhaus** cage f d'escalier; ⚔**enläufer** tapis m d'escalier

Tresor trésor m; coffre-fort m

Tresse galon m, soutache f

Tret|anlasser 🚗 démarreur m à pédale; ~**boot** pédalo m; ⚔**en 1.** vt fouler; donner un coup de pied (à qn); *(Pedal)* appuyer (sur); *fig* tirer l'oreille (à qn); *etw. mit Füßen* ⚔**en** piétiner qch, fouler qch aux pieds; **2.** vi marcher; *(Fahrrad)* pédaler; *auf etw.* ⚔**en** marcher sur qch; *auf der Stelle* ⚔**en** marquer le pas; *fig* piétiner; *beiseite ~en* se mettre à l'écart; *nach j-m* ⚔**en** donner *(od lancer)* un coup de pied à qn; *näher* ⚔**en** approcher; *über die Ufer* ⚔**en** déborder; *vor j-n* ⚔**en** se présenter devant qn; *in d. Vorder-(Hinter-)Grund* ⚔**en** passer au premier (second) plan; *zutage ~* affleurer, apparaitre (à la surface); ~**lager** pédalier m; ~**mühle** treuil m à tambour; *fig* routine f

treu fidèle, loyal; *zu ~en Händen* aux bons soins de qn; *en mains sûres;* ⚔**bruch** trahison f; ~**brüchig** traître; ⚔**e** fidélité f, foi f; loyauté f; ⚔**eid** serment m de fidélité; ⚔**hand** administration f fiduciaire; ⚔**händer** fidéicommissaire; administrateur de biens; ~**handgebiet** territoire m sous tutelle; ~**handgesellschaft** société f fiduciaire; ~**herzig** franc, sincère; ⚔**herzigkeit** sincérité f, franchise f; ~**los** perfide, traître; ⚔**losigkeit** perfidie f

Tri|bun tribun m; ~**bunal** tribunal m; ~**büne** tribune f; ~**but** tribut m; ⚔**butpflichtig** tributaire

Trichter a. fig entonnoir m; ~**feld** champ m d'entonnoirs; ⚔**förmig** en forme d'entonnoir

Trick truc m; combine f; ficelle f; ~**aufnahme** truquage m, photomontage m; ~**film** dessin(s) animé(s)

Trieb *(Schößling)* pousse f, jet m; *(Instinkt)* instinct m; *(Antrieb)* impulsion f, motif m; ⚙ commande f, transmission f; ~**achse** essieu m moteur; ~**fahrzeug** engin m de traction; ~**feder** ressort m; *fig* mobile m; ⚔**haft** instinctif; ~**rad** roue motrice; ~**stange** bielle f; ~**wagen** autorail m, automotrice f, micheline f; ~**werk** mécanisme ; ✈ propulsion f; propulseur m; ~**werkgondel** nacelle f *(ou* fuseau m*)* moteur

trief|äugig chassieux; ~**en** dégoutter; ruisseler *(vor* de); ~**naß** ruisselant

triezen asticoter, taquiner

Trift ↓ pâturage m, pacage m; *phys* dérive f

triftig concluant, pertinent, valable

Trigonometri|e trigonométrie f; ⚔**scher Punkt** point m géodésique

Trikot tricot m; *bes* 🇫🇷 maillot m; ~**agen** tricotages mpl, bonneterie f

Triller ♪ trille m, roulade f; *(Lerche)* grisollement m; ~**n** triller, faire des roulades; grisoller; ~**pfeife** sifflet m à roulette

Trillion trillion m

Trimm ⚓ équilibrage m; ~~**dich-Pfad** piste f (de) santé, parcours du sportif; ⚔**en** 🇫🇷 mettre en condition; *päd umg* faire bûcher *ou* potasser; *(Hunde)* tondre; ⚓ *(Ladung)* arrimer; chouler; ✈ centrer, équilibrer; ajuster; ~**klappe**, ~**ruder**, ~**vorrichtung** ✈ tab m de direction; compensateur m

Trinität Trinité f

trink|bar buvable; potable; ⚔**becher** gobelet m, timbale f; ~**en** boire *(aus* dans); *(Säugling)* téter; *pej* s'adonner à la boisson; ⚔**er** buveur; ivrogne; ⚔**gelage** beuverie f; ⚔**geld** pourboire

m; **⌐halle** buvette *f;* **⌐spruch** toast *m;* **⌐wasser** eau *f* potable; **⌐wasserschutzgebiet** zone *f* de protection des nappes phréatiques
trippeln trottiner
Tripper ⚕ blennorragie *f; pop* chaude-pisse *f*
Tritt pas *m;* coup *m* de pied; *(Stufe)* marche *f; (Leiter)* escabeau *m;* **~brett** marchepied *m;* **~leiter** marchepied *m,* escabeau *m*
Triumph triomphe *m;* **⌐al** triomphal; **~ator** triomphateur; **~bogen** arc *m* de triomphe; **⌐ieren** triompher (*über* de)
trivial trivial, vulgaire; **⌐ität** trivialité *f,* vulgarité *f*
trocken *a. fig* sec, aride ♦ *auf d.* ~en sitzen être à sec; **⌐apparat** séchoir *m;* **⌐batterie** pile sèche; **⌐boden** grenier *m,* séchoir *m;* **⌐dock** cale sèche; **⌐futter** fourrages secs; **⌐gestell** séchoir *m;* **⌐haube** casque *m* (de coiffeur); **⌐heit** *a. fig* sécheresse *f,* aridité *f;* **~legen** assécher, dessécher; ↓ drainer; *(Brunnen)* tarir; *(Kind)* changer; **⌐milch** lait *m* en poudre; **⌐mittel** agent *m* de dessiccation; **⌐ofen** étuve *f,* four *m* de séchage; **⌐rasierer** rasoir *m* électrique
trockn|en *vt/i* sécher; **~ung** essorage *m*
Troddel houppe *f;* gland *m; (Schwert)* dragonne *f*
Tröd|el bric-à-brac *m,* bazar *m;* friperie *f;* **~handel** brocante *f;* **⌐elmarkt** marché *m* aux puces; **⌐eln** traîner, lambiner; flâner; **~ler** brocanteur
Trog auge *f;* mangeoire *f*
Trommel *a.* ✿ tambour *m; (Kabel)* touret *m;* bobine *f; (Film)* carter *m; (Revolver)* barillet *m;* **~bremse** frein *m* à tambour; **~fell** tympan *m;* **~feuer** feu roulant; **⌐n** battre le tambour; **~wirbel** roulement *m* de tambour
Trommler tambour
Trompete trompette *f,* clairon *m;* **⌐n** jouer de la trompette, sonner du clairon; *(Elefant)* barrir; **~r** clairon, trompette *m*
Trop|en tropiques *mpl;* **⌐enarzt** médecin des maladies tropicales; **⌐enfest** tropicalisé; **~enhelm** casque colonial; **~enhitze** chaleur tropicale; **~enpflanze** plante tropicale; **⌐isch** tropical
Tropf ⚕ dispositif *m* de perfusion; *(Mensch) pej* pauvre diable *m,* niais, nigaud; **⌐en** goutter, égoutter; tomber goutte à goutte; **~en** *su* goutte *f* ♦ *e.* ~en auf e-n heißen Stein une goutte d'eau dans la mer; **⌐enweise** goutte à goutte; **~stein** *(stehender)* stalagmite *f; (hängender)* stalactite *f;* **~steinhöhle** grotte *f* des stalactites
Trost consolation *f,* réconfort *m* ♦ *nicht recht bei* ~ *sein* être (un peu) toqué; **⌐los** inconsolable; désolé; désolant; **~losigkeit** désolation *f,* désespoir *m;* **~preis** prix *m* de consolation; **⌐reich** réconfortant; **⌐spendend** consolateur; **~wort** parole *f* de consolation
tröst|en consoler, réconforter; *refl* se consoler (*mit* avec); **~er** consolateur; **~lich** consolateur; consolant, réconfortant; **~ung** consolation *f*
Trott trot *m* ♦ *im alten* ~ dans son petit train-train; **⌐en** trotter
Trottel imbécile, crétin, baderne *f*
Trotz obstination *f,* indocilité *f;* défi *m,* bravade

f; **⌐** *präp* malgré, nonobstant; en dépit de; **⌐dem** quand même; tout de même; **⌐en** braver, défier, affronter; narguer; s'entêter, bouder; **⌐ig** obstiné, opiniâtre, entêté; **~kopf** mauvaise tête, personne obstinée
trüb(e) *a. fig* morne, sombre, terne; *(Wasser)* trouble; *(Wetter)* couvert, brouillé, gris ♦ *im* ~*en fischen* pêcher en eau trouble; **~en** troubler; brouiller; ternir, obscurcir; *fig* gâter; *refl* se ternir, s'assombrir; *(Himmel)* s'obscurcir; **⌐sal** affliction *f,* chagrin *m;* **⌐sinn** humeur noire, cafard *m;* mélancolie *f,* morosité *f;* **~sinnig** morne, triste; mélancolique; **~ung** obscurcissement *m; chem* turbidité *f,* trouble *m; fig* nuage *m*
Trubel confusion *f;* brouhaha *m*
Trüffel truffe *f*
Trug tromperie *f,* imposture *f;* illusion *f;* **~schluß** conclusion erronée, sophisme *m*
trüge|n tromper, être trompeur (*od* menteur); **~risch** trompeur, menteur; ♊ dolosif, mensonger; fallacieux; décevant, illusoire
Truhe bahut *m;* coffre *m*
Trümmer ruines *fpl;* décombres *mpl,* débris *mpl;* ⚓ épaves *fpl;* **~grundstück** immeuble sinistré; **~haufen** monceau *m* de décombres
Trumpf atout *m; s-n letzten* ~ *ausspielen* jouer sa dernière carte; **⌐en** jouer atout, couper
Trunk boisson *f,* breuvage *m;* **⌐en** ivre; **⌐enbold** ivrogne; **~enheit** ébriété *f,* ivresse *f;* **~sucht** alcoolisme *m;* ivrognerie *f;* **⌐süchtig** alcoolique, ivrogne
Trupp détachement *m;* équipe *f;* **~e** *a.* 🏵 troupe *f;* formation *f,* unité *f;* **~enarzt** médecin *m* de bataillon; **~enführung** commandement *m* interarmes; **~engattung** arme *f;* **~enteil** corps *m* de troupe; unité *f;* **~enübungsplatz** camp *m* de manœuvre, terrain *m* d'exercice; **~enverband** formation *f;* **~enverbandsplatz** poste *m* de secours
Trust concentration *f* (*ou* regroupement) d'entreprises; holding *f,* trust *m*
Trut|hahn dindon *m;* **~henne** dinde *f*
Tschech|e Tchèque; **⌐isch** tchèque; **~oslowakei** Tchécoslovaquie *f;* **⌐oslowakisch** tchécoslovaque
Tube tube *m* ♦ *auf die* ~ *drücken umg* mettre la gomme, écraser le champignon, accélérer
Tuberk|el tubercule *m;* **~elbazillus** bacille *f* de la tuberculose; **⌐ulös** tuberculeux; **~ulose** tuberculose *f*
Tuch drap *m;* linge *m; (Hals-)* fichu *m,* châle *m; (Staub-)* torchon *m; (Taschen-, Kopf-)* mouchoir *m;* **~fabrik** draperie *f;* **~fühlung** accoudement *m;* **~händler** drapier; **~waren** draperie *f*
tüchtig fort, habile; capable; de valeur; *adv* bien, fort, joliment; **⌐keit** aptitude *f,* capacité *f*
Tück|e malice *f,* malignité *f;* sournoiserie *f,* perfidie *f;* **⌐isch** malin, sournois, perfide; vicieux
Tüftel|ei travail *m* minutieux; **⌐n** fignoler, travailler avec un soin minutieux
Tugend vertu *f,* qualité *f;* **~bold** tartufe *m;* **⌐haft,** **⌐reich** vertueux
Tulpe tulipe *f*

tummeln vt (Pferd) faire caracoler (son cheval); refl s'ébattre, batifoler
Tümmler dauphin m
Tumor tumeur f
Tümpel mare f
Tumult tumulte m, fracas m, vacarme m; ⌀arisch tumultueux, turbulent
tun faire; (arbeiten) travailler; (setzen, legen) mettre; zu ~ haben être occupé, avoir à faire; zu ~ haben mit avoir affaire à, avoir à voir avec; so ~ als ob faire semblant de; es ist mir darum zu ~ il m'importe que... (+ subj), je tiens à ce que... (+ subj); das tut man nicht cela ne se fait pas; ⌀ su activités fpl; action f
Tünche badigeon m; fig vernis m; ⌀n badigeonner
Tunichtgut vaurien
Tunke sauce f; ⌀n tremper
tunlich indiqué, opportun; faisable, possible; ~st si possible
Tunnel tunnel m; (Reaktor) enceinte f
Tüpfel point m, moucheture f; ⌀n moucheter
tupfe|n tamponner, toucher légèrement; ⌀ su point m, tache f; (Stoff) pois m; ⌀er $ tampon m
Tür porte f; (Wagen-) portière f ♦ offene ~en einrennen enfoncer des portes ouvertes; mit d. ~ ins Haus fallen y aller tout de go; vor verschlossener ~stehen trouver porte close; vor d. ~ stehen (fig) être proche (od imminent); ~angel gond m; ~flügel vantail m, battant m; ~füllung panneau m; ~griff bouton m, bec-de-cane m; ~klinke poignée f, béquille f, loquet m; ~klopfer heurtoir m, marteau m; ~öffnung ouverture f, embrasure f, baie f (de la porte); ~pfosten dormant m, montant m; ~schloß serrure f; ~schwelle seuil m, pas m (de la porte); ~verriegelung verrouillage m
Turbine turbine f; ~nrad roue f de turbine; ~nschaufel aube f de turbine
Turbo||lader turbo-compresseur m; ~strahltriebwerk turboréacteur m
Türk|e Turc; ~ei la Turquie; ~enbund bot martagon m; ~is turquoise f; ⌀isch turc
Turm (a. Schach) tour f; (Kirch-) clocher m; (freistehend) campanile m; (Geschütz-) tourelle f; (U-Boot) kiosque m; türmen vt entasser, amonceler; vi umg se barrer, décamper; **Türmer** gardien d'une tour; ~falke crécerelle f; ~spitze flèche f; ~springen ⫸ plongeon m de haut vol; ~uhr horloge f
turn|en faire de la gymnastique; ⌀en su gymnastique f; ⌀er gymnaste; ~erisch gymnastique; ⌀geräte agrès mpl (de gymnastique); ⌀halle gymnase m, salle f de gymnastique; ⌀hose culotte f de gymnastique; ⌀lehrer professeur d'éducation physique; ⌀schuhe chaussures fpl de gymnastique, espadrilles fpl; ⌀stunde leçon f de gymnastique; ⌀verein société f de gymnastique
Turnier tournoi m; championnat m; ~platz lice f
Turnus roulement m; ⌀mäßig par roulement
Tusch|e encre f de Chine; ⌀en faire un lavis; ~kasten boîte f à couleurs; ~zeichnung lavis m

tuscheln chuchoter
Tüte sac m (en papier), sachet m
Typ type m; modèle m; ~e ⌷ type m, caractère m; umg original m; ⌀isch typique; ~isierung ~ung standardisation f
Typhus (fièvre f) typhoïde f
Tyrann tyran; ~ei tyrannie f; ⌀isch tyrannique; ⌀isieren tyranniser

U

U-Bahn métro(politain) m
übel adj mauvais; adv mal; wohl oder ~ bon gré, mal gré; nicht ~ pas mal; mir ist ~ j'ai mal au cœur, je me trouve mal; dabei wird e-m ~ cela fait lever le cœur, cela donne la nausée; ⌀ su mal m; vom ⌀ sein nuire; d. ⌀ an d. Wurzel packen couper le mal dans sa racine; ~gelaunt maussade; mal disposé, mal luné; ~gesinnt mal intentionné; ⌀keit nausée f, mal m au cœur, haut-le-cœur m; ~nehmen prendre en mauvaise part; ~riechend malodorant, infect; ⌀stand abus m, injustice f; embarras m; ⌀tat forfait m; ⌀täter malfaiteur; ~wollend malveillant
üben vt exercer; pratiquer; ♪ répéter, travailler; fig user de; vi faire des exercices; s'entraîner
über 1. präp sur; au-dessus de; (... hinweg) par-dessus; (.. hinaus) au-delà de, par-delà; de l'autre côté; (während) pendant, durant, le long de; (besser) supérieur à; (mehr) plus de; (von) de, au sujet de, à propos de; ☞ via; ~alles (Abemessung) hors tout; d. ganzen Tag ~ tout le long de la journée; ~ Paris fahren passer par Paris; er ist ~ vierzig il a passé la quarantaine; es geht nichts ~ ... rien ne vaut..., il n'est rien de tel que...; 2. adv: ~ u. ~ tout à fait, complètement; etw. ~ haben avoir assez de qch
überall partout, en tout lieu
über|altert suranné, vétuste; ⌀alterung vieillissement m; ~angebot excès m d'offre; ~anstrengen surmener; ⌀anstrengung surmenage m; ~antworten livrer; remettre
überarbeit|en revoir, réviser, retoucher; refl se surmener; ⌀ung retouche f; (insgesamt) révision f; surmenage m
über|aus extrêmement, infiniment; ⌀bau superstructure f; ~beanspruchen fatiguer, surcharger; ~belasten surcharger; ~belichten 🗓 surexposer; ⌀beschäftigung suremploi m; ~bewerten surestimer; ~bieten renchérir sur; ~bleiben rester, subsister; ⌀bleibsel bribes fpl, fragment m
Überblick vue f d'ensemble; fig coup m d'œil, aperçu m; synthèse f, situation f récapitulative; ⌀en embrasser d'un coup d'œil
überbringen remettre; ⌀er porteur
überbrück|en jeter un pont sur; ⚡ shunter, court-circuiter; fig surmonter; ⌀ung fig soudure f; ⌀ungshilfe aide f transitoire
über|bürden surmener, accabler; ~dachen couvrir d'un toit; ⌀dachung toiture f; ~denken repenser, repasser, reconsidérer; ~dies de plus, en outre, encore; ~drehen forcer, déformer; ⌀druck ⚙ surpression f; (Marke) surcharge f;

&druckventil clapet *m* de surpression; **&druß** dégoût *m*, lassitude *f; z.* **&druß** à satiété; **~drüssig** dégoûté, las; *e-r Sache ~drüssig werden* se dégoûter de qch; **~durchschnittlich** au-dessus de la moyenne; **&eifer** excès *m* de zèle; **~eifrig** (trop) zélé; **~eignen** transférer, transmettre; **&eignung** transfert *m*, transmission *f;* 🕮 tradition *f*

überei|len hâter, précipiter; **~t** hâtif, précipité; inconsidéré; **~ung** hâte excessive, précipitation *f*

übereinander l'un sur l'autre; en piles; **~greifen** chevaucher; **~legen** empiler, superposer; **~schlagen** *(Beine)* croiser; **~setzen, ~stellen** superposer

überein|kommen s'accorder, s'arranger, tomber d'accord, convenir (de); **&kommen** *su,* **&kunft** accord *m,* arrangement *m,* convention *f;* **~stimmen** concorder, cadrer, s'accorder; être d'accord; **&stimmung** concordance *f,* accord *m,* harmonie *f,* conformité *f,* convergence *f*

überempfindlich hypersensitif; hypersensible; **&keit** hypersensibilité *f;* hyperesthésie *f*

über|essen *refl* se gaver; ' **~fahren** faire le trajet; **~'fahren** écraser; *(Signal)* brûler; **&fahrt** trajet *m;* traversée *f,* passage *m*

Überfall agression *f,* hold-up *m,* attaque à main armée; coup *m* de main; incursion *f,* invasion *f;* **&en** attaquer, assaillir; surprendre; **überfällig** en retard; en souffrance; **~kommando** police-secours *f*

über|fliegen survoler; *fig* parcourir (des yeux); **~fliegen** déborder; **~flügeln** surpasser, surclasser, primer; **&fluß** (sur)abondance *f;* excédent *m;* profusion *f;* **~flüssig** superflu, inutile; **~fordern** surmener, surcharger; **&fracht** excédent *m* de bagages; surcharge *f;* **&fremdung** surpopulation *f* étrangère; **&frieren** *(Regen)* pluie verglaçante

überführ|en transférer; *chem* convertir; 🕮 confondre qn; **&ung** transfert *m,* translation *f; chem* conversion *f;* 🕮 preuve convaincante, conviction *f;* ✝ passage supérieur

Überfülle surabondance *f,* pléthore *f,* profusion *f;* **&t** comble; bondé; **~ung** encombrement *m; (Beruf)* pléthore *f*

über|füttern gorger, gaver *(mit* de); **&gabe** remise *f; mil* capitulation *f,* reddition *f*

Übergang passage *m;* jonction *f,* raccordement *m; fig* transition *f;* **~sbestimmungen** dispositions *fpl* transitoires; **~smantel** manteau *m* de demi-saison; **~szeit** période *f* de transition

über|geben remettre, livrer, délivrer; *mil* rendre; *refl* 💲 rendre, vomir; ' **~gehen** passer *(zu* à); procéder *(zu* à); se transmettre *(auf* à); tourner, se transformer, changer *(in* en); *ineinander ~gehen* se (con)fondre; **~'gehen** passer, glisser *(etw.* sur qch); omettre, négliger

Über|gepäck excédent *m* de bagages; **~gewicht** excédent *m* de poids, surcharge *f* pondérale; *fig* prépondérance *f,* supériorité *f; d. Ü. bekommen* perdre l'équilibre; *fig* l'emporter; ' **&gießen** répandre, verser; **&'gießen** arroser; **&glücklich** comblé de joie; **&greifen** empiéter *(auf* sur); ✿

chevaucher; *fig* se propager *(auf* à), gagner *(auf etw.* qch); **~griff** empiétement *m*

Überhand|nahme accroissement excessif; envahissement *m;* **&nehmen** prendre le dessus; envahir; se propager; se multiplier

Über|hang surplomb *m,* avance *f,* saillie *f;* draperie *f; com* surplus *m,* excédent *m;* **~hangmandat** *pol* mandat *m* supplémentaire; **&hasten** précipiter; **&häufen** combler

überhaupt en général, en somme; après tout; **~** *nicht* pas du tout, pas le moins du monde; *wenn ~* si tant est que

über|heben dispenser, faire grâce *(e-r Sache* de qch); épargner *(e-r Sache* qch); *refl* se donner un tour de reins (en soulevant qch); *fig* être arrogant; **~heblich** arrogant, prétentieux, présomptueux; **~hitzen** surchauffer; **&hitzung** surchauffe *f;* **~holen** dépasser, doubler; *a. fig* distancer; réviser, remettre à neuf; **~holt** démodé, désuet; **&holung** révision *f;* remise *f* à neuf; **&holverbot** interdiction de dépasser; **~hören** ne pas entendre; *(absichtl.)* faire la sourde oreille; **~irdisch** céleste; surnaturel; **~kochen** déborder; se sauver *(umg);* **~kommen** 1. *vt* prendre; 2. *adj* traditionnel; transmis; **~kritisch** *(Reaktor)* surcritique; **~laden** surcharger

überlag|ern superposer; **&erung** superposition *f;* ⚡ interférence *f*

Über|landverkehr transport *m* en surface; **~lappung** chevauchement *m,* recouvrement *m* partiel, empiétement

überlass|en laisser; céder; *refl* se livrer à, s'abandonner à; *s. selbst ~en* abandonner à soi-même; *ich ~e es Ihnen* je m'en rapporte *(od* remets) à vous; **&ung** cession *f,* abandon *m; (Zoll)* main-levée

über|lasten surcharger; **&lastung** *(Person)* surmenage *m;* **&lauf** trop-plein *m,* déversoir *m;* débordement *m,* passage *m;* ' **~laufen** déborder; se sauver; *z. Feind ~laufen* passer à l'ennemi; **~'laufen** 1. *vt* saisir, prendre; 2. *adj* envahi; *(Beruf)* encombré; **&läufer** déserteur, transfuge

überleb|en survivre *(j-n* à qn, *etw.* à qch); **&ender** survivant; **&ensfall** cas *m* de survie; **~ensgroß** plus grand que nature; **~ensrente** pension *f* de réversion

überleg|en 1. *vt* réfléchir *(etw.* à qch); considérer; *s. etw. zweimal ~en* y regarder à deux fois; *alles wohl ~t* à tout prendre; 2. *adj* supérieur (à); souverain; **&enheit** supériorité *f;* **&ung** réflexion *f,* raisonnement *m;* délibération *f*

über|leiten former la transition; **~lesen** parcourir; *(auslassen)* passer, sauter

überliefer|n remettre; transmettre; **~t** traditionnel; **~ung** tradition *f*

Überliegezeit ⚓ surestarie *f*

über|listen duper; **&macht** supériorité *f,* prépondérance *f;* (plus grand) nombre *m;* **~mächtig** trop puissant; **~mannen** vaincre; accabler; **&maß** excès *m;* surabondance *f; im ~maß** outre mesure; **~mäßig** excessif, démesuré; exorbitant; ♪ augmenté; *adv* à l'excès

übermitt|eln transmettre; **⌐lung** transmission *f*
über|morgen après-demain; **~müdet** brisé de fatigue; **⌐müdung** excès *m* de fatigue; **⌐mut** exubérance *f*, joie folle; pétulance *f*; **~mütig** exubérant; pétulant; insolent; **~nachten** passer la nuit, coucher; **⌐nachtung** nuitée *f*; **⌐nahme** prise *f* de possession; acceptation *f*; *(Amts-)* entrée *f* en fonction *(Waren)* réception *f*, prise *f* en charge; **~national** supranational; **~natürlich** surnaturel; **~nehmen** prendre; recevoir; accepter; assumer, se charger de; *refl* s'excéder; trop présumer de ses forces; **⌐produktion** surproduction *f*; **~prüfen** examiner; contrôler, vérifier; réviser; **⌐prüfung** contrôle *m*, vérification *f*; **~quellen** déborder; **~queren** traverser
überragen surmonter, dépasser; dominer; *fig* surpasser; **~d** excellent, éminent
überrasch|en surprendre; étonner, frapper; **⌐ung** surprise *f*
überred|en persuader; **⌐ung** persuasion *f*
überreich|en présenter, remettre; **~lich** surabondant; *adv* à profusion; **⌐ung** présentation *f*, remise *f*
über|reif trop mûr, avancé, passé; **~reizen** surexciter; **⌐rest** reste *m*; *pl* débris *mpl*, vestiges *m*
überrumpel|n surprendre; prendre au dépourvu *(od* à l'improviste); **⌐ung** surprise *f*; *mil* coup *m* de main
über|runden doubler; *fig* prendre de vitesse; **~sättigen** sursaturer; *fig* saturer; **⌐sättigung** sursaturation *f*; satiété *f*; **⌐schallgeschwindigkeit** vitesse *f* supersonique; **~schätzen** surestimer; présumer trop *(etw.* de qch); **~schaubar** contrôlable
Überschlag culbute *f*; ✛ capotage *m*; ⚡ décharge *f*; *com* évaluation *f* approximative; estimation *f*; devis *m*; **~en** *vt* estimer; calculer approximativement; *(auslassen)* passer, sauter; *refl* culbuter; 🚗 capoter
über|schlägig approximatif; **~schneiden** *refl* se couper; *fig* chevaucher, faire double emploi; **~schreiben** surcharger; intituler; transférer, transcrire
überschrei|ten franchir, passer; *fig* dépasser, outrepasser, excéder; transgresser; *(Gesetz)* enfreindre; **⌐tung** dépassement *m*; excès *m*; 🔗 transgression *f* (de), infraction *f* (à)
Über|schrift titre *m*, rubrique *f*, en-tête *m*; **~schuh** galoche *f*; **~schuldung** surendettement *m*; **~schuß** excédent *m*, surplus *m*; bénéfice *m*; **⌐schüssig** excédant, excédentaire; **~schütten** couvrir *(mit* de); *fig* combler, inonder *(mit* de); **~schwang** exubérance *f*, débordement *m*
überschwemm|en *a. fig* inonder, submerger, noyer; *fig* envahir; **⌐ung** inondation *f*, débordement *m*
überschwenglich exubérant, exalté
Übersee: *in* **~** outre-mer; **~gebiete** territoires *mpl* d'outre-mer; **~handel** commerce *m* d'outre-mer
übersehen embrasser d'un coup d'œil; *(nicht sehen)* passer, omettre
übersend|en envoyer, adresser, faire parvenir; **⌐ung** envoi *m*, transmission *f*

über|setzen *vt/i* passer (en bateau); **~'setzen** traduire; **⌐setzer** traducteur; **⌐setzung** traduction *f*; *(aus d. Fremdsprache)* version *f*; *(in d. Fremdsprache)* thème *m*; ✿ transmission *f*; multiplication *f*; **⌐setzungsmaschine** machine *f* à traduire; **⌐setzungsverhältnis** ⚡ rapport *m* de transformation; ✿ rapport *m* de conduite
Übersicht coup *m* d'œil, aperçu *m*; vue *f* d'ensemble, tableau synoptique; diagramme *m*; précis *m*, exposé *m*; **⌐lich** bien disposé; clair, synoptique; *(Gelände)* dégagé; **~lichkeit** bonne disposition; clarté *f*
übersied|eln déménager; émigrer; **⌐lung** déménagement *m*; émigration *f*
überspann|en trop tendre *(od* tirer); **~t** excentrique; **⌐theit** excentricité *f*
über|spitzt exagéré, excessif; **~springen** sauter *(od* passer) par-dessus; *fig* sauter, omettre; **~sprudeln** jaillir; **~staatlich** supranational; '**~stehen** dépasser; 🏛 faire saillie; **~'stehen** survivre *(etw.* à qch); surmonter; **~steigen** escalader; *fig* dépasser, surpasser, excéder; **~stellen** transférer; **~stellung** transfert *m*; **~strahlen** *fig* éclipser; '**~strömen** *a. fig* déborder; **~'strömen** inonder; *fig* envahir; **⌐stunde** heure *f* supplémentaire
überstürz|en précipiter, brusquer; **~t** précipité, inconsidéré; **⌐ung** hâte *f*, précipitation *f*
übertönen couvrir
Über|trag report *m*; **⌐tragbar** 🔄 réversible, cessible; '**⌐tragen** reporter; **~'tragen** transmettre; *(beauftragen)* charger de, confier; *(umschreiben)* recopier, transcrire; *(übersetzen)* traduire; 📡 diffuser; 🔄 céder, transférer, transporter; 💉 infecter; *(Blut)* transfuser; **~träger** 💉 agent *m* contagieux; **~tragung** transmission *f*; transcription *f*; traduction *f*; 📡 diffusion *f*; retranscription *f*, relais *m*; 🔄 cession *f*, transfert *m*, transport *m*, translation *f*; 💉 infection *f*; *(Blut)* transfusion *f*
übertreffen dépasser, surpasser, excéder, primer; 🔗 surclasser
übertreib|en exagérer, outrer, surfaire, forcer; **⌐ung** exagération *f*
über|treten *(Fluß)* déborder; se convertir; passer *(zu j-m* du côté de qn); **~'treten** 💉 contrevenir, désobéir *(d. Gesetz* à la loi); **⌐tretung** contravention *f*, transgression; *f*; **~trieben** exagéré, outré; exorbitant, excessif; **⌐tritt** passage *m* *(zu* à); conversion *f*; **~trumpfen** surenchérir; **⌐völkerung** surpeuplement *m*; **~voll** comble, bondé, débordant; **~vorteilen** léser; *umg* rouler; **~wachen** surveiller, contrôler; **⌐wachung** surveillance *f*, contrôle *m*; *(Telefon)* écoute *f*; **~wachungsgerät** moniteur *m*
überwältig|en surmonter, accabler, vaincre, conquérir; **~end** écrasant; grandiose; **⌐ung** victoire *f*, conquête *f*
überwälzen répercuter
überweis|en transmettre; *(Geld)* virer; transférer; **⌐ung** virement *m*
über|werfen *refl* se brouiller; **~wiegen** prédominer; prévaloir; être prépondérant

überwind|en surmonter, franchir; l'emporter sur; vaincre; **⌐er** vainqueur; **⌐ung** triomphe m
über|wintern hiverner; **~wuchern** envahir, étouffer; **⌐zahl** surnombre m, excédent m; supériorité f numérique; **~zählig** surnuméraire; en surnombre, en surplus; de trop
überzeug|en convaincre (von de); **~end** convaincant, probant, concluant; **⌐ung** conviction f; persuasion f
über|ziehen mettre; j-m eins ~ziehen administrer un coup à qn; ~'ziehen couvrir; recouvrir, revêtir; (Bett) mettre des draps; (Konto) laisser à découvert; (Kredit) dépasser; refl se couvrir; **⌐zieher** pardessus m, paletot m; **~zuckern** saupoudrer de sucre; **⌐zug** couverture f, housse f, (Kissen-) taie f; (Schicht) couche f, revêtement m; (Farbe) enduction f; ⚡ enrobage m; **~zugsschicht** pellicule f protectrice
üblich usuel, usité, d'usage; consacré, traditionnel
U-Boot sous-marin m, submersible m; **~krieg** guerre sous-marine
übrig de reste, de trop; restant; d. ~e(n)... le reste de...; im ~en du (od au) reste; ~ haben avoir de reste; für j-n etw. ~ haben avoir un petit sentiment pour qn; **~bleiben** rester; **~ens** d'ailleurs, du (od au) reste; au demeurant; au surplus
Übung exercice m, pratique f; entraînement m; habitude f; mil manœuvre f ♦ ~ macht d. Meister c'est en forgeant qu'on devient forgeron; **~sflug** vol m d'entraînement; **~sgerät** simulateur m
Ufer bord m; (Meer, See) rivage m; laisse f (de marée); (Fluß) rive f; (Kanal) berge f; **⌐los** fig sans bornes, illimité; adv à perte de vue
Uhr (Zeit) heure f; (Taschen-, Armband-) montre f; (Wand-) pendule f; (Normal-) horloge f; wieviel ~ ist es? quelle heure est-il?; es ist zwei ~ il est deux heures; um halb fünf ~ à quatre heures et demie; um zwölf ~ à midi ♦ j-s ~ ist abgelaufen son heure a sonné; rund um die ~ à toute heure, sans interruption; **~enindustrie** industrie f horlogère; **~feder** ressort m de montre; **~gehäuse** boîte f, boîtier m; **~glas** verre m de montre; **~kette** chaîne f de montre; **~macher** horloger; **~macherwaren** horlogerie f; **~werk** mécanisme m d'horlogerie; **~zeiger** aiguille f (de montre); **~zeigersinn** sens m horaire; **~zeit** heure
Uhu grand duc
UKW M. F. (modulation f de fréquence)
Ulk plaisanterie f, blague f, canular m; **⌐en** faire des blagues; **⌐ig** rigolo
Ulme orme m
Ultimo dernier jour ouvrable du mois; fin de mois; **~geschäft** opération à liquider en fin de mois
Ultra|kurzwelle onde f métrique; très haute fréquence; **~marin** outremer m; **~schallgerät** appareil m à ultra-son; **⌐violett** ultraviolet
um 1. präp (~ ...herum) autour de; (ungefähr)environ, à peu près, autour de; (zeitl.) à; (gegen) sur, vers; (für) pour, à; (~ ... willen)

à cause de, pour; ~ ein Jahr älter sein avoir un an de plus; Schlag ~ Schlag coup pour coup; e-r ~ d. anderen l'un après l'autre; ~ so besser (schlimmer) tant mieux (pis); ~ so mehr raison de plus que (+ inf); ~ so mehr als d'autant plus que; 2. conj: ~ zu pour, afin de (+ inf); 3. adv: ~ u. ~ tout autour, partout; (vorbei) passé, fini; d. Zeit ist ~ le temps est passé
umadressieren réexpédier
umänder|n changer, modifier; **⌐ung** changement m, modification f
umarbeit|en remanier, refaire; (Buch) refondre; **⌐ung** remaniement m; refonte f
umarm|en serrer dans ses bras; embrasser, étreindre; **⌐ung** embrassement m, étreinte f; accolade f
Um|bau transformation f, modification f; conversion f; '**⌐bauen** transformer, modifier; **⌐'bauen** entourer de bâtiments; **⌐bauter Raum** espace bâti; **⌐biegen** replier, recourber; **⌐bilden** transformer, réformer; pol remanier; **~bildung** transformation f; réorganisation f; pol remaniement m; **⌐blättern** tourner la page; **⌐blicken** refl se retourner, regarder autour de soi; '**⌐brechen** rompre, casser; ⬇ défricher; **~'brechen** ⬜ mettre en pages; **⌐bringen** tuer, mettre à mort; **~bruch** pol bouleversement m, changement m; ⬜ mise f en pages; **⌐buchen** (Geld) transférer, virer; (Reise) modifier la date d'un voyage; **~buchung** jeu m d'écritures; virement m; modification f de la réservation
um|denken modifier son point de vue, changer d'optique, changer d'avis, réformer son jugement; **~deuten** interpréter différemment; **~disponieren** dérouter
umdreh|en (re)tourner; (Hals) tordre; **⌐ung** tour m; révolution f; rotation f
Um|druck ⬜ réimpression f; **⌐düstert** assombri; '**⌐fahren** renverser; **⌐'fahren** faire le tour de, (con)tourner; (Kap) doubler; **⌐fallen** tomber; fig tourner casaque
Umfang périmètre m, périphérie f; tour m, pourtour m; (Kreis) circonférence f; (Stimme) registre m, étendue f; portée f, volume m; **⌐reich** volumineux
umfass|en prendre dans ses bras; fig comprendre, contenir, grouper, embrasser; **~end** volumineux, vaste, ample, complet; d'envergure; **⌐ung** enceinte f
Umfeld champ m périphérique, entourage m, environnement m, sphère f, milieu m
umform|en transformer; ⚡ convertir; **⌐er** transformateur m; convertisseur m; inverseur m; **⌐ung** transformation f
Umfrage enquête f, sondage m
umfüllen transvaser, soutirer
Umgang tour m, tournée f; rel procession f; ⛪ galerie f; fig relations fpl, rapports mpl; fréquentation f, commerce m; ~ haben mit commercer avec; **umgänglich** sociable, traitable, affable; **~sformen** manières fpl, savoir-vivre m; **~ssprache** langage familier
umgarnen circonvenir, enjôler
umgeb|en environner; a. fig entourer (mit de);

⌁ung alentours *mpl*, environs *mpl; fig* entourage *m*, milieu *m;* **⌁ungstemperatur** température ambiante

Um|gegend voisinage *m*, alentours *mpl*, environs *mpl;* ' **⌁gehen** faire un détour; circuler; *(spuken)* revenir; *(behandeln)* traiter *(mit j-m* qn); manier; manipuler, manœuvrer *(mit etw.* qch); **⌁'gehen** contourner; *fig* éviter, éluder, esquiver; court-circuiter; se soustraire *(etw.* à qch); **⌁gehend** immédiatement; **~gehung** contournement *m;* détour *m; fig* évitement *m;* **~gehungsstraße** déviation *f;* rocade *f*, périphérique *m;* **⌁gekehrt** renversé; contraire; *adv* à l'envers; inversement, vice versa

umgestalt|en transformer, réorganiser, remanier, refondre; **⌁ung** transformation *f*, réorganisation *f*, refonte *f*

um|gießen transvaser, soutirer; ⚙ refondre; **~gliedern** réorganiser; **~graben** bêcher; **~gruppieren** regrouper; **~haben** avoir sur soi, porter; **⌁hang** pèlerine *f;* **~hängen** mettre, endosser; porter en bandoulière; **~hauen** abattre

umher autour; à la ronde; de tous côtés; çà et là; **~blicken** regarder de tous côtés; **~gehen** se promener, aller çà et là, déambuler; **~irren** errer, vagabonder; **~ziehen** courir le pays

umhüllen envelopper, recouvrir; enrober

Umkehr retour *m; fig* conversion *f;* **⌁bar** réversible; **⌁en** *vt* retourner; renverser; ⚡ inverser; *vi* retourner, revenir sur ses pas, rebrousser chemin; **~film** film *m* réversible; **~ung** renversement *m;* inversion *f*

umkippen *vt* renverser, culbuter; *vi* basculer; *(Wagen)* verser; *(Gewässer)* s'eutrophiser

umklammer|n étreindre; se cramponner à; *mil* encercler; **⌁ung** étreinte *f;* encerclement *m;* accrochage *m*

umklappen rabattre

umkleiden *refl* se changer, changer de vêtements; **⌁raum** vestiaire *m*

um|knicken *vt* plier, recourber; *vi* se plier, se briser; ⚕ se fouler le pied; **~kommen** périr, succomber

Umkreis *math* cercle circonscrit; circonférence *f;* pourtour *m;* enceinte *f;* voisinage *m; in 20 km* ~ à vingt kilomètres à la ronde, dans un rayon de vingt kilomètres; **⌁en** tourner *(ou* graviter) autour de

umlad|en recharger; 🚚, ⚓ transborder; **⌁ung** rechargement *m*, transbordement *m*

Umlag|e cotisation *f;* prélèvement *m; (Steuern)* répartition *f;* **⌁ern** assiéger; entourer

Umlauf tour *m*, révolution *f; (Geld)* circulation *f; (Brief)* circulaire *f; in ~ setzen* mettre en circulation; faire circuler, propager; **~bahn** orbite *f; auf die ~bahn bringen* placer en orbite; **⌁en** circuler, se propager; être en circulation; **~vermögen** capital circulant; capital disponible et réalisable; **~zeit** période *f* de révolution

umleg|en mettre; coucher, renverser, replier; placer *(od* mettre) autrement; *(verteilen)* répartir; prélever; *umg* abattre

umleit|en détourner; dévier; dériver; **⌁ung** détournement *m;* 🚗 déviation *f*

um|lenken tourner; **⌁lenkung** renvoi *m;* basculement *m;* modification *f* de la destination; **~lernen** réapprendre; réviser ses connaissances; changer de métier; **~liegend** d'alentour; environnant; **⌁luft** ambiance *f;* **⌁luftheizung** chauffage *m* à circulation d'air; **~mantelung** enrobage *m;* **~mauern** murer; **~nachtet** *fig* fou; **⌁nachtung** folie *f;* **~nebeln** *fig* troubler; **~pflanzen** transplanter; **~pflügen** labourer; **~polen** ⚡ inverser les pôles; **~rahmen** encadrer; **~randen** border, entourer

umrechn|en *com* convertir, changer; **⌁ung** conversion *f*, change *m;* **⌁ungskurs** cours *m (od* taux *m)* du change

um|reißen renverser; **~'reißen** esquisser; **~rennen** renverser; **⌁richter** convertisseur *m;* **~ringen** entourer; cerner; **⌁riß** contour *m; (Entwurf)* tracé *m*, ébauche *f;* **~rühren** remuer, agiter, touiller; **⌁rundung** vol *m* orbital;

Umsatz chiffre *m* d'affaires; *(Energie)* rendement *m* énergétique; **~steuer** taxe *f* sur le chiffre d'affaires

umsäumen border, entourer *(mit* de)

umschalt|en ⚡ commuter; 🚗 changer de vitesse; **⌁er** ⚡ commutateur *m; (Schreibm.)* touche *f* de transposition; **⌁hebel** ⚡ levier *m* de commutation; **⌁ung** *f* commutation *f*

umschauen *refl* tourner la tête

umschichten *fig* regrouper, reclasser

umschiffen circumnaviguer, contourner; *(Kap)* doubler

Um|schlag *(Buch)* couverture *f; (Brief)* enveloppe *f*, pli *m; (Akten)* chemise *f; (Stoff)* repli *m*, rebord *m; (Wetter)* changement *m* (brusque); renversement *m; com* rotation *f; (Umladen)* transbordement *m;* ⚕ compresse *f; fig* changement *m*, revirement *m*, retour *m;* **⌁schlagen** *vt (Stoff)* rabattre; *(Seite)* tourner; *(umladen)* transborder; *vi (Wetter)* changer (subitement); *(Wind)* tourner; ⚡ chavirer; *fig* changer, virer; **~schlaghafen** port *m* de transbordement

um|schließen (r)enfermer, entourer; **~schlingen** enlacer; serrer dans ses bras; **~schmeicheln** courtiser; **~schmelzen** refondre; **~schnallen** boucler, ceindre; ' **~schreiben** recopier, transcrire; transférer; **~'schreiben** périphraser; délimiter; ' **⌁schreibung** transcription *f;* transfert *m;* **⌁'schreibung** circonlocution *f*, périphrase *f;* **⌁schrift** copie *f*, transcription *f*

umschul|den convertir (une dette); **⌁dung** conversion *f;* **~en** rééduquer; *sich ~en lassen* se reconvertir; acquérir une nouvelle qualification; **⌁ung** reconversion professionnelle

umschütten transvaser; renverser

Umschweif détour *m*

um|schwenken retourner; *fig* tourner bride; **⌁schwung** changement *m*, révolution *f*, revirement *m;* tournant *m;* péripétie *f;* **~segeln** circumnaviguer; *(Kap)* doubler; **~sehen** *refl* se tourner; chercher *(nach j-m* qn, *nach etw.* qch); **~seitig** à la page suivante, au verso; **~setzen** changer de place; *fig* transposer; ⬇ transplanter; *com* vendre, écouler, commercialiser; **⌁sichgreifen** *su* propagation *f*, extension *f*

Umsicht circonspection *f;* **≁ig** circonspect
um|siedeln transplanter, tranférer; **~sinken** tomber; s'évanouir; **~sonst** inutile; en vain, vainement; pour rien, gratuit; ' **~spannen** transformer; **~'spannen** entourer (des bras); embrasser, comprendre; **~springen** *(Wind)* sauter; *(Person)* traiter, manier *(mit j-m* qn)
Umstand circonstance *f;* détail *m;* fait *m;* condition *f;* **~skleidung** vêtements *mpl* de grossesse; **~skrämer** formaliste; façonnier; **~swort** adverbe *m*
Umständ|e cérémonies *fpl,* façons *fpl,* manières *fpl; unter ~en* le cas échéant, à l'occasion; *unter allen ~en* en tout cas, quoi qu'il arrive; *unter keinen ~en* en aucun cas, à aucun prix; *in anderen ~en* enceinte; *erschwerende (mildernde) ~e* 🐫 circonstances aggravantes (atténuantes); **≁lich** compliqué; détaillé, circonstancié; cérémonieux, formaliste
umstehen entourer; **~d** au verso, à la page suivante; *d.* **≁den** l'assistance *f*
umsteigen changer (de train)
um|stellen changer de place, disposer autrement, regrouper; transposer; *com* réorganiser, reconvertir; *refl* s'adapter; **~'stellen** entourer, cerner; **~ung** regroupement *m;* changement *m;* transposition *f,* inversion *f;* réorganisation *f; com* conversion *f*
um|stimmen faire changer d'avis; **~stoßen** renverser; *fig* annuler, abroger, rompre; **~stritten** discuté, contesté, controversé; **~strukturieren** restructurer
Umsturz bouleversement *m;* subversion *f,* révolution *f*
umstürz|en *vt* renverser; bouleverser; *vi* tomber (à la renverse), se renverser; verser; **≁lerisch** subversif
Umtausch échange *m;* **≁en** changer, échanger
um|topfen rempoter; **≁triebe** menées *fpl;* **≁trunk** vin *m* d'honneur; *umg* pot *m;* **~tun** mettre; *refl* aller à la recherche *(nach* de); s'occuper *(nach* de)
umwälz|en renverser, bouleverser; révolutionner; **≁ung** bouleversement *m; (Luft)* circulation *f*
umwand|eln transformer; changer; convertir; 🐫 commuer; **≁lung** transformation *f;* changement *m;* conversion *f; phys* transmutation *f*
um|wechseln *(Geld)* changer; **≁weg** détour *m; auf* **≁wegen** *(fig)* par des voies détournées
Umwelt environnement *m;* écosystème *m;* cadre *m* de vie, milieu *m,* ambiance *f;* **~bedingungen** facteurs *mpl* de milieu; **~belastung** atteinte *f* à l'environnement; **~bewußtsein** conscience *f* écologique; **~faktor** facteur de milieu; **~forschung** science *f* écologique; **~gefahren** menaces *fpl* pour l'environnement; **~schäden** nuisances *fpl,* dégradation *f ou* altération de l'environnement, pollution *f;* **~schutz** protection *f ou* sauvegarde *f* de l'environnement, conservation *f* de la nature; **~schützer** écologiste *m;* **~verschmutzung** pollution *f;* **~zerstörung** destruction *f* (irréversible) du milieu; biodégradation *f*

um|wenden (re)tourner; **~werben** courtiser; **~werfen** renverser; *(Kleidung)* jeter sur ses épaules; **~wickeln** envelopper *(mit* de); ⚡ embobiner; **~wölken** *refl* se charger de nuages; *fig* s'assombrir; **~zäunen** enclore, clôturer; **~ziehen** *vi* déménager; *refl* changer d'habits, se changer; **~zingeln** entourer, cerner, investir
Umzug cortège *m; rel* procession *f; (Wohnung)* déménagement *m*
unab|änderlich immuable, irrévocable; **~dingbar** inaliénable; 🐫 impératif
unabhängig indépendant, autonome; **≁keit** indépendance *f,* autonomie *f*
unab|kömmlich indisponible; **~lässig** incessant, continuel; *adv* sans cesse; **~sehbar** incalculable; **~sichtlich** sans intention; **~wendbar** inévitable, inéluctable
unachtsam négligent; inattentif; **≁keit** négligence *f,* inattention *f,* inadvertance *f*
unähnlich dissemblable; **≁keit** dissemblance *f,* dissimilitude *f*
unan|fechtbar incontestable; *(Entscheid)* souverain; **~gebracht** déplacé; pas de mise; **~gefochten** incontesté; tranquille; *adv* paisiblement; **~gemeldet** *adv* à l'improviste, sans prévenir; **~gemessen** impropre, inadéquat; inconvenant; **~genehm** désagréable, déplaisant, gênant, fâcheux; *(peinlich)* pénible; **~greifbar** inattaquable; **~nehmbar** inacceptable, inadmissible; **≁nehmlichkeit** inconvénient *m,* désagrément *m,* ennui *m;* **~sehnlich** laid; **~ständig** inconvenant, malséant, déshonnête, malhonnête; indécent, choquant; **≁ständigkeit** inconvenance *f,* indécence *f,* immodestie *f;* **~tastbar** intangible, inviolable, tabou; **≁tastbarkeit** intangibilité *f;* inviolabilité *f;* **~wendbar** inapplicable
unappetitlich peu appétissant; dégoûtant
Unart vilaine(s) habitude(s); **≁ig** impoli, mal élevé, goujat
unauf|fällig qui passe inaperçu; discret; *adv* sans se faire remarquer; **~findbar** introuvable; **~gefordert** spontané; *adv* sans y être invité; **~haltsam** irrésistible; **~hörlich** incessant; *adv* sans cesse, sans répit, d'affilée; à jet continu; **~löslich** indissoluble; **~merksam** inattentif, distrait; **≁merksamkeit** inattention *f,* distraction *f;* **~richtig** peu sincère, faux; **~richtigkeit** insincérité *f,* mauvaise foi, manque *m* de franchise; **~schiebbar** qui ne peut être différé
unaus|bleiblich immanquable, infaillible; **~führbar** inexécutable, irréalisable; **~geglichen** capricieux, fantasque; lunatique; **≁geglichenheit** inconstance *f,* instabilité *f,* **~gesetzt** ininterrompu, continu; sans relâche; **~löschlich** *a. fig* indélébile, ineffaçable, inextinguible; **~rottbar** indéracinable; **~sprechbar** imprononçable; **~sprechlich** indicible; inexprimable, ineffable; **~stehlich** insupportable; assommant *(umg);* **~weichlich** inévitable
unbändig indomptable; fou
unbarmherzig impitoyable, inexorable; **≁keit** cruauté *f,* dureté *f* de cœur
unbe|absichtigt non intentionné, non voulu; **~achtet** inaperçu; **~achtet lassen** ignorer;

~**anstandet** incontesté, sans réclamation; ~**antwortet** sans réponse; ~**arbeitet** brut, non usiné; ~**aufsichtigt** sans surveillance; ~**baut** inculte; non bâti; ~*bautes Gelände* terrain *m* vague; ~**dacht(sam)** irréfléchi, inconsidéré, étourdi; ⌐**dachtsamkeit** irréflexion *f,* étourderie *f;* ~**deckt** découvert; ~**denklich** sans inconvénient; *adv* sans hésitation; ~**deutend** insignifiant, modique, futile; ~**dingt** absolu, inconditionnel; sans restriction (*od* réserve); *adv* absolument; ~*dingt notwendig* indispensable; ~**einflußt** de façon autonome, librement; ~**fahrbar** impraticable; ~**fangen** décontracté; impartial, sans prévention; ⌐**fangenheit** ingénuité *f;* impartialité *f;* liberté *f* d'esprit; ~**fleckt** sans tache, pur; *bes rel* immaculé; ~**friedigend** insuffisant, peu satisfaisant; ~**friedigt** insatisfait; mécontent, désappointé; ~**fristet** illimité; (*Vertrag*) à durée indéterminée; ~**fugt** non autorisé, sans mandat; illicite; ⌐**fugter** personne *f* non autorisée; ~**gabt** peu doué; ~**glichen** impayé; ~**greiflich** incompréhensible, inconcevable; ~**grenzt** illimité; ~**gründet** injustifié, immotivé; ⌐**hagen** malaise *m;* ~**haglich** inconfortable, incommode; *s.* ~*haglich fühlen* être mal à l'aise; ⌐**haglichkeit** incommodité *f;* sentiment *m* de malaise; ~**helligt** *adv* sans être inquiété; ~**holfen** gauche, maladroit, emprunté, embarrassé; ⌐**holfenheit** gaucherie *f,* maladresse *f;* ~**irrbar** imperturbable; ~**irrt** *adv* sans se laisser déconcerter; ~**kann** inconnu, peu connu; ⌐**kante** *math* inconnue *f;* ~**kleidet** déshabillé, nu; ~**kömmlich** indigeste; ~**kümmert** insouciant; ~**lästigt** *adv* sans être importuné; ~**lebt** (*Materie*) inanimé, inerte; (*Straße*) peu fréquenté; ~**lehrbar** incorrigible
unbeliebt peu aimé, impopulaire; mal vu (*bei j-m* de qn); ⌐**heit** impopularité *f*
unbe|lohnt sans récompense; ~**mannt** sans équipage, inhabité; ~**merkt** inaperçu; ~**mittelt** sans biens, indigent; ~**nannt** innomé, sans nom; ~**nommen**: *es bleibt Ihnen* ~*nommen zu…* vous êtes libre de…; ~**nutzbar** inutilisable; ~**nutzt** inutilisé, neuf; ~**obachtet** inaperçu; *adv* sans être remarqué; ~**quem** incommode, inconfortable; gênant; ~**rechenbar** incalculable; ~*berechenbarer Mensch* homme aux réactions imprévisibles
unbe|rechtigt injustifié; non autorisé; ~**rührt** intégral, intact, vierge; ~**schadet** *präp* sans préjudice de; ~**schädigt** intact; ~**schäftigt** inoccupé, oisif; ~**scheiden** immodeste, exigeant, indiscret; ⌐**scheidenheit** immodestie *f,* indiscrétion *f;* ~**scholten** intègre, irréprochable; 🜨 sans antécédents judiciaires; ⌐**scholtenheit** intégrité *f,* réputation intacte; ~**schrankt** ⚒ non gardé; ~**schränkt** illimité, absolu, sans restriction; ~**schreiblich** indescriptible; qui défie toute description; ~**schrieben** *a. fig* blanc; *er ist kein* ~*schriebenes Blatt* son passé n'est pas sans tache; ~**schwert** *fig* léger; ~**seelt** inanimé; ~**sehen** *adv* sans examen préalable; ~**setzt** vide, pas occupé; (*Stelle*) vacant; (*Land*) libre, non occupé; ~**siegbar** invincible, imbattable

unbesonnen étourdi, irréfléchi, inconsidéré; ⌐**heit** étourderie *f,* irréflexion *f*
unbe|sorgt sans souci, insouciant; *sei* ~**sorgt!** ne t'en fais pas!; ~**ständig** instable, mobile; (*Wetter*) variable; *fig* inconstant, versatile, volage; ⌐**ständigkeit** instabilité *f;* inconstance *f,* versatilité *f;* ~**stätigt** non confirmé, incontrôlé; ~**stechlich** incorruptible, intègre, ⌐**stechlichkeit** incorruptibilité *f,* intégrité *f;* ~**steigbar** inaccessible; ~**stellt** ↓ inculte, en friche; ~**stimmbar** indéterminable, indéfinissable; ~**stimmt** indéfini, imprécis; vague, indécis; *a. math* indéterminé; *auf* ~*stimmte Zeit verschieben* ajourner sine die; ⌐**straft** impuni; ~**streitbar** incontestable, indiscutable; ~**stritten** incontesté; ~**teiligt** étranger (*an* à); désintéressé (*an, bei* dans); *ich bin daran* ~*teiligt* je n'y suis pour rien; ~**tont** *ling* atone; ~**trächtlich** peu considérable
unbeugsam inflexible, rigide, irréductible, intransigeant; ⌐**keit** inflexibilité *f,* rigidité *f,* intransigeance *f*
unbe|wacht non gardé; ~**waffnet** sans armes; ~**wältigt** (*Problem*) non résolu; (*Vergangenheit*) non assumé; ~**wandert** inexpérimenté, novice; peu versé; ~**weglich** immobile, fixe; (*Besitz*) immeuble, immobilier; ⌐**weglichkeit** immobilité *f;* ~**wegt** impassible; ~**weisbar** improuvable; ~**wohnbar** inhabitable; ~**wohnt** inhabité; ~**wußt** inconscient; instinctif, involontaire; ~**zahlbar** *a. fig* impayable; ~**zahlt** impayé, non réglé; non rétribué; ~**zähmbar** indomptable; ~**zeugt** inattesté; ~**zwingbar** invincible, insurmontable
unbiegsam inflexible; ⌐**keit** inflexibilité *f*
Unbil|den contrariétés *fpl,* adversité *f;* (*Wetter*) intempéries *fpl;* ~**l** injustice *f*
un|blutig sans effusion de sang; ~**botmäßig** insubordonné; ⌐**botmäßigkeit** insubordination *f;* ~**brauchbar** inutilisable; (*Person*) incapable; ~*brauchbar machen* saboter, mettre hors d'état; ⌐**brauchbarkeit** inutilité *f;* ~**brennbar** ininflammable, ignifuge
und et; *ja* ~? et alors?, et puis?; ~ *so weiter* et cætera (etc.), et ainsi de suite; ~ *zwar* et ce, et cela; *à* savoir
Undank ingratitude *f* ♦ ~ *ist der Welt Lohn* le monde paie d'ingratitude; ⌐**bar** ingrat (*gegen* envers); ~**barkeit** ingratitude *f*
un|datiert non daté, sans date; ~**definierbar** indéfinissable; ~**denkbar** inconcevable, inimaginable; ~**denklich**; *seit* ~*denklichen Zeiten* de temps immémorial; ~**deutlich** indistinct, vague; obscur; ~**dicht** qui n'est pas étanche; ⌐**ding** absurdité *f;* non-sens *m;* ~**duldsam** intolérant; ⌐**duldsamkeit** intolérance *f*
undurch|dringlich *a. fig* impénétrable; ⌐**dringlichkeit** impénétrabilité *f;* ~**führbar** irréalisable, inexécutable, impraticable; ~**lässig** imperméable (*für* à); ⌐**lässigkeit** imperméabilité *f;* ~**sichtig** opaque; (*Lage*) confus; (*Verhalten*) ténébreux; ⌐**sichtigkeit** opacité *f*
uneben inégal, (*Gegenstand*) raboteux, rugueux; (*Gelände*) accidenté, présentant des dénivellations; mouvement; *nicht* ~ (*umg*) pas

mal; **⊥heit** inégalité f; rugosité f; (Gelände) accident m, aspérité f

un|echt faux, non authentique; (gefälscht) contrefait, falsifié; (künstl.) artificiel; (Haar) postiche; **~ehelich** naturel; illégitime

unehr|bar malhonnête; **⊥e** déshonneur m; **~enhaft** déshonorant; **~erbietig** irrespectueux, irrévérencieux; **⊥erbietigkeit** irrespect m, irrévérence f; **~lich** malhonnête, déloyal; véreux (umg); **⊥lichkeit** malhonnêteté f

uneigennützig désintéressé, altruiste; **⊥keit** désintéressement m, altruisme m

unein|bringlich irrécouvrable; **~geschränkt** illimité; intégralement; **~gestanden** inavoué; **~geweiht** profane, laïque; **~ig** désuni; mit j-m über etw. ~ig sein être en désaccord avec qn sur qch; ~ig werden se brouiller (mit j-m avec qn); **⊥igkeit** désunion f, division f, désaccord m; **~nehmbar** imprenable; **~s siehe ~ig**; **~träglich** improductif

unelegant inélégant

unempfänglich inaccessible (für à); insensible (für à); **⊥keit** insensibilité (für à)

unempfindlich a. fig insensible, impassible; ⚕ anesthésié; ~ sein gegen résister à; **⊥keit** a. fig insensibilité f (für à), impassibilité f; ⚕ anesthésie f

unendlich a. math infini, immense; ~ klein infinitésimal; **⊥keit** infinité f; immensité f

unent|behrlich indispensable; **~geltlich** gratuit, gratis; à titre gracieux; **~rinnbar** inévitable; **~schieden** indécis, en suspens, pendant; ⚔ nul; fig irrésolu; e. ~schiedenes Spiel liefern faire match nul; **~schlossen** irrésolu; **⊥schlossenheit** irrésolution f, indécision f; **~schuldbar** inexcusable; **~wegt** inébranlable, inlassable; **~wickelt** pas (encore) développé; **~wirrbar** inextricable; **~zifferbar** indéchiffrable

uner|bittlich impitoyable, inexorable; **~fahren** inexpérimenté, novice; **⊥fahrenheit** inexpérience f; **~findlich** incompréhensible; **~forschlich** impénétrable, insondable; **~forscht** inexploré; **~freulich** fâcheux, désagréable; **~füllbar** irréalisable; **~giebig** improductif; **~gründlich** a. fig insondable, impénétrable, mystérieux; **~heblich** insignifiant, sans importance; **~hört** inouï; (Wunsch) inexaucé; fig scandaleux, exorbitant; **~kannt** sans être reconnu; incognito; **~klärlich** inexplicable, mystérieux; indéfinissable; **~läßlich** indispensable, de rigueur; essentiel; **~laubt** défendu, illicite; **~ledigt** en suspens, non réglé; en souffrance; **~meßlich** immense; incommensurable; **⊥meßlichkeit** immensité f; incommensurabilité f; **~müdlich** infatigable, inlassable; **~quicklich** pénible, fâcheux; **~reichbar** inaccessible; a. fig hors d'atteinte; fig inégalable; **~sättlich** insatiable; **~schlossen**: ~schlossenes Gelände terrain m vague; **~schöpflich** inépuisable; **~schrocken** intrépide; **⊥schrockenheit** intrépidité f; **~schütterlich** inébranlable, imperturbable; **~schwinglich** hors de prix; inabordable, exorbitant; **~setzbar**, **~setzlich** irremplaçable; irrémédiable; **~träglich** insupportable, intolérable; **~wähnt** non mentionné, passé sous

silence; **~wartet** inattendu, imprévu, inopiné, inespéré; ~wartet ankommen arriver à l'improviste (od sans crier gare); **~widert** laissé sans réponse; (Besuch) non rendu; (Liebe) non partagé; **~wiesen** qui n'est pas prouvé; **~wünscht** indésirable; mal à propos; **~zogen** mal élevé, sans éducation

unfähig incapable (zu de), inapte (zu à); insuffisant; **⊥keit** incapacité f, inaptitude f, insuffisance f, incompétence f

unfair déloyal

Unfall accident m; e-n ~ haben être impliqué dans un accident; ~ mit Personenschaden accident personnel; ~ mit Sachschaden accident matériel; **~flucht** délit m de fuite; **~kommando** police-secours f; **~meldung** déclaration f d'accident; **~rente** rente f d'accident; **~station** poste m de secours; **~tod** mort f par accident; **~verhütung** prévention f des accidents; **~versehrter** victime f d'un accident; accidenté (umg); **~versicherung** assurance f contre les accidents

un|faßbar, **~faßlich** inconcevable, incompréhensible, insaisissable; **~fehlbar** infaillible, immanquable; inévitable; (Mittel) souverain; **⊥fehlbarkeit** infaillibilité f; **~fein** choquant; **~fertig** inachevé; **~folgsam** désobéissant, indocile; **⊥folgsamkeit** désobéissance f, indocilité f; **~förmig** difforme, informe; **⊥förmigkeit** difformité f; **~förmlich** sans gêne, sans façons; **~frankiert** (en) port dû; **~frei** gêné; pol dépendant, opprimé; ⚥ port dû; **~freiwillig** involontaire; forcé; **~freundlich** inamical, peu aimable, revêche, rébarbatif; (Wetter) maussade, inclément; **⊥freundlichkeit** mauvaise grâce; (Wetter) inclémence f, rigueur f; **~friede** discorde f; dissension f; **~froh** mécontent

unfruchtbar stérile, infécond; **⊥keit** stérilité f, infécondité f (a. fig); (Boden) infertilité f; **⊥machung** stérilisation f

Unfug excès m; (öffentl.) esclandre m, scandale m; (Streich) frasque f; (Unsinn) non-sens m; ~ treiben faire des bêtises

unfügsam indocile, indiscipliné

Ungar Hongrois; **⊥isch** hongrois; **⊥n** la Hongrie

unge|achtet peu estimé; präp en dépit de; **~ahndet** impuni; **~ahnt** insoupçonné, inespéré; **~bändigt** indompté; **~bärdig** mutin, récalcitrant; **~beten** non invité; ~betener Gast intrus; **~bildet** inculte; illettré, ignare; **~bleicht** (Leinen) écru; **~bräuchlich** inusité, insolite; (veraltet) désuet, suranné; **~braucht** (tout) neuf, inutilisé; **~brochen** non brisé; **~bühr** injustice f; inconvenance f; **~bührlich** inconvenant, indécent; **~bunden** sans attaches; ⌑ non relié; chem à l'état libre; **⊥bundenheit** liberté f; **~deckt** à découvert; (Scheck) sans provision; **⊥duld** impatience f; **~duldig** impatient; **~eignet** impropre, inadéquat (zu à); **~fähr** approximatif; adv à peu près, environ; **~fährdet** en (toute) sécurité; **~fährlich** sans danger, inoffensif; anodin; **~fällig** désobligeant; **⊥fälligkeit** désobligeance f; **~fiedert** sans plumes; **~fragt** adv

sans être interrogé; ~füge lourd, grossier;
~fügig peu maniable; indocile; ~gerbt vert;
~halten mécontent, fâché (über de); ~heißen
adv de son propre chef; ~heizt non chauffé;
~hemmt libre; sans entraves
ungeheuer énorme, monstrueux; immense; ⨲
su monstre m; ~lich monstrueux
unge|hobelt non raboté; fig impoli, mal léché;
~hörig inconvenant,, incongru; ⨲hörigkeit
incorrection f, inconvenance f, incongruité f;
~horsam désobéissant, indocile; rebelle, récalcitrant; ⨲horsam su désobéissance f, indocilité
f; ~kocht cru; ~künstelt sans affectation,
naturel; ~kürzt □ intégral
ungelegen inopportun; mal à propos; (Stunde)
indû
unge|lehrig qui apprend difficilement; ~ge-
lenk(ig) gauche, maladroit; ~lernt: ~lernter
Arbeiter manœuvre; ~logen pour dire vrai;
~löscht non éteint; (Kalk) vive; ~löst non
résolu; ⨲mach contrariétés fpl, désagréments
mpl, inconvénients mpl; ~mein rare, extraordinaire; adv extrêmement, énormément, extraor-
dinairement; ~mütlich inconfortable; peu sympathique, peu commode; ~nannt anonyme;
~nau inexact, imprécis; ⨲nauigkeit inexactitude f, imprécision f; ~neigt peu enclin
ungeniert sans gêne, sans façon
unge|nießbar immangeable; a. fig imbuvable;
fig insupportable; ~nügend insuffisant, mauvais, médiocre; ~ordnet en désordre, au hasard;
~pflegt mal soigné, négligé; ~pflügt non
labouré; ~prüft sans examen; ~rade impair;
~raten qui a mal tourné; ~rechnet non
compris; à l'exception de
ungerecht injuste, inique; ~fertigt injustifié;
⨲igkeit injustice f, iniquité f
unge|regelt non réglé; désordonné; ~reimt
absurde; ⨲reimtheit absurdité f
ungern à contre-cœur, à regret; de mauvaise
grâce
unge|salzen sans sel; insipide; ~sättigt non
rassasié; chem insaturé; ~säuert sans levain,
azyme
Ungeschick mauvaise chance; ~lichkeit maladresse f, gaucherie f; ⨲t maladroit, gauche,
malhabile, inhabile
unge|schlacht grossier, lourd; impoli; ~schlif-
fen (Messer) non affilé; (Diamant) non taillé; fig
mal élevé; ~schmälert entier, intégral;
~schminkt a. fig sans fard; ~schult sans
formation, sans expérience; ~sellig insociable
unge|setzlich illégal, illégitime; ⨲setzlichkeit
illégalité f; ~sittet incivil; ~stempelt non
timbré, non oblitéré; ~stillt inassouvi; inapai-
sé; ~stört tranquille, en paix; ~straft impuni;
~stüm impétueux, fougueux; pétulant, turbulent; ⨲stüm su impétuosité f, fougue f;
pétulance f, turbulence f; ~sund malsain;
(Klima) insalubre; (Aussehen) maladif; ~teilt
sans partage; ⨲ indivis; ~treu infidèle, déloyal;
~trübt serein, sans nuage; ⨲tüm monstre m;
(Mensch) énergumène m; ~übt inexercé;
~wandt maladroit; ~waschen non lavé

ungewiß incertain, douteux, aléatoire; ⨲heit
incertitude f
unge|wöhnlich inhabituel, insolite; singulier;
peu ordinaire; ~wohnt inaccoutumé; ~würzt
non assaisonné; ~zählt non compté; fig sans
nombre, innombrable; ~zähmt non apprivoisé;
fig effréné; ⨲ziefer vermine f; ~ziemend
inconvenant; malséant, indu; ~ziert naïf,
naturel; ~zogen mal élevé, impoli; impertinent;
⨲zogenheit impolitesse f, mauvaises manières,
impertinence f; ~zügelt effréné; ~zwungen
libre; naturel; désinvolte; (Haltung) aisé,
dégagé; adv sans contrainte; ⨲zwungenheit
aisance f; désinvolture f
Unglaub|e incrédulité f, incroyance f; ⨲lich
incroyable, invraisemblable; ⨲würdig pas digne
de foi; ⨲würdigkeit incrédibilité f
ungläubig a. rel incrédule; rel incroyant;
mécréant; ⨲keit incrédulité f
ungleich inégal, dissemblable; disparate; dépareillé; ~artig hétérogène; ~förmig irrégulier;
dissemblable; asymétrique; ⨲förmigkeit irrégularité f; dissemblance f; asymétrie f; ⨲heit
inégalité f; déséquilibre m; ~mäßig asymétrique, disproportionné; irrégulier; ~seitig scalène
Unglück malheur m, infortune f, adversité f;
malchance f; zu allem ~ pour comble de
malheur ♦e. ~ kommt selten allein un malheur
ne vient jamais seul; in sein ~ rennen courir à sa
perte; ⨲bringend qui porte malheur; ⨲licher-
weise malheureusement, par malheur; ⨲selig
malencontreux; ~sfall accident m; ~srabe
malchanceux; ~sstelle lieu m de l'accident;
~stag jour m néfaste; ~svogel oiseau m de
mauvais augure; ~szeichen mauvais signe m,
mauvais présage m
Ungnade disgrâce f; défaveur f; bei j-m in ~
fallen encourir la disgrâce de qn
ungnädig peu gracieux; de mauvaise grâce
ungreifbar insaisissable
ungültig nul; (Münze) non valable, qui n'a pas
cours; (Paß) périmé; ⨲ invalide; irrecevable;
für ~ erklären annuler, invalider; ⨲keit
nullité f; ⨲ invalidité f; ⨲keitserklärung ⨲
invalidation f, annulation f
Ungunst défaveur f, discrédit m; (Witterung)
inclémence f; zu ~en von au détriment de
ungünstig défavorable, désavantageux; (Wind)
contraire
ungut: nichts für ~! sans rancune!; sans vous
offenser!
un|haltbar (Meinung) insoutenable; mil intena-
ble; ~handlich peu maniable, inconfortable;
~harmonisch discordant
Unheil malheur m, désastre m; ~ anrichten faire
des ravages; ~ heraufbeschwören provoquer un
désastre; ⨲bar irrémédiable; § incurable,
inguérissable; ⨲bringend funeste, qui porte
malheur; ⨲drohend de mauvais augure; gros de
menaces; ⨲ig profane; impie; ⨲schwanger gros
de malheurs; ⨲stifter fauteur de troubles; ⨲voll
désastreux, calamiteux, funeste

unheimlich inquiétant, sinistre; funèbre, lugubre; ~**höflich** impoli, malhonnête; ⌁**höflichkeit** incivilité f, impolitesse f; ⌁**hold** démon, monstre; ~**hörbar** imperceptible, inaudible; ~**hygienisch** insalubre

Uniform uniforme m; ⌁**ieren** faire revêtir l'uniforme; (vereinheitlichen) uniformiser; ~**ie-rung** uniformisation f; ⌁**iert** (en) uniforme

universal universel; ⌁**bank** banque f polyvalente; ⌁**bildung** connaissances fpl encyclopédiques; ⌁**erbe** 🔊 légataire universel; ⌁**mittel** panacée f; ⌁**schraubenschlüssel** clé à molette

Universität université f; ~**sklinik** clinique f universitaire; ~**sprofessor** professeur de faculté

Universum univers m

unkennt|lich méconnaissable; ⌁**nis** ignorance f; ♦ ⌁**nis schützt vor Strafe nicht** nul n'est censé ignorer la loi

unkeusch impudique; ⌁**heit** impudicité f

unklar peu clair; ambigu; a. fig trouble, brumeux, nébuleux; fig obscur, confus, embrouillé; ⌁**heit** nébulosité f, obscurité f; confusion f, ambiguïté f

unklug imprudent; déraisonnable; fou

unkontrollierbar incontrôlable

Unkosten frais mpl, coûts indirects, dépenses fpl; 🔊 dépens mpl; s. in ~ stürzen se mettre en frais; ~**beitrag** participation f aux frais

Unkraut mauvaise(s) herbe(s); a. fig ivraie f ♦ ~ vergeht nicht mauvaise herbe croît toujours

un|kultiviert peu (od pas) cultivé, inculte; ~**kündbar** com non remboursable, consolidé; (Vertrag) non résiliable; ⌁**längst** depuis peu, récemment, naguère; ⌁**lauter** impur; ~lauterer Wettbewerb concurrence déloyale; ~**leidlich** insupportable, fâcheux; ~**lenksam** indocile; ⌁**lenksamkeit** indocilité f; ~**leserlich** illisible; ~**leugbar** indéniable; irréfutable

unlieb désagréable; j-m nicht ~ sein convenir à qn; ~**enswürdig** désobligeant, peu amène; ~**sam** désagréable; déplaisant

un|liniert non ligné; sans lignes; ~**logisch** illogique; ~**lösbar**, ~**löslich** insoluble; ⌁**lust** aversion f, répugnance f, déplaisir m; ~**manierlich** impoli, incivil; ~**männlich** peu viril; efféminé; ⌁**maß** excès m; démesure f; ⌁**masse** quantité f énorme; ~**maßgeblich** incompétent; ~**mäßig** immodéré, démesuré; excessif; ⌁**Bigkeit** intempérance f, excès mpl; ⌁**menge** quantité f énorme; kyrielle f, ribambelle f (umg)

Unmensch barbare m, monstre m; être m inhumain; ~**lich** inhumain, barbare; dénaturé; ~**lichkeit** inhumanité f, cruauté f, barbarie f

un|merklich insensible, imperceptible; ~**meß-bar** incommensurable; ~**mittelbar** immédiat; direct; (bevorstehend) imminent; ~**möbliert** non meublé; ~**modern** démodé, passé de mode; ~**möglich** impossible; ~**möglichkeit** impossibilité f; ~**moralisch** immoral; ~**mündig** mineur; qui n'a pas droit à la parole, qui n'est pas libre; ⌁**mündigkeit** minorité f; servitude f, esclavage m; ~**musikalisch** qui n'a pas de sens musical, qui n'entend rien à la musique; ~**mutig** maussade, renfrogné; fâché; ~**nachahmlich**

inimitable; ~**nachgiebig** inflexible, intransigeant; ~**nachsichtig** sans indulgence, sévère; ~**nahbar** inabordable, inaccessible; ~**natürlich** pas naturel; dénaturé; contraint, affecté; ⌁**natürlichkeit** manque m de naturel, affectation f; ~**normal** anormal; ~**nötig** inutile; ~**nötigerweise** sans nécessité; ~**nütz** inutile, superflu; vain

unord|entlich en désordre; défait; (Person) désordonné, négligent; (Leben) déréglé; ⌁**nung** désordre m; confusion f; désarroi m; pagaille f (umg); in ⌁**nung bringen** déranger, embrouiller

unorganisch inorganique

unpartei|isch impartial; ⌁**ischer** arbitre; ⌁**lich-keit** impartialité f

un|passend impropre; incorrect, inconvenant, déplacé; incongru; ~**passierbar** impraticable; ~**päßlich** indisposé, souffrant; ~**päßlichkeit** indisposition f; ~**persönlich** impersonnel; ~**pfändbar** 🔊 insaisissable; ~**politisch** apolitique; (unklug) peu politique; ~**populär** impopulaire; ~**praktisch** (Sache) peu pratique, inconfortable; (Person) maladroit; ~**produktiv** improductif; ~**pünktlich** qui manque de ponctualité, inexact; ~**pünktlichkeit** inexactitude f; ⌁**rast** agitation f; inquiétude f; ⌁**rat** ordures fpl; immondices fpl; ~**rationell** peu efficace, inopérant; ~**ratsam** inopportun, à déconseiller

unrecht faux; mauvais, inopportun, impropre; injuste; adv mal, mal à propos; à tort; ~ haben avoir tort; an den ⌁**en kommen** se tromper d'adresse ♦ ~ **Gut gedeiht nicht** bien mal acquis ne profite jamais; ⌁ su tort m; injustice f; zu ⌁ à tort; nicht zu ⌁ non sans raison; j-m ⌁**tun** faire tort à qn; ~**mäßig** illégal, illégitime; ⌁**mäßigkeit** illégalité f

unredlich déloyal; voleur umg; malhonnête; ⌁**keit** déloyauté f; improbité f

unreell malhonnête, pas correct

unregelmäßig irrégulier; déréglé; ⌁**keit** irrégularité f

unreif pas mûr, vert; $ impubère

unrein impur; malpropre, souillé, sale; immonde; ins ⌁**e schreiben** écrire en brouillon; ⌁**heit** impureté f

un|rentabel non rentable, qui ne paye pas; ~**rettbar** sans remède

unrichtig faux, incorrect, inexact, erroné; ⌁**keit** incorrection f, inexactitude f, fausseté f

Unruh (Uhr) balancier m; ~**e** inquiétude f, agitation f, nervosité f; trouble m, alarme f, anxiété f; ~**eherd** foyer m de troubles; ~**estifter** perturbateur, fauteur de troubles; ⌁**ig** inquiet; agité, troublé; remuant, turbulent

unrühmlich sans gloire, peu glorieux

uns nous; à nous

un|sachgemäß impropre, faux; maladroit; ~**sachlich** subjectif, personnel; ~**sagbar** indicible, inénarrable, ineffable; ~**sanft** rude

unsauber sale, malpropre; ⌁**keit** saleté f, malpropreté f

unschädlich inoffensif, innocent; anodin; ~ **machen** mettre hors d'état de nuire, neutraliser; ⌁**keit** caractère inoffensif, innocuité f

un|scharf ▶ flou, diffus; **⚓schärfe** flou *m*, manque *m* de netteté; **~schätzbar** inestimable, inappréciable; **~scheinbar** insignifiant; discret, effacé

unschicklich inconvenant, déplacé; malséant, indécent; **⚓keit** inconvenance *f*

unschlüssig indécis, irrésolu; vacillant; ~ *sein* hésiter; **⚓keit** incertitude *f*; irrésolution *f*, indécision *f*; hésitation *f*

unschön laid, déplaisant

Unschuld innocence *f*; pureté *f*, virginité *f* ♦ *s-e Hände in ~ waschen* s'en laver les mains; **⚓ig** innocent; pur

unschwer aisément *m*, sans difficulté

unselbständig non indépendant; dépendant; *com* salarié; **⚓keit** manque *m* d'indépendance

unselig funeste, fatal, désastreux

uns|er notre; *pl* nos; *der, die das ~ere, ~rige* le (la) nôtre; **~ereiner** nous autres, les gens comme nous; **~ererseits** de notre côté, pour notre part; **~ertwegen** pour nous, à cause de nous

unsicher incertain, douteux; mal assuré; troublé; *(Blick)* fuyant; *(Lage)* précaire; **⚓heit** insécurité *f*; incertitude *f*

unsichtbar invisible; **⚓keit** invisibilité *f*

Unsinn non-sens *m*, ineptie *f*, absurdité *f*; blague *f (umg)*; **⚓ig** insensé, inepte; absurde; fou; **⚓igkeit** absurdité *f*

Unsitt|e mauvaise habitude; **⚓lich** immoral; indécent, impudique; **~lichkeit** immoralité *f*; indécence *f*

un|solide peu sérieux, déréglé; **~sozial** peu social; égoïste; **~statthaft** inadmissible; illicite

unsterblich immortel; **⚓keit** immortalité *f*

Un|stern mauvaise étoile; **⚓stet** inconstant, instable; inquiet, changeant; errant, vagabond; **~stetigkeit** inconstance *f*, instabilité *f*; ✿ discontinuité *f*; **⚓stillbar** inapaisable, insatiable, inextinguible; **~stimmig** en désaccord; **~stimmigkeit** désaccord *m*, mésentente *f*; faute *f*, erreur *f*; **⚓streitig** incontestable, indubitable; **~summe** somme *f* énorme; **⚓symmetrisch** asymétrique; déséquilibré; **⚓sympathisch** antipathique; **⚓tadelig** irréprochable, impeccable; **~tat** forfait *m*, méfait *m*; **⚓tätig** inactif, désœuvré; passif; **~tätigkeit** inactivité *f*, désœuvrement *m*; inaction *f*; passivité *f*; **⚓tauglich** impropre; *(a. mil)* inapte; incapable; bon à rien; **~tauglichkeit** *a. mil* inaptitude *f*; incapacité *f*; **⚓teilbar** indivisible

unten en bas, dessous, en dessous; *(Hinweis)* ci-dessous, plus bas; *da* ~ là-bas; *nach* ~ en bas; *von* ~ *her* de dessous, d'en bas; *von oben bis* ~ de haut en bas; ~ *durch sein* être coulé; **~stehend** *(Buch)* mentionné ci-dessous

unter 1. *präp* sous, au-dessous de, par-dessous; *(zwischen)* parmi; entre; *(während)* pendant; ~ *meinen Freunden* parmi mes amis; ~ *Freunden* entre amis; *einmal* ~ *tausend Fällen* une fois sur mille; ~ *d. Regierung von...* sous le règne de...; **2.** *adj* de dessous, d'en bas; inférieur

Unter|abteilung subdivision *f*; sous-section *f*; **~arm** avant-bras *m*; **~ausschuß** sous-commission *f*

Unterbau fondement *m*, soubassement *m*, fondation *f*; 🚂 infrastructure *f*; **⚓en** *fig* appuyer

Unter|beamter fonctionnaire subalterne; **~belastet** sous-employé; **⚓belichten** sous-exposer; **~belichtung** sous-exposition *f*; **~bewußtsein** subconscient *m*, subconscience *f*; *im ~bewußtsein* subconsciemment; **⚓bezahlt** sous-payé; **⚓bieten** vendre moins cher, offrir au-dessous du prix réel, pratiquer le dumping; 🐎 battre; **⚓binden** arrêter, interrompre; empêcher; prévenir; **⚓bleiben** ne pas avoir lieu, cesser, s'arrêter; **⚓brechen** interrompre, couper; *(aufschieben)* suspendre, proroger; **~brecher** ⚡ interrupteur *m*; **~brechung** interruption *f*, coupure *f*; suspension *f*, prorogation *f*; **~breiten** soumettre, présenter; **⚓bringen** *(in Wohnung)* loger, héberger, installer; *mil* cantonner; *(in Stellung)* établir, placer, caser *(umg)*; *(Ware)* vendre, placer; *(Geld)* placer, investir; **~bringung** logement *m*, hébergement *m*; cantonnement *m*; placement *m*; investissement *m*; *(im Krankenhaus)* hospitalisation *f*; **~bringungsmöglichkeiten** possibilités *fpl* d'hébergement; **~deck** ⚓ premier pont; **⚓derhand** secrètement, en cachette; sous le manteau; **⚓des(sen)** entre-temps, en attendant, cependant

unterdrück|en *(Volk)* opprimer; *(Regung)* étouffer, retenir; **~er** oppresseur *m*; **⚓ung** suppression *f*; *(Personen)* oppression *f*

untereinander l'un sous l'autre; *(unter sich)* entre eux; *(gegenseitig)* mutuellement, réciproquement, l'un l'autre

unter|entwickelt arriéré; *(bes Land)* sous-développé; **⚓entwicklung** sous-développement *m*; **~ernährt** sous-alimenté; **⚓ernährung** sous-alimentation *f*, malnutrition *f*; **~fangen** *refl* avoir l'audace *(etw. zu tun* de faire qch*)*; **⚓fangen** *su* entreprise *f* téméraire; **~fertigen** signer; **⚓führung** passage souterrain *m*; **~gang** coucher *m*; *fig* déclin *m*, ruine *f*, chute *f*, perte *f*; décadence *f*; **⚓gebener** subalterne, subordonné, inférieur, sous-ordre; **~gehakt** bras dessus, bras dessous; **~gehen** *(Sonne)* se coucher; ⚓ couler, sombrer; *fig* périr; **~geordnet** subordonné, inférieur, subalterne; *(zweitrangig)* secondaire; **⚓geschoß** sous-sol *m*; **⚓gestell** 🚗 châssis *m*; ✈ train *m* d'atterrissage; **⚓gewicht** insuffisance *f* de poids; **~gliedern** subdiviser; **~graben** *a. fig* saper, miner; **⚓grund** sous-sol *m*; *fig* fond *m*; **⚓grundbahn** métro(politain) *m*; **~grundbewegung** mouvement clandestin; **~haken** *refl* se donner le bras; **~halb** au-dessous; *(Fluß)* en aval *(von* de*)*

Unterhalt entretien *m*, subsistance *f*; pension *f* alimentaire; *s-n* ~ *bestreiten* subvenir à ses besoins, pourvoir à sa subsistance; **⚓en** entretenir; *(versorgen)* soutenir, subvenir aux besoins de qn; *(pflegen)* tenir en bon état; *(vergnügen)* amuser; *refl* s'entretenir, converser *(mit* avec*)*; s'amuser, se divertir; **⚓end, ⚓sam** amusant, plaisant, divertissant; **~skosten** *com* frais *mpl* d'entretien; 🔒 aliments *mpl*; **~spflicht** obligation *f* alimentaire; **⚓spflichtig** astreint à

l'assistance alimentaire; ~**srente** pension *f*
alimentaire; ~**ung** *(Geräte)* maintenance *f*,
entretien *m; (Gespräch)* conversation *f;* amusement *m*, divertissement *m;* ~**ungskosten** frais
mpl d'entretien; ~**ungsmusik** musique légère;
~**ungsliteratur** littérature récréative

unter|handeln négocier, parlementer; ⌐**händler**
négociateur, parlementaire; ⌐**handlung** négo-
ciation *f;* pourparlers *mpl;* ⌐**haus** Chambre
basse *(od* des communes); ⌐**hemd** tricot *m* (de
peau); ~**höhlen** *a. fig* miner, saper; ⌐**holz** taillis
m; ⌐**hose** caleçon *m;* ~**irdisch** souterrain;
~**jochen** assujettir, subjuguer, asservir; ~**kellert**
sur cave; ⌐**kiefer** mâchoire inférieure; ⌐**kleidung** sous-vêtements *mpl;* ~**kommen** *(Stellung)*
trouver une place *(od* un emploi); *(Wohnung)*
trouver un logis; ~**kriegen** soumettre, dompter;
s. nicht ~**kriegen lassen** ne pas se laisser
démonter; ⌐**kühlung** § hypothermie *f; phys*
surfusion *f;* ⌐**kunft** abri *m*, logis *m*, gîte *m;*
hébergement *m*, logement *m;* ⌐**lage** fondement
m, base *f;* preuve *f*, document *m; (Schreib-)*
sous-main *m; pl* pièces *fpl* justificatives; dossier
m; informations *fpl;* documentation *f;* ~**lassen**
omettre, négliger, manquer, s'abstenir *(zu* de);
⌐**lassung** omission *f*, négligence *f*, abstention *f*

Unterlauf cours inférieur; ⌐**en** *(Irrtum)* arriver,
se passer; *(unwirksam machen)* contourner

unter|legen mettre *(od* placer) (en) dessous;
(Absicht) attribuer; ~'**legen** 1. caler; 2. *adj*
inférieur; ~*legen sein* avoir le dessous;
⌐**legenheit** infériorité *f;* ⌐**leib** abdomen *m*,
bas-ventre *m;* ⌐**lieferant** sous-traitant *m;*
~**liegen** succomber, avoir le dessous, être battu;
⌐**lippe** lèvre inférieure; ~**mauern** maçonner les
fondations; *fig* consolider; ~**mengen** mêler,
remuer; ⌐**miete** sous-location *f;* ⌐**mieter**
sous-locataire; ~**minieren** *a. fig* miner, saper

unternehm|en entreprendre; essayer; ~**en**,
⌐**ung** *(Unternehmen)* entreprise *f*, fonds *m* de
commerce; *(Handlung)* action *f*, opération *f;*
tentative *f;* ⌐**er** chef *m* d'entreprise; *umg*
entrepreneur, patron; ⌐**ertum** patronat *m;*
~**ungslustig** entreprenant

Unter|offizier sous-officier; ⌐**ordnen** subordon-
ner; *refl* se soumettre; ~**ordnung** subordination
f, soumission *f;* ~**programm** *(EDV)* sous-programme *m;* ~**redung** conversation *f*, conférence
f, entretien *m*, pourparlers *mpl*, entrevue *f*

Unterricht enseignement *m*, instruction *f;* ⌐**en**
enseigner, instruire; informer, renseigner;
~**sbriefe** enseignement *m* par correspondance;
~**sfach** matière *f*, discipline *f;* ~**smaterial**
matériel *m* d'enseignement; ~**splan** programme *m*
d'études; ~**sstoff** matière *f;* ~**sstunde** classe *f*,
leçon *f;* ~**swesen** enseignement *m;* instruction
publique

Unter|rock jupon *m;* ⌐**sagen** interdire; défen-
dre; ฏ prohiber; ~**satz** soucoupe *f*, dessous *m*
(de plat); base *f*, socle *m;* ⌐**schätzen** sous-esti-
mer, sous-évaluer

unterscheid|en distinguer; discerner; différen-
cier; *refl* se distinguer, différer; ~**end** distinctif,
caractéristique; ⌐**ung** distinction *f*

Unter|schenkel jambe *f;* ⌐**schieben** *fig* substi-
tuer; attribuer faussement

Unterschied différence *f;* distinction *f;* ⌐**en**
différencié, distinct; ⌐**lich** différent; *pej* discri-
minatoire; ⌐**slos** indifféremment, indistincte-
ment; sans exception *(od* discrimination)

unterschlag|en *(Geld)* soustraire, détourner;
(Brief) intercepter; ⌐**ung** soustraction *f*, détournement *m*, malversation *f*

Unter|schleif fraude *f*, malversation *f;* dépréda-
tion *f;* ~**schlupf** abri *m*, refuge *m;* ⌐**schlüpfen**
trouver un abri *(od* un gîte); ⌐**schreiben** signer;
souscrire; *fig* souscrire à; ~**schreiten** descendre
en dessous *de;* ⌐**schrift** signature *f;* ~**schrifts-
probe** spécimen *m* de signature; ~**seeboot**
sous-marin *m;* ⌐**seeisch** sous-marin; ~**seite**
dessous *m*

untersetz|en mettre dessous; ⌐**er** = Untersatz;
~**t** ramassé, courtaud, trapu; mélangé *(mit* de);
⌐**ung** ⚙ réduction *f*, démultiplication *f*

unter|sinken tomber au fond, couler (bas);
~**spülen** miner, saper; ⌐**stand** abri *m*

unterstehen être subordonné à, être sous les
ordres de, relever de; *refl* oser, avoir l'audace de

unter|stellen *(Wagen)* garer, remiser; *refl* se
mettre à l'abri, s'abriter; ~'**stellen** subordonner;
attribuer, imputer; ⌐**stellung** imputation *f;*
~**streichen** *a. fig* souligner; ⌐**stufe** *päd* premier
cycle

unterstütz|en appuyer, soutenir; aider, assister,
seconder; secourir; épauler; ⌐**ung** appui *m;*
aide *f*, assistance *f*, secours *m; (geldl.)* allocation
f; subsides *mpl*, subvention *f;* ~**ungsbedürftig**
économiquement faible; ⌐**ungsempfänger** personne assistée

untersuch|en *a.* § examiner; étudier, explorer;
analyser, sonder; *(Zoll)* visiter; ⌐**ung** examen
m; étude *f*, exploration *f*, analyse *f;* visite *f;* ฏ
instruction *f*, enquête *f;* ⌐**ungsausschuß** commission *f* d'enquête; ⌐**ungsgefangener** prévenu *m*
en détention provisoire; ⌐**ungsgefängnis** maison *f* d'arrêt; ⌐**ungshaft** détention provisoire;
⌐**ungsrichter** juge d'instruction; ⌐**ungsverfah-
ren** ฏ procédure *f* d'instruction

Untertage|arbeiter mineur *m* (de fond); ~**bau**
exploitation *f* au fond

Unter|tan sujet *m;* ⌐**tänig** soumis, humble;
~**tänigkeit** soumission *f*, humilité *f;* ⌐**tasse**
soucoupe *f;* ⌐**tauchen** *vt* immerger, submerger;
vi plonger; *fig* disparaître; se planquer *(umg)*

Unterteil partie inférieure; dessous *m*, bas *m*,
fond *m;* ⌐**en** subdiviser; ~**ung** subdivision *f*

Unter|titel sous-titre *m;* ~**ton** teinte *f*, nuance *f;*
⌐**tunneln** percer un tunnel sous; ⌐**vermieten**
sous-louer; ~**wandern** noyauter, infiltrer; ~**wanderung** noyautage *m*, infiltration *f;* travail *m* de
sape; ⌐**wärts** en *(od* du) dessous; ~**wäsche** linge
m de corps, sous-vêtements *mpl;* ⌐**wasserkabel**
câble *m* sous-marin; ⌐**wegs** en chemin, en
route; chemin faisant; en cours de route;
⌐**weisen** instruire; ~**weisung** instruction *f;* ~**welt**
enfers *mpl; fig* bas-fonds *mpl*. pègre *f*, milieu *m*
(umg); ⌐**werfen** soumettre, assujettir; ~**werfung**
soumission *f*, assujettissement *m*

unterwürfig soumis, humble; servile; **⊥keit** soumission f, humilité f; servilité f, obséquiosité f

unterzeichn|en signer; souscrire; **⊥er** signataire m; **⊥eter** soussigné; **⊥ung** signature f; pol ratification f

Unter|zeug sous-vêtements mpl; **⊥ziehen** soumettre à; refl se charger de, prendre sur soi de; subir

Un|tiefe haut-fond m; petit-fond m; sèche f; **~tier** monstre m; **⊥tilgbar** non amortissable; inextinguible; **⊥tragbar** insupportable; **⊥trennbar** inséparable; **⊥treu** infidèle; déloyal; **~treue** infidélité f; déloyauté f; **⊥tröstlich** inconsolable, désolé; **⊥trüglich** infaillible, sûr, certain; **⊥tüchtig** incapable; **~tüchtigkeit** incapacité f; **~tugend** défaut m, vice m; mauvaise habitude

unüber|brückbar infranchissable; inconciliable; **~legt** irréfléchi, inconsidéré, étourdi; **⊥legtheit** irréflexion f, étourderie f; **~sehbar** immense; à perte de vue; **⊥sichtlich** intraduisible; **~sichtlich** confus, désordonné; (Gelände) sans vue; **⊥sichtlichkeit** mauvaise visibilité; fig complexité f; **~tragbar** incessible; **⊥trefflich** insurpassable; **~troffen** sans égal; **~windlich** invincible, insurmontable, infranchissable

unum|gänglich indispensable; de rigueur; **~schränkt** illimité; absolu; souverain; **~stößlich** irréfutable, incontestable; péremptoire; **~wunden** franc, net, cru; adv sans détour, sans ambages, carrément

ununterbrochen continu, ininterrompu; sans interruption

unveränder|lich invariable, inaltérable, inchangeable, immuable; fixe, constant; **⊥lichkeit** invariabilité f, immu(t)abilité f; constance f; **~t** inaltéré, inchangé

unverantwortlich irresponsable; inexcusable; **⊥keit** irresponsabilité f

unver|arbeitet brut, cru; fig mal assimilé; **~äußerlich** inaliénable; **~besserlich** incorrigible; **~bindlich** sans engagement, qui n'engage à rien; facultatif; **~blümt** adv sans ambages, sans fard, sans détours, crûment; **~brennbar** incombustible; **~brüchlich** indéfectible, inaltérable, absolu; **~bürgt** non confirmé; inauthentique

unverdau|lich a. fig indigeste; **~t** a. fig mal digéré

unver|derblich à durée f de conservation très longue (ou illimitée); inaltérable, impérissable; **~dient** immérité; **~dorben** inaltéré; non corrompu; naturel, pur; **~drossen** inlassable, infatigable

unvereinbar incompatible, inconciliable; **⊥keit** incompatibilité f

unver|fälscht pur, naturel; authentique; **~fänglich** innocent, anodin; **~froren** effronté, impudent, hardi; **~gänglich** impérissable, immuable; indéfectible, immortel; **~geßlich** inoubliable; **~gleichlich** incomparable, sans égal, hors pair; unique; **~hältnismäßig** disproportionné, démesuré; hors de proportion; **~heiratet** célibataire; **~hofft** inespéré, imprévu, inopiné; **~hohlen** non déguisé, ouvert; **~jährbar** imprescriptible;

~käuflich invendable; pas à vendre; **~kennbar** évident, manifeste, indubitable

unverletz|bar, ~lich invulnérable; fig inviolable; **⊥barkeit** invulnérabilité f; fig inviolabilité f; **~meidlich** inévitable, inéluctable; fatal; **~mindert** non diminué; entier; intégral; **~mischt** non mélangé; **~mittelt** soudain, subit, abrupt, brusque; **⊥mögen** incapacité f, impuissance f; **~mögend** incapable, impuissant; (arm) indigent, impécunieux; **~mutet** inattendu, imprévu; inopiné; **⊥nunft** déraison f; **~nünftig** irraisonnable; déraisonnable, insensé; **~öffentlicht** inédit; **~packt** non emballé, sans emballage, en vrac

unverrück|bar immuable; **~t** fixe, stable, immobile

unverschämt effronté, éhonté, impudent; impertinent, insolent; hardi; **⊥heit** effronterie f, impudence f; impertinence f, insolence f; hardiesse f

unver|schuldet sans faute, immérité; **~sehens** tout à coup, soudainement, subitement; à l'improviste, au dépourvu

unversehrt intact, indemne, sain et sauf; **⊥heit** intégrité f

unver|siegbar intarissable, inépuisable; **~senkbar** insubmersible; **~söhnlich** irréconciliable, implacable; intransigeant; **~sorgt** sans situation; pas encore établi; **⊥stand** déraison f; folie f; **~standen** incompris; **~ständig** insensé; fou; **~ständlich** incompréhensible, inintelligible; **~steuert** non imposé, non taxé; **~sucht**: nichts ~sucht lassen ne rien négliger (pour)

unverträglich incompatible; insociable, intraitable, querelleur; **⊥keit** incompatibilité f; insociabilité f; § intolérance f

unver|wandt: j-n ~wandt ansehen regarder qn fixement; **~wendbar** inutilisable; **~weslich** imputrescible, incorruptible; fig immortel; **~wundbar** invulnérable; **~wüstlich** inusable, indestructible; fig inlassable; **~zeihlich** impardonnable; inexcusable, irrémissible; **~zinslich** sans (rapporter d')intérêt; **~zollt** non dédouané; **~züglich** immédiat, sans tarder, sans délai

unvoll|endet inachevé; **~kommen** imparfait; défectueux; **⊥kommenheit** imperfection f; défectuosité f; **~ständig** incomplet

unvor|bereitet improvisé; adv sans préparation, au dépourvu; **~denklich** immémorial; **~hergesehen** imprévu, inattendu; **~sichtig** imprudent; imprévoyant; inconsidéré; **⊥sichtigkeit** imprudence f; **~stellbar** inimaginable, inconcevable; **~teilhaft** désavantageux

unwägbar impondérable; **⊥keiten** impondérabilités fpl

unwahr faux, inexact; **~haftig** mensonger, insincère; **⊥heit** fausseté f, contrevérité f; mensonge m; **~scheinlich** improbable, invraisemblable; **⊥scheinlichkeit** improbabilité f, invraisemblance f

un|wandelbar invariable, immuable, inaltérable; **~weiblich** peu féminin; **~weigerlich** certain; adv absolument, sans aucun doute; **~weit**

pas loin, non loin de; **~wert** indigne; **⌐wesen** désordre m, abus m; **~wesentlich** non essentiel; secondaire, accessoire; *adv* peu; **⌐wetter** tempête f, tourmente f; **~wichtig** sans importance, insignifiant; **⌐wichtigkeit** insignifiance f

unwider|legbar irréfutable; **~ruflich** irrévocable; **~stehlich** irrésistible

unwiederbringlich irréparable; *adv* à jamais, sans retour

Unwill|e mécontentement m; indignation f, irritation f; dépit m; **⌐ig** mécontent, indigné, irrité; *adv* à contrecœur, de mauvaise grâce; **⌐kommen** indésirable; qui vient mal à propos; **⌐kürlich** involontaire; spontané; machinal, automatique; *adv* malgré soi

unwirk|lich irréel, fictif; **~sam** inefficace, inopérant; inactif; 🕭 nul; caduc; **⌐samkeit** inefficacité f; nullité f

un|wirsch maussade, renfrogné; brusque; **~wirtlich** inhospitalier; **~wirtschaftlich** peu économique, peu rentable

unwissen|d ignorant, ignare; **⌐heit** ignorance f; **~schaftlich** peu scientifique; **~tlich** sans le savoir; à son insu; par ignorance

unwohl indisposé, souffrant; *ich fühle mich ~* je ne me sens pas bien; **⌐sein** indisposition f, malaise m

un|wohnlich inhabitable; peu confortable; **⌐wucht** balourd m; **~würdig** indigne (de); **⌐würdigkeit** indignité f; **⌐zahl** nombre m immense; infinité f; foule f; **~zählig** innombrable

Unze f once f; (28,35 g/31,104 g)

Unzeit contretemps m; z. ~ à une heure indue, mal à propos; **⌐gemäß** inactuel; *hors de saison*

unzer|brechlich incassable; **~reißbar** indéchirable; **~störbar** indestructible; **~trennlich** inséparable

un|ziemlich déplacé, inconvenant; indécent; **~zivilisiert** non civilisé, barbare; **⌐zucht** luxure f; *(gewerbsmäßige)* prostitution f; **~züchtig** impudique, lascif; luxurieux; obscène

unzu|frieden mécontent; **⌐friedenheit** mécontentement m; **~gänglich** inabordable, inaccessible; *fig a.* réservé; **~länglich** insuffisant; **⌐länglichkeit** insuffisance f; **~lässig** inadmissible; **⌐lässigkeit** inadmissibilité f; **~mutbar** intolérable, insupportable; inadmissible; *d. ist ~mutbar* c'est trop demander; **~rechnungsfähig** irresponsable; **⌐rechnungsfähigkeit** irresponsabilité f; **~reichend** insuffisant; inadéquat; **~sammenhängend** incohérent, disparate, décousu; **~ständig** incompétent; *s. für ~ständig erklären* se récuser; **⌐ständigkeit** incompétence f, **~stellbar** au rebut; **~träglich** qui ne profite pas; nuisible, malsain; **⌐träglichkeit** différend m; **~treffend** incorrect, inexact; **~verlässig** douteux, peu sûr; sujet à caution; **⌐verlässigkeit** incertitude f

unzweckmäßig inapproprié; impropre; inopportun; **⌐keit** inopportunité f, impropriété f

un|zweideutig non équivoque, clair; *adv* sans équivoque, nettement; **~zweifelhaft** indubitable

üppig abondant, plantureux, luxuriant; exubé-

rant; *(Körper)* bien en chair; **⌐keit** abondance f; exubérance f; opulence f

uralt très vieux; séculaire

Uran uranium m; **~erz** minerai m d'uranium; **⌐haltig** uranifère; **~reaktor** réacteur m à l'uranium; **~vorkommen** gisement m uranifère

Ur|anfang origine f, principe m; **⌐anfänglich** primitif, primordial; **~aufführung** 🎭 création f, première f

urbanis|ieren urbaniser; **⌐ierung** urbanisation f

urbar labourable; ~ *machen* défricher; **⌐machung** défrichage m, mise f en culture

Ur|bedeutung sens primitif; **~begriff** notion primitive, principe m; **~bild** prototype m; **⌐eigen** original, inné; **~einwohner** aborigène, autochtone; **~enkel** arrière-petit-fils; **~enkelin** arrière-petite-fille; **~form** forme primitive; prototype m; **~geschichte** préhistoire f; **~gestein** roche primitive; **~großeltern** arrière-grands-parents

Urheber auteur; promoteur; créateur; **~recht** droit m d'auteur; propriété f littéraire et artistique; **~schaft** qualité f d'auteur

Urin urine f; **⌐ieren** uriner

Urkund|e document f; acte m, pièce f, titre m; diplôme m; *pol* charte f; 🕭 instrument m; *zu dessen* en foi de quoi; **~enbeweis** preuve f documentaire; **~enfälscher** faussaire en écriture; **~enfälschung** faux m en écriture; **⌐lich** documentaire

Urlaub congé m; vacances fpl; *mil* permission f; **~er** vacancier m, estivant m; **~sschein** permission f

Urmensch homme primitif

Urne urne f

ur|plötzlich tout à coup, soudain; **⌐quell** source f, principe premier

Ursache cause f; raison f, motif m; sujet m; *keine ~!* (il n'y a) pas de quoi!; ~ *haben zu* avoir lieu de

ursächlich causal; **~er Zusammenhang** relation f de cause à effet

Urschrift original m; 🕭 minute f

Ur|sprung *a. math* origine f, provenance f; source f; principe m, commencement m; **⌐sprünglich** originaire, originel; primitif; **~sprungszeugnis** *com* certificat m d'origine

Urteil 🕭 *(Richterkollegium)* jugement m *(höheres Gericht)* arrêt m; *(Einzelrichter)* sentence f; *(Verurteilung)* verdict m; *(Ansicht)* opinion f, avis m; **⌐en** juger *(über etw. qch, de qch)*; 🕭 rendre un jugement; raisonner; *nach s-n Worten zu ⌐en* à en juger par ses paroles; **~sbegründung** 🕭 motifs mpl; attendus mpl; **~sfähig** capable de discerner; **~sformel** dispositif m; **~skraft**, **~svermögen** jugement m; **~sspruch** verdict m, sentence f; **~sverkündung** prononcé m du jugement; **~svollstreckung** exécution f du jugement

Ur|text texte original; **~tierchen** protozoaires mpl; **⌐tümlich** primitif; **~wahl** vote m direct; **~wald** forêt f vierge; **~welt** monde primitif; **~wüchsig** *(Mensch)* rustique; *(Sprache)* truculent; *(Kraft)* primitif; *(Landschaft)* sauvage;

~**zeit** temps primitifs; ~**zeugung** génération spontanée; ~**zustand** état primitif

V

vage vague, indistinct
Vagabund vagabond, trimardeur; ~**entum** vagabondage *m;* ⌐**ieren** vagabonder
Vakuum vacuum *m,* vide *m;* ~**verpackung** emballage *m* sous vide
Valenz *chem* valence *f;* ~**elektron** électron *m* de conduction (*ou* périphérique)
Valuta valeurs *fpl;* devises *fpl*
Vanille vanille *f*
Vari|ante variante *f;* ~**ation** variation *f;* ~**etät** variété *f;* ~**eté** music-hall *m,* théâtre *m* de variétés; ⌐**ieren** varier, changer
Vase vase *m*
Vater père; ~**haus** maison familiale; ~**land** patrie *f;* ⌐**ländisch** national; patriote; ~**landsliebe** patriotisme *m;* ⌐**landsliebend** patriote; **väterlich, väterlicherseits** paternel; ~**mord** parricide *m;* ~**schaft** paternité *f;* ~**stadt** ville natale; ~**stelle:** *an j-m* ~**stelle vertreten** tenir lieu de père à qn; ~**unser** pater *m,* oraison dominicale
Vatikan Vatican *m*
Veget|arier, ⌐**arisch** végétarien; ~**ation** végétation *f;* ⌐**ativ** végétatif; ⌐**atives Nervensystem** système *m* neurovégétatif; ⌐**ieren** végéter; vivoter
Veilchen violette *f*
Vektor vecteur *m;* ~**algebra** algèbre *f* vectorielle; ~**diagramm** graphique *m* (*ou* diagramme *m*) vectoriel
Ven|e veine *f;* ~**enentzündung** phlébite *f;* ⌐**erisch** vénérien; ⌐**ös** veineux
Ventil soupape *f,* valve *f;* ~**ation** ventilation *f;* ~**ator** ventilateur *m;* ⌐**ieren** ventiler
verab|folgen remettre, livrer; donner; ~**reden** convenir (*etw* de qch); *refl* prendre rendez-vous; *wie* ~*redet* comme convenu; ⌐**redung** rendez-vous *m;* ~**reichen** $ administrer; ⌐**reichung** (*Medikament*) administration; ~**säumen** omettre; oublier; ~**scheuen** détester, abominer, exécrer; ~**scheuungswürdig** abominable, exécrable; ~**schieden** congédier, renvoyer; donner congé; (*Gesetz*) voter, adopter, approuver; *refl* prendre congé; ⌐**schiedung** congé *m;* adieux *mpl;* (*Gesetz*) vote *m,* approbation
veracht|en mépriser, dédaigner; *nicht zu* ~*en* ce n'est pas à dédaigner; *umg* ça vaut le coup; ⌐**ung** mépris *m,* dédain *m*
verächtlich dédaigneux, méprisant; avec mépris; ⌐**machung** dénigrement *m*
verallgemeiner|n généraliser; ⌐**ung** généralisation *f*
veralt|en vieillir; tomber en désuétude; ~**et** vieilli, démodé, suranné, désuet; périmé
veränder|lich changeable, altérable, variable; ⌐**lichkeit** variabilité *f,* mobilité *f,* mutabilité *f;* ~**n** changer, altérer, varier, modifier, transformer; *refl* (*beruflich*) changer de place; ⌐**ung** changement *m,* altération *f,* variation *f,* modification *f,* transformation *f*

verängstigt apeuré, effrayé, effarouché
veranker|n ⚓ , ☼ ancrer, amarrer; *fig* enraciner; ⌐**ung** ancrage *m,* amarrage *m*
veranlag|en taxer, imposer; ~**t:** *er ist künstlerisch* ~*t* il est doué pour les arts; ⌐**ung** disposition *f,* capacité *f,* aptitude *f;* (*Steuer*) imposition *f,* assiette *f*
veranlass|en inciter; transmettre pour donner suite; occasionner, provoquer; obliger, engager; ⌐**ung** incitation *f,* impulsion *f,* provocation *f;* *z. weiteren* ⌐*ung* pour suite à donner
veran|schaulichen illustrer, éclaircir; ~**schlagen** évaluer, taxer; (*im Etat*) affecter, fixer le montant (d'un crédit), ouvrir un crédit; (*Einnahmen*) prévoir (une recette); ~*schlagte Kosten* coût *m* prévisionnel; *zu hoch* ~*schlagen* surévaluer; ⌐**schlagung** estimation *f*
veranstalt|en organiser, arranger; ⌐**er** organisateur; ⌐**ung** organisation *f,* arrangement *m;* fête *f;* événement *m;* 𝄞 manifestation *f;* compétition *f;* réunion *f*
verantwort|en justifier; être responsable (*etw* de qch); *refl* répondre, se justifier (*für etw* de qch); être justifiable (*vor* de); ~**lich** responsable (*für etw* de qch); *e-e* ~*liche Stellung innehaben* assumer d'importantes responsabilités; ⌐**ung** responsabilité *f;* justification *f;* *auf eigene* ⌐*ung* sous sa propre responsabilité; *d.* ⌐*ung für etw übernehmen* (*ablehnen*) assumer (décliner) la responsabilité de qch; *j-n für etw z.* ⌐*ung ziehen* demander raison à qn de qch; ⌐**ungsbereich** compétences *fpl;* ~**ungsbewußt** conscient de ses responsabilités; ~**ungslos** irresponsable
veräppeln blaguer, faire marcher
verarbeit|en transformer, travailler, usiner; utiliser, consommer; (*Information*) traiter; *fig* digérer, assimiler; ~**ende Industrie** industrie transformatrice; ⌐**ung** transformation *f;* travail *m,* usinage *m;* exécution *f,* fini *m;* emploi *m,* consommation *f;* *EDV* traitement *m;* *fig* digestion *f,* assimilation *f*
ver|argen prendre en mauvaise part; *ich kann ihm nicht* ~*argen...* je ne puis le blâmer pour...; ~**ärgern** vexer, irriter; ~**armen** s'appauvrir; ⌐**armung** appauvrissement *m,* paupérisation *f;* ⌐**arzten** soigner; ~**ausgaben** (*refl* se) dépenser; ~**äußerlich** aliénable; ~**äußern** aliéner; vendre; ⌐**äußerung** aliénation *f*
Verb verbe *m;* ⌐**al** verbal
Verband $ pansement *m,* bandage *m,* appareil *m;* *mil* unité *f,* formation *f;* (*Verein*) association *f,* union *f;* groupement *m;* fédération *f;* ~**material** matériel *m* de pansement; ~**skasten** boîte *f* à pansement; trousse *f* de premiers secours; ~**späckchen** paquet *m* de pansement individuel; ~**splatz** poste *m* de pansement (*od* de secours); ~**szeug** matériel *m* de pansement
verbann|en exiler; *a. fig* bannir, reléguer; ⌐**ung** bannissement *m;* exil *m*
ver|barrikadieren barricader, barrer; ~**bauen** obstruer, barrer; (*Aussicht*) masquer; ~**beißen** réprimer, contenir; *s. in etw* ~*beißen* s'acharner à qch; ~**bergen** cacher, dissimuler; receler; (*Gefühl*) déguiser

verbesser|n améliorer; corriger, amender; **⌐ung** amélioration *f,* perfectionnement *m;* correction *f,* amendement *m; päd* corrigé *m;* **~ungsfähig** perfectible

verbeug|en *refl* s'incliner; **⌐ung** inclination *f,* révérence *f*

verbeulen bosseler, bossuer, cabosser; *(Autoblech)* froisser

ver|biegen tordre, courber, déformer, contourner; fausser; *refl* fléchir; **~bieten** interdire, défendre, prohiber; **~bilden** déformer, défigurer, dénaturer; fausser l'esprit; **⌐bildung** déformation *f,* vice *m* de conformation; **~billigen** baisser, diminuer, réduire (les prix); **⌐billigung** diminution *f,* réduction *f* (des prix)

verbind|en unir, lier, joindre, associer; réunir, relier, allier, rattacher *(mit* à); *chem* combiner, allier *(mit* avec); **§** panser, bander; **↯** connecter; **⚙** assembler, attacher, raccorder; *(Röhren)* embrancher; **✆** établir *(od* donner) la communication; *refl* s'allier, s'unir; se marier; **⌐er** connecteur *m;* **~lich** obligatoire; *(höflich)* obligeant, complaisant; **~lich sein** faire foi; **~lich verzichten** renoncer formellement; **⌐lichkeit** obligation *f,* engagement *m; (Höflichkeit)* obligeance *f,* complaisance *f;* **⌐ung** liaison *f,* jonction *f,* association *f,* réunion *f;* relation *f,* rapport *m;* rattachement *m; (Studenten)* corporation *f; (Ehe)* union *f,* mariage *m; chem* composé *m,* combinaison *f;* **⚙** assemblage *m,* raccordement *m;* connexion *f;* **✆, ↯** communication *f; in* **⌐ung stehen mit** être en rapport *(od* relation) avec; *(Räume)* communiquer avec; *in* **⌐ung treten mit** entrer en contact *(od* en relation) avec, contacter (qn); **⌐ungsausschuß** comité *m* de liaison; **⌐ungskabel** câble *m* de raccordement; **⌐ungsstelle** **↯** point *m* de branchement *ou* de jonction; organisme *m* de liaison; **⌐ungsstück** raccord *m;* joint *m;* **⌐ungsweg** ligne *f* de communication; voie *f* de transmission

ver|bissen acharné, obstiné; **⌐bissenheit** acharnement *m,* obstination *f;* sourde colère; **~bitten** *refl* ne pas admettre *(od* souffrir), défendre; **~bittern** aigrir, exaspérer; **⌐bitterung** amertume *f,* aigreur *f;* **~blassen** pâlir; se faner, passer; **⌐bleib** séjour *m;* endroit *m* où est resté qch; sort *m;* **~bleiben** rester, demeurer; persévérer, persister *(bei* dans); *ich verbleibe mit freundl. Grüßen...* veuillez agréer, Monsieur, mes salutations distinguées; **~blenden** 🏛 revêtir, parementer; *fig* aveugler, éblouir; **⌐blendung** aveuglement *m,* éblouissement *m;* **~blichen** fané; *(tot)* défunt

ver|blüff|en étonner, ébahir, déconcerter, stupéfier; épater *(umg);* **~t** stupéfait, ébahi; **⌐ung** ébahissement *m,* stupeur *f,* stupéfaction *f*

ver|blühen se faner; **~blümt** voilé; à mots couverts; **~bluten** perdre tout son sang; **§** succomber à une hémorragie; **~bohrt** entêté, buté; **~borgen 1.** *vt* prêter; **2.** *adj* caché; secret; **§** latent; **⌐borgenheit** obscurité *f,* retraite *f;* clandestinité *f;* **⌐bot** défense *f,* interdiction *f;* prohibition *f;* **⌐botsschild, ⌐botszeichen** panneau *m* d'interdiction; **~brämen** border; *fig* chamarrer

Verbrauch consommation *f;* **⌐en** consommer; user; épuiser; *(Geld)* dépenser; **~er** consommateur, utilisateur; **↯** récepteur *m;* **~ermarkt** hypermarché *m;* **~erpolitik** consumérisme *m;* **~erpreis** prix *m* à la consommation; **~erschutz** protection *f* des consommateurs; **~sgüter** biens *mpl* de consommation; **~sregelung** rationnement *m;* **~ssteuer** impôt *m* sur la consommation, taxe *f* de consommation

verbrech|en commettre; **⌐en** *su* crime *m;* **⌐er** criminel, délinquant

verbreit|en répandre, disséminer, propager, diffuser; faire circuler; *(Gerücht)* colporter; *refl* s'étendre *(über* sur); **~ern** élargir; **⌐erung** élargissement *m;* **⌐ung** dissémination *f,* divulgation *f,* propagation *f,* diffusion *f,* prolifération *f*

verbrenn|en *vt* incinérer; mourir brûlé; *vt/i* brûler; *vi* se consumer; **⌐ung** combustion *f; (Wunde)* brûlure *f;* **⌐ungsanlage** incinérateur *m;* **⌐ungsgas** gaz *m* de combustion; **⌐ungsmotor** moteur *m* à combustion (interne); **⌐ungsrückstand** résidu *m*

ver|briefen garantir *(od* confirmer) par écrit; **~bringen** *(Zeit)* passer; **⌐bringung** acheminement *m;* **~brüdern** *refl* fraterniser; **⌐brüderung** fraternisation *f;* **~brühen** échauder, ébouillanter; **~buchen** porter en écriture; *e-n Erfolg ~buchen* avoir un succès; **~bummeln** *vt* perdre; gaspiller, dissiper

Verbund interconnexion *f;* composition *f;* combinaison *f;* **⌐en** uni, associé; attaché *(mit* à); *falsch ~en sein* ✆ obtenir un faux numéro; *ich bin Ihnen sehr ~en* je vous suis très obligé; **~enheit** solidarité *f;* **~glas** verre *m* feuilleté; **~linse** lentille *f* composée; **~netz** réseau *m;* **~system** système *m* combiné

verbünd|en *refl* s'allier, se coaliser; se liguer, se confédérer; **⌐eter** allié

verbunkern enterrer, enfouir; protéger

ver|bürgen *vt* garantir; *refl* se porter garant, répondre *(für* de); **~büßen** purger; **~chromen** chromer

Verdacht soupçon *m;* suspicion *f; in ~ stehen* être soupçonné de; **~sgründe, ~smomente** motifs *mpl* de suspicion

verdächtig suspect; louche, douteux; **~en** soupçonner, suspecter; **⌐ung** incrimination *f*

verdamm|en condamner; *rel* damner, réprouver; **~enswert** condamnable, réprouvable; **⌐nis** damnation *f,* perdition *f;* **~t** *pop* sacré, fichu, maudit; **~ter** damné, réprouvé; **⌐ung** condamnation *f*

verdampf|en *vt* vaporiser; *vi* s'évaporer; **⌐er** évaporateur *m;* saturateur *m;* **⌐ung** vaporisation *f*

verdanken devoir *(j-m etw* qch à qn); être redevable *(j-m etw* à qn de qch)

verdau|en digérer; **~lich** digestible; *schwer ~lich* indigeste; **⌐lichkeit** digestibilité *f;* **⌐ung** digestion *f;* **⌐ungsstörungen** troubles digestifs, indigestion *f;* **~trakt** tube *m* digestif, tractus *m* gastro-intestinal

Verdeck 🚗 capote *f;* **~en** couvrir; cacher, voiler
verdenken : ~ *können* reprocher (qch à qn)
Verderb ruine *f,* perte *f;* **~en** *vt* gâter; détériorer,
dégrader, délabrer, abîmer; corrompre, dépra-
ver, pervertir; *vi* se gâter, se détériorer, s'abîmer;
es mit j-m **~en** perdre les bonnes grâces de qn;
~en *su* perte *f;* perdition *f; j-n ins* **~en** *führen*
conduire qn à sa perte; **~enbringend** pernicieux,
fatal, funeste; **~lich** destructif; pernicieux;
(Eßwaren) périssable; **~nis, ~theit** corruption *f,*
perversion *f,* dépravation *f;* **~t** corrompu,
pervers
ver|deutlichen élucider, rendre clair; **~deut-
schen** traduire en allemand; **~dichten** conden-
ser; comprimer; **~ dichter** compresseur *m;*
~dichtung condensation *f;* compression *f;*
tassement *m; (Siedlung)* concentration *f;*
~dichtungsraum agglomération
verdien|en gagner (*an* sur); *fig* mériter, être
digne de; **~st 1.** *m* gain *m,* profit *m,* bénéfice *m;*
salaire *m;* **2.** *n* mérite *m;* **~stausfall** manque *m* à
gagner; **~stkreuz** croix *f* de chevallier de l'ordre
du mérite; **~stpanne** marge *f* bénéficiaire; **~t**
mérité; de mérite; *s.* ~*t machen um* bien mériter
de
ver|dingen donner à forfait; *refl* se louer,
accepter un travail; **~dingungsordnung** code *m*
des marchés publics; **~dolmetschen** interpréter;
~doppeln (re)doubler; **~doppelung** (re)double-
ment *m,* duplication *f;* **~dorben** pourri; *a. fig*
corrompu, gâté; *(beschädigt)* avarié, taré,
vicieux; *fig* vicié, dépravé, pervers; **~dorbenheit**
corruption *f,* dépravation *f;* **~dorren** se
dessécher
verdräng|en déloger, supplanter; *(Wasser)*
déplacer; *(Luft;* ⚓) refouler; **~ung** délogement
m; (Wasser) déplacement *m; (Luft;* ⚓) refoulement *m*
verdreh|en tordre, tourner; *(Augen)* rouler; *fig*
altérer, déformer; détourner, fausser; **~t** tordu;
fig déséquilibré, fêlé; **~ung** torsion *f; fig*
altération *f,* déformation *f*
verdreifachen tripler
verdrieß|en ennuyer, fatiguer, mécontenter,
vexer; **~lich** ennuyeux; maussade, rechigné,
renfrogné, morose
ver|drossen maussade, morose; **~druß** déplai-
sir *m,* ennui *m,* déboire *m;* **~duften** *umg*
s'éclipser; **~dummen** *vt* abêtir, abrutir, hébéter;
vi s'abêtir
verdunk|eln obscurcir, assombrir, éclipser;
camoufler les lumières; 👓 dissimuler; *refl*
s'obscurcir, s'assombrir; **~lung** obscurcissement *m;* éclipse *f;* extinction *f (od* camouflage
m) des lumières; 👓 dissimulation *f,* collusion *f;*
~lungsgefahr 👓 risque *m* d'entrave à l'instruction
verdünn|en délayer, étendre; *(Soße)* allonger,
mouiller, éclaircir; *(Gas)* raréfier; *chem* atténuer; **~ung** délayage *m; (Gas)* raréfaction *f;*
chem atténuation *f;* **~ungsmittel** *chem* diluant *m*
verdunst|en *vt* vaporiser; *vi* se vaporiser,
s'évaporer, se volatiliser; **~ung** vaporisation *f,*
évaporation *f*

ver|dursten mourir de soif; **~düstern** assom-
brir; **~dutzt** stupéfait, ébahi, éberlué; pantois,
penaud, ébaubi
vered|eln ♻ affiner; ⬇ greffer, écussonner; *fig*
ennoblir, améliorer, amender; **~lung** ♻ affinage *m,* finissage *m;* ⬇ greffage *m,* écussonnage
m; fig ennoblissement *m,* amélioration *f*
verehr|en honorer, respecter; adorer, vénérer,
révérer; *j-m etw* **~en** offrir qch à qn; **~er**
adorateur; *umg* soupirant; **~lich, ~ungswürdig**
honorable, vénérable, admirable; **~ung** respect
m; adoration *f,* vénération *f,* révérence *f*
vereidig|en assermenter; **~ung** prestation *f,* de
serment
Verein association *f;* union *f,* société *f;* 🐎 club
m; eingetragener ~ association enregistrée
(auprès du Tribunal cantonal); *im* ~ *mit*
conjointement, de concert avec; **~bar** compatible, conciliable; **~baren** convenir (*etw* de qch);
tomber (*od* se mettre) d'accord (sur qch); *s.*
~baren lassen mit être compatible avec;
~barkeit compatibilité *f;* **~barung** convention *f,*
accord *m,* arrangement *m;* **~en** unir, réunir;
joindre; *siehe a.* **~igen;** **~fachen** simplifier,
faciliter; *math* réduire; **~fachend** simplifica-
teur; **~fachung** simplification *f; math* réduction
f; **~heitlichen** uniformiser; standardiser, normaliser; **~heitlichung** uniformisation *f;* standardisation *f,* normalisation *f;* **~igen** réunir, allier,
rattacher (*mit* à); unir; joindre; associer,
rassembler, rallier, conjuguer, concerter; *refl*
s'allier (*mit* à); *com* fusionner; *in s.* **~igen**
englober, embrasser; *auf s.* **~igen** *(Ämter)*
cumuler; **~igt** *uni;* ~*igte Staaten von Amerika*
États-Unis d'Amérique; **~igung** (ré-)union *f,*
alliance *f,* association *f;* rassemblement *m,*
ralliement *m,* concentration *f; com* fusion *f;*
~nahmen percevoir, encaisser; **~samen** devenir
isolé (*od* solitaire); **~samt** isolé, abandonné;
~skasse caisse *f* (d'un club); **~zelt** isolé,
solitaire, sporadique
vereis|en geler; ✝ givrer; **~t** *(Straße)* verglacé;
~ung ✝ givrage *m;* **~ungsschutz** antigivrage *m*
ver|eiteln déjouer, faire avorter, trahir; **~eitern**
suppurer; **~enden** mourir; crever; **~engern**
rétrécir, resserrer; ~*engte Fahrbahn* chaussé *f*
rétrécie; **~engung** rétrécissement *m*
vererb|en transmettre, léguer; **~ung** hérédité *f;*
transmission *f* par succession; **~ungslehre**
génétique *f*
verewig|en éterniser, pérenniser; *(refl* s')
immortaliser; **~t** défunt
verfahren 1. *vi* procéder, opérer, agir; traiter
(*mit j-m* qn); **2.** *refl* faire fausse route, se tromper
de chemin, se fourvoyer; **3.** *adj* mal engagé;
sans issue; **~ su** méthode *f,* procédé *m,* pratique
f, technique *f;* 👓 procédure *f;* **~sfrage** question
f de procédure; **~stechnik** procédé *m* technolo-
gique; **~sweise** mode *m* opératoire
Verfall ruine *f,* décadence *f,* dépérissement *m,*
déclin *m; com* échéance *f,* expiration *f;*
(Anspruch) déchéance *f; (Sitten)* dégradation *f,*
dépravation *f;* $ affaissement, déchéance *f*
physique; *in* ~ *geraten* déchoir; **~datum** date *f*

de peremption; **~en 1.** *vi* tomber en ruines; déchoir, dépérir; se dégrader; expirer; *com* échoir; **⚓** s'affaisser; **~***en auf* imaginer, trouver; *er verfiel auf d. Gedanken* l'idée lui vint à l'esprit; *e-r Sache* **~***en sein* être en proie à qch; être pris de qch; *j-m* **~***en sein* être sous l'emprise (*od* l'influence) de qn; **2.** *adj* déchu, périmé; caduc; **~serscheinung** symptôme *m* de déchéance; **~tag** date *f* limite

verfälsch|en falsifier, fausser; adultérer; *(Nahrungsmittel)* frelater, dénaturer; *(Text)* corrompre; *(Sinn)* trahir; **~ung** falsification *f*, adultération *f*; dénaturation *f*; corruption *f*

ver|fangen *vi* être efficace (*od* utile); *refl* se prendre, s'enliser; *d.* **~***fängt nicht* cela ne prend pas; **~fänglich** captieux, insidieux; embarrassant; épineux; **~färben** déteindre, altérer la couleur de; *refl* changer de visage; changer de couleur, pâlir

verfass|en écrire, rédiger; composer; *(Dokument)* dresser; **~er** auteur *m*; **~ung** disposition *f*, état *m*; *(geistige)* moral *m*; *pol* constitution *f*; **~unggebend** constituant; **~ungsbruch** violation *f* de la constitution; **~ungsentwurf** projet *m* de constitution; **~ungsfeind** ennemi *m* de la constitution; **~ungsfeindlich** anticonstitutionnel; **~ungsmäßig** constitutionnel; **~ungsordnung** ordre *m* républicain (*ou* constitutionnel); **~ungsrecht** droit constitutionnel; **~ungswidrig** inconstitutionnel, anticonstitutionnel

verfaulen pourrir, se putréfier, se décomposer

verfecht|en défendre; plaider *(etw.* pour qch); **~er** défenseur *m*; champion; promoteur *m*

verfehl|en manquer, échouer; rater *(umg)*; **~t** erroné; échoué, manqué; raté *(umg)*; **~ung** faute *f*, manquement *m*

ver|feinden *refl* se brouiller; **~feinern** (r)affiner; épurer, polir; **~feinerung** (r)affinement *m*; **✿** mise *f* au point; **~femen** proscrire, bannir, exclure; **~fertigen** confectionner, fabriquer, manufacturer; **~festigen** solidifier, rendurcir; consolider; **~fettung** adiposité *f*, lipomatose *f*; obésité *f*; **~feuern** brûler, consommer; *mil (Munition)* épuiser; **~filmen** porter à l'écran; **~filmungsrechte** droits *mpl* d'adaptation cinématographique; **~filzt** inextricable; **~finstern** obscurcir, assombrir; *astr* éclipser; *refl* s'obscurcir; *astr* être éclipsé; **~finsterung** obscurcissement *m*; **~flachen** s'aplatir; *fig* devenir superficiel; **~flechten** entrelacer, enlacer; **~flechtung** entrelacement *m*, enlacement *m*; *com* interpénétration *f*; participations croisées; concentration *f*; *pol* imbrication *f*; **~fliegen** s'évaporer, se volatiliser; *(Zeit)* s'envoler; *refl* **✈** perdre la (*od* se tromper de) direction; **~fließen** s'écouler; s'enfuir, passer; *(Farben)* s'effacer, s'estomper; **~flixt!** flûte!; **~flossen** passé, écoulé; **~fluchen** maudire; **~flucht** maudit, damné; *~flucht!* sacré!; **~flüchtigen** volatiliser; *refl* s'évaporer; **~flüssigen** liquéfier, fluidifier; **~flüssigung** liquéfaction *f*

Verfolg cours *m*; suite *f*; **~en** *a.* **🐕** poursuivre; persécuter, pourchasser, donner la chasse à; *(heimlich)* prendre en filature; *(geistig)* suivre;

~er persécuteur; **~ung** *a.* **🐕** poursuite *f*; persécution *f*; **~ungswahn** manie *f* de la persécution

Verformung déformation *f*

verfracht|en expédier; **~er ⚓** fréteur

verfrüht prématuré, précoce

verfüg|bar disponible; **~en** *vt* ordonner, décréter; *vi* disposer *(über* de); *refl* se rendre *(auf, zu* à); **~ung** décret *m*, ordonnance *f*; disposition *f*; **🔨** acte *m* de disposition; *einstweilige* **~ung 🔨** décision *f* provisoire; *z.* **~ung** *stellen* mettre à la disposition de

verführ|en séduire; tenter; *(veranlassen)* entraîner; **~er** séducteur; **~erisch** séducteur, séduisant; **~ung** séduction *f*

ver|fünffachen quintupler; **~gabe** *(Auftrag)* passation *f*; **~gaffen** *refl* s'enticher *(in* de); **~gällen** empoisonner, gâter; *chem* dénaturer

vergangen passé, écoulé; récent; *~en Dienstag* mardi dernier; **~heit** passé *m*; antécédents *mpl*

vergänglich fugace, fugitif; éphémère, passager; périssable; **~keit** caractère *m* éphémère; instabilité *f*

vergas|en gazéifier; **🚗** carburer; *(töten)* gazer; **~er 🚗** carburateur *m*; **~ermotor** moteur *m* à carburation préalable; **~ung** *chem* gazéification *f*; *(Hinrichtung)* mise à mort par le gaz

vergeb|en pardonner; *(weggeben)* donner, céder; *(verleihen)* conférer; *com* passer; *(Auftrag)* conclure; *s. etw. ~en* ternir sa réputation; **~ens** inutilement, en vain, vainement; *~ens bitten* avoir beau prier; **~lich** inutile, vain; *adv =* **~ens**; **~ung** pardon *m*; *rel* rémission *f*; cession *f*; *com* passation *f*

vergegenwärtigen *refl* évoquer, se figurer

vergehen *(Zeit)* passer, s'écouler; *(welken)* se faner; *(dahinsiechen)* languir; *refl* fauter, pécher *(gegen* contre); transgresser (la loi); *~ vor* mourir de; **~** *su* faute *f*, péché *m*; **🔨** délit *m* (correctionnel)

vergelt|en récompenser *(j-m etw.* qn de qch); rendre la pareille, payer de retour; prendre sa revanche; **~ung** revanche *f*, dissuasion *f* active; **~ungsangriff** attaque *f* de représailles; **~ungsmaßnahme** représailles *fpl*; action *f* de rétorsion

vergessen oublier *(zu* de); négliger, omettre; désapprendre; *refl* s'oublier; agir sans réflexion; **~heit** oubli *m*; *in* **~***heit geraten* tomber dans l'oubli

vergeßlich oublieux; distrait; **~keit** distraction *f*

vergeud|en gaspiller; *(Vermögen)* dissiper, dilapider; **~ung** gaspillage *m*; *(Vermögen)* dilapidation *f*

vergewaltig|en violer; faire violence à; **~ung** viol *m*; violence *f* (faite à qch)

ver|gewissern *refl* s'assurer *(über* de); **~gießen** répandre, verser; **~giften** empoisonner, envenimer; intoxiquer; *(Umwelt)* contaminer; **~giftung** empoisonnement *m*; intoxication *f*; contamination *f*; **~gilben** jaunir; **~gißmeinnicht** myosotis *m*, ne-m'oubliez-pas *m*; **~gittern** grillager; **~glasen** vitrer; *~ glaste Fläche* surface *f* vitrée; **~glasung** baie *f*, verrière *f*

Vergleich comparaison *f,* parallèle *m; com* compromis *m,* arrangement *m* à l'amiable; ♋ transaction *f,* accommodement *m; im ~ zu* en comparaison de, par comparaison; ♭**bar** comparable *(mit* à); ♭**en** comparer *(mit* à); *(Text)* collationner; *refl fig* transiger, s'accorder, s'entendre, composer; ♭**end** comparatif; ~**sjahr** année *f* de base *(od* de référence); ~**smaßstab** élément *m* de comparaison; ~**speriode** période de référence; ~**spreis** prix *m* comparatif; ~**sverfahren** ♋ règlement *m* judiciaire; ~**versuch** ☼ , *chem* essai *m* de référence; ~**sweise** comparativement

vergnüg|en amuser, entretenir; *refl* s'amuser, se divertir; ♭**en** *su* plaisir *m,* amusement *m,* distraction *f; viel* ♭**en!** amusez-vous bien!; ♭**en** *finden an* prendre plaisir à; ♭**ung** amusement *m,* divertissement *m,* agrément *m;* ♭**ungsindustrie** entreprises *fpl* de spectacles; ♭**ungsreise** voyage *m* de plaisance *(od* d'agrément); ♭**ungssteuer** impôt *m* sur les spectacles; ~**ungssüchtig** avide de plaisirs

ver|golden dorer; ♭**goldung** dorure *f;* ~**gönnen** accorder, permettre; ~**göttern** déifier, idolâtrer; porter aux nues; ♭**götterung** déification *f,* idolâtrie *f,* apothéose *f;* ~**graben** enterrer, enfouir, enfoncer; *refl fig* s'enterrer, s'ensevelir; ~**grämen** froisser; *(Wild)* effrayer; ~**grämt** rongé par le chagrin; ~**greifen** *refl* se tromper, se méprendre; ♪ se tromper de touche; *s.* ~**greifen** *an* porter la main sur; *(stehlen)* faire main basse sur; ~**griffen** épuisé

vergrößer|n *a.* ⬚ agrandir; *opt* grossir; *(erweitern)* élargir, étendre; *(vermehren)* augmenter, accroître; *(verschlimmern)* aggraver; *(übertreiben)* exagérer; ♭**ung** *a.* ⬚ agrandissement *m; opt* grossissement *m,* grandissement *m; (Erweiterung)* élargissement *m,* extension *f; (Anwachsen)* augmentation *f,* accroissement *m; (Verschlimmerung)* aggravation *f; (Übertreibung)* exagération *f;* ♭**ungsapparat** agrandisseur *m;* instrument *m* grossissant; ♭**ungsglas** verre grossissant, loupe *f*

Vergünstigung avantage *m;* faveur *f,* privilège *m; com* facilité *f*

vergüt|en indemniser, dédommager, rembourser *(j-m etw.* qn de qch); *com* bonifier, compenser; *(entlohnen)* rémunérer; *(Stahl)* faire revenir, traiter par trempe; *(Linse)* bleuter; ♭**ung** indemnisation *f,* dédommagement *m,* remboursement *m; com* bonification *f,* compensation *f; (Lohn)* rémunération *f; (Stahl)* traitement *m* thermique; *(Linse)* bleutage *m*

verhaft|en arrêter, appréhender; ~**et** arrêté, détenu; *e-r Sache ~et sein* être attaché à *(od* enraciné dans) qch; ♭**ung** arrestation *f*

ver|hageln grêler; ~**hallen** se perdre, mourir

verhalten 1. *vt* retenir, refouler, contenir, réprimer; 2. *vr* se conduire, se comporter; réagir; *(Sache)* (en) être; *s. ~ zu ... wie ... zu ... (math)* être à... comme... à...; *s. ruhig ~* rester *(od* se tenir) tranquille; 3. *adj* retenu; réservé; ♭ *su* § rétention *f; fig* conduite *f,* comportement *m,* attitude *f;* réaction *f;* ♭**sforscher** comportemen-

taliste *m;* ♭**sforschung** éthologie *f;* ~**sgestört** inadapté; ♭**sregel** règle *f* de conduite

Verhältnis rapport *m,* proportion *f;* relation *f; (Liebes-)* liaison *f; pl* situation *f,* posture *f;* conditions *fpl,* circonstances *fpl;* état *m* des choses; *im ~ zu* par rapport à, en proportion de; *in guten ~sen leben* avoir une belle situation; *über s-e ~se leben* vivre au-dessus de ses moyens; ♭**mäßig** proportionnel, relatif; ~**mäßigkeit** proportionnalité *f;* ~**wahl** scrutin *m* proportionnel; ~**widrig** disproportionné; ~**wort** préposition *f;* ~**zahl** rapport *m*

Verhaltungsmaßregeln instructions *fpl,* directives *fpl,* consigne *f*

verhand|eln négocier, débattre *(über etw.* qch); discuter, délibérer, *a.* ♋ traiter *(über etw.* de qch); *(verkaufen)* trafiquer *(etw.* de qch); ♭**lung** négociation *f,* pourparlers *mpl,* débats *mpl,* discussion *f,* délibération *f;* ♋ audience *f,* séance *f;* ♭**lungsprotokoll** procès-verbal *m* (de l'audience); ♭**lungsspielraum** marge *f* de manœuvre; ♭**lungsweg:** *auf d.* ♭*lungsweg* par voie de négociation

verhäng|en voiler, couvrir; *fig* ordonner, décréter; *(Strafe)* infliger *(über j-n* à qn); *d. Belagerungszustand ~en* déclarer l'état de siège; ♭**nis** fatalité *f;* ~**nisvoll** fatal, funeste

ver|harmlosen minimiser; ~**härmt** rongé *(od* consumé) par le chagrin; ~**harren** demeurer, rester, persister, persévérer *(bei* dans); ~**harschen** (se) durcir; ~**härten** concréter, endurcir; *refl (a. fig)* (se) durcir, s'endurcir; ~**härtung** concrétion *f;* durcissement *m,* endurcissement *m (a. fig);* ~**haßt** haï; odieux; ~**hätscheln** choyer, dorloter; ♭**hau** *(Holz-)* abattis *m; (Draht-)* réseau *m* (de barbelés); ~**hauen** fesser, bâtonner, rosser; *(Arbeit)* rater; *refl* se blouser

verheer|en ravager, dévaster, saccager; ~**end** dévastateur, saccageur; *fig* fatal; ♭**ung** ravage *m,* dévastation *f,* saccage *m*

ver|hehlen passer sous silence, cacher, dissimuler; ~**heilen** se cicatriser, se fermer; ♭**heilung** § consolidation *f* (de la blessure), cicatrisation *f*

verheimlich|en dissimuler, cacher; taire; ♭**ung** dissimulation *f*

verheirat|en marier; *refl* se marier; épouser *(mit j-m* qn); ♭**ung** mariage *m*

verheiß|en promettre, annoncer; ♭**ung** promesse *f;* ~**ungsvoll** prometteur

verhelfen procurer *(zu etw.* qch)

verherrlich|en glorifier, illustrer; ♭**ung** glorification *f,* illustration *f*

ver|hetzen exciter, inciter; ~**hexen** ensorceler; envoûter

verhinder|n empêcher; faire obstacle à; ♭**ung** empêchement *m;* obstacle *m,* entrave *f;* ♭**ungsfall:** *im* ♭*ungsfall* en cas d'empêchement

verhöhn|en bafouer, tourner en dérision; huer, conspuer; ♭**ung** raillerie *f,* dérision *f;* huées *fpl*

Verhör interrogatoire *f;* ♭**en** interroger; *refl* entendre de travers

verhüll|en *a. fig* voiler, envelopper, couvrir; *fig* déguiser, masquer; ♭**ung** voile *m,* voilage *m;* déguisement *m*

ver|hundertfachen centupler; ~hüngern mourir (*od* crever) de faim; ~hunzen massacrer, mutiler, défigurer

verhüt|en prévenir, empêcher; ⌃ung prévention *f;* empêchement *m;* ⌃ungsmittel contraceptif *m*

verhütt|en fondre, traiter en usine; ⌃ung traitement métallurgique

ver|hutzelt ratatiné; ~irren *refl* s'égarer, se perdre; ⌃irrung *a. fig* égarement *m; fig* aberration *f,* erreur *f*

verjähr|en se prescrire (*nach* par); ⌃ung prescription *f;* ⌃ungsfrist délai *m* de prescription

verjubeln gaspiller, dilapider

verjüng|en rajeunir; *(Maßstab)* réduire; 🏛 contracturer, diminuer; ✿ amincir; *refl* rajeunir; ✿ s'effiler; ⌃ung rajeunissement *m;* 🏛 contracture *f,* diminution *f;* ✿ réduction *f,* amincissement *m*

verkalk|en (se) calcifier; ~t sclérosé; *fig* encroûté; ⌃ung § calcification *f,* sclérose *f*

ver|kalkulieren *refl* faire une erreur de calcul; ~kappen déguiser, camoufler; ~kapseln capsuler; § s'enkyster

Verkauf vente *f;* débit *m,* écoulement *m;* placement *m;* ⌃en vendre; débiter; placer; *zu* ⌃en à vendre; ~sabteilung service *m* des ventes; ~sauftrag ordre *m* de vente; ~sbedingungen conditions *fpl* de vente; ~sfläche surface *f* de vente; ~spreis prix *m* de vente; ~sstelle point *m* de vente; ~swert valeur vénale

Verkäuf|er vendeur *m,* employé *m* de magasin; ~erin vendeuse; 🕮 venderesse; ⌃lich à vendre, vendable; réalisable; vénal

Verkehr circulation *f; bes com* trafic *m;* transport(s) *m(pl);* 🚆 service *m; (gesellschaftl.)* commerce *m; (Umgang)* fréquentation *f,* relations *fpl; d.* ~ *übergeben* ouvrir à la circulation; *aus d.* ~ *ziehen* retirer de la circulation; ⌃en *vt* mettre de travers (*od* à l'envers); tourner, changer (*in* en); invertir; *vi* circuler; fréquenter (*mit j-m* qn); avoir des relations; ~sader artère *f;* ~sampel feu *m* de circulation (*od umg* rouge); ~sbetriebe transports publics; ~sdichte densité *f* du trafic (*ou* de la circulation); ~serziehung éducation routière; ~sflugzeug avion *m* de ligne; ~sfluß débit *m* d'un itinéraire; ~sgewerbe transports *mpl;* ~sinsel refuge *m;* ~sknotenpunkt nœud *m* de communication; ~sministerium ministère *m* des Transports; ~smittel moyens *mpl* de transport; ~snetz réseau *m* de communication; ~spolizei police *f* de la circulation; agents *mpl* de la circulation (routière); ~sregelung contrôle *m ou* réglementation *f* de la circulation; signalisation routière; ⌃sreich animé, fréquenté; ⌃sreich animé, très fréquenté; ~sschild panneau *m* de signalisation; ~ssicherheit sécurité *f* routière; ~sstau bouchon *m,* embouteillage *m;* ~sstockung embouteillage *m,* encombrement *m;* ~sstörung interruption *f* du trafic; ~ssünder délinquant *m* routier, contrevenant *m* au code de la route; ~steilnehmer usager *m* de la route; ~stüchtigkeit *(Autofahrer)* aptitude *f* à conduire; ~sumleitung

déviation *f;* ~sunfall accident *m* (de la circulation *od* de la route); ~sunternehmen entreprise *f* de transport; ~sverbindung communication *f;* ~sverein syndicat *m* d'initiative; ~sweg itinéraire *m;* voie *f* de communication; ~swesen les transports; ~szeichen panneau *m* de signalisation

verkehrt renversé, retourné; faux, absurde; *adv* à l'envers, de travers; ⌃heit travers *m,* absurdité *f*

verkenn|en méconnaître; sous-estimer; ⌃ung méconnaissance *f*

ver|ketten enchaîner; interconnecter; *EDV* relier; ⌃kettung enchaînement *m;* interconnexion; *EDV* chaînage *m;* ~kitten mastiquer; ~klagen 🕮 intenter une action en justice (contre qn); poursuivre qn en justice

verklär|en transfigurer; ~t radieux; ⌃ung transfiguration *f*

ver|klatschen dénoncer, cafarder; ~klausulieren restreindre par des clauses; ~kleben coller, boucher

verkleid|en déguiser, travestir (*als* en); ✿ revêtir, garnir (*mit* de); ⌃ung déguisement *m,* travestissement *m;* ✿ revêtement *m; (Holz-)* boisage *m; (Tür, Fenster)* chambranle *m*

verkleiner|n diminuer, rapetisser; réduire; *fig* rabaisser, détracter; ⌃ung diminution *f,* rapetissement *m;* réduction *f*

ver|klingen se perdre; ~knappung pénurie *f;* ~kneifen réprimer; *refl* renoncer à, faire son deuil de; ~knittern froisser, chiffonner; ~knoten nouer; ~knüpfen lier, nouer; joindre, enchaîner; rattacher; ~knüpft connexe; ⌃knüpfung réunion *f; math* opération *f* logique; *EDV* combinaison *f,* enchaînement *m;* ~kohlen carboniser, charbonner; *fig umg* se payer la tête de qn; ~koken cokéfier

verkommen 1. *vi* déchoir, se dépraver, se pervertir; pourrir, croupir; 2. *adj* dépravé, dégradé, déchu, dévoyé; ⌃heit dégradation *f,* dépravation *f,* déchéance *f*

verkorken boucher

verkörper|n personnifier; incarner; ⌃ung personnification *f;* incarnation *f*

ver|köstigen nourrir; ~krachen faire faillite; *refl* se brouiller; ~kraften venir à bout de; *umg* encaisser, digérer; ~krampfen *refl* se crisper; ~kriechen *refl* se cacher; *(Tier)* se terrer; ~krümmen déformer; ⌃krümmung déformation *f;* § déviation *f;* ~krüppeln estropier, mutiler; *vi* se rabougrir; ~krustet encroûté; ~kühlen *refl* prendre froid; ~kümmern dépérir, se rabougrir, s'étioler; § s'atrophier

verkünd|en, ~igen annoncer, proclamer, publier; 🕮 *(Urteil)* prononcer; *(Gesetz)* promulguer; *rel* prêcher; ⌃(ig)ung annonce *f,* proclamation *f,* publication *f;* 🕮 prononcé *m;* promulgation *f;* prédiction *f; Mariä* ⌃igung l'Annonciation *f*

ver|kupfern cuivrer; ~kuppeln accoupler; *(Frau)* prostituer

verkürz|en raccourcir, écourter; réduire, diminuer; abréger; *(Zeit)* faire passer; ⌃ung raccourcissement *m;* diminution *f;* réduction *f;* ⚓ raccourci *m*

Verlade|bahnhof gare *f* de chargement (*ou* de réacheminement); **~dokumente** documents *mpl* d'expédition

verlad|en charger; expédier; ⚓ embarquer; **⚓er** expéditeur, chargeur *m;* **⚓ung** chargement *m;* expédition *f;* mise *f* en wagons; ⚓ embarquement *m*

Verlag maison *f* d'édition; édition *f,* publication *f; im ~ von* édité chez; **~sanzeige** annonce *f* d'éditeur; **~sbuchhändler** libraire-éditeur; **~sbuchhandlung** librairie *f* de fonds; **~srecht** droit *m* de publication; **~swesen** édition *f*

verlager|n déplacer; déséquilibrer; *a. fig* décaler; *refl* glisser; **⚓ung** déplacement *m;* transfert *m* translation *f*

verlang|en *vt* demander; exiger, réclamer; vouloir, désirer; *vi* avoir envie (*nach* de), soupirer (*nach* après); *es ~t mich nach* il me tarde de; **⚓en** *su* demande *f,* exigence *f;* revendication *f;* envie *f,* désir *m*

verlänger|n allonger, rallonger; (*a. zeitl.*) prolonger; (*zeitl.,* 🕐) proroger; **⚓ung** allongement *m,* rallonge *f,* prolongement *m;* (*zeitl.*) prolongation *f,* prorogation *f;* (*Paß*) renouvellement *m;* **⚓ungsschnur** cordon *m* de prolongement

verlangsam|en ralentir; retarder; freiner; **~ung** ralentissement *m*

Ver|laß: *es ist kein ~laß auf ihn* on ne peut se fier à lui; **⚓lassen 1.** *vt* quitter, abandonner; délaisser; **2.** *refl* se fier, s'en rapporter (*auf* à); compter, se reposer (*auf* sur); **3.** *adj* abandonné, délaissé, désert; **~lassenheit** inhabité, délaissement *m;* solitude *f;* **⚓läßlich** sûr; **~laub:** *mit ~laub zu sagen* sauf votre respect

Verlauf cours *m;* développement *m,* évolution *f;* déroulement *m;* marche *f,* allure *f;* (*Grenze*) tracé *m;* **⚓en** se passer; s'écouler; *gut (schlecht)* **⚓en** prendre une bonne (mauvaise) tournure; *refl* s'égarer, se perdre; (*Wasser*) s'écouler; (*Menge*) se disperser

verlaut|baren publier, communiquer, divulguer; **⚓barung** communication *f; pol* communiqué *m;* **~en:** *es ~et* le bruit court; on apprend; *~en lassen* donner à entendre

verleb|en passer; **~t** épuisé, décrépit

verleg|en 1. *vt* égarer; changer (de place); transférer; (*zeitl.*) reporter, ajourner; (*Leitung*) poser; 📖 éditer, publier; **2.** *refl* s'adonner (*auf* à); prendre le parti (*auf* de); **3.** *adj* embarrassé, gêné; perplexe, confus; *um etw ~en sein* être à court de; **⚓enheit** embarras *m,* gêne *f;* perplexité *f; in* **⚓enheit bringen** mettre dans l'embarras, embarrasser; **⚓er** éditeur; **⚓ung** transfert *m,* translation *f;* pose *f;* ajournement *m*

verleiden gâter, gâcher; *j-m etw ~* dégoûter qn de qch

Verleih entreprise *f* de location; (*Arbeitskräfte*) entreprise *f* de travail temporaire; (*Filme*) distributeur *m*

verleih|en prêter; louer; conférer; concéder;

(*Orden*) décerner; investir de; **⚓er** prêteur; loueur; (*Film*) distributeur; **⚓ung** concession *f,* octroi *m,* collation *f*

ver|leiten entraîner, engager, pousser, séduire, induire (*zu* à); **~lernen** désapprendre, oublier; **~lesen** lire (à haute voix); *pol* donner lecture; (*auslesen*) éplucher, trier; *refl* se tromper en lisant; **⚓lesung** lecture *f*

verletz|en *a. fig* blesser, léser; *fig* froisser, offenser; (*Pflicht*) manquer à; 🕐 enfreindre, violer; contrevenir à; **~lich** vulnérable; *fig* susceptible; **⚓ter** partie *f* lésée; (*Straftat*) victime *f;* (*Unfall*) blessé *m;* personne accidentée; **⚓ung** blessure *f,* lésion *f;* (*Pflicht*) manquement *m;* 🕐 infraction *f,* atteinte *f,* violation *f*

verleugn|en renier; méconnaître; démentir, désavouer; **⚓ung** reniement *m;* désaveu *m*

verleumd|en calomnier, diffamer, dénigrer; **⚓er** diffamateur, calomniateur, détracteur; **~erisch** diffamatoire, calomnieux; **⚓ung** diffamation *f,* calomnie *f,* dénigrement *m;* **⚓ungsklage** action *f* en diffamation

verlieb|en *refl* tomber amoureux, s'éprendre, s'enamourer (*in* de); *zum ~en sein* être joli(e) comme un cœur; **~t** amoureux, épris (*in* de)

ver|lieren perdre; *refl* se perdre; s'égarer; disparaître ♦ *nichts mehr zu ~lieren haben* n'avoir rien à perdre mais tout à gagner; **⚓lierer** perdant *m;* **⚓lies** oubliettes *fpl,* cachot *m*

verlob|en fiancer; **⚓te** fiancée; **⚓ter** fiancé; **⚓ung** fiançailles *fpl;* **⚓ungsring** bague *f* de fiançailles

verlock|en tenter, séduire, allécher; **~end** alléchant, tentant, séduisant, engageant; **⚓ung** tentation *f,* séduction *f*

verlogen menteur, mensonger, trompeur; **⚓heit** caractère mensonger; habitude *f* de mentir

verloren perdu; *umg* fichu, foutu, cuit, fini; *fig* abandonné, délaissé; *~er Zuschuß* subvention *f (od* allocation *f)* à fonds perdu; *~gehen* se perdre, s'égarer; **⚓heit** solitude *f*

ver|löschen s'éteindre; **~losen** mettre en loterie; tirer au sort; **⚓losung** loterie *f,* tombola *f;* (*Boden*) lotissement *m;* **~löten** souder

Verlust perte *f;* privation *f; com* dommage *m;* déficit *m;* (*Abfall*) déchets *mpl;* ⚙ fuite *f,* déperdition *f;* **~anzeige** déclaration *f* de perte; **~energie** énergie perdue; **~geschäft** mévente *f;* opération *f* à perte; **⚓ig:** *e-r Sache* **⚓ig gehen** perdre qch

ver|machen léguer; **⚓mächtnis** legs *m*

vermähl|en marier; *refl* se marier; épouser (*mit j-m* qn); **⚓ung** mariage *m*

Vermarktung commercialisation *f,* mise *f* sur le marché; **~skosten** coûts *mpl* de distribution

vermehr|en multiplier, propager; augmenter, accroître; *refl* proliférer, se multiplier, pulluler; augmenter, croître; **⚓ung** multiplication *f;* augmentation *f,* accroissement *m*

vermeid|bar évitable; **~en** éviter, éluder, esquiver; se dérober (*etw.* à qch)

vermein|en présumer, s'imaginer; **~tlich** présumé, prétendu; soi-disant; 🕐 putatif

ver|mengen mélanger; ~menschlichen humaniser

Vermerk note *f,* mention *f,* remarque *f,* annotation *f;* clause *f;* réserve *f;* ♩en noter, mentionner, indiquer

vermess|en 1. *vt* mesurer; *(Land)* arpenter; 2. *refl* avoir l'aplomb *(od* le toupet) de (faire qch); 3. *adj* audacieux, téméraire, outrecuidant; ♩enheit audace *f,* témérité *f,* outrecuidance *f;* ♩er arpenteur; ♩ung mesurage *m; (Land)* arpentage *m*

vermiesen *umg* gâcher; contrarier

vermiet|en louer, donner à bail; ⚓ fréter; ♩er *(bewegliche Sachen)* loueur; *(Räume)* ⚓ bailleur; propriétaire, *umg* ‹proprio› *m;* ♩ung louage *m;* bail *m* à loyer, location *f*

verminder|n diminuer (*a.* ♪), amoindrir, décroître; rabaisser, réduire; atténuer; ♩ung diminution *f,* amoindrissement *m,* décroissement *m,* rabaissement *m;* réduction *f;* atténuation *f*

vermisch|en mélanger, (entre)mêler; confondre, (em)brouiller; *(Wein)* couper; ~t mélangé, mêlé; ♩ung mélange *m*

ver|missen ne pas (re)trouver; *(s. sehnen nach)* regretter l'absence de; *ich ~misse ihn* il me manque; ~mißt: ~mißt werden manquer (*von j-m* à qn); *als ~mißt gemeldet* porté disparu; ♩mißtenanzeige avis *m* de disparition; ♩mißter disparu; ⚓ absent *m*

vermitt|eln *(verschaffen)* procurer; *(Zus.kunft)* arranger, ménager; *(schlichten)* négocier, intercéder, s'interposer, servir de médiateur; intervenir dans; ♩ler intermédiaire, médiateur; *pol* Monsieur ‹bons offices›; ♩lung médiation *f,* entremise *f,* intermédiaire *m;* intervention *f;* négociation *f;* conciliation *f;* ♩ central *m* (téléphonique); ♩lungsausschuß commission *f* de conciliation *(od* d'arbitrage); ~lungsschrank standard *m* téléphonique; ~lungsstelle ⚐ centre *m* de commutation

vermöbeln *umg* tabasser, taper, rosser

vermög|e *präp* en vertu de; ~en pouvoir; être capable de; avoir la force de; ♩en *su* pouvoir *m,* force *f;* faculté *f,* capacité *f;* moyens *mpl; (Besitz)* fortune *f,* biens *mpl;* ⚓ patrimoine *m* actif; ~end fortuné; aisé; ♩ensabgabe impôt *m* sur la fortune; ~ensanlage investissement *m;* ~ensbildung accession *f* à la propriété (des couches moins favorisées); ~ensschaden dommage *m* matériel (*ou* patrimonial); ♩enssteuer impôt *m* sur la fortune; ♩ensverwalter administrateur de biens; ~enswerte biens *mpl,* valeurs *fpl*

Vermummung le fait de se masquer le visage; cagoule *f,* passe-montagne *m*

vermurksen *umg* gâcher, bousiller, rater

vermut|en supposer, présumer, conjecturer; croire; se douter de; s'attendre à; *alles läßt ~en, daß* tout porte à croire que; ~lich probable, présumable; présomptif; *adv* probablement; ♩ung supposition *f,* présomption *f,* conjecture *f;* soupçon *m;* hypothèse *f*

vernachlässig|en négliger; ♩ung abandon *m,* négligence *f*

ver|nageln clouer; ~nagelt *umg* bouché;

~narben se cicatriser; ~narren *refl* s'engouer, s'enticher, se toquer (*in* de); ~naschen *pop* coucher avec qn, avoir, foutre; mettre qn dans sa poche, mater, culbuter

vernehm|bar perceptible, audible; ~en *a.* ⚓ entendre; percevoir, distinguer; apprendre; ⚓ interroger; ♩en *su* perception *f; d.* ♩en *nach* à ce qu'on dit; ~lich intelligible, distinct; sonore; *adv* à haute voix, hautement; ♩ung ⚓ audition *f;* interrogatoire *m*

verneig|en *refl* s'incliner; ♩ung inclination *f*

vernein|en nier; répondre par la négative; ~end négatif; ♩ung négation *f*

vernicht|en détruire; anéantir, annihiler; exterminer, écraser; ~ende Blicke regards foudroyants; ♩ung destruction *f,* anéantissement *m,* annihilation *f;* écrasement *m;* ♩ungsfeuer *mil* tir *m* de destruction; ♩ungskrieg guerre *f* d'extermination

ver|nickeln nickeler; ~nieten riveter

Vernunft raison *f;* entendement *m;* bon sens; jugement *m;* intelligence *f;* ~ *annehmen* se faire une raison; *z.* ~ *bringen* faire entendre raison; ♩gemäß raisonnable, rationnel, logique; ~heirat mariage *m* de raison; vernünftig raisonnable, sensé; sage; ♩los irraisonnable; ♩widrig contraire à la raison, déraisonnable

veröd|en devenir désert, se dépeupler; ~et désert, désolé; dépeuplé, dévasté; ♩ung désolation *f;* dépeuplement *m*

veröffentlich|en publier, rendre public; ♩ung publication *f*

verordn|en décréter, ordonner; ⚕ prescrire; ♩ung décret *m,* édit *m,* ordonnance *f;* ⚕ prescription *f,* médication *f*

ver|pachten louer, affermer, donner à bail; ♩pächter bailleur *m* à ferme; ♩pachtung louage *m,* affermage *m; com* mise *f* en gérance

verpack|en emballer; empaqueter; ♩ung emballage *m,* conditionnement *m;* ♩ungsgewicht tare *f*

ver|passen perdre, manquer, rater, laisser échapper; ~pesten empester, infecter; empoisonner; ~petzen *umg* cafarder, dénoncer;

verpfänd|en mettre en gage, engager; *(Grundstück)* hypothéquer; ♩ung mise *f* en gage, engagement *m*

verpflanz|en *a.* ⚕ transplanter; ♩ung transplantation *f*

verpfleg|en nourrir, alimenter; ravitailler, approvisionner; ♩ung nourriture *f,* alimentation *f;* ravitaillement *m,* approvisionnement *m;* vivres *fpl*

verpflicht|en *a. refl* engager, obliger (*zu* à); astreindre (*zu* à); ~end obligatoire, contraignant; ♩ung engagement *m,* obligation *f*

ver|pfuschen gâcher, gâter, bâcler; *umg* bousiller, louper; ~pissen *refl pop* décamper, filer en douce; ~planen programmer, insérer dans un plan prévisionnel; faire une erreur de planification; ~plempern *umg* perdre; ruiner; ~plomben plomber; ~pönen proscrire; interdire; ~prassen gaspiller, jeter l'argent par les fenêtres; ~proviantieren approvisionner, ravitailler;

~**prügeln** rosser; ~**puffen** exploser, fulminer; *fig* se perdre en fumée, finir en queue de poisson; ~**puppen** *refl* se changer en chrysalide; ⌐**putz** crépi *m*, enduit *m*, ravalement *m;* ~**putzen** crépir, enduire, ravaler; *umg (Essen)* avaler; *j-n nicht* ~**putzen können** ne pas pouvoir sentir *(od* blairer) qn; ~**quicken** amalgamer, mélanger; *fig* enchevêtrer; ⌐**quickung** amalgamation *f*, mélange *m*, combinaison *f;* enchevêtrement *m;* ~**rammeln** barricader, bloquer

Verrat trahison *f;* félonie *f;* ⌐**en** trahir; vendre **Verräter** traître, félon, scélérat; ~**ei** traîtrise *f;* ⌐**isch** (en) traître; perfide

ver|rauchen *vi* s'en aller en fumée; *fig* s'évaporer, se dissiper; ~**räuchern** enfumer; ~**rauschen** s'écouler, s'enfuir

verrechn|en porter au compte; compenser *(mit* avec); *refl* se tromper (dans son calcul), faire une erreur de calcul; ⌐**ung** imputation *f*, passation *f* en compte; compensation *f; z.* ⌐**ung** valeur *f* en compte; ⌐**ungseinheit** unité *f* de compte; ⌐**ungsscheck** chèque barré; ~**ungsstelle** chambre *f* de compensation

ver|recken crever; ~**regnet** gâté par la pluie; ~**reisen** partir en voyage; ~**reist sein** être en voyage; ~**reißen** *fig* déchiqueter; ~**renken** démettre, luxer; ⌐**renkung** 💲 luxation *f;* ~**rennen** *refl fig* s'obstiner, s'acharner *(in* à)

verrich|ten faire; exécuter; remplir, accomplir; s'acquitter de; ⌐**ung** exécution *f*, accomplissement *m;* travail *m*, besogne *f*

verriegeln verrouiller, bloquer

verringer|n diminuer, réduire, amoindrir *(a. refl); (Ausgaben)* comprimer, restreindre; *refl* baisser, décroître; ⌐**ung** diminution *f*, réduction *f*, amoindrissement *m;* compression *f;* décroissement *m*

ver|rinnen s'écouler; *(Zeit)* passer, s'enfuir; ~**rohen** devenir de plus en plus brutal et grossier; ~**rosten** se rouiller; ~**rotten** pourrir; ~**rucht** infâme, scélérat, abject

verrück|en déplacer, changer de place; ~**t** fou, insensé, aliéné; idiot; extravagant; ⌐**ter** fou, dément, aliéné; ⌐**theit** folie *f*, démence *f;* extravagance *f*

Verruf déconsidération *f*, discrédit *m; in* ~ **bringen** diffamer, décrier; ⌐**en** mal famé

Vers vers *m; (Lied)* couplet *m* ♦ *ich kann mir k-n* ~ *daraus machen* je ne vois pas à quoi cela rime; ~**bau** versification *f;* ~**fuß** pied *m;* ~**maß** mètre *m*

versachlichen dépassionner; objectiver

versag|en *vt* refuser; *vi* rater; *refl* ne pas fonctionner; *(Stimme)* manquer; *refl* se refuser *(etw.* qch), renoncer *(etw.* à qch); ⌐**en** *su* défaillance *f;* carence *f;* 🔧 ratage *m*, panne *f;* ⌐**er** *(a. Person)* raté *m;* ⌐**ung** refus *m*, déni *m*

versalzen trop saler; *fig* gâter; *(Pläne, Hoffnungen)* contrecarrer, faire avorter

versamm|eln assembler, réunir; convoquer; ⌐**lung** assemblée *f*, réunion *f; pol* meeting *m*

Versand expédition *f*, envoi *m;* acheminement *m;* ~**abteilung** service *m* d'expédition; ~**anzeige** avis *m* d'expédition; ~**bahnhof** gare *f* d'expédi-

---

tion; ~**handel** vente par correspondance; ~**haus** maison *f* de vente par correspondance; ~**papiere** documents *mpl* de transport

versand|en s'ensabler; ⌐**ung** ensablement *m*

Versatz *(mise f* en) gage *m; (Bergbau)* remblai *m;* 🏛 embrèvement *m;* ~**amt** crédit municipal; ~**stück** 🎭 praticable *m*

versäum|en omettre, négliger; manquer; *(Zeit)* perdre; ⌐**nis** omission *f;* perte *f* (de temps); *päd* absence *f;* 💲 défaut *m;* ⌐**nisurteil** jugement *m* par défaut

ver|schachern *pej* brader, sacrifier; ~**schachteln** imbriquer; *com* concentrer, regrouper; ⌐**schachtelung** participations *fpl* croisées *ou* en cascade; ~**schaffen** procurer; fournir; *refl* obtenir; ~**schalen** coffrer; ⌐**schalung** coffrage *m;* ~**schämt** gêné, timide; honteux; ~**schanzen** retrancher; *refl* se retrancher; *fig* se cantonner

verschärf|en *a.* 💩 aggraver; intensifier, accentuer; *(Tempo)* accélérer; ⌐**ung** aggravation *f;* intensification *f;* accélération *f*

ver|scharren enfouir; ~**schaukeln** *umg* tromper, abuser, berner, duper; ~**scheiden** expirer, trépasser; ~**schenken** donner, faire don de; ~**scherzen** perdre, gaspiller; ~**scheuchen** chasser; effaroucher

verschick|en expédier, envoyer; *(Verbrecher)* déporter; ⌐**ung** expédition *f*, envoi *m;* déportation *f*

Verschieb|ebahnhof gare *f* de triage; ⌐**en** déplacer; 🎭 trier; 🔧 décaler; *(zeitl.)* différer, remettre, ajourner; *umg* faire le trafic de; ~**ung** déplacement *m;* décalage *m;* ajournement *m*

verschieden différent, distinct; divers; varié; divergent; *(tot)* défunt; ~ *sein* différer, varier; ⌐**es** *journ* faits divers; ⌐**heit** différence *f*, diversité *f*, variété *f;* ~**tlich** répété; *adv* à plusieurs reprises

verschießen *vt (Pfeil)* décocher; *(Munition)* tirer, épuiser; *vi (Stoff)* se décolorer, se faner

verschiff|en expédier par mer; embarquer; ⌐**ung** expédition *f* par mer; embarquement *m*

ver|schimmeln moisir; ~**schlacken** se scorifier; ~**schlafen** 1. *vt* manquer, passer (en dormant); 2. *refl* se réveiller trop tard; 3. *adj* somnolent

Verschlag débarras *m;* cloison *f;* réduit *m;* ⌐**en** *vt* cloisonner, revêtir de planches; clouer; *(Seite)* perdre; *d. Atem* ⌐**en** couper le souffle; ⌐**en werden** 🍴 dériver; être jeté *(nach* à); 2. *vi (nützen)* agir, réussir; *d. verschlägt nichts* cela n'importe; 3. *adj* tiède; *fig* rusé, astucieux, cauteleux, matois; ~**enheit** ruse *f*, astuce *f*, cautèle *f*

verschlammen s'envaser

verschlechter|n altérer, empirer, aggraver; détériorer; *refl* s'altérer, empirer, s'aggraver; *(Wetter)* se gâter; ⌐**ung** aggravation *f;* détérioration *f*

verschleier|n *a. fig* voiler; *fig* estomper, gazer, pallier, dissimuler; *(Bilanz)* maquiller, masquer; ~**t** voilé; ⌐**ung** *fig* dissimulation *f*, camouflage *m*, maquillage *m*

ver|schleimen engorger; ⌐**schleiß** usure *f;* dépréciation *f;* ~**schleißen** *vt* user; *vi* s'user

verschlepp|en déporter; *(verzögern)* retarder, différer; **$** propager; **⊾ter** déporté; **⊿ung** déportation *f;* obstruction *f,* retardement *m;* **$** propagation *f*

verschleuder|n dissiper, dilapider, gaspiller; *com* brader, vendre à vil prix; **⊿ung** dissipation *f,* dilapidation *f,* gaspillage *m; com* liquidation *f* de soldes, braderie *f*

verschließen fermer à clef; enfermer; boucher, barrer, obturer; *s. e-r Sache* ~ se fermer à qch, être inaccessible à qch

verschlimmer|n empirer, aggraver; *refl* empirer, s'aggraver; **⊿ung** aggravation *f,* altération *f;* **$** recrudescence *f*

ver|schlingen avaler, ingurgiter, enfourner, engloutir; *a. fig* dévorer; *fig* engouffrer

verschlossen fermé; *fig* renfermé, réservé, taciturne; **⊾heit** réserve *f*

ver|schlucken avaler, engloutir; *(Wort)* manger; *refl* avaler de travers; **⊿schluß** obturation *f;* fermeture *f,* fermoir *m;* bouchon *m; (Gewehr)* culasse *f;* ▥ obturateur *m; unter* **⊾schluß** sous clef; **⊾schlüsseln** chiffrer, coder; **⊿schlußsache** document *m* confidentiel *(ou* secret); **⊿schlußschraube** vis *f* de verrouillage

ver|schmachten languir; mourir *(vor* de); **⊿schmähen** dédaigner, refuser, repousser, répudier

verschmelz|en *a. fig* fondre, amalgamer; *fig* s'unir, fusionner; **⊿ung** fonte *f; a. com* fusion *f*

ver|schmerzen se consoler, faire son deuil *(etw.* de qch); **⊿schmieren** boucher; barbouiller, souiller; **⊿schmitzt** astucieux, malin

verschmutz|en salir, encrasser, souiller, polluer; **~t** sale, crasseux; **⊿ung** *(Maschinen)* encrassement *m; (Natur)* pollution *f; (Wäsche)* salissure *f*

ver|schnaufen *refl* reprendre haleine; **~schneiden** *(Stoff)* couper de travers; *(Hecke)* tailler; *(Wein)* couper; *(Tiere)* châtrer, bistourner; **~schneit** enneigé, couvert de neige; **⊿schnitt** *(Wein)* coupage *m;* **~schnupft** enrhumé; *fig* piqué, fâché; **~schnüren** ficeler, lacer; **~schollen** disparu, perdu; **~schonen** épargner, ménager; respecter

verschöner|n embellir, rendre beau; **⊿ung** embellissement *m*

ver|schossen *(Farbe)* déteint, fané, passé; **~schossen sein** *(fig)* avoir le béguin *(in* pour); **~schränken** croiser; *fig* recouper; **~schreiben** user (en écrivant); ⚖ léguer; **$** ordonner, prescrire; *refl* se tromper en écrivant; *fig* s'engager *(e-r Sache* dans qch); s'inféoder (à qch); **⊿schreibung** ⚖ transfert *m;* **$** ordonnance *f,* prescription *f;* **~schroben** bizarre, singulier; excentrique; **~schrotten** mettre à la ferraille; **~schrumpfen** se ratatiner, se rétrécir; **~schrumpfung** rétrécissement *m;* régression *f;* recul *m*

verschuld|en être la cause de, causer; se rendre coupable de; **⊾en** *su* cause *f;* faute *f,* culpabilité*f;* **~et** endetté, obéré *ou* criblé de dettes; **⊿ung** endettement *m*

verschütten (ren)verser, répandre; *(zuschütten)*

enfouir; *mil* ensevelir; *(versperren)* bloquer, obstruer

verschwägern allier par mariage; apparenter

verschweigen taire, ne pas mentionner, passer sous silence; supprimer

verschwend|en gaspiller, dissiper, dilapider, prodiguer; **~er** gaspilleur, dissipateur, dilapidateur; prodigue, dépensier; **~erisch** dissipateur, dilapidateur; prodigue, dépensier; *adv* à profusion; **⊿ung** gaspillage *m,* dissipation *f,* dilapidation *f,* profusion *f;* **⊿ungssucht** prodigalité *f*

verschwiegen discret; réservé, taciturne; **⊾heit** discrétion *f;* réserve *f;* **⊾heitspflicht** obligation *f* au secret professionnel; ⚖ devoir *m* de discrétion

verschwimmen s'estomper, s'effacer

verschwinden disparaître, se perdre, s'évaporer, s'évanouir, s'effacer; *umg* s'éclipser, se volatiliser; ~ *lassen (umg)* escamoter; **⊾** *su* disparition *f*

ver|schwistert apparenté; **~schwitzen** tremper de sueur; *umg* oublier, omettre; **~schwommen** flou, vague, diffus, nébuleux

verschwör|en *refl* comploter, conspirer, conjurer; **⊾er** comploteur, conspirateur, conjuré; **⊿ung** complot *m,* conspiration *f,* conjuration *f*

versehen munir, pourvoir, nantir *(mit* de); garnir *(mit* de); *com* assortir *(mit* de); *rel* administrer (qch); *(Amt)* remplir, exercer; *refl* se tromper, se méprendre; s'attendre à; **⊾** *su* méprise *f,* erreur *f,* faute *f;* inadvertance *f,* négligence *f; umg* bévue *f; aus* **⊾** = **~tlich** par mégarde, par erreur, par inadvertance

versehrt blessé; **⊾er** mutilé, invalide; **⊾tenrente** pension *f* d'invalidité

versend|en expédier, envoyer; **⊿dung** envoi *m,* expédition *f*

versenk|bar escamotable; **~en** immerger, plonger; ⚓ couler, saborder; *refl* s'absorber, se plonger *(in* dans); **⊿ung** immersion *f,* submersion *f;* ⚓ sabordement *m;* ♻ trappe *f*

versessen enragé *(auf* pour); acharné *(auf* à)

versetz|en changer de place; transférer, transplanter, transposer; *(Beamte)* muter, déplacer; *(Hieb)* donner, administrer; *(mischen)* mélanger; *(verpfänden)* engager; mettre au clou *(umg);* *(erwidern)* répliquer, reprendre; **~t werden** *(päd)* passer d'une classe à l'autre; **~en** *in* mettre, jeter, plonger dans; *refl (zurück-)* se transporter dans, se reporter à; ~ *en Sie s. in m-e Lage!* mettez-vous à ma place!; *j-n* ~*en (umg)* poser un lapin à qn; **⊿ung** changement *m;* transfert *m;* mutation *f,* déplacement *m; päd* promotion *f;* ♪ altération *f;* **⊿ung in d. Ruhestand** mise *f* à la retraite

verseuch|en contaminer, infecter; *(Gewässer)* polluer; **⊿ung** pollution *f,* contamination *f*

Versicher|er assureur; **⊾n** assurer; affirmer, garantir; *refl* s'assurer *(e-r Sache* de qch, *gegen etw.* contre qch); **~ter** assuré

Versicherung assurance *f;* affirmation *f;* garantie *f;* e-e ~ *abschließen* contracter une assurance; **~sbeitrag** prime *f* d'assurance; **⊾sfähig** assurable; **~sgesellschaft** compagnie *f*

d'assurances; ~**skarte** 🚗 carte *f* verte; ~**sleistung** prestation *f* d'assurance; ~**snehmer** preneur d'assurance, assuré; ⚡**spflichtig** assujetti à l'assurance; ~**spolice** police *f* d'assurance; ~**ssumme** montant *m* de l'assurance; ~**sträger** assureur; ~**svertrag** contrat *m* d'assurance; ~**swert** valeur *f* assurée; ~**swesen** assurances *fpl*

ver|**sickern** suinter; ~**siegeln** cacheter, sceller; 🔒 apposer les scellés (*etw.* sur qch); ~**siegen** tarir; s'épuiser

ver|**silbern** argenter; *fig umg* sacrifier, se débarasser; ~**sinken** s'enfoncer, s'enliser; *fig* se perdre; plonger; ~**sinnbildlichen** symboliser

versöhn|**en** (ré)concilier, rapprocher; *refl* faire la paix; se réconcilier; ~**lich** conciliant, accommodant; ⚡**ung** (ré-) conciliation *f*, rapprochement *m*

ver**sonnen** pensif; rêveur

versorg|**en** pourvoir, fournir, munir (*mit* de); ravitailler, approvisionner; *(sorgen für)* soigner, s'occuper (de), veiller (à); entretenir; *(unterbringen)* placer, caser, établir; ⚡ desservir; ⚡**ung** fourniture *f*; ravitaillement *m*, approvisionnement *m*; ⚡ alimentation *f*; entretien *m*; place *f*; placement *m*; service *m*; ⚡**ungsbetriebe** services publics; entreprises de production d'énergie (électricité, gaz); ⚡**ungskasse** caisse *f* de retraite; ⚡**ungslage** situation *f* du marché; ⚡**ungsschwierigkeiten** difficultés *fpl* d'approvisionnement; ⚡**ungsstaat** État *m* providence

verspät|**en** retarder, attarder; *refl* se mettre en retard; ~**et** en retard; tardif; ⚡**ung** retard *m*

ver|**speisen** consommer, manger; ~**sperren** barrer, obstruer; encombrer; ~**spielen** perdre au jeu

ver**spotten** se moquer de, railler; tourner en dérision

versprech|**en** promettre; s'engager à; *refl* se tromper en parlant, commettre un lapsus; se fiancer; *s. viel von etw* ~*en* espérer beaucoup de qch; ⚡**en** *su* promesse *f*

ver**sprengen** disperser; ⚡**ter** *mil* isolé

ver|**spritzen** faire jaillir; épandre; *(Blut)* verser; ~**spüren** (res)sentir, éprouver

verstaatlich|**en** étatiser, nationaliser, *(Schule)* mettre en régie; ⚡**ung** étatisation *f*, nationalisation *f*, mise *f* en régie

Verstand intelligence *f*; raison *f*; entendement *m*, jugement *m*; *d.* ~ *verlieren* devenir fou; *d. geht über m-n* ~ ce n'est pas à ma portée; *zu* ~ *kommen* arriver à l'âge de raison; ~**eskraft** faculté intellectuelle; ⚡**esmäßig** intellectuel

verständ|**ig** intelligent; sensé, raisonnable; compréhensif; ~**igen** informer, mettre au courant; *refl* se mettre d'accord; ⚡**igung** information *f*; arrangement *m*, entente *f*; *pol* rapprochement *m*; ~**lich** intelligible, clair; *fig* compréhensible; *schwer* ~*lich* difficile à comprendre; ⚡**lichkeit** intelligibilité *f*, clarté *f*; netteté *f*; ⚡**nis** compréhension *f*; intelligence *f*; sens *m* (*für* de); ~**nislos** incompréhensif; ~**nisvoll** plein de compréhension, compréhensif

verstärk|**en** renforcer; intensifier; augmenter;

⚡, ⚡ amplifier; ⚡**en** amplificateur *m*; ⚡**ung** renforcement *m*; augmentation *f*; *mil* renfort *m*; ⚡ amplification *f*, gain *m*; *(Atom)* multiplication *f*

ver|**stauben** se couvrir de poussière; ~**stauchen** fouler, se tordre; ⚡**stauchung** entorse *f*; ~**stauen** placer, ranger, caser, installer; ⚡ arrimer

Versteck cache *f*, cachette *f*; *(Hinterhalt)* embuscade *f*; ~ *spielen* jouer à cache-cache; ⚡**en** cacher; masquer, dissimuler; *refl* se cacher, se terrer; ⚡**t** caché; *fig* dissimulé, indirect, voilé

ver**stehen** comprendre; entendre; concevoir, saisir, voir; *(können)* savoir (faire), connaître; *refl* s'entendre; *falsch* ~ mal comprendre; *davon verstehe ich nichts* je n'y connais (*od* entends) rien; *was* ~ *Sie darunter?* qu'entendez-vous par là?; *versteht sich!* bien entendu!; *d. versteht sich von selbst* cela va sans dire (*od* de soi); *sich* ~ *auf* s'y connaître; *sich* ~ *zu* se prêter à; consentir à, acquiescer à; *zu* ~ *geben* laisser (*od* donner à) entendre

versteif|**en** raidir; étayer; rigidifier, entretoiser; *fig* renforcer; *refl* se raidir; *fig* s'obstiner, se buter (*auf* à), s'entêter (*auf* dans); ⚡ **ung** 🏛 montant *m*, renfort *m*, étai *m*; ⚡ renforcement *m*, raidissage *m*

Versteiger|er commissaire-priseur; ⚡**n** vendre aux enchères (*od* à l'encan); ⚡**ung** vente *f* aux enchères (*od* à l'encan), vente *f* par licitation; 🔒 vente judiciaire

versteiner|**n** *vt* pétrifier; *vi* se pétrifier; ⚡**ung** pétrification *f*; fossile *m*

verstell|**bar** déplaçable, mobile; orientable; réglable, ajustable; ~**en** déplacer, déranger; *(versperren)* barrer, obstruer, bloquer; *(Stimme)* déguiser; ⚡ régler, ajuster; *refl* feindre, faire semblant; ⚡**hebel** levier *m* de réglage; ⚡**ung** déplacement *m*; réglage *m*; *fig* feinte *f*, dissimulation *f*

ver**steuer|bar** imposable, taxable; ~**n** payer l'impôt sur

verstimm|**en** 🎵 désaccorder; *fig* contrarier, indisposer, irriter; ~**t** 🎵 désaccordé; *(Magen)* dérangé; *fig* fâché, contrarié, mécontent; ⚡**ung** désaccord *m*; contrariété *f*, mécontentement *m*

ver**stockt** impénitent; obstiné, têtu, entêté, buté; ⚡**heit** obstination *f*, entêtement *m*

ver**stohlen** furtif, subreptice, clandestin, dissimulé; *adv* à la dérobée, sous cape

ver**stopf|en** boucher, obturer, engorger, tamponner; *(dichten)* calfeutrer, étouper; *(Straße)* embouteiller, encombrer; ⚕ constiper; ⚡**ung** bouchage *m*, obturation *f*, engorgement *m*; embouteillage *m*; ⚕ constipation *f*; obstruction *f*

ver|**storben** mort, défunt, décédé; ~**stört** hagard, effaré, déconcerté

Verstoß manquement *m*, dérogation *f*, infraction *f* (*gegen* à); ⚡**en** repousser, chasser, expulser; *(Kind)* déshériter; *(Frau)* répudier; offenser; manquer, contrevenir, déroger (*gegen* qch); ~ *(gegen* contre); enfreindre (*gegen etw.* qch); ~**ung** expulsion *f*, répudiation *f*

ver|**strahlen** radiocontaminer; ⚡**strahlung** contamination *f* radiologique; ~**streben** arc-bouter;

contre-ficher; ~**streichen** *vt* jointoyer, boucher; *vi (Zeit)* s'écouler, passer; *(Termin)* expirer; ~**streuen** disperser, éparpiller; ~**stricken** *fig* empêtrer, enlacer, enchevêtrer; ~**stümmeln** mutiler, estropier, tronquer; ~**stummen** se taire; *(Geräusch)* cesser, s'arrêter

Versuch essai *m; phys* expérience *f*, manipulation *f; (Probe)* épreuve *f;* ♐ tentative *f;* ⌁**en** essayer, tenter, tâcher *(zu* de); chercher *(zu* à); *(erproben)* éprouver, mettre à l'épreuve; *(Speisen)* goûter; *(in ~ung führen)* tenter, séduire; *s.* ⌁**en** in s'essayer à; ~**er** tentateur; ~**sballon** *a. fig* ballon d'essai; ~**skaninchen** *fig* cobaye *m;* ~**sreaktor** réacteur *m* expérimental; ~**sreihe** série *f* d'essais; ~**stier** animal *m* de laboratoire; ⌁**sweise** à titre d'essai; ~**ung** tentation *f; in ~ung führen* induire en tentation

versündig|en *refl* pécher *(an* contre); offenser *(an j-m, etw.* qn, qch); ⌁**ung** péché *m*, offense *f*

versunken perdu; *fig* plongé *(in* dans); absorbé *(in* par)

versüßen *a. fig* sucrer, adoucir

vertag|en ajourner, proroger; renvoyer, remettre; ⌁**ung** ajournement *m*, prorogation *f*

vertauschen échanger, troquer; intervertir; substituer; *(irrtüml.)* confondre

verteidig|en défendre, soutenir; ♐ plaider; ⌁**er** *a.* ♐ défenseur; ✠ arrière; ⌁**ung** *a.* ♐ défense *f;* ⌁**ungsanlagen** ouvrages *mpl* de défense; **~sgründe** *fpl;* ⌁**ungskrieg** guerre défensive; ⌁**ungslinie** ligne *f* de défense; ⌁**ungsministerium** ministère *m* de la Défense nationale; ⌁**ungsrede** plaidoirie *f;* plaidoyer *m*

verteil|en distribuer, répartir, partager; *refl* se disperser; ⊛ delco *m;* ⚡ répartiteur *m*, barrette *f* de distribution; ⌁**erschlüssel** clé *f* de ventilation; ⌁**ung** distribution *f*, répartition *f*, partage *m;* diffusion *f*

ver|teuern (r)enchérir; ⌁**teuerung** (r)enchérissement *m;* ~**teufeln** noircir

vertief|en approfondir; *fig* creuser; *refl* s'absorber, se plonger, s'abîmer; ⌁**ung** *a. fig* approfondissement *m;* creux *m*, enfoncement *m; geol* dépression *f*

vertikal vertical; *adv* à plomb

vertilg|en exterminer, extirper, anéantir; *(verzehren)* consommer, faire disparaître; ⌁**ung** extermination *f*, extirpation *f*, anéantissement *m;* consommation *f*

verton|en mettre en musique; ⌁**ung** mise *f* en musique

Vertrag convention *f*, contrat *m*, accord *m; pol* traité *m*, pacte *m; com* marché *m; laut ~* aux termes du contrat; ⌁**en** supporter, soutenir; résister à; *refl* s'entendre, s'accorder; *(passen)* aller ensemble; être compatible; *s. gut (schlecht)* ⌁**en** faire bon (mauvais) ménage; *s. wieder* ⌁**en** se réconcilier; ⌁**lich** par contrat, contractuel; **verträglich** conciliant, traitable, accommodant; ~**sabschluß** conclusion *f* d'un contrat; ~**sbedingungen** termes *mpl* du contrat ~**sbestimmung** clause *f*, stipulation *f;* ~**sbruch** violation *f* de

contrat; ⌁**schließend** (co-)contractant; ⌁**sgemäß** contractuel; conforme au contrat; ~**shändler** concessionnaire *m;* ~**spartei**, ~**spartner** contractant; ~**sstrafe** pénalité *f* conventionnelle; ⌁**swidrig** contraire au contrat

vertrauen se fier à, avoir confiance en, se reposer sur; ⌁ *su* confiance *f*, foi *f;* confidence *f; im* ⌁ confidentiellement; entre nous; *im* ⌁ *auf* confiant dans; ⌁ *haben zu* avoir confiance en, se fier à; ⌁**sarzt** médecin-conseil; ~**smann** homme *m* de confiance; *(Spionage)* informateur *m*, honorable correspondant; ⌁**ssache** affaire confidentielle *(od* de confiance); ~**sselig** trop confiant, crédule; ⌁**sstellung** poste *m* de confiance; ~**svoll** confiant; ⌁**svotum** vote *m* de confiance; ~**swürdig** digne de confiance; sérieux; ⌁**swürdigkeit** fiabilité *f*

vertraulich confidentiel; familier, intime; ⌁**keit** familiarité *f*, intimité *f*

vertraut familier, intime; familiarisé; *sich ~ machen mit* se familiariser avec; ⌁**er** confident; ⌁**heit** familiarité *f*, intimité *f;* connaissance *f*

vertreib|en chasser, expulser; déloger, débusquer; évincer; *com* vendre, débiter, écouler; *(Zeit)* faire passer; ⌁**ung** expulsion *f;* délogement *m;* évincement *m*

vertret|bar défendable, soutenable, justifiable; ♐ fongible; ~**en** *a. com* représenter; remplacer, suppléer; *(Meinung)* défendre, soutenir; ♐ plaider la cause de; *s. d. Beine* ~**en** dégourdir ses jambes; *s. d. Fuß* ~**en** se fouler le pied; ⌁**er** *a. com* représentant; remplaçant, suppléant, substitut; défenseur, champion; ♐ avocat; ⌁**ung** représentation *f;* remplacement *m*, suppléance *f; in* ⌁**ung** par procuration; ~**ungsbefugnis** mandat *m*, procuration *f;* ~**ungsweise** à titre de remplacement, par intérim

Vertrieb vente *f*, débit *m*, écoulement *m*, placement *m;* ~**ener** expulsé; réfugié; ~**skosten** frais *mpl* de distribution; ~**sleiter** chef *m* des ventes; ~**snetz** réseau *m* de distribution

ver|trocknen se dessécher; faner; ~**trödeln** perdre, gaspiller (son temps); ~**trösten** consoler, faire patienter; faire espérer *(j-n auf etw.* qch à qn); ~**tun** gaspiller; *refl* se tromper, se méprendre; ~**tuschen** cacher, étouffer, dissimuler; *umg* camoufler, maquiller; ~**übeln** en vouloir *(j-m etw.* à qn de qch); ~**üben** commettre, perpétrer

verun|glimpfen dénigrer, diffamer, calomnier, vilipender; ~**glücken** avoir un accident, être victime d'un accident; *fig* échouer; ⌁**glückter** victime *f*, accidenté; ~**reinigen** *a. fig* salir, souiller, tacher; *(Luft)* infecter; *(Wasser)* polluer; ⌁**reinigung** saleté *f*, souillure *f;* infection *f;* pollution *f;* ~**stalten** défigurer, déformer, mutiler; massacrer; ⌁**staltung** défiguration *f*, déformation *f;* ~**treuen** détourner; ⌁**treuung** détournement *m*, malversation *f*, abus *m* de confiance; ~**zieren** faire tache à, déparer

verur|sachen causer, provoquer, occasionner, produire; ~**teilen** blâmer, réprouver; ♐ condamner *(zu* à); ⌁**teilung** ♐ condamnation *f; fig* réprobation *f*

verviel|fachen multiplier; **~fältigen** polycopier, ronéotyper; ⬛ reproduire; **⌐fältigung** polycopie *f*; **⌐fältigungsrecht** droit *m* de reproduction
vervierfachen quadrupler
vervoll|kommnen perfectionner; **~ständigen** compléter; **⌐ständigung** complètement *m*
ver|wachsen § se fermer, se cicatriser; *(zus.- wachsen)* se fondre; *adj* difforme, rabougri, bossu; **~wackelt** ⬛ bougé
verwahr|en garder, mettre à l'abri; *refl* protester; **⌐er** dépositaire, gardien; **⌐ung** garde *f*; *(Einspruch)* protestation *f*; in **⌐ung geben** donner en dépôt
verwahrlos|en *vt* négliger, abandonner; *vi* être négligé, être à l'abandon; **⌐ung** négligence *f*, abandon *m*, incurie *f*
verwais|en devenir orphelin; **~t** orphelin; *fig* délaissé, désert
verwalt|en administrer, gérer; **⌐er** administrateur, gérant; **⌐ung** administration *f*, gestion *f*; **⌐ungsakt** acte *m* administratif individuel; **⌐ungsapparat** appareil *m* administratif; **⌐ungsbeamter** fonctionnaire d'administration; **⌐ungsbehörde** administration *f*, autorité administrative; **⌐ungsbezirk** circonscription administrative; **⌐ungsdienst** service administratif; **⌐ungsgericht** tribunal administratif; **~ungsmäßig** administratif; **⌐ungsrat** conseil *m* d'administration; **⌐ungsrecht** droit administratif
verwand|eln transformer, changer, convertir, réduire *(in* en); *(Strafe)* commuer; *refl* se transformer, changer; **⌐lung** transformation *f*; changement *m*, conversion *f*; transmutation *f*, métamorphose *f*; *(Strafe)* commutation *f*
verwandt parent, apparenté; semblable, analogue; **⌐er** parent; **⌐schaft** famille *f*, parenté *f*; affinité *f*; analogie *f*
verwarn|en avertir; mettre en garde; **⌐ung** réprimande *f*; avertissement *m*; contravention *f*; **⌐ungsgeld** amende *f*, procès-verbal *m*, *umg* ‹P.V.›
ver|waschen délavé; *fig* indécis, vague, flou; **~wässern** diluer, étendre; *a.fig* délayer; **~weben** entrelacer
verwechs|eln confondre; prendre pour; *zum* **⌐eln** à s'y méprendre; **⌐lung** confusion *f*, méprise *f*; quiproquo *m*; erreur *f*
verwegen téméraire, audacieux; **⌐heit** témérité *f*, audace *f*
ver|wehen *vt* souffler, emporter, chasser; *(Spur)* effacer; *(zuwehen)* couvrir; *vi* se dissiper, se disperser; **~wehren** défendre, interdire; **~weichlichen** efféminer
verweiger|n refuser (qch, de faire qch); se refuser à; 🔒 dénier; **⌐ung** refus *m*; 🔒 déni *m*
verweilen *vi* rester, demeurer, séjourner; *refl* s'arrêter, s'attarder
Verweis blâme *m*, réprimande *f*, remontrance *f*, semonce *f*; *(Hinweis)* renvoi *m*; **⌐en** blâmer, réprimander; *(hinweisen)* renvoyer *(auf* à); *(von d. Schule)* renvoyer, chasser; *d. Landes* exiler, expatrier, expulser, bannir; **~ung** renvoi *m*; expulsion *f*
verwelken se flétrir, se faner

verwend|bar utilisable, applicable; pratique; **~en** employer, utiliser; appliquer; mettre en œuvre; user de, se servir de; *s.* **~en für** intercéder pour; **⌐ung** emploi *m*, utilisation *f*; usage *m*; application *f*; intercession *f*
verwerf|en rejeter, repousser; répudier; condamner, réprouver; refuser, éliminer; *refl* se gauchir, se déjeter; **~lich** blâmable, répréhensible, condamnable; **⌐ung** rejet *m*, réprobation *f*; *geol* faille *f*
verwert|bar utilisable; **⌐barkeit** valeur *m* technique; **~en** exploiter, utiliser; **⌐ung** exploitation *f*, utilisation *f*; mise *f* en valeur; *(Wieder-)* récupération; **⌐ungsgesellschaft** société *f* d'exploitation
verwes|en *vt* administrer; *vi* se décomposer, se putréfier, (se) pourrir; **⌐ung** décomposition *f*, putréfaction *f*
verwick|eln compliquer, entortiller, embrouiller; engager, impliquer *(in* dans); **~elt** compliqué, complexe; embrouillé, embroussaillé; **⌐lung** complication *f*, entortillement *m*, enchevêtrement *m*; 🔧 intrigue *f*
verwilder|n être négligé *(od* abandonné); dépérir; **~t** sauvage, abandonné; désordonné
verwind|en tordre, gauchir; *fig* surmonter, se refaire de; **⌐ung** torsion *f*
verwirken *(Strafe)* encourir; *(Rechte)* déchoir de
verwirklichen réaliser, matérialiser
verwirr|en emmêler, (em)brouiller; *fig* embarrasser, déconcerter, troubler; **~t** embrouillé, confus; embarrassé, déconcerté; **⌐ung** embrouillement *m*; confusion *f*; embarras *m*, trouble *m*, désarroi *m*, désorientation *f*
verwischen effacer, oblitérer; estomper
verwitter|n s'effriter, se décomposer; se dégrader, se désagréger; **⌐ung** altération *f*, effritement *m*, décomposition *f*
ver|witwet veuf; **~wöhnen** choyer, gâter; **⌐wöhnung** gâterie *f*; **~worfen** abject, réprouvé; **~worren** confus, embrouillé, abstrus
verwund|bar vulnérable; **⌐barkeit** vulnérabilité *f*; **~en** *a. fig* blesser; **⌐eter** blessé; **⌐ung** blessure *f*
verwunder|lich étonnant, drôle, surprenant; **~n** *vt* étonner, ébahir; *refl* s'étonner, s'émerveiller; **⌐ung** étonnement *m*, émerveillement *m*, ébahissement *m*
verwünsch|en maudire; **~t!** maudit!, sacré!; **⌐ung** imprécation *f*, malédiction *f*
verwurzeln *a. fig* s'enraciner, s'implanter
verwüst|en ravager, dévaster, désoler; **⌐ung** ravages *mpl*, dévastation *f*
verzag|en désespérer, se décourager *(an* de); **~t** découragé; craintif, timide; **⌐theit** découragement *m*; timidité *f*
verzählen *refl* se tromper en comptant
verzahn|en (en)denter, engrener; **~t** dentelé; **⌐ung** denture *f*, engrenage *m*; *fig* enchaînement *m*, imbrication *f*
verzauber|n enchanter, ensorceler; **⌐ung** enchantement *m*, ensorcellement *m*
verzehnfachen décupler
Verzehr|(ung) consommation *f*; **⌐en** manger,

consommer; *(Feuer)* consumer; *fig* dévorer; *refl* se consumer

verzeichn|en enregistrer, inscrire, noter, spécifier; ⌃**is** liste *f;* catalogue *m;* registre *m;* relevé*m;* nomenclature *f;* ⌃**ung** 🔟 distorsion *f*

verzeih|en excuser, pardonner; ~*en Sie bitte!* veuillez (m')excuser!; ~**lich** excusable, pardonnable; ⌃**ung** pardon *m;* ⌃**ung**! pardon!; *j-m um* ⌃*ung bitten* demander pardon à qn

verzerr|en tordre; contorsionner; ⑀ convulser; ⌗⌃ distordre; *fig* déformer; ⌃**ung** torsion *f;* contorsion *f;* ⌗⌃ distorsion *f*

verzetteln éparpiller, dissiper; mettre sur fiches; *refl* s'éparpiller, se noyer dans les détails

Verzicht∥(leistung) renoncement *m,* résignation *f;* ∅ renonciation; désistement *m;* ⌃**en** renoncer *(auf* à); se passer *(auf* de), se désister *(auf* de); se départir *(auf* de); ~**erklärung** acte *m* de désistement

verziehen *vt* tordre, contorsionner; *(Kind)* gâter; ↓ démarier; *vi* déménager, changer de domicile; *refl (Wolken)* se dissiper; *(Holz)* se déjeter, se gondoler; gauchir; *umg* se retirer

verzier|en orner, décorer, enjoliver; ⌃**ung** ornement *m,* décor *m*

ver|zinken zinguer, galvaniser; ~**zinnen** étamer

verzins|en payer les intérêts de; *refl* rapporter des intérêts; ~**lich** qui porte intérêt; productif d'intérêt; ⌃**ung** intérêt *m;* paiement *m* des intérêts

verzöger|n retarder, ralentir; différer, traîner en longueur; *refl* se faire attendre; ⌃**ung** retardement *m,* ralentissement *m; phys* retardation *f*

verzoll|en dédouaner, payer les droits de douane; *haben Sie etw. zu* ~*en?* avez-vous qch à déclarer?; ⌃**ung** dédouanement *m;* paiement *m* des droits de douane

verzück|en ravir; ~**t** ravi, en extase; ⌃**ung** ravissement *m,* extase *f*

Verzug retard *m,* délai *m;* ∅ demeure *f; es ist Gefahr im* ~ il y a péril en la demeure; ~**szinsen** intérêts *mpl* moratoires

verzweif|eln (se) désespérer; *zum* ⌃**eln** à désespérer, désespérant; ⌃**lung** désespoir *m*

verzweig|en *refl* se ramifier; ⌃**ung** ramification *f,* (em)branchement *m*

verzwickt compliqué, complexe

Vesper *rel* vêpres *fpl;* ~**(brot)** goûter *m;* ~**n** goûter

Veter|an vétéran; ⌃**inär** vétérinaire

Vetter cousin; ~**nwirtschaft** favoritisme *m,* népotisme *m*

Video *n umg* vidéo *f;* ~**band** bande *f* vidéo; ~**bandgerät** lecteur *m* vidéo; ~**kassette** vidéocassette *f;* ~**platte** vidéodisque *m;* ~**recorder** magnétoscope *m,* enregistreur *m* vidéo; ~**telefon** vidéophone *m;* ~**text** vidéotexte *m;* ~**thek** vidéothèque *f*

Viech brute *f;* ~**erei** *pej umg* saloperie *f,* vacherie *f*

Vieh bête *f;* (~**bestand**) bétail *m,* bestiaux *mpl; fig* brute *f;* ~**bestand** cheptel *m,* bétail *m;* ~**futter** fourrage *m;* ~**händler** marchand de bestiaux; ⌃**isch** brutal, bestial; ~**markt** marché

m (od foire *f)* aux bestiaux; ~**salz** sel *m* à dégeler; ~**seuche** épizootie *f;* ~**wagen** wagon *m* à bestiaux; ~**weide** pâturage *m,* pâture *f,* herbage *m,* pacage *m;* ~**zählung** recensement *m* du bétail; ~**zucht** élevage *m;* ~**züchter** éleveur

viel beaucoup de, bien de, quantité de, nombre de; pas mal de *(umg); adv* beaucoup, bien; *durch* ~*es...* à force de...; *nicht* ~ pas grand-chose, pas beaucoup; *so* ~ tant; *zu* ~ trop ♦ ~*e Wenig machen e.* ⌃ les petits ruisseaux font les grandes rivières; ~**beschäftigt** affairé, très occupé; ⌃**eck** polygone *m;* ~**erlei** divers, plusieurs sortes de; ~**fach** multiple divers; *adv* souvent, fréquemment, à plusieurs reprises; ⌃**fache** multiple *m;* ⌃**falt** variété *f,* diversité *f,* multiplicité *f;* ~**fältig** varié, multiple; ~**farbig** multicolore, diapré; ⌃**fraß** gourmand, goinfre; glouton; ~**gefragt** très recherché; ⌃**heit** multiplicité *f,* pluralité *f;* multitude *f,* quantité *f,* grand nombre; ~**jährig** de longue date; de nombreuses années; ~**leicht** peut-être, sans doute; par hasard; ~**mals** bien des fois, souvent, fréquemment; ~**mehr** plutôt; au contraire; ~**sagend** significatif, expressif; ~**schichtig** complexe, à aspects multiples; ~**seitig** multilatéral, à plusieurs faces; *fig* polyvalent, universel, varié, étendu, vaste; ~**silbig** polysyllabique; ~**sprachig** polyglotte; ~**stimmig** à plusieurs voix; ⌃**stimmigkeit** polyphonie *f;* ~**versprechend** prometteur; ~**weiberei** polygamie *f;* ⌃**zahl** multitude *f*

vier quatre ♦ *alle* ~*e von sich strecken* s'étendre (de tout son long), s'allonger; *auf allen* ⌃**en** à quatre pattes; *unter* ~ *Augen* en tête à tête, *umg* entre quatre yeux; ⌃**beiner** quadrupède *m;* ~**blättrig** quadrifolié; ⌃**eck** quadrilatère *m;* ~**eckig** quadrangulaire; ~**fach,** ~**fältig** quadruple; ⌃**fache** quadruple *m;* ~**händig** ♪ à quatre mains; ⌃**hundert** quatre cent(s); ~**jährig** de quatre ans; quadriennal; ~**kantig** à quatre pans; quadrangulaire; ~**mal** quatre fois; ~**motorig** quadrimoteur; ~**rädrig** à quatre roues; ~**schrötig** trapu, grossier; ~**seitig** quadrilatéral; ~**stellig** à quatre chiffres; ~**stimmig** à quatre voix; ~**stöckig** à quatre étages; ~**tägig** de quatre jours; ⌃**taktmotor** moteur *m* à quatre temps; ~**te** quatrième *m;* ~**teilen** écarteler; ~**teilig** quadripartite

Viertel quart *m; (Stadt-)* quartier *m;* ~ *nach drei* trois heures et quart; ~ *vor drei* trois heures moins le quart; ~**jahr** trois mois, trimestre *m;* ~**jahresschrift** revue trimestrielle; ⌃**jährig** de trois mois; ⌃**jährlich** trimestriel; ~**note** noire *f;* ~**pause** soupir *m* d'une quart d'heure; ~**stunde** quart *m* d'heure; ⌃**stündig** d'un quart d'heure; ⌃**stündlich** tous les quarts d'heure

vier|tens quatrièmement; ⌃**ung** intersection *f* de la nef; ~**zehn** quatorze; ~**zehntägig** de quinze jours; ⌃**zehnte,** ⌃**zehntel** quatorzième *m;* ⌃**zig** quarante; ~**ziger** quatrain *m;* ~**zig** quarante; ~**ziger** quadragénaire; ~**zigjährig** de quarante ans; quadragénaire; ⌃**zigste,** ⌃**zigstel** quarantième *m*

Vikar vicaire

Vill|a villa *f*, pavillon *m;* ~**enviertel** quartier *m* pavillonnaire

Vinyl vinyle *m;* ~**chlorid** chlorure *m* de vinyle; ~**harz** résine *f* vinylique

Viol|a alto *m*, viole *f;* ⌐**ett** violet; ~**ine** violon *m;* ~**inschlüssel** clef *f* de sol; ~**oncello** violoncelle *m*

Viper vipère *f*

virtuos en virtuose, en maître, parfait; ⌐**e** virtuose; ⌐**ität** virtuosité *f*

Virus virus *m;* ~**erkrankung** infection *f* virale

Visage *umg pej* face *f*, pomme *f*, trogne *f*, mine *f*, tête *f*

Visier *(Gewehr)* hausse *f;* mire *f;* cible *f; (Helm)* visière *f;* ~**en** viser; *(eichen)* jauger

Vision vision *f;* apparition *f;* ⌐**är** visionnaire

Visit|ation inspection *f*, contrôle *m;* visite *f*, fouille *f;* ~**e** *a.* ⚕ visite *f;* ~**enkarte** carte *f* de visite; ⌐**ieren** inspecter, contrôler; fouiller

Visum visa *m*

Vitamin vitamine *f;* ~**mangel** carence *f* en vitamines; ~**stoß** administration massive de vitamines

Vlies nappe *f*, tissu *m; d.* Goldene ~ la Toison d'or

Vogel oiseau *m;* ✝ *umg* coucou *m; lustiger* ~ loustic; *lockerer* ~ luron; *d.* ~ *abschießen* décrocher la timbale; *e-n* ~ *haben* être cinglé, timbré, toqué; ~**bauer** cage *f;* ~**beere** sorbe *f;* ⌐**frei** hors la loi; ~**futter** mangeaille *f* pour les oiseaux; ~**haus** volière *f;* ~**käfig** cage *f;* ~**kunde** ornithologie *f;* ~**nest** nid *m* d'oiseau; ~**perspektive**, ~**schau** vue *f* à vol d'oiseau; ~**scheuche** *a.* *fig* épouvantail *m;* ~**schwarm** volée *f;* ~**steller** oiseleur; ~-**Strauß-Politik** politique *f* de l'autruche; ~**warte** station *f* ornithologique; ~**zug** migration *f*, passage *f*

vögeln *pop* baiser, coucher avec qn, faire l'amour

Vokabel mot *m;* ~**schatz** vocabulaire *m*

Vokal voyelle *f*

Volk peuple *m;* nation *f;* population *f; pej* plèbe *f; (Menge)* masse *f*, foule *f*, multitude *f; (Bienen)* colonie *f; d.* Mann aus d. ~ l'homme de la rue; ⌐**reich** populeux

Völker|bund Société *f* des Nations; ~**gemeinschaft** communauté *f* de nations; ~**kunde** ethnologie *f;* ⌐**kundlich** ethnologique; ~**mord** génocide *m;* ~**recht** droit international *(od des gens)*; ~**schaft** peuplade *f;* ~**wanderung** migration *f* des peuples; *hist* invasion *f* des Barbares

völkisch national; raciste

Volks|abstimmung référendum *m;* plébiscite *m;* ~**aufstand** révolte *f;* insurrection *f;* ~**ausgabe** édition *f* populaire; ~**begehren** initiative *f* populaire; ~**bildung** éducation nationale; ~**charakter** caractère national; ~**dichtung** poésie *f* populaire; ~**einkommen** revenu national; ~**entscheid** plébiscite *m;* ~**feind** ennemi du peuple; ~**fest** fête *f* populaire; foire *f;* ~**genosse** compatriote; ~**glaube** croyance *f* populaire; ~**gruppe** groupe *m* ethnique, communauté *f;* ~**haufe** foule *f;* populo *m (umg);* ~**herrschaft** gouvernement *m* du peuple; démocratie *f;*

~**hochschule** université *f* populaire; ~**küche** soupe *f* populaire; ~**kunde** folklore *m;* ~**lied** chanson *f* populaire; ⌐**mäßig** populaire; ~**meinung** opinion publique; ~**menge** masse *f*, multitude *f;* ~**mund** langage *m* du peuple *(od* populaire); ~**redner** orateur public, tribun *m;* ~**republik** république *f* populaire; ~**schicht** couche *(od* classe) sociale; ~**schlag** race *f;* ~**schule** école *f* primaire; ~**schullehrer** instituteur; ~**schullehrerin** institutrice; ~**schulunterricht** enseignement *m* du premier degré; ~**sitte** coutume nationale; ~**sprache** langage *m* populaire; ~**stamm** tribu *f*, peuplade *f;* race *f;* ~**tanz** danse *f* populaire; ~**tracht** costume régional; ~**tum** nationalité *f;* ⌐**tümlich** populaire; ~**vermögen** biens nationaux; ~**vertreter** représentant du peuple; ~**vertretung** représentation nationale; ~**wirt** économiste; ~**wirtschaft(slehre)** économie *f* politique; ⌐**wirtschaftlich** économique; ~**zählung** recensement *m;* ~**zugehörigkeit** origine *f*

voll plein; *(gefüllt)* rempli, bondé, bourré, comble; *(bedeckt)* couvert, chargé, criblé; *(ganz)* entier, complet, total; *umg (betrunken)* soûl, ivre; *adv* complètement, tout à fait; *aus* ~**em** *Herzen* de tout son cœur; ~*e sechzig Jahre* soixante ans bien sonnés; *e-n* ~*en Monat lang* un mois durant; *für* ~ *nehmen* prendre au sérieux; *aus d.* ~*en schöpfen* puiser largement, avoir des ressources illimitées; ~**akademiker** personne *f* ayant un diplôme universitaire; ~**auf** largement, amplement, complètement; ~**automatisch** entièrement automatique; ⌐**bad** bain complet; ⌐**bart** barbe longue et touffue; ~**bärtig** qui porte toute sa barbe; ⌐**beschäftigung** plein emploi; ⌐**besitz:** *im* ⌐*besitz* en pleine possession de; ⌐**blut** pur-sang *m;* ~**blütig** pléthorique; ~**bringen** accomplir, achever; ⌐**dampf:** *mit* ⌐*dampf* à toute vapeur, à toute vitesse; ~**enden** finir, terminer, (par)achever, accomplir, consommer; ~**endet** consommé; *fig* parfait; *bis z.* ~*endeten 18. Lebensjahr* jusqu'à 18 ans révolus; ~**ends** entièrement, tout à fait; ⌐**endung** achèvement *m*, finition *f*, accomplissement *m*, consommation *f;* perfection *f*

Völlerei bombance *f*, ripaille *f*

voll|führen réaliser, exécuter; ⌐**gas:** *mit* ⌐*gas* à plein gaz; ⌐**gefühl:** *im* ⌐*gefühl* ... pleinement conscient de; ~**gepfropft** bondé, bourré *(mit* de); ~**gültig** pleinement valable; ⌐**gummireifen** bandage plein

völlig total, entier, radical; *adv* complètement, absolument, tout à fait

voll|jährig majeur; ⌐**jährigkeit** majorité *f;* ⌐**jährigkeitserklärung** émancipation *f;* ⌐**kaskoversicherung** assurance *f* tous risques; ⌐**kaufmann** commerçant *m* inscrit au registre de commerce; ~**kommen** parfait, impeccable, consommé; *(Person)* accompli, achevé; ⌐**kommenheit** perfection *f;* ⌐**kornbrot** pain complet *(ou* de seigle); ~**machen** remplir, combler; ⌐**macht** procuration *f*, pleins pouvoirs; carte blanche; ⌐**machtgeber** mandant *m;* ⌐**machtneh-**

mer mandataire *m;* **~matrose** matelot; **~milch** lait entier; **~mitglied** membre *m* à part entière (*ou* de plein droit); **~mond** pleine lune; **~pension** pension complète; **~rausch** état *m* d'ébriété, ivresse *f;* **~sitzung** séance plénière; **~ständig** complet, entier, total, intégral; *adv au* (grand) complet; **~ständigkeit** intégralité *f;* **~stopfen** bourrer, bonder; *refl* se gorger, se gaver (*mit* de)

vollstreck|bar exécutoire; **~en** exécuter; **~er** exécuteur; **~ung** exécution *f;* **~ungsbescheid** commandement *m* (préparatoire de la saisie- = exécution)

voll|tanken faire le plein d'essence; **~tönend** sonore; **~treffer** coup au (*od* en plein dans le) but; **~trunkenheit** état *m* d'ébriété, ivresse *f;* **~versammlung** assemblée plénière; **~waise** orphelin de père et de mère; **~wertig** parfait; valable; **~zählig** complet; **~ziehen** accomplir, exécuter, effectuer; (*Ehe*) consommer; *refl* s'effectuer, avoir lieu, se passer; **~ziehung,** **~zug** accomplissement *m,* exécution *f;* **~zugs-anstalt** centre *m* pénitentiaire, maison *f* de détention; **~zugsgewalt** pouvoir exécutif

Volont|är stagiaire; **~ieren** faire un stage

Volt volt *m;* **~meter** voltmètre *m*

Volumen volume *m*

von de; (*über*) de, au sujet de, sur; (*beim Passiv*) par; ~ ...*ab, an* dès... à partir (*od* à compter) de...; ~ ... *aus* depuis; ~ ... *bis* de ... à, depuis ... jusqu'à; ~ *da an* dès lors; ~ *hinten* (*vorn*) par derrière (devant); ~ *jeher* depuis toujours; ~ *nun an* désormais, dorénavant; **~einander** l'un de l'autre, les uns des autres; **~nöten:** **~nöten sein** être nécessaire, manquer; **~statten:** **~statten gehen** se passer, marcher

vor (*örtl.*) devant, en face de, en présence de; (*zeitl.*) avant, plus tôt que; (*Grund*) de; ~ *allem* avant tout; ~ *s-n Augen* sous ses yeux; ~ *e-m halben Jahr* il y a six mois; ~ *der Zeit* prématuré; *fünf Minuten* ~ *vier Uhr* quatre heures moins cinq; **~ab** d'abord; avant tout

Vor|abdruck publication *f* préalable; tirage *m* préliminaire; **~abend** veille *f;* **~ahnung** pressentiment *m*

voran à la tête, en avant; ~*!* avancez!, vite!; **~gehen** passer (*od* marcher) devant; ouvrir la marche; précéder, devancer (*j-m* qn); **~kommen** avancer; faire des progrès

Vor|anmeldung ♥ préavis *m;* **~anschlag** devis *m;* **~anzeige** préavis *m,* avis préalable; (*Film*) lancement *m*

Vorarbeit travail *m* préparatoire, préparatifs *mpl;* ébauche *f;* **~en** travailler d'avance; préparer (un travail); *fig* préparer les voies; **~er** chef d'équipe, contremaître, agent *m* de maîtrise

voraus devant, en avance sur; par anticipation; *im* ~ à l'avance, d'avance; *mit bestem Dank im* ~ avec mes remerciements anticipés; **~ahnen** pressentir; **~bezahlen** payer d'avance; **~eilen** prendre les devants; **~gehen** aller devant, précéder, devancer (*j-m* qn); **~gehend** préalable; **~haben:** *j-m etw.* ~*haben* avoir un avantage sur qn; **~kasse** paiement *m* anticipé;

~sage prédiction *f,* pronostic *m,* prophétie *f;* **~sagen** prédire, pronostiquer, prophétiser; **~schätzen** estimer, évaluer; **~schauend** prévoyant; ~*schauende Politik* politique *f* prospective; **~sehbar** prévisible; **~sehen** prévoir; **~setzen** (pré)supposer, poser; ~*gesetzt, daß* à condition que, pourvu que, moyennant que; **~setzung** hypothèse *f,* supposition *f;* (*Bedingung*) condition *f;* **~sicht** prévision *f;* **~sichtlich** probable; **~zahlung** paiement *m* anticipé

Vor|bau avant-corps *m,* saillant *m;* **~bauen** construire en saillie; *fig* prendre des mesures préventives; **~bedacht** préméditation *f; mit* ~*bedacht* de propos délibéré; **~bedingung** condition *f* préalable, prémisse *f*

Vorbehalt réserve *f,* restriction *f;* **~en** réserver; **~lich** sous toute réserve, sauf; **~los** sans réserve (*od* restriction); **~sklausel** clause *f* de sauve-garde

vorbei passé, écoulé, expiré, révolu; fini; **~fahren,** **~gehen,** **~kommen** passer (*an* devant, à côté de); *rechts* ~*fahren* contourner par la droite; **~lassen** laisser passer; **~marsch** défilé *m;* **~marschieren** défiler; **~ziehen** passer, défiler

Vor|bemerkung remarque *f* préliminaire, avant-propos *m;* **~bereiten** préparer, (pré)disposer (*auf* à); *refl* se préparer, s'apprêter (*auf* à); **~bereitend** préparatoire; **~bereitung** préparation *f,* disposition *f;* préparatifs *mpl;* **~berge** contreforts *mpl;* **~bericht** rapport *m* préliminaire; introduction *f;* **~besprechung** pourparlers *mpl* préliminaires, conférence *f* préparatoire; **~bestellen** faire réserver (*od* retenir); **~bestimmen** prédestiner; **~bestimmung** prédestination *f;* **~bestraft** qui a déjà été condamné; *nicht* ~*bestraft* sans antécédents judiciaires, au casier judiciaire vierge; **~bestrafter** repris *m* de justice

vorbeug|en prevenir (*e-r Sache* qch); *refl* se pencher (en avant); **~end** préventif; **✚** prophy-lactique; **~ung** prévention *f;* **✚** prophylaxie *f*

Vorbild modèle *m,* exemple *m;* original *m;* prototype *m;* idéal *m,* type *m;* **~lich** modèle, exemplaire

Vor|bildung formation *f;* **~binden** mettre; **~bohren** faire un forage (*od* sondage) préalable; **~bote** avant-coureur *m,* présage *m,* symptôme précurseur; **~bringen** alléguer; avancer, formuler, proposer; **~bühne** avant-scène *f;* **~christlich** d'avant Jésus-Christ; **~dach** avant-toit *m,* auvent *m;* **~datieren** antidater; **~dem** autrefois, jadis

vorder|(e) premier; de devant; **~achse** essieu *m* avant; **~ansicht** vue *f* de face, (vue en) élévation; **~bein** patte *f* de devant; **~deck** pont *m* avant; **~front** façade *f,* principale; **~fuß** patte *f* de devant; **~gebäude** devant *m;* **~grund** premier plan; devant *m;* 🕮 avant-plan *m;* **~hand** *adv* pour le moment, provisoirement; **~haus** avant-corps *m;* **~kante** bord *m* d'attaque; **~lader** arme *f* à chargement par la bouche; **~lastig** lourd de l'avant; **~mann** qui précède; *com* endosseur précédent; **~rad** roue *f* avant; **~radantrieb** traction *f* avant; **~satz** prémisse *f;*

⸚seite devant *m; (Papier)* recto *m; (Münze)* avers *m,* face *f;* ⸚**sitz** siège *m* avant; ⸚**ste** le plus avancé; premier; ⸚**steven** étrave *f;* ⸚**teil** devant *m; a.* ⚓ avant *m;* ~**wand** panneau *m* avant; ⸚**zähne** incisives *fpl*

vor|dränge(l)n *refl* se pousser en avant, jouer des coudes; ~**dringen** avancer, gagner du terrain, progresser; se mettre en avant; ⸚**dringen** *su* progrès *m;* ~**dringlich** urgent; d'urgence; ⸚**druck** imprimé *m;* formulaire *m,* formule *f;* ~**ehelich** prénuptial

voreil|en courir, se *hâter,* se précipiter; ~**ig** *hâtif,* précipité; prématuré

voreingenommen partial, prévenu; ⸚**heit** partialité *f; (gegen)* parti pris *m; (für)* favoritisme *m; (Vorurteil)* préjugé *m;* prévention *f*

vorenthalten cacher *(j-m etw.* qch à qn), priver (qn de qch)

Vor|entscheid(ung) ⚖ jurisprudence *f* (antérieure); 🏁 éliminatoire *f;* ~**entwurf** avant-projet *m;* ~**erbe** héritier *m* grevé (de restitution)

vorerst en attendant, pour le moment, au préalable

Vorfahr aïeul, ancêtre

vorfahr|en avancer; arriver; ⸚**t(srecht)** priorité *f;* ⸚**t hat...** la priorité de passage appartient à...; ⸚**tsstraße** route *f* à priorité, voie *f* à grande circulation; ⸚**tszeichen** signal *m* de priorité

Vorfall incident *m,* événement *m;* ⸚**en** survenir, arriver, se passer

vor|finden trouver, tomber sur; ⸚**frage** question *f* préalable; ⸚**freude:** *die* ⸚**freude** *auf etw.* se réjouir d'une chose attendue; ~**fristig** avant l'expiration du délai; ~**fühlen** tâter le terrain

Vorführ|dame *(Kleidung)* mannequin *m;* (Geräte) démonstratrice *f;* ⸚**en** présenter, démontrer; *(Film)* projeter; ⚖ amener; ~**gerät** projecteur *m;* ~**ung** présentation *f,* démonstration *f; (Film)* représentation *f,* projection *f*

Vor|gabe avantage *m,* avance *f;* ~**gang** événement *m,* incident *m;* phénomène *m;* processus *m;* ~**gänger** devancier, prédécesseur; ~**garten** jardin *m* sur l'entrée; ⸚**geben** prétexter, prétendre; feindre, simuler; ~**gebirge** promontoire *m;* ⸚**gefaßt** préconçu; ~**gefühl** pressentiment *m,* prémonition *f*

vorgehen avoir le pas sur, aller *(od* passer) devant; *(a. Uhr)* avancer; *(handeln)* agir, opérer; *a.* ⚖ procéder; *(geschehen)* se passer, survenir; *fig* avoir la préférence; ⸚ *su* procédé *m*

Vor|gelände abords *mpl,* glacis *m;* ⸚**gerückt** avancé; ~**geschichte** préhistoire *f;* événements antérieurs, antécédents *mpl;* ~**geschmack** avant-goût *m;* ~**gesetzter** supérieur, chef; ~**gestern** avant-hier; ⸚**greifen** anticiper (*e-r Sache* sur qch); devancer, prévenir *(j-m* qn), préjuger

vorhaben avoir l'intention, avoir en vue *(od* en projet), se proposer *(etw. zu tun* de faire qch); ⸚ *su* intention *f,* dessein *m,* projet *m*

Vorhalle vestibule *m,* porche *m*

vorhalt|en tenir devant; *(vorwerfen)* remontrer, reprocher; *(j-m etw.* qch à qn); *(andauern)* durer; ⸚**ung** remontrance *f,* reproche *m;* remarque *f,* observation *f*

Vorhand *(Karten)* main *f; (Tennis; Pferd)* avant-main *f*

vorhanden existant, présent; disponible; ~ *sein* exister; être disponible; ⸚**sein** existence *f,* présence *f;* disponibilité *f*

Vor|hang rideau *m;* voile *m,* store *m;* ⸚**hängen** accrocher *(od* suspendre) devant; ~**hängeschloß** cadenas *m;* ~**haut** prépuce *m*

vorher plus tôt, avant, auparavant; d'avance, au préalable; ~**bestimmen** déterminer d'avance; prédestiner; ⸚**bestimmung** prédestination *f;* ~**gehend** précédent, antérieur, antécédent, préalable, préliminaire; ~**ig** précédent; ancien; ⸚**sage** prédiction *f,* pronostic *m; (Wetter)* prévision *f;* ~**sagen** prédire, pronostiquer; ~**sehen** prévoir

Vorherr|schaft suprématie *f,* hégémonie *f;* prédominance *f,* prépondérance *f;* ⸚**schen** (pré)dominer

vorhin tout à l'heure, tantôt

Vor|hof avant-cour *f; (Kirche)* parvis *m;* ~**hut** avant-garde *f;* ⸚**ig** précédent, antérieur; dernier, passé; ~**jahr** année passée *(od* précédente); ~**kämpfer** promoteur, protagoniste, champion; ~**kasse** paiement *m* d'avance

Vorkauf préemption *f;* ~**srecht** droit *m* de préemption, option *f*

Vor|kehrungen mesures *fpl,* dispositions *fpl,* préparatifs *mpl;* ~**kehrungen treffen** faire des préparatifs, prendre des mesures préventives; ~**kenntnisse** connaissances *fpl* antérieures *(od* de base)

vorkomm|en avancer; *(geschehen)* arriver, avoir lieu, se passer, se produire, survenir; *(auftreten)* se trouver, exister; figurer; *(scheinen)* sembler, paraître; ⸚**en** *su* gisement *m;* présence *f,* existence *f;* ~**nis** incident *m,* événement *m,* épisode *m*

Vorkriegszeit avant-guerre *m*

vorlad|en convoquer; ⚖ citer, assigner *(vor Gericht* en justice); ⸚**ung** convocation *f;* ⚖ citation *f,* assignation *f,* ajournement *m*

Vorlage présentation *f; (Gesetz)* projet *m; (Muster)* modèle *m,* patron *m;* ⸚**lassen** admettre, recevoir; faire entrer; ~**läufer** précurseur, avant-coureur; *fig* prodrome *m;* ⸚**läufig** provisoire, intérimaire; en attendant, pour le moment; ⸚**laut** *h*ardi, effronté; ~**leben** passé *m* (d'une personne); ⚖ antécédents *mpl*

vorleg|en mettre (devant); montrer, soumettre; *(a. Wechsel)* présenter; *(Urkunden)* exhiber, produire; *(Essen)* servir; *refl* se pencher; ⸚**er** descente *f* de lit, carpette *f*

Vorleistung *a. pol* concession *f* prématurée

vorles|en lire à haute voix; ⸚**en** *su* lecture *f;* ⸚**er** lecteur; ⸚**ung** cours *m;* ⸚**ungen halten** faire des cours; ⸚**ungen hören** suivre des cours; ⸚**ungsverzeichnis** programme *m* des cours

vorletzte avant-dernier

Vorlieb|e prédilection *f,* préférence *f;* ⸚**nehmen** se contenter, s'accommoder *(mit* de)

vorliegen exister, y avoir; ~**d** présent; *im* ~**den** *Fall* en l'occurrence, en l'espèce

vor|lügen: *j-m etw.* ~**lügen** dire des mensonges

à qn; ~**machen** montrer; *fig* feindre, simuler; en conter à qn, en faire accroire à qn; ⌁**macht(stellung)** suprématie *f;* prépondérance *f,* hégémonie *f*

Vor|marsch marche *f* (en avant), progression *f;* ⌁**merken** prendre note de, enregistrer; *s.* ⌁*merken lassen* faire réserver (*od* retenir), louer (*für etw.* qch)

Vormittag matinée *f,* matin *m;* ⌁**s** dans la matinée

Vormund tuteur *m;* ~**schaft** tutelle *f*

vorn devant, en tête, en avant; au commencement; *nach* ~ (en) avant; *von* ~ par-devant, de front (*od* face); de nouveau, dès le début; *von* ~ *bis hinten* de bout en bout, complètement; *von* ~ *anfangen* recommencer; ~**herein:** *von* ~*herein* de prime abord, à priori; ~**über** (penché) en avant

Vorname prénom *m*

vornehm distingué, noble; select (*umg*); ⌁**heit** distinction *f,* noblesse *f*

vornehm|en effectuer, pratiquer, opérer; entreprendre; se mettre, procéder (*etw.* à qch); s'occuper (*etw.* de qch); *s. etw.* ~*en* se proposer de faire qch; ~**lich** avant tout, surtout

Vorort faubourg *m; pl* banlieue *f;* ~**sverkehr** trafic *m* de banlieue

Vor|platz esplanade *f,* parvis *m;* ~**posten** avant-poste *m;* ~**rang** préséance *f,* prééminence *f,* primauté *f,* priorité *f,* supériorité *f; vor j-m d.* ~*rang haben* avoir le pas sur qn; *j-m d.* ~*rang lassen* céder le pas à qn

Vorrat provision *f,* réserve *f,* stock *m;* ressources *fpl;* ~**skammer** *f,* ~**sschrank** garde-manger *m;* ~**smesser** jaugeur *m*

vorrätig disponible; en réserve, en magasin, en stock; ~ *bei* en vente chez

vor|rechnen faire le compte (*j-m etw.* à qn de qch); ⌁**recht** privilège *m,* prérogative *f;* ⌁**rede** discours *m* préliminaire, préambule *m;* préface *f,* avant-propos *m;* ⌁**redner** orateur précédent

vorricht|en préparer, faire des préparatifs; ⌁**ung** dispositif *m,* appareil *m*

vorrücken *vt* avancer; *vi* s'avancer, progresser, s'approcher; ⌁ *su* progression *f*

Vor|runde 🏃 éliminatoire *f;* ~**saal** vestibule *m,* antichambre *f;* ⌁**sagen** souffler; ~**saison** avant-saison *f*

Vorsatz intention *f;* projet *m,* dessein *m;* résolution *f;* 📖 page *f* de garde; ~**linse** ⚙ bonnette *f,* lentille *f* additionnelle

vorsätzlich intentionnel, prémédité; *adv* intentionnellement, avec préméditation; de propos délibéré

Vorschein: *z.* ~ *bringen* mettre au jour, produire; *z.* ~ *kommen* paraître, venir au jour

vor|schicken envoyer en avant; ~**schieben** pousser en avant, avancer; (*Riegel*) pousser; *fig* prétexter; ~**schießen** avancer, prêter (de l'argent)

Vorschlag proposition *f,* offre *f;* motion *f;* présentation *f;* 🎵 appogiature *f;* ⌁**en** proposer, offrir; présenter; ~**sliste** liste *f* proposée

Vor|schlußrunde 🏃 demi-finale *f;* ⌁**schnell**

précipité; inconsidéré, irréfléchi; ⌁**schreiben** écrire; ordonner, prescrire; ⌁**schreiten** avancer, progresser; se dérouler

Vorschrift règle *f,* règlement *m;* ordre *m,* instruction *f;* 💊 ordonnance *f,* prescription *f;* ⌁**smäßig** règlementaire, en bonne et due forme; ~**smäßigkeit** régularité *f;* ⌁**swidrig** contraire au règlement

Vor|schub assistance *f,* aide *f;* ⚙ avance *f;* ~ *leisten* favoriser (*j-m* qn, *e-r Sache* qch); ~**schuß** avance *f;* acompte *m;* provision *f;* paiement anticipé; ⌁**schützen** prétexter; feindre; ⌁**schweben:** *mir schwebt ... vor* j'ai une vague idée de ...; j'ai le projet de...; ⌁**schwindeln** dire un mensonge à qn; faire accroire (*j-m etw.* qch à qn); ⌁**sehen** *vt* prévoir; *refl* prendre garde à, faire attention à, se méfier de; ~**sehung** Providence *f;* ~**serie** présérie *f;* ⌁**setzen** offrir; (*Essen*) servir

Vorsicht précaution *f,* prudence *f,* circonspection *f;* ~*!* attention!; ⌁**ig** précautionneux, prudent, circonspect; ⌁**shalber** par mesure de précaution

Vor|silbe préfixe *m;* ⌁**singen** chanter; ⌁**sintflutlich** *a. fig* antédiluvien; *fig* moyenâgeux

Vorsitz présidence *f; d.* ~ *führen* présider (*über, bei* à); ⌁**en** présider; ~**ender** président

Vorsorg|e prévoyance *f;* ⌁**en** prendre les précautions qui s'imposent, faire les préparatifs (*für etw.* de qch); pourvoir (*für etw.* à qch); ~**euntersuchung** bilan *m* de santé; ⌁**lich** prévoyant; *adv* par précaution; ⚖ à toutes fins utiles

Vorspann (*Film*) générique *m;* ⌁**en** (*Pferde*) atteler

Vorspeise hors-d'œuvre *m*

vorspiegel|n donner des illusions (à qn); leurrer (*j-m etw.* qn de qch); ⌁**ung** illusion *f,* apparence trompeuse; tromperie *f; unter* ⌁**ung** *falscher Tatsachen* en dénaturant les faits

Vorspiel *a. fig* prélude *m,* ouverture *f;* ⌁**en** jouer (*j-m etw.* qch à qn)

vorsprechen *vt* dire, répéter (*j-m etw.* qch à qn); *vi* passer (*bei* chez); aller voir (*bei j-m* qn)

vorspringen s'élancer en avant; 🏛 faire saillie, avancer; ~**d** saillant, en saillie

Vorsprung 🏛 saillie *f,* ressaut *m; fig* avance *f,* avantage *m; e-n* ~ *haben vor* être en avance sur

Vor|stadt banlieue *f;* faubourg *m;* ~**stadtbewohner** *umg* banlieusard *m;* ⌁**städtisch** banlieusard *adj,* suburbain; ~**stand** (*Verein*) bureau *m;* conseil *m* d'administration; (*Aktiengesellschaft*) directoire *m;* administrateurs *mpl;* ~**standsvorsitzender** président *m* directeur général, *umg* P.D.G., pédégé

vorsteck|en mettre, fixer; avancer; ⌁**nadel** épingle *f;* broche *f*

vorsteh|en avancer, être en saillie, déborder; (*leiten*) diriger, mener (*e-r Sache* qch); être à la tête de; ~**end** saillant, proéminent; (*obig*) précédent; ⌁**er** directeur, chef; ⌁**hund** chien *m* d'arrêt

vorstell|bar imaginable; ⌁**en** avancer; (*j-n*) présenter; (*darstellen*) représenter, signifier; *refl*

fig se représenter, s'imaginer, se figurer; ~ig: *bei j-m ~ig werden* adresser une demande (*od* réclamation) à qn; ⌐ung présentation *f*; 🖤 représentation *f*; *(Film)* séance *f*; *(Idee)* idée *f*, conception *f*, notion *f*; *(Vorhaltung)* représentation *f*, remontrance *f*; ⌐ungskraft imagination *f*
Vorstoß attaque brusquée, raid *m*, coup *m* de main; ⌐en pousser, pointer (*auf* sur); attaquer
Vor|strafe condamnation antérieure, peine antécédente; ⌐strecken étendre, allonger; *(a. Geld)* avancer; ~stufe premier dégré, degré *m* élémentaire; ~tag veille *f*; ~tänzer premier danseur; ⌐täuschen simuler; donner l'illusion de
Vorteil avantage *m*; profit *m*, bénéfice *m*, intérêt *m*; ~ *ziehen aus* tirer profit (*od* parti) de, profiter de, bénéficier de; *im ~ sein gegenüber* avoir l'avantage sur; *auf s-n ~ bedacht sein* entendre ses intérêts; ⌐haft avantageux, profitable, intéressant
Vortrag conférence *f*, discours *m*, exposé *m*; rapport *m*; (~*sweise)* diction *f*, élocution *f*; ♩ exécution *f*; *(Bilanz)* solde *m* à nouveau; ⌐en déclamer, réciter; rapporter; *(Meinung)* exposer, présenter; ♩ jouer, exécuter; *com* porter à nouveau; ~ender conférencier, orateur; ♩ exécutant
vortrefflich excellent, exquis, admirable; *adv* à merveille; ⌐keit excellence *f*
vor|treiben propulser; ⌐trieb *phys* propulsion *f*; *(Bergbau)* avancement *m*
Vor|treppe 🏛 perron *m*; ~tritt préséance *f*; *j-m d. ~tritt lassen* céder le pas à qn; ~trupp tête *f* d'avant-garde
vorüber *(zeitl.)* passé; *(örtl.)* devant, à côté; ~gehen passer; *im* ⌐gehen en passant; ~gehend temporaire, momentané; passager; ⌐gehender passant
Vor|übung exercice *m* préparatoire; ~untersuchung 🔍 instruction *f* préparatoire
Vorurteil préjugé *m*, opinion préconçue; prévention *f*; *e. ~ haben gegen* être prévenu contre; ⌐sfrei, ⌐slos sans préjugés, sans prévention
vorver|dichten suralimenter; ⌐handlungen préliminaires *mpl*; ⌐kauf location *f*; ~legen reporter à une date plus rapprochée; *mil (Feuer)* allonger; ⌐vertrag contrat *m* préliminaire
vor|vorgestern il y a trois jours; ~wagen *refl* s'aventurer; ⌐wähler présélecteur *m*; ⌐wand prétexte *m*; ⌐wärmen préchauffage *m*
vorwärts en avant; ~gehen avancer, progresser; ~kommen avancer; *fig* faire son chemin; ⌐verteidigung stratégie *f* de la défense avancée
vorweg d'avance, à l'avance; ⌐nahme anticipation *f*; ~nehmen anticiper; prélever
vor|weisen exhiber, produ8ire; ~weltlich préhistorique; ~werfen jeter à (*od* devant); *fig* reprocher
vorwiegen prévaloir, prédominer; ~d prépondérant, prédominant; *adv* pour la plupart, surtout
Vor|witz curiosité *f*, indiscrétion *f*; impertinence *f*; ⌐witzig curieux, indiscret; impertinent

~wort préface *f*, avant-propos *m*, avertissement *m*, présentation *f*
Vorwurf reproche *m*; *(Thema)* sujet *m*; *j-m etw. z. ~ machen* reprocher qch à qn; ⌐svoll plein de reproche
Vorzeich|en signe *m* précurseur, présage *m*, augure *m*; ♩, *math* signe *m*; ⌐nen tracer, dessiner; ~nung tracé *m*, ébauche *f*
vorzeig|en montrer, faire voir; présenter; *(Ausweis)* produire; ⌐ung présentation *f*, production *f*
vorzeit passé *m*; ⌐en jadis, autrefois; ⌐ig anticipé, précoce; *adv* avant le temps
vorziehen tirer devant (*od* dehors); *fig* préférer, aimer mieux; *es wäre vorzuziehen...* il serait préférable de...
Vorzimmer antichambre *f*
Vorzug 1. préférence *f*; *(Vorrang)* priorité *f*; *(Vorteil)* avantage *m*; *pl* qualités *fpl*. mérite *m*; **2.** 🚃 train dédoublé; ~saktie action privilégiée (*od* préférence); ~spreis prix *m* de faveur (*od* d'ami); ~srecht droit *m* de priorité; ⌐sweise de préférence; par priorité
vorzüglich excellent, exquis, supérieur; *adv* particulièrement, surtout
Vorzündung 🚗 avance *f* à l'allumage
vot|ieren voter; ~ivbild tableau votif; ~iftafel ex-voto *m*; ⌐um vote *m*, suffrage *m*
vulgär vulgaire, grossier, trivial
Vulkan volcan *m*; ~fiber fibre vulcanisée; ⌐isch vulcanique; ⌐isieren vulcaniser

W

Waag|e balance *f*, bascule *f*; ⚙ niveau *m* de maçon; *astr* Balance *f*; *j-m d. ~e halten* contrebalancer (*od* égaler) qn; *s. d. ~e halten* s'équilibrer; ~ebalken fléau *m*; ⌐erecht horizontal; de niveau; ~eschale plateau *m*; *in d. ~schale werfen (fig)* faire valoir
wabbelig flasque
Wabe construction *f* des rayons et des alvéoles, rayon *m* de (miel), nid *m* d'abeilles; ~nbauteile structures en nid d'abeilles; ~nhonig miel *m* en rayons; ⌐rn vaciller
wach éveillé; *fig* alerte; ~er Zustand état de veille; ~ werden se réveiller; ⌐dienst service *m* de garde; ⌐e garde *f*; *mil* faction *f*; *(Soldat)* sentinelle *f*; *(Raum)* corps *m* de garde, *(Polizei)* poste *m*; *auf* ⌐e sein être de faction; ⌐e schieben monter la garde; *auf* ⌐e ziehen prendre la garde; ~en veiller (*bei* auprès, *über* sur); ⌐en su veille *f*; ⌐feuer feu *m* de bivouac; ~habend de garde; ♘, de quart; ⌐lokal corps *m* de garde; ⌐mannschaft (hommes de) garde *f*; ~rufen réveiller; *(Erinnerung)* évoquer; ~sam vigilant, attentif; ⌐samkeit vigilance *f*, attention *f*; ⌐stube salle *f* (*od* corps *m*) de garde; ⌐traum rêve éveillé
Wacholder|(strauch) génévrier *m*; ~branntwein genièvre *m*
Wachs cire *f*; ~abdruck empreinte *f* sur cire; ⌐en[1] cirer; *(Ski)* farter; wächsern cireux; ~figur figurine *f* de cire; ~figurenkabinett galerie *f* de

figures de cire; **~kerze** bougie f; rel cierge m;
~leinwand, **~tuch** toile cirée; **~platte** cire f;
~stock rat m de cave

wachsen² croître, grandir, augmenter, se
développer; bot pousser; d. ist ihm ans Herz
ge~ cela lui tient à cœur

Wachstum croissance f; expansion f, développement m; bot végétation f; Null ~ croissance
zéro; **~srate** taux m de croissance

Wacht garde f; **~dienst** service m de garde;
~meister mil maréchal des logis; (Polizei)
brigadier; **~posten** poste m; (Soldat) factionnaire; **~schiff** garde-côte m; **~turm** mirador m;
hist beffroi m, donjon m

Wachtel caille f; **~hund** épagneul m

Wächter gardien m, vigile m; garde m, veilleur;
~häuschen guérite f

Wach- und Schließgesellschaft entreprise f de
gardiennage

wacke|lig vacillant, branlant, titubant; (Möbel)
boiteux; **⌐kontakt** contact intermittent; **~n**
branler, vaciller; mit d. Kopf ~n dodeliner de
la tête

wacker courageux, brave; honnête

Wade mollet m; **~nbein** péroné m

Waffe arme f; blanke ~ arme blanche; j-n mit
s-n eigenen **~n schlagen** retourner un argument
contre qn; d. **~n strecken** se rendre, déposer les
armes; **~nbesitz** détention f d'armes; **~nbruder**
frère d'armes; **~ndienst** service m militaire;
⌐nfähig apte au service armé; **~ngang** passe f
d'armes; **~ngattung** arme f; **~ngewalt:** mit
~ngewalt par la force des armes; **~nglück**
fortune f des armes; **~nhändler** marchand m
d'armes; **~nhandwerk** métier m des armes;
⌐nlos sans armes; **~nrock** tunique f; **~nruhe**
suspension f des hostilités; **~nsammlung** panoplie f; **~nschein** permis m de port d'armes;
~nschmied armurier; **~nschmuggel** trafic m
d'armes; **~nstillstand** armistice m; **~nstill-
standsvertrag** convention f d'armistice; **~nsy-
stem** système m d'arme **~ntat** fait m d'armes;
~nwahl choix m des armes; **~nwesen** armement m

Waffel gaufre f; (kleine) gaufrette f; **~eisen**
moule m (od fer m) à gaufres, gaufrier m;
~tütchen cornet m de glace

Wag|ehals risque-tout m, casse-cou; **~emut**
hardiesse f, audace f; **⌐emutig** audacieux,
aventureux; **~en** oser (+ inf), risquer,
hasarder; gewagt (Behauptung) aventuré; e.
Wort **⌐en** hasarder un mot; **⌐halsig** téméraire;
hasardeux; **~halsigkeit** témérité f; **~nis** risque
m, coup m d'audace

wäg|bar pondérable; **~en** peser; in d. Hand
~en soupeser; **⌐ung** pesée f

Wagen voiture f; véhicule m; (Schreibmaschine)
chariot m; ♉ a. wagon m; **~bestand** parc m de
voitures; **~decke** bâche f; **~deichsel** timon m;
~fenster portière f; **⌐führer** 𝄞 chauffeur,
conducteur; **~heber** vérin m, cric m; **~ladung**
chargement m; **~lenker** hist aurige m; **~park** parc
m automobiles; ♉ matériel roulant; mil parc m
du train; **~schlag** portière f; **~schlüssel** clef f de

voiture; **~schmiere** cambouis m; **~schuppen**
remise f; **~spur** ornière f; **~zug** rame f

Waggon wagon m

Wahl choix m; option f; (zwischen zwei Dingen)
alternative f; pol élection f, vote m, consultation
f électorale, scrutin m; in geheimer ~ au scrutin
secret; mir blieb k-e andere ~ je n'avais pas le
choix; in d. engere ~ kommen (Personen) être
parmi les candidats les mieux placés; (Sachen)
être en dernière concurrence; j-n vor d. ~ stellen
poser une alternative à qn; e-e ~ treffen faire
son choix ♦ die Qual der ~
l'embarras du choix; **♦absprache** accord m
électoral, cartel m; pej cuisine f électorale; **~akt**
élection f; **~aufruf** proclamation électorale,
manifeste électoral; **~beeinflussung** pression f
électorale; **~berechtigter** électeur m inscrit;
~beteiligung participation électorale; **~bezirk**
circonscription électorale; **~ergebnis** résultat
électoral (od du scrutin); **⌐fähig** qui a le droit
de vote(r); **⌐fähiges Alter** majorité électorale;
⌐frei facultatif; adv au choix; **~gang** tour m de
scrutin; in direktem **~gang** au suffrage direct;
~geheimnis secret m de vote; **~gesetz** loi
électorale; **~heimat** patrie f (d'adoption);
~kampf campagne f, électorale; **~kreis** circonscription électorale; **~leiter** scrutateur m; **~liste**
liste électorale; **~lokal** bureau m de vote; **⌐los**
au petit bonheur, au hasard; **~programm**
programme électoral, plate-forme f électorale;
~recht droit m de vote (od de suffrage);
passives~ recht éligibilité f; verdeckte ~rede discours
électoral; **~spruch** devise f; **~system** système
électoral; **~urne** urne f (électorale); **~versamm-
lung** réunion électorale; **~verwandtschaften**
affinités électives; **~zelle** isoloir m; **~zettel**
bulletin m (de vote)

wähl|bar éligible; **⌐barkeit** éligibilité f; **~en**
choisir; élire; opter (pour); pol voter; e-e
Nummer **~en** 𝄞 composer un numéro; **⌐er** pol
corps électoral; votant m, électeur; 𝄞 sélecteur
m; **⌐erin** électrice; **⌐erisch** difficile; **⌐erschaft**
corps (od collège) électoral; **⌐fernsprecher**
appareil m téléphonique automatique; **⌐schei-
be** 𝄞 cadran m (od disque m) d'appel

Wahn erreur f (de l'esprit, des sens); égarement
m, illusion f; **~gebilde** chimère f

wähnen s'imaginer (zu de); croire à tort; avoir
l'illusion que

Wahnsinn a. fig démence f, folie f; § aliénation
mentale; (Raserei) délire m; **⌐ig** a. fig fou; §
dément, aliéné; j-n **⌐ig machen** faire perdre la
raison à qn; **~iger** maniaque, fou; § dément

Wahn|vorstellung hallucination f; **~witz** fréné-
sie f, extravagance f

wahr vrai, véritable, authentique; (Freund)
sincère; nicht ~? n'est-ce pas?; daran ist
kein~es Wort il n'y a rien de vrai là-dedans;
etw. für ~ halten ajouter créance à qch; ~
machen exécuter, réaliser; ~ werden se
confirmer, se réaliser; nicht ~ haben wollen, daß
ne pas (vouloir) admettre que (+ subj); **~en**
sauvegarder, préserver; défendre

während pendant, durant; conj pendant que;

(gegensätzl.) alors que, tandis que; **~dem** pendant ce temps, cependant

wahrhaftig vrai, sincère; *adv* vraiment, en vérité; **⊾keit** véracité *f*, authenticité *f*

Wahrheit vérité *f;* sincérité *f;* authenticité *f, d. nackte* ~ la vérité toute crue; *bei d.* ~ *bleiben* ne dire que la vérité; *um d.* ~ *zu sagen* à dire vrai; **⊾sgetreu** véridique, conforme à la vérité; **~sliebe** véracité *f;* **⊾sliebend** sincère; véridique

wahrnehm|bar perceptible; **~en** apercevoir; s'apercevoir de; percevoir; *(Interessen)* veiller à, prendre en mains, assumer; **⊾ung** perception *f*, observation *f;* sauvegarde *f,* défense *f;* **⊾ungs-vermögen** perception *f*

Wahrsag|ekunst art *m* divinatoire; **⊾en** dire la bonne aventure; prophétiser; **~er** devin; diseur de bonne aventure; **~erin** voyante, pythonisse; tireuse de cartes; **~ung** divination *f*

wahrscheinlich probable, vraisemblable; *adv* probablement, sans doute; **⊾keit** vraisemblance *f,* probabilité *f; aller* **⊾keit** *nach* selon toute vraisemblance; **⊾keitsrechnung** calcul *m* des probabilités

Wahr|spruch verdict *m;* **~ung** sauvegarde *f,* défense *f*

Währung monnaie *f;* **~sabkommen** accord *m* monétaire; **~sabwertung** dévaluation *f;* **~sein-heit** unité *f* monétaire; **~skrise** crise *f* monétaire; **~skurs** cours *m* de change; **~spolitik** politique *f* monétaire; **~sraum** zone *f* monétaire; **~sreform** réforme *f* monétaire; **~sverfall** dépréciation *f* monétaire

Wahrzeichen signe *m* caractéristique; symbole *m; (Stadt)* monument *m* caractéristique

Waise orphelin(e); **~nhaus** orphelinat *m*

Wal baleine *f;* **~fänger** *(a. Schiff)* baleinier; **~fischtran** huile *f* de baleine; **~roß** morse *m*

Wald bois *m,* forêt *f* ♦ *er sieht d.* ~ *vor Bäumen nicht* les arbres lui masquent la forêt; **~ameise** fourmi *f* rouge; **~arbeiter** bûcheron; **⊾arm** peu boisé; **~bestand** boisement *m;* **~brand** incendie *m* de forêt; **Wäldchen** bosquet *m*, bocage *m;* **~erdbeere** fraise *f* des bois; **~gegend** contrée boisée; **~horn** cor *m* d'harmonie; **~hüter** garde forestier; **⊾ig** boisé; **~kauz** chat-huant *m;* **~land** terrain boisé; **~landschaft** paysage forestier; **~lauf** cross-country *m* en forêt; **~lichtung** clairière *f,* éclaircie *f;* **~maus** mulot *m;* **~meister** aspérule *f;* **~rand** lisière *f,* orée *f;* **~rebe** clématite *f;* **⊾reich** riche en forêts; **~schneise** laie *f;* **~ung** forêt *f,* bois *m;* **~weg** sentier forestier; **~wiese** clairière *f;* **~wirtschaft** économie *f* forestière; sylviculture *f*

Walk|e machine *f* à fouler; **⊾en** fouler; **~en** *su* foulage *m;* **~er** foulon; **~ererde** argile *f* à foulon; **~mühle** ☼ foulon *m;* **~müller** fouleur, foulonnier

Wall barrière *f; mil* rempart *m,* levée *f; geol* remblai *m;* **~graben** fossé *m*

Wallach (cheval) hongre *m*

wall|en *(Flüssigkeit)* bouillonner; *(Blut)* bouillir; **~end** bouillonnant; *chem, fig* effervescent; **~fahren** aller en pèlerinage; **⊾fahrer** pèlerin; **⊾fahrt** pèlerinage *m;* **⊾fahrtsort** (lieu *m* de)

pèlerinage *m;* **⊾ung** bouillonnement *m,* ébullition *f; a. fig* effervescence *f; in* **⊾ung** *bringen* émouvoir, soulever; *in* **⊾ung** *geraten* s'exciter, s'emporter

Wal|nuß noix *f;* **~nußbaum** noyer *m;* **~statt** champ *m* de bataille

walten régner; *s-s Amtes* ~ remplir son office

Walz|blech tôle laminée; **~e** ☼ cylindre *m;* ⬇ rouleau *m; (Straßen-)* rouleau compresseur; **~eisen** fer laminé; **⊾en** ☼ laminer; ⬇ rouler (un champ); *(tanzen)* valser; trimarder *(pop);* **⊾enförmig** cylindrique; **~er** valse *f; langsamer* **~er** valse anglaise; **~er tanzen** valser; **~folie** feuille *f* laminée; **~stahl** acier laminé; **~straße** train *m* de laminoir; **~werk** laminoir *m*

wälzen rouler; *d. Schuld* ~ *auf* rejeter la responsabilité sur; *refl* se vautrer, se rouler

Wamme *(Rind)* fanon *m*

Wams casaque *f,* pourpoint *m*

Wand paroi *f,* cloison *f,* mur *m; (Reifen)* flanc *m; spanische* ~ paravent *m; an die* ~ *drücken* acculer au mur; *fig* reléguer à l'arrière-plan; *an d.* ~ *stellen (fig)* fusiller, exécuter; **~arm** applique *f;* **~behang** tenture *f;* **~brett** étagère *f;* **~gemälde** fresque *f;* peinture murale; **~kalender** calendrier mural; **~karte** carte murale; **~leuchte** applique *f;* **~malerei** peinture murale; **~schirm** paravent *m;* **~schrank** placard *m;* **~spiegel** trumeau *m;* **~tafel** tableau noir; **~täfelung** lambris *m;* boiserie *f;* **~teppich** tapisserie *f;* **~uhr** pendule *f,* cartel *m*

Wandel changement *m;* modification *f; (tiefgrei-fend)* mutation *f; (Betragen)* conduite *f;* **~anleihe** emprunt *m* convertible; **⊾bar** instable, changeant, versatile; **~barkeit** inconstance *f,* versatilité *f;* **~gang,** **~halle** ♂ promenoir *m; (öffentl. Gebäude)* salle *f* des pas perdus; **⊾n** *vi* cheminer, déambuler; *vt* varier, changer; *refl* se changer, se transformer *(in en)*

Wander|arbeitnehmer travailleur *m* migrant; **~ausstellung** exposition itinérante; **~bühne** théâtre ambulant; **~bursche** compagnon; **~düne** dune mouvante; **~er** voyageur, touriste; **~gewerbe** commerce *m* ambulant; **~heuschrek-ke** criquet migrateur (*od* pèlerin); **~jahre** tour *m* de compagnon; **~karte** carte routière; **~leben** vie vagabonde; **~lieder** chansons *fpl* de route; **~lust** humeur vagabonde; **⊾n** voyager (à pied); faire de grandes courses (*od* de grands tours) à pied; **~n** *su* excursion *f* pédestre; **~niere** rein flottant; **~pokal** coupe *f* challenge; **~prediger** prédicateur itinérant; **~preis** challenge *m;* **~ratte** *zool* surmulot *m;* **~schaft** tour *m* (de compagnon); voyage(s) *m(pl);* **~smann** excursionniste; touriste; **~stab** bâton *m* de voyageur; **~trieb** instinct migrateur; **~truppe** troupe *f* de) comédiens ambulants; **~ung** excursion *f;* tour *m,* marche *f; (Völker, Tiere)* migration *f;* **~zirkus** cirque ambulant

Wandler ⚡ transducteur *m*

Wandlung changement *m,* transformation *f; rel* transsubstantiation *f;* ⚖ annulation *f* (d'un contrat), rédhibition *f*

Wange joue *f*

Wankel|mut inconstance f, versatilité f; **~mütig** inconstant, versatile, irrésolu

wanken branler, chanceler; a. fig vaciller; (Knie) fléchir, se dérober

wann quand

Wanne baquet m, cuve f; (Bade-) baignoire f; ↓ van m; **~nbad** tub m

Wanst panse f

Wanten ♎ haubans mpl

Wanze punaise f; (Abhören) écoute f, micro m émetteur, mini-espion m

Wappen armes fpl, blason m, armoiries fpl; im ~ führen porter dans ses armes; **~bild** symbole m héraldique; **~kunde** (science f) héraldique f; **~schild** écu m, écusson m, blason m; **~spruch** devise f

wappnen armer (mit de)

Ware marchandise f; article m; denrée f; schlechte ~ pacotille f

Waren|absatz écoulement m, débit m, commercialisation f; **~angebot** offre f (de marchandises); **~begleitschein** bordereau m d'expédition, lettre f de voiture; **~bestand** stock m; **~eingang** arrivage m; **~haus** grand magasin, galeries fpl; **~hausdiebstahl** vol m à l'étalage; **~korb** panier m de la ménagère; **~lager** magasin m; (Vorrat) stock m; **~niederlage** dépôt m, entrepôt m; **~probe** échantillon m; **~rechnung** facture f; **~sendung** envoi m de marchandises; **~verkehr** trafic m des marchandises; **~zeichen** marque f de fabrique, label m; eingetragenes **~zeichen** marque déposée

warm chaud; fig chaleureux; ~ stellen tenir au chaud; ~ werden (fig) s'animer, se sentir à son aise; mir ist ~ j'ai chaud; es ist ~ il fait chaud; **~blüter** animal m à sang chaud; **~blütig** à sang chaud; **~halten**: s. j-n **~halten** cultiver (les bonnes dispositions de) qn; **~herzig** chaleureux; **~wasserheizung** chauffage m à eau chaude; **~wasserspeicher** chauffe-eau m

Wärme a. fig chaleur f; chaud m; 20° ~ vingt degrés au-dessus de zéro; **~abgabe** dégagement m de chaleur; **~aufnahme** absorption f de chaleur; **~austauscher** échangeur m de chaleur; **~bedarf** chaleur m demandée; **~behandlung** traitement m thermique; **~dämmung** isolation f thermique; **~einheit** calorie f; **~grad** degré m de chaleur; **~isolierung** isolation f thermique, calorifugeage; **~kraftwerk** centrale f thermique; **~lehre** thermique f; **~leistung** puissance f calorifique; **~leiter** conducteur m de chaleur; **~leitfähigkeit** conductivité f thermique; **~messer** thermomètre m; **~n** chauffer; **~tauscher** échangeur m de chaleur; **~technik** technique f de la chaleur; **~verlust** perte f calorifique;

Wärmflasche bouillotte f

warn|en avertir, prévenir (vor de); mettre en garde (vor contre); **~dreieck** triangle m de panne; **~gerät** détecteur m d'alerte; **~leuchte** voyant m d'alarme; **~ruf** cri m d'avertissement; **~schild** panneau m de signalisation; **~signal** signal m d'avertissement; **~streik** grève f d'avertissement; **~tafel** 🚩 panneau avertisseur; **~ung** avertissement m; mise f en garde;

alerte f; zur **~ung** à titre d'avertissement; lassen Sie s. das z. **~ung dienen!** que cela vous serve de leçon!

Wart|e poste m d'observation, observatoire m; **~efrau** gardienne; **~efrist** délai m d'attente; **~egeld** demi-solde f; **~en** vi attendre (auf j-n, etw. qn, qch); vt prendre soin de; auf s. **~en** lassen se faire attendre (od désirer); **~esaal** salle f d'attente; **~ezimmer** salon m d'attente; **~ezeit** délai m d'attente; **~ung** entretien m; maintenance f; **~ungspersonal** personnel m d'entretien; **⛽** équipe f de servitude; **~ungsstation** ⛽ station-service f

Wärter gardien; ⚕ garde-malade; **~häuschen** guérite f; **~in** gardienne

warum pourquoi; ~ nicht? pourquoi pas?; ~ nicht gar! il ne manquerait plus que cela!

Warz|e verrue f; **~ig** verruqueux

was 1. (Relativpron.:) que; quoi; ce quoi; ce qui, ce que; ~ mich anbetrifft quant à moi, en ce qui me concerne; ~ ich bezweifle ce dont je doute; ~ er auch tun mag quoi qu'il fasse; ~ noch mehr ist qui plus est; koste es, ~ es wolle coûte que coûte; **2.** (Interrogativpron.:) que?; qu'est-ce que?; (Subjekt) qu'est-ce qui?; (betont) quoi?; ~ ist das? qu'est-ce (que c'est)?; ~ ist los? qu'y a-t-il?; ~ soll man machen? que faire?; ~ liegt daran? qu'importe?; ~ fällt Ihnen ein?! qu'est-ce qui vous prend?; **3.** (was für ein) quel, quelle; ~ ist das für e-e Frau? quelle est cette femme?; ~ für e. Glück! quelle chance!; **4.** (etwas) quelque chose (de); ich habe noch ~ j'en ai encore

Wasch|anlage ✿ laverie f; **~anstalt** blanchisserie f; **~automat** lessiveuse f automatique; **~bar** lavable; **~bär** raton laveur; **~becken** cuvette f, lavabo m; **~benzin** benzine f; **~blau** bleu m; **~echt** lavable, bon (od grand) teint; fig vrai; **~en** laver; faire la lessive; **~en** su lavage m; nettoyage m; lessive f, blanchissage m; **~frau** blanchisseuse, lavandière; **~handschuh** gant m de toilette; **~haus** buanderie f, lavoir m; **~kessel** lessiveuse f; **~korb** panier m à linge; **~küche** buanderie f; **~lappen** gant m de toilette; fig chiffe f, femmelette f; **~lauge** lessive f; **~maschine** machine f à laver; **~maschinenfest** lavable en machine; **~mittel** détergent m; produit m de lavage (ou lessiviel); **~pulver** poudre f de lavage, lessive f en poudre; **~raum** lavabo m; **~salon** laverie f automatique, blanchisserie f moderne; **~schüssel** cuvette f; **~tag** jour m de lessive; **~tisch** (table f de) toilette f; **~ung** rel ablution f; **~wanne** cuvier m; **~weib** fig commère; **~zettel** 📖 prière f d'insérer; **~zuber** baquet m

Wäsche linge m; (Damen-) lingerie f; (Waschen) lessive f, blanchissage m; in d. ~ geben donner à laver (od à blanchir); **~beutel** sac m à linge; **~geschäft** lingerie f, magasin m de blanc; **~klammer** pince f (od épingle f) à linge; **~leine** corde f à linge; **~rei** blanchisserie f; **~rin** blanchisseuse; **~schleuder** essoreuse f; **~schrank** armoire f à linge

Wasser eau f; fließendes ~ eau courante;

Kölnisch ~ eau de Cologne; *stilles* ~ eau dormante; *zu* ~ *u. zu Land* par (*od* sur) terre et par (*od* sur) mer; ~ *lassen* $ uriner; *ins* ~ *gehen* se jeter à l'eau; *unter* ~ *setzen* submerger, inonder ♦ *sich über* ~ *halten* se tenir à flot; joindre les deux bouts; *j-m d.* ~ *abgraben* couper l'herbe sous les pieds de qn; *ins* ~ *fallen* tomber à l'eau, aller à vau-l'eau, rester en carafe; *j-m nicht d.* ~ *reichen können* ne pas arriver à la cheville de qn; *nahe am* ~ *gebaut haben* avoir toujours la larme à l'œil; *da läuft e-m d.* ~ *im Munde zus.* cela vous fait venir l'eau à la bouche; *er ist mit allen ~n gewaschen* il connaît tous les trucs (*od* toutes les ficelles), il a plus d'un tour dans son sac; *stille* ~ *sind tief* il n'est pire eau que l'eau qui dort; ~**abfluß** écoulement *m*; ⚡**abstoßend** hydrofuge; ⚡**anziehend** hydrophile; ⚡**arm** pauvre en eau, aride; ~**aufbereitung** traitement *m* (*ou* épuration *f*) des eaux; ~**bad** bain-marie *m*; ~**ball** water-polo *m*; ~**bau** travaux *mpl* hydrauliques; ~**beckenreaktor** réacteur *m* piscine; ~**behälter** citerne *f*; réservoir *m*; ~**beschaffenheit** qualité *f* de l'eau; ~**blase** cloque *f*, ampoule *f*; ~**bombe** grenade sous-marine; ~**dampf** vapeur *f* d'eau; ⚡**dicht** imperméable, étanche; ~**druck** pression *f* hydraulique; ~**durchfluß** débit *m*; ~**eimer** seau *m*; ~**einzugsgebiet** bassin *m* hydrologique; ~**enthärter** adoucisseur *m* d'eau; ~**entnahme** prise *f* d'eau; ~**fall** chute *f* d'eau, cascade *f*, cataracte *f*; *wie e.* ~**fall reden** parler sans arrêt; ~**farbe** couleur *f* à l'eau; ~**fläche** pièce *f* (*od* nappe *f*) d'eau; ~**flasche** carafe *f* (à eau); ~**flugzeug** hydravion *m*; ~**flut** inondation *f*; ⚡**frei** anhydre; ~**gas** gaz *m* à l'eau; ~**glas** verre *m* à eau; *chem* verre *m* soluble, silicate *m* de potasse; ~**graben** douve *f*; ↓ rigole *f*; ~**hahn** robinet *m*; ⚡**haltig** aqueux; ~**härte** dureté *f* de l'eau; ~**haushalt** bilan *m* hydrologique; régime *m* des eaux; ~**hose** trombe *f*; ~**huhn** poule *f* d'eau; ~**jungfer** libellule *f*; ~**kanister** nourrice *f* d'eau; ~**kanne** broc *m*; ~**kessel** bouilloire *f*; ~**kopf** $ hydrocéphale *m*; ~**kraft** énergie *f* hydraulique; ~**kraftwerk** centrale *f* (*od* usine *f*) hydro-électrique; ~**kreislauf** cycle *m* (naturel) de l'eau; ~**krug** cruche *f*; ~**kühler** radiateur *m* d'eau; ~**kühlung** refroidissement *m* par eau; ~**kultur** aquaculture *f*; ~**kunde** hydrologie *f*; ~**kur** traitement *m* hydrothérapique; ~**lache** flaque *f* d'eau; ~**lauf** cours *m* d'eau; ~**leitung** conduite *f* d'eau; ~**lilie** nénuphar *m*; ~**linie** ligne *f* de flottaison; ⚡**löslich** soluble dans l'eau; ~**mangel** disette *f* d'eau; ~**mann** *astr* Verseau *m*; ~**melone** pastèque *f*; ⚡**n** amérir, amerrir; ~**pfeife** narguilé *m*; ~**pflanze** plante *f* aquatique; ~**polizei** police *f* fluviale; ~**rad** roue *f* hydraulique; ~**ratte** rat *m* d'eau; ~**schaden** dégâts causés par l'eau; ~**scheide** ligne *f* de partage des eaux; ⚡**scheu** qui craint l'eau; hydrophobe; ~**schi** ski *m* nautique; ~**schlauch** outre *f*; tuyau *m* d'arrosage; ~**speicher** réservoir *m*; ~**speier** gargouille *f*; ~**spiegel** niveau *m* de l'eau; ~**sport** sports *mpl* nautiques, nautisme *m*; ~**sportler** plaisancier *m*; ~**spülung** chasse *f*

d'eau; ~**stand** niveau *m* de l'eau; ~**stelle** point m d'eau; ~**stiefel** botte *f* d'égoutier; ~**stoff** hydrogène *m*; ~**stoffbombe** bombe *f* à hydrogène, bombe H; ~**stoffsuperoxyd** eau oxygénée; ~**strahl** jet *m* d'eau; filet *m*; ~**straße** voie *f* navigable; ~**sucht** hydropsie *f*; ⚡**süchtig** hydropique; ~**suppe** lavasse *f*; ~**tier** animal *m* aquatique; ~**tropfen** goutte *f* d'eau; ~**turm** château *m* d'eau; ~**uhr** compteur *m* à eau; ~**verschmutzung** pollution *f* des eaux; ~**versorgung** alimentation en eau (potable); service des eaux; ~**vögel** oiseaux *mpl* aquatiques; ~**vorkommen** ressources *fpl* en eau; ~**waage** niveau *m*; ~**welle** mise *f* en plis; ~**werk** station *f* de distribution d'eau; ~**wirtschaft** gestion *f* de l'eau; ~**zeichen** filigrane *m*

Wässer|chen: *er sieht aus, als ob er kein* ~**chen** *trüben könnte* on lui donnerait le bon Dieu sans confesstion; ⚡**ig** aqueux; délayé; $ séreux ♦ *d. Mund* ⚡**ig machen** faire venir l'eau à la bouche; ⚡**n** mouiller, tremper; ↓ irriguer; (*Hering*) dessaler; (*verdünnen*) délayer

waten barboter, patauger; *durch e-n Fluß* ~ passer une rivière à gué

watscheln se dandiner

Watt laisse *f*; ⚡ watt *m*

Watt|e (la l')ouate, coton *m* hydrophile; ~**ebausch** tampon *m* d'ouate; ⚡**ieren** ouater

Web|art texture *f*, armure *f*, tissure *f*; ~**ekante** lisière *f*; ⚡**en** tisser; ~**en** *su* tissage *m*; ~**er** tisserand, tisseur *m*; ~**erei** tissage *m*; ~**erknecht** *zool* faucheux *m*; ~**erschiffchen** navette *f*; ~**fehler** défectuosité *f* de tissage, barrure *f*; ~**kette** chaîne *f*; ~**stuhl** métier *m* (à tisser); ~**waren** tissus *mpl*, textiles *mpl*

Wechsel changement *m*; alternance *f*; (*Umschlag*) retour *m*, revirement *m*; (*Geld*) change *m*; *com* lettre *f* de change, traite *f*; (*Monats-*)chèque *m*, mois *m*; ~**aussteller** tireur *m*; ~**bad** bain alternatif; ~**balg** enfant substitué; monstre *m*; ~**beziehung** corrélation *f*; réciprocité *f*; interdépendance *f*; interaction *f*; ~**bürgschaft** aval *m*; ~**fälle** vicissitudes *fpl*; ~**fälschung** falsification *f* d'une lettre de change; ~**feld** ⚡ champ *m* alternatif; ~**fieber** fièvre intermittente; ~**geld** petite monnaie, monnaie *f* d'appoint; ~**geschäft** opération *f* de change; bureau *m* de change; ~**getriebe** 🚗 boîte *f* de vitesse; ⚡**haft** inconstant; fluctuant; ~**jahre** retour *m* d'âge, ménopause *f*; ~**kurs** taux *m ou* cours *m* de change; ⚡**n** changer; échanger; varier; alterner; *können Sie* ⚡**n**? avez-vous de la monnaie?; ⚡**nd** changeant, variable, alternatif; ~**nehmer** bénéficiaire; ~**objektiv** objectif *m* interchangeable; ~**protest** protêt *m*; ~**recht** régime *m* des effets de commerce; ⚡**seitig** mutuel, réciproque; ~**seitigkeit** mutualité *f*, réciprocité *f*; ~**sprechanlage** interphone *m*; ~**strom** courant alternatif; ~**stromgenerator** alternateur *m*; ~**stube** bureau *m* de change; ~**teil** module *m*; ~**tierchen** amibes *fpl*; ⚡**voll** accidenté, mouvementé; ⚡**weise** tour à tour, alternativement; mutuellement; réciproquement; ~**wirkung** action *f* réciproque, interaction

Wechsler changeur
weck|en (r)éveiller; **⊥en** *su* réveil *m*, diane *f;*
⊥er réveil *m*, réveille-matin *m; sonnerie f*
Wedel époussetoir *m*, plumeau *m;* chasse-
mouches *m; (Palm-)* fronde *f; (Schwanz)* queue
f; **⊥n** agiter; éventer; *mit d. Schwanz* **⊥n** remuer
(od frétiller de) la queue
weder... noch ni... ni
Weg chemin *m*, sentier *m*, sente *f;* piste *f*, route
f, passage *m; bes fig* voie *f; (Strecke)* trajet *m*,
parcours *m*, distance *f; (Route)* itinéraire *m;*
(Maschinenteil) course *f; (Art u. Weise)* manière
f, moyen *m;* méthode *f; am ~e* sur le *(od* au
bord du) chemin; *auf d. ~e* chemin faisant; *auf*
d. ~e zu en voie *(od* en train) de; *auf halbem ~e*
à mi-chemin; *auf gerichtl. ~e* par voie
judiciaire; *auf gütl. ~e* à l'amiable; *e-n ~*
einschlagen prendre un chemin; *aus d. ~ gehen*
faire place à; *fig* éviter, esquiver qn; *d. geraden*
~ gehen suivre le droit chemin; *s-r ~e gehen*
s'en aller; *geraden ~es z. Ziel kommen* n'y pas
aller par quatre chemins; *nichts in d. ~ legen* ne
rien opposer, laisser les mains libres (à qn); *etw.*
in d. ~e leiten préparer les voies à qch; *s-n ~*
machen (fig) faire son chemin; *s. auf d. ~*
machen se mettre en route; *im ~e sein*
embarrasser, gêner; *auf d. besten ~e sein* zu être
sur le point de; *auf d. falschen ~e sein* faire
fausse route; *auf d. richtigen ~e sein* être en
bonne voie; **⊥bereiter** précurseur; pionnier;
~ebau construction *f* des routes; **~egabelung**
bifurcation *f;* **~egeld** péage *m;* **~ekarte** carte
routière; **~elagerer** brigand de grands chemins;
~enetz réseau *m* routier; **~länge** parcours *m;*
⊥sam praticable; **~schreiber** traceur *m* de
route; **~strecke** trajet *m*, parcours *m;* distance *f*,
traite *f; schlechte ~strecke* route *f* en mauvais
état; **~weiser** poteau indicateur; signal *m* de
direction; **~zehrung** viatique *m*
weg absent, parti; perdu; *~ da!* filez!; *Hände*
~! n'y touchez pas!; *ganz ~ sein (umg)* n'en pas
revenir; **~begeben** *refl* partir, s'en aller;
~bleiben ne pas venir; **~bringen** emporter;
emmener, reconduire; **~drängen** écarter; **~eilen**
partir à la hâte; **~fahren** partir (en voyage);
⊥fall suppression *f*, abolition *f;* **~fallen** *vi fig*
tomber; cesser; être supprimé; *~fallen lassen*
(fig) laisser tomber, supprimer; **~fegen** *a. fig*
balayer; **~fliegen** s'envoler; **~fließen** s'écouler;
~führen emmener; **⊥gang** départ *m;* **~geben**
donner; se démunir de; **~gehen** partir, s'en
aller, sortir; **~gießen** verser, jeter; **~haben:** *etw.*
~haben être calé *(od* se connaître) dans qch;
~hängen pendre ailleurs; *(Kleider)* ranger;
~holen enlever, venir *(od* aller) chercher; *sich*
e-n Schnupfen ~holen attraper un rhume;
~jagen chasser; **~kommen** s'en aller; s'égarer;
gut (schlecht) ~kommen être bien (mal) loti *(bei*
dans); **~können** pouvoir partir; **~kriegen**
(entfernen) enlever, détacher; *(davontragen)*
attraper; **~lassen** laisser partir; éliminer,
supprimer, omettre; **~laufen** s'enfuir; se sauver; **~legen** déposer, mettre à côté; ranger;
~machen ôter, enlever; **~müssen:** *ich muß ~* il

faut que je parte; **⊥nahme** enlèvement *m*, prise
f; **~nehmen** enlever, prendre, saisir, ôter;
capturer; *(einziehen)* confisquer; 🚗 *(Gas)*
couper; **~packen** ranger; **~radieren** effacer,
gommer; **~räumen** ranger; déblayer; **~reißen**
arracher, ôter; **~rennen** s'enfuir, filer, détaler
(umg); **~rücken** *vt* écarter, déplacer; *vt/i*
reculer; **~rutschen** se déporter; **~schaffen**
transporter, éloigner; évacuer; emporter; déblayer; **~schenken** donner; **~schicken** envoyer,
expédier; *(entlassen)* renvoyer; **~schieben** éloigner, écarter; **~schleichen** s'en aller à pas de
loup, partir à la dérobée; **~schleppen** entraîner;
~schließen mettre sous clef; **~schmeißen** jeter,
se débarrasser de qch; *umg* bazarder; **~schnap-
pen** happer; *fig* souffler *(j-m etw.* qch à qn);
accaparer; *umg* chiper; **~schneiden** retrancher,
couper; **~schütten** verser, jeter; **~schwimmen**
être emporté par le courant; **~sehen** détourner
les yeux; **~setzen** déposer; déplacer; **~spülen**
emmener, emporter; **~stellen** mettre à côté,
ranger; éloigner; **~stoßen** repousser; **~tragen**
emporter, enlever; **~treten** s'éloigner; *(getreten)*
rompez!; **~tun** ranger; mettre à côté; enlever,
ôter; écarter; **~werfen** jeter; *refl fig* s'avilir, se
prostituer; **~werfend** méprisant, dédaigneux;
⊥werfpackung emballage *m* perdu; **~wischen**
essuyer; effacer; **~ziehen** *vt* (re)tirer; enlever;
vi déménager, changer de domicile
wegen à cause de, pour, en raison de, en
considération de
Wegerich plantain *m*
weh 1. *adj* douloureux; *adv* mal; *~ tun* faire
mal; *fig* faire de la peine; *d. Kopf tut mir ~* j'ai
mal à la tête; **2.** *interj* hélas!; *oh ~!* oh mon
Dieu!; *~e dir!* gare à toi!; *~e den Besiegten!*
malheur aux vaincus!; **⊥** *su* mal *m*, douleur *f;*
malheur *m*
Wehe congère *f*, amas *m* (de neige); **⊥n**
souffler; *(Fahne)* flotter
Weh|en $ travail *m*, douleurs *fpl;* **~geschrei**
lamentations *fpl;* **⊥klagen** se lamenter, se
plaindre; **⊥leidig** douillet, dolent; **~mut** mélancolie *f*, nostalgie *f;* **~mütig** mélancolique,
nostalgique
Wehr[1] *n* barrage *m*, digue *f;* déversoir *m*
Wehr[2] *f* armes *fpl;* rempart *m*, parapet *m;*
défense *f*, résistance *f;* troupe *f; s. z. ~ setzen* se
défendre; **~anwalt** procureur *m* militaire;
~bereich région *m (ou* circonscription *f)*
militaire; **~bezirk** subdivision *f* militaire;
~dienst service *m* national *(ou* militaire);
~dienstfähig apte au service militaire; **~dienst-
gericht** tribunal militaire; **~dienstpflicht** obligation *f* du service actif; **~dienstverweigerer**
objecteur de conscience; **~dienstverweigerung**
refus *m* du service militaire; objection *f* de
conscience; **⊥en** empêcher *(j-m etw.* qn de faire
qch); s'opposer, mettre obstacle *(e-r Sache* à
qch); *refl* se défendre *(gegen* contre); résister
(à); *s. s-r Haut* **⊥en** défendre sa peau;
~ersatzamt bureau *m* de recrutement; **⊥fähig**
apte au service actif; **⊥haft** en état de se
défendre; **~kraft** force *f* militaire; **~kreis**

circonscription f militaire; **~los** sans défense; sans armes; **~losigkeit** impuissance f à se défendre; faiblesse f; **~macht** forces armées; **~paß** livret m militaire; **~pflicht** service m militaire obligatoire; obligations fpl militaires; **~pflichtig** astreint au service militaire; **~pflichtiger** appelé m, soldat m du contingent; **~sold** prêt m; **~straftat** infraction f militaire; **~übung** période f d'exercice (ou de rappel); **~wesen** organisation f (ou système m) militaire

Weib femme; **~chen** zool femelle; **~erfeind** misogyne; **~erhaß** misogynie f; **~erheld** homme à femmes; **~erklatsch** commérages mpl; **~isch** efféminé; **~lich** féminin; biol femelle; **~lichkeit** féminité f; nature féminine; **~sbild** pop typesse, garce

weich mou; moelleux, douillet; (zart) doux, tendre; (nachgiebig) souple, pliant; fig faible, sensible; (Ei) à la coque; ~ machen (r)amollir; fig amadouer; ~ werden mollir, se ramollir; **~bild** banlieue f; **~e** mollesse f; anat flanc m; (Eisenbahn) aiguille f; EDV aiguillage m, branche f; **~e** 1. vt amollir, tremper; vi devenir mou, s'amollir; 2. vi céder, fléchir, reculer, lâcher pied; **~enhebel** commande f d'aiguille; **~ensignal** signal m de branchement; **~ensteller** aiguilleur; **~enzunge** lame f d'aiguille; **~heit** (Material) mollesse f; (Leder) souplesse f; (Fleisch) tendreté f; **~herzig** (au cœur) tendre, sensible; **~lich** mou, mollasse, flasque; douillet; efféminé; **~lichkeit** mollesse f; **~ling** douillet, efféminé; **~macher** (Wasser) attendrisseur m; (Pulver) plastifiant m; **~teile** parties molles; **~tier** mollusque m

Weide pâturage m, pâture f, herbage m; bot saule m, osier m; **~land** pâturage m; **~n** brouter, paître, pâturer; refl se repaître (an de); **~ngebüsch** saulaie f, oseraie f; **~ngeflecht** claie f; **~nkätzchen** chaton m de saule; **~nkorb** panier en osier; **~nröschen** épilobe m; **~nrute** verge f d'osier; **~platz** pâturage m, herbage m

weid|lich bien, beaucoup; pleinement, amplement; **~mann** chasseur; **~männisch** de (od en) chasseur; **~messer** couteau m de chasse; **~werk** vénerie f

weiger|n refl refuser de, se refuser à; **~ung** refus m

Weihe orn milan m

Weih|altar autel m; **~bischof** coadjuteur; **~e** consécration f; (Bischof) sacre m; (Priester) ordination f; **~en** (Bischof) sacrer; (Priester) ordonner; (Hostie) consacrer; (Brot) bénir; (widmen) vouer, dédier; **~egabe** offrande f; **~evoll** solennel

Weiher étang m

Weihnacht|(en) Noël m; Fröhliche ~en! joyeux Noël!; **~sabend** veille f de Noël; **~sbaum** arbre de Noël; **~sfest** fête f de Noël, la Noël; **~sgeld** prime f de fin d'année, gratification f de noël; **~sgeschenk** cadeau m de Noël; **~slied** noël m, cantique m de Noël; **~smann** Père Noël; **~szeit** temps m de Noël

Weihrauch encens m; **~faß** encensoir m

Weihwasser eau bénite; **~kessel** bénitier m

weil parce que, puisque, comme; **~and** jadis, autrefois; (verstorben) feu; **~chen** petit moment; **~e** temps m, moment m; (Muße) loisir m; e-e gute **~e** un grand moment; damit hat es gute **~e** rien ne presse ♦ eile mit **~e**! hâte-toi lentement!; **~en** demeurer, séjourner

Weiler hameau m

Wein vin m; bot vigne f; wilder ~ vigne f vierge; ~ von d. besten Sorte du vin de derrière les fagots ♦ j-m reinen ~ einschenken parler sans fard à qn; **~alkohol** alcool m de vin; **~bau** viticulture f; **~bauer** viticulteur m, vigneron m; **~baugebiet** région f viticole; **~beere** grain m de raisin; pl raisins secs; **~berg** vignoble m; **~bergschnecke** escargot m; **~brand** eau-de-vie f de vin; **~ernte** vendange f; **~essig** vinaigre m (de vin); **~faß** fût m, tonneau m; **~flasche** bouteille f à vin; **~geist** esprit-de-vin m; **~glas** verre m à vin; **~handel** négoce m de vins; **~händler** négociant en vins; **~karte** carte f des vins; **~keller** cave f; **~laub** feuilles fpl de vigne; **~laube** treille f; **~lese** vendange f, vinée f; **~leser** vendangeur; **~monat** mois m des vendanges; **~panscherei** frelatage m du vin; **~probe** dégustation f de vins; **~ranke** pampre m, sarment m; **~rebe** vigne f; **~reich** vineux; **~rot** rouge vineux; **~säure** acide m tartrique; **~sorte** cru m; **~stein** tartre m; **~stock** vigne f, cep m; **~traube** (grappe f de) raisin m

wein|en pleurer (vor de; um j-n qn); **~erlich** pleurard, pleurnicheur, larmoyant; **~krampf** crise f de larmes

Weise manière f, façon f, sorte f; voie f, méthode f; ♪ air m, mélodie f; auf diese ~ de cette manière (od façon); auf d. e-e oder andere ~ d'une manière ou d'une autre; auf jede geeignete ~ par tous les moyens appropriés; auf keine ~ d'aucune façon; in d. ~, daß de sorte que (+ subj)

weis|e sage; avisé; prudent; **~e** sage m; d. **~en** aus d. Morgenland les Rois mages; **~en** montrer, faire voir, indiquer, désigner, marquer, signaler; von s. **~en** repousser, rejeter; **~heit** sagesse f; prudence f; (Wissen) connaissances fpl, savoir m; mit s-r **~heit** am Ende sein être au bout de son latin; **~heitszahn** dent f de sagesse; **~lich** sagement, prudemment; **~machen**: j-m etw. **~machen** en faire accroire à qn; **~sagen** prophétiser, prédire, présager; **~sager** prophète; **~sagung** prophétie f, prédiction f, présage m; **~ung** ordre m, instruction f, directive f; auf **~ung** von à la demande de; **~ungsgebunden** lié par un mandat impératif; **~ungsgemäß** conformément aux instructions

weiß blanc; fig propre; **~er** Sonntag la Quasimodo; **~bier** bière blanche; **~blech** fer-blanc m; **~brot** pain blanc; **~buch** pol livre m blanc; **~buche** charme m; **~dorn** aubépine f; **~e** m blanc; pl race blanche; **~e** f blancheur f; **~en** blanchir; (tünchen) badigeonner; **~fisch** ablette f; **~gekleidet** vêtu de blanc; **~gelb** jaune pâle; **~gerber** mégissier m; **~gerberei** mégisserie f; **~glühend** incandescent; **~glut** incandescence f; z. **~glut** bringen (fig) exaspérer, jeter hors de ses gonds; **⌐grad** degré m de blancheur; **~haarig** aux cheveux blancs, chenu; **⌐kohl** chou blanc; **~lich** blanchâtre; **⌐licht** lumière f blanche (ou visible); **⌐näherin** lingère; **⌐tanne** sapin m; **⌐waren, ⌐warenhandel** lingerie f; umg ‹le blanc›; **⌐wein** vin blanc; **⌐zeug** linge m

welt adj (fern) loin lointain, éloigné; (geräumig) ample, large, spacieux; (ausgedehnt) immense, vaste, étendu; (lang) long; adv (de) beaucoup, bien, largement, amplement; **~** gefehlt! bien loin de là!; **~** und breit partout, tout à l'entour; **~** offen grand ouvert; auf e-n km **~** à un km de distance; nicht **~** von hier (tout) près d'ici; bei **~** em de loin, de beaucoup; von **~** em de loin, à distance; es **~** bringen aller loin; zu **~** gehen (a. fig) aller trop loin; d. geht zu **~**! c'en est trop!, c'est trop fort!; wie **~** bist du? où en es-tu?; wenn alles so **~** ist quand tout sera préparé; es ist nicht **~** her damit cela ne vaut pas cher, ce n'est pas mirobolant; das **⌐e** suchen prendre le large; **~ab** très loin, au loin, à une grande distance; **~aus** (de) beaucoup; **⌐blick** prévoyance f; **⌐e** (Entfernung) distance f; (Geräumigkeit) ampleur f, largeur f, espace m, capacité f; (Ausdehnung) amplitude f, étendue; (Länge) longueur f; (Durchmesser) calibre m, pointure f; fig envergure f, portée f; lichte **⌐e** (Brücke) dégagement m, distance f libre; **~en** vt élargir, dilater; refl s'élargir

weiter adj plus loin (od éloigné); plus large (od étendu); plus long; fig additionnel, ultérieur; adv plus loin, plus largement; (außerdem) en outre, de plus; **~**! avancez!; continuez!; was **~**? et puis?, et après?; nichts **~** rien de plus, c'est tout; bis auf **~es** pour le moment, en attendant, jusqu'à nouvel ordre; des **~en** en outre, de plus; ohne **~es** sans hésitation, directement; **~** oben ci-dessus; **~** unten ci-dessous; **~befördern** réexpédier; **~bestehen** subsister; **⌐bildung** postformation f, perfectionnement m; (beruflich) recyclage m, formation continue (ou permanente), complément m de formation professionnelle; **~bringen** aider; **⌐e** suite f; reste m; **~entwickeln** perfectionner; **⌐entwicklung** étude f dérivée; **⌐führen** continuer; **~führend** complémentaire; **⌐gabe** transmission f; (Kernwaffen) prolifération f; **~geben** transmettre; faire passer; réexpédier; **~gehen** avancer, ne pas s'arrêter; continuer; **~hin** à l'avenir; (außerdem) en outre, de plus; **~kommen** avancer, progresser, faire des progrès; **~leiten** transmettre; acheminer; **~leitung** transmission f; acheminement m; **~lesen** continuer la lecture; **⌐reise** continuation f du voyage; **~sagen** redire; faire passer; **⌐ungen** conséquences (od suites) fâcheuses; **~verarbeiten** traiter ultérieurement; **⌐verarbeitung** usinage (od traitement) complémentaire, finissage m; transformation f; **⌐verpflichtung** mil rengagement m

weit|gehend large, vaste, grand, ample; adv dans une large mesure; **~her** de loin; **~herzig** généreux; **~hin** au loin; **~hin** sichtbar visible de loin; **~läufig** vaste, étendu, spacieux; (Verwandte) éloigné; détaillé; compliqué; adv en détail; **⌐läufigkeit** longueur f, étendue f; verbosité f; **~maschig** à larges mailles; **~räumig** sur de grandes profondeurs; **~reichend** de grande portée; **~schweifig** prolixe, filandreux; verbeux, diffus; **⌐schweifigkeit** prolixité f, verbosité f; **~sichtig** presbyte; fig prévoyant; **⌐sichtigkeit** hypermétropie f; fig prévoyance f; **⌐sprung** saut m en longueur; **~verbreitet** (très) répandu; **⌐winkel(objektiv)** (objectif m) grand-angulaire f

Weizen blé m; froment m; **~brot** pain m de froment (od blanc); **~feld** champ m de blé; **~kleie** son m de froment; **~mehl** farine f de blé (od de froment)

welch quel, quelle; **~er, ~e, ~es** (Interrogativpron.) quel, quelle; lequel, laquelle; (Relativpron.) qui; lequel, laquelle; (einige) quelquesuns, quelques-unes; (etwas von) en

welk fané, flétri; **~en** se faner; se flétrir; **⌐en** su fanaison f, flétrissement m

Well|blech tôle ondulée; **~e** (a. phys) onde f; vague f, flot m, lame f; (Haar) ondulation f; ⌐ soleil m; ⌐ arbre m; ⌐ épidémie f; **~en** onduler; refl goder; **~enausbreitung** propagation f ondulatoire; **~enbereich** gamme f d'ondes (od de fréquence); **~enberg** crête f d'onde; **~enbewegung** mouvement m ondulatoire; ondulation f, ondoiement m; **~enbrecher** estacade f; brise-lames m; **~enförmig** ondulatoire; **~enlänge** longueur f d'onde; **~enlinie** ligne ondulée; méandre m; **~enmesser** ondemètre m; **~enschlag** ressac m; **~ensittich** perruche ondulée; **~ental** creux m (od vallée f) d'onde, entre-deux m (des lames); **~entheorie** phys théorie f des ondulations; **~enzug** train m d'ondes; **⌐ig** onduleux, ondulé; (Gelände) accidenté, mouvementé; **⌐igkeit** ondulation f; **~pappe** carton ondulé

Welpe (Hund) chiot m; (Wolf) louveteau m; (Fuchs) renardeau m

Wels zool silure m

welsch velche; étranger

Welt monde m; univers m; terre f; alle **~** tout le monde; d. andere **~** l'au-delà m; die dritte **~** le Tiers Monde; die vierte **~** le Quart Monde; auf d. **~** sur (la) terre; d. ganze **~** le monde entier; d. Lauf d. **~** le cours du monde; um nichts in d. **~** pour rien au monde; z. **~** bringen, in d. **~** setzen mettre au monde; z. **~** kommen voir le jour, venir au monde; aus d. **~** schaffen (Gegenstand) se débarrasser de; (Streit) vider; **~all** univers m, cosmos m; **~anschauung** philosophie, conception f du monde; **~ausstellung** exposition universelle; **~ball** globe m terrestre; **~berühmt** illustre, célèbre dans le monde entier; **~bürger** cosmopolite; **~energiekonferenz** conférence f mondiale de l'énergie; **~erfahrung** expérience f du monde; **~fremd** étranger au monde; naïf; inexpérimenté; **~frieden** paix f internationale; **~geschichte** histoire universelle; **~gesundheitsorganisation** organisation f mondiale de la santé; **~gewandt** expérimenté, adroit; **~handel** commerce international (od mondial); **~herrschaft** hégémonie f

mondiale, impérialisme *m;* **~karte** mappemonde *f;* **~kenntnis** connaissance *f* du monde; **~körper** corps *m* céleste; **~krieg** guerre mondiale; **~kugel** globe *m;* **~lage** situation internationale; **⌐lich** mondain; *(Macht)* temporel; *(nicht geistl.)* séculier; *(nicht kirchl.)* profane, laïque; **~literatur** littérature mondiale; **~macht** puissance mondiale; **~mann** homme du monde; **~markt** marché international *(od* mondial); **~maßstab:** *im ~maßstab* à l'échelle planétaire; **~meer** océan *m;* **~meister** champion du monde; **~meisterschaft** championnat *m* du monde; **~politik** politique mondiale; **~raum** espace *m,* univers *m;* **~raumfähre** navette *f* spatiale; **~raumfahrt** astronautique *f;* **~raumfahrzeug** engin *m* spatial; **~raumflug** vol *m* spatial; **~raumschiff** astronef *m;* **~raumstation** plate-forme *f* orbitale; **~reich** empire universel; **~reise:** *e-e ~reise machen* faire le tour du monde; **~rekord** record mondial; **~ruf** renommée *(od* réputation) mondiale; **~schmerz** mal *m* du siècle; **~sprache** langue universelle; **~stadt** ville *f* cosmopolite; **~teil** continent *m;* **⌐umspannend** universel; **~untergang** fin *f* du monde; **~verbesserer** redresseur de torts; **⌐weit** universel; planétaire, à l'échelon mondial; **~wirtschaft** économie mondiale; **~wirtschaftsordnung** ordre économique international; **~zeit** temps *m* universel
Weltergewicht poids mi-moyen
wem à qui
wen qui; lequel
Wend|e changement *m,* revirement *m; tour m;* retour *m; e-e entscheidende ~e bringen* marquer un tournant décisif; **~ehals** *orn* torcol *m;* **~ekreis** tropique *m;* 🚗 rayon *m* de braquage; **~eltreppe** escalier tournant *(od* en colimaçon); **~emantel** manteau *m* réversible; **⌐en** tourner, retourner; virer; *(Heu)* faner; *(verwenden)* employer *(an* à); 🚢 virer de bord; *(auf der Stelle)* pivoter; *refl* s'adresser *(an* à); se diriger *(nach* vers); *bitte ⌐en!* tournez, s'il vous plaît! ♦ *d. Blatt hat s. gewendet* la chance a tourné; **~epunkt** *math* point *m* d'inflexion; *fig* tournant *m;* **⌐ig** agile, leste, souple; 🚗 manœuvrable; *fig* éveillé, délié; **~igkeit** agilité *f,* souplesse *f;* 🚗 maniabilité *f,* manœuvrabilité *f;* **~ung** tour *m,* tournant *m;* virage *m; mil* conversion *f; fig* changement *m,* revirement *m; tour m; a. ling* tournure *f*
wenig ne … guère; *ein ~* un peu, quelque peu; *e. klein ~* un petit peu, tant soit peu; *sein ~es Geld* le peu d'argent qu'il a; *mit ~en Worten* en peu de mots; **~er** moins; *immer ~er* de moins en moins; *um so ~er* d'autant moins; *nichts ~er als* rien moins que; **⌐keit** peu *m;* petite quantité; bagatelle *f; m-e ⌐keit* ma modeste personne; **~st** le moins, le minimum; *d. ~sten* un très petit nombre; **~stens** au moins, du moins, pour le moins, tout au moins
wenn *(zeitl.)* quand, lorsque; *(kausal)* si; *~ auch* même si; bien que, quoique (+ *subj);* *~ nicht,* außer à moins que (ne) (+ *subj); ~ nur* si seulement; pourvu que (+ *subj); selbst ~* même si; *~ überhaupt* si tant est que; *~ man ihn hört*

à l'entendre; *~ er auch noch so reich ist* toute riche qu'il est, si riche qu'il soit; *nach langem ~ u. Aber* après beaucoup de tergiversations; *na ~ schon!* tant pis!; **~gleich,** **~schon** bien que, quoique, encore que, malgré que (+ *subj)*
wer qui, lequel; *(jemand)* quelqu'un; *~ auch immer* quiconque; *~ es auch sei* qui que ce soit; *~ da?* qui vive?
Werbe|abteilung service *m* de publicité; **~agentur** agence *f* publicitaire; **~aktion** opération *f* publicitaire; **~aufwand** dépenses *fpl* publicitaires; *mit großem ~aufwand* à grand renfort de publicité; **~beilage** *journ* encartage *m;* **~berater** publicitaire *m;* **~büro** agence *f* de publicité; **~fachmann** expert en publicité, publicitaire; **~feldzug** campagne *f* publicitaire; **~funk** publicité *f* radio-diffusée; émission *f* publicitaire; **~geschenk** cadeau *m* publicitaire; **~material** matériel *m* publicitaire; **⌐n** *vt* recruter, enrôler; racoler, embrigader; *vi* faire de la publicité; rechercher, briguer *(um etw.* qch); faire la cour *(um j-n* à qn); demander (qn) en mariage; **~r** recruteur; **~muster** échantillon *m* publicitaire; **~rummel** tam-tam *m;* **~schlagwort** slogan *m;* **~schrift** prospectus *m;* **~trommel:** *d. ~trommel rühren* faire une publicité tapageuse; **⌐wirksam** à grand impact publicitaire
Werbung *mil* recrutement *m,* levée *f* de troupes; publicité *f,* propagande *f;* **~skosten** frais *mpl* professionnels; **~sträger** support *m* de la publicité
Werde|gang formation *f;* antécédents *mpl;* historique *m;* genèse *f;* **⌐n** 1. *(Zukunft)* aller; *(Passiv)* être; 2. devenir; *(Beruf)* se faire; *(sich entwickeln)* venir, se développer; *(sich entwickeln)* venir, se développer; **⌐en zu** tourner en, se changer en, passer en; *anders ⌐n* changer; *groß ⌐n* grandir; *krank ⌐n* tomber malade; *es wird spät* il se fait tard; *wird's bald?* ça vient?; **~n** *su* croissance *f;* développement *m,* évolution *f;* origine *f; d. Sache ist im ~n* l'affaire est en train; **⌐nd** naissant; **⌐nde Mutter** future mère
werfen jeter; *(schleudern)* lancer, darder; *(Schatten)* projeter; *(Falten)* faire; *(Feind)* mettre en déroute; *refl* se jeter, s'élancer *(auf* sur); *(Holz)* travailler, gauchir; *Junge ~* mettre bas, faire des petits; *s. in s-e Kleider ~* enfiler ses vêtements
Werft chantier naval; chantier *m* de construction navale
Werg étoupe *f,* filasse *f*
Werk œuvre *f; a.* 📖 ouvrage *m;* travail *m,* besogne *f; (Betrieb)* établissement *m,* usine *f,* entreprise *f,* ateliers *mpl; (Mechanismus)* mécanisme *m,* mouvement *m,* rouage *m; gutes ~* bonne action; *ans ~ gehen* se mettre à l'œuvre; *ins ~ setzen* mettre en œuvre; **~bank** établi *m;* **~druck** 📖 labeur *f;* **~halle** atelier *m;* **~leute** ouvriers *mpl,* main-d'œuvre *f;* **~meister** contremaître; chef *m* de travaux; **~sarzt** médecin *m* d'entreprise; **~snorm** norme *f* de fabrication; **~spionage** espionnage industriel; **~statt** atelier *m;* **~stoff** matériau *m;* matériel *m;* **~stoffprüfung** contrôle *m* des matériaux; *(ou des*

matières); **~stück** pièce usinée; ouvrage *m;* **~student** étudiant qui gagne sa vie; **~tag** jour *m* ouvrable; **~tags** en semaine; **≠tätig** qui travaille; **≠***tätige Bevölkerung* population active; **~vertrag** contrat *m* d'entreprise; **~zeug** outil *m;* outillage *m; (Kunststoffe)* moule *m; a. fig* instrument *m, fig* organe *m;* **~zeugkasten** boîte *f* à outils; **~zeugliste** nomenclature *f* d'outillage; **~zeugmaschine** machine-outil *f;* **~zeugtasche** trousse *f*

Wermut *bot* absinthe *f; (Wein)* vermouth *m;* **~stropfen** une goutte d'amertume

wert de la valeur de; *(in d. Anrede)* cher; *Ihr ~es Schreiben* votre honorée; ~ sein valoir; *d. ist nicht d. Mühe* ~ cela ne vaut pas la peine; *er ist es* ~ il le mérite; **≠** *su valeur f;* prix *m;* donnée *f;* mérite *m; im* **≠** *von* de la valeur de; **≠** *legen auf* tenir à; *großen* **≠** *legen auf* attacher beaucoup de valeur (*od* d'importance) à, faire grand cas de; **≠angabe** déclaration *f* de valeur; valeur *f* déclarée; **≠bereich** fourchette *f;* **~beständig** à valeur fixe; **≠brief** lettre chargée; **~en** estimer; **茶** pointer; **~frei** exempt de tout jugement de valeur; **≠gegenstand** objet *m* de valeur; **≠igkeit** *chem* valence *f;* **~los** sans valeur; **≠losigkeit** futilité *f;* **≠messer** critère *m;* **≠minderung** dépréciation *f,* moins-value *f;* **≠ordnung** échelle *f* des valeurs; **≠paket** colis *m* en valeur déclarée; **≠papier** titre *m,* valeur *f* mobilière; **≠sachen** objets *mpl* de valeur; **~schätzen** estimer, priser; faire grand cas de; **≠schätzung** estime *m;* **≠schöpfung** valeur *f* ajoutée; **≠sicherungsklausel** clause *f* d'indexation (sur le coût de la vie); **≠ung** *f* pointage *m;* **≠urteil** jugement *m* (d'appréciation); **~voll** précieux, de valeur; **~vorstellungen** idéaux *mpl;* **≠zeichen** timbre-poste *m;* **~zoll** droit *m* (de douane) ad valorem; **≠zuwachs** plus-value *f*

Werwolf loup-garou *m*

wes **~sen;** **~halb, ~wegen** pourquoi, pour quelle raison; **~sen** de qui, à qui; de quoi

Wesen être *m; (Art)* nature *f; (Kern)* essence *f,* propre *m;* substance *f; (Verhalten)* manières *fpl,* façons *fpl; (in Zssg.:)* organisation *f,* système *m,* régime *m; (Bankw.* organisation des banques; *Kreditw.* système des crédits; *Gesundheitsw.* régime sanitaire); *seinem* ~ *nach* de par sa nature; *sein* ~ *treiben* faire des siennes; hanter (un endroit); *viel ~s um etw. machen* faire grand bruit de qch; **≠haft** réel, substantiel, essentiel; **~heit** entité *f;* **≠los** sans réalité, irréel, incorporel; **~sart** manière *f* d'être; **≠gleich** identique, congénère; **~szug** trait *m* caractéristique; **≠tlich** essentiel, substantiel; réel; intégrant, intrinsèque; *im* **≠***lichen* en substance, dans le fond

Wesp|e guêpe *f;* **~ennest** guêpier *m; in e. ~ennest stechen* se fourrer dans un guêpier

West|(en) ouest *m,* occident *m;* **≠deutsch** ouest-allemand; **≠deutschland** Allemagne de l'ouest, République fédérale d'Allemagne; **≠lich** d'ouest, occidental; *adv* à l'ouest de; **~mächte** puissances occidentales, occidentaux *mpl;* **≠wärts** vers l'ouest; **~wind** vent *m* d'ouest

Weste gilet *m* ♦ *e-e weiße* ~ *haben* avoir une réputation immaculée; **~ntasche** gousset *m* ♦ *etw. wie s-e ~tasche kennen* connaître qch par cœur

wett quitte; **≠bewerb** concurrence *f,* concours *m,* compétition *f;* **≠bewerbsbedingungen** conditions *fpl* de concurrence; **~bewerbsfähigkeit** compétitivité *f,* capacité *f* concurrentielle; **~bewerbsverzerrung** distorsion *f* de la concurrence; **≠büro** bureau *m* du pari mutuel; **≠e** pari *m;* gageure *f; um d.* **≠***e* à qui mieux mieux, à l'envi; *e-e* **≠***e eingehen* faire un pari; **≠eifer** émulation *f;* **~eifern** concourir (*um* pour); rivaliser (*mit j-m in etw.* de qch avec qn); **~en** parier, gager; *ich* **~***e, daß du es nicht tust* je te mets au défi de faire cela; **≠er[1]** parieur; **≠kampf** combat *m,* lutte *f;* concours *m,* championnat *m;* compétition *f;* épreuve *f;* **≠kämpfer** concurrent, compétiteur; **≠lauf** course *f (de vitesse);* **≠läufer** coureur; **~machen** compenser; rattraper; **≠rennen** course *f;* **≠rüsten** course *f* aux armements; **≠spiel** 茶 match *m;* **≠streit** compétition *f;* rivalité *f*

Wetter[2] *n* temps *m; (Un-)* orage *m; es ist schönes (schlechtes)* ~ il fait beau (mauvais); *schlagende* ~ grisou *m; alle* ~! mille tonnerres!; **~bedingungen** conditions *fpl* atmosphériques; **~beobachtung** observation *f* météorologique; **~bericht** bulletin *m* météorologique; **~dienst** service *m* météorologique; météo *f* (od météorologique); **~fahne** girouette *f;* **≠fest** résistant aux intempéries; **≠gebräunt** hâlé; **~glas** baromètre *m;* **~karte** carte *f* météorologique; **~kunde** météorologie *f;* **~lage** situation *f* météorologique, conditions *fpl* atmosphériques; **~leuchten** éclairs *mpl* de chaleur, fulguration *f;* **~meldung** bulletin *m* météo(rologique); **~n** faire de l'orage; *fig* tempêter, fulminer; **~satellit** satellite *m* météorologique; **~seite** côté *m* d'où vient la pluie; **~sturz** abaissement soudain de la température; **~umschlag** changement *m* du temps; **~verhältnisse** conditions *fpl* atmosphériques; **~vorhersage** prévision *f* météorologique; **~warte** station *f (od* observatoire *m)* météorologique; **~wendisch** inconstant, versatile, capricieux; **~wolke** nuée *f* (d'orage)

wetz|en aiguiser, affiler, affûter; *umg* filer; **≠stahl** affiloir *m,* fusil *m;* **≠stein** pierre *f* à affûter

Wichs: *in vollem* ~ en grande tenue; **~bürste** brosse *f* à cirer; **~e** cirage *m; (Prügel)* volée *f;* **≠en** cirer, astiquer

Wicht créature *f; armer* ~ pauvre diable; *kleiner* ~ bout d'homme; **≠e** *phys* densité *f*

wichtig important; considérable, intéressant; d'importance; *s.* ~ *machen* faire l'important; **≠keit** importance *f;* conséquence *f; von* **≠***keit sein* importer; **≠tuer** poseur; **≠tuerei** forfanterie *f,* fanfaronnade *f*

Wicke *bot* vesce *f*

Wickel *(Haare)* papillote *f,* bigoudi *m;* **§** enveloppement *m; j-n beim* ~ *kriegen* saisir qn au collet; **~gamasche** (bande) molletière *f;* **~kind** poupon *m,* bébé *m;* **≠n** tortiller,

enrouler; *(Haar)* papilloter; *(Knäuel)* peloter, pelotonner; *(Spule)* embobiner; *(Kind)* emmailloter; ⚡ envelopper
Wicklung ⚡ enroulement *m;* bobinage *m*
Widder bélier *m*
wider contre; malgré, contraire à, opposé à; *d. Für u.* ⚓ le pour et le contre; **~borstig** récalcitrant; **~fahren** arriver; *~fahren lassen* rendre; **⚓haken** crochet *m;* **⚓hall** résonance *f,* écho *m,* retentissement *m; phys* réverbération *f* du son; **~hallen** résonner, retentir; **⚓lager** culée *f,* contrefort *m,* butée *f;* **~legbar** réfutable; **~legen** réfuter, contredire, démentir; **⚓legung** réfutation *f;* **~lich** dégoûtant, répugnant, écœurant, nauséabond, ignoble; **~natürlich** contre nature, monstrueux; **⚓part** adversaire; opposition *f;* **~raten** dissuader *(j-m etw.* qn de qch); **~rechtlich** contraire à la loi, illégal; **⚓rechtlichkeit** illégalité *f;* **⚓rede** contradiction *f,* objection *f;* **⚓rist** garrot *m;* **⚓ruf** révocation *f,* rétractation *f,* démenti *m,* désaveu *m; bis auf* **⚓ruf** jusqu'à nouvel ordre; **~rufbar** révocable, rétractable; **~rufen** révoquer, désavouer, annuler; se rétracter, se dédire *(etw.* de qch); *seine Entscheidung ~rufen* revenir sur sa décision; **~ruflich** révocable; **⚓sacher** adversaire, antagoniste, ennemi; **~schein** reflet *m,* réflexion *f,* réverbération *f;* **~setzen** *refl* s'opposer à; **~setzlich** réfractaire, insubordonné, rebelle; **⚓setzlichkeit** insubordination *f;* **⚓sinn** contresens *m;* **~sinnig** paradoxal, absurde; **⚓sinnigkeit** paradoxe *m,* absurdité *f,* non-sens *m;* **~spenstig** rétif, récalcitrant, réfractaire, rebelle; **⚓spenstigkeit** récalcitrance *f,* indocilité *f;* **~spiegeln** *a. fig* refléter; *refl* se refléter; **~sprechen** contredire (qn, qch); contrarier, démentir (qn); **~sprechend** contradictoire; **⚓spruch** contradiction *f;* opposition *f;* protestation *f;* **⚓spruch erheben** protester; *im* **⚓spruch** *stehen mit* être en contradiction avec; **~sprüchlich,** **~spruchsvoll** contradictoire; **⚓stand** opposition *f; a.* ⚡ résistance *f; (Gerät)* rhéostat *m; den* **⚓stand brechen** briser la résistance; **⚓stand** *leisten* résister, tenir bon *(od* ferme); **⚓standsbewegung** résistance *f;* **~standsfähig** résistant, solide, **⚓standskraft** résistance *f;* **~standslos** sans résistance; **~stehen** résister, s'opposer (à qn, qch); *(zuwider sein)* répugner, dégoûter *(j-m* qn); **~streben** s'opposer (à qch); résister; répugner *(j-m* qn); **⚓streben** *su* résistance *f;* répugnance *f;* **~strebend** à contrecœur; **⚓streit** contradiction *f,* conflit *m,* antagonisme *m;* **~streiten** être en conflit; **~streitend** opposé, divergent, contradictoire; antagonique; **~wärtig** fâcheux, contrariant; *(abstoßend)* écœurant, odieux, rebutant, dégoûtant; **⚓wärtigkeit** contrariété *f,* désagrément *m,* déboire *m; pl* tribulations *fpl;* **~wille** répugnance *f,* aversion *f,* dégoût *m; mit* **⚓willen** *erfüllen* répugner, dégoûter; **~willig** *adv* à contrecœur, de mauvaise grâce
widm|en vouer, consacrer; *(Buch)* dédier; *(Zeit)* donner; *refl* se vouer, s'adonner *(e-r Sache* à qch); **~ung** dédicace *f*

widrig contraire, adverse, ennemi; **~enfalls** sinon; dans le cas contraire; **⚓keit** contrariété *f; pl* tribulations *fpl*
wie 1. *Frageadv.:* 1. *(Art u. Weise)* comment, de quelle manière *(od* façon); ~ *(bitte)?* que disiez-vous?; ~ *geht es Ihnen?* comment allez-vous?; ~ *haben Sie das gemacht?* comment avez-vous fait cela?; ~ *dem auch sei* quoi qu'il en soit; 2. *(Grad)* quel, combien; ~ *alt ist er?* quel âge a-t-il?; ~ *groß ist er?* quelle taille a-t-il?; ~ *teuer ist...?* combien coûte...?; ~ *weit sind Sie?* où en êtes-vous?; ~ *oft?* combien de fois?; ~ *sehr* combien; ~ *schön sie ist!* (ce) qu'elle est belle!; *und ~!, aber ~!* et comment!; 2. *conj (Vergleich)* que, comme, tel que; à ce que; *ebenso groß ~* aussi grand que; *in d. Maße ~* à mesure que; ~ *man sagt* à ce qu'on dit; ~ *...so auch...* ainsi que... de même...; ~ *auch (immer)* si ... que (+ *subj),* quelque... que (+ *subj);* ~ *wenn* comme si
♦ ~ *du mir, so ich dir* je te rends la monnaie de ta pièce
Wiedehopf huppe *f*
wieder de nouveau; encore (une fois); *immer* ~ à maintes reprises; *da ist er* ~ le revoici; **~abdrucken** réimprimer; **~anknüpfen** renouer; **⚓anlauf** *a.* EDV reprise *f;* **⚓aufbau** reconstruction *f;* **~aufbauen** reconstruire; **~aufbereiten** retraiter; **⚓aufbereitung** retraitement *m;* **~auffindung** EDV récupération *f;* **⚓aufforstung** reboisement *m;* **~auffrischung** réactivation *f,* régénération *f; (Kenntnisse)* recyclage *m;* **~aufführung** ❡ reprise *f;* **~aufleben** revivre; **⚓aufnahme** reprise *f;* **⚓aufnahmeverfahren** ⚖ (procédure *f* de) révision *f;* **~aufnehmen** reprendre; **~aufrichten** relever, redresser; **⚓aufrüstung** réarmement *m;* **⚓aufstieg** redressement *m;* **~aufwerten** revaloriser; **⚓beginn** recommencement *m;* reprise *f; (Unterricht)* rentrée *f* des classes; **~beleben** ranimer, revivifier; **⚓belebung** ranimation *f; com* redressement *m;* **⚓bewaffnung** réarmement *m;* **~bringen** rapporter; **~einführen** rétablir; **~eingliederung** réinsertion *f* (sociale); réadaptation *f* (professionnelle); **~einsetzen** rétablir, réintégrer; **~erkennen** reconnaître *(an* à); **~erlangen** recouvrer; **~erobern** reconquérir; **~erstatten** rembourser; **⚓erstattung** remboursement *m;* **~erzählen** raconter, répéter; **~finden** retrouver; **⚓gabe** reproduction *f;* traduction *f;* ♪ rendu *m; (Daten)* restitution *f; (Tonband)* lecture *f;* **⚓gabekopf** tête *f* de lecture; tête *f* du lecteur magnétique; **⚓gabetreue** fidélité *f;* **~geben** rendre, restituer; reproduire, traduire; **⚓geburt** renaissance *f,* réincarnation *f;* **~gewinnen** regagner, récupérer; ~ *gutmachen* réparer, redresser; compenser; **⚓gutmachung** réparation *f,* dédommagement *m,* indemnisation *f,* compensation *f;* **~haben** retrouver, rentrer en possession de; **~herstellen** restaurer, rétablir; remettre; **⚓herstellung** restauration *f,* réparation *f,* rétablissement *m;* **⚓holbarkeit** répétabilité *f;* '**~holen** (aller) reprendre; **~'holen** répéter, redire, réitérer; *refl* se reproduire; **~holt** répété,

réitéré; *zu ~holten Malen* à maintes (*od* plusieurs) reprises, maintes fois; ⌁*holung* répétition *f;* renouvellement *m; (Fernschreiben)* passage *m* à nouveau; ⌁*holungsfall: im W.* 🜨 en cas de récidive; ~*käuen* ruminer; *a. fig* remâcher; *fig* ressasser; ⌁*käuer* ruminant *m;* ⌁*kaufsrecht* droit *m* de rachat (*ou* de réméré); ⌁*kehr* retour *m;* renouvellement *m;* ~*kehren* revenir; se répéter; ~*kommen* revenir; ⌁*kunft* retour *m;* ~*nehmen* reprendre; ~*sagen* répéter; ~*sehen* revoir; *auf* ⌁*sehen!* au revoir!; ⌁*täufer* anabaptiste; ~*tun* refaire; recommencer; ~*um* de nouveau; *(andererseits)* d'autre part, en revanche; *(seinerseits)* à son tour, en retour; ~*vereinigen* réunifier; ⌁*vereinigung* réunification *f;* ~*vergelten* rendre la pareille; ~*verheiraten refl* se remarier; ~*verkaufen* revendre; ⌁*verkäufer* revendeur; détaillant; ~*verwendbar* réutilisable, récupérable; ⌁*verwendung* récupération, réutilisation; recyclage *m;* ⌁*verwertung* recyclage *m*, récupération *f;* ⌁*wahl* réélection *f*
Wiege berceau *m;* ~*messer* hachoir *m;* ⌁*n* **1.** (*Kind*) bercer, balancer; *(Fleisch)* hacher; *refl fig* se bercer (de l'espoir); **2.** *vt/i* peser; ~*ndruck* incunable *m;* ~*nfest* anniversaire *m;* ~*nlied* berceuse *f*
wiehern hennir; ⌁ *su* hennissement *m*
Wiese pré *m*, prairie *f*
Wiesel belette *f*
wie|so comment (cela); ~*viel* combien; que de; *d.* ~*vielten haben wir heute?* quel jour sommes-nous?; ~*wohl* quoique
wild sauvage, féroce, farouche; non civilisé, barbare, inculte; *(heftig)* violent, fougueux, effréné, échevelé, tumultueux, turbulent; *(böse)* furieux, emporté, enragé; *(ungeordnet)* en désordre, peu soigné; ~*e Deponie* décharge *f* sauvage; ~*e Ehe* concubinage *m;* ~*es Fleisch* chair morte; ~*er Streik* grève sauvage; ⌁ *su* gibier *m;* ⌁*bach* torrent *m;* ⌁*bret* venaison *f;* ⌁*dieb,* ⌁*erer* braconnier; ⌁*erei,* ⌁*dieberei* braconnage *m;* ⌁*ente* canard *m* sauvage; ⌁*er* sauvage; *wie e.* ⌁*er* comme un fou; ~*ern* braconner; ⌁*ern su* braconnage *m;* ⌁*fang* diablotin *m;* ~*fremd* entièrement étranger; ⌁*gehege* parc *m* à gibier; ⌁*heit* sauvagerie *f,* férocité *f;* ⌁*hüter* garde-chasse; ⌁*kaninchen* lapin *m* de garenne; ⌁*katze* chat *m* sauvage; ⌁*leder* daim *m;* ⌁*ling* ↓ sauvageon *m;* ⌁*nis* désert *m;* ⌁*reich* giboyeux; ⌁*sau* laie *f;* ⌁*schaden* dégât(s) causé(s) par le gibier; ⌁*schwein* sanglier *m;* ⌁*west* Far West *m;* ⌁*westfilm* western *m*
Wille volonté *f;* vouloir *m; (Einwilligung)* consentement *m; (Absicht)* intention *f,* dessein *m; (Belieben)* gré *m; guter ~* bonne volonté; *letzter ~* dernières volontés; *aus freiem ~n* de bon gré; *gegen m-n ~n* malgré moi; *d. festen ~n haben zu* avoir la ferme propos de; *s-n ~n durchsetzen* en faire qu'à sa tête; *um... ~n* pour l'amour de... ♦ *wo e.* ~ *ist, ist auch e. Weg* vouloir c'est pouvoir; ⌁*nlos* sans volonté; irrésolu; ~*nlosigkeit* manque *m* de volonté; aboulie *f;* ⌁*ns:* ⌁*ns sein zu* avoir l'intention de,

être décidé à; ~*nsakt* volition *f;* ~*nserklärung* déclaration *f* de volonté; ~*nskraft* énergie *f;* ⌁*ntlich* intentionnellement, délibérément, exprès
will|fahren acquiescer, consentir (*e-r Sache à* qch); ~*fährig* accommodant, complaisant; ~*ig* docile; disposé à; *adv* de bonne volonté (*od* grâce), de bon cœur; ⌁*komm* bienvenue *f;* ~*kommen* bienvenu; à propos; agréable, désirable; *j-n ~kommen heißen* souhaiter la bienvenue à qn; ⌁*kür* arbitraire *m;* despotisme *m; j-s* ⌁*kür preisgegeben sein* être à la merci de qn; ~*kürlich* arbitraire, despotique
wimmeln grouiller, fourmiller, foisonner (*von* de); abonder (*von* en)
wimmern gémir, geindre; ⌁ *su* gémissements *m*
Wimpel fanion *m,* banderole *f;* ⚓ guidon *m,* flamme *f*
Wimper cil *m* ♦ *ohne mit d. ~ zu zucken* sans sourciller
Wind vent *m; am ~ segeln* courir au plus près du vent; *vor dem ~ segeln* courir vent arrière; *in~ u. Wetter* par tous les temps; ~ *bekommen* avoir vent (*von* de); ~ *machen* hâbler; *j-m d. ~ aus d. Segeln nehmen* couper ses effets à qn; *in d. ~ reden* parler en l'air; *etw. in d. ~ schlagen* se moquer de qch; ~*beutel* échaudé *m; fig* fumiste; ~*bruch* chablis *m;* ~*eseile: mit ~eseile* avec la rapidité de l'éclair; ~*fahne* girouette *f;* ~*fang* auvent *m;* ~*geschwindigkeit* vitesse *f* du vent; ~*hose* trombe *f;* ~*hund* lévrier *m; fig* étourneau; ⌁*ig* venteux; *fig* intenable; *(Mensch)* écervelé; *es ist* ⌁*ig* il fait du vent; ~*jacke* blouson *m;* ~*kanal* soufflerie *f* (*od* tunnel *m*) aérodynamique; ~*kanalmodell* maquette *f* aérodynamique; ~*kraftwerk* centrale *f* éolienne; ~*lauf* 🌀 auvent *m;* ~*licht* lanterne *f;* ~*mühle* moulin *m* à vent; ~*pocken* varicelle *f;* ~*rad* moteur *m* éolien; ~*rädchen* moulinet *m;* ~*richtung* direction *f* du vent; ~*rose* rose *f* des vents; ~*sack* manche *m* à air; ~*schatten: im ~schatten* à l'abri du vent; ⌁*schief* gauchi, déjeté; ~*schutz* brise-vent *m,* coupe-vent *m;* ~*schutzscheibe* pare-brise *m;* ~*seite* côté *m* du vent; ~*spiel* levron *m,* levrette *f;* ~*stärke* force *f* du vent; ~*stille* vent *m* nul, calme *m* (plat); *(kurz)* embellie *f,* accalmie *f;* ~*stoß* coup *m* de vent, rafale *f;* ⌁*bourrasque f*
Winde *bot* liseron *m,* belle-de-jour *f,* volubilis *m;* ⚙ treuil *m;* cabestan *m;* vérin *m*
Windel lange *m,* couche *f; pl* maillot *m;* ⌁*n* emmailloter; ⌁*weich: j-n ~weich schlagen* battre qn comme plâtre
wind|en tordre; *(hochwinden)* hisser, guinder; *(entwinden)* arracher; *(flechten)* tresser; *refl* se tordre; s'enrouler, s'enlacer (*um* autour de); *(Fluß)* serpenter; ⌁*ung* sinuosité *f,* détour *m;* repli *m,* retour *m; (Fluß)* méandre *m;* ⚙ spire *f,* torsion *f,* tour *m; anat* circonvolution *f*
Wink signe *m; fig* indication *f;* tuyau *m (umg)* ♦ ~ *mit d. Zaunpfahl* allusion non déguisée; ⌁*en* faire signe (*mit* de); *mit e-m Tuch* ⌁*en* agiter un mouchoir; ~*er* 🚗 indicateur *m* de direction; *mil* signaleur; ~*zeichen* signal *m*

Winkel *bes math* angle *m; (Zimmer)* coin *m; (Uniform)* chevron *m; (Zeichengerät)* équerre *f; fig* replis *mpl*, recoins *mpl; toter ~* angle mort; **~advokat** avocat marron; **~haken** 🔲 composteur *m;* **~messer** rapporteur *m;* **~züge** biais *mpl,* détours *mpl,* subterfuges *mpl*
winklig anguleux, angulaire; *(Straße)* tortueux
winseln gémir, geindre, vagir
Winter hiver *m;* **~bestellung** ⬇ hivernage *m;* **~frischler** hivernant; **~garten** jardin *m* d'hiver; **~getreide** semis *m* d'automne; **~kurort** station hivernale; **⟂lich** hivernal, d'hiver; comme en hiver; **~schlaf** hibernation *f; ~schlaf halten* hiberner; **~schlußverkauf** soldes *mpl* d'hiver; **~sport** sports *mpl* d'hiver; **~sportsonderzug** train *m* de neige
Winzer vigneron, viticulteur; **~genossenschaft** coopérative *f* vinicole
winzig menu, ténu, exigu; minime, infime, minuscule; **⟂keit** ténuité *f;* exiguïté *f*
Wipfel cime *f*
Wippe bascule *f;* **⟂n** faire la bascule; basculer, balancer
wir nous; nous autres; *~ selbst* nous-mêmes; *~ sind es* c'est nous
Wirbel *a. fig* tourbillon *m,* remous *m; anat* vertèbre *f; (Haar-)* épi *m; (Geigen-)* cheville *f; (Trommel-)* roulement *m;* **⟂los** invertébré; **⟂n** tournoyer, tourbillonner; *(Trommel)* rouler; **~säule** colonne vertébrale; **~sturm** cyclone *m,* tornade *m;* **~tiere** vertébrés *mpl;* **~wind** tourbillon *m*
wirk|en *vt* faire, produire; *(Stoff)* tisser; *vi* agir, opérer; être efficace, avoir de l'effet; influer, porter *(auf* sur); *als ... ~en* exercer la fonction de ...; **⟂dauer** durée *f* d'action; **~lich** réel; vrai, véritable; effectif; *~lich?* pour de bon?; vraiment?; **⟂lichkeit** réalité *f;* **~lichkeitsnah** proche de la réalité; **~sam** actif; efficace; puissant; *~sam werden* produire de l'effet; **⟂samkeit** activité *f;* efficacité *f,* efficience *f;* effet *m;* **⟂stoff** principe actif; **⟂ung** action *f;* effet *m;* impression *f;* résultat *m,* conséquence *f;* **⟂ungsbereich** rayon *m* d'action; **~ungsgrad** ⚙ rendement *m;* **~ungskreis** sphère *f* d'activité *(od* d'influence); **~ungslos** sans effet, inefficace; inopérant; **~ungsvoll** efficace; plein d'effet, à effet; spectaculaire; **⟂waren** tricotages *mpl;* bonneterie *f;* **⟂zeit** durée *f* d'action
wirr confus, embrouillé, emmêlé; en désordre; chaotique; **⟂en** troubles *mpl,* désordres *mpl;* **⟂kopf** brouillon *m;* **⟂nis** confusion *f,* trouble *m,* chaos *m;* **⟂warr** pêle-mêle *m,* gâchis *m,* imbroglio *m,* embrouillamini *m*
Wirsing chou *m* de Milan
Wirt *(Gastgeber)* hôte *(a. bot, zool); (Gast-)* hôtelier, restaurateur, cafetier, patron; *(Vermieter)* propriétaire, tenancier, logeur ♦ *d. Rechnung ohne d. ~ machen* compter sans son hôte; **~in** hôtesse; patronne; *(Zimmer-)* logeuse; **⟂lich** hospitalier; **⟂shaus** auberge *f;* cabaret *m;* **~sleute** propriétaires *mpl*
Wirtschaft économie *f;* activité *f* économique; économie nationale; *(Haus-)* ménage *m; (Gast-)*

restaurant *m,* bar *m,* café *m* ♦ *e-e schöne ~!* en voilà du propre!; *polnische ~* pétaudière *f;* **⟂en** mener *(od* tenir) la maison; gérer ses affaires; *umg* faire du remue-ménage; **~er** gérant, administrateur; **~erin** ménagère; **~ler** économiste; **⟂lich** économique, rentable; *(sparsam)* économe; **~lichkeit** rentabilité *f;* **~sabkommen** convention *f* économique; **~sbelebung** redressement *m (od* relance *f)* économique; **~sbeziehungen** relations *fpl* économiques; **~sberater** conseiller économique; **~sgebäude** bâtiments *mpl* d'exploitation, annexes *fpl;* **~sgeld** argent *m* du ménage; **~sgemeinschaft** *(europäische)* communauté *f* économique européenne, marché commun; **~sgeographie** géographie *f* économique; **~sgüter** biens *mpl* économiques; **~shilfe** aide *f* économique; **~sjahr** exercice *m;* **~slage** situation *f* économique; **~slenkung** dirigisme *m;* **~sministerium** ministère *m* de l'Economie *(nationale);* **~spolitik** politique *f* économique; **~sprüfer** commissaire aux comptes; expert-comptable *m;* **~sraum** marché *m;* **~srecht** droit *m* économique; **~ssanktionen** sanctions *fpl* économiques; **~swachstum** croissance *f* économique; **~swissenschaften** sciences *fpl* économiques; **~szweig** secteur *m* économique, branche *f* d'activité
Wisch *(Wedel)* plumeau *m; (Papier)* fiche *f;* **⟂en** essuyer; frotter, torcher; estomper; *d. Staub* **⟂en** épousseter *(von etw.* qch); **~er** *m* essuie-glace *m;* 🏠 estompe *f;* **~erblatt** balai *m* d'essuie-glace; **~lappen** torchon *m,* chiffon *m,* serpillière *f*
Wisent bison *m*
wispern chuchoter, susurrer
Wißbegier|(de) curiosité *f;* **⟂ig** désireux d'apprendre; curieux
wissen savoir, connaître; *nicht ~* ignorer; *sehr wohl ~* ne pas ignorer; *soviel ich weiß* autant que je sache; *nicht, daß ich wüßte* pas que je sache; *weder aus noch ein ~* ne plus savoir que faire; *~ um* avoir connaissance de; *~ lassen* faire savoir *(j-n etw.* qch à qn); faire part *(j-n etw.* de qch à qn); **⟂ su** savoir *m,* science *f;* instruction *f;* connaissance *f (um* de); *m-s* **⟂s** à ma connaissance, d'après ce que je sais; *ohne mein* **⟂** à mon insu; *wider besseres* **⟂** de mauvaise foi; *nach bestem* **⟂** *u. Gewissen* en (toute) conscience; **⟂schaft** science *f; (Kenntnis)* connaissance *f;* **⟂schaftler** savant *m,* homme *m* de science; scientifique, érudit, lettré; *(Forscher)* chercheur; **~schaftlich** scientifique, savant; **⟂sdrang,** **⟂sdurst** désir *m (od* soif *f)* de s'instruire *(bzw* de savoir); **~swert** intéressant; **⟂szweig** science *f,* branche *f;* **~tlich** voulu; *adv* sciemment, consciemment, de propos délibéré
witter|n *a. fig* flairer, éventer; *fig* subodorer, se douter de; **⟂ung** *(Wetter)* temps *m,* conditions *fpl* atmosphériques; *(Wild)* vent *m; (Hund, fig)* flair *m;* **⟂ungsumschlag** changement *m* de temps; **⟂ungsverhältnisse** conditions *fpl* atmosphériques
Witwe veuve; **~nrente** pension *f* de réversion; **~nstand** veuvage *m;* **~r** veuf

Wltz esprit m; (Einfall) bon mot; mot m d'esprit, boutade f; (Scherz) plaisanterie f, blague f, badinage m, facétie f; (Wortspiel) calembour m; (Kniff) astuce f; mach k-e ~e! sans blague!; ~e reißen dire des blagues, blaguer; ~**blatt** journal m humoristique; ~**bold** bon plaisant, farceur, blagueur; **⌐eln** railler; se moquer (übér de); **⌐ig** amusant, plaisant, comique; piquant

wo 1. adv (a. zeitl.) où; (örtl.) à quel endroit; von ~ d'où; ~ auch immer où que ce soit; 2. conj:~ nicht sinon; autrement, sans quoi; ~**anders** ailleurs; ~**bei** où; à (od en) quoi; conj cependant que

Wobbel|n ⌐ balayage m de fréquence; ~**störsender** brouilleur m; ~**störung** brouillage m par balayage

Woche semaine f; heute in e-r ~ aujourd'hui en huit; zwei ~en une quinzaine; ~**n** (Kindbett) couches fpl; in d. ~n kommen accoucher; ~**narbeitszeit** durée f hebdomadaire du travail; ~**nbett** couches fpl; ~**nbettfieber** fièvre puerpérale; ~**nblatt** (journal m) hebdomadaire m; ~**nende** week-end m; fin f de semaine; ~**nendwohnung** résidence f secondaire; ~**ngeld** allocation f de maternité; ~**nkarte ⌐** carte f hebdomadaire; ~**nlang** des semaines entières; ~**nlohn** (paie f de la) semaine f; ~**nschau** actualités fpl; ~**ntag** jour m de semaine; (Werktag) jour m ouvrable; **⌐ntags** en semaine; ~**nweise** par semaine(s)

wöchentlich hebdomadaire; par semaine; chaque semaine; einmal ~ une fois par semaine

Wöchnerin accouchée

wo|durch d'où, par quoi, grâce à quoi; ~**durch?** par quel moyen?; ~**fern** si, au cas où; si tant est que, pourvu que (+ subj); ~**fern nicht** à moins que... ne (+ subj); ~**für** pour quoi; ~**für?** à quelle fin?; à quoi bon?

Woge vague f, lame f, flot m, onde f ♦ die ~n glätten calmer, apaiser; umg mettre le holà; **⌐n** être agité; ondoyer, onduler

wo|gegen contre quoi; en échange de quoi; conj tandis que; ~**her** d'où, de quel endroit; ~**hin** où; ~**hingegen** tandis que

wohl bien; (gesund) bien portant, sain; (vielleicht) peut-être, sans doute, probablement; (ungefähr) à peu près, approximativement; leben Sie ~! adieu!; ~ bekomm's! à votre santé!; ~ dem, der... heureux (celui) qui...; ~ oder übel bon gré, mal gré; s. ~ fühlen être à son aise; s. nicht ~ fühlen se sentir mal; es s. ~ sein lassen se donner du bon temps; **⌐** su santé f; bien-être m, bien m, bonheur m, salut m; auf Ihr **⌐!**, zum **⌐!** à votre santé!; ~**an!** allons!; ~**auf** bien portant; ~**bedacht** considéré, réfléchi; **⌐befinden** bien-être m; ~**behagen** aise f, bien-être m; ~**behalten** sain et sauf, en bonne condition, en bon état; ~**bekannt** bien connu; familier; ~**beschaffen** en bonne condition (od forme); bien fait; ~**durchdacht** mûrement réfléchi (od considéré); ~**ergehen** bien-être m, prospérité f; ~**erzogen** bien élevé; ~**fahrt** prospérité f, bien-être m; salut (public); assistance publique, aide sociale; **⌐fahrtsein-**

richtung institution f sociale; **⌐fahrtsstaat** Etat-providence m; ~**feil** bon marché; **⌐gefallen** complaisance f, plaisir m, satisfaction f, contentement m ♦ s. in **⌐gefallen auflösen** se perdre en fumée; ~**gefällig** agréable; adv avec complaisance, avec satisfaction; ~**gemeint** bien intentionné, bienveillant; ~**gemerkt!** bien entendu!; ~**gemut** gai, joyeux, de bonne humeur; ~**genährt** bien nourri; ~**geruch** bonne odeur, parfum m, senteur f; **⌐geschmack** saveur f (od goût m) agréable; ~**gesetzt** bien ordonné; clair; ~**gesinnt** bien intentionné, favorable, amical; ~**gestaltet** bien fait; ~**habend** aisé, nanti, fortuné; **⌐habenheit** aisance f; **⌐klang** consonance f, harmonie f, euphonie f; ~**klingend** mélodieux, harmonieux; **⌐leben** bonne vie; bien-être m, prospérité f, aisance f, abondance f; ~**meinend** bien intentionné, bienveillant, amical; bénévole; ~**riechend** odoriférant, odorant; ~**schmeckend** savoureux; **⌐sein** bien-être m, aise f; **⌐stand** bien-être m, aisance f, richesse f; **⌐standsgesellschaft** société f d'abondance; **⌐tat** bienfait m; **⌐täter** bienfaiteur; ~**tätig** bienfaisant; charitable; **⌐tätigkeit** bienfaisance f; charité f; bien-faire m; ~**tuend** bienfaisant; ~**tun** faire du bien; ~**unterrichtet** bien informé; ~**verdient** bien mérité; ~**verstanden** bien compris; adv bien entendu; ~**weislich** adv sagement, prudemment; **⌐wollen** bienveillance f; **⌐wollend** bienveillant, bénévole; aimable, affable, amical

wohn|en habiter, loger, demeurer, résider; vivre; **⌐geld** allocation f (ou indemnité f) de logement; **⌐gemeinschaft** communauté f; ~**haft** domicilié, demeurant, habitant (in à); **⌐haus** maison f d'habitation; ~**heim** foyer m; **⌐küche** chambre-cuisine f; **⌐lage** site m; ~**lich** confortable; **⌐ort, ⌐sitz** domicile m, résidence f; demeure f; **⌐raum** local m (od pièce f) d'habitation; habitation f, logement m; ~**raummangel** pénurie f de logements; **⌐siedlung** grand-ensemble m; cité-dortoir f

Wohnung habitation f, appartement m, logement m, logis m, demeure f; ~**samt** office m du logement; ~**sbau** construction f d'habitations (od de logements); ~**sbauprämie** prime f à la construction; ~**sgeld** allocation-logement; ~**sklingel** sonnette f; ~**slos** sans logement, sans demeure; ~**smakler** agent m immobilier; ~**smarkt** marché m de l'immobilier; ~**snachweis** agence f de logements; ~**snot** pénurie f de logements, crise f de l'habitat; ~**stausch** échange m de logement; ~**swechsel** changement m de domicile

Wohn|verhältnisse conditions fpl d'habitat; ~**viertel** quartier résidentiel; ~**wagen** caravane f; roulotte f; ~**zelt** tente familiale; ~**zimmer** pièce f (od salle) de séjour, living-room m

wölb|en voûter; cintrer; bomber; cambrer; refl (se) bomber, se courber; **⌐ung** convexité f, voûte f, cintre m; (Straße) bombement m

Wolf loup m; (Fleisch-) machine f à hacher, hachoir m; **⨁** écorchure f ♦ mit den Wölfen heulen hurler avec les loups; j-n durch den ~

drehen malmener *ou* maltraiter qn; ~**smilch** euphorbe *f*
Wölfin louve *f*
Wolfram tungstène *m,* wolfram *m*
Wolk|e nuage *m;* nue *f,* nuée *f; einzelne* ~**en** nuages épars ♦ *aus allen* ~*en fallen* tomber des nues; ~**enbank** rideau *m* de nuages; ~**enbruch** pluie torrentielle *(od* diluvienne); ~**endecke** couche *f* nuageuse; ~**enkratzer** gratte-ciel *m;* ⌐**enlos** sans nuages, clair; ⌐**ig** nuageux
Woll|decke couverture *f* de laine; ~**e** laine *f* ♦ *s. in die* ~**e** *kriegen, s. in der* ~**e** *liegen umg* se chamailler; *j-n in die* ~**e** *bringen* agacer qn; *in d.* ~**e** *geraten* s'emporter; ⌐**en**[1] en laine; ~**händler** lainier; ⌐**ig** laineux, cotonneux; ~**industrie** industrie lainière; ~**jacke** veste *f* de laine, cardigan *m;* ~**stoff** étoffe *f (od* tissu *m)* de laine; ~**strumpf** bas *m* de laine; ~**waren** lainages *mpl*
wollen[2] vouloir; *(wünschen)* désirer; *(beabsichtigen)* avoir l'intention de, se proposer de, penser, compter (faire qch); *(fordern)* demander, exiger; *(behaupten)* prétendre; *gerade etw. tun* ~ être sur le point de faire qch; *hoch hinaus* ~ avoir de hautes visées; *lieber* ~ aimer mieux; *sei dem, wie ihm wolle* quoi qu'il en soit; ⌐ *su* volonté *f,* vouloir *m*
Woll|ust volupté *f,* jouissance *f,* délectation *f; rel* luxure *f;* ⌐**üstig** voluptueux, sensuel
Wonn|e délice *m,* délices *fpl;* joie *f;* volupté *f;* ⌐**ig** délicieux, ravissant; mignon
wor|an à quoi; ~**auf** sur quoi, après quoi; ~**aus** de quoi; d'où, dont; ~**ein** dans quoi; ~**in** en quoi; où
Wort mot *m; (gesprochenes)* parole *f; (Ausdruck)* terme *m,* vocable *m,* expression *f; rel* Verbe *m; bei diesen* ~**en** à ces mots; *mit e-m* ~ en un mot; *mit anderen* ~**en** en d'autres termes; *in* ~**en** en toutes lettres; *d.* ~ *ergreifen* prendre la parole; *j-m d.* ~ *erteilen* donner la parole à qn; *j-m ins* ~ *fallen* interrompre qn; *d. große* ~**e** *führen* avoir le verbe haut; *aufs* ~ *gehorchen* obéir au doigt et à l'œil; *sein* ~ *halten* tenir sa parole; *nicht zu* ~ *kommen* ne pas pouvoir placer un mot; *s. z.* ~ *melden* demander la parole; *e.* ~ *mitzureden haben* avoir voix au chapitre; *j-n beim* ~ *nehmen* prendre qn au mot; *e-r Sache d.* ~ *reden* parler en faveur de qch; ~**ableitung** dérivation *f* des mots, étymologie *f;* ~**bedeutung** acception *f;* ~**bruch** manque *m* de parole; ⌐**brüchig** qui manque à sa parole, parjure; **Wörterbuch** dictionnaire *m;* lexique *m;* ~**endung** désinence *f;* ~**folge** ordre *m* des mots; ~**führer** porte-parole; ~**gefecht** dispute *f,* joute *f* oratoire; ⌐**getreu** littéral; *adv* mot à mot, à la lettre; ⌐**karg** taciturne, silencieux; ~**klauber** pinailleur *m;* ~**laut** teneur *f,* libellé *m; voller* ~*laut* texte *m* intégral; **wörtlich** littéral, textuel; *adv* mot à mot, textuellement; ⌐**los** *adv* sans rien dire; ⌐**reich** loquace, verbeux; ~**schatz** vocabulaire *m,* lexique *m;* ~**schwall** déluge *m* de paroles; ~**spiel** jeu *m* de mots; ~**wechsel** dispute *f,* altercation *f;* ⌐**wörtlich** *adv* au pied de la lettre
wo|rüber de quoi, sur quoi; ~**rum** de quoi; ~**runter** sous quoi; parmi *(od* entre) lesquels;

~**selbst** où; ~**von** de quoi, de quel sujet; dont; ~**vor** devant quoi; de quoi, dont; ~**zu** pourquoi, pour quelle raison; ~*zu (denn)?* à quoi bon?
Wrack *a. fig* épave *f;* ruine *f*
wring|en tordre, essorer; ⌐**maschine** essoreuse *f*
Wucher usure *f;* ~**er** usurier, fesse-mathieu; ⌐**isch** d'usurier, usuraire; ~**miete** loyer *m* exagéré; ~**n** *bot* pulluler; *a.* ℘ proliférer; *com* faire l'usure; *mit etw.* ~**n** faire valoir qch; ~**nd** luxuriant; ~**preis** prix prohibitif; ~**ung** pullulement *m,* prolifération *f;* ℘ végétations *fpl;* ~**zins** intérêt *(od* taux) usuraire
Wuchs croissance *f;* taille *f,* stature *f*
Wucht pesanteur *m,* poids *m;* force *f; e-e* ~ *sein umg* être formidable, épatant, terrible; *mit voller* ~ de tout son poids; ~**en** soulever *(od* arracher) péniblement; *vi* peser lourdement; ⌐**ig** massif, lourd, pesant; violent, énergique
Wühl|arbeit activités subversives; ~**en** fouiller, creuser; farfouiller, fourrager; *(Tier)* fouir; *fig* faire de l'agitation; ~**er** *zool* fouisseur *m; fig* agitateur, meneur; ~**maus** campagnol *m*
Wulst *(Schwellung)* renflement *m;* bourrelet *m;* 🏛 boudin *m; (Polster)* coussinet *m;* ⌐**ig** renflé, boursouflé; *(Lippen)* retroussé; ⌐**lippig** lippu; ~**reifen** pneu *m* à talon
wund écorché, meurtri; *(Tier)* blessé; ~**er Punkt** point *m* faible; *s. d. Füße* ~ *laufen* s'écorcher les pieds; ⌐**arzt** chirurgien; ⌐**e** plaie *f,* blessure *f;* ⌐**fieber** fièvre infectueuse; ~**mal** cicatrice *f; rel* stigmate *m;* ~**reiben** écorcher, meurtrir; ⌐**salbe** onguent *m* vulnéraire; ⌐**starrkrampf** tétanos *m*
Wunder merveille *f;* miracle *m;* prodige *m,* phénomène *m; sein blaues* ~ *erleben* en voir de belles, n'en pouvoir croire ses yeux; *kein* ~! rien d'étonnant!; *ein* ~! cela tient du miracle!; ⌐**bar** merveilleux, miraculeux, prodigieux; *umg* mirobolant, mirifique; ~**doktor** charlatan; ~**glaube** croyance *f* aux miracles; ⌐**hübsch** ravissant; ~**kind** enfant prodige; ⌐**lich** bizarre, étrange; ~**n** *refl* s'émerveiller, s'étonner, être surpris *(über* de); ⌐**sam** étonnant, étrange; ⌐**schön** merveilleux, splendide; ⌐**tätig** miraculeux; ⌐**voll** merveilleux, superbe; magnifique
Wunsch désir *m;* souhait *m,* vœu *m; frommer* ~ vain souhait; *auf* ~ sur demande; *nach* ~ à souhait; *j-m jeden* ~ *von d. Augen ablesen* être aux petits soins auprès de qn; ⌐**gemäß** selon les désirs (de qn); ~**traum** illusion *f,* mirage *m;* ~**zettel** desiderata *mpl*
Wünsch|elrute baguette *f* de sourcier; ~**elrutengänger** sourcier, radiesthésiste; ⌐**en** souhaiter, désirer; ambitionner; *j-m Glück* ⌐**en** souhaiter bonne chance à qn; ⌐**enswert** désirable, souhaitable
Würde dignité *f;* honneur *f;* rang *m,* mérite *m,* grade *m; in Amt u.* ~**n** *stehen* occuper de hautes fonctions; *ich halte es für unter m-e* ~, *zu ...* je trouve au-dessous de moi de...; ⌐**los** sans dignité; ~**nträger** dignitaire *m;* ⌐**voll** majestueux, grave; *adv* avec dignité
würdig digne; respectable; *e-r Sache* ~ *sein* mériter qch; ~**en** apprécier, estimer; *j-n k-r*

Antwort ~*en* ne pas daigner répondre à qn; *j-n k-s Blickes* ~*en* ne pas honorer qn d'un regard; ⌐**keit** dignité *f;* majesté *f,* gravité *f;* ⌐**ung** appréciation *f;* estime *f; unter* ⌐**ung** *von* à la lumière de

Wurf jet *m; a. fig* coup *m; zool* portée *f;* ~**bahn** trajectoire *f;* ~**geschoß** projectile *m;* ~**leine** ligne *f* d'attrape; ~**sendung** ♥ envoi *m* collectif; ~**spieß** javelot *m,* dard *m*

Würfel cube *m; (Spiel)* dé *m; (Zucker)* morceau *m* ♦ *d.* ~ *sind gefallen* le sort en est jeté; ~**becher** cornet *m;* ⌐**förmig** cubique; ⌐**n** jouer aux dés; ~**zucker** sucre *m* en morceaux

würg|en étrangler, étouffer; serrer la gorge (à qn); ⌐**er** égorgeur; *orn* pie-grièche *f*

Wurm ver *m;* vermisseau *m* ♦ *j-m d. Würmer aus d. Nase ziehen* tirer les vers du nez à qn; ⌐**en** ronger (le cœur à) qn; chagriner, vexer qn; ⌐**förmig** vermiculaire; ~**fortsatz** *anat* appendice *m* vermiculaire; ~**fraß** vermoulure *f;* ⌐**stichig** vermoulu; *(Obst)* véreux; ~**mittel** vermifuge *m*

Wurst saucisse *f,* saucisson *m;* ~ *wider* ~ donnant donnant, c'est un prêté pour un rendu; *d. ist mir* ~ je m'en fiche; je m'en fous *(pop);* ⌐**eln** bricoler; ⌐**ig** indifférent; ~**igkeit** je-m'en-fichisme *m;* ~**vergiftung** botulisme *m;* ~**waren** charcuterie *f;* ~**zipfel** talon *m* de saucisson

Würz|e assaisonnement *m;* épice *f,* condiment *m; a. fig* piment *m,* sel *m; (Bier)* moût *m;* ⌐**en** assaisonner, épicer; relever; *a. fig* corser, pimenter; ⌐**ig** savoureux, aromatique

Wurzel *a. math* racine *f; (Möhre)* carotte *f;* ⌐**n** *a. fig* avoir sa racine (*in* dans); ~**stock** rhizome *m;* ~**werk** racines *fpl;* ~**zeichen** *math* radical *m*

Wust fatras *m,* fouillis *m*

wüst *(öde)* désert, sauvage, désolé; *(unordentlich)* désordonné, embrouillé, inextricable; *(ausschweifend)* dissolu, débauché, libertin; ⌐**e** désert *m;* ⌐**ling** débauché, libertin, noceur, viveur, coureur

Wut rage *f,* colère *f;* fureur *f,* furie *f; in* ~ *geraten* se mettre en colère, s'emporter; *s-e* ~ *an j-n auslassen* passer sa fureur sur qn; *vor* ~ *kochen* écumer de rage; ~**ausbruch** emportement *m;* ⌐**entbrannt** furibond; ~**geheul** cris *mpl* de rage; ⌐**schnaubend** écumant de rage

wüte|n sévir; faire rage; être en fureur *(od* furie); ~**nd** furieux, enragé, furibond, fulminant; ~**nd sein** (en)rager; ⌐**rich** forcené, énergumène; tyran sanguinaire

X

X: *j-m e. X für e. U vormachen* faire prendre à qn des vessies pour des lanternes

X-Achse axe *m* des abscisses

X-Bein|e jambes cagneuses; ⌐**ig** cagneux

x-beliebig quelconque, au hasard, n'importe quel

xeno|phil xénophile, ouvert face aux étrangers; ~**phob** xénophobe, chauvin, hostile aux étrangers

Xerographie xérographie *f*

x-mal des centaines de fois; je ne sais combien de fois; *zum x-ten Male* pour la énième fois

Xylophon xylophone *m*

Y

Y-Achse axe *m* des ordonnées

Yacht yacht *m*

Yoghurt yogourt *m,* yaourt *m*

Ysop hysope *f*

Z

Zack|e pointe *f,* pic *m,* dent *f;* ⌐**en** denteler, découper; ~**enband** bande *f* crantée; ⌐**ig** en pointe; dentelé, déchiqueté, crénelé; *umg fig* qui a du nerf *(od* du cran)

zag|en hésiter; manquer de cœur; ⌐**en** *su* timidité *f,* hésitation *f;* ~**haft** timide, craintif, pusillanime, hésitant; ~**haftigkeit** timidité *f,* pusillanimité *f*

zäh résistant; tenace, dur; *(Fleisch, a. fig)* coriace; ~**flüssig** visqueux, épais; ⌐**igkeit** *a. fig* ténacité *f,* ✿ résilience *f;* viscosité *f*

Zahl *(Anzahl)* nombre *m; (Ziffer)* chiffre *m; (Nummer)* numéro *m; phys* module *m;* ⌐**bar** payable; ⌐**en** payer; verser; acquitter; ⌐**en, bitte!** l'addition, s'il vous plaît!

zählen compter; dénombrer; recenser; ~ *auf* compter sur, faire confiance à; ~ *zu* appartenir à, se ranger au nombre de

zahl|enmäßig numérique; ⌐**enmaterial** données *fpl* numériques; ⌐**er** payeur

Zähl|einheit unité *f* de numération; ⌐**er** *math* numérateur *m;* (∮ , *Gas)* compteur *m*

Zahl|karte mandat-carte *m;* ⌐**los** innombrable; ~**meister** officier payeur; ~**reich** nombreux; *adv* en grand nombre; ~**stelle** bureau *m* de paiement; *(Bank)* succursale *f;* ~**tag** jour *m* de paie; ~**tisch** comptoir *m*

Zählung dénombrement *m;* recensement *m*

Zahlung paiement *m;* versement *m; e-e* ~ *leisten* faire un versement; *in* ~ *nehmen* prendre en paiement

Zahlungs|abkommen accord *m* de paiement; ~**anweisung** mandat *m;* ~**anzeige** avis *m;* ~**art** mode *m* de paiement; ~**aufforderung** lettre *f* de rappel; injonction *f* de payer; ~**aufschub** sursis *m* de paiement; délai *m* de grâce; atermoiement *m,* moratoire *m;* ~**bedingungen** conditions *fpl* de paiement; ~**befehl** mise en demeure; commandement *m;* ~**bilanz** balance *f* des paiements; ~**einstellung** cessation *f* de paiements; ~**empfänger** bénéficiaire *m* d'un versement; ~**erinnerung** lettre *f* de rappel; ~**erleichterung** facilités *fpl* de paiement; ⌐**fähig** solvable; ~**fähigkeit** solvabilité *f;* ~**frist** délai *m* de paiement; ⌐**kräftig** financièrement solide; ~**mittel** moyens *mpl* de paiement; monnaie *f;* ~**schwierigkeiten** difficultés *fpl* de trésorerie; ~**termin** échéance *f;* ⌐**unfähig** insolvable; ~**verkehr** transactions *fpl* financières, opérations *fpl* de paiement; ~**verzug** retard *m* de paiement; ~**weise** mode *m* de paiement

Zählwerk minuterie f
Zahlwort adjectif numéral
zahm apprivoisé, domestique; *fig* docile; **⸚heit**
état apprivoisé; docilité f
zähm|bar apprivoisable; **⸚en** apprivoiser, do-
mestiquer; **⸚ung** apprivoisement m; domestica-
tion f
Zahn a. ✿ dent f; *Zähne bekommen* faire ses
dents; *e-n ~ ziehen* extraire (*od* arracher) une
dent (à); *d. Zähne zeigen* montrer les dent; *d.
Zähne zus.beißen* serrer les dents; *mit d. Zähnen
knirschen (klappern)* grincer (claquer) des dents;
s. d. Zähne ausbeißen (fig) se casser les dents (*an
sur); s. d. Zähne putzen* se brosser les dents; *d.
~ d. Zeit* les outrages du temps; **~arzt** dentiste;
~bohrer fraise f; **~bürste** brosse f à dents;
Zähnchen quenotte f; **⸚en** faire ses dents; **Zähne**
denture f; **~en** *su* dentition f; **~ersatz** prothèse
dentaire; **~fäule** carie f; **~fistel** fistule f
dentaire; **~fleisch** gencive f; **~füllung** plombage
m; **~heilkunde** stomatologie f, odontologie f;
~krone couronne; **⸚los** édenté; **~lücke** brèche
f; **⸚lückig** brèche-dent; **~medizin** odontologie
f; **~pasta**, **~paste** pâte f dentifrice; **~pflege**
hygiène f dentaire; **~plombe** plombage m;
~pulver poudre f dentifrice; **~rad** roue dentée;
(*Ritzel*) pignon m; **~radbahn** chemin m de fer à
crémaillère; **~radgetriebe** engrenage m; minuterie f; **~schmelz** émail m; **~schmerzen** mal m de
dents; **~spange** appareil m orthodontique (*ou*
dentaire); **~stange** crémaillère f; **~stein** tartre
m; **~stocher** cure-dent(s) m; **~techniker** mécani-
cien-dentiste; **~wechsel** seconde dentition;
~weh mal m de dents; **~wurzel** racine f; **~zange**
davier m; **~zement** cément m
Zander sandre m
Zange pince f, (*Kneif-*) tenailles *fpl;* ✚ forceps
m; **~geburt** accouchement m par les fers
Zank querelle f, dispute f; bisbille f, prise f de
bec (*umg*); **~apfel** pomme f de discorde; **⸚en**
refl se disputer, se quereller, se chamailler;
~sucht humeur querelleuse; **⸚süchtig** querelleur
zänkisch querelleur; hargneux, acariâtre
Zäpfchen *anat* luette f, uvule m; ✚ supposi-
toire m
zapf|en tirer (au tonneau); **⸚en** m ✿ tenon m,
tourillon m; (*Dreh-*) pivot m; (*Faß*) bonde f;
⸚enstreich retraite f, extinction f des feux,
couvre-feu m; **⸚säule** pompe f (à essence);
⸚stelle station-service f; **⸚welle** 🚗 prise f de
force
zappel|n frétiller, se débattre, gigoter; *j-n ~n
lassen* faire languir qn, tenir la dragée haute à
qn; **~ig** remuant
zart tendre, doux, (*empfindlich*) sensible;
(*Körper*) fin, fluet, frêle; (*Gesundheit*) délicat,
fragile; **~besaitet** sensible; **~fühlend** délicat (de
sentiments); **⸚gefühl** délicatesse f; **⸚heit**
délicatesse f, douceur f, tendresse f
zärtlich tendre; affectueux; **⸚keit** tendresse f
Zaster *umg* pognon m, fric m, oseille f
Zäsur séparation f nette et brutale, fossé m,
cassure f, coupure f

Zauber enchantement m, magie f, sortilège m;
a. fig charme m; *pej* cirque m, théâtre m;
fauler ~ imposture f, mensonge m; **~buch** livre
m de magie; grimoire m; **~ei** sorcellerie f,
enchantement m, sortilège m, magie f; **~er**
magicien, enchanteur, sorcier; **~formel** formule
f magique; **⸚haft** magique, enchanté, féerique;
~in sorcière, magicienne; **~künstler** prestidigitateur; illusionniste; **~lehrling** apprenti sorcier;
~mittel baguette, anneau, philtre magique; **⸚n**
pratiquer la magie; faire des tours de
prestidigitation; **~spruch** incantation f; **~stab**
baguette f magique; **~trank** breuvage m
magique, philtre m
zaudern hésiter, tarder (*zu* à); temporiser
Zaum bride f; mors f; *fig* frein m; *s-e Zunge im
~ halten* avaler sa langue, se mordre la langue;
~zeug bride f
zäumen brider; *fig* réfréner
Zaun clôture f; enclos m, palissade f, claie f
♦ *e-n Streit vom ~ brechen* chercher querelle (*ou*
noise); **~könig** roitelet m; **~pfahl** palis m
zausen ébouriffer
Zebra zèbre m; **~streifen** 🚗 passage pour
piétons (*od* clouté)
Zech|bruder ami de la (dive) bouteille; **~e** 1.
(*Bergbau*) mine f; 2. (*Rechnung*) addition f, note
f; écot m; *d. ~e bezahlen müssen* payer les pots
cassés, écoper; *um d. ~e spielen* jouer les
consommations; *d. ~e prellen* griveler; **~en**
boire, chopiner; **~er** buveur; **~gelage** beuverie
f; **~preller** griveleur; **~prellerei** grivèlerie f
Zecke tique f; **~nfieber** fièvre f à tique
Zeder(nholz) cèdre m
Zehe orteil m, doigt m de pied; (*Knoblauch-*)
gousse f (d'ail); *große ~* gros orteil; **~n-
spitze(n)** pointe f des pieds
zehn dix; *etwa ~* une dizaine (de); **⸚er** pièce f
de dix pfennigs; **~fach** décuple; **~jährig** de dix
ans; *décennal;* **~kampf** décathlon m; **~mal** dix
fois; **~tausend** dix mille; *d. oberen ⸚tausend*
haute société f, *umg* le gratin; **⸚te**, **⸚tel** dixième
m; **~tens** dixièmement
zehr|en a. *fig* vivre (*von* de); ronger, consumer
(*an etw.* qch); (*angreifen*) amaigrir; **~geld;**
argent m pour le voyage, viatique m; **⸚ung**
provisions *fpl;* (*Weg-*, *rel*) viatique m
Zeichen (*das*) m (*Kenn-*) marque f; insigne m;
(*An-*) indice m, symptôme m; (*Elektrotechnik*)
message m conventionnel; *EDV* symbole m; *s-s
~s* de son métier, de profession; *z. ~ von* en
signe de, en témoignage de; **~brett** planche f à
dessin; **~erklärung** légende f; **~kunst** (art m
du) dessin m; **~kohle** fusain m; **~lehrer**
professeur de dessin; **~mappe** cartable m;
~papier papier m à dessin; **~saal** salle f de
dessin; **~setzung** ponctuation f; **~schreibung**
EDV impression f des symboles; **~sprache**
langage m par signes f; **~stift** crayon m
zeichn|en dessiner; (*unterschreiben*) signer; *e-e
Anleihe ~en* souscrire à un emprunt; **⸚en** *su*
dessin m; **~er** dessinateur; *com* souscripteur; ✿
calqueur m; **⸚ung** dessin m, plan m; (*Skizze*)
croquis m, esquisse f; *com* souscription f

Zeig|efinger index *m;* ⌐en montrer, faire voir; *(angeben)* indiquer, désigner; *(beweisen)* démontrer, prouver; *refl* apparaître, se manifester; *mit d. Finger auf etw.* ⌐en montrer qch du doigt; ⌐en, *was man kann* donner sa mesure; *s-n guten Willen* ⌐en faire preuve de bonne volonté; ⌐ *mal!* fais voir un peu!; ⌐er *(Uhr)* aiguille *f;* ✿ index *m,* curseur *m;* ⌐erausschlag déviation *f;* ⌐estock baguette *f*

zeihen accuser *(j-n e-r Sache* qn de qch)

Zeile ligne *f; (Häuser)* rangée *f; neue ~!* à la ligne!; ⌐nabstand interligne *m;* ⌐nabtastung balayage *m* de lignes, analyse *f* par lignes; ⌐nanfang alignement *m;* ⌐nschreiber enregistreur *m* sur lignes

Zeisig tarin *m*

Zeit *a.* ling temps *m; (~punkt)* moment *m,* heure *f,* date *f;* saison *f; (Dauer)* durée *f,* période *f; (Zeitalter)* époque *f,* âge *m,* siècle *m; ~ s-s Lebens* de son vivant; *auf ~* à terme; temporairement; *außer d. ~* hors de saison, mal à propos, à une heure indue; *für alle ~en* pour toujours; *mit der ~* à la longue, petit à petit; *um welche ~?* à quelle heure?, à quel moment?; *um dieselbe ~* à la même heure *(bzw.* époque); *von dieser ~ an* dès lors; *von ~ zu ~* de temps en temps *(od* à autre); *vor der ~* trop tôt, avant terme, prématurément; *vor langer (kurzer) ~* il y a longtemps (peu de temps); *zu allen ~en* de tous temps, en tout temps; *zu gegebener ~* en temps utile, au moment voulu; *zu jeder ~* à tout moment, à chaque instant; *zu Napoleons ~en* du temps de Napoléon; *zur ~* actuellement, pour le moment; *alles zu s-r ~* il y a temps pour tout; *es ist ~* c'est l'heure; *es ist an d. ~* , *zu...* c'est le moment de...; *es ist höchste ~* il est grand temps; *ich habe k-e ~ dazu* je n'en ai pas le temps; *d. hat ~ bis morgen* cela peut attendre jusqu'à demain; *laß dir ~!* prends ton temps!; *noch ~ genug haben* avoir du temps devant soi ♦ *du liebe ~!* grand Dieu!; *kommt ~ kommt Rat* la nuit porte conseil; ⌐abschnitt époque *f,* période *f;* ⌐abstand intervalle *m;* ⌐alter époque *f,* ère *f,* siècle *m;* ⌐angabe date *f;* indication *f* de la date *(ou* de l'heure); ⌐ansage ⌘ indication *f* de l'heure; ⌐arbeit travail *m* intérimaire *(ou* temporaire); ⌐arbeitskraft intérimaire *m;* ⌐aufnahme ▯ pose *f;* ⌐aufwand dépense *f* de temps; ⌐bedingt conditionné par les circonstances actuelles *(bzw.* de l'époque); ⌐bombe bombe *f* à retardement; ⌐dauer durée *f;* ⌐einteilung emploi *m* du temps; ⌐enfolge concordance *f* des temps; ⌐ersparnis économie *f* de temps; ⌐folge rythme *m;* ordre *m* chronologique, chronologie *f;* ⌐form ling temps *m;* ⌐geber minuterie *f; EDV* horloge *f,* générateur *m* de rythme; ⌐geist esprit *m* du siècle; ⌐gemäß de saison, opportun; moderne; ⌐genosse contemporain; ⌐genössisch contemporain; ⌐geschehen actualités *fpl;* ⌐geschichte histoire contemporaine; ⌐gewinn gain *m* de temps; ⌐ig à temps; de bonne heure; ⌐iger de meilleure heure; ⌐igen mûrir; faire mûrir, produire; ⌐karte carte *f* d'abonnement; ⌐kontrolle pointage *m;* ⌐lang:

e-e ~lang pendant quelque temps; ⌐lebens sa vie durant; pour la vie; ⌐lich temporel; ~lich begrenzt temporaire; *d. ~liche segnen* quitter ce bas monde; *aus ~lichen Gründen* pour cause de temps; ⌐los intemporel; ~lupe ralentisseur *m;* ~lupenaufnahme prise *f* de vue au ralenti; ⌐mangel: *aus ~mangel* faute de temps; ⌐maß mesure *f* de temps; *(Metrik)* quantité *f;* ♩ mesure *f;* ⌐meßanlage ⚓ installation *f* de chronométrage; ⌐messer chronomètre *m;* ⌐messung chronométrie *f;* ⌐nah de nos jours, actuel, d'une grande actualité; ⌐nehmer chronométreur; ⌐plan calendrier *m;* ⌐punkt date *f;* moment *m;* époque *f;* ⌐raffer accélérateur *m;* ⌐raubend qui exige beaucoup de temps; ⌐raum espace *m (od* laps *m)* de temps; ⌐rechnung chronologie *f; vor unserer ~rechnung* avant l'ère chrétienne; ⌐schalter minuterie *f;* ⚡ cycleur *m;* ⌐schrift revue *f,* périodique *m;* ⌐spanne durée *f;* intervalle *m;* ⌐umstände circonstances *fpl;* conjoncture *f;* ⌐verschwendung gaspillage *m* de temps; ⌐verlust perte *f* de temps; ⌐vertreib passe-temps *m,* amusement *m;* ⌐weilig temporaire; ⌐weise par moments, temporairement; ⌐wert valeur *f* résiduelle; valeur réelle *(ou* actuelle); ⌐wort verbe *m;* ⌐zeichen ⌘ signal *m* horaire; ⌐zone fuseau *m* horaire; ⌐zünder amorce *f* à retardement

Zeitung journal *m;* ⌐sanzeige annonce *f;* ⌐sartikel article *m* de journal; ⌐sausschnitt coupure *f* de presse; ⌐sbeilage supplément *m;* ⌐skiosk kiosque *m* à journaux; ⌐spapier papier *m* journal; ⌐sredakteur rédacteur *m;* ⌐sstand kiosque *m* à journaux; ⌐swesen journalisme *m*

Zelebr|ant *rel* officiant; ⌐ieren officier; *(Messe)* célébrer

Zell|e *(biol, Kloster, Gefängnis)* cellule *f; (Telefon)* cabine *f; pol* noyau *m,* groupement *m,* cellule; *(Gummi-)* cabanon *m; (Bienen)* alvéole *m; (Batterie)* élément *m;* ⌐enförmig cellulaire, alvéolaire; ⌐engewebe tissu *m* cellulaire; ⌐enkern nucléus *m,* noyau *m* cellulaire; ⌐ophan cellophane *f;* ⌐schicht couche *f* de cellules; ⌐stoff pâte *f* chimique; ⌐ulose cellulose *f;* ⌐loid celluloid *m;* ⌐wand membrane *f* cellulaire; ⌐watte ouate *f* de cellulose; ⌐wolle laine *f* cellulosique, fibranne *f*

Zelt tente *f; e. ~ aufschlagen (abbrechen)* dresser (lever) une tente; ⌐bahn toile *f* de tente; ⌐dach vélum *m;* ⌐en camper, faire du camping; ⌐en *su* camping *m;* ⌐lager camp *m* de tentes; ⌐platz terrain *m* de camping; ⌐stange mât *m* de tente

Zement ciment *m;* ⌐ieren cimenter

Zenit zénith *m*

zens|ieren censurer; *päd* donner une note à; ⌐or censeur; ⌐ur censure *f; päd* mention *f,* note *f*

Zentimeter(maß) centimètre *m*

Zentner demi-quintal *m;* cinquante kilos *mpl;* ⌐last *fig* pesant fardeau *m;* ⌐schwer très lourd, pesant

zentral central; ⌐bank banque *f* centrale; ⌐behörde administration *f;* ⌐e centrale *f;*